U0687354

教育部人文社会科学百所重点研究基地
内蒙古大学蒙古学研究中心学术著作系列
TOMUS 23

国家社科基金成果文库

SELECTED WORKS OF THE CHINA NATIONAL FUND FOR SOCIAL SCIENCES

内蒙古通史 第七卷

中华人民共和国时期的内蒙古自治区（一）

总 主 编　郝维民　齐木德道尔吉

本卷主编　郝维民

人民出版社

策划编辑:陈寒节
编辑统筹:侯俊智
责任编辑:陈寒节
装帧设计:肖　辉
责任校对:吴海平　史　伟

图书在版编目(CIP)数据

内蒙古通史.第七卷/郝维民 主编.
—北京:人民出版社,2011.12
ISBN 978-7-01-009408-3

Ⅰ.①内…　Ⅱ.①郝…　Ⅲ.①内蒙古-地方史-现代　Ⅳ.①K292.6

中国版本图书馆 CIP 数据核字(2010)第 214209 号

内蒙古通史(第七卷)
NEIMENGGU TONGSHI DIQIJUAN
中华人民共和国时期的内蒙古自治区
主编　郝维民

人民出版社 出版发行
(100706　北京市东城区隆福寺街 99 号)

北京中科印刷有限公司印刷　新华书店经销

2011 年 12 月第 1 版　2012 年 10 月北京第 2 次印刷
开本:710 毫米×1000 毫米 1/16　插页:17
印张:155.75　字数:2465 千字

ISBN 978-7-01-009408-3　定价:450.00 元(共四册)

邮购地址 100706　北京市东城区隆福寺街 99 号
人民东方图书销售中心　电话 (010)65250042　65289539

《国家社科基金成果文库》
出版说明

国家社科基金研究项目优秀成果代表国家社科研究的最高水平。为集中展示这些优秀成果，全国哲学社会科学规划领导小组决定编辑出版《国家社科基金成果文库》。《文库》将按照“高质量的成果、高水平的编辑、高标准的印刷”和“统一标识、统一版式、统一封面设计”的总体要求陆续出版。

全国哲学社会科学规划领导小组办公室

2005 年 6 月

1950 年，毛主席、朱德总司令接见全国少数民族参观团（通辽市档案馆提供）

1961 年，国家主席刘少奇视察大兴安岭林区（内蒙古博物馆提供）

1959 年，国务院总理周恩来为包钢一号高炉提前出铁剪彩（包头市档案馆提供）

1964 年，中共中央总书记邓小平视察白云鄂博铁矿（内蒙古博物馆提供）

绥远省人民政府旧址（1950 年）（内蒙古档案馆提供）

1950 年，内蒙古骑兵二师参加首都国庆阅兵（内蒙古博物馆提供）

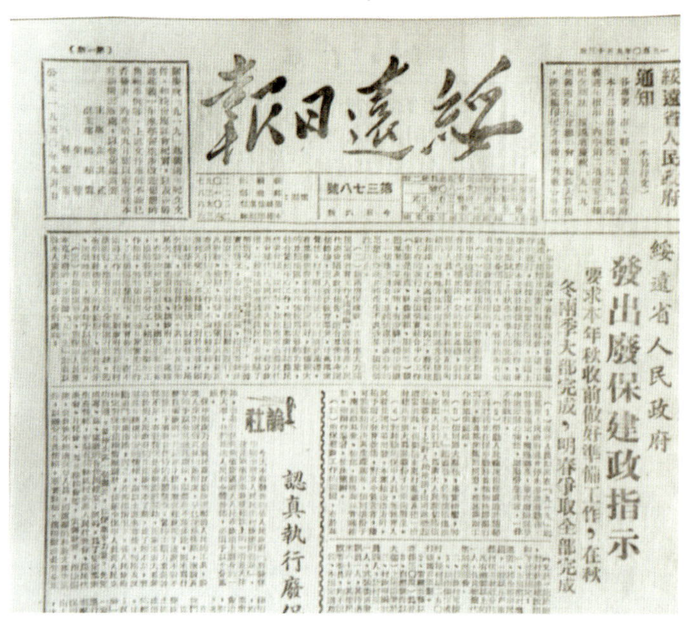

綏遠日報

第三七八號

綏遠省人民政府

發出廢保建政指示

要求本年秋收前做好準備工作，在秋冬兩季大部完成，明春爭取全部完成

社論

認真執行廢保

1950 年，绥远省人民政府《关于废保建政的指示》（内蒙古档案馆提供）

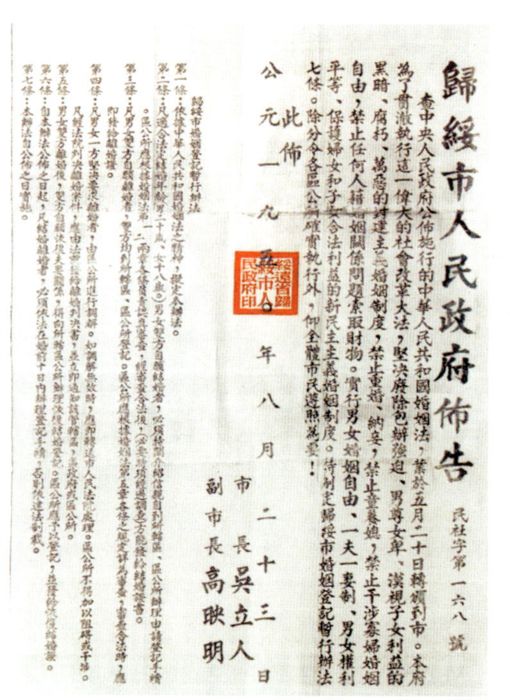

歸綏市人民政府佈告

民社字第一六八號

奉中央人民政府公佈施行的中華人民共和國婚姻法，業於五月二十日轉頒到市。本府為了貫澈執行這一偉大的社會改革大法，堅決廢除包辦強迫、男尊女卑、漠視子女利益的黑暗、腐朽、萬惡的封建主義婚姻制度，禁止重婚、納妾，禁止童養媳，禁止干涉寡婦婚姻自由，禁止任何人藉婚姻關係問題索取財物。實行男女婚姻自由、一夫一妻制、男女權利平等、保護婦女和子女合法利益的新民主主義婚姻制度。特制定歸綏市婚姻登記暫行辦法七條。除分令各區公所確實執行外，仰全體市民遵照為要！

此佈

公元一九五〇年八月二十三日

市長 吳立人

副市長 高映明

歸綏市婚姻登記暫行辦法

归绥市人民政府《婚姻登记办法》（呼和浩特市档案馆提供）

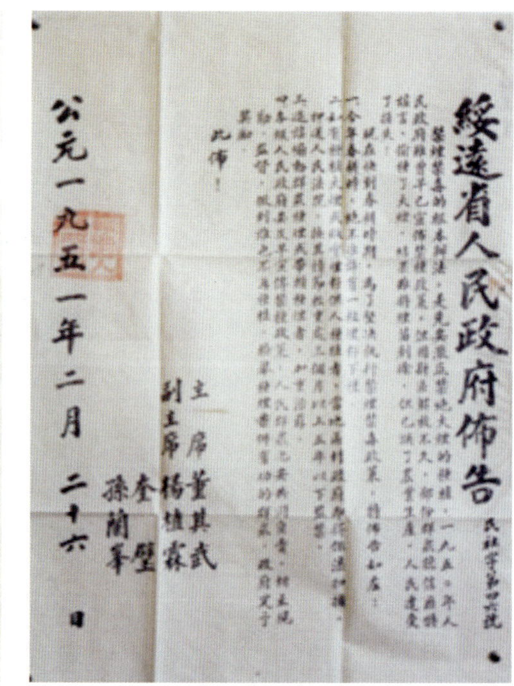

綏遠省人民政府佈告

此佈！

主席 董其武

副主席 楊植霖 奎璧 孫蘭峰

公元一九五一年二月二十六日

1951 年绥远省人民政府禁烟布告（内蒙古档案馆提供）

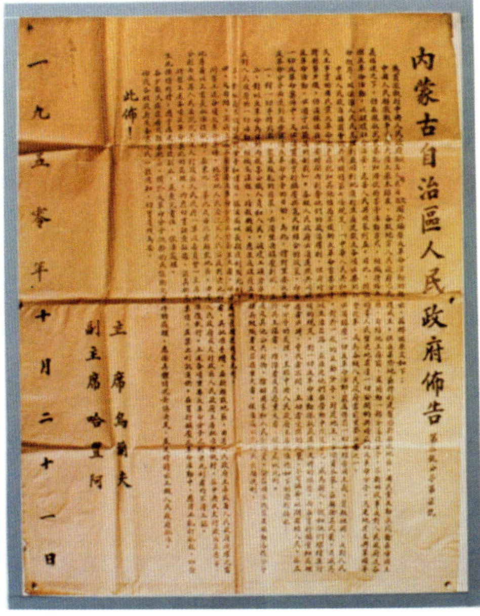

内蒙古自治區人民政府佈告

此佈！

主席 烏蘭夫
副主席 哈豐阿

一九五零年十月二十一日

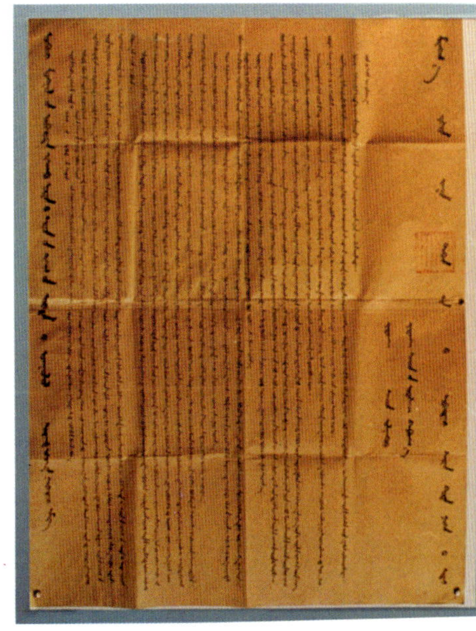

1950 年 10 月 21 日，内蒙古自治区人民政府发布《镇压反革命活动的布告》（内蒙古档案馆提供）

和林格尔县人民法院宣判反革命罪犯会场

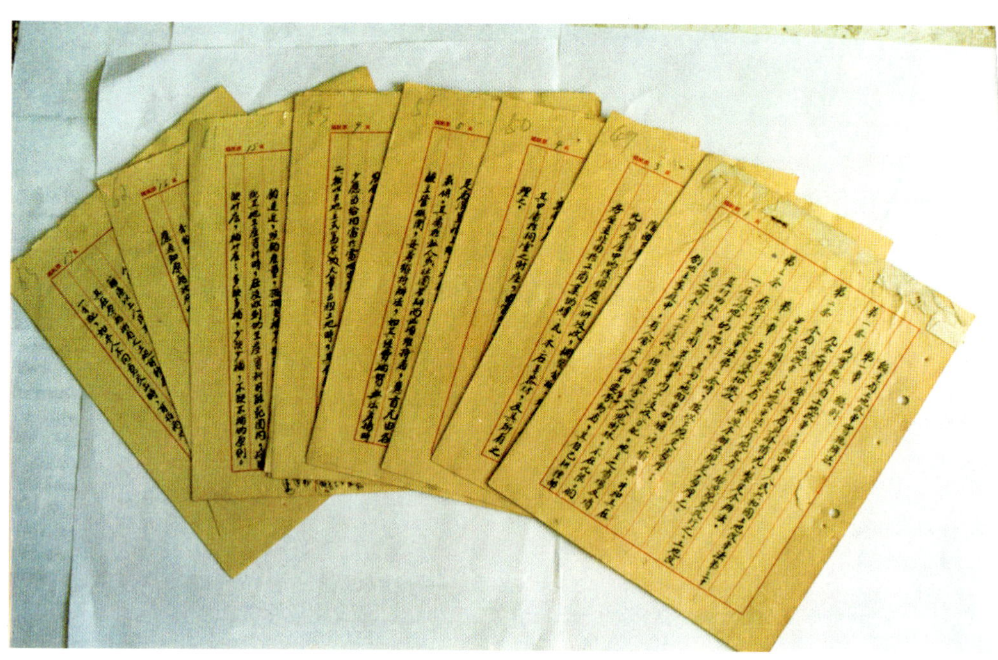

绥远省土地改革实施办法（内蒙古档案馆提供）

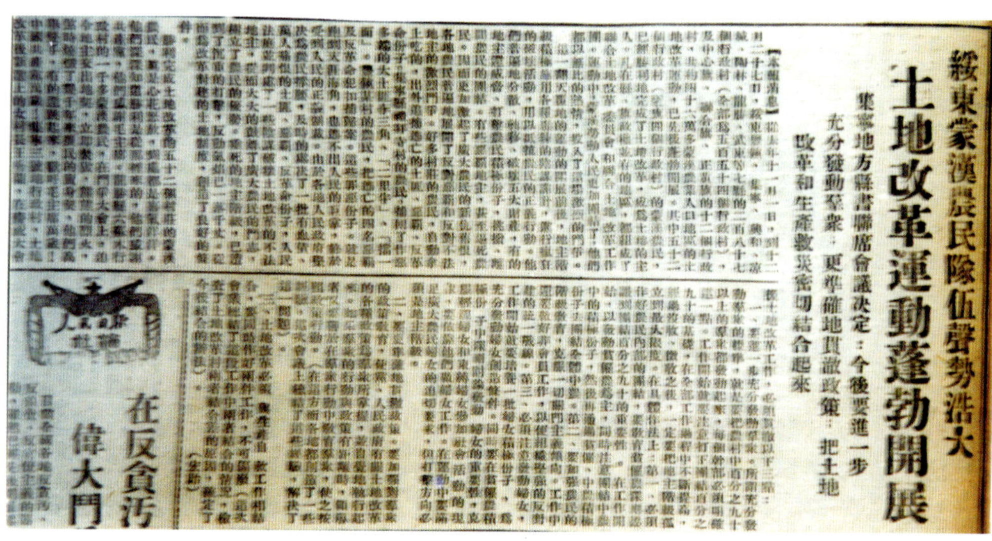

綏東蒙漢農民隊伍聲勢浩大

土地改革運動蓬勃開展

集寧地方縣書聯席會議決定：今後要進一步充分發動羣衆，更準確地貫徹政策，把土地改革和生產救災密切結合起來

在反貪污
偉大鬥

绥东土地改革的报道（内蒙古档案馆提供）

欢迎中国人民志愿军归国代表留影（1951 年 5 月）（内蒙古博物馆提供）

1950 年，归绥市举行抗美援朝游行（内蒙古博物馆提供）

内蒙古党委第一书记乌兰夫、书记处书记奎璧向锡盟牧民了解牧区社会主义改造情况（乌兰夫纪念馆提供）

废除封建特权，牧民自由放牧

1954 年，绥远省第一届第三次各界人民代表会议通过了关于“蒙绥合并”的决议

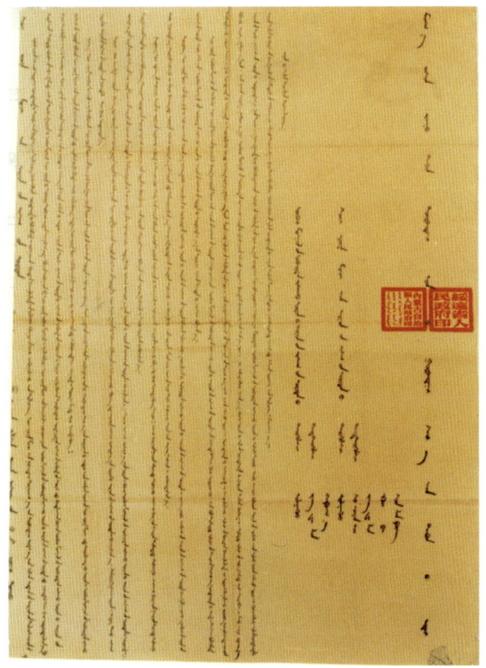

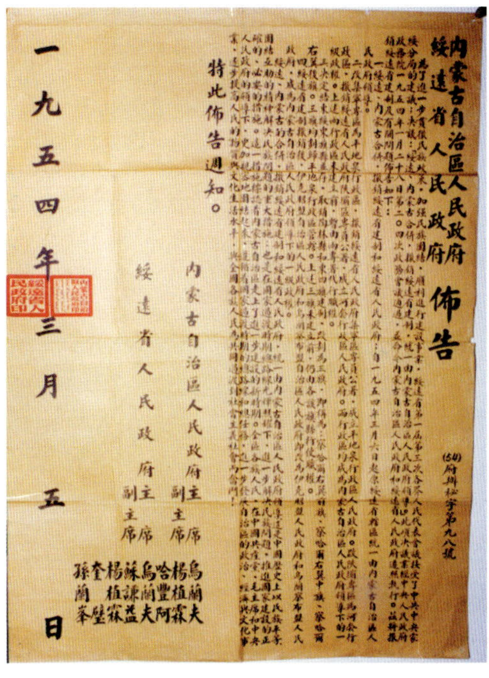

内蒙古自治區人民政府
綏遠省人民政府
佈告

(54)府辦秘字第九八號

特此佈告週知。

內蒙古自治區人民政府主席 烏蘭夫
副主席 楊植霖
哈豐阿
綏遠省人民政府主席 烏蘭夫
副主席 蘇謙益
楊植霖
奎璧
孫蘭峰

一九五四年三月五日

内蒙古自治区人民政府、绥远省人民政府关于“蒙绥合并”的布告（内蒙古档案馆提供）

呼和浩特市棉布业实现公私合营的报喜队（内蒙古博物馆提供）

包头市郊区实现农业合作化后的农民报喜大队（内蒙古博物馆提供）

1957年，李先念副总理在庆祝内蒙古自治区成立10周年大会上讲话

1957年，庆祝内蒙古自治区成立10周年大会主席台

社论

我国少数民族实行区域自治的良好榜样

1957年4月30日，《人民日报》发表社论，庆祝内蒙古自治区成立10周年

共产党的民族政策在内蒙古的光辉胜利

自治区成立后建成八百多座工厂

包头、呼和浩特、海拉尔、集宁正在被建設成为工業城市

庆祝匈牙利解放十二周年

匈牙利駐华大使館举行盛大酒会

节省資金加快冶金工業發展

我国大力建設中小型冶

全国

今年將

解放軍

《内蒙古日报》报道：自治区成立10周年建成八百多座工厂

鄂伦春自治旗成立大会会场（1951 年）（内蒙古博物馆提供）

鄂温克族自治旗成立大会会场（1958 年）（内蒙古博物馆提供）

莫力达瓦达斡尔族自治旗第一届人民代表大会第一次会议（1958 年）（内蒙古博物馆提供）

呼伦贝尔盟诺敏牧区人民公社成立大会

内蒙古党委第一书记乌兰夫，书记处书记苏谦益、奎璧、杨植霖参加呼和浩特市乌素图水库工地劳动（内蒙古博物馆提供）

包头市郊区农村宣传社会主义建设总路线

2002 年，原天津知青来到张勇烈士墓进行祭奠

北京知青的“第二故乡”纪念石（位于锡林浩特市南 13.5 公里处）

全区科学技术大会（选自内蒙古画报社:《内蒙古 1947—2007》，内蒙古人民出版社，2007 年 7 月第一版）

建设中的国家“211”工程内蒙古大学

乡镇经管干部指导集体经济组织与农户签订土地承包合同

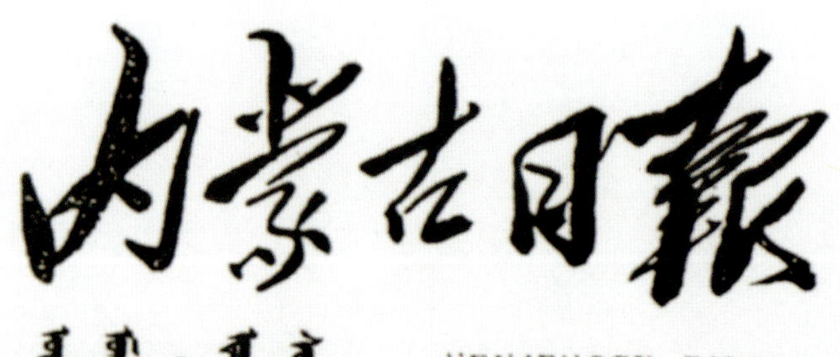

内蒙古日報

NEIMENGGU RIBAO

1981年9月
3
星期四
辛酉年八月初
第11833号
呼市地区天气预报
晴间多云 有小阵雨
三四级偏南风转四五级西北风
最高 20度
最低 15度

包干到户堂堂正正坐上了“正席”

五原县今年包干到户的农户达百分之九十九，全县小麦增产三成，出现了一批小麦产量翻一番、两番乃至三番的生产队和万斤户，许多农户以小麦一项完成了全年包购任务，穷队富了，富队更富了

1981 年 9 月《内蒙古日报》报道：五原县较早在内蒙古推行联产承包责任制

呼伦贝尔草原

牧民的勒勒车（选自内蒙古画报社:《内蒙古 1947—2007》，内蒙古人民出版社，2007 年 7 月第一版）

大兴安岭原始森林（选自内蒙古画报社:《内蒙古 1947—2007》，内蒙古人民出版社，2007 年 7 月第一版）

牧民围栏圈养牲畜

内蒙古森工集团生产车间

内蒙古赤峰市植树造林美景

农业机械化（选自内蒙古画报社:《内蒙古 1947—2007》，内蒙古人民出版社，2007 年 7 月第一版）

内蒙古三盛公黄河水利枢纽工程（选自内蒙古画报社:《内蒙古 1947—2007》，内蒙古人民出版社，2007 年 7 月第一版）

全国重要的商品粮基地通辽市（通辽市档案局提供）

内蒙古辉腾席勒风力发电场（选自内蒙古画报社:《内蒙古 1947—2007》，内蒙古人民出版社，2007 年 7 月第一版）

内蒙古马家塔露天煤矿（选自内蒙古画报社:《内蒙古 1947—2007》，内蒙古人民出版社，2007 年 7 月第一版）

满洲里边境口岸（选自内蒙古画报社:《内蒙古 1947—2007》，内蒙古人民出版社，2007 年 7 月第一版）

包钢生产的百米重轨（选自内蒙古画报社:《内蒙古 1947—2007》，内蒙古人民出版社，2007 年 7 月第一版）

内蒙古北方重型汽车制造公司制造的汽车（选自内蒙古画报社:《内蒙古 1947—2007》，内蒙古人民出版社，2007 年 7 月第一版）

1995 年 12 月，中共中央政治局委员、国务院副总理吴邦国为集通铁路通车剪彩

内蒙古自治区成立 50 周年大会会场

1955 年建成的成吉思汗新陵园（选自内蒙古画报社:《内蒙古 1947—2007》，内蒙古人民出版社，2007 年 7 月第一版）

内蒙古赛马场举行的全区那达慕大会（选自内蒙古画报社:《内蒙古 1947—2007》，内蒙古人民出版社，2007 年 7 月第一版）

蒙古族民俗——祭苏勒德（选自内蒙古画报社:《内蒙古 1947—2007》，内蒙古人民出版社，2007 年 7 月第一版）

蒙古族民俗——祭敖包（选自内蒙古画报社:《内蒙古 1947—2007》，内蒙古人民出版社，2007 年 7 月第一版）

民族体育——摔跤（选自内蒙古画报社:《内蒙古 1947—2007》，内蒙古人民出版社，2007 年 7 月第一版）

民族体育——赛马（选自内蒙古画报社:《内蒙古 1947—2007》，内蒙古人民出版社，2007 年 7 月第一版）

民族体育——射箭（选自内蒙古画报社:《内蒙古 1947—2007》，内蒙古人民出版社，2007 年 7 月第一版）

乌兰牧骑为牧民演出

蒙古民族非物质文化遗产——乌力格尔（选自内蒙古画报社:《内蒙古 1947—2007》，内蒙古人民出版社，2007 年 7 月第一版）

达斡尔族（选自内蒙古画报社:《内蒙古 1947—2007》，内蒙古人民出版社，2007 年 7 月第一版）

鄂温克族（选自内蒙古画报社:《内蒙古 1947—2007》，内蒙古人民出版社，2007 年 7 月第一版）

鄂伦春族（选自内蒙古画报社:《内蒙古 1947—2007》，内蒙古人民出版社，2007 年 7 月第一版）

回族（选自内蒙古画报社:《内蒙古 1947—2007》，内蒙古人民出版社，2007 年 7 月第一版）

满族（选自内蒙古画报社:《内蒙古 1947—2007》，内蒙古人民出版社，2007 年 7 月第一版）

朝鲜族（选自内蒙古画报社:《内蒙古 1947—2007》，内蒙古人民出版社，2007 年 7 月第一版）

俄罗斯族（选自内蒙古画报社:《内蒙古 1947—2007》，内蒙古人民出版社，2007 年 7 月第一版）

题　记

一、本卷主旨

本卷写的是1949年10月中华人民共和国成立到2000年12月，20世纪后半期内蒙古自治区的历史。

内蒙古自治区这50年的历史，与以往内蒙古任何一个时期的历史有本质的不同。蒙汉各民族在中国共产党的领导下，基本完成了民族解放、民主革命以及从新民主主义向社会主义社会的过渡。经过恢复国民经济、基本完成社会主义改造、开始全面建设社会主义的近17年历程之后，不幸陷入“文化大革命”10年浩劫的旋涡。然而，有幸又跨进了社会主义现代化建设新的历史时期。50年来，内蒙古的社会制度发生了根本的变革，经济长足发展，文化空前繁荣，人民生活逐步提高，各民族的团结日益巩固，社会安定，民族区域自治制度逐步发展、完善，创造了建设社会主义的丰富经验。同时也经历过“左”倾错误导致的失误和曲折，特别是“文化大革命”的灾难，其教训是深刻而沉痛的。不管是成就与经验，还是挫折和教训，如果能够实事求是地总结借鉴，都是一笔不可多得的社会财富。前事不忘，后事之师。

在研究这段历史的过程中，我们常常为内蒙古自治区天翻地覆的历史性巨变所感动和鼓舞，也对曾经出现过的挫折和失误感到惋惜和沉痛。不管是感动和鼓舞，还是惋惜和沉痛，都已经过去了，重要的是总结。本卷就是想以此为出发点，试着做点研究。

二、本卷编著者介绍

郝维民（蒙古名敖腾毕力格，Otkhonbilig） 蒙古族。1934 年 2 月生，内蒙古杭锦旗人。内蒙古大学蒙古学学院教授。1958 年开始从事内蒙古地区党史、革命史、近现代史、内蒙古地区史、近现代蒙古族历史以及民族理论、政策的研究与教学工作。曾任内蒙古大学蒙古史研究室副主任、内蒙古近现代史研究所所长等职；兼任中国蒙古史学会理事和秘书长、内蒙古自治区中共党史学会副理事长、内蒙古国史学会副会长、内蒙古延安精神研究会副会长。

主持国家社科基金项目 4 项、内蒙古自治区社科规划项目 2 项、教育部人文社会科学研究基地重大项目 1 项，参加教育部重大攻关项目子课题 1 项；主编学术专著 10 部，参编、主持学术专著 2 部；发表学术论文和文章 70 余篇。获首届国家社会科学基金项目优秀成果二等奖 1 项、内蒙古自治区第二届哲学社会科学优秀成果政府奖二等奖 1 项、内蒙古自治区哲学社会科学优秀成果一等奖 2 项，内蒙古自治区社会科学规划项目优秀成果一等奖 1 项，国家民委社会科学研究成果二等奖 1 项，中国社会科学院优秀成果奖 1 项，全国中共党史研究优秀成果二等奖 1 项，内蒙古自治区“五个一工程”奖 4 项，内蒙古自治区优秀图书奖 2 项。

《内蒙古通史》项目主持人、主编；本卷主编；撰写：

第一编　史料与研究概况　第一章　史料概况　第二章　研究概况

第二编　概述　第三章　内蒙古解放初期的形势与任务　第四章　绥远新区社会变革和恢复国民经济　第五章　内蒙古自治区的社会经济发展　第六章　内蒙古统一的民族区域自治的实现　第七章　第一个五年计划与社会主义改造　第八章　社会经济曲折发展的十年　第九章　“文化大革命”中的内蒙古　第十章　拨乱反正开启新时期　第十一章　新时期的政治建设与社会治理　第十二章　经济发展社会巨变

第四编　人物　撰写乌兰夫等 36 篇人物传略

甘旭岚 女，蒙古族。1956 年 2 月生，原籍辽宁省阜新蒙古族自治县。

内蒙古大学蒙古学学院内蒙古近现代史研究所副研究员。1978 年 7 月中央民族学院历史系毕业，先后在内蒙古社会科学院历史研究所、内蒙古大学从事研究工作。

主要研究内蒙古近现代史，参编《大青山抗日斗争史》《内蒙古自治区史》《内蒙古革命史》《内蒙古民族团结史》《内蒙古通史纲要》；《内蒙古自治区志·政府志》特约编辑、撰稿。参加教育部哲学社会科学重大攻关项目子课题《内蒙古自治区民族关系和宗教问题研究》的调研与撰写；参加国家社科基金项目《蒙古学百科全书·近现代史卷》编撰。发表论文数篇。获首届国家社会科学基金项目优秀成果二等奖 1 项、内蒙古自治区哲学社会科学优秀成果一等奖 1 项、内蒙古自治区社会科学规划项目优秀成果一等奖 1 项、中共中央宣传部和内蒙古自治区“五个一工程”奖各 1 项、内蒙古自治区第二届哲学社会科学优秀成果政府奖二等奖 1 项。

本卷副主编；撰写：

第三编　专题　第十三章　行政建制与党政军机构　第十四章　民族与宗教　第十五章　民主党派与人民团体

第四编　人物　撰写哈丰阿等 13 篇人物传略

与庆格勒图共同查阅复制内蒙古自治区人民政府档案、内蒙古自治区档案馆历史档案和《内蒙古自治政府公报》《内蒙政报》《内蒙古政报》《绥远行政周报》等资料上万件、近千万字，为撰写本卷提供了第一手原始档案资料，并为学科资料建设作出了突出的贡献。

庆格勒图（Chinggeltu）　蒙古族。1956 年 9 月生。内蒙古大学内蒙古近现代史研究所副研究员。1984 年 7 月北京大学历史系毕业后，在内蒙古大学教务处工作，1986 年 6 月调入内蒙古大学内蒙古近现代史研究所从事研究工作。

主要研究内蒙古近现代史。参编《内蒙古自治区史》《内蒙古民族团结史》《百年风云内蒙古》《内蒙古通史纲要》等；参加国家社科基金项目《蒙古学百科全书·近现代史卷》编撰；参加教育部哲学社会科学重大攻关项目子课题《内蒙古自治区民族关系和宗教问题研究》调研与撰写。发表学术论文二十多篇。获中宣部和内蒙古自治区“五个一工程”奖各 1 项、内蒙古自治区第二届哲学社会科学优秀成果政府奖二等奖 1 项。

本卷副主编；撰写：

第三编 专题 第十六章 经济 第十八章 文化 第八节 新闻事业

第四编 人物 撰写尤太忠等 12 篇人物传略

与甘旭岚共同查阅复制内蒙古自治区人民政府档案、内蒙古自治区档案馆历史档案和《内蒙古自治政府公报》《内蒙政报》《内蒙古政报》《绥远行政周报》等资料上万件、近千万字，为撰写本卷提供了第一手原始档案资料，并为学科资料建设做出了突出的贡献。

斯林格（Selengge） 蒙古族。内蒙古社会科学院历史研究所副所长，副研究员。主要研究蒙古近现代历史文化，参编国家社科青年课题《蒙古国的宗教现状及其对我国的影响》和国家民委课题《中国周边国家民族状况与民族政策研究》等。

本卷撰写：

第三编 专题 第二十章 科学技术事业

第四编 人物 撰写留金锁等 2 篇人物传略

由于本卷研究的深入，内容拓展，篇幅增大，逐步邀请 18 位教育、文化、出版、图书、文物、卫生、体育、档案等方面的专家、学者和行政管理工作者，参加第三编专题中相关章节和第四编人物的编撰工作，成为完成本卷编写的重要力量，在此表示敬意。他们是：

郑慧淑 女，朝鲜族。内蒙古师范大学学报教育科学版副主编、副编审。参编《内蒙古自治区志·教育志》《内蒙古师范大学志》等；刘成法曾任内蒙古师范大学历史系副主任、副教授，《内蒙古师范大学学报》教育科学版主编、编审，《内蒙古自治区志·教育志》常务副主编、《内蒙古师范大学志》主纂。

本卷合作撰写：

第三编 专题 第十七章 教育 第一节 基础教育

朱成德 内蒙古教育厅高教处原处长、内蒙古电大原副校长、《内蒙古自治区志·教育志》副主编。

本卷撰写：

第三编　专题　第十七章　教育　第二节　高等教育

乌兰图克（Ulantugh）　蒙古族。内蒙古自治区教育厅原民族教育处处长。主编、参编有关内蒙古民族教育史志著述《内蒙古民族教育概况》《民族教育文集》《民族教育发展战略概论》《蒙古学百科全书·教育卷》《内蒙古自治区志·教育志》民族教育篇等；发表相关论文四十余篇。

本卷撰写：

第三编　专题　第十七章　教育　第三节　民族教育

冯惠昌　内蒙古师范大学教育科学院教授。参编《内蒙古自治区志·教育志》师范教育篇等。

本卷撰写：

第三编　专题　第十七章　教育　第四节　师范教育

王远峰　内蒙古财经学院高等教育研究室副编审。编撰《内蒙古自治区志·教育志》成人教育篇。

本卷撰写：

第三编　专题　第十七章　教育　第五节　成人教育

王润拽　内蒙古教育厅职业教育与成人教育处处长，《内蒙古自治区志·教育志》职业教育篇执笔；张明奎，呼和浩特市土默特左旗教育局成人教育办公室主任，高级教师。

本卷合作撰写：

第三编　专题　第十七章　教育　第六节　职业教育

刘新和　内蒙古艺术研究所研究员，一级艺术评论，编审。《内蒙古艺术》副主编兼编辑部主任。参加、主持中国戏曲、戏曲音乐、曲艺、民间器乐曲、音乐文物大系等国家课题志书、集成《内蒙古卷》编辑。发表学术论文、文章一百余篇。

本卷撰写：

第三编 专题 第十八章 文化 第一节 概述 第二节 民族文化 第三节 群众文化 第四节 公益文化

乌林西拉（Urinhira） 蒙古族。内蒙古大学图书馆原馆长，研究馆员。主持编辑《中国蒙古文图书综录》（1947—1986），《中国蒙古文古籍总目》《蒙古文甘珠尔·丹珠尔目录》《内蒙古大学蒙古学书目》等；编著《内蒙古图书馆事业史》；发表学术论文四十余篇。

本卷撰写：

第三编 专题 第十八章 文化 第五节 图书馆事业

张文平 介绍见本通史第二卷题记。

本卷撰写：

第三编 专题 第十八章 文化 第六节 文物工作

王松年 远方出版社编辑部主任、副编审；主纂《内蒙古自治区志·出版志》。

本卷撰写：

第三编 专题 第十八章 文化 第七节 出版事业

邢 野 介绍见本通史第五卷题记。

本卷撰写：

第三编 专题 第十九章 艺术

莎茹拉（Saruul） 女，达斡尔族。内蒙古自治区医院党委副书记，编审。北京工商大学研究生毕业。《内蒙古自治区医院志》副主纂、《内蒙古自治区志·卫生志》编辑、撰稿人；郑泽民《内蒙古自治区志·卫生志》主编，参加“医疗卫生”专题的部分撰写工作。

本卷撰写：

第三编　专题　第二十一章　医疗卫生

胡　戈　内蒙古党校体育教师，副教授。

本卷撰写：

第三编　专题　第二十二章　体育

钱占元　内蒙古档案馆研究馆员。从事内蒙古地区中共党史、内蒙古地方史志研究。主编内蒙古自治区党史、革命史档案文献等多部，参编《百年风云内蒙古》（副主编）、《呼和浩特革命史》《蒙古学百科全书·近现代史卷》（副主编）。发表史论文章一百多篇。

本卷撰写：

第三编　专题　第二十三章　知识青年上山下乡

第四编　人物　撰写王再天等62篇人物传略

甘峰岭　女，蒙古族。内蒙古自治区档案馆副研究馆员。编辑《内蒙古自治区成立60年感动草原60人》《内蒙古档案馆名人档案展览》等。

本卷与钱占元合写：

杨维等26篇人物传略

参加本卷编写者22人，其中有高级职称的17位。

郝维民

2009年12月

目　　录

一　册

二　册

第三编 专 题

三 册

四 册

第四编　人　物

A General History of Inner Mongolia

Volume VII

The Inner Mongolia Autonomous Region Under People's Republic of China

CONTENTS

PART I

PART Ⅱ

Division III Subject Studies

PART Ⅲ

PART Ⅳ

Division IV Important Figures

(English Translation by Baohua and Nasan Bayar, Revision by Irene Bain)

第一编

史料与研究概况

第　一　章

史料概况

在叙述内蒙古当代历史之前，首先介绍史料，说明撰写这段历史的史料根据，以便读者判断本卷的史料依据是否充分，史实是否准确，评说是否科学。当然，当代内蒙古历史的史料虽说不上浩如烟海，但比起之前历史的史料还是丰富得多。撰写这段历史，没有把史料用尽的可能，一方面是本卷内容的局限，另一方面是我们的能力所限。只求掌握反映这段历史的基本史料，力求对历史的主体进行客观、准确、公正的叙述，难求面面俱到。这里介绍的历史资料，也就是我们使用的基本史料。

第一节　主要历史档案

一、内蒙古自治区各级档案馆馆藏历史档案

内蒙古现代史档案是非常丰富的。1949 年 10 月至 2000 年内蒙古现代历史档案，在内蒙古自治区档案馆典藏计 239 个全宗、274 969 卷，包括内蒙古自治区党政机关及群众团体 68 个部门的档案，绥远省党政机关及群众团体 23 个部门的档案，内蒙古东部区党政机关及群众团体 54 个部门的档案以及专门档案、声像档案等。在呼和浩特市档案馆典藏 108 个全宗、78 203 卷，包头市档案馆典藏 108 个全宗、133 771 卷，乌海市档案馆典藏 17 个全宗、4 475 卷，赤峰市档案馆典藏 119 个全宗、107 687 卷，通辽市档案馆典

藏 85 个全宗、77 980 卷，鄂尔多斯市档案馆典藏 124 个全宗、61 567 卷，呼伦贝尔市档案馆典藏 85 个全宗、17 686 卷，兴安盟档案馆典藏 62 个全宗、13 360 卷，锡林郭勒盟档案馆典藏 115 个全宗、50 331卷，乌兰察布盟档案馆典藏 139 个全宗、48 000 卷，巴彦淖尔盟档案馆典藏 140 个全宗，阿拉善盟档案馆典藏64 个全宗、12 531 卷。各盟市档案馆典藏档案合计 1 166 个全宗、605 591 卷（缺巴彦淖尔盟卷数）。另外，还有各旗、县、市、区档案馆 101 个和专业、部门、企业档案馆 20 个，也藏有数量很大的现代历史档案。这些档案，从不同层面、不同地区反映了内蒙古自治区从 1949 年到 2000 年期间，各个历史阶段经济建设和社会发展的基本情况，是研究内蒙古自治区现代历史的基本史料。

从研究历史的角度来说，还没有得到充分的利用，特别是内蒙古自治区历史的研究，还没有更深入更广泛地利用这些珍藏的历史档案文献。《内蒙古通史》第七卷的编写工作主要利用已经公布的重要档案（包括内部编印的档案史料），同时在内蒙古自治区档案馆的大力支持下，利用了一部分未公布的历史档案史料。但是，由于客观和主观的种种原因，还谈不上充分利用。

二、公布或公开的历史档案资料

内蒙古自治区的历史档案史料，通过各种形式公开出版或内部刊印的已有数十种，而且都是主要历史文献，是反映历史主体内容的档案资料。

《乌兰夫文选》（上下册）

1999 年由中央文献出版社出版，收入了 1945 年 11 月至 1988 年 5 月乌兰夫的 106 篇报告、讲话、文章等文稿。这是全面反映内蒙古自治区历史的最具权威性的历史文献，对内蒙古自治区的民主革命和社会主义革命、社会主义建设，特别是对解决民族问题，实行党的民族政策和民族区域自治，对内蒙古自治区社会民主改革和社会主义改造，对党的建设、统一战线政策等一系列重大问题，以马列主义、毛泽东思想为指导，按照中央的路线、方针、政策，结合内蒙古的民族特点、地区特点，进行了创造性的阐述，并记录了实践和不断总结、发展的过程。这是研究当代内蒙古自治区历史的重要依据。

《乌兰夫论牧区工作》

1990年由内蒙古人民出版社出版，收入了1948年7月至1965年6月乌兰夫关于牧区工作的27篇报告、讲话和文章，以及在他主持下制定的文件3篇，对牧区的民主改革、社会主义改造、人民公社、牧区建设等重大问题，进行了独特的阐述。这是研究内蒙古牧区问题的重要文献。

《乌兰夫论民族工作》

乌兰夫研究会编，1997年由中共党史出版社出版，收入了1945年11月至1987年9月，乌兰夫关于民族工作及与民族工作相关的报告、讲话和文章47篇，系统阐述了中国共产党的民族政策和民族区域自治制度，阐述了内蒙古的民族问题、民族关系、民族特点和地区特点，阐述了在内蒙古创造性地执行党的民族政策，推行民族区域自治及与民族问题相关的一系列具体政策，总结了每一个时期民族工作的经验乃至教训。这是研究内蒙古民族问题和民族工作的必读文献。

《学习》杂志

内蒙古党委学习委员会编印的党刊，汉文版1948年12月至1951年4月，1952年10月至1966年8月，共出刊429期，另有1958年至1963年增刊56期；蒙文版1954年4月至1966年3月，共出刊174期。主要刊登中央、内蒙古党委的有关方针、政策、指示、决定、批示、工作报告和总结、调查材料、重要通知和领导人的报告、讲话。20世纪90年代前后，我们编写《内蒙古自治区史》时，内蒙古自治区档案馆曾提供利用《学习》刊物，那时复印了767件重要文件。这是研究内蒙古现代史的重要的基本文献。

《内蒙古自治区历次党代会文献汇编》

内蒙古党委办公厅常委会办公室编，主编任亚平，副主编王志城，内新图准字【2001】第74号。对1956年7月中共内蒙古自治区第一次代表大会至1994年12月中共内蒙古自治区第六次代表大会的历次代表大会作了简介，收入了每次代表大会的工作报告、中共内蒙古自治区委员会每届成员名单及领导人变动情况。

《五十年历程》

内蒙古自治区人大常委会办公厅编印，是内蒙古自治区历史的重要档案文献，收入了1954年至2004年内蒙古自治区人大常委会、自治区历届人民代表大会历次会议上自治区政府工作报告41篇；自治区人大常委会工作报告24篇；关于人大工作的重要讲话172篇；自治区人民代表大会及其常务委员会制定的关于人大工作的地方性法规55件；重要文件，包括综合、立法、监督、自身建设等方面文件96件；自治区人民代表大会及其常务委员会会议议程，大事记，附录等。这些历史文献反映了内蒙古自治区历史发展的轨迹，并对自治区史进行了阶段性的总结，是自治区法制建设、依法治区的重要文献，是研究内蒙古自治区历史的主要依据。

《内蒙古自治区党委政府文件数据库》（1996—2004）

内蒙古自治区档案馆编，收入了内蒙古党委、自治区政府1996年至2004年形成的已经公开的重要决定、决议、规定、意见、办法、报告、讲话等现行文件三千五百余件，计七百多万字。2005年11月陕西电子音像出版社出版。这是研究世纪交替之际内蒙古自治区历史的主要依据，是珍贵的历史文献。

《内蒙古畜牧业文献资料选编》

内蒙古党委政策研究室、内蒙古自治区农业委员会合编的1947年至1987年期间，内蒙古畜牧业方面的重要历史文献，共10卷，包括中华人民共和国成立以来中共中央、国务院、国家有关部、委、办指导合作经济和畜牧业的文件；党和国家领导人、部门领导人的讲话、文稿；内蒙古自治区成立以来，内蒙古党委、政府及有关部、委、办、厅、局指导畜牧业的文件和资料；自治区党政领导及部、委、办、厅、局领导在全区性会议上的讲话、总结、报告；党刊、党报社论等和专家、学者重要学术论文。

《“三不两利”与“稳宽长”——文献与史料》

内蒙古政协文史资料委员会于2006年编辑出版，是内蒙古牧区民主改革和社会主义改造的专题档案史料，上编收入乌兰夫的27篇报告、讲话、文章，下编主要是中央、内蒙古党委对牧区民主改革和社会主义改造的方针、政策、决定、指示、工作总结等文件以及领导人的讲话，计25件档案史料。

《中国第一个民族自治区诞生档案史料选编》

内蒙古自治区档案馆编，收入了1947年3月至1957年5月期间98份文件，其中包括中共中央、中共中央东北局、中国共产党内蒙古工作委员会、内蒙古自治运动联合会、内蒙古人民代表会议、内蒙古自治政府，关于绥远、阿拉善旗、额济纳旗和平解放和成立鄂伦春和鄂温克等民族自治旗及民族乡；关于绥远省划归内蒙古自治区、内蒙古自治区成立10周年庆祝活动、内蒙古自治区文教卫生工作等方面的文件，乌兰夫等领导人的讲话，《内蒙自治报》《人民日报》等报纸的社论、报道，反映了内蒙古自治区成立和实现统一的民族区域自治的基本内容。

《绥远“九一九”和平起义档案史料选编》

内蒙古自治区档案馆编，1986年内蒙古人民出版社出版。第一篇《绥远“九一九”和平起义概述》文章，以下是档案部分，收入了绥远和平起义档案史料45件，包括毛泽东、朱德及聂荣臻、薄一波、高克林、傅作义、董其武等领导人的电文，中共中央华北局、中共绥蒙区委员会、中共绥远省委、绥远军政委员会关于绥远和平起义的各种文件；资料部分收入《人民日报》《绥蒙日报》《绥远日报》发表的有关绥远和平解放的布告、消息及绥远领导人的讲话等27篇；附录收入纪念文章3篇。

《绥远和平解放》

中共内蒙古自治区委员会党史资料征集委员会办公室编，1998年中共党史出版社出版，收入历史档案99件和《人民日报》《绥远日报》发表的历史文件和领导人讲话43件，反映了绥远和平解放和起义部队解放军化、地区解放区化的历史。

《六十年代国民经济调整·内蒙古卷》

中共内蒙古自治区委员会党史研究室编，2001年由中共党史出版社出版，收入了1960年至1964年期间的历史档案文件或文件节录52件。这是调整由于“大跃进”、人民公社化运动造成内蒙古经济的失衡，度过三年经济困难时期而形成的一批重要文献，是叙述这一段历史的主要依据。

《内蒙古自治区各级各类档案馆概览》

本概览编辑委员会编，李晓峰主编，2003年内蒙古人民出版社出版。全书介绍了内蒙古自治区档案馆和呼和浩特市、包头市、乌海市、赤峰市、通辽市、鄂尔多斯市、呼伦贝尔市、兴安盟、锡林郭勒盟、乌兰察布盟、巴彦淖尔盟、阿拉善盟的12个档案馆，各盟、市所属旗、县、区的101个档案馆，以及各专业、部门、企业的20个档案馆，总计134个档案馆珍藏的各类历史档案全宗和卷数、各种报刊和图书等资料，其中内蒙古自治区档案占绝大多数。

《内蒙古自治区档案馆指南》

内蒙古自治区档案馆编，1990 年内蒙古人民出版社出版。全书分 5 章，第一章内蒙古自治区档案馆概况；第二章清朝时期盟旗档案；第三章民国档案；第四章革命历史档案；第五章中华人民共和国成立后档案；第六章馆藏资料介绍。其中后 3 章与本书第七卷内容相关。特别是第五章中华人民共和国成立后档案，有内蒙古自治区党政机关及群众团体档案，绥远省党政机关及群众团体档案，内蒙古东部区党政机关及群众团体档案，是中华人民共和国成立后自治区历史的大宗档案史料，是研究内蒙古自治区历史不可或缺的第一手史料。同时馆藏的文献、期刊、报章也是很丰富的。这里是研究内蒙古自治区历史的主要资料基地。

在本书第七卷的研究与编写工作中，内蒙古自治区档案馆和内蒙古自治区人民政府档案室提供了极大的支持与方便。本书作者查阅了内蒙古自治区档案馆 1945 年至 1966 年“内蒙古自治区党政机关及群众团体档案”，复制了 3 216 件重要档案文件。查阅并复制了《内蒙古自治政府公报》《内蒙政报》《内蒙古政报》《绥远行政周报》所载内蒙古党委、政府和绥远省党委、政府的文件、条例、指示、通令、规章及工作计划、报告和总结、资料等总计 1 738 件。查阅复制了内蒙古自治区人民政府 1976 年至 2001 年期间的文件 1 483 件。以上 3 项总计 6 437 件。内蒙古自治区档案馆和内蒙古自治区人民政府档案室对编写本书给予了关键性的支持。

第二节　统计、年鉴、报刊资料

《辉煌的内蒙古》

内蒙古自治区统计局编，1999 年 9 月由中国统计出版社出版。除了从各方面介绍内蒙古自治区经济社会发展的 52 篇专题文章外，主要辑录了 1947—1998 年内蒙古自治区经济、社会发展每年的统计资料，包括自治区、盟市、旗县三级统计资料。自治区统计资料的主要内容：综合，人口，劳动力和职工工资，固定资产投资，财政和税收，金融，人民生活，农牧业，工业，交通运输和邮电通信业，内外贸易和旅游业，科技，教育，卫生，文化和出版，体育，城市建设，环境保护等。编辑体系基本上按国民经济主要行业和时间顺序，主要指标纵向比较，保持资料的完整性和关联性。是内蒙古自治区五十多年经济、社会发展量化反映的迄今最完整的统计资料，是研究内蒙古自治区现代历史最主要的统计资料。

《光辉的四十年》

该书由内蒙古自治区统计局、内蒙古自治区人民政府调研室合编，是向内蒙古自治区成立四十周年献礼的一部书。内部资料，由沈阳第二印刷厂于 1987 年印刷。全书图文并茂，内容丰富，共分为三个部分。第一部分为彩色图片，形象地反映了内蒙古自治区的建设成就、社会风貌和自然特点。第二部分是发展概况，以文字的形式，分部门和战线概述自治区经济社会发展的历程。第三部分是统计资料，编辑了自治区 1947—1986 年经济社会发展的主要统计资料，包括：(1) 综合，(2) 人口，(3) 社会总产值和国民收入，(4) 农业，(5) 工业，(6) 交通、邮电，(7) 基本建设投资与建筑业，(8) 物资，(9) 财贸，(10) 劳动工资，(11) 文教卫生，(12) 人民生活。这部书为我们全面了解内蒙古自治区各项建设成就提供了重要资料。

《奋进的内蒙古》

内蒙古自治区统计局编，1989 年 7 月中国统计出版社出版。该书是向中华人民共和国成立 40 周年和内蒙古自治区成立 42 周年的献礼。该书共分为三大部分：一是彩色照片和统计图表，形象地反映了内蒙古自治区的建设成就、社会风貌和自然特点，描绘了 42 年来内蒙古自治区经济和社会发展主要指标的演变；二是专文，由自治区有关厅、局长和 12 个盟市长及有关部门的人员撰写的六十余篇专题文章，概述了 42 年来、特别是改革开放 10 年来，内蒙古自治区各行各业和各盟市国民经济和社会发展的历程和取得的成就；三是统计资料，辑录了自治区 1947—1988 年经济和社会发展的主要统计资料。包括：(1) 综合，(2) 人口，(3) 国民生产总值、社会总产值和国民收入，(4) 农业，(5) 工业，(6) 交通、邮电，(7) 基本建设，(8) 物资，(9) 商业、财政、物价，(10) 劳动工资，(11) 教育、文化、卫生、体育，(12) 人民生活。这部书是我们了解内蒙古自治区经济社会发展战略等各方面工作的资料和工具书。

《内蒙古统计年鉴》

内蒙古自治区统计局从1989年开始按年度连续编辑的大型统计资料工具书，由中国统计出版社出版。随着经济、社会的发展，不断增加和更新统计内容。以2000年统计资料为例，分为24个细目，即行政区划和自然资源，综合，国民经济核算，人口，从业人员和职工工资，固定资产投资，能源生产和消费，财政，物价指数，人民生活，城市概况，农业，工业，建筑业，运输和邮电，国内贸易，对外经济贸易，旅游，金融和保险，教育，科技和文化，体育，卫生，社会福利，环境保护和其他，盟市资料，旗县区资料，企业资料。

《内蒙古年鉴》

内蒙古自治区人民政府主办，内蒙古自治区地方志办公室年鉴编辑部编，由方志出版社和内蒙古文化出版社出版。是自治区级综合性年刊，是集知识、信息、资料为一体的大型工具书。已经出版1998年至2007年年鉴。内容包括政治、经济、文化、社会等各个方面的发展状况。采用分类编纂法，根据年度的不同情况，分若干类目，如特载、大事记、政治、军事、经济、科教文卫体、盟市旗县等；分若干分目，如党委、人大、政府、政协、民主党派、群众团体等；分若干子目，如农业、渔业、畜牧业、林业、水利、工业等；每年收入约5 000左右条目。

《内蒙古日报》

1946年3月15日，内蒙古自治运动联合会创办出版《内蒙古周报》；1945年12月18日，内蒙古人民革命青年团创办了油印小报《黎明》。1946年5月3日，内蒙古自治运动联合会东蒙总分会将《黎明》改为《群众报》。1947年1月1日，《群众报》改名为《内蒙自治报》；9月1日，《内蒙自治报》明确为中国共产党内蒙古工作委员会机关报。1948年1月1日，《内蒙自治报》更名为《内蒙古日报》,蒙、汉文版均为工委的机关报。1949年12月，中国共产党内蒙古工作委员会撤销，成立中共中央内蒙古分局，《内蒙古日报》（蒙、汉文版）成为内蒙古分局的机关报。《内蒙古日报》详尽系统报道了中华人民共和国成立，内蒙古进行民族区域自治建设的报道。1950年开始，集中报道解放战争的最后战果；报道保卫世界和平签名运动、抗美援朝运动；对内蒙古的民族特点、地区特点进行了突出的报道。毛泽东为《内蒙古日报》汉文版题写了报名。

在实行“蒙绥合并”的过程中，1953 年 11 月 1 日至 1954 年 3 月 5 日，《内蒙古日报》（汉文版）与《绥远日报》联合出版；3 月 6 日“蒙绥合并”，撤销绥远省建置，《绥远日报》正式与《内蒙古日报》合并，先后为中共中央内蒙古分局、中国共产党内蒙古自治区委员会机关报。这是中国少数民族地区创办最早的省级党报，《内蒙古日报》蒙文版是我国最早以少数民族文字出版的省级党报。在内蒙古自治区 60 年的历史上，《内蒙古日报》作为内蒙古党委的机关报，向内蒙古各族人民及时传达中央的路线、方针和内蒙古党委、政府指导自治区工作的方针、政策；报道内蒙古的社会主义经济建设、社会发展的成就，以及人们关注的问题；宣传马列主义、毛泽东思想、邓小平理论，指导人们朝着社会主义方向前进。当然，在历史发展的曲折进程中，作为报纸媒体也经历了曲折。正因为这样，它真实地展现了曲折的历史，让人们回顾鉴别，让历史工作者通过客观科学的研究，再现历史的真实。

随着内蒙古统一的民族区域自治的逐步实现，盟市行政建置的逐步形成，自治区各盟市也陆续出版报纸，传达上级的精神，报道各盟市政治、经济、文化、教育等事业的发展，是微观研究历史必不可少的资料库。

《绥远日报》

中共绥远省委的机关报，1949 年 12 月 1 日《绥蒙日报》改名为《绥远日报》。1954 年 1 月 22 日，内蒙古自治区人民政府和绥远省人民政府联席会议决定“蒙绥合并”，撤销绥远省建置后，3 月 6 日，《绥远日报》合并到《内蒙古日报》。在此之前，《绥远日报》是内蒙古西部绥远地区的主要新闻媒体，传达中央和中共绥远省委、绥远省人民政府对绥远工作的方针、政策；报道绥远起义部队解放军化、绥远地区解放区化、民主建政、剿匪肃特、减租反霸、抗美援朝、“三反”“五反”、农村土地改革、牧区民主改革以及恢复国民经济等情况；宣传党的民族政策、民族团结，成为展现蒙汉各族人民建设新绥远的历史平台。

《内蒙政报》和《内蒙古政报》

内蒙古自治区人民政府办公厅编印。内蒙古自治政府于 1949 年 12 月改称内蒙古自治区人民政府以后，《内蒙古自治政府公报》1950 年改名为《内蒙政报》；1954 年 3 月“蒙绥合并”，撤销绥远省建置后，《内蒙政报》又改名为《内蒙古政报》。1967 年 11 月内蒙古自治区革命委员会成立后停刊；直到 1979 年复刊。“政报”主要编入内蒙古自治区人民政府的各项命令、通令、通知、条例、指示、法规、规定、政策、办法、计划、方案、通则、通报、决议、布告、章程等文件；刊载内蒙古自治区人民政府及所属部门、单位和盟市、行署、旗县人民政府的工作报告、总结及领导人的讲话等；调查报告、典型材料等，是研究政府工作，了解施政情况的基本史料。

《绥远行政周报》

1949 年 12 月 31 日，绥远省人民政府与原国民党绥远省政府合并成立绥远省人民政府后，绥远省人民政府办公厅编印了《绥远行政周报》。1950 年刊印，到 1954 年“蒙绥合并”，撤销绥远省建置后，与《内蒙政报》合并，由内蒙古自治区人民政府办公厅编印《内蒙古政报》。《绥远行政周报》主要编入 1950 年至 1953 年绥远军政委员会、绥远省人民政府的各项命令、通令、通知、条例、指示、法规、规定、政策、办法、计划、方案、通则、通报、决议、布告、章程等；刊载绥远省人民政府及所属部门、单位和旗县人民政府的工作报告、总结和领导人的报告、讲话等；调查报告、典型材料等。这是研究政府工作，了解施政情况的基本史料。

《实践》和《党的教育》

中共内蒙古自治区委员会的两个机关刊物。《实践》汉文版创刊于 1958 年 7 月 1 日，蒙文版创刊于 1960 年 1 月 1 日。1964 年 11 月，毛泽东主席为《实践》汉文版题写了刊名。《党的教育》蒙、汉文版（汉文版分城市版和农村版），均创刊于 1957 年 7 月 1 日。

从创刊到 2000 年 12 月的四十多年来，《实践》转载中央的重要理论文章，传达中央的意图；结合内蒙古自治区的实际，研究社会、经济、文化等方面的理论问题，阐述内蒙古党委的指导思想、方针、政策，同时介绍自治区革命和建设方面的典型事例，发挥导向作用。《党的教育》以党的建设为中心内容，根据不同对象，以生动、具体的形式进行党的路线、方针、政策和党性教育。

在 20 世纪的四十多年期间，《实践》和《党的教育》胜利地完成了自己的使命，为研究内蒙古自治区历史提供了理论和实践根据。

第三节　方志类资料

内蒙古自治区从1982年开始编纂地方志，9月，成立了内蒙古自治区地方志编纂委员会，下设总编室（后改称办公室），领导全区地方志编纂工作；全区12个盟市和101个旗、县、区先后成立了地方志编纂机构，编纂各盟、市志和旗、县、区志；自治区直属机构和单位也组织人力编纂各机关和单位的专业志。全区有近千人参加地方志编纂工作，经过二十多年的研究、编纂，现已出版盟、市志12部和旗、县、区志101部，自治区共产党志、政府志、军事志、人大志、政协志以及直属机关和单位、行业的专业志51部。这些志书是研究内蒙古自治区历史的基本史料，为本卷编写工作提供了丰富的史料。其中，《内蒙古自治区志·共产党志》《内蒙古自治区志·政府志》《内蒙古自治区志·人民代表大会志》以及《内蒙古自治区志·畜牧志》《内蒙古自治区志·农业志》《内蒙古自治区志·工业志》《内蒙古自治区志·商业志》《内蒙古自治区志·人事志》《内蒙古自治区志·卫生志》等，是编写本卷的主要参考资料。

《内蒙古自治区志·共产党志》

在《内蒙古自治区志·共产党志》编纂委员会领导下，由两届编纂领导小组直接领导，计125人参加编纂，于1999年完成，并由内蒙古人民出版社出版。本志时限为1919年至1997年，全志分7篇50章208节，总计112.1万字。第一篇“新民主主义革命中的重大活动”；第二篇“领导社会主义革命和建设”；第三篇“中共内蒙古自治区顾问委员会”；第四篇“纪律检查”；第五篇“党的部门工作”；第六篇“领导机构和组织沿革”；第七篇“中共内蒙古自治区委员会所属盟市委员会”。除了概述1919年至1947年中国共产党在内蒙古地区的活动外，根据大量历史档案资料，主要记述了中国共产党领导内蒙古自治区五十余年的工作，包括在内蒙古自治区实行的方针、政策，领导革命和建设的主要活动及其成就，党的组织沿革等重大内容。这是研究内蒙古自治区中共党史的重要史料。

《内蒙古自治区志·政府志》

在《内蒙古自治区志·政府志》编纂委员会的领导下，从1985年开始，由编纂委员会办公室组织编纂，参与组织领导、编纂、审查、翻译、校审、校对的人员总计二百八十多人，2000 年 12 月完成，翌年 3 月由方志出版社出版。本志基本时限为 1912 年 1 月至 1999 年 12 月，全志分 7 篇 43 章 176 节，总计 138.7 万字。第一篇“机构设置”；第二篇“编制”；第三篇“政府官员”；第四篇“体制与职权”；第五篇“施政纪略”；第六篇“自治区人民政府办公厅工作”；第七篇“盟行政公署、市人民政府、自治旗人民政府简况”。第一篇的第 1 至 5 章记述了清代官府、中华民国时期地方政府、中华民国国民政府时期地方政府、日本侵占时期的蒙疆政权和抗日民主政府以及解放战争时期中国共产党领导建立的绥蒙政府、绥远省人民政府、内蒙古自治政府等政权机构；第 6 章记述了绥远省人民政府、阿拉善旗和额济纳旗人民政府、内蒙古自治区人民政府、内蒙古自治区人民委员会和内蒙古自治区革命委员会等政权机构的建立、演变。第二篇记述了各个时期政权的行政机关编制、事业单位编制、机构改革、人民政府机构人员编制管理。第三篇的第 1 至 4 章记述了清末、民国和日本侵占时期的政府官员，以及中国共产党领导建立的民主政府领导人；第 5 章记述了中华人民共和国成立后绥远省人民政府、内蒙古自治区人民政府、阿拉善旗和额济纳旗人民政府、内蒙古自治区人民委员会、内蒙古自治区革命委员会领导人及其下属工作部门、事业单位主要领导人。第四篇记述了上述各个时期各个政权机构的体制与职权。第五篇记述了上述各个时期各个政权的施政概况。第六篇记述了自治区人民政府办公厅工作的详细内容，包括文秘、调研、督察、驻外机构、翻译、接待、保卫、后勤、人事、车辆编制、信访、纪检监察、房产管理、综合服务等。第七篇介绍了下属盟公署、市政府以及鄂伦春、鄂温克、达斡尔等 3 个少数民族自治旗的简况。

《内蒙古自治区志·人事志》

在《内蒙古自治区志·人事志》编纂委员会的领导下，编纂委员会办公室组织编纂，参与编纂工作的有四十多人，从 1996 年开始组织编纂，到 1999 年底完成，并由内蒙古教育出版社出版。全志分 18 章 75 节，计 87.5 万字。记述了人事机构、人事计划、录用干部、干部队伍、干部调配、人才流动、部队转业干部安置、专业技术干部、职称职务、行政任免、奖励与惩戒、考核与辞职、干部培训教育、机关事业单位工资、机关事业单位津贴、机关事业单位福利、离退休管理、地区人事等人事工作多方面的内容，由此可以看出本志在研究内蒙古自治区史方面的史料价值和作用。

《内蒙古自治区志·畜牧志》

由《内蒙古自治区志·畜牧志》编纂委员会组织编纂，参与编纂工作的有二十多人。1995 年开始编纂，1999 年完成，并由内蒙古人民出版社出版。本志由述、记、志、图、表、录组成，以志为主体，志设 11 章，占总篇幅 90%。本志时限，上限追溯到事物发端和建制之始，下限至 1995 年，“大事补记”到 1999 年上半年。从第 1 章到第 11 章，分别记述了中华人民共和国成立前的畜牧业沿革、中华人民共和国成立以后畜牧业生产关系变革、生产管理、草原管理建设、饲草饲料加工、畜禽改良育种、畜禽病害防治、科技与教育、畜产品加工与流通、投资与国际合作、机构设置等。这是反映内蒙古自治区畜牧业发展的基本内容。

《内蒙古自治区志·农业志》

在《内蒙古自治区志·农业志》编纂委员会领导下，由本志编辑室组织编纂，参与编纂工作的有五十多人，1990 年开始编纂，2000 年 5 月完成，并由内蒙古人民出版社出版。本志上限溯自新石器时代，下限至 1995 年，由述、记、志、图、表、录组成，分 9 篇 39 章 132 节。各篇记述了自然资源；农业经济制度；农业生产建设；农作物；副业生产；农业技术；农业机械化；农业教育、科研、技术推广；农业管理与服务。本志为研究内蒙古农业发展史提供了基本史料。

《内蒙古自治区志·商业志》

在《内蒙古自治区志·商业志》编纂委员会领导下，由编纂委员会编辑办公室组织编纂，参与编纂工作的先后有一百五十余人，从 1991 年 2 月开始编纂，1998 年 1 月完成，同年由内蒙古人民出版社出版。本志由述、记、志、图、表、录组成，以志为主体，设 4 章 29 节，原定上限溯自元朝时期，下限至 1990 年，后有部分内容延至 1995 年。各章所述内容：一行业；二市场；三管理；四教育。

内蒙古的专业志计划编纂 75 部，已经出版或将要出版 51 部。这是研究内蒙古自治区历史的主要参考资料。因篇幅所限，仅介绍上述 8 部，以资了解地方志基本情况。另外，自治区 12 部盟市志全部出版，其中《呼伦贝尔盟志》《伊克昭盟志》,资料翔实，内容丰富，且具有代表性、典型性。

《呼伦贝尔盟志》

呼伦贝尔盟史志编纂委员会编，从1981年开始编纂工作，1998年11月完成，1999年由内蒙古文化出版社出版。全志分上、中、下三册61卷359章1 287节，总计450万字；上限据实上溯，下限至1989年，根据需要有些内容延至1990年；内容非常丰富，涉猎呼伦贝尔盟建置、历史、地理、环境、资源、自然灾害；人口、民族、党派、政权、政协、群众团体；外事旅游、劳动人事、民政、公安、检察、审判、司法行政、军事、政治运动；经济综述；畜牧业、林业、农业、农垦、副业、渔业、农牧业机械化、水利、乡镇企业；工业综述、煤炭工业、电力工业、地方工业、二轻工业、建材工业、部门工业；商业、供销合作、粮食、物资、对外贸易；铁路交通、公路交通、民航水运、邮电；城乡建设、建筑业；环境保护；财政、税务、金融；综合管理；教育、科技、文化艺术、文物、新闻出版、档案史志；卫生、体育；宗教；人物等，堪称志书之典范，近乎“呼伦贝尔盟百科全书”，是该地区史研究的全面珍贵的史料。

《呼伦贝尔盟民族志》

呼伦贝尔盟民族事务局编，1997年由内蒙古人民出版社出版。全书分概述、正文8章、人物、大事记、附录等12部分，总计68万字。正文第一章蒙古族，分11节；第二章达斡尔族，分11节；第三章鄂温克族，分11节；第四章鄂伦春族，分11节；第五章汉族，分3节；第六章其他少数民族，分5节；第七章民族区域自治，分5节；第八章民族政策与民族工作。人物收录各民族的人士99人。附录收入15份相关重要文件。对于呼伦贝尔盟的蒙古族、达斡尔族、鄂温克族、鄂伦春族，以民族分4章叙述，都以族称族源、语言文字或语言、历史沿革、人口分布、社会结构、经济结构、文化、教育、卫生体育、生活习俗、宗教信仰为内容，分别列了11节，进行了细致的叙述，展现了这些民族的历史与现状。对于呼伦贝尔盟的汉族，分历史沿革、人口分布、生活习俗3节叙述。对于其他少数民族，回族、朝鲜族、满族、俄罗斯族分别以节叙述，其他散居少数民族单列一节叙述。由此形成呼伦贝尔盟民族志的全貌，是一部研究该地区民族历史的资料库。

第四节　其他文献类资料

《乌兰夫纪念文集》

由乌兰夫革命史料编研室、内蒙古乌兰夫研究会编，共3辑，内蒙古人民出版社出版。第一辑1989年出版，编入伍修权、杨成武、苏谦益、杨植霖、王铎、高增培等领导人以及在一起工作过的老同志、有关方面的负责人、身边工作人员及其子女的纪念文章49篇；第二辑1990年出版，编入习仲勋、程子华、石生荣等领导人以及在自治区工作多年的老干部、有关方面的负责人、有关盟市委的纪念文章50篇；第三辑2006年纪念乌兰夫诞辰100周年时编辑出版，编入乌云其木格、布赫、克力更、巴图巴根、郝秀山、布特格其、云照光、阿拉坦敖其尔等领导人以及各方面人士的43篇纪念文章。除了叙述民主革命时期乌兰夫的革命事迹外，从各个方面忆述社会主义时期乌兰夫的丰功伟绩，而且是当代内蒙古历史的重要内容。

《内蒙古自治区成立十周年纪念文集》

内蒙古人民出版社编辑部编，1957年9月由内蒙古人民出版社出版。该书选编了内蒙古自治区首长和各部门负责人为纪念内蒙古自治区成立10周年而作的文章共28篇。这些文章大体可分为5类。一是全面介绍内蒙古自治区的文章，如乌兰夫《十年来的内蒙古》；二是各项经济建设，如苏谦益《勤俭建设包头工业基地》；三是文化教育，哈丰阿《跃进中的内蒙古教育事业》；四是法制、军事和干部工作，如特木尔巴根《逐渐健全起来的内蒙古法制工作》、廷懋《内蒙古人民子弟兵的成长》、李振华《内蒙古自治区十年来的干部工作》；五是各方面建设力量的成长，如赵云驶《内蒙古工人阶级的壮大和民族工人技术力量的成长》。该书是了解内蒙古自治区成立10年来各项建设成就的重要资料。

《十年民族工作成就》

民族出版社于1960年编辑出版，全书第一部分总论全国民族工作成就，第二部分别论述各自治区10年民族工作成就。其中内蒙古自治区部分，选入乌兰夫、奎璧、杨植霖、吉雅泰、王铎等数十人在《内蒙古日报》发表的署名文章37篇，从各方面总结了中华人民共和国成立后内蒙古自治区10

年来的成就，既有方针、政策的论述，又有充分的事实依据，是历史研究的重要文献资料。

《内蒙古自治区精神文明建设文献汇编》

由内蒙古自治区精神文明建设委员会办公室编印（内新图准字【2001】第120号），收入1996年至2001年有关精神文明建设的各种文献资料81篇，其中自治区领导人讲话13篇，典型经验资料13篇，理论研究成果14篇，文件资料41篇，计50.4万字。通过领导人的讲话和有关文件，对于20世纪90年代后期，内蒙古自治区社会主义精神文明建设的重要性及其方针、意义进行了阐述，并汇集了宝贵的典型经验，进行了理论研究。

内蒙古自治区原主席、全国人大常委会副委员长布赫出版了7部文选与文摘，收入了20世纪70年代末至21世纪初，布赫的讲话、报告、文章或文摘等文稿259篇。其中在内蒙古自治区工作期间的有233篇，主要是阐述内蒙古党委和政府领导内蒙古自治区改革开放、经济建设、社会发展方针、政策、战略、计划等，是研究改革开放以来内蒙古自治区历史的重要文献。这7部文选与文摘是：

《坚持党的政治路线和思想路线》 收入1979年2月至1982年3月，布赫任中共呼和浩特市委书记、市长期间在各种会议上的讲话、文章等39篇。

《深化改革促进经济社会全面发展》 收入1983年1月至1993年1月，布赫任内蒙古党委副书记、自治区主席后，以改革促进经济社会发展为中心内容的讲话、发言等28篇。

《维护社会稳定推进改革与发展》 收入1980年12月至1998年3月，关于维护社会稳定，打击刑事犯罪，加强法制建设，整顿社会治安，坚决惩治腐败，加强综合治理为中心内容的讲话或讲话摘要、文章38篇。其中35篇是有关内蒙古的内容。

《农村牧区经济改革与法制建设》 收入1980年11月至2003年3月，关于农村牧区经济体制改革，农牧业生产，牧区发展战略，发展乡镇企业，农村牧区扶贫，抗灾救灾等方面的讲话、调查研究报告41篇。其中25篇是有关内蒙古的内容。

《实施科教兴国战略》 收入1982年10月至1992年10月，以发展科学技术，发展教育为中心内容，阐述内蒙古实施科教兴国战略的讲话或讲话摘要、文章等30篇。

《发展是党执政兴国的第一要务》　收入1983年1月至2003年9月，以发展经济社会为中心内容，对当时发展经济的任务，发展规划的基本思路，落实知识分子政策及其在“四化”建设中的作用，科技情报工作，职称改革，计划生育，审计工作，调控物价等多方面内容的讲话64篇。其中59篇是有关内蒙古的内容。

《加强机关建设转变工作作风》　收入1983年5月至2002年7月，关于机构改革，转变工作作风，老干部离休，党校工作及干部队伍建设，党的建设，审计监督等方面内容的19篇讲话。其中17篇是有关内蒙古的内容。

第二章

研究概况

内蒙古自治区历史的研究，与内蒙古古代史、近代史研究相比，研究工作起步较晚，再加上历史在延伸，期间由于种种原因，史学界未能更多地问津这个领域，故而历史学论著较少；只有政府有关部门在不同历史阶段，从总结工作的角度编撰了一部分论著，当然，这也是讲历史。总之，对于内蒙古自治区历史，特别是对社会主义时期内蒙古自治区历史的研究，还处于起步阶段。

第一节 综 述

从研究历史的角度考察，真正研究内蒙古自治区历史是从1958年开始的。当年，由内蒙古大学副校长于北辰、教务长史筠倡导、建议，内蒙古党委成立了以自治区副主席吉雅泰为主任、内蒙古党委宣传部长胡昭衡为副主任的内蒙古革命史编委会；内蒙古大学副校长勇夫为编委会办公室主任，史筠任副主任、《内蒙古革命史》主编，内蒙古师范学院历史系主任章渍洁任办公室副主任；内蒙古大学历史系和内蒙古师范学院历史系师生，以及内蒙古历史研究所、内蒙古党校的少数教学研究人员，总计一百七十多人参加，搜集了近千万字的各种史料，分组编出了第一部初稿。尔后，由主编史筠带领少数教师继续编写，五易其稿，于1962年由内蒙古人民出版社印出了《内蒙古革命史》试版本，全书分六章，后三章是写1947年至1957年内蒙古自治区10年历史的。在这之前，1958年秋，由史筠主持，内蒙古大学历史系部分师生参加编写了《内蒙古自治区简史》稿本。可以说这是内蒙古自治区历史的研究工作之始。尽管不完善，却是开拓之举。

之后到“文化大革命”，这个领域的研究基本停顿，而且受到猛烈的冲击。社会主义建设新时期带来科学的春天，“文化大革命”前内蒙古自治区的历史得到中央充分肯定的评价以后，研究内蒙古自治区历史的工作，才进入了正常发展的新时期。

在改革开放的近30年期间，首先从征集党史、革命史资料做起，形成了关注内蒙古近现代历史的热潮，同时开始编纂自治区各级各行业志书，从各方面研究内蒙古的历史。其中内蒙古近现代史为研究者关注的热点。在内蒙古大学成立了中共内蒙古地区党史研究所，后又改称内蒙古近现代史研究所，组织研究队伍，搜集资料，培养研究人员，形成了国内外研究内蒙古近现代史唯一的专门机构。

二十多年来，研究内蒙古近现代史的论著不断问世，研究成果日益丰盛。而内蒙古史学界研究自治区历史，尤其是对中华人民共和国成立后内蒙古自治区历史的研究还显得薄弱。有数部蒙古族通史、内蒙古通史类专著，只写到1949年；史学界专论中华人民共和国成立后内蒙古自治区历史的学术论文也较少，有的历史学研究者还有不涉足“禁区”的心理。而党政有关部门因总结历史阶段性成就，编写了一部分类似历史著述的专著，这是值得庆幸的。

第二节　通史类专著

《内蒙古自治区史》

内蒙古大学内蒙古近现代史研究所研究人员编著，郝维民主编，1991年由内蒙古大学出版社出版。全书以6章35节47.3万字的篇幅，叙述了1947年至1987年内蒙古自治区40年的历史。第一章，叙述1947年至1949年，中国共产党领导内蒙古自治运动，成立内蒙古自治政府，实行社会民主改革，进行自卫解放战争，解放内蒙古的历史；第二章，叙述1949年至1952年，内蒙古恢复国民经济，绥远新区进行民主建政和社会民主改革，全区开展剿匪肃特、镇压反革命、抗美援朝、“三反”“五反”等一系列社会运动；第三章，叙述1953年至1956年，实施发展国民经济第一个五年计划，进行生产资料私有制的社会主义改造，实现内蒙古统一的民族区域自治；第四章，叙述1957年至1966年，全面建设社会主义时期内蒙古自治区10年的历史，经历了整风反右、“大跃进”、人民公社化运动，克服三年经济困难，实施“调整、巩固、充实、提高”八字方针，开展社会主义教育运动，恢复发展社会经济等一系列重大历史内容；第五章，叙述了“文化大革命”在内蒙古地区的浩劫，制造三大冤案及一系列冤假错案，破坏民族政策，造成经济、文化衰退等一系列恶果；第六章，叙述新时期拨乱反正，平反冤假错案，落实政策，制定新时期经济建设方针，恢复发展民族区域自治，进行经济体制改革和对外开放，进行经济建设，以及进行社会主义现代化建设等。这是系统、全面叙述内蒙古自治区历史的第一部学术专著。

《当代内蒙古简史》

中华人民共和国地方简史丛书之一，王铎主编，1998年由当代中国出版社出版发行。全书分7章37节，计27.2万字。叙述了1947年至1997年内蒙古自治区50年简史。第一章，内蒙古自治区的建立和民族民主革命的胜利；第二章，巩固人民民主专政，恢复发展国民经济；第三章，第一个五年计划建设；第四章，社会主义建设在探索中曲折发展；第五章，“文化大革命”十年；第六章，开创社会主义现代化建设新局面；第七章，建设与发展社会主义市场经济。该书内容虽然简单，但是写到了1997年自治区成立50周年，临近20世纪末。可称为内蒙古自治区历史的第二部专著。

《当代中国的内蒙古》

当代中国丛书之一，王铎主编，1992年由当代中国出版社出版发行。全书分5编25章，计52.9万字。本书分专题叙述1947年至1987年内蒙古自治区历史上的重要问题，在一定程度上反映了历史发展的轨迹。第一编，中国第一个少数民族自治区，叙述了内蒙古的自然和宝藏、悠久的历史和内蒙古自治区的成立；第二编，40年的光辉历程，以4章的篇幅概述了自治区1947年至1987年的历史；第三编，社会主义经济建设，以9章的篇幅概述了畜牧业、农业、林业、工业、交通邮电、基本建设和建筑业、城市建设、商业和对外贸易、财政和金融；第四编，社会主义文化建设，以5章的篇幅概述了教育、科技、文化、医疗卫生与计划生育、体育等各项事业；第五编，社会主义民主法制建设，以4章的篇幅概述了民主建设、统一战线、法制建设、民族自治与民族关系。本书虽不能说是真正意义上的通史著作，但是以专题反映了内蒙古自治区40年历史的重要内容，为研究内蒙古自治区历史提供了史料及对历史的见解。

《百年风云内蒙古》

在世纪之交，由中共内蒙古自治区委员会组织部和新华社内蒙古分社牵头，邀请郝维民主编，王德胜、赛航、钱占元、刘介愚任副主编，由内蒙古大学蒙古学学院内蒙古近现代史研究所、内蒙古社会科学院专家学者和研究人员二十多人参加编写完成的，2000年12月由内蒙古教育出版社出版。全书以20世纪百年为时限，选出100个专题，分政治、经济、科教文化3编，选出100个人物为人物编，共4编61万字，可谓百年百事百人组成的内蒙古20世纪简明通史。20世纪后半期的历史，是本书叙述的重点，在百个专题中现代专题占77篇，在百名人物中现代人物占六十多人，第一次简明地勾勒了内蒙古自治区在中华人民共和国成立后50年的历史。

《内蒙古自治区经济发展史》

林蔚然、郑广智主编，1990年由内蒙古人民出版社出版。全书分19章84节，计49.9万字。本书采取以历史时序与专题相结合的形式撰写，前7章以内蒙古自治区历史通常的分段，分为7个时期叙述经济发展史，后12章则以农业、畜牧业、轻工业、重工业、交通运输和邮电通信、基本建设、商业和物资、对外贸易和旅游业、财政金融和保险事业、科技文教卫生和体育、人口和人民生活、经济建设中若干基本经验等为专题，逐一叙述，最后以附录介绍了关于内蒙古自治区经济发展前景的研究。这是内蒙古自治区经济发展史研究的第一部专著。

《内蒙古畜牧业发展史》

内蒙古自治区畜牧业厅修志编史委员会编，2000年由内蒙古人民出版社出版。全书分7章35节，计37万字，叙述了1947年至1997年内蒙古自治区畜牧业发展的历史。第一章总论，叙述了自然状况、畜牧业资源、畜牧业发展的成就；第二章，内蒙古自治区成立前的畜牧业，叙述了畜牧业的起源、古代畜牧业、近代畜牧业；第三章，内蒙古自治区成立到恢复国民经济时期的畜牧业，叙述了自治区成立时的畜牧业状况、牧区民主改革、恢复畜牧业经济及其成就，总结了基本经验；第四章，社会主义改造时期的畜牧业，叙述了第一个五年计划、贯彻过渡时期总路线、实行畜牧业社会主义改造、发展畜牧业经济及畜牧业的成就，基本总结；第五章，全面建设社会主义时期的畜牧业，叙述了完成第一个五年计划，“大跃进”、人民公社化运动中的畜牧业，畜牧业的曲折发展及其成就与基本经验；第六章，“文化大革命”时期的畜牧业，叙述了“文革”对畜牧业的破坏，畜牧业再次曲折发展及历史教训；第七章，社会主义发展新时期的畜牧业，叙述了拨乱反正恢复畜牧业，畜牧业领域的改革，畜牧业的辉煌成就及主要经验。这是内蒙古自治区畜牧业发展通史。

《内蒙古公路交通史》

中国公路交通史丛书之一，内蒙古自治区公路交通史志编审委员会编，韦胜章主编。第一册近代公路交通，主要记述清末至民国时期内蒙古公路交通发展的历史，1993 年由人民交通出版社出版；第二册现代公路运输，记述 1947 年内蒙古自治区成立至 1990 年内蒙古自治区公路交通的演进发展，以公路建设与公路运输两部分编写，1997 年由远方出版社出版。

第三节　概况类著作

《内蒙古自治区概况》

《内蒙古自治区概况》编辑委员会编，1962 年 11 月由内蒙古人民出版社出版。该书从政治、经济、文化等方面全面展现了内蒙古自治区成立以来的成就。全书分为 13 个题目，一、祖国大家庭的第一个自治区；二、实现了统一的民族区域自治；三、民主改革、社会主义改造和人民公社化；四、工业建设突飞猛进；五、农业生产的大发展；六、稳定、全面、高速度地发展畜牧业；七、森林工业和造林治沙；八、四通八达的交通网；九、为人民生产、生活服务的商业和财政金融；十、文化教育事业的发展；十一、人民健康状况的改善；十二、党的组织建设和群众工作；十三、在党的胜利旗帜下奋勇前进。

《内蒙古自治区三十年》

本书编写组编，1977 年由内蒙古人民出版社出版。全书分9 章41 个目，计 10 万字，叙述了内蒙古自治区 1947 年至 1977 年的政治、经济、文化情况。第一章，内蒙古自治区的成立和民主改革的基本完成；第二章，社会主义革命胜利前进；第三章，“无产阶级文化大革命”的伟大胜利；第四章，社会主义农业不断发展；第五章，社会主义畜牧业成绩辉煌；第六章，社会主义工业突飞猛进；第七章，财贸战线欣欣向荣；第八章，文化教育事业蒸蒸日上；第九章，卫生体育事业阔步前进。从每一章的标题就可以判断其内容，而且明显地带着“文化大革命”的痕迹。

《内蒙古自治区概况》

本书编写组编，1983 年内蒙古人民出版社出版。全书分为 11 个题目，一、富饶美丽的祖国北疆；二、悠久光辉的历史；三、第一个少数民族自治区；四、深刻的社会变革；五、发展中的农牧林业；六、工业建设蒸蒸日上；七、繁荣兴旺的财贸事业；八、文教科学事业欣欣向荣；九、城镇新貌；十、名胜古迹；十一、风俗和宗教，计 21. 5 万字。实际是对内蒙古自治区成立 35 周年的概括总结。

《团结建设中的内蒙古》

本书编委会编，王铎主编，1987 年由内蒙古人民出版社出版。全书分 21 个专题83 个目，计25. 4 万字。记述了1947 年至1987 年内蒙古自治区40 年政治、经济、文化发展的主要成就，前6 个专题叙述内蒙古自治区的自然地理、资源概况、民族组成；中 14 个专题分别记述畜牧业、林业、种植业、工业、交通邮电、基本建设、城乡商业、财政金融、外贸和旅游业、教育、科技、文化、医疗卫生、体育等各项事业的发展与现状；最后 1 个专题是 40 年历史的基本总结，团结建设、振兴内蒙古。对于内蒙古自治区历史上的一些问题进行了一定的研究总结，对“文革”中对内蒙古自治区历史的歪曲进行了纠正，并提供了综合性的资料，对研究内蒙古自治区历史具有参考价值。

《翻天覆地五十年》（1947—1997）

本书编辑委员会编，韩茂华主编，由内蒙古大学出版社于 1997 年 6 月出版。该书是向内蒙古自治区成立 50 周年的献礼。书中全面介绍了内蒙古自治区成立50年来政治、经济、文化、社会事业等各个方面所取得的成就。全书共分为六部分，在第一部分“序”中收录了时任全国人大常委会副委员长布赫、时任内蒙古自治区领导人刘明祖、乌力吉的全面介绍内蒙古自治区成立50年来所取得的成就的文章；在第二部分“综合篇”中收录了内蒙古自治区各主要市（盟）委，市政府（盟行政公署）的有关各自50年发展成就的概述；第三部分“经济发展篇”中收录了管理内蒙古经济的各厅（局）关于各自管辖的经济项目的发展情况的总结；第四部分“社会事业篇”中收录了内蒙古管理社会事业的各有关部门的总结性文章；在第五部分“附录”中收录了内蒙古自治区成立50年来的各主要经济发展数据；第六部分为该书后记。这部书是详细了解内蒙古自治区成立50年来各项建设成就的重要资料

《中国西部概览·内蒙古》

这是《中国西部概览》丛书之一，云布龙主编，张文奎、袁俊芳编辑，2000年由民族出版社出版。全书分概况、经济、社会等3篇9章42节，计23万字。概况篇1章，记述了人文地理、自然资源、经济概况、投资环境与投资重点以及西部大开发的重大举措和亟待解决的突出问题；经济篇6章，依次记述了内蒙古的农牧业、工业、交通邮电及环保、商贸与旅游业、乡镇企业和个体私营经济、财政金融等；社会篇2章，依次记述了社会事业——教育、科技、文化艺术、广播电视、新闻出版、卫生、体育、工程咨询和民族、宗教等。为研究20世纪内蒙古自治区历史提供了新的综合性资料，并归纳了自治区经济社会发展的基本思路，特别是提出了亟待解决的突出问题。

《内蒙古民族教育概况》

乌兰图克主编、白双山副主编，1994年由内蒙古文化出版社出版。全书分民族篇、地区篇、专题篇、典型篇和附录，计53篇专题概况、文章和报告。民族篇收入内蒙古自治区民族教育概述、蒙古族教育概述、莫力达瓦达斡尔族自治旗民族教育概况、鄂温克族自治旗民族教育概况、鄂伦春自治旗民族教育概况、朝鲜族教育概况、呼和浩特回族教育概况和满族教育等8篇概述、概况；地区篇收入呼伦贝尔盟民族教育的回顾与展望和兴安盟、哲里木盟、赤峰市、锡林郭勒盟、乌兰察布盟、呼和浩特市、包头市、伊克昭

盟、巴彦淖尔盟、乌海市、阿拉善盟的民族教育概况等 13 篇；专题篇收入对大学生进行马克思主义民族观教育、内蒙古教育出版社 30 年总结、研究生教育与科技工作综述、高等学校蒙文教材编审、民族教育研究会概况等 5 篇；典型篇收入自治区、盟、市、旗及大、中、小学和专业学校民族教育典型材料 23 篇；附录收入关于民族教育的 3 个文件和 1 份内蒙古自治区中小学、幼儿民族教育事业发展比较的专题统计资料。

第四节　相关著作

《内蒙古蒙古民族的社会主义过渡》

内蒙古社会科学院民族研究所 1986 年编印，浩帆主编。全书分 4 编 13 章 34 节。第一编解放前的蒙古民族，分古代的蒙古民族、近代的蒙古族社会及蒙古族人民反帝反封建斗争；第二编蒙古民族的新生，记述了蒙古民族解放斗争的历程、民族内部的民主改革、实行民族区域自治、恢复发展民族经济文化；第三编蒙古民族走向社会主义，叙述了蒙古族社会发展的必然趋势、蒙古民族的社会主义过渡、社会主义民族形成、社会主义建设的发展与曲折；第四编蒙古民族进入新的历史时期，记述了对“文化大革命”的拨乱反正、改革开放、发展繁荣。这是较早对当代蒙古族历史尝试性研究的专著。

《内蒙古通史纲要》

国家社会科学基金项目《内蒙古通史》的阶段性研究成果，郝维民、齐木德道尔吉主编，2006 年由人民出版社出版。全书分 8 编，计 88 万字。其中第七编社会主义时期的内蒙古自治区，分 5 章简要叙述了 1949 年 10 月至 2000 年 12 月内蒙古自治区的历史，第一章记述了 1949 年至 1957 年内蒙古社会经济的变革；第二章记述了 1957 年至 1966 年内蒙古社会经济在曲折中发展；第三章记述了“文化大革命”浩劫中的内蒙古；第四章记述了拨乱反正开启新时期的内蒙古；第五章记述了改革开放，走向繁荣时期的内蒙古。该书对《内蒙古自治区史》《当代内蒙古简史》从时限延伸到内容的梳理又进了一步。

《中国新时期农村的变革·内蒙古卷》

《中国新时期农村的变革》丛书之一，中共内蒙古自治区委员会党史研究室编，1999年由中共党史出版社出版。全书分综述、专题资料、典型材料、大事记、统计资料等5部分。综述，一是历史的回顾，介绍富饶的北部边疆，农牧发展的曲折道路；二是讲变革的历程，分恢复时期、试行和建立家庭联产承包责任制时期、市场体系构建时期；三是讲巨大的变化有5点；四是讲改革的经验有4条；五是讲发展中的思考有5点。专题资料有15篇，包括农村牧区生产关系、经营体制、产业结构、科技兴牧兴农战略、林业发展、乡镇企业、金融投资体制、财政税收体制、教育、卫生、党建、政建、精神文明建设等。典型材料50篇，包括农村牧区变革的方方面面，内容极其丰富。这是研究内蒙古农村牧区改革开放历史的重要资料，有许多见解也具有重要参考价值。

《内蒙古改革开放20年》

中共内蒙古自治区委党史研究室、内蒙古自治区民族事务委员会编，侯秉权主编，1999年内蒙古人民出版社出版。全书以综述、篇、附录组成，计38万字。综述记载了改革开放20年的基本情况和历程、卓越成就、基本经验和面临的新问题、新任务；第一篇百业俱兴，分13个专题记述了各行各业各方面的发展；第二篇群星闪烁，介绍了21个典型事例、单位、人物；第三篇来自实践的决策，选录了内蒙古党委、自治区人民政府的决策性文件和领导人的讲话等22篇；第四篇1978年至1998年的大事记；附录：图示经济社会发展的18项数据。从而勾勒了改革开放20年的历史状况。

《内蒙古农村牧区经济调研文集》

内蒙古自治区农调队从1984年成立以来的调研文集，郑世成主编，2001年内蒙古人民出版社出版。全书编入43篇调研文章，涉及内容广泛，包括粮食问题、农村牧区市场、农牧业增长、农牧民收入、农牧业资源、农村牧区产业结构、农牧业产业化、减轻农牧民负担、农村城镇化等各种问题的调查研究，以及解决农村牧区问题的一系列对策研究。调查资料丰富具体，研究的问题具有针对性，是研究内蒙古自治区农村牧区改革发展历史的重要参考书。

《内蒙古农村牧区财政研究论文集》

内蒙古自治区农村牧区财政研究会编，王长玉主编，2001年内蒙古人民出版社出版。全书分生态建设篇；农业产业化建设篇；农村牧区财源建设篇；农村牧区税费改革篇；农村牧区财政管理篇；西部开发与农财建设篇。共编入 88 篇研究文章，计 49 万字，涵盖了农村牧区财政建设的各个方面，集中反映了自治区农村牧区改革建设的成绩、现状、问题，从财政的角度提出了相关的对策建议。对研究改革开放中农村牧区财政问题有重要的参考价值。

第二编

概　　述

第　三　章

内蒙古解放初期的形势与任务

第一节　行政区划

1949 年 9 月末，内蒙古全境获得解放。10 月 1 日中华人民共和国的成立，是内蒙古地区步入社会主义时期的标志，是本卷所述内蒙古历史的起点。当时，内蒙古地区分别隶属于内蒙古自治政府和热河省、察哈尔省、绥远省、宁夏省。

内蒙古自治政府辖区有呼伦贝尔纳文慕仁盟（即呼纳盟），下辖海拉尔市、满洲里市、新巴尔虎右旗、新巴尔虎左旗、陈巴尔虎旗、索伦旗、额尔古纳旗、布特哈旗、莫力达瓦旗、阿荣旗 2 市 8 旗；兴安盟，下辖乌兰浩特市、科尔沁右翼前旗、科尔沁右翼中旗、科尔沁右翼后旗、扎赉特旗、突泉县 4 旗 1 市 1 县；哲里木盟，下辖科尔沁左翼中旗、科尔沁左翼后旗、库伦旗、扎鲁特旗、奈曼旗、开鲁县、通辽县 5 旗 2 县；昭乌达盟，下辖阿鲁科尔沁旗、巴林左旗、巴林右旗、克什克腾旗、林西县 4 旗 1 县；锡林郭勒盟，下辖东部联合旗、中部联合旗、西部联合旗、苏尼特左旗、苏尼特右旗 5 旗；察哈尔盟，下辖正蓝旗、太仆寺左旗、明安太右联合旗、商都镶黄联合旗、正镶白联合旗 5 旗。1949 年 12 月，内蒙古自治政府改称内蒙古自治区人民政府，其辖区称内蒙古自治区，时辖 6 个盟，31 个旗，4 个县、3 个市。

在 20 世纪以后，内蒙古地区的行政建制发生了巨大变迁，一是在内蒙古建立了县、市建制，二是大部分盟旗划归邻近行省所辖。针对这种状况，1949 年 3 月，毛泽东提出："要为恢复内蒙古的历史地域创造条件，逐步实现内蒙古东西蒙统一的民族区域自治。"①

早在 1912 年，北洋政府设热河都统，监督、节制卓索图、昭乌达两盟各旗及其境内所设府、县。卓索图盟辖喀喇沁左、喀喇沁中、喀喇沁右、土默特左、土默特右、唐古特喀尔喀、锡埒图库伦等 7 旗；昭乌达盟所辖克什克腾、巴林右、巴林左、阿鲁科尔沁、翁牛特、翁牛特左、翁牛特右、敖汉左、敖汉右、喀尔喀左翼、扎鲁特左、扎鲁特右、奈曼 13 旗；热河都统直辖朝阳、赤峰、阜新、平泉、绥东、凌源、建平、林西、开鲁、承德、滦平、围场、隆化、丰宁等府、县。1914 年，设热河特别行政区，1928 年改设热河省，旗、县建制虽略有变化，到 1945 年 8 月基本上恢复了 1933 年前的行政区划和赤峰、宁城、乌丹、新惠、平泉、建平等县建制。1945 年 11 月，中国共产党领导建立热河省政府，之后旗、县建制发生多次变化，直到 1949 年 5 月，将昭乌达盟划归内蒙古自治政府管辖，其余旗、县仍归热河省管辖。

1912 年北洋军阀政府设察哈尔都统，统辖察哈尔左、右翼之正蓝、镶蓝、正白、镶白、正黄、镶黄、正红、镶红 8 旗及太仆寺左翼、太仆寺右翼、牛羊群、商都 4 牧群，监督、节制锡林郭勒盟及其乌珠穆沁左、乌珠穆沁右、阿巴嘎左、阿巴嘎右、浩齐特左、浩齐特右、阿巴哈纳尔左、阿巴哈纳尔右、苏尼特左、苏尼特右等 10 旗。1914 年设察哈尔特别行政区，除辖上述旗、群外，将直隶省所辖口外多伦、沽源、张北 3 县及山西省所辖归绥道之丰镇、凉城、兴和、陶林 4 县划归察哈尔特别行政区，并设兴和道，管辖上述 7 县。到 1922 年，在察哈尔旗、群先后设商都、宝昌、康保、集宁等 4 县。1928 年，南京国民政府改设察哈尔省，察哈尔特别行政区区划有所变动，将兴和道所辖之丰镇、凉城、兴和、陶林和集宁等 5 县划归绥远省，又将直隶省口北道所辖之宣化、怀来等 10 县划归察哈尔省，形成新的察哈尔省行政区划。之后，直至 1945 年 8 月察哈尔省全境解放前，行政建置与区划以及隶属关系发生数次变更。1936 年 2 月，日伪将察哈尔部改为

① 王铎：《五十春秋——我做民族工作的经历》，内蒙古人民出版社 1992 年版，第 367 页。

察哈尔盟，翌年9月，日军侵占察哈尔省全境。1945年8月，察哈尔省全境解放，恢复原辖区；11月，中国共产党领导成立察哈尔省；1946年7月，成立察哈尔盟8旗、锡林郭勒盟10旗分别为自治区，归内蒙古自治运动联合会管辖；1947年5月以后隶属于内蒙古自治政府，其他县仍为察哈尔省辖区。

1912年北洋政府设绥远城将军，监督、节制由清朝所设（归化、萨拉齐、托克托、和林格尔、清水河、丰镇、宁远、兴和、陶林、武川、五原、东胜等）口外12抚民厅所改12县和乌兰察布盟6旗、伊克昭盟7旗及土默特旗。1928年9月，南京国民政府改设绥远省，辖上述12县和乌、伊两盟13旗及土默特旗。之后，直到1949年绥远和平解放，其行政建制和区划发生过很多变化，最终形成所辖归绥市、归绥县、包头县、和林格尔县、清水河县、托克托县、萨拉齐县、武川县、丰镇县、兴和县、陶林县、凉城县、集宁县、固阳县、东胜县、五原县、临河县、安北县、晏江县、狼山县、米仓县21市、县；伊克昭盟准格尔旗、郡王旗、达拉特旗、乌审旗、鄂托克旗、杭锦旗6旗，乌兰察布盟四子部落旗、达尔罕贝勒旗、茂明安旗、乌拉特前旗、乌拉特中旗、乌拉特后旗等6旗以及土默特旗，察哈尔右翼镶蓝旗、镶红旗、正红旗、正黄旗等5旗。绥远省共辖1个市20个县和2个盟18个旗。另外还有宁夏省所辖阿拉善旗、额济纳旗2旗。①

中华人民共和国成立初期，内蒙古的历史地域状况错综复杂，预计约由8个盟54个旗31个县5个市逐步形成内蒙古自治区统一的行政区域，总面积约118万平方公里；人口约608万人，其中乡村（包括牧区）人口约511万多人，城镇人口约97万多人；民族构成蒙古族约83万人，汉族约515万多人，达斡尔、鄂温克、鄂伦春、回、满、朝鲜族等少数民族约9万人。②

这是在内蒙古贯彻实行《中国人民政治协商会议共同纲领》规定的民族政策，恢复内蒙古的历史地域，实现内蒙古统一的民族区域自治所面临的复杂而艰巨的任务。

---

① 参见周清澍主编：《内蒙古历史地理》，内蒙古大学出版社1994年版，第244—286页。

② 根据内蒙古自治区统计局编：《辉煌的内蒙古》，中国统计出版社1999年版，第256、257、384、389、399、404、414、419、424、429、434页的相关数据统计。

第二节 政治形势

中华人民共和国成立初期，内蒙古地区的政治形势比较复杂，以当时的内蒙古自治区和绥远省原绥蒙政府辖境为老解放区，以绥远省大部分旗、县、市及热河省、察哈尔省部分旗、县及宁夏省所辖旗为新解放区，形成新老解放区政治局势不同的两个区域。在老解放区，在抗战胜利后即通过内蒙古自治运动，特别是 1947 年 5 月内蒙古自治政府成立以后，在解放区辖境逐步改造旧政权，建立各级人民民主政府，大部分农村进行土地改革，牧区和半农半牧区进行民主改革，开展经济、文化建设，社会面貌发生了一定的变化；绥蒙政府在绥东解放区农村进行了减租减息，部分农村开展了土地改革，建立了部分基层民主政权。1949 年 6 月，绥蒙政府改称绥远省人民政府；热河、察哈尔两省所辖内蒙古的旗县相继解放。1949 年，绥远省“九一九”和平解放；宁夏省所属阿拉善旗、额济纳旗也于 9 月 23、27 日先后通电起义，此谓新解放区。至此，内蒙古全境解放。

由于内蒙古各个地区的解放有先有后，解放的方式不同，行政管辖不统一，民主政权建设和社会改革也有差别，就全区而言，政治局势复杂，应对的问题严重。在老解放区仍有敌对势力潜伏或渗透，伺机反抗，人民政权有待完善与加强，社会改革仍需深入进行。新解放区由于和平解放，潜伏下来的敌对势力继续反抗，起义者中的顽固势力时有反叛活动，被推翻的反动阶级时刻企图复辟，敌情十分严重，社会问题多而复杂，民众尚待进一步发动。其中以“绥远方式”和平解放的绥远省来说，国民党省政府及各级政权和军队全部保留了下来，要通过和平改造逐步实现地方解放区化、军队解放军化。这“两化”是艰巨而复杂的改造过程。同时，相当数量的敌特组织及其敌特人员潜藏了下来；天津、北平、太原等邻近城市解放时，大批国民党特务及各种反革命组织及其成员纷纷逃窜，麇集绥远，形成一股猖獗的反革命势力，甚至构成了反革命网络。

1949 年夏秋，在绥远和平谈判期间，国民党中统特务华北“剿总”调统室主任兼军法处处长张庆恩，军统特务华北“剿总”第二处处长史泓即窜到绥远，策划破坏和平进程和部署特务潜伏事宜。1949 年 12 月，张庆恩遥控指挥，在绥远组建“华北党政军联合工作指导委员会”；为反革命统一指挥机构，又组建了“华北、东北、西北党政军联合工作指导委员会”（简称指委会），网罗特务人员，组建分支组织，部署反革命任务，出现了所谓“中国人民反共抗苏自卫救国军”“中国人民反共抗苏自卫救国军晋察绥陕总司令部”“华北反共义勇军”“华北反共义勇军挺进军”“华北反共抗苏调查团”“铁血青年团”等反革命组织。他们勾结土匪，破坏地方民主政权建设，暗杀革命干部和群众，策划起义部队哗变。仅1950年底以前，在其直接策划或间接影响下发生起义部队哗变64起，参加者约四千余人。①

在绥远新解放区的广大农村和城镇，国民党的保甲制度依然存在，地主封建势力仍然控制广大农村，城镇居民和乡村农民一时还没有获得政治上的解放；蒙旗封建政权依旧行政，蒙古上层的封建特权还没有废除；国民党部分起义部队不接受和平解放和改造，流为匪寇；在新旧政权交替之际，各路土匪乘机纷纷出笼，盘踞大青山、蛮罕山、乌拉山及阴山山脉、鄂尔多斯高原，打家劫舍，农村牧区匪患严重，百姓不得安宁，民主建政困难重重。

宁夏省所辖阿拉善旗和额济纳旗虽然于1949年9月下旬和平解放，但是蒙旗各级旧政权依然执政，蒙古族封建上层的特权照旧保留；是年秋，德王等在阿拉善旗定远营发动“内蒙自治”的残余势力溃散，宁夏、甘肃的国民党残兵和土匪向这两个旗流窜，特务、反革命分子也潜入藏匿。铲除敌特邪恶势力，废除封建特权统治，建立人民民主政权，实行社会民主改革等，任务繁重而艰巨。

内蒙古自治政府所辖老解放区，在东北、华北解放前后亦有美、蒋特务秘密潜入藏匿，有些在自卫解放战争、剿匪斗争、土地改革时潜逃的土匪、地主恶势力也秘密潜回。他们也想伺机而动，企图复辟。时势并不太平。

总之，当时内蒙古各地的政治形势很不相同，革命与反革命、新与旧的斗争仍然复杂而激烈。建立人民民主政权，巩固人民民主专政，面临的形势严峻，任务繁重。

---

① 参见张如岗：《绥远“九一九”起义前后敌特活动情况概述》，内蒙古政协文史资料研究委员会编：《内蒙古文史资料》第15辑，1984年版。

第三节 经济形势

中华人民共和国成立初期，内蒙古地区的经济形势类似政治形势。当时的内蒙古自治区所辖解放较早的老解放区，绥远省全境及热河、察哈尔、宁夏各省所辖内蒙古的旗县大部分是新解放区，新老解放区经济形势不尽相同。但是，从内蒙古经济的总体来看，生产落后，经济困难，人民生活贫困，是当时经济形势的基本状态。

解放初期，内蒙古地区的农业和畜牧业仍然是经济的主体，工业、商业极其薄弱。在内蒙古自治区人民政府辖区，由于较早开展自治运动，进行自卫解放战争，实行社会民主改革，恢复发展经济，取得了良好的效果。农业总产值1949年比1946年增长了36.63%，牲畜总头数1949年比1947年增长了13.6%。在保护、恢复、发展私营工商业的同时，努力发展地方国营和合作社营工商业，创办了粮食、畜产品、百货等3大地方国营公司，掌握了银行、大宗贸易、林业、渔业和矿业等国民经济部门，促使工商业有了一定的恢复与发展。但是，经济状况仍然非常困难。在新解放区，虽然目前还没有准确的经济统计数据，但经济落后、困难是显而易见的。绥、察、热3省在日本占领时期所受损害很重，解放战争时期又是敌我争夺的战略地带，战争的破坏很大。国民党绥远当局大肆扩军，仅壮丁就抓了12期，大批汉族青壮年被抓入伍，绥远国民党驻军达10万余人。平、津解放时，国民党军队部分残余窜到绥远，等待时机。经济本来就十分贫瘠的内蒙古西部地区，兵灾战祸更是雪上加霜。绥远和平解放后，大批起义部队也要养起来改造，1950年虽然组织起义部队建设兵团，生产自救，但远水不解近渴。

内蒙古解放初期的经济困难状况，1949年的一组统计数据是有力的佐证。1949年底，内蒙古的总人口是608.1万人，而农业总产值是6.01亿元，牧业产值1.22亿元，粮食产量212.5万吨，牲畜总头数968.6万头（只），工业总产值0.69亿元，财政收入739万元。人年均主要经济指标：农业总产值113元，财政收入1.25元，粮食产量358.26千克，大牲畜0.51头，羊0.97只，生猪0.15头，煤0.08吨，原盐0.01吨，木材0.01立方米。经济极度困难，自然影响文化、教育、卫生事业的发展。1949年，中等专业学校在校学生 2 328 人，每万人中有 3. 83 名中专学生；普通中学在校学生 0. 70 万人，每万人中有 11. 51 名普通中学生；小学在校学生 35. 33 万人，每万人中有小学生 58. 09 人，没有高等学校；卫生机构 78 个，医疗床位 726 张，卫生技术人员 7 204 人，人均数更低。① 这些统计数字是当时内蒙古经济、社会状况的集中显示，无需解析即可直观其落后的基本面貌。

总之，恢复发展经济是人民民主政权能否立足，革命成果能否巩固，能否切实得到人民群众拥护的基础。这是经过革命战争夺取政权后的第一个严峻的考验。

第四节　民族问题

民族问题是 20 世纪上半期涉及内蒙古社会方方面面的重要问题。中国共产党经过二十多年的探索，于 1947 年 5 月领导成立了内蒙古自治政府。这是从根本上解决内蒙古民族问题所取得的开创性成就，是内蒙古实行民族区域自治的里程碑。这是毋庸置疑的事实。尤其重要的是，内蒙古自治政府成立以后，继续推行民族区域自治，在解放区进行民主政权建设和社会民主改革，恢复、发展经济文化，开展自卫解放战争，巩固和扩大解放区，取得了解决民族问题的示范性的成就与经验。

到 1949 年 9 月底内蒙古全境解放时，在内蒙古自治政府辖区只有 6 个盟 31 个旗 4 个县 3 个市，人口约 465. 88 万人，蒙古族约占全区蒙古族人口的 2/3、面积约占全区总面积的一半以上，初步实现了民族区域自治。另外还有热河、察哈尔、绥远、宁夏等 4 省所辖蒙古族的 23 个旗 27 个县 2 个市，约 142. 22 万人口，占全内蒙古蒙古族人口 1/3、其面积占全区总面积近一半，还没有实现民族区域自治。

毛泽东早在 1935 年已有明确的主张：即原内蒙古 6 盟 24 部 49 旗、察哈尔和土默特 2 部、宁夏 3 特别旗之全域，不论设县与否，一律归还内蒙古人民，“作为内蒙古民族之领土”，要撤销国民党于 1928 年在内蒙古设置的

① 根据内蒙古自治区统计局编：《辉煌的内蒙古》，中国统计出版社 1999 年版，第 235、241 页的相关数据统计。

热河、察哈尔、绥远3个行省及其行政组织，“其他任何民族不得占领或借辞剥夺内蒙古民族之土地”。① 1949年3月，毛泽东主席在中共七届二中全会期间重申，要为恢复内蒙古历史地域创造条件，建立东西蒙统一的内蒙古自治区，并提出应将内蒙古自治政府领导机关由乌兰浩特迁到张家口，待绥远解放后移驻归绥市②。这是中国共产党全面实现内蒙古统一的民族区域自治的重大战略决策，是留给新中国要继续解决的内蒙古民族问题。实现内蒙古统一的民族区域自治，是一个复杂的实施过程，既有认识上的问题，也有细致的准备问题，不能稍有疏忽。

1949年9月29日，中国人民政治协商会议第一届全体会议通过的《中国人民政治协商会议共同纲领》第六章民族政策中规定：“中华人民共和国境内各民族一律平等，实行团结互助，反对帝国主义和民族内部的人民公敌，使中华人民共和国成为各民族友爱合作的大家庭。反对大民族主义和狭隘民族主义，禁止民族间的歧视、压迫和分裂各民族团结的行为。”“各少数民族聚居的地区，应实行民族的区域自治，按照民族聚居的人口多少和区域大小，分别建立各种民族自治机关。凡民族杂居的地方及民族自治区内，各民族在当地政权机关中均应有相当名额的代表。”“中华人民共和国境内各少数民族，均有按照统一的国家军事制度，参加人民解放军及组织地方人民公安部队的权利。”“各少数民族均有发展其语言文字、保持或改革其风俗习惯及宗教信仰的自由。人民政府应帮助各少数民族的人民大众发展其政治、经济、文化、教育的建设事业。”③ 这是中华人民共和国第一个代行宪法的大法，也是第一部以民族区域自治解决国内民族问题的法律，是指导民族工作的纲领。

1949年10月1日中华人民共和国成立后，内蒙古自治政府主席乌兰夫遵照毛泽东主席在中共七届二中全会期间的提议，于1949年11月23日呈请中央人民政府批准，将内蒙古自治政府从乌兰浩特迁驻张家口。次日，周恩来总理批准所请，遂开始搬迁。12月2日，中央人民政府委员会举行第4

---

① 中共中央书记处编：《六大以来》（上），人民出版社1981年版，第732页。

② 王铎：《五十春秋——我做民族工作的经历》，内蒙古人民出版社1992年版，第367页。

③ 《民族政策文件汇编》第1编，人民出版社1958年版，第1页。

次会议，任命乌兰夫为内蒙古自治区人民政府主席，哈丰阿为副主席，内蒙古自治政府遂改称内蒙古自治区人民政府，内蒙古自治区之称谓自此而始。12 月 23 日，内蒙古自治区人民政府开始在张家口办公，1950 年 6 月 25 日全部完成迁移事宜。这是全面推行民族区域自治政策，实现内蒙古统一的民族区域自治的重大步骤。

截至 1950 年 10 月，在中国共产党领导下，在内蒙古自治政府成立以后的 3 年多时间，内蒙古人民骑兵在自卫解放战争和剿匪中作战 654 次，歼敌 21 900 人，俘敌 12 234 人，敌投诚 2 737 人，缴获了大批武器弹药和物资，保卫了生产，安定了社会秩序，部队参加生产建设，种田万余亩，修河堤出工 40 多万个，完成 220 万土方；建立了各级人民政府，普遍召开人民代表会议，而且在各级政府中合理安排了民族干部，体现民族区域自治；在农村进行土地改革，蒙汉农民获得了 296.7 万亩土地，15.6 万头牲畜，并实行了一系列发展农业生产的政策措施，耕地面积逐步扩大，粮食产量逐年提高，1949 年产粮 110 万吨；全区有 3/5 的地带为牧业区，从事牧业的人口只占 9%，由于坚持恢复与发展牲畜的方针，并采取轻税等发展生产的政策和防疫、打狼、挖井、打草、搭棚、放贷及提高畜产品价格等措施，1949 年牲畜总头数达到 359.25 万头（只），1950 年 7 月增长到 425.743 万头（只）；实行合理采伐、民主管理，充实林业机构与护林为主的发展林业方针，1949 年采伐木材 33 万立方米；发展国营贸易与合作社，成立粮食、畜产、百货等贸易总公司及盟、旗、县分公司计 37 个，1948 年有合作社 441 处，资金 490 亿蒙币，社员达 18 万人，1950 年 8 月已发展到 809 处 44 万人，资金 1 900 亿蒙币；文化教育事业发展迅速，有小学 2 874 所，学生 23.897 万人，占学龄儿童的 61%，有 30 多万农民入冬学学习文化；培训医务人员 700 多名，大力扑灭鼠疫，减少疫情，治疗梅毒，成效显著。[①] 这些成就给绥远、热河、察哈尔、宁夏等省蒙古族聚居地区的蒙汉各民族以极大的鼓舞，民族区域自治政策产生了重要影响。

新中国的建立，虽然推翻了民族压迫制度，但是，从根本上解决民族压

---

① 参见乌兰夫：《给全国少数民族国庆观礼代表的报告提纲》（1950 年 10 月），《乌兰夫同志关于内蒙古自治区工作方针、政策及有关民族问题的讲话集要》第 3 集，1953 年编印（油印本）。

迫制度造成的内蒙古民族问题，并非易事，有诸多实际问题，也有认识上的问题，还有理论问题。其中结束被清朝、北洋军阀、国民党分割统治蒙古民族的局面，恢复内蒙古的历史地域，实现内蒙古统一的民族区域自治，是首当其冲的问题；蒙古族作为内蒙古的主体民族，实现当家做主，是从根本上否定民族压迫制度和彻底解决内蒙古民族问题的关键；内蒙古是蒙古民族为主体，汉族人口占多数，还有其他少数民族的多民族地区，正确处理民族关系，实现民族平等和民族团结，是解决内蒙古民族问题必须遵循的原则；从内蒙古的实际出发，实行社会变革，进行经济、文化建设，是解决内蒙古民族问题必需的条件。

对于中华人民共和国成立后，内蒙古面临的民族问题，乌兰夫根据马克思主义民族理论和中国共产党的民族政策，从内蒙古的实际出发，在不同的场合，反复阐述内蒙古民族问题，总结历史的经验，分析当时的形势，进行思想、理论、政策教育，解决人们的认识问题，制定切实可行的方针政策，采取行之有效的措施，收到了良好的效果。

内蒙古民族问题及其相关的问题，归结起来主要有如下九点：一、关于内蒙古民族问题的历史根源。当时，人们的认识并不清晰。所谓内蒙古民族问题的核心是蒙古民族的解放问题，其历史根源就是清朝、北洋军阀、国民党对蒙古族实行民族压迫、分割统治和帝国主义对内蒙古进行侵略、掠夺所致，只有从这个源头认识产生民族问题的根源，才能正确认识和对待内蒙古民族问题。二、关于民族问题的实质。在民族压迫时代，民族问题是由于民族压迫制度造成的，压迫民族的统治阶级对被压迫民族人民大众的压迫，实质上也是阶级压迫，只不过是以民族形式表现出来的，不能简单地认为是民族与民族之间的关系。只有推翻民族压迫制度，实行民族的平等联合，才能实现民族解放和解决民族问题。三、关于解决内蒙古民族问题的途径。内蒙古历史上有过许多举动，实践证明，只有在中国共产党的领导下，蒙汉各民族团结起来，和全国人民一道，赶走帝国主义，推翻封建主义、官僚资本主义，推翻民族压迫制度，实行民族区域自治，才能彻底解决民族问题，内蒙古开辟了这个途径，正在走向成功。四、关于民族区域自治问题。中国共产党在领导内蒙古革命的实践中，经过长期反复的探索，确认民族自决和联邦制不适合中国的国情，也不适合内蒙古地区的区情，历史实践证明，民族区域自治是解决内蒙古民族问题唯一正确的选择。五、关于民族关系。从本质上讲，在民族压迫时代，压迫民族的统治阶级与被压迫民族统治阶级之间的利益往往是一致的，而压迫民族的人民与被压迫民族人民之间的利益也是共同的。任何一个民族的主体——人民，最终是民族的主导力量，只有各民族人民的团结斗争，才能共求解放。六、关于民族特点与地区特点。解决内蒙古民族问题必须从这里的民族特点、地区特点出发，才能准确把握内蒙古的革命与建设正确发展，才能正确解决内蒙古民族问题。七、关于处理历史上遗留下来的民族问题的原则。解决历史上遗留下来的民族问题，要“承认历史，照顾现实，解决问题，达到团结”，这四点缺一不可。八、关于社会民主改革中的民族问题。在内蒙古地区进行社会民主改革是当务之急，在农村，要进行土地改革，在牧区、半农半牧区要进行民主改革。在改革中的民族特点、阶级关系的特点、经济特点，必须充分注意，准确把握，区别对待，妥善处理，以利解决民族问题。九、关于历史上遗留下的少数民族在政治、经济、文化上的事实上不平等问题。这是历史上民族压迫制度造成的客观事实，是不容回避的，是必须解决的问题，要有特殊的政策和有效的措施。这要在社会、经济、文化的整体发展中逐步相继解决，使蒙古族及其他少数民族逐步达到汉民族的发展水平，这是解决内蒙古民族问题长久的核心问题。

总之，解决内蒙古民族问题，只有在毛泽东思想民族理论和中国共产党民族政策的指导下，正确认识，准确把握，妥善处理，切实解决相关的诸多问题，才能实现内蒙古统一的民族区域自治，才能完成社会变革，才能恢复发展经济、文化和各项事业，才能像周恩来总理期望的那样，成为实现民族区域自治的良好榜样。

第四章

绥远新区社会变革和恢复国民经济

第一节 人民民主专政建设

一、组建新机构 制定新政策

1949年，在绥远“九一九”和平解放的第二天，毛泽东、朱德致电董其武等，高度赞扬绥远和平解放之举，提出：“希望你们团结一致，力求进步，改革旧制度，实行新政策，为建设人民的新绥远而奋斗。”① 为此，从领导机构到方针政策特别是民族政策，进行了细致的研究，做出了既体现中央的总方针总政策，又符合绥远省的实际，特别是符合绥远省民族问题实际的方案，并迅即付诸实施，取得了理想的效果。

绥远省新的领导机构的建立 在中共中央、中央人民政府和中共中央华北局的领导下，中共绥远省委迅速着手建立新的绥远省人民政府和军队领导机构。按照中共中央的部署，中共中央华北局为统一绥远省人民政府和原国民党绥远省政府，整编绥远起义部队，积极进行准备工作。10月初，傅作义向毛泽东主席提出绥远的团结改造方针应遵循的四个原则：坚持团结、肃清特务、整顿纪律、军队改编成人民解放军；三个步骤：彻底实现解放区与

① 内蒙古档案馆编：《绥远“九一九”和平起义档案史料选编》，内蒙古人民出版社1986年版，第67页。

解放军化，同国民党反动政权完全脱离关系；恢复交通，包括通商、通邮和人民的往来；解放军派干部去进行政治思想工作。[①] 1949 年 10 月上旬，中共中央华北局召集傅作义和中共绥远省委书记高克林等，在北京举行会议，商讨绥远工作的具体步骤和方法，提出如下方案：一、绥远省人民政府与绥远省政府立即合并，董其武任主席，杨植霖任副主席，合并后财政、粮食、铁道等及各项政策均按《共同纲领》统一起来。二、所有董其武部军队（骑兵在外）进行编制，在 3 到 6 个月内解放军只派较高级干部帮助工作，成立干部轮训队，由解放军派人负责训练。三、董其武部队 89 872 人（包括北平遣散人员 12 000 人和蒙古部队 17 单位在内）的供给，完全由中共负责。四、提议绥远军政委员会组成人员名单。[②] 10 月 24 日，毛泽东、周恩来在华北局领导人聂荣臻、薄一波陪同下，接见绥远省委和军队负责人高克林、姚喆、裴周玉及傅作义。毛泽东主席对绥远工作做了重要指示："绥远问题谈了大半年，现在实现了第一步。现在是实现合作，第二步很重要"，"你们要使同志们了解合作的必要性，……一切为了人民的利益，打仗是为了人民求解放；和平解决，团结改造，也是为了人民的利益。""军政委员会要统一军事、政治、教育、吃饭，正规军和地方军也包括在内。"[③] 10 月 29 日，毛泽东电示薄一波："绥远两个军及一个骑兵师，可以编入人民解放军的战斗序列，并颁发番号；所列两军及骑师的军事指挥人员亦可照准，惟须与政治委员及政治部主任同时委任，方能使政治工作在军中建立威信，此点请与傅宜生（傅作义）商酌。""在绥远军队中实行认真的政治工作制度是一件大而艰难的事，必须事先有充分的精神准备，并须由傅宜生亲自领导方能行得通，否则难免出乱子。"[④]

中共中央华北局和中共绥远省委对绥远工作进行了反复细致的研究部署。10 月 28 日至 11 月 4 日，绥远省委召开干部扩大会议，期间于 11 月 1 日召开了省委第 17 次全体会议，传达中央关于统一绥远工作的指示和方针、

① 董其武：《绥远和平起义后实现解放区化解放军化的历程》，内蒙古政协文史资料研究委员会编：《内蒙古文史资料》第 18 辑，第 1 页。

② 高克林：《绥远和平解放》，中共党史出版社 1998 年版，第 168 页。

③ 高克林：《绥远和平解放》，中共党史出版社 1998 年版，第 461 页。

④ 《建国以来毛泽东文稿》第 1 册，中央文献出版社 1987 年版，第 102 页。

步骤，集中解决中共领导的绥远省军政机关与原国民党绥远省政府和起义部队统一问题的认识，讨论中提出诸多实际问题，通过学习和讨论，进一步理解了中央的方针，澄清了不合时宜的观念，提高了认识，统一了思想，部署了绥远省委、省人民政府、省军区从绥东丰镇进入归绥的工作。11 月 10 日，中共绥远省委发出《关于进入归绥工作生活中应注意事项的指示》，制定了一系列工作、生活、保卫等方面的注意事项与制度，保证顺利执行合作团结与改造的任务，正确贯彻人民民主统一战线政策，遵循毛主席所指出的小心、谨慎、协商、学习、与人为善等工作态度与工作方法。[①]

11 月 1 日，董其武也发出《为建立人民解放军与人民省政府给各级干部的指示》，向绥远省起义军政干部传达了中央关于统一绥远工作基本方针和具体办法，指出：中央“对绥远军政人员，采取坚决团结，耐心教育改造的方针与方式，帮助他们学习进步，使其安心为人民服务。”他还说毛主席异常诚恳地反复指示：“有了北平和平，必须把绥远原有的和回到绥远的所有干部都团结起来，给予教育安置。一方面必须认定与绥远干部合作的绝对可能，一律不准歧视、小看、排挤绥远干部，完全团结帮助绥远干部进步；一方面告知绥远干部认定绝对有前途，绝对有美丽的远景，不要怀疑犹豫，要团结一致，努力进步。”[②] 董其武耐心细致地做绥远起义军政人员的工作，为统一绥远工作尽心尽力，发挥了不可替代的重要作用。

12 月 2 日，中央人民政府委员会第四次会议决定，任命傅作义为绥远军政委员会主任，高克林、乌兰夫、董其武、孙兰峰为副主任，刘万春、张钦、荣祥、袁庆臻、安春山、王克俊、阎又文、于存灏、张濯清、姚喆、杨植霖、苏谦益、裴周玉、潘纪文、奎璧、杨叶澎等 16 人为委员。同时任命董其武为绥远省人民政府主席，任命杨植霖、奎璧、孙兰峰为副主席，周北峰等 22 人为委员。[③] 12 月 13 日，中央人民政府革命军事委员会任命傅作义为绥远省军区司令员，薄一波兼政治委员；乌兰夫、董其武、姚喆、孙兰峰为副司令员，高克林、杨叶澎、王克俊为副政治委员；政治部主任裴周玉，

① 高克林：《绥远和平解放》，中共党史出版社 1998 年版，第 179 页。

② 高克林：《绥远和平解放》，中共党史出版社 1998 年版，第 172 页。

③ 高克林：《绥远和平解放》，中共党史出版社 1998 年版，第 308—310 页。

副主任雷宜之、阎又文。[1] 至此，绥远省军政领导机关正式组成。12 月 17 日，中共绥远省委、中国人民解放军绥远省军区从绥东丰镇迁入归绥，在归绥火车站受到董其武、孙兰峰等军政领导人和各机关、部队、工厂、学校等六十多个单位八千余人的热烈欢迎。[2] 12 月 27 日，绥远军政委员会举行成立大会，军政委员会全体成员、绥远省人民政府、绥远省军区领导人及各族各界代表 127 人参加，甘肃省人民政府主席邓宝珊出席，傅作义致辞，他说军政委员会的任务："在于使绥远地方成为和全国一样的解放区，绥远军队成为和全国一样的人民解放军，遵照毛主席的指示，团结一致，力求进步，改革旧制度，实行新政策，有计划有步骤地建设人民的新绥远。"具体任务："一、遵照共同纲领和中央人民政府的政策法令和命令，决定绥远军事、政治、经济、文化、教育、民族问题等实施方案，并随时检查工作执行情况，总结工作经验。二、负责对起义部队进行整训工作，逐渐确立人民解放军各种制度。三、对绥远起义军政人员，采取坚决团结与耐心教育改造的方针与方式，帮助其学习进步，使其能安心为人民服务。四、指挥绥境部队，肃清特务，巩固革命秩序，及执行上级赋予的任务。"[3] 高克林、乌兰夫、孙兰峰等先后讲话，赞扬绥远和平解放，祝贺绥远走向新生，阐述绥远军政委员会的方针任务。乌兰夫着重阐述了绥远的民族问题，他指出："绥远是一个多民族的地区，是几个民族（蒙、汉、回）杂居的地区，民族问题与绥远各族人民的现实生活有深切联系，民族问题与绥远人民的实际生活有着错综复杂的关系。因此我们要推行的任何一件重大工作，都会牵连到民族关系，牵连到民族问题的解决。"他列举整编蒙旗部队，发展农牧业生产，解决蒙汉人民间的土地问题，都会关联到绥远人民的民族关系，把解决民族问题放到一个适当的位置，充分加以重视是非常必要的。他分析了新旧两种民族关系的实质，即解放前数百年旧的民族关系是奴役、同化、压迫剥削、统治屠杀，其目的是消灭被压迫民族；新中国的新的民族关系是民族间的自由平等，团结互助，共同生存，共同发展，其目的是建立一个各民族间

① 《人民日报》1949 年 12 月 14 日。

② 《绥远日报》1949 年 12 月 18 日。

③ 《在军政委员会成立大会上傅作义主席致词全文》,《绥远日报》1949 年 12 月 28 日。

团结友爱的大家庭。他还指出对待民族关系的两种错误观点，即以人口多少论民族的重要与否，人多则重要、人少就不重要的人口论错误观点，或无原则的强调民族特点、民族形式的狭隘的民族观点。这两种错误的民族观点对解决绥远民族问题，建设新绥远都是有害的，必须防止。[①] 董其武在讲话中还自责地说："我过去在反动的阵营里做了许多违反人民利益的事，按道理应当受到人民的处罚，但是毛主席宽恕了我，绥远人民宽恕了我，给了我一个自我改造为人民服务的机会，我真是感激万分。"[②] 会后，绥远军政委员会全体成员就职视事。12 月 31 日，绥远省人民政府举行成立大会，董其武宣布绥远省人民政府组成人员名单，并致辞："省人民政府的成立，是绥远划时代的一件大事，是绥远人民的一个大胜利，是绥远各民族人民大团结的具体表现。这就证明旧的绥远已经结束，新的绥远已经诞生。我要求全体同志竭尽所能，矢忠尽职，以优异的成绩向中央人民政府和绥远全体人民汇报！"[③] 这一个接一个的会议，诸多领导人的讲话，都体现了对绥远和平的高度评价，都期盼绥远的新生，预示着绥远前途的光明。绥远的民主建政迈出了坚实的第一步。绥远以人民新绥远的诞生送走了灾难深重的 1949 年。

实行新政策　改革旧制度　为正确贯彻执行中央关于"团结一致，力求进步，改革旧制度，实行新政策"，实现绥远地区解放区化，部队解放军化的方针，绥远省人民政府制定了 1950 年施政方针：

"一、剿匪肃特，安定社会秩序。解散一切反动党派，并进行登记，有步骤的取缔封建会门、道门，清除特务土匪及一切暗藏的反动分子，严防并镇压反动分子的阴谋和破坏活动，贯彻'首恶者必办、胁从者不问，立功者受奖'的宽大政策。对土匪亦将采取以政治争取为主与军事清剿相结合的方针。严禁种植、制造、贩卖、吸食毒品，实行劳动改造。加强公安工作，严密户籍管理，建立各县公安部队，整理城市警察。清理积案，审查监犯。

---

① 《在军政委员会成立大会上乌兰夫副主席讲话全文》,《绥远日报》1949 年 12 月 29 日。

② 董其武：《绥远和平起义后实现解放区化、解放军化的历程》，内蒙古政协文史资料研究委员会编：《内蒙古文史资料》第 18 辑，第 1 页。

③ 董其武：《绥远和平起义后实现解放区化、解放军化的历程》，内蒙古政协文史资料研究委员会编：《内蒙古文史资料》第 18 辑，第 1 页。

二、巩固并扩大人民民主统一阵线，加强团结。依照人民民主原则，改造各级政权，废除保甲制度，彻底改造旧政权基层组织，教育改造旧公务人员，并有计划有步骤地召开各级各界人民代表会议，以密切群众联系，推进工作，克服困难。三万人口以上的城市于合并后两个月内召开，各县旗于合并后四个月内召开。区村主要在调整负担减租生产工作中建立农会，召开农民代表会议和区人民代表会议。组织生产工作团，深入各县农村，结合调整负担，减租生产，发动群众进行民主建政，由村农民代表大会民主选举村人民政府，在特殊情况下，可采取临时推选或委派的办法组织临时村政府。对村政人员，加强教育，建立为人民服务的思想。省政府及其领导的一切政权机关，必须厉行廉洁朴素的为人民服务的革命工作作风，反对一切不民主，违反民意、贪污、勒索、欺压群众，强迫命令的官僚主义作风。

三、为适应当前农民迫切要求，恢复并发展生产，并准备土地改革的条件，必须实行‘二五减租’。在半老区普遍深入的进行查租减租，在新区实行调整负担和有步骤的进行减租，调整负担、减租应与生产、剿匪、建政工作密切结合，并严防侵犯中农利益。

四、发动并组织工人、农民、青年、妇女等各人民团体，并使之成为政府各项建设的有力的可靠支柱。

五、绥远目前的经济建设的具体方针，首先是恢复农牧业，并逐渐恢复工业，在灾区领导人民生产自救，战胜灾荒，以便推进绥远社会经济的发展。

(1) 农业方面：基本是恢复。在农业上，以最大努力领导恢复农业生产，半老区要求增产一成，新区保持1949年耕地面积与产量，并争取个别地区超过。因此必须发动群众开荒，组织劳动力，在自愿两利的原则下，实行变工互助。鼓励农业区蒙民参加农业生产和有计划的移民开垦，以扩大耕地面积。大量发动群众开展群众性的兴修水利事业，着重群众出力，政府帮助，当年得利。修筑黄河左岸防洪堤和黄杨闸及民阜渠水利工程。保护森林，建立苗圃，发展林业。提倡科学与农民经验结合，恢复和建立农场，改良农具，进行育种选种，防止各种天灾病虫害，提倡种植胡麻、线麻、寄籽小麦等作物。发动妇女参加劳动，提倡养猪、养鸡、养羊，发展家庭副业生产，组织运输，以辅助农业生产发展。在畜牧业上，主要是保护牧群、牧场、打狼、搭圈、防治兽疫、改良畜种、禁杀母畜、奖励繁殖。奖励劳模，开展劳模运动，提高劳动人民地位。

（2）工商业方面：调整公营企业与私营企业，及公私企业各个部门的相互关系。按照生产企业化，管理民主化的原则，积极整理公营厂矿。增加煤炭生产，尽可能的逐步恢复石棉、云母等生产，有计划的发放贷款，扶持公私生产事业。保护一切有益国计民生的私人企业，鼓励私人资本投资于各种生产事业。为了刺激工农业的发展，大力推销土产，换回必需品，以供人民需要。因此应加强国营商业发展，恢复与发展私人正当工商业，建立空白地区的金融贸易机构，有计划的建立供销合作社，开展城乡物资交流，调剂供求，平稳物价。普遍推广人民币，禁绝白洋（即银圆），严格取缔一切投机倒把和金融贩子，借以稳定金融，达到发展生产的目的。

（3）为了发展工农业生产与贸易，必须补修必要道路桥梁，量力发展各种交通运输事业。

六、整理财政，实行财政统一，建立预决算审计制度。整理税收，统一税政，实行合理负担，废除非法摊派，减轻贫苦劳动人民负担，增加国家收入，保证完成今年财政任务及公债任务。实行酒类专卖，限制无益消耗。厉行精简节约，反对贪污浪费，以期积累资金，达到发展生产、保障供给的目的。

七、文化教育：

（1）学校教育方面：整顿与改造现有中、小学，建立新型的正规教育制度，统一课程标准，改造旧有教员，实行新的教育方法。开展学生运动，实行民主集中制管理。同时注意扶助少数民族文化，开展各盟旗教育工作。

（2）干部教育方面：加强在职干部学习和干部训练，彻底改造思想，培养忠实为人民服务的干部，并办好业余补习学校和试办工农速成中学班。

（3）社会文化教育事业方面：开展社会教育与文化工作，开办冬学、夜校、文化教育、妇女识字班等，市镇设立人民文化馆，黑板报等。注意医药卫生保健工作，预防疫病流行。戒烟禁赌。破除迷信，开展人民文娱活动，加强爱祖国、爱人民、爱劳动、爱科学、爱护公共财物及爱护人民解放军的宣传教育。宣传生产负担政策，打破顾虑，稳定生产情绪。

八、坚决执行人民政协共同纲领中所规定的民族政策，反对大民族主义和狭隘的民族主义，禁止一切民族间的歧视、压迫和分裂各民族团结的行为。实行民族区域自治。各级盟旗政府实行民主改革，建立各级人民代表会议。注意培养少数民族干部。整编蒙古武装，建立新的军事政治制度。有计划的适当的解决蒙、汉、回过去存在的如土地、水草、渡口等纠纷。”①

1950 年是绥远和平解放后，改革旧制度，实行新政策，建设人民新绥远的第一年。实行人民民主统一战线，团结各族各界，打击反动势力，安定社会秩序；发动人民群众，恢复经济、文化、教育；开展社会教育与文化工作，提高人民的思想文化素质；贯彻民族政策，实行民族平等，反对民族主义，实行民族区域自治，解决民族关系中存在的问题。形势之复杂，任务之艰巨，无疑是对共产党、人民政府和人民解放军在绥远人民心目中执政能力的考验。

绥远省解决蒙古民族问题的方案　绥远省是蒙古民族的主要聚居区之一，在建设新绥远的施政方针中，解决蒙古民族问题是特殊重要的内容。绥远军政委员会第 4 次委员会议通过，并于 1950 年 5 月 8 日经中央人民政府政务院核准的《关于解决绥远境内蒙古民族问题的方案》,全文如下：

“一、建立伊克昭盟（简称伊盟）人民自治区

（一）在绥远军政委员会与绥远军区、绥远省人民政府统一领导下，建立伊盟自治区人民政府与军分区，管辖札萨克旗、郡王旗、准格尔旗、乌审旗、达拉特旗、杭锦旗、鄂托克旗及东胜县。取消达拉特旗组训处，其所辖地区，由盟人民政府按实际情形，提出管辖方案，呈由省人民政府及军政委员会核准施行。取消桃力民办事处，其管辖地区，归伊盟人民政府直接管辖，并按当地居民情况，建立适当的政权机构。取消杭锦旗代管处，该地之管辖问题，由陕坝专署与伊盟人民政府会商解决办法，提请省人民政府及军政委员会核准施行。为便利行政管理，各县在伊盟七旗之飞地，归各旗管理。关于伊盟与各县管辖区之划界问题，由军政委员会及省人民政府派员，会同有关之盟、旗、县，组成划界委员会，着手调查研究，应照顾历史情况和目前实际情况，以有利于自治区人民经济文化发展及各民族间平等团结，为合理解决问题的原则，拟具具体划界方案，提请军政委员会核呈中央人民

① 《绥远省人民政府发布一九五〇年施政方针》,《绥远日报》1950 年 4 月 30 日。

政府政务院批准施行。

（二）原驻伊盟的段宝山、郇青云、高怀雄等部调离伊盟，集中适当地点整训，原有各旗县的保安司令部、警备司令部予以撤销，另调中国人民解放军内蒙骑兵第五师进驻伊盟，协同伊盟军分区负责对起义部队及各蒙旗地方武装进行整训工作，并以原伊盟军区为基础，吸收骑兵第五师必要人员组成伊盟军分区统辖伊盟各旗县地方蒙汉武装部队，清剿散匪，安定社会秩序。

（三）伊盟人民政府，以伊盟临时各界人民代表会议所选出之政务委员会组成之，并由绥远军政委员会与省人民政府酌派适当人员参加。伊盟人民政府的具体人事配备，由省人民政府提请中央任命之。

（四）伊盟连年天灾人祸，经济遭受极大破坏，受灾人口达六万，其中绝大部分无衣无食，除发动当地人民生产自救，互助互济外，并由省人民政府筹拨粮食一千绥石，棉衣一万套，作为急赈，并适当发放各种生产贷款，扶助人民生产。

（五）财政供给方面，按照统一的财政供给制度，分别由绥远军区与绥远省人民政府供给或调补，伊盟自治区人民政府的各项财政收支，亦需实行预算、决算、审计制度，并按章程报省人民政府核批。

（六）为发展伊盟地区的经济、文化教育与卫生事业，省人民政府将伊盟中学，伊盟卫生所，拨归伊盟自治区人民政府管理，并尽速在伊盟中心地点，设立人民银行支行与贸易机构。

二、乌兰察布盟（简称乌盟）人民自治区

（一）在绥远军政委员会与绥远军区、绥远省人民政府统一领导下，建立乌盟自治区人民政府，管辖四子王旗、达尔罕旗、茂明安旗、东公旗、中公旗、西公旗。撤销原在达尔罕贝勒旗所设立之百灵庙办事处，办事处所辖地区仍归达尔罕贝勒旗管辖。关于乌盟与各县管辖区之划界问题，由军政委员会及省人民政府派员，会同有关之盟、旗、县，组成划界委员会，着手调查研究，应照顾历史情况和目前实际情况，以有利于自治区人民经济文化发展及各民族间平等团结，为合理解决问题的原则，拟具具体划界方案，提请军政委员会核呈中央人民政府政务院批准实行。

（二）以中国人民解放军内蒙骑兵第四师为基础，建立乌盟军分区，统一管理乌盟地方武装，并负责肃清境内散匪，安定社会秩序。

（三）乌盟自治区人民政府，由乌盟临时各界人民代表会议所选出的政务委员会组成，并由绥远军政委员会与省人民政府酌派适当人员参加。乌盟自治区人民政府的具体人事配备，由省人民政府提请中央任命之。

（四）为恢复与发展已濒临破产的乌盟人民经济，由省人民政府于一九五〇年度拨放适当生产贷款，以助人民生产。

（五）财政供给方面，按照统一的财政供给制度，分别由绥远军区与绥远省人民政府供给或调补。乌盟人民政府的各项财政收支，亦需实行预算、决算、审计制度，并按章程报省人民政府核批。

（六）为便利乌盟工作的迅速发展，及有助于乌盟自治区经济文化的发展，乌盟人民政府及乌盟军分区应设于武川县的乌兰花，乌兰花镇及该镇毗连之适当地区，由省人民政府明令拨归乌盟人民政府管辖。

（七）由绥远军区会同省人民政府指示安北、固阳一带适当地区，整编三公旗武装。

三、土默特旗暂维持现状

（一）为照顾土默特旗历史与现存的特殊情况，在土默特旗的行政设施上，暂时维持现状，沿用蒙汉分治，旗县并存办法，建立土默特旗人民政府，直属省人民政府领导。河东各处之台站地，仍归土默特旗人民政府管辖。

（二）为了保证旧制度的迅速改革，新政策的顺利执行，由省人民政府责成民族事务委员会对原土默特旗政府的组织机构及人员配备，加以适当的调整。

（三）为了减轻人民负担，恢复与发展生产，旗保安武装（包括□勒布部）由旗人民政府商请省人民政府公安厅加以整训，建立公安部队。

（四）凡属土默特旗人民，均向该旗人民政府缴纳负担，凡属土默特旗人民政府的公有土地，均由该旗人民政府征收负担。

（五）土默特旗财政收支应执行中央人民政府与省人民政府所规定的统一政策与统一制度。原属该旗的山林矿泽租税收入，仍归该旗管理。其收入应用于正当财政支出及经济文化教育建设事业，适当减轻蒙古人民负担，实行合理负担，实行财政公开及预算决算审计制度，财政收支上如有亏盈，由省人民政府补调。

（六）发展民族文化教育事业，大力培养革命青年干部，尽先恢复与发展中小学教育，优待蒙籍贫苦子弟求学。

（七）为了发展农业生产，应将公地学田地庙地及大地主的土地调租一部与无地少地蒙民，由省人民政府酌量发放农贷，并协助该旗举办各项合作事业。”①

本“方案”是绥远省人民政府成立后施政方针的重要内容，是按照中国人民政治协商会议“共同纲领”中规定的民族政策，从绥远省的民族特点、地区特点特别是当时存在的民族问题出发，从建立人民民主政权，实现地区解放区化，部队解放军化，建设人民民主专政的新绥远的要求提出来的。“方案”体现了民族平等、民族团结的精神；撤销了历史上损害蒙古民族利益的民族压迫行政设施，进行了民族区域自治的尝试；初步调整了民族关系，为民主建政、社会变革创造了条件；提出了发展蒙古族经济文化教育事业的切实可行的政策措施，调动了蒙古民族参加建设新绥远的积极性。

总之，在中共中央和中央人民政府的领导下，组建了绥远省党、政、军领导机构，制定了建设新绥远的施政方针和各项政策特别是民族政策，绥远蒙汉各族人民为建设新绥远而迅速行动了起来，这是一个特殊而成功的开局。

二、民主建政　地区解放区化

团结改造是毛泽东主席和中央对绥远起义干部的方针，是绥远民主建政的基础。在绥远的省县各级起义人员有三千二百余人，占全省行政系统包括企业和事业等部门干部的90%。绥远和平解放之初，广大农村老百姓穷困至极，土匪特务横行四乡，造谣惑众破坏和平，保甲制度依然存在，地主阶级威风不倒，群众不敢抬头，而且情绪不安。同时，革命干部很少，且对当地情况了解不多，无法全面开展群众工作。1950年，是以团结改造、剿匪肃特、恢复生产为工作重点，而且以团结改造为中心，全面开展工作，向地区解放区化发展。因此，团结改造在绥远新解放区具有特殊的意义，是做好

① 《绥远省军政委员会公布解决本省蒙古民族问题方案》，《绥远日报》1950年6月10日。

一切工作，实现解放区化的关键。

中共绥远省委于 2 月 21 日制定了《关于处理绥西军政人员的暂行办法》：

“第一，处理原则：

甲、凡参加‘九一九’起义之在职军政人员及北平解放后被遣散回绥持有证件之人员，原则上一律收留改造，按其进步程度分别使用和处理。

乙、凡参加‘九一九’起义后被裁革或升降之人员（非特务分子），地方上需经民政厅详为审核提交省府委员会或行政会议，部队需经军区司令部政治部的重新审查决定去留或升降。

丙、除上述所指人员外，现有要求参加工作之人员，应向省府申请登记，由省府审查考核，根据需要录取。待训练后，依照任免办法分别酌情录用。

第二，对起义军政等人员之处理办法：

甲、凡属第一条甲项之军政人员确非特务分子，愿为人民服务者，则按其才能分别给以工作或学习改造之机会。

乙、凡本人要求回原籍从事生产或另谋职业，自愿退职者，可准予退职回原籍生产，并视其生活情况，酌发路费一部或全部。

丙、凡年迈体弱不能工作或学习之人员，由各单位提出和友方协商裁减之；如其生活困难者，可酌发一部分补助费。

丁、凡属特务分子，应按以下原则处理：1. 在起义中或起义后确有显著成绩（如发动起义、积极捕缉或告发特务有具体事实者等），为人民立了功并愿改造自己为人民服务者，可给以工作或学习改造之机会。2. 过去未向人民立功，但今天真正和特务断绝关系并交出特务证件、愿痛改前非、为人民立功赎罪者，应集中到公安厅训练队，在学习和生产中经过相当改造后，分别给以工作出路。3. 凡不愿改造，今天仍与人民为敌，还在或明或暗地进行破坏活动有据者，则坚决镇压之。

第三，对起义人员之任免调动：

由省政府和军区司令部依据上级政策或上级司令部之规定，以及党内应履行之手续，结合实际情况拟出具体规定，按规定程序和办法执行之。”①

---

① 高克林：《绥远和平解放》，中央党史出版社 1998 年版，第 493、494 页。

这是绥远新区解放区化、起义部队解放军化中，对起义军政人员和旧有人员以及敌特分子的处理原则和办法，是稳定绥远的社会秩序，实行团结改造方针的措施。

团结改造是非常复杂细致的工作。中共绥远省委在两个省政府合并前，在老干部中进行了深入学习统战政策，领会中央关于对绥远起义人员团结改造的方针及其意义，排除思想障碍，提高认识，诚恳谦虚地对待起义人员，从政治上、生活上、感情上建立合作共事的正常关系，避免“上班来，下班去”“只谈公，不谈私”的冷淡局面。起义人员和留用人员也存在种种疑虑，怀疑是否留用，担心变天、国民党回来、三次世界大战爆发，惧怕清算，从而阻碍他们力求进步。前者要有坚定明确的团结改造的观念，后者要有力求进步的愿望。只有两者紧密结合，才能达到共同建设新绥远的目的。

为此，首先从关心、安排起义人员和留用人员的工作、生活、学习入手，全部给予适当的工作，并在职位上照顾起义人员；实行薪金制（老区干部则保持供给制），照顾起义干部的家庭困难，对特殊困难的家庭，采取个别补助；通过组织学习，进行思想教育，建立绥远省学习委员会和干部学习制度，所有干部每日学习两小时，并在行政干部学校、学习团有计划地轮训，学时事、学理论、学政策，当年轮训干部 1 807 人。在此基础上，经过考绩鉴定，整风运动，保密检查，提高了老干部的思想水平，确实认识了团结改造的重要性和意义，克服关门主义和迁就情绪；加快了起义干部和留用人员的思想改造，逐渐消除了怀疑、顾虑、惧怕心理，进而揭发批判以往的历史罪恶，开始认识社会发展规律和人民革命的意义，逐步克服工作上的消极观望态度，积极努力，敢于负责，新老干部的关系日趋正常。实践证明，对新干部大胆使用，工作上给予具体帮助，培植其自信心，加强其责任感，鼓舞其积极性，是促进其进步的最好办法；掌握批评与自我批评的方法，领导与被领导之间，新老干部之间，从思想上、工作上对缺点错误进行适当的批评与自我批评，是开展民主，推动进步，自我教育的武器；在实际工作中，群众运动中，锻炼、考验，接触群众，了解群众的感情、痛苦与要求，是树立阶级观点，充实革命认识的主要源泉；分清工作中的成绩、错误，适当地表扬批评，以至调整提拔，对屡教不改、为非作恶的坏分子，予以惩处或清洗，是促进团结改造的重要一环。[①] 上述 1950 年的经验，为完成团结改造工作提供了借鉴。

民主建政是实行人民民主专政的基础，就是要消灭封建统治，让工农翻身掌权，人民当家做主，对人民是民主，对反动派是专政。对人民的民主，当时主要是建立民主政权。

绥远省人民政府成立后，遂调整全省行政区划，整编各级机构，建立区以上各级人民政府。1950 年初，绥远省辖区有集宁、和林格尔、包头、陕坝 4 个专署（1950 年 8 月撤销和林格尔专署，所辖各县分别划归集宁专署和包头专署，9 月上述 3 个专署更名为绥东区、绥中区、绥西区专署，11 月又更名为集宁专署、萨县区专署、陕坝专署，1952 年 11 月撤销萨县区专署所辖区域并入集宁专署）[②] 和伊克昭、乌兰察布 2 个盟 13 个旗及绥东 4 旗、土默特旗，共计 18 个旗、22 个县、3 个市，地域约 30 余万平方公里，人口 236 万余[③]。直到 1951 年初，全省区划调整为伊克昭盟人民自治区、乌兰察布盟人民自治区、集宁专署、萨县区专署、陕坝专署和归绥、包头两个省辖市；计设 16 个旗、1 个联合旗、22 个县；下设 4 个盟属区、1 个专署辖镇、223 个普通区。在绥东半老区建立 594 个行政村，绥中、绥西只有归绥、包头两市辖区废除了旧有保甲，建立了 232 个闾，其他各县建立了 595 个行政村。除盟旗以外，全省各县原有 1 230 个保，已废除 736 个，还有 494 个尚未废除。这期间，全省各盟市旗县普遍举行了各界人民代表会议，半老区旗县举行 4 到 5 次，新区举行 2 到 3 次不等。通过各界人民代表会议宣传政策，发扬民主，密切政府与人民群众的联系，提高群众的政治觉悟，发挥群众的力量，发动人民群众当家做主，为恢复生产，安定社会秩序和民主建政创造了条件。与此同时，在城镇有 8.3 万余工人，已组织起来的近 3 万余人；各地普遍建立起农民协会，农民纷纷加入农会；全省有 59.8 万妇女组织起来，参加社会活动和生产建设；有 7 万多青年、4 万余民兵成为社会活

① 团结改造资料，参见杨植霖：《关于一九五〇年绥远省人民政府的工作报告》，《绥远日报》1951 年 3 月 16 日；《向解放区化前进中的绥远》，《绥远日报》1950 年 10 月 1 日。

② 参见周清澍主编：《内蒙古历史地理》，内蒙古人民出版社 1994 年版，第 287 页。

③ 董其武：《绥远和平起义后实现解放区化、解放军化的历程》，内蒙古政协文史资料研究委员会编：《内蒙古文史资料》第 18 辑，第 5 页。

动和恢复生产的骨干力量。人民群众如此强大的团结力量，成为民主建政和人民政府的有力支柱。① 1950 年，民主建政取得决定性进展，为举行全省农民代表会议和妇女代表会议，为彻底废保建政，为农村减租反霸和土地改革创造了条件。

全面贯彻《共同纲领》中规定的民族政策，正确解决绥远省的蒙古民族问题，是民主建政的重要内容。为此，绥远军政委员会特别制定了《关于解决绥境蒙古民族问题的方案》，从 1950 年开始，乌、伊两盟实行民族区域自治，调整了行政区划，将东胜县和十里长滩区划归伊克昭盟自治区管辖，伊盟境内原各县的“飞地”划归各旗，取消国民党所设桃力民办事处、达拉特旗组训处；将乌兰花区、五当召区划归乌兰察布盟，取消乌盟百灵庙办事处；河东台站地划归土默特旗，达到各旗旗政统一。同时成立伊克昭盟自治区人民政府，下辖达拉特、准格尔、杭锦、郡王、扎萨克、鄂托克、乌审 7 旗和东胜县；成立乌兰察布盟自治区人民政府，下辖四子王、达尔罕、茂明安和乌拉特前、中、后共 6 个旗，另外在归绥市成立了回民自治区政府，培养安排了近千名民族干部，代表蒙、回民族实施民族区域自治。各蒙旗成立了人民政府，分别召开一到五次各界人民代表会议，共商旗政，下层各级政权也逐步改革；蒙旗社会改革采取了谨慎缓进的方针，部分地废除了封建特权，在大多数蒙古族人民的要求下，对个别恶霸地主进行减租，镇压了民族内部的反革命分子。实行财经统一供给，发放农牧业贷款；设立兽医防治站，防疫治病；建立供销社，便利蒙民交易；发展民族教育，设立助学金和公费生制度，扶助蒙古族贫困学生入学就读；开展卫生事业，防治性病梅毒。② 民族自治地方的民主建政体现民族特点，受到蒙、回各族人民的欢迎。

三、整编起义部队　军队解放军化

中国人民解放军绥远军区从丰镇迁到归绥后，即着手进行与原国民党“华北剿总”驻绥远部队指挥所、绥远省保安司令部的合并事宜。要整编起

① 参见杨植霖：《关于一九五〇年绥远省人民政府的工作报告》，《绥远日报》1951 年 3 月 16 日。
② 参见杨植霖：《关于一九五〇年绥远省人民政府的工作报告》，《绥远日报》1951 年 3 月 16 日。

义部队，首先是合并中国人民解放军和原国民党起义部队这两个性质不同军队的军事指挥机关，组成中国人民解放军绥远省军区。经过协商，由双方组成部队机关合并领导小组，姚喆为组长，并按《关于处理绥西军政人员的暂行办法》确定了合并原则：对起义部队干部职务不升不降，原职使用，允许超编；物资财产移交不催不逼，交多少接多少；部队借用群众的住房都不移交。合并事宜从1949年12月26日开始，到12月31日合并完毕，成立了中国人民解放军绥远省军区司令部、政治部、供给部、卫生部；1950年1月1日，中国人民解放军绥远省军区宣告成立。当日，归绥市4万多部队官兵和群众庆祝绥远省人民政府、中国人民解放军绥远省军区成立。

1950年，绥远起义部队总的工作任务是贯彻统一战线方针，做好团结改造，实施整编与整训部队、建立政治工作制度、加强思想教育、剿匪肃特、开展生产运动五大方案。整编整训首先从军队高级干部入手，绥远军政委员会于1月17日开始举办军队高级干部研究班，参加学习的有起义部队各军、师、旅正副长官和将去起义部队任政委、政治部主任的解放军干部等49人。学习内容主要是毛泽东主席对绥远问题的指示，人民解放军的宗旨和各种制度；学习方式是领导报告，大家讨论，畅所欲言，消除隔阂。而且创造宽松的学习环境，一是讨论中说错了话不追究，不记录；二是不勉强检查思想；三是允许会客、打电话、上街、看望亲友等。高级干部研究班提出了许多认识上的问题和思想疑虑，经过两周学习研讨，提高了认识，解除了疑虑，为整编整训工作创造了条件。2月2日在军区召开了高级干部会议，具体研究部队的整编以及建立政治机关、政治工作制度和准备生产等相关问题，通过了起义部队整编的具体实施方案。1月初，华北军区从20兵团和河北、平原、绥远等省军区及18纵队，抽调1 900多名政工干部，派到起义部队进行政治工作，执行团结改造任务，设立政治工作机构，建立政治工作制度，行使政治工作职权。在军、师、旅、团建立军政委员会，营、连建立军政领导小组，实行集体领导制度。团设政治处，统一组织派到各连的政治指导员，深入连队帮助工作，建立连队政治工作制度。政工干部的派遣、政治工作机构和制度的建立，是整编和整训起义部队的关键。2月下旬开始整编动员、酝酿、调配工作，按照中央军委颁布的番号，将起义部队111军改编为中国人民解放军第36军，原111军军长刘万春任军长，康健民任政治委员，军部驻包头市；下辖第 106 师，驻中滩一带；第 107 师，驻公庙子一带；第 108 师，驻安北县；1 个直属骑兵旅，驻萨拉齐县地区，全军 13 121 人。以独立第 7 师为基础扩建为军委新颁番号第 37 军，原独立 7 师师长张世珍晋升为军长，帅荣任政治委员，军部驻五原；下辖第 109 师，驻五原；第 110 师，驻临河、陕坝；第 111 师，驻百川堡、狼山、永安堡；直属暂编骑兵旅，驻邬家地，全军 12 915 人。原骑兵整编第 12 旅改编为骑兵第 4 师，鄂友三任师长，白正刚任政治委员，下辖 1 个独立骑兵旅，计 4 个团，师部驻武川以北小井村，骑兵旅驻武川县一带，全师 5 840 人。起义部队整编后总计 31 866 人。①

在 4 月上旬，对起义部队整编完毕之后，绥远省军区遂依次调整和建立了集宁、萨县、陕坝、伊盟、乌盟 5 个军分区，并改组了归绥警备司令部，从而完成了绥远省军队组织的调整。

对起义部队的整编工作完成后，整训任务也很艰巨。学习是整训的重要方式，绥远军政委员会在全省组织了大规模的学习运动，专门成立学习委员会，统一制定计划，同时各部队、机关也成立学习委员会，从上而下领导开展学习运动，军政机关实行每天两小时学习制度，学习时事、理论和政策。军政委员会还成立军政干部学习团，分期轮训军政干部，先后举办 3 期，共轮训干部 4 881 人（另据《绥远和平解放》第 416 页注释考证是 4 期 4 638 人）；起义部队举办轮训队，轮训连排干部两千余人；省政府在行政干部学校轮训县旗干部千余人。同时设立无职干部招待所，登记收容参加北平和平解放后回绥远的无职干部 3 604 人，除安排留用千余人外，均送到学习团和行政干部学校学习。军政干部学习团第一期于 2 月 1 日开学，现职干部学员 1 270 余人，无职干部学员 1 760 余人，学习两个月后即分配 1 500 余人到工作岗位。学习团或在职学习，主要进行关于人民解放军的性质及建军原则、政治工作制度、军民关系、官兵关系、三大民主及社会发展史等内容的教育。通过学习和各项政治活动，他们对中国共产党、国内外形势、新旧军队的不同性质、政治工作制度以及团结改造政策，有了不同程度的认识，特

① 综合参考姚喆：《关于绥远省一九五〇年军事工作报告》，《绥远日报》1951 年 3 月 17 日；高克林：《绥远和平解放》，中共党史出版社 1998 年版，第 461 页。

别是对包干留用政策感受颇深。无职干部经过学习愿回原籍者发给路费，其余除留绥工作外，分别安排到山西、河北、山东等省。①

参加农业生产是整训起义部队的重要环节。按照中央军委关于“军队参加生产建设工作”的号召，在部队整训中，把思想教育与生产劳动相结合，有效地促进了起义部队官兵的思想转变，提高了指战员的阶级觉悟，使他们认识到劳动创造世界的真谛。1950 年，部队种田 223 231 亩，种菜田 7 649 亩，其中新开荒地 21 万亩；完成黄河培堤工程 115 万立方，完成渠道工程 478 946 立方，名列华北 5 省、区之首。同时，部队无代价地帮助老百姓做土工百万立方，加固了河堤，保障百万亩农田免遭水灾，还参加了部分铁路工程建筑和各种副业生产。②

但是，整编和整训并不一帆风顺，而是存在激烈的斗争。在整训开始后，潜藏在部队的匪特分子及少数反动分子不时兴风作浪，进行破坏活动，反对政工干部，甚至煽动起义部队叛乱。1950 年部队先后发生叛乱 64 起，参加叛乱者达 4 000 余人；暗藏的特务和土匪相勾结，拼凑各种反动组织，策动部队叛变，为非作歹，发生抢劫案 979 起，杀害政工干部 200 多人，成为地区解放区化、部队解放军化的敌对势力。因此，剿匪肃特成为部队整训的先决条件。一年来，起义部队对于窜扰伊盟地区的股匪高怀雄、张庭芝、奇玉山及包头、萨拉齐一带的股匪李银、张板楼等匪部进行了坚决的清剿，共进行剿匪战斗 1 065 次，歼灭土匪 2 825 人，缴获长短枪 1 700 支，抓获匪首张汉连、张庭芝、贾猴小、梁子玉等 20 余名，击毙匪首郑殿卿、张板楼、杜永胜、邢守中、朱海臣等十数人；破获中统军统特务组织案达 143 件，扣捕匪特叛首 331 人，主动坦白者 193 人。11 月奉中央军委令，逮捕了与国民党保持密切联系谋叛的 36 军军长刘万春、37 军 111 师师长张璞、骑

① 高克林：《绥远和平解放》，中共党史出版社 1998 年版，第 461 页；董其武：《绥远和平起义后实现解放区化、解放军化的历程》，内蒙古政协文史资料研究委员会编：《内蒙古文史资料》第 18 辑，第 1 页。

② 高克林：《绥远和平解放》，中共党史出版社 1998 年版，第 461 页；董其武：《绥远和平起义后实现解放区化、解放军化的历程》，内蒙古政协文史资料研究委员会编：《内蒙古文史资料》第 18 辑，第 1 页。

兵第四师师长鄂友三等3人。① 惩处了匪特首恶分子，教育了动摇分子，保障了地区解放区化，部队解放军化的进程。

1950年6月25日，朝鲜内战爆发，美帝国主义以支援南朝鲜为由，乘机纠集15个仆从国家，组成所谓“联合国军”，于9月15日在仁川登陆，越过“三八”线入侵朝鲜北部，占领朝鲜民主主义人民共和国临时首都平壤，进而疯狂向中朝边境进犯，并接连轰炸中国东北边境地区。朝鲜民主主义人民共和国面临危亡，中华人民共和国的安全受到严重威胁。

鉴于美帝国主义把战火烧到中国东北边境，中共中央根据朝鲜党和政府的请求以及保卫祖国安全的需要，作出了抗美援朝保家卫国的战略决策，派遣中国人民志愿军赴朝作战。10月8日，毛泽东发出《给中国人民志愿军的命令》,命令中国人民志愿军“迅即向朝鲜境内出动，协同朝鲜同志向侵略者作战并争取光荣的胜利。”19日，志愿军开抵朝鲜前线，与朝鲜人民并肩作战。

美帝国主义的侵略行径引起绥远省军区广大指战员的愤怒，纷纷请战，要求抗美援朝，请战书、决心书逐级递到绥远省军区、中共中央华北局、华北军区和中共中央。11月上旬，傅作义向毛泽东主席建议，调原绥远起义部队到朝鲜前线参战，既使部队受到新的锻炼、新的考验，进一步实现解放军化，又对绥远地方解放区化有利。毛泽东批准了这一建议，周恩来总理约见傅作义，宣布以原绥远起义部队为主，组织中国人民解放军第23兵团。11月初，绥远省军区召开军、师、旅军政高干会议，总结一年来部队解放军化的情况。会议后期，董其武突然接到傅作义的电报，命令率军、师、旅长赴京听训，接受新的使命。11月25日，董其武等抵京，次日，华北军区司令员聂荣臻、政委薄一波、绥远省军区司令员傅作义接见，肯定了对起义部队的团结改造工作，提出了新的要求，并宣布准备派起义部队赴朝参战。同时，聂荣臻、薄一波向傅作义、董其武、高克林讲述了刘万春起义后派人偷赴香港，与蒋帮特务联系等活动情况，还讲述了张璞、鄂友三的一些罪

① 高克林：《绥远和平解放》,中共党史出版社1998年版，第461页；董其武：《绥远和平起义后实现解放区化、解放军化的历程》,内蒙古政协文史资料研究委员会编：《内蒙古文史资料》第18辑，第1页。

行，并征询他们的意见。董其武表示，他们既然背叛人民，请依革命纪律办，念他们是参加起义签字人，望能从宽处理。聂、薄首长研究后，决定“可以留下他们的性命”。当晚，政务院公安部扣捕了刘万春、张璞、鄂友三。周恩来总理遂接见绥远省军区赴京听命人员，宣布中央决定：将绥远起义部队组成中国人民解放军第23兵团，开出绥远，进一步整训，创造条件，准备赴朝参战。①

12月1日，董其武等回到归绥，准备部队移防。10日，傅作义来绥。12日，在绥远军政委员会扩大会议上传达中央的决定和周总理的指示，宣布以36军、37军和骑兵第4师组成23兵团，归华北军区领导，移驻河北衡水地区，整训补充，作为抗美援朝的二线兵团，董其武任兵团司令员，高克林任政治委员。经过充分的准备，从12月23日开始陆续移防，直到31日全部开出绥远，移驻指定地点。各部队临行时，受到各驻防地群众的热烈欢送。至此，绥远和平解放的起义部队，在解放军化的进程中取得了成功，标志着毛泽东提出的“绥远方式”在实践中圆满实现。

四、剿匪肃特镇反　安定社会秩序

绥远和平解放后，大批土匪没有被清剿。从华北各解放区逃窜而来的特务也在部队、机关乃至教育部门藏匿下来，各种各类反革命分子也隐身待机，和平解放的环境似乎成为他们的避风港。因此，在实现地区解放区化、部队解放军化的进程中，剿匪肃特，镇压反革命是实现“两化”的必需条件。

在绥远和平解放初期，土匪的活动最为猖獗。土匪基本上分布在伊克昭盟、河套地区和大青山一带，并与起义部队的叛变者结合起来，匪势增强，还有特务分子出谋划策，打出“反共救国”等各种旗号，形成貌似政治集团的势力，策划煽动起义部队叛变，在农村、牧区和部分城镇大肆进行反革命活动。

1950年2月，中共中央决定在全国范围内开展剿匪斗争；7月，中央人

① 董其武：《绥远和平起义后实现解放区化、解放军化的历程》，内蒙古政协文史资料研究委员会编：《内蒙古文史资料》第18辑，第1页。

民政府和最高人民法院联合发出镇压反革命活动的指示。中共绥远省委、绥远军政委员会、绥远省人民政府及绥远省军区，按照中央的部署，根据绥远匪特反革命严重的实际，决定大张旗鼓地进行剿匪肃特、镇压反革命的斗争。1950 年 4 月 15 日，绥远省人民政府、绥远省军区司令部曾联合布告《坚决彻底肃清残余土匪特务》：“一、凡国民党反动派之中统局（中国国民党党员通讯局），军统局（即保密局），伪国防部二厅及其他特务组织的特务分子，均须立即脱离其组织，停止活动，并向当地公安机关履行登记，其首要分子，如自动声明，真诚悔悟，交出组织关系、电台、武器及一切反动证件者，准予将功折罪，从宽处理；一般受蒙蔽利诱的胁从分子，经声明登记，并交出组织关系、武器，及其他反动证件后，一律不咎既往，立功者酌情予以奖励。如执迷不悟，继续破坏活动，或蓄意潜伏隐匿，隐藏武器、电台者，坚决予以镇压。二、凡能真心悔过自动来归之土匪，其首要分子，给以改造自新机会，从宽处理；一般因生活或其他原因被迫利用为匪之分子，只要悔过自新，则不咎既往，并适当安置其生产。如仍继续为匪，抢劫群众，扰害社会秩序者，坚决剿除之。三、凡对争取瓦解匪特有功者，酌情予以奖励，其隐蔽包庇匪特者，以通匪特论处。”① 7 月 21 日，政务院和最高人民法院发出《关于镇压反革命活动的指示》，要求必须贯彻执行镇压与宽大相结合，“首恶必办，胁从不问，立功受奖”的方针，对一切反革命活动进行及时严厉的镇压。10 月 10 日，中共中央发出《关于纠正镇压反革命活动的右倾偏向的指示》。1951 年 2 月 21 日，中央人民政府颁布了《中华人民共和国惩治反革命条例》，从方针到政策及具体办法都做了明确的规定。

绥远的剿匪肃特镇反主要对象是土匪、恶霸、特务、反动党团骨干分子、反动会道门头子等反革命分子。所以，这场斗争总称镇压反革命运动。这 5 种反革命势力中土匪是公开的，而且力量最大，其他各种反革命势力的绝大部分也逐步汇集成土匪，因此镇压反革命运动首先从剿匪入手，逐步深入，全面展开。

在中国人民解放军绥远省军区统一指挥下，绥远省军区所辖步兵 22 师

---

① 绥远省人民政府、绥远军区司令部联合布告：《坚决彻底肃清残余土匪特务》，《绥远日报》1950 年 4 月 17 日。

及骑兵1师，起义部队36军、37军及骑兵4师，内蒙古军区骑兵第4师、5师及伊盟军区6个支队，同时参加剿匪战斗。

绥远的土匪主要分布在伊克昭盟、大青山南北和河套地区。在伊克昭盟，除了当地股匪外，还有从山西、陕西、宁夏逃窜来的多股土匪，计约3 000余人，特别是伊盟南部聚集各类土匪1 200人以上，形成所谓“伊南匪团”。其中有从山西省海潮安逃来的海迟和尚，是一个血债累累的惯匪；有国民党军统局驻包头、伊盟、萨县特派专员少将特务刘有文；有在陕北和伊盟南部窜扰的群匪张世华、高怀雄、张庭芝、宗文耀4股土匪近千人；原乌审旗警备司令奇玉山起义叛变后的股匪约200余人。这些土匪对伊盟的民主建政，对蒙旗起义部队的团结改造和整编整训，对生产建设，对社会安定，形成严重威胁。在绥远省军区的统一指挥下，调集内蒙古军区骑兵第5师之13团、14团、15团，连同伊盟军区所辖9个支队驻防伊盟，并成立剿匪前线指挥部，拟定了剿匪方案：第一阶段集中力量消灭聚集在鄂托克旗、乌审旗南部和榆林西部的“伊南匪团”；第二阶段对全盟7旗1县的散匪实行分块、分片、分地域“包干”进行清剿。剿匪任务由内蒙古军区骑兵第5师3个团和伊盟军区4个支队完成，其余部队留守后方，保卫党政机关，稳定大局。剿匪中要坚决执行党的剿匪政策和民族政策，不得乱捕、乱杀、乱没收物资，执行三大纪律八项注意，尊重当地的风俗习惯。同时，与陕西省榆林军分区联合成立剿匪联防指挥部，共同清剿“伊南匪团”，榆林军分区派遣步兵师2个团北上参加剿匪。伊盟地区直接参加剿匪的总兵力达11个团。①

伊南剿匪从1950年4月1日开始，内蒙古军区骑兵两个团、伊盟军区4个支队和榆林军分区步兵师两个团，于当天中午会师预定地点乌审旗王府达布察克镇东部，下午4时以全部兵力分别围攻王府寨子和营盘寨子，群匪近千人慌忙弃寨而逃入王府西南的沙漠之中，剿匪部队占领王府，除留榆林步兵和伊盟军区两个支队由伊盟军区司令员王悦丰、榆林军分区副司令员王仁法指挥，据守王府，宣传群众，保障后勤，清剿残匪；其余骑兵分左右两路南下西进追剿逃匪。左路由伊盟军区副司令员高平率领，右路由内蒙古军区

---

① 高平：《回忆伊盟解放战争》，中共伊盟盟委党史资料征集办公室编印1984年，第190—209页。

骑兵5师师长吴广义指挥，对逃匪长途追歼，在乌审旗、鄂托克旗和陕北靖边县一带展开剿匪战斗。4月7日，张世华、张庭芝、高怀雄、宗文耀4股匪帮近千人，在鄂托克旗东部黑圪瘩召开“反共誓师大会”，右路剿匪部队以迅雷不及掩耳之势，猛扑敌群，毙俘匪徒90余名，匪众仓皇溃逃至庙什再次开会，张世华等匪首狂叫“反共到底，与共军战斗到最后一兵一卒”。12日，右路部队又在鄂托克旗早稍（地名）猛击“匪团”，夺回被匪徒抢走的我方运粮骆驼队，匪首张庭芝负伤。同时与鄂托克旗叛变的奇孟克蒙古部队相遇，俘获其部属30余人。张世华等“匪团”向南逃往乌审旗左路剿匪区境。右路部队暂时休整。左路部队堵击南逃之敌，在呼拉护梁大败匪部，毙敌80余人，残匪又北逃鄂托克旗境内。5月5日，右路部队休整结束，立即迎击北窜匪部，追至乌审旗淘力北部的沙漠中，又一次痛击“匪团”，打死奇玉山匪部大队长大巴图，毙敌40人，生俘60人。剿匪部队四战皆捷，歼灭伊南五匪（张、张、高、宗、奇）之1/4的匪徒，余皆溃散。匪首张庭芝只身逃到乌审旗西北边界；宗文耀单骑逃往桃力民藏匿；奇玉山策动“九二二”叛乱后逃到归绥躲避，其部众被全歼；张世华、高怀雄逃往榆林西部收罗余党。① 至此，伊南剿匪取得决定性胜利。但是伊盟的剿匪斗争并没有结束，进入了分片包干剿匪阶段，而且与镇反肃特斗争结合进行。

大青山南北和河套地区的土匪，主要是潜伏特务策划起义部队叛变，网罗当地散兵游勇和土匪而形成的。在大青山山脉一线南北地区，国民党军统特务高理亭，在绥远“九一九”和平解放后任起义部队36军直属暂编骑兵旅副旅长。他利用此合法地位，“借水养鱼，待机再起”，1950年3月间，在萨拉齐县伴元沟以开办大德炭窑、赛大坝瓷窑为掩护，纠集反动军官、土匪、流氓等大批反动分子，开展特务活动，预谋策动武装叛乱；4月间派特务张飞生潜赴香港，与台湾国民党当局取得联系，被任命为“华北剿共军绥远骑兵队司令”。受命后便委任党羽为司令、参谋长和政治、军需等4个主任及8个团长、特务连长，率领匪伙，携带武器，窜逃大青山以北，流为

---

① 参见高平：《回忆伊盟解放战争》，中共伊盟盟委党史资料征集办公室编印，1984年，第190—209页。

匪寇，进行反革命活动。阎锡山党羽崔正春，原任五原、临河县长，绥远红万字会总会长等职。绥远和平解放后他以宗教职业为掩护，与特务李崑生组织“华北、东北、西北党政军联合工作指导委员会”，充任副主任。阎锡山还委任他为“华北义勇军总司令”，以此与国民党军政官员联系，成立总司令部，分设军事、政治、党务、总务等组，委任头目，刻制印鉴，颁发委任状，派出四十余人与军政起义官员联络，并委任鄂友三为“华北反共义勇军挺进军”司令兼察哈尔省主席，还委任了各路总指挥、纵队长、团长、支队长等，曾计划于1950年农历正月十五举行暴动未遂，又打算在八月十五举事，但于八月初四被捕覆灭。老牌中统特务、北平特工行动队队长李鸿钧，北平和平解放后潜逃绥远，绥远和平起义后又潜伏大青山以北，以行商为名进行特务活动。他自称国民党“华北特派员”兼“华北反共抗苏调查团团长”，游窜各地，在机关、部队、企业和农村发展调查团员40余人，设立总部和情报、人事、经济3科及华北游击总队，在五原、临河、晏江3县设立分支机构，并公开抢劫杀人，制造混乱。国民党中统绥远调查室绥远分区主任郑殿卿，绥远和平解放前夕潜伏于大青山以北，利用青帮头子和安清会长的老底子，以收徒弟名义组织武装，组建政权，任命县、区、乡长，设兵站、粮库，成立“中国人民反共抗苏自卫救国军晋察绥陕总司令部”，杨爱源任总司令，潘秀仁为绥远省主席兼副司令，张庆恩任参谋长，郑殿卿为政治特派员，下辖9个团1个直属骑兵支队2个大队7个地区游击队，共计1 200多人，到处抢劫百姓财物，奸淫妇女，杀害群众，仅据纳尔胡同2个保1950年8月至12月的统计，就奸污妇女40余名，勒死群众7人，在乌兰花一带残害群众20多人。①

这些特务多与大股土匪李银、张板楼等相勾结，互为依托，以包头为中心，东依大青山和萨县地区，西托乌拉山山前山后，是土匪最集中的地带。而且起义部队36军军部即驻防包头，时任该军军长的刘万春也在筹划叛乱，并与土匪李银等暗中联系。匪首李银、张板楼等也想依仗刘万春、鄂友三称霸一方。当时萨县的大小土匪有19股，李发旺、赵子青、贾猴小、马占海、

① 参见张如岗：《绥远“九一九”起义前后敌特活动情况概述》，内蒙古政协文史资料研究委员会编：《内蒙古文史资料》第15辑，第1页。

王胡子、小老虎等大小匪首不计其数，小股三五人，大股六七十人，枪支弹药齐全，而且多数是骑匪。大土匪头子郭长青就是萨县人，鄂友三也出生在这里，实际也是恶贯满盈的大土匪。驻防萨县的起义部队骑兵第13旅中也有些人白天穿上军装像个兵，夜间出军营祸害老百姓，先后叛逃投匪者百余人。张板楼股匪以乌拉山为据点，在四周农村牧区为非作歹。李银是包头以东磴口村人，匪徒不足200人，匪窝在石拐沟老爷庙山南麓，1950年春与刘万春相勾结，夜闯包头城，抢劫大商号广恒西，严重影响包头地区的社会安宁。①

绥远省军区调集步兵22师、内蒙古军区骑兵第4师以及起义部队第36军、37军，从1950年3月开始，全面开展剿匪斗争，经过近两年的武装剿匪，基本上清剿了绥远结伙成股土匪。除了伊盟与陕西联合剿匪告捷外，大青山南北和河套地区由绥远省军区统一指挥，分兵出击，相互配合，不给匪帮喘息机会。1950年1月，为配合绥远省军区剿匪，内蒙古军区骑兵第4、5师进驻绥远境内。骑兵第4师进驻包头以北固阳县，接防绥远省军区起义部队骑兵第4师。4、5月间，内蒙古骑兵第4师第10、12团在固阳、武川2县和达尔罕、茂明安、四子王3旗境内，接连追剿萨嘎拉、格瓦拉西、卢万惠等匪部及绥远省军区骑4师鄂友三部叛匪，歼匪700余人，首战告捷。7月，绥远省军区步兵第22师第64团、65团、66团和骑兵第1师第2团以及内蒙古骑兵第4师第10团组成剿匪部队，由第22师参谋长白炳勋、骑1师政治部主任王弼臣、内蒙古骑兵第4师参谋长赵英组成大青山剿匪指挥部，在圪膝盖沟、喇嘛洞、阿善沟、哈拉盖沟、大榆树滩、翁格尔沟一线追剿郭宝大、张板楼、张庭芝、李银等匪股，打散了匪部，未能全歼。12月，由绥远省军区统一指挥，由华北军区步兵202师、绥远省军区步兵22师及骑兵1师、内蒙古军区骑兵第4师、5师、察哈尔省军区骑兵第3师各一部，联合清剿大青山匪特。从12月27日起，经20天作战22次，毙匪200余人，

① 参见董毅民：《解放初期萨县工作回忆》，包头市地方志史编修办公室、包头市档案馆编：《包头史料荟要》第11辑，第9页；张德宝：《围剿李银匪帮》，包头市地方志史编修办公室、包头市档案馆编：《包头史料荟要》第9辑，第17页。

缴获一批武器弹药和马匹。① 1951 年 1 月 5 日起，剿匪部队结合地方减租反霸和镇压反革命斗争，全面清剿散匪，经过 3 个多月的战斗，基本肃清了大青山匪患，郑殿卿、张汉琏、张板楼、张庭芝、高理亭等一批匪特头目被抓被歼，大青山剿匪全面告捷。

在绥西河套地区，主要是齐敬德、田树梅、庞茂青为首的匪特兵结合，为害河套。齐敬德是阎锡山的党羽，太原解放后潜逃来绥，1949 年 11 月，在河套百川堡纠集由山西逃窜而来的一批反动军官，密谋组建“华北民众反共自卫救国同盟会”，以阎锡山为盟主，田树梅为代盟主，齐自任副盟主，共有 12 个委员，下设组织、秘书、总务、参谋、训练等 5 个组，主要在起义部队中发展会员，并有两个军官队，由太原流窜而来潜藏在起义部队中的 240 余名国民党军官组成。1950 年 2 月，起义部队 37 军驻百川堡第 111 师副师长庞茂青叛变后，与齐敬德匪部合流，盘踞河套以北山区草地，并收罗流散土匪、地痞流氓、地主武装和不断由起义部队叛逃而来的官兵，计约 500 余人，组织所谓“华北人民反共自卫救国军”。这股匪徒在河套危害极大，先后在狼山县奋斗乡军耕农场抢走枪支、马匹、棉衣等大批武器弹药和物资，杀害工作人员 3 名；杀害粮库工作人员，抢走粮食 58 车计两万余斤；攻击晏江县，砸毁达拉特旗办事处，打死工作人员 2 名和群众 4 名，枪杀了云庆乡乡长。国民党中统绥远调查处代理副处长胡尚儒，潜伏大佘太、安北县一带，发展特务组织，1950 年夏天，策划安北县叛乱事件，杀害安北县县长。②

1950 年 9 月，绥远省军区调遣内蒙古骑兵第 4 师第 10、12 团进入河套地区，协同绥远省军第 37 军 109 师、西公旗（即乌拉特前旗）支队、中公旗（即乌拉特中旗）支队和陕坝军分区独立营及骑兵连、内蒙古骑兵第 5 师第 13 团一个连，组成剿匪部队，从 9 月 3 日开始，在奎素、庆达门口、同义隆、杨满圪旦渡口、义泰奎、牛厂湾、太阳庙、善丹庙、铁匠圪旦、乌素台口、西泥乌素台口、信义昌牛椇、什沁庙、十八台等地与匪交火，到

---

① 参见《内蒙古自治区志·军事志》，内蒙古人民出版社 2002 年版，第 606、607 页。

② 参见张如岗：《绥远“九一九”起义前后敌特活动情况概述》，内蒙古政协文史资料研究委员会编：《内蒙古文史资料》第 15 辑，第 1 页。

10月中旬，抓获齐敬德、张希尧、张疤子、张德彦、王如意、贺洪荣等匪首25名，摧毁了“华北人民反共自卫救国军”，破获了“西北边闻通讯社”“西北边疆青年训练班”等特务组织，缴获了一批枪支弹药等。[①] 至此，河套地区的大部土匪基本肃清。

绥远省剿匪斗争在1950年取得了决定性胜利。全年进行剿匪战斗165次，歼灭土匪2 825名。在剿匪斗争中各色各样的反革命分子一方面与土匪勾结，一方面策动起义部队叛变，同时进行破坏活动，特务、反革命、土匪、叛变者相互勾结，给剿匪斗争制造了很大的麻烦。据当年不完全统计，匪特杀害军政干部200余人，杀害群众600余名，武川县一小学教师被杀害11人，大庙酒馆一家7口人全被杀害，还强奸妇女70余人；全省被抢掠财物总值达56亿元，在绥东放火烧庄稼4万多捆，杀死牲口数百头，而且对群众施以挖眼睛、割舌头、乱棍打等残害行为，无所不用其极。大匪虽消灭，小匪仍流窜，群众仍不安全。因此，1951年绥远省军区继续剿灭土匪，肃清特务，镇压反革命，击毙和生擒匪首211名，挖出一批特务反革命分子。两年来击毙、处决特务头目、匪首917名，生俘匪特4 774名，被迫投诚940名，击伤182名，毙、俘、伤匪特总计6 813人。[②] 按照1951年5月中央规定的可捕可不捕的反革命分子，坚持不捕；可杀可不杀的反革命分子，坚持不杀；实行判处死刑、缓期二年、强迫劳动，以观后效的政策，对其中罪大恶极者处以死刑的有1/5，关押改造的占2/5，其余实行管制改造。[③] 在剿匪中缴获八二迫击炮2门、六〇炮2门、掷弹筒5具、轻机关枪86挺、长短枪5 556支、炮弹206发、各种子弹10万余发、手榴弹1 656颗、骡马3 159头、驴30头、骆驼249峰、羊600余只、电台7部、电话机10部、望远镜38副、发报机1个以及其他物资。土匪危害是民国以来绥远省的一大社会难题，历届当政者都未能解决。此次剿匪不到两年即基本剿清全省土匪，流散余匪不到200人，东躲西藏残喘度日。此举大快人心，百姓

① 参见《内蒙古自治区志·军事志》，内蒙古教育出版社1999年版，第607、608页。
② 参见杨叶澎：《绥远解放两年来的军事工作》，《绥远日报》1951年10月6日。
③ 参见张如岗：《绥远省镇压反革命工作的报告》，《绥远日报》1951年12月2日。

交口称赞："毛主席政策真英明，共产党的天下真太平"。①

在剿匪肃特镇反斗争中，由于方针正确、政策对头、方法得当，才能在很短的时间内取得成功。镇压反革命运动一直与废保建政、建立人民政权、起义部队整编整训、减租反霸、发展生产相结合，特别是军事追剿镇压与人民群众参与剿匪肃特相结合。政权建设，团结改造起义部队，减租反霸，发展生产，是镇压反革命的基础，军事镇压与人民群众参与是镇压反革命的力量源泉。实践证明，有了各级人民政权，匪特反革命无立足之地；团结改造好起义部队，是社会稳定的重要保证；减租反霸，发动了人民群众；发展生产是镇反的物质保障。而镇压反革命是绥远实现地区解放区化，起义部队实现解放军化，建设人民新绥远首当其冲要解决的问题。

五、减租反霸　农民当家做主

绥远农村和全国农村的基本状况大致相同，最基本的问题是封建土地所有制度，占农村人口10%左右的地主富农，占有农村土地的70%。他们靠剥削农民的地租和雇工剥削发家；而占农村人口90%以上的雇农、贫农、中农及其他人民，只占30%左右的农村土地；他们受地主富农的地租和雇工剥削，终年辛勤劳动，到头来不得温饱。农民只能以分收、大伴种、小伴种、死租等租佃形式租种地主的土地，地租占收获量的30%—50%。而地主对农民所缴租粮百般挑剔，七折八扣又增加了数量。绥远民谣："簸箕簸，扇车扇，一石租子交的八斗三，辛辛苦苦受一年，黄米颗颗见不上面。"农民粮食不够吃，还要向地主借粮。民谣又云："八斗九年三十石，二十五年整一万，升升合合还不算。"（当地合、升、斗、石以十进位）。这是地主以地租形式剥削农民的真实写照。此外，地主对农民的超经济剥削更是数不胜数："糊窗贴对挂灯笼，拉灵打墓搬亲友。扫雪推磨喂牲口，担水垫圈放猪牛。"② 恶霸地主更是对农民作威作福，称王称霸，甚至私设公堂，任意刑讯，霸占民地，奸淫民女，转嫁公差，由农民负担。如此残酷的封建

---

① 参见杨叶澎：《绥远解放两年来的军事工作》，《绥远日报》1951年10月6日。

② 苏谦益：《全省农民团结起来为实现绥远新区减租条例而奋斗》，《绥远日报》1950年11月28日。

土地所有制度和封建剥削制度，是套在农民脖子上的枷锁，是束缚农村生产力的桎梏。农村的解放首先是农民的解放，解放农民自然要废除封建土地所有制度和封建剥削。这是解放农民、解放农村生产力的必然要求，是国家民主化、工业化、独立、统一和富强的基础。对封建土地所有制度的改革是农村社会改革的根本，减租反霸是削弱农村封建势力，减轻封建土地制度对农民残酷剥削的第一步，是使农村生产得以适当的恢复与发展的当务之急。

1950 年 11 月 13 日，绥远省人民政府颁布了《减租令》，[①]号召全省农民团结起来，依法进行减租，勒令一切地主必须依法减租，不得违抗，如有勾结匪特，曲解法令，造谣滋事，破坏减租者，定予严惩。同时经中央人民政府政务院批准公布了《绥远省新区减租条例》，[②]规定向地主富农实行减租，因缺少劳力而出租土地的农民例外；一般实行"二五"减租，但各县可据租率轻重，地主垫资与否，土地肥沃程度等实情，制定具体实施办法；只减当年地租，减租后依新约缴租，减租粮食谁减归谁；地主富农家庭出身的军政人员家庭，也要依法减租，不得例外，如有实际困难，可依法适当照顾，对擅自违法抗拒者，定予依法处分；对蒙古族地主今年暂不减租，既照顾蒙汉民族团结，也从蒙古族地主一般不会从事农业生产出发，等待他们选择将来如何从事生产，并到蒙古族劳动群众有此要求时，在他们自觉自愿的基础上进行社会改革；"二地主"一律减租，如与蒙古族地主有纠葛，则依照双方原约处理；教堂出租土地的地租也是封建剥削，也要依法减租，如以宗教信仰为由而破坏减租，要严格惩办；对于群众痛恨的恶霸地主，必须发动群众坚决斗争，经群众说理诉苦后，交人民法院依法严办。[③]

绥远省首届农民代表会议和妇女代表会议同时于 11 月 25 日在归绥召开，主要是动员、部署反霸、减租和调剂土地的工作。12 月，这场农村第一次社会变革的运动开始。中共绥远省委和绥远省人民政府以及专署、盟和县、旗人民政府，都派出大批工作团、队，到各旗县领导反霸、减租、调剂

---

① 《绥远行政周报》1950 年第 27 期。

② 《绥远行政周报》1950 年第 27 期。

③ 以上资料见苏谦益：《全省农民团结起来为实现绥远新区减租条例而奋斗》，《绥远日报》1950 年 11 月 28 日。

土地运动。工作团、队直接深入农村，吃住在农民家里，除了召开各种会议宣传反霸、减租、调地政策，发动群众外，还与农民促膝交谈，了解村里的情况和农民的心思，进行调查研究，解除农民的思想顾虑，讲解反霸、减租和调剂土地的意义，特别是细致地剖析农村的阶级和阶级关系，帮助农民算了一笔地主剥削农民的账，鼓励农民打消顾虑，参加斗争。对于土匪、特务、反动会道门、地主可能进行的破坏活动，进行了分析、预测，明确了应该采取的立场、办法，提高了农民的觉悟。同时，在农村还没有划分阶级的情况下，讲解恶霸地主与一般地主的界限，地主与富农的界限，保证运动的健康发展。陕坝专区斗争了恶霸地主225户，其中镇压了69个罪大恶极的恶霸地主，结合减租清算了778户地主。在狼山县召开了3 000人大会，控诉地主的罪行，农民抱着被地主杀害的人的头颅直面地主控诉，被斗争的地主只好低头认罪。[①] 在反霸、减租运动中没收的恶霸地主的财产，当即分配给广大贫苦农民；对一般地主按政策进行了减租，减租所得分配给缴租农民，调剂土地所得也调剂给无地或少地的农民。对农村封建剥削制度的初步触及，使农民当即受益，扫了地主阶级昔日的威风，初步清理了土匪特务反革命分子在农村隐藏活动的社会基础，农村社会变革的序幕展现出了美好的前景。在蒙、汉民族杂居地区，根据绥远新区减租条例，采取了慎重的措施，对蒙古族恶霸地主暂时不发动斗争，对于蒙古族一般地主也不减租，视蒙古族群众的觉悟和要求，在适当的时候，根据实际情况进行反霸、减租和调剂其土地。同时，在分配反霸、减租果实和调剂土地时，也要照顾蒙古族农民的困难，分给他们应得的一份，从而避免蒙、汉民族间产生新的纠纷，加强民族团结，共同对敌。

绥远新区农村仅用了一个冬季，即稳妥顺利地完成了反霸、减租和调剂土地的工作，取得了巨大成绩。据陕坝专区160个行政村的统计，共计清算、调剂土地573 129亩，没收、减租粮食17 675石，牲畜4 282头（只），还有其他财物，都分配给蒙汉族贫苦农民，有34%的农民群众分得了生产资料。全省共调剂地主占有的土地300多万亩，减掉农民同地主租贷

① 参见《内蒙古自治区志·农业志》，内蒙古人民出版社2000年版，第113页。

契约中 25% 的地租和利息，[①] 地主阶级心痛而不敢言，农民群众惊喜而更积极，因为这是闻所未闻、见所未见的社会变革。农民纷纷加入农民协会，广泛组织民兵，主动检举抓捕土匪特务，密切监视控制恶霸、地主的活动，农村的正气张扬，邪气收敛，开始展现新社会的景象。如狼山县参加斗争恶霸地主的农民群众达全县总人口的 50%，各区、村申请加入农会的农民达 50%—80%。在分配斗争果实时，特别照顾贫苦烈军属和荣誉军人家属。据归绥、包头 12 县的统计，有 7 850 户烈军属和荣誉军人家属分得了土地 74 096 亩、粮食 2 962 142 斤、牲畜 1 820 头（只）和其他财物，占烈军属和荣誉军人家属的 60% 以上。

六、抗美援朝　保家卫国

1950 年，美帝国主义发动侵略朝鲜的战争，而且很快将战火烧到中朝边境，进而轰炸中国东北边境地区；兄弟邻邦朝鲜被战火吞没，刚刚诞生不到一周年的新中国受到严重威胁。中国共产党中央和中华人民共和国政府高度重视事态的发展，中国各族人民义愤填膺，以各种方式抗议、声讨美帝国主义的侵略行径。

美国侵朝战争爆发后，绥远各族各界反响强烈。绥远省归绥市以及各盟、专署、旗、县党政军机关、各群众团体、各族各界各阶层人民纷纷举行集会，谴责美帝国主义的侵略暴行。绥远省人民政府主席董其武将军对《绥远日报》发表谈话，坚决拥护中国政府总理周恩来的严正声明，要求绥远军民伸张正义，为维护人类的和平与安全而斗争。经过解放军化教育的绥远起义部队官兵，也群情激愤，纷纷要求严惩美国侵略者。参加省军区劳模代表会议的 13 位战斗英雄更是要求坚决还击美帝国主义的侵略暴行。正在黄河中游查勘修筑三门峡水库的傅作义将军致电毛主席、周总理建议支援朝鲜抗击美帝；回京后又上书毛主席，陈述美帝国主义侵朝暗算是扼杀新中国的见解，中国不能坐视，必须还击，而且表明美帝国主义并不可怕，我们能够战胜它。毛主席十分赞赏傅作义的意见，请他在最高国务会议上阐述抗美援朝的利害关系。10 月 25 日，中国人民志愿军开赴朝鲜抗美援朝后，绥远

① 参见《内蒙古自治区志 · 农业志》，内蒙古人民出版社 2000 年版，第 113 页。

省军区部队广大指战员纷纷请战，参加抗美援朝，决心书、请战书一批又一批呈送到绥远省军区，并上呈华北军区，直至党中央。11 月上旬，傅作义将军向毛主席建议，调原绥远起义部队到朝鲜前线参战。毛主席批准了这一建议。于是以绥远起义部队为主，组建了中国人民解放军第 23 兵团，董其武任兵团司令员、军政委员会主席，高克林任政治委员、兵团党委书记。1950 年 12 月底，部队移防河北衡水地区龙华镇整训。1951 年 9 月 1 日，中央人民政府人民革命军事委员会命令第 23 兵团，于 9 月 3 日开赴朝鲜，担任泰川、院里、南市 3 个机场的修建任务与后方警戒任务。

1950 年 11 月 14 日，中国共产党和其他民主党派联合发表宣言，“誓以全力拥护全国人民的正义要求，拥护全国人民在志愿基础上为着抗美援朝、保家卫国的神圣任务而奋斗。”全国规模的抗美援朝保家卫国运动迅猛掀起，绥远省总工会筹备委员会、民主青年联合会筹备委员会、学生联合会、妇女联合会筹备委员会以及归绥市总工会等团体也联合发表声明，坚决拥护中国共产党和各民主党派的联合宣言，要在全绥远范围广泛宣传，积极发动抗美援朝、保家卫国运动，彻底粉碎美帝国主义侵略朝鲜，扼杀新中国的阴谋。1951 年初，全省掀起报名参军、赴朝抗美、保家卫国热潮，从农村到牧区、城镇，从农民、工人到青年学生，积极报名。陕坝专区在很短的时间内提前完成征兵 300 名的任务。城乡各地普遍掀起增产节约热潮，以恢复与发展生产的优异成绩支援抗美援朝。绥远人民尽管刚刚从战争的年代度过，生产、生活还极端困难，仍积极捐献粮食、物资和款项，支援前线。绥远全省捐款折合战斗机 18 架，这是绥远蒙、汉各族人民反对战争，保卫和平，热爱祖国，热爱刚刚开始的新生活的真挚心愿。5 月间，中国人民志愿军归国代表团来绥访问，所到之处，欢迎的人群沸腾，志愿军代表高超、解秀梅、浩特劳向人们报告中国人民志愿军在朝鲜打击美国侵略者的英雄事迹，群众掌声不绝，欢呼不已。蒙古族志愿军英雄浩特劳在伊盟中学访问期间，该校蒙、汉族学生围成一团，听其讲述内蒙古骑兵在朝鲜作战的英雄事迹，询问蒙古族战士的战斗生活，争相请求签名留念，其情其景难以言表。

由绥远起义部队整编的中国人民解放军第 23 兵团赴朝后，按预定的任务修建机场。根据中央军委的命令，成立了兵团修建委员会，董其武任主任，高克林任副主任，姚喆及空军司令部后勤部政委杨尚儒、朝鲜民主主义人民共和国检阅相金元凤任副主任；兵团36军106师及107师之319团修建价川郡院里机场，37军110师及109师325团负责修建龟城郡之南市机场，兵团司令部率兵团直属部队及107师、109师其余各团在泰川郡承修泰川机场。各机场修建部队均成立修建委员会分会，具体领导机场修建事宜。9月19日开工修建院里、南市两个机场，平均每天出工8 000人；20日泰川机场也开工修建，每天出工9 500人。经过整编整训，从思想上、政治上、作风上已经解放军化的起义部队，以中国人民解放军的英雄姿态战斗在朝鲜战场上，创造了可歌可泣的英雄事迹。在战争前线修建军用机场，是一场特殊的战斗。地上有恶劣的自然环境和极其艰苦的生活条件及难以想象的施工条件，空中有美国侵略者的飞机不时盘旋轰炸，更有敌机投下的有随时爆炸可能的定时炸弹，而修建期限又极为短促。面对如此艰巨的任务，指战员们继承发扬中国人民解放军的不畏强敌，不怕艰苦，连续作战，敢于拼搏的精神，在施工中自制工具，自定施工流程，创造了三面装车法、循环装车法和接力传递装石草袋法等有效的施工操作技术，仅泰川工区就自制工具6 744件，极大地提高了施工效率和加快了施工进度。①

在机场施工过程中，最棘手的问题就是防备美军飞机的狂轰滥炸和排除定时炸弹。10月18日9时30分，美军9架B－29王牌重型轰炸机突然轰炸正在修建的院里机场，成百吨重磅炸弹倾泻而下，工棚、材料和新修机场工地全被炸毁，许多指战员被埋在防空壕和掩体废墟中。经过大家奋力抢救，挖出数百名被掩埋的指战员，扑灭了正在燃烧的烈火，但是大家一个月的辛勤劳动成果被美军强盗毁于一旦。这更激起指战员们对美国侵略者的无比仇恨。10月22日8时40分和9时30分，南市、泰川两机场也先后各遭9架B－29重型轰炸机的轰炸，一周以后成批敌机在机场上空不断盘旋侦察，轮番轰炸。定时炸弹的排除更是艰巨而极端危险的工作。据不完全统计，在3个机场投下炸弹4 925枚，定时炸弹1 925枚，第23兵团指战员伤亡数百人。美国侵略者惨绝人寰的疯狂，并没有吓倒志愿军指战员，美军白天轰炸，施工在夜间进行，南市、泰川、院里3机场先后于10月20日、29

① 董其武：《绥远和平起义后实现解放区化、解放军化的历程》，内蒙古政协文史资料研究委员会编：《内蒙古文史资料》第18辑，第1页。

日和11月4日建成交工。全兵团共投工1 071 400个，完成3条跑道各长2 000米，宽60米；停机坪8个，全长1 500米，宽30米；滑行道、联络道总长9 437米，推机道长8 754米；飞机掩体193个，各种附属工程30多项。①

由于第23兵团出色地完成了修建机场的任务，中央军委和华北军区分别电贺慰问，赞扬他们的爱国主义和国际主义精神。朝鲜最高人民会议常任委员会委员长金枓奉特授自由独立二级勋章，并写信致敬致谢。部队经过短暂休整待命，于11月30日和12月1日启程，徒步行军回国，12月11日，胜利回到河北省保定地区定县驻防。中国人民解放军第23兵团是由绥远起义部队组成，大部分官兵是绥远人，他们在起义、整训的道路上成为光荣的人民解放军，在抗美援朝、保家卫国的伟大战争中建树了光辉事迹，这是他们的光荣，也是绥远各族人民的光荣。

七、铲除社会恶习　改善社会面貌

近代绥远地区吸毒、嫖娼、赌博3大恶习十分严重，对社会危害极大，对民风影响极坏。铲除3大恶习，改善民风，是地区解放区化的重要形象工程，是一项细致艰巨的工作。

禁烟禁毒　早在19世纪中叶，鸦片开始传入绥远地区，随之从广东引进的罂粟种子在托克托县种植，烟毒随即广为流行，吸食者日渐增多，主要是归绥、包头一带种植、制作、贩毒、吸毒成风，对社会危害甚大。20世纪20年代冯玉祥任西北边防督办，其部下李鸣钟任绥远都统，大力实行禁烟禁毒，收效甚好，罂粟种植几乎绝迹，吸食者也大为减少。不久，晋系军阀统治绥远，烟禁开放，全省年产鸦片达四百八十余万两。特别是日伪时期，强令农民种植罂粟，制作鸦片，开设烟馆，贩卖销售鸦片。抗战胜利后，国民政府虽然下令禁烟禁毒，但因官府腐败，禁令难行，种、制、贩、吸从未禁绝。绥远和平解放初期，偷种罂粟者仍很普遍。1950年，伊克昭

---

① 董其武：《绥远和平起义后实现解放区化、解放军化的历程》，内蒙古政协文史资料研究委员会编：《内蒙古文史资料》第18辑，第1页。

盟种植罂粟达 8 万亩以上[①]，萨拉齐县有 1 169 户农民种植罂粟达 9 138 亩[②]，安北县 4 676 亩，五原县 2158. 9 亩[③]。1950 年绥远全省种植罂粟达 20 万亩左右[④]。制造、贩卖毒品者人数众多，遍布绥远各地。1950 年，仅包头市制贩毒品者就有千余人[⑤]，萨拉齐县一区板申气村 300 多户村民中制贩毒品者有 30 多户，二区公积板村 280 户村民有 80 多户制贩毒品[⑥]。据绥远省人民政府 1950 年统计，绥远吸毒烟民达 25 万人左右，约占全省人口的 9%。其中归绥市有烟民万余人以上[⑦]；包头市烟民达 12 000 余人，占全市人口的 10%[⑧]；丰镇县城有烟民 6 000 余人；萨县城内有 20 000 多人口，而烟民即有 4 000 余人[⑨]。这是绥远省很大的社会问题，许多社会治安问题，如盗窃、抢劫案件大多与烟毒有关，对社会风气影响极大。

1949 年 7 月，华北人民政府颁发了《华北区禁烟禁毒暂行办法》；8 月 20 日绥远省人民政府为执行华北人民政府上述“暂行办法”，制定颁布了《绥远省人民政府戒吸毒品暂行办法》10 条，在绥远省人民政府当时所辖丰镇、武东、集宁、龙胜、兴和、陶林、凉城等 7 县建立了 11 个戒烟所和 4 个劳动教育队，实行强制戒烟。[⑩] 绥远省人民政府在《一九五〇年施政方针》中提出“严禁种植、制造、贩卖、吸食毒品，（违者）实行劳动改造。”[⑪] 1950 年 3 月 15 日，绥远省人民政府颁布《禁烟禁毒布告》，指出“烟毒为害，不仅能使个人倾家荡产、灰心丧志、贻误生产，而且影响民族健康和社会治安至巨。我人民政府对于禁烟禁毒，早具最大决心，并为既定政策。当前急务，首先禁止种植，以根除毒源。”规定“自布告发出之日

---

① 伊克昭盟人民自治政府委员会：《关于查铲烟苗工作报告》，内蒙古档案馆藏档号 208—2—152 号。

② 乌兰察布盟公安处编：《乌兰察布公安志》（内部资料），第 181 页。

③ 陕坝专署：《关于查铲烟苗总结报告》，内蒙古档案馆藏档号 202—1—149。

④ 绥远省人民政府：《关于禁种大烟工作总结》，内蒙古档案馆藏档号 208—2—240。

⑤ 包头市人民政府：《包头市禁烟禁毒工作报告》，内蒙古档案馆藏档号 208—2—240。

⑥ 董毅民：《解放初期萨县工作回忆》，包头市地方志史编修办公室、包头市档案馆编：《包头史料荟要》第 11 辑，第 9 页。

⑦ 绥远省人民政府：《绥远省查禁烟毒工作报告》，内蒙古档案馆藏档号 208—1—104。

⑧ 包头市人民政府：《包头市禁烟禁毒工作报告》，内蒙古档案馆藏档号 208—2—240。

⑨ 绥远省人民政府：《绥远省查禁烟毒工作报告》，内蒙古档案馆藏档号 208—1—104。

⑩ 王宏、赵之恒整理：《九十年间——王建功回忆录》，内蒙古人民出版社 2006 年版，第 438 页。

⑪ 《一九五〇年施政方针》，高克林：《绥远和平解放》，中共党史出版社 1998 年版，第 341 页。

起，一律不准种大烟，违者勒令铲除烟苗，予以处分；部队、机关、团体人员利用职权纵容包庇者，从严惩处；贩卖大烟种子供人种植者，烟籽没收，有关人犯依法惩处。”要求各级人民政府宣传禁烟，教育人民执行禁令。[①] 4月4日，绥远省人民政府根据中央人民政府政务院《严禁鸦片烟毒的通令》,制定公布《绥远省查禁烟毒暂行办法》,20条，解释“烟”指鸦片烟土、烟膏、大烟苗或抵瘾药剂等，“毒”指吗啡、海洛因、料面、制毒原料之卤砂、醋酸及其他化合或配制而成的烈性毒品。对查禁烟毒办法作了具体细致的安排，要求作为各级人民政府的重要工作；由民政、公安等部门负主要执行责任，并由武委、卫生、司法、财政、税务等部门及人民团体派员，在同级政府领导下具体执行8项职务；明令一律严密查禁制造、运输、贩卖烟毒；民间藏存之烟土限期上缴，逾期则按情节轻重分别治罪；吸毒烟民自报登记，限期戒除，违者予以处罚；烟毒较盛城市和地区设立戒烟所，各级卫生机构要配制戒烟药，帮助烟民戒烟，酌情减免贫苦烟民之费用。[②]

绥远省查禁烟毒是地区解放区化过程中的一场必须的斗争，既要打击操纵种植罂粟，制造、贩卖烟毒的社会恶势力，又要教育争取受烟毒之害的广大群众，以彻底铲除烟毒，振作民风，改善社会风气，其社会效应和意义非同小可。这场斗争连续进行了3个年头。

1950年3月，绥远省人民政府禁烟禁毒令一经颁布，各盟市、旗县随即成立禁烟禁毒委员会，大张旗鼓地开展了群众性的禁烟禁毒运动。禁烟禁毒首先铲除烟毒根源。绥远烟毒持久兴盛之源即广种罂粟，已经形成一种产业。时逢春耕，种植罂粟一派繁忙。因此，禁烟禁毒便从铲除烟苗下手，而铲除烟苗却是一场极其尖锐复杂的斗争。一方面禁种大烟断了地主势力、反动会道门索取暴利的路。他们抵制、破坏铲除烟苗，在群众中散布破坏禁烟言论。一方面绥远农民靠种植罂粟，制售大烟谋生，而且吸食鸦片者众多，中毒甚深，改变这种状况，实非易事。烟民群起抵制铲除烟苗，铲后复种，循环往复，有的达五至七次，有的犁毁庄稼，改种罂粟，集体请愿，抗拒铲除烟苗，下乡禁烟干部甚至被捆绑挨打。由于这两方面社会势力的抵制、反

① 《禁烟禁毒布告》,《内蒙古档案史料》1993年第1期，第35页。

② 《绥远省查禁烟毒暂行办法》,《内蒙古档案史料》1993年第1期，第35页。

对、破坏，禁种罂粟，铲除烟苗工作严重受阻。绥远省人民政府民政厅派工作组下乡督察，得知情势十分严峻，遂发出彻底查禁种烟和铲除烟苗的通令；绥远军政委员会通令各部队协助地方查铲烟苗，发现烟苗立即铲除。首先坚决打击地主、反动会道门煽动群众抗拒禁烟毒的活动，果断地逮捕惩处了一些抗拒、破坏铲除烟苗的坏分子。同时，宣传教育群众自铲烟苗，形成群众性的禁烟禁毒气氛；禁烟禁毒政策和举动很快深入人心，民众拥护，势不可当。1950 年，据绥远省 16 个县 4 个旗及包头市、桃力民中心区、乌兰花和五当召直属区报告，当年种罂粟 174 353 亩，铲除烟苗 174 048 亩（据《绥远省禁烟禁毒工作报告》是 170008. 6 亩）。因错过夏季播种时节，只改种秋季作物 15 万亩，使农民遭受了损失。①

1951 年 2 月，绥远省人民政府发出《关于抓紧季节大力宣传禁种大烟的指示》,印发禁种大烟布告，严厉禁止种植大烟，不许有一粒烟籽下种，对种烟或贩卖烟籽者依法治罪惩处。并及时派工作组下乡开展禁烟工作，特别是禁种大烟得到广大农民的拥护与支持，收到了良好效果。

1951 年 2 月 10 日和 26 日，绥远省人民政府相继颁布了《绥远省禁烟禁毒实施办法》《绥远省严禁烟毒惩处暂行办法》和《关于禁种大烟的布告》,重申了禁烟禁毒方针政策，细化了具体措施，加大了惩处力度，进一步表明了人民政府禁烟禁毒的态度和决心。宣布严厉禁止种植罂粟和制造、运输、贩卖烟毒品，违者从重治罪；吸食和注射毒品者，必须在限定期限到当地人民政府指定部门声明登记，由其亲属邻居具保监视自行戒除；不登记或登记逾期未戒者、戒后复吸者，要强制戒毒并予处罚；民间存储之鸦片烟土应向当地人民政府登记，听候处理；毒品制造者所藏存毒品及原料、器械等，一律限期上缴，违者依法治罪。5 月，全省结合剿匪斗争加快了禁烟禁毒的步伐。

绥远烟毒危害长达近百年，制毒、贩毒、吸毒遍及城乡，禁烟禁毒非一朝一夕所能奏效。而且人民民主政权初建，剿匪肃特和镇反运动刚刚开展，社会民主改革尚未进行，制毒贩毒者甚至与匪特结合，吸毒者尚未完全觉醒，禁毒禁烟任务繁重，斗争还很艰巨。“据 1950 年归绥、包头两市和 23

① 王宏、赵之恒整理：《九十年间——王建功回忆录》,内蒙古人民出版社 2006 年版，第 441 页。

个旗县、3 个镇的不完全统计，共有烟民 157 724 人。”[①] 归绥、包头等城镇的烟土店、大烟馆随处可见；乡间地主豪绅设烟坛、耍烟枪、摆阔气，农民因陋就简吸食烟土，委靡不振。这是烟毒危害绥远社会的悲惨情景。

查处制毒、贩毒、售毒、运毒是禁烟禁毒的重要环节。在铲除烟苗的同时，各盟市、旗县及时开展打击制毒、贩毒、运毒、售毒的斗争，通告烟毒制造、贩卖和运输者限期到所在地公安部门登记自首，上缴制毒原料、工具和所持毒品。对有诚心悔改表现者从轻处理；对抗拒登记自首，对抗政府禁烟毒者，逮捕法办；同时在车站、旅店、渡口、码头检查毒品，以防毒品运输流通。通告之后，有依法自首者，也有顽抗者。包头市有 167 人自首登记，上缴制毒原料和工具。但是，也有不少人心存侥幸，表面登记自首，暗中继续非法制售烟毒。至 1950 年底，各旗县查获制、运、售、吸烟者案件 1 402 件，人犯送法院惩处或送劳教队改造；没收各种大烟 4 573. 493 两，料面 1 840. 694 两，砒子 174. 816 两，卤砂 4 287. 36 两，醋酸 6 063. 55 两。除留配制戒烟药丸所需外，连同旧存的烟毒陆续焚毁各种烟毒 6 436. 189 两[②]。

戒吸烟毒是禁烟禁毒的中心工作，杜绝吸毒是摧毁烟毒市场，振兴民风，弘扬正气，铲除烟毒危害的根本。因此，在禁种罂粟、铲除烟苗和查处制、售、贩、运烟毒的过程中，在吸食烟毒者中大力进行了戒烟毒宣传教育，采取多种办法使其戒除烟毒瘾，以切断烟毒销路。全省各地普遍进行烟民登记，令其限期戒除烟毒瘾。包头市组织学校师生进行街头宣传，采用演讲、漫画、墙报、剧目等形式宣传教育，效果显著，当年有 5 649 名烟民登记戒烟毒。[③] 归绥市广大干部和禁烟毒积极分子深入街道，入户宣传，动员烟民登记戒毒，也有 4 221 名烟民登记戒烟毒。[④] 归绥、包头两市建立戒烟所 55 处。[⑤] 其他旗县登记者也相当普遍，说明群众拥护人民政府禁烟禁毒

① 王宏、赵之恒整理：《九十年间——王建功回忆录》，内蒙古人民出版社 2006 年版，第 442 页。

② 绥远省人民政府：《绥远省禁烟禁毒工作报告》，内蒙古档案馆藏档号 208—1—101。

③ 马涛中：《改造娼妓和禁烟戒毒始末》，包头市地方志史编修办公室、包头市档案馆编：《包头文史资料选编》第 8 辑。

④ 归绥市人民政府：《归绥市 1950 年禁烟禁毒工作总结报告》，内蒙古档案馆藏档 208—2—189 号。

⑤ 王宏、赵之恒整理：《九十年间——王建功回忆录》，内蒙古人民出版社 2006 年版，第 443 页。

举动。同时，各盟市、旗县都开办戒烟所，而且纷纷创办私立戒烟所，把烟瘾较重者送到戒烟所，一面服药戒烟，一面参加劳动和文娱活动，并进行积极的思想开导，少则20天多则3个月，即可戒除烟瘾。对于少数游手好闲，不务正业，而且拒绝戒毒者，或戒后复吸者，则送劳动改造队强制戒除；对于烟瘾较轻者，鼓励其自行戒除。区别对待，各有措施，效果良好，初战告捷。

1951年冬天开始，结合农村土地改革和城镇“三反”“五反”运动，全省再次掀起禁烟禁毒斗争。10月23日，绥远省人民政府民政厅发出指示，要求配合土地改革抓紧禁烟禁毒，土改结束时基本肃清农村制售毒品，并令吸食者限期戒除。农村毒品多藏于地主手中，土地改革中发动农民举报藏毒者，并责令地主交出所藏烟土毒品。丰镇县地主交出鸦片烟土690两，[①] 武川、萨拉齐、清水河3县收缴鸦片7 267.57两。[②] 政府采取当众烧毁毒品的方式，表明禁烟戒毒决心，并教育群众。集宁、萨拉齐、陕坝3地烧毁鸦片16 774两，烧毁其他毒品9 860两。[③] 土改运动中大批农民自行戒毒，形成禁烟戒毒风气。

1952年4月2日，绥远省人民政府民政厅发出指示，要求结合三反、五反运动加速城镇禁烟禁毒。5月，政务院发出《严禁鸦片烟毒的通令》，要求开展群众性的肃毒运动。绥远省人民政府随即发出《关于开展肃毒运动的决定》，并成立了绥远省禁毒委员会，领导全省肃毒运动；各市、旗县（区）成立禁烟组织；各级民政、公安、税务、卫生、司法、武装等有关部门参加，形成禁毒工作网。[④] 群众纷纷揭发国家机关工作人员和私营工商业者制贩、吸食毒品行为。归绥市从8月到10月15日，主动登记自首者1 427人，交出烟毒品20 765.53两；召开肃毒宣判大会，严惩烟毒犯数十人，有的被判处死刑，烧毁烟土近5 000两，缴获鸦片烟土9 840.4两，料

① 丰镇县人民政府：《丰镇县禁毒工作报告》，内蒙古档案馆藏档202—1—348号。

② 绥远省人民政府：《绥远省1952年结合土地改革及三反五反运动的禁烟禁毒工作报告》，内蒙古档案馆藏档202—1—438。

③ 绥远省人民政府：《关于绥远省一年来的土地改革总结报告》，《绥远行政周报》第117期。

④ 王宏、赵之恒整理：《九十年间——王建功回忆录》，内蒙古人民出版社2006年版，第444页。

面 32.3 两,[①] 包头市揭露出国家机关人员中有 48 人贩卖、吸食毒品，并查出农村地主转移至城内的毒品，全市收缴鸦片 5 000 多两。[②] 在肃毒运动中，包头市逮捕制贩毒分子 212 人，缴获烟土 9 334.9 两，料面 71.42 两又 3 648 小包（约 100 多两），醋酸 4 308 两，卤砂 2 568 两。[③] 还揭发出公安局起义留用干警包庇制贩、吸食毒品案。禁烟禁毒斗争步步深入。

经过两年的持续禁烟禁毒，禁绝了种植罂粟，切断了当地毒源；沉重打击了一批制贩毒品者，使群众认识了制售毒品非法；大力戒毒，挽救了一大批吸食毒品受害者。但是，绥远省的烟毒危害还未肃清。1952 年 6 月 15 日，绥远省人民政府公安厅发出《关于扫清毒流行的指示》,规定了扫毒方针、政策和方法步骤，要求发动一场扫毒运动。各地遂成立扫毒委员会，抽调大批干部和吸收群众禁毒积极分子组成扫毒工作队，深入城乡街道、村庄，勒令毒犯自首登记，劝告烟民主动戒毒，分别召开烟民座谈会、毒品犯和烟民家属座谈会、禁毒积极分子座谈会以及受害者诉苦会，使扫毒运动家喻户晓，不留死角。仅丰镇县就召开各种座谈会 1 103 次，受教育者达 86 564 人。[④] 平地泉镇和丰镇县群众举报毒品犯 200 人，协助政府追捕逃犯 15 人。[⑤] 归绥市到 10 月 15 日有 71 名制毒者、1 338 名贩毒者自首，收缴鸦片 8 241.4 两，烟具 10 561 件。[⑥] 土默特旗举报毒品犯 7 名，收缴鸦片烟土 3 419.5 两。[⑦] 对于各地举报的毒品犯进行集中审查，分犯罪情节和认罪态度进行处理。丰镇县 221 名毒品犯中逮捕 72 名法办，移送劳动改造 7 名，教育释放 149 名;[⑧] 托克托县审查毒品犯 88 名，逮捕 78 名法办;[⑨] 武东县审查毒品犯 102 名，逮捕 25 名法办，被管制 15 名，教育释放 62 名。[⑩] 对于被捕毒品犯进行公开审判，以打击罪犯，教育群众，弘扬正气。9 月 24 日，

---

① 归绥市人民政府:《归绥市禁烟禁毒工作报告》,内蒙古档案馆藏档 208—2—240。

② 包头市人民政府:《包头市禁烟禁毒工作报告》,内蒙古档案馆藏档 208—2—240。

③ 王宏、赵之恒整理:《九十年间——王建功回忆录》,内蒙古人民出版社 2006 年版，第 445 页。

④ 邢吉和:《丰镇县戒烟打毒运动概况》,《丰镇史料》第 4 辑，第 255 页。

⑤ 邢吉和:《丰镇县戒烟打毒运动概况》,《丰镇史料》第 4 辑，第 255 页。

⑥ 归绥市人民政府:《关于本市禁烟禁毒工作报告》,内蒙古档案馆藏档 208—2—240。

⑦ 土默特志编委会:《土默特志·下卷》,内蒙古人民出版社 1987 年版，第 202 页。

⑧ 邢吉和:《丰镇县戒烟打毒运动概况》,《丰镇史料》第 4 辑，第 255 页。

⑨ 托克托县志编委会:《托克托县县志》（修订稿），第 151 页。

⑩ 乌兰察布盟公安处:《乌兰察布公安志》（内部资料），第 181 页。

丰镇县城关区召开万人宣判大会，当场判处枪决一名大毒犯，判处30名毒犯徒刑，有93名吸毒者要求上台诉苦，有52名贩毒者当场自首，其中8人交出鸦片113两。会后举报、坦白者不断，有113名毒犯自首，缴鸦片1 257两。① 月底，托克托县也召开公判大会，判处了一批毒犯，有16名毒品受害者登台诉苦。② 类似活动各地都有，缴获烟土毒品均当众烧毁，扫毒运动影响巨大，禁烟禁毒形成风气。

整整3年的禁烟禁毒斗争，成果辉煌，以胜利告终，可谓史无前例。仅包头市人民法院就审判烟毒案1 121件，判处5名毒品犯死刑，判处1名无期徒刑，被判有期徒刑者976名，有10 239名吸毒者戒除毒瘾；③ 丰镇县3年破获毒品案345件，有413名毒品犯被判处徒刑。④ 全省各地扫毒情况基本相同，蒙汉各族人民群众有一个共同的评论："共产党说到做到，为人民解除了一个大祸害。"这就是人民对禁烟禁毒运动的结论。

禁嫖娼 禁赌博 嫖娼和赌博是绥远地区长期形成的败坏社会风气，摧残民众意志，制造社会混乱的公害。解放后，社会各界对这两大公害深恶痛绝，期盼人民政府治理，以正民风。为铲除这种社会恶习，绥远省人民政府责成民政厅和妇女联合会，组织专门人员，分两组在归绥、包头开展调查娼妓的工作。归绥的妓院主要集中在旧城平康里和吉兴里街区；包头的妓院主要在定襄巷。调查组分头对妓院的历史与现状，对妓女的生活与思想，进行了细致的调查了解，摸清了绥远娼妓的基本状况。对其他盟市及城镇进行了相应的调查摸底。在此基础上，制定了取缔妓院、收容妓女的计划，并下发到盟市，统一行动。

1950年7月26日，归绥市人民政府下令，由民政厅、妇女联合会、人民法院、卫生局、公安局等有关部门，抽调一百多名干部、警察，分成10个小组，一举查封归绥11家妓院，扣押了8名老鸨，解救收容了40多名妓女，公安局将禁止嫖娼卖淫的布告贴在每个妓院的门上，以示公告。包头、

① 邢吉和：《丰镇县戒烟打毒运动概况》，《丰镇史料》第4辑，第255页。
② 托克托县志编委会：《托克托县县志》（修订稿），第151页。
③ 包头市人民法院：《包头市法院志》，内蒙古人民出版社1990年版，第11页。
④ 邢吉和：《丰镇县戒烟打毒运动概况》，《丰镇史料》第4辑，第255页。

集宁、陕坝、五原等城镇也同时行动，相继查封了三十多个妓院，收容妓女三百余人，扣捕老板、老鸨、掌班五十多人。①

查封妓院之后，对妓女的教育改造是禁娼妓的关键，是一项特别艰苦细致的工作。为此，归绥市对收容的妓女逐一进行体检，结果有 29 人患病，占总人数的 64.4%，其中患性病者达 24 人，不满 16 岁的 18 名女孩子中有 12 人患梅毒和淋病。在为她们进行戒毒和治病的同时，归绥市人民政府在归绥旧城西河沿创办了“妇女新生教养院”，收容她们入院接受教养，使她们认识到妓院是旧社会压迫妇女的罪恶场所，帮助其迷途知返，迎接新社会的光明；组织她们学习生产技能，树立劳动观念，参加劳动，自食其力，重新做人。尤其是妇女联合会的领导和干部热情耐心地对待她们，不是家人胜似家人。1951 年下半年，归绥“妇女新生教养院”的学员参观工厂，请工人为她们讲述用自己的双手劳动生产，创造幸福生活的道理；组织她们学习纺毛线、缝纫、纳鞋底等生产技能，仅半年就纺毛线 700 斤，做衣服 178 件，领到加工费 1 301 490 元（旧币），第一次拿到了生产劳动收入，很是兴奋；她们学文化，文盲学员识字 400 个以上，有的还能写信、看书报。经过教养，她们获得新生，当年 12 人结婚成家，10 人被家属领回，8 人安置就业，9 名幼女入小学读书，3 名幼女到剧团学艺。到 1952 年底全部教养安置完毕。②

在收容教养妓女的过程中，根据妓女们的要求，她们对妓院老板、鸨母进行了面对面的说理斗争，清算妓院的罪行。在归绥市“妇女新生教养院”举行了 3 次大会，对二十多名妓院老板、鸨母进行了说理斗争。根据受害妇女和群众的要求，归绥市人民法院召开全市审判大会，对平康里、吉兴里妓院的老板判处死刑，立即执行，没收其全部房产；还宣判了十多名有罪恶的老板、鸨母、掌班等 1 至 10 年的有期徒刑；对罪恶较轻，经教育认罪态度较好，有悔改表现者，交街道监督改造。

归绥市取缔妓院，教养妓女，改造或法办妓院老板、鸨母、掌班，是治理社会的成功尝试。包头、集宁、五原、陕坝等城镇也照此办理，成效显

---

① 王宏、赵之恒整理：《九十年间——王建功回忆录》，内蒙古人民出版社 2006 年版，第 447 页。

② 王宏、赵之恒整理：《九十年间——王建功回忆录》，内蒙古人民出版社 2006 年版，第 450 页。

著。经过近3年的治理，明娼绝迹，暗娼基本消失，社会风气有所改观，民众称赞不已。

解放前，绥远城乡赌博成风，一到冬闲和春节期间，或逢婚宴喜庆，大小赌头开场耍赌，一群一伙，颇为热闹，房东张罗，赌头坐庄，官家不仅不问，还要抽股。一些大赌头人称“白花”，终身以赌为生，一年四季流窜各地赌博，且诡计多端，常使许多人败于赌场，妻离子散，甚至家破人亡，有的甚至沦为匪寇。赌博恶习染及民众，家庭聚赌，男女老少皆有，各种赌具皆备，随时随地开场聚赌。赌博，确实是绥远的一大公害。

在禁娼妓的同时，各级政权配合公安部门，发动群众大张旗鼓地开展禁赌运动，取缔一切赌场，揭露赌博的危害，拘留赌头，打击赌风，教育赌徒，改邪归正，一时间赌博消失，群众拍手称快。但是，赌博面广，城乡皆有，赌徒众多，恶习难绝；运动过后，死灰复燃，明赌好禁，暗赌难查，赌博恶习，时隐时现，一直没有绝迹。

第二节 新区社会民主改革

一、农业区土地改革

绥远省的农业区 绥西河套地区的五原、临河、安北、晏江、米仓、狼山等6县与伊克昭盟杭锦旗河套的东、中、西3个巴格和达拉特旗一部分，是旗县行政并存，辖地交叉，蒙汉杂居的农业区；归绥、包头两市郊区和萨拉齐、和林格尔、托克托、武川、固阳等5县与土默特旗，也是旗县行政并存，辖地交叉，蒙汉杂居的农业区；清水河、凉城、卓资山、丰镇、集宁、陶林等6县是与绥东察哈尔右翼4旗旗县行政并存，辖地交叉，蒙汉杂居的农业区；伊克昭盟所辖东胜县和准格尔旗、达拉特旗的大部分地区是农业区或农业占优势的地区；乌、伊两盟的其他旗也有少量纯农耕区。

所谓旗、县并存，是一旗之内既有蒙旗辖地又有一县或数县管辖之地，或一县之内既有县辖之地也有蒙旗辖地；在旗、县境内既有蒙古族，也有汉族，蒙古族是蒙旗的属民，汉族由县管辖；蒙、汉民族有各自的聚居村落，也有杂居共处的居民点；汉族基本上是经营农业生产，蒙古族以农为主兼营传统畜牧业。

绥远省农村土地改革是在上述农业区进行的。汉族农民中的土地改革，从方针政策到具体做法与全国土地改革基本相同；蒙旗和县辖区蒙古族农民中的土地改革，则根据民族特点、地区特点、经济特点制定了特殊的政策，实行不同的实施办法。

农业区土地改革　绥远省农村是以汉族农民为主的农业区，农民绝大部分是历史上来自山西、河北、陕西的移民，也有部分河南、山东、甘肃的移民。他们绝大部分是内地破产农民，也有少数地商和地主出塞图发展。绥远省的农业区也是随着他们的迁徙而逐步从南向北发展起来的。这个过程大约经历了200年左右的时间。他们中的一部分从无地变成占有一定数量土地的农民，少数发展为地主，而绝大多数还是靠租种土地或扛长工打短工为生，从而形成了农村的地主、富农剥削阶级和被剥削农民阶级。全省农村地主、富农只占农村人口的10%左右，但是占有农村68.2%的耕地；而其他农民占农村人口的90%左右，只占农村耕地的31.8%。前者只有出租土地或雇工耕种才能发挥所占有土地的价值，后者也只有租种地主、富农的土地或为其打工才能勉强维持生计，有的甚至无以维生。如归绥城东徐家沙梁村共有地主10户47口人，占全村人口的14.9%，占有土地2 310.5亩，人均土地49.16亩，占全村土地的58.3%；全村贫农24户94口人，占全村人口的29.78%，占有土地278.5亩，人均土地2.96亩，占全村土地的7.27%；全村雇农11户34口人，占全村人口的10.8%，没有土地。另据安北县调查，有15户地主占土地1 000多顷，户均66.6顷（6 666.6亩），而11户贫农只有土地1顷左右，户均9.09亩。集宁县二区弓沟行政村只占全村人口4.5%的地主，却占全村71.2%的耕地，而占人口43.8%的贫雇农只占耕地6.2%。因此，农民只能以分收、大伴种、小伴种、死租等租佃形式租种地主的土地，其地租额占收获量的50%—60%。① 此外，农民还要负担各种苛捐杂税，特别是当地政府征收的统计粮不计数额，乡警保警入户开仓挖窖，

① 参见苏谦益：《全省农民团结起来为实现绥远新区减租条例而奋斗》，《绥远行政周报》1951年第79期。

简直是抢夺；还有农业生产费用自然全由农民支出，辛勤耕耘一年农民到头来所得无几。这种状况的根本原因，就是不合理的封建土地所有制度和封建剥削制度所致。它严重地束缚着农村生产力的发展。

在新解放区民主建政、剿匪、反霸、减租、调地的群众运动基础上，进行农村土地改革，是解放农村生产力，发展农业生产的头等大事。1950 年 6 月，中央人民政府颁布了《中华人民共和国土地改革法》。1951 年夏季，中共绥远省委和绥远省人民政府组织干部到农村进行调查研究，进行土改的典型试验。9 月 10 日，绥远军政委员会与绥远省人民政府召开联席会议，讨论了土地改革的准备工作；成立了绥远军政委员会领导下的土地改革委员会，苏谦益任主任，杨植霖、奎璧、孙兰峰任副主任，姚喆等 27 人为委员。中共绥远省委代书记、军政委员会委员苏谦益提出土地改革的准备工作意见，“一、依照土地改革法和《共同纲领》,根据本省土地占有情况、农牧业生产和蒙汉土地关系等，拟出正确可行的实施办法。二、及早作好思想准备工作，要在干部及各族各界群众中进行宣传教育，针对各阶层顾虑，讲清土地改革的政策、路线和方法；特别是团结中农，保存富农经济，保护与发展畜牧业，保护工商业及城市房屋等政策。三、训练土地改革干部。四、做好典型试验，取得经验。五、以土地改革为内容，开好县各界人民代表会议、农民代表会议和省协商委员会扩大会议。”① 秋季，训练在职干部、农民积极分子、青年知识分子万余人，为土地改革准备了骨干力量；接着，召开各级农民代表大会，宣传土地改革政策，发动群众。11 月 22—27 日，绥远省协商委员会第二次会议及首届农民代表大会召开，苏谦益作《全绥远人民团结起来为实现土地改革而斗争》的报告，提出为什么要进行土地改革的问题后，以粉碎地主阶级的诡计；必须组织好农民协会；要正确地划分阶级成分；正确的实行政策；彻底的消灭封建；区别对待地主；蒙汉人民亲密团结起来；土地改革与生产救灾、镇压反革命结合进行等 8 个问题为题，阐述了绥远省实行土地改革的理由、方针、政策、方法以及与生产救灾和镇压反革命的关系，特别强调了土地改革中的蒙汉民族团结。这是对绥远土地改革运动的总动员。杨植霖作《关于土地改革实施办法的报告》,具体讲解了实

① 《绥远军政委员会成立土地改革委员会》,《绥远日报》1951 年 10 月 21 日。

施办法中的一些重要问题，以及如何正确把握实施办法。[①] 奎璧作《关于蒙旗土地改革实施办法的报告》。全省五百多名农民代表出席，共商发动、团结和组织绥远省二百多万农民实行土地改革的问题，并成立了绥远省农民协会。11 月 25 日，乌兰夫在绥远省干部会议上就民族问题、民族干部、执行民族政策过程中注意民族问题等作了重要报告。27 日，绥远省人民政府颁布了《绥远省土地改革土改实施办法》（草案）；12 月 4 日，公布了《绥远省蒙旗土地改革实施办法》《绥远省关于蒙民划分阶级成分补充办法》和《土地改革干部八项纪律》。1952 年 1 月 23 日，绥远省土地改革委员会发出《关于土改中若干具体政策问题的规定》，提出 19 条具体政策，解决了执行政策中的问题；[②] 同时，绥远省农民协会发出《关于目前土地改革运动的指示》，根据土改开始后出现的问题，就继续发动群众、正确划分阶级成分、土改与生产救灾结合、做好没收与分配、发动蒙古族群众、整顿工作团等作出了指示，指导土改工作顺利进行。[③] 2 月 2 日，绥远省人民政府发布《关于修正绥远省土地改革实施办法草案公布施行的命令》，根据中央人民政府政务院的批核作了 3 条修正，正式公布施行。[④]

《绥远省土地改革实施办法》是遵照“依靠贫农、雇农，团结中农，中立富农，有步骤有分别地消灭封建剥削制度，发展农业生产”的土地改革总路线和总政策以及《中华人民共和国土地改革法》，根据绥远的土地关系、农村经济的特点、民族特点制定的，共分六章三十六条，在部分条下总计又设 47 款。对执行《土地改革法》中土地的没收和征收，土地的分配，逐条作了详细具体的规定；在特殊土地问题的处理规定中，特别提出“为了保护牧场，没收、征收分配土地时，得根据当地牧业和农业的情况及发展的需要，经当地蒙、汉双方群众和人民政府协商，经盟人民政府或省人民政府批准，适当地从（重）新划分牧业区和农业区之地界。”同时规定了土地改革的执行机构和执行方法。在总则中规定：绥远省“土地改革，凡土地改革法已有规定者，依照规定执行之；土地改革法未有明确规定者，依照本办法

① 《绥远行政周报》1951 年第 79 期。
② 《绥远行政周报》1952 年第 84 期。
③ 《绥远行政周报》1952 年第 84 期。
④ 《绥远行政周报》1952 年第 84 期。

规定处理之”；在附则中规定“蒙旗地区之土地改革，另定蒙旗地区土地改革实施办法，该办法另有规定者按该办法规定处理，该办法未有规定者按土地改革法和本办法规定处理之。”①

1951 年 12 月 1 日，中央人民政府政务院批准绥远省在 1951 年冬至 1952 年春，全省进行土地改革的决定。

土地改革是绥远省农村最大的社会民主变革，在 1951 年隆冬和 1952 年阳春迅猛展开。由八千多名蒙汉各族干部，分赴全省农村，以县为单位，分别组成土地改革工作团和工作队，在中共县委和县人民政府的领导下，深入区、乡和行政村、自然村，开展土地改革工作，宣讲土地改革政策和意义，重点访贫问苦，发动农民群众，召开各种形式的农民座谈会，分析农村的阶级关系和阶级剥削，讲解封建土地所有制度及其对农民的危害，唤醒农民的阶级觉悟，对恶霸地主进行说理斗争，以血与泪的控诉，激发农民参加土地改革的热情。这一年的春节与往年不同，农村一片从未有过的沸腾景象，农民以翻身锣鼓贺岁，以土地改革的果实迎新春。

从 1951 年 12 月到 1952 年 3 月，在全省 1 416 个行政村的 240 万农业人口地区完成了土地改革；1952 年 7、8 两个月又在 72 个行政村 10 万农业人口地区进行了土地改革。经过土地改革，推翻了农村的封建统治，农民群众成为农村的主人，改选了农村政权，对地主阶级和反革命分子实行人民民主专政。据 236. 3996 万农业人口地区统计，在改选村政权中有 3 957 名村长及委员被洗刷与落选，原有村长及委员 8 762 人，土改后达到 12 051 人，其中新当选的农村积极分子 7 246 人，占改选后村长和委员的 60. 13%；村农民协会会员从土地改革前的 80. 3942 万人发展到 107. 3537 万人，增加了 33. 53%，占农村总人口的 45. 4%。民兵由土改前的 8. 0281 万人增加到 13. 7716 万人，增加了 71. 54%，占农村总人口的 5. 83%。妇女代表会的代表由土改前的 1. 6260 万人增加到 3. 6956 万人，增加了 1. 27 倍。新民主主义青年团的团员由 9 124 人增加到 2. 1804 万人，增加了 1. 39 倍。据 406 个行政村的统计，土地改革中培养出农民积极分子 3 166 人，其中选拔一部分到区、县旗工作。土地改革的经济成果，据 150 万农业人口地区的统计，

① 《绥远行政周报》1951 年第 79 期。

136 万雇、贫、中农及其他劳动人民取得了 1 132. 8175 万亩土地、6. 5798 万头耕畜、16. 8 万余间房屋、27. 7 万余件农具、6 186 万余斤粮食。农村人均土地与土改前相比，雇农由 2. 5 亩增加到 10. 95 亩，贫农由 7. 29 亩增加到 11. 47 亩，中农由 13. 3 亩增加到 15. 05 亩；实行保护富农经济政策，富农所占土地由人均 23. 96 亩调为 20. 65 亩，仅减少 3. 04 亩；给地主一份土地，使其通过劳动改造，自食其力，地主人均土地由 57. 84 亩减为 9. 34 亩。1952 年 7、8 两个月又在 72 个行政村约 10 万人口的地区进行了土地改革，还有少部分村庄尚未土改。① 经过土地改革，废除了封建土地所有制，实现了农民土地所有制，使农村形势发生了根本变化，80% 的村庄在发动群众、贯彻执行政策、建立村政权与农民协会、农民内部团结、发展生产以及对地主阶级和反革命分子的专政等方面，基本上树立了农民的优势。

但是，还有部分村庄不同程度地存在着一些问题。对反革命分子打击不彻底，还没有完全肃清；有的地主收买拉拢村干部，控制村政权，造谣生事，威胁群众，甚至反攻倒算；也有一些漏划的地主或对地主的五大财产没有彻底没收，有些地主还放分收、吃租子；把个别农民错划成地主，农民内部不够团结，有一些村庄没有形成坚强的领导核心，组织生产不力；还有 20% 左右的村庄存在群众没有全面发动，阶级界线不明，组织不纯，分配不公，地主和漏网地主及暗藏的反革命分子进行破坏活动。

因此，1952 年冬，在土地改革地区进行土地改革复查工作；在半农半牧区进行保畜增畜及民主建政工作，适当调剂大地主的土地及解决农牧区划问题；牧业区仍坚持“不斗、不分、不划阶级”的方针。土改复查要解决上述遗留问题，进一步加强人民内部的团结，尤其是民族团结，进一步巩固人民民主专政；具体要求是彻底消灭反革命残余，彻底消灭封建，解决人民的内部团结，加强人民民主专政制度，整理村财政，查实土地，确定产量，颁发土地证。

土地改革复查工作，继续贯彻土地改革总路线、总政策和土地改革法，执行绥远省土改实施方案、蒙旗土改实施办法及各项政策，充分深入地发动群众，彻底消灭封建剥削制度，加强人民内部团结，进行建党、建团、建

① 《关于绥远省一年来土地改革工作的总结报告》,《绥远行政周报》1952 年第 117 期。

政、建设民兵工作，搞好冬季生产。对地主实行区别对待的策略，对土改后的守法地主不再在群众会上斗争，对漏划而民愤不大的小地主，又能交出五大财产，可不在群众会上斗争，对于隐瞒小量财产的小地主，能交出应没收的财产，亦可不在群众会上斗争。土改复查应集中力量打击：向农民反攻倒算者，抵赖拒交农民斗争果实的大地主，不法逃亡的大地主，搞政治破坏、威胁或杀害农民的不法分子，隐瞒五大财产的大地主以及土匪、恶霸及其他五种反革命分子。对土匪、反动道首、黑杀队、流散军官，必须贯彻实行大、中、小分别对待的政策；对伪保甲长分别提出了处理办法；对不法地主按惩治不法地主条例办理。在土改复查中对于蒙古族地主必须按照绥远省蒙民划分阶级成分补充办法的标准检查，执行对待蒙古族地主的政策；要检查蒙古农民是否分得一份到两份的土地与生产资料，分得的土地与生产资料质量太差的要调查处理；适当调整农牧界限，划定牧场。对于土改中犯错误的干部，提出了根据情节处理的原则。并对土改复查的工作步骤、方法及领导等问题，作了详细的部署。①

蒙旗土地改革 这是土地改革中的一个特殊的问题。所谓蒙旗土地改革就是绥远省境内蒙古族农业区的土地改革。绥远省蒙旗土地改革地区系指“土默特旗、绥东四旗、乌盟之乌拉特前旗、乌拉特后旗、乌兰花直属区，伊盟之东胜县、准格尔旗、达拉特旗，乌、伊两盟在后套部分等地之农业部分。”② 这些蒙旗农业区大部分是与县并存、蒙汉杂居地区，蒙旗土地改革是与汉族农村土地改革同时进行的，而且是联合土改，成立联合土改工作团队，共同进行。但是，蒙古族中的土地改革与汉族不同，主要是情况不同、政策不同、办法各异，而废除封建土地所有制是一致的。这是从蒙古族社会变迁的特点决定的。

绥远蒙旗土地问题的特点，是土地改革中必须准确把握的问题。绥远蒙旗农耕化大致始于清中叶，特别是清末官垦牧场以来农田日渐扩大，土地占有关系也发生了巨大变化，原来蒙旗及其王公上层占有全旗绝大部分土地牧场，随着蒙垦的发展省县官府和汉族地主也占有大量土地，而蒙旗所有土地

① 参见《关于土地改革复查工作的报告》,《绥远行政周报》1952 年第 117 期。

② 《绥远省蒙旗土地改革实施办法》（草案），《绥远行政周报》1951 年第 79 期。

逐渐缩减。解放初期，绥远蒙旗所有土地占全省总面积的2/3，而蒙旗耕地只占全省耕地面积的1/3；绥远省人口300余万，蒙古族只有15万人。[①] 可见，蒙古族人均占有土地量大大多于汉族。蒙古族人口少占有土地多，汉族人口多占有土地少，这是蒙汉族土地与人口关系的特点。

所谓蒙旗土地，主要属蒙旗所有，蒙旗王公札萨克、上层，依靠其封建特权占有大量肥沃的耕地，或租与汉族“二地主”经营，或租与汉族农民耕种，或出卖给汉族地主、地商，自耕者较少。蒙旗政府还按人口分给蒙古族民众一部分土地，以维持生计，这叫户口地。蒙古族农民经营农业时间不长，农业生产技术不高，收获低微，而且不习惯经营农业，往往要把户口地的大部分或全部租与汉族农民。不管是王公上层，还是一般民众，出租给汉族农民的土地租银极其有限，一般是“一九”或“二八”分成，出租者得收获所得一或二成，租种者得九或八成，租率极低。至于蒙古永租地，是蒙古族土地所有者将一部分土地永久性地租给汉族农民，并签永租契约，其租额更微薄，一块银元可抵两顷多地一年的租银，而且租种者年久拖欠租银，甚至转卖他人，使出租者连微薄的地租也难以收回。这是蒙古族占有或使用土地的实际情况，是蒙汉租佃关系的特点，也是蒙旗土地改革必须把握的问题。

蒙旗或蒙古族的土地与县或汉族的土地插花交错，经营形式不同，甚至土地界线模糊，其间又有蒙古族的牧场，由农牧矛盾引发的蒙汉民族纠纷不时发生，这是蒙旗土地改革中需特别注意的问题。因此，在旗县并存、蒙汉杂居农业区土地改革组织旗县联合工作团、工作队，贯彻民族政策，做好民族工作，调整民族关系，加强民族团结，是完成蒙旗土地改革的关键。在蒙古族村落和蒙古族中的土地改革工作主要由蒙古族干部出面进行，斗争地主时先斗汉族地主，后斗蒙古族地主，汉族地主由蒙汉农民联合斗争，蒙古族地主主要由蒙古族农民斗争。

中共中央内蒙古分局对绥远省蒙旗土地问题作了分析，指出：“绥远土地关系历史上是民族关系问题，由于历史上统治阶级反动政策统治下，强迫放垦，牧场缩小，蒙民被迫北移，蒙古王公为保持地权，使蒙民不北移，乃

---

① 奎璧：《蒙旗土地改革实施办法的报告》,《绥远行政周报》1951年第80期。

于满清末年将蒙旗公有土地分给蒙民作为私有户口地。但蒙民农业经验差，‘老达子种地，三年不见收成’以及在反动统治阶级政治、经济各种压迫下，蒙古人民的户口地逐渐下降、消失，土地逐渐转移到汉人特别是汉人地主手里，但土地出卖后，蒙民仍保有蒙租，由于币制演变，蒙租实际收入已甚少。”① 这就是由于土地问题导致民族关系的恶化。

乌兰夫对绥远境内蒙旗的土地改革问题作了精辟的分析，他指出：“绥远土改中如何注意民族问题，经过土改，使民族间更加团结，达到发展农业生产的目的，这是十分重要的问题。”“绥远经济形态有三种，一种是农业，一种是牧业，一种是半农半牧。应认识到对三种经济形态应有三种不同的政策。”在农业区“土改中蒙古族地主的打击面与汉族要有区别。”“要有意识地将小地主分化出来”，“在划阶级中蒙古族地主与汉族地主应有区别。蒙古族与汉族经济发展不同，蒙古族人民由牧到农不是在牧业经济提高的基础上发展起来的，而是在不搞农业就失掉土地的情况下，是在被迫和被抢夺的过程中发展起来的；在农业经营上也有所不同，同样的地，由于蒙古族人民没有农业生产经验的积累，经营的收获就较少。富农经济在蒙古族农民中应当保护。”②

中共绥远省委和绥远省人民政府根据乌兰夫的意见，在充分调查研究的基础上，于11月（12月3日公布实施）间制定了《绥远省蒙旗土地改革实施办法》（草案）和《绥远省关于蒙民划分阶级成分补充办法》及《土地改革干部八项纪律》。

《绥远省蒙旗土地改革实施办法》（草案）共计19条，第一条规定：“为完成蒙旗农业区土地改革，发展蒙旗农牧业生产，加强各族人民团结，特根据中华人民共和国土地改革法第三十六条及蒙旗具体情况制定本实施办法；在土地改革中，全省各地凡涉及蒙族土地问题者，均必须按照本办法办理，本办法无具体规定者，则按照土地改革法及本省土地改革实施办法之一

① 中共中央内蒙古分局报华北局并中央：《关于蒙古土改问题处理意见》（1951年11月21日），内蒙古档案馆藏11—5—34—58。

② 乌兰夫：《民族问题与民族工作》（1951年11月25日），《乌兰夫文选》（上），中央文献出版社1999年版，第198页。

般规定办理；蒙旗土地改革必须采取慎重稳妥的方针，切戒急躁与草率行事。”“实施办法”还规定了蒙旗实行土改地区；解决蒙旗区划地权与旗县并存问题；必须照顾牧业的发展，坚决保护牧场、牧群、绝对禁止开垦牧场；蒙古大、中、小地主的土地、耕畜、农具、多余的粮食及其在农村多余的房屋，分别处理的规定；蒙古族出租土地如需抽出分配，必须给以适当的补偿；蒙古族富农出租小量土地予以保留；小土地出租者出租的土地予以保留；家在牧业区而在农业区出租土地之大、中地主，依法没收其土地；小地主之出租土地，如蒙民有要求，得酌情征收一部分；一般蒙民出租之土地，予以保留；无地少地蒙古族农民和喇嘛，应分给一份至两份土地与生产资料，所分土地不及当地中等土质，应予调剂；旗县并存地区，组织联合土地改革委员会和土地改革工作团，农民协会联合办公；蒙汉杂居区，配备蒙古族干部，宣传民族政策，处理民族纠纷，联合进行土地改革，统一分配胜利果实。

《绥远省关于蒙民划分阶级成分补充办法》共计 11 条，主要明确了划分农村蒙古族阶级成分的特殊情况及其标准，蒙古族处在由务牧转向事农的过渡阶段，缺乏农业劳动习惯和生产技术，所有土地多依靠出租，在划分阶级成分时，必须根据其土地占有剥削收入与生活程度之不同情况为主要依据，区别对待，而不以占有土地数量为据；计算蒙民劳动，以其参加劳动情况为标准；蒙古族地主阶级的剥削收入之多少是区分大地主、中地主、小地主的主要标准。凡剥削收入相当于当地汉族一般地主的划为小地主，相当于当地汉族一般大地主的划为中地主，超过当地汉族一般大地主的为大地主；二地主应按其剥削收入之多少，划分为大、中、小地主。大、中地主成分之评定，须经旗人民政府报请盟人民政府批准；省直属旗之大、中地主成分之评定，须报省人民政府批准。① 蒙古族农民兼营牧业，且经常参加牧业劳动即为有劳动；出租或雇工经营少量土地，生活程度不超过中农水平者以小土地出租者论；出租少量土地，收取少量地租，生活水平不及一般中农者，按贫农对待；蒙古牧民不划阶级成分。②

① 《绥远省蒙旗土地改革实施办法》，《绥远行政周报》1951 年第 79 期。

② 《绥远省关于蒙民划分阶级成分补充办法》，《绥远行政周报》1951 年第 79 期。

对蒙古族地主阶级的土地与生产资料的处理，大地主的土地、耕畜、农具、多余的粮食及其在农村中多余的房屋均依法没收，分配给农民，其他财产不予没收，并分给与农民同样的一份土地与生产资料；中等地主的土地依法没收，分配给与当地农民同样的一份土地，其耕畜、农具、多余的粮食及其在农村中多余的房屋予以保留，如当地多数蒙民要求，得酌量征收其一部分；小地主的上述五大财产予以保留，如当地多数蒙民要求，得酌量征收其一部分土地。蒙民出租之“永租地”，属于大、中地主者依法没收，属于小地主和一般蒙民者，如需抽出分配，在分配土地与生产资料时给以适当的补偿和照顾；富农出租之小量土地予以保留；半地主式富农出租之土地予以保留，如多数蒙民要求，经旗人民政府批准酌量征收其一部分；小土地出租者的土地予以保留。家在牧业区而在农业区出租土地之蒙民，如属大、中地主，其土地依法没收，如愿移农业区耕种土地，得分给与当地农民同样一份土地与生产资料；如属小地主，当地蒙民有要求，得酌量征收其一部分土地；如属一般蒙民，则予保留。蒙古脑包（即敖包）、陵墓之土地予以保留。在分配土地时，应分给无地少地的蒙古农民一至两份土地与生产资料；蒙民所得之土地及自有土地，应平均相当于当地中等土质，不及者应适当调剂；调剂贫苦牧民愿在农业区经营土地者，分给其与当地蒙古农民同样的一份土地与生产资料。[①] 蒙旗以行政村为单位保留适当数量之公地，以备调整农牧地区及其他用场；依据蒙古族风俗习惯，在召庙、敖包、陵墓周围保留适当空地，不得分配与垦种。

奎璧对绥远省蒙旗土地改革实施办法作了全面、系统的分析阐述，其基本内容：

（一）制定绥远蒙旗土地改革实施办法的根据。绥远地区土地问题，除了地主与农民的土地关系外，还有民族土地关系。蒙旗耕地占全省耕地面积的1/3，许多山林矿产、盐碱鱼湖、乌伊两盟大块牧区、绥东四旗和土默特旗的牧地，汇总起来占全省总面积的2/3以上，这些土地的所有权属各盟旗所有。历史上的民族纠纷主要表现在土地问题上，汉族人口多，蒙古族土地多，而蒙旗或蒙古人占有土地性质和过程，与汉族地主占有土地的情形不

① 《绥远省蒙旗土地改革实施办法》,《绥远行政周报》1951 年第 79 期。

同，蒙旗土地改革不能按处理一般农民与地主的土地办法处理，需有恰当的办法。蒙古族农民经营农业生产缺乏技术与经验，主要靠出租分收地、户口地，收取微薄的租粮维生，约占蒙古族农民的90%，除地主外，他们一般与汉族农民一样都很贫苦。这是由于牧业被迫破产，牧民被迫由放牧转向务农所致。如按汉族农民划分阶级的办法，蒙古族农民势必有好大一部分被划成地主。由于历史上大肆开垦牧场，蒙古牧民被迫迁居山头、沙漠及水草极差的地带，造成了蒙汉民族间的不团结，土地改革中要调整耕地与牧场。同时在土地改革中，要解决好喇嘛召庙土地问题、山林矿产问题、旗县并存问题、蒙古族永租地问题、民族问题、民族关系问题，这也是蒙旗土地改革实施办法产生的依据。

（二）蒙旗土地改革实施办法的基本精神。土地改革是解放农村生产力，发展农业生产，而在绥远进行土地改革必须兼顾牧业生产。在绥远，不仅蒙古人经营牧业，也有一部分汉人经营牧业；不仅农业重要，牧业也同样重要，必须实行农牧并重。在历史上，绥远的民族问题主要是土地问题，民族纠纷多表现在土地问题上，土地改革不仅改变农民与地主的土地关系，还要改变民族间的土地关系；汉族应帮助蒙古族，蒙古族也要主动帮助汉族，促进蒙汉民族的团结；团结要有物质基础，关键是坚决贯彻农牧并重的方针，使农牧业都得到发展，使蒙汉农牧民生活都得到改善，经济上共同提高。蒙旗土地改革因情况复杂，准备不足，要宁慢勿乱，切忌急躁，控制划阶级、划牧场、蒙古族地主成分批准权等问题，这些都是实施办法的重要精神。通过包含一定的民族权利、政治要求与群众路线为内容的民族形式，达到顺利进行土地改革，达到阶级团结，达到解决民族间的纠纷问题，是必不可少的办法。

（三）蒙旗土地改革实施办法的主要内容。1. 三种地区采取三种方针：蒙古族农业区，蒙古农民同样受封建地主阶级的压迫，同样有无地少地缺乏好地的蒙古农民，有些虽然有地，但缺乏生产资料，有些虽然出租不少土地，但地租极少，甚至失掉地权，故要实行土地改革。半农半牧区要有计划地保护与发展牧业，不实行土地改革，以保畜救灾为中心，调整牧场，调剂个别大地主的土地。牧业区以保畜救灾为中心，结合民主建政调整放牧关系，深入宣传不斗不分政策。2. 不同情况采取不同政策：蒙古族是被迫由牧转农的，不习惯事农，且农业技术很差，所有土地多为出租，故需区别靠出租土地的地主与小土地出租者；对地主实行具体划分与分别对待的政策；蒙古农民农业技术和经济基础差，在经济上存在事实上的不平等，在分配土地和生产资料时，要较多于其他农民，以体现民族平等精神；对有关蒙民的宗教信仰与风俗习惯的特殊土地问题，必须采取慎重的办法；必须贯彻农牧并重原则；蒙旗土改采取稳慎方针，量力而行，宁慢勿乱。3. 划分农业区、半农半牧区、牧业区，划分旗县界限，解决蒙旗区划与地权问题；根据蒙古族的经济情况与阶级结构的特点划分阶级结构；通过民族形式和联合土地改革，发动蒙古族群众，团结各族农民，进行蒙旗土地改革①。

绥远蒙旗土地改革于是年12月与全省同步进行，翌年2月顺利完成。由于实行上述一系列从民族特点、地区特点、社会经济特点和阶级关系特点出发的政策，采取灵活特殊的办法与形式，并经过精心的实施，取得了成功。绥远蒙旗土地改革划分阶级成分情况，据绥西河套6旗县、土默特旗、绥东4旗、乌拉特前旗统计，共有蒙古族4 461户18 383人，其中划为大地主成分的72户498人，占总户数1.61%总人口的2.70%；中地主61户261人，占总户数1.37%总人口的1.42%；小地主65户321人，占总户数1.46%总人口1.75%；半地主式富农7户44人，占总户数0.16%总人口0.23%；富农35户220人，占总户数0.78%总人口1.19%。地主富农等剥削阶级成分者共计240户1 344人，占总户数5.4%总人口7.3%；贫农、中农、小土地出租等劳动农民成分者4 221户17 039人，占总户数94.6%总人口92.7%。②

绥远蒙旗土地改革从调查研究到制定政策，从实施土改、划分阶级成分到分配土地、分配生产资料，从调整民族关系到处理农牧矛盾，都坚持从实际出发，充分重视民族特点、地区特点、经济特点、阶级关系特点，从理论到政策，从实施到结果，都是成功的。

在蒙古族农民中划分阶级成分，没有完全按土地占有数量为依据，而是按实际剥削量为主要根据，没有按出租土地数量为依据，而是按土地实际收获中收租比例（一九或二八）为根据，这就避免了因蒙古族占有土地多、

① 《绥远行政周报》1951年第80期。

② 见《关于绥远省一年来土地改革工作的总结报告》,《绥远行政周报》1952年第117期。

出租土地多而使地主富农阶级扩大化的问题；更没有把占有并出租户口地的蒙古族贫农、中农、小土地出租者等劳动者划为地主、富农，正确地从实际出发执行了土地改革的阶级政策。上述蒙古族土地改革后阶级成分的统计资料，就是极充分的证明。同时将蒙古族地主划分为大、中、小三个等级区别对待，既符合他们占有土地和剥削程度的差异，也符合他们经营农业历史较短且落后于汉族的实际，有利于分化改造地主阶级。实践证明，这是既符合土地改革的总政策、总路线，又符合蒙古族农民阶级关系的实际。

二、牧区、半农半牧区民主改革

绥远省牧区和半农半牧区 绥远省蒙旗的牧区和半农半牧区主要在乌兰察布盟的乌拉特前旗、乌拉特中旗、乌拉特后旗、达尔罕旗、茂明安旗之大部分；绥东察哈尔右翼正红旗、镶红旗、正黄旗、镶蓝旗之一部分；伊克昭盟的乌审旗、鄂托克旗、札萨克旗、郡王旗之全部，杭锦旗、准格尔旗、达拉特旗之部分地区。纯牧区和半农半牧区绝大部分是新解放区。两者的面积约为60万平方公里，据1953年第一次人口普查，绥远省人口约230万人，其中蒙古族15万人，主要在牧业区，半农半牧区也有众多蒙古族；汉族及其他民族约115万人，主要居住在农业区和半农半牧区，牧业区也有少数汉族以牧为生。

半农半牧区大体上分布在农业区和牧业区之间，是牧业向农业转化的过渡地带，是蒙汉民族杂居、农牧业交错的地带。其“经济上的一般特点是：农耕土地不固定，劳动力缺乏，蒙古族主要经营牧业，少量兼营些农业。汉族多经营农业，但土地多为蒙旗或蒙古人所有。在剥削形式上表现突出的则是‘二东家’，也有的地方叫‘二地主’或叫‘地商人’。这些‘二东家’几乎全系汉族人。他们是当地汉族农民的直接剥削者，而对于蒙古族人民来说，又是土著的‘殖民分子’。这些人无土地或土地很少，他们向蒙古族王公、大地主包租大量土地，而后又分租给汉族的无地或少地的农民，居间剥削，其剥削程度与生活水准则与大地主无异。由于蒙古族地主向他们收很少的租，所以生活反而不及他们。”① 就自然条件而论，牧区和半农半牧区多

① 乌兰夫：《就绥远省委“关于蒙古减租问题的指示”给华北局并中央的信》（1951年3月25日），《乌兰夫文选》（上），中央文献出版社1999年版，第177页。

处在山地、丘陵、荒漠地带，气候干燥、寒冷，北部无霜期较短，风雪灾害较多，土地贫瘠，水利条件较差，农业耕作粗放，牧业大部分处在游牧状态，人口居住分散，交通不便。

牧业区也存在阶级压迫和阶级剥削，王公贵族、封建牧主是牧区的剥削阶级，牧民特别是贫苦牧民是被压迫、被剥削阶级，其主要特征是王公贵族、封建牧主对牧场的割据霸占，对牧民的封建特权统治。在半农半牧区，有以农为主的地主阶级，其中有蒙古族地主，也有汉族地主；有以农为主的蒙古族农民，也有单纯经营畜牧业的牧主、牧民。在蒙汉杂居，农牧业交错地区，旗县各司职权，再加上蒙汉民族经济、文化、宗教、风俗、习惯上的差异，除了阶级矛盾之外，农牧纠纷、民族矛盾时有发生。这是在长期的历史过程中逐步形成的，它严重束缚生产力的发展。

牧区、半农半牧区民主改革　早在解放战争时期，在内蒙古自治政府辖区的牧区、半农半牧区进行过民主改革，几经曲折，在实践中取得了成功的经验，形成了完整可行的政策，也有失误和教训。中共绥远省委和绥远省人民政府在绥远省牧区和半农半牧区民主改革中，沿用和借鉴内蒙古中东部牧区、半农半牧区民主改革的政策和经验教训，依然执行“依靠劳动牧民，团结一切可以团结的力量，从上而下地进行和平改造和从下而上地放手发动群众，废除封建特权，发展包括牧主经济在内的畜牧生产”的总方针，实行“牧场公有，放牧自由”，“不斗不分，不划阶级”，“牧工牧主两利”的政策。上述总方针与农村土地改革“依靠贫农、雇农，团结中农，中立富农，有步骤地有分别地消灭封建剥削制度，发展农业生产”总路线的阶级实质和基本精神是一致的。不过，从内容到具体政策突出地反映了牧区和半农半牧区的阶级关系的特点、民族特点、经济特点。

蒙古族劳动牧民是牧区社会的主体和民主改革的依靠力量，是解放牧区社会生产力的核心，离开了这一点，就不能称之为民主改革。同时，团结一切可以团结的力量，发动群众，通过和平改革，废除封建特权，最终达到发展畜牧业生产，这是一个完整的牧区民主改革概念。

牧区民主改革消灭封建剥削制度的核心是废除封建特权，占牧区人口不到10%的封建王公贵族、封建牧主，却占有牧区几乎全部牧场，这是在蒙旗王公札萨克制度下封建特权的基础和标志之一。因此，通过民主建政，实行“牧场公有，放牧自由”政策，既废除了王公贵族、牧主的封建特权，又解放了劳动牧民，使其得到劳动自由。同时，废除封建王公贵族对属民的隶属关系，使牧民得到人身自由。牧区这场极其深刻的社会变革，是通过和平方式实现的。根据牧区的经济性质、生产特点、民族特点，并团结一切可以团结的力量，包括团结不反对民主改革的王公贵族、牧主在内的力量。采取“不斗，不分，不划阶级”的政策，一方面由于实行“牧场公有，放牧自由”已经废除了牧主阶级的封建特权，另一方面牧主经济带有资本主义性质，可视为新民主主义经济的一部分，而且畜牧业经济具有脆弱性、不稳定性，极容易受自然灾害和人为因素的破坏。牧区“不斗，不分，不划阶级”，保留牧主经济，在理论上是正确的，实践上是有利于畜牧业生产的。当然，不划阶级不是说牧区没有阶级，牧主阶级和牧民阶级是牧区的剥削阶级和被剥削阶级，只是从牧区阶级关系的特点、经济特点、生产特点的实际出发，实行“不斗，不分，不划阶级”而已。而且以“牧工牧主两利”政策，调整两者的利益关系，发展包括牧主经济在内的畜牧业生产。[①] 牧区民主改革后，自由放牧，增畜保畜是发展生产的基本政策。

在半农半牧区不进行土地改革，而参照农村土地改革和牧区民主改革的政策，进行独特的民主改革。乌兰夫指出：“在半农半牧区基本上不进行土改，只对个别大地主的土地进行调整。”[②]“要分清楚农业占优势抑或牧业占优势，从而采取不同的政策。”[③] 在农业占优势的地区，只将大、中地主固定的大垄地、耕畜分配给贫苦农民；牧业占优势的地区，只将大牧主的役畜分配给贫苦牧民；家住牧业区，但在农业区出租土地的蒙古族大、中地主，依法没收其土地，愿迁居农业区务农，可分得与当地农民等量的一份土地与生产资料；蒙古族牧民愿在农业区务农，也可分得与农民等量的一份土地与生产资料；对于个别恶霸蒙奸的土地、牧畜、财产，经政府批准分配给农牧民。

---

① 高增培：《蒙绥牧区进一步发展畜牧经济的几个政策问题》（1953 年 12 月 20 日）。

② 乌兰夫：《民族问题与民族工作》（1951 年 11 月 25 日在绥远省干部会议上的报告），《乌兰夫文选》（上），中央文献出版社 1999 年版，第 198 页。

③ 乌兰夫：《就绥远省委“关于蒙古减租问题的指示”给华北局并中央的信》（1951 年 3 月 25 日），《乌兰夫文选》（上），中央文献出版社 1999 年版，第 177 页。

半农半牧区在民主改革后，实行“以牧为主，照顾农业，保护牧场，禁止开荒”① 的政策，“从整个生产发展前途上看，还是发展牧业为宜。”“划定牧场在半农半牧区是很重要的问题”。②

绥远省境内的喇嘛召庙绝大部分在牧区和半农半牧区，在民主改革中，对喇嘛召庙和喇嘛实行宗教信仰自由政策；废除喇嘛召庙和喇嘛享有的一切封建特权，喇嘛召庙所有的土地，如蒙民要求分配，经旗人民政府批准可酌情征收一部分；对喇嘛实行团结、改造的方针，贯彻统一战线政策，鼓励喇嘛从事生产劳动。

三、城镇民主改革

绥远省城镇民主改革主要在工矿企业中进行。经过全省新解放区民主建政，城镇人民政权已经建立，农村经过减租反霸，牧区初步废除封建特权，人民开始当家做主，社会发生了巨大变革。但是，城镇工矿企业的封建把头制度原封未动，工人、职员仍然受封建把头的压迫剥削，封建把头甚至把持或操纵部分工会组织，继续欺压工人群众；工矿企业和私营工商业中仍维持旧的封建管理制度，束缚工人群众，严重影响生产的发展。实行民主改革成为城镇工矿企业的当务之急。

中共绥远省委和绥远省人民政府根据中共中央“坚决依靠工人阶级，团结一切劳动人民，组织广泛的反封建的统一战线，有步骤有区别地清除封建残余势力”的方针，决定在绥远省城镇工矿企业中进行民主改革。1951年2月21—25日，首先召开绥远省首届工会会员代表大会，有99名正式代表、20名列席代表出席，讨论通过了关于建议省人民政府镇压反革命分子、关于废除封建把头制度，开展民主改革运动等6项决议，并成立了绥远省总工会。在此基础上，广泛建立了各级工会组织，为城镇民主改革在组织上做了准备。

中共中央关于城镇民主改革的方针和绥远省党政的决定，得到了工矿企

---

① 都固尔扎布：《内蒙古自治区十年来的畜牧业》（1957），《内蒙古自治区成立十周年纪念文集》，内蒙古人民出版社1957年版，第94页。

② 乌兰夫：《民族问题与民族工作》（1951年11月25日在绥远省干部会议上的报告），《乌兰夫文选》（上），中央文献出版社1999年版，第198页。

业、私营工商业的工人、职员以及广大市民的热烈拥护与支持，并积极投入城镇民主改革运动。归绥、包头两市是这场运动的重点，其他城镇也据情进行。广大工人、职员在工会的领导下，对工矿企业的封建把头和行业把头欺压工人、职员的封建专横行为进行了说理斗争，对封建把头制度和企业的封建管理制度在揭露和批判的基础上，进行了民主改革，在企业中建立了有工人代表参加的民主管理制度，在民主改革过程中整顿与纯洁了职工队伍，加强了工人阶级内部的团结，团结改造了旧技术人员，普遍建立了工会组织，形成了工矿企业和私营工商业中以工人阶级为核心的劳动者阶级队伍，解放了城镇社会生产力，为恢复与发展工业生产和商业贸易创造了条件。这是解放初期城镇的一次重大社会改革运动。

四、"三反""五反"运动

"三反"运动是指1951年12月在党和国家机关内部开始的反贪污、反浪费、反官僚主义的运动，是无产阶级政党反对资产阶级腐蚀的严重斗争；"五反"运动是1952年1月在资本主义工商业者中开始的反行贿、反偷税漏税、反盗窃国家财产、反偷工减料、反盗窃国家经济情报的运动，是工人阶级与资产阶级之间的一场严重的阶级斗争。

在中共中央的统一部署下，中共绥远省委也在全省党政机关和工商业者中大张旗鼓地开展了"三反""五反"运动。1951年12月1日，中共中央发出《关于实行精兵简政，增产节约，反对贪污、反对浪费和反对官僚主义的决定》。之前于11月1日，绥远省人民政府第14次委员会会议通过《关于开展反贪污运动的决定》，为了发扬廉洁朴素为人民服务的革命作风，严惩贪污，在全省开展反贪污运动，并由有关部门成立反贪污联合办公室。12月30日，绥远省委召开省市级机关、团体、企业党员干部大会，动员贯彻中央的决定。1952年1月10日，绥远军政委员会、绥远省人民政府、绥远省各界人民代表会议协商委员会常务委员会举行联合扩大会议，通过《立即在全省范围内普遍开展"三反"运动的决定》，要求全省旗县以上机关、团体、企业，立即开展"三反"运动。1月26日，中共中央发出《关于在城市中限期展开大规模的坚决彻底的"五反"斗争的指示》，要求在全国一切城市，首先在大城市和中等城市，依靠工人阶级，团结守法的资产阶级及其他市民，向违法的资产阶级开展一个大规模的“五反”斗争，以配合党政军民内部的“三反”斗争。2月1日，绥远省各界人民代表会议协商委员会发出《关于发动工商界积极参加“五反”运动的通知》。至此，绥远省的“三反”“五反”运动全面展开，两个内容不同而性质相似的社会运动，向资产阶级对新社会的猖狂进攻发动了猛烈的反击，这是关系人民民主政权能否生存的斗争。

绥远省人民政权建立仅两年的时间，党政机关的贪污事件时有发生，浪费现象不乏存在，官僚主义开始滋长。有些党政干部进城以后经不起资产阶级糖衣炮弹的攻击，贪图享乐，贪污公款公物，工作不负责任，严重脱离群众，丧失了共产党人、革命干部的本色，堕落为腐败分子；在绥远省干部中有一批军政起义人员和留用人员，旧思想旧作风未及改造，少数人甚至旧病复发，借机贪污现象较为普遍、严重。在各级党政机关干部中进行“三反”运动，势在必行，这既是打击犯罪，更是对党政干部的思想教育。1951年11月27日，绥远省人民法院在归绥召开反贪污公审大会，判处贪污犯原萨拉齐县副县长刘绍杰死刑，立即执行；判处贪污犯原托克托县县长王志达无期徒刑，剥夺政治权利终身，并追缴全部赃款赃物。这在干部、群众中引起了强烈的反响。

与此同时，“五反”运动也全面展开。解放以后，结合民主建政、土地改革、民主改革，对资本主义工商业采取利用、限制、改造的政策，利用其对国计民生有利的一面，限制其不利的一面，在利用和限制中进行改造，并进行了一系列调整，使资本主义工商业得到了迅速的发展。但是，资产阶级的投机取巧、唯利是图的本性不是一朝一夕能够得到改造的，在新的历史条件下，少数资本家采取行贿、偷税漏税、偷工减料、盗窃国家财产、盗窃国家经济情报等办法，拉拢腐蚀国家干部，损害国家利益，贪图暴利，对抗改造。这“五毒”就是违法的资产阶级本性的突出表现。

从1952年1月开始，在全省工商业界全面开展了“五反”运动。这是工人阶级同资产阶级的一场严重的阶级斗争，是改造资本主义工商业的运动，也是城镇社会变革运动。3月5日，毛泽东根据“五反”运动的进展，提出在“五反”运动中对工商户处理的五条基本原则：“过去从宽，今后从严（例如补税只补一九五一年的）；多数从宽，少数从严；坦白从宽，抗拒从严；工业从宽，商业从严；普通商业从宽，投机商业从严。”而且提出“在‘五反’目标下划分私人工商户的类型，应分为守法的，基本守法的，半守法半违法的，严重违法的和完全违法的五类。”并指出：“无论‘三反’‘五反’，均不得采用肉刑逼供方法”，“不得妨碍春耕和经济活动”，“务使‘三反’‘五反’均按正轨健全发展，争取完满胜利”。① 中央据此制定了具体实施办法。中共绥远省委和绥远省人民政府根据中央上述方针政策，结合绥远省的实际，全面开展了“五反”运动，在工商业界进行了普遍的守法教育，揭露出一批不同程度的违法工商业者。据当时调查，包头市 90% 以上的工商户偷税漏税，1950 年和 1951 年偷税漏税总额达 347 万元；有 20% 的工商户通过行贿达到他们获得暴利的目的，而且盗窃国家财产达 69 万元；仅归绥、包头两市查出违法金额达 558 万元。

通过“五反”运动，教育了大批一般违法的工商户，打击了少数严重违法的工商业者，坚持了对资产阶级又团结又斗争的方针，坚持了团结多数，孤立少数，集中打击那些“五毒”俱全的不法资本家，并给予必要的惩处的原则，为对资本主义工商业的社会主义改造，为恢复国民经济和大规模的社会主义经济建设创造了条件。

第三节　恢复国民经济与文化教育

毛泽东主席在中共七届二中全会上说过让全党必须十分重视的话：“如果我们在生产工作上无知，不能很快地学会生产工作，不能使生产事业尽可能迅速地恢复和发展，获得确实的成绩，那我们就不能维持政权，我们就会站不住脚，我们就会要失败。”② 于是，中共中央提出用三年的时间恢复国民经济的任务。绥远省“九一九”和平解放以后，在进行民主建政，进行一系列社会变革，稳定社会秩序的同时，恢复国民经济成为建设人民民主社会制度的基础，不得稍有迟缓，不得出现重大失误，必须伴随民主建政和社会变革同时进行，必须慎重稳进。绥远省人民政府 1950 年施政方针中提出：

① 《毛泽东文集》第 6 卷，人民出版社 1999 年版，第 197—199 页。

② 《毛泽东选集》第 4 卷，人民出版社 1971 年版，第 1428 页。

“绥远目前的经济建设的具体方针，首先是恢复农牧业，并逐渐恢复工矿业，在灾区领导人民生产自救，战胜灾荒，以便推进绥远社会经济的发展。”①

一、农牧业生产

农业生产的恢复 绥远地区的农业生产开拓较早。清末、北洋军阀和国民党统治时期，日本侵占时期，随着内地农民的大量移入，农业已有相当的发展。但是，日本侵略者的殖民统治，之后国共战争的破坏，大批土匪流窜抢劫糟害，农业蒙受重大损失。解放后恢复农业成为绥远省经济建设、社会安定的重大问题。绥远省的农业区主要集中在黄河流域中段长达830多公里的两岸，即河套平原和土默特平原，这里是主要产粮区，人称“黄河百害，唯富一套”。就面积而言，大约还有50%的农业区在鄂尔多斯高原、大青山、蛮汗山、乌拉山等山脉的丘陵地带，基本上是靠天耕种的干旱地带。

中共绥远省委和绥远省人民政府把恢复农牧业生产作为恢复经济的头等大事。农业是以“恢复为主，争取发展”，要求半老区增产一成，新区保持1949年耕地面积与产量。采取开荒增田，变工互助，兴修水利，保护森林，发展林业，提倡科学与农民的经验相结合，发动蒙民参加农业生产，发动妇女参加劳动，发展家庭副业，组织运输，辅助农业生产等措施，全力促进农业生产的发展。

绥远省各级人民政府在进行民主建政的同时，大力领导农业春耕生产。但是，新区农村各阶层不理解政府的农业生产政策，出现了“地富怕斗，中农怕分，贫雇农等待救济，二流子造谣敲诈”的舆论，甚至出现破坏生产和放弃生产的严重混乱状况。仅河套即宰杀和出卖耕牛1万头左右。为了扭转如此严重局面，2月初召开全省农业生产会议，进行了具体细致的部署，提出以“生产为压倒一切的中心工作”的号召，组织生产建政工作团，生产工作检查团，抽调省政府委员、厅长级以下干部615人，分赴各地，通过各级人民代表会议和其他各种形式的会议，宣传“劳动致富，生产发家”，“保障佃权，自由借贷”，“谁种谁收，保护劳动所得”等各项政策，

① 《绥远省人民政府一九五〇年施政方针》,《绥远日报》1950年4月30日。

对曾发生的解雇、夺佃等事情，作了适当的纠正和处理，切实保障了农民利益。当时，河套地区又流传着“地富放心，中农安心，贫雇农热心，二流子死心”的顺口溜，一定程度上反映了上述混乱状态得到了改善。为解决群众生产上的困难，将中央专拨的水利、农具、耕畜、牧业4种贷款，北京价小米450万斤（合绥远价680万斤），新式水车47辆，牧草籽种22 558斤，甜菜籽种2 000斤，如数发到群众手中，解决生产急用。为解决农业劳动力缺乏的困难，组织农民互助变工，大力发动妇女参加农业生产。全省妇女下地劳动者达到30%—60%，有的地区达到70%—80%，解决了人力、畜力的不足，并推广优良农具和优良品种，进行技术指导。在农业生产过程中，匪特造谣破坏，烟毒商继续鼓动农民种植罂粟，风、冻、雹、水、病虫等自然灾害相继袭击，农业生产遇到种种困难。剿匪肃特斗争的开展，削弱了匪特破坏的影响；禁烟禁毒运动有力地控制了罂粟的种植，政府组织烟苗查铲团，突击铲除烟苗20万亩，改种庄稼，挽救了7万石粮食的损失；为挽救自然灾害造成的农田损失，政府组织农民补种43万余亩农作物，并发放喷雾器500架，喷粉器52架，滴滴涕粉4吨，六六六粉3吨，使42 000余亩庄稼免受损失。①

1950年是绥远省解放后的第一年，抓好生产建设特别是农业生产，是关系人民民主政权能否立足，人民群众能否拥护政府，社会能否安定，人民生活能否有所改善，中国共产党的威信能否在人民群众中树立起来的大事。绥远省委和省人民政府在发动春耕上打了胜仗，在全年生产中也取得了预期的好成绩。除了与自然灾害斗争外，在夏锄中打击了匪特分子“挖心割蛋”的造谣破坏活动；在秋收中精心领导护场护粮，保卫秋收，获得好收成。全省全年种地25万顷，产粮16亿斤，新区保持了1949年的耕地面积，半老区稍有增长；全省新垦荒地1.3万余顷；兴办水利，开始河套黄杨闸水利工程建设，兴修和整修小型水渠348道，堤坝24处，水闸9处，增加灌溉面积99.7万余亩，开办包头、萨县两处国营机耕农场，开荒6.7万余亩，植树800余万株，造林2 100余亩，副业生产有了相当的发展。同时也出现了值得警惕的问题与缺点，诸如缺乏调查研究，制定不切合实际的计划；供应

① 参见《杨副主席关于一九五〇年绥远省人民政府的工作报告》，《绥远日报》1951年3月16日。

农具不适用或分配不当；农贷不及时，不信任农民；领导不得力，放任自流；组织变工互助，缺乏宣传解释，强迫组合，作用欠佳等。绥远省委年终召开全省劳模大会，总结成绩与经验，检查缺点与教训，在绥远新区展现了共产党、人民政府与众不同的优良作风。①

恢复国民经济的第一年开局良好，是冬又在农村进行了减租反霸斗争，农民的积极性再次提高。1951 年绥远省施政方针与任务提出："继续深入开展抗美援朝运动，坚决镇压反革命活动，实行土地改革，加紧生产建设并加强各族各界人民的亲密团结以及培养和训练大批干部，以保证各项任务的完成。"② 在农业生产方面，提出全省完成耕地 30 万顷，产粮 20 亿斤的任务，老区达到战前水平，新区比 1950 年增产 5%—10%。1951 年，全省大张旗鼓地进行剿匪肃特镇压反革命运动、禁烟禁毒运动、抗美援朝运动，是冬开始土地改革，使社会秩序进一步安定，社会风气大为改善，农民看到新社会的新气象，农业生产出现了新进展，完成和超额完成了当年农业生产任务。

1952 年 2 月，绥远省完成了农村土地改革，极大地解放了农村社会生产力，广大农民分得了土地，真正成为土地的主人，成为农村的主人。3 月，在绥远省第一届人民代表会议协商委员会第三次会议上，协商委员会主席苏谦益作了关于绥远省 1952 年工作任务的报告，省人民政府副主席奎璧作了关于 1952 年农牧业生产及当前防旱救灾春耕工作的报告，农业生产仍然是全省工作的中心，在土地改革的基础上，大力发动农民，稳妥组织互助合作，争取农业得到全面恢复与发展。春耕开始，农民兴高采烈地在自己的土地上耕作，不少农户自愿组织变工组、互助组，相互帮助，共同致富。1953 年 2 月绥远省各界人民代表会议协商委员会第五次会议上，杨植霖在政府工作报告中全面总结了政府工作，特别是农业生产上获得的突破性进展。

稳定畜牧业生产 绥远省的畜牧业主要集中在牧区和半农半牧区，其自然条件更差，人口及劳动力较少，而且是蒙古族人数较多的地区。畜牧业是绥远省的主要产业，在恢复国民经济中畜牧业与农业同样重要。绥远省人民

---

① 参见《杨副主席关于一九五〇年绥远省人民政府的工作报告》，《绥远日报》1951 年 3 月 16 日。

② 《苏谦益同志关于绥远省一九五一年施政方针与任务报告》，《绥远日报》1951 年 3 月 22 日。

政府历年的施政方针，都把畜牧业与农业并列为中心工作。1950 年绥远省人民政府经济建设方针中提出，首先恢复农牧业，畜牧业主要是保护牧群、牧场、打狼、搭圈、蓄草、防治兽疫、改良畜种、禁杀母畜、奖励繁殖。在民主建政中，由于废除蒙旗政权的封建特权，实行牧场公有，放牧自由，使牧区和半农半牧区的社会生产力得到初步的解放。虽然确定了上述任务，但是牧区和半农半牧区的社会矛盾与农业区相比，略显缓和一些；生产的紧迫性比之人口集中的农业区，缓冲余地较大；更重要的是对畜牧业的重视程度不够，恢复畜牧业生产的准备不足。所以，出现农牧业生产农业区稍有增加，牧区略有下降，一增一降就拉大了差距。如伊克昭盟原有羊 90 万只，是年因冻饿、疫病等灾害死亡约 20 万只，北部盟旗应对自然灾害的能力更差。

绥远省 1951 年的施政方针中提出“畜牧业：保护现有牲畜，农业区努力增殖，牧业区保证不再下降，个别地区在现有基础上争取增殖。为此，必须继续开展打狼运动，切实进行防治兽疫的工作。保护牧群和牧场，提倡种草定牧，修棚搭圈，打草打井，改进饲养办法，有重点地改良畜种，提倡耕畜保险。”①

二、恢复与发展工商业

绥远省 1950 年施政方针中的经济建设方针政策提出：“逐步恢复工矿业”，“调整公营企业与私营企业，及公私企业各个部门的相互关系。按照生产企业化，管理民主化的原则，积极整理公营厂矿。”“有计划的发放贷款，扶持公私生产事业，保护一切有益国计民生的私人企业，鼓励私人资本投资于各种生产事业。”加强国营商业，恢复与发展私人正当工商业，建立供销合作社，开展城乡物资交流，调剂供求，平稳物价。普遍推广人民币，禁绝白洋，取缔一切投机倒把和金融贩子，稳定金融，达到发展生产的目的。同时提出整理财政的任务，要求实行财政统一，建立预决算和审计制度；整理税务，统一税政，实行合理负担，废除非法摊派，减轻贫苦劳动人民负担，增加国家收入，保证完成今年财政任务及公债任务；厉行精简节

① 《苏谦益同志关于绥远省一九五一年施政方针与任务报告》，《绥远日报》1951 年 3 月 22 日。

约，反对贪污浪费，以期积累资金，达到发展生产保障供给的目的。[①]

解放前，绥远省的工商业极其薄弱，公营工矿业是一套官僚机构，不顾社会需求，只图囤积居奇，而且交通阻塞，运输不畅，城乡物资难以互通交流；金融紊乱，物价飞涨，投机商人乘机谋利；农牧民购买力低下，工农牧产品的剪刀差额极其悬殊，农牧民是吃亏受害者。

绥远省人民政府据此制定上述恢复、发展工商业的方针政策，实施一年收效明显。公营工矿业经过整顿治理，提高了生产率，归绥电厂产量增长19%，减低耗煤率14%，电费较1948年降低3—4倍；面粉厂产量增长98%，酱油厂产量增长25%。包头发电厂产量增长40%，大发煤窑产量增长6%，皮革厂产量增长105%。有此成绩，得益于一般整理与重点恢复相结合的方针，得益于统一管理、民主改革、依靠工人阶级、开展合理化建议和生产竞赛、改进技术、提高出勤率、整修机器、节省原材料。私营工矿业在国营、公营企业带动与帮助下，生产率的提高尤为显著。全省私营工业约4 400余户，资金约180亿元，从业人员约15 000余人，户数比解放前增加一倍多。归绥市私营工业户增长29.25%，从业人员增长60.25%，资金增长16.98%，毡鞋产量增长86.35%，毡帽产量增长54.99%，铁工业产量增长4倍。包头市铁工业产量增长1倍，犁、耧、耙、车等农具产量以数倍或数十倍幅度增长。[②] 为生产和民用提供产品成为工矿业的重点。

商业贸易迅速恢复，建立国营公司和合作社主导市场。一年间成立粮食、土产、百货、酒业、皮毛、蛋品、花纱布、盐业等公司、小组30余处，乌、伊两盟及陕坝成立了3个一揽子贸易公司，收购土特产总价值2 160亿元；建立供销合作社省、盟市、旗县社和镇社、基层社共计88个，社员达7.9万人，收购粮食4 500万斤，供给群众土布61.9匹。全省私营商业者达1.6万余户，比解放前增加1倍。整修公路125公里，修建桥梁、涵洞87座，统一邮政、电信，减轻运费，沟通货运，便利城乡交流和农牧民交换，全省已有一百二十三十万人口得到合理的交换。[③] 这是非同小可的大事。但是

① 参见《苏谦益同志关于绥远省一九五一年施政方针与任务报告》,《绥远日报》1951年3月22日。
② 参见《杨副主席关于一九五〇年绥远省人民政府的工作报告》,《绥远日报》1951年3月16日。
③ 参见《杨副主席关于一九五〇年绥远省人民政府的工作报告》,《绥远日报》1951年3月16日。

对偏远地区顾及不够，厂矿未建立核算制度，产品质量低下，成本过高，销路不畅；合作社为社员服务的方针不明确，工厂缺乏依靠工人阶级的思想，忽视工人劳保福利等，省人民政府对此做了认真检查，提出了改进意见和办法。

统一财政，实行合理负担，是经济建设的重要环节。“实行财政统一，废除苛杂摊派，贯彻合理负担，集中可能集中的一切财力，以恢复发展生产，繁荣经济”的财政方针，首先是废除保甲摊派，严禁机关部队人员任意勒索。1950 年秋，绥远省党政军抽调 1 200 余名干部与县区干部组成秋征工作团，深入农村检查农民负担，结果全省当年负担比 1949 年减轻 30% 左右，而且各阶层负担比例有很大改变，趋于合理负担。以包头市薛家营子为例，地主的负担从 1949 年的 31% 增加到 42%，富农从 43% 减少到 18%，中农从 48% 减少到 11%，贫农从 47% 减少到 6.5%。实现了地多多负担，地少少负担，贯彻了累进的阶级负担政策。为照顾盟旗实际情况，蒙民负担比汉人减轻 10%。其次，调整了工商业税，改革了旧制度，实行新税法，改变了以往大户轻、小户重，当权者不纳税等不合理现象。工商业者参加税政会议，实行民主评议。取消摊派包交的办法，改为查账计征，简化税制，便民利民。财政收入，税收超额完成；清理交通、水利、贸易、财政部门各种器材物资总值 428 亿余元，粮食 3 314 万余公斤；账外散存物资价值 25 亿余元，粮食 37 万余公斤。① 财政支出，贯彻中央统一编制，精简核实，执行统一的预决算、金库、会计等制度，精简节约，保证供给和帮助经济建设的开展。个别蒙旗坐支留用，以照顾蒙古民族的特殊情况。稳妥实际的财政工作，达到了财政收支平衡，稳定了物价，保障了人民经济生活，对农牧工商业发展起了积极作用。总之，做到了“取之于民，用之于民”及“取之合理，用之得当”。

三、发展教育文化事业

绥远省的教育文化事业，在解放前基础薄弱，水准较低，受教育者甚少，特别是劳动人民子女受教育机会更少，而且仅有的一些中小学不是国民

---

① 参见《杨副主席关于一九五〇年绥远省人民政府的工作报告》,《绥远日报》1951 年 3 月 16 日。

党操纵，便是封建势力把持，从教育制度到教学内容均已陈旧落后，甚至充满反人民反社会进步的气氛。改变这种状况，实行新民主主义的文化教育，是文教战线上最迫切最严重的任务，是社会变革和恢复与发展经济必须大力抓好的工作。

教育文化工作的方针，是实行团结、教育、改造、使用旧知识分子，整顿中小学校，开展工人、农民、牧民中的社会教育，特别是扶助民族教育，使文化教育确实为人民服务。绥远省的教育文化工作，首先是从整顿学校教育入手的。解放初，绥远省有中学21所，学生7 835人；小学1 006所，学生99 804人。整顿学校，取消训育制和公民课，废除体罚，实行教导合一，民主管理，精简课程，特别是加强中等学校的领导管理，充实设备，提高学生质量。在公立和私立学校均设人民助学金，仅中等学校的蒙、汉、回族学生领助学金者达2 523人，使贫苦劳动人民子女获得了求学的机会，入学比例大为提高。改造旧师资是改造学校的主要环节，利用寒暑假对中小学教师和教育行政干部集中培训，在全省3 781名教师中有3 004人参加学习；举办两次学生学习团，还有中等学校和部分完全小学专任政治思想课的政治教员，以归绥、包头两个中学为重点，举办政治学习月，使教员、学生认识社会发展规律，建立为人民服务的思想，改善师生关系，取得了很大的进步。是年全省有1 100余名学生加入了中国新民主主义青年团。教育界初展新貌，对社会影响不小。

社会教育初步展开，全省成立人民文化馆29处；职工文化补习学校22处，学员1 669人；在职干部文化补习学校21处，学员1 478人；普遍开办民校，学员5 093人。通过报纸、广播电台、新华书店，广泛进行国民政治思想教育；通过旧艺人座谈会和训练班，探索戏曲改革。在抗美援朝运动中开展“和平签名”活动，进行广泛的群众性爱国主义和国际主义教育。全省参加签名者达1 208 000余人；要求到朝鲜前线参战的干部、工人、群众约2 000余人，报名投考军校的中学生有21 000余人；工人开展生产竞赛，农民踊跃交公粮；商人、和尚、喇嘛、阿訇和宗教界人士，参加爱国游行示威。这般情形史无前例。

卫生教育和医疗防疫工作，在预防为主，医疗为辅的方针下，利用各种形式进行宣传教育，培养、训练各类初级医务人员，预防各类疫病。注射各种疫苗 35 万余人，痘苗 14 万余人，治疗花柳病 5 293 人，改造旧产婆 122 人，由公立医院、卫生所门诊治疗者 148 732 人，住院治疗者 2 189 人，手术治疗 1 134 人，据不完全统计，为贫苦劳动人民免费治疗 1 464 人。

绥远省人民政府仅仅用了 3 年时间，就把一个政治极端混乱、经济极其落后、文化极为贫乏、民族问题十分复杂、社会隐患相当严重的绥远，坚决果断、有条不紊、章法分明、利落干净地整治到如此地步，充分显示了中国共产党的执政能力。

第五章

内蒙古自治区的社会经济发展

解放初期的内蒙古自治区所辖地区是呼伦贝尔纳文幕仁盟（简称呼纳盟）、兴安盟、哲里木盟、昭乌达盟、锡林郭勒盟、察哈尔盟，共有33个旗、4个县、3个市，面积约60余万平方公里，人口230多万，属于老解放区。毛泽东在中共七届二中全会的报告中提到北方解放区时指出："在这里，已经推翻了国民党的统治，建立了人民的统治，并且根本上解决了土地问题。党在这里的中心任务，动员一切力量恢复和发展生产事业，这是一切工作的重点所在。同时必须恢复和发展文化教育事业，肃清残余的反动力量，巩固整个北方，支援人民解放军。"① 内蒙古自治区时属这类地区。根据中央的部署，为适应新形势、实施新任务，特别是推进内蒙古实现统一的民族区域自治，内蒙古自治区逐步调整了党政军领导机构，开展社会政治运动，大力恢复与发展生产，进行经济、文化、教育建设事业，为完成3年恢复国民经济的任务，为实现内蒙古统一的民族区域自治创造条件，进行了巨大而创造性的工作。

---

① 《毛泽东选集》第4卷，人民出版社1960年版，第1367页。

第一节　党政军领导机构的重大变更

一、中共中央内蒙古分局的成立及其活动

1949年3月，在中共七届二中全会期间，内蒙古共产党工作委员会书记、内蒙古自治政府主席乌兰夫，向中共中央呈递了关于内蒙古概况的报告，中央有关领导专门讨论了内蒙古的问题，毛泽东主席提出："要为恢复内蒙古历史地域积极创造条件，逐步实现东西蒙统一的内蒙古自治区。"并指出："为将来领导管理全区工作，应将自治政府领导机关由乌兰浩特迁到张家口，待绥远解放后移驻归绥市。"① 这是中央根据1935年《对内蒙古人民宣言》中撤销1928年国民党在内蒙古设置的热河、察哈尔、绥远3个行省，内蒙古6盟24部49旗和土默特、察哈尔二部、宁夏3个特别旗之全域，不论设县与否，一律归还内蒙古人民，作为内蒙古民族之领土的承诺。根据1947年内蒙古自治政府成立时，中央要求"在宣言上必须提到西蒙大部分盟旗因在蒋介石统治下尚未解放，故不能有人民选举的代表参加……在政府组织中，要为西蒙代表留出位置，以吸收之"的决定，做出了上述恢复内蒙古历史地域的战略性的决策。迁移内蒙古自治政府到张家口，最后到归绥，是实施这一战略决策的第一步。10月1日，中华人民共和国成立后不久，内蒙古自治政府主席乌兰夫、副主席哈丰阿，以内蒙古自治政府驻地乌兰浩特市的地理位置偏东，对领导内蒙古西部工作不便为由，于11月23日向中央人民政府政务院提出将内蒙古自治政府由乌兰浩特市迁往张家口的申请，要求在近期内将自治政府迁往张家口，以便统一领导内蒙古东西部地区的工作。24日，中央人民政府政务院即批准了上述申请。

12月13日，中共中央决定成立中共中央内蒙古分局，归中共中央华北局领导，撤销中国共产党内蒙古工作委员会，乌兰夫任分局书记，奎璧、刘春、王铎、王逸伦、王再天、高增培为分局委员，吉雅泰、克力更、特木尔巴根为候补委员；1952年补苏谦益为副书记，杨植霖为委员。根据内蒙古

① 王铎：《五十春秋——我做民族工作的经历》，内蒙古人民出版社1992年版，第367页。

自治区党政领导机关向西迁移后，需加强内蒙古东部地区工作的要求，中共中央批准成立中共内蒙古东部区委员会，受中共中央内蒙古分局领导，刘春任书记，王逸伦任副书记，刘春、王逸伦、克力更、夏辅仁、胡秉权、胡子寿、高锦明、伍彤、特木尔巴根、哈丰阿为常委；1950 年 9 月王铎任书记。东部区党委负责呼纳盟、兴安盟、昭乌达盟、哲里木盟的工作；察哈尔盟、锡林郭勒盟直属内蒙古分局领导。

1952 年 5 月 12 日，中共中央同意中共中央华北局《关于内蒙与绥远工作关系问题的 4 项解决办法》；6 月 27 日，乌兰夫率中共中央内蒙古分局全体委员从张家口到达归绥，绥远省党政军领导人苏谦益、杨植霖、奎璧、孙兰峰、姚喆等，以及省市机关、团体、学校、市民的代表数百人，到归绥火车站迎接。当晚，在党校礼堂举行欢迎晚会，乌兰夫发表了热情洋溢的讲话。6 月 28 日，中央人民政府政务院颁布了《关于内蒙和绥远工作关系的决定》："兹为进一步加强内蒙古自治区人民政府和绥远省人民政府工作上的密切合作，对今后双方工作关系特作如下决定：（一）绥远省人民政府由政务院和内蒙古自治区人民政府双重领导，但各有重点，省的一般行政事宜和非民族自治区工作领导重点在中央；辖区内各盟、旗民族事务领导重点在内蒙。（二）内蒙古自治区人民政府机关即从张家口移往归绥市。（三）绥远省人民政府主席董其武辞职业已照准，遗缺即由乌兰夫兼任；苏谦益、杨植霖、奎璧、孙兰峰任副主席。（四）杨植霖兼任内蒙古自治区人民政府副主席"。① 中共中央内蒙古分局、内蒙古自治区人民政府、内蒙古军区随即先后迁往归绥。这是一个非同寻常的决定，是实施中央关于恢复内蒙古历史地域，实现内蒙古东西部统一的民族区域自治战略部署的又一个重大步骤，规定内蒙古自治区人民政府为绥远省人民政府双重领导者之一，并着重领导绥远各盟、旗民族事务，既肯定了内蒙古自治区人民政府民族工作的成绩、经验，又确立了它在内蒙古实行民族区域自治的领导地位，乌兰夫无疑是领导内蒙古实现统一的民族区域自治的主要领导人。

7 月 5 日，乌兰夫就任绥远省人民政府主席，他在就职典礼上正式宣布

① 乌兰夫：《绥远省人民政府乌兰夫主席在就职典礼会上的讲话》（1952 年 7 月 5 日），《乌兰夫同志关于内蒙古自治区工作方针、政策及有关民族问题的讲话集要》第 4 集，1954 年编印，第 11 页。

了中央人民政府政务院的上述决定，并发表了重要讲话。他说：绥远省人民政府成立以来，遵照毛主席“团结一致，力求进步，改革旧制度，实行新政策，为建设人民的新绥远而奋斗”的指示，做了很多工作，取得了很大的成绩，顺利地完成了起义部队解放军化，绥远地区解放区化的任务；执行毛主席的民族政策，实行民族区域自治，少数民族在政治上获得了完全平等的权利；工业、农业、牧业都有迅速恢复和部分发展，国营贸易与合作事业，文化教育和卫生事业，同样取得了很大成绩，人民生活显著改善；新绥远已经成为蒙、汉、回、满等各族人民团结、友爱的新家庭。这标志着绥远省第一个历史性的任务基本完成。谈到绥远省今后的工作，他说：“新的历史任务就是：要团结一致，同心协力，在全国统一计划之下，有计划有步骤地从事大规模的经济建设，完成工业化，根本改变绥远的面貌。……随着工业生产的发展，将给农业、牧业生产提供日益增多的技术条件，从而改变它的落后状态”。而且“只有祖国工业化，才能彻底消除历史上造成的少数民族在经济、文化、生活上的落后状态。”① 当然，工业建设必须从农业、牧业、林业等各种生产事业逐渐积累资金。这里传达了国家将开始有计划有步骤的经济建设，进行大规模工业建设的信息。这将是一个从恢复国民经济向进行大规模经济建设的重大转变。

关于绥远省当前的主要工作：一是开展全省规模的爱国增产竞赛运动，这是目前各项工作的中心环节；二是进行土地改革复查运动，使广大蒙汉劳动人民在政治上、经济上、文化思想上彻底粉碎封建主义的束缚，组织起来提高农村生产力；三是进一步贯彻民族政策，绥远的任何一件重大工作，都会牵连到民族关系和民族问题，必须巩固与发展新的民族关系，加强民族团结，迎接大规模的经济建设任务；四是适应人民群众对文化要求的提高，领导文化建设高潮；五是加强人民代表会议制度，代行人民代表大会职权，选举县、旗、镇长和政府委员，巩固和扩大人民民主统一战线。

乌兰夫代表内蒙古自治区人民政府主管绥远省的民族事务，特别对民族工作提出：加强各民族自治区的工作，在蒙、汉杂居地方充实与建立民族民

① 乌兰夫：《绥远省人民政府乌兰夫主席在就职典礼会上的讲话》（1952 年 7 月 5 日），《乌兰夫同志关于内蒙古自治区工作方针、政策及有关民族问题的讲话集要》第 4 集，1954 年编印，第 11 页。

主联合政府，适当调整区划；加强保畜工作，坚决保护牧场和适当调整牧场，扩大兽疫防治，加强贸易和交通邮电等，以发展牧区和半农半牧区的经济，帮助城市回族人民解决转业问题；加强文化教育和医疗卫生工作，发展少数民族的文化，增进少数民族人民的身体健康；继续培养民族干部，鼓励汉族干部到少数民族地区工作，完满执行民族政策。重视民族问题和抓紧民族工作是绥远省的中心工作之一，也是为内蒙古东西部统一的民族区域自治创造条件。

1952 年 8 月 25 日，中共中央华北局通知，中共中央批准中共绥远省委和中共中央内蒙古分局合并为中共中央蒙绥分局，撤销中共绥远省委的组织机构，省委委员参加蒙绥分局为委员，乌兰夫任书记，苏谦益任副书记。1953 年 5 月始设常委，常委除乌兰夫、苏谦益外，还有杨植霖、奎璧、王文达、王再天、王逸伦、潘纪文、高增培。中共中央蒙绥分局下辖归绥市委、包头市委、东部区党委、察哈尔盟地委、锡林郭勒盟工委、乌兰察布盟盟委、伊克昭盟盟委、陕坝地委、集宁地委、绥东四旗中心旗委、土默特旗旗委。内蒙古自治区和绥远省的党的领导机构首先统一了起来，主要领导人统一了起来，从领导核心的统一推进行政机构和行政区划的统一，东西蒙统一的民族区域自治进程有条不紊地运行着。

从 1949 年 12 月到 1952 年 8 月的近 3 年时间，中共中央内蒙古分局对领导内蒙古自治区的工作，提出了一系列重大决策，制定了不少继续推行民族区域自治的政策，大力培养民族干部，进一步加强民族团结，为实现内蒙古东西蒙统一的民族区域自治创造条件；发展人民民主统一战线，实行人民代表会议制度，团结各民族各阶层人民，加强民主政权建设，巩固人民民主专政；大力进行符合内蒙古自治区民族特点、地区特点的经济建设，发展工、农、牧、林业生产，改善人民的生活；发展文化、教育、卫生事业，特别是发展民族文化、教育、卫生事业，适应蒙汉各民族对文化的需求，适应社会对教育的期望，改善医疗卫生条件，这是 3 年来内蒙古自治区工作的中心内容。同时，在历史发展的进程中，发现随时出现的社会问题，制定正确的对策，及时采取应对措施，迅速稳妥地加以解决，使各项事业协调发展。上述各项工作在乌兰夫的诸多讲话和分局的文件中，反复阐述，广泛宣传，教育干部，疏导群众，形成合力，付诸实施，在 3 年来的实践中得到了验证，并取得了成功。

内蒙古民族问题，是乌兰夫反复阐述的重大问题，是在内蒙古自治区，在绥远省，在中央的一系列会议上和政治活动中讲得最多的问题。可见，这仍然是中华人民共和国成立以后内蒙古发展的中心问题。第一，他一次又一次地分析历史上的内蒙古民族问题，阐述中国共产党探索解决内蒙古民族问题的历程、成就及经验，让干部和群众明白内蒙古自治区的建立和发展来之不易，应当以史为鉴，更好地认识和解决现实及今后发展中的民族问题。第二，他反复阐述内蒙古的民族关系和民族团结问题，告诫干部和群众认识历史上的民族纠纷和矛盾是民族压迫制度造成的，推翻了民族压迫制度，民族的平等、团结、友爱、互助将替代民族压迫和民族纠纷及矛盾。第三，他讲得最多的一个问题就是内蒙古的民族特点和地区特点问题，而且说明这两个特点存在于内蒙古的政治、经济、文化、教育、卫生等几乎所有的领域，因此在制定各项政策和付诸实施中绝对不容有丝毫的疏忽，要从思想认识上真正重视，要在实践中切实履行。第四，他强调蒙古民族及其他少数民族在政治上获得民族平等权利与地位以后，还要消灭历史上遗留下来的经济、文化方面事实上的不平等，这需要更大的努力，需要更长的时间。

乌兰夫作为内蒙古自治区党、政、军领导机构的主要负责人，所阐述的这些观点，是马列主义、毛泽东思想民族理论和中国共产党的民族工作方针政策，与内蒙古民族问题的实际相结合，在实践中认识总结出来的，也是具体指导内蒙古社会发展、经济建设的理论武器。

中共中央内蒙古分局以及蒙绥分局，在中华人民共和国成立后的 3 年来，在中共中央和中共中央华北局的领导下，按照中央的路线、方针、政策和部署，并结合内蒙古自治区的实际，制定切合实际的具体方针、政策，领导内蒙古自治区的社会改革发展和经济文化建设，取得了独特的成绩，内蒙古自治区被中央誉为实行民族区域自治的良好榜样。

二、内蒙古自治区人民政府及其施政活动

1949 年 11 月 24 日，中央人民政府批准内蒙古自治政府西迁张家口的申请后，自治政府便着手进行迁移的各项准备工作。12 月 2 日，中央人民政府委员会第 4 次会议通过决议，任命乌兰夫为内蒙古自治区人民政府主席，

任命哈丰阿为副主席，奎璧、特木尔巴根、朋斯克、乌力吉敖喜尔、乌兰夫、王再天、高布泽博、包彦、胡尔钦毕力格、都古尔扎布、那钦双和尔、王海山、哈萨巴塔尔、鄂嫩日图、旺楚克、刘春、胡秉权、王铎等18人为委员。内蒙古自治政府正式改称内蒙古自治区人民政府，随之内蒙古自治区之行政区域名称也正式启用。同时，乌兰夫被任命为绥远军政委员会副主席，正式参与绥远省的领导工作，公开介入内蒙古西部地区的事务，这或许是统一内蒙古东西部的预示。

内蒙古自治区人民政府经过周全的准备，于12月下旬开始向张家口搬迁，经过半年多时间，于1950年6月25日完成了全部搬迁工作，政府各机关陆续在张家口开始办公。

内蒙古自治政府改称内蒙古自治区人民政府，在迁移到张家口以后，政府机构和领导成员逐步进行了相应的调整和充实。1950年成立内蒙古自治区人民法院，赵诚任院长，何警心、安平任副院长；1951年9月成立内蒙古自治区人民检察院，王再天任检察长，韩彬之任副检察长。这是建立依法行政体系，完善司法制度，加强人民民主专政的重要步骤。内蒙古自治区人民政府西迁以后，为加强内蒙古自治区东4盟的工作，11月中央人民政府批准成立内蒙古自治区东部区行政公署，作为一级行政权力机构，直接领导东4盟各旗县的工作，撤销呼纳、兴安、哲里木、昭乌达4盟的建制，王铎任主任，赵云驶、那钦双合尔任副主任。1952年7月，内蒙古自治区人民政府从张家口迁到归绥市。1953年11月1日，内蒙古自治区人民政府与绥远省人民政府合署办公，政府行政系统的统一也迈出了重要的一步。

内蒙古自治区人民政府迁驻张家口以后，面临新中国建立后的新形势、新问题、新任务，难点问题甚多，工作头绪纷繁，制定新的施政方针，采取有效对策，成为当务之急。1950年5月1日，在内蒙古自治区成立3周年之际，《内蒙古日报》发表了题为《努力完成我们的任务把内蒙古自治区的工作提高一步》的社论，总结了自治区3年来的工作，提出了今后的任务。社论在回顾以往3年的历史时提到："内蒙古人民在中国共产党的领导与帮助之下，与全国各族人民团结奋斗，在战胜美帝国主义及其在中国的走狗国民党反动派的进攻后，首先在内蒙古的东部地区即呼纳、兴安、哲里木、昭乌达4盟以及锡盟、察盟这一有60余万平方公里的土地上与包括有230余万人口的地区实行民族的区域自治，建立内蒙古自治区，成立内蒙古人民自己的（同时又是蒙汉人民平等联合的）政府。”三年来自治区各族人民“积极参加和支援人民解放战争，实行民主改革运动，在农业区完成了土改，牧业区废除了封建的特权，发展了党，培养了大批干部，建立了人民的军队与各级人民政权，并经过两年的生产运动与文化教育、防疫卫生等项工作，三年的过程与所进行的各种工作，可以说内蒙民族的自治工作已经开始走了第一步。”[①] 这一简明而清晰的总结，既看到以往的巨大成绩，又看到内蒙古自治区恢复发展国民经济，为进一步推行民族区域自治奠定了坚实的基础，读之一目了然。

社论传达了中共中央内蒙古分局和内蒙古自治区人民政府制定的 1950 年工作总任务与总方针：“巩固三年来已取得的成绩，继续进行政治、经济、文化、军事等方面的建设工作，全力发展农业、畜牧业、林业与合作事业。”“在全国经济发展的帮助下，循着内蒙古自治区经济建设的需要与经济发展的特点发展工业。……而一切工作的中心一环则是发展生产。”[②] 在阐述总任务和总方针时阐明一个至关重要的观点，即内蒙古人民在政治上获得解放后，只有经济、文化的发展与提高，蒙古民族才能从落后发展到进步，劳动人民的智慧和优良传统才能真正发挥出来，蒙古民族自治的真正目的才能达到。同时提出政权建设、军队建设方面的任务与要求。这既是 1950 年的任务与方针，也是今后一个时期的任务与方针。

内蒙古自治区在 1950 年，即新中国成立后的第一年，在中央人民政府的领导与帮助下，在内蒙党政军各级干部努力下，执行了中央人民政府的各项政策，首先我们坚决执行了发展农、牧、林、合作社事业为主的生产政策，并取得了伟大成绩。在农业生产方面，克服了部分地区的严重自然灾害，完成了原定生产计划的 89%，保持了 1949 年的粮食总产量。在牧业生产方面，牲畜增长 10.73%。林业生产方面，采伐任务超过 43.14%，搬运完成 87%。合作社发展到 908 个，社员达到 513 461 人，占总人口的 22.3%。国营贸易机构收购农牧民农牧产品每人平均价值人民币 105 519 元

① 社论《努力完成我们的任务把内蒙古自治区的工作提高一步》,《内蒙古日报》1950 年 5 月 1 日。
② 社论《努力完成我们的任务把内蒙古自治区的工作提高一步》,《内蒙古日报》1950 年 5 月 1 日。

（当时的币值），供给生活必需品每人平均价值人民币 83 519 元。东部 4 盟主要城镇私人工商业资本已是 1948 年的两倍。农牧产品的价格大幅度提高，1949 年一头 400 斤重的牛只换 1.5 匹布，而 1950 年则换 4 匹布。人民的购买力 1950 年比 1949 年提高 354%。文化教育卫生事业发展迅速，有 80% 的高小毕业生升入中学，小学达到 3 210 所，学生达 251 633 人，东 4 盟儿童入学率达 61.7%。全区办冬学 2 671 所，学员达 306 000 人，并有 290 处转为常年民校；工人夜校、机关文化学校有 53 处。出版蒙文中小学教材 45 种 309 724 册，普通读物 31 种 13 000 册。鼠疫防治效果突出，1947 年鼠疫死亡 13 315 人，1950 年发生鼠疫 22 人，死亡 17 人，全年捕鼠 13 453 355 只；开始试疗梅毒，接治 1 290 人，治愈 380 人。[①] 这些都是与人民群众息息相关的事情。政府心系百姓，百姓拥护政府，这是内蒙古自治区人民政府立足的根基。

这一年，切实加强了人民民主专政，全自治区 6 盟各旗、县、市普遍召开 2—3 次人民代表会议，密切了与人民群众的联系，倾听群众意见，改进政府工作；加强治安工作，剿灭大股土匪，侦破许多案件，开始着手民兵自卫队建设。特别是突如其来的抗美援朝、保家卫国的运动，教育了干部群众，发扬爱国主义、国际主义精神，极大地激发了干部群众的生产热情。同时进行整风运动，各级干部总结工作，倾听群众意见，改进思想作风和工作作风，密切干群关系，树立了人民政府为人民的良好形象。虽说万事开头难，而内蒙古自治区人民政府这个头却开得很好。在此基础上，又经过两年的努力，各项事业有了巨大发展。

社会政治事业 根据中国人民政治协商会议制定的《共同纲领》规定，建立、完善人民代表会议制度，行使人民政权的职能，为人民服务，实行自上而下的改造旧政权和自下而上采取人民代表会议，建设更加民主化的人民政权。1949 年至 1952 年，全区普遍召开了各级人民代表会议，认真贯彻团结各民族各阶层人民的政策，真正具有广泛的代表性。人民代表中包括工

① 乌兰夫：《在伟大爱国主义旗帜下为丰产增畜巩固祖国而奋斗》（1951 年 1 月 25 日在内蒙古自治区人民政府政务扩大会议上的报告），《乌兰夫同志关于内蒙古自治区工作方针、政策及有关民族问题的讲话集要》第 3 集，1953 年编印，第 131 页。

人、农民、牧民、工商业者、妇女、知识分子、喇嘛，也有部分王公上层代表。当时自治区所辖6个盟召开人民代表会议1—3次，各旗县市召开4—10次人民代表会议，有的甚至代行人民代表大会职权。全区90%以上的嘎查、村政府实行民主选举，在少数民族聚居区推行民族区域自治，已建立鄂伦春自治旗和5个朝鲜族自治村政府，享受民族平等权利。1949年以来，发动和组织人民群众配合部队开展剿匪斗争，3年中消灭土匪1 403人，自治区境内土匪绝迹。组织人民群众积极参加镇压反革命运动，提高了人民的政治觉悟和警惕性。全区成立治安保卫委员会1 079个，社会秩序空前安定。开始建立人民监察制度，进行司法改革试点，密切了与人民群众的联系，加强了人民民主专政。毛泽东说过，正确的路线确定之后，干部是决定的因素。在中央人民政府的直接领导和华北、东北党政领导的帮助下，自治区开办了行政、财经、文教、卫生等学校，以及开办各种短期训练班，选派600余人到中央和外区深造，1950年以来，培训干部19 718人，其中蒙古族干部占1/3。①

经济建设事业　实行大力发展农、牧、林业和贸易、合作等事业，为发展工业准备条件的经济建设方针，取得了成功。农业生产开展大规模的生产运动，贯彻“组织起来，互助合作”的方针，加速了农业生产的恢复和发展；牧业区继续贯彻“不斗不分，不划阶级”，“自由放牧，增畜保畜”的总方针和“牧工牧主两利”政策，以及对牧民的轻税政策和发展牧业生产的一系列措施，保证了畜牧业的发展；半农半牧区继续贯彻“保护牧场，禁止开荒”的政策，划分农田牧场，明确了发展方向，加强了民族团结，促进了生产的发展；森林工业实行合理采伐，改善经营管理，采取先进技术，促进林业生产迅速发展；贸易合作事业空前活跃，全区有171个国营贸易机构和690个合作社基层社，活跃了城镇、乡村、牧区的经济活动。② 生

① 参见乌兰夫：《内蒙古自治区人民政府三年来的工作报告》（1952年11月21日在政务院第159次政务会议上的报告），《乌兰夫同志关于内蒙古自治区工作方针、政策及有关民族问题的讲话集要》第4集，1954年编印，第95页。

② 参见乌兰夫：《内蒙古自治区人民政府三年来的工作报告》（1952年11月21日在政务院第159次政务会议上的报告），《乌兰夫同志关于内蒙古自治区工作方针、政策及有关民族问题的讲话集要》第4集，1954年编印，第95页。

产的迅速发展，使人民生活大为改善，购买力显著提高，财政状况根本好转。

文教卫生事业　大力整顿发展学校教育、社会教育，学校和在校学生大幅增长，增设师范、林业、商业、卫生、畜牧兽医等专门学校，以及工人业余学校、农牧民民校和冬学，工、农、牧群众踊跃入学，学文化、学知识，并有计划有步骤地扫除文盲，开展速成识字运动；民族文化事业发展迅速，创建5个文工团、队，较大城镇新建电影院和文化馆，并有11个放映队在农村、牧区巡回放映，出版了一批具有民族形式的文艺作品；医疗卫生在中央"防重于治"，"技术与群众相结合"和团结中西医的方针下，贯彻"人畜两旺"政策，建立卫生组织，培养卫生人员，开展群众性的爱国卫生运动，初步改变了内蒙古人民的卫生面貌。①

三、内蒙古自治区武装部队建设

内蒙古人民解放军于1949年5月正式编入中国人民解放军序列，成立了中国人民解放军内蒙古军区，乌兰夫任军区司令员兼政治委员，副司令员王再天、那钦双合尔。司令部，参谋长先后为吉合、胡秉权；政治部，主任廷懋，副主任胡昭衡、刘昌；供给部，部长那钦双合尔（兼），政委刘昌，副部长何庸、孟庆祥，副政委赵俞廷。

所辖部队：骑兵第一师，师长王海山，政委都固尔扎布；骑兵第二师，师长白音布鲁格，政委慕汝瑞；骑兵第三师，师长孔飞，政委刘昌；骑兵第四师，师长兼政委毕力格巴图，副师长旺丹；骑兵第五师，师长吴广义，政委高增培。1950年10月，根据中共中央军事委员会命令，撤销内蒙古军区骑兵第一、二、三师建制，改设军分区。骑兵第一师分编为锡林郭勒军分区和察哈尔军分区。锡林郭勒军分区，司令员兼政委都固尔扎布，后改由潮洛蒙任政委；察哈尔军分区，司令员王海山，政委韩惠如。骑兵第二师分编为哲里木军分区和昭乌达军分区。哲里木军分区，司令员先后为慕汝瑞、张银

---

① 参见乌兰夫：《内蒙古自治区人民政府三年来的工作报告》（1952年11月21日在政务院第159次政务会议上的报告），《乌兰夫同志关于内蒙古自治区工作方针、政策及有关民族问题的讲话集要》第4集，1954年编印，第95页。

生，政委齐永存；昭乌达军分区，司令员白音布鲁格，政委石汝麟。骑兵第三师分编为呼纳军分区和兴安军分区。呼纳军分区，司令员先后为陈耳东、丁郁民，政委先后为陈耳东、陈云；兴安军分区，司令员兼政委孔飞。另外，1951 年初骑兵第四师兼乌兰察布军分区，师领导兼军分区领导，骑兵第五师驻防伊克昭盟参加剿匪。

1952 年 8 月 8 日，根据中共中央军事委员会的命令，内蒙古军区与绥远省军区合并为绥蒙军区，9 月 7 日，根据中央决定，“绥蒙军区”更名为“蒙绥军区”，乌兰夫任司令员兼政委，副司令员王再天、刘华香、胡秉权，副政委苏谦益；下设司令部、政治部、后勤部、东部指挥部及呼伦贝尔军分区、兴安军分区、哲里木军分区、昭乌达军分区、锡林郭勒军分区、察哈尔军分区、乌兰察布军分区、伊克昭军分区、萨县军分区、陕坝军分区、集宁军分区。内蒙古自治区和绥远省的军队系统也统一了起来。

第二节　社会政治运动

一、支援抗美援朝　掀起爱国热潮

1950 年 6 月 25 日，朝鲜内战爆发，27 日美国出兵干涉朝鲜内政，发动侵朝战争，并出兵中国台湾沿海，阻止中国人民解放台湾。10 月上旬，美国又把战火烧到我国东北边境，严重威胁我国的安全。中共中央根据朝鲜劳动党和朝鲜民主主义人民共和国政府的要求，为支援朝鲜人民，为保卫祖国的安全，经过反复研究、慎重决策，决定组建中国人民志愿军，进行抗美援朝、保家卫国的伟大战争。10 月 8 日，毛泽东发出《给中国人民志愿军的命令》,命令中国人民志愿军迅即向朝鲜境内出动，打击美国侵略者。10 月 19 日，志愿军进抵朝鲜前线，经过两个月与朝鲜人民并肩战斗，进行了两次战役，歼敌 5 万余人，收复了平壤，并将敌人赶回“三八”线附近，扭转了朝鲜战局。同时，全国各族人民掀起了轰轰烈烈的抗美援朝、保家卫国运动。

内蒙古自治区各族军民同全国人民一道，以极大的爱国主义和国际主义热情参加抗美援朝、保家卫国斗争。1950 年 11 月 14 日，内蒙古自治区总工会、中国新民主主义青年团内蒙古自治区委员会、内蒙古自治区妇女联合会、内蒙古自治区文学艺术联合会筹备委员会、内蒙古自治区合作总社等群众团体联合发表声明，坚决拥护11月4日以中国共产党为首与各民主党派共同发表的联合宣言，并代表内蒙古自治区200多万各族人民郑重宣誓，愿与全国各兄弟民族团结一致，粉碎美帝国主义的侵略挑衅，全力支援朝鲜人民的抗美战争，为抗美援朝，保家卫国，保卫世界和平，全力奋斗到底。12月6日，中国人民保卫世界和平、反对美国侵略委员会内蒙古自治区分会在张家口成立，哈丰阿任主任，胡昭衡、克力更任副主任，严正宣布团结内蒙古各族各界各阶层人民，结成更加巩固的反对帝国主义统一战线，全力领导内蒙古人民的抗美援朝，保家卫国运动。抗美援朝保家卫国运动在内蒙古掀起以后，各族人民以各种方式表现自己的意愿和行动。他们几乎是同声表示：拥护毛主席、中国共产党、中央人民政府抗美援朝保家卫国的伟大决策，坚决支援朝鲜前线的战斗，努力建设与巩固伟大的祖国。在自治区各城镇、林区、农村、牧区不断举行控诉日本帝国主义、美帝国主义侵略暴行，控诉蒋介石反动派罪行的集会，新仇旧恨汇于心头，迸发出无限的爱国热情。内蒙古各族人民参加拥护五大国缔结和平公约与反对美国重新武装日本的签名和投票人数达1 569 560人，占全区总人口的56.4%；1951年在“五一”国际劳动节，城乡人民参加示威游行的达135万人，占自治区当时总人口的56.25%；自治区举行大规模的慰问中国人民志愿军和朝鲜人民军，救济朝鲜难民的捐献运动，一次捐献人民币13亿元（旧币制），捐献粮食170多万斤，以及大批慰问袋和慰问信。①

截至1951年10月，内蒙古人民通过增加生产，厉行节约，向朝鲜前线捐献飞机14架、大炮3门、黄羊12 000只。自治区各机关、团体、学校、村屯和各种生产、工作单位以及各行各业分别订立爱国公约，付诸行动。为贫困且缺乏劳力的烈军属代耕土地，保证不降低收成，优待烈军属，尊敬烈军属，已成社会风气；工商业界也都订立爱国公约，积极纳税和积极改善经

① 乌兰夫：《内蒙古人民继续支援人民志愿军》（1951年10月30日在中国人民政治协商会议第一届全国委员会第三次会议上的发言），《乌兰夫同志关于内蒙古自治区工作方针、政策及有关民族问题的讲话集要》第3集，1953年编印，第212页。

营管理，增加收入，支援前线；喇嘛教举行抗美援朝代表会议，订立喇嘛爱国公约，举行各种爱国活动。抗美援朝爱国运动推动了生产建设和各项工作，农民、牧民开展爱国丰产和增畜运动。农民组织起来，实行精耕细作，提高生产技术，多种植经济作物，开展爱国丰产竞赛运动；牧民实行保护牧场，自由放牧，保畜增畜，热情高涨，效果显著。当年全区牲畜繁殖率占母畜的70%，仔畜成活率达90%以上，牲畜纯增率超过原定11%的计划。①

中国人民解放军内蒙古骑兵第3师第23团，奉命于1951年4月改编为中国人民志愿军炮兵第210团，配备我国刚刚试制成功的最新式武器——506式火箭排炮，在团长李海涛的率领下，于10月跨过鸭绿江，连续行军390多公里，到达朝鲜前线，配属于34军，担负机动防御作战任务。12月间，该团2营5连参加了攻击281.2高地的战斗，连续打了6个齐射，摧垮了敌人两个连及迫击炮阵地，有力地支援了步兵作战。1952年5月，该团配属于中国人民解放军第38军，担负坚守防御任务。10月6日，38军对394.8高地及281.2高地进行战术反击，该团1营向394.8高地1—15号目标进行了5次火力疾袭，2营向281.2高地实施两次火力疾袭，对敌之防御设施地雷、照明雷、铁丝网、悬垂手榴弹等，给予严重破坏，并摧毁了敌人8号碉堡群。从10月7日至11日，在美伪敌军向我占领的281.2高地、394.8高地和360高地进行反扑时，炮团发挥了极大的杀伤作用。8日，第1、5两连以12门火炮进行了14次火力反击；9日，第1、2、5三个连集中火力向4至16号目标实施火力袭击，3连于前进阵地压制敌火力点，摧毁了敌人11个掩体；11日，坚守394.8高地主峰阵地的步兵只剩下9人，1营迅速集中火力连续打了两个齐射，而后继续向5、6号目标及其以南地域进行了火力袭击，断敌后路，消灭了大量敌人。

12月末，38军担负了西海岸反登陆的作战任务。炮团奉命进入玉井里、龙山一线作战位置，完成了准备反登陆作战的任务。

1953年5月9日，炮团奉命移防中线，参加夏季攻势，配属23军、24

---

① 乌兰夫：《内蒙古人民继续支援人民志愿军》（1951年10月30日在中国人民政治协商会议第一届全国委员会第三次会议上的发言），《乌兰夫同志关于内蒙古自治区工作方针、政策及有关民族问题的讲话集要》第3集，1953年编印，第212页。

军。6月11日凌晨，炮团1营2连、3连向381东无名高地反扑之敌进行了猛烈的火力反击，击退敌人11次疯狂反扑，歼敌400余人。傍晚，敌以5个连的兵力，配合7辆坦克，在松内洞地带集结，1营集中火力打6个齐射，配合师、团炮群，歼敌半数，并烧毁敌人大量军用物资，30日，敌人一个连由石岘洞向281.2高地主峰增援，2营5连在翌日凌晨向360高地及300高地东西山脚打了3个齐射，歼敌80余。在五六月份，炮团共歼敌700余人，击毁敌汽车19辆和众多物资。

7月上旬，著名的金城战役开始后，炮团1营支援步兵72师、74师向以537.7高地西朱字洞南山为中心的伪首都师、伪9师展开突击。炮团2营支援步兵73师、67师等我主力部队，在281.2高地、石岘洞北山及东山334高地和346.6高地、注字洞南山、杏亭北山等阵地，以灵活机动的战术，向敌阵地或反扑之敌进行了反复激烈的战斗，击毁敌汽车4辆，俘获美军17人，歼灭美伪军数百名，摧毁敌阵地数处，打退美伪军一次又一次的进攻，给敌人以重创，出色地完成了战斗任务。

内蒙古骑兵炮兵团赴朝作战的两年多时间里，在配合4个军的作战中，发扬了英勇顽强，不怕疲劳，不怕牺牲，连续作战的优良作风，充分发挥我国自造火箭排炮的效能，有效地支援了步兵的战斗，歼灭了敌人的有生力量，给南朝鲜伪9师、伪3师、伪首都师，美军第7师、第3师及法国营以沉重打击。炮团除和兄弟炮兵共同歼敌5个连，击毁敌战车7辆外，单独歼敌3个营、两个连，共歼敌2 125人，摧毁迫击炮30余门、迫击炮阵地一处，汽车19辆、30和50重机火力3点5处，烧毁敌弹药、汽车仓库各1个，击落敌机4架，击伤9架，并烧毁敌人大量军用物资。炮团受到中国人民志愿军司令部的通报表扬。部队先后涌现出11个集体功臣单位，123名英雄模范。志愿军24军授予炮兵1营“集体功臣单位”的荣誉称号，赠送了绣着“英勇顽强，及时准确”8个大字的锦旗。①

在抗美援朝战争中，内蒙古骑兵部队还担任了为朝鲜前线调教军马、输送军马的任务。1951年，周恩来总理提出要从内蒙古给志愿军购买一批军马。乌兰夫当即决定把内蒙古骑兵部队的战马先送到朝鲜前线，然后再从牧

① 乌嫩齐：《蒙古神骑兵》，民族出版社1996年版，第362页。

区购买马匹，由内蒙古骑兵部队负责训练。周恩来总理赞赏这是表达内蒙古各族人民和内蒙古部队支援抗美援朝战争的具体行动。骑兵部队将自己的战马送往朝鲜前线后，根据国家的安排，从内蒙古牧区以及蒙古人民共和国购买了大批新军马，一批又一批地进行调教，及时运送到朝鲜前线。调教军马是一项非常艰苦的任务。内蒙古骑兵部队的指战员们，不怕严寒酷暑，不畏伤痛致残，严格按照调训军马的要求，日复一日地坚持调教，一批批优良的战马逐步运送到前线，以保证战争的需要。指战员们为调教军马流血流汗，不少人还酿成终身残疾。这是一场特殊的战斗。内蒙古骑兵部队出色地完成了为朝鲜前线调教和运送军马的任务。仅某团即调教运送军马 5 000 匹。这是内蒙古人民对抗美援朝的特殊贡献。

内蒙古蒙、汉各族人民在轰轰烈烈开展抗美援朝保家卫国运动之际，1951 年 5 月 8 日，中国人民志愿军归国代表团高巢、王剑魂、李激清、解秀梅、浩特劳一行到达张家口。内蒙古自治区人民政府、察哈尔省人民政府与张家口市各族各界举行盛大晚会和集会，热烈欢迎志愿军代表，听取中国人民的优秀儿女在抗击美帝国主义斗争中的英雄事迹，一个个感人肺腑，催人泪下的悲壮事迹，使与会者心潮澎湃，感动万分。内蒙古自治区人民政府主席乌兰夫、察哈尔省人民政府主席张苏等党政军领导人接见志愿军归国代表，并出席听取报告。当志愿军代表到群众中，访问机关、团体、学校、工厂时，群众一拥而上将他们架在肩上，抛向空中，以表达对志愿军无限的崇敬，表达抗美援朝保家卫国的心声。志愿军归国代表在张家口访问期间，人们街谈巷议的事情大都是志愿军的英雄事迹。这一活动把内蒙古自治区的抗美援朝运动推向了高潮，激发了自治区各族各界各阶层极大的爱国热情，生产战线掀起了爱国生产热潮，党政军部门以做好本职工作表达同样的心意，学校师生以教好学生、学好功课报效祖国……爱国的动力是无穷的。

二、镇压反革命　保卫和巩固革命成果

内蒙古自治区虽然是老解放区，但是北平、绥远和平解放后，各种各样的反革命分子出于反革命本性的驱使，或因身负反革命使命而寻找庇护场所，或隐蔽下来以待时机，或明里暗里进行反革命活动。早在 1948 年，毛泽东有一句名言：“敌人是不会自行消灭的。无论是中国的反动派，或是美

国帝国主义在中国的侵略势力，都不会自行退出历史舞台。”[①] 内蒙古地区在中华人民共和国成立初期的事实也证明了这一论断是正确的。

但是，中华人民共和国成立后的一段时间，在一些领导部门和干部中存在严重的和平麻痹思想。1950 年 3 月，中共中央发出《关于严厉镇压反革命分子活动的指示》；6 月 23 日，中央人民政府政务院、最高人民法院发出《关于镇压反革命活动的通知》；7 月 23 日，政务院和最高人民法院又发出《关于镇压反革命活动的指示》。《指示》和《通知》对国内反革命活动的形势及其危害，进行了分析，对镇压反革命活动的必要性和紧迫性进行分析，对镇压反革命活动的方针政策和策略做了明确的规定。但是仍然没有引起重视。于是，群众中发出怨言，“天不怕，地不怕，就怕共产党讲宽大”。10 月 10 日，中共中央再次向各级党委发出《关于镇压反革命活动的指示》。这才揭开了大规模镇压反革命运动的序幕，这是与抗美援朝战争同时开展的另一条战线的斗争。中央确定镇压反革命运动的重点是打击特务、土匪、恶霸和反动会道门头子。12 月 19 日，毛泽东还提出全国镇反运动的指导方针是“对镇压反革命分子，注意打得稳，打得准，打得狠”。[②] 1951 年 1 月对稳、准、狠做了解释，对“所谓打得稳，就是要注意政策。打得准，就是不要杀错。打得狠，就是要坚决地杀掉一切应杀的反动分子（不应杀者，当然不杀）。”[③] 2 月间，毛泽东又经过反复调查研究，对镇反运动又提出五项规定：“1. 判处死刑一般须经过群众，并使民主人士与闻。2. 严密控制，不要乱，不要错。3. 注意‘中层’，谨慎地清理旧人员及新知识分子中暗藏的反革命分子。4. 注意‘内层’，谨慎地清理侵入党内的反革命分子，十分加强保密工作。5. 还要向干部做教育，并给干部撑腰。”[④] 从此，镇反就分为外层，指社会；中层，指军队和政府机关内部；内层，指党内。1951 年 2 月 21 日，中央人民政府公布了《中华人民共和国惩治反革命条例》,正式制定了镇反的法律文件，形成了方针政策明确，有法可依的镇压反革命运动。

---

① 毛泽东：《将革命进行到底》（1948 年 12 月 30 日），《毛泽东选集》第 4 卷第 2 版，第 1374—1375 页。

② 中共中央文献研究室编：《毛泽东传》,中央文献出版社 2003 年版，第 193 页。

③ 《毛泽东文集》第 6 卷，人民出版社 1999 年版，第 117 页。

④ 《毛泽东文集》第 6 卷，人民出版社 1999 年版，第 144 页。

当镇反运动深入发展的时候，5 月间，毛泽东和中共中央又提出谨慎收缩的方针，回收捕人杀人批准权分别为地专级和省级；对犯死罪的反革命分子大部分采取判处死刑缓期执行的政策，以保证镇反运动正常发展。到 10 月，历时一年的镇压反革命运动基本结束。

内蒙古地区当时分为三部分，从东到西第一部分是内蒙古自治区老解放区，经历了自治运动和建立自治政权，开展自卫解放战争，实行土地改革和民主改革，特别是经过剿匪斗争，社会相对安定，隶属于内蒙古自治区人民政府领导；第二部分是绥远地区，其东部有少部分老解放区，中西部绝大部分是新解放区，而且是和平解放，敌情比较严重，既有大批国民党潜伏特务，又有起义后叛变的部队，还有大批土匪及反动会道门等频繁活动。解放初期，在绥远军政委员会、中共绥远省委和绥远省人民政府领导下，进行了大张旗鼓的剿匪、肃特、镇反运动。第三部分是阿拉善、额济纳两旗，也是和平解放的新区，曾是日本投降后一批伪蒙军政人员汇集，解放前夕德王发动西蒙自治的地区。1949 年底德王、李守信潜逃蒙古人民共和国，部众投诚一部分，溃散一部分，回归内蒙古中东部家乡一部分。这里当时隶属于宁夏省领导。内蒙古这三部分地区在中央的统一领导下，结合各地的实际情况，开展了镇压反革命运动。

内蒙古自治区虽属老解放区，但当时匪、特、反敌情皆有。1950 年初西蒙还有德王、李守信部 1 400 多人返乡后时有破坏活动，甚至与美蒋特务联系，有的还利用封建迷信进行破坏活动，改造这部分旧军队归乡人员的任务很艰巨。还有部分曾在解放战争时期杀害革命干部群众，破坏自治运动和土地改革、民主改革，破坏生产的反动分子，还没有得到应有的惩罚。1950 年 4 月 4 日，中共中央内蒙古分局专门讨论镇压反革命的问题。7 月 6 日，内蒙古自治区人民政府曾召开首次治安会议，确定治安方针是：加强治安工作，坚决严厉镇压反革命活动，保卫生产建设。1950 年 6 月底前毙伤俘匪 1 300 余人。但是还没有形成足够的认识，没有对反革命活动形成镇压的氛围。1951 年 1 月 16 日，乌兰夫在中共中央内蒙古分局扩干会议上的报告中指出："治安工作，有着显著进步，组织建设也有了初步基础，有力地保卫着各种建设。"同时提出进一步巩固人民民主专政，"要加强专政，镇压反革命的活动，对地主旧富农，在他们没有改造之前，应受人民政府的监督，强制他们劳动。……对于反（翻）把地主，应予坚决镇压。内蒙古地区的土匪，要求在1951年内全部消灭，同时要系统地、彻底地摧毁封建会道门组织。”“要提高警惕，严防特务、土匪及恶霸地主的反革命活动，肃清和平麻痹思想，保护革命成果。”①“尤其在朝鲜战争爆发后，各阶层表露了一些真实态度，反革命分子也有所暴露。”②“坚决镇压反革命分子，肃清土匪，镇压翻把地主，彻底摧毁封建会道门组织。对地主旧富农，在他们没有改造好之前应受人民政府的监督，强制他们劳动，只准他们规规矩矩，不准他们乱说乱动。要在群众中进行镇压反革命的教育，要把反革命分子的破坏罪行向人民广泛宣传，来激发人民对敌特反革命分子的仇恨，提高对反革命破坏的警惕，以保卫革命果实，巩固我们祖国。”③ 4月，乌兰夫在全区第2届司法会议上，反复讲了镇压反革命问题。指出：“司法工作的任务，就是保护人民，保卫革命。”“目前的中心任务是：（1）结合抗美援朝，坚决镇压反革命。过去对于反革命案件，判处3年到7年的较多，判处7年以上的很少。在表面上看是量刑不当，在本质上是‘宽大无边’。为了彻底纠正这一偏向，必须对镇压与宽大相结合的政策，有一正确的认识。……（2）是保卫生产惩罚罪犯。”过去对破坏生产的罪犯处罚不及时，量刑过轻的偏向，引起群众不满。④ 5月，乌兰夫在地委书记、公安处长联席会议上再次提出批评，认为大部分地区对镇压反革命抓得不够紧，必须认识这是严肃的政治任务，没有对敌人的专政就没有人民的民主。因此要继续深入镇压反革命。

内蒙古自治区在这期间，司法工作从无到有，建立了34个法院，占全部行政单位的70%，在镇压反革命运动中，处理案件305起，处理一般刑

---

① 乌兰夫：《一九五一年的任务》（1951年1月16日在内蒙分局扩干会议上的报告），内蒙古档案馆藏11—5—6—1。

② 乌兰夫：《在（内蒙）分局扩干会议上的总结报告提纲》（1951年1月24日），《乌兰夫同志关于内蒙古自治区工作方针、政策及有关民族问题的讲话集要》第3集，1953年编印，第116页。

③ 乌兰夫：《在伟大爱国主义旗帜下为丰产增畜巩固祖国而奋斗》（1951年1月25日在内蒙古自治区人民政府政务扩大会议上的报告摘要），《乌兰夫同志关于内蒙古自治区工作方针、政策及有关民族问题的讲话集要》第3集，1953年编印，第131页。

④ 乌兰夫：《在内蒙古自治区第二届司法会议上的讲话》（1951年4月），《乌兰夫同志关于内蒙古自治区工作方针、政策及有关民族问题的讲话集要》第3集，1953年编印，第146页。

事案件 2 000 多起，民事案件 2 500 多起。[①] 东部区党委按照内蒙分局的部署，组织调查组分赴通辽、海拉尔、乌兰浩特、林西、克什克腾、科右中旗、扎鲁特旗等地调查督促镇反工作，有些地方召开控诉反革命分子罪行群众大会，组织其罪行巡回展览，通过电影、幻灯片、戏剧、传单、漫画等形式，揭露反革命罪行，宣传党的方针政策，动员群众检举揭发反革命分子，效果良好。从而清查出一批反革命分子，并依法处理。原国民党通辽县党部书记长王文民，曾勾结土匪及日伪残余分子组织反革命武装，残杀通辽县县长徐永清等 29 名革命干部，在此次镇反中于 1950 年 12 月 27 日在通辽伏法。1946 年 9 月，制造“索伦叛乱案”的反革命分子白永柱、白天宝、唐双喜等，曾杀害喜扎嘎尔旗旗长兼教导团团长唐永祚及其他公安机关负责人，镇反中也被揭发出来，于 1951 年 4 月 28 日被依法执行枪决，以告慰受害者和平息民愤。目前内蒙古自治区人民政府的中心任务是结合抗美援朝，坚决镇压反革命。内蒙古的反革命有的打黑枪，有的在草原上放火，特务造谣、捣鬼。因此审干问题很重要，既要审查出隐藏的反革命分子，也要给一些有问题的人一个机会。机关审干与社会镇压反革命分子有重大关系，但不完全一样。

三、“三反”“五反”运动

1951 年 11 月，根据中共中央东北局、西南局、华北局就所述贪污、浪费、官僚主义问题先后呈中央的 3 个报告，毛泽东向全党发出了进行反贪污、反浪费、反官僚主义的“三反”运动的第一个号令。12 月 1 日，中共中央遂做出《关于实行精兵简政、增产节约、反对贪污、反对浪费、反对官僚主义的决定》，毛泽东在决定上加写了一段话：“自从我们占领城市两年至三年以来，严重的贪污案件不断发生，证明一九四九年春季党的二中全会严重地指出资产阶级对党的侵蚀的必然性和为防止及克服此种巨大危险的必要性，是完全正确的，是全党动员切实执行这项决议的紧要时机了。再不切实执行这项决定，我们就会犯大错误。”[②] “三反”运动就此在全国正式开始。

---

① 乌兰夫：《在内蒙古自治区第二届司法会议上的讲话》（1951 年 4 月），《乌兰夫同志关于内蒙古自治区工作方针、政策及有关民族问题的讲话集要》第 3 集，1953 年编印，第 146 页。

② 中共中央文献研究室编：《毛泽东传》，中央文献出版社 2003 年版，第 207 页。

从此以后直到3月初，毛泽东对“三反”运动做了许多批示，召开了一系列会议，听取各方面的意见，找了不少人商量，从“三反”的方针政策到具体做法，进行了细致的思考，作出了明确的指示，直到1952年3月，“三反”运动进入了定案处理阶段。在这个阶段，毛泽东特别强调“认真负责，实事求是”，以防出现偏差。

在“三反”运动中，揭露出党和国家工作人员中的大量贪污受贿案件这同不法资本家的腐蚀拉拢有密切关系。1952年初，毛泽东又作出一个重大决策，即在大、中城市对违法的资产阶级开展反对行贿、反对偷税漏税、反对盗骗国家财产、反对偷工减料、反对盗窃经济情报的“五反”运动。从而发出了大规模惩治不法资本家犯罪行为的第一号令。1月26日，毛泽东为中共中央起草的《关于首先在大中城市开展五反斗争的指示》指出：“依靠工人阶级，团结守法的资产阶级及其他市民，向违法的资产阶级开展一个大规模的坚决的彻底的反对行贿、反对偷税漏税、反对盗骗国家财产、反对偷工减料和反对盗窃经济情报的斗争，以配合党政军民内部的反对贪污、反对浪费、反对官僚主义的斗争，现在是极为必要和极为适时的。”①于是，先后发动的抗美援朝运动、镇压反革命运动、“三反”“五反”运动，紧密衔接，互动互进，形成了中华人民共和国成立以后最大的社会运动，有力地促进了国民经济的恢复与发展。

内蒙古自治区于1951年12月开始“三反”运动。12月20日，召开内蒙古自治区党政领导机关直属机关干部大会，王再天作了《大张旗鼓地开展内蒙全区反对贪污、反对浪费、反对官僚主义运动》的报告，传达了中央的精神，部署了自治区的“三反”运动。1952年2月9日，乌兰夫在内蒙古一级机关围剿大贪污犯大会上作《肃清“三反”运动中的右倾思想，坚决围剿大贪污犯》的报告，回顾了内蒙古50天来的“三反”斗争。他对运动作了总体估计，认为虽然认识到了资产阶级对我们党的侵蚀，群众已经发动起来了，但是党内右倾思想没有克服，运动发展不平衡不深入。他指出，有的负责干部在“脱裤子”洗澡，检讨自己；有的脱了半截，有的根本不脱，甚至无动于衷。因此，有些机关和地区运动进展缓慢，成绩不大，

① 中共中央文献研究室编：《毛泽东传》，中央文献出版社2003年版，第222—223页。

只搞出一些中、小贪污分子就盲目自满起来，准备收场。那些大贪污分子就有可能溜走。他要求党内的这种右倾思想必须立即肃清，才能取得反贪污斗争的全面胜利。有右倾思想的干部不是官僚主义者，便是自己手上不干净，甚或是大贪污分子。乌兰夫列举了当时揭发或坦白出来的一个惊人的数字，即涉案人员达 3 780 名，贪污、盗窃国家财产达 38. 1130 亿元（旧币）。在当时，这笔钱可以开办 1 个 1100 纺锭的纱厂，可以供 21 万人吃 1 个月，可以购买 2. 5 架战斗机，购买 2. 5 万只羊，可以购买细布 11 705 匹，可以购买粮食 635 万多斤。这些数字虽然是运动开始时的初步估计，但也足以说明问题的严重性。针对内蒙古经济落后，没有大城市，工商界资本也不大，大贪污犯很少的论调，举出乌兰浩特市修建委员会的赵述学贪污浪费国家财产 43 亿元以上的例子，说明内蒙古的“三反”敌情也是很严重的。赵述学与在齐齐哈尔的福仁合加工厂、建成工业厂、天增盛行等六七家私商有经济关系，仅交福仁合加工厂的奸商周龙川就使自治区损失 18. 9 亿元，他们还签订了“分赃合同”，请另一商号担保。满洲里市人民政府建设科副科长孙兆福把修建费 5 亿元借给私商投机倒把，又以公家名义向银行诈骗贷款 4. 5 亿元借给私商；另外又给私商借公款 12 亿元，至今有 5. 13 亿元没有收回；在转运站大楼建筑中给国家财产造成损失 6 亿多元。张家口西蒙贸易公司百货科副科长张振东贪污盗窃国家财产达 1 000 余万元。通辽县前副县长张文华、秘书科长綦守荣、水利科长侯世碌、财粮科副科长李芳烈、第四区区长翟金柱，都有严重的贪污罪行。他深沉地提问道：资产阶级如此“派进来”、“拉过去”，腐蚀革命队伍，还有今天被捕的司勤这样顽固的贪污分子，难道还不严重吗？他阐述了“三反”的政策后指出，贪污分子只有两条路：一条是自动彻底坦白，检举别人，立功赎罪，免予刑事处罚，像今天的格格荣和陈英；另一条是拒不坦白，抗拒“三反”运动，结果走上被撤职、逮捕、法办的绝路，像今天的司勤。第三条路是没有的。并且宣布：从今天起至 2 月 24 日是贪污分子自动坦白的期限，按期坦白从轻处理。①

① 参见乌兰夫：《肃清“三反”运动中的右倾思想，坚决围剿大贪污犯》（1952 年 2 月 9 日），《乌兰夫同志关于内蒙古自治区工作方针、政策及有关民族问题的讲话集要》第 3 集，1953 年编印，第 259 页。

3月31日，内蒙古自治区驻张家口直属机关组织临时人民法庭，举行宣判大会，对8名贪污分子根据其贪污数额和认罪态度进行量刑判决。乌兰夫在宣判大会上再次作了《巩固已得成果，为争取“三反”运动的彻底胜利而奋斗》的报告，指出内蒙古旗、县以上的“三反”斗争取得了很大成绩，查出了大批贪污分子，破获了许多资产阶级“派进来”的和“拉过去”的“坐探”及代理人。说明中华人民共和国成立3年来资产阶级的进攻是猖狂的，其性质就是对工人阶级领导权的直接进攻，必须予以坚决的反击，绝不能松懈。现在内蒙古反贪污斗争已经进入对证追赃、定案处理阶段，这是反贪污斗争决胜的关键阶段。他还警告贪污分子，对待贪污分子是实行“严肃与宽大相结合，改造与惩治相结合”的方针，也就是坦白从宽，抗拒从严。[①] 5月11日，乌兰夫在内蒙古分局委员扩大会上总结检查工作时说：“三反”运动取得了伟大收获，提高了对“三反”必要性、重要性的认识和思想水平；打退了资产阶级的猖狂进攻，纯洁了革命队伍，巩固了工人阶级的领导权。由于“三害”“五毒”，不少干部被腐蚀，组织被涣散、腐烂，大量的国家财产被盗窃，有的地方的领导权被篡夺，如通辽县政府几乎腐烂了，内蒙古信托公司完全变成了资产阶级的据点和商店。现在查出了约14 000多名贪污分子，有2 600多只“老虎”，虽未完全核准，但可以肯定情况是严重的，而且证明内蒙古地区领导存在严重的官僚主义。通辽县政府的干部除一个科长外都成了“老虎”；乌兰浩特市委组织部长竟吸毒成瘾；自治区人民政府派到乌兰浩特市管理建筑工程的赵述学，很快就使国家资产损失43亿元。乌兰夫就下一步“三反”运动的任务和具体工作做了部署。[②]

关于在大、中城市开展“五反”运动的问题，由于当时内蒙古自治区还没有大、中城市，工商业相对落后，只在乌兰浩特市进行了“五反”运动，反对那些危害国计民生的“五毒”俱全的资产阶级最反动丑恶的一面，在内蒙古还有旅蒙商具有更多的野蛮掠夺的一面，这也是必须严肃打击的一

① 参见乌兰夫：《巩固已得成果，为争取“三反”运动的彻底胜利而奋斗》（1952年3月31日），《乌兰夫同志关于内蒙古自治区工作方针、政策及有关民族问题的讲话集要》第3集，1953年编印，第269页。

② 见乌兰夫：《在（内蒙）分局委员会扩大会议上的总结报告》（1952年5月11日），《乌兰夫同志关于内蒙古自治区工作方针、政策及有关民族问题的讲话集要》第3集，1953年编印，第272页。

面。这就是把私营工商业来一个全面大改造，使其尽量适合于有利于国计民生的一面，改造其不利于国计民生的一面，引导其向有利于国计民生转变，给那些完全违法、严重违法者以严厉打击，使他们不能继续为非作歹。在“五反”运动以后，内蒙古的工商业仍然存在，而且随着内蒙古经济的建设而发展。为此，在公私关系上应有四项措施，一要坚持共同纲领的经济政策，让私人资本主义经济在国家的领导下发展生产，繁荣经济；二要有所区别，即区别工业和商业，区别有利和不利国计民生的部分，区别守法和违法。鼓励私人资本主义在内蒙古发展工业，为此在原料供应、银行贷款上必须予以扶植，特别注意工业利润高于商业利润。对于商业中的投机违法者则予以坚决打击；三要大大发展国营贸易和合作事业；四要限制私人资本。总的来看，内蒙古自治区的“五反”运动与全国有所不同，与绥远省也有所差别，这是与本地的城镇和工商业发展程度的实际相关的。

第三节　经济文化教育的发展

内蒙古自治区在恢复国民经济的3年期间，按照中央的方针政策和统一部署，密切结合内蒙古的实际，蒙汉各族各阶层人民团结一致，经过抗美援朝、镇压反革命和“三反”、“五反”等运动，各项经济建设事业有了相当的进步和发展。内蒙古自治区的工业基础是极其薄弱的，从这种实际情况出发，实行大力发展农、牧、林、贸易、合作等经济事业，为发展工业准备条件的经济建设方针。实践证明这一方针是正确的。

一、恢复发展农业

当时的内蒙古自治区有80%以上的人口在农业区，主要从事农业生产，因此，农业经济是内蒙古自治区国民经济组成部分的主体。农业的尽快恢复发展，不仅关系自治区绝大多数人的生计，也是发展工业、林业、牧业的重要条件。土地改革以后，农民分得了土地，极大地提高了发展农业生产的积极性，改变以往耕作粗放的陋习，广泛实行施肥选种，种子消毒，防治病虫害，全区施肥面积达到耕地面积的32%。各级政府采取劳动互助，奖励劳动模范，扩大耕地面积，奖励精耕细作，采用新式农具，发放农业贷款，抗旱救灾等多种措施，以增加粮食生产，收到了极好的效果，全区粮食产量超过了解放前的最高水平。1951 年内蒙古自治区农牧部抽调旗县、区干部 309 人，招收社会青年 91 人，进行农业技术培训，充实农业技术队伍，并在哲里木盟大林乡东归力村和呼伦贝尔盟阿荣旗格尼努图克试办两处农业技术推广组，这是可贵的农业技术推广之始。随即在呼、哲、昭等盟建立旗县农业技术推广科和努图克基层推广站。1952 年 3 月 30 日，内蒙古自治区人民政府发布《关于在 1952 年广泛开展爱国丰产竞赛运动的指示》，立即掀起了农业战线上的丰产竞赛。4 月 29 日，兴安盟扎赉特旗著名劳动模范莫日格策及其领导的农业合作社，与自治区其他著名农业生产合作社联合，向全国著名农业劳动模范李顺达及其领导的农业生产合作社发出应战书，开展爱国丰产竞赛；同时以此条件向全区农业劳动模范、互助组以及农牧民提出挑战。这一示范性的举动在农牧民中影响巨大，为推动农业生产起了积极作用。接着于 6 月下旬，在乌兰浩特市举行自治区农业生产互助合作会议，着重讨论了农村互助合作的问题和爱国丰产竞赛事宜。

自治区各级政府及时指导，农民热情高涨，农村互助合作发展迅速。农业生产互助组是在土地改革后，个体农民各自的劳力、耕畜、生产资料不足的情况下，以换工互助的办法，解决发展生产中遇到的困难，有利于发展生产，更利于农业技术的互补互助，为农业丰产起了积极作用，也是摸索农业生产互助合作的尝试。1952 年，全区组织各种类型的互助组达 7.6675 万个，其中常年互助组占 36% 以上，试办了 15 个农业生产合作社，全区农业区组织起来的劳动力占总劳动力的 50% 以上。① 农业生产互助组大体分临时互助组和常年互助组两类，前者生产资料各归已有；自愿组织换工，以牛犋换工、或以畜换工、或以工换工，形式多样，灵活便捷；一般以 3 至 5 户互助，大都在春耕、夏锄、秋收农忙季节实行互助，进出随便。常年互助相对稳定，互助组规模在 10 户左右，10 个左右劳力，8 至 9 头耕畜，有简单的生产计划和农活技术分工，评工记分较细，按工互补，公平合理。②

---

① 内蒙古自治区人民政府农牧部：《内蒙古自治区一九五二年农牧业生产工作总结》（1952 年 12 月 28 日）内蒙古档案馆藏 11—6—96—129。

② 《内蒙古自治区志·农业志》，内蒙古人民出版社 2000 年版，第 119 页。

内蒙古地区十年九旱，恢复发展农业，兴修水利，防旱抗旱，至关重要。1950 年，内蒙古自治区将治理西辽河流域作为重点工程，动员沿河两岸各族人民修筑了 1 023.5 公里的辽河堤防，战胜了西辽河洪水灾害，使 1949 年受灾的 206 万亩农田得以耕种，当年受灾仅 6 万亩。

改进农业生产技术，提倡精耕细作。3 年推广良种 241 万公斤，1952 年施肥面积达 151.8 万公顷，占播种面积的 31.6%，秋翻面积 176.6 万公顷，推广各种新式农具 1 万多件。扶助奖励农业生产，从 1950 年到 1952 年自治区发放农业生产贷款 3 097 万元，贫苦农民用国家的贷款增添耕畜近 2 万头，大小农具 13 万件，种子 2 000 万公斤。

在 3 年恢复经济时期，农业生产获得了很大的发展。1952 年与 1949 年相比，播种面积由 389.6 万公顷增加到 494.9 万公顷，增加 105.3 万公顷；耕地面积从 433.1 万公顷扩大到 517.4 万公顷，增加耕地面积 84.3 万公顷。[①] 是年，自治区粮食产量达到 172 万吨，完成了增产节约计划。[②] 这是罕见的发展速度，于国有利，于民更有利，农民兴奋，社会安定，显现出新中国发展第一步的喜人景象。

二、恢复发展畜牧业

畜牧业在内蒙古自治区国民经济中占有很重要的地位，仅次于农业。畜牧业经济区占当时内蒙古自治区总面积的 3/5；全区 440 万头（只）牲畜中有 280 万头（只）在牧业区；但从事畜牧业的人口只占总人口的 9%。[③] 从经济上讲，畜牧业占地广，牲畜多，是发展农业的役畜力基地，也是发展畜产品工业的原料供应地之一；从政治上讲，在畜牧业区从事畜牧业生产的主要是蒙古族牧民，通过民族区域自治在政治上实现民族平等之后，还要通过发展经济消灭历史上遗留下来的事实上的不平等。因此，在内蒙古自治区发展畜牧业经济不仅是经济问题，而且是极其重要的政治问题。

---

① 据内蒙古自治区统计局编：《辉煌的内蒙古》，中国统计出版社 1999 年版，数据计算。

② 内蒙古自治区人民政府农牧部：《内蒙古自治区一九五二年农牧业生产工作总结》（1952 年 12 月 28 日）内蒙古档案馆藏 11—6—96—129。

③ 乌兰夫：《在中央人民政府领导下内蒙古一年来的建设》（1950 年 10 月），《乌兰夫同志关于内蒙古自治区工作方针、政策及有关民族问题的讲话集要》第 3 集，1953 年编印，第 80 页。

牧区经过民主改革，废除了王公牧主的封建特权，实行自由放牧，增畜保畜的政策，大大促进了畜牧业经济的恢复与发展。发展畜牧业经济必须从牧区社会经济的特点、当地牧业区的实际出发，并与牧民的切身经验相结合，采取慎重稳进的工作方针，有步骤地进行工作，防止急躁冒进和强迫命令；发展畜牧业生产是牧区经常性的中心工作；实行发展包括牧主经济在内的畜牧业经济方针；发展畜牧业经济要贯彻“人畜两旺”的方针。在半农半牧区，1951 年开始实行“禁止开荒，保护牧场”的政策，后来又发展为“以牧为主，兼顾农业，保护牧场，禁止开荒，有计划有步骤地发展生产”的方针，这样不仅解决了半农半牧区的生产发展方向与步骤的问题，而且解决了农、牧业生产在土地问题上的利益矛盾和蒙汉民族纠纷，使民族团结加强，生产互助发展。同时采取增加医疗卫生设备，贫苦牧民免费治病，开展妇幼卫生保健，奖励生育等措施，以促进牧业人口的增长。实施扶助贫苦牧民生产、对畜牧业实行轻税、稳步倡导牧业生产互助合作、据情推行定居游牧、奖励劳动模范、建立国营贸易和供销合作社、发展国营牧场等多种措施，提倡并进行防疫、打狼、调剂种畜、改良牧畜方法、打草、打井、搭圈棚、发放牧贷等办法，以提高了畜牧业生产率。到 1952 年，内蒙古自治区建立盟级防疫所 6 处，各旗县市建立防疫站 40 个，以防治和控制疫情发展。1949 年到 1952 年，进行牛瘟预防注射 338 万头。1951 年和 1952 年，内蒙古自治区人民政府先后发布《家畜防疫暂行条例》《盟兽疫防治所组织规程》和《旗（县）兽疫防治站组织规程》等，依照法规防治牲畜疫病。抗御风雪灾害是保畜增畜的重要措施，一是打破旗界合理调剂牧场，以度灾荒；二是组织牧民打草贮草，备料过冬，而且都有数量要求，同时由国家调入大批草料，以济牲畜安度冬春；三是搭盖棚圈，增加牲畜冬春保暖设施。1952 年内蒙古自治区和绥远省已有牲畜棚圈 8. 7 万座，面积 240 多万平方米，其中牧区有 2. 2 万座，面积达 60 万平方米。保护与建设牧场是畜牧业恢复发展的保证，一是依法保护牧场，发布防火烧荒禁令，组建防火救火组织，进行防火教育；二是合理利用牧场，分冬春和夏秋移场放牧；三是打井修井，解决牲畜用水，开拓牧场的重要途径。内蒙古自治区 1951 年牧区打井 2 250 眼，修复旧井 2 270 眼，锡林郭勒盟推广水车 50 台，呼纳盟 22 台；1952 年又打井 5 500 眼。逐步改良牲畜品种，提高牲畜质量，是恢复发展畜牧业的新措施，这项措施在 1949 年 11 月纳入自治区畜牧业发展方针之中；1951 年 4 月 20 日内蒙古自治区人民政府颁发了《内蒙古自治区民有种公畜候补种公畜选定及奖励暂行办法》,实行依法改良畜种。1949 年到 1952 年，内蒙古自治区和绥远省共建国营牧场、种畜场 17 处，拥有职工 700 名，养畜 2.6 万头，其中技术人员 119 名；建立牲畜配种站 37 处，其中马配种站 25 处，牛配种站 3 处，羊配种站 9 处；1951 和 1952 年，杂交改良马 6 590 匹、牛 263 头、羊 6 152 只；在中央的支持和帮助下，从苏联等国引进种马、种牛、种羊数十种，促进了畜种改良。这是畜种改良的良好开端，培养了技术人员，示范了群众，积累了经验，奠定了畜种改良的基础。1949 年到 1952 年，内蒙古自治区发放牧业贷款 274 万元，其中母畜贷款占 50%，种畜贷款占 5%，防灾保畜贷款占 35%，生活贷款占 10%，从经济上扶持了畜牧业的发展。①

由于实行符合内蒙古自治区牧业区、半农半牧区实际的方针、政策和采取得力有效的措施、办法，使畜牧业得到迅速的恢复与发展。从 1947 年到 1952 年，内蒙古自治区和绥远省大小牲畜从 360.5 万头（只）增长到 791.32 万头（只），增长 1.19 倍，平均年增长 14%；② 1951 年牧业区牲畜繁殖率达到 85.69%，成活率达到 90% 以上，③ 牲畜纯增率较解放前增加近一倍。1952 年内蒙古自治区的牲畜总头数达到 703.67 万头（只），比 1951 年增加 126.47 万头（只），纯增 21.9%。④

在 3 年国民经济恢复时期，内蒙古自治区和绥远省畜牧业生产的成功恢复与发展，畜牧业产值有较大幅度的增长。1950 年到 1952 年从 1.22 亿元增长到 1.87 亿元，增长 53.27%，年均增长 15.3%。这期间向国家提供各种牲畜 69 万头（只），鲜蛋 1 000 多万公斤，毛绒 1 970 多万公斤，皮张 109

① 《内蒙古畜牧业发展史》,内蒙古人民出版社 2000 年版，第 79—94 页。

② 《内蒙古畜牧业发展史》,内蒙古人民出版社 2000 年版，第 95 页。

③ 乌兰夫：《内蒙古自治区在毛主席和中国共产党的民族政策指导下所获得的胜利》（1952 年 10 月）,《乌兰夫同志关于内蒙古自治区工作方针、政策及有关民族问题的讲话集要》第 4 集，1954 年编印，第 82 页。

④ 内蒙古自治区人民政府农牧部：《内蒙古自治区一九五二年农牧业生产工作总结》（1952 年 12 月 28 日）内蒙古档案馆藏 11—6—96—129。

万张，以支援国家经济建设。同时改善了人民的生活状况，牧区人均占有牲畜头数从 1946 年的 27.4 头（只）增长到 1952 年的 52 头（只）。有一组很说明问题的调查报告：呼纳盟新巴尔虎右旗从 1948 年到 1952 年，无畜赤贫户从 0.22% 下降为 0.07%；占有牲畜 210 头（只）以下贫苦牧户从 42.91% 下降为 23.88%；占有牲畜 2 100 头（只）以下的中等牧户从 54% 上升到 67.08%；占有牲畜 2 100 头（只）以上的富裕牧户和牧主从 2.87% 上升为 8.97%。由此看出，赤贫、贫苦牧户在减少，中等牧户在增加，按占有牲畜头数估算的富裕牧民和牧主也有增长。① 这也是可供说明畜牧业发展的一个参数。

三、恢复发展工商业

内蒙古自治区的工业基础薄弱，森林采伐业是这一时期最大的工业企业。3 年来实行合理采伐，改善经营管理，普遍推广降低伐根，利用梢木头，保留母树，清理林场，采伐迹地更新，使林业有了迅速的发展。森林采伐每年超额完成任务，3 年累计完成原计划的 114.37%，开展了群众性的护林防火运动，严格贯彻防火法令和制度，火灾次数逐年减少。1951 年山火发生次数比 1950 年减少 74%，燃烧林地面积也减少 52%，并在中央的帮助下建立了航空巡逻。重视育苗造林，3 年完成造林面积达 7 858 垧。在图里河、伊图里河、西尼气、根河、阿尔山大黑沟 5 个新林区，还接收了前中长铁路所属牙克石林区。1952 年木材采伐量相当于 1947 年的 6.5 倍。② 同时恢复创办了电力、煤炭、乳品、砖瓦、纺织、被服、印刷、粮油加工等工业企业。1949 年到 1952 年，工业总产值从 6 869 万元发展到 16 116 万元，增长 1.35 倍。能够生产焦炭、耐火砖、烧碱、云母、石棉、毛织品、毛毡、乳制品等数十种新产品，尤其发展畜产品加工工业。1952 年仅毛纺、皮革两项加工产值即达 990 余万元。新建和扩建了十多处中小型皮毛工厂，其中

---

① 乌兰夫：《内蒙古自治区畜牧业的恢复发展及经验》（1953 年 1 月 1 日），《乌兰夫文选》（上册），中央文献出版社 1999 年版，第 242 页。

② 乌兰夫：《内蒙古自治区人民政府三年来的工作报告》（1952 年 11 月 12 日），《乌兰夫同志关于内蒙古自治区工作方针、政策及有关民族问题的讲话集要》第 4 集，1954 年编印，第 95 页。

海拉尔制革厂已有现代化设备。公路交通有所发展。1949 年到 1952 年，公路从 2 394 公里发展到 4 821 公里；载货汽车从 89 辆发展到 344 辆，载客汽车从 25 辆增加到 101 辆；开辟了锡林浩特到张家口的公路运输；邮电业务总量 325.1 万元，函件从 288.8 万件增加到 796.1 万件，邮电服务机构从 114 处发展到 353 处。①

全区贸易合作事业有了较快发展，1952 年有国营贸易机构 171 处，合作社基层社有 691 个，活跃在城镇、农村、牧区，进行物资交流，发展城乡贸易，供应农牧民生活上、生产上的需要，限制与取缔非法重利盘剥，稳定了物价，适当缩小工、农、牧产品的剪刀差。自治区人民政府大力扶持国营商业贸易的建立发展，大量投资，调派干部从事商业工作，国家银行向国营商业和供销合作社发放大量贷款，促进其发展。1952 年对其贷款数额比 1949 年增加了 95 倍。国营和合作社商业机构积极收购牲畜、皮毛、粮食等产品，供应布匹、棉花、茶叶等生活日用品，限价销售，打破了私营商业垄断内蒙古商业的局面，特别限制了旅蒙商在牧区的活动范围和高利盘剥。国营商业零售总额 1950 年比 1949 年增加 6.5 倍，收购农牧产品总额扩大了 10 倍以上，到 1951 年基本上消除了历史上旅蒙商在牧区的高利盘剥，缩小了农牧业产品与工业品的剪刀差。1952 年国营商业和合作社的零售额达 16 700 万元，已占社会商品零售总额的 59.8%，国营商业已占商业批发总额的 70.2%，成为市场的主导力量。

自治区人民政府制定合理的商品价格政策，改变历史上造成的不等价交换，取消各种非法交易，打击投机倒把活动，稳定市场。1946 年 1 只羊只能换 1 块砖茶，而 1952 年则可换 6 块砖茶；1 头牛从只能换 5 幅布 74 尺增长到 324 尺。1951 年羊毛价格比 1950 年提高 66.6%，1952 年又比 1951 年提高 48%。当然，各地价格有所差异，但是总的趋势是相同的，商业平稳发展，城乡牧区民众受益，人民生活大有改善，社会购买力显著提高，1947 年人均购买力折合棉布 18.3 尺，1951 年则增长到 67.2 尺。

① 参见内蒙古自治区统计局编：《辉煌的内蒙古》，中国统计出版社 1999 年版数据。

四、恢复发展教育文化

内蒙古自治政府成立后，教育文化事业得到了恢复与发展。在3年恢复国民经济时期又有了较快发展。学校教育，小学1952年比1950年增长12%，达到9 615所，学生增长了59%，达到68.4万名，入学儿童占学龄儿童的64%，其中牧业区小学和学生都增长1倍以上；中等学校1952年比1950年增加了1.5倍，学生增加了近6倍，另外增办了师范、林业、商业、卫生、畜牧兽医等专门学校；1952年创办了内蒙古第一批高等学校内蒙古畜牧兽医学院、内蒙古师范学院等3所院校，学生616人。社会教育，有9 500余工人参加业余学习，农牧民常年民校和冬学也普遍建立起来，已有39万名农牧民参加学习；在农业区和半农半牧区有计划有步骤地扫除文盲，同时开展速成识字运动，提高了农牧民学文化的积极性。①

文化艺术事业有很大发展，有的项目是从无到有发展起来的。截至1952年，组建文工团、队5个，较大城镇建立了电影院10座、电影俱乐部6个、文化馆104个、剧场23座、图书馆1个，有21支电影放映队到农村、牧区流动放映。书刊出版事业发展迅速，3年来仅蒙文书刊即出版330种，计1 942 000册，出版蒙文课本200多万册，蒙民小学均以蒙古语文授课学习，蒙译《毛泽东选集》也已出版发行。

医疗卫生和防治疫病，是关系自治区国计民生的大事。3年来，执行中央“防重于治”，“技术与群众相结合”和团结中西医的方针，贯彻自治区“人畜两旺”的方针，着重建立卫生组织，各旗县普遍建立卫生院，有178个努图克、区建立了卫生所，培养医护人员2 650名，初步改变缺医少药的状况。在呼纳盟、锡盟、察哈尔盟的13个牧业旗进行了根除梅毒工作，治疗性病患者达44 000人，阻止了牧业区人口下降之趋势。鼠疫和其他传染病是威胁自治区人民生命健康的大问题，发动群众捕鼠灭疫，效果显著。从1949年到1952年累计捕鼠达5 258.1217万只，生菌注射231.5万人，1949年发生鼠疫379例，1952年仅发生15例。全区200多万人种了牛痘，天花

① 乌兰夫：《内蒙古自治区人民政府三年来的工作报告》（1952年11月12日），《乌兰夫同志关于内蒙古自治区工作方针、政策及有关民族问题的讲话集要》第4集，1954年编印，第95页。

病基本消灭。1952 年各种传染病比 1951 年减少 47. 5% 。同时大力开展妇幼保健工作，减少婴幼儿死亡率。牧业区“人畜两旺”的目标正在显现。①

在三年恢复国民经济时期，内蒙古自治区在政治、经济、教育、文化、卫生等各项事业上取得了很大发展与进步，人民生活确实有显著改善，人民民主政权日益巩固，实行民族区域自治取得了很大进展，其影响逐渐扩大，已经发挥着榜样的作用。这一切表明毛泽东主席和中国共产党在新的历史时期开始之际，对内蒙古革命和建设的决策以及各项方针政策是完全正确的，又为内蒙古这样一个特殊的民族地区指明了前进的方向。这是特别值得庆幸的。当然，今后的路还在探索之中。

① 乌兰夫：《内蒙古自治区人民政府三年来的工作报告》（1952 年 11 月 12 日），《乌兰夫同志关于内蒙古自治区工作方针、政策及有关民族问题的讲话集要》第 4 集，1954 年编印，第 95 页。

第六章

内蒙古统一的民族区域自治的实现

毛泽东在1935年《对内蒙古人民宣言》中提出撤销国民党所设之绥、察、热3行省，把原属内蒙古的地方归还内蒙古人民。1949年，毛泽东又作出恢复内蒙古历史地域的重大决策。中共中央和中央人民政府以及中共中央华北局、中共中央内蒙古分局，从思想理论、方针政策、地域范围、实施方案等方面，进行了一系列精心的准备，并逐步推进。撤销绥远省建制，将其全省辖区划归内蒙古自治区，成为内蒙古实现统一的民族区域自治的关键。

第一节 蒙绥合并 撤销绥远省建制

一、蒙绥合并的理论、政策、思想、认识的统一

绥远省的建立是国民党所为，是国民党民族压迫政策的产物。这是历史上错误的民族观、民族政策导致的结果，二十多年的历史实践证明它是错误的。但是，国民党在实行这一政策的时候，还有它深远的历史背景，涉及极其复杂的民族关系、阶级关系和经济关系，而且在人们的记忆中形成了各不相同的认识和观念。这些观念带有一定的片面性，甚至有敏感性、极端性，曾经因此而产生过许多矛盾冲突。这些从历史上遗留下来的问题和观念，不是简单地通过行政命令的手段就能够解决了的。在革命队伍中，甚至在领导

层中，对于内蒙古自治区行政区划的设置，内蒙古统一的民族区域自治的地域范围有多大，其政治中心设在什么地方，当初的认识也不一致。因此，撤销绥、察、热3个行省，首先要解决认识问题，特别是领导层中的认识问题。要以马克思列宁主义、毛泽东思想和中国共产党的民族理论，用中国人民政治协商会议《共同纲领》中的民族政策，结合内蒙古民族问题特别是绥远省的民族问题实际，进行研究认识，在各族干部和各族各界各阶层群众中进行宣传教育，统一思想、统一认识、排除障碍，方可顺利实施。

从1950年开始，中央人民政府出台了一系列有关民族政策的决定、方案、通则等，中央领导人在各种会议的报告中反复阐述党的民族政策。1952年2月，政务院通过了《中华人民共和国民族区域自治实施纲要》；9月，在全国范围内进行了民族政策执行情况大检查。1953年6月，中央人民政府民族事务委员会作了《关于推行民族区域自治经验的基本总结》。9月9日和10月10日，《人民日报》分别发表了《进一步贯彻民族区域自治政策》和《贯彻民族政策，批判大汉族主义思想》的社论，传达了中华人民共和国成立后，中国共产党在民族问题方面的任务和基本政策，即“巩固祖国的统一和各民族的团结，共同来建设伟大祖国的大家庭，在统一的祖国大家庭内，保障各民族在一切权利方面平等，实行民族区域自治，在祖国的共同事业的发展中，与祖国的建设密切配合，逐渐发展各民族的政治、经济和文化，消灭历史上遗留下来的各民族间事实上的不平等，帮助落后的民族提高到先进民族行列，共同过渡到社会主义社会。”① 对于四年来的民族工作作了基本总结，充分肯定了成绩和经验，也分析了存在的问题，指出“大汉族主义思想或大汉族主义残余思想还在一部分汉族干部和人民中存在着。”“在全国范围来说，大汉族主义已成为当前民族关系、民族工作中的主要危险。”同时也指出：“在少数民族中相当多地存在着狭隘民族主义思想”。要克服这两种民族主义，但“首先是克服大汉族主义，才能真正彻底实现民族平等，并有效地帮助少数民族克服各种狭隘民族主义。”②

中国是一个多民族国家，在历史上长期以来的民族压迫制度下形成的民

① 《民族政策文件汇编》第1编，人民出版社1958年版，第138页。
② 《民族政策文件汇编》第1编，人民出版社1958年版，第139、140页。

族偏见，不是一朝一夕能够彻底消除的，真正确立民族平等的观念，需要一个相当长的过程。因此，中华人民共和国成立后中央虽然以极大的努力，做了大量的工作，干部和群众在民族问题的认识上还存在这样那样的问题，是不足为奇的。在内蒙古如何实现统一的民族区域自治问题上，在领导层中存在不同的认识和主张。时任中共中央内蒙古分局委员、中共内蒙古东部区委员会书记刘春，主张将内蒙古自治政府迁驻赤峰，不同意迁往张家口再移驻归绥，而且认为自治区的地域也不能过大过长。中共绥远省委和绥远省人民政府主要领导人苏谦益、杨植霖等也对撤销绥远省表示异议。毛泽东、周恩来对党内高层领导的不同认识极为关注。1950 年初的一天，周恩来总理在自己的办公室和乌兰夫一同研究内蒙古自治区的区划问题，并将刘春召去。据刘春回忆："总理正伏在地毯上，一只手拿着放大镜，一只手拿着一支红铅笔，在那里为内蒙古地区划界。乌兰夫站在旁边，他与总理可能已谈了一阵了。""总理每讲一个地方，就用笔画一下，然后抬头问乌兰夫怎么样？乌兰夫表示同意。就这样，从东到西划出了内蒙古自治区的区域界限。还决定内蒙古自治区的首府，将来要迁到归绥（后改名呼和浩特）。乌兰夫对此表示同意。最后，总理从地毯上站起来，问我：'刘春！你有什么意见？'我当即表示：'完全同意，没有意见'。"① 另据时任中共中央内蒙古分局委员、继刘春任中共内蒙古东部区委员会书记王铎的回忆："在自治区政治中心放在哪里的问题上，多数人赞成放在归绥，极少数人提出放在承德、张家口、赤峰。""当时，还有个别领导人对内蒙古行政区划有想法。1952 年初，周总理召集内蒙古、绥远、华北局、新疆分局以及中央政务院有关部门负责人，在中南海紫光阁研究内蒙古自治区未来区划（主要是蒙绥合并）问题时，会上就有人提出意见，认为历史既然形成了内蒙古蒙汉杂居，汉人多于蒙人，而且已建省（热、察、绥）设县的现状，就不必再花更多的精力改变这种状况。还有人提出，如果搞成东西蒙统一，横跨三北、绵延数千里的内蒙古自治区，会有很多问题：一是地域过大，不便管理；二是热、察、绥将大为缩小，有的甚至不复存在。周总理听到这些意见后，当即指出：推行内蒙古区域自治还有阻力，这就是我们的一些同志还没有真正理解党的民族

---

① 刘春：《关于民族工作的回顾》（修改稿内部资料）2001 年 3 月。

区域自治政策的实质，还不了解党中央解决内蒙古问题的意图。毛主席对蒙绥合并有明确指示：蒙绥合并问题要开两扇门，一扇门是蒙人要欢迎汉人进去开发白云鄂博铁矿，建设包头钢铁企业；一扇门是汉人要支持把绥远合并于内蒙古自治区，实现内蒙古统一自治。内蒙古划进一些汉族，有利于蒙汉团结，建设边疆。蒙绥合并是中央已经定了的问题，毛主席也说过了，要按中央定的、毛主席说的办。”王铎说：“会后，周总理又多次耐心地找有关领导同志谈话，做通了思想工作，统一了认识。这样内蒙古自治区政府西迁归绥，热、察、绥三省先后撤并调整等重大问题才得以顺利圆满解决。”① 1979年，杨植霖谈到“文化大革命”破坏民族政策时，深情地回忆：“正确地过好民族问题这一关是不容易的，我参加革命是蒙古族同志吉雅泰把我领上革命道路的……在我整个的革命历程中，一直是和蒙古族同志战斗在一起，亲如兄弟，生死与共。可是，解放后要实行内蒙古统一的民族区域自治，撤销绥远省，蒙绥合并，我就想不通了，不同意。毛主席、周总理批评后，我才认识了。”② 1966年5月，在北京前门饭店会议上批判乌兰夫的所谓民族分裂主义时，苏谦益还在检讨自己不同意蒙绥合并是大汉族主义思想，虽然与会议格调相违，但却表现了一位老共产党人的诚实。乌兰夫在当时的讲话中，以及后来的回忆里，都谈到过领导层中对蒙绥合并的不同看法。他谈到贯彻毛泽东在中共七届二中全会期间对内蒙古问题的重大决策时说：“记得有一次我去看毛主席，一见面他就问我，你搬家了没有？我说还没有搬。毛主席听了感到奇怪地说：‘怎么！你们还住在张家口？’我说还有人不理解，需再做做工作。毛主席对此非常坚定。我也把情况报告了周恩来同志。周恩来同志说：‘这个问题是中央已经定了的，毛主席也说过了，按中央定的、毛主席说的办，我再做做工作。’经过周恩来同志多次耐心的谈话，做通了有关同志的工作，这个问题才得到了圆满解决。1952年夏天，内蒙古自治区领导机关由张家口迁到归绥（呼和浩特）。后来又在周恩来同志的关心和主持下，经过几次区划调整，内蒙古自治区行政区域才形成了今

① 王铎：《五十春秋——我做民族工作的经历》，内蒙古人民出版社1992年版，第368—369页。

② 郝维民：《杨植霖访问记录》，1979年12月于兰州杨植霖寓所。

天这个样子，做到了毛主席说的‘恢复内蒙古历史上的本来面貌’。”①

由此可见，蒙绥合并，实行内蒙古统一的民族区域自治，在当时并非无足轻重，而是解决内蒙古民族问题，甚至是关乎解决我国民族问题的重中之重的战略问题。对于领导层中存在的不同认识，毛泽东和中央坚持既定的战略决策，对持不同意见的领导人做细致耐心的工作，使他们在实践中逐步统一了认识。这次争论虽然发生在党的领导层内，但其实质仍然是如何正确看待内蒙古民族问题，如何彻底解决内蒙古民族问题的分歧。看来，解决类似分歧也不可能是一蹴而就的，出现分歧是正常的，问题在于最终能否得到正确的解决。

民族问题是内蒙古社会总问题中的一个重大问题。它涉及方方面面，出现在时时处处。在蒙绥合并的问题上亦如此。因此，在统一了领导层的认识的基础上，1952 年 6 月，中央作出《关于内蒙和绥远工作关系的决定》。8 月中共绥远省委与中共中央内蒙古分局合并，首先统一了党的领导机构。之后，在蒙汉各族干部、群众中进行深入的宣传教育工作，并采取了相应的措施，又用了近两年的时间，才从组织上、法律上完成了合并程序。

这期间，为解决蒙汉各族干部、群众的认识问题，乌兰夫在各种场合反复讲述民族问题、民族理论和中国共产党的民族政策，特别是联系内蒙古的实际，有针对性地解答干部、群众中的问题，理顺人们的认识，排除蒙绥合并的思想障碍。

1952 年 6 月 23 日，在内蒙古自治区领导机关西迁归绥前夕，乌兰夫在自治区机关科级以上干部会上讲了到绥远以后应该特别注意的问题。首先是“内蒙、绥远的关系问题：总的讲是‘双重领导，各有重点’”。“这是由于绥远这样一个复杂情况而产生的一种复杂办法，因而亦就形成了内蒙与绥远这样一种复杂的关系。”这要成为考虑与处理一切问题的前提，不允许在关系问题上发生问题。其次“团结一致，搞好工作”是西迁绥远之后一切问题的总原则。绥远干部情况比较复杂，有新老干部、本地干部与外来干部、蒙汉回各民族干部，还有 50% 的起义留用人员。因此，达不到干部团结一

① 乌兰夫：《为少数民族呕心沥血功德无量——纪念周恩来同志诞辰 90 周年》（1988 年 3 月 5 日），《乌兰夫文选》（下），中央文献出版社 1999 年版，第 462 页。

致，就不能达到搞好工作的目的。第三，“艰苦生活，努力工作”。[①]

内蒙古自治区党政军领导机关6月底迁至归绥以后，乌兰夫集中精力从民族问题入手，解决干部、群众的认识问题。他在内蒙古自治区和绥远省机关党员、干部会议上，特别是在绥远省党代表会议上作了关于民族问题的长篇报告，分析我国历史上的民族问题，结合内蒙古特别是绥远的实际，反复讲解民族问题和党的民族政策，从历史讲到现实，引导人们正确认识和处理绥远的民族问题。他系统讲述了如下几个基本点：

关于民族问题。他说：“民族问题是人类社会在一定历史范畴内的一个问题。它的性质和解决问题的方法，是依着一定的历史条件、民族内部的政治形势、社会制度、国家政权性质等而转移变化的。”但在历史上，“民族问题是与阶级问题联系的，民族斗争是与阶级斗争联系的。”[②] 既不能认为民族问题一成不变，又不能抹杀历史上民族问题的阶级实质。

关于民族关系问题。对中国历史上的民族关系要从两方面看，“中国历史上的统治阶级，其中特别是汉族的统治阶级对民族关系问题搞的很糟、搞的很恶劣。历史上也有少数民族统治中国的时候——如元朝蒙古……满清……，这些统治民族中的统治阶级，一贯实施民族压迫政策，压迫其他民族，把民族关系就搞的极其恶劣。这个责任应该由历史上的统治阶级来负，而且主要的应由汉族的统治阶级负责。因为汉族的统治阶级统治中国人民时期要比其他民族的统治阶级长的多。”“民族间的互相仇视、歧视、互不相信等……是历史上的统治阶级造成的，特别是近代以蒋介石为首的国民党反动派造成的，是历史上遗留下来的东西。这是历史上民族关系的一方面。但是另一方面，在中国境内，历史上好多年来，各民族的劳动人民是互相生活在一起、劳动在一起，甚至在共同抵抗外来侵略时战斗在一起的。”中国革命的胜利，推翻了历史上的民族压迫制度，建立了“民族平等，亲密团结，

---

① 乌兰夫：《在内蒙一级机关科长以上干部会上的讲话》（1952年6月23日），《乌兰夫同志关于内蒙古自治区工作方针、政策及有关民族问题的讲话集要》第3集，1953年编印，第309页。

② 乌兰夫：《在内蒙古分局、绥远省委机关党员庆祝党成立三十一周年大会上的讲话（提纲）》（1952年7月1日），内蒙古档案馆11—6—31，1952年。

互相帮助，共同发展”① 的新的民族关系。如此准确鲜明的表述，在新旧交替的当时，对蒙汉各族干部、群众都是新鲜而明朗的启示。

关于民族政策。乌兰夫对中国历代封建王朝以及民国时期的民族压迫政策进行深入的分析批评，对帝国主义侵略者的政策进行抨击，认为“‘统治、同化、分割、剥削’这八个字可以概括历史上反动统治阶级的民族政策的基本内容。……中国历史上反动统治阶级的反动东西我们是丝毫也不能接收的。”“但是在我们的所有干部中是不是把历史上遗留下来的对民族问题的不正确的观点都扔掉了呢？事实上还不是。这已成为我们贯彻民族政策的主要障碍了。”他对中国共产党的民族政策从历史上进行了系统的阐述，特别是对《共同纲领》中规定的民族区域自治政策，以及对 1952 年 8 月 8 日中央人民政府委员会批准的《中华人民共和国民族区域自治实施纲要》，结合内蒙古民族问题的实际，尤其是绥远省民族问题的状况，进行了深入细致的阐述。②

他说：“中国是个大国，而且是多民族的国家，同时少数民族都聚居在边疆地区，……如果这些地区的民族问题得不到解决，则谈不上国防，因而也就谈不上国家经济建设、由落后的农业国变为先进的工业国的问题了。”③在中国，只有民族区域自治政策才能解决中国的民族问题。他指出当时干部中有两种错误认识，影响贯彻民族区域自治政策。一种是认为中华人民共和国成立后民族压迫制度没有了，民族平等实现了，民族区域自治也就不需要了，甚至认为实行民族区域自治会助长狭隘民族主义；另一种是认为民族区域自治只要自治不要民主，少数民族自治为什么还要包括汉人？不要汉人和汉族干部少数民族也能进行民族地区的建设。乌兰夫认为前者不了解历史上对少数民族残酷的民族压迫政策的影响是长期存在的，甚至不承认民族的存在；不懂得彻底改变民族压迫造成的民族仇视、隔阂，要保障民族平等权

① 乌兰夫：《在绥远省党代表会议上关于民族问题的报告》（1952 年 7 月），《乌兰夫同志关于内蒙古自治区工作方针、政策及有关民族问题的讲话集要》第 4 集，1954 年编印，第 28 页。

② 乌兰夫：《在绥远省党代表会议上关于民族问题的报告》（1952 年 7 月），《乌兰夫同志关于内蒙古自治区工作方针、政策及有关民族问题的讲话集要》第 4 集，1954 年编印，第 28 页。

③ 乌兰夫：《在绥远省党代表会议上关于民族问题的报告》（1952 年 7 月），《乌兰夫同志关于内蒙古自治区工作方针、政策及有关民族问题的讲话集要》第 4 集，1954 年编印，第 28 页。

利，必须实行民族区域自治；不懂得民族区域自治的民族政策，是通过民族的形式解决阶级问题的实质；不懂得更有效更迅速地发展少数民族的政治、经济、文化事业需要实行民族区域自治。他认为后者不了解民族区域自治是在中华人民共和国民族大家庭中，在中央人民政府统一领导下实行，必须遵循《共同纲领》,以少数民族聚居区为基础实行民族区域自治，没有民主也谈不上自治，这是民族区域自治的总原则；至于汉人与少数民族之间隔阂乃至仇视，是历史上的民族压迫政策造成的，不应该认为是汉人造成的，汉人在中国人口众多、文化先进，在社会生活中起主导作用，少数民族的发展需要汉人的帮助，尤其是汉族干部的帮助，才能取得政治、经济、文化的迅速发展。

关于绥远的民族问题与民族关系。让绥远省的干部、群众正确认识绥远的民族问题和民族关系，是乌兰夫一直极为关注的问题。上述干部中的两种错误认识，是来自当时绥远的反映。他除了从原则上进行了如上开导外，还不时讲述绥远民族问题和民族关系的实际，让人们以身边的事实去理解中国共产党的民族政策。绥远“过去历史上蒙、汉、回、满等民族杂居区，是民族问题最复杂，民族矛盾最尖锐的地区”,①“反动统治阶级造成旧的民族关系，即奴役、同化、压迫、剥削、统治、屠杀少数民族的关系。……民族问题和绥远各族人民的现实生活，有着深切的联系和错综复杂的关系。……因此，我们所要推行的任何一件重大工作，都会牵连到民族问题”②，“我们要很好体味民族情感，汉人常说：祖先坟墓所处被侵占了，与其有不共戴天之仇。但少数民族几十代之坟墓被人侵占了，哪能没有民族仇恨呢？汉人割了牧草，蒙人不满，则说‘狭隘呵！小气呵！’试想汉人之庄户、机器被人侵占了，又作何想法?”也有人问：照顾少数民族是什么道理？乌兰夫回答：“民族问题的彻底解决，是无产阶级革命总任务的一部分。各民族在各方面实现了真正的平等，才是民族问题的彻底解决。”“从我国历史上经济

---

①　乌兰夫：《在内蒙古分局绥远省委机关党员庆祝党成立31周年大会上的讲话》(1952年7月1日)，内蒙古档案馆11—6—31，1952年。

②　乌兰夫：《在绥远省人民政府就职典礼会上的讲话》(1952年7月5日)，《乌兰夫同志关于内蒙古自治区工作方针、政策及有关民族问题的讲话集要》第4集，1954年编印，第11页。

文化各方面的发展来看、从工人阶级的人数上看、从共产党员的人数上看，汉族是占大多数的，因此汉族是中国的主体民族，是老大哥……境内还有少数民族是小兄弟。他们还很落后。”“我们绥远人口三百万，其中只有二十多万少数民族，如果汉族不帮助，他们在各方面是难以发展的。”① 他回顾了绥远解放三年以来，在“民族平等，亲密团结，互相帮助，共同发展”的民族政策下，民族关系有了可喜的发展。但是，绥远民族问题的解决，需要时间，需要做大量的工作。

乌兰夫提出，解决绥远民族问题要坚持“承认历史，照顾现实，解决问题，达到团结”的方针。从乌兰夫的许多讲话、报告中看出，所谓“承认历史”，即首先承认绥远是在长期历史上形成的蒙古民族聚居区，承认历史上存在民族不平等的事实；所谓“照顾现实”，即实行民族区域自治要照顾这里有人口众多的汉族。他举例，“如绥远后套在历史上是蒙古人生活的地区，但是晋、陕、甘、宁的一部分劳动人民因为被统治阶级剥削的极其困苦而移居后套，现在汉人有三十多万，而蒙民只有一万多人，对这种情况应该照顾，这就叫照顾现实。据此解决问题，使之达到互相团结共同发展的目的。”又如“在蒙、汉杂居区结束县旗分治这一具体问题时，往往是改旗设县，蒙古人说：‘是不是不要蒙族了！’如改县设旗汉人又会说：‘是不是咱们都随蒙古了！’我们解决这些历史上遗留下来的问题时，确需慎重，或县或旗都必须根据‘承认历史，照顾现实，解决问题，达到团结’的观点出发，必须两方面都照顾到，这是我们处理民族关系的基本方针。”② 这一方针不仅正确地解决了绥远的民族问题，而且成为解决国内其他民族地区处理民族问题的准则。

与此同时，在绥远全省干部、群众中大力开展民族政策的宣传与学习，特别是各级领导机关联系工作实际学习并检查民族工作，为蒙绥合并在理论、政策、思想、认识方面进行了卓有成效的准备。

---

① 乌兰夫：《在绥远省党代表会议上关于民族问题的报告》（1952 年 7 月），《乌兰夫同志关于内蒙古自治区工作方针、政策及有关民族问题的讲话集要》第 4 集，1954 年编印，第 28 页。

② 乌兰夫：《在绥远省第一届第二次各族各界人民代表会议上关于民族问题的报告》（1952 年 9 月）。《乌兰夫同志关于内蒙古自治区工作方针、政策及有关民族问题的讲话集要》第 4 集，1954 年编印，第 50 页。

二、蒙绥合并 撤销绥远省建制

中共中央蒙绥分局和内蒙古自治区人民政府、绥远省人民政府，经过一年多细致的工作以后，又采取了蒙、绥两个政府合署办公的措施，形成一体施政。1953年10月30日，内蒙古自治区人民政府和绥远省人民政府联合发出《关于蒙绥政府合署办公的通知》，向两政府直属机关、辖区东部行署、盟、专区、市、县、旗、镇、矿区等发出通告："内蒙古自治区人民政府迁绥后，在执行'双重领导，各有重点'的原则下，对绥远工作特别是民族工作推动很大。但一年来在执行过程中，我们也深深感到领导层次重叠，工作效率不高，人为浪费很大。且绥远除伊克昭盟、乌兰察布盟两个自治区外，其他地区亦为民族杂居区，各方面都牵连着民族问题，故重点亦难以区分。为了加强民族工作，精简机构，减少层次，提高工作效率，抽出必要的干部转向经济建设。"为此，两政府决定合署办公，已呈政务院批准，11月1日实行。[①] 这实际是蒙绥合并的又一个重要步骤，也是合并前政府机构、人事安排、协调双方关系的准备。

1954年1月11—17日，绥远省举行第一届第三次各界人民代表会议，各族各界400多名代表出席，会议议题是蒙绥合并，撤销绥远省建制问题。华北行政委员会副主任张苏出席，并就蒙绥合并，撤销绥远省建制发表讲话。绥远省党政负责人乌兰夫、杨植霖、苏谦益、孙兰峰等出席并讲话。中共中央蒙绥分局副书记苏谦益向会议提出《关于绥远、内蒙古合并，撤销绥远省建制的建议》，经过代表们热烈的讨论，取得了共识，达成一致，通过了《关于中共中央蒙绥分局建议绥远、内蒙古合并，撤销绥远省建制案》的决议。

决议主要内容：一、绥远、内蒙古自治区合并，撤销绥远省建制，统一由内蒙古自治区人民政府领导。二、改集宁专区为平地泉行政区，除集宁专区原辖之丰镇、萨拉齐、集宁、兴和、凉城、卓资、和林格尔、托克托、武东、武川、清水河等11县和平地泉镇外，将土默特旗与原绥东4旗划归该

① 内蒙古自治区档案馆编：《中国第一个民族自治区诞生档案史料选编》，远方出版社1997年版，第170页。

行政区管辖；改陕坝专区为河套行政区，除陕坝专区原辖之五原、临河、安北、狼山4县和陕坝镇外，将杭锦后旗和达拉特后旗划归该行政区管辖，撤销伊盟驻陕坝办事处。该两行政区均为内蒙古自治区人民政府领导下的一级政权。三、将绥东4旗改为3旗，并撤销陶林县建制。陶林县东部与集宁东北部划为察哈尔右翼后旗（原正红旗）；陶林县西南部与卓资县北部划为察哈尔右翼中旗（原镶红镶蓝联合旗）；以原正黄旗为基础适当调整，改为察哈尔右翼前旗，均划归平地泉行政区管辖。四、伊克昭盟和乌兰察布盟两个自治区，改称伊克昭盟人民政府和乌兰察布盟人民政府，均为内蒙古自治区人民政府领导下的一级政权。

决议还要求：一是做好宣传工作。通过协商委员会、座谈会、代表会等会议形式和结合传达人民代表会议精神，广泛宣传蒙绥合并的重要意义，说明"对内蒙古和绥远的建设都有帮助，更有利于国家整个经济建设，对蒙古人民有好处，对汉族及其他民族也有好处，打通思想，使各族各界人民都能了解这项措施的重大意义和必要性"。二是结合开展民族政策的宣传和学习，并检查民族政策执行情况，纠正干部和群众中的大民族主义和狭隘民族主义倾向，解决和处理有碍民族团结的事件，在解决旗县并存和实行普选中贯彻民族政策。[①]

1月22日，内蒙古自治区人民政府、绥远省人民政府举行联席会议，通过了贯彻上述蒙、绥合并决议案的提案；通过了乌兰夫推荐苏谦益、奎璧、王再天、孙兰峰、王逸伦为内蒙古自治区人民政府副主席，连同原来的副主席杨植霖、哈丰阿共为7名副主席；通过了内蒙古自治区人民政府机构变动案；通过了提请政务院任命干部提名[②]。1月28日，中央人民政府政务院第204次会议同意内蒙古自治区人民政府和绥远省人民政府提出的绥远省第一届第三次各界人民代表会议上通过的《关于将绥远省划归内蒙古自治区并撤销绥远省建制的四项决议的报告》，除报请中央人民政府委员会正式

① 内蒙古自治区档案馆编：《中国第一个民族自治区诞生档案史料选编》，远方出版社1997年版，第171—172页。

② 内蒙古自治区档案馆编：《中国第一个民族自治区诞生档案史料选编》，远方出版社1997年版，第173页。

批准外，已命令内蒙古自治区人民政府和绥远省人民政府遵照执行。[①] 3 月 6 日，内蒙古自治区人民政府、绥远省人民政府联合布告，“为了进一步贯彻民族政策，加强民族团结，顺利进行建设事业，绥远省第一届第三次各界人民代表会议接受了中共中央蒙绥分局的建议，决议：‘绥远、内蒙古合并，撤销绥远省建制，统一由内蒙古自治区人民政府领导’。”并经中央人民政府政务院政务会议通过。为此，正式布告：一、绥远、内蒙古合并，撤销绥远省建制和绥远省人民政府，1954 年 3 月 6 日起，原绥远省辖区统一由内蒙古自治区人民政府领导。二、改集宁专区为平地泉行政区，撤销绥远省人民政府集宁区专员公署，成立平地泉行政区人民政府；改陕坝专区为河套行政区，撤销绥远省人民政府陕坝区专员公署，成立河套行政区人民政府；两行政区均成为内蒙古自治区人民政府领导下的一级政权。三、取消陶林县建制，调整了绥东 4 旗区划建制，结束了旗县并存。四、改伊、乌两盟自治区建制，为伊、乌两盟人民政府，为内蒙古自治区人民政府之下的一级政权。布告最后说，蒙绥合并“是中国历史上以民族平等、团结互助的精神解决民族问题的重大措施；也是在国家过渡时期总路线光辉照耀下，进一步解决民族问题，推进国家建设的正确的、必要的措施。”[②] 4 月 25 日，归绥改称呼和浩特，恢复了建城时的原名，并成为内蒙古自治区的首府。6 月 19 日，中央人民政府委员会第 32 次会议正式批准蒙、绥合并，撤销绥远省建制，并相应撤销绥远军政委员会和绥远省人民政府。

在 1 月 28 日，政务院同意蒙、绥合并、撤销绥远省建制以后，2 月 28 日《人民日报》发表题为《中国历史上解决民族问题的重大措施》的社论，高度赞扬蒙、绥合并“是内蒙古自治区，也是全国各族人民政治生活中的一件大事”；“是只有在中国共产党和毛泽东同志领导下的人民民主的中国才可能出现的伟大事件。”社论回顾了蒙古民族遭受民族压迫的历史和在中国共产党领导下实现民族解放，实行民族区域自治的历程，阐明了绥远划归内蒙古自治区的历史根据和现实意义，指出：“根本消除了民族压迫制度之

① 内蒙古自治区档案馆编：《中国第一个民族自治区诞生档案史料选编》，远方出版社 1997 年版，第 174 页。

② 内蒙古自治区档案馆编：《中国第一个民族自治区诞生档案史料选编》，远方出版社 1997 年版，第 180—181 页。

后，根据各个少数民族发展的不同历史阶段，长期地、有系统地帮助各少数民族发展他们的政治、经济、文化事业，消灭历史上遗留下来的各民族间事实上的不平等，使他们逐步提高到先进民族的行列，共同过渡到社会主义。”绥远的汉族帮助蒙古民族发展，是应尽的责任，蒙古族应热诚地欢迎这种帮助，共同建设内蒙古自治区，这完全符合蒙汉各民族共同的长远的和根本的利益。社论还评述了内蒙古自治区今后的任务：“与全国各兄弟民族共同建设祖国大家庭；在祖国共同事业的发展中，遵循着国家过渡时期的总路线和总任务，进一步发展自治区的政治、经济与文化事业，逐步提高各族人民的物质与文化生活水平；继续消除境内各少数民族历史上遗留下来的事实上的不平等，提高到先进民族的水平，与祖国各族人民共同过渡到社会主义。”① 应当说，这篇社论是对蒙绥合并，撤销绥远省建制的一个总结，把这件事提到中国历史上解决民族问题的重大措施的高度，从地位、分量、性质、意义上如此评价，非同一般。

第二节 察、热、甘三省蒙地划回内蒙古自治区

一、撤销察哈尔、热河行省

察哈尔省由蒙古察哈尔部得名。民国时期北洋军阀政府于 1914 年设察哈尔特别行政区，辖察哈尔左翼正蓝、正白、镶白、镶黄 4 旗，察哈尔右翼正黄、正红、镶红、镶蓝 4 旗，太仆寺左翼、太仆寺右翼、牛羊群、商都等 4 牧群，锡林郭勒盟乌珠穆沁左旗、乌珠穆沁右旗、阿巴嘎左旗、阿巴嘎右旗、浩齐特左旗、浩齐特右旗、阿巴哈纳尔左旗、阿巴哈纳尔右旗、苏尼特左旗、苏尼特右旗等 10 旗，原属直隶省口外多伦、沽源、张北 3 县，山西省归绥道之丰镇、凉城、兴和、陶林 4 县。后又在察哈尔特别行政区境内的蒙旗地面，先后设商都、宝昌、康保、集宁、化德等 5 县，形成旗县并存建制。

1928 年，南京国民政府将察哈尔特别行政区改设察哈尔省，并将直隶

① 《民族政策文件汇编》第 2 编，人民出版社 1958 年版，第 63 页。

省口北道之宣化、怀来等10县划归察哈尔省，将丰镇、凉城、兴和、陶林、集宁等5县划归绥远省，成立察哈尔省政府于张家口。1936年日本侵占察哈尔以后，行政隶属关系发生多次变化。

1945年8月日本投降后，察哈尔省全境解放，恢复了原有辖区。11月，在中国共产党的领导下成立了新的察哈尔省政府，原察北8县归察北专署管辖。1946年7月，察哈尔省政府划察哈尔盟（辖8旗）、锡林郭勒盟（辖10旗）为自治区，归内蒙古自治运动联合会管辖。1947年5月，归内蒙古自治政府管辖。①

锡、察两盟划归内蒙古自治政府以后，自治政府和察哈尔省曾向中共中央华北局提出划界问题。1949年3月毛泽东提出恢复内蒙古的历史地域的问题，自然也包括撤销察哈尔省。9月，中共中央华北局决定内蒙古与察哈尔省本着尊重历史、照顾现实的原则，协商划定两省区界线。经双方负责人反复协商，于1950年7月议定了划界方案："化德县除三区外之全部地区、宝源县境内张家口——多伦公路线及其以北地区、与太仆寺右旗南界紧相毗连的全部'租银地'、多伦县除大六号区以外的全部地区，划归内蒙古。康保、商都两县的界线照旧，并仍归察哈尔省管辖。只将两县境内之'租银地'村庄划归内蒙古。"是月末，中央人民政府内务部批准此划界方案。8月初，内蒙古自治区人民政府和察哈尔省人民政府决定，由中共察哈尔盟工委和中共察北地委组成包括党、政、军、民、财经等部门代表30多人的划界工作组，分别到宝昌、多伦、化德3县，经过在干部群众中宣传教育，实地勘界，清理财务手续，办理机关文件、档案及人事、物资移交工作，历经40多天，完成了划界交接工作。9月22日，内蒙古自治区人民政府、察哈尔省人民政府联合发出布告，公布了新划界线。多伦、宝昌、化德3县划归内蒙古自治区是撤销察哈尔省建制的第一步。

1952年9月22日，中央批准中共中央华北局调整省区方案的报告中撤销察哈尔省建制的意见，并要求华北局召集有关省区讨论并提出撤销察哈尔省建制后区划调整方案。华北局经与内蒙古自治区、河北省、山西省协商

① 察哈尔省建制沿革，见周清澍主编：《内蒙古历史地理》，内蒙古人民出版社1994年版，第269—271页。

后，提出当时察哈尔省所辖29县3市，分别按原建置将朔县等雁北13县及大同市划回山西省；将赤城等10县及张家口、宣化2市及察北地区的崇礼、张北2县划归河北省；将原察哈尔盟地面的商都、康保、尚义、沽源4县划回内蒙古自治区的方案。10月12日将此方案上报中央，中央决定将商都、康保、尚义、沽源4县改划归河北省。10月21日，中央正式下达撤销察哈尔省建制及调整上述区划的决定。从1935年12月毛泽东主席提出撤销察哈尔省建制的主张以来，经过18个年头，终于在中国共产党和中央人民政府领导下，撤销了北洋军阀和国民党对蒙古民族实行大汉族主义民族压迫政策标志性的行政建制之一察哈尔省。

鉴于中华人民共和国成立初期解决商都县归属问题的现实条件不成熟，原属察哈尔盟的商都县仍划在河北省。但是，由于商都县历史上是察哈尔蒙古部的属地，地理上插入乌兰察布盟兴和县、察哈尔右翼后旗及察哈尔盟镶黄旗之间，形成经济上农牧交错；民族关系上蒙汉杂居；致使农牧矛盾尖锐，民族纠纷加剧，严重影响经济建设和社会安定。1954年内蒙古自治区有关旗县提出与商都县划界的建议，但未能得到解决。遂矛盾日渐升级、甚至不断发生殴斗事件。从1960年起，内蒙古自治区与河北省有关部门经过多次协商，进行现场调查和调解工作，就禁止开荒问题达成了协议。1961年华北局牵头，组成由双方有关人员参加的专门工作组，对商都县的历史与现状进行了深入细致的调查研究。从商都县的发展及其与内蒙古自治区相邻旗、县的关系，特别是商都历史上的隶属关系，以及大量蒙古族仍居住生活在这里的现实情况，并从贯彻民族区域自治政策的角度出发，经过广泛征求意见，在充分协商的基础上，达成将商都县划回内蒙古自治区的一致意见，并上报中央。1962年3月7日，国务院批准商都县划回内蒙古自治区的方案；7月1日，商都县正式划回内蒙古自治区，属乌兰察布盟辖区。①

热河省建于1928年，其建制过程与察哈尔省相当。1912年，民国政府设热河都统，监督、节制内蒙古卓索图盟、昭乌达盟各旗及境内所设府、县。1914年，民国政府设热河特别行政区，辖原直隶省热河道所属朝阳、

---

① 关于察哈尔省撤销建制，见王铎：《五十春秋——我做民族工作的经历》，内蒙古人民出版社1992年版，第371—374页、390—391页。

赤峰、阜新、平泉、绥东、凌源、建平、林西、开鲁、承德、滦平、围场、隆化、丰宁、经棚等县和鲁北、林东、天山等设治局，并辖卓索图盟之喀喇沁左、喀喇沁中、喀喇沁右、土默特左、土默特右、唐古特喀尔喀、锡埒图库伦等7旗，昭乌达盟克之什克腾、巴林右、巴林左、阿鲁科尔沁、翁牛特左、翁牛特右、敖汉左、敖汉右、喀尔喀左翼、扎鲁特左、扎鲁特右、奈曼、敖汉南等13旗，计15个县、3个设治局、20个旗。1928年南京国民政府改热河特别行政区为热河省，省会设在承德，辖上述热河特别行政区所辖旗、县、设治局。1932年又设天山、林东、鲁北、宁城4县。1933年3月，日本侵占热河省全境，省境行政建制变化很大。1945年8月日本投降后，热河省基本上恢复了1933年前的行政区划和赤峰、宁城、乌丹、新惠、平泉、建平等县建制。11月，中国共产党建立了热河省政府，之后东蒙古人民自治政府、内蒙古自治运动联合会与热河省政府，以旗县并存、蒙汉分治或旗县联合政府等形式进行双重领导。期间，曾将开鲁县、扎鲁特旗划归哲里木盟。1949年5月，将昭乌达盟由热河省划归内蒙古自治政府管辖。

在撤销察哈尔省、绥远省建制后，撤销热河省建制的问题也提到了日程上来。1955年7月，中央决定撤销热河省，在“承认历史，照顾现实”的原则下，将热河省所辖以农业为主且汉族聚居的南部承德、围场、隆化、丰宁、滦平、平泉、青龙、兴隆等8县和承德市划归河北省；农业为主、包括部分牧区，蒙古族较多的东部北票、朝阳、建昌、建平、凌源等5县和喀喇沁左旗划归辽宁省；以牧为主、农牧并举的翁牛特左旗、翁牛特右旗、喀喇沁旗和赤峰县、宁城县、乌丹县等3旗3县划归内蒙古自治区。7月27日，周恩来总理根据中华人民共和国第一届全国人民代表大会第二次会议的决定，正式签发了撤销热河省建制的决定。

中央委托中共中央东北局书记林枫召开热河、内蒙古、河北、辽宁等省区的领导人会议，就交接工作征求意见，商定方案。遂由林枫主持，河北省林铁和阎达开、辽宁省王铮、内蒙古自治区王铎、热河省李东冶参加。根据中央的精神，就交接时间、科级以上干部的分配等问题进行了细致的商讨，确定了交接方案。经过周密的准备，于12月初开始交接，内蒙古自治区派以王逸伦为首，由昭乌达盟和有关厅局负责人组成的接收工作组，前往承德，顺利完成了交接工作。1956年4月，昭乌达盟领导机关移驻赤峰，接管了新划归的 6 旗县。

至此，国民党所建绥、察、热 3 行省全部撤销，这是中国国民党与中国共产党的两种不同的民族政策的鲜明对比，建省是中国国民党的民族压迫政策的产物，撤省是中国共产党的民族平等原则、民族区域自治政策的体现，两者泾渭分明。

关于卓索图盟所属蒙旗，一部分划归内蒙古自治区昭乌达盟，一部分划归辽宁省，后建立了辽宁省喀喇沁左翼蒙古族自治县、阜新蒙古族自治县，实现了民族区域自治。从此，卓索图盟建制不复存在。

二、阿拉善旗、额济纳旗划归内蒙

阿拉善旗在伊克昭盟、乌兰察布盟以西，南邻宁夏、甘肃两省，北与外蒙古接壤，西连额济纳旗；额济纳旗东连阿拉善旗，南和西南与甘肃省相邻，北与外蒙古接壤。这两个旗在民国时期，最初直属民国政府，并受宁夏护军使节制；1928 年国民政府新设宁夏省后划归该省管辖；1934 年至 1936 年，一度隶属于百灵庙蒙古地方自治政务委员会管辖。

1949 年 9 月 23 日，宁夏省宣告解放。23 日和 27 日，阿拉善旗和额济纳旗当局先后通电起义，宣告和平解放；10 月 15 日，成立阿拉善旗人民政府，隶属于宁夏省人民政府；1950 年 3 月 31 日，改称阿拉善自治区人民政府；1951 年 10 月，改置宁夏省阿拉善自治区；1954 年 4 月成立宁夏省蒙古自治区人民政府；9 月宁夏省撤制，甘肃、宁夏合并时蒙古自治区与宁夏省一同划归甘肃省；1955 年 3 月，改称甘肃省蒙古自治州；11 月，又改称甘肃省巴彦浩特蒙古族自治州。额济纳旗和平解放后隶属于甘肃省，1949 年 11 月改称额济纳自治旗，1952 年划归宁夏省，1954 年 9 月宁夏省撤制时一同划归甘肃省。

1954 年 9 月，宁夏省撤制，甘、宁合并时，原阿拉善旗和额济纳旗的干部群众要求将自治州和自治旗划归内蒙古自治区领导。1955 年 11 月和 12 月间，先后分别召开自治州和自治旗人民代表大会，就划归内蒙古自治区问题进行充分讨论，一致同意将额济纳旗划归巴彦浩特蒙古族自治州，并同意将自治州划归内蒙古自治区。甘肃省人民委员会同意上述意见，并报告中央，中央批转内蒙古自治区征求意见。内蒙古自治区党委、政府当即召开专门会议，决定邀请巴彦浩特蒙古自治州州长达理扎雅和额济纳旗旗长塔旺扎布前来面商。1956 年 1 月初，达理扎雅和塔旺扎布先后抵呼和浩特，与自治区党政领导人就划归后的机构设置、人事安排、交接事项等进行了会商，达成了初步意见，并责成王逸伦牵头组成交接工作组前往甘肃省会商有关事宜。2 月初，王逸伦率工作组前往兰州，与甘肃省有关负责人进行研究，并广泛征求意见，反复协商，拟定了具体方案。遂由内蒙古党委和甘肃省委分别报告中央。4 月 3 日，国务院全体会议第 26 次会议，批准将巴彦浩特蒙古族自治州和额济纳自治旗划归内蒙古自治区。1956 年 6 月，正式划归以后，成立巴彦淖尔盟，盟府驻地在定远营所设之巴彦浩特，辖阿拉善旗、额济纳旗、磴口县和巴彦浩特市等 4 个行政单位。

三、内蒙古实现统一的民族区域自治的思考与启迪

内蒙古是以蒙古民族而得名，是中国蒙古族最大的聚居区域。在历史上，内蒙古地区的地域范围尽管有伸有缩，行政区划变化多端，但是作为蒙古族的最大聚居区始终存在。在清末、近代历史的演变进程中，逐渐形成了以蒙古族为主体，汉族人口占多数，还包括鄂伦春、鄂温克、达斡尔以及回、满、朝鲜、俄罗斯等少数民族的多民族地区。这种民族构成的进程，特别是历史上错误的民族政策，酿成了极其复杂的民族关系，导致各种不幸事件乃至历史悲剧的发生，直至蒙古族聚居的内蒙古历史地域被肢解，蒙古族及其他少数民族处于濒临民族危亡的境地。实现内蒙古统一的民族区域自治，首先要调整、理顺历史上不和谐的民族关系。这是一个艰巨、复杂而根本性的任务。

内蒙古地区的地域广袤，不仅占据中国整个北方，还跨东北和西北地区，与黑龙江、吉林、辽宁、河北、山西、陕西、宁夏、甘肃等省区相邻，东西绵延 5 000 余里，面积 100 多万平方公里。但是，民国时期，内蒙古的地域被分割到邻省，内蒙古统一的地域名称已不复存在。在这样的情况下，实行内蒙古统一的民族区域自治，其难度是可想而知的。除了复杂的民族关系要进行调整外，清末以来在内蒙古设置的府、厅、县制与内蒙古蒙古族的盟旗制并存，特别是热、察、绥 3 行省的设置，形成了蒙汉分治体制，这是产生民族矛盾、农牧矛盾的重要历史根源。内蒙古的部分蒙旗所在地区陆续

并入了相关行省，解决这一问题，既考虑内蒙古统一的民族区域自治，又需照顾现行行政区划的既成事实。因此，在内蒙古实行民族区域自治有不同于其他民族地区的特殊性，内蒙古从被分割到实现统一的民族区域自治，既要保证蒙古民族的自治权利，又要考虑历史演变中形成的特殊情况和顾全国家的大局。这就需要非常细致、周到的工作。

蒙古民族实现民族区域自治，要保证蒙古族及其他少数民族经济、文化的发展，消灭历史上形成的政治、经济、文化方面事实上的不平等，逐步跻身与汉族一样的先进民族的行列，达到各方面事实上的平等。这更是长期而艰巨的历史任务。

中国在漫长的历史进程中，逐步形成了统一的多民族国家，蒙古民族为此作出了卓越的贡献。巩固、维护统一的多民族国家，是中国各民族的共同责任和义务。内蒙古实行统一的民族区域自治，是在民族平等、自治的原则下，维护国家统一的重要保障，这是关系全局的国家大事。

中国共产党成立伊始即格外关注内蒙古及蒙古民族问题，经过 30 多年的调查、研究、探索、实践，终于找到了以民族区域自治方式解决内蒙古民族问题的途径。毛泽东主席在 1935 年 12 月就内蒙古行政区域的勾勒和 1949 年 3 月“恢复内蒙古历史地域”的决策，奠定了内蒙古实行统一的民族区域自治的基本框架。

但是，实现这个目标不是轻而易举的事情。有对历史上内蒙古民族问题的正确判断，有理论、政策上的探索与实践，也有认识上的提高与统一，还有对诸多相关问题的准确把握与正确解决。

历史证明，中国共产党成功地解决了内蒙古的蒙古民族实行民族区域自治的问题。内蒙古地区的主体部分实现了统一的民族区域自治，划归邻省的部分蒙旗也陆续建立了 5 个蒙古族自治县，享受民族区域自治的权利。这是乌兰夫倡导的“承认历史，照顾现实，解决问题，达到团结”原则的集中体现，是解决民族问题的范例。

在完成内蒙古民族区域自治的过程中，在各族各界中，在各级干部和各族群众中，中国共产党和人民政府剖析历史上的主张，阐明党的民族政策，经过耐心、细致、持久的思想政治工作，逐步调整民族之间的隔阂、矛盾、纠纷，讲述中国共产党民族平等、团结、友爱，理顺了民族关系，形成了民族平等、团结、友爱、互助的社会主义新型民族关系。民族区域自治作为民族自治与区域自治的完美结合，既使蒙古族成为民族自治地方的主体民族，又使自治区域内的汉族及其他少数民族也享有区域自治的权利，各民族共同当家作主，共同发展。这是贯彻中国共产党的民族政策的思想基础与群众基础。

在推行民族区域自治的同时，发展经济、文化特别是发展蒙古族及其他少数民族的经济、文化，是发展、巩固民族区域自治的物质基础与精神保证。内蒙古自治区成立以来，特别是中华人民共和国成立以后，内蒙古的社会经济、文化教育事业的长足发展，蒙古族及其他少数民族与汉族共同发展，使民族区域自治的优越性得到了充分的体现，历史上遗留下来的落后状况已有明显的改变。

1952 年 5 月 1 日，周恩来总理致电乌兰夫，祝贺内蒙古自治区成立五周年：值兹内蒙古自治区五周年纪念佳节，我向你和内蒙古自治区人民致衷心的祝贺，祝你们继续发扬过去五年中已经获得的成就，继续发扬高度爱国主义和国际主义的精神，并在实现毛主席的伟大民族政策的努力中，与日俱进，永远成为少数民族区域自治的良好榜样。

1957 年 4 月 30 日，李先念副总理在内蒙古自治区成立十周年庆祝大会上的讲话中赞扬内蒙古自治区“永远结束了长期以来内蒙古地区蒙古民族被分割的局面，彻底实现了中国共产党和毛泽东同志所主张的统一的内蒙古地区蒙古民族区域自治的方针，并为蒙古民族和自治区内各民族今后的发展创造了十分有利的条件。”“希望内蒙古自治区继续成为我国各民族自治地方建设与发展的良好榜样！”①

周总理和李先念副总理希望内蒙古自治区“永远”和“继续”成为民族区域自治的“良好榜样”，这是中央对内蒙古实现统一的民族区域自治，成功实行民族区域自治的高度评价，对内蒙古实行民族区域自治中经济社会发展成就和经验的充分肯定，确认内蒙古自治区是我国实行民族区域自治的良好榜样。

内蒙古实现统一的民族区域自治给人们的启迪是多方面的，一是唯有中

① 《民族政策文件汇编》第 2 编，人民出版社 1958 年版，第 114 页。

国共产党才能彻底解决中国错综复杂的民族问题；二是成功地解决民族问题是中国历史顺利发展的必要条件；三是证明榜样的力量是无穷的，内蒙古实行民族区域自治的榜样极大地促进了国内其他民族地区的事业；四是民族问题的解决，不是一朝之事、一得之功，而是持久之业，要持之以恒，稍有松懈、略有轻心，必致恶果。这就是历史经验的启迪。

第三节 鄂伦春、鄂温克、达斡尔等民族的自治

一、鄂伦春自治旗

鄂伦春族是我国人口最少的少数民族之一，主要分布在呼伦贝尔地区和黑龙江省。中华人民共和国成立后经过调查识别确认了其民族成分。内蒙古自治政府成立后，在呼伦贝尔的鄂伦春族中做了大量的民族工作。1950 年 12 月，中共呼伦贝尔盟地委在海拉尔召集布特哈旗、莫力达瓦旗、喜桂图旗、额尔古纳旗的 10 个鄂伦春部落代表开会，了解鄂伦春人的生活、生产情况，征求对党和政府工作的意见。他们一致要求成立鄂伦春民族旗。对于鄂伦春族代表的这一正当要求，呼盟地委同意并报中共内蒙古东部区党委。经过深入调查研究，征求各方面的意见，中共中央内蒙古分局和东部区党委、呼盟地委一致认为，居住在大兴安岭的诺敏河流域和多布库尔河、甘河流域 59 800 多平方公里区域内的鄂伦春族，虽然人口仅 800 多人，但他们是世代居住在这里的聚居少数民族，根据《共同纲领》的规定，他们有权建立民族自治政权。据此，拟定了建旗方案，即将分别隶属于莫力达瓦旗、布特哈旗、喜桂图旗、额尔古纳旗的多布库尔、甘奎、诺敏、托扎明 4 个鄂伦春族聚居点，分设 4 个苏木，统归鄂伦春旗管辖，旗政府设在当时属莫力达瓦旗的鄂伦春族聚居地小二沟。1951 年 1 月，中共东部区党委将此方案上报，经中共中央内蒙古分局和自治区人民政府同意，于 3 月 13 日上报中央人民政府政务院。4 月 7 日，政务院批准成立呼伦贝尔盟鄂伦春旗。

10 月 31 日，甘河、奎勒河、多布库尔河、诺敏河、讷门河、托扎明河等流域的 300 多鄂伦春族群众，长途跋涉会聚小二沟，以及旗境各民族群众，共同庆祝鄂伦春旗成立；黑龙江省瑷珲、呼玛河的鄂伦春族和三河等地

的鄂温克族，也派代表表示祝贺。中央人民政府内务部、内蒙古自治区人民政府、黑龙江省人民政府、呼伦贝尔盟及各旗政府，都送了锦旗。鄂伦春旗旗长白斯古楞在庆祝大会上首先庄严宣布：鄂伦春旗成立了！掌声雷动，欢呼声不断。他说，这是共产党、毛主席给了我们鄂伦春族当家做主的权利！这是鄂伦春人从来没有过的欢腾，唤醒了沉睡的小二沟平原，震荡着古老的大兴安岭。鄂伦春族干部群众为了表达对祖国、对共产党的热爱之心，此时公历10月31日也正是农历十月初一，他们要求把建旗纪念日改在公历10月1日，与中华人民共和国成立同日。1952年1月8日，中央人民政府政务院批准了这一要求，并将鄂伦春旗改为鄂伦春自治旗，在我国人口最少的少数民族中率先实行民族区域自治政策，充分体现了民族平等原则和贯彻民族区域自治政策的决心。①

鄂伦春自治旗虽然成立了，但它是从一个极其落后的起点出发，艰难地迈出了建设社会主义新生活的前进步伐。解放前，鄂伦春人过着居无定所、渔猎采集、共同劳动、平均分配的原始民族公社生活。鄂伦春自治旗成立的时候，小二沟只是诺敏努图克（区）所在地，几间小土房是旗党政机关办公场所，当时只有30余名工作人员，而且有一部分是从其他旗支援而来的。尽管如此，50年代鄂伦春族的社会发生巨大变革，经济、文化也有很快发展。

首先，鄂伦春人由游猎逐步走向定居，“原托河路的鄂伦春人属托扎敏努图克（区），下设三个高鲁（河流），即讷门高鲁、托高鲁、诺敏高鲁。1956年诺敏高鲁定居在龙头村，1957年讷门高鲁和托高鲁定居在木奎村。原阿里多普库尔路的鄂伦春人属甘奎努图克，下设三个高鲁，即奎勒高鲁、甘高鲁、多布库尔高鲁。奎勒高鲁1954年定居在乌鲁布铁，甘高鲁1955年定居在讷尔克奇，多布库尔高鲁1957年定居在朝阳。1947年由呼玛县迁至古里河域的鄂伦春人属甘奎努图克管辖，称古里高鲁，1958年定居在多布库尔河畔。小二沟南屯的鄂伦春人属于诺敏努图克，下设南屯村，解放前就基本上定居下来。”②

---

① 参见王铎：《五十春秋——我做民族工作的经历》，内蒙古人民出版社1992年版，第394—405页。
② 苏勇主编：《呼伦贝尔盟民族志》，内蒙古人民出版社1997年版，第303—304页。

其次，社会经济结构变革，由原始狩猎组织走向生产互助合作。从1951年开始，组织临时性、季节性和常年性互助合作，组内人员相对固定，推选1—2名组长领导生产，仍然实行“共同劳动，平均分配”，但是建立了劳动纪律和奖励制度，按季评选劳动模范，给以奖励。1956年在全国农业合作化高潮中，也成立了猎农业初级和高级生产合作社。1958年鄂伦春自治旗7个猎农业生产合作社的猎业收入143 000元，比1954年增长1.28倍；副业收入41 000元；猎民养马1 333匹，养牛333头，耕地4 000亩。

第三，文化、教育、卫生事业及人口发展迅速。鄂伦春族有古老的传统民族文化，神话、故事、童话、笑话、寓言、谚语、谜语、歌曲、舞蹈、绘画和剪桦树皮等民间文学艺术作品，内容极其丰富，反映出鄂伦春族的社会生活状况。鄂伦春人虽然没有民族文字，但在与满、汉、达斡尔、蒙古等民族相互交流中，学习满、汉文字，记事、呈文，留下了宝贵的氏族谱系和书信、便笺等。解放后，文艺工作者进行了搜集、整理和出版。1953年，建立了鄂伦春自治旗第一个广播收音站，每天用鄂伦春语和汉语播音3次，有新闻、专题和转播的中央人民广播电台节目；1955年建立了第一个文化馆，随后又在各苏木建立了文化站，而且举办文学、美术、舞蹈等辅导班，培训各类人才数千人次；当年还组建了第一个旗电影队，流动放映。

鄂伦春人真正接受学校教育始于民国时期，但人数较少，发展有限。解放后，纳文幕仁盟于1948年在扎兰屯纳文中学设立“鄂伦春青年班”，当年从猎区送来28名鄂伦春青年入学就读，第二年增加到80余人，全部免费就读。他们小学毕业后分别升入中学、师范，有的被送到中央民族学院深造。1950年秋，“鄂伦春青年班”迁到莫力达瓦旗布西镇，改建为第一所鄂伦春小学。1951年鄂伦春旗建立后，该校迁往小二沟，拨专款建新校舍30余间；1952年发展为完全制小学；同年又在甘奎建立初级小学一所。两校学生170余名，鄂伦春族学生占70%，有教师11名；1954年，随着鄂伦春人逐渐定居，各个定居点都办起了小学，鄂伦春族90%以上的适龄儿童入学就读。

历史上，鄂伦春族的医疗卫生和体育事业极为落后。解放后，派遣医务人员深入猎区巡回医疗和普查疾病，并广泛宣传医疗卫生知识，破除迷信，戒毒限酒，改革陋习，保障健康，效果良好。鄂伦春旗建立后，实行“面向猎民，以预防为主，加强巡回医疗”的卫生工作方针，1952 年在小二沟建立该旗第一座卫生所，次年即扩建为卫生院；1954 年，鄂伦春人定居点甘奎、龙头、木奎等村建立了卫生所；1956 年在布特哈旗鄂伦春族聚居区南木建立了卫生所，在各努图克（区）政府配备了卫生助理员，鄂伦春自治旗还建立了民族卫生队，开展妇幼保健和卫生防疫工作。

发展人口是鄂伦春族兴旺发达的重要标志。历史上，鄂伦春族是人口很少的一个少数民族，没有精确的统计数字，大体在 500 人左右。1953 年第一次全国人口普查时，我国鄂伦春族人口 2 262 人，内蒙古自治区呼伦贝尔盟 951 人，占鄂伦春族总人口的 42.04%，其中鄂伦春自治旗 797 人、布特哈旗 80 人、莫力达瓦旗 44 人、阿荣旗 16 人、索伦旗 9 人、喜桂图旗 4 人、海拉尔市 1 人。1964 年第二次全国人口普查时，我国鄂伦春族人口 2 709 人，比 1953 年增长 19.79%；内蒙古自治区呼伦贝尔盟 1 121 人，比 1953 年增长 17.88%，年均增长 1.63%，占鄂伦春族总人口的 41.38%。①

20 世纪 50 年代，是鄂伦春族历史上政治、经济、社会、文化发展的最好时期，由原始社会形态一跃而进入了社会主义社会，是鄂伦春族历史发展的新世纪。

二、鄂温克族自治旗

在历史上，鄂温克族被其他民族根据不同地区分别称为“索伦”、“通古斯”、“雅库特”人，但是他们始终以“鄂温克”为统一的民族族称。中华人民共和国成立后，经过调查研究，并遵从鄂温克人民的意愿，1958 年经中央批准，决定取消“索伦”、“通古斯”、“雅库特”称谓，统一称鄂温克族。主要分布在内蒙古自治区呼伦贝尔盟和黑龙江省，呼伦贝尔盟索伦旗是鄂温克族主要聚居区。

1947 年 10 月，中共呼纳盟地委在索伦旗逐步开展工作，举办建政训练班，培养鄂温克族青年积极分子，组织建政工作小组，建立了辉苏木革命政

① 参见苏勇主编：《呼伦贝尔盟民族志》，内蒙古人民出版社 1997 年版，第 296、297，303、304、310、311、330、337、338、341 页；国家统计局人口和社会科技统计司、国家民族事务委员会经济发展司编：《2000 年人口普查中国民族人口资料》上册，民族出版社 2003 年版，第 2 页。

权。1950年至1953年期间，陆续召开全旗各苏木人民代表会议，普遍建立了苏木政府。1954年召开索伦旗第一届第一次人民代表大会，选举产生了索伦旗人民政府。为了进一步贯彻民族区域自治政策，内蒙古自治区人民委员会于1958年4月11日向中央人民政府国务院提出《撤销内蒙古自治区索伦旗，成立鄂温克族自治旗》的报告；5月29日国务院第77次全体会议决定撤销索伦旗，在鄂温克族聚居的索伦旗行政区域内成立鄂温克族自治旗；7月26日内蒙古自治区人民委员会决定在8月1日成立鄂温克族自治旗。是日，在旗所在地巴彦托海举行隆重的鄂温克族自治旗成立大会，图盟巴雅尔（鄂温克族）任旗长，鄂温克族从此实现了民族区域自治。全旗总面积19 100余平方公里，设辉、伊敏、巴彦嵯岗、巴彦塔拉、孟根楚鲁、锡尼河东、锡尼河西等7个苏木和巴彦托海、大雁两个镇。当时，鄂温克族自治旗全旗总人口为10 535人，其中鄂温克族2 558人，达斡尔族2 345人，蒙古族3 816人，汉族1 764人，其他少数民族58人。同时在鄂温克族聚居的呼伦贝尔盟其他旗成立了8个鄂温克族民族乡，鄂温克族享受民族平等、当家作主的权利。

鄂温克族经过民主改革和社会主义改造，社会经济发生了重大变化。鄂温克族因受自然条件和与其他民族交往的影响，在不同地区形成不同的经济类型。嫩江及其支流流域的莫力达瓦旗、阿荣旗、扎兰屯市和黑龙江省讷河市的鄂温克族从事猎农各业兼营的经济；呼伦贝尔鄂温克旗、陈巴尔虎旗的鄂温克族主要从事畜牧业经济；大兴安岭西北额尔古纳左旗敖鲁古雅鄂温克族主要从事猎业经济。1948年9月，按照内蒙古自治政府废除封建特权、牧场公有、放牧自由、不斗不分、不划阶级、牧工牧主两利的牧区民主改革政策，进行民主改革，解放社会生产力；同时按照“人畜两旺”的方针，发展鄂温克族人口，发展畜牧业。从1950年到1957年，国家给鄂温克族自治旗（包括索伦旗）发放贷款48.6317万元，同时向贫困牧民贷给牲畜，仅辉苏木1953年给25%的贫困牧户贷牛339头、羊2 728只。1956年到1958年，政府向该旗发放生产补助金10.38万元。

历来有互助合作习惯的鄂温克族，在民主改革之后便在生产上自动实行劳动互助，特别是畜牧业繁忙季节，各户轮流出工，互助换工，组织季节性临时互助组，或常年互助组，进行防灾、救灾、接羔、打草、打狼等互助生产。1950 年到 1955 年，全旗首先组织起 19 个季节性互助组和 27 个常年互助组，发挥了带动作用，互助组普遍发展起来。1956 年，在全国农业合作化高潮中，在内蒙古党委提出的“依靠劳动牧民，团结一切可能团结的力量，在稳定发展生产的基础上逐步实现对畜牧业经济的社会主义改造”方针下，全旗组织了 24 个畜牧业生产合作社，入社牧户达 982 户，占全旗总户数的 61% 以上。对牧主经济采取和平改造的方针，在自愿的原则下，牧主可以参加公私合营牧场，可以加入牧业合作社，也可以加入国营牧场。当时，即办起那木斯乐、登布日勒等 4 户牧主参加的公私合营牧场，由公方派出场长，那木斯乐任私方副场长。合作化对畜牧业生产起了促进作用，如原索伦旗锡尼河苏木孟根础鲁巴嘎阿拉坦图雅社，1956 年夏有大小牲畜 1 950 头（只），到 1957 年底即发展到 2 139 头（只），增长 9. 69% 。[①]

鄂温克族人口发展迅速，1953 年第一次全国人口普查时，内蒙古自治区呼伦贝尔盟鄂温克族人口为 5 642 人，主要分布在鄂温克族聚居的索伦旗 2 311 人，莫力达瓦旗 1 369 人，陈巴尔虎旗 758 人。[②] 1964 年第二次全国人口普查时，全国鄂温克族人口发展到 9 681 人；内蒙古自治区呼伦贝尔盟鄂温克族人口发展到 9 038 人，比 1953 年增长 60. 19% ，占全国鄂温克族人口的 93. 95% ,[③] 主要分布在上述索伦、莫力达瓦、陈巴尔虎 3 旗，人数分别为 3 588 人、1 945 人、1 218 人。[④]

20 世纪 50 年代，鄂温克族在政治上获得民族平等、自治权利，社会变革解放了生产力，经济、文化、教育得到迅速发展，人口增长快，出现了民族兴旺的局面。

三、达斡尔族自治旗

中国的达斡尔族分布在内蒙古和黑龙江省，新疆也有千余达斡尔族人。据 1953 年第一次全国人口普查，全国达斡尔族人口为 48 000 人；内蒙古自

① 编写组：《鄂温克族自治旗概况》，内蒙古人民出版社 1987 年版，第 55、73、74 页。

② 苏勇主编：《呼伦贝尔盟民族志》，内蒙古人民出版社 1997 年版，第 224 页。

③ 国家统计局人口和社会科技统计司、国家民族事务委员会经济发展司编：《2000 年人口普查中国民族人口资料》上册，第 2 页；内蒙古自治区统计局编：《辉煌的内蒙古》，第 257 页。

④ 苏勇主编：《呼伦贝尔盟民族志》，内蒙古人民出版社 1997 年版，第 224 页。

治区呼伦贝尔的达斡尔族19 044人，占全国达斡尔族的39.68%；呼伦贝尔盟的达斡尔族主要聚居区域在莫力达瓦旗，占全盟达斡尔族人口的40%以上。

达斡尔族族称虽有不同的说法，但是达斡尔人始终自称“达斡尔”。20世纪50年代初，内蒙古自治区人民政府组织专门工作组，对达斡尔的族源、族称、历史进行了调查研究，1956年4月，国家正式确认了达斡尔族的族称。

达斡尔族历史悠久，而且是具有光荣革命传统的民族。近代有杰出的民族民主革命家郭道甫，抗日战争时期有反抗日本侵略者而献身的凌昇。抗战胜利后，1945年11月，在呼伦贝尔达斡尔聚居区的阿木尔扎布等人，成立了阿拉尔骑兵大队，保卫家乡，维护社会秩序，并与嫩江省第二专员公署、东北民主联军嫩江省第二军分区取得联系，共同打击国民党光复军。12月，与嫩江省第二军分区部队联合，解放了尼尔基镇。1946年1月，阿木尔骑兵大队扩建为受嫩江省军区领导的东蒙古自治军骑兵第8旅；5月改为东蒙古人民自治军骑兵第5师第43团；6月，嫩江省讷河军政干部学校的一批达斡尔学员前往第43团，担任政治领导工作。这支达斡尔族革命武装在中国共产党的领导下发展壮大。

1946年2月，召开各族各界代表组成的参议会，宣告成立了临时布西旗政府，孟希舜任旗长（达斡尔族），陈力新任副旗长，潘孟岑任参议长；4月，内蒙古自治运动统一会议——“四三”会议以后，划归内蒙古自治运动联合会东蒙总分会领导，改名为莫力达瓦旗；10月成立内蒙古自治运动联合会莫力达瓦旗支会；1947年2月，成立了中共莫力达瓦旗工作委员会，陈力新任书记；8月召开旗人民代表会议，成立更具代表性的莫力达瓦旗政府，材尼额尔任旗长，李景云为副旗长，孟希舜为参议长。之后，进行了减租减息和土地改革运动等社会民主改革。

1953年，经过普选，召开首届旗人民代表大会，选举成立了旗人民政府委员会，阿琪拉图任旗长，孟林元任副旗长。1957年9月，莫力达瓦旗向呼伦贝尔盟提出以该旗为基础，建立莫力达瓦达斡尔族自治旗的方案；10月呼伦贝尔盟将此方案呈报内蒙古自治区人民政府，内蒙古党委和自治区人民政府遂呈报中央人民政府国务院。1958年5月，召开莫力达瓦旗第三届人民代表大会第一次会议，通过了《关于拥护中国共产党内蒙古自治区委员会建立达斡尔族自治旗决定的决议》。5 月 27 日，国务院第 77 次会议批准撤销莫力达瓦旗建制，在其行政区域建立莫力达瓦达斡尔族自治旗。8 月，召开莫力达瓦达斡尔族自治旗第一届人民代表大会，共有 139 名各民族代表出席，其中达斡尔族代表 59 名，占代表总数的 42. 45%；汉族代表 66 名，占代表总数的 47. 48%；其他少数民族代表 14 名，占代表总数的 10. 07%。会议选举产生了莫力达瓦达斡尔族自治旗人民委员会，巴图巴雅尔（达斡尔族）任旗长，崔希贤（汉族）、涂荣（鄂温克族）任副旗长。8 月 15 日，莫力达瓦达斡尔族自治旗宣告成立，中共内蒙古自治区委员会、内蒙古自治区人民委员会、中共呼伦贝尔盟委员会、呼伦贝尔盟公署联合代表团，呼伦贝尔盟旗县市的 13 个代表团、黑龙江省友邻县的 5 个代表团，前来祝贺。

莫力达瓦达斡尔族自治旗东与嫩江和黑龙江的嫩江县、讷河县相望，西南与黑龙江省的甘南县为邻，北和西北与鄂伦春自治旗、阿荣旗毗连，全旗总面积 1. 2351 万平方公里。旗境内有达斡尔、鄂温克、鄂伦春、蒙、汉、满、回、朝鲜等十多个民族在这里生活；建立自治旗时，全旗人口 6. 44 万人，其中达斡尔族人口为 1. 5 万人，占全旗总人口的 23%。①

为了进一步发挥各少数民族人民建设社会主义的积极性，加强民族的团结，使相当于乡的少数民族聚居地方，也能充分享受宪法规定的自治权，内蒙古自治区人民委员会于 1956 年 6 月 30 日发出《关于执行〈国务院关于建立民族乡若干问题的指示〉》，规定凡是相当于乡的少数民族聚居地方，应该建立民族乡。当年 12 月，即在呼伦贝尔盟结合划乡工作，建立了布特哈旗达斡尔民族乡、鄂伦春民族乡、额尔古纳旗护林回族民族乡、莫力达瓦旗巴彦索伦民族乡、杜拉尔索伦民族乡、阿荣旗音沙索伦民族乡、得力其尔索伦民族乡、新发朝鲜民族乡、科右前旗三合朝鲜民族乡、古城朝鲜民族乡等 10 个民族乡。此后，按照各少数民族相对聚居的情况，又建立了查巴奇鄂温克等 5 个民族乡。至此，全区共建立了 15 个民族乡。

① 综合参见《莫力达瓦达斡尔族自治旗概况》，内蒙古人民出版社 1986 年版；参见苏勇主编：《呼伦贝尔盟民族志》，内蒙古人民出版社 1997 年版。

四、民族乡

1952年8月8日，中央人民政府委员会批准实行的《中华人民共和国民族区域自治实施纲要》规定："各民族自治区的行政地位，即相当于乡(村)、区、县、专区或专区以上的行政地位，依其人口多少及区域大小等条件区分之。"① 这就是说，乡（苏木）和区都是一级民族自治地方行政单位。1954年《中华人民共和国宪法》规定，民族自治地方划分为自治区、自治州、自治县三级，县以下建立民族乡。1955年12月29日，根据宪法的规定，国务院分别发出《关于更改相当于区的民族自治区的指示》和《关于建立民族乡若干问题的指示》，有条件建立自治州、自治县且已建立民族自治区的，改建为自治州、自治县；不能建立自治州或自治县的，结束相当于区的民族自治区的自治机关，区内少数民族聚居乡改建为民族乡；凡是相当于乡的民族自治区，应该改建为民族乡。

内蒙古自治区人民委员会曾于1956年6月30日发出《关于执行〈国务院关于建立民族乡若干问题的指示〉》，规定凡是相当于乡的少数民族聚居地方，应该建立民族乡。因此，内蒙古自治区在区内蒙古族以外的其他少数民族聚居地方建立了相当于乡（苏木）一级的民族乡（苏木）。民族乡（苏木）是一种区别于民族区域自治地方的解决民族问题特殊的基层政权形式。民族乡（苏木）不同于一般的乡、镇，它的人民代表大会可以依照法律规定，结合本地区具体情况，采取适合民族特点的具体措施，因地制宜地发展经济、文化、教育和卫生等事业。乡（苏木）长应由少数民族干部担任，其管理委员会应以少数民族人员为主组成。从1953年到1965年，自治区先后建立了9个民族乡，人民公社化时前8个改为人民公社，1965年又新建了1个民族乡。

这些民族乡分别是：1953年，在呼伦贝尔盟扎兰屯市境内鄂伦春族聚居的地方建立的南木鄂伦春族乡；1954年，在呼伦贝尔盟陈巴尔虎旗境内鄂温克族聚居的地方建立的鄂温克族苏木；1956年6月15日，在呼伦贝尔盟阿荣旗辖区朝鲜族聚居的地方建立的新发朝鲜民族乡；1956年9月，在

① 《民族政策文件汇编》第1编，人民出版社1958年版，第68页。

呼伦贝尔盟阿荣旗境内鄂温克族聚居的地方建立的查巴奇鄂温克民族乡；1956年9月，在呼伦贝尔盟扎兰屯市辖境内建立的达斡尔族乡；1956年12月，在呼伦贝尔盟莫力达瓦达斡尔族自治旗境内鄂温克族聚居的地方建立的杜拉尔鄂温克族乡；1956年12月，在呼伦贝尔盟阿荣旗境内鄂温克族聚居的地方建立的德力其尔鄂温克族乡；1958年10月，在呼伦贝尔盟莫力达瓦达斡尔族自治旗境内鄂温克族聚居的地方建立的巴彦鄂温克族乡；1965年9月，在呼伦贝尔盟额尔古纳左旗境内鄂温克族聚居的地方建立的敖鲁古雅鄂温克族乡等9个民族乡。

第四节　党委、政府和人大、政协领导机构的统一

一、中国共产党内蒙古自治区委员会

1954年3月6日，中央人民政府政务院批准撤销绥远省建制。蒙绥合并后，中共中央于3月15日批准将中共中央蒙绥分局改称中共中央内蒙古分局，乌兰夫任分局书记，苏谦益、杨植霖、奎璧、王铎任副书记，乌兰夫、苏谦益、杨植霖、奎璧、王铎、王文达、王再天、王逸伦、潘纪文、高增培为常委。1955年7月，中共中央决定撤销中共中央内蒙古分局，成立中国共产党内蒙古自治区委员会（亦称中共内蒙古自治区委员会，简称内蒙古党委），乌兰夫任书记，苏谦益、杨植霖、奎璧、王铎任副书记，乌兰夫、苏谦益、杨植霖、奎璧、王铎、王文达、王再天、王逸伦、潘纪文、高增培、吉雅泰、权星垣为常委。

中共内蒙古自治区委员会对下属盟、市、行政区党的领导机构进行了调整，撤销中共内蒙古东部区党委，下属中共昭乌达盟委、哲里木盟委、呼伦贝尔盟委、锡林郭勒盟委、察哈尔盟委、乌兰察布盟委、伊克昭盟委、呼和浩特市委、包头市委、平地泉行政区地委、河套行政区地委、绥东四旗中心旗委、土默特旗旗委。1956年6月，巴音浩特蒙古自治州改称巴彦淖尔盟后成立中共巴彦淖尔盟委，归属中共内蒙古自治区委员会。从而正式形成中国共产党内蒙古自治区统一的领导机构。

1955年9月2日至14日，中国共产党内蒙古自治区代表会议在呼和浩

特举行，有180名代表出席，自治区有关方面负责人列席会议。乌兰夫作了《加强党对经济建设工作的领导，为胜利完成和超额完成国家和自治区第一个五年计划而奋斗》的报告，通过了代表会议拥护中央关于高岗、饶漱石反党联盟的决议、关于发展农牧业生产互助合作的决议、关于自治区发展国民经济第一个五年计划草案的决议，选举产生了中共内蒙古自治区监察委员会，奎璧任书记，黄巨俊、沈新发、杨经纬任副书记。

1956年7月5日至17日，中国共产党内蒙古自治区第一次代表大会第一次会议在呼和浩特举行，出席代表392名，代表自治区151 756名党员。本届大会代表429名，其中正式代表399名，候补代表30名。正式代表中少数民族党员代表152名，占正式代表的38.1%；妇女代表34名，占正式代表的8%。正式代表分布：区以上各级党、政、军、经济、文教、卫生、科学、群众团体等部门和方面的领导干部345名，占代表总数的81.75%；工矿企业、农村牧区和农业生产合作社基层组织的代表29名，占代表总数的6.87%；工农业劳动模范及其他先进工作者25名，占代表总数的5.92%。这次代表大会代表的组成，除了民族特点外，还带有鲜明的时代特征，各级领导者占了代表的绝大多数，民主革命各个时期的共产党员有337名，[①] 他们是内蒙古自治区社会主义建设的先锋。

在内蒙古实现统一的民族区域自治，贯彻党的民族区域自治政策取得伟大胜利的时刻，在自治区社会主义改造和发展国民经济第一个五年计划取得巨大成就的形势下，召开中国共产党内蒙古自治区第一次代表大会，是内蒙古历史上的民族问题基本解决的标志，是内蒙古大力发展社会、经济、文化的新阶段的开端。乌兰夫代表中共内蒙古自治区委员会向大会作了工作报告，总结了以往党的工作，提出了新的发展方针、任务：必须完成对农业、手工业、资本主义工商业的社会主义改造，积极稳步地对牧业进行社会主义改造；必须大力进行社会主义经济建设，加强基本建设的领导，农牧业生产贯彻勤俭办社的方针，改善农业生产合作社的经营管理和生产技术，开展多种经营，做好分配工作；切实做好交通运输工作，以适应城乡物资交流和基本建设、农牧业生产需求；商业工作要大力支持农牧业生产，做好生产资料

① 《中国共产党内蒙古自治区组织史资料》，内蒙古人民出版社1995年版，第121页。

和生活用品的供应，加强农、牧、土、特产收购；加强财政金融工作，保证财政收入，加强城乡储蓄；迅速制定发展文化、教育、卫生和科学研究的全面规划，积极实施，逐步满足生产建设和各族人民日益增长的需要；必须经常对各族干部和群众进行民族政策教育，不断克服和防止民族主义特别是大汉族主义思想，及时纠正违反民族政策的现象；继续肃反镇反，加强保卫工作，打击各种反革命破坏活动。

会议选举产生了中共内蒙古自治区第一届委员会，委员35名，候补委员13名；委员和候补委员中蒙古族17名，占35.41%，回族1名，满族1名。会议还选举产生了中国共产党第八次代表大会代表21名，候补代表2名，其中蒙古族11名，占代表总数的47.82%。①

7月20日，举行中共内蒙古自治区第一届委员会第一次全体会议，选举乌兰夫、苏谦益、杨植霖、奎璧、王铎、王文达、王再天、王逸伦、权星垣、吉雅泰、高增培、特木尔巴根、胡昭衡、刘景平、黄巨俊15人为常务委员；乌兰夫任书记处第一书记，苏谦益、杨植霖、奎璧、王铎任书记处书记。②

中共内蒙古自治区委员会首次通过党的代表大会选举产生，是内蒙古自治区党的领导机构统一和完善的标志。中共内蒙古自治区第一届委员会从第一次全委会议到1957年10月，又接连召开了3次全委会议，除了总结每次全委会议之前的工作和部署当前工作外，1956年11月第二次全委会议传达了中共八大精神，讨论整顿党的领导作风和加强社会主义建设的领导。1957年5月第三次全委会议传达学习毛泽东《关于正确处理人民内部矛盾的问题》《在全国宣传工作会议上的讲话》《在会见各民主党派负责人和无党派人士时的谈话》以及《中共中央关于整风运动的指示》《中共中央关于各级领导人员参加体力劳动的指示》,这是一次动员整风的会议。经过学习讨论，最后通过了《内蒙古党委执行中央关于整风运动的指示的计划》,内蒙古的整风运动就此开始。10月第四次全委会议传达、学习了中共八届三中（扩大）全会精神和中央领导人的讲话，着重讨论了整风运动、反右派斗争、

① 《内蒙古自治区志·共产党志》,内蒙古人民出版社1995年版，第645页。

② 《内蒙古自治区志·共产党志》,内蒙古人民出版社1995年版，第649页。

社会主义教育问题，研究了1958年农牧业生产、牧业社会主义改造等政策性问题，同时议论了自治区第二个五年计划的轮廓。

从中共内蒙古自治区第一次代表大会第一次会议及第一届委员会的前四次全委会议的议程可以看出，在内蒙古实现统一的民族区域自治以后，对于正在进行的社会主义改造和发展国民经济第一个五年计划，做了全面部署；对于1957年开始的整风运动和突然出现的反右派斗争包括反对地方民族主义的斗争，一度摆在了中心位置；对于经济建设、社会发展、国计民生、民族问题等做了统筹安排。

对于当时的形势与任务估计，正如1956年9月中共八大指出："社会主义制度在我国已经基本上建立起来；我们还必须为解放台湾、为彻底完成社会主义改造、最后消灭剥削制度和继续肃清反革命残余势力而斗争，但是国内主要矛盾已经不再是工人阶级和资产阶级的矛盾，而是人民对于经济文化迅速发展的需要同当前经济文化不能满足人民需要的状况之间的矛盾；全国人民的主要任务是集中力量发展社会生产力，实现国家工业化，逐步满足人民日益增长的物质和文化需要；虽然还有阶级斗争，还要加强人民民主专政，但其根本任务已经是在新的生产关系下面保护和发展生产力"。①但是，突如其来的反右派斗争又绷紧了阶级斗争的弦。在错综复杂的形势下，基本完成了社会主义改造，结束了发展国民经济第一个五年计划的建设任务。

二、内蒙古自治区的第一次普选

在中华人民共和国成立前后，毛泽东一再强调召开各界人民代表会议，"将一切施政中的重大问题逐一提出，自己有了准备的想过了的有了办法的问题向会议作报告，并交付讨论，征求他们的意见。"②"必须认真地开好足以团结各界人民共同进行工作的各界人民代表会议。人民政府的一切重要工

① 中国共产党中央委员会：《关于建国以来党的若干历史问题的决议》，《三中全会以来重要文献选编》（下），人民出版社1982年版，第738页。

② 毛泽东：《必须维持上海，统筹全局》（1949年9月2日），《毛泽东文集》第5卷，人民出版社1996年版，第336页。

作都应交人民代表会议讨论，并作出决定。”① 内蒙古实行人民代表会议制度始于1947年4月23日，由此产生了内蒙古自治政府，接着通过各级人民代表会议建立了旗县、区乡（苏木）人民政府，实行各项民主施政；绥远省则从1950年开始由各级各界人民代表会议实施各项方针政策，通过人民代表会议行使人民代表大会职能。

《中国人民政治协商会议共同纲领》规定：“中华人民共和国的国家政权属于人民，人民行使国家政权的机关为各级人民代表大会和各级人民政府。各级人民代表大会由人民用普选方法产生之。各级人民代表大会选举各级人民政府。”② 经过土地改革、镇压反革命、抗美援朝、“三反”、“五反”和恢复国民经济之后，具备了进行普选，实行人民代表大会制度的基本条件。毛泽东提出：“为了发扬民主，对政权组织，特别是县、乡两级，来一次全国普选，很有必要。”③ 从1953年起，按照《共同纲领》的规定，在全国范围内进行普选，全面实行人民代表大会制度，发扬民主，更广泛地发动人民群众参加国家政权管理，充分调动人民群众对国家建设的积极性，贯彻过渡时期总路线，实施发展国民经济第一个五年计划。

在蒙绥合并进程顺利发展的形势下，无论是当时内蒙古自治区人民政府辖区，还是绥远省人民政府辖区，恢复国民经济成效显著，社会改革进展顺利，蒙汉各族人民的积极性空前高涨，进行普选的条件基本成熟。按照中央的统一部署，中共中央蒙绥分局和内蒙古自治区人民政府、绥远省人民政府决定，根据《中华人民共和国全国人民代表大会及地方各级人民代表大会选举法》，结合蒙绥地区的实际，特别是民族特点，全面进行选举工作，并分别成立了内蒙古自治区选举委员会、绥远省选举委员会，具体领导组织选举工作。

1953年，内蒙古自治区和绥远省的人口总计758.4万，其中城镇人口101.9万，占总人口的13.43%，乡村（包括牧区、林区）人口656.5万，占总人口的86.56%。蒙古族人口98.5万，占总人口的12.98%；汉族人口

① 毛泽东：《为争取国家财政经济状况的基本好转而斗争》（1950年6月6日），《毛泽东文集》第6卷，人民出版社1996年版，第71页。

② 《民族政策文件汇编》第1编，人民出版社1958年版，第1页。

③ 毛泽东：《关于召开全国人民代表大会的几点说明》（1953年1月13日），《毛泽东文集》第6卷，人民出版社1996年版，第258—259页。

649.3 万，占总人口的 85.61%；回族 5.2 万人，满族 2.1 万人，朝鲜族 6 841 人，达斡尔族 19 480 人，鄂温克族 5 667 人，鄂伦春族 953 人，这些少数民族占总人口的 1.39%。①

《中华人民共和国全国人民代表大会及地方各级人民代表大会选举法》关于各少数民族的选举规定："地方各级人民代表大会，凡境内有少数民族聚居者，每一聚居的少数民族均应有代表出席。""凡聚居境内的同一少数民族的总人口数占境内总人口数百分之十以上者，依本法第二章代表名额之规定，其每一代表所代表的人数，应相当于当地人民代表大会每一代表所代表的人口数。""凡聚居境内的同一少数民族的总人口不及境内总人口数百分之十者，其每一代表所代表的人口数，得酌量少于当地人民代表大会每一代表所代表的人口数，最少以不少于二分之一为原则。但人口特少者，亦应有代表一人。""各民族自治区的各级人民代表大会，其相当于乡、镇、市辖区和不设区的市人民代表大会代表，由选民直接选举；其他各级人民代表大会代表，均由其下一级人民代表大会选举之。"②

1953 年 6 月初，内蒙古自治区召开选举工作会议，全面部署了选举工作。内蒙古自治区决定从 7 月初开始，大体上用半年左右的时间完成自治区范围内所有的基层选举工作，在农业区、牧业区、市、城区、镇、工矿区区别不同情况分批进行。在行署和盟分别成立选举工作指导处，作为自治区选举委员会的派出机关；结合选举工作建立境内其他少数民族自治地方；对代表名额的分配，无户籍外来户的选举权，改变地主、旧富农成分，选民资格与行使选举权利，牧业旗政权分级以及人民法庭等相关问题做了具体规定。③ 根据农业区、牧业区、城镇、工矿区的具体情况，对选举时间作了不同的安排，年底基本完成，最迟在翌年 1 月底全部结束。

绥远省制定了《关于执行中央选举法的几项补充规定》：1. 关于地方各级人民代表大会代表名额：乡、嘎查按人口数量确定代表名额数，牧区多于

① 参见内蒙古自治区统计局编：《辉煌的内蒙古》人口数据统计，中国统计出版社 1999 年版。

② 《民族政策文件汇编》第 2 编，人民出版社 1958 年版，第 9—10 页。

③ 王再天：《内蒙古自治区选举工作会议总结提纲》（1953 年 6 月 19 日），《内蒙古政报》1953 年第 8 期。

半农半牧区，半农半牧区多于农区；区级镇、乡级镇，县、旗，矿区，专辖镇，盟，市，省各级人民代表名额均依其所辖人口数确定名额。2. 牧区、半农半牧区，一般不进行普选，只宣传民主政策，进行人口调查，召开人民代表会议，进行民主政权建设，选举出席上一级人民代表大会的代表，个别条件成熟者可按选举法规定以嘎查为基层选举单位。3. 旗、县并存地区的基层选举，原属旗政府管辖者，其人口调查、选民登记由旗办理，参加旗辖的基层选举，属县者由县办理；归绥、包头两市蒙民作为土默特旗基层政权单位进行普选；原属县辖的个别蒙古人仍参加县的选举，原属旗辖的个别汉人仍参加旗的选举；“随旗蒙民”（汉人入蒙籍而为蒙人者）如过去未登记为蒙民，原则上仍应登记为汉人，如其坚持为蒙人者，可依其自愿；旗县并存地区内的代表候选人，属于旗管辖者，在旗属基层单位应选，属县者，在县属基层单位应选。① 6 月初，绥远省也召开选举工作会议，部署了全省选举工作。会议对于上述“补充规定”中代表名额和蒙古族代表比例作了调整，伊克昭和乌兰察布“两个盟的人民代表大会蒙族代表名额可占全代表的百分之三十三至四十五。各旗人民代表大会或代表会议的蒙族代表比例，至少也在百分之二十以上，个别的旗到了百分之五十八”；对于地主家庭成员，来历不明者，蒙古族小、中、大地主，布里雅特人，半地主式富农等的选举资格问题作了明确规定；因牧区和半农半牧区不具备选举条件，各种社会改革还没有充分进行或未进行，群众尚未充分发动与组织起来，故决定一般不进行普选，只作人口调查登记，召开人民代表会议，基层人民代表会议代表采取协商、推选的办法产生，在基层人民代表会议上推选上一级代表大会或代表会议的代表，代表名额参照普选地区的规定办理。②

内蒙古自治区和绥远省的基层选举工作，从 1953 年 7 月开始至 1954 年 3 月结束。时值蒙绥合并时期，基层选举结束的时候绥远省已经划归内蒙古自治区。全区先后动员 21 405 名干部组织基层选举工作，在全区 4 295 个基层单位中有 3 956 个完成了选举，占 92.10%；完成选举地区的人口为

---

① 《绥远省人民政府关于执行中央选举法的几项补充规定》,《绥远行政周报》1953 年第 150 期。

② 奎璧：《在绥远省选举工作会议上的总结报告》（1953 年 6 月 17 日），《绥远行政周报》1953 年第 150 期。

5 845 920 人，占总人口的96%，参加选举的选民占选民总数的83.5%；不进行普选，只进行人口调查，召开人民代表会议的基层单位339个，其人口为254 184 人。①

基层选举坚持“一个队伍，两套任务，普选工作队也是生产工作队”，“从生产入手，随时解决生产问题”的原则；贯彻依靠基层组织和不断培养积极分子，男女一齐发动的方针。农业区以整顿互助合作组织，推动夏锄、秋收、春耕；牧业区以调剂牧场、组织群众走“敖特尔”（游动放牧），推动牲口过冬过春；城镇、工矿区以配合厂矿生产，开展劳动竞赛或整顿劳动纪律等。这是开展选举的前提。

在基层选举中认真贯彻民族政策，体现民族区域自治与多民族参加普选的特点。选举委员会由蒙汉各族代表组成，配备少数民族干部，培养少数民族积极分子骨干，尊重少数民族的风俗习惯，应用少数民族的语言文字工作，对少数民族进行当家做主的教育，解决其生产、生活中的实际问题。通过基层选举，进一步启发了少数民族的政治积极性，自觉参加选举，增强了各民族的团结。据23个旗、县1 175 个单位的统计，在所选20 983 名代表中，除蒙、汉族占有一定的比例外，其他少数民族也占适当的比例，回族和满族代表均占0.3%（其人口占总人口的0.2%），朝鲜族代表占0.05%（其人口占总人口的0.03%），鄂伦春、索伦、藏族等代表占0.05%（其人口占总人口的0.03%）。在内蒙古西部地区，结合基层选举解决了“旗县并存，蒙汉分治”的历史遗留问题，在1 017 个基层单位中和180多万人口的地区，实现了统一领导，增强了民族团结。②

在基层选举中审查选民资格，是确定政治权利和划清敌我界限的一项重要工作。在农业区，东部地区主要是改变地主、旧富农成分，西部地区是确定地主家庭成员的选举权；在牧业区，根据“不斗不分，不划阶级”的既定政策，主要审查反革命分子和潜入的地主、旧富农分子。据19个旗、县

① 内蒙古自治区选举委员会：《关于内蒙古自治区基层选举工作总结报告》（1954年9月10日），《内蒙古政报》1954年第10期。

② 内蒙古自治区选举委员会：《关于内蒙古自治区基层选举工作总结报告》（1954年9月10日），《内蒙古政报》1954年第10期。

的 837 个单位的统计，地主 10 665 人中改变成分的占 78%，旧富农 11 583 人中改变成分的占 89%。但是，在部分地区分不清地主分子与地主家庭出身者、历史问题与现实反动行为、反动行为与生活作风、精神病患者与生理缺陷的界限，牧业区还发生"硬找专政对象"的现象，从而发生了"错给、错夺"选举权的偏向。①

在基层选举中发扬民主，选好代表，是做好选举工作的主要标志。深入检查政府工作和干部作风，以教育干部，改善干群关系，提高工作质量。对于立场坚定，工作积极，能够自我批评，改正错误的干部，支持其继续当选；对于严重违法乱纪和蜕化变质分子，经教育不改者，则依法处理；对于混入政权中的地主或反革命分子，坚决清除。在此基础上，以联合提名代表候选人的方式，有步骤地进行选举。先由选民自由酝酿，而后由选举委员会邀请共产党、青年团、妇联等单位负责人和少数民族代表人物，提出初步名单，交选民讨论，最后根据选民意见正式确定并公布。选举结果表明，基层选举进一步增强了工人阶级在基层政权中的领导地位，更加巩固了工农联盟。据 19 个旗、县 1 040 个单位的统计，在选出的 14 319 名代表中，共产党员占 42%，青年团员占 12%；又据 16 个旗、县的 775 个单位的统计，在选出的 13 316 名代表中，贫农占 65%，中农占 32%，手工业者和自由职业者占 3%。在牧业区，据锡林郭勒盟 26 个苏木的统计，在选出的 680 名代表中，干部占 17%，牧民占 74%，牧主和爱国人士占 5%，喇嘛占 4%。在全区基层代表中，妇女代表占 21%，其中牧区妇女代表占 30%强。②

在基层政府委员会的选举中，据 16 个旗、县 880 个单位的统计，在选出的 8 091 个政府委员中，共产党员占 42.5%，青年团员占 11.7%，另外贫农占 64.3%，中农占 32.6%，手工业者和自由职业者占 2.7%，富农（西部）占 0.4%，妇女占 11.2%（20 个旗、县的统计）。③

---

① 内蒙古自治区选举委员会：《关于内蒙古自治区基层选举工作总结报告》（1954 年 9 月 10 日），《内蒙古政报》1954 年第 10 期。

② 内蒙古自治区选举委员会：《关于内蒙古自治区基层选举工作总结报告》（1954 年 9 月 10 日），《内蒙古政报》1954 年第 10 期。

③ 内蒙古自治区选举委员会：《关于内蒙古自治区基层选举工作总结报告》（1954 年 9 月 10 日），《内蒙古政报》1954 年第 10 期。

三、自治区第一届人民代表大会及自治区政府的统一与建设

在国家过渡时期总路线的指引下，在基层选举的基础上，伴随蒙绥合并，撤销绥远省建制的进程，全区 7 个盟、2 个行政区、2 个自治区辖市和 79 个旗、县、市、镇、矿区行政单位，从 1954 年 2 月中旬至 7 月下旬，先后召开第一届人民代表大会第一次会议。其中 6 个旗、1 个县、1 个矿区因基层未全部普选，召开了代行人民代表大会职权的各界人民代表会议，履行了人民代表大会的职责。这是内蒙古自治区实行人民代表大会制度建设的开始。①

内蒙古自治区各级人民代表大会的普遍召开，体现了民族区域自治的特点和各族各界各阶层团结建设内蒙古的精神。各民族各阶层通过人民代表大会选出了与其地位相适应的代表，既加强了工人阶级的领导，巩固了工农联盟，又具有广泛的代表性。据 66 个旗县级单位的统计，在通过人民代表大会或人民代表会议选出的 7 836 名代表中，工人占 4%，机关工作者占 19%，农民占 57.8%，牧民占 9.5%，独立劳动者占 0.2%，文教卫生和科学技术工作者占 2%，人民武装部队占 1.3%，工商业者占 2%，城市居民占 2%，民主人士占 0.3%，喇嘛及其他宗教职业者占 0.9%，其他占 0.9%；代表总数中妇女代表占 19.3%；代表总数中民族代表，蒙古族占 28.85%，汉族占 69%，回族占 1.3%，满族占 0.4%，朝鲜族占 0.3%，鄂温克、鄂伦春、达斡尔、藏族等少数民族占 0.3%；代表总数中共产党员占 40.3%，青年团员占 11.7%。②

内蒙古自治区首届一次各级人民代表大会（包括各界人民代表会议），主要任务是选举自治区及盟、市、行政区第一届人民代表大会的代表；旗、县一级人民代表大会还选举了旗、县、市、镇人民政府委员会。盟、市、行政区一级人民代表大会讨论了《中华人民共和国宪法》（草案）；传达贯彻

① 内蒙古自治区选举委员会：《关于内蒙古自治区盟、行政区、市、旗、县、镇、矿区首届一次人民代表大会会议总结报告》,《内蒙古政报》1954 年第 10 期。

② 内蒙古自治区选举委员会：《关于内蒙古自治区盟、行政区、市、旗、县、镇、矿区首届一次人民代表大会会议总结报告》,《内蒙古政报》1954 年第 10 期。

了“蒙绥合并”的决议；听取和审查了各级政府的工作报告；着重对解决当时当地工、农、牧业生产问题，作出了相应的决议。

内蒙古自治区首届一次各级人民代表大会，通过传达过渡时期总路线、总任务，提高了代表们对国家社会主义工业化和对农业、手工业、资本主义工商业社会主义改造的认识；通过讨论《宪法草案》,加强了人民当家做主的思想，提高了建设社会主义的信心，加强了爱国守法意识；通过贯彻“蒙绥合并”的决议，并结合检查民族政策执行情况，及时解决一些存在的问题，进一步提高了对民族区域自治政策的认识，增强了民族团结，促进了社会主义建设。如扎鲁特旗因领导有“重农轻牧”思想，影响民族团结，通过检查，立即决定：在半农半牧区普遍划定牧场，缩小轮歇地，废弃牧场中的农田，并决定一律用蒙、汉文行文。

认真发扬民主，使代表充分行使民主权利，成为各级人民代表大会的主旋律。学习过渡时期总路线、总任务，讨论《宪法草案》和“蒙绥合并”决议，都在充分民主的气氛中进行。特别是对各级政府的工作报告，从耳闻目睹，切身体会出发，既肯定成绩，又指出缺点错误。讨论的内容，以互助合作和发展生产为中心，既有方针政策性问题，也有具体事项，涉及农业、牧业、工业、手工业、商业等各行各业。各级人民代表大会和各级人民政府在充分听取代表意见的基础上，作出相应的决议或决定，并付诸实施。同时，各级人民代表大会通过各种形式，认真搜集和处理提案，据 50 个旗、县级单位的统计，每个单位一般有提案 500 件左右，其中建设性意见以及与总任务相关的问题占多数。各级提案委员会组织提案处理工作，件件有着落。因此，人民代表大会的作用和意义，渐渐地显现出来，在人民群众中广为传颂，影响巨大。

根据内蒙古自治区是以蒙古族为主体，汉族人口占多数，又包括其他少数民族，特别是人口占少数甚至极少数的少数民族的特殊情况，采取蒙古族及其他少数民族的代表所代表的人口数少于汉族每一个代表所代表的人口数的原则，进行适当调整，真正代表各民族的意愿，以利于民族平等、团结、友爱、互助。通过各级人民代表大会，全区 7 个盟 2 个市 2 个行政区和军队，共选出内蒙古自治区第一届人民代表大会代表 391 名。其中蒙古族 150 名，占代表总数的 38.36%，比蒙古族人口占自治区人口比例高 25.38%；

汉族代表216名，占代表总数的55.24%，比汉族人口占自治区人口比例低30.37%；回、满、朝鲜、鄂伦春、鄂温克、达斡尔、藏等其他少数民族代表25名，占代表总数的6.39%，高于其他少数民族人口比例5.93%。[①]

这是内蒙古实现统一的民族区域自治以后，在全区推行人民代表大会制度的第一步，而且是我国民族自治区实行普选和逐级选举人民代表的开端，是从实际出发，正确贯彻民族区域自治政策和国家各级人民代表大会代表选举法的典范，真正达到了各民族平等、团结、友爱、互助之目的，达到了各民族共同当家作主之要求。

1954年6月19日，中央人民政府批准绥远省划归内蒙古自治区。撤销绥远省建制后，内蒙古自治区第一届人民代表大会第一次会议于7月27日至8月4日在呼和浩特召开，蒙古族、汉族、回族、满族、朝鲜族、鄂伦春族、鄂温克、达斡尔、藏族等民族的367名代表出席，代表工人、农民、牧民、军人、党务工作者、政府工作者、工会工作者、青年工作者、妇女工作者、文教卫生和科技工作者、个体劳动者、资本家、宗教职业者、民主人士以及工、农、牧业生产战线上的劳动模范等各族各界各行各业。这是内蒙古基本实现民族区域自治后的第一次盛会。

大会执行主席乌兰夫致开幕词，首先提出本次大会的3项议程：一、讨论中华人民共和国宪法草案；二、选举内蒙古自治区出席全国第一届人民代表大会代表；三、听取与审查政府1954年上半年工作报告和下半年工作部署。乌兰夫回顾了内蒙古自治区成立7年来的光荣历程和辉煌成就，宣布了本次会议的主要任务。华北行政委员会主席刘澜涛讲话，他首先代表中央人民政府和华北行政委员会祝贺大会的召开。他对蒙古民族在历史上遭受的民族压迫表示极大的同情，赞扬蒙古民族为缔造伟大祖国所作的贡献；赞扬在中国共产党的领导下进行民族解放斗争，成立内蒙古自治区取得的伟大成就；阐述了绥远省划归内蒙古自治区的重大意义，号召内蒙古各民族更加紧密地团结起来建设内蒙古。乌兰夫在大会的报告中专门阐述《中华人民共和国宪法》（草案）中关于民族政策的规定，指出：宪法“体现了民族平

---

① 1953年，全区总人口758.4万人，蒙古族人口98.5万人，占全区人口比例为12.98%；汉族人口649.3万人，占全区总人口比例为85.61%。

等、友爱互助的精神，这是我国宪法的一个重要特色。”并强调民族团结，国家统一是宪法关于民族问题的中心内容，“我们的国家必须是统一而不是分割的；各民族必须是团结的，而不是分离的。”他说宪法规定了民族政策的总原则：“各民族一律平等。禁止任何民族的歧视和压迫，禁止破坏各民族团结的行为。各民族都有使用和发展自己语言文字的自由，都有保持或者改革自己风俗习惯和宗教信仰的自由。各少数民族聚居的地方实行区域自治。各民族自治地方都是中华人民共和国不可分离的一部分。”他指出：“各民族平等团结，是处理民族关系的基本原则。”并阐述了宪法关于宗教信仰自由政策，民族自治地方的自治机关设置及其自治权，帮助少数民族发展政治、经济、文化建设事业，保障散居少数民族的权利等。

大会集中讨论了《中华人民共和国宪法》（草案），代表们对即将诞生的共和国第一部根本大法极为兴奋，作为人民代表备感光荣，以各种方式表示自己拥护宪法、执行宪法的心愿。特别是少数民族代表对于宪法中关于民族政策的规定以极大的兴趣进行认真学习、体会，展开热烈的讨论，少数民族的平等权利第一次列入了国家根本大法，是代表们印象最为深刻之点。代表们在认真讨论的基础上，一致通过了《关于拥护中华人民共和国宪法（草案）的决议》。大会听取了内蒙古自治区人民政府工作报告，以及1954年上半年工作情况和下半年工作部署的报告，通过了相应的决议。

大会选举产生了蒙、绥合并后统一的内蒙古自治区人民政府，选举政府委员25名，其中蒙古族7名，占委员的28%；汉族17名，占委员的68%；满族1名，占委员的4%。选举乌兰夫（蒙古族）为内蒙古自治区人民政府主席，苏谦益、杨植霖、奎璧（蒙古族）、哈丰阿（蒙古族）、王再天（蒙古族）、孙兰峰、王逸伦为副主席。大会还选举了内蒙古自治区出席第一届全国人民代表大会的代表。他们是乌兰夫（蒙古族）、苏谦益、傅作义、奎璧（蒙古族）、王再天（蒙古族）、王铎、特木尔巴根（蒙古族）、乌兰（蒙古族）、周北峰、刘秀梅、胡和勒泰（蒙古族）、王殿兴、噶喇藏等13人。其中蒙古族7名，占53.84%，汉族6名，占46.15%。这都体现了蒙古族是内蒙古自治区实行自治的主体民族的地位。

1955年4月25日至30日，内蒙古自治区第一届人民代表大会第二次会议在呼和浩特召开，有322名代表出席本次会议。

乌兰夫作了内蒙古自治区人民政府1954年工作报告，总结了一年来的政府工作。第一，在开展农业互助合作为中心的农业大生产运动，因地制宜开展群众性农业技术工作，挖掘农业生产潜在力量，发展农田水利事业，战胜洪水灾害，以及供应生产资料，发放农贷，扶助贫困农民等方面取得了新成就；同时，农业互助合作的发展还显得不够；贯彻“积极领导，稳步发展”的方针和农村阶级政策、路线还存在缺点和错误；改革技术，发挥生产潜力，还跟不上生产发展的需要。第二，在畜牧业方面，宣传国家过渡时期总任务和不斗不分、不划阶级，牧工、牧主两利等社会政策，贯彻中央民委关于牧区五项方针、十一项政策和六项措施，保证了稳定发展畜牧业生产，发展牧业互助合作，促进了定居游牧；但是，对防止灾害做得不够，领导方法和工作作风上缺乏群众路线，很少基点试验，以点带面，强迫命令常常发生，领导机关对畜牧业生产重视不够。第三，国营工业、合作社营工业、公私合营工业等地方经济各种类型工业生产均有发展，社会主义因素有了新的增长；但是，计划水平低，存在盲目性，缺乏全局观点；对支援国家重点建设和为农牧业生产服务，缺乏深入系统的组织工作，缺乏严格的定额经营管理；对劳动组织整顿不够，财务管理混乱，技术领导薄弱；重生产、轻安全，注意数量、忽视质量。第四，对基本建设、邮电交通、商业贸易、财政金融、文教卫生等方面进行了总结，指出了存在的问题。报告既肯定了成绩，又指出了问题，也提出了今后的任务。

会议讨论通过了内蒙古自治区各级人民代表大会和各级人民委员会组织条例，从此内蒙古自治区人民政府及各级人民政府将统一改称人民委员会。会议集中讨论了内蒙古自治区过渡时期的总任务和发展国民经济第一个五年计划的基本任务，讨论了自治区对农业、畜牧业、手工业、资本主义工商业社会主义改造的问题，讨论了自治区工业化和经济建设等重大问题，并通过了相应的决议。

会议选举产生了内蒙古自治区人民委员会，王文达等37人当选为委员，其中蒙古族15名，占委员的40.54%，汉族59.45%；乌兰夫当选为内蒙古自治区人民委员会主席；苏谦益、杨植霖、奎璧、哈丰阿、王再天、孙兰峰、王逸伦当选为副主席。在主席、副主席中，蒙古族占50%，再一次体现了蒙古族是自治区主体民族的地位和民族区域自治政策的精神。

1956 年 3 月 8 日至 14 日和 1957 年 4 月 18 日至 25 日，内蒙古自治区第一届人民代表大会分别召开了第三、第四次会议，对 1955 年和 1956 年自治区社会主义改造、社会主义建设进行了年度全面总结。两年来，农业社会主义改造进入了高潮，手工业、资本主义工商业社会主义改造也在稳步进展，畜牧业社会主义改造在探索发展；社会主义工业化以包头钢铁基地建设为中心全面兴起。农牧业生产完成和超额完成了生产计划，提前完成了自治区发展国民经济的第一个五年计划，胜利实现了内蒙古统一的民族区域自治，以优异的成就迎来了内蒙古自治区成立 10 周年庆典。①

内蒙古自治区第一届各级人民代表大会经过四次会议，逐步确立了人民代表大会制度，成功地选举产生了自治区各级人民政府，人民民主政权建设完成并得到巩固，特别是内蒙古的民族区域自治取得了圆满成功，内蒙古自治区的历史即将进入全面建设社会主义的新阶段。

四、内蒙古自治区政治协商制度的建立

1954 年 3 月 6 日，根据中央人民政府政务院“将绥远省划归内蒙古自治区，撤销绥远省建制”的命令，撤销了绥远省各界人民代表会议协商委员会，同时成立内蒙古自治区协商委员会筹备委员会，杨植霖任主任，王再天（蒙古族）、孙兰峰、吉雅泰（蒙古族）任副主任。筹委会为了团结内蒙古各族各界建设内蒙古，准备成立中国人民政治协商会议内蒙古自治区委员会，并进行了一系列工作，协调了各方面的关系。

1955 年 2 月 12 日，自治区协商委员会筹委会召开第 9 次会议，协商产生了政协内蒙古自治区第一届委员会的委员，通过了《政协内蒙古自治区委员会主席、副主席、秘书长和常务委员选举投票办法》,决定于是年 2 月 22 日召开中国人民政治协商会议内蒙古自治区第一届委员会第一次会议。

2 月 22 日，政协内蒙古自治区第一届委员会第一次会议在呼和浩特举行。本届委员共 107 名，其中中国共产党 8 名、中国新民主主义青年团 3

---

① 本目参见内蒙古自治区人大常委会办公厅编：《五十年历程》（1954—2004），内新图准字［2004］第 95 号，2004 年印；《内蒙古自治区志·政府志》,方志出版社 2001 年版；《内蒙古自治区志·人民代表大会志》2008 年审定稿。

名、内蒙古自治区工会5名、内蒙古自治区民主妇女联合会8名、内蒙古自治区民主青年联合会2名、对外和平友好团体2名、内蒙古自治区工商业联合会7名、内蒙古文学艺术工作者联合会7名，自然科学团体7名、教育界9名、新闻出版界3名、医药卫生界5名、少数民族8名、宗教界7名、特别邀请人士22名，其中蒙古族37名，占委员总数的34.57%，其他少数民族8名，占委员总数的7.47%。出席本次会议的委员88人。

内蒙古自治区协商委员会筹委会副主席吉雅泰传达政协全国委员会第二届第一次全体会议的精神。孙兰峰副主席作《内蒙古自治区协商委员会筹备委员会工作报告》，指出筹委会一年来召开10次委员会议，逐个研究正式成立中国人民政治协商会议内蒙古自治区委员会的问题，部署了各项工作，并广泛开展统一战线工作和有关活动。杨植霖主席作时事报告，介绍当时国内外形势。2月23日，中共中央内蒙古分局书记、内蒙古自治区人民政府主席乌兰夫在会上发表讲话，回顾了1947年5月成立内蒙古自治政府的时候，在当时的历史条件下，通过人民代表会议选举内蒙古自治政府临时参议会，由参议会选举内蒙古自治政府。参议会不仅代行人民代表大会职权，选举了内蒙古自治政府，而且在自治政府成立后协助政府做了不少工作，完成了职权内的任务。参议会是统一战线的组织，其中的绝大多数人，经过几年来的各种斗争的锻炼，在各方面均有了显著的提高；同样，在绥远省也成立了绥远省各界人民代表会议协商委员会。但是，作为政治协商组织是不完备的，后被内蒙古自治区协商委员会筹备委员会所替代。这次会议将成立中国人民政治协商会议内蒙古自治区委员会，完善内蒙古自治区的政治协商制度。

会议在充分民主协商的基础上，通过了《关于拥护政协第二届全国委员会第一次全体会议宣言的决议》《关于协助政府胜利完成发行新人民币和推销1955年国家经济建设公债工作的决议》《关于自治区协商委员会筹备委员会工作报告的决议》《关于建立政协内蒙古自治区各级地方委员会的方案》等决议、决定。

2月26日，会议选举杨植霖为政协内蒙古自治区第一届委员会主席，选举吉雅泰、孙兰峰、特木尔巴根、陈炳谦为副主席，鲁志浩任秘书长；选举王宗洛等27名常务委员，其中蒙古族10名，汉族15名，回族1名，满族 1 名，蒙古族及其他少数民族占常务委员的 44.44%。

会后，政协内蒙古自治区委员会开展一系列工作，发挥统一战线和政治协商的作用。会同中国人民保卫世界和平委员会内蒙古自治区总分会，号召和推动内蒙古人民展开反对使用原子弹武器的签名运动；致函各盟、市、行政区的党委、人民政府、协商委，要求在 6 月份以前建立政协内蒙古自治区各级地方委员会，中国人民政治协商会议内蒙古自治区呼和浩特市、包头市、伊克昭盟、乌兰察布盟、察哈尔盟、锡林郭勒盟、昭乌达盟、哲里木盟、呼伦贝尔盟、河套行政区、平地泉行政区委员会相继成立；与自治区人民政府委员会通力合作，开展粮食节约运动，实行以人定户、以户定量的粮食供应办法；与中共中央内蒙古分局统战部组织工作组赴东部区调查统战工作、政协工作、民族工作情况；召开喇嘛座谈会，征询对民族、宗教政策贯彻执行情况的意见；参与人大代表和政协委员赴各地视察的工作。

1956 年 2 月 20 日至 24 日，政协内蒙古自治区第一届委员会第二次会议在呼和浩特召开。会前增补委员 49 名，其中中国共产党 1 名、内蒙古自治区工会 3 名、农牧民 3 名、内蒙古自治区工商业联合会 2 名、内蒙古文学艺术工作者联合会 5 名、自然科学团体 4 名、教育界 2 名、医药卫生界 3 名、宗教界 2 名、特邀人士 6 名；原热河省、甘肃省政协委员 13 名；内蒙古自治区工会、中国新民主主义青年团、内蒙古妇联、宗教界、特别邀请人士各补缺委员 1 名，合计 5 名。其中蒙古族 18 名，汉族 25 名，达斡尔族 4 名，满族 2 名，蒙古族及其他少数民族占 48.97%。本届政协委员增至 156 名，出席本次会议的委员 151 名，列席代表 47 名。

杨植霖主席致开幕词，孙兰峰副主席传达全国政协主席周恩来在全国政协第二届委员会第二次会议上的报告，陈炳谦副主席传达陈伯达关于中国农业社会主义改造的报告，荣祥常委传达郭沫若关于在社会主义革命高潮中知识分子的使命的报告。杨植霖作了《为加速我区社会主义改造和社会主义建设而奋斗》的报告，陈炳谦作政协内蒙古自治区委员会常务委员会工作报告。会议期间，内蒙古党委邀请与会委员和列席代表举行座谈会，自治区党委第一书记乌兰夫就国内外形势、解放台湾、发挥知识分子力量建设自治区等问题作了重要讲话。会议通过了关于周恩来的报告、杨植霖的报告、陈炳谦的报告等相应的决议。会议增选、补选了 16 名常务委员，其中蒙古族

6名。本届常务委员增加到43名。

本次会议至第三次会议期间，政协内蒙古自治区委员会的工作量很大，头绪也多，其主要工作：

第一，根据全国政协的决定和内蒙古党委统战部的安排，大力组织各界民主人士、工商业者和宗教界人士进行政治学习和理论学习，撤销原来的学习委员会，组建新的学习委员会，由吉雅泰任主任，孙兰峰等12人任副主任，委员37名；下设两个办公室，第一办公室负责组织各界民主人士、工商业者的学习，第二办公室负责组织宗教界人士的学习；制定学习规划，督促各级地方政协制定学习规划，举办政治学校、短期离职学习班、工商业者讲习班、喇嘛学习会、时事政策学习座谈会、伊斯兰阿訇学习会。据当时统计，全区有各类统战对象7 115人，其中旗县级以上292人，厅局级以上55人，高级知识分子32人，工商业者约4 077人，喇嘛中上层约2 379人，伊斯兰教阿訇171人，天主教神甫83人，基督教牧师以上26人。

第二，组织政协委员与人大代表共同进行视察工作。1956年6月，在内蒙古的全国人大代表6人、全国政协委员7人、内蒙古政协委员22人、自治区人大代表49人，视察呼伦贝尔盟、哲里木盟、昭乌达盟、锡林郭勒盟、伊克昭盟、乌兰察布盟、巴彦淖尔盟、平地泉行政区、河套行政区、呼和浩特市、包头市的241个单位的工农业生产、资本主义工商业社会主义改造，商业以及文教、卫生等方面的工作，收集了五百多条群众的反映和意见，整理为《1956年上半年人大代表、政协委员视察工作总结》；同时，内蒙古和呼和浩特市两级人大代表、政协委员提出了《联合视察呼和浩特市基本建设工作报告》和《联合视察呼和浩特市商业工作报告》,供党政部门资政参考。

第三，开展调查研究工作。与自治区工商业者联合会共同邀请工商界人大代表座谈资本主义工商业在实行公私合营和合作化后存在的问题；邀集达斡尔族60余人士，座谈创立达斡尔族新文字问题；邀集各族各界民主人士和6个民主党派的成员30余人，座谈中共中央提出的共产党和民主党派“长期共存，互相监督”的方针，并对自治区统战工作广泛征询了意见；根据内蒙古党委和自治区政府关于检查民族政策执行情况的决定，先后分别邀请呼和浩特市机关、学校、医院、工厂、企业、手工业、农业合作社和居民中的蒙、回、满、鄂温克、达斡尔、朝鲜、鄂伦春、维吾尔等民族人士，举行多次小型座谈会，在主要肯定民族工作成绩的同时，对存在的问题提出了批评和建议；调查自治区各地散居社会上的中上层人士 156 人，其中知识分子 47 人，县团级旧军政人员 74 人，民族上层 12 人，其他 23 人。

第四，组织民主人士参观学习，座谈资政。选派政协委员赴京或在呼和浩特参加“五一”国际劳动节纪念活动观礼；组织包括大学教授、中小学教师、医生、参事室参事、文史馆馆员、工商界人士、主教、神甫、牧师、阿訇等 33 人，赴京参观官厅水库、双桥国营农场、北京农业机械厂、国棉二厂、石景山钢铁厂、北京体育馆、故宫博物院、祖国自然物产展览会、苏联和平利用原子能技术展览，并游览了颐和园、动物园；邀请内蒙古师范学院的高级知识分子和从蒙古人民共和国留学归来的学者座谈，听取对自治区建设和知识分子工作的意见；举行常委会，并邀请工商组成员参加，讨论《自治区公私合营企业工资改革方案》和《解决各类高级知识分子政治、生活待遇问题若干规定》等。

政协内蒙古自治区委员会于 1957 年 4 月 8 日至 13 日，召开第一届第三次会议。会议决定增补委员 14 名，其中蒙古族 4 名、汉族 7 名、回族 1 名、满族 1 名、达斡尔族 1 名，本届委员达到 165 名；增补常委 4 名，其中蒙古族 2 名，汉族 2 名，本届常委达到 47 名。出席本次会议的委员 106 人，列席代表 46 人。

会议传达了毛泽东主席在最高国务会议上《关于正确处理人民内部矛盾的问题》讲话和全国政协二届三次会议精神，陈炳谦作了关于内蒙古政协一年来工作的报告，杨植霖主席作了《大力开展增产节约运动全面完成 1957 年国民经济计划的报告》,并通过了相应的决议。

1958 年 4 月 3 日，政协内蒙古自治区委员会召开一届第四次会议，出席委员 100 名，列席代表 470 人。在“左”倾冒进开始的形势下，除了例行程序，鼓干劲、加速自我改造、为社会主义建设贡献一切力量，成为会议的主旋律。4 月 11 日，会议举行向全区广播“内蒙古自治区各族各界民主人士社会主义自我改造促进大会”，900 多人参加广播大会，各界代表发言，通过《内蒙古自治区各族各界民主人士社会主义自我改造公约》《致自治区党委的决心书》、向毛主席表决心和发致敬电。会议次日闭幕。随即开始组织政协常委和党外厅局级干部62人开展向党交心活动，共交心20 407条，最高达670条，最低70条，人均329条。政治思想上的“左”倾，工作方法的形式主义，代替了实实在在的参政议政，刚刚建立起来的人民政治协商制度受到损害。

政协内蒙古自治区委员会从第一届第三次会议到1959年2月第二届第一次会议期间进行的工作有，除了例行会务工作外，第一，将一届三次会议期间内蒙古党委邀请政协委员座谈会反映的意见共计87条，增产节约7条、党群关系4条、政法3条、工业2条、农牧业7条、林业2条、私企改造1条、文教20条、卫生14条、民族工作4条、宗教事务1条、城市建设4条、妇女工作3条、青年工作1条、其他14条，分类整理，送交自治区党委、政府有关部门参考。

第二，政协委员继续会同人大代表进行视察工作，分别写出海拉尔视察工作报告、布特哈旗视察工作报告、呼盟牧区视察报告、呼和浩特市商业工作视察总结、额济纳旗视察工作综合报告、呼和浩特市教育视察报告、包头市视察工作情况报告、视察乌兰浩特报告以及视察呼和浩特市回民区及废皮毛店、肥料合作商店、废品收购组、回民合作牛奶厂、回民骨血肠衣合作社、新城区养鸡组、刻字组等8个单位的视察报告等，最后向自治区人民委员会和全国人大常委会报送了《关于自治区人大代表、政协委员1957年上半年视察工作总结报告》。

第三，参加整风运动和反右派斗争。结合学习毛泽东主席在全国宣传工作会议和最高国务会议上的两个讲话及有关整风文件，学习时事政策，参加整风运动，向党政工作坦率地提出意见、批评和建议。7月12日，举行以反右派斗争为内容的学习座谈会，驻呼委员、参事室参事、文史馆馆员、自治区机关处以上民主人士205人参加，揭发批判有些人的所谓右派言论，开始了反右派斗争。直至9月17日，经过90多次分组会和14次大会，批判了4名所谓右派分子。反右派斗争继续扩大，内蒙古政协委员中有8人被定为右派分子。据1958年2月28日不完全统计，各级政协委员中被定为右派分子的人数：盟和行政区7个单位有委员438名，右派分子12人；市级6个单位有委员396名，右派分子20人；旗级10个单位有委员407名，右派分子1人；县级5个单位有委员220名，右派分子10人；有13个单位没有统计。被打成右派分子者按当时中央对右派分子的处理原则，分别进行了处理。反右派斗争“左”倾扩大化错误，严重伤害了民主人士参政议政的积极性，阻滞了统一战线的民主进程。①

政协内蒙古自治区第一届委员会总计举行四次委员会议，在内蒙古党委领导下，密切配合人民代表大会和自治区政府，参加社会主义政治建设、经济建设，特别是为调动各族各界各方面的力量，建成广泛的爱国统一战线，发挥了特殊的作用。但是，在1957年发生的反右派斗争扩大化中受到了冲击，开始了政协工作的曲折步履。

① 关于内蒙古政协的主要参考资料见政协内蒙古自治区委员会编印：《中国人民政治协商会议内蒙古自治区委员会——三十年大事记》和《中国人民政治协商会议内蒙古自治区委员会大事记（1986—2000）》；内蒙古政协办公厅、文史资料委员会编：《中国人民政治协商会议内蒙古自治区委员会九届政协委员名录》，内蒙古政协文史资料研究委员会编《内蒙古文史资料》第57辑。

第　七　章

第一个五年计划与社会主义改造

第一节　贯彻过渡时期总路线与内蒙古的第一个五年计划

一、过渡时期的总路线与内蒙古自治区的任务

中华人民共和国成立后，中国共产党和中央人民政府领导取得了抗美援朝、土地改革、镇压反革命三大运动的伟大胜利，政治上“三反”、“五反”运动也已结束；全国各族人民，经过三年的巨大努力，提前完成了恢复国民经济的任务，从而使中国社会经济发生了超出预料的变化。原先估计用三年到五年时间恢复国民经济的设想，在新中国建立刚刚三周年之际，工农业总产值就超过之前最高水平的20%；国营工商业和私营工商业的产值比例发生了根本性的变化，国营经济已经超过私营经济；经过土地改革，农村中的互助合作事业普遍地发展起来，农村生产关系和生产力的变革悄然兴起，中国的社会经济形态已经和正在实现转变。

毛泽东深刻分析了中国社会经济的变化，提出从现在起就开始向社会主义过渡，这是中国社会主义革命进程中带有转折意义的大事。如何过渡？这是毛泽东在这一时期集中思考的极其重大的问题。他经过与中央其他领导人反复讨论，并在实践中进行调查研究，关于过渡时期总路线的思想已经酝酿成熟，并形成了完整准确的表述：“从中华人民共和国成立，到社会主义改

造基本完成，这是一个过渡时期。党在这个过渡时期的总路线和总任务，是要在一个相当长的时期内，逐步实现国家的社会主义工业化，并逐步实现对农业、对手工业和对资本主义工商业的社会主义改造。这条总路线是照耀我们各项工作的灯塔，各项工作离开它，就要犯右倾或‘左’倾的错误。”① 1954 年 2 月，中共中央四中全会批准中国共产党在过渡时期的总路线；9 月，总路线被写入中华人民共和国第一届全国人民代表大会通过的第一部《中华人民共和国宪法》，作为国家在过渡时期的总任务。

中国是一个统一的多民族国家，各民族的历史发展不同，社会、经济、文化存在差异，民族特点、地区特点各不相同，在向社会主义过渡中如何从实际出发，正确解决民族问题，是贯彻总路线精神的一个重大问题。为此，中国共产党提出了社会主义过渡时期在民族问题方面的总任务：即“巩固祖国的统一和各民族的团结，共同来建设祖国的大家庭；在统一的祖国大家庭内，保障各民族一切权利方面的平等，实行民族区域自治；在建设祖国的共同事业中，逐步发展各民族的政治、经济和文化，逐步地消灭历史上遗留下来的各民族间事实上的不平等，使落后民族得以跻于先进民族的行列，逐步过渡到社会主义社会。”② 在《中华人民共和国宪法》的序言中规定：“国家在经济建设和文化建设的过程中将照顾各民族的需要，而在社会主义改造的问题上将充分注意各民族发展的特点”。刘少奇在《关于中华人民共和国宪法草案的报告》中，对于少数民族和民族地区经济发展及社会主义改造进行了明确的阐述：在民族自治地方“可以制定自治条例和单行条例以适应当地民族的政治、经济和文化的特点”。指出：“各民族有不同的历史条件，决不能认为国内各民族都会在同一时间、用同样的方式进入社会主义。”“在什么时候实行社会主义改造以及如何实行社会主义改造等等问题上，都将因为各民族发展情况的不同而有所不同。在这个问题上，应当容许各民族人民群众以及在各民族中同人民群众有联系的公众领袖们从容考虑，并按照他们的意愿去作决定。”“在某些少数民族中进行社会主义改造的事业，将比汉族地区开始得晚一些，而且他们的社会主义改造所需要的时间也

① 《建国以来重要文献选编》第 4 册，中央文献出版社 1993 年版，第 700、701 页。

② 《怎样宣传过渡时期党在民族问题方面的任务》，《人民日报》社论，1954 年 4 月 17 日。

会长一些。当这些少数民族进行社会主义改造的时候，社会主义事业可能在全国大部分地区内已经有了很大的成效，这些少数民族将来的社会主义改造事业也就会有更为顺利的条件，因为在那个时候国家会有更多的物质力量去帮助他们。少数民族的广大人民，由于看到全国范围内社会主义胜利的好处，也会愿意走这条路。即使还有少数人担心社会主义改造会损害自己个人的利益，国家也会采取必要的政策，妥善地安顿他们的生活。所以社会主义改造，在少数民族地区，可以用更多的时间和更和缓的方式逐步地去实现。现在还没有完成民主改革的少数民族地区，今后也可以用某种和缓的方式完成民主改革，然后逐步过渡到社会主义。”①

内蒙古自治区提前完成恢复国民经济，成功地完成农村土地改革、牧区民主改革，大力进行镇压反革命和抗美援朝运动，特别是出色而创造性地贯彻中国共产党的民族政策，圆满地实现了内蒙古统一的民族区域自治，创造了解决民族问题的丰富经验。这是从内蒙古的实际出发，贯彻过渡时期总路线的良好基础。同时，在内蒙古自治区全面进行经济建设，对农业、畜牧业、手工业和资本主义工商业进行社会主义改造，这是内蒙古社会经济发展新的进程中的全新课题。如何研究新课题？怎样面对新挑战？成为内蒙古党委和内蒙古自治区人民政府必须回答的问题。

经过认真总结内蒙古以往革命和建设的经验，深入调查研究新形势、新任务和面临的新问题，在全党、全国统一的步调下，从内蒙古自治区的实际出发，制定了自治区过渡时期的具体任务：“遵循国家在过渡时期的总路线，紧密配合祖国建设，积极地、有步骤地发展自治区的各项建设事业，特别是地方工业，以便支援国家在自治区的重工业的建设与促进农牧业生产的发展；逐步地、稳妥地进行对农业、牧业、手工业以及资本主义工商业的社会主义改造，不断增长社会主义因素；并在发展生产的基础上逐步提高自治区人民物质和文化生活水平，改变我们自治区的历史面貌，消除历史上遗留下来的在政治、经济、文化上落后的事实上的不平等的状态；同时围绕这些建设和改造，还必须进行使我们各级政权进一步民主化的工作，以巩固与加

① 刘少奇：《关于中华人民共和国宪法草案的报告》（1954 年 9 月 15 日），《刘少奇选集》下卷，人民出版社 1985 年版，第 166—167 页。

强人民民主专政，推进各项建设和改造工作的顺利进行，团结各族人民，逐步过渡到社会主义社会。”①

实现社会主义工业化和对农业、手工业、资本主义工商业的社会主义改造，是国家在过渡时期的总任务。内蒙古自治区在过渡时期的上述具体任务有三个方面的含义和特点：第一，配合国家的建设，发展各项事业，特别是地方工业，以便支援国家在内蒙古的重工业建设，促进农牧业生产的发展；明确内蒙古的经济建设与国家经济建设的关系，内蒙古的工业建设特别是国家在内蒙古的重工业建设，已经列入过渡时期自治区和国家经济建设计划之中，并以此促进农牧业的发展。这是内蒙古经济发展的宏图。第二，在社会主义“三大”改造任务中，把牧业从大农业中分出来，单独列为社会主义改造的内容，这是从内蒙古的民族特点、地区特点、经济特点出发，提出的社会主义改造的特殊内容，而且确定逐步地、稳妥地进行社会主义改造的进程。第三，消除历史上遗留下来的在政治、经济、文化上落后的事实上的不平等的状态，是过渡时期内蒙古自治区的一项重大而艰巨的任务。落后和事实上的不平等包含两个方面的意思，内蒙古作为民族地区与内地相比是落后的，蒙古族及其他少数民族与汉族相比是落后的，而且是历史上由于阶级压迫、民族压迫制度而造成并遗留下来的事实上的不平等状态。这是必须要消除的状态，而且是内蒙古各项事业得以发展，逐步过渡到社会主义的前提。

二、内蒙古自治区的第一个五年计划

中央在酝酿制定过渡时期总路线的过程中，即编制国家从 1953 年到 1957 年发展国民经济第一个五年计划，开始有计划地进行大规模的社会主义经济建设。第一个五年计划的基本任务是：集中主要力量进行以苏联帮助我国设计的建设项目为中心的，由 694 个大中型建设项目组成的工业建设，建立我国的社会主义工业化的初步基础；发展部分集体所有制的农业生产合

① 乌兰夫：《加强工业领导，发展内蒙古自治区建设——在蒙绥分局第三次工业汇报会议上的讲话》（1954 年 1 月 10 日），《乌兰夫同志关于内蒙古自治区工作方针、政策及有关民族问题的讲话集要》第 5 集，1954 年编印，第 85 页。

作社，并发展手工业生产合作社，建立对农业和手工业的社会主义改造的初步基础；基本上把资本主义工商业分别地纳入各种形式的国家资本主义的轨道，建立对私营工商业的社会主义改造的基础。

根据上述基本任务提出12项具体任务，其要点是建立和扩建电力、煤矿、石油、钢铁、有色金属、基本化工工业，建立制造大型机床、发电、冶金、采矿、汽车、拖拉机、飞机等机器设备制造工业，建立纺织工业、其他轻工业及为农业服务的新的中小型工业企业，充分合理地利用原有工业企业，形成工业建设的格局；依靠贫农、团结中农，以引导、推动农业生产的合作化运动，由部分集体所有制的农业生产合作社为主要形式初步改造小农经济，对农业进行初步的技术改良，发挥单干农民的潜在的生产力量，加强国营农场的示范作用，进一步发展粮食和棉花生产；对于个体手工业、个体运输业、独立小商业分不同情况，逐步运用其经济有利于国计民生的积极作用，限制其消极作用，逐步实行社会主义改造，逐步扩展公私合营企业；相应地发展运输业和邮电业；保证市场稳定；把发展文化教育和科学研究合作形式组织起来；巩固和扩大社会主义经济对资本主义经济的领导，利用资本主义事业；厉行节约，反对浪费，扩大资金积累，保证国家建设；逐步改善劳动人民的物质生活和文化生活；加强各民族之间的经济和文化的互助合作，促进各少数民族的经济和文化事业的发展。

内蒙古自治区根据在过渡时期的任务，经过充分的调查研究，确定了第一个五年计划的基本任务：“大力发展以互助合作为中心的农牧业生产，支援国家社会主义工业化；大力支援国家重点建设，特别是包头工业基地的建设，按计划积极发展地方工业、林业、运输业、邮电、商业、教育、卫生、文化等事业；积极地稳步地实行对农业、手工业和资本主义工商业的社会主义改造，保证社会主义经济成分的比重不断增长，完满实现国家计划，为改变自治区经济文化的落后面貌奠定初步基础。”①

---

① 乌兰夫：《十年来的内蒙古》,《内蒙古自治区成立十周年纪念文集》,内蒙古人民出版社1957年版，第1页。

第二节　社会主义改造

对农业、手工业和资本主义工商业的社会主义改造，是国家在过渡时期的总路线、总任务的两项核心内容之一。当时，对实行社会主义改造有两个基本要求，一是明确“从中华人民共和国成立，到社会主义改造基本完成，这是一个过渡时期。”也就是说，基本完成社会主义改造是过渡时期结束的标志之一；二是“要在一个相当长的时期内……逐步实现对农业、对手工业和对资本主义工商业的社会主义改造。”也就是说，实现社会主义改造需要一个相当长的时期，而且是逐步实现，不是短期内立刻完成。当时，毛泽东认为“党在过渡时期的总路线和总任务，是要在十年到十五年或者更多一些时间内，基本上完成国家工业化和对农业、手工业、资本主义工商业的社会主义改造。”社会主义改造“十五年或者更多一些时间，肯定可以完成。”[①] 刘少奇在《宪法》草案的报告中特别指出：“各民族有不同的历史条件，决不能认为国内各民族都会在同一时间、用同样的方式进入社会主义。”“在什么时候实行社会主义改造以及如何实行社会主义改造等等问题上，都将因为各民族发展情况的不同而有所不同。在这个问题上，应当容许各民族人民群众以及在各民族中同人民群众有联系的公众领袖们从容考虑，并按照他们的意愿去作决定。”“在某些少数民族中进行社会主义改造的事业，将比汉族地区开始得晚一些，而且他们的社会主义改造所需要的时间也会长一些。”“在少数民族地区，可以用更多的时间和更和缓的方式逐步地去实现。”[②]

这是思考、研究、判断、评论社会主义改造这段历史的重要依据之一，也是考察、研究少数民族和民族地区社会主义改造必须把握的原则。评说社会主义改造的成就与失误，经验与教训，都与此有关。

---

① 毛泽东：《在中共中央政治局会议上的讲话》，引自中共中央文献研究室编：《毛泽东著作专题摘编》（上），中央文献出版社 2003 年版，第 820 页。

② 刘少奇：《关于中华人民共和国宪法草案的报告》（1954 年 9 月 15 日），《刘少奇选集》下卷，人民出版社 1985 年版，第 166—167 页。

内蒙古自治区的社会主义改造是在总路线的精神下，并根据中央在少数民族中和民族地区社会主义改造的方针，从内蒙古的实际出发，在实践中探索制定了一系列具体政策，基本上稳妥地进行了社会主义改造。

一、农业社会主义改造

中国的土地改革使农村的生产关系发生了根本的变化，土地改革后农村面临的新问题是：一方面如何使分得了土地的农民特别是贫苦农民发家致富，避免可能出现的贫富两极分化；一方面如何使分散落后的个体农业经济满足城市和工业对粮食及农产品原料不断增长的需要。中国共产党总结当时农村中已经出现的农民互助合作的经验，经过深入的调查研究和反复酝酿，认定只有实现农业集体化才能顺应农村面临的新形势，解决农民走社会主义道路的问题。具体途径是通过农业生产的互助合作，开始个体农业向社会主义过渡的起步。

内蒙古地区农业合作化的起步 1951 年 9 月，毛泽东提议在北京召开全国第一次互助合作会；12 月，毛泽东主持制定了《中共中央关于农业生产互助合作的决议（草案）》,提出农业生产互助合作运动的初步设想。农业合作化大体分为三种形式，即临时性、季节性的简单的劳动互助；常年的互助组；以土地入股为特征的农业生产合作社（即初级社）。并规定了不同地区的农业互助合作运动的不同方针。这是中共中央在总结中国共产党领导农村互助合作运动经验的基础上，制定的关于农业互助合作运动的第一个指导性文件，确定了逐步实行对农业的社会主义改造的原则，预计在三个五年计划或者更长一点的时间内实现农业的社会主义改造。1952 年 9 月，中央召开第二次全国农业互助合作会议以后，出现了急躁冒进倾向和“五多”现象，中央及时发文纠正冒进。但是，在冒进很快得到克服后，一些地方又出现了不积极发展互助合作的自流现象，毛泽东认为“今年大半年互助合作运动缩了一下”，“稳而不前进”，“本来可以发展的没有发展，不让发展，不批准，成了非法的”。① 1953 年 2 月 15 日，在毛泽东酝酿提出过渡时期总

① 中共中央文献研究室编：《毛泽东传》（1949—1976）（上），中央文献出版社 2003 年版，第 362 页。

路线的时候，中共中央将《关于农业生产互助合作的决议（草案）》通过为正式决议，3 月 26 日在《人民日报》上发表，从而形成中共中央关于农业合作化运动的第一个决议。同时，农业合作化，即农业社会主义改造，在过渡时期总路线中占有特别重要的地位。

内蒙古的农业社会主义改造是在中央对全国农业社会主义改造的统一部署下实施的，与全国的共同点是主要的，同时也有自身的特殊性。内蒙古的农业主要分布在黄河、西辽河流域及南部农业区，在农业区和牧区之间的过渡地带半农半牧区也有相当比重的农业。从事农业生产者主要是汉族农民，而且主要集中在农业区和半农半牧区，其人口占农业区和半农半牧区人口的绝大多数；同时，从事农业或兼营农牧业的蒙古族亦占其人口的 50% 左右，居住在农业区者主要务农，居住在半农半牧区者兼营农牧业；另外，回族、满族、朝鲜族、达斡尔族等其他少数民族，除了少数居住在牧区和城镇者之外，多数从事农业生产。除了部分纯汉族农业区外，绝大部分农业区和半农半牧区是蒙古族、汉族及其他少数民族杂居区。各个民族的历史发展不同，从事农业生产的时间相异，经济生活、生产水平、风俗习惯、生活方式、宗教信仰、社会意识等方面的差别依然存在；蒙古族及其他少数民族虽然在政治上享有民族平等权利，但是历史上遗留下来的与汉族在经济、文化上的事实上的不平等还没有消除。在农村土地改革和半农半牧区民主改革中，有些民族特点、地区特点方面的问题，虽然通过特殊的政策和方式得到了解决，但是，保障民族平等、消除民族纠纷、调整民族关系、加强民族团结、解决农牧矛盾、协调农牧发展、均衡民族利益、达到共同富裕等问题，是农业社会主义改造中面对的实际问题。这也是内蒙古的农业社会主义改造实行具有民族特点、地区特点的特殊政策，采取适应特点的形式与步骤，即从实际出发进行农业社会主义改造的根据。

农业社会主义改造的形式，是以农业生产的互助合作，是从临时互助组和常年互助组，发展到半社会主义性质的初级农业生产合作社，再发展到社会主义性质的高级农业生产合作社。1948 年内蒙古东部解放区土地改革后，分得了土地的贫苦农民就开始组织各种形式的互助合作组织，内蒙古共产党工作委员会、内蒙古自治政府积极提倡互助合作，发展农业生产。1949 年即组织了 21 535 个常年互助组和季节性互助组，这是内蒙古农业生产互助合作的初始。1951 年冬至 1952 年春，绥远省新解放区农村土地改革后，中共中央内蒙古分局和中共绥远省委在内蒙古自治区和绥远省境内农村，积极提倡农民组织互助组，并试办初级农业生产合作社；5 月 26 日，乌兰夫写信给盟市级主要负责人，对 1952 年农业生产作了 6 项指示，其中要求普遍开展农业生产互助合作运动。是年底，各种类型的互助组有 13.9 万多个，参加互助组的农户占总农户的 70%，还试办了 17 个土地入股，统一经营的初级农业合作社。这是内蒙古农业社会主义改造的试验探索阶段。

内蒙古农业社会主义改造步伐的加快 1953 年，在农业合作化运动的实践中，毛泽东密切关注运动中的问题，是年下半年正式提出过渡时期总路线后，农业合作化运动有了更明确的指导思想。毛泽东认为，“为了适应国家工业化建设日益发展的需要，为了带动和影响其他方面生产资料所有制的改造，必须加快农业社会主义改造的步伐，推动农业合作化运动向着更广、更高的阶段发展。”① 毛泽东和中共中央遂在农业战线采取了互相联系、互为促进的两项重大举措，即实行粮食统购统销和制定第二个关于农业生产合作的决议。10 月 26 日至 11 月 5 日，在北京召开第三次农业互助合作会议，讨论了《关于发展农业生产合作社的决议（草案)》。会后，在毛泽东主持下进行了修改。12 月 16 日，中共中央正式通过，1954 年 1 月 9 日公布。这是中共中央关于农业互助合作运动的第二个决议。其新内容和新特点：第一，从分析农民个体经济的积极性和互助合作的积极性出发，提出农村中社会主义和资本主义两条道路斗争的问题；第二，把发展初级农业生产合作社作为推动互助合作运动的重要环节，这是引导农民过渡到高级农业生产合作社的适当形式；第三，明确规定了农业社会主义改造的具体道路，即从互助组到初级农业生产合作社，再到完全社会主义的集体农民公有制的高级农业生产合作社；第四，发展农业合作化运动的指导方针，从强调“稳步前进”改为“积极领导，稳步前进”。随后，毛泽东又提出社会革命（即农业合作化）和技术革命（即农业机械化）这两个革命的新思路，开辟了中国式农业社会主义改造的新道路。4 月 2 日至 18 日，召开第二次全国农村工作会

① 中共中央文献研究室编：《毛泽东传》（1949—1976）（上），中央文献出版社 2003 年版，第 353 页。

议，拟定了农业生产合作社1955年发展到30万或35万个；1957年达到130万或150万个，入社农户占全国总农户的35%左右；1960年前后，在全国基本地区争取实现基本上合作化。[①] 10月10日至30日，中央召开第四次农业互助合作会议，制定了农业合作化新的发展计划，即1955年春耕前农业生产合作社发展到60万个；1957年，全国要有一半以上的农户入社。[②] 同时，会议确定过渡时期"党在农村的阶级政策：依靠贫农（包括全部原来是贫农的新中农在内，这样的贫农占农村人口总数50%—70%），巩固地团结中农，发展互助合作，由逐步限制到最后消灭富农剥削。"[③] 会议之后，下边的积极性很高，农业生产合作社发展很快，到1955年1月全国即新办农业生产合作社38万多个，同时，粮食统购工作全面展开。但是，一方面农业生产合作社发展过快，一方面粮食收购数量原计划增加100亿斤，引起农民特别是中农的不安，出现"闹粮荒"，宰卖耕畜等现象。1月10日，中共中央发出《关于整顿和巩固农业生产合作社的通知》，分析了当时出现的问题后指出："对当前的合作化运动，应基本上转入控制发展、着重巩固阶段。"[④] 毛泽东经过调查研究，决定调整农业生产合作社的发展步伐，认为"五年实现合作化步子太快……。五七年以前三分之一的农民和土地入社就可以了，不一定要求达到百分之五十。"[⑤] 并提出了停、缩、发三字方针，即有些地方停，有些地方缩，有些地方发展。中央农村工作部采取措施，进行整顿，全国共减少两万个合作社，由67万个变为65万个。[⑥]

关于少数民族地区的农业合作化，中央认为这些地区的"经济条件，一般地都与内地有很大差别，他们的生产和生活习惯都有自己的特点，因此，在合作化运动和合作社的建设工作上，都必须根据完全尊重民族自愿的

---

① 中共中央文献研究室编：《毛泽东传》（1949—1976）（上），中央文献出版社2003年版，第365—366页。

② 中共中央文献研究室编：《毛泽东传》（1949—1976）（上），中央文献出版社2003年版，第367页。

③ 《建国以来重要文献选编》第5册，中央文献出版社1993年版，第730页。

④ 《建国以来重要文献选编》第6册，中央文献出版社1993年版，第11—12页。

⑤ 《缅怀毛泽东》下册，中央文献出版社1993年版，第381页。

⑥ 中共中央文献研究室编：《毛泽东传》（1949—1976）（上），中央文献出版社2003年版，第372页。

原则和不同民族的特点来安排工作，照搬内地经验，就会影响生产，也会影响民族之间的团结。”“多民族的地区，为了照顾各民族生产、生活和宗教信仰上各方面的不同情况，以各民族分别建社为宜。只有在各民族社员无法单独建社或者有其他必要时，才可以建立民族联合社。”“在民族联合社中，应该注意发挥各民族的特长和发展各民族习惯经营的各种生产，特别要注意照顾和保护少数民族社员的利益，以保证各民族社员都能够增加收入，如几个民族彼此利益悬殊难以兼顾的就决不许可勉强并社。”并对民族联合社中培养、任用和吸收少数民族干部及优秀人物参加领导工作，注意尊重各民族的风俗习惯等提出了要求。①

内蒙古在“积极领导，稳步前进”的方针下，推动农区、半农半牧区农业合作化运动的发展。1954 年上半年，内蒙古东部区参加互助合作的农户占东部区总农户的 80.5%，察哈尔盟占 79.7%，河套行政区占 80%，平地泉行政区占 52.6%，伊克昭盟、乌兰察布盟占 48% 左右；全区新建的农业生产合作社 1 072 个（连原有的 245 个老社共计 1 317 个），比 1953 年增加四倍多。其中完全由蒙古族农民组织的农业生产合作社 241 个，蒙、汉农民共同组织的农业生产合作社 141 个，回、汉农民组建的 4 个，朝鲜族农民组建的 2 个。② 到年底，全区参加互助合作的农户已占总农户的 62.16%，其中秋收前建立的农业生产合作社 1 682 个，入社农户占总农户的 3.02%；各种类型的农业互助组有 10 万多个，参加农户为 65 万多户，其中参加常年互助组的占总农户 29%。③ 农业合作化保持稳步发展的势头。

内蒙古农业社会主义改造的完成 1955 年春季以来，由于粮食征购过多，农业合作化的步伐过快，农村出现了紧张情况。对于解决这个问题，毛

① 中共中央、国务院：《关于加强农业生产合作社的生产领导和组织建设的指示》（1956 年 9 月 12 日），《内蒙古畜牧业文献资料选编》第 1 卷，第 51 页，内蒙古党委政策研究室、内蒙古自治区农业委员会 1987 年 3 月编印。

② 杨植霖：《关于内蒙古自治区人民政府 1954 年上半年几项主要工作执行情况和下半年几项主要工作部署的报告》（1954 年 7 月 30—31 日），内蒙古自治区人大常委会办公厅编：《五十年历程》（1954—2004）第 1 页，内新图准字［2004］第 95 号，2004 年印。

③ 乌兰夫：《内蒙古自治区人民政府 1954 年工作报告》（1955 年 4 月 25 日），内蒙古自治区人大常委会办公厅编：《五十年历程》（1954—2004）（上），第 8 页，内新图准字［2004］第 95 号，2004 年印。

泽东有了新的思路，即在粮食问题上向农民让步，减少征购数量，以缓和同农民的紧张关系；农业合作化方面加快步伐，增加农业生产，从根本上解决粮食问题。于是，在 5 月 17 日召开华东、中南、华北 15 个省市委书记会议，着重讨论这两个问题。毛泽东着重讲农业合作化，提出“停、缩、发”方针的重点放在“发”字上，还批评了农业合作化问题上的消极态度。这与此前的精神有明显的变化，显然要以加快农业合作化的步伐促进粮食增产。同时特别强调农业合作化中必须实行自愿互利原则。这次会议是农业合作化决策方面出现的一个大转折，是毛泽东对合作化形势估量以及所采取的方针发生变化的重要标志。

6 月 14 日，召开中共中央政治局会议，批准了到 1956 年秋收前农业生产合作社发展到 100 万个的计划。于是，全国农业生产合作社从停止发展、全力巩固，到从 65 万个继续发展为 100 万个。这是指导方针上的大变化。但是，毛泽东仍不满意，建议翻一番，增加到 130 万个左右。主管农业的邓子恢对此持不同意见，从而引发了毛泽东对“小脚女人”的批判，下决心批判农业合作化问题上的“右倾错误”。

7 月 31 日和 8 月 1 日，中共中央召开省、直辖市、自治区党委书记会议，毛泽东作了《关于农业合作化问题》的报告，指出：“目前农村中合作化的社会改革的高潮，有些地方已经到来，全国也即将到来。这是五亿农村人口的大规模的社会主义的革命运动，带有极其伟大的世界意义。我们应当积极地热情地有计划地去领导这个运动，而不是用各种办法去拉它向后退。”① 这是毛泽东对当时农业合作化形势的基本估计，对农业合作化采取的指导方针。毛泽东阐述了农业合作化与工业化的关系，农村的社会改革与技术改革的关系，并提出采取逐步前进的办法，准备以 18 年的时间完成合作化，即从中华人民共和国成立到 1967 年完成；大约用 20 到 25 年的时间完成农业技术改革。报告“对我国农业合作化的历史和基本指导方针的许多论述是正确的，其中关于工业和农业、社会主义工业化和农业合作化、社会革命和技术革命相互关系的论述，是非常精辟的；对农业合作化发展步骤

---

① 中共中央文献研究室编：《毛泽东传》（1949—1976）（上），中央文献出版社 2003 年版，第 387 页。

的规划，大体上也比较稳妥。”① 但是，由于报告的基本指导思想是批判“右倾”，压制了不同意见，势必打乱上述既定的农业合作化进程和发展步骤。会后，毛泽东根据会议讨论的意见，对报告进行了修改后，送刘少奇、周恩来等中央13位主要领导人征求意见，并发至各省、市、自治区党委以及各级党委，直至农村党支部。至此，农业合作化进入一个迅猛发展的新阶段。

接着，毛泽东又进行了大量的调查研究，编辑了《怎样办农业生产合作社》一书，旨在指导农业合作化运动，并准备召开中共中央七届六中全会。10月4日至11日，中共七届六中全会在北京召开，共有451人参加，主要议题是讨论农业合作化问题。刘少奇、周恩来、朱德、陈云、彭德怀、彭真、邓小平等80人在会上发言，167人作书面发言，大家一致拥护毛泽东《关于农业合作化问题》的报告，给予高度评价。会议批评了农业合作化问题上的“右倾错误”，而且认为农业合作化问题上的分歧是两条路线的分歧，是走社会主义道路还是走资本主义道路的斗争。毛泽东作了会议结论，肯定了会议的成果，列举了13个争论的问题，对一些观点和说法，逐一进行批评。但是，对一些需经调查研究才能解决的问题，一些需经实践检验才能证明正确与否的问题，都给予否定、批评，这就难免助长农业合作化脱离实际而过快发展；而且根据大家的发言，提出全国农业合作化的新规划：多数地区到1958年春基本完成半社会主义的合作化，少数地区的一部分到1957年春可以基本完成，另一部分则需要更长的时间才能基本完成。也就是有70%到80%的农村人口加入初级社。这个规划还写入六中全会《关于农业合作化问题的决议》，比《农业合作化问题》的报告规定的时间提前了两年。六中全会精神贯彻下去后，全国农业合作化的形势发展很快，到12月下旬，入社农户从9月的3 800多万户发展到7 500多万户，占全国总农户的63.3%。1956年1月，《中国农村的社会主义高潮》出版，月底全国入社农户已占总农户的80%，到3月底即达到了90%。4月，中央批准发布

① 中共中央文献研究室编：《毛泽东传》（1949—1976）（上），中央文献出版社2003年版，第390页。

新闻，宣布“全国基本实现农业合作化。”①

内蒙古的农业合作化也随着全国农业合作化运动的轨迹在发展、变化。在逐步、稳妥地对农业进行社会主义改造的方针下，初级农业合作社稳步健康地发展起来。到1955年8月，全区初级社发展到6 994个，入社农户达19.17万户，占全区总农户的17.27%。其中蒙古族农民组成的合作社907个，蒙、汉农民组成的合作社923个，蒙、汉、回、满、朝鲜等民族联合组织的合作社37个。② 但是，随着毛泽东和中共中央关于农业合作化指导方针的上述变化，内蒙古农业合作化迅速发展，到1956年2月底，初级农业合作社发展到1.6万个，入社农户已占全区农户总数的75%以上。初级社实行土地入股，统一经营，收入按入股的土地和劳动力比例分配，发挥了农业合作化在当时生产力水平下的优越性。1956年10月，全国出现农业合作化的新高潮，年底全区由1.6万多个初级农业社合并组建成9 622个高级农业社，入社农户达121.8万多户，占全区农户总数的83%。高级社的特点是取消土地报酬、农民私有的大牲畜、大农具也折价归社，实行按劳分配。稍晚于全国，内蒙古自治区也基本上完成了对农业的社会主义改造。但是，农业合作化运动后期由于发展迅猛，特别是高级社发展中出现了片面追求数量，盲目地把小社并成大社以及强迫命令、违反自愿互利原则、计划过大、步子过急、超越当时农业生产力发展水平的问题，给农业合作化带来不少负面影响。

在农业合作化运动中，内蒙古自治区充分注意了民族特点和地区特点。初级社时期在少数民族相对聚居或民族杂居地区，按照各民族群众的意愿，组成某一个少数民族的民族社或由两个以上民族参加的民族联合社。1956年冬，在全区9 622个高级社中，蒙、汉、回、满、达斡尔等民族组成的民族联合社有3 800多个，促进了各族农民的团结合作和共同发展。在一些民族杂居农牧交错的地区，组织了农业和畜牧业相结合的生产合作社，实行农牧结合，统筹安排，协调农业和牧业生产，使历史上遗留下来的农牧纠纷转

---

① 本书编辑室：《当代中国的农业合作制》（上），当代中国出版社2002年版，第378页。

② 乌兰夫：《内蒙古农牧业合作化》（1955年10月7日在中国共产党七届六中全会上的发言），《乌兰夫文选》（上），中央文献出版社1999年版，第375页。

化为农牧互助，使农业和牧业得到共同发展。

内蒙古自治区农业合作化发展如此迅速，乌兰夫归结为“毛主席关于农业合作化问题的报告和中国共产党七届六中全会关于农业合作化问题的决议下达以后，我们召开了各级干部会议，自上而下与自下而上地检查批判了在领导农业合作化运动方面的右倾保守思想，组织了大批干部，深入农村，积极地宣传与贯彻了党中央和毛主席的指示，从而轰轰烈烈的农业合作化高潮很快地在广大的农业区、半农半牧区开展起来。全区几百万农民，潮水般地涌向农业生产合作社。运动规模之大，影响之深，为空前所未有。”这“主要是：第一，由于大多数农民具有走社会主义道路的高度积极性，由于中国共产党和人民政府与农民有着长久的密切联系，由于党的民族政策的正确实施，党和人民政府在农民中有着极高的威信。第二，过去几年，农业生产合作社的建立与发展，显示了它的优越性，广大农民经过党和人民政府不断的宣传教育，已经从实践中认识了只有农业合作化才是农民的唯一出路。这不仅激发了广大贫农和下中农的社会主义积极性，而且克服了富裕中农的动摇性，改变了他们的中间状态。第三，毛主席和党中央关于农业合作化问题的报告和决议，及时地反映了广大农民的要求，总结了农业合作化的经验，批判了领导农业合作化问题上的右倾保守思想，这一指示和决议很快地就为广大干部和农民所掌握，成为动员农民、组织农民进行社会主义改造的伟大力量。第四，在运动中，依靠了党的基层组织，团结了广大积极分子，充分发动了群众，贯彻执行了群众路线的工作方法。同时，各方面的工作，都是以农业合作化为中心进行了有机的配合。第五，在合作化大发展的同时，注意了合作社的质量，执行了毛主席指示的方针：建社前要有充分的准备；建社中要按照农民的阶级地位和觉悟程度，分批分期地组织到合作社中来；在建社后紧跟着进行整顿工作。”① 这是当时内蒙古党委和政府对全区农业合作化的基本总结。

内蒙古农业社会主义改造的特点 内蒙古的农业社会主义改造既有与全

---

① 乌兰夫：《关于内蒙古自治区1955年几项主要工作情况和1956年工作任务的报告》（1956年3月8日），内蒙古自治区人大常委会办公厅编：《五十年历程》（1954—2004）（上），第17页，2004年印。

国的共同性，又有自身的特殊性，即具有民族聚居和杂居、地旷人稀、农牧业都占一定比重的民族特点和地区特点。这些特点反映在民族关系、农牧关系上的问题，在实行民族区域自治、农村土地改革和半农半牧区民主改革中得到一定程度的解决。但是，在农业以合作社的统一经营形成新的生产力，并取代农民的家庭经营的变革中，民族特点、地区特点又显现出来。就民族分布格局而言，与土地改革时期相比没有太大的变化。但是，就蒙、汉各族农民的经济状况和生产力水平来说，仍然存在着很大的差异。这在农业合作化运动中是必须充分重视的问题。就蒙古族而言，在土地改革后，蒙古族农民占有的土地数量一般比汉族农民要多一些，所拥有的牲畜也占多数；农业生产的技术比汉族农民低，生产经营经验也较少；有蒙古族聚居的村落，也有与汉族农民杂居的地区；有主要从事农业者，也有以农为主兼营畜牧业者，或以牧为主兼营农业者。其他少数民族也有类似情况。在农业生产互助组阶段，对于生产资料的触动不大，这些差异的影响较小；在土地入股的半社会主义农业生产合作社（即初级社）阶段，如何正确处理土地入社的报酬，即成为特殊问题；在完全社会主义性质的农业生产合作社（即高级社）阶段，取消土地报酬，农民的大牲畜、大农具作价入社，实行按劳分配后，蒙古族农民的土地报酬、大小牲畜作价入社、劳力安排、收益分配等，均成为突出的问题。

内蒙古党委、政府按照中央的统一部署，在中央农业社会主义改造的统一的方针、政策下，从内蒙古的实际出发，紧紧把握民族特点、地区特点，采取了有利于加强民族团结、促进各民族生产发展，制定因地制宜的实施合作化的特殊政策。即凡是民族杂居地区，必须尊重各民族尤其是少数民族的意愿，由各民族农民自己决定，组织单一民族的民族社，或组织两个民族以上的民族联合社；凡是民族联合社，在合作社领导成员中必须有与各民族社员人数大体相适应的领导干部，实行民族平等，经济民主，账目公开，分配公布，凡必要者，同时使用少数民族文字和汉文行文；根据各民族社员的特长和技能不同，制订生产规划，安排劳动生产，并帮助少数民族社员提高农业生产技术；在合作社中，尊重各民族社员的风俗习惯、语言文字、宗教信仰。从内蒙古西部地区蒙古族社员占有土地较多，且农业生产技术落后的状况出发，制订了蒙汉联合社的蒙古族社员收入问题的方案，主要从土地报酬和劳动力安排给以照顾，以保证不降低蒙古族农民的实际收入和生活水平。

民族社和民族联合社发展生产的方针，从民族特点、地区特点出发，按照各族社员的经济状况和生产习惯，确定农、牧、林、猎各业的主副地位，发挥各民族的特长，并提倡各族社员互相学习，取长补短，共同提高，协力发展。

内蒙古农业合作化中解决牧畜入社是一个特殊问题，全区牲畜的一半以上在农业区和半农半牧区，其中牧畜数量占绝大多数，而且经营畜牧业者主要是蒙古族。这既是农业合作化中的经济特点，又是民族特点。在土地、耕畜、大农具入社后，对牧畜入社采取了特别慎重稳妥的政策与多种办法，牧畜入社原则上给畜主以合理的报酬；牧畜是否入社，畜主完全自愿；采取何种形式，由畜主选择；在不妨碍集体经营的前提下，社员可自养少量牲畜，农业社在饲草、牧场和劳动力安排上给予照顾；少数民族社员可饲养多于汉族社员的乘马、奶牛和食用羊，既保证公有牲畜的发展，又允许社员经营自己的牲畜；社员自养牲畜，均不作价归社和分期偿还价款，合作社如果需要，可按价购买。

农业合作化中合理调配农田、牧场，是解决农牧矛盾的主要途径。

综观内蒙古的农业社会主义改造，有成功的经验，也有值得总结的教训。其中有与全国共同的经验，也有自己的创造；有与全国共同的教训，也有自身的失误。

二、畜牧业社会主义改造

内蒙古牧区和半农半牧区实行民主改革以后，和农业区一样，同样面临着对畜牧业进行社会主义改造，使个体牧业经济过渡到社会主义的问题。

畜牧业社会主义改造的起步 1953 年 1 月 1 日，乌兰夫在《内蒙古日报》发表了《内蒙古自治区畜牧业的恢复发展及经验》一文。6 月，中央人民政府民族事务委员会召开第三次（扩大）会议，在乌兰夫主持下，形成了《关于内蒙古自治区及绥远、青海、新疆等地若干牧业区畜牧业生产的基本总结》,对于牧区民主改革和畜牧业生产进行了系统的总结，提出了发展畜牧业经济的工作方针：（一）慎重稳进的工作方针；（二）发展畜牧业生产，是牧业区经常的中心工作任务；（三）加强和巩固民族团结；（四）

大力培养牧业区民族干部；（五）贯彻“人畜两旺”的方针。总结了发展畜牧业经济的各项政策：（一）在牧业区实行了“不斗不分，不划阶级”与牧工、牧主两利的政策；（二）合理地解决草场、牧场问题；（三）实行扶助畜牧业生产，特别是扶助贫苦牧民生产的政策；（四）组织工、农、牧业的相互支援，发展牧业区贸易合作事业；（五）在半农半牧或农牧交错地区，以发展牧业生产为主，采取保护牧场、禁止开荒的政策；（六）采取了轻于农业区与城市的税收政策，使牧民得以休养生息；（七）实行了稳步的发展牧民间的互助合作的政策；（八）在条件具备的地方提倡定居游牧；（九）加强爱国主义教育，开展增畜保畜竞赛运动，培养牧业区的劳动模范，奖励工作干部和技术人员；（十）发展手工业生产和副业生产，适当举办某些与畜牧业生产有密切关系的小型工业；（十一）建立国营牧场与种畜场。制订了发展畜牧业生产的各种具体措施：（一）保护培育草原，划分与合理使用牧场、草场；（二）搭棚、盖圈、储草，防止风雪灾害；（三）扑灭狼害及其他兽害；（四）组织定期交配，大群分群放牧、拨群接羔，小群合群放牧、互助接羔；（五）改良品种；（六）防治牲畜疫病。这五项方针，十一项政策，六项措施，主要是内蒙古自治区（包括绥远）的经验总结。[①] 这为内蒙古的畜牧业社会主义改造提供了启示。

畜牧业怎么样过渡到社会主义？这是一个需要在实践中逐步认识，在探索中逐步解决的问题。中国共产党提出的过渡时期总路线和总任务，以及党在过渡时期民族工作的总任务，是畜牧业社会主义改造总的指导方针。同时，对畜牧业的社会主义改造和对农业的社会主义改造，既有共同性，又有特殊性。1953 年 12 月，乌兰夫在中共中央蒙绥分局召开的第一次牧区工作会议上，对畜牧业社会主义改造问题进行了阐述。他指出：“对农业逐步实现社会主义改造是包括牧区和畜牧业经济在内的。目前，畜牧业与农业一样，均属于落后的、分散的、个体的经济范畴，故二者有其同一性，决定了畜牧业必须进行社会主义的改造；但在民族特点、生产特点、工作基础等各方面，畜牧业又有很多区别于农业之处，这些特殊性，是我们在考虑进行畜牧业的社会主义改造时，采取有别于农业的步骤、方法、方式的根据。二者

---

① 《民族政策文件汇编》第 1 编，人民出版社 1958 年版，第 113 页。

有同一性，又有特殊性，必须联系起来观察，作统一的理解，否则在工作上就容易产生或者割断畜牧业与全国其他经济的联系，孤立地看待畜牧业经济，或者不顾牧区畜牧业的特殊性，而采用农业区的一般的办法来对待畜牧业经济等错误。”①

在畜牧业社会主义改造中，既要把握畜牧业与农业社会主义改造的共同性，又要抓住畜牧业社会主义改造的特殊性。乌兰夫提出：“在过渡时期的工作中步骤与方式更要从实际出发，时间上更要准备长一些。”上述五项方针、十一项政策和六项具体措施“已经在某种程度上进行了改造工作，并为今后的社会主义改造工作做了准备。”“深入贯彻这些政策，再加上其他必要的工作，就可以在一个相当长的时期内，把个体的、游牧的、落后的、小生产的畜牧业经济，发展改造成为合作化的、现代化的、社会主义的畜牧业经济。”“在牧区工作中对于畜牧业经济只注意发展，不注意谨慎、稳妥、逐步地改造，就要犯右倾的错误；只进行盲目的改造，而不注意在发展的过程中逐步改造，就要犯‘左’倾的错误。”②

对于畜牧业经济过渡到社会主义道路的问题，乌兰夫从4个方面进行了初步分析。③ 一是社会主义性质的经济是牧区经济的领导成分，必须大力发展。首先发展社会主义性质的国营牧场，同时有计划地有步骤地发展国营贸易、供销合作、银行等事业以及发电、采煤、牛乳加工、皮毛加工等必要的小型工业，一方面适应畜牧业生产发展的需要，一方面起示范带头作用。二是发展互助合作，这是牧区的个体牧民和手工业者逐步过渡到社会主义的必由之路。个体牧业经济过渡到社会主义，主要是通过互助合作的道路，要进一步发展牧区的互助合作和定居游牧。当时牧区人口的90%以上是劳动牧民，且占有牧区牲畜总数的80%以上，这是牧区的主体，也是牧区社会主义改造工作的重点，改造的方法是发展互助合作运动。同时，对牧区为数不

---

① 乌兰夫：《为进一步发展牧区经济改善人民生活而努力》，《乌兰夫文选》上册，中央文献出版社1999年版，第284页。

② 乌兰夫：《为进一步发展牧区经济改善人民生活而努力》，《乌兰夫文选》上册，中央文献出版社1999年版，第285页。

③ 乌兰夫：《为进一步发展牧区经济改善人民生活而努力》，《乌兰夫文选》上册，中央文献出版社1999年版，第287页。

多的手工业者，也要通过互助合作的道路过渡到社会主义。三是对牧主经济和私人商业经济实行社会主义改造。继续执行保存牧主经济，“不斗、不分、不划阶级”与“牧工牧主两利”的政策，恰当地解决牧工牧主关系，提倡合同制的苏鲁克，改造旧苏鲁克制度，是对牧主经济进行社会主义改造的必要措施；对牧业区具有高利贷、超经济剥削性质的私人商业，逐步由国营合作社营经济代替之。四是逐步改进畜牧业生产技术与放牧方式，建设牧区经济建设中心。从多方面提高畜牧业生产技术，尤其是水、草问题和防止牲畜疫病及其他自然灾害；在国营经济领导下，有计划地建立与发展牧区经济中心；进一步发展牧区的文教、卫生工作。五是半农半牧区要贯彻“以牧为主，照顾农业，保护牧场，禁止开荒”的方针，着重发展畜牧业生产，但要适当照顾农业生产，着重以农业支援畜牧业，并做到农牧相互支援，对存在的问题要协商解决、农牧互助。

内蒙古第一次牧区工作会议对畜牧业社会主义改造进行了部署，首先肯定并重申了继续执行“放牧自由”“不斗、不分、不划阶级”与“牧工牧主两利”政策。以几年来的成绩和实践经验，从认识上解决了对这一政策的诸多误解，为畜牧业社会主义改造在政策上的延续性做了准备。其次，确定了发展牧区互助合作的基本政策。认为牧区地广人稀，生产落后，常有风雪灾、狼灾、疫病等灾害，且劳动力缺乏，生产工具不足，畜牧业生产特别是贫困牧民存在许多困难。克服这些困难，只有组织起来，一是可以战胜或减少自然灾害，二是解决劳动力和工具不足，三是提高工作效率，四是培养牧民集体生产的习惯，五是有利于生产技术、放牧方式的改进和物质文化生活的提高。内蒙古的牧区和半农半牧区互助合作运动已有一定的发展，已经组织的牧业互助组和农牧互助组达 3 800 多个，其类型有三，一是临时季节性互助组，二是合群放牧的互助组，三是有一定分工和生产计划的较高形式的常年互助组。这一阶段的互助合作，一方面在一定程度上解决了畜牧业生产中的困难，一方面还存在一些必须解决的问题，诸如等价互利不够；强迫编组的现象比较普遍，且有许多形式主义小组；牧主入互助组，变相剥削牧民；搬农业区的一套到牧业区。

会议在总结以往牧区互助合作的基础上，拟定了目前牧区组织互助合作的新原则：1. 必须根据牧业生产的具体条件及从牧民的生产需要出发，使互助组建立在适合当地牧业生产发展的基础上。2. 必须采取牧民所易于接受的、习惯的、简单的形式，在牧民旧有的互助习惯的基础上，加以领导逐渐提高改进，不要把农业区的一套经验搬到牧业区去，必须照顾民族特点和群众的觉悟水平。3. 必须绝对遵守自愿的原则和互利的原则。4. 必须采取积极领导慎重稳进的方针。目前的发展方针是：1. 着重发展各种类型的有利于牧业生产的临时的季节性的互助组，对于较高级的互助组，由领导机关直接掌握试办，已有的应很好地整顿与总结经验。2. 在互助合作已有大量发展的地区，目前暂不着重发展，而着重整顿和总结经验，特别是如何贯彻自愿与互利问题。对于尚未大量发展的地区，则应典型试验，逐步推广。对于群众中固有的互助形式，应加强领导，以求得发展与提高。3. 由于牧业生产特点，互助组在接羔剪毛等牧忙时，可以允许雇佣技术工人。4. 党和政府应继续给互助组以各方面援助。

会议制定了半农半牧区的政策。在半农半牧区存在重农轻牧的偏向，部分地区农牧矛盾尖锐。为此，会议决定：1. 明确“以牧为主，兼顾农业，保护牧场，禁止开荒”的政策，纠正重农轻牧思想，从政治上、民族关系上、经济上、农牧民的眼前利益与长远利益上着眼，用以牧为主、农牧结合的方式来解决这个问题。2. 采取具体措施解决农牧矛盾与农牧纠纷，第一，划定半农半牧区范围；第二，划定农田牧场界线；第三，解决现在存在的民族纠纷。会议同时制定了定居游牧政策、发展国营牧场政策、奖励劳模政策以及解决牧区“人旺”问题、改进生产技术、防止自然灾害等措施。①

内蒙古自治区在积极领导、慎重稳进的方针下，坚持自愿互利原则，牧区和半农半牧区的畜牧业互助合作运动稳步发展，到1954年底，牧业互助组发展到4 960多个，比1953年底的3 800个增长了30.52%，还办起了4个牧业生产合作社，组织起来的牧户（连同最简单的互助合作）约占牧区牧户的35%。② 牧业互助合作的发展，对于解决牧区劳力和生产工具不足、

---

① 参见高增培：《蒙绥牧区进一步发展畜牧经济的几个政策问题》，载《内蒙古文史资料》第56辑《“三不两利”与“稳宽长”文献与史料》，内蒙古自治区政协文史资料委员会2005年编，第357页。

② 参见乌兰夫：《内蒙古自治区人民政府1954年工作报告》（1955年4月25日），内蒙古自治区人大常委会办公厅编：《五十年历程》（1954—2004），第10页，内新图准字［2004］第95号，2004年印。

战胜风雪自然灾害、促进定居游牧和牧业生产技术的改进，创造了条件，显示了互助合作的优越性。

畜牧业社会主义改造稳步发展　1955年1月，内蒙古自治区召开第二次牧区工作会议，总结了一年来的牧区工作。乌兰夫就牧区工作发表重要讲话，进一步阐述了在牧区贯彻过渡时期总路线和进行畜牧业社会主义改造的问题。他援引刘少奇的话："少数民族中进行社会主义改造事业，将比汉族地区开始得晚一些"，"可以用更多的时间和更和缓的方式逐步地去实现。"并指出：内蒙古"必须明确在牧区宣传与贯彻总路线，贯彻各项社会政策，其目的是发展畜牧业生产，改善人民生活。""必须明确牧区过渡到社会主义，有一个相当长的过渡时期，要有和缓的过渡形式。"① 所谓各项社会政策，即指中央民委三次扩大会议总结的"五项方针、十一项政策、六项措施"以及自治区第一次牧区工作会议制定的各项政策。对于过渡的时间和形式，乌兰夫援引了刘少奇关于"建设社会主义，这是我们国内各民族的共同目标，只有社会主义才能保证每一个民族都能在经济和文化上有高度的发展。"但是"在某些少数民族中进行社会主义改造事业，将比汉族地区开始得晚一些"，"可以用更多的时间和更和缓的方式逐步地去实现"的观点之后，又做了进一步的阐述，"牧区过渡到社会主义比农业区要晚一步，这是肯定的。""如果说农业社目前的性质是半社会主义的，那么牧业生产合作社的社会主义因素可以要求得更低一些。""只要是在社会主义的道路上前进，即使走得慢一点，但是稳一点，是有好处的。倘若掌握得不稳，走得过快过急，超过了群众的觉悟水平，即使道路走对了，也会要犯错误的。"乌兰夫特意阐述了对牧主经济进行社会主义改造的问题，一是继续执行"保护与发展包括牧主经济在内的畜牧业生产的方针"；二是对牧主经济"仍然执行'不斗、不分、不划阶级'和'牧工牧主两利'的政策。"执行"两利政策"，"一方面是允许牧主雇工放苏鲁克，保护其牲畜和其他财产的所有权，鼓励其发展生产的积极性；另一方面是适当地限制牧主的剥削。"

① 乌兰夫：《在内蒙古自治区第二次牧区工作会议上的讲话》（1955年1月21日），《内蒙古文史资料》第56辑，第149页。

这是因为“牧主经济不同于城市资产阶级经济和农村富农经济特点的。”① 这是对畜牧业社会主义改造方针、政策的进一步探讨。

1955 年秋，试办了 8 个牧业生产合作社，牧业互助组发展到 5 000 多个，参加互助合作的牧户占总牧户的 40% 左右，② 畜牧业互助合作稳步发展。但是在是年秋，中央对农业合作化运动的方针从“停、缩、发”转变为重点在发展以后，全国掀起了农业合作化高潮。这对牧业合作化运动无疑起了推动作用，到年底，全区牧业生产合作社发展到 167 个，比是年秋天增长 19. 87 倍；牧业互助组发展到 6 300 多个，增长 26%；组织起来的牧户占总牧户的 52% 以上，增长 12%。③ 用半年时间以如此速度发展，打破了稳步发展的步伐，已经产生了不利影响。

畜牧业社会主义改造“稳、宽、长”基本方针的确定 1956 年 2 月 21 日，中共中央决定组成以乌兰夫为组长的中央牧区工作小组，具体研究对畜牧业社会主义改造的问题。9 月 12 日，中央对于牧业合作化发出指示：“在牧业地区发展牧业合作社，必须采取更加慎重的方针。牧业地区的各级领导机关应该在有利于发展畜牧业和其他条件许可的原则下，认真地亲自动手，重点试办，取得经验，再逐步推广。任何过早的过急的做法，都要防止。”④

在内蒙古畜牧业社会主义改造的过程中，乌兰夫一直强调中央指示的精神，但是在全国农业合作化运动的大潮中，或多或少影响牧业社会主义改造的稳步发展。1956 年牧业合作社发展到 300 多个，比上年增长 79. 64%。面对 1956 年农业社会主义改造基本完成的形势，乌兰夫为了控制农业社会主义改造迅猛发展的形势对畜牧业社会主义改造的影响，1957 年 2 月，在内蒙古自治区旗、县长会议上提出了牧业社会主义改造“稳、宽、长”的基

① 乌兰夫：《在内蒙古自治区第二次牧区工作会议上的讲话》（1955 年 1 月 21 日），《内蒙古文史资料》第 56 辑，第 148—151 页。

② 乌兰夫：《内蒙古农牧业合作化》（1955 年 10 月 7 日在中国共产党七届六中全会上的发言），见《乌兰夫文选》上册，中央文献出版社 1999 年版，第 377 页。

③ 乌兰夫：《关于内蒙古自治区 1955 年几项主要工作情况和 1956 年工作任务的报告》（1956 年 3 月 8 日在内蒙古自治区第一届人民代表大会第三次会议上的报告），内蒙古自治区人大常委会办公厅编：《五十年历程》（1954—2004），第 17 页，内新图准字［2004］第 95 号。

④ 中共中央、国务院：《关于加强农业生产合作社的生产领导和组织建设的指示》（1956 年 9 月 12 日），《内蒙古畜牧业文献资料选编》第 1 卷，内蒙古党委政策研究室、内蒙古自治区农业委员会 1987 年 3 月编印，第 51 页。

本方针，并作解释，即“稳，就是在稳定发展生产的基础上，逐步实现对畜牧业的社会主义改造，这是根据畜牧业经济的特点提出的。因为速度快了就要损失牲畜。牧区要死牲畜，农业区同样也要死牲畜，不仅在牧区脆弱性问题没有解决，同样在农业区也没有得到根本解决。去年在农业区、半农半牧区强迫牲畜入社，出现了牲畜杀得多、卖得多的情况，使牧业经济遭受严重损失。牲畜既是生活资料，又是生产资料；既不同于工业经济，也不同于农业经济。牧主以牧业生产剥削牧民，但同时也要吃羊，因而不能和地主、资本家相比。进行畜牧业的社会主义改造，其基本目的有一条，就是既要实现社会主义改造，又要发展牲畜。如果说进行了社会主义改造，却把牲畜搞光了，那就违背了改造的目的。因为革命的目的是改变生产关系，解放生产力，发展生产。所以，畜牧业的社会主义改造，离开了增畜、保畜就是严重错误的。……因此，我们的步骤一定要稳。宽，就是对个体牧民和牧主政策要宽，要依照自愿原则，愿入社的就入，不愿入社就不入，不能强迫。对牧主也是如此，他不愿意入社或参加合营牧场，我们还是要帮助他们发展生产。有人说，‘这样不会被动吗?’我们认为只要牲畜能发展就是主动。假如把牲畜都搞没了，这才是真正的被动。长，就是要想实现稳、宽，就应采取较长的时间。不愿入社的就长期等待。过去有些同志不是这样做，强迫人家入社，不入的就开会来逼他，这是非常错误的。”① 4 月，进一步归纳为“依靠劳动牧民，团结一切可以团结的力量，在稳定发展生产的基础上，逐步实现对畜牧业经济的社会主义改造”方针和“政策稳、办法宽、时间长”的原则。②

乌兰夫还特意总结了此前畜牧业社会主义改造中，没有执行这一方针而发生的失误与教训。一是农业区社会主义改造中没有区分属于农业范畴的耕畜与畜牧业范畴的牧畜的差别，错误地认为只有牧区才有畜牧业，畜牧业社会主义改造的方针只适应于牧区。因此，对耕畜采取作价归社的办法有利于农业的经营，而对牧畜必须坚持畜牧业改造的方针、政策。二是对牧畜也要

---

① 乌兰夫:《关于牧区社会主义改造问题》(1957 年 2 月 27 日在内蒙古自治区旗、县长会议闭幕会上的总结报告),《内蒙古文史资料》第 56 辑，第 173—174 页。

② 乌兰夫:《十年来的内蒙古》,《人民日报》1957 年 4 月 30 日。

区分成群牧畜与零星散畜，社员拥有少量、零星的牲畜，在整个社会主义时期都是允许的，必要的，始终不应该作价归社，去年发生强迫作价归社的错误应当纠正。三是对成群牧畜必须坚决执行“在稳定发展生产的基础上，逐步实现畜牧业社会主义改造”的方针。牧畜入社与否，必须绝对遵守自愿原则，不得强迫；而且一般不采取作价归社的办法，采取私有社放、比例分红，或社员付给工资，或其他互利办法。总之，牧业合作社一律不采取作价归社的办法，今天不采取，明天不采取，将来也不采取；对牧主仍实行“三不两利”政策，发展畜牧业经济包括发展牧主经济在内。

截至1957年底，组织畜牧业生产合作社632个，入社牧户20 877户，占牧户总数的24.6%；畜牧业互助组发展到3 144个，参加互助组的牧户48 666户，占牧户总数的60%，组织起来的牧户占牧户总数的84.6%。试办公私合营牧场15个，参加合营的牧主34户，另有11户牧主参加了畜牧业生产合作社，参加合营和入社牧主占牧主总数的5%左右。①

畜牧业社会主义改造的完成 1957年10月8日，乌兰夫在中共八届三中全会上的发言中再一次总结了牧业合作化的经验与教训。在牧业区社会主义改造中，注意了畜牧业生产的脆弱性和不稳定性这两个基本特点，牧业区的合作社由上一年的300多个发展为632个，增长了1.1倍，虽然还有较多的问题，但是牧业合作社的发展基本上是健康的，都巩固了下来，促进了牧区的生产，95%的合作社增加了生产，提高了牧民的生活，86%牧民增加了收入。而农业区、半农半牧区的合作化中，忽视畜牧业经济的特点，没有执行在稳定发展生产的基础上进行改造的方针，违背自愿互利的基本原则，不加区别地把社员牲畜一律作价归社，牲畜作价低，还钱时间定得长，互利政策执行不当，挫伤了农民发展生产的积极性，引起农民大量宰杀和出卖牲畜，在处理畜牧业方面发生了偏差，这是一个严重教训。再加上牧区自然灾害严重，1957年牲畜头数比上一年减少196万头（只）。②

---

① 程海洲：《内蒙古自治区第一个五年计划畜牧业生产执行情况和今后工作打算——在全国畜牧业工作会议上的发言》（1957年12月20日），《内蒙古畜牧业文献资料选编》第2卷（上），内蒙占党委政策研究室、内蒙古自治区农业委员会1987年3月编印，第379页。

② 乌兰夫：《总结经验，积极稳步地发展畜牧业》（1957年10月8日），《乌兰夫文选》上册，中央文献出版社1999年版，第484页。

1958 年 7 月，内蒙古自治区召开第七次牧区工作会议，乌兰夫在会上宣布："内蒙古牧区已经基本上实现了牧业合作化，这是内蒙古人民的一件大喜事，标志着牧区向社会主义大大迈进了一步。牧业合作化，经历了由低级到高级的道路。开头，它是各种形式的互助组，在互助组的基础上，经过合作社的建立、巩固和发展，在这个基础上今年才迅速地实现了半社会主义性质的牧业合作社。将来它还要过渡到完全社会主义的牧业合作化，这是牧业合作化发展的必然趋势。如果认为实现初级形式的合作化，就是完成了牧业的社会主义改造，是不对的；另一方面，如果不承认初级形式的合作社一般地适应目前牧民的觉悟程度，而要求过快地转向高级社也是不对的。"① 1958 年夏牧区实现了合作化，全区办起了 2 295 个牧业合作社，建立了 122 个公私合营牧场。② 这比农业社会主义改造的基本完成晚了两年，而且只是初级社阶段。继续实现完全社会主义性质的改造，还需要一段时间。这正是按照"稳、宽、长"的原则，对牧业进行社会主义改造的体现。

乌兰夫还分析了下一步改造的任务，"整顿巩固大量初级牧业合作社，是我们当前迫切的任务。整顿巩固合作社的基本要求是，妥善地解决现在合作社中存在的各种矛盾。目前合作社内部的矛盾是：集体经济和私有经济的矛盾；社会主义思想与非社会主义思想的矛盾；生产大跃进和合作社劳动组织、基本建设等方面不相适应的矛盾；畜少劳多和畜多劳少的社员之间的利益上的矛盾；领导和社员之间的矛盾。"为此，提出整顿合作社的 9 项要求：坚持政治挂帅，继续在合作社中进行社会主义教育；在合作社内树立劳动牧民的领导优势；正确处理公私比例和公共积累；合作社的规模必须适应生产"大跃进"和技术革命的需要；要妥善安排合作社的生产；按时整顿合作社，健全合作社的各项制度；巩固和提高老社，继续发挥老社的旗帜作用，应该作为整社中的一项重要工作；试办高级社；合作社内要加强和建立党的

---

① 乌兰夫：《努力完成对畜牧业的社会主义改造》（1958 年 7 月 7 日在内蒙古自治区第七次牧区工作会议上的总结报告），《内蒙古文史资料》第 56 辑《"三不两利"与"稳宽长"文献与史料》，中央文献出版社 1999 年版，第 200 页。

② 王铎：《关于内蒙古畜牧业生产与社会主义改造若干政策问题》（1961 年 7 月 24 日），《内蒙古畜牧业文献资料选编》第 2 卷，第 21 页，内蒙古党委政策研究室、内蒙古自治区农业委员会 1987 年 3 月编印。

领导。而且提出“对牧主的社会主义改造，要求在今年内基本完成。”①

从1958年冬到1959年3月，在全国人民公社化运动中，内蒙古牧区也实现了人民公社化，建成155个牧区人民公社、800多个生产大队，公私合营牧场合并为42个，② 基本上完成了对畜牧业的社会主义改造。在“大跃进”和人民公社化运动的急风暴雨中，乌兰夫冷静地强调畜牧业社会主义改造的既定方针和“稳、宽、长”的原则，反复强调从牧区的民族特点、经济特点着眼，从牧区的实际出发，稳步前进。他在《红旗》杂志上发表文章，援引邓子恢1957年12月谈到的关于牲畜入社和收益分配的办法，即按适龄母畜计头入社，劳股、畜股按比例分配每年繁殖的幼畜和畜产品，其余牲畜，交社代放，畜主出代放费；牲畜作价或评分折股入社，劳股、畜股按比例分益；牲畜作价入社，付给畜股固定利息，除付息外，按劳分配；牲畜作价入社，分期偿还的4种办法；对于牧主经济则采取加入合作社、办公私合营牧场、加入国营牧场三种改造办法，③ 稳妥地引导牧区人民公社的发展。1961年8月28日，乌兰夫在《关于牧区工作给中央的报告》中，一方面肯定1958年以来畜牧业社会主义改造的成绩，一方面指出“违反党的民族政策、忽视民族特点、忽视牧区特点、不认真在牧区贯彻‘以牧为主’的生产方针的问题”；重申畜牧业社会主义改造要从牧区的实际出发，强调稳步前进的精神，防止简单急躁的做法；提出“能办人民公社就办人民公社，能办合作社就办合作社，不能办人民公社、合作社的就办互助组。人民公社的规模、体制等都要因地制宜确定，不必强求一律。人民公社要坚决贯彻按劳分配、等价交换的原则，充分调动牧民群众的积极性，稳定、全面地

---

① 乌兰夫：《努力完成对畜牧业的社会主义改造》（1958年7月7日在内蒙古自治区第七次牧区工作会议上的总结报告），转引自《内蒙古文史资料》第56辑《“三不两利”与“稳宽长”文献与史料》，内蒙古自治区政协文史资料委员会2005年编，第201页。

② 王铎：《关于内蒙古畜牧业生产与社会主义改造若干政策问题》（1961年7月24日），转引自《内蒙古畜牧业文献资料选编》第2卷，第22页，内蒙古党委政策研究室、内蒙古自治区农业委员会1987年3月编印。

③ 邓子恢：《在全国牧区畜牧业生产座谈会议的总结报告》（1957年12月），转引自《内蒙古畜牧业文献资料选编》第1卷，第62页，内蒙古党委政策研究室、内蒙古自治区农业委员会1987年3月编印。

大力发展畜牧业生产。”① 但是，由于人民公社化运动的强烈冲击，畜牧业社会主义改造的“稳、宽、长”原则没有得到切实贯彻实施，牧业合作化基本上没有经过高级社阶段，直接组建了牧区人民公社。

内蒙古畜牧业社会主义改造的内容及其政策、措施　内蒙古自治区的畜牧业社会主义改造，从1952年开始到1958年基本上实现了牧业合作化；1958年冬到1959年春实现了人民公社化，前后用了8—9年的时间，基本上完成了畜牧业的社会主义改造。在这一过程中，畜牧业社会主义改造的内容逐步明确，改造方针、政策和办法逐步形成。

内蒙古畜牧业社会主义改造的主要内容：

一、对牧区个体畜牧业经济的社会主义改造。牧区民主改革以后，畜牧业经济仍然是分散、落后、脆弱的个体经济，不适应稳定发展畜牧业生产的要求。在从事个体畜牧业经济的牧民中，贫苦牧民和不富裕牧民占牧区人口的80%，占有牧区牲畜的50%—60%；富裕牧民占20%，占有牲畜30%—40%。这两部分牧民称之为劳动牧民，他们中的绝大多数是拥护互助合作的，社会主义改造是他们的要求，有利于他们发展生产和改善生活。前者最积极，后者有时动摇，但都属于劳动牧民，都是合作化的依靠力量，是阶级路线的体现。这是牧区社会主义改造的主体，是社会主义改造成败的关键。

二、对牧主经济的社会主义改造。牧主占牧区人口的1%多一点，占有牧区牲畜的10%左右。牧主是牧区的剥削阶级，虽然通过民主改革取消了封建特权，但是牧主经济是一种资本主义性质的，对雇工的剥削是资本主义性质的剥削。对牧主经济的社会主义改造，采取比资产阶级还要宽的和平改造方针和赎买政策。社会主义改造要消灭剥削，剥削阶级自然也要消灭。对牧主采取长期团结改造的方针，在社会主义改造中包下来、给出路，给牧主定息和安排工作，在公私合营牧场安置适当职务，其家庭成员如参加劳动，与牧民同工同酬；公方派干部代表政府，实行党委领导下的场长负责制，组织场务管理委员会，吸收牧工、牧主参加；国家投资解决基本建设的需要，暂不提取利润，鼓励其从生产中求发展。全区参加合营牧场的牧主458户，

① 乌兰夫：《关于牧区工作给中央的报告》（1961年8月28日），《乌兰夫文选》下册，中央文献出版社1999年版，第75页。

牲畜 60 万头（只），参加人民公社的 482 户，牲畜也是 60 万头（只）。①

三、社会主义改造中的宗教问题。在社会主义改造时期，全区有喇嘛召庙 1 300 多个，有 500 多个召庙还有喇嘛驻庙，共有喇嘛 13 000 人，参加劳动生产的 11 594 人，其中参加工矿企业生产的 354 人，参加农业生产的 2 330 人，参加畜牧业生产的 6 400 人，医生 1 200 人，其他 1 300 人。② 在社会主义改造中，继续坚持宗教信仰自由政策，对召庙的宗教生活由喇嘛自己主持，政府不干涉；对庙宇、经卷、法器等进行保护；对召庙牲畜和大型生产资料，据情采取参加合营牧场、合作社、放苏鲁克等形式进行社会主义改造；对喇嘛多的召庙在喇嘛自愿的原则下，组建生产队，进行畜牧业、农业、副业生产；有家的可以回家乡参加生产；在手工业者匠人多的召庙，组织手工业生产合作社或手工工厂，鼓励喇嘛投资兴办；组织喇嘛医为群众治病，兴办喇嘛医进修学校、喇嘛医（蒙医）研究所；组织喇嘛学文化、学政治；安置活佛大喇嘛，照顾年老喇嘛；既贯彻了宗教信仰自由政策，又按照喇嘛的自愿组织其参加力所能及的生产服务工作。

四、农业区、半农半牧区畜牧业的社会主义改造。农业区、半农半牧区的畜牧业是内蒙古畜牧业的重要组成部分，其牲畜头数占全区牲畜总头数将近一半。因此，农业区、半农半牧区畜牧业的社会主义改造，是内蒙古畜牧业社会主义改造的主要内容之一。农业区、半农半牧区畜牧业的特点与牧业区同样，也是脆弱的。但是，一度对“在稳定地发展牧畜业生产的基础上，逐步实现牧畜业社会主义改造”的方针认识不明确、执行不力，偏向于牲畜入社，偏重于作价入社，甚至发生强迫作价入社，而且作价偏低、偿还期过长，导致群众大量出卖、宰杀牲畜，造成牲畜的严重损失。

内蒙古党委重申党和政府对农业区、半农半牧区畜牧业社会主义改造的上述方针，并制定具体政策和办法，归纳起来有如下几点：要求把属于农业

① 王铎：《关于内蒙古畜牧业生产与社会主义改造若干政策问题》（1961 年 7 月 24 日），转引自《内蒙古畜牧业文献资料选编》第 2 卷下册，第 14 页，内蒙古党委政策研究室、内蒙古自治区农业委员会 1987 年 3 月编印。

② 王铎：《关于内蒙古畜牧业生产与社会主义改造若干政策问题》（1961 年 7 月 24 日），转引自《内蒙古畜牧业文献资料选编》第 2 卷，第 14 页，内蒙古党委政策研究室、内蒙古自治区农业委员会 1987 年 3 月编印。

范畴的耕畜、役畜和属于牧业范畴的牲畜、役畜区别开来。在农业社会主义改造中，对于农业范畴的耕畜、役畜与土地、农具等一并转为集体所有，有利于发展农业生产，是必要的；而对属于牧业范畴的牲畜、役畜必须认识其脆弱的特点，要发挥农、牧民饲养牲畜的积极性，改造步骤不要超过群众的觉悟，不要违反自愿原则，否则就会造成牲畜的严重损失。为此，向农村干部和农牧民宣布：农业区、半农半牧区的牲畜入社与否，完全听取社员自愿，任何人不得以任何形式强迫入社；国家对农、牧民牲畜一律保护，并扶持其发展；农业生产合作社必须注意公有牲畜和私有牲畜两方面的发展，对私有养畜户给以多方面的帮助；牲畜作价归社必须绝对遵守自愿原则，其作价价格，应当高于平均市场价格，偿还期不得超过3年。要求纠正强迫入社问题，社员愿意继续由社统一经营的，仍然由社统一经营；作价偏低偿还期过长的应当纠正；要求退回自养或要求改作价为由社代放的应当退还或改变办法。并要求检查、纠正过去工作中的缺点和错误。①

内蒙古的畜牧业社会主义改造取得了预期的成绩，同时也在“左”倾思潮的影响下，发生了一些偏差。在人民公社化过程中，曾发生贪大求高、取消畜股报酬、取消自留畜，实行粮、肉、奶食供给制，办食堂，集中蒙古包居住，取消牧主定息，撤销牧主在合营牧场中的领导职务等“左”倾错误。

三、手工业社会主义改造

内蒙古手工业的基本状况　内蒙古的工业基础十分薄弱，手工业在自治区工业经济中占有重要地位，特别是与农牧业生产和农牧民生活乃至城镇居民生活有密切的关系，对沟通城乡经济有重要作用；在支援国家工业、为农牧民生产服务以及供应城市人民的生活需要等各方面有着巨大作用。中华人民共和国成立初期，农牧民和城镇居民的生产资料和生活用品，有60%—70%依靠手工业行业供给。1954年全区手工业计有29个行业，达23 800多

---

① 参见中共内蒙古自治区委员会：《关于端正农业区半农半牧区畜牧业社会主义改造的方针政策的指示》（1956年12月26日），《内蒙政报》1957年第1期。

户，从业人员有 44 500 多人。① 到 1955 年，全区手工业从业者发展到约 5.3 万人，手工业年产值约占地方工业总产值的 20%。但是，手工业布局分散，技术落后，设备简陋，规模狭小，资金微薄，生产盲目且保守，无法适应对手工业产品日益增长的需求。这是个体手工业经济的本质所在，是落后生产关系的必然。在过渡时期通过社会主义改造变革生产关系的潮流中，对个体手工业经济进行社会主义改造，把手工业个体劳动者的个体所有制逐步改变为社会主义的集体所有制，把分散的个体生产改变为集体生产，使盲目保守的生产转变为有目标的适应社会需求的生产，是社会对手工业的要求，也是手工业自身发展的必然。这在当时是必须的。

内蒙古手工业合作化的进程 1948 年在通辽曾办了第一个手工业生产合作社，在其他城镇也有过一些手工业合作生产组织。1952 年末，在当时的内蒙古自治区辖境组建了 39 个手工业生产合作小组，参加者达 1 056 人。1953 年，中国共产党在制定国家在过渡时期的总路线总任务的时候，即把手工业的社会主义改造列为三大改造之一。是年 4 月，中共中央发出《关于重视手工业的指示》；11 月，中华全国手工业合作社联合社召开第三次全国手工业生产合作会议，在总结几年来手工业合作化经验的基础上，提出了手工业社会主义改造的方针、形式和步骤。即在积极领导，稳步前进的方针下，以手工业生产合作小组、手工业供销合作社和手工业生产合作社等组织形式，从供销入手，由小到大，由低级到高级，逐步进行改造，并报告中央。1954 年 4 月，中共中央批准了这个报告，并发出加强对手工业工作领导的指示。

7 月，中共中央内蒙古分局召开第一次全区手工业工作会议，部署了手工业合作化的任务。1954 年全区个体手工业者在 29 个行业中有 2.38 万多户，从业人员达 4.45 万多人。在“积极领导，稳步发展”的方针下，对手工业开展了社会主义改造。到年底，自治区的手工业生产合作社达到 167 个，手工业生产小组 191 个，组织起来的社、组成员占个体手工业 10 人以下小型私营工业及手工业生产合作组织的总从业人员的 14.55%，其产值占

---

① 乌兰夫：《内蒙古自治区人民政府 1954 年工作报告》（1955 年 4 月 25 日），《五十年历程》（上），第 8 页，内新图准字［2004］第 95 号，2004 年印。

手工业总产值的15.35%。[①] 1955年5月28日，自治区召开手工业生产合作社首届社员代表大会，讨论推进手工业社会主义改造问题，制定了《内蒙古自治区手工业生产合作社联合社社章》，成立了联合社领导机构。到年底，全区手工业生产合作社和手工业供销合作社发展到606个，社员发展到1.28万人，占手工业者总数的24%，其生产总值占全区手工业生产总值的28.8%。1956年，随着农业合作化高潮的迅速发展，手工业社会主义改造也进入了高潮，全区组织了1 033个手工业生产合作社（组），参加者达3.25万余人。到1957年底，手工业生产合作社（组）达到1 330个，参加者有3.64万人，占当年手工业者92.7%，[②] 基本上实现了手工业生产合作化，完成了对个体手工业的社会主义改造。

内蒙古手工业生产的变化　在对手工业进行社会主义改造的过程中，逐步改进手工业生产合作社的生产设备和生产方法。到1958年上半年，已有50%的手工业生产合作社不同程度地安装了机器设备，有30%的手工业生产合作社进行机械化或半机械化生产，手工业劳动生产率逐步提高。1955年比1954年提高15%，1956年比1955年提高50.8%。1958年在贯彻社会主义建设总路线的过程中，手工业生产合作社随之由集体所有制向全民所有制过渡，有64.6%的手工业生产合作社分别转为地方国营或合作社营的工厂。据统计，这些转制的手工业合作社1958年生产总值比1957年增长72%。同时，对未转制而适宜分散经营的手工业生产合作社（组）继续分散经营。

四、资本主义工商业社会主义改造

内蒙古的资本主义工商业状况　从总体而言特别是与内地相比，内蒙古的资本主义工商业发展滞后，生产经营规模很小，资本薄弱，技术落后，设备简陋，职工很少，主要分布在呼和浩特、包头等几个稍具规模的城镇之中，而且以私营商业为主，私营工业比重很小。私营工业绝大多数是小型企

① 乌兰夫：《内蒙古自治区人民政府1954年工作报告》（1955年4月25日），《五十年历程》（上），第8页，内新图准字［2004］第95号，2004年印。

② 参见郝维民主编：《内蒙古自治区史》，内蒙古大学出版社1991年版，第127—128页；王铎主编：《当代中国内蒙古简史》，当代中国出版社1998年版，第121—122页。

业或手工作坊，私营商业多数是小型商铺和摊贩，私营工商业基本上是汉族工商业者经营，蒙古族及其他少数民族私营工商业者极少。据 1953 年统计，全区私营工业共有 890 户，从业人员 8 223 人；另据 1955 年普查，私营商业共有 18 627 户，从业人员 25 921 人，其中雇用职工者仅 985 户，仅占私营商业总数的 5. 28%。

内蒙古资本主义工商业的数量尽管如此微弱，但是在自治区的经济生活中发挥着不可或缺的作用。它对于内蒙古地区城镇的发展，对农牧业生产的进步，对于城镇与乡村、牧区的经济交流，对于蒙汉各民族的交往，都产生过积极的作用。

资本主义工商业改造的进程 对资本主义工商业的社会主义改造是过渡时期总路线总任务的组成部分。《关于建国以来党的若干历史问题的决议》对资本主义工商业社会主义改造作了完整准确的概括："对资本主义工商业，我们创造了委托加工、计划订货、统购包销、委托经销代销、公私合营、全行业公私合营等一系列从低级到高级的国家资本主义的过渡形式，最后实现了马克思和列宁曾经设想过的对资产阶级的和平赎买。"① 通过利用、限制、改造的政策，采取统筹安排、行业内部改组、全行业公私合营、保息定息的措施与方法，即通过多种形式的国家资本主义，采取赎买的方式，逐步将资本主义私有制改造为社会主义公有制。

在中央对资本主义工商业社会主义改造的统一部署下，内蒙古自治区也稳妥地进行了改造。1952 年以前，经过统一财政，稳定市场物价，以及"三反"、"五反"运动，政治上树立了工人阶级的优势，并淘汰了投机性最大的皮毛货栈。1953 年经过调整工商业，扩大加工订货，掌握货源等措施，促使资本主义工商业者由当地国营公司进货，从而树立了国营、合作社在市场上的领导地位。1954 年和 1955 年，由于国家对粮食、棉布、皮毛实行统购统销和牲畜的统一管理，进一步扩大了国营经济，同时对其有计划、有步骤地并结合统一安排生产经营，进行了社会主义改造，大大发展了各种类型的国家资本主义，将其纳入国家计划的轨道。据 1954 年底统计，私营工业

① 《中国共产党中央委员会关于建国以来党的若干历史问题的决议》,《三中全会以来重要文献选编》（下），中央文献出版社 1982 年版，第 749 页。

接受加工订货和统购包销的产值占其总产值的 48.5%；1955 年私营商业接受经销、代销和批购零销者发展到 5 320 户，占其总户数的 29%。①

1953 年至 1954 年，中共中央先后批准中央统战部和中央财政委员会的报告，确认公私合营是改造资本主义私有制最适当的形式，要有步骤地将有 10 名以上工人的资本主义工业基本上改造为公私合营企业。国务院发布的《公私合营暂行条例》规定：对资本主义企业进行公私合营，应当根据国家的需要、企业改造的可能和资本家的自愿，对企业原有财产的估价应当按照公平合理、实事求是的原则进行；公私合营企业受公方领导，由政府主管部门派代表同私方代表共同负责管理。内蒙古自治区对资本主义工商业在进行初级形式改造的同时，1953 年对 15 个行业有 10 名以上工人的私营工业进行了调查，计有 169 户，职工 3 683 人，工业产值 1948.99 万元。1955 年底以前，进行公私合营的有 21 户，占有 10 名以上工人私营工业企业总数的 12.5%，产值 1 684.6052 万元，占私营企业产值的 84.58%；加工订货、收购、包销的产值占私营工业总产值，从 1954 年上半年的 41.94% 增长到 1955 年上半年的 48.83%。资本主义商业和小商小贩，在国营商业所管的 37 个城镇中共有 16 839 户，其中有 300 户以上私营商业的城镇 12 个，有 300 户以下私营商业的城镇 25 个；供销合作社所管集镇有 139 个，共有私营商业 6 803 户，1955 年以前已改造 1 560 户。另外有粮食加工业 940 户。上述私营商业包括 14 个行业，经营粮食、纺织品、饮食、食品、百货、医药、文具、燃料、五金机械、化学原料、交电器材、服务业等。②

对资本主义工商业的社会主义改造，改变了国营、合作社营经济力量薄弱的局面，社会主义经济成分稳步增长，在城乡牧区工商业中已经占绝对优势，资本主义经济成分逐步削弱。在商品零售总额中，1952 年国营、合作社营占 49.17%，私营占 50.83%；1954 年国营、合作社营增长到 72.85%，而私营下降为 24.11%，国家资本主义占 3.31%。工业产值的比重，1952 年到 1954 年国营、合作社营从 56.45% 增长到 71.71%，而私营从 41.63% 下

① 参见王铎主编：《当代中国内蒙古简史》，当代中国出版社 1998 年版，第 121—122 页。

② 杨植霖：《关于对资本主义工商业改造工作的报告》（1956 年 1 月 16 日内蒙古自治区人民委员会第九次会议通过），《内蒙古政报》1956 年第 3 期。

降为25.06%，公私合营从1.92%增长到3.23%。①

1956年，在农业合作化高潮的推动下，掀起了资本主义工商业社会主义改造的热潮，实行全行业公私合营或其他形式的改造。到年底，全区559户私营工业中，有职工10名以上的417户全部实行公私合营，占私营工业户数的74.6%；有职工10名以下的139户私营工业参加了手工业合作社，占私营工业户数的24.86%。全区22 757户私营商业（包括小商贩）中，以各种形式改造的计19 017户，占83.56%。其中实行公私合营的6 814户，占35.83%；参加合作商店的3 929户，变为国营商业代购代销或经销点的5 642户，直接改变为国营商店和供销合作社的1 466户，转业改造的1 166户。只有3 740户小商小贩没有改造，占私营商业总户数的16.44%。②

在对资本主义工商业进行社会主义改造的同时，对公私合营企业进行清产核资和定股定息，按核资定股的私股股金5%的利率付息，并按"量才使用、适当照顾"的政策，对资方人员作适当的安排，特别是对少数民族工商业者给予照顾，少数民族公私合营企业，公方代表也派该民族干部担任，而且贯彻党的民族政策，尊重少数民族的风俗习惯，发扬少数民族的经营特点。

对资本主义工商业的社会主义改造，一方面是对私营工商企业的改造，一方面是对私营工商业者的思想改造。思想教育是思想改造的主要途径，首先是教育私营工商业者认清社会主义改造的历史趋势；其次是认识和平改造的方针和对其生产资料的赎买政策，既有利于国家，也有益于私营工商业者；第三是认识他们由资产阶级剥削者改造成为社会主义的劳动者。对人的改造一方面消除思想障碍，保证企业改造的顺利进行；一方面培养大批接受改造的核心分子，在社会主义改造中起带头作用、骨干作用和桥梁作用。1957年，内蒙古自治区全面实现了对资本主义工商业的社会主义改造。

---

① 杨植霖：《关于对资本主义工商业改造工作的报告》（1956年1月16日内蒙古自治区人民委员会第九次会议通过），《内蒙古政报》1956年第3期。

② 王铎主编：《当代中国内蒙古简史》，当代中国出版社1998年版，第126页。

第三节　国民经济长足发展

一、工业经济的发展

内蒙古自治区的工业原料特别丰富，而工业基础却十分薄弱。根据过渡时期总路线和总任务实现国家的社会主义工业化的要求，发展工业经济是内蒙古自治区发展国民经济第一个五年计划的中心环节，是国家工业建设的重点。在国家“一五”计划156个重点项目中内蒙古占有5项，在964个限额以上工程中内蒙古也占有相当的比例。

内蒙古工业建设的任务与方针：“紧密配合国家和自治区经济建设计划，从促进农、牧业生产的发展与改造出发，除加强对现有厂矿的领导并改善其生产经营外，应着重有步骤地、有计划地发展足以改变自治区面貌的工业（如屠宰、皮革、牛乳等联合工厂，农具制造厂，盐碱化学工厂等），使我们自治区落后的经济状况得以逐步改观。”① 内蒙古的工业现状是地区广阔，交通不便，工业基础薄弱，多为就地取材、就地生产、就地销售的工业，也有一部分是外地取材、外地销售的工业，而直接配合与促进农、牧业生产发展的工业发展不够。但是，中央为照顾自治区的建设，财政上给予一定的自治权利，可有较多资金投资地方工业的建设，而且国家已经着手在内蒙古进行重工业建设，它将带动地方工业建设。因此，既有不利因素，也有有利因素与条件。据此，决定从内蒙古的自然资源和开发条件出发，发展以包头钢铁工业基地和大兴安岭森林工业基地为中心的现代化工业建设，充分利用极其丰富的畜牧资源，发展畜产品和食品加工工业，发展直接促进农牧业生产的工业建设。

包头钢铁工业基地建设是内蒙古自治区第一个现代化工业建设项目，是国家“一五”计划的重点建设项目。在包头西北的白云鄂博及其周围蕴藏

---

① 乌兰夫：《加强工业领导，发展内蒙古自治区经济建设——在蒙绥分局第三次工业汇报会议上的讲话》（1954年1月10日），《乌兰夫同志关于内蒙古自治区工作方针、政策及有关民族问题的讲话》第5集，1954年编印，第85页。

着极其丰富的铁矿和稀土矿，还有以包头石拐沟煤矿为中心数百里范围的煤炭资源，南临黄河，水源充足。这种发展钢铁工业自然配制的资源，是建设包头钢铁工业基地得天独厚的客观条件。国家决定在包头建立大型钢铁联合企业——包头钢铁公司，与此相配套建设两座大型机械厂、两座大型高温高压热电厂，均在国家“一五”计划156个重点建设项目之中。国家计划中的包兰铁路通车后，包头将成为连接华北与西北的交通枢纽。包头工业基地是国家在少数民族地区首先建设而且是唯一的现代化工业基地。

1953年，中共中央华北局在《关于加强包头工作的决定》中指出，包头将是我国社会主义工业化和国防现代化的重要基地之一，按照国家计划将生产大量的钢铁、机器和各种新式装备，以满足经济建设和国防建设的需要。1954年6月13日，包头钢铁公司建设准备工作开始，首批工程破土动工。1955年开始工业区的建设，1956年夏举办了盛大的包头社会主义建设青年联欢周，掀起了包头工业基地建设高潮。1957年基本完成了包钢的技术设计，并完成200多万平方米的建筑工程。与此同时，在包头建成了砖瓦厂、砂石厂、耐火器材厂、机械厂、氧气厂、汽车修配厂、水泥管道厂、木器厂、食品加工厂、被服厂等30多个为包头工业基地建设服务的配套厂，而且带动了包头的地方工业的发展。①

内蒙古自治区的森林工业是国家的重点建设项目，大兴安岭的森林工业建设列入了国家第一个五年计划。据当时勘查，大兴安岭林区的原始森林面积达1 200万公顷，约占全国森林面积的五分之一，木材蓄积量约8亿立方米，针叶树蓄积量约占87.4%，阔叶树仅占12.6%。1953年即组建了森林铁路工程公司，以后又发展为牙克石林业建筑工程局，承建整个林区的运材公路、森林铁路、房屋建筑和林场建设。在“一五”期间，建成图里河、根河、库都尔、伊图里河、西尼气、甘河、阿尔山等7个采伐基地和6个制材厂，新建森林铁路611公里，初步建成了森林采伐、运输系统，机械采伐取代了人工采伐，公路、铁路运输取代了畜力搬运、水道流运，木材生产量大幅度增长。1957年的木材产量达到186万立方米，比1952年增加3.4倍；

① 参见苏谦益：《勤俭建设包头工业基地》，《内蒙古自治区成立十周年纪念文集》，内蒙古人民出版社1957年版，第51页。

"一五"期间运出木材达724万立方米，形成了大兴安岭森林工业基地的雏形。1947年到1957年，内蒙古森林工业向国家提供的木材累计达690万立方米；1952年到1956年给国家积累的资金达1.5512多亿元；建成大兴安岭窄轨森林铁路平车道总长达2 923公里，汽车公路总长达4 056公里；森林职工从1947年的1 870人增加到1956年的22 871人，培养技术工人1 077人，[①] 内蒙古成为国家最大的木材供应基地之一。

除了上述两个国家工业化重点建设项目外，连接中、蒙、苏三国的集（宁）二（连）铁路已于1956年通车运营，直通大西北的包（头）兰（州）铁路也已施工建设；集宁、海拉尔两座大型机械化肉类联合加工厂以及包头大型机械化糖厂，都已建成投产；由6 000多名职工组成的30多个地质普查、勘探队，在东起兴安岭西到居延海的广阔原野寻找矿藏，为国家和自治区经济建设提供资源信息。

与此同时，自治区的地方工业迅速发展，建成直接为农牧业生产服务的农具制造、修配厂和牧业机械厂16个，由地方国营、公私合营农具铁工厂和手工业合作社组成的390个农具修配站（组），形成了农具制造、修配网。与牧业生产直接联系的乳品、皮革、纺织工业迅速发展，形成了拥有千余名职工、40多个加工厂的乳品工业企业，有机械化生产的牙克石乳粉厂、海拉尔乳粉厂等；建成拥有先进技术装备的海拉尔皮革厂、包头皮革厂、锡林浩特皮革厂和呼和浩特毛织厂；新建的建材、印刷、被服、制鞋、食品等工厂企业成倍增长，如赤峰制药厂、牙克石色酒厂、伊克昭盟的制碱厂和硫磺矿、昭乌达盟的萤石矿、平地泉和乌兰察布盟的云母、石棉工业等。

内蒙古的工业有了迅猛发展，国营、地方国营、合作社营、公私合营工业的工业总产值，从1952年的1.6116亿元增长到1957年的6.3316亿元，增长了2.93倍。工业总产值在工农业总产值中的比重从1952年的14.12%上升到1957年的36.15%。不仅发展了原有的工业产品，而且生产了砂糖、乳糖、乳粉、毛呢、麻黄素、畜力割草机、搂草机、破雪工具、双轮双铧犁、内蒙号山地犁、铲叉机、水车、水泵和机制砖瓦、水暖器材等诸多新产

① 参见萨义尔：《日新月异的大兴安岭森林工业》，《内蒙古自治区成立十周年纪念文集》，内蒙古人民出版社1957年版，第79页。

品。地方工业主要产品从1952年的92种发展到1956年的232种。[①]

内蒙古工业建设的发展，壮大了工人阶级队伍，尤其是工业战线上蒙古族及其他少数民族职工达万人之众；一些消费性小城镇逐步向生产性城市发展，新型城镇开始形成；为农牧民生产生活服务的各种工厂逐步建成，支援了农牧业生产；对支援国家建设的工业产品日益增加，改变了历史上只输出原料、输入产品的工业落后局面。

二、农业经济的发展

农业经济在内蒙古自治区国民经济中占有很大比重，是国民经济的重要组成部分。20世纪50年代前期，在内蒙古800万左右的人口中，从事农业的人口达600万人以上，1953年农业生产总值占国民生产总值的66.66%。农业是自治区蒙古族、汉族以及回、满、达斡尔、朝鲜等各民族共同从事的生产，大部分农业区形成民族杂居，农牧交错格局，在发展农业经济中存在鲜明的民族特点、地区特点；内蒙古因山地丘陵较多，各族农民除了务农还有饲养牲畜的习惯与经验，在全区牲畜总数中农业区、半农半牧区的牲畜占一半左右，具有农牧结合的历史与条件；由于地域广阔，人均占有耕地较多，具有发展农业的较大潜力。但是，由于历史上农业的畸形发展，技术落后，耕作粗放，农业生产力水平低下，还有十年九旱等自然因素。这是内蒙古发展农业经济必须注意的客观实际。

内蒙古实现统一的民族区域自治，是农业生产迅速发展的保障。由于实行民族区域自治政策，使蒙古族及其他少数民族获得了当家做主的权利，民族平等、团结、互助取代了民族压迫、歧视、隔阂，消除了产生民族矛盾以及农牧矛盾的根源，化农牧矛盾为农牧结合、互相支援。这是农业经济发展的政治保障。

内蒙古发展农业经济，在实行“以牧为主，照顾农业，保护牧场，禁止开荒”的方针下，农业区“努力增加粮食的同时，大力发展畜牧业及其

---

① 参见权星垣：《迅速发展中的内蒙古自治区工业建设》，《内蒙古自治区成立十周年纪念文集》，内蒙古人民出版社1957年版，第69页；参见内蒙古自治区统计局编：《辉煌的内蒙古》，中国统计出版社1999年版相关数据。

他副业生产”；半农半牧区则“全面规划，农牧结合，多种经营，有计划地发展农牧生产。”在保护牧场的前提下，经过充分的协商，进一步调整了农田牧场界线，既有利于农业生产，也有利于牧业生产，还促进了民族团结，解决了长期存在的农牧矛盾以及表现在农牧矛盾上的民族纠纷。这是农业经济发展的政策保障。

内蒙古农业互助合作运动的发展，农业社会主义改造的完成，极大地调动了农民发展生产的积极性，进一步解放了农村社会生产力，促进了农业经济的发展。从1953年到1957年，农业生产因遭受1954年特别是1957年特大自然灾害而减产的情况下，总体呈现稳步增长的态势，农业总产值从1952年的9.79亿元增长到1957年的11.18亿元，增长14.19%；1956年全区实现农业合作化的时候，农业总产值达到13.28亿元，比1952年增长26.28%。农村经济体制变革，对农业经济的发展起到了促进作用。

国家的经济扶持和合理负担政策与价格政策，是发展农业生产的经济保障。从1949年到1957年，国家在农业区、半农半牧区发放各种贷款累计达1.5亿元。“一五”期间，国家共投入用于农业生产建设的资金2.9770亿元，解决了农民生产资料不足和发展农业的资金短缺的困难。同时按照“合理负担、奖励增产”的原则，执行常年应产量依率计征、依法减免、增产不增税的农业税政策，激发了农民发展生产的积极性。收购农牧业产品和土特产品，实行分等论价和调整比价等办法，消除历史上造成的价格不合理现象，逐步缩小工农牧业产品的剪刀差，提高经济作物的产品价格，切实保证农民的劳动所得和收益逐年增加。

因地制宜，采取多种措施，发展农业生产。旱灾，是内蒙古农业的最大灾害，防旱抗旱是发展农业的头等大事。一是兴修水利，扩大农田灌溉面积。“一五”期间，全区兴修和开辟大小渠道7 500多条，修筑水库塘坝105座，打井97 000眼，推广水车21 000部；扩大了河套灌区面积，修建解放、胜利、民族等5大灌区；继续修筑西辽河流域防洪堤、分洪坝、滞洪区和灌区，灌溉面积比1952年扩大5%，达到60.67万公顷。到1957年，全区农田有效灌溉面积达到60.67万公顷，比1952年增加20多万公顷。二是营造农田防护林带，改善生态环境。到1957年，内蒙古东部地区营造农田防护林236万亩，黄河流域开始营造保安林。三是改善与提高耕作技术，推广农业增产措施，提高农业产量。提倡秋耕、深耕、积肥、施肥、选种、密植，1956年秋耕面积达耕地面积的26%；1957年施肥量达265亿多公斤，施磷酸钙、硫酸铵等化肥300多万公斤，施肥面积由1952年的30.3%提高到42.8%；“一五”期间推广优良品种30多个，1957年良种面积发展到48.6万公顷，占播种面积的29%；农作物密植面积从1952年的22.67万公顷发展到1957年的78万公顷。推广新式农具，“一五”期间推广使用步犁、双轮双铧犁、铲趟机、播种机、收割机等新式畜力农具23万台（件）。推广农业先进技术，“一五”期间创办2所农牧学校和1个农业科研所，农业科学研究和农业技术推广人员发展到2 500多名；建立3个农业试验站、424个基层农业技术推广站、27个种子繁殖场、5个拖拉机站。①

“一五”期间，内蒙古自治区由于贯彻国家在过渡时期总路线，实现了对农业的社会主义改造，从内蒙古农业区和半农半牧区的实际出发，制定了正确的方针、政策，采取了得力有效的措施，促进了农业经济的发展。1956年即完成了“一五”农业生产计划任务，在1957年农业遭受特大自然灾害的情况下，粮食年平均产量达到37.2亿公斤，比国民经济恢复时期3年的平均产量增长49.3%。农业的发展，增加了农民的收入，改善了人民的生活。“一五”期间给国家上调粮食35亿公斤，大豆1.5亿公斤，还有一定数量的其他经济作物产品；5年农业总产值累计达56.9486亿元，平均年增长11.3897亿元，比3年国民经济恢复时期年均增长7.4951亿元，增加了3.6856亿元，提高49.17%。②

三、畜牧业经济的发展

畜牧业经济在内蒙古自治区国民经济中占有特殊重要的地位。畜牧业不仅是牧业区的主要经济成分，在农业区特别是半农半牧区的经济中也占有重要位置。“一五”期间，农业区、半农半牧区的牲畜头数占全区牲畜总头数

① 参见《内蒙古自治区志·农业志》，内蒙古人民出版社2000年版，第147、148、207页；高博泽布：《进一步发展内蒙古自治区的农业生产》，《内蒙古自治区成立十周年纪念文集》，内蒙古人民出版社1957年版，第83页。

② 参见内蒙古自治区统计局编：《辉煌的内蒙古》，中国统计出版社1999年版，第317页数据统计。

的一半左右。在牧业区经营畜牧业的主要是蒙古族及鄂温克、达斡尔等一部分其他少数民族；在农业区、半农半牧区除了蒙古族经营畜牧业外，汉族也占很大比重，尤其半农半牧区。蒙古族及其他部分少数民族主要是经营畜牧业，这是畜牧经济的民族性；同时有相当数量的汉族也经营畜牧业，而且与蒙古族及其他少数民族杂居相处，生产农牧交错，必然地产生农牧矛盾，乃至民族纠纷。这是内蒙古畜牧业经济中的民族特点。

内蒙古的畜牧业有一半左右在牧区，另一半则在半农半牧区和农业区。牧业区地广人稀，自然条件恶劣，气候干旱与严寒交替，灾害频繁；半农半牧区地域仅次于牧区，人口相对于牧区较多，相对于农业区较少，自然条件优于牧业区，但比之农业区较差；农业区的地域相对较小，而人口较多，自然条件优于牧区、半农半牧区。这是内蒙古畜牧经济中的地区特点。

内蒙古的畜牧业经济，在牧业区主要是传统的个体游牧生产，经济单一，依赖自然，有很大的脆弱性和不稳定性；在半农半牧区，牧业主要是定居与游牧相结合，兼营农业；而农业区则是主营传统农业，兼营少量畜牧业。在这三种区域，畜牧业的经营方式不同，对畜牧业的依赖程度各异。这是内蒙古畜牧业的经济特点。

内蒙古畜牧业经济领域存在上述民族特点、地区特点、经济特点，这是发展畜牧业经济必须重视的实际。但是轻视特点、忽视实际的现象，在干部、群众中不同程度地存在；同时近代历史上形成的“重农轻牧”“牧业落后论”的意识，在部分干部中还未消除，直接影响畜牧业的发展。

在“一五”期间，内蒙古党委和自治区人民政府，贯彻中央1953年6月15日批转的《关于内蒙古自治区及绥远、青海、新疆等地若干牧业区畜牧业生产的基本总结》中提出的发展畜牧业生产的五项方针、十一项政策、六项措施。从1953年12月到1957年7月，内蒙古党委先后召开了5次牧区工作会议，从实际出发，针对畜牧业生产实践中出现的问题，不断完善发展畜牧业生产的方针政策，不断克服影响畜牧业发展的“重农轻牧”、“牧业落后”论和忽视畜牧生产的错误思想，总结经验教训，纠正偏差，发展畜牧业经济。

根据中央对发展畜牧业经济的方针和内蒙古以往的基本经验，并从畜牧经济发展的实际出发，区别农业区、半农半牧区、牧业区的不同情况，在

“全面规划，农牧结合，多种经营，有计划的发展农牧业生产”总体方针下，在农业区生产粮食的同时，也划定小块牧场，供农民放牧牲畜，发展畜牧业生产；农业区的牲畜不准进入牧区，历史上形成习惯的放牧关系，目前仍可保留，1953年以后从农区进入牧区的牲畜要动员回原地。在半农半牧区实行“以牧为主，照顾农业，保护牧场，禁止开荒”和“以牧为主，农牧结合，发展多种经营”，划定农田牧场界线；凡农牧交错地区，固定农田、牧场面积，分别发展农牧业。牧业区在稳定发展畜牧业生产的前提下，对于牧区“漫撒子”庄稼，应逐步缩小；对于过分妨碍牧业生产的农田，作适当的调整；动员和帮助农民转营牧业，或迁移到宜于农耕的地方务农；禁止乱掏柴火、乱挖药材。这些方针政策，对指导畜牧业经济的发展，对于贯彻民族政策、调整民族关系、增强民族团结、处理农牧矛盾、发展农牧生产，发挥了特殊的作用，在实践中产生了良好的效果，具有极其重要的意义。

发展畜牧业生产的具体政策与措施：一、继续创办国营牧场，一种是国营牧场，一种是示范性的牧场或配种站。这是社会主义全民所有制经济，是牧区畜牧业经济的领导成分，对牧民有领导和示范作用。“一五”开始时，内蒙古全区已有国营牧场17个，牧场有牲畜26 027头（只），需要在探索中继续发展。

二、做好国营贸易、供销合作、银行信贷事业，试办信贷储蓄，发放长期的畜牧业基本建设贷款，大力扶助畜牧业生产的发展。

三、组织劳动牧民的互助合作，一是有利于抵御自然灾害，二是解决牧区劳动力和生产工具的不足，三是提高劳动效率，四是有利于改进生产技能、放牧方式，从而促进畜牧业生产的发展。内蒙古从事牧区个体畜牧业经济的人口占牧区人口的90%以上，其占有的牲畜是80%左右。通过互助合作，使个体的、游牧的、落后的畜牧业经济逐步发展为集体的、现代化的社会主义畜牧业经济。对牧主在继续坚持“不斗、不分、不划阶级”“牧工牧主两利”政策的同时，试办公私合营牧场，逐步改造具有资本主义性质的牧主经济为社会主义经济，这是发展畜牧业经济的必要途径。

四、创办兽医站，建立兽医网，加强兽医科学研究，防治牲畜疫病；创办育种场，改良牲畜品种，提高牲畜质量；建立草原工作站、供销点、饲草基地、打草站，提高防御抵抗自然灾害的能力。

五、发展牧区市镇、交通运输、物资交流，建设发电、采煤、牛乳加工、皮毛加工等小型工业，发展手工业，使牧区政府所在地成为政治、经济、文教、卫生综合中心。

六、实行合理的价格政策和轻税政策。以合理的价格供应与推销工农业产品及收购畜产品，禁止提高工、农业产品价格和牧业畜产品压等压价，缩小工、农、牧产品的剪刀差，减少商人的中间剥削，促进畜牧业生产的发展，改善人民的生活。

七、改进生产技术与生产管理。逐步改进畜牧业生产技术与生产管理，搭棚、打井、打草、防疫，逐步发展到种植蔬菜、牧草、饲料，建立人工饲料基地，解决水、草问题；发展与建立牧区的经济中心，由依靠自然草原简单的畜牧业生产，逐步从原始的游牧到逐步引用现代的机器。工农牧业相互支援，扶助畜牧业生产。

八、坚持"人畜两旺"的方针，特别是牧区的人口兴旺，是发展畜牧业经济的原动力。防治疾病是牧区人口兴旺的重要环节，改善人民的生活条件则是发展人口的根本性质问题。要加强医疗卫生工作，开展群众性的卫生运动、妇幼保健、团结改造中蒙医、组织医药合作社。解决牧区人口兴旺的问题，要长期坚持，不断加强。

九、实行定居游牧政策。从实际出发，区别不同条件，逐步实现定居游牧。定居游牧是牧民实行互助合作，建设牧区经济中心，改善畜牧业生产技术，改变畜牧业生产方式和经营管理，进行牧区各项建设事业的必要条件。

十、实行奖励劳模政策。奖励劳动模范，树立牧区的先进旗帜，传播先进经验，发挥带头、骨干、桥梁作用，促进畜牧业生产的发展。①

第一个五年计划期间，畜牧业经济发展迅速，取得了良好成就。据

---

① 以上方针、政策、措施，参见乌兰夫：《在过渡时期党的总路线总任务的照耀下为进一步发展牧区经济改善人民生活而努力——在第一次牧区工作会议上的讲话》（1953 年 12 月 28 日）；高增培：《蒙绥牧区进一步发展畜牧业经济的几个政策问题》（1953 年 12 月 20 日）；中共中央内蒙古分局：《关于正确执行在半农半牧区的政策与解决农牧纠纷的指示》（1954 年 3 月），《内蒙古畜牧业文献资料选编》第 2 卷（上），第 108、83、142 页，内蒙古党委政策研究室、内蒙古自治区农业委员会 1987 年 3 月编印。

1957 年 6 月畜牧业年度统计，全区牲畜总数除了生猪外达到 2 239 万头（只），比 1952 年纯增 42.5%，年平均递增 7.4%。“一五”期间，全区繁殖成活大小牲畜 3 223 万头（只），年均增长率为 30%，其中农牧民自食宰杀 1 140 万头（只），供应城市肉食和输出区外役畜、肉用畜 746 万头（只），因灾害、疫病等损失 670 万头（只），纯增 667 万头（只）。

畜牧业生产技术、生产方式有明显提高和改善。五年来，全区马拉打搂草机达到 1 826 套，打贮饲草 150 亿斤，以大牲畜折算每年每头大畜贮草 500 斤左右；农、牧区人工种植饲草料面积达到 100 多万亩，年产饲料 1 000 万—2 000 万斤；搭建棚圈 40 多万座，牧区 40% 的牲畜、农区和半农半牧区 70% 的牲畜有了棚圈；牧区打井 6 000 多眼，打狼 4 万多只；防治牲畜疫病 5 000 多万头（只）次，炭疽、气肿疽、羊快疫、口蹄疫得以控制；改良牲畜品种，良种牲畜达 40 多万头（只）。

畜牧业生产的发展，发挥了明显的经济效益。五年内，向区外输出役、肉畜 366 万头（只）、皮张 529 万张、毛绒和猪鬃 5 万吨、冻肉 3 万吨，支援了国家农业与工业建设。畜牧业的发展，使农牧民的生活有了初步改善，牧区牧民人均拥有的牲畜从 1952 年的 24.76 头（只）增加到 1956 年的 38.8 头（只），部分牧区已消灭赤贫户。①

“一五”期间，畜牧业生产总体上有了较大发展，但是从 1953 年开始，牲畜纯增率逐年下降。1952 年比 1951 年纯增 24.08%，而 1953 年则比上年纯增 21.67%，1954 年比上年纯增 15%，1955 年比上年纯增 3.6%，1956 年比上年纯增 6.83%，1957 年比上年下降 8.07%。1957 年全区牲畜减少 196 万多头（只），除了马和骆驼略有增加外，其他牲畜都在下降。其中农业区减少 109 万头（只），比上年下降 15.3%；半农半牧区减少 35 万头（只），比上年下降 3.23%；牧业区减少 51 万头（只），比上年下降 8.24%。②

---

① 参见程海洲：《内蒙古自治区第一个五年计划畜牧业生产执行情况和今后工作打算——在全国畜牧业工作会议上的发言》（1957 年 12 月 20 日），《内蒙古畜牧业文献资料选编》第 2 卷（上），第 379 页，内蒙古党委政策研究室、内蒙古自治区农业委员会 1987 年 3 月编印。

② 参见高增培：《关于畜牧业生产政策及社会主义改造规划的意见——在内蒙古党委全体委员会（扩大）第四次会议上的报告》（1957 年 10 月 17 日），《内蒙古畜牧业文献资料选编》第 2 卷（上），第 344 页，内蒙古党委政策研究室、内蒙古自治区农业委员会 1987 年 3 月编印。

造成牲畜纯增率下降的原因是多方面的，教训也是深刻的。乌兰夫作了深刻的总结：“第一，在农业区、半农半牧区合作化中，处理畜牧业问题方面发生了错误。忽视了畜牧业经济的特点，没有贯彻执行在稳定发展生产的基础上进行改造的方针，具体工作上，又违背了自愿互利的基本原则。大部分农业区，在一个短时期内，不加区别的把社员所有的牲畜，一律作价归社，畜价作得低，还钱时间定得长，互利政策执行不当，因而挫伤了农民发展畜牧业的积极性，引起农民对牲畜的大量宰杀和出卖。……第二，牧区灾害很重，在牲畜大量增加的情况下，发展畜牧业的各项基本建设和措施，远远落后于生产发展的需要。一九五六年冬的雪灾和一九五七年的旱灾，都是解放以来所未遇到的。……第三，必要的经济工作和政治工作没有做好。在经济工作方面，主要是价格政策掌握得不够好，并有某些压等压价现象。……税收、收购畜产品工作也有些缺点。在政治工作方面主要是政策宣传不普及、不深入，进行勤俭建国、勤俭办社、勤俭办组、勤俭持家和劳动光荣的教育不够。”①

在“一五”期间，内蒙古的畜牧业虽然年度增长率逐年下降，但是牲畜总数除了1957年因特大旱灾而比上一年减产外，其他年度仍然逐年增长，这是应当肯定的事实，也是畜牧业走合作化道路优越性的体现。尽管如此，内蒙古党委和政府清醒地分析了形势，找出了存在的问题及其原因。通过反思，检查错误，总结教训，以利前进，发扬了党的实事求是的作风。

四、交通运输和邮电通信业的发展

第一个五年计划期间，为适应工、农、牧等各项事业发展，交通运输和邮电通信事业也迅速发展。

铁路是促进内蒙古经济发展的动脉，“一五”时期内蒙古铁路建设与运输业发展迅猛。建筑集（宁）二（连）铁路线，1954年12月通车运营。这是沟通中、蒙、苏三国的心脏——北京、乌兰巴托、莫斯科的国际铁路大动

---

① 《乌兰夫同志在党的八届三中全会上关于畜牧业生产的发言》（1957年10月），《内蒙古畜牧业文献资料选编》第2卷（上），第337页，内蒙古党委政策研究室、内蒙古自治区农业委员会1987年3月编印。

脉。从北京经乌兰巴托到莫斯科的行程，比从北京经满洲里到莫斯科缩短 1 140 公里，不仅打通了中国通往欧洲的又一条国际铁路交通线，节省了通往欧洲的时间和费用，而且集二铁路与京包铁路的衔接，开通了内蒙古中西部大草原与内地的铁路通道，对于内蒙古自治区，特别是对锡林郭勒、乌兰察布草原的经济发展和对外交流，发挥了重大促进作用。以往，锡林郭勒盟的进出货物运输要靠公路行程 740 多公里，集二铁路通车后缩短了 335 公里运输里程，而且方便了客运行程。在建设包头工业基地的同时，修筑了包（头）白（云鄂博）铁路，使白云鄂博矿山与包头钢铁厂连接了起来；修筑包（头）石（拐沟）铁路，把包头钢铁厂与石拐沟煤矿连接了起来，两线全长 147 公里，主要是货运，也有客运。在大兴安岭森林工业基地建设中，建筑森林铁路牙林、伊大、好冷、根萨等 9 条线，通车里程 611 公里，连同公路、河路确保了木材外运和基地交通。同时，包（头）兰（州）铁路建筑工程也在进行，到 1957 年底已铺轨 300 多公里。“一五”期间，新建铁路里程计 1 175 公里，连同原有铁路线，全区铁路正线延线里程总计达 2 404 公里。铁路货运量从 1952 年的 417 万吨增加到 1957 年的 739 万吨，增长 77.21%，年均增长 15.44%。

公路是联络城乡的血管，公路建设是“一五”时期内蒙古交通建设的重点。五年中，恢复与新建公路和简易公路 8 200 公里，比国民经济恢复时期增长 3 倍以上；新建桥梁 237 座，全长 4 371 公尺；修筑各类涵管、涵洞 230 道。到 1957 年底，全区公路通车里程 13 020 公里，比 1952 年增长 97.36%；与铁路直接、间接连起来的公路里程达 11 000 多公里，全区旗县基本上通达公路；公路营运汽车发展到 1 100 多辆，比 1952 年增长 5.8 倍；兽力车达 25 800 多辆，比 1952 年增长 50%；公路货运总量发展到 1 485 万吨，比 1952 年增长 48.5 倍；建立运输公司 9 个、运输站和营业所 100 多处，从业人员计 14 800 多人。

内河航运主要是黄河航运，有拖轮一艘、木帆船 1 100 多只，通过对经营管理、技术管理的改造，组织了木帆船运输合作社，提高了运输效率。1957 年通航里程为 829 公里，货运量达 11 万吨，比 1952 年增长了 2 倍多。

在全区经济建设、社会发展日益加快的形势下，加强了邮政电信业的建设。全区邮电服务机构从 1952 年的 353 处增加到 1957 年的 563 处，增长

59.49%，其中乡村邮电局（所）从23处增加到414处，增长了17倍。开辟邮政线路63 000公里，除了沟通呼和浩特与各旗县以上城镇的通信外，其中乡村邮路达53 000公里，贯穿于广阔农村、牧区以及工矿区、林区的邮政线路占80%以上。农业区有99.3%的乡镇和68%的农业生产合作社通达了邮政；半农半牧区有92%的乡、嘎查和32%的农牧业生产合作社通邮；牧业区有76%的嘎查、30%的牧业社通邮，形成了比较完整的邮政通信网。邮电业务总量1952年为325.1万元，1957年增加到867.4万元，增长1.66倍；函件由796.1万件增加到2 998.5万件，增长2.76倍；报刊期发数由24.9万份增加到58.1万份，增长1.33倍；电报由17.6万份增加到48.6万份，增长1.76倍。

开通22 900公里的长途电话线路和13 900公里乡村电话线路。国家向内蒙古投放相当数额的资金和提供先进的电信机械设备，尤其是东西部直达电话线路的建成，解决了东西通信需经北京、沈阳等地接转的问题，提高了电报、电话的通信效率与质量。截至1956年底，全区有20%以上的乡镇和48个国营农场和农业生产合作社通了电话，未通有线电话、电报的巴彦淖尔盟和鄂伦春等12个旗，均设立了无线电话、电报器；配合林、牧区防火、地质勘探、公路测量、科学考察、防洪防汛、航察等工作，设置了一批小型无线电台。①

“一五”期间，内蒙古邮政电信事业开拓性地迅猛发展，有力地配合、促进了经济建设和社会进步，在一定范围、一定程度上是史无前例的新兴事业，传导了新文化、新思想，拓展了人们的视野。

五、财政金融业的发展

在第一个五年计划期间，国家实行划分收支、分级管理，对民族地区适当照顾的财政管理体制。1953年国家财政管理体制由中央、大行政区、省

---

① 参见内蒙古自治区统计局编：《辉煌的内蒙古》，中国统计出版社1999年版相关数据；乌勒吉敖喜尔：《发展中的内蒙古交通运输业》，《内蒙古自治区成立十周年纪念文集》，内蒙古人民出版社1957年版，第107页；韩节：《十年来蓬勃发展的内蒙古邮电事业》，《内蒙古自治区成立十周年纪念文集》，内蒙古人民出版社1957年版，第111页。

（直辖市、自治区）三级管理改为中央、省（直辖市、自治区）和县三级管理。各级都有一定的固定收入来源，用以解决相应的支出。同时决定“民族自治区在财政上应有一定范围的自治区统收统支的办法。”1954年3月，自治区财经委员会提出了《内蒙古自治区财政划分意见》，并经批准实施，其重点：1. 除森林工业、对外贸易、银行、关税、粮食和具有全国意义的邮电、道路建设、大型水利建设以及将来需要举办的大型工矿企业等，应由中央直接经营管理收支外，其余均归自治区管理。2. 自治区地方财政固定收入规定为：①各项税收，②企业收入，③其他收入，④支出收回及上年结余。3. 地方财政支出规定为：①经济建设费，②社会文教费，③行政管理费，④收入退还及其他支出，⑤总预备费……应较一般地区的比例适当增大为宜。4. 年度开始之前，先编报财政收支概算，经中央财政部批准后，再编制明细预算，由自治区管理。5. 预算收入多于支出，上缴中央，少于支出，由中央补助。6. 总预算经中央核定后，新增任务应同时增加财政指标。7. 收入超收与支出结余，统归自治区政府支配使用。重大灾荒，得申请中央补助。7月，自治区人民政府颁布《内蒙古自治区财政收支系统划分试行方案》，财政体制分为自治区级，盟、行政区、市级，旗县（市）镇级等三级。财政收入划分为固定收入、固定比例分成收入。财政管理要贯彻“统一领导，分级管理”的原则。①

“一五”期间，财政总收入107 232万元。其中工商税45 113万元，占总收入的42.07%；农牧业税和耕地占用税21 426万元，占总收入的19.98%；企业所得税32 871万元，占总收入的30.65%。其中来自国营、合作社营与公私合营的收入71 850.9万元，占总收入的67.01%；来自农牧民的收入25 876.4万元，占总收入的24.13%；来自私营工商业的收入7 043.2万元，占总收入的6.57%；其他收入9 054.2万元，占总收入的8.44%。财政收入1952年与1957年相比，从13 335万元增加到31 385万元，增长1.35倍。

“一五”时期是内蒙古财政经济发展的第一个黄金时期，全区财政收支状况有了根本好转，不仅做到了收支平衡并略有节余，而且净上缴中央

① 《内蒙古自治区志·财政志》，内蒙古自治区财政厅1995年编印，第248、251页。

5 857 万元。工商税和企业所得税成为财政收入的主体；公有制企业的收入和农牧民的直接收入是财政收入的主要来源；社会主义改造和计划经济体制在当时发挥了历史性的积极作用。

第一个五年计划时期，中国人民银行内蒙古分行围绕自治区社会主义经济建设的中心任务，积极发展金融机构，增设储蓄网点，大力发展后储蓄业务，广泛筹集资金。

金融机构存款余额：1953 年为 9 937 万元，其中企业存款 3 543 万元，城乡储蓄存款 590 万元；1954 年为 12 477 万元，其中企业存款 4 223 万元，城乡储蓄存款 1 256 万元；1955 年为 17 259 万元，其中企业存款 4 126 万元，城乡储蓄存款 1 235 万元；1956 年为 15 456 万元，其中企业存款 6 427 万元，城乡储蓄存款 2 426 万元；1957 年为 19 212 万元，其中企业存款 5 527 万元，城乡储蓄存款 3 456 万元。各项存款除 1956 年均逐年递增，1953 年比 1952 年增长 9. 99%，1954 年比 1953 年增长 25. 56%，1955 年比 1954 年增长 38. 32%，1956 年比 1955 年减少 10. 44%，1957 年比 1956 年增长 24. 30%。

金融机构贷款余额：1953 年为 16 492 万元，其中工业贷款 1 367 万元，商业贷款 13 360 万元，农业贷款 1 765 万元；1954 年为 33 777 万元，其中工业贷款 2 146 万元，商业贷款 29 908 万元，农业贷款 1 723 万元；1955 年为 40 223 万元，其中工业贷款 2445 万元，商业贷款 36 242 万元，农业贷款 1 536 万元；1956 年为 40 571 万元，其中工业贷款 3 745 万元，商业贷款 30 496 万元，农业贷款 6 330 万元；1957 年为 45 042 万元，其中工业贷款 3 536 万元，商业贷款 36 810 万元，农业贷款 4 696 万元。贷款余额逐年增加，有力地支援了工商农牧业生产。①

六、商业贸易业的发展

在第一个五年计划期间，对资本主义工商业的社会主义改造的同时，逐步建立以国营经济为主体的社会主义计划经济体制，国营商业和合作社营商

① 参见内蒙古自治区统计局编：《辉煌的内蒙古》，中国统计出版社 1999 年版，第 286—287 页相关数据。

业进一步发展扩大，逐步由多种经济成分的市场向社会主义统一市场过渡。通过调整购销政策，国家掌握工农业产品的主要货源，加强国营商业和合作社商业对城乡市场的领导地位。加强国营商业的自身建设，核定国营商业企业的资金，推行经济核算制，建立健全财务管理和商品流转计划；对关系国计民生的重要商品实行计划管理，由国家统一调拨分配；按国营商业公司的经营范围，建立专营批发业务的采购供应批发站；实行统一领导、分级管理的物价管理体制，调整统一了各类商品的进销、地区、城乡、批零等差价；建立了国营商业按商品流向固定进货渠道、按经营范围固定供货对象、按企业经营性质固定作价扣率的“三固定”系统内部调拨分配体制，并按单位和对象划分市场批发与零售对象。国营商业和合作社商业经历了按产品分工、按市场分工、商品与市场相结合分工的三次分工过程。对私营商业实行利用、限制、改造政策，逐步过渡到国营商业、公私合营商业、合作社营商业。1956 年底，全区私营商业直接过渡到国营商业的有 2 365 户 3 474 人，公私合营的有 7 891 户 16 657 人，参加合作商店的有 5 816 户 8 026 人，组织合作小组的有 8 287 户 9 845 人。

对政府职能机构逐步进行了调整，商业管辖范围也相应发生变动。到 1957 年底，全区商业机构有 2 495 个，比 1952 年增长 4. 5 倍，商业职工达 45 833 人，比 1952 年增长 2. 5 倍。至此，国营商业已经掌握了全部商品的批发市场，在零售市场中也占主导地位。①

商业贸易工作配合经济建设是头等大事。“一五”期间包头钢铁工业基地和大兴安岭森林工业基地的建设，集二、包兰等铁路建筑，商业工作必须先行；农牧业生产建设的发展，商业工作提供大力支持，特别是牧区经济建设，商业工作更有特殊的责任，畜牧业经济对商业的依赖性更大；城乡居民生活的保障与改善，与商业工作密切相关。总之，商业工作覆盖全局。在实行计划经济的时期，在经济复苏的时代，以国营和合作社营商业为主导，才有可能承担起这一历史重任。1953 年以后，由于自治区经济建设迅猛发展，需要大量的产业劳动者，城市人口迅速增加，市场供求量扩大。国家随之对粮食、棉布、棉纱、煤炭、食糖、纸张、卷烟、火柴等实行统购包销、统购

① 参见《内蒙古自治区志 · 商业志》，内蒙古人民出版社 1998 年版。

统销的政策，贯彻市场流通政策措施，保证生产发展的生产资料和人民生活所需的生活资料的供应。到1957年国内纯购进总额达5.1亿元，纯销售总额达8.7亿元。1957年与1952年相比，全区国营商业进货总额增长1.53倍，其中从区外调入增长近3倍，区内收购的地方工业产品增长21.6%；销货总额增长1.23倍，其中国内纯销售额增长2.5倍。五年内，进货总额年均递增20%，销货总额年均递增17.74%。1957年与1952年相比，全区国营商业零售总额增长了1.56倍，到1957年国营商业占全区社会商品零售总额的39.9%，比1952年增长了近17个百分点，连同供销合作社商业，占全区社会商品零售总额的80%以上。

民族贸易是内蒙古自治区商贸工作的重点之一。为迎接全国大规模经济建设，1952年全国民族贸易工作会议确定："对民族贸易公司暂不规定上缴利润，其资金来源的80%由国家投资，不计利息，其余的20%从银行贷款解决（当时一般国营公司国家的投资只有30%，而且还有上缴任务）。"据此，自治区人民政府决定进一步加强和改进民族贸易工作，其重点是：加强农畜产品收购调运和农牧生产资料供应，支持农村牧区集体经济的发展，增加农牧民收入；改进民族特需商品供应，对城乡都需要的生活必需品，优先供应牧区，满足牧民的生活需要；加强边牧猎区的商贸网点建设，有计划地建设和发展牧区经济中心，活跃边牧猎区的经济和物资交流；支持和促进民族工业的发展，充分利用当地资源优势，增加生产，改变单纯调出原料，调入成品的落后状况；继续坚持贯彻执行公平合理的价格政策，有计划地解决历史上遗留下来的工农牧业产品比价不合理的状况。1956年召开全区民族贸易会议，确定对货源不足而又为少数民族特需的商品，组织地方加工，扩大货源，优先供应；对统销商品如棉布应照顾少数民族的习俗，满足供应；全区百货二级站设民族贸易科，专营民族用品。1956年，收购牛50万头，比1949年增长15.7倍，收购羊181万只，比1949年增长19倍；1957年供应砖茶50 408担，比1949年（4 280担）增长11倍。①

① 参见《内蒙古自治区志·商业志》，内蒙古人民出版社1998年版。

七、教育、文化、医疗卫生的发展

“一五”期间，内蒙古的教育工作，贯彻执行中央的“整顿巩固，重点发展，提高质量，稳步前进”的方针，从内蒙古教育事业的历史与现状出发，充分照顾民族特点、地区特点，使中央的统一方针与地区的实际结合起来，有计划有步骤地稳步发展教育事业，密切配合经济建设，培养建设人才。

内蒙古的教育在自治区成立后特别是恢复国民经济时期，得到了较快恢复与发展。但是，整体仍然处于落后与不平衡状态，尤其是民族教育。农村教育落后于城镇，牧区教育落后于农村，少数民族教育落后于汉族。因此，按照中央“学校教育向工、农、牧劳动人民开门”和“学校教育为少数民族开门”的方针，大力促进农村牧区教育，整顿兴建农村牧区小学，整顿发展城镇中等教育；大力发展蒙古民族教育及其他少数民族教育，制定了《内蒙古自治区民族教育五年计划纲要》(1953—1957)，提出适当提高牧区小学发展速度，蒙古族中学的发展速度要比汉族快一些，区内其他少数民族的中学教育必须予以大力发展，特别是对鄂伦春、鄂温克等族学生的小学升初中予以照顾。在学校设置、升学录取标准、助学金待遇、日常生活等方面体现了地区特点和民族特点。纯牧区小学完全公办，绝大部分学生享受人民助学金待遇；在鄂伦春、鄂温克等少数民族地区的小学，实行全部公费待遇；根据需要和可能，开始有计划地分布学校网，逐步扩建中小学，增加学校设备，使从来没有学校的牧区、山区、林区以及边远地区有了学校，农村和半农半牧区每个乡平均约有4所小学，牧区大部分苏木有了小学；平均每个旗县有1所中等学校（中学、师范、中等专业学校）。①

1952年到1957年，小学从9 615所发展到10 064所，增长4.66%，在校学生从684 473人增加到873 418人，增长27.60%；中等学校从46所发展到130所，增长1.82倍，在校学生从21 972人增加到83 573人，增长2.80倍。民族教育，1952年到1957年，少数民族小学从1 291所发展到

① 参见哈丰阿：《跃进中的内蒙古教育事业》,《内蒙古自治区成立十周年纪念文集》,内蒙古人民出版社1957年版，第123页。

1 695 所，增长 31.29%，其中蒙古族小学从 992 所发展到 1 337 所，增长 34.78%，在校学生从 103 421 人发展到 103 629 人，增长 208 人；少数民族中等学校在校学生从 2 909 人发展到 13 735 人，增长 3.72 倍，其中蒙古族中学由 2 所发展到 13 所，增长 5.5 倍，在校学生由 2 471 人增加到 10 704 人，增长 3.33 倍；新建蒙古族中等专业学校 3 所。高等学校除 1952 年创办的内蒙古师范学院、内蒙古畜牧兽医学院外，1956 年又创办了内蒙古医学院，1957 年创办了内蒙古大学，增长了 1 倍，在校学生从 616 人发展到 2 516 人，增长 3.08 倍，其中少数民族在校生从 163 人发展到 898 人，增长 4.5 倍，蒙古族在校学生从 146 人发到 785 人，增长 4.37 倍。①

由此可见，初、中等学校教育在整顿巩固中稳步发展，高等教育和民族教育得到重点发展，体现了中央发展教育的方针和内蒙古的民族特点、地区特点，教学质量得到显著提高，教育工作步入了规范的轨道。

“一五”期间，为适应经济建设的需要，满足人民群众对文化的需求，为提高人民群众的文化素质，大力发展文化事业。1957 年与 1952 年相比，全区电影放映单位从 37 个发展到 249 个，影剧院俱乐部电影院从 16 个发展到 51 个，艺术表演团体从 39 个发展到 49 个，艺术表演场所从 23 个发展到 35 个，公共图书馆从 1 个发展到 15 个，文化馆从 74 个发展到 100 个，文化站从 30 个发展到 34 个，新建博物馆 1 座。图书出版发行事业有迅速发展，1957 年已有图书出版发行机构 195 个，1952 年出版图书、杂志、报纸 308 种，1957 年增加到 568 种，增长 84.41%，其中蒙文图书、杂志、报纸从 145 种增加到 245 种，增长 68.96%。②

社会科学研究迈出了新的步伐，历史、语言、文学、艺术作品日渐丰富。蒙古语文学的研究打了头阵，1953 年成立了蒙古语文研究会，1957 年成立内蒙古历史语言文学研究所，并在内蒙古师范学院、内蒙古大学设立了蒙古语言文学专业，全面开展蒙古语言文学的研究与教学。蒙古史、内蒙古地区史的研究也接踵起步，内蒙古历史语言文学研究所首先参与国家民族事务委员会组织的蒙古族及其他少数民族的社会历史调查。蒙古族文学研究百

① 参见内蒙古自治区统计局编：《辉煌的内蒙古》，中国统计出版社 1999 年版相关数据。
② 参见内蒙古自治区统计局编：《辉煌的内蒙古》，中国统计出版社 1999 年版相关数据。

花盛开，一批诗歌、散文、报告文学、戏剧、歌曲、好来宝、美术、音乐、舞蹈等作品纷纷面世。同时，汉族的传统文化也以崭新的面貌发展起来，晋剧、京剧、西部区的二人台和民歌爬山调、东部区的二人转等，既保持了优秀的传统内容与形式，又增添了社会主义新时代的内容与风格。1952 年和 1954 年举办了两次文艺评奖，有 90 多个作品获奖；1953 年至 1955 年举行两次戏剧、音乐、舞蹈会演，有 100 多个节目获得了奖励。总之，反映社会主义时代的新文化事业，密切配合社会变革、经济建设，围绕贯彻党的民族政策、增强民族团结，为满足和活跃人民群众的文化生活，发挥了很大的社会效应。

“一五”期间，是内蒙古的卫生事业重点建设时期。由于大规模的经济建设，特别是工业建设的迅猛发展，新兴城镇的出现，人口向城镇集中，各种不同类型的医疗卫生机构和医务人员相应发展，同时在乡村也扩充与健全旗县医院的病床设备，充实了医务人员。医疗卫生机构从 1952 年的 538 个发展到 1957 年的 2 152 个，增长 3 倍；医院从 103 个发展到 136 个，增长 32.03%；门诊部所从 312 个发展到 1 682 个，增长 4.39 倍；专科防治站从 14 个发展到 28 个，增长 1 倍；卫生防疫站从 5 个发展到 59 个，增长 10.8 倍；妇幼保健站从 93 个发展到 234 个，增长 1.5 倍；每万人口拥有卫生机构从 0.75 个增加到 2.3 个；卫生机构床位从 2 890 个增加到 7 733 个，增长 1.67 倍，其中医院床位从 1 274 个增加到 5 700 个，增长 3.47 倍；卫生机构人员从 12 233 人增加到 21 848 人，增长 78.59%，其中医生从 6 097 个增加到 10 556 人，增长 73.13%。基本上形成了从城镇到乡村、牧区的医疗卫生网。

医学研究与人才培养全面展开，对影响和危害人民群众健康与生命的地方性疾病进行研究、防治。1956 年，先后成立了中蒙医研究所、药品检验所、医学科学研究委员会；成立了内蒙古医学院，专门培养高级医务人员。对鼠疫、流行性出血热、赤痢、布氏杆菌病、性病、克山病以及工业、林区的多发病与职业病，开展研究与防治，取得了良好效果。危害极大的人间鼠疫基本消灭，流行性出血热发病率下降到 60%，1956 年克山病发病人数比 1953 年降低 54%。对性病进行大规模的普查工作，“一五”期间治疗性病患者达 65 000 人，发病人数大幅下降，猖獗流行的天花基本上被消灭。妇幼保健工作逐步推广，婴幼儿的成活率逐年提高，人口下降的趋势得到扭转。卫生经费1952年与1957年相比，从645万元增加到1 511万元，增长1.34倍，其中卫生事业费从564万元增加到952万元，增长68.79%，基本建设费从81万元增加到559万元，增长5.9倍。①

① 参见内蒙古自治区统计局编:《辉煌的内蒙古》,中国统计出版社1999年版相关数据。

第八章

社会经济曲折发展的十年

第一节　整风运动与反右派斗争

一、整风运动与反右派斗争

整风运动　1956年9月，中国共产党召开第八次全国代表大会，进一步阐述了过渡时期总路线及基本特点，总结了社会主义改造的经验，回顾了第一个五年计划的执行情况和展望了第二个五年计划的前景，全面阐述了国家的政治生活、国际关系、党的领导等重大问题。八大明确了国内主要矛盾，已经不再是无产阶级和资产阶级的矛盾，而是人民对于经济文化迅速发展的需要同当前经济文化不能满足人民需要的状况之间的矛盾。全国人民的主要任务是集中力量发展社会生产力，实现国家工业化，满足人民的经济文化需要；提出执政党的建设问题，强调坚持民主集中制和集体领导制度，发展党内民主和人民民主，加强党与群众的联系。八大的路线是正确的。

由于社会主义改造的迅速发展和基本完成，中国社会发生大变动，阶级关系发生了根本变化，社会各阶层的利益关系也发生了新的变化。领导与群众之间、工农之间、城乡之间、合作社与农民社员之间的种种矛盾也开始突出起来。在国内，1956年秋至1957年春发生了城市工人罢工请愿、农民要求退出合作社、学生举行罢课事件；在国际，发生了苏共二十大揭露斯大林的错误，特别是东欧社会主义国家发生波兰、匈牙利事件。另外，1956年1

月至3月，中共中央召开知识分子会议和第五次全国统战工作会议后，特别是毛泽东《论十大关系》的讲话，在党外人士、知识分子、少数民族中反响热烈，激发了各方面的政治热情。但是，苏共二十大特别是波匈事件，也对不少人思想上产生了消极影响，对中国共产党的领导和社会主义制度产生了怀疑，对现实政治有所不满。国内国际出现的一系列新情况，推动了党中央和毛泽东对社会主义社会的矛盾和民主政治建设进行深入的研究。1956年11月10日至15日召开的中共八届二中全会上，毛泽东宣布："我们准备在明年开展整风运动。整顿三风：一整主观主义，二整宗派主义，三整官僚主义。"① 12月4日，毛泽东在给黄炎培的信中首先提出区分社会主义社会的敌我矛盾和人民内部矛盾的问题。12月29日，《人民日报》发表了《再论无产阶级专政的历史经验》一文，阐述了正确区分和处理这两类矛盾，特别是通过健全、发展社会主义民主、法制处理人民内部矛盾的问题。1957年2月，毛泽东在最高国务会议上发表了《关于正确处理人民内部矛盾的问题》的讲话，阐述了正确区分、处理人民内部和敌我之间两类矛盾的学说，指出这两类矛盾性质不同，解决的方法也不同，前者是分清是非，后者是分清敌我；大规模群众性阶级斗争基本结束，但是还有阶级斗争，特别表现在意识形态方面不是全部结束。3月，毛泽东在《在中国共产党全国宣传工作会议上的讲话》中，着重讲了知识分子及其改造问题和党内整风问题。4月27日，中共中央作出《关于整风运动的指示》,决定在全党进行以正确处理人民内部矛盾为主题，以反对官僚主义、宗派主义、主观主义为内容的整风运动，并规定了整风运动的方法和步骤。整风的方针是"从团结的愿望出发，经过批评和自我批评，在新的基础上达到新的团结"，既要严肃认真又要和风细雨，要实行开门整风，听取党外人士的批评帮助。5月1日，《人民日报》发表了这个指示，全党整风开始。4月30日，毛泽东召开最高国务会议第十二次（扩大）会议，议题就是关于全党的整风运动，党和国家领导人、各民主党派负责人、无党派民主人士共44人出席，请党外人士帮助共产党整风，听取党外人士对共产党缺点错误的批评意见，整风运动进入了集中征求党外人士意见的阶段。五六月间，中共中央统战部听取民主党

① 中共中央文献研究室编：《毛泽东传》（上），中央文献出版社2003年版，第612—613页。

派、无党派民主人士座谈会，提出了大量的批评意见和建议；同时国务院各部门党委及各省、直辖市、自治区和一些高等学校党委也相继召开同样的座谈会，听取意见，帮助党整风。

1956年11月15—19日，内蒙古党委召开了一届二次全委扩大会议，贯彻中共八大精神，检查总结一届一次会议以来的工作，内蒙古实现了统一的民族区域自治，蒙汉各民族形成了民族平等、亲密团结、互相帮助、共同发展的新的民族关系；对农业、手工业、资本主义工商业的社会主义改造基本完成，对畜牧业的社会主义改造稳步发展；第一个五年计划顺利实施。会议通过了《关于贯彻八大决议，整顿党的领导作风，加强党对社会主义建设的决议》,揭露批评了党的工作中存在的官僚主义、主观主义、宗派主义，决定在自治区直属机关和直辖市开展反对官僚主义、主观主义、宗派主义的整风运动。

1957年5月6—19日，内蒙古党委召开全区宣传工作会议，传达、学习毛泽东《关于正确处理人民内部矛盾问题的讲话》《在全国宣传工作会议上的讲话》,全区各级党委、厂矿企业党委书记、宣传部长和文教界高级知识分子、党外人士四百多人参加。与会者联系内蒙古的实际，分析研究自治区的主要矛盾，并对自治区党委和政府的工作提出批评和建议。

5月18日，乌兰夫在内蒙古党委宣传工作会议上发表讲话，结合内蒙古的实际阐述了正确处理自治区的人民内部矛盾问题，认为经过民主改革和社会主义改造，敌我矛盾已降为次要地位，主要矛盾是各族人民对提高物质、文化生活的需要同自治区经济、文化的发展不能满足这种需要之间的矛盾，以及由此派生出的各种矛盾，而且往往反映在民族特点、地区特点上。这都属于人民内部矛盾，人民内部矛盾已经上升为主要矛盾。乌兰夫分析了从城市到农村、牧区以及民主人士、起义人士、民族上层、知识分子中发生的很大变化，指出产生人民内部矛盾的原因及其表现，提出解决自治区人民内部矛盾的方法。

乌兰夫全面分析了内蒙古自治区的人民内部矛盾。第一，工、农、牧业生产领域和社会生活中的人民内部矛盾及解决的方法。首先指出：“生产与分配中的根本问题，是生产发展赶不上国家、人民的需要。这将是一个长期存在的问题。这个问题在许多情况下表现为国家、集体和人民利益的关系。

因此在工、农、牧业中注意正确地调节国家、集体和个人之间的利益关系，是解决人民内部矛盾的重要内容。”1. 工矿企业中存在的问题，主要是调节国家和个人的利益，要通过改善企业管理，正确解决工资及其他福利事业，加强政治思想教育和职工团结，培养少数民族职工等；实行勤俭办企业的方针，发动职工参加企业管理，扩大民主生活，使职工利益与国家利益保持一致；关心工人疾苦，在发展生产的基础上逐步改善工人的生活；大力吸收培养蒙古族及区内其他少数民族职工，加强各民族职工的团结，特别强调汉族职工主动团结蒙古、回、满、朝鲜等民族职工，共同发展生产。2. 农村工作存在许多问题，主要是合作社不巩固的问题，一是坚持勤俭办社的方针，搞好经营管理，广开生产门路，生产发展了，别的问题也就好解决了；二是坚持民主办社的方针，调节合作社中集体和个人的关系，要统筹安排，公私兼顾，公开财务，社队决定问题要与社员商量，社队干部要参加生产；三是认真解决农民牧畜入社问题，坚持自愿原则，既要发展社内集体畜牧业，又要发展社员私有畜牧业，实行农牧结合，多种经营；四是妥善解决蒙古族及其他少数民族社员收入减少的问题；五是加强政治思想教育工作，说服教育是党对农民的基本方法。农村还有农产品、畜产品收购价和品种问题，生产计划实事求是问题，粮食工作问题，复员军人的安置问题，移民和区外灾民流入问题，这也关系国家和个人的利益，也影响解决农村的人民内部矛盾。3. 牧区需要继续解决牧业合作化、牧业合作社集体和个人利益、牧区经济工作问题，要根据牧业经济的特点办事，反对主观主义，不能把牧业和农业一样看待，在稳定发展畜牧业生产的基础上，稳步地进行社会主义改造，政策要稳、办法要宽、时间要长；牧区商业贸易几乎全为国家掌握，牧区经济工作突出地表现为国家与人民的关系，也就是国家利益与个人利益的矛盾，牲畜与畜产品收购、物资供应、牧业税收中发生的问题，就是这种矛盾的反映；兴建铁路，工矿开发，也带来影响牧民利益的问题。4. 调整农牧业关系，是半农半牧区解决国家、集体、个人关系的重要问题，继续执行“以牧为主，照顾农业，保护牧场，禁止开荒”方针的同时，还要“全面规划，农牧结合，多种经营，有计划地发展农牧业生产”。1956 年以来凡不按上述政策开垦的牧场，并引起民族纠纷的地区，除牧民愿意建成饲料基地的以外，都应关闭。5. 肃反问题，坚持“有反必肃，有错必纠”的方针。6. 社会治安，突出的问题是流民、盗窃、诈骗分子扰乱社会治安、妨害社会秩序、影响生产建设，必须坚决同这些犯罪活动作斗争。

第二，民族关系中的人民内部矛盾问题。乌兰夫指出："自治区今后民族工作的任务是：在社会主义建设和社会主义改造过程中，逐步改变历史遗留下来的各民族经济、文化不平衡的状态，使落后民族逐步跻身于先进民族的行列。这是一个长期的任务。各民族建设社会主义的要求和目标是一致的，但是由于各民族发展水平不同，并各有特点，因此，各民族都需要根据自己的特点，进行社会主义建设。这是绝对不容忽视的问题。"1. 民族语言文字的使用与发展，以往的成绩很大，但是还不能完全适应经济、文化建设的需要，主要是对民族语言文字的使用与发展重视不够，没有把经济、文化建设与民族语言文字的使用密切结合起来。从机关行文到合作社的账目，从医院的门牌到商店里的商品标签，忽视民族语言文字的现象到处可见，蒙古族深感不便。经济、政治发展以后，最迫切的问题是发展文化，有些机关不使用蒙、汉两种文字是不符合法律规定的。内蒙古通行两种文字，谁都要执行，有的地方可以蒙文为主，汉文为辅；有的地方可以汉文为主，蒙文为辅。总之，要使用两种文字。蒙古族干部必须学习蒙古语文，汉族干部为了密切联系蒙古族群众，搞好民族关系，也要有步骤地学习蒙文蒙语。2. 经济建设问题。首先，要发展少数民族地区的工业和壮大少数民族的工人阶级队伍。中华人民共和国成立后，自治区的工业有很大发展，已有两万多名蒙古族工人，但是少数民族工人和工程技术人员数量，远远落后于工业发展的需要。因此，蒙汉杂居地区必须有计划、有步骤地吸收民族工人和培养民族工程技术人员，尤其是蒙古族工人，参加各项工业建设。其次，要调整农牧区民族关系。搞农牧民族联合社，各族社员互相学习，取长补短，发展生产，增加收入。但也存在不少问题，主要是蒙古族社员较少，更主要的是蒙古族社员的收入减少，解决这个问题，调整民族关系，最基本的一条是坚持互利原则，必要时可以照顾。3. 其他少数民族问题。调查研究和解决达斡尔族、鄂温克族的自治问题；帮助鄂伦春族开展多种经营，发展生产，增加收入；帮助回族人口的就业，纠正、查处不尊重其风俗习惯的问题；满族人口也有生产就业问题。对于民族问题要进行调查，要善于发现问题，认真研究解决。4. 自治机关民族化问题。自治区机关民族化的问题，中心是培养民族干部和蒙汉干部的比例问题。解决这个问题有一条方针，即民族团结；有两个体现，即体现蒙古族是民族区域自治的主体民族，体现汉族是人口的多数，并有其他少数民族。

第三，知识分子和“百花齐放，百家争鸣”方针问题。1. 认识知识分子的重要性，内蒙古的知识分子有本地的和外来的，有蒙古族的和其他民族的。其中外来的和汉族的知识分子是多数，蒙古族及少数民族知识分子是民族的宝贵财富，他们对发展自治区经济、文化都负有重要责任。2. 党与知识分子的关系。以往党对知识分子工作极为重视，政治上给予信任，工作上改善其条件，生活上注意其待遇。“双百”方针发布后，知识分子要求开展科学研究，要求“鸣”与“放”，要求业务领导权力，要求政治上给予更多支持。但是，负责文化、科学、教育工作的党的领导干部和业务部门，不熟悉业务，对工作特点和规律还未摸清，对知识分子的特点和要求了解不够，存在宗派主义、官僚主义态度，有“左”的表现，在基层单位对知识分子的工作，存在很多缺点，使党与知识分子的关系不够正常。3. 正确贯彻“双百”方针，对于团结、教育、改造知识分子，发挥知识分子的积极性和创造性，具有重要意义。乌兰夫在分析了对“双百”方针的种种片面认识后指出，“双百”方针是发展科学、艺术的方针，文学创作中、民间文艺中、科学研究中、科学普及中都应贯彻。内蒙古自治区贯彻执行“双百”方针，必须从内蒙古的实际情况出发，要继承与发展各民族优秀的文化遗产，创造与发展新的社会主义的民族文艺，克服忽视学习与研究民族文化遗产的错误思想；科学研究从自治区现有水平、熟悉的课题、设备条件和资料的实际出发，选择自治区和国家所需要的重点课题进行研究，在人力和物力上加以保证。提倡知识分子学习马列主义和与工农群众接触，在各种实际工作中锻炼；具备党员条件和本人要求入党的，应当解决其入党问题；要促进外地、本地、不同民族、不同年龄、党与非党等各种类型的知识分子的团结。切实教育、安排中小学生的升学、就业或自学问题。

第四，党与非党的关系和“长期共存、互相监督”方针问题。内蒙古的党际关系除了有与全国的相同点以外，也有自治区的特点。在内蒙古的革命与建设的历程中，由于正确处理党与非党的关系，各项事业取得了胜利。党与非党的关系是人民内部关系的重要方面，党员干部与非党干部之间存在的问题，是属于人民内部矛盾的问题。内蒙古自治区地域辽阔，民族成分多，经济形态复杂，还有其他历史的、社会的原因，都要反映到民族关系、党群关系、党与非党干部关系上。因此，正确认识和处理党与群众、党与非党干部的关系，是正确认识和处理人民内部矛盾的重要方面。正确处理党与非党干部关系，首先是克服党员干部，特别是党员负责干部思想作风上的宗派主义倾向，使非党干部有职、有权、有责。认为内蒙古没有民主党派的地方组织，无须贯彻执行“长期共存，互相监督”方针的认识是错误的。①

乌兰夫的讲话应用毛泽东关于处理人民内部矛盾的理论，正确地分析了内蒙古自治区方方面面的人民内部矛盾，并从内蒙古的实际出发，提出处理各种人民内部矛盾的方法，这在内蒙古历史发展的紧要关头，是适时的、正确的。

5 月 20 日—23 日，内蒙古党委召开一届三次全委扩大会议，制订了《内蒙古党委执行中央〈关于整风运动的指示〉的计划》，要求各级党委按中央的部署，开展以反对官僚主义、宗派主义、主观主义为内容的整风运动，正确处理各类人民内部矛盾，重点检查执行处理人民内部矛盾的方针政策及处理情况，检查执行“百花齐放、百家争鸣”、“长期共存、互相监督”和勤俭建国方针情况，检查执行民族政策及民族关系问题、党与非党关系问题；整风的重点是领导机关和领导干部；整风的方法是“开门整风”、“和风细雨”。整风分两批进行，第一批是自治区直属机关、呼包二市、盟、地委和大专院校的党委，时间为 6 月至 12 月；第二批是旗县以上党委和大厂矿的党组织，时间从七八月开始到翌年春耕前结束。成立了内蒙古党委和各级党委整风领导小组。6 月初，内蒙古党委发出《关于迅速组织各种座谈会大鸣大放的通知》；6 月 3 日至 7 日，内蒙古党委举行了党外人士座谈会，征求对内蒙古党委工作的意见，欢迎帮助党整风。在 4 个半天的座谈会上有 28 人作了 39 次发言，对党群关系、干部作风、民族关系等问题提出许多合理而建设性的意见，提出许多中肯的批评。6 月 8 日至 11 日，内蒙古党委举行工商界人士座谈会，有 21 人相继发言 53 次，同样提了许多意见、批评

① 参见乌兰夫（上）：《正确处理我区的人民内部矛盾》，《乌兰夫文选》，中央文献出版社 1999 年版，第 419 页。

和建议。同时，自治区各直属单位和盟、市党组织也召开鸣放会，对干部工作、人事制度、领导作风、党群关系、民族政策、知识分子工作等，提出不少意见和建议。整风运动普遍开展以后，党外各界人士和广大党员，对党和政府的工作以及党员干部的作风，提出大量有益的批评、建议，对于克服“三风”，改进工作，密切党与群众的关系，产生了明显的效果。

中共中央对整风运动开始后，党内外和各界通过座谈、鸣放提出的意见、批评或建议是肯定的，认为基本上是诚恳的、正确的；同时也认为有极少数资产阶级右派分子乘机对共产党的领导和社会主义制度进行攻击。5月15日，毛泽东写了《事情正在起变化》① 的文章，发给党内干部阅读。文章指出：“最近这个时期，在民主党派中和高等学校中，右派表现得最坚决最猖狂。”“中间派中有一些人是动摇的，是可左可右的，现在在右派猖狂进攻的声势下，不想说话，他们要等一下。”“我们还要让他们猖狂一个时期，让他们走到顶点。”文章分析了党内的思想状况和社会上的状况，最后提出：“我们同资产阶级和知识分子的又团结又斗争，将是长期的。”这篇文章标志着毛泽东在思想上发生了重要变化。5月16日，毛泽东为中共中央起草了《关于对待当前党外人士批评的指示》，一方面肯定了党外批评的主流，基本上是诚恳的正确的。另一方面对右翼言论作了分析，放手让其发表，暂不批驳，让其充分暴露后再研究反驳。这样，中共中央对整风鸣放工作的指导发生了一个变化。

从5月8日到15日召开民主党派座谈会6次；5月16日到6月3日又开了7次；5月15日到6月8日，中共中央统战部和国务院第八办公室还联合召开工商界座谈会25次，发言人有108位。这些座谈会对共产党的领导和政府的工作提出了许多善意的批评意见和建议，同时也对共产党的领导和社会主义制度，发表了不少怀疑甚至反对的言论。这期间，高等学校校园里鸣放情绪更为激烈。

反右派斗争　6月8日和10日，中共中央接连发出《关于组织力量准备反击右派分子进攻的指示》和《关于反击右派分子斗争的步骤、策略问

---

① 中共中央文献研究室编：《建国以来毛泽东文稿》第6卷，中央文献出版社1992年版，第469页。

题的指示》；6 月 8 日以后，《人民日报》接连发表社论，批驳有代表性的言论，反右派斗争开始了。整风运动的指导思想由正确处理人民内部矛盾的主题转向对敌斗争。之后，毛泽东十分注意抓舆论导向工作，中共中央接连发出关于反右派斗争的指示。而毛泽东对极少数右派分子向共产党和社会主义制度的进攻的形势作了过分严重的估计，对整个阶级斗争的形势作了过分严重的估计。8 月 3 日，他在《一九五七年夏季的形势》① 一文中说："在我国社会主义革命时期，反共反人民反社会主义的资产阶级右派和人民的矛盾是敌我矛盾，是对抗性的不可调和的你死我活的矛盾。"反右派运动迅速扩大，斗争急剧升温，被划成右派分子的人数迅速上升。9 月 20 日至 10 月 9 日的中共八届三中全会上，毛泽东发表了阶级矛盾和敌我矛盾的谈话，并认为八大关于目前主要矛盾的结论是不适当的。会议最后再次谈当前社会的主要矛盾问题时断言："无产阶级和资产阶级的矛盾，社会主义道路和资本主义道路的矛盾，毫无疑问，这是当前我国社会的主要矛盾。"② 从而改变了中共八大对国内主要矛盾的正确估计。"这标志着毛泽东在指导思想上向'左'发展的一个转折，对中国局势的发展带来很深的影响。"③ 也导致了反右派斗争严重扩大化的不幸后果。在中共八届三中全会召开时，全国已划右派分子 6 万多人，1958 年整风运动结束时，全国竟有 55 万人被划为右派分子。④"在整风过程中，极少数资产阶级右派分子乘机鼓吹所谓'大鸣大放'，向党和新生的社会主义制度放肆地发动进攻，妄图取代共产党的领导，对这种进攻进行坚决的反击是完全正确和必要的。但是反右派斗争被严重地扩大化了，把一批知识分子、爱国人士和党内干部错划为'右派分子'，造成了不幸的后果。"⑤

在全国反右派斗争的过程中，内蒙古党委按照中央的统一部署，开展了

---

① 中共中央文献研究室编：《建国以来毛泽东文稿》第 6 卷，中央文献出版社 1992 年版，第 543 页。

② 中共中央文献研究室编：《毛泽东传》（上），中央文献出版社 2003 年版，第 720 页。

③ 中共中央文献研究室编：《毛泽东传》（上），中央文献出版社 2003 年版，第 722 页。

④ 参见《毛泽东传》（上），中央文献出版社 2003 年版，第 711 页。

⑤ 中国共产党中央委员会：《关于建国以来党的若干历史问题的决议》，《三中全会以来重要文献选编》（下），人民出版社 1982 年版，第 753—754 页。

反右派斗争。6月8日以后，《人民日报》接连发出反击右派的信号，6月15日《内蒙古日报》也发表《不能只许批评，不许反批评》的社论，对于一系列整风座谈会上发表的意见、批评，认为绝大多数是正确的、善意的；也有一部分不完全正确，但也是善意的；有极少数意见和批评是错误的，甚至是恶意的，主要是攻击共产党的领导和社会主义制度。对于错误的意见和批评，对于恶意的攻击，允许反批评。7月1日，《内蒙古日报》发表了《狠狠打击右派分子》的社论，传达了内蒙古党委反击右派分子的声音，号召全区各族干部、群众反击右派分子的进攻。于是，从全区直属机关到盟市、旗县以及大厂矿和大、中、小学全面开展反右派斗争，工商界、教育界、科技界、文艺界、新闻界成为主战场。7月5日，自治区直属机关的九百多名蒙汉各族青年干部、职工集会，声讨右派分子的反党反社会主义言论；7月6日，自治区直属机关的八百多名妇女干部、职工也集会批判右派分子的言论；当天，呼和浩特市的5万多各族职工代表上千人举行广播大会，反击右派分子的进攻。同时，自治区呼伦贝尔盟、哲里木盟、察哈尔盟、巴彦淖尔盟、平地泉和河套行政区的蒙汉各族干部、群众纷纷集会声讨右派分子。从7月9日开始，《内蒙古日报》连续点名批判右派分子言论，涉及民主党派、文艺界、学术界、医药卫生界、新闻出版界及高等院校的人士。被点名批判的主要是党外人士，也有少数共产党员干部。政协内蒙古自治区委员会举行以反右派斗争为内容的扩大的学习座谈会，从7月12日开始到9月17日结束，召开了14次大会，九十多次分组会，驻呼委员、参事室参事、文史馆馆员、自治区处以上民主人士计205人参加，揭发批判了有关人员，重点批判4名所谓右派分子。7月29日，内蒙古党委召开盟、市、地委书记会议，部署在农村、牧区、工矿企业普遍开展反右派斗争的宣传教育；按照国务院《关于国家工作人员参加整风和反右派斗争的决定》，要求自治区的国家机关工作人员积极参加整风和反右派斗争。从8月开始，从城镇到农村、牧区全面掀起了声讨右派分子的浪潮，集中力量打击高等院校、民主党派、新闻出版、科学技术、文化艺术、医药卫生等各界的右派分子。

中共八届三中全会后，10月16日至24日，内蒙古党委召开一届四次全委扩大会议，传达中央三中全会精神，部署自治区进一步开展整风，深挖右派分子。由于毛泽东在三中全会期间对阶级斗争形势的判断，内蒙古的反右派斗争再次形成高潮，反右派斗争扩大化。仅自治区直属机关178个单位，有16 681 名干部、职工参加了整风，有468 人被划为右派分子，占参加整风人数的2.8%，其中重点批判对象325 人，占右派分子的69.4%；到1958 年整风结束时，自治区被划为右派分子 3 731 人。他们分别受到开除党籍、团籍，降职、降级，调离工作，开除公职，劳改劳教等处理。反右派斗争的严重扩大化，不仅使一大批人受到不应有的打击，而且使通过整风扩大社会主义民主的尝试受到干扰，其后果是严重的，教训是沉痛的。

1959 年至1964 年，内蒙古党委根据中央的精神，在纠正风行一时的"左"倾错误的时候，分期分批为多数右派分子摘了帽子。1978 年4 月，按照中央的决定，全部摘掉其余右派分子的帽子；9 月又对被错划为右派分子的进行复查，截至1981 年底被错划为右派分子的都得到改正，并作了妥善安置，纠正了反右派斗争扩大化的错误。

二、从民族政策教育到反对地方民族主义

1956 年，在社会主义改造迅猛发展的新形势下，少数民族地区有些领导机关和干部忽视民族问题，轻视民族特点，放松了民族政策的贯彻执行，影响到民族关系，个别地区发生了一些不利于民族团结和社会安定的事件，大汉族主义思想有所抬头。3 月，毛泽东提出再检查一次民族政策执行情况。4 月 14 日中共中央发出《关于检查民族政策执行情况的指示》,要求有关地区的各级党委和驻在少数民族地区的中国人民解放军，应该像 1952 年那样，认真地检查一次民族政策执行情况。4 月 25 日，毛泽东在中央政治局扩大会议上《论十大关系》的讲话中专门讲了"汉族与少数民族的关系"，在回顾了历史上不正常的民族关系之后指出："我们无论对于干部和人民群众，都要广泛地持久地进行无产阶级的民族政策教育。早两年已经作过一次检查，现在应当再来一次。如果关系不正常，就必须认真处理，不要只口里讲。"① 12 月 26 日，中央又发出《关于进一步开展统一战线工作检查和民族政策执行情况检查的指示》,再次强调检查工作必须认真，绝不能草率结束。1957 年 2 月，毛泽东在《关于正确处理人民内部矛盾的问题》

---

① 毛泽东:《论十大关系》,《毛泽东文集》第 7 卷，人民出版社 1999 年版，第 23 页。

中提出："国家的统一，人民的团结，国内各民族的团结，这是我们的事业必定要胜利的基本保证。"在谈到民族关系时指出："汉族和少数民族的关系一定要搞好。这个问题的关键是克服大汉族主义。在存在有地方民族主义的少数民族中间，则应当同时克服地方民族主义。无论是大汉族主义或者地方民族主义，都不利于各族人民的团结。"这是对处理我国民族问题与民族关系的科学论断。8 月 4 日，周恩来在青岛全国民族工作座谈会上《关于我国民族政策的几个问题》的讲话中，分别以关于反对两种民族主义的问题、关于民族区域自治问题、关于民族繁荣和社会改革的问题、关于民族自治权利和民族化的问题为题，全面阐述了我国的民族政策。其中指出大民族主义（在中国主要是大汉族主义）和地方民族主义都是资产阶级民族主义的表现，除了极少数人的问题以外，在民族问题上的这两种错误态度、两种倾向，是人民内部矛盾的问题，因而处理的原则是从民族团结的愿望出发，经过批评或斗争，在新的基础上达到各民族间进一步的团结。"我们反对两种民族主义——大汉族主义和地方民族主义的共同目的，就是建设社会主义的祖国大家庭，建设一个具有现代工业、现代农业的社会主义国家。"①

1956 年后半年开始，内蒙古党委按中央的部署，在全区开展对民族政策执行情况的检查，检查中发现不尊重少数民族的平等权利和自治权利，忽视民族特点、地区特点的大汉族主义思想倾向有不同程度的存在。整风运动开始以后，内蒙古党委在整风、反右派的同时，向各级干部传达青岛民族工作座谈会精神和周恩来、乌兰夫在会上的讲话，提高对新形势下的民族问题新情况的认识，继续进行民族政策教育。9 月间，内蒙古党委统战部召开少数民族干部座谈会，与会者对民族平等、自治权利、自治机关民族化、民族干部的使用、重大工业建设项目和经济建设布局、蒙古语言文字的使用、民族特点、地区特点以及划分纯蒙古族区和蒙汉族杂居区等涉及民族工作方面的问题发表了意见和建议，以至批评。应当说，许多意见和建议是合理的、善意的，有的即使有些偏激、片面，也是正常的。在整风运动中结合检查民族工作，着重检查和批评不尊重少数民族的平等地位和自治权利的问题，批

---

① 周恩来：《关于我国民族政策的几个问题》,《周恩来选集》下卷，人民出版社 1984 年版，第 248 页。

评大汉族主义思想倾向，也是符合整风精神的。

但是，毛泽东在1957年夏天以来，特别是在9月中共八届三中全会上对国内阶级矛盾作出新的判断，这对民族问题的判断也产生了重大影响。9月23日，邓小平在中共八届三中全会上关于整风运动的报告中提出："在一切已经基本上实现了生产资料所有制的社会主义改造的少数民族地区和少数民族人口中，应该同样进行社会主义教育，并且适当地进行反右派斗争。""在少数民族中的社会主义教育和反右派斗争，除了同汉族地区相同的内容以外，还应该着重反对地方民族主义倾向。""过去我们强调反对汉族干部中的大汉族主义倾向，这是完全必要的，今后也仍然要继续坚决反对大汉族主义，但是目前在少数民族干部中，强调反对地方民族主义倾向，是同样必要的。"显然，这是对民族问题权威性的判断，是反对民族主义倾向的重要转折，即反对地方民族主义倾向。10月15日，中央即发出《关于在少数民族中进行整风和社会主义教育的指示》，认为许多少数民族中地方民族主义思想有了新的滋长，如保守排外、反对民族团结、要求扩大自治地方的区域、提高自治地方的行政地位甚至有分离主义倾向等。对刚刚实现或正在寻求民族区域自治的少数民族，特别是对局部地区的个别现象，甚至只是对少数人认识上的问题或意见，作出如此不切实际的判断，不能不说是对民族问题的认识也在向"左"发展。反对地方民族主义成为少数民族和民族地区整风的重点，大张旗鼓地反对地方民族主义的斗争就此开始。

内蒙古党委不得不将民族政策教育和检查民族政策执行情况的工作停顿下来，转向反对地方民族主义的斗争。10月16日至24日，内蒙古党委召开一届四次全委扩大会议，内蒙古党委书记处书记王铎作了《关于进一步深入开展整风、反右派斗争和社会主义教育问题》的报告。会议确定下一步整风运动的重点是进行反对地方民族主义和民族右派的斗争。10月30日，《内蒙古日报》发表了题为《十年成就不容抹煞》的社论，接着连续发表报道，将先前召开的宣传工作会议、党外人士座谈会、工商界人士座谈会和少数民族干部座谈会上，少数民族参会者对民族工作中存在的问题通过正常程序提出的批评、意见或建议，作为地方民族主义言论进行猛烈的批判，断章取义，歪曲归纳，攻其一点、不及其余，火上浇油，无限上纲，扣上地方民族主义的帽子，掀起了反对地方民族主义的斗争，逐级发展，迅速扩大。从

11 月开始，《内蒙古日报》《学习与实践》杂志连续发表专题文章，批判地方民族主义，把反对地方主义的斗争推向不适当的地步。综合考察在上述座谈会上发表的所谓民族主义反动言论，一是对贯彻民族政策和实际工作上的意见，二是对民族问题和民族理论的不同理解，三是从民族感情出发对民族前途的忧虑，四是在感情冲动下说了一些不恰当的过激话。从当时整理公布的材料看，这些言论既无系统的理论和主张，更无任何地方民族主义的行动，而且是在中国共产党邀请参加的整风座谈会、检查民族政策执行情况座谈会上的发言。内蒙古与西北、西南极少数发生骚乱事件的民族地区不同，如果没有当时全国反右派斗争的形势，如果没有把发动反对地方民族主义斗争当做全局问题看待，仅就这些言论，显然构不成地方民族主义倾向，更不可能成为分裂祖国的事实。即使有这方面的言论，也只是出于个别人之口，不能作为普遍性的倾向看待。

这次反对地方民族主义的斗争，一瞬间，使一批由党培养出来的少数民族（主要是蒙古族）干部、知识分子、共产党员，莫名其妙地被打成资产阶级民族右派分子。在毛泽东发表正确处理人民内部矛盾问题的讲话仅仅 8 个月之后，即改变了关于民族主义是人民内部矛盾和关键是克服大汉族主义的科学论断，在民族问题上开展了反对地方民族主义的阶级斗争。这一急转弯，不仅使一批蒙古族及其他少数民族干部、知识分子被打成民族右派，长期蒙受委屈、压制，失去为民族、为人民、为国家、为党的事业发挥特殊作用的机会，其中有优秀的民族干部，有造诣很深的专家学者，还有颇孚众望的社会人士；同时，有更多的蒙古族干部、知识分子从此怯于直言本民族的问题，民族干部的作用受到限制；而且正常进行的民族理论和民族政策教育因此中断。内蒙古这次反对地方民族主义的斗争，为对待民族问题埋下了“左”倾思想的“种子”，它的影响一直延续到“文化大革命”后期。

1981 年，乌兰夫在回顾这段历史的时候说：“在少数民族地区不但和汉族地区一样犯了反右派斗争扩大化的错误，而且不适当地搞了反地方民族主义的运动。地方民族主义思想和大汉族主义思想一样，在我们的队伍里都是应当克服的人民内部矛盾，然而在反地方民族主义运动中，却把地方民族主义思想当作敌我矛盾看待，甚至把一些正当的民族感情和正常的工作意见也当作地方民族主义的表现，错误地进行批判斗争，伤害了许多少数民族干部、知识分子和上层人士。"① 这是反思过去，总结历史的科学结论。

1959 年至 1964 年，内蒙古党委在纠正风行一时的"左"倾错误，为右派分子摘了帽子的同时，也为民族右派分子摘了帽子，安排了一定的工作。1978 年，按照中央的决定，内蒙古党委在对被错划为右派分子的人改正平反的同时，对错划为民族右派分子的人也作了改正平反，均作了妥善的安排，彻底纠正了反右派、反地方民族主义斗争的扩大化错误。

三、社会主义教育

农村社会主义教育 从 1957 年 6 月反右派斗争开始到 9 月中共八届三中全会召开，毛泽东逐渐对当时阶级斗争形势作出过于严重的错误估计，作出无产阶级与资产阶级的矛盾、社会主义道路和资本主义道路的矛盾，是当前中国社会主要矛盾的错误判断。1956 年全国农业社会主义改造基本完成，1957 年农业合作社迅速向高级社发展，于是农村中产生了与此相关的一系列矛盾。据中共中央农村工作部 1957 年年底的调查，全国各地出现了农业合作社社员退社或要求退社的问题，甚至出现由于社员退社而搞垮了农业合作社的问题。

因此，在开展整风运动和进行反右派斗争的同时，中共中央作出从农村开始逐步开展大规模的社会主义教育的决定。1957 年 8 月 8 日，中共中央发出《关于向全体农村人口进行一次大规模的社会主义教育的指示》,就农业合作化的优越性、粮食及其他农产品统购统销、工农关系、肃反和遵守法制等问题，进行一次大辩论，分清社会主义道路和资本主义道路，批判富裕中农的资本主义思想，反对个人主义和本位主义，提倡爱国、爱集体、爱家庭和勤俭办社、勤俭持家。

内蒙古党委当即按中央的部署，在农村开展社会主义教育运动。8 月 14 日，内蒙古党委发出《坚决执行中央指示，迅速开展大规模的社会主义宣传教育运动》的指示，根据中央指示的基本精神，结合内蒙古农村存在的问题，决定围绕农业合作化的优越性、粮食和其他农产品统购统销、工农关

---

① 乌兰夫：《民族区域自治的光辉历程》（1981 年 7 月 14 日），《乌兰夫文选》（下），中央文献出版社 1999 年版，第 360 页。

系等重大问题开展大辩论，巩固农业合作社，维护统购统销政策、工农关系；进行反右派斗争的形势、意义的教育，维持农村社会稳定；批判农村中的资本主义思想与倾向，批判个人主义和本位主义，正确认识个人利益、集体利益、国家利益的关系；批判与打击地主、富农、反革命分子和其他坏分子的反动言论和活动，维持农村社会治安；正确处理农业合作化中蒙古族社员的收入减少问题，西部区蒙古族社员的土地报酬问题，巩固民族社和民族联合社，批判破坏民族团结的言行，加强民族团结。通过社会主义教育，巩固与发展农业合作化制度，巩固与加强贫下中农的团结和各族农民的团结，提高广大农民群众发展生产的积极性，巩固工农联盟，完成国家的统购统销任务。这是这次农村社会主义教育的基本内容和目标。

8月中旬，全区盟、市、行政区和旗、县各级党委和政府召开盟（市、行政区）、旗（县）、区、乡四级或旗（县）、区、乡三级干部会议，传达中共中央和内蒙古党委的指示，部署社会主义教育运动。自治区先后抽调九千多名干部，先在89个乡中的260个农业合作社进行社会主义教育试点。8月28日，内蒙古党委召开盟、行政区党委书记电话会议，进一步部署全面开展农村社会主义教育和深入进行反右派斗争，要求各级党委的第一把手亲自抓这项工作，要达到增强各族人民的团结，巩固社会主义改造的成果，促进社会主义建设，巩固人民民主专政，巩固党的领导。

9月上旬，在全区1万多个农业合作社中开展大鸣、大放、大辩论。在教育活动中，贯彻依靠基层组织和群众积极分子，依靠贫农、下中农，团结中农（包括富裕中农）的阶级路线，先训练骨干，进行正面教育，提出问题，组织辩论，运用多种形式，提高认识，统一思想，达到团结，坚持走社会主义道路。在社会主义教育运动中，强调“整风生产两不误”的原则，一面抓社会主义教育，一面抓生产劳动。而且用回忆对比的典型事例，进行形象生动有说服力的教育。揭批李伍海翻身忘本就是一例。

李伍海是中共丰镇县委生产合作部驻马家圐圙乡兴建农业合作社的驻社干部。在旧社会，他家连他本人在内三代给地主家当长工，还讨吃要饭，生活艰难。解放后，他从雇农成长为国家干部，全家5口人有吃有穿。可是他竟然说“合作化搞糟了”，主张退社单干，并且反对统购统销政策。这在当时已经算得上是翻身忘本，走回头路的典型了。在社会主义教育运动中，给李伍海算了一本翻身忘本账，也给他指了一条再回头的路。李伍海终于幡然悔悟，这对其他农民也是警示。1958 年 1 月 27 日，内蒙古党委决定在全区农村开展李伍海翻身忘本和思想转变大讨论，内蒙古党委负责人接见了李伍海，进一步启发教育他不忘过去的苦，爱惜今天的甜。内蒙古电影制片厂专门摄制了《李伍海翻身忘本》的专题片，《内蒙古日报》等报刊专发了李伍海翻身忘本的故事和今昔生活对比的照片，并配发了《广泛深入地讨论李伍海的思想》的社论，举办了《李伍海今昔生活对比展览会》。同时，在城镇、牧区、厂矿、学校的社会主义教育中，组织学习，开展讨论，在各行各业、各族各界中，特别在青年人中引起了较大反响。可以说，这是内蒙古农民中进行社会主义教育的缩影。

内蒙古农村社会主义教育运动是在特殊而复杂的背景下进行的，既有农业社会主义改造基本完成后出现的农村新形势、新问题，又有毛泽东、党中央对当时我国的阶级矛盾、阶级斗争及社会主义道路和资本主义道路斗争的新判断、新认识的影响，还有反右派斗争旋风的冲击。对农村社会主义教育只有放在这样的环境与氛围中剖析，才能得出近乎实际的结论。在内蒙古，农业合作化进程中出现了一些问题，这是不容置疑的事实，如农业社会主义改造偏离了逐步改造、稳步前进的预定轨道，具体政策上对农民利益、集体利益、国家利益的处理也有不当，尤其在合作化高潮中考虑农民利益不够，对役畜、牧畜的入社区别不够，对少数民族特别是蒙古族农民入社的特殊性掌握不当，组织集体生产劳动缺乏经验，1956 年农业合作反冒进的主张未能奏效等等。1957 年农业大减产自然灾害固然是主要因素，但与上述存在的问题不无关系。因此，这次的社会主义教育主要是集中在阶级斗争、两条道路斗争层面上的教育，对于农民提高认识，坚持农村社会主义方向是有积极意义的；而通过整风，改进农村工作，解决实际问题特别是农民的切身利益问题，做得很是不够。

牧区社会主义教育　内蒙古的牧区社会主义教育也与农村相继进行。10 月 16 日，内蒙古党委一届四次全委扩大会议认为，畜牧业的社会主义改造正在进行，牧区也必须进行大规模的社会主义教育，进一步提高牧民的社会主义觉悟，促进社会主义改造和牧民的生产积极性。但是，如何不致引起负面影响，这是应当研究的问题。因此，提出“应针对不同地区提出不同要求。”“凡民主改革已经完成，合作社已有相当发展的地区，应按中央全民大辩论的指示，除进行正面教育外，还应在党团支部内、基层干部内和合作社内先进行试点取得经验后，再逐步进行大辩论”，因为这里的牧民绝大多数是拥护合作社的，但是也有些牧民和干部有议论、有误解，不相信合作社的优越性，青年牧民也有不正确的理解。解决这个问题最好的方法是社会主义大辩论。“凡尚未彻底进行民主改革的地区，如巴盟只进行社会主义教育，不进行辩论。”但在教育中必须强调加强民族团结、勤俭持家、勤俭办社、积极发展互助合作。

12 月 4 日，内蒙古党委发出《关于在牧区开展社会主义教育的指示》，首先肯定畜牧业社会主义改造的成绩、绝大多数劳动牧民特别是贫困牧民的社会主义觉悟和走合作化道路的积极性，同时指出牧区存在的问题，即有些牧民尤其是比较富裕的牧民对社会主义改造政策有怀疑和误解，甚至有畜牧业合作社没有优越性的言论；少数入社入组的牧民组织观念薄弱，不爱护公共财产、不遵守劳动纪律；也有少数牧民退社、退组；贯彻勤俭办社、民主办社方针不力。因此，必须以社会主义教育解决这些问题。

关于牧区社会主义教育，一、教育的内容：1. 怎样才能发展畜牧业，使所有牧民共同走向富裕；2. 社会主义的优越性和畜牧业社会主义改造总方针；3. 勤俭建国，勤俭办社，勤俭办组，勤俭持家，劳动光荣，发展生产与改善生活；4. 牧业与工业、农业的关系，牧民与工人、农民的关系；5. 各民族的团结，合作社、互助组内部的团结和周围单干牧民群众的团结，及其对发展生产、建设社会主义的重要性；6. 党的领导对于改变牧区政治、经济面貌的重要性。二、教育的不同对象和不同的重点：1. 合作社和常年互助组的教育重点是：互助合作的优越性及其发展前途，集体利益与个人利益的关系，勤俭办社、办组，社组内部团结与单干户的团结；2. 牧主和富裕牧户的教育重点是：社会主义的优越性和畜牧业社会主义改造的方针政策，增畜保畜，勤俭持家，牧区的各项社会政策，国内外重大时事；3. 喇嘛的教育重点是：社会主义的优越性和畜牧业社会主义改造总方针，喇嘛怎样参加社会主义建设，宗教信仰自由政策，各民族团结互助问题，国内外重大时事；4. 一般单干户的教育重点是：怎样发展生产与改善生活，大家如何共同富裕，积极劳动，勤俭持家，牲畜发展越多，自己生活越好，对国家贡献越大。三、教育的方法与步骤：1. 采取正面教育与群众讨论相结合的方法；2. 步骤：社、组实行安排生产，正面教育，开展鸣放，组织辩论，系统教育，研究处理生产和经营互利政策及干群关系问题；单干牧民以正面教育结合漫谈讨论为主，分别召开牧主、富裕牧户、牧工、接“苏鲁克”户、喇嘛座谈会。总之，要摆事实讲道理，回忆对比，肯定成绩，指出缺点，表扬与批评相结合，以亲身体验，进行生动活泼的自我教育。

内蒙古牧区的社会主义教育，在稳定发展畜牧业生产的方针下，在稳步进行畜牧业社会主义改造的同时，以切合牧区实际的内容，以极其慎重稳妥的方法与步骤，本着“政策稳，办法宽，时间长”的原则，开展社会主义教育，收到了预期的效果。

工矿企业中的社会主义教育 9 月 12 日，中共中央发出《关于在企业中进行整风和社会主义教育运动的指示》,决定在企业中进行整风和社会主义教育，提高群众的社会主义觉悟，调动其积极性，促进生产建设。自治区从实际出发，进行各民族团结合作，共同建设社会主义的教育；进行反右派斗争形势、意义的教育，同时在企业机关干部中开展整风和反右派斗争。

9 月 19 日，内蒙古党委批转党委工业部《关于工业系统当前主要矛盾和企业整风的报告》,决定在工矿企业中进行整风和社会主义教育，并由工业系统派工作组，与企业党委共同开展整风和社会主义教育；在企业机关干部中，开展整风与反右派斗争。要坚持整风、生产两不误，充分发动群众大鸣大放、边整边改、开展大辩论和总结处理问题四个阶段进行。在自治区党委的领导下，由厂矿企业所在地党委和厂矿企业党委、工作组具体组织领导，整风运动、反右派斗争和社会主义教育全面展开，大鸣大放，提意见，提建议，活跃了民主气氛，激发了职工的主人翁意识。华北包头工程总公司汽车保养厂，在半个月时间里有 80% 的职工参加鸣放，提出三百多条意见或建议；呼和浩特市在开始整风、社教的 5 个企业中，到 11 月底贴出大字报一千七百多张，提出意见和建议五千二百多条，对管理机构臃肿、非生产人员多等问题，提出意见和整改建议。12 月 10 月，内蒙古党委发出《关于整顿工矿、企业和机关、学校中的基层组织的指示》,指出在整风过程中揭露出党组织的工作中和党员思想作风上存在不少问题，诸如党的领导干部和党员中存在争名夺利、互不团结、贪图安逸、惧怕艰苦、闹工资待遇、追求享受等资产阶级个人主义思想，严重地腐蚀党的机体，影响党群关系，削弱党的领导。要求针对存在的问题，进行认真的整改。

四、精兵简政、双反运动和整风结束

精兵简政　精简机构，压缩编制，是整风运动的重要内容，是克服官僚主义、宗派主义、主观主义，改进党风的重要措施，贯穿整风的全过程。自治区在社会主义改造取得基本胜利后，党政机构迅速扩充，扩充了原有机构人员，增加了新的机构。1956 年，自治区直属机关增设了 21 个新机构，增加了约 4 万名干部，超编一千八百余名；以下各级也不同程度地增设新机构，扩充编制，增加干部。

1956 年 11 月，内蒙古党委一届二次全委扩大会议曾作出整顿党的领导作风的决定，规定领导干部下厂下乡，深入实际，加强调查研究，切实改进领导作风。12 月 14 日，内蒙古党委召开自治区各直属机关党组负责人联席会议，确定直属机关整风的中心内容是增产节约、精简机构，要求整风要达到增产节约、精简机构、更好地建设社会主义的目的。12 月 24 日，内蒙古党委常委会议研究整风工作，确定全区整风应从精简机构入手，自治区党委机关率先精简工作人员 50%，同时撤销和合并一些不必要的机构。当时决定精简机构贯穿整风全过程。第一阶段从 1956 年 12 月到 1957 年 5 月，主要是以增产节约、精简机构为内容，改进党的领导作风；第二阶段从 1957 年 10 月到 1958 年 2 月，结合整改精简机构，下放干部。

1957 年 1 月 1 日，内蒙古党委第一书记乌兰夫在新年贺词中宣布，内蒙古党委决定：今年在党内开展以反对主观主义、官僚主义、宗派主义为内容的整风运动。当天的《内蒙古日报》发表了《以整风精神果断地精简机构》的社论，报道了内蒙古党委作出以增产节约、精简机构为中心内容开展整风的决定。直属机关闻讯而动，从精简机构入手，制订精简节约方案，克服思想障碍和消极因素，促进整风。有些盟、市积极响应，召开专门会议，传达内蒙古党委的决定，着手组织精简机构。1 月 15 日，内蒙古自治区人民委员会召开第 20 次扩大会议，自治区主席乌兰夫讲话指出，要厉行节约，积累资金，提倡勤俭奋斗、艰苦建设社会主义的风气。会议制定了自治区政府直属机关精简机构、厉行节约、改进领导作风的具体措施；决定撤销政府直属机关中不必要的机构，或合并能够合并的机构。1月16日，《内蒙古日报》再发题为《充分发动群众，把整风运动深入推进一步》的社论，指出内蒙古自治区直属机关和企事业单位，机构臃肿、层次重叠、人浮于事等现象相当严重，增产节约的潜力很大。1月23日，内蒙古党委召开直属机关干部大会，动员全体干部积极参加整风运动。内蒙古党委常委、自治区副主席王再天作了动员报告，阐明了整风运动是以增产节约为中心，以精简机构为重点，检查机构设置、方针、政策等方面存在的问题；并对精简机构、整顿编制、调整干部作了说明。调整出去的干部，一是加强农村、牧区的基层组织和工厂、矿山、学校和商业基层的领导单位；二是重点加强旗县领导；三是加强林区工作；四是加强包头建设；五是建立干部和劳动后备力量。

经过一系列动员工作和具体组织，到1月底，自治区直属机关首批抽调270名干部，到农村、牧区工作，其中有副厅长、副秘书长和相当于厅、局级领导干部13人，连同另外抽调的旗县级干部250人，组成8个工作队，分赴盟、行政区的农村、牧区帮助工作，他们中共产党员、青年团员约占80%。

在精简机构、下放干部的同时，大力开展增产节约运动。4月8日至13日，内蒙古政治协商会议一届三次会议专门讨论了开展增产节约问题；4月18日至25日，内蒙古自治区人民代表大会一届四次会议，作出《关于大力开展增产节约运动的决议》；5月30日，内蒙古党委发出《关于在工矿企业中广泛深入开展增产节约宣传工作的指示》。由此可见，增产节约成为当时内蒙古自治区党政最高层极为关注的问题，而且从盟、市、行政区到旗、县，从工矿、企业到学校，层层动员，贯彻实施，成效显著。

到5月底，精简机构，增产节约第一阶段工作结束时，全区精简下放各级党政机构工作人员12 800人，其中六千八百多名干部下放到基层，其余是还乡生产或送入学校储备。① 在增产节约、精简机构、下放干部的过程

① 《内蒙古党委关于继续深入地进行精简机构下放干部的指示》（1957年12月5日），内蒙古党委学习编委会：《学习》第238期。

中，结合解决农牧业合作化中出现的农业区牧畜作价入社不合理，牲畜、畜产品价格低，以及部分蒙古族社员收入减少等问题，认真纠正执行政策中出现的偏差，收到了改进作风、解决实际问题的效果。

1957 年 10 月 11 日，内蒙古党委和内蒙古自治区人民委员会联合发出《关于当前增产节约工作的指示》,要求把整风反右派斗争同增产节约结合起来，以整风精神推动增产节约运动，并提出了增产节约的具体指数。紧接着于 10 月 20 日召开内蒙古自治区人民委员会第 28 次全体委员会议，提出当前的根本任务是，进一步深入开展整风运动，迅速掀起全区性整改高潮，大力精简机构、下放干部、加强基层、加强生产单位的领导，争取整风运动决定性的胜利；再次强调精简机构、人员，下放干部，是克服官僚主义和主观主义，培养为共产主义事业奋斗的干部队伍的重要措施，是整风的中心环节。10 月 23 日，内蒙古党委召开全区精简机构，下放干部会议，决定再精简 3 万名干部，下放到生产战线和基层工作岗位，加强生产战线和基层工作的领导力量。同时成立内蒙古调整处理委员会，由内蒙古党委书记处书记王铎任主任，专门负责精简机构、下放干部的工作。12 月 5 日，内蒙古党委发出《关于继续深入地进行精简机构下放干部的指示》,要求所有机关、学校、企业事业单位都要把精简机构、下放干部作为整风的重要内容，切实抓紧抓好。到 12 月初，自治区直属机关合并、撤销了 8 个厅局 81 个处级编制单位，再次精简干部 1 116 名，占总编制人数的 27. 8%；到年底，自治区直属机关和全区各级各单位精简下放人员 3. 8 万人，其中国家干部 3. 5 万人。

1957 年 12 月 23 日至 29 日，内蒙古党委再次召开全区精简机构、人员，下放干部会议，总结了一年来的工作，部署了 1958 年的任务。1958 年新年伊始，自治区直属机关、团体、高等学校，首批下放干部 1 120 名，并计划第二批再下放 700 名。1 月 18 日，自治区直属单位和各界在乌兰恰特剧场举行欢送下放干部大会。这批下放干部分赴土默特旗及平地泉行政区所属卓资、武川、托克托等县工作。与此同时，各盟、市、行政区机关也按照内蒙古党委的统一部署，开展精简机构、下放干部工作。到 2 月间，自治区第二阶段的精简机构、下放干部工作计划基本完成。

在 3 个多月的时间里，内蒙古自治区的党政高层领导机关一再开会、发文，强调、督促各级抓紧这项工作，并采取果断措施，带头落实，可见精简机构、下放干部的工作在当时所处位置是多么的重要，同时也能看出这项工作的艰巨性、复杂性。

双反运动 1958年3月3日，中共中央发出《关于开展反浪费、反保守运动的指示》,指出反浪费、反保守的双反运动，是在整风中促进整个国家的工作、促进全民大干社会主义的一个带有决定性的运动。强调用大鸣、大放、大辩论、开现场会和展览会等形式，揭露和批判浪费、保守的现象及其危害，揭露干部思想作风上的主观主义、官僚主义和宗派主义，迅速地打掉官气、暮气、阔气、骄气和娇气，密切干部与群众的关系，提高群众的觉悟和积极性，推动各条战线上的跃进。显然，反浪费是一直坚持的增产节约运动的深化，反保守主要是针对反冒进，鼓动“大跃进”的信号。

3月8日，内蒙古党委召开反浪费、反保守广播动员大会，内蒙古党委书记处书记、自治区副主席杨植霖作动员报告，全区七十多万各族干部和群众收听了实况广播。大会号召立即按照党中央关于开展反浪费、反保守运动的精神，迅速掀起一个全区性的以反浪费、反保守为纲的生产建设和文化建设大跃进群众运动，在两三个月内彻底打掉官气、暮气、阔气、骄气和娇气，打破束缚生产力发展的陈规陋习，又多、又快、又好、又省地进行社会主义建设。自治区有关单位和呼和浩特市各界代表十多人在大会上发言，表示开展双反的决心，向全区提出竞赛倡议和挑战。大会要求盟、行政区、市所在地在一星期之内掀起高潮；旗、县、镇所在地在10天之内掀起高潮；农村牧区要在3月份普遍掀起高潮。各条战线、各个方面要在两三个月里，通过双反运动改变精神面貌，形成新风貌。全区各地蜂起响应，挑战书、应战书和决心书接连不断地交了上来，形成了竞赛热潮。《内蒙古日报》就此发表题为《全面大跃进的战鼓响了》的社论，认为这次大会是全区掀起大跃进的誓师大会。紧接着，内蒙古党委先后发出《关于旗县和区乡干部整风问题的指示》《关于在农村牧区开展反浪费、反保守运动，进一步掀起农牧业生产高潮的指示》,要求旗、县和区、乡用一个月左右的时间，以“双反”为纲，以促进生产大跃进为中心，批判“三风”“五气”，克服保守思想，改变领导作风，把整风、工作和生产统一起来，掀起工、农、牧等生产的高潮。

之后，全区从自治区直属机关到盟、市、行政区及旗、县、区、乡普遍掀起了反浪费、反保守的高潮。首先以“双反”为内容开展鸣放，揭露和批判保守思想、浪费行为和“五气”的表现，仅自治区直属机关68个单位共贴出大字报66万多张，提出各类意见58万多条，揭发“三风”“五气”和保守思想、浪费现象。这是继反右派斗争后的又一次群众性的政治运动。仅据几组不完整的统计数字，可以看出当时的浪费现象是严重的。在农牧系统浪费、损失、积压物资的价值达一百多万元；呼和浩特市在1956年和1957年的两年中，造成损失、浪费的价值约达379万多元；呼伦贝尔盟大雁种马场1957年损失、浪费和积压、超支的资金达17.8万多元。

毛泽东对1956年反冒进的正确意见一直持批评态度，从1956年年底开始，在持续一年多时间里反复批评反冒进。在整风过程中不少党外人士批评1956年的经济工作，毛泽东认定反冒进为右派分子的进攻提供了口实，在中共八届三中全会上严厉批评了反冒进，甚至认为反冒进是“复辟”，要恢复1956年初的做法。1958年1月，毛泽东继续严厉批评反冒进，甚至说反冒进是方针性的错误，给群众泼了冷水、泄了气，招致了右派的进攻，使我们的工作受到很大损失。2月18日，在中共中央政治局扩大会议上，毛泽东仍然批评反冒进。周恩来、陈云、李先念、薄一波等先后作了检查。于是在毛泽东一而再、再而三地批评反冒进的背景下，出现了3月3日开始的反浪费、反保守运动。实践证明批评反冒进是错误的，批评反冒进导致了“大跃进”思想的形成。

从当时内蒙古的实际情况看，“双反”运动无疑有积极的作用和有限的效果。但是在短短一两个月时间里掀起“双反”运动，并提出不切实际的要求与目标，显然与上述政治背景有关，不可能取得预期的效果。

整风运动结束　1958年3月9日至26日，中共中央在成都召开工作会议，毛泽东发表了5次讲话，把批评反冒进提到更高的层次，成了马克思主义还是非马克思主义的问题，同时提出和研究了许多问题。从批评反冒进为主转到发动“大跃进”为主，开始形成了社会主义建设总路线。4月2日，中共中央发出《关于整风问题的指示》，要求反右派斗争基本结束后，整风运动转入整改阶段，通过座谈会、大字报等形式，发动群众围绕“三个主义”提意见。4月16日至27日，内蒙古党委召开一届六次全委扩大会议，贯彻中央关于整风问题的指示，传达了成都会议的精神，提出整风运动立即转入第四阶段，即整改阶段，尽快结束整风运动。自治区直属机关率先行动，有一万二千多人参加整改，有77%的人贴出三万三千多张大字报，提出9万多条意见，包括机关管理、领导作风、干部工作、方针政策、组织机构、体制、党群关系、民族工作等方面的问题。各级各单位将所提问题分类整理，边整边改，对推动各项工作起了积极作用。自治区盟、市、行政区和旗、县及企业事业单位、学校也照此办理。8月29日，内蒙古党委召开自治区直属机关党组书记会议，要求加强对整风运动的领导，苦战十天半月，在9月15日前务必结束整风运动。按此部署，经过紧张的运作，历时一年多时间的整风运动宣告结束。

1957年4月开始的全党整风运动，经历了发动广大人民群众、各界党外人士和广大党员，对党和政府的工作以及党员干部的作风提意见等阶段，由于极少数资产阶级右派分子对党和社会主义制度的进攻而发动反右派斗争，在整风后期又开展反浪费、反保守的“双反”运动，中间又穿插增产节约、精简机构、下放干部的工作，总之，头绪纷繁，内容多样，变化多端，气氛严肃，对社会各方面的触动较大。对党和政府的工作和党员干部的作风提意见、提建议，进行批评是正常的、必要的，而且收到了良好的效果；对极少数右派的恶意进攻进行反击也是完全正确的，但是混淆两类矛盾，使反右派斗争扩大化，特别是不从内蒙古民族问题的实际出发，无端地发动反对地方民族主义、反对民族右派，破坏了党内外的民主生活，中断了社会主义民主建设的进程，教训是沉痛的；采用“大鸣大放大辩论、大字报”形式发扬民主，批评党和政府工作中的缺点错误，批评党员干部的工作作风，是有一定的积极作用，但是一哄而起，混淆两类矛盾，无限上纲，以言定罪，影响了正常的民主程序和社会主义法制，是不可取的；增产节约，精简机构，下放干部，对于经济建设、政治建设都是必要的，效果也是显著的，但是在当时复杂的政治气氛中，难以有序进行，有的流于形式；“双反”运动是整风结束前的补救措施，也是批评反冒进，发动“大跃进”的动员令，时间短暂，做法草率，难论其得失。总之，毛泽东对阶级斗争形势的错误估计，两类矛盾的严重混淆，斗争策略的失当，群众运动斗争方式的采用，乃至理论上的局限，造成了这次民主建设受挫。1957年是在一个特殊的政治气氛中度过的。

第二节　“三面红旗”与“左”倾错误

一、宣传贯彻总路线

中国共产党经过整风运动，特别是毛泽东通过坚持不懈地批评反冒进、反保守，进而提出“大跃进”，逐步形成多、快、好、省建设社会主义的想法。1958 年 3 月，中共中央在成都召开工作会议，在激烈批判反冒进的情况下，制定并通过了《关于 1958 年计划和预算第二本账的意见》等 37 个文件。毛泽东在反复批判反冒进，促使主张反冒进的刘少奇、周恩来等作了检查，检讨了不是错误的错误，并在党内外形成一定程度的跃进气氛中，提出了鼓足干劲、力争上游、多快好省地建设社会主义总路线的基本观点。5 月 5 日，中共八大二次会议在北京召开，会议的第一天，刘少奇代表中央委员会作工作报告，着重说明党的鼓足干劲、力争上游、多快好省地建设社会主义的总路线，充分表达了毛泽东自 1956 年以来，主要是南宁会议以来，历次会议上讲话的主要内容。会议通过热烈的讨论后，通过了由毛泽东提出的鼓足干劲、力争上游、多快好省地建设社会主义的总路线；确认了毛泽东在中共八届三中全会上提出的关于国内社会主要矛盾的论断和社会主义社会阶级斗争问题的“左”倾理论，即“在整个过渡时期，也就是说，在社会主义建成以前，无产阶级同资产阶级的斗争，社会主义道路同资本主义道路的斗争，始终是我国内部的主要矛盾”①。从而改变了中共八大一次会议关于国内社会主要矛盾的正确论断。这是党的指导思想上的一次重大转折。会议通过了十五年赶上和超过英国的目标，通过了提前五年完成全国农业发展纲要，还通过了“苦干三年，基本改变面貌”等不切实际的口号。毛泽东在大会上发表了四次讲话，主要是阐述破除迷信，解放思想，敢想敢说敢做；同时讲了插无产阶级的红旗，拔资产阶级的白旗。这样，发动“大跃进”的重大决策最后确定了下来。

---

① 中共中央文献研究室编：《建国以来重要文献选编》第 11 册，中央文献出版社 1995 年版，第 288 页。

根据毛泽东在社会主义建设方面提出的一些基本理论、基本观点和基本政策，刘少奇在工作报告中概括、提炼为总路线的基本点："调动一切积极因素，正确处理人民内部矛盾；巩固和发展社会主义的全民所有制和集体所有制，巩固无产阶级专政和无产阶级的国际团结；在继续完成经济战线、政治战线和思想战线上的社会主义革命的同时，逐步实现技术革命和文化革命；在重工业优先发展的条件下，工业和农业同时并举；在集中领导、全面规划、分工协作的条件下，中央工业和地方工业同时并举，大型企业和中小型企业同时并举；通过这些，尽快地把我国建成为一个具有现代工业、现代农业和现代科学文化的伟大的社会主义国家。"① 实践证明"社会主义建设总路线及其基本点，其正确的一面是反映了广大人民群众迫切要求改变我国经济文化落后状况的普遍愿望，其缺点是忽视了客观的经济规律。"②

中共八大二次会议，在内蒙古引起了巨大的反响。5 月 27 日，刘少奇在八大二次会议上的工作报告公布后，内蒙古党委当即通知各级党委组织全体干部学习八大二次会议工作报告，动员旗、县以上党政干部深入厂、矿、乡、社开展宣传活动，新闻广播大力宣传会议精神。5 月 29 日至 6 月 4 日，内蒙古党委召开一届七次全委扩大会议，传达、学习八大二次会议精神，作出《关于贯彻执行社会主义建设总路线的决议》；同时召开全区宣传工作会议，各盟、地、市和旗、县宣传部长、部分厂矿企业宣传工作负责人出席。全委扩大会议决定组织全区干部深入学习总路线的基本点和会议精神，并由 10 万名干部组成宣传总路线大军，深入厂矿、农村、牧区、街道、连队、商店等一切基层，宣传八大二次会议精神，并结合检查各项工作，掀起生产建设和文化建设高潮；要求各级党委在争取整风全胜的同时，集中更大的力量进行社会主义建设，集中更大的力量切实领导好技术革命和文化革命。

6 月 7 日至 16 日，内蒙古自治区第二届人民代表大会第一次会议在呼和浩特召开，乌兰夫作了《坚决执行社会主义建设总路线，为加速建设社

---

① 中共中央文献研究室编：《建国以来重要文献选编》第 11 册，中央文献出版社 1995 年版，第 303 页。

② 中国共产党中央委员会：《关于建国以来党的若干历史问题的决议》，《三中全会以来重要文献选编》（下），人民出版社 1982 年版，第 754 页。

会主义的内蒙古自治区而奋斗》的政府工作报告，阐述了总路线的基本点，结合内蒙古自治区的实际，提出执行总路线的要求，批评了一些人的保守思想和观潮派态度，要求全区干部和各族人民认真学习总路线、宣传总路线、执行总路线，掀起共产主义思想解放和社会主义建设两个规模更大的高潮。会议通过了《内蒙古自治区社会主义建设五年规划纲要六十条》和《内蒙古自治区 1956 年到 1967 年农牧业发展规划》,这是贯彻总路线、开展大规模社会主义建设的具体部署。6 月 10 日，内蒙古党委举办中共八大二次会议传达广播大会，乌兰夫发表广播讲话，号召全区各族人民，高举社会主义建设总路线的旗帜，把内蒙古自治区建设成为具有先进水平的工农牧业和科学文化的自治区。

内蒙古自治区宣传总路线的行动快、规模大、形式多样。自治区首府呼和浩特在 5 月 29 日即动员万人宣传大军，深入街巷，开展宣传活动；在大街小巷和商店橱窗，张贴各种标语口号和宣传材料；全市 490 块黑板报全部换上了总路线的宣传内容；工厂、企业、机关、学校的各种宣传工具一起启动；数百名专业和业余文艺工作者在街头表演宣传；不少中小学生也组织宣传小组在街头宣传；玉泉区、回民区、新城区组织了一千多名宣传员深入家庭宣传，并组织各种不同类型的座谈会学习座谈八大二次会议文件。包头市组织两三万人的宣传大军广泛宣传，通过报告会、座谈会、誓师大会、报捷会、报纸杂志、文艺活动等多种形式进行宣传。各盟、地、市和旗、县直至农村牧区也开展宣传活动。

6 月 17 日，即自治区二届一次人民代表大会结束的第二天，自治区抽调一千多名干部组成 10 个宣传总路线与生产检查团，分别由乌兰夫、苏谦益、杨植霖、奎璧、王铎、哈丰阿、王再天、孙兰峰、王逸伦、达理扎雅等自治区党政领导人，以及许多部门负责人率领分赴八盟二市，进行为期两个月的宣传、检查，主要任务是插红旗、拔白旗、鼓干劲、加速建设社会主义的内蒙古自治区。所谓插红旗，就是宣传社会主义建设总路线，达到家喻户晓、人人皆知，插上无产阶级红旗；所谓拔白旗，就是结合检查生产与工作，拔掉生产劲头不足，工作局面冷清的资产阶级白旗。甚至要拔掉思想上的白旗，插上红旗。这种显而易见的形式主义、脱离实际的做法，几乎成为人人头上摸一把的闹剧，表面上轰轰烈烈，实际上不解决问题，而且在人们头脑中播下了“左”倾冒险的种子。

由于从自治区高层领导到各级领导亲自挂帅，从上到下宣传鼓动，在全区形成了声势浩大的宣传总路线、贯彻总路线的群众运动。到7月底，据34个旗、县、市的统计，约有62万人参加宣传队，大张旗鼓地进行宣传活动，确实实现了家喻户晓、人人皆知的目标。农民夏锄出勤率猛增，土默特旗农民夏锄出勤率由原来的60%—70%增加到100%，其中出勤率很低的女劳力也达到80%—90%。包头钢铁公司四公司第一工地，5月份以前28天只完成月计划的60%多一点，宣传贯彻总路线以后，3天即完成月计划的40%以上。当然，这种统计数据，一方面说明是群众受到总路线的鼓舞而激发出来的热情，一方面也是大力宣传鼓动的结果，这种热烈很难持久。另外，把插红旗、拔白旗错误地作为群众性自我检查运动，人人过关，甚至进行重点批判。宣传贯彻总路线活动偏离了方向。

社会主义建设总路线是在我国开始全面建设社会主义的背景下，经过复杂曲折的过程，由毛泽东倡导而形成的。它既适应了党和国家工作重点向经济建设转移的必然要求，也反映了广大人民群众迫切要求经济、文化迅速发展的愿望，从而鼓舞了人民群众建设社会主义的热情，这在一定程度上促进了生产的发展。这也是人民群众拥护总路线的原因所在。另一方面，这条总路线产生、发展、形成，一直是在批评反冒进，批评右倾保守，改变八大一次会议关于我国社会主义时期社会矛盾的正确论断，开展阶级斗争的过程中最后确定的，毛泽东“左”的思想发展体现其中；而且忽视了客观经济规律，片面强调人的主观能动性，片面强调高速度，违背了有计划按比例、综合平衡地发展国民经济的原则。在贯彻执行过程中，又采取了不适当的方式，一方面继反右派斗争又伤害了一部分人，一方面把更多的人推上了盲目的“大跃进”轨道，拉开了“大跃进”运动的序幕。

二、“大跃进”运动在内蒙古

1958年后半年出现的“大跃进”运动，实际上是在1956年下半年以来持续发展的毛泽东批评反冒进过程中酝酿形成的。1955年毛泽东批评社会主义改造中的右倾思想后不久，便出现了社会主义改造和经济建设中的冒进倾向。1956年6月，周恩来将《要反对保守主义，也要反对急躁情绪》的

《人民日报》社论稿送毛泽东审查，毛泽东批了“不看了”三个字。显然不赞成“反对急躁情绪”。从这时开始，毛泽东在许多会议、不少场合批评反冒进，而且步步升级，矛头直指刘少奇、周恩来、陈云等。如 11 月的中共八届二中全会上委婉批评反冒进是给干部、群众泼冷水；1957 年 1 月，在省、市、自治区党委书记会议上，指责去年反冒进结果又出了农村社会主义改造问题上的右倾，随后认定反冒进为右派分子进攻提供了口实；10 月，在中共八届三中全会上又严厉批评了反冒进，说去年反冒进扫掉了几个东西，扫掉了多、快、好、省……这都要“复辟”，要恢复 1956 年初的做法，第一次公开提出了“跃进”的口号；12 月 12 日，《人民日报》发表了毛泽东修改的《必须坚持多快好省的方针》的社论，实际上吹响了“大跃进”的号角；1958 年 1 月以后，在中共中央杭州、南宁召开的有关会议上更加严厉地批判了反冒进，而且说反冒进是方针性的错误，反冒进是非马克思主义的，“冒进”是马克思主义的，矛头直指周恩来、李先念的所谓反冒进错误，周恩来不得不作了检讨；2 月 18 日，中共中央政治局举行扩大会议，毛泽东再次批评反冒进，陈云、李先念、薄一波作了检讨；3 月 3 日，中共中央发出《关于开展反浪费反保守运动的指示》,以扫除发动“大跃进”运动的障碍；3 月，中共中央在成都召开的有中央各部门负责人和部分省、市、自治区负责人参加的会议上，把批判反冒进推向了高潮；在 5 月召开的中共八大二次会议期间，仍然严厉批判反冒进，通过了多、快、好、省建设社会主义的总路线，宣告“大跃进”运动正式开始。

毛泽东通过步步紧逼的批评反冒进，使中央一些主要领导人不得不接受他的批评，承认了反冒进的“错误”，并作了检讨。最终通过中共八大二次会议肯定了当时出现的“大跃进”形势，作出了发动社会主义建设“大跃进”的决策和部署，形成全面开展“大跃进”的局面。“大跃进”的思路经过近两年的酝酿、决策，从中央到地方在组织上形成了“共识”，掀起“大跃进”运动势在必行。

内蒙古自治区在社会改革和经济发展方面，向来以稳妥、稳步见长。但是在毛泽东不断批评反冒进的情况下，乌兰夫作为自治区党委、政府的主要领导人，既要保持审慎、冷静的态度，又要适度地跟随形势而进，初则处于应对和顺应的矛盾状态，继则步步响应，全力贯彻，走在全国的前列。1955

年毛泽东批评邓子恢在农业合作化问题上的右倾保守思想以后，随之在全国形成社会主义改造和经济建设迅猛发展的形势，也就是冒进的形势。内蒙古党委特别是乌兰夫，持审慎态度，仍然检查社会主义改造中，特别是畜牧业社会主义改造中出现的执行政策的偏差和教训，提出畜牧业社会主义改造要实行“政策稳，办法宽，时间长”的原则，简称“稳、宽、长”原则；同时在经济发展上，力图使经济计划符合内蒙古的实际，政策、措施比较稳妥。1956 年，在毛泽东继续批评农业合作化问题上的右倾保守思想，进而严厉批评反冒进的形势下，内蒙古党委也加速了对农业、手工业、资本主义工商业的社会主义改造进程。1955 年秋，全区参加合作社的农户只占总农户的 17.27%，到 1956 年 2 月猛增到 91.6%，其中参加高级社的农户占总农户的 74.7%；与此同时，参加手工业生产合作社的手工业者占手工业从业人数的 90% 以上；对 90% 以上的资本主义工商业户完成了公私合营。预计用 3 个五年计划完成对农业、手工业、资本主义工商业社会主义改造的任务，仅以 3 年多时间基本完成，而且主要是在 1955 年秋后的半年多时间完成的，可谓高速度，说这是冒进也不过分。在经济建设上，内蒙古党委提出：坚决贯彻执行中国共产党中央和毛主席所指出的“全面规划、加强领导”和“又多、又快、又好、又省”的方针，“必须继续克服右倾保守思想，加强领导，充分发挥全体职工和广大人民群众的社会主义建设积极性，全力发展生产，积极支援国家重点建设，并逐步提高各族人民的物质和文化生活水平。”① 大量的数据表明，1956 年是内蒙古自治区国民经济全面高涨的一年，取得了巨大成绩，这是不容置疑的。但是也出现了一些急躁冒进的问题。1957 年 4 月，自治区副主席杨植霖在总结 1956 年工作时，对存在的问题有一段全面的分析：“在社会主义建设和社会主义改造中碰到了许多艰巨复杂的问题，工作中也产生了一些缺点和错误：如在农业方面的多种经营的方针贯彻不够，忽视了牧业及其他副业生产，影响群众实际收入；合作社农业增产计划偏高，控制过死，经营过分集中，有些地区未能很好地照顾耕

① 乌兰夫：《关于内蒙古自治区 1955 年几项工作情况和 1956 年工作任务的报告》（1956 年 3 月 8 日），内蒙古自治区人大常委会办公厅编：《五十年历程》，第 17 页，内新图准字［2004］第 95 号，2004 年印。

作条件和农民的食用习惯，片面强调多种高产作物，因而压缩挤掉了农民常年习惯食用的作物及油料小杂粮等；在农业合作化过程中，对牲畜的处理没有贯彻‘在稳定发展生产的基础上，进行牧业社会主义改造’的方针，农业区、半农半牧区畜牧业生产遭到重大损失。在高级合作化过程中，没有根据西部地区蒙古族农民土地占有情况和生产习惯，规定具体办法加以照顾，因而，造成部分蒙古族社员减少收入。勤俭办社，民主办社的方针贯彻不够。部分社员一度发生铺张浪费；有些社干部遇事不与群众商量，产生了强迫命令现象；生产经营过分集中，部分社的经营管理混乱；对农业基本建设、推行增产技术、推广高产作物部分地区没有因地制宜、量力而行，造成损失。合作化过程中和合作化以后，对政治思想工作没有相应地加强，因而有些干部和群众对农业合作化的优越性认识不足，对于国家、集体与个人三者的关系缺乏正确的认识。合作化后，过高地估计合作化的有利条件，对困难估计不足，对农村各项建设事业要求过多、过急，一度发生条条下达，造成部分合作社负担过重；对边远的牧区和山区的困难照顾不够。基本建设摊子铺得过大了一些，投资的增长超过了财力的限度（1956 年基本建设投资为 1955 年的两倍半）和物资供应的可能，尤其钢材、水泥、木材等国家调拨物资普遍感到供应不足，加之我们在安排基本建设计划时，对基本建设任务、施工力量、物资供应和运输力量等方面缺乏全面平衡和周密安排，因而在建设过程中，发生动力不足，建筑材料、设备定货不能按期到达，设计力量又赶不上施工需要，出现了互不衔接、忙乱被动现象。并且在基本建设工作的领导上缺乏政治思想工作，工程质量较低。在工业方面，还存在着一些生产不稳定，完成计划不均衡，产品质量低，事故多，窝工浪费损失严重，劳动生产率计划没有完成，产、供、销不平衡等。……在交通运输计划平衡上，只重视了少数国营汽车，而忽视了对广大民间的运输工具和机关事业、企业单位车辆的组织和利用。在商业方面对牧区畜产品作价不当，经营管理上有压等压价现象，货源掌握与商情估计不足，有此处脱销、彼处积压、门市脱销、仓库积压的现象。1956 年文教、卫生事业的发展速度也有冒进，因而造成师资不足，质量不高，校舍和教学设备缺乏，财力赶不上，给教育事业的正常发展带来了不少困难。劳动计划由于执行中控制不严，全区经济、文教各部的职工人数超过计划达 37 038 人。同时由于社会购买力的增长速度超过了生产发展的速度，这就形成市场上特别是城市消费品供应紧张的局面。集中表现在财政预算上的问题是：支出较1955年增长35.68%，而收入只增加24.39%，在预算执行中出现超支短收，收支不平衡的严重情况。"[①] 应当说，这是对1956年社会经济发展中出现的问题，进行了冷静而实在的反省。如果能切实汲取教训，或许对内蒙古自治区1957年甚至更长时期的发展有所裨益。

但是，在已经开始的整风运动，继而掀起的反右派斗争和反浪费、反保守运动的强劲形势下，不但无法汲取1956年冒进的教训而稳步前进，反而陷入了"大跃进"的旋涡。

从1958年初开始，中共中央先后召开南宁会议、成都会议，毛泽东更严厉地批评了反冒进，提出"争取7年超过英国，15年赶上美国"的目标，主张发动"大跃进"。内蒙古党委及时召开会议，传达中央的精神，并贯彻执行。2月4—10日，召开全区农牧林水劳动模范代表大会；2月6—10日，召开中共内蒙古自治区第一届代表大会第二次会议。几乎同时召开的这两个会议基本上是一个主题，发动"大跃进"运动。乌兰夫和杨植霖、王铎都以克服右倾保守思想，掀起生产"大跃进"为内容作了报告。从2月26日开始，内蒙古党委接二连三地发通知，下指示，作决定，召开各种专门会议，动用各种宣传工具，采用各种宣传形式，反对右倾保守思想，鼓动"大跃进"。特别是4月16日至27日，内蒙古党委召开一届六次全委扩大会议，贯彻中央成都会议精神，进一步破除迷信，解放思想，批判教条主义、经验主义和右倾保守思想，贯彻全党办工业、各级办工业的方针，号召大办地方工业，集中讨论工业"大跃进"问题，通过了《关于第二个五年计划期间发展地方工业的纲要（草案）》；同时通过了《关于农业技术改造的决定》，要求3年内农业基本实现水利化，3至5年内基本实现农业机械化，5年内粮食亩产达到400斤，5年内全区牲畜总头数达到4 000万头（只），于是又把"大跃进"的形势推进了一步。

---

① 杨植霖：《关于大力开展增产节约运动，完成和超额完成1957年国民经济计划的报告》（1957年4月18日），内蒙古自治区人大常委会办公厅编印：《五十年历程》，第33页，内新图准字［2004］第95号，2004年印。

时隔仅1个月又两天，内蒙古党委于5月29日至6月4日召开了一届七次全委扩大会议，传达中共八大二次会议精神，学习贯彻“多、快、好、省建设社会主义”的总路线，号召全区各族人民立即掀起生产建设的“大跃进”高潮。会议对工业、农业、牧业及其他经济部门提出了“大跃进”的具体要求。内蒙古党委还决定创办理论刊物《实践》，对破除迷信，解放思想，多快好省建设社会主义的总路线进行理论阐述，推动理论研究工作。

6月7日至15日，召开内蒙古自治区第二届人民代表大会第一次会议。会议提出1958年国民经济计划，粮食总产量达到105亿斤，比丰收的1956年增产粮食17.5亿斤，平均亩产159斤，新增农田灌溉面积500万亩，排涝面积143万亩，水土保持1.3平方公里；牲畜总头数超过2 500万头（只）；工业总产值计划4.4亿元，比1957年增长25%，计划新建大、中、小型企业10 000个，试制新产品1 000种；地方工业基本建设投资9 500万元，相当于1957年的4倍多；新建公路4 700公里；新架设电话线13 000公里，开辟邮路4 000—8 000公里。①

会议通过了《内蒙古自治区社会主义建设五年规划纲要六十条》，到1962年，全区工业总产值达到90亿—100亿元，超过农牧业产值，地方工业的生铁产量达到100万吨，钢锭50万—60万吨，钢材40万吨，煤炭、电力、化肥、森林以及轻工业等，都提出相应的“跃进”高指标，基本建成包头工业基地，实现内蒙古自治区工业化；粮食总产量达到1 500万吨，粮食平均亩产400斤，五年内灌溉面积在1 200万亩的基础上又扩大了5 300万亩，达到6 500万亩，全区灌溉面积占耕地面积的90%，3至5年内实现农业机械化；牲畜总头数达到4 000万头（只），生猪达到1 200万口，3至5年内牧区基本实现水利化、机械化，从而将自治区建成全国的钢铁、煤炭、粮食、牲畜和畜产品、森林工业五大生产基地。同时，各项社会事业发展也提出了相应的高指标。②

---

① 参见乌兰夫：《坚决执行社会主义建设总路线为加速建设社会主义的内蒙古自治区而奋斗》（1958年6月7日），见内蒙古自治区人大常委会办公厅编印：《五十年历程》，第40页，内新图准字［2004］第95号，2004年印。

② 参见内蒙古自治区人大常委会办公厅编印：《五十年历程》，第47页，内新图准字［2004］第95号，2004年印。

会议还通过了《内蒙古自治区 1956 年到 1967 年农牧业发展规划》60 项，其中主要目标：1. 巩固农业合作社，3 年内大多数农业社的生产和社员收入赶上、超过富裕中农的水平；2. 在第二个五年计划期间，实现牧业合作化，完成对牧主经济的社会主义改造，实现定居游牧；3. 1967 年粮食亩产提高到 400 斤至 450 斤；4. 1967 年牲畜总头数达到 5 000 万—6 000 万头（只），生猪达到 2 000 万—2 500 万口；5. 1967 年农业区灌溉面积发展到 4 500 万亩，牧区打井达到 3. 1 万眼；6. 水土保持面积完成或超过 10 万平方公里，造林 200 万公顷，木材供应量达到 4 000 万到 5 000 万立方米；7. 实现农牧结合，发展副业，发展多种经营；8. 地方工业、手工业、商业、交通、邮电等业，都要上山下乡下牧区，为农牧业生产服务；9. 除四害、讲卫生、增进人民健康；10. 基本上普及小学义务教育，扫除青壮年中的文盲。①

在会议期间，6 月 10 日举行全区广播大会，乌兰夫发表讲话，发出了“大跃进”总动员令，百万干部群众收听广播实况。内蒙古的“大跃进”运动，从内容到形式进入了全面高涨的阶段。

内蒙古自治区经济发展的一年、五年、十年规划，包括的内容非常广泛，涉及方方面面，一方面是“大跃进”的旋风卷起来的，另一方面反映了自治区党委和政府发展社会主义经济，尽快改变自治区社会经济落后面貌的急切心情。但是，经济发展的绝大部分要求过高，主要发展指标脱离实际，显然是达不到的。内蒙古自治区在成立十多年的工作中创造了实事求是，从自治区的民族特点、地区特点出发，进行社会改革、发展经济的丰富经验；也有 1956 年冒进和 1957 年政治运动中“左”的教训，这是没有能够借鉴经验，总结教训，缺乏对时势的冷静分析，在全国“大跃进”形势的影响下，迈出了头脑过热的第一步。这又是一次历史的教训。

三、内蒙古的人民公社化运动

中共八大二次会议后，在生产“大跃进”形势高涨的同时，农业生产

---

① 参见内蒙古自治区人大常委会办公厅编印：《五十年历程》，第 52 页，内新图准字［2004］第 95 号，2004 年印。

组织形式也在酝酿一场变革。之前，由于全国农村大搞农田水利建设，出现了跨社、跨乡、跨县协作的情况，中央提出农业合作社小社并大社的意见。毛泽东和中央一些领导人也在思考这个问题。有些地方开始试办共产主义雏形的公社。毛泽东看了河南省遂平县嵖岈山卫星农业社的经验，要《红旗》杂志立即派人调查，总结写成《嵖岈山卫星人民公社试行简章》，经毛泽东修改后便在《红旗》杂志上刊登。随后，毛泽东还到河北、河南、山东农村视察，主要是视察并大社、办大社问题。在河北，他肯定了徐水"组织军事化、行动战斗化、生活集体化"的做法；在河南，他看到新乡县七里营人民公社的牌子，点头称赞"人民公社名字好"；在山东，听说历城县北园乡准备大办农场，他说："不要搞农场，还是办人民公社好，和政府合一了，它的好处是，可以把工、农、商、学、兵合在一起，便于领导。"① 新华社很快报道了毛泽东视察上述 3 省，"人民公社"的名字立即传遍全中国。

8 月 17 日至 30 日，在北戴河召开中共中央政治局扩大会议，主要讨论 1959 年国民经济计划，并讨论建立农村人民公社问题。毛泽东说："名称怎么叫法？可以叫人民公社，也可以不叫人民公社，我的意见是叫人民公社。这仍然是社会主义性质的，不要过分强调共产主义。人民公社，一曰大二曰公。人多，地大，生产规模大，各种事业大。政社合一。"② 刘少奇说："公社是由社会主义过渡到共产主义的最好形式，也是基层政权的组织形式。"③ 8 月 29 日会议通过了《中共中央关于在农村建立人民公社问题的决议》，毛泽东再次发言，他说："人民公社的特点是两个，一为大，二为公，叫大公社。人多，几千户，一万户，几万户；地大，地大物博，综合经营，工农商学兵，农林牧副渔。……大，这个东西可了不起，人多势众，办不到的事情就可以办到。公，就是比合作社更要社会主义，把资本主义的残余，比如自留地、自养牲口可以逐步取消。""人民公社是最近一个很短的时间出现的一个新事情。看起来，只要一传播，把章程、道理一讲，发展可能是很快

① 中共中央文献研究室编：《毛泽东传》（上），中央文献出版社 2003 年版，第 828、829 页。
② 中共中央文献研究室编：《毛泽东传》（上），中央文献出版社 2003 年版，第 831 页。
③ 中共中央文献研究室编：《毛泽东传》（上），中央文献出版社 2003 年版，第 834 页。

的。今年一个秋、一个冬，明年一个春，可能就差不多了。”① 这样，把人民公社的性质和基本内容以及发展进度讲得一清二楚。9月10日，《人民日报》即发表了上述建立人民公社的决议，10月底，全国农村基本上实现了人民公社化。实际上这是“大跃进”的产物。

内蒙古自治区的人民公社化运动与全国的进程大体相同。8月中、下旬，内蒙古党委召开盟市委书记会议，部署小社并大社问题。8月31日，内蒙古党委再次召开盟、市委书记会议，研究部署积极领导人民公社化运动。这时，内蒙古已经办起了50多个人民公社。9月9日和10日，内蒙古党委又召开盟、市委书记电话会议，对创办人民公社作了进一步思想动员，以大办人民公社为中心，推动秋收秋翻。

9月10日至21日，内蒙古党委召开一届八次全委扩大会议，传达北戴河会议精神，贯彻中央建立农村人民公社的决议，研究制定自治区大办人民公社的计划，通过了内蒙古党委《关于实现人民公社化的初步规划的决议》。《决议》对人民公社的规模、体制、创建步骤与方法、标准、各项政策、民族关系以及建立牧区人民公社问题，作了初步规划。关于人民公社的规模，一般是一乡建一社，每社2 000户左右为宜。关于人民公社的体制，是政社合一，即乡党委就是社党委，乡人民委员会就是社管理委员会。关于建立人民公社的步骤与方法，按政社合一体制先把人民公社的架子搭起来，边试点边推广，通过大鸣大放大辩论，自上而下广泛进行思想动员，团结各民族在自愿的基础上，办人民公社。关于人民公社的标准，生产大丰收，工作全面大跃进；思想大丰收，社会主义、共产主义觉悟大提高；各民族大团结不断增强。关于人民公社的各项政策，社员的私有生产资料转为公社所有；西部区蒙古族入社后的土地、草场的报酬本年仍按原规定办理。会议要求各级党委必须站在人民公社化运动前面，从政治上、思想上、组织上积极进行领导，要抓好群众生活，要勤俭办一切事业，首先办好农忙食堂、托儿所，组织幸福院、卫生设施等福利事业。因牧区正在组织合作社，决定在年内不建立人民公社。

会后，内蒙古农区、半农半牧区的人民公社化运动一哄而起，迅猛发

---

① 中共中央文献研究室编：《毛泽东传》（上），中央文献出版社2003年版，第836、837页。

展，不到10天，全区实现了人民公社化。全区由11 049个农业生产合作社合并为682个人民公社，参加人民公社的农户达161.0389万户；参加人民公社的人达724.4676万人。[①] 公社的规模一般在2 000户左右，最大的人民公社户数达14 000户，最小的也有200户。公社共创办公共食堂1.2353万个、托儿所和幼儿园1.9067万个、缝纫组2 063个、粮食加工厂3 554个、饲料加工厂1 635个、幸福院18个。[②] 人民公社以令人不解的速度发展，如此快地实现全区人民公社化，潜在隐患是不可避免的。

人民公社的基本特点是“一大二公”。在组织上实现人民公社化以后，可以说基本上实现了“一大”的要求，这是一个相对简单的过程。而完成“二公”，则是一个内容广泛，内涵复杂，既有诸多实际问题，又有需要研究的理论问题，一哄而起是难免发生偏差的。这是组织人民公社的难点。由于人民公社化运动发展的速度过于迅猛，中央和内蒙古党委提出的留有余地的基本政策以及工作步骤往往被突破，省略了许多过渡性的探索过程，出现了许多过激做法。如社员的生产资料转为公社所有；社员的自留地一律归公社所有；公共积累统一归公社；公社实行工、农、商、学、兵结合的制度，成为政治、经济、文化、军事的统一体，公社与乡政府合而为一；实行供给制与工资制结合的制度等，都是社会变革具有本质性的问题，来不及实践探索就仓促实行，发生偏差是不可避免的。另外普遍建立公共食堂，有的地方实行“吃饭不要钱”的所谓共产主义制度；大办民兵师，实行“组织军事化，行动战斗化，生活集体化”；公社平调社员、生产队、生产大队的劳力、资金、土地、财产，甚至搞无人售货商店等，都是头脑发热的产物，更是理论上的幼稚和实践上的盲动。这种共产主义的狂想，导致“大跃进”运动的升级，生产上的瞎指挥和高指标、高估产、高用粮等“浮夸风”和“共产风”越刮越烈，这是人民公社化初期出现的普遍现象，其影响巨大，后果也是极其严重的。

在牧区，内蒙古党委实行在稳定发展畜牧业生产，逐步实现对畜牧业社

---

① 《内蒙古党委关于整顿巩固农村人民公社若干问题的指示》（1959年1月9日），《内蒙古政报》1959年第2期。

② 参见郝维民主编：《内蒙古自治区史》，内蒙古大学出版社1991年版，第184页数据。

会主义改造的方针，特别是乌兰夫提出畜牧业社会主义改造要实行“政策稳，办法宽，时间长”的原则，相对稳妥地进行社会主义改造，计划在1961年完成对畜牧业的社会主义改造。1958年5月之前，牧区加入牧业初级合作社和公私合营牧场的牧户，仅占牧户总数的25%。10月，当人民公社运动的狂潮来临之际，在不到5个月时间，牧区一拥组织起2 285个牧业初级社和93个公私合营牧场，入社入场牧户占牧户总数的90%以上，提前两年基本上实现了合作化。无疑，这是人民公社化运动影响的结果。9月间，内蒙古党委在一届八次全委扩大会决定牧区在年内不建立人民公社，可是到11月上旬，全区建起93个牧区人民公社，有39 000牧户加入，占全区牧户总数的46.6%，另有172个牧业合作社建起了联合社，为建立人民公社作准备。①

在这种形势下，1959年1月9日，内蒙古党委应急作出《关于牧区人民公社若干问题的指示》,分析了牧区建立人民公社应注意的问题，特别提醒“要切忌把农业区人民公社的一套办法，原封不动的搬到牧区”，“要从牧区的具体情况出发，来解决牧区公社中存在的一系列的问题”。为此提出：第一，公社社员的牲畜入社可采取如下4种办法，即牲畜作价或评分入社，进行比例分益；牲畜作价入社，付给固定利息；牲畜作价保本入社，不付利息，按劳分配，退社时准予抽回原本；牲畜作价入社，分期偿还。总之，根据有利于发展生产，牧民自愿的原则来决定牲畜入社的办法。第二，牧区公社发展生产的方针是以牧为主，农牧林相结合，大办工业，发展多种经济。第三，牧区的公私合营牧场可加入以国营牧场为主建立的人民公社，或加入附近牧民建立的人民公社；牧主入社可成为正式社员，牧主牲畜的定息，原则上不予取消；喇嘛必须参加生产劳动，庙仓的牲畜及其他生产资料应加入人民公社，并给予适当的定息，失去劳动能力的老喇嘛给予“五保”待遇；社员的乘用、役用和食用牲畜应予保留，在自愿原则下可由社统一放牧，畜主出放牧费；蒙古包、挤奶用具、马鞍、车柜等生活资料不入社；金银首饰、银行存款、衣服等一律不入社，登记也是错误的。第四，分配，实行按劳分配，应以原有的常年包工，按季包工，以产定工、死分活值等计酬

① 参见郝维民主编：《内蒙古自治区史》,内蒙古大学出版社1991年版，第185页数据。

办法，定期预支，年终结算，对于工资加供给的方法只进行试点。第五，公社要关心社员的生活，要劳逸结合，保证社员的睡眠和休息时间，保证妇女的特殊需要；由于牧区居住分散，又没有全部定居，暂不举办公共食堂、托儿所、幼儿园、敬老院等集体福利事业。第六，公社的组织原则是民主集中制，实行统一领导、分级管理制，目前实行社队两级管理，生产队是一级核算单位。①

在人民公社化的高潮中，内蒙古党委对牧区人民公社的若干政策和急需解决的问题，从牧区的民族特点、经济特点和生产特点的实际出发，采取一些有别于农村人民公社的稳妥政策、措施，对于遏制当时风行的“浮夸风”、“共产风”、瞎指挥风有一定的积极作用。这是难能可贵的历史记录。但是，人民公社化的潮流是不可阻挡的。1959 年 1 月 19 日，内蒙古牧区基本完成人民公社化，居住在内蒙古草原上的 81 348 户蒙古族、鄂温克族牧民在刚刚组织起来的 2 000 多个牧业合作社的基础上，建立了 158 个人民公社，入社牧户 76 459 户，占牧户总数的 94%。2 月下旬，牧区人民公社发展到 163 个，入社牧户达到 97.9%，入社牲畜占牧区牲畜总头数的 90%。②内蒙古牧区从个体畜牧业经过 6 年社会主义改造，最后在人民公社运动的推动下，在 1958 年底急促地完成合作化。可是又在不到 4 个月时间里，实现了人民公社化，从时间上说十分仓促，从牧民思想准备上说非常突然，从工作上说难以深入细致。这是牧区社会经济的突然变革，隐患同样不小。

四、1958 年“大跃进”中的内蒙古经济

毛泽东和中央对“大跃进”的酝酿已有时日，以 1958 年 5 月中共八大二次会议为标志，“大跃进”运动正式开始，伴随而来的是人民公社化运动的兴起，从中央到地方，从干部到群众，“多快好省地建设社会主义”的激情沸腾，甚至形成向共产主义过渡的狂想。

1958 年夏秋之际，全国农业生产方面出现了严重的浮夸势头，媒体频

---

① 《内蒙古畜牧业文献资料选编》第 2 卷综合（上），内蒙古党委政策研究室、内蒙古自治区农业委员会 1987 年 3 月编印，第 454 页。

② 参见郝维民主编：《内蒙古自治区史》，内蒙古大学出版社 1991 年版，第 185 页。

繁报道，粮食亩产数千斤、上万斤、上10万斤，发射“小麦高产卫星”；农业部发布1958年油菜、春小麦和早稻产量分别比上年增长55.5%、63%、126%。8月，在北戴河召开的中共中央政治局扩大会议，错误地认为克服右倾保守思想，打破农业技术的常规，农产品产量有可能成倍、几倍、几十倍地增长；1958年的农业生产“大跃进”将使粮食作物的总产量达到6 000亿—7 000亿斤，比1957年增长60%—90%。在当时，大力批判“条件论”、“悲观论”、“农业增产有限论”，鼓吹“人有多大胆，地有多大产”、“只有想不到，不怕做不到”等不科学的论调，而且认为我国的农业和粮食问题已经基本解决。

在这样的形势下，内蒙古党委也于当月，在通辽和呼和浩特分别召开东西部盟市、旗县委书记会议，提出掀起今冬明春水利建设和水土保持高潮，争取1959年实现全区水利化，水浇地面积达到5 000万亩，人均水地5至6亩；耕地全部实行秋翻，其中1/2要深翻1尺以上，卫星田深翻3至4尺；全部耕地满肥化，每亩施肥万斤，卫星田每亩施肥10万斤以上。这种不实际、非科学的要求与指标，必然导致1959年农业生产的浮夸。事实上，当年即爆出了土豆亩产13 486斤、圆白菜亩产15万斤、水稻亩产3 100斤、糜子亩产1 218斤的令人难以置信的“卫星奇迹”，而且掀起了农田深翻热潮。11月4日，内蒙古党委再次召开盟、市委书记会议，提出1959年农业生产跃进指标，要压缩播种面积，建设基本农田，基本农田亩产粮食1 500斤至2 000斤，大面积高产卫星田亩产达到5 000斤至10 000斤，一般农田亩产500斤；实行粮食为主，多种经营同时并举，粮食总产量翻一番，平均亩产千斤以上。实行种少、种好、高产、多收的方针，农田全面规划，大兴水利工程，大力积肥施肥，基本农田每亩施肥5万斤，卫星田每亩施肥10万斤，一般每亩施肥万斤以上；基本农田深翻1尺以上，卫星田深翻3尺以上。11月10日至12月4日，内蒙古党委召开第七次农村工作会议，制定1959年农业生产更高的跃进指标，要求种植1 400万亩基本农田和100万亩卫星田，粮食产量比1958年要翻一番，达到256亿斤；畜牧业生产大畜纯增20%，小畜纯增30%，生猪增加2倍，牲畜总头数达到3 136万头（只）。1958年，自治区公布的农业总产值是18.4亿元，比1957年增长55%；粮食总产量是118亿斤，比上年增长1倍。后经核实，农业总产值是

15.6亿元，虚报2.8亿元，占17.9%；粮食总产量是96.5亿斤，虚报21.5亿元，虚报占22.2%。①

在工业战线上，内蒙古也掀起了以大炼钢铁为中心的大办地方工业的“大跃进”高潮，各盟市旗县纷纷制订大办工业的跃进计划，并开展挑战应战竞赛运动。在破除迷信、扫掉内蒙古落后论、砍掉自卑感等口号下，各地以“先土后洋，土洋结合”、“先小后大，大中小结合”、“边建厂，边生产”等办法，到处建工厂、开矿场，各种类型的大中小厂矿如“雨后春笋”般冒了出来，听来兴奋，想来疑问甚多。据当时媒体报道，有的盟成为万厂盟，日均建成厂矿210个，有的县成为千厂县；7月份，自治区以每天建成厂矿二千多个的高速跃进。又据7月底统计，全区建成并投入生产的大中小厂矿激增到92 467个，一个月建成工厂7万多个。这显然是令人难以置信的浮夸报道。内蒙古的工业基础薄弱，当时除了中华人民共和国成立后国家投资建设的为数有限厂矿外，各盟市旗县将手工业和资本主义工商业经过社会主义改造而形成的铁业生产合作社、公私合营铁工厂，大都升格为地方国营机械厂。这类小工厂设备简陋，技术落后，只能生产一些犁、铧、耧、耙、锄、镐、锹等农具和火炉、火筒、饭锅等生活用品；有少数工厂能生产金属切削机床、电器设备和机械化半机械化农具等较大型产品，但产品质量次、性能差，销路不畅，造成积压浪费；当时更多的厂矿是一哄而起的“五小工业”，只要当地有石头，就建水泥厂，有几个打铁匠，就建铁工厂，谈不上现代技术和设备，更谈不上产品质量，浪费惊人，只得停办。如巴林左旗当时报称日建百厂，突然建起了2 300个厂矿，号称双千旗，“大跃进”热潮过后，只剩下原有的十几个小厂。如此浮夸事例，比比皆是，回首反思，教训深刻。

8月8日，《人民日报》发表社论，号召全民大炼钢铁。内蒙古党委随即连续召开两次电话会议，向各盟市发出大炼钢铁紧急动员令，要求全党全民紧急动员起来，苦战35天，生产4万吨钢铁，向国庆节献礼。8月17日至30日，中共中央在政治局北戴河扩大会议上确定，将5月政治局会议提

① 以上两组数据，参见郝维民主编：《内蒙古自治区史》，内蒙古大学出版社1991年版，第181、182页。

出的1958年钢产量800万—850万吨提高到1 070万—1 150万吨，在1957年535万吨的基础上翻一番。9月3日，内蒙古党委又召开各盟市委书记会议，贯彻政治局北戴河会议精神，具体部署自治区的钢铁生产工作，提出全区全民最紧急的任务是大干4个月，特别抓紧9月钢铁生产黄金月，保证一天不差，1吨不少地生产15万吨钢，25万吨铁，1万吨粗铜。这对当时的内蒙古自治区来说，是根本无法完成的任务，首先所需矿石、焦炭等主要原料的生产能力绝对无法达到要求，其次运输能力达不到要求，第三是没有所需的设备和技术力量。完成上述任务需要矿石200万吨，而当时在限定时间内只能采矿17万吨；需用焦炭六十多万吨，而当时在限定时间内仅能生产783吨。在限定时间内完成上述任务，每天需生产钢1 273吨，产铁2 106吨，而当时的生产能力日产钢仅有56吨，日产铁仅有86吨。因此，根据内蒙古当时的工业基础和生产条件的实际，要求苦战4个月完成上述任务；并要求苦战9月份，完成生产铁3万吨和钢1万吨，向国庆献礼的任务。这无论如何也是不可能完成的。

面对这一事实，内蒙古党委于9月10日至21日召开一届八次全委扩大会议，作出了《关于进一步加强党对工业领导的决议》,要求各级党委进一步把领导重心转向工业，并举行全区钢铁生产跃进广播大会，提出恶战100天，坚决把15万吨钢、25万吨铁拿到手。于是，为了完成不可能完成的任务，便发动全民大炼钢铁，以土为主，土洋结合，大建土高炉、地焖炉，形成全民大炼钢铁的群众运动，当时全区许多地方高炉林立，炉火熊熊。据当时统计，到9月底，全区建土高炉、小高炉24 200多个，其中有五千五百多个投入生产；建成炼钢炉87个，其中有52个投入生产，每天生产生铁仅830吨，向国庆献礼的第一战役目标落空了。10月3日，内蒙古党委紧急召开盟、市委书记电话会议，决定10月份组织4次钢铁生产战役，要求突破日产钢铁千吨大关；全区再建数万个土高炉，要使生铁产量翻几番。10月13日，《内蒙古日报》发表题为《土法炼钢也要赶快上马》的社论，提出以“小、土、群”的办法完成炼钢指标；要求发动全民开展采煤、找矿、运输的竞赛高潮，开展放卫星运动，以解决原料不足、运输紧张的矛盾。并提出一切为了钢铁的口号。为此，从机关、学校、团体、部队抽调70万人直接参加大炼钢铁，继续建造小高炉3万多座，土高炉、地焖炉无数。到

12 月 27 日，全区累计产钢 1.38 万吨，超额完成中央下达的 1 万吨的任务，只完成自治区 15 万吨指标的 9.2%；产铁 8.83 万吨，超额完成中央下达的 8 万吨的任务，只完成自治区 25 万吨指标的 35.32%。其实，经过核实，钢只有 0.7 万吨，铁也只有 5 万吨，分别虚报产量 49.27% 和 43.37%。如此不切实际不讲科学的大炼钢铁的狂热运动，一方面迫使各级领导不得不为之；一方面造成人力、物力、财力的巨大浪费；而浮夸虚报产量极大地影响工业、农业及各行各业的比例关系，也破坏了工业内部的比例关系，导致国民经济发展严重的比例失调。①

在发动“大跃进”的 1958 年，由于内蒙古蒙汉各族人民在内蒙古党委、政府的领导下，为改变自治区的经济面貌，以前所未有的热情，进行了大规模的社会主义建设，除去虚报浮夸的因素，工农牧业生产仍然取得了较好的成绩。据后来核实的数据，1958 年国民生产总值 28.10 亿元，比 1957 年的 21.27 亿元增长 32.11%；工农业（包括牧业）生产总值 27.63 亿元，比上年的 17.50 亿元增长 57.88%；基本建设投资总额 9.2561 亿元，比上年的 3.3924 亿元增长 1.72 倍；财政收入 4.2764 亿元，比上年的 3.1385 亿元增长 36.25%。1958 年工业总产值 11.5889 亿元，比 1957 年的 6.3316 亿元增长 83.03%；农业总产值（包括畜牧业产值）14.7779 亿元，比上年的 11.1807 亿元增长 32.17%；牲畜总头数 2 674 万头（只），比上年的 2438.9 万头（只）增长 9.63%。②

在“大跃进”中取得上述成绩是不可抹杀的，但是为此而付出的代价是巨大的。在来势迅猛的“大跃进”运动和人民公社化运动中，以不实际的浮夸指标指导实践，对生产力造成的破坏，给国家和人民带来的损失，是灾难性的。也是一个极其沉痛的教训。对于社会主义建设总路线、“大跃进”和人民公社化运动，中国共产党在《关于建国以来党的若干历史问题的决议》中，作出了公正科学的论断：“一九五八年，党的八大二次会议通

① 以上 3 组工业数据，参见郝维民主编：《内蒙古自治区史》，内蒙古大学出版社 1991 年版，第 178—181 页。

② 参见内蒙古自治区统计局编：《辉煌的内蒙古》，中国统计出版社 1999 年版，第 245—255 页的相关数据。

过的社会主义建设总路线及基本点，其正确的一面是反映了广大人民群众迫切要求改变我国经济文化落后状况的普遍愿望，其缺点是忽视了客观的经济规律。在这次会议前后，全党同志和全国各族人民在生产建设中发挥了高度的社会主义积极性和创造精神，并取得了一定的成果。但是，由于对社会主义建设经验不足，对经济发展规律和中国经济基本情况认识不足，更由于毛泽东同志、中央和地方不少领导同志在胜利面前滋长了骄傲自满情绪，急于求成，夸大了主观意志和主观努力的作用，没有经过认真的调查研究和试点，就在总路线提出后轻率地发动了'大跃进'运动和农村人民公社化运动，使得以高指标、瞎指挥、浮夸风和'共产风'为主要标志的'左'倾错误严重地泛滥开来。"① 这是一个全面、准确、深刻的结论性论断，以此为准看待这段历史，方能得出历史唯物主义、辩证唯物主义的科学结论。

第三节 从纠"左"到反右倾

一、认识"左"倾错误与试图纠"左"

当"大跃进"运动和人民公社化运动迅速发动起来以后，毛泽东密切关注运动的发展，不断发现了一些问题，并进行理论上的思考与探讨，提出不少纠正"左"倾错误的意见。从1958年11月初开始，他连续主持召开了3次中央会议，第一次是11月2日在郑州召开的中央工作会议，主要讨论了农业发展纲要新四十条和关于人民公社若干问题的决议，这是纠"左"的开端；第二次是11月21日在武昌召开的中共中央政治局扩大会议，讨论人民公社问题和1959年国民经济计划安排问题，着重讨论了高指标和浮夸风问题；第三次是11月28日在武昌举行的中共八届六中全会，讨论通过了《关于人民公社若干问题的决议》和《关于一九五九年国民经济计划的决议》。毛泽东历时一个多月，尽心调查研究，试图纠正工作中的缺点、错误。诸如对浮夸风、"共产风"、高指标、作假问题进行了批评，对集体所有制向全民所有制过渡问题、社会主义向共产主义过渡问题、家庭问题、商

① 《三中全会以来重要文献选编》（下），人民出版社1982年版，第805、806页。

品问题、资产阶级法权问题进行了阐述，力图从理论上、政策上解决已经发现的问题。通过这 3 次会议明确了集体所有制与全民所有制、社会主义与共产主义的界限，现阶段的人民公社是社会主义集体所有制经济组织，过渡到全民所有制、过渡到共产主义需要很长的时期；明确了社会主义时期废除商品经济是违背经济规律的，对农产品实行调拨是对农民的剥夺，社员所有的生产资料永远归社员所有；讨论了高指标和浮夸风问题。毛泽东指出不要把科学当做迷信破除掉，凡迷信一定要破除，凡真理、科学一定要保护，既要有冲天的干劲，又要有科学的精神；强调了国民经济按比例协调发展的客观法则，初步调低了 1959 年工业生产的高指标。

但是，这仍然是在肯定总路线、"大跃进"运动和人民公社化运动前提下的纠"左"，问题还没有更多地暴露出来，所以这只能是初步纠"左"的尝试。

内蒙古党委对于中央召开的上述 3 次会议高度重视，立即采取积极的措施，纠正已经发现和认识的"左"倾错误和工作中的缺点。12 月 10 日，中央八届六中全会一结束，内蒙古党委决定，从各盟市、旗县、乡（苏木）社抽调干部，组织"万人冬季农村工作检查团"，王铎任团长、王逸伦任副团长，组成 7 个工作队，各级领导人随同分赴农村、牧区，宣传中央会议的精神，检查"大跃进"和人民公社化运动中出现的问题，进行调查研究，准备整顿人民公社。随即于 12 月 27 日至 1959 年 1 月 9 日，召开内蒙古党委一届九次全委扩大会议，紧接着于 1 月 12 日至 17 日举行中共内蒙古自治区第一届代表大会第三次会议。这两次会议，根据中央上述 3 次会议特别是八届六中全会精神，回顾与总结了 1958 年的工作，初步检查"大跃进"和人民公社化运动中出现的问题。根据两次会议精神，内蒙古党委发出了《关于整顿巩固人民公社若干问题的指示》《关于牧区人民公社若干问题的指示》《关于进一步发展人民公社工业的指示》《关于加强包钢建设的领导和支援工作的决定》；内蒙古党委和自治区人委联合发出《关于贯彻执行〈中共中央、国务院关于改进农村财贸管理体制决定〉的决定》《关于贯彻执行少种、高产、多收的农业生产方针，建立基本农田制的决定》《关于管好人民生活的几项规定》等有针对性的指示、决定；乌兰夫在代表会议上作了《为争取实现一九五九年社会主义建设更大更好更全面的跃进而奋斗》

的报告，并通过了相应的决议。

内蒙古党委召开的这两次会议，一是贯彻中央的精神；二是检查自治区“大跃进”和人民公社化运动中的“左”倾错误及工作中的问题；三是提出纠正“左”倾错误，争取更大的胜利。整顿巩固人民公社是主要议题，会议认为农村人民公社运动基本上是健康的。但是公社建立不久，忙于秋收、秋翻和大炼钢铁，未及整顿，便组织大兵团作战，在生产上造成某种混乱；对人民公社的性质、政策、方针宣传不够，也引起了不同的错误认识和糊涂思想。为此，遵照中共中央《关于整顿人民公社若干问题的决议》,内蒙古党委作出要在今后四五个月内整顿巩固农村人民公社若干问题的指示，其基本内容：（一）要抓思想，这是整顿人民公社的首要环节。要宣讲中央的决议，阐述人民公社的性质、方针、政策、原则，弄清社会主义到共产主义两个革命阶段的区别和由集体所有制向全民所有制、社会主义向共产主义这两个过渡的联系与区别；弄清生产资料与生活资料的区别及不同的处理原则；弄清供给制和按劳分配的关系，大集体与小自由、组织军事化、行动战斗化、生活集体化和民主管理的关系，小公和大公的关系，公社和国家的关系等。（二）发展生产，这是巩固和提高人民公社的中心环节。整社必须始终以生产为中心，结合生产整社，通过整社推动生产，把生产推向新的高潮，除了大办工业，农、林、牧、副、渔五大生产分清轻重缓急，按比例全面搞起来。（三）搞好群众生活。不抓生活，搞好生产是困难的，在搞好生活的基础上搞好生产，搞好生活要勤俭节约。搞好生活包括劳逸结合，举办食堂、托儿所、敬老院；几个民族联合建立的人民公社，必须照顾各民族的生活习惯。（四）作好收益分配。正确解决积累与消费的比例关系，既要保证适当地增加积累，又要使90%以上的社员收入比上年有所增加，其余社员不比上年减少。（五）搞好公社的经营管理。人民公社实行公社、管理区（即生产大队）、生产队三级管理，公社、管理区两级核算，并要求建立工业、财贸、文教、卫生的管理体制，确定了管理区、生产队的规模；建立统一领导和分级管理制度，公社管理委员会对全社工作实行统一领导，管理区是生产、行政的管理单位，生产队是人民公社的基本生产单位；加强劳动管理，根据生产部门和服务部门的需要，分别组织、分配、调度劳动力，实行“四包”（产量、财务、措施、劳动工数）、“五定”（人、畜力、农具、土地、作物）的生产责任制，生产措施落实到田，任务落实到人；实行严格的计划管理，公社要制订三到五年的简要建设规划，要制订年度生产计划和产品出售计划，同时帮助社员作出饲养家畜、家禽的计划；建立完整的财务管理制度，按级配备会计人员建立账目，执行勤俭办社、勤俭办一切事业的方针；社务管理必须贯彻民主集中制原则，一切重大问题均应通过社员代表会议或社员大会讨论决定。（六）加强党的领导，实行政治挂帅，人民公社中党的工作，必须认真贯彻群众路线和实事求是的作风，反对强迫命令、虚夸、谎报、隐瞒缺点等错误倾向；社、队领导干部必须深入群众、善待群众，参加生产领导生产，不虚夸成绩隐瞒缺点；公社设党委，大队、小队设总支或支部，配备得力干部担任社、队党委书记和支部书记，公社干部中妇女干部占一定比例，民族联合社应配备一定数量的民族干部。（七）整顿好公社的标准，澄清糊涂思想；建立健全制度，健全组织，加强领导；生产成绩显著；分配合理；生活福利事业人人满意；落后乡、社改造得好；干部思想作风转变，党、团组织巩固和提高。①

内蒙古党委整顿农村人民公社的指示，基本上指出了人民公社化运动中发生和存在的问题，并从多方面作出有针对性的指示，形成了内容比较完善、措施实际、目标明确、要求较高的文件。如果能够切实执行，在一定程度上纠正“左”倾错误和工作中的缺点，使人民公社得到较好的发展是可能的。当然，人民公社化运动中提出的理论问题、政策问题、实际问题很多，在上述指示的字里行间都有反映，而且是在头脑过热，情绪发狂的“大跃进”运动中产生的，不经过相当一段时间的实践和冷静的思考，是难以理清认识上的问题，更难以在实践中完全解决。不过力图纠正缺点、错误，应当说，是个值得肯定的好趋势。

内蒙古党委针对牧区的特殊情况，作出《关于牧区人民公社若干问题的指示》,这是非同一般且具有民族特点、地区特点的指示。指示分七个部分：（一）牲畜入社办法。牧区牲畜入社，要根据牧区畜牧业生产的特点、牧民的生活习惯和群众的自愿来办。总的原则是有利于生产。由于牧区实现

① 参见内蒙古党委：《关于整顿巩固农村人民公社若干问题的指示》,《内蒙古政报》1959 年第 2 期。

合作化不久，党的工作较农区薄弱，牧区的生产资料和生活资料都是活的牲畜，故需采取慎重态度和既积极又稳妥的办法。社员入社时，作为生产资料的牲畜和其他主要生产资料要转为公社统一经营，并采取若干过渡性办法，即牲畜作价或评分入社，实行比例分益；牲畜作价入社，付给固定利息；牲畜作价保本入社，不付利息，按劳分配，退社时准予抽回原本；牲畜作价入社，分期偿还。牧民乘用、役用和少量食用牲畜应予保留，其数量根据群众习惯、地区情况按需要而定。牧民的蒙古包、挤奶用具、马鞍子、车柜子等生活资料及金银首饰、银行存款、衣服等，均不入社，登记这些财产也是错误的。（二）发展生产的方针。根据中央关于人民公社发展生产的方针，由于牧区当前的具体情况和生产特点出发，牧区人民公社的生产方针应当是：以牧为主，农牧林相结合，大办工业，发展多种经济。（三）牧区国营农牧场、公私合营牧场和庙仓经济的处理。国营农牧场办公社，按内蒙古党委《关于地方国营农牧林场办公社的指示》办理；公私合营牧场应加入以国营牧场为主建立的公社或加入附近牧民建立的人民公社，或按公社经济管理和分配制度办事，或在公社统一领导下实行单独经济核算；牧主入社后成为正式社员，其牲畜定息原则上不予取消；喇嘛必须参加生产劳动，庙仓牲畜及其他生产资料应加入该庙仓所在地人民公社，并给予适当定息。（四）分配问题。在从总收入中扣除生产费用、管理费用和缴纳税款后，为了迅速发展生产，适当提高积累比例；在发展生产的基础上，用于社员个人消费和集体消费的部分应逐年有所增加。分配程序为，缴纳国家税收；扣除下年的生产费用；提取公共积累；以按劳分配原则，分配社员个人消费部分。（五）生活问题。在提高劳动生产率的同时，要保证社员的睡眠、休息、学习时间，保证妇女的例假、产假和特殊情况；根据牧区居住分散和生产劳动不像农区那样集中，不必忙于举办公共食堂、托儿所、幼儿园、敬老院等福利事业，各种文化设施应在生产发展的基础上，根据需要和可能，因地制宜逐步举办；有计划地逐步在牧区建设定居点，使牧民逐步定居下来。（六）经营管理。牧区人民公社实行民主集中制原则；实行统一领导、分级管理制度；实行公社、生产队两级生产管理和两级经济核算，或实行公社、管理区、生产队三级生产管理和公社、管理区两级经济核算，管理区是一级经济核算单位，但盈亏统一由公社负责，生产队是组织劳动的基本单位；社与队应提倡

“三包”“八固定”，“三包”即包任务、包财务、包收入，“八固定”即定领导、定劳动力、定畜群、定工具和设备、定役畜、定繁殖成活率、定畜膘、定放牧制度，队与放牧员提倡“七固定”，即定放牧方法、定饮水次数、定喂盐碱次数、定补饲、定防疫措施、定放牧时间、定卧盘。（七）整顿公社。牧区人民公社建立时间很短，因而对围绕人民公社的认识问题、政策问题、生产问题、生活问题以及实际问题很多，根据中央《关于人民公社若干问题的决议》精神，通过整顿解决实际存在的问题。（八）加强党的领导。加强党的领导，实行政治挂帅，是办好人民公社的根本问题；坚持群众路线，是党的工作的生命线；坚持实事求是的工作作风，既要充分发挥人的主观能动作用，又要保持冷静的头脑和科学分析的精神，坚决反对任何浮夸和不实事求是的作风；选一批旗级主要干部充实基层领导，盟委第一书记和有牧区的旗委第一书记，都要认真、经常地抓好牧区各项工作。①

在“大跃进”和人民公社化运动高潮中，还没有完全实现合作化的牧区，急急忙忙特别草率地完成了合作化。还没有来得及巩固合作化，紧接着又特别草率地推进人民公社化。人们在“大跃进”的狂热中来不及思考什么是对、什么是错，怎么做是对的、怎么做是错的，可以说热情高涨、糊里糊涂地走进了人民公社。在畜牧业社会主义改造中行之有效的“稳、宽、长”原则，通通被抛弃了。所以，牧区人民公社化运动中出现问题和错误，是必然的。内蒙古党委《关于牧区人民公社若干问题的指示》，实际是纠正错误的指示，是规范牧区人民公社的指示。指示的每一条都有针对性，绝大多数是当时出现的问题。“指示”如果能得到贯彻，出现的问题和错误或许能有一定程度的纠正。但是，“大跃进”给牧区畜牧业发展造成的影响还没有充分显现出来，牧区纠“左”的任务还很艰巨。

时隔3天，乌兰夫在中共内蒙古自治区一届三次代表会议上的报告，是简要总结自治区1958年成就的报告，是部署1959年更大更好更全面跃进的报告。报告指出，1958年在经济战线上，工业总产值达到10.6亿元，比1957年增长61%；农业总产值达8.4亿元，比1957年增长55%以上。4个月的大炼钢铁，产铁88 000吨，产钢13 000吨，超额完成了国家分配的任

① 参见内蒙古党委：《关于牧区人民公社若干问题的指示》，《内蒙古政报》1959年第2期。

务。在钢铁工业的带动下，煤炭、机械、电力、森林工业和轻工业都有飞跃的发展。粮食产量达118亿斤，总产量和单位面积产量都比1957年增加一倍以上，牲畜总头数达2 447万头（只），比1957年纯增长9.3%。基本建设投资比1957年增加了1.6倍。文化、教育、卫生、科技事业也获得了显著成就。农村、牧区实现了人民公社化，使生产力和生产关系发生了深刻的变化。政治战线上，经过整风、反右派、反对地方民族主义、分散主义斗争和社会主义、共产主义教育，取得了政治思想战线的社会主义革命的伟大胜利。在民族关系上，组成人民公社的民族联合社和农牧结合社，改善了民族关系，增强了民族团结。推进了资产阶级知识分子、民主人士、工商界、宗教界的改造。报告同时总结了6个方面的经验教训，诸如贯彻执行总路线和中央的各项政策；加强党的领导，实现政治挂帅；统筹兼顾、全面安排，遵守有计划按比例发展的法则；在国家统一计划下，充分发挥地方积极性，执行自力更生原则；在生产建设中，集中领导，及时检查督促。

报告提出1959年的“大跃进”的要求与计划，并从4个方面作了部署，即以钢铁为中心全党全民大办工业；大力发展农牧林业生产；整顿巩固人民公社；积极实现技术革命和文化革命。并从上述6个方面阐述了领导工作上要注意的问题。报告对1958年成就的总结，有实有虚；对经验教训的总结，有深有浅；对1959年计划的安排，仍然在“大跃进”的思维和框架下制定，铁产量70万吨，钢产量35万吨，钢材15万吨，煤炭1 000万吨，粮食200亿斤，牲畜纯增15%，木材400万立方米，仍然是增幅很大的“大跃进”计划。①

从总体上说，内蒙古党委和人民委员会采取上述一系列决策与措施，以纠正“左”倾错误，克服“大跃进”和人民公社化运动中出现的问题，是及时的、正确的。但是，对于“大跃进”和人民公社化运动中，在理论上的错误和政策上的失误以及工作中的缺点，未能做到深刻的思考与研究，或者不便深究。究其原因，有全局形势的制约，也有自身认识的局限。

1959年初，由严重的浮夸风和高估产造成的问题，更加暴露出来。1958年征了过头粮，农村人均粮食消费量下降；全民大炼钢铁严重影响了

---

① 参见《乌兰夫在中共内蒙古自治区一届三次代表会议上的报告》，《内蒙古政报》1959年2号。

农业和整个国民经济的正常发展；轻工业生产和原材料生产严重落后，市场供应十分紧张，造成农村劳动力的极大浪费，导致国民经济发展严重的比例失调。这是1959年面临的严峻形势。

二、加速纠“左”初见效果

中共中央八届六中全会以后，中央和毛泽东逐渐看到了一些问题，但对问题的严重程度估计不足。1959年1月26日召开了省、市、自治区党委第一书记会议，确定1959年仍然是“鼓足干劲，力争上游”的一年。虽然对1959年的计划作了一些调整，但指标仍然居高不下，并强调抓好市场供应，增加轻工业产品和农业的多种经营，扭转市场供应紧张情况。会后，毛泽东在进行了大量的调查研究之后，于2月27日至3月5日，在火车专列上主持召开了中共中央政治局扩大会议，即第二次郑州会议。毛泽东在会上作了多次讲话，并分别同与会人员谈话交流，从所有制问题谈及价值法则、等价交换、瞒产私分、粮食风潮等突出问题。他批评一些干部，“他们误认为人民公社一成立，各生产队的生产资料、人力、产品，就都可以由公社领导机关直接支配。他们误认社会主义为共产主义，误认按劳分配为按需分配，误认集体所有制为全民所有制。他们在许多地方否认价值法则，否认等价交换。因此，他们在公社范围内，实行贫富拉平，平均分配，对生产队的某些财产无代价地上调，银行方面也把许多农村中的贷款一律收回。一平、二调、三收款，引起广大农民的很大恐慌。这就是我们目前同农民关系中的一个最根本的问题。”他指出，人民公社成立之后刮起的“共产风”，“主要内容有三条：一是贫富拉平。二是积累太多，义务劳动太多。三是‘共’各种‘产’。”关于人民公社的体制，毛泽东认为最基本的是要承认“目前公社所有制除了公社直接所有的部分以外，还存在着生产大队（管理区）所有制和生产队所有制”。他认为人民公社应实行三级所有队为基础。毛泽东为了强烈地表达他纠正“共产风”的决心，说“我现在代表五亿农民和一千多万基层干部说话，搞‘右倾机会主义’，坚持‘右倾机会主义’，非贯彻不可。你们如果不一起同我‘右倾’，那么我一个人‘右倾’到底，一直到开除党籍。”他还作了自我批评，对公社化运动中出现的问题承担了责任。毛泽东克服重重阻力，经过大量的说服工作，坚决贯彻自己的主张。会议最终根据他的意见提出整顿和建设人民公社的十四句话："统一领导，队为基础；分级管理，权力下放；三级核算，自负盈亏；分配计划，由社决定；适当积累，合理调剂；物资劳动，等价交换；按劳分配，承认差别。"①会议还确定各省市自治区要立即召开六级干部会议，贯彻这次会议的精神。这是第二次郑州会议的集中成果，也是纠"左"问题上迈出的更大的步子。

内蒙古党委于3月16日至23日召开了全区六级（自治区、盟市专署、旗县、乡社、生产大队、生产队）干部会议，乌兰夫传达了中共中央政治局扩大会议（第二次郑州会议）的精神，以中央会议关于纠"左"的理论、政策和决定，进一步检查自治区农村、牧区人民公社在体制、经营管理、分配等方面存在的问题，阐述了中央会议提出的整顿和建设人民公社的十四句话，严厉批评了"共产风"。对牧区人民公社的整顿建设，特别强调必须注意牧区的民族特点、经济特点、生产特点，采取稳步前进的方针和多种过渡办法；牲畜入社要适当照顾劳动牧民中畜多户和畜少户的利益，体现价值法则；区别生产资料与生活资料的差别，分配中注意劳动多劳动好的牧民有较多的收入；允许牧民有适当数量的自留畜；允许畜股有一定的分红或定息。通过六级干部会议将中央的精神一竿子插到底，层层明白，促使各级都要执行。这是对纠"左"的巨大促进。

3月25日至4月1日、4月2日至5日，中共中央政治局扩大会议和中共中央八届七中全会接连召开，会议的主要议题是：工业问题、人民公社问题、国家机构的组成问题。毛泽东提出有关人民公社的十二个问题要大家讨论。其中，毛泽东承认生产小队的部分所有制，是对实际情况的进一步了解和冷静分析后，在人民公社所有制问题上向现实迈出的重要一步；他主张算账，旧账一般要算，算账才能实行客观存在的价值法则。会议对毛泽东提出的十二个问题，经过讨论形成《关于人民公社的十三个问题（修正稿）》，经中共八届七中全会原则通过后，发表前将其中有些问题单列出来，形成《关于人民公社的十八个问题》②。毛泽东提出的承认生产小队部分所有制和

① 中共中央文献研究室编：《毛泽东传》（下），中央文献出版社2003年版，第900—923页。

② 毛泽东：《关于人民公社的十八个问题》，《毛泽东传》（下），中央文献出版社2003年版，第936页。

算旧账问题列入其中，这是在第二次郑州会议纠“左”成果基础上的前进，对“一大二公”的观点和“一平、二调、三收款”的“共产风”起了抑制和纠正的作用。但是，农业生产继续搞高指标，保留公共食堂和供给制，政策调整还是放在将来向公社为基本核算单位的集体所有制过渡的基点上，这实际上反映了毛泽东和中央其他领导人在认识上的局限性。

会议对1959年经济计划指标，主要是工业指标，进行了调整。钢铁指标虽然降低了，但是考虑到政治影响，在4月举行的全国人大二届一次会议通过的1959年国民经济计划中，粮、棉、钢、煤继续维持了原来的四大指标。会议的最后一天，毛泽东以“工作方法”为题，谈了十几个问题，都是有针对性的，从不同侧面初步总结了“大跃进”和人民公社化以来的一些教训。

内蒙古党委为了贯彻中央两次会议的精神，解决自治区在人民公社、工农牧业生产建设上依然存在或新暴露出来的诸多问题，召开了内蒙古党委常委扩大会议、盟市委农业书记会议和牧区工作会议，作出一系列相关决定和指示，力图扭转不利局势，争取有个好的发展。中央“两会”结束后，内蒙古党委当即召开常委扩大会议，认真领会中央的精神，仔细研究自治区的问题，于4月18日发出《关于整顿巩固人民公社工作几个问题的指示》①。提出整顿人民公社工作，一是迅速确定基本核算单位和分配单位，一般的都要以原来的高级社为基本核算单位，该下放的权力都要下放；二是迅速确定包产单位的生产小队部分所有制和管理权限，解决基本核算单位和分配单位与小队的关系、小队与社员的关系，落实生产计划、指标、措施，实行定额管理，健全责任制度，开展生产竞赛；三是清算“一平二调三收款”时遗留问题，通过清算旧账，解决大集体与小集体的矛盾，解决生产队干部与生产小队干部、全体社员的矛盾，实现“物资劳动，等价交换”的原则；四是开好乡社党代表大会、社员代表大会，选举党支部、党委会和社的管理委员会、队务委员会。根据中央“两会”的要求，把抓好生产小队的管理工作作为重点，强调了生产小队工作的重要性，要小队干部和群众明白小队部分所有制和管理权限，确定生产计划，落实计划、指标、措施；做好以产定

① 参见内蒙古党委学习编委会：《学习》第281期。

工或包工包产，以产定工形式较好；要把农业、牧业、副业、林业、服务业的定额管理和责任制度恢复、建立和健全起来，实行奖励制度；做好劳动规划，必须保证有80%的劳动力用在农业战线上，有60%以上的劳动力直接用在农业上；在小队干部和社员中讨论收益分配；妥善安排生活，安排粮食。以上工作都要通过小队，充分发动群众落实。另外，就个人生活资料和零星生产资料的退还、损失赔偿、清算旧账、林权划分等问题也提出具体要求。与以前相比，这次的指示对纠“左”又前进了一步，实际具体，可操作性强，颇受干部群众欢迎；各级领导纷纷下乡，领导整社，落实政策，建立和健全生产责任制，组织生产，掀起生产热潮。

内蒙古党委于6月15日至27日召开了盟市委农业书记会议，全面检查了春耕生产和整顿人民公社的工作。在农业生产方面，着重研究加强农业田间管理和农业区、半农半牧区的畜牧业生产问题，力争农业获取大丰收，克服“重农轻牧”思想，坚持“农牧结合”、“公养和私养并举”、“数量和质量并重”的方针，要重点发展大家畜。关于整社工作，一方面继续学习中央和内蒙古党委先后发布的相关政策；一方面结合整社中存在的实际问题，研究制定并通过了四个文件，即《关于人民公社生产小队部分所有制和管理权限的若干规定》《关于人民公社推行以产计工的办法》《关于人民公社实行供给制的补充办法》《关于人民公社实行工资制的具体办法》。规定生产小队对土地、耕畜、农具、劳动力有固定的使用权；基本核算单位对生产小队实行以产计工或包工包产；社员所有的生活资料永远归个人所有；主张积极推行以产计工的办法。7月31日，内蒙古党委批发了这4个文件，用以统一政策，规范人民公社制度，加快整社工作。内蒙古党委还于7月28日发出了《关于人民公社清理旧账问题的若干规定》，对于在“大跃进”运动中无偿占用农业社土地、劳力、畜力等旧账的清理退赔问题，规定了具体的政策条款，便于按政策清理旧账，避免失误。

7月6日至24日，内蒙古党委召开了第八次牧区工作会议，总结了1958年7月至1959年6月畜牧业生产年度，畜牧业生产的成绩和牧区工作。作为1959年畜牧业生产年度的畜牧业生产，远远超过了包括“大跃进”在内的1958年。牲畜总头数从1958年6月末的2 447万头（只）增加到1959年6月末的3 127万头（只），总增殖率达28%，较1958年的总增数增长 37.6%。[①] 但是，畜牧业经济的脆弱性和生产技术的落后状态，没有根本上的改变；对畜牧业发展速度全面研究不够，重视了纯增，忽视总增，影响畜牧业高速度发展；在合作化和人民公社化中，在所有制及分配制度上出现了问题，约有 1/3 的公社取消了畜股报酬；对于社员的自留畜及肉食卡得过紧，部分地区扩大了供给范围，混淆了生产资料和生活资料，把社员的生活资料也作价入社，甚至把蒙古包集中起来，“一平二调三收款”的问题也有发生；农区、半农半牧区还有滥宰牲畜现象；公社管理上还没有一套办法；社队干部有强迫命令和不走群众路线的问题。会议确定实行“大力发展牲畜数量，提高牲畜质量，逐步实现农牧林结合和畜牧业现代化”的牧区发展畜牧业生产的基本方针；贯彻执行牧业八项措施：水（水利）、草（饲草饲料）、繁（提高繁殖成活率）、改（改良品种）、管（饲养管理）、防（防治疫病及兽害）、舍（盖棚搭圈）、工（增置和改革工具）；制定了《关于牧区人民公社生产队部分所有制和管理权限的意见》《关于牧区人民公社“以产计工”的意见》《关于牧区人民公社财务管理的意见》《关于牧区人民公社畜群管理的意见》等 8 个文件。

从中共中央八届六中全会到八届七中全会，中央对“大跃进”和人民公社化运动中出现的问题不断进行总结，从理论上和政策上提出了一系列纠正“左”倾错误的决定。内蒙古党委根据中央的决定、指示，结合内蒙古农村、牧区的实际，制定了若干具体政策和规定，并付诸实施，取得了积极的效果。人民公社建设逐步走向规范，确定了管理体制，调整了内部关系，明确了生产队基本所有制、公社和生产小队部分所有制，以及社员个人所有的范围，确立了新的所有制基础，基本清算了 1958 年的账目，克服了管理权力过分集中以及平均主义现象，整顿了党的基层组织，基本上纠正了“共产风”，在一定程度上遏制了高指标、浮夸风，适当调整了生产指标，初步扭转了混乱局面。但是，由于毛泽东和党中央纠正“左”的错误，是在基本肯定总路线、“大跃进”和人民公社化基础上进行的，因此从根本上

---

① 王铎：《巩固建设人民公社，贯彻执行牧业八项措施，为稳定地、全面地、高速度地发展畜牧业而奋斗——在第八次牧区工作会议上的总结报告》，《内蒙古畜牧业文献资料选编》第 2 卷（上），第 480 页，内蒙古党委政策研究室、内蒙古自治区农业委员会 1987 年 3 月编印。

纠正社会主义建设中的“左”倾指导方针是困难的。

三、从纠正“左”倾到反对右倾

毛泽东和党中央一方面采取措施纠“左”，一方面密切注意形势的发展。由于1958年以来工农业生产高指标给国民经济发展造成的恶果逐渐暴露出来。直到1959年5月，农业生产状况急剧恶化，粮食供应严重紧张，市场出现通货膨胀，毛泽东对山东、江苏、河南、河北、安徽五个产粮大省出现春荒缺粮十分关切。4月28日，二届全国人大一次会议结束后的第二天，毛泽东写了一封《党内通信》①，提出包产、密植、节约粮食、播种面积要多、机械化、讲真话等六个问题。信的最后写道：“同现在流行的一些高调比较起来，我在这里唱的是低调，意在真正调动积极性，达到增产的目的。”这是针对“大跃进”以来在农业生产方面存在的错误做法提出来的，是当时影响农业生产的几个关键问题、要害问题。这封信是写给省、地、县、社、队、小队六级干部的，一直捅到最基层，在全国农村中引起了强烈的反响，把许多人从盲目性中解放了出来，对农业生产起了明显的积极作用。接着，中共中央于5月7日发出《关于农业的五条紧急指示》《关于分配私人自留地以利发展猪鸡鹅鸭问题的指示》，明确了家畜家禽公养私养两条腿走路的方针，恢复了社员的自留地，实际上恢复了高级社为基本核算单位的规模和某些政策，开始注意发挥集体与社员两个积极性。

这时，工业方面的问题也突出起来。毛泽东发觉以往对工业指标虽然一再降低，但仍然是高指标，问题没有解决。经多次调查研究，毛泽东于6月13日召开中央政治局会议，决定将1959年钢产指标从1 650万吨调低到1 300万吨，对基本建设项目也作了大幅度的压缩。毛泽东就高指标、“共产风”“大跃进”等发表了讲话，谈了对许多事情没有料到，作了与以往任何一次不同的自我批评。中央其他领导人也作了自我批评，承担了自己那一部分责任。6月20日，刘少奇主持召开中央政治局会议，专门讨论报刊宣传对浮夸风和“共产风”起了推波助澜的问题，毛泽东听了汇报后说：我

① 《毛泽东文集》第8卷，人民出版社1999年版，第48页。

们不能务虚名而得实祸，现在宣传上要转，非转不可。①

在“大跃进”和人民公社化运动中，发生的问题很多，涉及面很广，“左”倾错误的危害程度也大，毛泽东和中共中央为纠正“左”倾错误，经历了艰难的历程，克服重重阻力，一次又一次调整政策和生产指标，部分地否定了“一大二公”的人民公社模式，在一定程度上纠正“大跃进”的失误，在一些方面刹住了“左”的思潮的泛滥，使经济混乱的局面有所好转。但是，“左”的指导思想不从根本上扭转，纠“左”必然受很大的局限。而毛泽东还没有认识到这一点。纠“左”任重道远。

会后，毛泽东便赴庐山。7 月 2 日，中共中央政治局扩大会议在庐山召开。毛泽东在一个时期以来，经过调查研究，认真思考，并同大家交换意见后提出 19 个问题，除了国际问题以外，大都是“大跃进”和人民公社化以来暴露出来的带有全局性的问题，交会议讨论，以总结经验，统一认识。讨论得很是热烈，但看法不尽一致。毛泽东对越来越多提出的不同意见有所不满，于是发表长篇讲话，对形势的估计是“成绩是伟大的，问题是不少的，前途是光明的”。7 月 13 日，彭德怀写信给毛泽东，肯定总路线是正确的，成绩是伟大的，同时指出“大跃进”的错误“是具有政治性的”，并着重指出两点，一是浮夸风普遍地滋长起来，犯了不够实事求是的毛病，使党的威信蒙受重大损失；二是小资产阶级的狂热性，使我们容易犯“左”的错误。毛泽东把彭德怀的信加了《彭德怀同志意见书》的题目，印发会议讨论，有赞同者，有反对者，亦有部分赞同部分不赞同者。会议热烈讨论之余，7 月 23 日，毛泽东针对彭德怀的信发表了长篇讲话，通篇意思是，人民公社、大炼钢铁、农村公共食堂是在他积极倡导或热情支持下搞起来的，他还要坚持搞下去。于是彭德怀和赞同其看法的张闻天、黄克诚、周小舟被迫作检查，庐山会议突然转向，转为批判彭德怀，纠“左”变为反右。

8 月 2 日，中共中央八届八中全会正式开幕，毛泽东发表长篇讲话。会议不再反“左”，而是为揭露批判所谓“反党集团的分裂活动”定了方向。八中全会实际上成了反对所谓彭德怀右倾机会主义的会议，连同赞成彭德怀意见的张闻天、黄克诚、周小舟被定为右倾机会主义反党集团。8 月 16 日

---

① 中共中央文献研究室编：《毛泽东传》（下），中央文献出版社 2003 年版，第 948—950 页。

的闭幕会上通过了《保卫党的总路线、反对右倾机会主义而斗争》《关于开展增产节约运动的决议》《关于以彭德怀同志为首的反党集团的错误的决议》《关于撤销黄克诚同志中央书记处书记的决定》,会议认为“右倾机会主义已经成为当前党内的主要危险。……击退右倾机会主义的进攻，已经成为党的当前的主要战斗任务”①。

庐山会议后，首先以党内为主在全国开展了一场波及农村、工矿企业和学校的“反右倾”运动，错误地打击了一大批党员干部，其数量之多是中华人民共和国成立以后的历史上空前的，致使党内民主生活受到严重破坏。其次，反右倾运动导致了更大规模的“大跃进”，人民公社化运动中的“共产风”卷土重来，高指标、瞎指挥、浮夸风再次更加盛行。第三，“左”倾阶级斗争理论恶性发展，错误地把党内不同意见的争论等同于阶级斗争。由此，中断了正在深入的纠“左”工作，造成了严重的危害。

在中共八届八中全会召开期间，内蒙古自治区于8月4日至11日举行第二届人民代表大会第二次会议，自治区副主席杨植霖作了政府工作报告。这是在中央会议还未结束，会议精神还不明朗，既要坚持原来纠“左”的方针，又要顾及中央会议反对右倾的风声。政府工作报告在充分肯定1958年以来在各方面取得的巨大成绩的基础上，指出存在的6个方面的问题：1. 摊子铺得太大，战线拉得过长，生产指标偏高，超出了客观条件的可能，造成了物力、财力、人力、交通运输各方面的紧张；2. 重点过重，要求过急，大跃进以来集中力量抓钢铁生产，但统筹兼顾，全面安排不够，致使炼焦和运输长期跟不上，轻工业和手工业生产受到影响，挤掉和压缩了日用工业品和百杂货的生产；3. 过多地增加了职工，去年新增职工38万人，今年上半年又增加10万人，城市人口比去年初增加约100万人，增加了市场供应的压力；4. 旗县乡社办工业缺乏全面规划，方针不够明确，致使与大中型企业争原料，影响某些大中型企业的生产；5. 实行企业和财政体制下放，但未及时制定合理的管理制度，只强调分散管理，忽视集中统一，财政监督松弛，对机关、团体的集团购买力控制不严，城市储蓄下降，农村货币投放量

---

① 中共中央文献研究室编：《建国以来重要文献选编》第12册，中央文献出版社1996年版，第509页。

很大，市场供应更加紧张；6. 按劳分配，等价交换等原则贯彻不够，引起了群众的顾虑，影响了发展家庭副业的积极性。同时，比较实在地总结了一年来的经验教训，第一，在“大跃进”中对有计划按比例的原则和计划的综合平衡认识不够，片面强调需要，忽视综合平衡，实践证明这是错误的。只有加强综合平衡工作，才能体现有计划按比例发展的原则，克服重点过重、要求过急的缺点，使重点与一般协调发展，才能保证国民经济的全面高涨。第二，必须按照国家的要求和自治区的特点，在保证完成中央所确定的各项任务的前提下，统一安排全区的基本建设，集中力量、保证重点，坚决扭转战线拉得过长、计划外项目过多的局面，统一安排全区主要产品的生产，坚决制止层层加码、统一分配全区的原材料、统一调拨和收购生产资料和生活资料、统一安排和调配劳动力；贯彻执行全国一盘棋的方针，执行集中领导下发挥各地区各部门积极性的原则，正确处理局部与整体，重点与一般，条条与块块，集中领导与分散管理的关系。第三，把革命热情与科学分析精神结合起来，既要反对保守，又要实事求是；既要落实指标，又要鼓足干劲。自治区的工业解放后虽有很大发展，但基础仍很薄弱；文化教育和科学技术虽有提高，但是仍然比较落后；设备器材和日用工业品，虽然区内能生产一些，但主要的还是依靠外地供应。大跃进中，由于对客观实际情况缺乏具体的、深刻的分析，过高地估计了自治区的物质技术基础和人的主观能动性，以致计划和指标定得偏高偏大，脱离实际。这就增加了人力、物力、财力的紧张，助长了干部的浮夸风，发生隐瞒工作缺点和强迫命令的错误。第四，在人民公社化运动中，在公社所有制问题、分配问题、管理体制问题以及发展生产的方针上，曾发生错误、出现缺陷，使公社工作受到一定的影响。从政府工作报告看出，自治区党政领导对 8 个多月纠“左”中发现的问题认识是正确的，纠“左”的措施也是得力的。

但是，内蒙古自治区第二届人民代表大会第二次会议还没有结束，内蒙古党委于 8 月 9 日召开常委扩大会议，根据庐山中央会议反右倾的趋势和 8 月 6 日《人民日报》发表的《克服右倾情绪，厉行增产节约》的社论，开始部署反右倾问题，接连发出反对右倾思想的通知、指示。8 月 29 日至 9 月 13 日，内蒙古党委召开一届十次全委扩大会议，贯彻中共八届八中全会的精神；接着，内蒙古政协召开第五次扩大会议，共青团召开内蒙古自治区三届二次全委会议，贯彻中共八届八中全会精神。内蒙古自治区从纠“左”全面转向反对右倾机会主义。这是一个突然的转向，戏剧性的转向，几天工夫右倾机会主义成为主要危险。内蒙古妇联召开各族妇女跃进誓师大会，还召开了工业生产电话会议和工业生产会议等一系列专门会议，各盟市旗县召开反右倾、大跃进誓师大会。内蒙古党委接连发出《继续深入开展反右倾斗争的几个问题的指示》《关于在工交企业开展反右倾、鼓干劲为中心的整风运动和总路线教育的指示》《关于在农村牧区深入开展两条道路斗争和以贯彻执行总路线为中心的社会主义教育运动的指示》和《关于反透右倾，鼓足干劲，迅速掀起今冬明春更大规模的水利建设高潮的指示》等。直到10月28日，《内蒙古日报》发表题为《彻底反对右倾，深入社会主义教育，实现工农业大跃进》的社论，把反对右倾机会主义的斗争推向高潮，又一次发动了已被初步遏制的“大跃进”运动，艰难纠正了的高指标、共产风、瞎指挥等歪风再次刮起，中断了深入纠正“左”倾错误的工作。

于是，在全区又兴起了“大跃进”运动。12月15日，全区工业、基本建设、交通运输系统召开迎接1960年开门红誓师广播大会，主题是反透右倾，鼓足干劲，掀起大跃进高潮。在农村，开展反右倾教育和大辩论，肯定“大跃进”和人民公社，批判右倾机会主义，掀起更大的跃进。全区组织百万人投入冬春水利建设，要求完成1960年水利建设任务的70%—80%，又呈现了一种轰轰烈烈的景象。在反右倾运动中，采取普遍检查、重点批判和自我交心办法，批判反对“三面红旗”的右倾机会主义，对一批积极纠正“左”倾错误，敢于批判高指标、共产风的干部进行批判，有的甚至被定为右倾机会主义分子，从而压制了民主，堵塞了言路。在农村，有些农民要求“小私有”“小自由”，有的人反对搞公共食堂和供给制，这也被指责为富裕中农思想、反对“三面红旗”的右倾机会主义思想，成为反右倾的对象。从纠正“左”倾错误到反对右倾机会主义急转弯，使不少人处在困惑之中，谈何积极性。

内蒙古党委在政治上顺应全国反对右倾机会主义的形势，按照中央的部署，开展反右倾运动；同时比较冷静地分析了经济建设中仍然存在的与“左”倾相关的问题，从实际出发，审慎地确定工农牧业发展计划。1959年12月10日至1960年1月12日，内蒙古党委举行第八次农村工作会议，在提出反右倾，鼓干劲，实现1960年农牧业生产更大、更好、更全面跃进任务的同时，还讨论了进一步巩固、建设人民公社的问题，肯定了“三包一奖”和以产计工是农业生产的一种比较妥善的经营管理办法；肯定了生产小队既是生产单位，又是社员集体生活的组织者；肯定了生产小队的基本职能。这是纠正人民公社化中“左”倾政策的继续。

1960年1月7日至17日，毛泽东在上海主持召开中央政治局扩大会议，集中讨论并通过了1960年的国民经济计划和今后三年、八年经济建设的设想，认为1960年还将是一个大跃进年，可能比1959年的形势更好；确定八年的总目标是，基本实现四个现代化，建立起完整的工业体系，基本完成集体所有制到社会主义全民所有制的过渡，并要求年内大办公共食堂，试办和推广城市人民公社。毛泽东对于国内形势的估计过于乐观，在继续“大跃进”的浓厚气氛中确定的计划与指标显然都不切实际。“会后，全国又开始大办县社工业，大办水利，大办食堂，大办养猪场等，一些原来确定减缩的基本建设项目重新上马，高指标、浮夸风、命令风和‘共产风’又严重地泛滥起来。这段时期，一九五九年冬与一九六〇年春，是经济工作中‘左’倾蛮干最厉害的一段时期。”①

内蒙古党委当即向书记处和常委传达了中央政治局上海扩大会议的精神。2月10日至17日，召开一届十一次全委扩大会议；18日至24日召开旗县市委第一书记会议，传达了中央会议精神，乌兰夫作了《新阶段、新形势、新任务》的报告。会议认为，1959年，自治区的社会主义建设继续实现了全面大跃进，与1958年相比，全区工农业总产值达到37.2亿元，增长32%，其中工业产值为18亿元，增长56.1%；农牧业总产值为19.2亿元，增长15.2%。工业主要产品，钢产量7.06万吨，增长4倍多；铁产量27.3万吨，增长2倍多，钢材1.12万吨，增长1倍多；粮食产量达到110亿斤，增长10%，牲畜2 802万头（只），增长14.5%。会议提出1960年自治区发展国民经济的主要指标是：工农牧业总产值51.23亿元，其中工业产值计划为26.5亿元，农牧业总产值为24.73亿元。主要工业产品计划：钢产量为35万吨，铁91万吨，钢材5万吨；全区农业播种面积8 000万

① 中共中央文献研究室编：《毛泽东传》（下），中央文献出版社2003年版，第1050页。

亩，粮食总产量120亿斤，争取130亿斤；牲畜计划达3 200万头（只），纯增15%。[①] 会议也提出今后八年的持续跃进的目标是，基本实现工业、农业、畜牧业和科学文化的现代化，把自治区建成为祖国的一个相当规模的基本现代化的生产钢铁、粮食、牲畜和木材的基地，根本改变自治区的政治、经济、文化面貌，消灭民族间事实上的不平等，使蒙古民族和各少数民族赶上先进民族的水平。这次会议确定的1960年发展国民经济计划和八年远景目标，是“大跃进”思想的产物，事实上是完不成的，是不切实际的。

此后，“大跃进”的调子越唱越高，计划指标不断加码，再一次到了令人难以置信的地步。4月11日至17日，内蒙古党委召开各盟、市委第一书记参加的常委扩大会议，提出3—4年内实现农业发展纲要，到1962年，粮食总产量达到180亿—200亿斤，牲畜总头数达到4 000万头，实现一人一口猪；钢产量达到300万吨左右，铁350万吨，煤2 500万吨，电力49亿度，木材700万立方米；力争1960年国庆前全区机械化、半机械化达到70%左右，并不断提高自动化、半自动化水平。会议还针对普遍出现的贪污、浪费和许多领导者不负责任的现象，专门讨论了反贪污、反浪费、反官僚主义问题以及安排农村人民生活问题。为了完成上述不切实际的高指标，会议提出工业生产开展“小土群”“小洋群”的群众运动，重复1958年“大跃进”中的错误做法；农业生产提出三年新垦荒地3 000万亩，并狠抓水利和肥料，扩大基本农田，提高单位面积产量；畜牧业生产要开展“双满”“五全”“百母百仔”运动，搞水利、饲料基地和棚圈等基本建设，并搞机械化、半机械化和电气化。5月2日，内蒙古党委甚至提出提前实现农业发展纲要的问题，要求当年农业人口人均生产粮食1 700斤，全区垦荒1 000万亩。从而把“大跃进”运动推到了极限，有些计划指标和具体要求，可望而不可即。

据1960年的最终统计核实，工农牧业生产总值是45.14亿元，比原计划51.23亿元减少11.88%；工业生产总值是28.57亿元，比原计划26.5亿元增长了7.81%；农牧业生产总值是16.57亿元，比原计划24.73亿元低

---

① 参见《内蒙古党委关于第十一次全委扩大会议和旗县市委第一书记会议情况向中央的报告》，内蒙古党委学习编委会编：《学习》增刊第29期。

32.99%。主要工业产品的产量：钢30万吨，比原计划35万吨低5万吨；铁68万吨，比原计划91万吨低23万吨；钢材3.56万吨，比原计划5万吨低1.44万吨。农业播种面积575万公顷，低于原计划8 000万亩，粮食产量358.8万吨（71.76亿斤），比原计划125亿—130亿斤低53.24亿—58.24亿斤；牲畜3 315.5万头（只），比原计划3 200万头（只）增长了3.61%。[①] 除了工业总产值和牲畜头数比原计划略有增长外，其余均未达到计划指标。实践证明，1960年的“大跃进”计划是不切实际的。

第四节　纠正“左”倾错误　实行调整方针

一、从反对右倾到再度纠“左”

庐山会议以后，在大力反对右倾机会主义的过程中，“左”倾思潮逐渐抬头，有些地方出现急于向基本社有制过渡，重复“一平二调”、又刮“共产风”、浮夸风、命令风，另外还出现了贪污、浪费、官僚主义等“三风”问题。1960年3月间，毛泽东从各地的报告中看到这些问题十分愤怒，仅在3月份一个月内，就此为中央起草的重要批语和指示将近20件，对出现的问题进行了特别严厉的批评。3月24日，在天津召开的中央政治局常委扩大会议上，毛泽东提出十七个问题，要大家讨论。主要有四化问题，城乡公共食堂普遍化问题，农村人民公社的五个问题，农业问题，工业问题，小土铁路和小洋铁路问题，工业交通系统、财贸系统、文教系统普遍支援农业问题，教育问题，农业纲要四十条提前完成的问题等等。其基本点还是“大跃进”、人民公社的路线，关于“基本矛盾，觉得还是应该提阶级矛盾，这是两条道路的矛盾。在我们国家，这是主要矛盾”[②]。从4月底开始，毛泽东离开北京南下，进行了一次长时间的外出视察，从上层领导层面了解了一些情况。6月10日至18日，在上海召开中央政治局扩大会议，毛泽东就计划问题发表讲话，中心内容是降低计划指标，把质量问题提到第一位。这

---

① 据《辉煌的内蒙古》，中国统计出版社1999年版相关数据计算。

② 中共中央文献研究室编：《毛泽东传》（下），中央文献出版社2003年版，第1065页。

次会议，对“二五”计划后3年的指标一压再压，对14项指标作了大幅度的调整。毛泽东在最后一天的会议上发表了《十年总结》的讲话，集中讲了实事求是的问题，批评一些同志忘记了实事求是的原则，同时也作了自我批评，提出争取主动权。他说“我企图从历史与现实说明问题，使我们盲目性少一点，自觉性多一点，被动少一点，主动多一点，不要丧失主动权”①。毛泽东“在社会主义建设问题上，由于缺乏经验，又急于求成，迷恋高指标，离开了实事求是的思想原则，听信一些不负责任的、不符合实际情况的报告，因而对高指标虽曾几次决心调整，总是落不到实处，因而总是处于被动状态。这次提出减少盲目性，争取主动权，是他对两年来经验教训的一个总结。”② 这次会议主要明确了两个问题，一是坚持以农业为基础的方针，二是强调作计划必须留有余地。1960年上半年，生产计划完成得不好，工业生产下降，农村中的“五风”和急于过渡的情况严重，中央虽明文制止，但成效甚微，粮食形势极为严峻。7月5日至8月10日，在北戴河召开中央工作会议，经过多次讨论，形成关于保粮、保钢、大办农业、大办粮食的3个文件。③ 会议决定，坚决缩短基本建设战线，集中力量保证重点产品、重点企业和基本建设项目；充实农业战线，首先是粮食生产战线。10月12日，毛泽东在为中央审阅发出的一个指示中强调指出：“纠正一平二调的‘共产风’，纠正强迫命令、浮夸和某些干部特殊化的作风，坚持以生产队为基础的公社三级所有制，是彻底调整当前农村中社会主义生产关系的关键问题，是在公社中贯彻实现社会主义按劳分配原则的关键问题。”“同时，为了农业生产力的发展，必须在各经济部门合理地安排劳动力，必须在农业战线上保持和配备足够的劳动力。”④

内蒙古党委在中央历次会议之后，召开相应的会议贯彻中央的精神，针对自治区存在的问题，提出相应的政策与措施，试图逐步解决一些实际问题。诸如农村人民公社中的“共产风”、浮夸风、命令风、干部特殊风、瞎

① 中共中央文献研究室编：《毛泽东传》（下），中央文献出版社2003年版，第1083页。

② 中共中央文献研究室编：《毛泽东传》（下），中央文献出版社2003年版，第1084页。

③ 即中共中央《关于开展以保粮、保钢为中心的增产节约运动的指示》《全党动手，大办农业，大办粮食的指示》《关于全党大搞对外贸易收购和出口运动的紧急指示》。

④ 中共中央文献研究室编：《毛泽东传》（下），中央文献出版社2003年版，第1098—1099页。

指挥风等“五风”问题，贪污、浪费、官僚主义“三风”问题，计划指标问题，农业问题，工业问题，各行各业支援农业问题，粮食问题，农村人民公社体制问题，一直是甚为关注的问题。1960 年 6 月 24 日至 7 月 2 日，内蒙古党委举行常委扩大会议，各盟市委第一书记、自治区党委各部委和政府厅、局党组书记等参加。乌兰夫传达了上海中央政治局扩大会议精神，比较深入地讨论了国内以及自治区的形势，进一步检查了自治区存在的问题，着重研究贯彻中央“以农业为中心，全面安排工作”的方针，改进领导作风，加强生产第一线，并讨论了压低生产指标，提高产品质量等紧迫问题，作出了有针对性的相应决定：《关于加强农牧业生产的决定》《关于工业问题的几项决定》《关于 1960 年下半年基本建设工作安排的决定》《关于市场安排工作几个问题的决定》《关于全面加强支援农业生产工作的决定》。

是年夏秋之交，粮食问题及与此相关的人民生活问题，骤然成为突出的问题。7 月 10 日和 19 日，内蒙古党委召开两次电话会议，要求狠抓人民生活安排；7 月 24 日和 26 日，先后发出《关于安排人民生活问题的紧急通知》《关于紧缩机构，精简人员，加强农业第一线领导力量的通知》。与此同时，内蒙古党委召开常委会、电话会、畜牧业工作会议、财贸书记会议、林区工作会议，专门研究农牧业生产、粮食问题、人民生活安排等问题，贯彻中央以农业为基础的方针，缩短基本建设战线，大办农业，开展以保粮为中心的增产节约运动，切实安排好面临极大困难的人民生活。8 月 8 日，发出《关于坚决压缩非农业人口的通知》；9 日，又发出《关于坚决压缩城市人口、迅速精简 13 万职工支援农业生产的指示》；12 日，发出《抓紧抢种晚秋作物种秋菜的紧急通知》,并决定自治区直属机关抽出 50% 的干部，奔赴农业生产前线，参加、指挥农业生产。13 日，召开“以保粮为中心的增产节约运动”电话会议，动员全党全民大办农业，战胜灾害，增加产量，夺取丰收；畜牧业以“百母百仔”为纲，抓好畜膘，抓好配种，备好过冬；要求各级党委、政府深入检查，采取有效措施，解决存在的问题。8 月 30 日和 9 月 1 日，内蒙古党委接连发出《关于立即贯彻执行中共中央〈关于开展以保粮保钢为中心的增产节约运动的指示〉的紧急通知》《关于执行中共中央〈关于全党动手，大办农业、大办粮食的指示〉的指示》。内蒙古党委如此一而再、再而三地发指示作决定，试图扭转由于粮食紧缺而引发的一连串困难，但是，积重难返，成效有限，面临的经济困难比 1959 年更为严重。

二、纠正“左”倾错误　实施调整方针

纠“左”调整的重大突破　“一九六〇年冬，党中央和毛泽东同志开始纠正农村工作中的‘左’倾错误，并且决定对国民经济实行‘调整、巩固、充实、提高’的方针（时称八字方针），随即在刘少奇、周恩来、陈云、邓小平等同志的主持下，制定和执行了一系列正确的政策和果断的措施，这是这个历史阶段中的重要转变。”①

10 月 23 日至 26 日，毛泽东召集华北、中南、东北、西北四个大区省、市、自治区党委主要负责人开会，主要讨论如何纠正和堵塞“共产风”的问题，并于 11 月初作出了《关于农村人民公社当前政策的紧急指示信》，虽然将以往作过的规定归纳为 12 条政策，② 但在当时具有极强的针对性。这是毛泽东和中共中央为纠正“共产风”和其他一些“左”的错误，而走出的重要一步。这时，毛泽东看到越来越多的反映农村严重情况的报告，“五风”造成的惨重损失，粮食严重减产，饿病逃荒现象大量出现，特别是有些地方的干部蜕化变质、违法乱纪、摧残人命、无法无天，对他震动很大，留下深刻的印象。

1960 年 12 月 24 日至 1961 年 1 月 13 日，中共中央在北京召开工作会议，议程三项：1. 关于农村整风整社和纠正“五风”问题；2. 关于 1960 年国民经济计划问题；3. 关于世界各国共产党和工人党代表会议的报告。与会者讨论第一项议程，毛泽东听了四次汇报，一面听汇报，一面插话发表意见。第一次主要汇报县、社、队情况和干部队伍情况，毛泽东把干部分为六类，有三类属于敌我矛盾，是坏的，只占 10%，要交群众撤职；有三类属于好人，占 90%，但认识、能力各有差别。毛泽东再次强调对平调问题“一定要退赔”；并希望多留一点自留地；对养猪重申实行公私并举，私养

① 中国共产党中央委员会：《关于建国以来党的若干历史问题的决议》，《三中全会以来重要文献选编》（下），人民出版社 1982 年版，第 738 页。

② 中共中央文献研究室编：《毛泽东传》（下），中央文献出版社 2003 年版，第 1101 页。

为主的方针。第二次汇报主要是整风整社，毛泽东肯定江苏省的提法，即反“左”必出右，反右必出“左”，有右反右，有“左”反“左”，有什么反什么，有多少反多少的所谓“新办法”，实际是对庐山会议后一味反右的修改，而且认识到“大办社有经济，必然刮‘共产风’”，从而改变了人民公社向社有经济过渡的认识。第三次汇报主要是粮食涨价问题，他主张只提收购价，不提销售价，以解决工农业产品不等价问题；关于退赔问题，他讲得更严厉，更坚决，指出县、社破产也要退赔，属于几个“大办”而平调的由国家退赔一部分。毛泽东再次对刮“共产风”承担了责任。他说：“刮‘共产风’，中央是有责任的，各省委把中央的责任担起来了。”听完汇报后，毛泽东讲了总结经验的问题，这几年说人家思想混乱，首先是我们自己思想混乱。一方面纠正“共产风”，纠正瞎指挥风；另一方面又来了几个大办，助长了“共产风”，不是矛盾吗？一九六〇年天灾更大了，人祸也来了。这人祸不是敌人造成的，而是我们自己造成的。今年一平二调比一九五八年还厉害。毛泽东在这里把工作中的错误称作人祸，可谓尖锐、深刻。他还深有感触地说：“现在看来，建设只能逐步搞，恐怕要搞半个世纪。”1961 年 1 月 3 日，毛泽东听第四次汇报，讨论 1961 年国民经济计划，主要讨论了钢铁生产指标。毛泽东提出的指标最低，只有 1 870 万吨，但仍然心存疑虑。他说：今年就是要缩短重工业的战线，延长农业轻工业的战线。从总体来看，毛泽东和中央其他领导人对工业战线的困难形势估计不足，基本上没有跳出高指标的框框。1 月 9 日，毛泽东听了第五次汇报，讨论新“三大纪律，八项注意”草案。

1 月 14 日至 18 日，中共八届九中全会在北京召开，李富春作了关于 1961 年国民经济计划主要指标的报告，并提出实行“调整、巩固、充实、提高”的方针。毛泽东再一次提出大兴调查研究问题，并派出 3 个调查组分赴广东、湖南、浙江，深入农村最基层作系统的历史的调查研究，指出：“今年这一年要大兴调查研究之风，没有调查研究是相当危险的。”“成绩、缺点要两面听，两点论嘛。成绩、缺点，正面、反面，光明面、黑暗面，已经认识了的世界和未被认识的世界等等，一万年也是这样。”① 在近两个月

---

① 中共中央文献研究室编：《毛泽东传》（下），中央文献出版社 2003 年版，第 1121 页。

深入的调查研究中，毛泽东提出公社、大队划小，生产小队改称生产队，人民公社三级为公社、生产大队、生产队。并对生产队与生产队之间、生产队内部人与人之间的平均主义，食堂问题，基本核算单位等问题及制定人民公社工作条例问题，广泛听取和交换意见，反思第一次郑州会议纠“左”、庐山会议从纠“左”到反右进程中的问题，进行深入的思考研究，最终于3月14日在广州召开的中央政治局常委扩大会议和3月15日至23日的中央工作会议上发表自己的意见。他针对平均主义说：“队与队之间的平均主义，队里边人与人之间的平均主义，从开始搞农业社会主义改造，搞集体化、搞公社化以来，就没有解决好。现在这个条例，就是要解决平均主义问题。”① 这是一个相当深刻的反思。他还认为“农业问题抓得晚了一些。这次一定决心解决问题。……农村问题，在一九五九年即已发生，庐山会议反右，使问题加重，一九六〇年更严重”②。3月22日，中央工作会议通过了《农村人民公社工作条例（草案）》，即“六十条”；同日，中共中央发出《关于讨论农村人民公社工作条例（草案）给全党同志的信》。广州会议和人民公社“六十条”草案纠“左”的程度，超过了第一次郑州会议以来的历次会议和文件，在纠“左”的道路上前进了一大步。当然，不是说人民公社的所有问题都已解决，有待进一步调查研究，逐步解决。

广州会议后，毛泽东和刘少奇、周恩来、邓小平、彭真等中央领导人以及各省、自治区领导人大力开展调查研究，通过重点调查农村中的若干关键问题，研究解决的办法，毛泽东形成解决问题的基本思路，并提出具体政策。在这次调查研究的基础上，于5月21日至6月12日，在北京召开了中央工作会议，修改《农村人民公社工作条例（草案）》，形成《农村人民公社工作条例（修正草案）》，否定了人民公社的“一大二公”，否定了供给制，否定了公共食堂；公社化以来毛泽东和中共中央的一些不符合实际、不利于生产发展的决定，一个一个地被推翻。毛泽东又一次回顾自郑州会议以来的这段历史，其中谈到庐山会议后中断反“左”而反右，“把好人、讲老实话

① 中共中央文献研究室编：《毛泽东传》（下），中央文献出版社2003年版，第1142页。
② 中共中央文献研究室编：《毛泽东传》（下），中央文献出版社2003年版，第1143—1145页。

的人整成了‘右倾机会主义分子’，甚至整成了‘反革命分子’”，犯了错误[①]，对一切受了冤枉的，都要平反；关于郑州会议精神、上海会议十八个问题基本上是正确的，而食堂和供给制问题是不正确的；提出搞几个“大办”，助长了“共产风”再度泛滥；整风整社，开始主要整三类县、社、队，强调夺权斗争，经过调查研究发现，“五风”是农村中主要的普遍的问题。总之，这次总结触及许多实质性问题，作出一些比较符合实际比较公正的论断。毛泽东还建议，八月在庐山召开中央工作会议，开一个心情舒畅的会。

8月23日至9月16日，召开了第二次庐山中央工作会议，主要议程是粮食问题，市场问题，两年计划和工业问题，工业企业管理问题，高等学校工作问题，干部轮训问题。会议听了六个报告，讨论通过了《中共中央关于当前工业问题的指示》《国营工业企业工作条例（草案）》（简称“工业七十条”）、《中华人民共和国教育部直属高等学校暂行工作条例（草案）》（简称“高教六十条”），还作出《中共中央关于轮训干部的决定》。庐山会议虽然主要是研究工业问题，但毛泽东仍然说：“刚搞了一个‘六十条’，不要认为一切问题都解决了。”[②] 他认为基本核算单位问题，“六十条”就没有解决。于是，毛泽东又进行了大量的专题调查研究。从广州会议上提出把公社基本核算单位放到生产队（即小队），没有被通过；又经过半年的调查研究，反复思考，多方商量，下定决心解决“三级所有，队为基础”，即基本核算单位是生产队而不是大队。他说：“在这个问题上，我们过去过了六年之久的糊涂日子（一九五六年，高级社成立时起），第七年应该醒过来了吧。”[③] 这是一句多么意味深长的话。10月7日，中共中央关于农村基本核算单位问题的指示，经过毛泽东审阅修改后发出，要求各级党委有关领导再用一个月时间进行调查研究，全党兴起又一轮大规模的调查研究工作，确认毛泽东的意见是正确的。12月20日至1962年1月10日，召开中央工作会议，毛泽东说：“对于过去走弯路的看法，应该首先由中央负责，然后是省

① 中共中央文献研究室编：《毛泽东传》（下），中央文献出版社2003年版，第1163—1164页。

② 中共中央文献研究室编：《毛泽东传》（下），中央文献出版社2003年版，第1175页。

③ 毛泽东：《给中央常委的信》，《毛泽东文集》第8卷，人民出版社1999年版，第284—285页。

委，然后才是地委、县委。”“这几年的高指标、高估产、高征购、高分配和几个大办，大办水利、大办交通、大办养猪场等，都是中央的。……四高，几个大办，供给制，食堂，这些都是错误的，做了有损于人民利益的事。”① 这是对过去几年工作中的错误及责任问题，作了明确的表述。会议通过了中共中央《关于改变农村人民公社基本核算单位问题的指示》，决定将人民公社基本核算单位下放到生产队，并于1962年2月13日发出。这是公社体制上的重大调整，是对“六十条”的重要突破。

这次会议，充分发扬民主，大家畅所欲言，对工作中的缺点和错误，敢于揭露和批评，总结了建国以来特别是1958年以来的成绩和经验教训，是一次具有重要意义的会议。但是，其局限性是仍然肯定“三面红旗”是完全正确的，没有也不可能从根本上改变“左”的指导思想。

农村牧区政策的重大调整 内蒙古党委按照中央的部署，沿着全国调整国民经济“八字方针”，纠正“左”倾错误的进程，结合内蒙古的实际，贯彻中央的方针、政策和各项措施，动员、组织各级领导从调查研究入手，召开一系列会议，并深入基层，进行细致的调查研究，制定了若干政策和措施，努力扭转困难局面，取得了较好的效应。从1960年11月开始，内蒙古党委对于中央每一次会议的精神和毛泽东的指示，认真传达学习，针对内蒙古存在的实际问题，制定了相应的政策措施，大力贯彻实施。

11月24日至12月4日，内蒙古党委召开一届十二次全委扩大会议，根据中央关于人民公社当前的十二条政策，讨论纠正自治区人民公社工作中的偏差，改进工作作风，安排群众生活等紧迫问题，着重人民公社实行“三级所有，队为基础（即生产大队）”所有制至少7年不变；彻底纠正“一平二调”的错误；允许社员经营少量自留地、自留畜和家庭副业等直接关系农民权益的问题。内蒙古党委就会议讨论的问题，发出了《关于农村人民公社当前政策问题的补充规定》。会议同时通过了内蒙古党委《关于牧区人民公社当前政策的若干规定》，②共有13条，除了重申当时中央关于人民公

① 中共中央文献研究室编：《毛泽东传》（下），中央文献出版社2003年版，第1188页。

② 参见中共内蒙古自治区委员会党史研究室编：《六十年代国民经济调整——内蒙古卷》，中共党史出版社2001年版，第149页。

社的统一政策外，从牧区的民族特点、地区特点、经济特点、生产特点出发，制定了一系列特殊规定。（一）关于牧区人民公社的体制，实行“三级所有，队（大队）为基础”，中央要求农区七年不变，而牧区需要时间更长一些；不再新办基本社有制和全民所有制试点，已经试办的，确实办得好，群众满意的，可以继续办，否则坚决停办，恢复基本队有制；并入国营农牧场的社、队，对发展生产有利且群众满意的，可以不变，否则坚决分开；对已经并入国营农牧场的公私合营牧场，应坚决办好，否则应该分开；公私合营牧场的过渡问题，应当慎重对待。（二）关于发展牧区的农业经济，实行种植业与饲养业相结合和牧区粮食、饲料、蔬菜自给的方针，积极地有计划地发展牧区农业经济，改变单一牧业经济的状况；牧区发展农业，实行社队、国家并举的两条腿走路的方针，依靠国家的力量，举办国营机耕农场，公社生产队劳动力允许的也应积极兴办，但应以社办农场或领导组织农业生产队为主，也可举办社队合营的农场，劳动力多余的生产队可建农业专业小队，举办队办农场。牧区发展农业，必须遵守如下规定：1. 发展农业，开垦草场，必须坚决执行牧区人民公社现阶段三级所有、队为基础的根本制度；开垦草场，不得侵犯生产队的利益，破坏草场，影响畜牧业生产。2. 发展农业，开垦草场，首先是为发展畜牧业服务。3. 开垦草场，必须经过公社、生产队、生产小队的允许，并要共同商量、全面规划、因地制宜、发展农业，统一安排打草草场和放牧草场，不得有碍畜牧业发展。4. 开垦农田，必须选择有水利或保墒条件之处。5. 绝对禁止开垦沙地、陡坡地，以防沙化与水土流失，已垦沙地、陡坡地，要种草植树，加以补救。6. 开垦农田，要营造防护林带，保护农田，改造自然，造福后代。另外，对已垦草场，均按上述原则检查处理，妨碍畜牧业生产的坚决退还或合理调整；公社、国营农牧场平调生产队生产资料的，坚决清理，彻底退还；国营农牧场生产的粮食，除留种子、口粮、饲料外，其余全部上缴国家；公社、生产队生产的粮食，国家只计产量，不计征不计购，饲料地计产不计征购，实行专种、专收、专藏、专用政策，不得挪用。这些方针、政策、措施虽然不能改变人民公社化的总政策，但是体现了内蒙古在牧区坚持“稳、宽、长”的原则，对抑制“左”倾错误产生了一定的积极作用。

在1961年大兴调查研究之际，内蒙古党委按照中央的统一部署，一面进行调查研究，一面继续解决“左”倾错误造成的困难。1月1日，内蒙古党委发出《关于整风整社必须集中力量打歼灭战的紧急通知》，①针对有些地方对整风整社的严重性和艰巨性认识不足，没有重点、不分批次、不搞试点、全面开花，干部力量严重不足等情况，要求各级党委在整风整社中以反对“五风”和“三风”为中心，全面贯彻中央的十二条政策。首先整顿问题严重的社队，先行试点，后分阶段进行；整顿公社干部队伍，培养、组织积极分子，形成骨干力量；不同类型的社队采取不同的作法。1月25日至2月9日，内蒙古党委召开一届十三中全委扩大会议，乌兰夫传达了中央工作会议和中共八届九中全会精神，与会者进行了认真热烈的学习讨论。最后根据会议讨论的问题和共识，整理并发出《关于农村牧区整风整社问题的讨论纪要》②，对前段整风整社作了简要估计，并安排了继续整风整社工作，要求以中央十二条政策为纲、为中心进行整风整社；集中力量整顿三类社队；整风整社要集中兵力，打歼灭战；以纠正“共产风”为中心，纠正其他“四风”；旗县及其以上各级部门，也必须彻底整风；按照内蒙古党委规定的步骤和方法，边整边改，不断整顿工作队伍。

“纪要”重点提出：关于牧区整风整社问题；彻底清算平调账目，坚决退赔；若干政策问题。

一、牧区整风整社，不能与农村完全一致，第一，必须从当前牧区牲畜过冬度春，接羔、抗灾保畜的大忙季节出发，密切结合生产进行整风整社，要有利于发展生产。第二，必须缩短战线，坚持集中兵力，打歼灭战的方针。第三，突出地解决“六固定”“三包一奖”和生产小组“三定”（定人、定畜、定设备）、“五保证”（成畜的成活、繁殖、保育、畜膘、畜产品），切实建立小队的部分所有制。第四，整风整社必须以牧业队为重点，一般单位有计划地放在后面逐步解决。第五，平调的财物要坚决退赔兑现。第六，按内蒙古党委规定的政策检查自留畜问题，没有按政策留的，应予补留；留后收回的，应予退还；对自留畜管得过严，卡得过死的，一律按政策规定办事。

二、彻底清算和坚决退赔各级平调的耕地、物资、劳力、牲畜、房屋、

① 参见内蒙古党委学习编委会编：《学习》第324期。

② 参见内蒙古党委学习编委会编：《学习》第328期。

现款，是彻底纠正“共产风”及其他几个歪风，取信于民，调动群众积极性的重要步骤，是关系到群众切身利益的重大问题，要有“破产还债”的决心。第一，旗县以上各级各部门和社队各级的账，都必须认真清理，坚决退赔，谁调的谁退赔，从哪里平调的退赔到哪里。第二，清算平调账和退赔兑现，必须走群众路线，都要经过群众充分讨论。第三，要强调退赔实物，并付给使用报酬；实物破损的修好退还，并给以适当补贴；没有实物的用其他等价实物抵偿，不许留下可以退赔的实物。第四，没有可退赔的实物，再用现金赔偿。首先动用社队资金，而后动用旗县和企业、事业单位小公有资金，不足时再由自治区统筹解决，由国家补助。第五，社队小集体和社员个人欠国家的到期贷款、预购定金、赊销欠款和挪用国家的物资，要在这次清理平调账和退赔兑现后，另行处理。第六，1960 年的分配，必须经过群众讨论，落实兑现；公社化以来的分配账，未清理的也要清理；干部贪污的，必须坚决退赃；部分社员和干部超支的，也要如数算清。第七，1959 年纠正“一平二调三收款”的错误时，没有算清退赔的，应一并清算退赔。第八，在一个基本核算单位内，侵犯小队小部分所有制的，坚决退赔。第九，旗县以上各级机关、团体、学校、部队平调群众耕地、劳力、物资等，应迅速算清账目，春耕前一律退赔完毕；工厂企业长期占用公社的车辆等工具，应算清使用期间的经济账，春耕前必须退还实物。第十，供销社转为国营商业后，应迅速清理股金、红利，一并退给社员；信用社、医药社、兽医社，股金未分红的，应即清理，分给社员。第十一，地主富农依法应有的房屋和物资被平调者，应与农民同样退赔，不能采取没收政策。第十二，社员 1960 年自种的自留地产品，由食堂收走的，如何退赔，交由群众讨论处理。

三、关于政策问题，共有 18 项。其要点：1. 整风整社中区别对待各类干部，地富反坏分子和蜕化变质分子属敌我矛盾，坚决清除，情节恶劣者依法制裁；官僚主义分子属人民内部矛盾，因其不顾党的政策，危害人民利益，一意孤行，屡教不改，必须严肃处理，着重进行教育改造；对违背中央政策，犯一般错误者，错误责任属上级领导机关的，上级承担责任，属本人者本人承担责任，帮助其在群众中进行自我批评，揭发、批判“五风”错误，一般不予处分。干部的处分面不宜过宽，并按组织程序审批。2. 节约粮食，在粮食未过关以前坚持低标准、瓜菜代的政策。3. 社员自留地，应按内蒙古党委当前人民公社政策规定，补充自留地和食堂菜地，合计占当地耕地的7%，社员自留地占5%，食堂菜地占2%。根据不同地区土地多少，土质好坏，可适当调整，二十年不变。4. 西部地区照顾蒙古族而规定的土地报酬仍然有效；蒙民自留地过去有照顾者仍然照顾，一般应多于汉族社员30%；蒙古族社员和有饲养牲畜习惯的少数民族社员的自留畜，应予以适当照顾；养猪要公养私养并举，以私养为主，鼓励社员发展鸡、鸭、鹅、兔、羊等家禽、家畜和经营其他小规模的家庭副业；保护和发展耕畜，切实建立饲养和役使的责任制，允许社员私养一两头大牲畜。5. 恢复与发展农业生产和人民生活所需要的手工业；放手活跃农村集市，要活而不乱，管而不死，不要作过多的限制；社员家庭养猪积肥和所积各种土杂肥、人粪尿肥，生产队使用应按质作价收买。6. 要切实贯彻以农业为基础的方针，动员各行各业支援农业；从各方面调整和压缩劳动力，充实农牧业生产第一线；适当降低农牧业生产资料价格，凡是质量坏，不能使用的农牧业生产资料，应由销售部门收回。7. 整顿旗县以下的中学、小学、农业中学；民兵集训停办，实行劳逸结合。8. 牧区牧主、庙仓牲畜和物资凡被平调的，与牧民一样进行退赔。这是1961年开始时，内蒙古党委对农村牧区整风整社、纠正“五风”、反对“三风”所发出比较具体且有力度的政策措施，使纠偏“工作”前进了一步。

之后，从4月到7月底，内蒙古党委根据中央的精神，在大量的调查工作的基础上，对内蒙古自治区农村、牧区人民公社的方针、政策进行了反复研究。根据3月中央工作会议通过的《关于农村人民公社工作条例（草案)》（即农业“六十条”）的精神，4月22日，内蒙古党委提出了《关于农村人民公社规模和体制的调整方案（草案)》①和《关于执行〈农村人民公社工作条例（草案)〉的补充规定（草案)》。② 关于公社规模，结合内蒙古的实际，根据居民分布、自然条件等差别，一般调整为1 500户左

① 参见中共内蒙古自治区委员会党史研究室编：《六十年代国民经济调整——内蒙古卷》，中共党史出版社2001年版，第189页。

② 参见中共内蒙古自治区委员会党史研究室编：《六十年代国民经济调整——内蒙古卷》，中共党史出版社2001年版，第192页。

右，大的在 2 000 户以上，小的在 1 000 户以下，全自治区公社调整为 1 000 个左右为宜；生产大队一般调整为 150 户左右，每个公社为 10 个左右生产大队，全自治区的生产大队大体调整为 10 000 个左右；生产队户数以二三十户至五十户左右为宜，全自治区生产队大体调整为 35 000 个左右。公社体制仍为“三级所有，队为基础（大队）”；如果生产大队单位小，人口集中，可不设生产队，实行两级所有，队为基础，两级核算的管理体制。

《关于执行〈农村人民公社工作条例（草案）〉的补充规定（草案）》对中央的《农村人民公社工作条例（草案）》（简称《条例（草案）》）作了 40 条补充规定，结合内蒙古的民族特点、地区特点，使《条例（草案）》试行更具体，有针对性。除一般性规定外，其要点与特点：

1. 关于人民公社的体制和规模中，根据内蒙古的居民分布、人口状况和自然条件，如果在一个原高级社基础上建立的公社，可实行以公社为主的两级核算；个别公社已经实行以公社所有制为基础，进行分级管理的统一核算的，如果生产有发展，社员收入有增加，社员满意的也可不再改变；蒙古族及其他少数民族聚居的村屯，虽然户数较少，如与其他村屯联合成立一个生产大队，但统一经营统一分配不能解决原来收入水平的差别，应当允许他们自行建立生产大队单独核算；在偏僻分散地区，虽然户数较少，应允许其单独组成生产大队，建立基本核算单位，或由附近较大的生产大队领导，成立生产队，实行单独核算，自负盈亏。

2. 关于各级社员代表大会和社员大会的职权，明确要求代表要有广泛性，特别是少数民族社员和有经验的老牧工都要有适当数量的代表，并确定了各级社员代表大会代表的名额和选举程序与法定要求。

3. 关于经济管理，旗县人民委员会可将大片荒地、草场、山林、经济林木、水面、苇塘、盐碱地、药材和矿产等，据情划给公社经营管理，公社亦可划给生产大队经营管理；公社必须首先领导好农业生产，还要加强对畜牧业生产、林业生产、副业生产、渔业生产的领导，农牧林副渔全面发展；公社要加强经济作物生产的领导，以种植经济作物和蔬菜的大队，其口粮以当地余粮户标准供应，并对种植经济作物的社、队按交售任务给予奖励；社办企业，以服务于农牧业生产为主，不宜多办。

4. 关于生产大队和生产队的职责、权利、义务，规定得更加具体，更加细化量化，要求更加明确，增强了可操作性。

5. 对社员规定了5条权利4条义务；还有经批准允许开垦零星土地，种植饲草饲料，发展畜牧业的特殊规定；对于少数民族社员根据其特长和生活习惯，帮助解决家庭副业生产的困难，帮助增加收入；对于社员违反公社的规定和制度，也有惩戒规定；各族社员对于民族间的风俗语言、生活习惯，必须相互尊重，以利团结生产。

6. 公社各级组织要保持精干，公社、大队两级干部合计占总人口的7%—10%；大队干部实行定工劳动，完成者享受与社员同等供给待遇，未完成者核减，因公误工实行定额补贴，亦可实行定工劳动，定额补贴，年终奖励；生产队干部补贴工分，由旗县统一规定。

6月15日，中央决定将《农村人民公社工作条例（修正草案）》,下发至全国农村党支部和人民公社讨论和试行。6月19日，中共中央又发出《关于纠正平调错误、彻底退赔的规定》①，提出要求明确严格，措辞强硬的8条规定，上自中央各部门，下至生产队，凡是抽调或者占用了生产大队、生产队和社员个人的生产资料、生活资料、劳动力和其他财物的，都必须彻底地清算和退赔。谁平调谁退赔，从哪里平调的退赔到哪里，而且必须归还到原主手里，不准挪用、不准克扣，单位平调的还应向群众作检讨。被平调和退赔的项目包括：农民迫切需要的生产资料和生活资料、牲畜、土地、林木、劳动力、房屋和其他财物。并确定了处理的硬性原则：确定退赔要分期、分批、有计划、有步骤地进行；要安排退赔物资的生产和供应；要设立领导退赔工作的专门机构；要求退赔工作必须充分走群众路线；通过彻底退赔来教育干部。7月20日，内蒙古党委作出《关于全面实施〈农村人民公社工作条例（修正草案）〉的步骤和办法的规定》,要求各旗县召开旗县、公社、生产大队、生产队四级干部会议传达贯彻。

内蒙古党委从1960年12月4日作出《关于牧区人民公社当前政策问题的若干规定》以后，在历次讨论和作出有关人民公社问题的指示、纪要、规定中，均涉及牧区人民公社的问题，同时着手起草《内蒙古自治区牧区

① 参见内蒙古党委学习编委会编：《学习》第332期。

人民公社工作条例》,并于7月27日将该条例“修正草案”下达牧区试行。

《内蒙古自治区牧区人民公社工作条例（修正草案）》共有12章80条①，在《农村人民公社工作条例》的总体框架和农村人民公社制度的基本原则下，从内蒙古牧区的民族特点、畜牧业经济特点、生产特点和自然条件出发，制定了这一非同一般的人民公社工作条例。其特点：第一，人民公社的性质、任务、组织和规模；人民公社的社员代表大会和社员大会；公社、生产大队、生产队管理委员会；社员和社员家庭副业；干部；人民公社各级检察委员会。人民公社中的党组织等9章58条的框架和内容，与中央发布的《农村人民公社工作条例》10章60条基本相同，但是根据牧区的特点，设了78个子条文，将内容具体化，特别是有许多民族特点、地区特点、生产特点的内容，具有解决实际问题的针对性。第二，增加了“生产经营”；“财务管理、劳动报酬和收益分配”；“定居和文教卫生”等3章22条。在生产经营方面，规定牧区人民公社的生产经营要全面贯彻执行“以牧为主，农牧结合，发展多种经营”的方针；要以“稳定、全面、高速度地发展畜牧业”为牧区人民公社的中心任务；提高总增率，合理规定纯增率；实施“水、草、繁、改、管、防、舍、工”等八项措施，实现技术改造；发展水利，打井、开渠、掏泉、建水库；解决饲草饲料，充分利用自然草原，合理利用牧场，逐步实现划区轮牧，建设饲草料基地，种草种料；提高成活率，开展“双满”（满膘、满怀）、“五全”（全配、全孕、全生、全活、全壮）、“百母百仔”运动；改善饲养放牧管理；防治疫病，防止狼灾兽害；盖棚、搭圈、建造厩舍，抵御自然灾害；改革现有工具，增添现代化设备；要保护牧场，改良牧场，合理利用牧场，对于沙漠草原、干旱草原、丰美草原采取不同的办法保护、改良、利用；固定牧场使用权，所有社队不得侵占其他社队的牧场；在自治区和各级领导机关的统一规划下，发展为畜牧业服务的农业经济，牧区生产的粮食，只计产、不计征、不计购；要促进牧区手工业、交通运输业、商业的迅速发展，为牧区生产和社员生活服务。在财务管理、劳动报酬和收益分配方面，要求必须执行严格的财务计划管理制度，明确了

① 参见中共内蒙古自治区委员会党史研究室编：《六十年代国民经济调整——内蒙古卷》，中共党史出版社2001年版，第2161页。

财务计划管理的内容及管理办法，坚持勤俭办社方针，合理使用资金；建立严格的财务制度、手续和物资保管制度，防止贪污舞弊，定期检查财务制度和物资保管制度；实行按劳分配，多劳多得，男女同工同酬的劳动报酬原则，避免平均主义，技术劳动报酬应高于普通劳动报酬，按月或按季度定期发放劳动报酬，明确了评定工分的办法与标准；生产队从包产中所得收入，要全部分给社员，其他各项收入，可以全部分给社员，或大部分分给社员，扣留小部分作为积累。定居和文教卫生方面，要求必须积极地、有计划地引导牧民定居，改变牧区居住条件和游牧生活，以利提高牧民的政治文化水平和健康水平，促进畜牧业生产的发展，实现牧区的“人畜两旺”，并对建设定居点提出具体要求；办好学校教育，普及小学教育，举办业余技术学校，开展扫盲工作，开展文化体育活动，发展民族歌舞和“那达慕”活动，发行报刊、书籍，提高社员的文化水平，增加科学知识；发展卫生保健事业，团结汉医、蒙医、西医工作者，开展爱国卫生运动，促进牧区人口兴旺。这完全是针对牧区的实际，制定的特殊条款，虽然不可能从根本上解决人民公社消极因素，但对于消除“五风”和“三风”具有一定的积极作用，促进了牧区畜牧业生产的恢复、发展。

《农村人民公社工作条例》“草案”“修正草案”及内蒙古党委为执行中央的方针、政策历次所发的指示、纪要、规定，几经调查研究，反复试行、修改，以及《内蒙古自治区牧区人民公社工作条例（修正草案）》的制定实施，逐步规范了人民公社制度，遏制了“五风”和“三风”的发展，对于调动农牧民的积极性，发展农牧业生产，度过经济困难时期，发挥了重要作用。

工业、商业、教育、科学、文化等战线的调整　中央在整风整社，调整人民公社体制和政策的过程中，在经济方面，于1961年9月16日同时发出《国营工业企业工作条例（草案）》（即“工业七十条”）、《关于城乡手工业若干政策问题的规定（试行草案）》（即“手工业三十五条”）、《关于改进商业工作的若干规定（试行草案）》（即“商业四十条”）；在教育、科研、文化方面，陆续制定了《教育部直属高等学校暂行工作条例（草案）》（即“高教六十条”）、《关于自然科学研究机构当前工作的十四条意见》（即“科研十四条”）、《关于当前文学艺术工作的意见（草案）》（即“文艺八条”)；另外还有《关于减少城镇人口和压缩城镇粮食销量的九条办法》《关于确定林权、保护山林和发展林业的若干政策规定（试行草案）》等一系列相关的工作条例和规定。这是贯彻调整国民经济“八字方针”，纠正各条战线上的“左”倾错误的重要举措。

内蒙古党委在农村牧区整风整社，调整人民公社政策的同时，对工业、商业、手工业、基本建设、教育等战线的方针政策进行了调整，作出相应的决定。

（一）调整工业。中央关于“工业七十条”的要点：国营工业企业是社会主义的全民所有制的经济组织，又是独立的生产经营单位，国家对企业实行“五定”（定企业的产品方向和生产规模，定人员和机构，定主要原料、材料、燃料、动力的消耗定额和来源，定固定资产，定流动资金），企业对国家实行“五保”（保证完成产品的品种、质量、数量，保证不超过工资总额，保证完成成本计划，保证完成上缴利润，保证主要设备的使用期限）；加强企业间的相互协作关系，协助双方签订经济合同，协作任务纳入计划；企业内部实行严格的责任制度，实行党委领导下的厂长负责制；严格企业的技术管理，总工程师对技术工作负全部责任；实行全面的经济核算和财务管理制度，勤俭节约，讲究经济效果；实行职工劳动报酬按劳分配的原则，反对平均主义，从实际出发，可实行计时工资和计件工资；实行企业职工代表大会制度，吸收广大职工参加企业管理和行政监督；企业在行政上实行由一个主管机关单头领导。

内蒙古党委随即召开全区工业书记座谈会议，研究贯彻中央“工业七十条”。10月14日，发出贯彻“工业七十条”的指示，要求贯彻“工业七十条”必须从自治区工业企业的具体特点出发，其中“重要特点之一，是三新（新人、新厂、新设备），各方面的条件与条例草案的要求尚有一定距离。因而条例草案的贯彻实施必须是逐步的。目前，能实行哪一条就实行哪一条，能定哪一条就定哪一条；先定主要的，后定次要的；先定急需的，后定不急需的；先定容易的，后定困难的。在国家对企业的‘五定’一时定不下来的情况下，要先搞企业内部，企业对车间、车间对小组的几‘定’几‘保’，对于国家对企业的几‘定’几‘保’要积极主动地进行工作，提出方案，创造条件，不要消极等待。”“五定五保方案中所规定的各项指标必须落实，必须留有余地，切实可行。”① 并对学习、讨论和试点、试行“工业七十条”工作作了具体部署。11 月 1 日，内蒙古党委又作出贯彻执行中央关于当前工业问题指示的具体安排。一是切实作好工业规划，系统地调整工业，“调整的中心是把过了头的退下来，把被挤掉的恢复发展起来，使整个国民经济逐步地活跃起来”，“调整应该有退有进，该退的必须坚决的退，该进的必须积极地进”，自治区首先要抓住煤炭生产和交通运输这两个中心环节，带动整个工业调整工作；二是必须认真调整机械工业，以服务于农牧业为中心，把修配放在首位，把制造的高指标压下来，停止生产不合需要、不合标准的产品，查清销出的不能使用的产品，能返修、改制、配套的进行返修、改制、配套，不能者坚决回炉处理，造成的损失由财政部门报销或抵交利润；三是地方冶金和建筑材料工业，主要是加强企业管理，提高技术水平，增加产品品种，扭转赔钱局面。对中央调整工业的方针政策和自治区工业的状况，经过反复研究，逐步形成调整方案，要使调整、巩固、充实、提高的方针，在三年内切实见效。

（二）调整手工业。中央关于“手工业三十五条”的要点：在整个社会主义阶段，手工业的所有制分全民所有制、集体所有制和社会主义经济领导下的个体所有制，其中集体所有制是主要的；手工业合作社是手工业的主要组织形式；原来的手工业合作社转为国营工业或公社工业，如不利于生产，不便于群众生活，必须坚决调整为手工业合作社或手工业合作小组，被无偿调用的资产和社员股金必须坚决退赔；手工业合作社原则上实行入社自愿，退社自由，经济民主，自负盈亏；手工业合作社必须实行按劳分配原则，坚持民主办社、勤俭办社方针。“手工业三十五条”对手工业生产的组织规模、手工业生产者的归队；收益分配和工资福利、产销价格、企业管理等作了具体规定。

7 月 31 日，内蒙古党委提出执行“手工业三十五条”的意见，② 指出

① 内蒙古党委：《关于贯彻执行〈中共中央关于讨论和试行国营工业企业工作条例（草案）的指示〉的通知》（1961 年 10 月 14 日），《六十年代国民经济调整——内蒙古卷》，中共党史出版社 2001 年版，第 282 页。

② 内蒙古党委：《关于贯彻执行〈中共中央关于城乡手工业若干政策问题的规定（试行草案）〉的意见》（1961 年 7 月 31 日），《六十年代国民经济调整——内蒙古卷》，中共党史出版社 2001 年版，第 247 页。

对目前手工业的所有制，进行必要的合理的调整，是恢复发展手工业生产的中心环节。在调整工作中必须注意：1. 凡是过渡为地方国营的手工业合作社和合作工厂的，原则上都应恢复为集体所有制的手工业合作社或合作工厂。但是国家投资多、生产机械化程度高，能够成批成套生产半机械化农牧机具的，可不再变动，而小型烘炉、锻工、金属制品车间，应划出组织社（组），生产名牌的老工人和车间必须归队。转为公社企业的原集镇和公社的手工业合作社（组），恢复手工业合作社（组）或合作工厂；凡不能发挥职工积极性和企业管理不便的，可恢复为手工业合作社（组）。2. 调整的原则，成建制过渡的成建制转回来；部分转走的部分转回来；零星分散在其他厂矿企业的老技术工人，原则上分散在哪里就从哪里调回来；坚决退还转厂时社员的股金和合作社的公积金、公益金和其他资金，以及设备、厂房等，已经动用和损坏的必须如数赔偿，转厂过渡期间新增加的设备和其他资产，凡转回来的手工业合作社需要的，拨给其继续使用。3. 调整工作必须有计划有步骤地进行，先调整主要行业特别是为农牧业生产、市场急需和季节性较大的行业；行业不相近、协作关系少、行业混杂的，要坚决迅速地分开；凡生产小农具、日用家具、小商品、传统产品、名牌产品的手工业合作社，应尽先恢复。4. 建立以手工业合作社（组）为主要形式的集体所有制的各种手工业组织形式；凡规模过大的坚决划小，行业混杂的坚决划开，过分集中的坚决分散。同时，对农村工人、老手艺人的安置，调整收益分配、工资福利，建立民主管理制度，恢复生产等问题，提出了明确的要求。调整手工业的方针政策和措施，对于纠“左”和调整经济，促进工农牧业生产的恢复与发展，改善商业流通和市场供应，活跃城乡人民的经济生活，起了重要作用。

（三）调整商业。中央关于“商业四十条”的要点：在全民所有制与集体所有制之间，农业同工业之间，必须坚持等价交换的原则；对于各种农产品，根据对国计民生的重要性，分别采取统购、定购和议购的政策征购；适当提高若干农产品的收购价格，供应农业生产的工业品，不得随意提高价格，建立和健全物价委员会，加强物价管理；恢复过去撤销或合并的农村供销社，恢复过去拆散的合作商店、合作小组，开展农村集市贸易，允许农民出售完成国家合同任务后的农产品；恢复物资交流会、庙会、合作货栈、骡马大店等传统的商品流通形式，疏通农副产品和手工业产品的销售渠道；商业行政部门与商业企业分开，恢复必要的专业公司；工商之间、国营商业与供销合作社之间实行选购商品制度，零售商店有权选择批发单位进货或直接从厂家进货；商业企业建立和健全各种责任制度，改善经营管理，商店营业时间应方便群众，定期公布限量供应商品的进出账目。

7 月 29 日，内蒙古党委提出试行“商业四十条”的意见①：1. 从自治区到盟市、旗县要在 8 月中旬以前恢复供销合作社联合社机构，配备干部，立即开展工作；必须在 9 月底以前以现有人民公社的供销部为基础，恢复农村牧区基层供销合作社；经过发动群众，清理资产，办理交接，召开社员代表大会，把全民所有制改变为集体所有制；原则上以人民公社为单位建立统一核算、自负盈亏的基层供销社，大队设分销店；根据促进生产，便利消费，合理流转，有利经营的原则进行调整；公社供销部职工全部移交供销社，不得调出，已经调出的熟悉供销合作社业务的骨干力量，必须组织一批归队；各级供销合作社职工工资和福利待遇维持现状不变；旗县以上各级联社的开支，照常由国家财政支付；原供销社的股金和红利，在供销社与国营商业合并时划转为银行贷款的公积金，分别由国营商业和国家财政退给供销合作社，作为流动资金，不足时从银行贷款解决，暂不从农村牧区筹集社员股金。2. 恢复合作商店、合作小组，凡同国营商业网点合并、改组升级或交给城市人民公社管理的，一般都要划出来，其成员和小商小贩，一般也要转出来，原来转到农牧业和手工业的不再归队；合作商店的网点以便利群众、便于经营为原则，规模不宜过大，合作小组原则上自由结合，其成员的资金，人到哪个店、组带到哪个店、组；合作商店和小组的工资制度，贯彻按劳分配、多劳多得的原则，民主讨论决定采取什么形式。3. 恢复与组织农村集市贸易，农村组织交流会和庙会，牧区和半农半牧区的纯牧区主要以那达慕大会形式，组织物资交流，建立城镇交易市场，便于郊区农民出售农副产品；由国营商业、供销合作社、粮食、税务、银行、工商行政、公安等有关部门和集市所在地社、队负责人组成集市贸易或交易市场管理委员会，

---

① 内蒙古党委：《关于试行〈中共中央关于改进商业工作的若干规定（试行草案）〉的几点意见》（1961 年 7 月 31 日），《六十年代国民经济调整——内蒙古卷》，中共党史出版社 2001 年版，第 242 页。

领导和管理农村集市和城镇交易市场；集体和个人在集市、交易市场或通过贸易货栈出售应纳税产品，均应照章纳税；国营商业或供销合作社应在铁路沿线城镇、交通要道、农牧土副产品集散市场建立贸易货栈或合作货栈；4. 根据稳定物价的方针，适当提高农牧土副产品价格，经过充分的调查研究，提出方案，按照物价管理权限，分期分批进行适当调整；允许生产者和消费者在集市按双方议价成交，不要限制。5. 恢复同农村商业有关的农牧产品加工作坊，如油坊、豆腐坊、粉坊、酱醋坊、牧区的皮毛加工作坊。10 月 10 日，发出《关于当前市场问题的批示》[①]，根据场上票子多，商品少，物价上涨的突出问题，提出：1. 挖掘工业品货源，尽量投放到农村牧区，支持以粮食为中心的农牧土副产品收购，合理分配商品；切实安排生产，增加当地工业产品和手工业产品，提高产品质量；清查和调剂各部门和各单位的积压物资，增加工业和手工业的生产原材料，增加商品货源，支持农、牧、土、副产品的收购。2. 改进农牧土副产品的收购办法，从促进农牧业生产、工业生产和国民经济的发展出发，统筹兼顾，全面安排；兼顾国家、集体、个人三方面的利益，发挥生产大队、生产队和社员的生产积极性；应当城乡兼顾，内外兼顾，保证各方面的需要。3. 控制货币投放，增加非商品性的货币回笼。内蒙古的调整商业的政策措施，从民族特点、地区特点和当时实际出发，初步整顿了被“左”倾错误搞乱的商业秩序，为农业、牧业、工业发展提供了支持，为恢复人民的生活作出了贡献，成为度过经济困难时期的重要环节。

（四）调整教育、科技、文化。中央关于“高教六十条”“科研十四条”“文艺八条”的政策，为教育、科技、文化的调整确定了方针与原则。

“高教六十条”的要点：高等学校的基本任务是贯彻执行党的教育方针，培养建设社会主义的各种专门人才；学校以教学为主，提高教学质量，纠正社会活动过多、生产劳动过多、影响正常教学的现象；学校实行党委领导下的以校长为首的校务委员会负责制，充分发挥校长、校务委员会和各级行政组织的作用；要正确执行党的知识分子政策，团结一切可以团结的知识

① 内蒙古党委:《关于当前市场问题的批示》（1961 年 10 月 10 日），《六十年代国民经济调整——内蒙古卷》，中共党史出版社 2001 年版，第 277 页。

分子为教育事业服务。与此同时，中央批准试行中小学工作条例，指出中小学是整个教育事业的基础，提高中小学教育质量是关系培养有社会主义觉悟有文化的劳动者，关系高等教育和科学研究的水平，具有战略意义的任务。

内蒙古党委及时作出贯彻执行中央“高教六十条”的指示，1. 实行教学为主，提高教学质量，每年的教学时间在8个月以上，假期两个月到两个半月，学生参加劳动时间为一个月到一个半月，校内副食品生产劳动纳入学生劳动计划之内，保证教学计划的完成和教学质量的提高；科学研究密切配合教学，教学计划、教学大纲力求相对稳定；加强基础理论、基本知识课程的教学和基本技能的训练。2. 正确执行党的知识分子政策和“百花齐放，百家争鸣”的方针，调动教师的积极性，充分发挥教师的主导作用，在自然科学中提倡不同学派和学术见解的自由讨论、自由发展，在社会科学中允许不同的见解自由讨论。3. 高等学校必须贯彻党的民族政策，从自治区的实际情况出发，在专业设置、教学内容、教育方法上，要适应自治区的特点和自治区建设的需要，要使蒙古族和其他少数民族学生保持相当的比例；在有关院校和有关专业，加强蒙古语文和民族历史以及民族文化遗产的研究，积极改进这方面的教学工作；注意培养蒙古族及其他少数民族教师和知识分子；加强民族政策教育，加强各民族师生的团结。同时对总务工作，政治思想工作和党的领导工作提出了具体要求。[①] 在此之前，内蒙古党委批转了内蒙古教育厅党组两次关于调整中等专业学校的报告，就精简学校数量及安排学生的具体办法，精简教职工及处理办法，都作出了具体部署。

“科研十四条”的要点：研究机构的根本任务是，不断提供新的科学研究成果，在工作中培养科学研究人才，为社会主义建设服务；必须保证科研人员以主要精力（每周至少有5/6的时间）从事业务工作，不得以政治学习、社会活动或其他活动冲击业务工作；重申“百花齐放，百家争鸣”是发展科学文化的根本政策，鼓励自然科学的不同学派和不同学术见解，自由探讨，自由辩论，不戴帽子，不贴阶级标签，不用多数压服少数。内蒙古党

① 内蒙古党委：《关于贯彻执行〈中共中央关于讨论和试行教育部直属高等学校暂行工作条例（草案）的指示〉的指示》（1961年10月8日），《六十年代国民经济调整——内蒙古卷》，中共党史出版社2001年版，第263页。

委也采取了贯彻“科研十四条”的相应措施。

1961年下半年，在国民经济和社会发展越来越严重困难的形势下，毛泽东和中共中央加大纠“左”调整的力度，用巨大精力调查研究，逐步制定了《农村人民公社工作条例（试行草案）》及工业、手工业、商业、教育、科研、文艺等工作条例，对1958年以来“大跃进”、人民公社化运动中出现的“左”倾错误，几经曲折作了很大程度上的纠正，初步遏制了国民经济倒退的势头，为全面实施“八字方针”和各条战线的进一步调整，渡过困难，经济复苏奠定了基础。

三、“左”倾错误对国民经济的影响

“由于‘大跃进’和反右倾的错误，加上当时自然灾害和苏联政府背信弃义地撕毁合同，我国国民经济在一九五九年到一九六一年发生严重困难，国家和人民遭到重大损失。”① “大跃进”的“左”倾政策，特别是反右倾导致“左”倾错误的发展，影响到内蒙古自治区国民经济的方方面面。

一、农业生产遭到严重破坏。1959年到1961年的3年间，粮食产量逐年下降，从1958年的482.6万吨逐年下降到433.8万吨、358.8万吨、344.2万吨，比1958年分别下降10.11%、25.65%、28.67%；粮食每公顷产量逐年递减，3年分别为1 050公斤、735公斤、710公斤；全自治区人均农业总产值逐年下降，3年分别为177元、147元、145元；全自治区人均粮食产量，从1958年的502.1公斤逐年下降为423.7公斤、318.6公斤、292.2公斤；全自治区人均油料产量，3年分别为19.5公斤、5.8公斤、5.9公斤；1961年全区养猪头数比1960年减少30%以上，生猪收购量从前两年的40万头以上锐减到8万头，减少80%以上，鲜蛋收购量减少70%左右；农业总产值（按1957年不变价格计算），1959年为16.4562亿元，1960年为14.6407亿元，1962年为11.8413亿元（缺1961年数据）。② 由此而造成农村粮食、油料高征购，农民自留粮食压缩，加剧了农业生产和农民生活的

① 中国共产党中央委员会：《关于建国以来党的若干历史问题的决议》，《三中全会以来重要文献选编》（下），人民出版社1982年版，第738页。

② 参见内蒙古自治区统计局编：《辉煌的内蒙古》，中国统计出版社1999年版相关数据计算。

困难；内地灾民大量流入，全区同期人口增长205万，城市人口净增142.9万人，城镇居民口粮供应标准降低，肉、油、棉布等供应发生极其严重的困难，人民生活水平明显下降，市场供应极度紧张。自治区农业经济走入了低谷。

二、在全党办工业，各级办工业的方针下，特别是号召大办地方工业的热潮中，工业基础本来十分薄弱的内蒙古，也被推上了大办工业的轨道。工业生产本身虽然取得了一些成就，但是，由于脱离实际可能性，违背工业建设的客观规律，掀起全区全民大办地方工业、大炼钢铁的工业大跃进的高潮，特别是高指标、“共产风”、浮夸风、瞎指挥风盛行，投入空前规模的人力、资金、设备、物资，进行没有规则的大规模的工业生产活动，造成了惊人的浪费，而且波及其他经济领域，造成严重后果。

1. 工农业比例失调。由于片面强调工业的高速发展，忽视农业生产，造成工农业生产比例严重失调。1958年到1960年的3年间，工业总产值分别为11.5889亿元、18.0830亿元、27.3491亿元；原煤产量分别为588万吨、900万吨、1 188万吨；钢产量分别为0.70万吨、6万吨、30万吨；生铁产量5万吨、24万吨、68万吨，均为大幅增长势头。从而与农业生产各项指标逐年下降，形成明显的对比，工农业比例失调是显而易见的事实，也是造成国民经济困难局面的重要原因之一。1961年，由于逐步实施调整方针，再加上农业生产的困难状况越发严重，工业失去了优先保证的条件，生产急剧下降，工业总产值从1960年的27.3491亿元直落到14.1312亿元。①

2. 重工业生产内部比例严重失调。在强调优先发展重工业的方针下，以钢为纲，大炼钢铁，钢铁产量的高指标，成为当时工业生产的高速发展的标志。交通运输，原材料供应，后勤保障，都为钢铁生产让路，形成全区全民大炼钢铁运动。1958年与1960年相比，钢产量增长了41.8倍，生铁产量增长了12.6倍，而铁矿石产量增长了1.7倍，原煤产量只增长了1倍。同时交通货运量也只增长了0.76倍。② 因此，重工业内部钢铁与原材料产量的增长比例显然是失调的，交通运输不仅难以适应重工业的需求，而且对农

① 参见内蒙古自治区统计局编：《辉煌的内蒙古》，中国统计出版社1999年版相关数据计算。

② 参见内蒙古自治区统计局编：《辉煌的内蒙古》，中国统计出版社1999年版相关数据计算。

业及其他工业的发展，对国计民生的需要产生了很大的负面影响。

3. 轻重工业比例失调。由于重工业特别是钢铁工业，成为工业生产中的重中之重，造成轻重工业之间的比例发生重大变化。1957 年轻重工业总产值的比例是“55 : 45”；而 1959 年则变为“39 : 61”；1960 年更变为“33 : 67”。轻工业生产受到重工业的排挤，农产品产量下降，轻工业原料缺乏，交通运输不济，直接影响轻工业生产的发展，轻重工业比例严重失调是自然的，从而造成市场供应紧张，人民生活必需品极度匮乏。

三、国民收入使用额中积累与消费比例失调。“一五”期间，积累率只占 29.3%，消费率则占 70.7%；而 1958 年到 1960 年的 3 年中，积累率分别提高到 52.5%、59.7%、56.2%，平均积累率达到 56.4%，3 年积累总额为 51.36 亿元，比“一五”时期全部积累额多 31.91 亿元，是其 1.64 倍。在国民收入使用额中新增积累比重，1957 年仅占 16.3%，而 1958 年和 1959 年新增积累分别上升为 89.6%、84.4%。① 国民收入使用额中积累比重如此上升，自然意味着消费比重的急剧下降，这表明市场供应紧张，人民的物质文化生活水平也在下降，经济形势在恶化。

四、地方财政收支失衡。1958 年到 1960 年，财政工作连续三年执行“多收入，多支出，多建设；更多地收入，更多地支出，更多地进行社会主义建设，促进生产建设事业快速发展”的方针，自治区地方财政收入急剧增长，3 年分别为 4.2467 亿元、7.0269 亿元、8.9917 亿元，分别比前一年增长 36.3%、64.3%、28.0%；累计收入 20.2950 亿元，比“一五”期间总收入还多 82.9%。财政支出 3 年分别为 6.4432 亿元、9.9357 亿元、12.2162 亿元，财政赤字逐年为 2.1668 亿元、2.9088 亿元、3.2245 亿元，分别比前一年增加支出 1.4 倍、54.2%、23%，与 1957 年相比，3 年增长了 3.56 倍；3 年总支出为 28.5951 亿元，比“一五”期间总支出多 1.7 倍。② 由于违背综合平衡的原则，严重脱离实际，基本建设投资过大，战线过长，项目过多，建筑材料及施工力量不足，设备不配套，完工率很低，半截工程随处可见。

---

① 据郝维民主编：《内蒙古自治区史》，内蒙古大学出版社 1991 年版，第 211 页数据计算。

② 综合参见内蒙古自治区财政厅编印：《内蒙古自治区志 · 财政志》，1995 年版。

财政收支失衡，银行对工商业的贷款不断增长，庞大的财政赤字和严重的信贷不平衡，迫使银行大量发行货币，从1958年到1960年连续3年货币投放大于回笼。社会总需求量膨胀，购买力增加，而市场商品供应量严重不足，形成相当严重的供需矛盾，成为社会的突出问题，从1957年到1960年，社会购买力增长了83.6%，近乎失常的增长率。

由于经济效益失真，财政收入虚假，潜在的问题极为严重。工业报喜，商业报忧，仓库积压，财政虚收，商业处理的损失，仍需国家财政解决；大量资金损失，需要国家财政弥补，诸如企业挪用银行贷款、企业隐藏的亏盘、报废和差价损失，商业部门不能收回的预购定金、赊销商品、各行业的呆账损失及待清理归还的“平调”资金等，都是需要解决的遗留问题；正常的财政、财务管理秩序被打乱，合理的必要的规章制度被冲破、废除。

五、人民生活水平下降。这一时期，包括1961年在内，人民的生活经历了极为困难的时期，后称“三年困难时期”。当时，口粮、肉食、食油、食糖、棉布、棉花等均定量供应，而且标准很低，所谓“低标准，瓜菜代”，有时瓜菜也不充分；由于煤炭供应不济，冬季取暖也受到影响。

在总结“大跃进”时期出现的问题和教训的同时，也应该实事求是地总结曲折发展中所取得的成绩。在党中央多、快、好、省地建设社会主义总路线的鼓舞下，蒙汉各族人民群众和各级干部，为改变自治区经济落后的面貌，以前所未有的干劲，全身心地投入经济建设的大潮之中，创造了应当肯定的业绩。当然，中国共产党和毛泽东在探索中犯了错误，人民也在探索中有过盲从，只有全面准确地加以总结，从错误中汲取教训，从盲目走向自觉，历史就是这样辩证地向前发展。

内蒙古自治区从1958年到1960年的特殊时期，农业生产虽然遭到巨大损失，但是农业基本建设也有很大的发展。全区兴建万亩以上灌溉区118处，万亩以下灌溉区发展到7 000多处；打机井1 500多眼，打筒井2万多眼，建成大中小型水库162座，总库容达9亿多立方米；新建了一批小型水力发电站，进行电力排灌。培修加固黄河、辽河等主要河流的防洪大堤，黄河两岸总长787公里的堤防工程于1959年全部竣工；建成三盛公黄河水利枢纽工程，总干渠长达180公里，可控灌溉面积达1 000万亩以上。建成自治区最大的水库——红山水库，使开鲁、通辽、郑家屯等11座城镇，约

200万人口和600万亩土地免受洪水威胁，并使上游20万亩、下游225万亩耕地的灌溉有了保证。营造了乌兰布和沙漠防沙林带150公里，堵住了流沙，夺回被流沙吞没的8万多亩农田。在赤峰郊区、哲里木盟库伦旗、伊克昭盟伊金霍洛旗等地营造了大量防风林。①

值得称道的是，内蒙古自治区从1959年到1962年粮食产量逐年减产的情况下，不仅能够自给，而且还向国家调出粮食11.86亿公斤，支援其他省市城镇居民用粮；牧区还收养了上海、江苏、安徽等省的3 000多名孤儿；而且还接纳安置了临近省区盲目流入的大批灾民，使自治区人口1959年增加了76.4万人，增长7.75%，1960年猛增了128.6万人，增长12.10%。②这不完全是内蒙古的自然增长，主要是灾荒移民。内蒙古不仅没有发生逃荒饿死人问题，而且使区外灾荒移民度过了困难。这要在历史著作中书上永志的一笔。

在“大跃进”运动中，工业特别是重工业畸形发展，造成工农业比例失调，轻重工业比例失调，国民经济发展比例整体失调，出现了严重的经济困难。但是，就工业本身而言，还是取得了一定的发展。1958年至1960年，工业总产值逐年增长率为83%、56%、51%；“二五”期间，全区基本建设投资总额为40.27亿元，比“一五”时期增长2.5倍，1959年和1960年完成投资都在12亿元以上，超过“一五”计划甚至前8年的投资总额。这个时期兴建和建成一批重点建设项目。如包头钢铁工业基地建设，在“二五”期间基本建设投资为9.28亿元，占全区总投资的23%。1959年9月26日，包头钢铁公司第一号高炉提前一年建成投产。10月15日，周恩来总理专程参加包钢一号高炉出铁剪彩典礼，并亲自剪彩；叶剑英、李维汉、包尔汉等中央领导人出席，包钢职工5 000多人参加；乌兰夫发表讲话，高度赞扬“包钢是我国目前建设的三大铁联合企业之一，包钢一号高炉又是我国目前最大的自动化大型高炉之一”。冶金工业部副部长夏耘、全国政协副主席包尔汉、全国总工会副主席刘长胜、全国妇联副主席康克清、共青团中央书记处书记胡克实、宁夏回族自治区副主席王锦章以及苏联驻华

① 据郝维民主编：《内蒙古自治区史》，内蒙古大学出版社1991年版，第208、209页数据。
② 参照内蒙古自治区统计局编：《辉煌的内蒙古》，中国统计出版社1999年版人口数据计算。

大使馆参赞符明等讲话致贺。1959 年，包头铝厂第一期工程竣工投产；自治区最大的两座大型机械厂——内蒙古第一、二机械厂，于 1958 年建成部分厂房，并试制出产品，1960 年基本建成投产；内蒙综合电机厂、呼和浩特机床厂、呼和浩特市汽车修理厂等一批中型机械厂都是 1958 年兴建、1959 年底建成投产的。呼和浩特焦化厂、乌兰浩特钢铁厂、红花沟金矿、岗德尔铅矿、集宁轴承厂、内蒙古无线电厂、兴和机械厂、海拉尔牧业机械厂等一批小型厂矿，都是在 1958 年至 1960 年期间新建或改建投产的。“二五”计划期间，全区煤炭工业新增生产能力达 250 万吨。从 1957 年到 1960 年，除了钢铁产量的大幅度增长外，原煤年产量从 217 万吨增加到 1 188 万吨，增长 4.47 倍；发电量从 0.92 亿千瓦时增加到 12.10 亿千瓦时，增长 12.15 倍；木材年产量从 186.67 万立方米增加到 439.18 万立方米，增长 1.35 倍。[①] 自治区第一座林产化工厂——牙克石栲胶厂（年产栲胶 5 000 吨）、包头第一化工厂（年产硫酸 2 万吨）、包头第一、二热电厂、包头棉纺织厂、内蒙古第二毛纺织厂、内蒙古兽医生物药品制造厂以及呼和浩特糖厂、橡胶厂、塑料厂、火柴厂、灯泡厂、电池厂、两座水泥厂和西桌子山水泥厂等，都是这一时期兴建投产的。虽然工业如此迅速地发展，造成工农业生产比例失调的后果，但是也为奠定自治区工业发展基础作出了贡献。

在这一时期，内蒙古的畜牧业生产也毫无例外地受到“左”倾错误、“大跃进”狂潮的冲击。但是，以乌兰夫为首的内蒙古党委，在全国乃至全区“大跃进”的形势下，仍然坚持在牧区民主改革、社会主义改造中形成的特殊理念——从实际出发，即从牧区的民族特点、地区特点、经济特点出发，在人民公社体制的总体框架中，实行了一些特殊的政策措施，而且始终把以牧为主，稳定发展畜牧业生产作为牧区工作的首要任务，从而保证了畜牧业的稳定发展，在一定程度上抵制和削弱了“共产风”等“五风”的影响。因此，1958 年至 1960 年，牧区的畜牧业基本上得到正常发展，3 年的牲畜总数分别为 2 430.4 万头（只）、2 833.2 万头（只）、3 044.2 万头（只），与 1957 年相比，每年递增率分别为 7.2%、16.6%、7.5%；1958 年到 1962 年，内蒙古自治区向国家提供大小牲畜 1 020 万头（只），其中耕畜

---

① 参见内蒙古自治区统计局编：《辉煌的内蒙古》，中国统计出版社 1999 年版相关数据计算。

73 万头、生猪 158 万口、绒毛 6.7915 万公斤、各种皮张 3 553 万张、鲜蛋 60 万担。①

四、总结经验教训，实行全面调整

中共中央和毛泽东从 1960 年冬天开始，特别是经过 1961 年大规模的调查研究，逐步制定并实施纠正“左”倾错误，调整国民经济的一系列政策措施，初步遏制了“五风”势头。但是，整个经济形势仍然十分严峻，有些方面仍在恶性滑坡。

1962 年 1 月 11 日至 2 月 7 日，中共中央政治局扩大会议在北京召开，即“七千人大会”。会议开始即印发了刘少奇将代表中央要作的报告，进行了热烈的讨论，并根据讨论意见进行修改。1 月 27 日，刘少奇作了口头报告，讲到国内经济形势的严重困难，吃、穿、用不够，1959 年以来农业三年大减产，1961 年工业也减产。究其原因有两条，一条是天灾，连续三年的自然灾害；还有一条是 1958 年以来我们工作中的缺点和错误。② 刘少奇在书面报告中总结了新中国成立 12 年来社会主义经济建设中的十六条基本经验教训，③ 指出了 1958 年以来的 4 年工作中的缺点与错误；毛泽东在会上带头作自我批评，他说：“凡是中央犯的错误，直接的归我负责，间接的我也有份，因为我是中央主席。”对几年工作中的缺点和错误，承担了主要责任。周恩来、邓小平等中央领导人也作了自我批评，承担了各自的责任，各省市自治区负责人和中央各主要部门负责人，也都在会上作了自我批评。会议“初步总结了‘大跃进’中的经验教训，开展了批评自我批评”。刘少奇总结的 4 条缺点和错误：“第一，工农业生产的计划指标过高，基本建设的战线过长，使国民经济各部门的比例关系，消费与积累的比例关系，发生了严重不协调的现象。”“第二，在农村人民公社的实际工作中，许多地区，在一个时期内，曾经混淆集体所有制和全民所有制的界限，曾经对集体所有制的内部关系进行不适当的、过多过急的变动，这样，就违反了按劳分配和

---

① 参见内蒙古自治区统计局编《辉煌的内蒙古》，中国统计出版社 1999 年版相关数据计算。

② 参见《毛泽东传》（下），中央文献出版社 2003 年版，第 1195 页。

③ 参见《刘少奇选集》（下），人民出版社 1985 年版，第 361—367 页。

等价交换的原则，犯了刮‘共产风’和其他平均主义的错误。在手工业和商业方面，也犯了急于把集体所有制改变为全民所有制的错误。”“第三，不适当地要在全国范围内建立许多完整的工业体系，权力下放过多，分散主义的倾向有了严重的滋长。”“第四，对农业增产的速度估计过高，对建设事业的发展要求过急，因而使城市人口不适当地大量增加，造成了城乡人口的比例同当前农业生产水平极不适应的状况，加重了城市供应的困难，也加重了农业生产的困难。”① 会后，刘少奇于2月21日至23日，主持召开了中央政治局常委扩大会议（即“西楼会议”），作出三项决定：第一，现在经济上是处在非常时期，我们的主要任务是：大力恢复农业，稳定市场，争取财政经济状况的基本好转。第二，“今后十年，分为两个阶段：前一个阶段，是调整阶段，主要是恢复，部分有发展；后一个阶段，是发展阶段，主要是发展，也还有部分的恢复。”第三，由陈云、李富春和李先念向国务院各部委党组成员传达这次会议的精神和中央的方针。② 随后，经过多次会议反复研究，形成了中央财经小组提出的《关于讨论一九六二年调整计划的报告》。5月24日，毛泽东批示“照办”。与此同时，中央决定：“为‘反右倾’运动中被错误批判的大多数同志进行了甄别平反。此外，还给被划为‘右派分子’的大多数人摘了‘右派分子’帽子。由于这些经济和政治的措施，从一九六二年到一九六六年国民经济得到了比较顺利的恢复和发展。”③ 尽管八届十中全会上毛泽东重提阶级斗争问题，但他回顾1959年庐山会议后的教训后说：“这一回，可不要这样。……要把工作放到第一位，阶级斗争跟它平行，不要放在很严重的地位。”④ 所以，十中全会以后的几年内，“经济调整工作仍能基本上按照原定的计划进行，没有受到正在发展的在阶级斗争问题上的‘左’倾思想的严重干扰。”⑤

内蒙古党委根据中央的统一部署，从1961年下半年开始，对农村牧区

---

① 《刘少奇选集》（下），人民出版社1985年版，第353—354页。

② 参见《毛泽东传》（下），中央文献出版社2003年版，第1208页。

③ 中国共产党中央委员会：《关于建国以来党的若干历史问题的决议》，《三中全会以来重要文献选编》（下），人民出版社1982年版，第755页。

④ 《毛泽东传》（下），中央文献出版社2003年版，第1254页。

⑤ 《毛泽东传》（下），中央文献出版社2003年版，第1254页。

人民公社以及工商业战线进行了调整，制定了一系列具体政策、措施，做了大量工作，初步扭转了“五风”，遏制了“三风”，削弱了“大跃进”的影响。但是，农业继续减产，工业生产全面下滑，商业困难局面没有根本改变，市场供应仍然不景气。1961 年与 1960 年相比，农业生产：粮食总产量为 344. 2 万吨，减产 4. 24%；粮食作物每公顷产量 710 公斤，减少 3. 52%；全区人均粮食产量 292. 2 公斤，减少 9. 03%；糖料产量为 8. 7705 万吨，减产 86. 75%。工业生产：工业总产值 14. 1312 亿元，下降 93. 53%，其中重工业产值 8. 6441 亿元，下降 1. 13 倍；轻工业产值 5. 4871 亿元，下降 62. 04%；工业产品产量：原煤产量 876 万吨，减产 35. 61%；钢产量 18 万吨，减产 66. 66%；成品钢材产量 2. 26 万吨，减产 57. 52%；生铁产量 36 万吨，减产 88. 88%；水泥产量 3. 78 万吨，减产 3. 07 倍；木材产量 221. 32 万立方米，减产 98. 72%。主要原材料、能源消费量：煤炭 476 万吨，减少 61. 34%；汽油 25 218 吨，减少 93. 38%；生铁 230 362 吨，减少 91. 32%；钢材 106 514 吨，减少 70. 37%；水泥 77 025 吨，减少 2. 05 倍；原木 672 583 立方米，减少 1. 53 倍。国民生产总值（按当年价格计算）25. 25 亿元，减少 48. 83%，增长速度为-34. 7%；人均国内生产总值 215 元，减少 51. 16%。[①] 这样一些数据说明，1961 年自治区的国民经济发展进入了低谷。农业的调整政策主要在是年下半年逐步出台，所以在生产上还没有显示出实质性的效果；工业生产的负增长 34. 7%，一方面是工农业生产比例仍然失调所致，一方面是调整下降工业高指标的结果。

在工农业生产减产下滑的情况下，唯独牧区畜牧业生产还在增产。1961 年全区牲畜总头数为 3 305. 4 万头（只），比上年只减少 0. 30%，但是大牲畜是 623. 4 万头，增长了 1. 68%；羊是 2 494. 8 万只，增长了 2. 52%；只有生猪从 270. 9 万头下降为 187. 2 万头，减少 30. 89%。[②] 以牧区半农半牧区为主体的畜牧业生产还在稳步增长，这说明内蒙古党委对牧区、半农半牧区、畜牧业生产，一贯坚持的一系列具有民族特点、地区特点的稳健政策和行之有效的措施，发挥着潜在的作用。这是特殊时期的经验，值得坚持

① 据内蒙古自治区统计局编：《辉煌的内蒙古》，中国统计出版社 1999 年版相关数据计算。

② 据内蒙古自治区统计局编：《辉煌的内蒙古》，中国统计出版社 1999 年版相关数据计算。

发扬。

1962年1月11日至2月7日的中央工作会议（即“七千人大会”）后，内蒙古党委按照中央全面调整的方针，对自治区国民经济恢复、发展又进行了全面深入的调整。

一、农村牧区以调整为中心争取农牧业增产。第一，继续贯彻执行农村和牧区人民公社工作条例、中央和内蒙古党委对人民公社的有关政策、指示，进一步解决遗留问题，继续调整生产关系，解决“平调”问题的退赔兑现，做好1961年度的收益分配；重点解决人民公社基本核算单位下放到生产队，建立生产队的领导核心；切实尊重生产队在管理本队生产上的自主权利，恢复与健全各项管理制度，特别是财务管理制度；切实做好评工记分，保证按劳分配，多劳多得的分配原则；坚持民主办社、勤俭办社的根本方针；正确处理国家、集体、个人三方面的关系，提高各族社员对集体生产的积极性，帮助社员安排好经营家庭副业的时间，以便把主要力量用到集体生产上，保证集体经济的优先发展。第二，加强农牧业生产战线，从各方面支援农牧业生产。1. 精简职工和压缩城镇人口，增加农村劳动力，提高耕作质量，1962年压缩城镇人口8万—10万人，年底全区农业劳动力达到315万人。2. 增加农村耕畜力，继续从牧区经过交换，调剂给农村一部分耕畜，并发动生产队从散畜中调教一部分耕畜，争取在两年左右使农村耕畜恢复到161万头，超过1958年时的150万头。3. 恢复农机具生产，抓紧小农具和车辆的恢复，发动群众大造车辆，允许群众在国家指定的林场，采伐一部分木材，国家再适当补助一部分用材，恢复历史上与区外的协作关系解决用材，3年增加车辆10万辆，达到45万辆，尽快使农村、牧区车辆恢复到历史上最高水平。4. 大力发展农业区、半农半牧区的畜牧业生产，对农田、牧场统筹规划，合理安排；认真贯彻执行保护牧场，禁止开荒的政策，对过去不适当地开垦的牧场，要逐步封闭；在有条件的地区，因地制宜地举办大、中、小型牧场；在所有农业区、半农半牧区，都要积极发展社队和社员个人饲养家禽、家畜，尤其要注意发展细毛羊，迅速增加绒毛等畜产品的产量。5. 恢复地力，发展家畜、家禽饲养业，扩大肥源，提高肥料质量，恢复压青轮歇和合理倒茬的耕作制度。6. 抓紧水利建设和水利工程配套，加强灌溉管理，依靠公社、生产队兴修小型农田水利，扩大水浇地面积，注意合理灌溉，防治土地盐碱化。7. 加强农业机械的修配力量，安排农业机具的生产、制造、维修，手工业部门要推行专业制造铺，物资部门做好农具维修和制造材料的供应。8. 培养商品粮基地，对年售商品粮 5 000 万斤以上的 26 个旗县，在农业机具、运输工具、留粮标准上，给以照顾。9. 稳定农副产品收购政策，妥善安排好购留比例，对农民的合理要求要加以照顾，该留的要留，能购的应购，要等价交换，要加强市场管理，稳定物价，给农民多供应生产、生活上必需的工业品。第三，坚决贯彻执行发展畜牧业生产的方针。当前牧区的基本建设，以兴修小型水利和棚圈建设为重点；种好饲料地，增加饲料生产；保护和合理利用牧场，严禁盲目开荒，过去盲目开垦造成不良后果的土地，要坚决封闭；增添以打、搂草为主的机械设备，增添医药设备，培育优良种畜；积极修造车辆，解决运力不足的困难。

二、精简职工和压缩城镇人口，缩短工业和基本建设战线。1. 在 1961 年精简职工、压缩城镇人口的基础上，还需继续做好精简、压缩工作，尽快使农业人口和粮食供应人口的比例达到 3∶1，每年供应的商品粮不超过 9 亿公斤；1962 年再压缩粮食供应人口 46 万人，其中精简职工 20 万人，压缩城镇人口 20 万人，减少农村牧区粮食供应人口 6 万人。2. 继续调整工业企业。根据国家统一的方针和统一的规划，按照国家安排的生产计划任务，以及原料、材料和燃料供应的实际可能，进行厂矿排队、生产排队和维修排队，对工业生产的指标进行必要的调整；增产农牧业生产所需的生产资料和市场需要的日用品；把生产任务和原材料安排给劳动生产率和产品质量高、原材料消耗和成本低的企业、对经营条件差或困难大、劳动生产率很低和亏损严重、短期内不易扭转的企业，分别采取关闭、合并或缩小规模、改变任务的办法处理。该关的一定要关，该并的一定要并，该缩的一定要缩，该转变任务的一定要转；由集体所有制转为国营企业的可恢复合作社，独立核算，自负盈亏；调整盟属企业体制，旗县工业、城市和农村公社工业等，要大力整顿、调整和精简。农村公社工业，除直接为农业生产和人民生活服务且城市工业不能代替的以外，原则上要停止生产，需要办的交给生产队办，有的转为家庭手工业，亦工亦农，不能脱离农业生产；城市公社工业和街道工业，应动员一批下农村，有条件的转个体经营，条件较好的，如产品急需、质量好、成本低的，由当地工业或手工业部门领导，其余应一律关闭；

非工业系统的工业企业和各行各业的多种经营，一律纳入计划，计划外或与本企业生产无关的，一律停办；大小商品生产要有分工，统一规划，防止盲目生产。经调整保留的国营工业企业，要迅速整顿，贯彻执行国营工业企业工作条例（草案），切实加强管理，建立严格的经济核算制度和生产责任制，保证完成生产计划。3. 对基本建设项目，根据国家计划进行排队和审查，没有列入国家计划的项目、已列入但明年无力基建的项目或者没有设备及材料不落实的项目或建成后没有条件生产的项目，应坚决停下来。4. 交通、邮电、商业等企业事业单位，要认真进行调整和精简职工；文教事业要停办一批学校和文化事业单位，适当减少大中学校的招生人数，并要动员一批青年学生到农村牧区参加农牧业生产劳动。

一切关闭、停工的企业事业单位，把应该减的全部或绝大部分职工减下来；保留的企业事业单位，本着精简的原则，进行定员，多余的职工也要减下来；各级行政机构，根据中央确定的编制进行精简，内蒙古党委、政府结合精简，抽调一批领导干部，加强农村、牧区和企事业基层单位的领导工作。①

第五节 社会主义教育运动

1962 年“七千人大会”之后，刘少奇、周恩来、邓小平等中央领导人，紧锣密鼓地具体落实国民经济的调整方案；毛泽东频频从北京到外地，继续调查研究。在国际方面，中苏论战，成为毛泽东极为关注的问题；国内方面，农村人民公社普遍要求包产到户和分田到户，这也成为毛泽东思考的重大问题。毛泽东同主张包产到户和分田到户的陈云、邓子恢、田家英等产生了分歧。毛泽东认为包产到户是走资本主义道路，这便成为他重提阶级斗争的直接导火索。

9 月 24 日至 27 日，中共八届十中全会在北京召开，全会主要讨论了农业问题，通过了《农村人民公社工作条例（修正草案）》和《关于进一步巩

① 本调整方案参见乌兰夫在内蒙古自治区第二届人民代表大会第四次会议上的《政府工作报告》（1962 年 6 月 8 日），内蒙古自治区人大常委会办公厅编印：《五十年历程》（上），第 81 页，内新图准字［2004］第 95 号，2004 年。

固人民公社集体经济、发展农业生产的决议》；明确提出贯彻以农业为基础，以工业为主导的发展国民经济的总方针；讨论了商业问题，通过了《关于商业问题的决定》。会上，毛泽东提出在整个社会主义历史阶段，资产阶级作为阶级将存在并企图复辟，存在无产阶级和资产阶级之间的阶级斗争，存在社会主义和资本主义两条道路的斗争，而且不可避免地要反映到党内来。毛泽东这一论断的基本精神，集中体现在经他审定和改写的全会公报之中，而且提出千万不要忘记阶级斗争。这样，在生产资料私有制的社会主义改造基本完成、剥削阶级作为阶级已经不再存在的条件下，把我国社会在一定时期和一定范围内存在的阶级斗争扩大化和绝对化了。于是，提出在全国城乡发动一场普遍的社会主义教育运动（简称“社教”）。如何进行这场运动？毛泽东、刘少奇以及党的各级领导都在探索，毛泽东的意见虽然起着主导的和决定性的作用，而他的许多意见也是集中了别人的意见。毛泽东在指导中苏论战的同时，又指导社会主义教育运动，这两件事，互相影响，互相推动，使毛泽东的思想一步一步地向“左”发展。

由于经济调整工作繁忙，绝大多数省区的社会主义教育运动没有迅速搞起来。毛泽东一面调查研究，一面发动社教运动，1963 年 2 月召开中央工作会议，专门研究社会主义教育问题。会议决定，在全国范围内开展增产节约和“五反”运动，制定了《中共中央关于厉行节约和反对贪污盗窃、反对投机倒把、反对铺张浪费、反对分散主义、反对官僚主义运动的指示》，这实际上是城市社会主义教育运动的方式之一。毛泽东在会上讲了社会主义教育的重要性与必要性，他强调指出：“要把社会主义教育好好抓一下。社会主义教育，干部教育，群众教育，一抓就灵。”“我们的干部，包括生产队长以上的这些不脱离生产的以及脱离生产的，绝大多数不懂社会主义。”而且把社会主义与反对和防止修正主义联系了起来。会后，毛泽东组织制定了《中共中央关于目前农村工作中若干问题的决定（草案）》共十条，5 月 18 日中央政治局会议通过，5 月 20 日下发实施。农村社会主义教育运动就此正式开始。随着社教试点中出现的一些新问题，又制定了《关于农村社会主义教育运动中的一些具体政策问题》，也是十条，简称“后十条”，11 月 14 日中央政治局扩大会议通过，下发实施。此后，根据刘少奇对“后十条”提出的重大意见进行修改，于 1964 年 8 月 17 日修改完毕。修改稿对农村阶级斗争形势作了更加严重的估计，对基层政权的问题看得十分严重，沿着阶级斗争扩大化的轨道又向前进了一步。经过中央工作会议和中共中央政治局常委扩大会议反复讨论，最后于 1965 年 1 月 14 日形成了《农村社会主义教育运动中目前提出的一些问题》（即“二十三条”），充分肯定和反映了毛泽东的意见，否定了刘少奇的一些过“左”的重要意见和做法，实际上取代了“后十条”。“二十三条”的贯彻执行，一方面部分纠正了前段社教运动中出现的“左”的偏差，同时强调社教运动的性质是“社会主义和资本主义的矛盾”，并提出社教运动的“重点是整党内那些走资本主义道路的当权派”的指导思想，“这就使阶级斗争扩大化的‘左’倾思想进一步发展，为后来‘文化大革命’的发动，作了思想上和理论上的准备。”① 到 1966 年春，全国约有 1/3 的县、社进行了社会主义教育运动。

农村社会主义教育最初是以清账目、清仓库、清财务、清工分为主要内容，简称“四清”；在城市是以反贪污盗窃、反投机倒把、反铺张浪费、反分散主义、反官僚主义为主要内容，简称“五反”。在《农村社会主义教育运动中目前提出的一些问题》（即“二十三条”）中规定，城乡社教运动一律改为清政治、清经济、清组织、清思想，通称“四清”运动。

1963 年 3 月 20 日至 30 日，中国共产党内蒙古自治区第二届代表大会第一次会议在呼和浩特举行，乌兰夫作工作报告，总结了第一届代表大会以来六年的工作，从五个方面总结了社会主义改造的成就；总结了社会主义建设的十点成就和五点主要缺点和错误；从七个方面总结了主要经验教训；阐述了目前的形势，提出了政治战线上和经济战线上的主要任务，提出要做好的九项工作。

这次会议是在中央“七千人大会”纠“左”与调整方针和中共八届十中全会“阶级斗争为纲”理论的指导下召开的，对成就和经验、问题和教训作了总结，但在思想理论上很难作出准确而清晰的判断。在政治方面，肯定了社会主义改造、反右派斗争和反对资产阶级民族主义（即地方民族主义）、人民公社化和党内反倾向斗争；在经济文化方面，充分总结了农业、畜牧业、工业、交通邮电业、商业、教育、卫生、文化、科学研究等诸多方面的成就。

---

① 《毛泽东传》（下），中央文献出版社 2003 年版，第 1383 页。

乌兰夫在总结成就的同时，指出主要缺点和错误："1. 没有按农业为基础、以工业为主导的发展国民经济的总方针安排经济建设，工业和基本建设战线拉得过长，城市人口增加过多，使国民经济内部发生严重不协调现象。许多建设工作曾有过高过急要求，进行过一些不适当的'大办'。农业上的'高指标、高估产、高征购'，加上瞎指挥，给农业生产造成了损失。工业生产和其他工作，也犯有高指标瞎指挥的错误。文教卫生事业一度发展过多过猛，也与经济水平不相适应。2. 农村牧区实际工作中，曾经混淆集体所有制和全民所有制的界限，曾经对集体所有制的内部关系进行过多过急的变动，违反按劳分配等价交换的原则，犯了刮'共产风'和其他平均主义的错误。在手工业和商业方面，也犯了急于把集体所有制改变为全民所有制的错误。3. 在政治运动和两条道路斗争问题上，曾经发生过混淆两种矛盾的性质和处理方法，混淆政治问题、思想问题和实际工作问题界限的现象，发生过简单粗暴和把问题扩大化的毛病。还发生过对阶级斗争的长期性复杂性认识不足，忽视两条道路斗争，忽视经常的阶级教育和社会主义教育的毛病，致使自治区的建设发展受到某些影响。4. 在贯彻党的民族政策方面还存在不少问题。对民族工作的长期性认识不足；在许多工作中有忽视民族特点和忽视民族政策的现象；对民族政策的执行缺乏经常的督促检查；在一些地方曾经发生盲目开垦草原、忽视牧区物资供应、忽视培养牧区当地的民族干部的缺点；对培养提高民族干部缺乏系统的措施和经常的工作。5. 在繁重的经济建设工作中，有忽视党的建设的倾向，思想政治工作有些削弱，对干部和党员的政治教育和阶级教育、对农牧民及职工的社会主义教育一度抓得不紧，对资产阶级影响和腐蚀警惕不够，干部群众中歪风邪气有所滋长，各种不良倾向有些抬头。"①

乌兰夫在报告中总结了七个方面的经验教训："（一）必须全面、正确地执行社会主义建设总路线，必须与自治区的实际相结合，革命干劲与科学态度相结合，必须在社会主义建设长期过程中同时解决过渡时期党在民族问

---

① 乌兰夫：《中国共产党内蒙古自治区委员会向第二届一次党代表大会的工作报告》，内蒙古党委办公厅常委会办公室编印：《内蒙古自治区历次党代会文件汇编》，第 88、89 页，内新图准字［2001］第 74 号。

题方面的任务。（二）必须认真、切实贯彻执行以农业为基础、以工业为主导的发展国民经济的总方针，把工业生产放在以农业为基础的轨道上，把发展农牧业放在首要地位。（三）必须坚定人民公社的方向，加强思想政治领导，切实执行有关政策和工作条例，加强人民公社各级工作特别是生产队工作，不断巩固人民公社集体经济。（四）必须充分认识阶级斗争在过渡时期是不可避免的，长期的，错综复杂的，曲折的，时起时伏的；要正确贯彻阶级路线，开展两条道路的斗争。（五）加强集中统一，'集中力量打歼灭战'，努力做好综合平衡工作，促进国民经济有计划按比例地发展。（六）要充分估计民族问题的长期性，必须踏实、细致地进行民族工作，在各项工作中认真执行党的民族政策。（七）党要管党，要加强党的建设，正确执行党的民主集中制。"①

乌兰夫在谈缺点错误和总结经验教训的时候，有一个核心问题是内蒙古的民族特点、地区特点和自治区的实际。总结了重视民族特点、地区特点的经验，总结了忽视民族特点、地区特点的教训，总结了从自治区实际出发的经验和脱离实际的教训。在当时全党全国在指导思想、理论和路线、方针、政策上"左"倾仍占主导地位的情况下，对自治区党委六年来工作中的缺点、错误做出如此清晰的总结认识，是难能可贵的。他在部署会后九项工作的第一项就是深入开展社会主义教育。

一、农村社会主义教育运动

内蒙古党委于 1962 年 10 月 8 日至 11 月 3 日，先后召开内蒙古党委工作会议和一届十五次全委扩大会议，贯彻中共八届十中全会精神，通过了关于农业问题、商业工作的决定，明确了以农业为基础、以工业为主导的发展国民经济的总方针，把发展农牧业放在首位，把工业工作转移到以农业为基础的轨道上来，继续调整国民经济；决定在农村牧区，对农牧民群众和基层干部进行以巩固人民公社集体经济，发展农牧业生产为中心的社会主义教

---

① 乌兰夫：《中国共产党内蒙古自治区委员会向第二届一次党代表大会的工作报告》，内蒙古党委办公厅常委会办公室编印：《内蒙古自治区历次党代会文件汇编》，第 91—105 页，内新图准字［2001］第 74 号。

育。12 月 27 日，内蒙古党委发出在农村开展整风整社，进行社会主义思想教育，纠正单干思想，落实农村人民公社工作条例，改进经营管理，搞好农业生产的通知。之后，全区各级党委集中力量抓三类队（即落后队）的整顿工作，普遍宣传八届十中全会精神和农村人民公社的各项政策。这还是一般意义上的社会主义教育。

内蒙古党委第二届第一次代表大会上，乌兰夫在工作报告中提出："深入开展社会主义教育，贯彻阶级路线，认真执行政策，进一步巩固人民公社集体经济。"指出："社会主义教育，是党在农村牧区的长时期的任务，是党在思想政治方面领导农民走社会主义道路的基本办法。社会主义教育，包括阶级、阶级斗争教育和革命传统的教育；两条道路的教育，前途教育和工农联盟教育，爱国主义和国际主义教育。应当根据不同时期，不同形势，分别进行不同的教育。当前农村社会主义教育主要是以中央十中全会公报，中央关于进一步巩固人民公社集体经济、发展农业生产的决定，农村人民公社六十条为主要教材。牧区也要以中央十中全会公报、决定和中央批转民委党组关于牧区工作和牧区人民公社若干政策的规定（草案）的精神，结合牧区实际，以及牧区人民公社工作条例修改草案为主要教材进行教育。"① 强调由上而下原原本本地向党员、团员、干部、群众直接传达宣讲文件，而且结合地区的实际进行讨论、提出问题、集中解决、付诸实行；整顿人民公社，落实农村人民公社各项政策，整顿、建立贫下中农委员会，重点整顿、改造三类队，改进经营管理；在生产队普遍开展"贯彻政策好，经营管理好，增产措施好，集体生产好，民族团结好，干部作风好"的六好生产队运动；在社员中普遍开展"政治思想好，热爱集体好，生产劳动好，遵守纪律好，团结互助好"的五好社员运动。之后，在一些旗、县的小范围内进行了社会主义教育（即清账目、清仓库、清财务、清工分为内容的"四清"）试点。

1963 年 10 月 25 日至 11 月 9 日，内蒙古党委召开常委扩大会议，研究

---

① 乌兰夫：《中国共产党内蒙古自治区委员会向第二届一次党代表大会的工作报告》，内蒙古党委办公厅常委会办公室编印：《内蒙古自治区历次党代会文件汇编》第 115、116 页，内新图准字［2001］第 74 号。

贯彻执行中央农村社会主义教育的“双十条”精神，决定从是年冬天开始，有计划、有步骤地进行“以阶级斗争为纲”的农村社教运动。并组织常年固定的社教工作队，开展工作。11 月 12 日，内蒙古党委发出《关于农村开展社会主义教育运动的部署》,决定用3 个冬春的时间，在全区农村分期分批地开展“以阶级斗争为纲”，以“四清”为内容的社会主义教育运动。13 日，内蒙古党委农村牧区社会主义教育领导小组成立，王铎任组长，常振玉任副组长。11 月 28 日至 12 月 25 日，内蒙古党委召开农村社会主义教育工作会议，学习中央有关社教的文件，领会精神，把握政策，总结试点经验，部署农村社教第一批点上的工作和面上的教育任务。内蒙古自治区的农村社会主义教育运动作为中心任务而全面展开。

1964 年 1 月 5 日，自治区直属机关和 9 个盟市抽调 17 600 多名干部，分赴各盟市在农村 777 个生产大队开展第一批社教运动；1 月 8 日，内蒙古党委决定从全区编制和地方财政解决 2 000 名人员编制和经费，组成农村社教专业工作队，同整党专职干部一起，常年进行社教工作。7 月 1 日至 31 日，内蒙古党委召开第二届第二次全委扩大会议，讨论和部署了在城乡开展“五反”、“四清”运动及反修斗争，决定从自治区机关抽 50% 的干部，从企业再抽 30% 的干部，分别组成“五反”和“四清”工作队，参加社会主义教育运动。8 月间，内蒙古党委派出以张如岗为组长的“四清”巡视检查组，以沈新发为组长的“五反”巡视检查组，分别到已开展“四清”、“五反”的盟市、旗县和部门、单位巡视检查社教运动的进展情况。9 月 4 日至 15 日，内蒙古党委召开盟市委书记会议，根据 8 月中央大区书记会议精神，部署今冬明春“四清”、“五反”运动，决定再在 6 个旗县的 567 个生产大队开展社教运动；在大型企业集中力量搞好“五反”试点；在呼盟、锡盟进行牧区社教试点。关于牧区社教，第一步用 2 至 3 年时间向牧区干部、群众普遍宣讲“双十条”；第二步用 4 至 5 年时间，以旗为单位，先边境后内地，分期分批进行社会主义教育运动。9 月间，第一批社教试点和面上的社会主义教育基本结束，社教工作队进行总结整训。内蒙古党委决定再从农村、牧区借调 1 万名知识青年和复员军人，充实社教工作队，在全区以点带面、点面结合，全面展开“四清”运动。10 月 6 日至 11 月 5 日，内蒙古党委召开自治区、盟市、旗县三级干部扩大会议，社教工作队领导干部参加，根据“后十条”的精神，以反对领导干部的右倾思想为中心，分析研究自治区的阶级斗争形势，对阶级斗争形势作了过于严重的估计。据此检查在社教运动中不敢放手发动群众的错误，揭露、批判教条主义、经验主义倾向以及在民族工作、反修斗争、干部工作、执行党的纪律方面的问题。在反右倾指导思想下，抛开了社队干部，决定由工作队直接领导社教运动，采取访贫问苦、扎根串联、实行“三同”（同吃、同住、同劳动）的方式开展工作。“左”的倾向显而易见。

1965 年 1 月 14 日，中共中央关于农村社教的“二十三条”发出后，是月 19 日至 28 日，内蒙古党委召开社教工作会议，传达学习“二十三条”，检查总结自治区的社教工作；内蒙古党委还发出《关于讨论〈农村社会主义教育运动中目前提出的一些问题〉（即“二十三条”）中几个具体问题的纪要》，要求全面贯彻“二十三条”，对全区社教重新作安排。虽然提出纠正前一段社教中“左”的倾向，但是重点“整党内走资本主义的当权派”的错误的指导思想，成为社教的中心内容。1 月 30 日，内蒙古党委又发出《关于宣传和贯彻执行“二十三条”的通知》，要求各盟市、旗县委、公社党委和厂（场）矿企业党委迅速学习、宣传“二十三条”；决定从自治区、盟市、旗县、公社四级抽调四万名左右的干部，组成面上的工作组，一面宣传“二十三条”，一面组织生产，同时纠正前一段社教中的“左”的错误，将“四清”运动转到组织农牧业生产为中心的轨道。3 月 18 日，内蒙古党委、内蒙古自治区人民委员会联合举行全区农村牧区广播动员大会，号召按照“二十三条”的精神，深入开展社会主义教育运动，组织以农牧业为中心的工农牧业生产高潮。6 月底，第一批农村社教运动基本结束，全区有 6 个旗县和呼和浩特市郊区的农村，共有 653 个生产大队进行了第一批四清运动，占全区农村大队的 6.8%，连同前期试点的 777 个大队，共计 1 430 个大队，占全区大队总数的 15%。1965 年冬至 1966 年 5 月，又在农村 2 200 个大队进行了第二批“四清”运动，全区进行四清的大队共计 3 630 个，占全区 9 489 个大队的 38%。①

在农村局部社教中整顿了一部分落后社队，对于纠正农村干部中的违法

① 参见郝维民主编：《内蒙古自治区史》，内蒙古大学出版社 1991 年版，第 219 页。

乱纪、多吃多占、强迫命令、欺压群众等坏作风和改善集体经济经营管理等方面起了一定的积极作用；适时打击了贪污盗窃、投机倒把和封建迷信等违法活动；始终强调发展生产，把增产作为搞好社教的标准之一。但是，在社教中也错误地打击了一批农村基层干部和部分群众，产生了不小的负面影响。由于这次社教只在局部范围内进行，而且及时纠正了某些偏差，没有形成全局性影响。

二、牧区社会主义教育运动

内蒙古牧区的社会主义教育运动，基本上是在1963年5月15日至27日，全区第十一次牧区工作会议中提上日程的。自治区8个盟市的书记、盟长、农牧部长、农业办公室主任；39个旗县的书记、旗县长、农牧部长、畜牧局长；还有10个科学技术单位的负责人，共计113人参加。牧区社会主义教育是会议4个议程中的第一个议题。首先，肯定了牧区畜牧业生产连年发展、稳步上升的大好形势，1959年以来的5年，牧区牲畜纯增41.8%。其次，去冬今春开展社会主义教育以来，发现牧区同样存在阶级、阶级矛盾和阶级斗争。第三，干部和群众对于严重、复杂、尖锐的阶级斗争认识不清，所以在牧区广泛深入地开展社会主义教育是必要的。第四，牧区社教要遵照中央关于社教总的原则总的精神进行，同时“应当从牧区的实际情况出发，有计划、有准备、有步骤地进行。一定要慎重稳妥，不能性急，切忌机械搬套。”第五，今冬明春开展以爱国主义教育为中心的社会主义教育，分期分批普遍轮训生产队以上的干部，揭阶级斗争的盖子，找危害，查上当，提高觉悟，统一认识，团结95%以上的干部，投入社会主义教育运动。

7月13日，内蒙古党委成立牧区社会主义教育领导小组，王再天任组长，副组长权星垣、胡昭衡。8月，在锡盟西乌旗达布希拉图公社、呼盟陈巴尔虎旗呼和诺尔公社、伊盟鄂托克旗苏米图公社、乌盟达茂旗白音花公社等4个牧区人民公社和锡盟白音红古尔公私合营牧场进行社会主义教育试点。在面上紧密结合抗灾保畜，开展以爱国主义教育为中心，以反对现代修正主义的颠覆活动和民族分裂主义活动为重点的社会主义教育。

10月11日至20日，乌兰夫主持召开牧区社会主义教育试点工作座谈会，上述试点的4个盟和试点所在旗的负责人，共14人参加。汇报试点情况，总结交流经验，提出存在的问题，乌兰夫作了重要指示。关于牧区的形势，阶级斗争依然尖锐、复杂，国际国内阶级斗争、阶级斗争与民族问题、敌我矛盾与人民内部矛盾交织在一起，而且在干部、群众中有强烈的反映，损害集体经济行为和各种不良现象也在发生。再次强调牧区社教以阶级教育为中心，以反对修正主义的颠覆活动和民族分裂主义分子的破坏活动为重点，结合进行“四清”；重申牧区社教必须从牧区的实际出发，从干部和群众的觉悟水平出发，采取慎重稳妥的方法步骤。应该先调查研究和训练干部，后在群众中开展社会主义教育；先进行阶级教育，后组织阶级队伍；先解决人民内部矛盾，后解决敌我矛盾。切实注意发挥当地组织和干部群众的作用，让他们自己解决问题，不要强迫命令，不要包办代替。牧区社教必须始终结合生产进行，以社教推动生产。总之，牧区社教，方法一定要稳，政策要宽一些，时间要长一些，不要着急。座谈会确定牧区社教运动要经过两个阶段，第一阶段是调查研究和训练干部，培养贫苦牧民积极分子；第二阶段是全面开展社会主义教育。对两个阶段的工作内容也作了具体安排。关于牧区“四清”的内容，将教育阶段发现的“四不清”问题，交给社、队干部和牧民讨论，在广泛征求意见后，制订切合实际的“四清”方案，然后进行“四清”。最后明确提出，今后几年牧区社教的中心任务，是重新教育人、重新组织阶级队伍的运动，是思想上、政治上、组织上和经济上的基本建设。12 月 13 日，内蒙古党委转发了《牧区社会主义教育试点座谈会纪要(草案)》,并付诸实施。

这次座谈会，在贯彻八届十中全会以阶级斗争为纲的总方针下，强调从牧区的实际出发，重申乌兰夫在畜牧业社会主义改造中实行的“稳、宽、长”原则，从社教的内容、方法、步骤都体现稳妥、宽容、不急的想法，事实上是对正在抬头的“左”倾偏差的巧妙抵制。在当时来说，实在是难能可贵的。

1964 年 1 月初，再次选择巴盟乌拉特中后联合旗川井公社和昭盟巴林右旗古力古台公社进行社教试点，并在 25 个公社进行了“双十条”宣讲试点。4 月 21 日，内蒙古党委作出《关于牧区面上社会主义教育工作的部署》,在春季接羔之后，秋季打草之前，在牧区普遍进行一次面上的社会主义教育。这期间，牧区旗委书记亲自组织工作组，进行社教试点，取得经验，试点结束后即训练干部，准备全面开展社会主义教育运动。9月14日，内蒙古党委发出《关于牧区宣讲“双十条”的通知》,第一步，要用两三年时间完成旗级机关的“五反”；在面上向干部、群众普遍进行“双十条”宣讲；每个盟进行几个公社的社教试点；同时开展边境地区的反修斗争。第二步，用四五年的时间，以旗为单位，先边境后内地，分期分批地进行社教运动。10月，全区抽调3 400多名干部，组成6个牧区四清工作团，分赴6个盟，在8个牧业旗的33个牧业公社、牧场（其中有23个社、场在边境）和两个旗级机关，开展社教运动。其中包括宣传教育，进行“四清”，组织对敌斗争，整顿党、团和民兵组织，建立健全各项制度，评选六好生产队和五好社员，搞好生产等内容。

1965年1月，中共中央关于农村社会主义教育运动的“二十三条”发布后，牧区社会主义教育继续在已经开始社教的上述23个公社、牧场，贯彻“二十三条”的精神，并从牧区的实际出发，大体上分三个阶段进行。第一个阶段，宣讲文件，交代政策，发动群众；划阶级、组织阶级队伍；组织干部“洗手洗澡”。第二个阶段，进行“四清”，进行反修教育和对敌斗争。第三个阶段，进行组织建设和生产建设。3月18日，内蒙古党委、内蒙古自治区人民委员会召开全区春季生产有线广播大会，乌兰夫、王铎发表讲话，号召贯彻“二十三条”的精神，以阶级斗争为纲、继续开展社会主义教育，以农牧业生产为中心、搞好春耕生产和接羔保畜，全面掀起工农牧业生产高潮。牧区要转向组织生产，结合生产安排社教。试点社队工作组要依靠和帮助基层干部制订生产计划，改善经营管理，帮助基层干部“洗手洗澡”，放下包袱，同时对干部群众进行阶级教育和反修教育。面上的社教，主要是组织学习“二十三条”，教育和组织牧民努力生产。4月5日至19日，内蒙古党委召开牧区重点旗“四清”工作团团长会议，汇总了牧区社教运动的情况，讨论了贯彻执行“二十三条”的问题，关于牧区划阶级、反修反民族分裂主义斗争、建立健全领导核心、生产革命等问题，形成了7个文件，发到工作团试行。5月30日，内蒙古党委发出《对牧区面上社会主义教育工作的意见（草稿）》,针对牧区社教中少数地区发生乱斗、乱夺畜权和把自留畜收归集体等违反政策的问题，指出牧区面上的工作，主要是抓生产，社教应有领导、有控制地进行，并要求向牧区干部宣布7条政策，宣布不反对社员的 10 条政策。11 月 24 日，内蒙古党委再次制定《关于内蒙古牧区社会主义教育运动中的若干政策问题（试行草案）》，共 21 条，一、形势，二、基本方针，三、运动的布局和基本步骤，四、工作队，五、旗社四清，六、分类排队、分类指导，七、放手发动群众，八、正确对待和耐心教育干部，九、讲阶级划阶级和组织阶级队伍，十、清经济，十一、反修、反民族分裂主义教育，十二、清政治，十三、生产革命，十四、思想文化革命，十五、民兵工作，十六、以整党为中心进行组织建设，十七、培养与建立好的领导核心，十八、检查验收总结和总结性的群众自我教育，十九、加强领导，二十、巩固发展运动成果，二十一、面上的工作。同时制定了《关于划分牧区阶级成分的规定（试行草案）》，其内容：一、划分阶级的标准；二、剥削量的计算问题；三、剥削与非剥削的某些界限问题；四、家庭成分和本人成分。

内蒙古自治区的牧区社会主义教育运动从 1963 年 5 月正式开始，经过犹豫、漫步，以稳妥的步伐，跟随形势行进。乌兰夫一再强调方法要稳一些，政策要宽一些，时间要长一些，不要着急。直到 1965 年秋天，才完成第一批牧区社教任务 38 个公社、牧场的“四清”，只占全区 381 个牧区公社、牧场的 10%。第二批开始不久，1966 年 5 月 13 日内蒙古党委发了一个常委（扩大）会议《关于牧区四清问题的讨论纪要》，又从 8 个方面部署了牧区社教工作。但是，以 5 月 21 日华北局在北京前门饭店召开工作会议为标志，内蒙古的“文化大革命”开始，农村、牧区、城市社会主义教育运动中断，牧区社教也成为流产的社会运动。不过，内蒙古牧区社教，除了与农村社教的共同点以外，有 2 个特殊之处，一是改变了牧区社会民主改革和社会主义改造中坚持的“不斗，不分，不划阶级”的政策，在牧区实行划阶级，斗牧主；二是以阶级斗争为纲，反对现代修正主义颠覆活动和民族分裂主义分子的破坏活动。这是两个意味深长的问题。

在内蒙古牧区社会主义教育运动中，无疑也受当时的“左”倾思想的影响。1962 年 9 月，中国共产党八届十中全会关于阶级斗争、社会主义与资本主义两条道路斗争的思想、理论与方针；1964 年社教“后十条”“左”倾错误的抬头，华北局第一书记李雪峰批评内蒙古“四清”是死水一潭；受中苏论战的影响，内蒙古牧区的社教运动被推上了以阶级斗争、反修斗争、反民族分裂斗争为主要内容的轨道。但是，内蒙古党委和乌兰夫一直强调牧区社教必须从牧区的实际出发，对牧区的民族特点、畜牧业生产特点、经济特点以及牧区人民的思想、文化、生活状况有着清醒的认识，始终坚持社教必须以发展生产为中心，甚至提出“千条万条，发展牲畜第一条”，始终强调“稳、宽、长”原则，而且是在牧区极有限的局部范围内进行的。慎重稳妥的社教运动对纠正干部中的不良作风，改善经营管理等方面，起了积极作用，没有对全区畜牧业生产造成实质性的影响，没有造成牧区社会的重大波动。

三、城市社会主义教育运动

1962 年 11 月 9 日，中共中央发出《关于在全国进行一次国际主义、爱国主义和社会主义教育，开展增产节约运动的通知》,内蒙古党委随即发出指示，要求各级、各企业结合宣传贯彻八届十中全会精神，进行国际主义、爱国主义和社会主义教育。1963 年 1 月 22 日，内蒙古党委又发出《关于在职工群众中进一步开展以宣传十中全会精神为中心的社会主义教育运动的通知》,宣传的主要内容：国际、国内阶级斗争的形势；全国、全区经济形势的好转；农业为基础、工业为主导的发展国民经济总方针；热爱祖国和民族团结；维护全民所有制经济，按国家计划进行生产和工作。宣传活动的要求：采取正面教育、说服教育、群众自我教育的方法；结合教育把厂矿企业的政治工作制度建立起来，把社教与增产节约运动结合起来；提高产品质量，增加产品品种，降低成本，扭亏增盈，支援农牧业生产，供应市场需要。

3 月 1 日，中共中央发出《关于厉行增产节约和反对贪污、反对投机倒把、反对铺张浪费、反对分散主义、反对官僚主义运动的指示》,社教运动增加了“五反”的新内容，与农村的“四清”运动匹配为全国社会主义教育运动的完整内容。中央要求县以上国家机关和企事业单位，有领导有步骤地开展增产节约和“五反”运动。内蒙古党委随即对“五反”运动作了通盘部署，首先成立了内蒙古党委增产节约、“五反”运动领导小组，王铎任组长，副组长权星垣、胡昭衡；3 月 20 日，发出《关于贯彻执行中共中央关于厉行节约和“五反”运动的工作部署》,决定第一批首先在自治区、盟市一级党、政单位和群众团体开展“五反”运动；第一批基本结束后，在旗县一级开展第二批“五反”运动，先在行政机关开展，后在所属企事业单位进行。

3月下旬，在自治区直属机关63个单位七千五百多名职工中，在呼和浩特、包头二市党政机关，首批开展“五反”运动。经过宣讲传达中央关于“五反”的精神，发动群众向领导和单位提意见，领导干部作检查，群众满意即下楼，同时在所属企业、事业单位陆续进行“五反”试点。4月，在各盟市级381个行政单位陆续开展“五反”运动，并在所属企业、事业单位进行“五反”试点。5月，在全区文教系统的内蒙古大学、内蒙古医院、呼和浩特市第一中学以及包头市文教系统的3个单位，进行文教系统的首批“五反”运动试点。7月，农业区旗县级机关开始进行“五反”运动。10月，全区工矿企业147个单位开展“五反”试点。内蒙古自治区的“五反”运动在全区普遍布点试行，大体上分三个阶段进行，即领导干部洗澡下楼阶段，意在检查认识自己的问题，接受群众揭发批评并得到谅解；反对贪污盗窃、投机倒把阶段；整改和建设阶段。在工矿企业还有学习文件，提高觉悟，揭发问题阶段；一般干部和工人有洗手洗澡，放包袱阶段。到年底，自治区和盟市级机关的“五反”运动基本结束。全区第一批开展“五反”运动的企事业单位已全面铺开，约占全区企事业单位总数的19.8%，参加“五反”运动的职工约占全区职工总数的20%。

1964年3月，内蒙古党委从各直属单位抽调五百三十多名干部，组成9个工作组，分赴7盟2市帮助企业开展“五反”运动。3月30日，内蒙古党委要求凡开展“五反”运动的企业，都要设立两套人马，一套抓“五反”，一套抓生产；既有抓运动的，又有抓生产的；第一把手抓“五反”，第二把手抓生产；切实做到“五反”、生产两不误。4月19日，内蒙古党委发出“五反”、“四清”运动的指示，要求“质量第一，高标准要求，扎扎实实把‘五反’、‘四清’运动搞好”。前一段的运动，传达了中央和华北局的指示，提高了认识，找出了差距，加强了领导，改进了工作方法，稳住了阵脚；摸索抓革命、促生产，运动、生产双丰收的经验，运动发展是健康的。但是，有不少领导人没有蹲下来，钻进去，总结经验，掌握领导运动的主动权，反而指挥无力，落后于运动的发展，满足于开会布置，摆弄数字游戏；有的单位领导顾虑重重，不敢发动群众，自己还没“下楼”，就让中层干部“洗手洗澡”，就让群众“洗澡”放包袱。搞好“五反”运动的标准是，干部自觉革命，认真“洗手洗澡”，彻底去掉官僚主义、分散主义和铺张浪费的作风和问题，使机关、企业作风革命化，此谓“前三反”；放手发动群众，整顿和组织革命的阶级队伍，大张旗鼓地开展反对贪污盗窃和投机倒把的斗争，此谓“后双反”；通过运动整顿党的基层组织，加强对党员的教育管理，真正发挥党的基层组织的战斗堡垒作用。5 月 29 日，内蒙古党委指示，最近一个时期，社会主义教育以农村社教为中心安排城市“五反”和生产，这与中央对当时农村阶级斗争形势的估计过分严重不无关系。但是，呼和浩特、包头二市以及工矿企业较多的城镇和工矿区的社教，仍然以增产节约和“五反”运动为重点，分为农村、城市两条战线，妥善安排力量，抓住中心，带动全面。据此，自治区首先集中力量在包头的包钢、包建、一机厂、二机厂、建华机械厂、303 厂、包头矿务局、一电厂等大型企业、林区，呼和浩特铁路局、乌达矿务局、札赉诺尔矿务局等单位，以及 8 个财贸企业、一个手工业企业、一个街道，开展“五反”运动，其他盟市也在 17—18 个点进行“五反”试验。

1965 年 1 月，中共中央关于农村社教“二十三条”发布后，当月 30 日，内蒙古党委发出《关于学习和贯彻执行“二十三条”的通知》。关于“五反”运动，要求各厂矿企业党委组织干部职工学习“二十三条”，总结工作特别是“五反”运动，要求城市社教工作队集中进行整训，并对前一段城市“五反”运动中出现的“左”的做法进行了纠正，这一阶段的城市“五反”运动到 1965 年 6 月基本结束。从此，城市“五反”与农村、牧区“四清”统一改称清政治、清经济、清组织、清思想为内容的“四清”，通称城市社会主义教育运动。

7 月 29 日至 8 月 7 日，内蒙古党委在包头召开城市“四清”工作会议，传达华北局书记处会议和全国工交系统“四清”试点工作会议精神，根据全国城市“四清”运动总的规划，对自治区城市“四清”运动作了部署，决定采取集中力量打歼灭战的办法，分 3 至 4 批进行，争取在 1967 年完成。同时决定第一批试点的 3 个工业企业的运动结束后，第二批运动的重点继续在包头、大兴安岭林区和呼和浩特市，其他盟市可小批量进行。会后，按照上述部署，以包头、大兴安岭林区和呼和浩特市为重点，在全区其他一些城市的企业，共计 514 个单位 15 万多职工中，开展“四清”运动。直至 1966 年 5 月“文化大革命”开始后中断。

城市社教对于打击贪污盗窃、投机倒把和克服官僚主义、分散主义、铺张浪费，对于改进党政机关、企事业单位的工作作风，起到了积极作用；而且由于始终强调以搞好生产为中心，所以对于调整国民经济和发展生产基本上没有造成不利影响。但是，社教运动是以阶级斗争为纲，同样混淆两类不同性质的矛盾，伤害了一部分基层干部。

四、意识形态领域的社会主义教育

在全国农村、城市开展社会主义教育的过程中，在意识形态领域也开展了一场社会主义正面教育，同时进行了一连串政治批判。既有正面教育的积极效果，也有政治批判的负面影响。

1963 年 3 月 5 日，《人民日报》发表了毛泽东题词“向雷锋同志学习”，紧接着发表了刘少奇、周恩来、朱德、邓小平等中央领导人的题词。周恩来的题词是“憎爱分明的阶级立场，言行一致的革命精神，公而忘私的共产主义风格，奋不顾身的无产阶级斗志”。从此，在全国范围内迅速掀起了学习雷锋的热潮。全国社会主义正面教育活动，就此拉开了帷幕。

在内蒙古，《人民日报》发表毛泽东题词的当天，《内蒙古日报》也刊登了毛泽东题词的手迹和刘少奇、周恩来、朱德、邓小平、董必武、谢觉哉等领导人的题词。共青团内蒙古自治区委员会、内蒙古自治区总工会，首先通过各级共青团、少先队和工会组织，组织全区共青团员、青少年和职工，迅速而广泛地开展学雷锋活动，学习雷锋的先进事迹，学习雷锋的光辉生平；学习会、座谈会处处可见，讲体会、谈心得人人争先，学雷锋见行动，蔚然成风。接着，在全区各族各界各行各业开展学雷锋活动，人人争做忠于革命、忠于党，党叫干啥就干啥的“螺丝钉”；争当公而忘私、热爱劳动，艰苦朴素标兵；争做好人好事，成为社会风尚；毫不利己，专门利人，全心全意为人民服务的观念深入人心；“学习雷锋好榜样”等歌声，成为促进社会进步的主旋律。

在向雷锋同志学习的年代，自治区各条战线上涌现出许许多多雷锋式的英雄模范，草原英雄小姐妹就是其中之一。在乌兰察布盟达尔罕茂明安联合旗新保力格公社那仁格日勒生产队，有两位蒙古族小姐妹——龙梅、玉荣。1964 年 2 月 9 日，她们出去放牧时遭遇特大暴风雪。为了保护集体的羊群，她们在零下 37 度的严寒中，与暴风雪顽强拼搏了一昼夜，守护羊群，顺风势走了 70 多里地，使羊群免遭损失，两姐妹却冻伤腿，妹妹玉荣成了终身残疾。这就是雷锋精神的生动体现。3 月 13 日，国务院副总理、内蒙古党委第一书记、自治区主席乌兰夫题词："龙梅、玉荣小姊妹，是牧区人民在毛泽东思想教育下，成长起来的革命接班人。我区各族青少年努力学习她们的模范行为和高尚品质。"3 月 16 日，共青团内蒙古自治区委员会发出《关于在全区各族青少年中开展学习龙梅、玉荣模范行为和高尚品质活动的决定》,号召全区各族共青团员和青少年，在社会主义教育和比、学、赶、帮、超竞赛运动中，结合学习雷锋的活动，学习我们身边的草原英雄小姐妹——龙梅、玉荣。

1965 年 11 月 8 日，《人民日报》发出学习又一名雷锋式的好战士王杰的号召，周恩来、朱德先后题词，号召学习王杰同志。全国以及内蒙古自治区又掀起学英雄、学模范、赶先进、争先进的热潮。1966 年 2 月 7 日，《人民日报》发表《县委书记的好榜样——焦裕禄》的报道和社论，展现了焦裕禄不为名、不为利、不怕苦、不怕死，一心为革命，一心为人民，对革命无限忠诚，为人民鞠躬尽瘁的无产阶级革命的精神；展现了他大搞调查研究，坚持从群众中来、到群众中去的领导作风与工作方法。中国人民解放军总政治部、全国总工会、共青团中央先后发出通知，号召全军、全国人民向焦裕禄同志学习。内蒙古也和全国一样，王杰和焦裕禄的感人事迹家喻户晓，激励人们奋发向上，在社会主义建设中奉献力量。

在社会主义教育运动中，通过英雄、模范人物的先进事迹，教育干部，教育群众，特别是教育青少年，具有极大的感染力。

但是，在中共八届十中全会以阶级斗争为纲的思想影响下，阶级斗争的目光开始转向意识形态领域，社会主义教育的方向扭到文学、艺术、哲学、经济学、历史学、教育学等社会科学的诸多学术领域，进行所谓的阶级斗争和马克思主义与修正主义、社会主义道路与资本主义道路的斗争。1962 年 9 月，在八届十中全会上，康生提出小说《刘志丹》有"严重政治问题"，是为高岗翻案，向党进攻，并对为这部小说提过修改意见的习仲勋、贾拓夫等立案审查，组织批判，打成反党集团。毛泽东还在会上念了康生写的字条“利用小说进行反动活动，是一大发明”。1963 年 3 月决定停演所谓“鬼戏”；5 月在《文汇报》上批判新编昆剧《李慧娘》和廖沫沙的所谓“有鬼无害论”，作为意识形态阶级斗争的重要表现。11 月，毛泽东两次批评《戏剧报》和文化部，说《戏剧报》尽宣传牛鬼蛇神；文化部是帝王将相部、才子佳人部。12 月 12 日，他又批评许多文学艺术部门还是“死人”统治着，至今还是大问题，“许多共产党人热心提倡封建主义和资本主义的艺术，却不热心提倡社会主义的艺术，岂非咄咄怪事。”① 1964 年 1 月 3 日，刘少奇主持召开文艺界座谈会（即部分中央负责人“1·3”座谈会），刘少奇说整个文学艺术阵地封建主义和资本主义的东西占压倒优势。接着，中共中央宣传部举办文学艺术界 10 个单位的全体干部参加的整风。经过 20 多天的集中整风学习后，中宣部起草了《关于全国文联和各协会整风情况的报告》。6 月 27 日，毛泽东在报告上批示：“这些协会和他们所掌握的刊物的大多数（据说有少数几个好的），十五年来，基本上（不是一切人）不执行党的政策，做官当老爷，不去接近工农兵，不去反映社会主义的革命和建设。最近几年，竟然跌到修正主义的边缘。如不真正改造，势必在将来的某一天，要变成像匈牙利裴多菲俱乐部那样的团体。”② 于是，文艺界的一场政治大批判伴随着城市社会主义教育运动开始了。对新编昆剧《李慧娘》新编京剧《谢瑶环》的批判，对《北国江南》《早春二月》等影片的批判，批判所谓“中间人物”论和“现实主义深化”论，一批较好的文艺作品或作品中塑造的人物也遭到批判。文艺界的这场批判进而波及哲学社会科学的其他领域，如哲学界批判杨献珍，经济学界批判孙冶方，历史学界批判翦伯赞、吴晗等。这次的大批判，不仅把许多正确的或基本正确的学术观点加以批判，而且当作两个阶级、两条道路、两条路线的大论战，把学术问题与政治问题混淆起来，甚至作为定罪的依据，戴上“修正主义”“反党分子”等帽子，进行批判。

内蒙古紧跟全国的步伐，1964 年也在文艺界开展整风运动，先是批判

① 《建国以来毛泽东文稿》第 10 册，中央文献出版社 1996 年版，第 436—437 页。
② 《建国以来毛泽东文稿》第 11 册，中央文献出版社 1996 年版，第 91 页。

全国性的被批判对象，再是批判自治区文艺界一些作家和作品。1964 年 9 月，开始在《内蒙古日报》上刊载批判杨献珍的“合二而一”论、邵全麟“写中间人物论”的文章，点名批判影片《北国江南》《早春二月》《不夜城》《林家铺子》和小说《苦斗》《三家巷》等文艺作品；而且寻找自治区文艺界、社会科学界的作品和作者，召开各种类型的座谈会、批判会，进行所谓联系实际讨论批判，以整风的名义在文化界进行所谓揭露阶级斗争、两条道路斗争的活动；使学术讨论升级为政治大批判，失去平等探讨、学术民主的原则，形成一边倒、一言堂，主观武断、扣帽子，党的“百花齐放，百家争鸣”学术方针遭到破坏，经过调整刚刚恢复的民主学术景象又被“左”的阴云笼罩。

内蒙古的社教对于纠正干部的不良作风，加强经济管理等方面起了一定的积极作用；对于一些具体政策作了正确的或基本正确的规定，对于运动中出现的某些偏差也作了一些改正；由于强调社教密切结合生产，在一定程度上减轻了对经济发展的消极影响。但是，社教运动是中共八届十中全会关于阶级斗争的错误理论，在全国相当大范围内的一次实践，使还未得到彻底纠正的“左”倾错误进一步发展，最终导致“文化大革命”的发生。

第六节　民族政策与民族工作

一、民族问题与民族工作大检查

1958 年 5 月，中共第八次全国代表大会第二次会议根据毛泽东的意见，改变了八大一次会议关于国内主要矛盾的正确分析，确认国内社会主要矛盾仍然是无产阶级同资产阶级、社会主义道路同资本主义道路的矛盾。在民族问题上，8 月，中央在青海省委的一个报告上批示：“民族问题的实质是阶级问题”。在“大跃进”、人民公社化运动以来，中央主持民族工作的负责人和一些中央领导人，在他们的文章或讲话中也这样讲。可以说，这是中国共产党、毛泽东在指导方针上的“左”的错误在民族问题上的反映。于是，在政治上，强调揭露批判少数民族中的地方民族主义和民族分裂主义，忽视民族问题、忽视民族特点、忽视少数民族的平等权利和自治权利，甚至损害少数民族应有权益的问题越来越严重。在调整国民经济的过程中，对执行民族政策上存在的问题进行了调整、改进，收到了积极的效果。但是，中共八届十中全会以后阶级斗争为纲的指导思想，继续对民族问题和民族工作产生影响。“民族问题的实质是阶级问题”的错误理论甚为流行，甚至成为阐述民族问题的理论根据，由此刮起了一股“民族融合”风，企图以消灭民族差别，抹杀民族特点，来掩饰民族问题。这对贯彻执行国家的民族政策产生了很大的影响。在经济上，忽视少数民族地区的经济特点、生产特点，片面地执行“以粮为纲”和“以钢为纲”的方针，不顾条件地“大办农业”“大办工业”，大量垦荒种粮，既造成少数民族和民族地区的经济结构严重失衡，又使草原生态受到严重的破坏，少数民族在经济发展方面受到了严重影响。实行调整国民经济的“八字方针”以后，尤其是“七千人大会”以后，中央采取果断决定，调整民族政策上的失误，纠正民族工作中的缺点错误，收到了良好的效果。

1961 年 7、8 月间，中共中央统战部、中共中央西北局召开了西北地区民族工作会议，主要解决西北地区民族工作中存在的问题，特别是 1958 年青海平叛斗争扩大化问题，研究解决牧区工作的重大政策和措施。1962 年 4 月 21 日至 5 月 25 日，中共中央统战部、国家民族事务委员会在北京召开了全国民族工作会议，李维汉、彭真先后作报告，他们肯定了党的民族政策和民族工作的成绩，对民族工作中的缺点、错误和存在的问题进行了比较深刻的分析，针对存在的问题阐述了民族政策和解决的办法。

4 月 25 日，乌兰夫作了关于内蒙古自治区贯彻执行党的民族区域自治政策的报告。第一部分，讲述了内蒙古自治区成立 15 年来的工作和自治区发生的变化，主要办了四件大事：一是内蒙古人民参加和支援解放战争，与全国人民一道，建立了中华人民共和国；二是推行民族区域自治政策，逐步实现了内蒙古统一的民族区域自治；三是取得了民主革命的彻底胜利和社会主义革命的决定性胜利；四是取得了社会主义建设的巨大成就。从而使自治区的面貌发生了根本性的变化。

第二部分，围绕这四件大事概述了自治区 15 年的历史，总结了基本经验教训。在基本经验教训中讲了 8 个方面，即当家作主是区域自治的核心；培养提高民族干部；不断巩固和扩大人民民主统一战线；稳步推进社会改革；大力进行经济建设；发展繁荣民族文化；经常注意和不断增强干部团结和民族团结；党的领导是我们取得所有成就的最根本的保证。

这8个方面的问题，从我们叙述以往的历史进程中都能找到相应的答案。作为基本经验教训的总结，值得特别注意的是：

关于当家作主的问题，指出："区域自治的核心就是少数民族当家作主。"当然，这是针对历史上少数民族没有当家作主权利而言的。区域自治要"正确处理各民族之间的关系"，"既体现蒙古民族当家作主，又使区内各民族都享有了平等权利，加强了各民族的团结，特别是蒙汉民族的团结"。"当家作主的权利是表现在政治、经济、文化、财政等各方面的。只有在这些方面实现了民族平等权利，才能真正体现出当家作主。""在社会主义建设时期，蒙古民族和其他各民族人民当家作主的权利得到更加广泛的发展。"同时指出："有人误认为，现在已经是社会主义了，各民族都一样，再提少数民族人民当家作主的问题是过时了等等，这都是不对的。这几年来，自治区有些地方对蒙古族和区内少数民族人民当家作主的权利尊重不够；对区内少数民族的特殊需要照顾不够；各地普遍地不同程度地存在着忽视民族语言文字使用的偏向等等，这些都是错误的，都是忽视少数民族人民当家作主权利的表现。"同时强调蒙古族和区内少数民族实行当家作主的权利，是和热诚欢迎汉族人民的积极帮助是相一致的。

关于培养提高民族干部问题，认为"培养提高民族干部是实行民族区域自治政策的重要关键"。而且从内蒙古革命和建设的历史上，讲述了培训和使用民族干部的重要性、必要性及其成就与经验，同时指出还存在不少问题。近几年来，对培养民族干部的工作检查、总结不够，有些地区和部门有忽视培养使用民族干部的现象，特别是有些牧区，对当地民族干部培养不够；对民族干部的教育工作抓得不紧；对一些蒙古族和区内少数民族干部的家庭出身和历史问题，缺乏认真从历史发展过程分析，以发展的观点看问题，对他们的进步估计不足，信任与放手使用不够；在政治运动中，对民族干部的批判不尽适当。同时对培养使用民族干部和民族干部的自身提出要求。

关于统一战线、社会改革、经济建设、民族文化、干部团结和民族团结以及党的领导等问题，重申和进一步阐述了行之有效的方针政策和经验，并指出了近年来出现的问题。在统一战线工作中，对民主人士、民族代表人物、爱国的宗教上层人士和爱国的资产阶级分子的进步估计不足，在合作共事的关系上尊重其职权不够，主动交朋友、协商共事不够，工作安排不适当等等。在充分肯定民主改革和合作化中成功的方针、政策和措施以及经验的同时，也指出："某些地区曾经不从当地的具体情况出发，忽视地区特点和民族特点，生搬硬套和急躁从事，发生过违反慎重稳进的方针的错误。特别是在近几年的人民公社化运动中，又重复了过去的错误。"在肯定十五年来经济建设的巨大成就与丰富经验的同时，指出1958年以来发生的缺点与错误，即工业发展得过多、过快，超过了农牧业生产发展可能负担的能力；各经济部门内部的发展，出现严重的不平衡；集中表现在吃商品粮的人口增加过多、过快、过猛。其主要原因是没有切实从自治区的实际情况出发，认真执行以农业为基础，按农、轻、重次序安排国民经济的方针，计划工作没有注意综合平衡，强调多快，忽视好省，对内蒙古经济、文化的落后性认识不足等。谈到发展繁荣民族文化时指出："民族文化是民族问题的一部分，发展民族文化，是解决民族问题的重要内容。"自治区成立以来，采取了发展民族文化一系列实践证明是正确的方针政策，有了很大的发展和提高。"但是，总的说，这几年来民族文化事业的发展，同自治区经济建设的发展是不相称的。在民族文化工作方面存在不少问题，其中最突出的问题是忽视民族特点、忽视民族形式。""民族语文在许多地区、许多部门被忽视了。""民族文化艺术工作的情况，也是不能令人满意的，特别是在挖掘、整理蒙古民族和区内少数民族的文化遗产方面，在整理、编辑民族历史方面，在用蒙文进行创作方面，以及反映现实生活的文学、戏剧、舞蹈、音乐、美术的创作方面，都还比较落后，有的还是空白。""对民族卫生工作注意不够，特别是对妇幼卫生保健工作抓得较差。"对于干部团结和民族团结问题，对于党的领导问题，总结了历史实践中的经验，进行了理论上的阐述。①

乌兰夫的报告，是在国家实行调整、巩固、充实、提高的方针下，特别是根据中央"七千人大会"的精神，对内蒙古自治区十五年的历史作了系

① 乌兰夫：《在（全国）民族工作会议上的讲话纪要》（1962年4月25日），内蒙古档案馆藏11—16—157。

统的总结，进行了反思，实事求是地阐述了历史的经验和教训，一方面直接面对内蒙古自治区进行了总结；一方面通过全国民族工作会议，向全国少数民族和民族地区提供借鉴，以指导全国的民族工作。这在当时来说，是难能可贵的。

会议期间，由乌兰夫、李维汉、徐冰、刘春署名，向中央写了《关于民族工作会议的报告》，提出民族工作中的问题，“主要是不重视社会主义革命和社会主义建设过程中的民族问题，忽视民族特点，忽视宗教问题的民族性、群众性和由此而来的长期性，忽视少数民族地区的经济特点（例如在牧区不实行以牧为主的方针，大量开垦草原；在南方一些林业地区，农业和林业结合安排得不合理，加上其他的原因，桐茶林被破坏得相当严重，等等），忽视少数民族的平等权利和自治权利，个别地方是损害了少数民族的这种权利，某些地方还忽视少数民族劳动人民的经济利益，对团结上层的工作也大大放松了，有的地方采取了严重违反政策的手段。看来，大汉族主义的思想在一些地方有了滋长。”① 那时，中央和毛泽东虽然在民族问题上没有提出过“左”的政策，但是“左”倾错误对民族工作的影响是严重的，而且带有普遍性，其根源是大汉族主义思想。报告中提出今后五年对于少数民族和民族地区工作的方针：“依照中央和毛主席的政策，调整民族关系，加强民族团结，调整各民族内部、各民主阶级和阶层间的关系，加强工农联盟，加强同一切爱国民主人士的团结，以便调动和发挥各少数民族人民的积极性，集中力量恢复和发展农业生产，牧业区发展牧业生产，林业区发展林业生产，逐步恢复和发展经济，改善人民生活。”② 报告提出民族工作方面的比较重大的问题和处理的意见。这些问题是自治地方的内部事务，特别是有关照顾经济特点、文化形式、语言文字、风俗习惯的问题，应当放手让少数民族人民和干部自己去管，要相信少数民族人民和干部，是可以逐步把事情办好的；按照少数民族地区的实际情况，办好人民公社和合作社，有些地区这几年可以不办，将来再办；对少数民族的生产、生活上的特殊需要，应当尽可能地加以照顾；主动改善同上层人士的关系，加强同他们的团结，帮

① 乌兰夫、李维汉等：《关于民族工作会议的报告》（1962 年 5 月 15 日）。
② 乌兰夫、李维汉等：《关于民族工作会议的报告》（1962 年 5 月 15 日）。

助他们进步，让他们发挥应有的作用；民族地区的汉族干部和当地的民族干部都应当切实从民族地区的实际出发坚决执行党的民族政策、宗教政策、统一战线政策和其他的方针政策，踏踏实实地把工作做好；不得在党的方针政策以外，另出点子，另立章程；用教育的方法，防止和克服大汉族主义和地方民族主义的思想倾向，今后一般不要进行斗争。如果情节严重，需要批判斗争的，必须按照干部管理范围，报上级党委审查批准。在民族地区工作的汉族干部，如果影响很不好的，应当调出。

5 月 15 日，将报告呈报周恩来总理并上报中共中央，6 月 20 日中央批示同意“关于民族工作会议的报告和对民族工作会议提出的重要问题和处理意见，认为这些意见是正确的，在今后五年以内，各少数民族地区应当采取的方针，也是适当的”。中央在批示中特别指出，民族问题的彻底解决是长期的，必须进行长期的经常性的工作，才能逐步实现。如果看不到这种长期性，不重视民族问题，不照顾民族特点和地区特点，不按党的政策办事，在工作中势必要犯错误。这几年来，一些地方在民族工作中之所以发生问题，就是因为忽视民族问题的长期性，没有认真贯彻执行甚至违反党的民族政策、方针所致。所以，有必要重申党的民族政策及其他有关方针、政策，务必按党的方针、政策办事，不得另出点子，另立章程。① 中央将报告批转各中央局、省、市、自治区党委、中央各部委和国家机关、人民团体党组，要求认真检查解决民族工作中存在的问题，贯彻会议提出的民族工作方针和具体政策。

这次会议，是在 1962 年初中共中央“七千人大会”之后召开的，比较全面地清理了民族工作上的“左”倾错误，为正确贯彻党的民族政策，做好民族工作创造了条件。但是，当年 9 月，中共中央八届十中全会以后，由于阶级斗争扩大化的“左”倾错误的发展，纠正民族工作上的“左”倾错误、落实党的民族政策工作受到了很大的影响。

从 1962 年上半年开始，在全国纠正“左”倾错误的形势下，在内蒙古自治区成立十五周年之际，内蒙古党委对于自治区执行民族政策和民族工作的情况进行了一次认真全面的检查，并开展了民族政策教育活动。

---

① 参见刘春：《关于民族工作的回顾》（2001 年 3 月）。

1962年4月3日，内蒙古党委发出《关于认真检查民族政策执行情况，解决当前民族工作方面存在的实际问题的通知》。通知指出：十五年来自治区各级党的组织在执行党的民族政策方面取得的成绩是巨大的，但决不可放松或忽视当前在执行党的民族政策方面还存在着的一些问题和工作上的缺点。因此，决定在全区进行一次执行民族政策情况的检查和民族政策的学习教育。检查的具体内容是，各地区、各业务部门在贯彻执行党的民族政策中的成绩、缺点和问题；在社会主义革命和社会主义建设中照顾民族特点、正确贯彻执行党的民族政策的问题；在牧区和区内各少数民族聚居区组织人民经济生活和物资供应问题；民族语言文字的学习和使用问题；蒙汉杂居地区民族关系和有关政策的执行问题；尊重各民族人民的宗教信仰、风俗习惯问题；民族干部的培养、提拔、使用问题；蒙汉干部关系问题；蒙汉干部和区内各少数民族干部关系问题；执行党的统战政策，与非党人士合作共事，团结改造民族上层、宗教上层、起义人员等问题。"通知"强调检查工作要实事求是，采取边检查、边改进的办法，采取群众路线、调查研究的方法。特别强调，首先要检查牧区和区内各少数民族聚居区尤其是边境地区的经济工作，对群众经济生活中现存的问题，尽最大努力迅速解决。要求在检查的同时，进行一次广泛的民族政策的学习和教育。

按照内蒙古党委的上述通知，全区普遍深入地进行了民族政策执行情况的检查和民族政策的教育。通过检查，发现的问题主要是：（1）对民族特点和地区特点认识不足，重视不够。1960年、1961年有些地方在"以粮为纲"，大办农业的口号下，不适当地开垦草场，造成农牧矛盾，影响了畜牧业生产发展和民族团结；在人民公社化运动中，自治区西部有些地方，简单地取消了蒙古族社员原来领取的土地报酬；在财贸工作方面，对于民族特点、地区特点注意不够；对于散居的蒙古族和其他少数民族人民的生产、生活方面的特殊需要，特别是边境地区少数民族人民的生产和生活照顾不够；有些地方、部门和学校对使用民族语文注意不够；有些地方的学校设置与布局不够适当；贯彻中医政策不力，特别是对蒙医的培养使用存在一些缺点。（2）对鄂伦春、达斡尔、鄂温克三个民族自治旗工作的检查、总结不够，对怎样体现自治旗的自治权利，怎样具体帮助自治旗更好地发展生产的问题没有很好地解决；对散居的少数民族的工作放松了检查。（3）有计划地教育提高民族干部的工作做得不够。（4）贯彻执行民族政策、统战政策、宗教政策检查、研究不够；对有些地方、有些部门违反政策的偏向，发现纠正的不够及时；对新情况下出现的问题调查研究不够；对干部群众进行民族政策宣传教育不够。① 总之，对民族问题的重要性、长期性认识淡漠了，对民族政策的执行放松了，直接影响蒙古族及其他少数民族的事业发展，影响民族团结。

二、落实民族政策进行民族政策教育

内蒙古党委和自治区人民委员会以及各级党委、政府，对民族政策落实情况调查中发现的问题，制定了一系列具体政策，采取了有效措施，纠正了一些缺点和错误，解决了一些实际问题。4 月 9 日，内蒙古党委、内蒙古自治区人民委员会作出《关于改进和加强民族贸易工作的几项规定》,要求对牧民和边民商品的分配和供应要执行优于城市、优于农村的方针；对牧民和边民的粮食供应，要继续贯彻执行“足量供应”的政策和按户发证、凭证购买的办法；加强民族贸易工作的组织领导，充实商业人员，改进工作方法，提高服务质量，使商业工作更好地为牧区人民和其他少数民族服务。4 月 27 日，内蒙古党委又发出《关于立即检查边民生活供应情况，改善供应工作的通知》,要求有关党委、政府经常了解边境地区的政治经济工作，及时解决问题；加强对边防站的领导和联系；加强对边境地区社队的生产和生活工作的领导，经常检查各项政策贯彻执行情况；决定对边境地区居民的吃、穿、用三方面的主要物品供应，要略高于一般牧区的供应标准。6 月 26 日，内蒙古党委再次发出《关于连续抓边境工作的通知》,要求各级党委必须继续由领导挂帅，连续抓几次边境地区和牧区的边防治安、人民生活、政治宣传工作，力争把工作抓实、抓好，力求使边境地区工作经常化、制度化。6 月 30 日至 7 月 13 日，内蒙古党委专门召开了边境地区工作会议，研究了加强边境地区工作的领导，贯彻执行党的民族政策和对外政策等问题。8 月 22 日，内蒙古党委向中共中央、国务院、华北局上报《关于解决边民

① 乌兰夫：《在内蒙古自治区民族工作会议上的讲话》（1962 年 12 月 20—25 日），内蒙古党委办公厅文件［65］蒙发 333 号。

物资供应问题紧急报告》，请求中央计划外增拨棉布、绸缎、生烟、砖茶、棉花、绒衣裤等物资，供应边境牧民及其他牧区牧民，并按边民人口及供应标准，把所需物资纳入国家销售计划，保证供应。9 月 21 日，国务院在给自治区夏季调拨价值 2 644 万元商品的基础上，又增拨了 337 万元的商品，以供应边境居民。同时，为照顾自治区少数民族人民风俗和生活习惯，中央拨出白银 5 万两，专门用于制作各种民族用品和银质首饰、用具等。在当时物资极度困难的情况下，增拨大量紧缺物资，供应边境人民群众，对于稳定群众情绪，稳定局势，加强民族团结，维护国家的统一都有重要的意义，也体现了党和政府对边境少数民族人民的关怀。

落实民族语文和民族教育政策，是落实民族政策的重要内容。1962 年 1 月 10 日至 23 日，召开内蒙古自治区民族语文、民族教育工作会议。会议总结了自治区的民族语文和民族教育工作，确定了民族语文和民族教育工作的方向和具体措施。从实际出发，走群众路线，是检验民族语文工作最主要的标准；现行蒙古文字要相对稳定；普及与提高相结合，坚持两条腿走路的方针；贯彻“百花齐放，百家争鸣”的方针，积极开展民族文化遗产挖掘、整理和研究工作，正确继承和发扬民族文化遗产，继续提倡用蒙古语文进行创作，开展学术讨论，活跃学术空气；积极发展民族教育，在蒙古族中小学中坚持蒙文蒙语教学；大力改进出版发行工作，提高现有蒙文报刊的质量和增加发行量；提高民族语文工作队伍的水平。① 1 月 12 日，内蒙古自治区人民委员会决定把内蒙古语文工作委员会改为内蒙古民族语文工作委员会，由内蒙古自治区人民委员会副主席哈丰阿兼任主任。4 月 19 日，内蒙古自治区人民委员会颁发《内蒙古自治区学习和使用蒙古语文奖励办法》，对于奖励范围、条件、办法及相关的问题作了明确的规定，对重视和使用蒙古语文的机关、团体、企事业部门和各级各类学校和学习蒙古语文的干部、职工、教职员、翻译、编辑、记者、科学研究人员等优秀的个人予以奖励，并优先奖励汉族和其他少数民族干部。② 8 月 12 日，内蒙古自治区人民委员会批转

① 《内蒙古政报》1962 年第 4 期。

② 内蒙古自治区人民委员会颁发：《内蒙古自治区学习与使用蒙古语文奖励办法》，《内蒙古政报》1962 年第 13、14 期合编。

了内蒙古民族语文工作委员会《关于蒙古语名词术语的制定和统一办法》，为蒙古语文的规范化、科学化发展作了统一规定。29 日，又批转了《内蒙古自治区蒙古语文工作暂行条例（草案）》，对蒙古语文的使用、学习，规范化，名词术语，翻译工作，科学研究，培养蒙古语文工作者，蒙古语文工作的组织领导等问题，都作了科学的、详细的规定。它既是自治区成立十五年来广大干部和群众学习和使用蒙古语文的经验总结，又是进一步实现蒙古语文规范化、科学化的重要依据，是发展蒙古语文的纲领性文件，对于发展和指导蒙古语文工作起了巨大的推动作用。①

民族语文和民族教育工作会议后，各级普遍检查了民族语文和民族教育工作，纠正了存在的问题。对文教卫生的布局与设施进行了调整，研究确定了工作任务和改进措施，使民族语文和民族教育工作取得了显著成绩。1962 年与 1965 年相比，全区蒙古族中学由 24 所增加到 35 所，增长了 46%；蒙古族农牧业中学和职业中学由 1 所增加到 58 所，增长了 57 倍；蒙古族小学由 2 029 所增加到 2 978 所，增长了 47%；蒙汉族合校小学由 458 所增加到 615 所，增长了 42%；其他民族小学也由 121 所增加到 166 所，增长了 37%。②

民族卫生工作是提高蒙古族及区内少数民族身体素质，发展民族人口，促进民族经济、文化事业发展的重要因素，民族工作的又一项重要任务。1962 年 1 月 15 日至 23 日，内蒙古自治区人民委员会召开了首届民族卫生工作会议，总结检查了十五年来民族卫生工作，确定了民族卫生工作的总任务是：在党的民族政策和“面向工农兵，预防为主，团结中西医，卫生工作与群众运动相结合”四项原则的指导下，在各级党委的领导下，根据“调整、巩固、充实、提高”的方针，认真贯彻执行内蒙古党委提出的“人畜两旺”政策和“全面预防，重点消灭疾病”的方针，以繁荣人口为中心，积极开展各项卫生工作，促进蒙古族和区内少数民族的发展与繁荣，更好地为社会主义建设服务。会议确定重点防治危害人民健康，影响民族繁荣的布氏杆菌病、性病、克山病，以及妇女不孕症、风湿性疾病、婴幼儿疾病；要加强妇婴保

① 《内蒙古自治区蒙古语文工作暂行条例（草案）》，《内蒙古政报》1962 年第 27 期。

② 据内蒙古自治区统计局编：《辉煌的内蒙古》，中国统计出版社 1999 年版相关数据；参见郝维民主编：《内蒙古自治区史》，内蒙古大学出版社 1991 年版，第 237 页。

健，降低儿童死亡率；要从实际情况出发，因地制宜开展群众性卫生活动，讲求实效，克服形式主义。全面贯彻“预防为主”的方针；加强与提高中医、蒙医工作；健全和提高基层卫生组织；充实民族地区的卫生干部；加强各族干部的思想教育；加强蒙药供应工作；加强调查研究与科研工作。①

会后，全区卫生系统认真贯彻会议精神，派出医疗卫生工作组深入农村牧区，开展防治工作试点，组织大规模的卫生突击活动；举办医药卫生科研活动，充实与加强基层医疗卫生力量；开展卫生工作先进集体、先进个人的评选活动；通过医学院校及多种形式培训，提高民族卫生工作人员的素质，从而使自治区农村牧区的医疗卫生工作得到进一步加强，迅速改变农村牧区的卫生面貌，有力地促进了自治区蒙古族和区内各少数民族的发展与繁荣。

内蒙古党委和自治区政府着力调整民族关系，加强民族团结，及时发现与纠正在具体工作中出现的忽视党的民族政策和影响民族团结的苗头或倾向。1962 年解决了呼伦贝尔盟岭北地区不适当的开荒问题。1963 年 5 月 13 日，内蒙古党委、内蒙古自治区人民委员会作出《关于调整农牧关系，保护牧场的规定》，按照民族特点和地区特点，合理规划和安排农牧业生产，正确发挥农牧业相互支援的积极作用，在年内调整完毕由于牧区开荒造成的农牧矛盾问题；同时，决定恢复内蒙古牧场管理局，以加强对牧场的管理和调整农牧关系。同一天，内蒙古党委和内蒙古自治区人民委员会还发出《关于解决自治旗和散居少数民族工作中若干问题的规定》，对山区少数民族、散居少数民族和狩猎区生产方面的问题作了具体规定，进一步落实民族政策。1962 年 8 月 14 日，内蒙古党委批转区党委农牧部、统战部和自治区民委党组《关于解决自治区西部地区蒙古族社员土地报酬问题的意见》，提出了以有利于巩固和发展集体生产，有利于增强民族团结和不降低蒙古族社员生活为原则，妥善地解决了人民公社化中简单地取消蒙古族社员土地报酬的问题。

总之，通过这次民族工作的检查和民族政策教育，进一步推动了自治区党的民族政策的贯彻落实，检查和纠正了某些地方、某些方面存在的民族政策不落实的问题，进一步加强了各族人民的团结，提高了干部群众执行党的民族政策的自觉性，是一次深刻的、生动的民族政策教育工作。

---

① 《内蒙古政报》1962 年第 5、6 期合编。

三、全区民族工作会议

为了贯彻全国民族工作会议精神，进一步检查自治区民族政策的执行情况，总结自治区民族工作的成就和经验教训，讨论确定自治区民族工作的任务，1962 年 12 月 10 日至 31 日，内蒙古党委召开了全区民族工作会议。参加这次会议的有各级人民代表大会的部分代表、各级政协的部分委员，宗教界人士、爱国民主人士及自治区各级有关部门的负责人，其中包括蒙、汉、达斡尔、鄂伦春、鄂温克、回、满、朝鲜 8 个民族的代表共 326 人，还有部分列席代表。内蒙古党委和内蒙古自治区人民委员会的负责人参加了会议，并参加了小组会，听取了代表们的意见。

内蒙古自治区成立十五年来，蒙汉各族人民在党中央和毛主席的领导下，同全国人民一道，创建了中华人民共和国，实现了民族解放，并实现了蒙古民族数百年来梦寐以求的统一的民族区域自治；社会民主改革和社会主义改造取得了胜利，出现了社会经济发展、民族繁荣的局面。从 1947 年到 1962 年，工业总产值由 5 354 万元增加到 141 312 万元，工业企业 687 个发展到 3614 个，包头钢铁工业基地粗具规模，森林工业基地初步建成，各种工业门类迅速发展。农业在曲折中得到了发展，农业总产值由 47 221 万元增加到 118 413 万元、粮食总产量由 184. 6 万吨增加到 325. 5 万吨。畜牧业发展迅速，牲畜年终总头数由 931. 9 万头（只）增加到 3 497. 3 万头（只）。教育事业成就巨大，高等学校从无到有，先后建立了内蒙古师范学院、内蒙古农牧学院、内蒙古医学院、内蒙古大学、内蒙古工学院、内蒙古林学院等 6 所高等院校；中等学校由 29 所增加到 1965 年的 2 535 所，在校学生由 5 978 人增加到 310 877 人；少数民族在校学生由 23 159 名增加到 1965 年的 290 219 名，其中蒙古族在校学生由 21 781 名增加到 249 491 名，蒙古族中等学校由 18 所增加到 67 所。蒙古族及其他少数民族扭转了解放前人口下降的趋势，迅速增长，蒙古族由 1947 年的 83. 2 万人增加到 1962 年的 129. 7 万人，其他少数民族人口由 8. 8785 万人增加到 18. 4822 万人。[①] 代表们认为，

① 内蒙古自治区统计局编：《辉煌的内蒙古》，中国统计出版社 1999 年版，第 334、317、320、326、358—364、256—258 页。

这些巨大的成就，充分证明了党的民族区域自治政策，是解决我国民族问题的唯一正确的政策。

与会者就一些重大问题，经过讨论，取得了共识，认为由于民族差别存在的长期性，民族问题的彻底解决必然是一个长期的历史过程。在社会主义阶段，适时反对资产阶级民族主义，进一步加强民族团结，对在党和国家的集中统一领导下，搞好自治区社会主义的各项事业，具有重要的意义；自治区各项事业之所以取得巨大成就，是与党和政府培养和造就大批有社会主义觉悟的蒙古族和区内其他少数民族干部和专门人才分不开的，民族干部和专门人才与汉族干部和专门人才，团结起来，共同奋斗，是自治区革命和建设取得胜利的一个重要因素；贯彻党的统一战线政策和宗教政策，形成有工人、农牧民、民族上层、宗教上层、国民党起义人员和其他爱国人士参加的最广泛的人民民主统一战线，充分发挥了民族上层、宗教上层、起义人员和其他爱国人士在社会主义建设中的作用，是自治区取得社会主义革命和社会主义建设胜利的又一个重要因素；按照自治区的民族特点和地区特点，统筹安排和合理规划农牧业生产，充分发挥农牧业相互支援的作用，是加快牧业发展和增强民族团结的一个至关重要的问题；在民族语文、民族教育、民族文化、民族卫生和培养专门人才等方面，要认真总结经验，采取有效措施，把党的民族政策和民族文化教育工作方针更好地贯彻到工作中去，促进民族文化的发展和繁荣；要改进和加强民族贸易工作，认真贯彻执行党的八届十中全会《关于工商业工作问题的决定》，实行“发展经济，保障供给”的总方针，合理收购畜产品和狩猎业产品，促进民族经济的发展，加强民族团结。代表们还对区内三个少数民族自治旗和散居少数民族工作中的有关问题，提出了改进意见。

会议确定，今后自治区民族工作的任务是：依靠党中央和毛主席制定的民族政策，根据党的八届十中全会和全国民族工作会议精神，巩固民族工作的巨大成就，进一步加强民族团结；加强工农联盟，巩固人民民主统一战线，加强人民民主专政，继续深入开展爱国主义、国际主义和社会主义教育，提高各族人民的思想政治觉悟；调动和发挥全区各族人民的积极性，巩固人民公社集体经济，集中力量发展农牧业生产，因地制宜地进行农牧业技术改革，发展社会主义的民族关系，为把自治区建设成为各方面比较先进的社会主义自治区，跻身于国内先进民族的行列而奋斗。

内蒙古党委第一书记、内蒙古自治区人民委员会主席乌兰夫在会上作了长篇重要讲话，对怎样估价自治区成立十五年来的工作，对我国过渡时期的民族问题和阶级斗争，对反对资产阶级民族主义、巩固祖国统一、加强民族团结，对民族区域自治和干部问题，对执行党的统战政策和宗教政策问题等6个方面进行了精辟的分析和深刻的论述。

他在谈到对自治区成立十五年来的工作应当怎样估计时指出，自治区成立十五年来的工作，取得了连外国友人也十分赞叹的伟大成绩，缺点错误与成绩比较是次要的、第二位的，但也是比较严重的。主要是在经济文化建设中，有忽视民族特点和地区特点的倾向。原因是由于工作缺少经验。我们的态度是，发现错误，改正错误，吸取教训。在谈到我国过渡时期的民族问题和阶级斗争时，他指出，少数的民族反动上层和宗教上层，还会企图利用民族问题，挑拨民族关系，图谋复辟，分裂祖国，这是阶级斗争在民族问题上的反映。但不能把民族问题和阶级问题等同起来。在社会主义革命和建设时期，民族问题主要是解决各民族经济文化等方面事实上的不平等，实现各民族共同发展，共同繁荣。然而，在相当长的历史时期，各民族在经济文化发展上的差别是存在的。因此，忽视民族特点，忽视民族问题，忽视党的民族政策是完全错误的。他强调要坚决反对资产阶级民族主义，即大汉族主义和地方民族主义，巩固祖国统一，加强民族团结。在谈到民族区域自治时，他指出，民族区域自治不但是中国共产党解决我国民族问题的基本政策，而且是解决中国民族问题的唯一道路和唯一政策。它既可以保证国家的统一，又可以保障各民族的平等权利。实行这种制度是由中国各民族的历史特点所决定的，是在长期的历史发展过程中形成的。自治区十五年的经验有一条：凡是把党的方针政策和自治区的民族特点、地区特点相结合就可以正确贯彻党的方针政策，工作就顺利，就有成绩；反之就会给工作带来损失。他指出，自治区的民族特点和地区特点是：（1）蒙古族聚居区，还居住着较多的汉族以及其他少数民族，蒙古族与汉族人口的比例是1∶7；（2）各民族的经济文化发展水平不同，语言文字、风俗习惯和宗教信仰不同；（3）阶级成分复杂，有工、农、牧、猎民，有地主、资产阶级、牧主、民族上层、宗教上层和其他爱国人士；（4）有多种经济，农、林、牧、猎、渔、工等；（5）

蒙古民族在历史上长期处于被分割统治的状态，现在还存在各种思想问题；(6) 地区辽阔，交通不便，资源丰富，人口稀少，气候比较寒冷；(7) 国境线长，长达 2 500 多公里。民族区域自治政权的存在是长期的，这是由于民族问题长期存在所决定的。关于干部问题，他指出，我们执行了德才兼备的干部政策，培养了大批蒙古族和其他少数民族干部，以及大量的汉族干部，各族干部是团结的。他强调要注意培养和提高少数民族干部的能力，注意在民族干部中大力培养各种专门人才，建立又红又专的工人阶级的知识分子队伍，要加强各民族、各方面干部的团结。最后，他肯定了过去执行党的民族政策和统战政策的成绩，指出党的统战政策长期不变，对非党人士贯彻执行"包下来，包到底，安排使用，教育改造"的政策，对一切可能合作的党外朋友实行团结、教育、改造和长期合作的政策。指出党一贯坚持宗教信仰自由的政策，同时要求党外朋友和宗教界人士要加强自我改造，爱国守法。①

根据会议讨论确定的自治区民族工作任务，内蒙古党委和内蒙古自治区人民委员会联合发出了贯彻民族工作会议精神的 5 个文件，即 1963 年 2 月 9 日的《关于解决自治区西部地区蒙古族社员原有土地补助问题的办法》和《关于加强民族文教卫生工作的若干规定》、4 月 9 日的《关于改进和加强民族贸易工作的几项规定》、5 月 13 日的《关于调整农牧关系，保护牧场的规定》和《关于解决自治旗和散居少数民族工作中若干问题的规定》。通过这些文件全面调整了自治区民族工作方面的许多具体方针政策，规定了解决少数民族社员收入减少，调整农牧关系，保护牧场、禁止开荒，安排农牧业生产，进一步加强民族团结的方针政策；强调了牧区工作要坚持"千条万条，增加牲畜是第一条"的原则，坚定不移地贯彻执行"以牧为主，围绕农牧业生产，发展多种经济"的生产方针；要求农业区和半农半牧区也要发展畜牧业，禁止开垦牧场；对于自治旗和散居少数民族行使民族权利及发展生产等问题都作了具体规定和安排。

全区民族工作会议的召开具有很深远的意义，它总结了自治区民族工作的成绩和经验教训，在一定程度上纠正了"左"倾错误的影响，解决了民

---

① 乌兰夫：《在内蒙古自治区民族工作会议上的讲话》(1962 年 12 月 20—25 日)，内蒙古党委办公厅文件［65］蒙发 333 号。

族工作中存在的一系列问题，进一步完善了自治区解决民族问题的具体政策，有力地调动了各少数民族人民建设社会主义的积极性，对促进自治区少数民族事业的发展和繁荣起了积极作用。

四、民族工作在曲折中发展

在1958年以来“左”倾错误的一次又一次严重干扰下，自治区的民族工作受到了很大的影响。但是，内蒙古党委和内蒙古自治区人民委员会，特别是以乌兰夫为代表的一批蒙汉各族干部，凭借对内蒙古实际的深刻了解和长期以来民族工作的丰富经验，以不同的形式，在一定程度上抵制和削弱了“左”的影响，稳妥地贯彻了党的民族政策，及时解决了民族工作中出现的问题。虽然在具体工作中出现过一些难以避免的失误，但是，自治区民族工作仍然取得了很大成绩。

内蒙古党委和自治区人民委员会在曲折中，不断地推行民族区域自治政策，调整民族关系，加强对民族工作的领导。从1958年到1965年，对自治区内的行政区划作了一系列调整。1958年5月，经国务院批准，撤销平地泉、河套两个行政区，将平地泉行政区所辖的兴和、丰镇、凉城、和林格尔、清水河、托克托、萨拉齐、武川、武东、卓资等10县和察哈尔右翼后旗、察哈尔右翼中旗、察哈尔右翼前旗、土默特旗及集宁市划归乌兰察布盟；将河套行政区所属临河、狼山、五原、安北等4县，达拉特后旗、杭锦后旗及陕坝镇划归巴彦淖尔盟。10月，内蒙古自治区人民委员会又决定将锡林郭勒盟和察哈尔盟合并为锡林郭勒盟，盟公署设在锡林浩特。撤销了原察哈尔盟公署行政建制。

培养少数民族干部，是党的民族区域自治政策的重要组成部分，是实现民族平等、团结和共同繁荣的重要条件，也是党的民族工作和干部工作的一项重要内容。内蒙古党委和自治区人民委员会为纠正民族干部政策上的失误，进行了大量的工作，收到了一定的成效。

1955年到1965年，内蒙古自治区培养使用民族干部的历史，是民族工作曲折发展的很有说服力的例证。1955年，全区干部总数为9.0427万人，少数民族干部1.8559万人，占全区干部的20.52%；其中蒙古族干部1.5702万人，占全区干部的17.36%。1957年，全区干部总数为14.1109万人，少数民族干部2.6594万人，占全区干部总数的18.84%，其中蒙古族干部是1.9735万人，占全区干部总数的13.99%。1957年与1955年相比，少数民族干部比例下降了1.68%，蒙古族干部比例下降了3.37%。显然，这与1957年反对民族分裂主义扩大化错误是不无关系的。到1960年，少数民族干部在全区干部总数中占16.11%，又下降了2.73%，蒙古族干部占全区干部总数的12.64%，也下降了1.35%。这也是“大跃进”时期的“左”倾错误对民族工作的干扰。1962年实行调整方针，纠正“左”倾错误，落实民族政策，民族干部的比例开始回升。这一年，全区干部达到16.9347万人，少数民族干部为2.8694万人，占全区干部的16.94%，其中蒙古族干部2.2718万人，占全区干部的13.42%，分别增长了0.83%、0.78%。到1965年，全区干部为17.5728万人，少数民族干部3.1589万人，占全区干部的17.89%，其中蒙古族干部2.5070万人，占全区干部的14.26%，又有所增长。① 从这样一些比对数字，可以折射出“左”倾错误对贯彻民族政策的影响，而且这些影响没有彻底纠正。

提高少数民族干部的科学文化素质，大力培养少数民族科学技术人才，是发挥少数民族干部作用的重要环节。在1957年以来陆续创办的各类大专院校和中等专业学校中，有计划地培养了少数民族的各种专门人才。到1965年，高等学校由1956年的4所发展到10所，中等专业学校由24所发展到128所。高等学校的毕业生1957年是344人，1965年达到2 393人，先后毕业的大学生达到13 941人，其中少数民族2 938人，占21.1%；蒙古族2 300人，占大学毕业生总数的16.5%，其他少数民族638人，占4.6%。中等专业学校毕业生共73 644人；其中少数民族11 990人，占16.3%，蒙古族10 126人，占14%，其他少数民族1 864人，占2.5%。初步形成了培养高中级各类专业民族干部的体系。少数民族职工也有较快的发展。1957年全区有少数民族职工5.2万人，占职工总数的11.3%，其中蒙古族职工3.9万人，占总数的8.5%。1959年2月2日，内蒙古党委批转党委工业部《关于培养民族职工的情况和今后意见的报告》，要求在工业企业中积极培养民族领导骨干、民族技术干部，大量吸收民族工人，逐步形成少

① 参见《内蒙古自治区志·人事志》，内蒙古教育出版社1999年版，第94、95页数据。

数民族的工人阶级队伍。到1959年底，少数民族职工队伍迅速壮大。仅大兴安岭林区的蒙古、达斡尔、鄂伦春、朝鲜等少数民族职工即达九千多名，在12个林业局的主要领导干部中，少数民族干部约占32%。在包头钢铁公司和呼和浩特、乌兰浩特、赤峰、集宁等城市的大中小型钢铁企业中，已经成长起了内蒙古第一代钢铁工人。到1959年底，包头钢铁公司已有2 100多名蒙古族和其他少数民族企业管理干部、工程技术人员和职工。1959年一年，涌现出自治区级少数民族职工先进生产者45人，白云矿山蒙古族工人胡尔宝音、选矿烧结厂加工修理车间蒙古族工人黑子等出席了全国群英会。到1965年底，全区蒙古族和其他少数民族职工达9万多人，占全区职工总数的10.4%，其中蒙古族职工达6.3万人，占全区职工总数的7.3%，是1957年蒙古族职工的1.62倍。①

蒙古民族语文的学习和使用有了进一步的发展。1965年蒙古族群众中通过学习蒙古语文达到脱盲的有94万多人，多数是蒙古族青壮年。1965年，全区已有蒙古族中小学3 696所，在校学生28.2万多人，其中蒙古族在校学生24.7711万人，其他少数民族在校学生4.2万多人（在校学生数含有蒙汉合校学生数）；全区各类学校中蒙古族及其他少数民族教师达3 954人，其中约有1/3多使用蒙语授课。内蒙古大学、内蒙古师范学院、内蒙古农牧学院以及内蒙古党校等大专院校都设有蒙语授课专业，专门培养蒙古民族知识分子。在新闻、出版、广播事业中，民族语文也得到广泛使用。1962年全区已有蒙语广播电台6座，蒙语广播站28个，另有40多个广播台站安排有蒙语转播或蒙语自办节目。《内蒙古日报》《花的原野》《党的教育》等报刊都有蒙文版发行。内蒙古人民出版社始终把出版蒙古语文图书作为出版工作的重点之一。1958年已出版各学科、各门类蒙文图书达311种、189.8万册。1962年4月，《毛泽东选集》蒙文版1—4卷出版发行。蒙文图书报刊的发行网也初步形成，各旗县都有新华书店分店，交通不便的偏僻农村牧区也由供销社代销或由书店派出流动供应站出售。1957年内蒙古图书馆建成，馆藏蒙文图书达6 000多册。使用蒙文创作的作家日益增多。他们

① 参见内蒙古自治区统计局编：《辉煌的内蒙古》，中国统计出版社1999年版的相关数据；郝维民主编：《内蒙古自治区史》，内蒙古大学出版社1991年版，第247页。

创作的诗歌、小说、剧本、舞蹈、好来宝等作品，深受蒙古族群众的欢迎。

蒙古语文教学质量不断提高。自治区出版了从小学到高中的全套蒙文教材，高等院校和中等专业学校也翻译和编写了蒙文教材。蒙古语文的研究也在不断发展，统一和创制了许多蒙古语文专业名词术语。1964 年 5 月出版了各种小学生的《蒙汉词典》及蒙古语文专业小册子，对统一和推广新的名词术语发挥了重要作用，搜集整理了有关蒙古语言文学、历史等文献资料一千多件，其中有很多珍贵的民族文化典籍，如《蒙古黄金史》《一层楼》《格斯尔的故事》《江格尔传》《大扎萨克》等，有的还用蒙汉两种文字整理出版。各旗县以上机关多数都配备了蒙古语文翻译，1958 年已有六百多名。在自治区直属机关、企业、事业单位，群众团体的文件、会议及群众集会等场合，一般都使用蒙汉两种语言文字；各机关、车站、商店、银行、邮电局、医院、学校等公共场所的牌子以及商品价格牌等都使用蒙汉两种文字。在蒙古族群众聚居地区的公共场所和服务行业，一般都配备了蒙汉兼通的服务员。

蒙古语文工作的队伍不断壮大，已经形成了一支包括政治理论、科技、教育、文艺、出版、新闻广播等各方面的蒙古语文工作队伍。蒙古族及其他少数民族的教授、学者、专家、科研人员、诗人、作家、著名演员、艺术家、翻译人员已成为自治区建设社会主义的重要力量。①

第七节 统战政策与统战工作

一、政协工作的曲折发展

内蒙古政协和各人民团体在全面建设社会主义时期，根据内蒙古党委的部署，为动员和组织各族各界人民群众参加社会主义建设做了大量有益的工作，发挥了特殊的政治作用。但因这一时期的“左”倾错误，受到了冲击，在曲折中前进。

---

① 参见内蒙古自治区统计局编：《辉煌的内蒙古》，中国统计出版社 1999 年版的相关数据；郝维民主编：《内蒙古自治区史》，内蒙古大学出版社 1991 年版，第 249、349 页。

1959年2月20日至3月4日，政协内蒙古自治区第二届委员会举行第一次全体委员会议。参加会议的有各族各界委员238名，比第一届增加了工农牧业劳模、科学技术、文化艺术界以及有代表性大牧主等委员87名。杨植霖作《更积极地参加社会主义建设实践，在自我改造的道路上继续前进》的政治报告，内蒙古党委统战部长吉雅泰作《关于统战、民族、宗教问题的报告》，李世杰作《政协内蒙古自治区第一届委员会常务委员会工作报告》，内蒙古党委书记处书记王铎作《巩固人民公社制度，加速内蒙古自治区的社会主义建设》的报告。会议期间，有128位政协委员、6位列席人员分别作了大会发言或书面发言，并选举了内蒙古政协第二届委员会主席、副主席、秘书长和常务委员。杨植霖任主席，吉雅泰、孙兰峰、李世杰、朋斯克任副主席，朋斯克兼任秘书长，常务委员40名。

从1959年2月到1965年5月，政协内蒙古自治区第二届委员会共召开4次全体委员会议、44次常务委员会议、40次主席办公会议，全面组织领导自治区的政协工作。这期间，除了进行日常例行工作外，主要是：1. 组织政协委员、各族各界民主人士传达、学习、领会、贯彻中央的路线、方针、政策和内蒙古党委从自治区的实际出发提出的决策、部署、实施方案，参加国家和自治区的政治生活，进行政治协商；2. 通过历次全体委员会议，讨论政协工作，提出各方面工作和问题的意见、建议和提案，提供有关部门参考处理；3. 列席自治区人代会，听取自治区政府工作报告，为自治区的经济建设、社会发展提出意见和建议，参政议政；4. 接待全国政协委员参观团前来参观访问，交流政协工作，介绍区情，听取意见，促进自治区的工作；5. 举办各种类型的报告会、座谈会、交流会，报告形势、时政、方针、任务，组织政协委员和各族各界民主人士、高级知识分子参加，深入开展爱国主义、国际主义和社会主义教育，提高认识，推动各界人士在社会主义建设的各条战线上贡献力量；6. 办好政协政治学校，并改建为内蒙古自治区社会主义学院，作为政协委员、民主人士学习、改造、提高的园地；7. 成立政协内蒙古自治区委员会文史资料研究委员会，组织撰写文史资料，编辑出版《内蒙古文史资料》，使之成为自治区历史资料建设、资政育人的重大工程；8. 组织政协委员和人民代表分赴区内盟市视察调研，提出问题和处理意见、建议，收到了良好效果；9. 协调各级政协密切同各族各界人士的联系，贯彻“长期共存，互相监督”的方针，加强内蒙古政协与各级政协的工作联系，发挥各级政协在统一战线工作中的作用。

1965 年 5 月 6 日至 20 日，政协内蒙古自治区第三届委员会举行第一次全体委员会议，出席会议的委员 280 名，列席 241 名。中共内蒙古自治区委员会第一书记乌兰夫主持会议开幕式，并作了《关于当前国际形势和统一战线、民族、宗教政策问题的报告》；政协内蒙古自治区委员会副主席李世杰作政协第二届委员会常务委员会工作报告；克力更、特木尔巴根传达周恩来总理在第三届全国人民代表大会第一次会议上的政府工作报告；孙兰峰传达全国政协副主席郭沫若所作《政协第三届全国委员会常务委员会工作报告》；34 位委员在全体会议上发言或作书面发言。会议选举了政协内蒙古自治区委员会主席、副主席、常务委员。乌兰夫当选为主席，吉雅泰、孙兰峰、李世杰、克力更、特木尔巴根、武达平任副主席、杜如薪任秘书长，常务委员 35 名。

会议提出政协工作的六项任务：组织推动各界民主人士积极参加社会主义教育运动，努力进行自我改造，过好社会主义关；进一步推动各界民主人士参加三大革命运动，为自治区社会主义革命和建设贡献力量；坚决维护伟大祖国的统一和各民族的团结；开展各种政治活动，活跃民主生活，反映各方面的意见和建议；坚决拥护我国对外政策总路线，维护社会主义阵营和国际共产主义运动的团结；加强与各级政协委员会的联系，帮助他们发挥更多的作用。

政协内蒙古自治区第三届委员会，从 1965 年 5 月至 1977 年 12 月只举行一次全体委员会议、5 次常务委员会议。1966 年 5 月“文化大革命”开始至 1970 年，政协内蒙古自治区委员会大门被封，停止工作。1971 年 6 月，划归内蒙古革命委员会统战系统学习班，参加学习和活动。1975 年 4 月，内蒙古党委批准撤销内蒙古革命委员会统战系统学习班，恢复政协内蒙古自治区委员会及其工作和活动。从机构到人员的恢复工作进行了两年多时间，直至 1977 年 11 月 12 日—14 日，政协内蒙古自治区第三届委员会召开第三次常务委员会议，讨论举行政协内蒙古自治区第四届委员会第一次全委会议的筹备工作。12 月 7 日和 13 日，分别召开第四次、第五次常务委员会议，主要研究第三届委员会常务委员会的工作报告，第四届委员会委员提名，研究第四届委员会主席、副主席、秘书长和常务委员人选等事项。12 月 17

日，举行政协内蒙古自治区第四届委员会第一次全委会议，第三届委员会历经12年零6个月，在历史的曲折中完成了自己的使命。①

政协内蒙古自治区第二届、第三届委员会，由于这一时期中国共产党犯有“左”的错误倾向，特别是“文化大革命”，使政协工作受到了影响和破坏。因此，在其各个阶段的决议、决定和实际工作中，既有正确和成功的一面，也有失误的一面，甚至受到过“左”倾错误的冲击和“文革”的破坏。这种状况，在政协上述历史发展的过程中有着明显的反映。

二、人民团体及其活动

内蒙古自治区的人民群众团体有内蒙古自治区总工会、内蒙古自治区工商业联合会、中国共产主义青年团内蒙古自治区委员会、内蒙古自治区青年联合会、内蒙古自治区妇女联合会等。这些人民群众团体在自治区全面建设社会主义的曲折发展时期，为发动和组织各族各界各阶层人民贯彻实施党的路线、方针、政策，发挥了巨大的作用。每一个重大的政治行动，每一项社会主义建设项目，都有他们参与，都有他们的功绩。同时，这一时期的“左”倾错误同样影响着他们的活动，甚至造成这些人民群众团体工作上的失误。这在他们的决议、决定及实际活动中也有所反映。

1960年4月23日至29日，内蒙古自治区总工会举行第二次代表大会，有各族代表613人出席。会议总结了过去5年来自治区工会工作的成绩与经验，提出了工会工作的任务：组织和动员全区职工，团结各族人民，深入开展学习和宣传毛泽东思想运动；深入开展技术革新和技术革命活动，争取提前完成1960年自治区的国民经济计划；积极支援农牧业的技术改造；深入进行文化革命，迅速提高文化科学技术水平。乌兰夫就自治区的形势与任务作了重要讲话。大会选举产生了内蒙古自治区总工会第二届执行委员会，蒋毅任内蒙古自治区总工会主席，官布扎布、王志远、朱鸣、方炎军、施月琴、乌恩任副主席。

内蒙古自治区的工会组织，作为全区工人生产、生活的组织者，发动和

---

① 参见中国人民政治协商会议内蒙古自治区委员会编印：《三十年大事记》（1987）、《九届政协委员名录》（2004）。

组织工人群众开展劳动竞赛和比、学、赶、帮活动，开展增产节约和技术革新运动；组织与领导工人群众学习毛主席著作，开展学雷锋活动，参加各种政治运动；提高了工人群众的觉悟，调动了工人群众的生产积极性，涌现出大批劳动模范和生产能手，充分发挥了工人阶级的领导作用和先锋作用。同时，在“左”倾错误的影响下，工会工作受到干扰。

内蒙古自治区工商业联合会于1955年6月召开第一届代表大会，并宣告成立，通过了联合会章程。覃锡树任主任委员，刘景平等为副主任委员。1957年5月27日至6月6日，内蒙古自治区工商业联合会举行第二届代表大会，传达了全国工商联第二届会员代表大会的精神，通过了工商界共同遵守的五项基本准则的决议和内蒙古工商联组织简则，通过了一届执委会工作报告等，选举覃锡树为主任委员、郑廷烈等为副主任委员。

在对资本主义工商业的社会主义改造完成之后，内蒙古工商联帮助工商业者进行自我教育和思想改造，组织会员发挥经营管理和生产技术特长，调动一切积极因素，为社会主义建设服务，并在人事安排、经济改组和协调公私共事等方面发挥了积极作用。

1960年4月13日至28日，内蒙古自治区工商联合会举行第三届代表大会，以“神仙会”的形式，充分发扬民主，畅所欲言，就自治区工商联的工作进行了热烈的讨论，通过了积极服务、加强改造的决议和联合会工作报告以及财务工作报告的决议，通过了《内蒙古工商业联合会简则》,选举了第三届执委会，覃锡树任主任委员，樊家杨等为副主任委员。在“左”倾错误发生和发展的过程中，内蒙古工商联合会的工作也受到影响，受到了冲击。

中国共产主义青年团是内蒙古自治区政治生活中的一支非常活跃的力量。1959年2月3日至7日，共青团内蒙古自治区第三次代表大会召开，与会代表410人。大会着重讨论了保证中国共产党的领导和进一步鼓足干劲的问题。会议首先传达了中共内蒙古自治区委员会第一届第三次会议精神，听取了内蒙古团委第二届委员会所作的《当好党的最忠实的助手，做社会主义建设的突击队》的工作报告，听取了《全面关心少年儿童的成长，更加蓬勃地开展共产主义少年儿童运动》的报告，通过了《在党的领导下，动员全区各族青年为实现1959年更大更好更全面的跃进而奋斗》的决议和以上两个报告的决议。大会确定内蒙古共青团工作的中心任务是，在党的领导下，在加速社会主义建设中，团结教育各族青年成为又红又专，能文能武，亦工亦农，脑力劳动和体力劳动全面发展的共产主义新人。大会选出45名正式委员和10名候补委员。在第一次全委会议上，讨论通过了《关于协助党加强青年新工人工作的决定》，选举阿拉坦敖其尔为书记，苏平、沙梯、徐进林为副书记。

1965年8月12日至24日，共青团内蒙古自治区第四次代表大会召开。会议总结了第三届团代会以来的工作，确定了自治区共青团的工作任务；选举产生了共青团内蒙古自治区第四届委员会，张德华任书记，苏平、沙梯、许维俊为副书记。

与此同时，内蒙古自治区青年联合会也大力开展各种形式的活动，协助共青团发动广大青年参加社会主义建设。1958年3月下旬，内蒙古农村青年积极分子大会召开，来自全区各地的300多名农村青年积极分子参加。会议发出了致全区农村男女青年书，进一步激发了广大农村青年建设社会主义的积极性。1959年7月，内蒙古自治区青联召开第二届第三次全体会议，号召全区各族各界青年积极参加全民增产节约运动。1962年6月18日，召开内蒙古自治区青联第三届委员会，阿拉坦敖其尔当选为青联主席。1965年7月26日至8月3日，召开内蒙古青联四届一次全委会，宝音图当选为青联主席。7月，召开内蒙古首届学生代表大会，内蒙古大学的宝音贺什格当选为第一届学联主席。

在自治区全面建设社会主义的过程中，内蒙古的共青团、青年联合会、学生联合会等革命青年群众组织，动员和组织千百万蒙汉各族青年，在工农牧业以及其他各项建设战线上奋力拼搏，发挥了突击队和先锋队的作用；以极大的热情学习马列主义毛泽东思想。1961年在全区开展学习王若飞在狱中斗争的事迹，1963年开始开展学习雷锋、学习王杰的活动，1964年开展学习草原英雄小姐妹龙梅、王荣的活动，1966年掀起学习焦裕禄的热潮，使学习革命传统，学习英雄模范，创英雄业绩，树社会主义新风，在全区各族青年中蔚然成风。这是青年工作和青年运动的主流。当然，由于“左”倾错误的影响，在青年工作中一般号召多、实际指导少，一味灌输多、细致疏导少，“奴隶主义”多、独立思考少的“左”的思想也在青年中扩散，对青年的成长也产生了负面影响。

内蒙古的各族妇女在自治区社会主义建设中，始终发挥着重要作用。内蒙古自治区妇女联合会成立以来，为在政治上彻底解放妇女、保护妇女权利，动员妇女参加社会活动和社会主义建设，做了大量的工作。无论在社会民主改革中，还是在社会主义改造中，各族妇女是一支不可忽视的力量。内蒙古自治区妇女联合会成为各族妇女的群众组织。1960 年 2 月 10 日至 16 日，内蒙古自治区第三届妇女代表大会召开，与会代表 372 人。会议总结了上届妇代会的工作，研究确定了妇女工作任务，即贯彻以生产为中心的方针，进一步团结各族各界妇女，积极参加社会主义建设；努力学习毛泽东思想，争做毛主席的好学生；动员广大妇女群众积极参加以技术革新和技术革命为中心的增产节约运动；认真执行勤俭建国，勤俭持家，勤俭办一切事业的方针。大会选举了内蒙古自治区妇女联合会新的领导机构，乌兰任妇联主任，陈介平、云清、金元诚、云曙芬、乌云毕力格为副主任。①

1958 年以来的社会主义建设中，内蒙古妇联在每一个时期都积极动员和组织广大妇女顶起“半边天”，充分发挥她们建设社会主义的积极性。许多妇女离开锅台，摆脱家务，参加了社会主义建设各条战线的工作，作出了优异的成绩。

三、喇嘛教及其制度改革

1957 年，全区掀起了牧业合作化运动，对喇嘛教的庙仓经济、喇嘛个人的生产资料的社会主义改造也开始进行。此时，全区尚有二万一千多名喇嘛从事宗教活动。

1958 年 6 月 20 日至 7 月 9 日，内蒙古党委第七次牧区工作会议确定，结合牧区的社会主义改造，对喇嘛教的庙仓经济和喇嘛个人的生产资料也要进行社会主义改造。7 月 10 日，乌兰夫在锡林郭勒盟喇嘛代表人物座谈会上指出，党的宗教信仰自由的政策不变，但不论信教不信教，都必须拥护共产党的领导，走社会主义道路。对喇嘛教进行社会主义改造，包括对喇嘛本人的改造与庙仓经济的改造。对喇嘛的改造主要是学习政治，参加生产劳动，改造思想，转变立场；对庙仓经济的改造，一是参加合作化，一是参加

① 参见郝维民主编：《内蒙古自治区史》，内蒙古大学出版社 1991 年版，第 260—264 页。

公私合营牧场。喇嘛参加了劳动后还可以念经。

7月31日，内蒙古党委提出《关于在牧区社会主义改造中对喇嘛问题的处理意见》,决定对喇嘛和庙仓经济的社会主义改造采取积极而慎重的方针，达到既改造喇嘛，又团结人民，又发展生产的目的。改造的策略是有斗争、有团结，有严、有宽，要网开一面。庙仓、葛根仓的牲畜，凡是由召庙自己经营的，一般举办公私合营牧场；庙仓租放给牧民的牲畜一律改为作价定息转归合作社经营；葛根及其私有牲畜，本人愿意带畜入社的，按合作社章程办理，本人不愿带畜入社的，可以采取作价定息的办法；凡是有劳动能力的喇嘛都要参加各种劳动，逐步变为自食其力的劳动者。他们可从事牧业劳动，也可以当手工业者、教员、医生等。劳动改造以后，少数上层喇嘛和因年老体衰，丧失劳动能力而生活困难的喇嘛，由社会安排或由政府给予救济。坚持宗教信仰自由政策，允许喇嘛进行正当的宗教活动，在改造过程中，对喇嘛的生活、劳动和正当的宗教生活应给予适当照顾。在确定定息时要考虑一部分上层和老年喇嘛的生活费用，及举行宗教仪式的开支。对参加生产劳动的喇嘛，在开始参加劳动时，在劳动强度上，应根据本人情况比一般牧民低一些，要根据他们的特点适当安排其劳动。

根据内蒙古党委制定的政策和策略，从1958年到1960年对喇嘛教的庙仓经济和喇嘛个人的生活资料进行了社会主义改造。废除了召庙的土地剥削制度，对召庙的土地、牲畜用赎买的方式，使其纳入人民公社和公私合营牧场。除了允许喇嘛在政策允许的范围内，收取一定的定息外，基本上消灭了召庙和上层喇嘛对农牧民的经济剥削，废除了庙仓的地租、矿租，动员寺庙用多余的资金投资兴办工厂或工业、农牧业生产的基本建设。对于上层喇嘛个人的生产资料，在“大跃进”和人民公社化运动中，也动员其加入人民公社或公私合营牧场。

在喇嘛中普遍进行了劳动光荣的思想教育，要求他们改变过去的寄生生活，逐步转变为自食其力的劳动者。到1958年，全区已有70%—80%的喇嘛参加了各种行业的劳动。1960年上半年，全区95%以上有劳动能力的喇嘛参加了人民公社和工矿业的生产劳动。还有不少喇嘛当了医生、教师。通过参加劳动生产和工作实践，绝大多数喇嘛学会了各种生产技术，获得了劳动收入，逐渐接受了一定的社会主义思想，由寄生阶层转化为自食其力的劳动群众。在他们中还涌现出不少先进生产者、先进工作者，有的还被选拔为干部。

对喇嘛庙中的不合理制度也进行了改革。许多召庙都实行了民主管理，宗教活动的规模和挥霍浪费的现象逐年缩减。以前大的召庙一年经会的时间要占用二三百天，耗资近 10 万元。经过社会主义改造后，每年的经会减少到二三十天，经费开支也减少到几百元。上层喇嘛打骂小喇嘛，限制还俗结婚的现象基本绝迹。如包头五当召 1959 年有 137 名喇嘛，其中 71 名青壮年喇嘛都到石拐煤矿当了长期工人，经过 1 年多的学习与劳动，大多数人学会了劳动技术，能够独立操作，评级时达到二至四级工的水平，月平均工资 52 元。在劳动生产中他们表现也很好，83% 的人在劳动竞赛中获奖。

但是，在“大跃进”和“人民公社化”运动中，由于受“左”倾错误的影响，有的地区也曾出现过歧视喇嘛，干涉宗教活动，随意占用和拆毁召庙的现象，严重地损害了党的宗教政策。如伊克昭盟伊金霍洛旗 1960 年拆毁召庙 14 座，大小房 27 栋共 348 间，没拆除的也全部被占用，喇嘛只好在家里念经。在刮“共产风”时也平调了部分召庙的财产，甚至喇嘛个人的生活资料。在安排喇嘛参加劳动生产时，没有坚持自愿的原则，而且劳动时间较长，影响了喇嘛过宗教生活的时间。个别地区甚至发生了用行政命令的办法制定指标，要求在三四个月内采取“逮捕一批、集训一批、劳动改造一批、动员还俗一批、入学一批”的办法，达到消灭宗教的目的。这种错误的做法既不符合党的宗教政策，对于喇嘛教的社会主义改造也极其有害。

针对上述问题，中央统战部提出了“团结为主，搞好关系，改进作风”的方针，以检查和纠正执行党的统战政策和宗教政策方面存在的“左”的错误。1961 年 1 月 23 日，内蒙古党委统战部提出《关于纠正若干政策问题的具体意见》,规定清理退赔平调召庙的财产、平调宗教职业者的生活资料。有原物的一律退赔原物，原物损失的要适当进行补偿。寺庙院内的零星树木，要归寺庙集体所有。不准占用居于全区文物保护单位的寺庙，已占用的一律退还。对住有宗教职业者、宗教活动一直未中断的寺庙，一般不再占用。对现有召庙需要合并或必须拆除的，由盟、市委提出合并或必须拆除的意见，由内蒙古党委审批。对于宗教职业者参加生产劳动的问题，必须贯彻“自愿量力，区别对待，形式多样，适当安排”的原则。对宗教上层人物和老弱病残者，不要求他们参加劳动。这些政策的制定和实行对于纠正宗教问题上的“左”倾错误起了积极的作用。1962 年 7 月 7 日，内蒙古党委统战部又发布了《关于民族和宗教工作方面当前存在的问题及处理意见》，为落实和解决内蒙古政协二届三次会议在民族和宗教工作方面提出的问题，规定了具体政策措施，进一步纠正了宗教工作方面“左”的错误。规定：任何人不得干涉和歧视宗教职业者和群众的宗教生活，坚决纠正干涉宗教正常活动的错误；保护寺庙，严禁破坏寺庙、佛像、经典、法器，寺庙的房屋所有权属于宗教团体，任何人不得擅自拆除、变卖、转让；政府帮助或出资解决寺庙的修缮；政府要妥善解决宗教职业者的宗教活动场所；尽量照顾宗教活动所需物资的供应；安排好年老体弱的喇嘛和宗教上层人物的生活；喇嘛参加劳动要继续贯彻自愿、区别对待、形式多样的原则；重点寺庙可以请“活佛”及吸收小喇嘛；1958 年以后平调的寺庙和喇嘛个人财产，一律要按政策退赔；喇嘛较多的寺庙成立寺庙管理委员会等等。这是自治区进一步纠正在执行宗教政策中“左”倾错误的重大措施，调动了广大喇嘛走社会主义道路的积极性，消除了一些喇嘛与党和政府的对立情绪。

但是，由于中央对“左”的错误未能彻底纠正，特别是 1962 年中共八届十中全会后，在“以阶级斗争为纲”方针的影响下，认为喇嘛教中出现了一股封建复辟的逆流，一些上层喇嘛在宗教改革问题上企图翻案。因此，1963 年 8 月，在佛教协会内蒙古分会第二届代表会议上，提出了《喇嘛教制度改革意见 17 条》，规定不允许不满 18 岁的少年儿童当喇嘛；废除活佛转世等制度；提倡青年喇嘛结婚，废除“化布施”制度；坚决制止“古日特木”显圣，取消庙与庙之间的隶属关系；寺庙实行负责人由政府任免制度；反对以朝拜为名，到处流窜等。这些政策条文是在当时“左”倾错误的指导下制定的。它企图通过行政手段来限制和取消宗教的活动，对喇嘛教的改造工作急于求成，给自治区的宗教工作造成了严重损失。①

四、天主教、基督教及其制度改革

1957 年，在整风运动中，内蒙古党委统战部根据国务院第四次全国宗

① 参见郝维民主编：《内蒙古自治区史》，内蒙古大学出版社 1991 年版，第 250—254 页。

教工作会议关于在汉族中的各种宗教界内部（重点是天主教、基督教），进行一次社会主义教育的精神，决定并在自治区的天主教、基督教界开展社会主义教育运动，通过大鸣、大放、大辩论、大字报的形式，发动教徒开展反右派斗争，揭露和批判那些反对在天主教进行反帝爱国运动，攻击党的肃反政策、宗教政策和社会主义制度的神职人员。

1957年10月至12月期间，内蒙古宗教事务局于呼和浩特召开了全区天主教徒代表会议，传达学习了《中国天主教教友爱国会决议》等文件，与会代表进一步认识了中国天主教必须实行独立自主自办教会，与梵蒂冈割断政治、经济上的一切联系，削弱和打击教会中的反动势力；明确了爱国就是要热爱中国共产党领导下的新中国，拥护中国天主教爱国会的一切决议。会后，各教区逐步改革了天主教内部的封建制度，废除了干涉妇女教徒的婚姻自由的陋规；减轻教徒沉重的宗教负担和思想禁锢；允许教徒看电影、阅读进步书刊、唱革命歌曲；减少宗教活动对劳动时间的挤占等。1958年，呼和浩特基督教区对修道院进行了整顿，对宗教压迫制度进行了改革，树立了进步力量在“三自”爱国会中的领导优势。6月，召开自治区基督教代表会议，通过了《爱国公约》,成立了内蒙古基督教“三自”爱国委员会。

在天主教、基督教中开展爱国运动，成绩是主要的，通过爱国运动彻底割断了同罗马教廷的种种联系，摆脱了帝国主义势力对教会的控制，使天主教、基督教走上了独立自主自办教会的道路。但在进行社会主义教育运动中，也开展了反右派斗争。据统计，当时在天主教内影响较大的神甫主教中，有28%的人被划为右派分子，造成了反右派斗争扩大化的错误，引起了教徒对中国共产党的宗教政策的怀疑，产生了不良影响。1958年，在“大跃进”和人民公社化运动中，教会的房屋及其他财产被平调，同时还开展了交心运动，再次批判了一些神职人员。

1959年下半年，自治区统战部门根据中共中央为纠正“左”倾错误而提出的“贯彻政策，调整关系，调动服务，继续改造”的统一战线工作方针，对天主教、基督教工作中的失误进行了一定的纠正和调整。1960年，在自治区统战系统各界采用“神仙会”的形式，在不抓辫子、不打棍子、不扣帽子的宽松气氛下进行学习、讨论，开展和风细雨的自我教育运动。自治区民族事务委员会中共党组发出《关于当前汉族宗教工作中几个问题的处理意见》,允许在不影响生产的原则下，进行正常的宗教活动；对平调的教堂房屋和财产要退赔；对宗教职业者的生活分别情况予以安排。

1962 年 9 月，中共中央八届十中全会强调以“阶级斗争为纲”，“左”的错误又一次抬头，把落实政策批判为“投降主义”。于是，对天主教、基督教落实政策的工作再次受到干扰。1963 年 2 月，内蒙古党委统战部召开会议，贯彻全国第七次宗教会议精神，会议认为在过去两年中虽然以“贯彻政策，调整关系”为中心，落实了宗教政策，宗教工作取得了很大成绩。但在一些地方和干部中存在着对宗教活动放任自流的现象，以致在宗教界出现了利用宗教进行破坏活动和非法违禁活动等情况。从而对宗教界的情况作了过于严重的估计。

11 月至 12 月期间，自治区民族宗教事务委员会中共党组在呼和浩特主持召开了全区天主教代表会议，有主教、神甫、修女、贞女和教徒代表 130 人出席。会议的主要内容是反帝、爱国、守法，批判了教内极少数反动分子利用宗教制造“圣迹”，散布“教难”“变天”等言行；揭露了帝国主义企图利用罗马教皇控制我国天主教的阴谋。会议讨论通过了《内蒙古自治区天主教爱国会章程》《内蒙古天主教神职人员爱国公约》,选举产生了内蒙古天主教爱国委员会，正式成立了内蒙古自治区天主教反帝爱国组织。自治区天主教爱国会的章程明确规定，本会是由神长、教友组成的反帝爱国爱教的群众团体。其宗旨是在内蒙古党委和政府领导下，团结全区神长、教友，发扬爱国主义精神，遵守国家政策法令；积极参加祖国的社会主义建设和反对帝国主义、保卫世界和平运动。会议发表了《内蒙古自治区天主教爱国会告全区教友书》,号召教友积极参加社会主义教育，坚定不移地跟中国共产党走社会主义道路，自觉服从政府对宗教事务的管理，彻底摆脱罗马教皇的一切控制，坚持独立自主自办教会。①

第八节　经济与社会曲折发展的历程

从 1958 年到 1965 年，是内蒙古自治区经济社会发展不平常的 8 年，从

① 参见郝维民主编：《内蒙古自治区史》,内蒙古大学出版社 1991 年版，第 254—257 页。

“大跃进”的狂潮到实行调整方针，进行艰难的调整工作，曲曲折折经历了多少回合，才使经济得到复苏与发展，社会事业也随之进步，迎来了再度发展的机遇。但是，又被“文化大革命”断送了。不过整体回顾这 8 年经济社会曲折发展的历程，还是有让人欣慰之处。

一、农牧业经济

在 1958 年以来的社会主义建设中，自治区的农业生产同全国一样，经历了曲折发展的过程。这种曲折发展，除了内蒙古自然条件的因素之外，主要是“左”倾错误的影响和政策上的失误造成的。

1957 年冬和 1958 年春，自治区组织大批劳动力投入农田基本建设和兴修水利工程。1958 年，水田面积达到 141 万亩，较 1957 年的 65 万亩增长 1. 2 倍；水浇地面积达到 1 562 万亩，较 1957 年的 968 万亩增长 61. 36%。水田和水浇地面积占耕地面积的比重由 1957 年的 12. 5% 提高到 20. 4%，增加了 7. 9 个百分点。1958 年粮食总产量达到 482. 6 万吨，农业总产值为 14. 78 亿元，比农业大丰收的 1956 年分别增长 16. 9 万吨和 1. 49 亿元，均达到历史最高水平。油料、甜菜、麻类的产量也都超过了 1956 年的产量。1958 年风调雨顺的自然条件，特别是内蒙古党委和政府大抓农业的措施以及广大各族农民建设社会主义热情的高涨，使农业获得了空前大丰收，粮食大幅度增产，农业总产值有较大增长。然而，在当年秋天掀起的“大跃进”、人民公社化运动的狂热气氛中，内蒙古党委和政府也失去了冷静、科学的态度，提出了脱离实际的农业发展指标和计划，给农业生产的发展造成了极大的危害。再加上连续 3 年的自然灾害，1959 年到 1962 年，粮食产量不但没有达到高指标大发展，反而逐年分别下降为 433. 8 万吨、385. 8 万吨、344. 2 万吨、325. 5 万吨。农业总产值也呈下降趋势，从 1958 年的 14. 78 亿元下降为 1962 年的 11. 84 亿元。由于过分强调重工业的发展，工农业投资比例差距很大，1960 年自治区工业部门基建投资完成额为 8. 4 亿元，而农林水利气象部门基建投资额仅为 1. 3 亿元；农业总产值占社会总产值比重为 25. 7%，占工农业总产值的比重为 34. 9%，农业净产值占国民收入比重为 34. 9%，占工农业净产值的比重为 46. 5%。相反，工业在国民经济中所占比例迅速上升。1960 年，工业占国民收入中的比例由 1957 年的 21. 9%

上升为39.5%；在工农业总产值中的比重也由1957年的36.2%上升为45.4%，从而造成了工农业比例严重失调的局面。① 致使市场供应紧张，人民生活困难，特别是粮食供应紧张，不得不降低城、乡人民的粮、油、棉等供应标准，实行低标准、“瓜菜代”。

1962年1月，中共中央召开“七千人大会”，纠正“左”倾错误，实行“调整、巩固、充实、提高”八字方针，把工作重点转向农业，提出全党大办农业。全民大办农业以后，内蒙古党委和自治区人民委员会采取了有力的措施，各行各业支援农业，各族人民群众团结一致、共度难关，使农业生产的形势逐步好转。1963年、1964年、1965年、1966年，粮食总产量逐年达到338.2万吨、430.1万吨、381.8万吨、426.6万吨。工农业投资及在社会总产值和工农业总产值中所占比重逐渐趋于合理。1964年、1965年，全区工业部门基建投资完成额分别为2.4亿元、3.6亿元，农林水利气象部门基建投资完成额为0.7亿元、0.8亿元，工农业投资完成额比例分别为3.4∶1和4.5∶1，较1960年工农业投资完成额比例6.5∶1大为缩小。1964年和1965年社会总产值中工农业比重为1.1∶1，1.4∶1，较1960年的1.7∶1差距缩小；1964年、1965年工业总产值与农业总产值在工农业总产值中的比重分别为48%和52%；57%和43%。这与1960年的65%和35%相比，逐渐趋于协调。②

农业生产曲折发展的经验教训：(1) 工业和农业的发展比例必须协调，即工业的发展必须建立在农业提供原料、商品粮的可靠基础之上，才能保证工业的稳步发展。据当时测算，内蒙古工农业的增长速度保持在1∶1.2的水平是适宜的，在“大跃进”运动中工农业比例严重失调，是农业大减产的重要原因之一。(2) 农业人口与非农业人口的比例失调。据测算，自治区的农业人口和非农业人口的比例以3∶1较为适当。(3) 必须牢固地树立“农业是基础”的思想，重工轻农的教训是沉痛的。(4) 各行各业都必须支援农业生产，这是农业生产复苏的重要经验。(5) 加强农业生产基本建设，建设基本农田，加强抵御自然灾害的能力，是发展农业的基础。(6) 农业

---

① 据内蒙古自治区统计局编：《辉煌的内蒙古》，中国统计出版社1999年版数据计算。

② 据内蒙古自治区统计局编：《辉煌的内蒙古》，中国统计出版社1999年版数据计算。

生产的规律不能违背，从实际出发发展农业，“高指标”的教训不能忘记。（7）制定执行正确的农业政策，是发展农业的保证，农业政策失误的教训值得深刻反思。

自治区的牧业生产，内蒙古党委能够始终坚持从牧区经济特点和民族特点出发，把党的实事求是的思想路线贯彻和体现到具体政策之中，在各个大的社会变革时期，坚持“稳、宽、长”方针。在农业区实现人民公社化的时候，内蒙古党委也决定牧区暂不创办人民公社。直到1959年1月，牧区才由牧业合作社合并而成了158个牧区人民公社，对于约有30%的牧区人民公社刮“共产风”的问题，内蒙古党委及时给予纠正，还从牧区人民居住分散等特点出发，推行了包工定产等制度，强调发展畜牧业生产是牧区的中心任务，“千条万条，发展牲畜第一条。”因此，有效地减少了人民公社化运动可能造成的损失，保证了全区畜牧业生产，特别是牧区畜牧业生产的稳步发展。

1958年，自治区党委及时纠正牧业合作化中有些地方执行政策的偏差，使牲畜总头数（以下均为年终数）恢复到2 674万头（只），比1957年的2 438.9万头（只），增长了8.53%。1959年，全区牲畜总头数达到3 070.8万头（只），较1958年增长了14.8%。此后，1960年至1965年，逐年增长为3 315.5万头（只）、3 305.4万头（只）、3 497.3万头（只）、3 981.7万头（只）、4 282.5万头（只）、4 488.4万头（只）。1964年，全区牲畜总头数即突破了4 000万头（只）大关。① 牧业总产值（1957年不变价格）自1957年到1964年呈直线上升，由1957年的2.7亿元增长到1964年的4.6亿元，增长了70.37%。1965年在遭特大旱灾的情况下，也达到4.4亿元。牧业产值占农业总产值的比重也由1957年的24.13%上升为1965年的30.03%。② 8年期间，内蒙古牧区草原基本建设成就巨大，仅在第二个五年计划期间，牧区打筒井2.6万多眼，机井82眼，兴修中小型水库8座，建小型水电站10座，开辟缺水草场4 500万亩，改善供草条件的草场达2亿多亩，发展饲料基地灌溉面积26万亩。提倡与帮助牧民实行定居放牧，建设棚圈、草库伦，改良草场，打草贮草，逐渐改变着过去靠天养畜的

① 参见内蒙古自治区统计局编：《辉煌的内蒙古》，中国统计出版社1999年版，第326页。
② 参见内蒙古自治区统计局编：《辉煌的内蒙古》，中国统计出版社1999年版，第317页。

落后面貌，同时积极发展牧业机械，推广风力发电机、电动剪毛机等先进技术。

牲畜改良工作获得迅速发展。1957 年，大畜改良种全区仅有 1.5 万头，改良种小畜仅有 14 万头（只）。到 1965 年，良种和改良种大畜达到 36.2 万头，增长了 24 倍，其中良种畜发展到 11.3 万头，改良种畜发展到 24.9 万头；良种、改良种小畜达到 266.5 万头（只），增长了 19 倍，其中良种畜为 18.1 万头（只），改良种畜为 248.4 万头（只）。良种和改良牲畜已占全区牲畜总数的 7.2%。这期间，内蒙古自治区为国家提供了大量的商品畜和畜产品。计有菜牛 167 万头，菜羊 2 026 万只，耕畜 120 万头，牛皮 324 万张，绵羊皮 1 761 万张，山羊皮 1 508 万张，绵羊毛 22 124 万斤，山羊毛 3 061 万斤，羊绒 9 767 万斤，为加速自治区的社会主义建设和改善人民生活作出了巨大贡献。①

在经济社会曲折发展的 8 年中，畜牧业生产奇迹般地持续发展，其基本经验：（1）坚持党的实事求是的思想路线，从民族特点与畜牧业经济的特点出发，规避当时脱离实际的不正之风，实行符合发展畜牧业的方针、政策与措施；（2）坚持“稳定、全面、大力发展畜牧业”的总方针和牧区社会变革“稳、宽、长”的原则，持续稳定地发展畜牧业；（3）坚持因地制宜，正确实行以牧为主、农牧结合、多种经营的生产方针；（4）采取切实可行的措施，大力进行以水草为中心的草原建设，奠定发展畜牧业的基础；（5）积极改良畜种，提高牲畜质量，增加畜牧业产值；（6）加强兽疫防治，抗御牲畜灾害，开展抗灾保育；（7）推广先进技术，逐步实现畜牧业的机械化，实行科学养牧；（8）正确解决牲畜的积累、消费与出栏的比例，保证牲畜平稳增长；（9）充分调动广大牧民的积极性，是发展畜牧业的根本保证。

二、工商业经济

工业、手工业　1958 年，在全国“大跃进”运动的高潮中，内蒙古自治区也开展了大办工业，大炼钢铁运动。1958 年到 1960 年工业总产值（当

① 参见郝维民主编：《内蒙古自治区史》，内蒙古大学出版社 1991 年版，第 268 页。

年价格）逐年增长，分别为12.03亿元、18.78亿元、28.57亿元；在工农业总产值中的比重也由1957年的36%上升为44.52%、50.86%、63.29%。显然，工业产值在工农业总产值中如此快速增长，违背农、轻、重比例关系，造成了工农业发展比例的严重失调，冲击了发展国民经济以农业为基础的方针，也是导致经济困难的主要因素之一。1961年开始实施调整方针，至1963年工业总产值与1960年相比有所下降，3年分别为15.93亿元、14.26亿元、21.36亿元；在工农业总产值中的比重，由1960年的63.29%分别下降为48.32%、45.54%、55.21%；1964年和1965年工业总产值又略有回升，分别为23.05亿元、26.08亿元；在工农业总产值中的比重为52.54%、58.01%。[①] 经过5年的调整，工农业比例失调的局面有所控制。

国民经济的调整，使工业生产布局趋向合理。1962年，经过调整后保留的厂矿企业为3 614个，全民所有制职工为80.8万人；经过再度调整，到1995年厂矿企业减少为2 490个，比1962年减少31.11%，全民所有制职工增加到86.5万人。[②] 保留下来的厂矿企业，从资金、原料到技术力量都得到了充实和提高，生产能力加强，促进了生产的发展。机械工业的不少产品畅销区内，有些产品行销区外。呼和浩特市橡胶机械厂生产的橡塑机械，通辽农机厂的畜力中耕机和玉米脱粒机，集宁农机厂的解放式水车，兴和县机械厂的畜力大车，海拉尔牧业机械厂的畜力割草机等，畅销区内外。特别是服务于农牧业生产的机械，成为热销产品。

1964年底和1965年初，按照全国一盘棋的精神，国家为支援内蒙古的工业建设，决定从沿海工业先进地区向自治区迁移了一部分工厂，如内蒙古动力机厂、呼和浩特市电动工具厂、呼和浩特塑料厂、集宁电焊条厂、包头直流电机厂、包头绝缘材料厂、巴彦淖尔盟面粉机械厂、伊克昭盟医疗机械厂、察哈尔右翼前旗卫生材料厂、呼和浩特机床附件厂、呼和浩特机床厂金工车间、总装车间、无线电厂的电镀车间、钢铁厂的线材车间、以及电子设备厂、卷烟厂的主要生产车间的主要技术人才，都是从天津、烟台等沿海工业发达地区迁来的。这些工厂及生产车间，对于发展自治区的工业发挥了很

① 参见内蒙古自治区统计局编：《辉煌的内蒙古》，中国统计出版社1999年版，第255页。
② 参见内蒙古自治区统计局编：《辉煌的内蒙古》，中国统计出版社1999年版，第260、332页。

大的作用，促使自治区的许多工厂正式投产，产出合格产品，有些还成为行销国内外的名牌产品。呼和浩特机床厂是1964年从天津机床厂迁来38台设备和100多名技术人才组建的，开始生产C－615车床，成为国家定点生产C－615车床的厂家。

在调整中，手工业生产得到恢复与发展。一批曾提前过渡为国营工厂的手工业企业，经过调整又转为手工业合作社或合作组，改变了贪大求洋不切实际的生产方向，恢复了原来面向市场、面向群众的传统生产，为城乡居民生产适用的手工业品，既繁荣了市场，给群众带来了方便，又使手工业生产活跃起来。

自治区的工业生产在曲折中有了较大发展。过去没有的钢铁冶炼、有色金属冶炼、机械制造、水泥、玻璃、橡胶加工、造纸、火柴、制糖等许多新的工业部门建立起来了。自治区的工业布局也大有改善。在东部地区和西部地区，在农业区和牧区，都建设了一定规模的工业企业，各盟市和大部分旗县都开始建设现代工业。到1962年，全区已有机械制造修配企业100多个，各旗县都建立了农牧业机械修造厂，大部分盟市建起了拖拉机修配厂。主要工业产品产量，如原煤、铁矿石、原木、发电量、糖、乳制品、卷烟、棉纱、棉布、毛线、呢绒、毛毯、机制纸及纸板、烧碱、化肥、钢、生铁、钢材、铝、金属切割机床等，都有不同程度的增长。1957年到1965年主要工业产品产量，原煤年产量从217万吨增加到806万吨，增长2.71倍；发电量从0.92亿千瓦小时增加到12.55亿千瓦小时，增长12.64倍；钢产量从无到有，从1958年的0.70万吨增加到1965年的34万吨，增长47.57倍；生铁产量从0.02万吨增加到51万吨，增长2 549倍；木材产量从186.67万立方米增加到391.36万立方米，增长1.1倍；水泥产量从无到有，从1958年的0.03万吨增加到1965年的3.06万吨，增长101倍。[①] 由此可见，尽管有“大跃进”和“左”倾错误的不利影响，内蒙古的工业主要还是在这8年期间发展起来的，这是应该承认的事实。

总结工业生产发展的经验教训，可以概括为：（1）少数民族地区必须发展自己的地方工业，才能使少数民族跻身先进民族的行列。（2）尊重工

① 参见内蒙古自治区统计局编：《辉煌的内蒙古》，中国统计出版社1999年版，第336页。

业发展的规律，要按比例、有计划地逐步发展，不能搞大轰大嗡，不切实际的“大跃进”不可取。(3) 注意以农、轻、重为序，按比例发展，反之必遭惩罚。(4) 坚持工业为农牧业生产、农民生活服务，同时大力支援国家重点建设的方针。(5) 国家的支援是工业迅速发展的必要条件。(6) 不断地提高产品质量，是工业生存发展的根本。(7) 加强企业的经营管理和核算，逐步杜绝亏损企业，是企业生存发展的必需条件。

交通运输与邮电通信 实施调整方针，经过有力度的调整，自治区的交通运输业也得到迅速发展。1957 年到 1965 年，全区载货汽车从 2 828 辆增加到 6 335 辆，增长 1. 24 倍；载客汽车从 641 辆增加到 1 348 辆，增长 1. 1 倍。铁路通车里程从 2 404 公里增加到 3 541 公里，增长 47. 29%；公路通车里程从 13 020 公里增加到 25 688 公里，增长 97. 29%。铁路货运量从 739 万吨增加到 2 060 万吨，增长 1. 79 倍；公路货运量从 1 485 万吨增加到 1 554 万吨，增长 7. 04%。① 这一期间，连接内蒙古与宁夏、甘肃的包兰铁路干线于 1958 年通车，为自治区西部地区的开发建设创造了良好条件，这条铁路的两条支线，海勃湾至拉僧庙支线，乌达至吉兰泰支线也同时开工建设，使海勃湾的煤炭、化工、建材、有色金属等多种资源和卡布其石灰石矿得到开发利用，为吉兰泰池盐的大量开发利用创造了有利的条件。在自治区东部地区，几条森林铁路，如从加格达奇通往齐齐哈尔的嫩林线，从通辽通往大庆的通让线，也是在这一时期动工兴建；伊加线（伊图里河至加格达奇）的延伸工程，京包铁路的复线工程，也在同时进行。民用航线也在逐渐开辟，在此期间开辟了呼和浩特—锡林浩特—海拉尔，呼和浩特—北京—赤峰—通辽等民用航线；在每年凌汛期间，还增辟了包头—东胜航线。

1957 年到 1965 年，自治区的邮电通信事业有了巨大发展。邮电业务总量从 867. 4 万元增加到 2 177. 1 万元，增长 1. 51 倍；函件从 2 998. 5 万件增加到 4 347. 2 万件，增长 44. 98%；报刊期发数从 58. 1 万份增加到 122. 9 万份，增长 1. 12 倍；电报从 48. 6 万份增加到 195. 3 万份，增长 3. 02 倍；长途电话从 39. 3 万次增加到 174. 7 万次，增长 3. 45 倍，② 为社会经济发展提供

① 参见内蒙古自治区统计局编：《辉煌的内蒙古》，中国统计出版社 1999 年版，第 346 页。

② 参见内蒙古自治区统计局编：《辉煌的内蒙古》，中国统计出版社 1999 年版，第 349 页。

了极大的方便。

商业贸易——自治区的商业工作在困难的环境中、落后的条件下，在支援农牧业生产，促进工业生产及组织商品流通，保证人民生活必需等方面，都做出了成绩。

1961 年和 1962 年，经过调整，恢复了原来的机构和管理办法。1963 年，结合“五反”开展商业企业改善经营管理的运动，并加强思想政治工作。1964 年，商业部门贯彻商业部《国营商业企业经营管理条例》,逐步建立健全国营商业企业管理制度，并全面开展了“五好企业”、“六好职工”活动，促进经营管理和服务态度的好转。

在自治区国民经济调整逐步深入、农业生产逐步恢复、牧业生产稳定发展、轻工业生产逐渐加强、城乡手工业逐渐恢复发展形势下，城乡商业贸易逐渐呈现出购销两旺的景象。从 1963 年开始，自治区逐步取消了对肉、蛋等主要副食品和糖、茶、烟等商品的定量供应证券，基本满足了城乡人民群众生产、生活的需要。1957 年与 1965 年相比，社会消费零售总额由 8. 03 亿元增长为 13. 14 亿元，增长 63. 64%；其中商业零售额由 7. 3 亿元增长为 12. 8 亿元，增长 75. 3%，食品类零售额由 4. 3 亿元增长为 7. 3 亿元，增长 69. 76%；衣着类零售额由 1. 58 亿元增长为 2. 51 亿元，增长 58. 86%；日用品类零售额由 1. 10 亿元增长为 1. 53 亿元，增长 43%；药和医疗用品类零售额由 3 054 万元增长为 6 176 万元，增长 1. 02 倍；燃料类零售额由 3 377 万元增长为 6 702 万元，增长 98. 46% 。①

三、基本建设投资与财政收支

基本建设　基本建设投资的变化，也反映经济社会曲折发展的态势。1957 年到 1965 年，自治区的基本建设投资从 3. 39 亿元增加到 6. 01 亿元，增长 77. 28% 。1958 年至 1965 年的 8 年期间，基本建设投资分别为 9. 26 亿元、12. 33 亿元、12. 65 亿元、3. 79 亿元、2. 24 亿元、3. 24 亿元、4. 58 亿元、6. 01 亿元；按农、轻、重分，农业为 4 077 万元、6 652 万元、1. 31 亿元、7 610 万元、4 061 万元、5 639 万元、6 955 万元、8 122 万元，轻工业

① 参见内蒙古自治区统计局编：《辉煌的内蒙古》,中国统计出版社 1999 年版，第 351 页。

为 3 693 万元、4 432 万元、6 654 万元、1 722 万元、715 万元、406 万元、503 万元、2 041 万元，重工业为 6. 34 亿元、8. 35 亿元、7. 73 亿元、2. 09 亿元、1. 44 亿元、1. 88 亿元、2. 37 亿元、3. 39 亿元。① 这 4 组数据分 3 个阶段，从不同的角度反映自治区基本建设投资的轨迹。前 3 年（1958—1960 年）在“大跃进”的狂潮中，基本建设投资过大过热，而且农、轻、重发展比例失调，“左”倾错误的隐患已经显现；中 3 年（1961—1962 年）在实行调整方针，纠正经济领域的“左”倾错误，压缩基本建设投资；后 2 年（1964—1965 年）调整方针见成效，基本建设投资缓慢增加，农、轻、重比例趋向平衡，经济发展回升复苏。

财政收支 从 1958 年到 1965 年的 8 年期间，自治区的财政收入分别是 4. 27 亿元、7. 03 亿元、8. 99 亿元、4. 95 亿元、3. 56 亿元、3. 83 亿元、4. 32 亿元、4. 59 亿元；财政进项主要是地方财政收入，按年度工商税收分别是 1. 52 亿元、1. 92 亿元、2. 46 亿元、1. 65 亿元、1. 80 亿元、1. 99 亿元、2. 02 亿元、2. 25 亿元；农牧业税和耕地占用税分别是 5 598 万元、6 506 万元、6 410 万元、4 297 万元、5 000 万元、5 996 万元、7 500 万元、6 128 万元；企业所得税分别是 1. 71 亿元、3. 91 亿元、5. 28 亿元、2. 42 亿元、7 788 万元、9 734 万元、1. 25 亿元、1. 31 亿元。财政支出分别是 6. 44 亿元、9. 93 亿元、12. 21 亿元、5. 64 亿元、3. 74 亿元、3. 99 亿元、4. 96 亿元、5. 18 亿元；财政出项主要是：按年度基本建设支出分别为 4. 12 亿元、6. 01 亿元、6. 45 亿元、1. 15 亿元、7 446 万元、8 963 万元、1. 28 亿元、1. 87 亿元，支援农业及其他事业费分别为 4 784 万元、8 158 万元、1. 32 亿元、9 497 万元、5 530 万元、7 059 万元、5 926 万元、5 692 万元，工交商事业支出为 2 556 万元、3 379 万元、3 149 万元、1 081 万、470 万元、388 万元、645 万元、645 万元，科教文卫事业支出为 6 187 万元、7 072 万元、1. 03 亿元、8 767 万元、8 096 万元、8 913 万元、1. 02 亿元、1. 06 亿元。②

1958 年到 1965 年，历年财政收支额共有上述 8 组数据。这 8 组数据各成一条起伏基本相同的曲线，这条曲线准确地反映出自治区经济发展的轨

① 参见内蒙古自治区统计局编：《辉煌的内蒙古》，中国统计出版社 1999 年版，第 269 页。

② 参见内蒙古自治区统计局编：《辉煌的内蒙古》，中国统计出版社 1999 年版，第 273、275 页。

迹，即前3年高涨，中3年低落，后2年回升。财政收入的起伏变化，是经济曲折发展的重要标志。

四、社会事业

教育事业　1958年到1965年社会经济曲折发展的进程中，内蒙古自治区的教育文化卫生体育事业也在这条曲折的轨道上运行，既有轰轰烈烈华而不实的一面，也有着实发展的一面；出现的失误和教训，与全局性的问题密切相关；创造的成就与经验，也是大局中的一部分。只有通过冷静的思考，实实在在的叙述和总结，才能展现历史的全景。

1958年初，在毛泽东激烈批判反冒进的气氛下，3月24日至4月8日，第四次全国教育行政会议召开，提出了大力发展识字运动，扫除青壮年中的文盲；积极发展工农业余中学和小学；普及小学教育；发展普通中学教育，提高中学教学质量；加强和改进各级师范教育以及改革教育制度、教学内容和教育方法等5项跃进任务。刘少奇提出实行全日制学校和半工半读学校两种教育制度，以实施上述任务。9月19日，中共中央、国务院发出《关于教育工作的指示》,提出全国用3至5年时间，基本上扫除文盲，普及小学教育，使农业合作社都有中学；用15年左右时间，基本上普及高等教育等"大跃进"规划。同时，确定了教育必须为无产阶级政治服务，教育必须与生产劳动相结合，使受教育者在德育、智育、体育三方面都得到发展，成为有社会主义觉悟有文化的劳动者的教育方针。从指导思想到具体规划，教育已纳入了"大跃进"轨道。

1958年3月下旬，内蒙古教育厅遂召开全区教育行政会议，提出了自治区教育事业发展的跃进计划，决定在3年内普及初中，2年内普及小学，3年内扫除农牧民中的青壮年文盲，2年内扫除职工中的文盲和市民中的青壮年文盲，一年内完成乡以上干部的扫盲结尾工作。会议提出在第二个五年计划完成后，自治区的中等学校将发展到400所（其中民办中学150所），乡乡都有初中班，高小毕业生基本升入初中；干部、职工、农牧民和城镇居民的业余教育，将形成由小学到高中的教育体系。会议把大力发展民办中小学作为普及教育的主要途径，要求苦战三年，打胜思想仗、办学仗、扫盲仗，彻底改变自治区教育面貌。8月，召开了自治区扫盲、普及教育积极分子代表大会，表彰与奖励了扫盲与普及教育的先进单位及个人。10 月 16 日，内蒙古党委指示各级党委贯彻执行中共中央、国务院《关于教育工作的指示》,要求在全区各级各类学校中，学习党的教育方针，开展反浪费、反保守的“双反”运动，插红旗、拔白旗，发动“大跃进”；进一步深入开展勤工俭学和教改运动；实行全党全民办教育。12 月 22 日，内蒙古党委召开全区教育工作会议，提出 1959 年教育工作的任务，要求进一步深入贯彻执行党的教育为无产阶级政治服务，教育与生产劳动相结合的方针，认真做好整顿、巩固和提高的工作，推动教育工作全面跃进。7 月 5 日，内蒙古党委、内蒙古自治区人民委员会发出在农村牧区继续扫除文盲和发展工农牧业余教育的指示，要求密切结合群众生产、生活和中心工作，重点扫除基层干部中的文盲，巩固各类业余学校。11 月，自治区召开全区扫盲与职工教育大会，并在库伦旗召开了扫盲现场会议。

1960 年 5 月 5 日，召开全区宣传文教战线社会主义建设先进单位、先进工作者代表大会，来自教育、卫生、文化、科学、理论、体育、报纸、广播等系统的 1 000 多名代表出席，提出在宣传文教战线上反右倾、鼓干劲，大搞群众运动，确定了自治区 1960 年宣传文教工作的跃进任务。

在各行各业“大跃进”的形势下，教育战线也掀起了“大跃进”高潮。截至 1960 年 5 月，全区中小学普遍开展了勤工俭学，办起了工场、农场、牧场；高等教育迅速发展，由 1957 年的 4 所高等院校发展到 18 所，农村、牧区、厂矿办小学也由原来的 1 110 所增加到 6 309 所；新发展中学 993 所，其中农村、厂矿办中学 964 所；厂矿办起了 2 571 所职工学校，48 万职工参加了业余学习，扫盲教育从 1958 年到 1960 年的两年中共扫除文盲约 172 万人，相当于自治区 1957 年扫盲人数的 3. 4 倍以上，97% 的青壮年文盲、半文盲参加了文化学习。1959 年学生总数达 151 万人，比 1957 年增加 64. 4%；中等学校在校生增加 88. 1%，小学生增加 51. 4%；全区农牧业中学在校学生达 31 528 人，比 1957 年增长 13. 8 倍。①

教育战线上的上述情况，是 1958 年至 1960 年“大跃进”高潮中，所谓全党全民大办教育的非正常产物。它一方面虽然反映了党和政府以及人民群

---

① 参见郝维民主编:《内蒙古自治区史》,内蒙古大学出版社 1991 年版，第 276 页。

众强烈要求改变教育文化落后面貌的愿望，对改变自治区教育落后的状况起了一定的推动作用；但另一方面在所谓“大跃进”的形势下，不顾办学的客观条件，脱离实际，从小学到大学，各类学校一哄而上，特别是在人民公社化运动中，不仅把原有的农村中小学下放到人民公社，而且在根本不具备财力、物力和教师等办学条件的情况下，大办了许多小学、农业中学、农业技术学校，使教育发展超越了经济社会发展的速度，形成与经济发展的比例失调。同时，由于片面强调教育为无产阶级政治服务，与生产劳动相结合，尤其是发动教师、学生停课参加大炼钢铁及各种政治、生产等运动，打乱了正常的教学秩序，无法保证教学质量。这是教育发展中严重的教训。

1960 年 11 月 24 日至 12 月 12 日，中央文教小组召开全国文教工作会议，检查批评了文教战线上的“五风”，集中研究了在教育工作中的调整方针问题。1961 年 2 月 24 日至 3 月 3 日，内蒙古党委召开全区文教书记会议，研究在文教战线贯彻调整、巩固、充实、提高的方针。会后，全区从大专院校到中小学普遍全面安排教学与生活，贯彻劳逸结合的原则；根据以农业为基础的精神调整了教学工作，注意解决文教事业与生产发展特别是与农业生产发展的关系、数量与质量的关系、政治与业务的关系，以务实的精神进行了调整。1961 年 9 月，《教育部直属高等学校暂行工作条例（草案）》（即高教 60 条）颁布试行；1963 年 3 月，中共中央又颁发了《全日制小学暂行工作条例（草案）》（即小教 40 条）和《全日制中学暂行条例（草案）》（即中教 50 条）。这些条例分别对大学、中学、小学的方针、任务、培养目标、管理体制等作了规定。自治区教育战线积极贯彻上述条例，各高等院校对其结构、层次、布局、领导体制进行了调整改革，逐步建立了教育、科研、生产联合体。普通教育，强调端正办学指导思想，纠正了单纯追求升学率的倾向，树立了为社会主义培养具有较高的政治觉悟和文化技术素质的劳动者的目标；坚持教育与生产劳动相结合，积极开展了勤工俭学；教学方法上贯彻“少、精、活”的原则，减轻了学生过重的负担。高等学校、中等专业学校全面开展了自编教材工作，编写出许多教科书及参考教材。

经过调整，自治区的教育事业在巩固的基础上，进一步得到了发展。从 1957 年到 1965 年，高等学校由 4 所发展到 10 所，增长 1. 5 倍；在校学生由 2 516 人发展到 8 950 人，增长 2. 56 倍；专任教师由 702 人发展到 1 814 人，增长1.58倍。普通中学由105所发展到1 352所，增长11.87倍；在校学生由70 929人发展到230 215人，增长2.25倍；专任教师由2 866人发展到11 257人，增长2.92倍。中等专业学校由24所发展到128所，增长4.33倍；在校学生由12 440人发展到28 517人，增长1.29倍；专任教师由1 058人发展到2 460人，增长1.33倍。小学由10 064所发展到18 406所，增长82.88%；在校学生由873 418人发展到2 097 743人，增长1.4倍；专任教师由24 448人发展到77 136人，增长2.16倍。①

在调整教育工作期间，结合自治区教育的民族特点，制定了《内蒙古自治区全日制蒙古族及其他少数民族中小学暂行工作补充条例（试行草案）》（即民族教育30条），促进了各类民族学校的教育工作。1962年1月10日至23日，自治区召开民族语文和民族教育工作会议，着重研究进一步发展、丰富、充实和加强民族语文的教学工作，特别是加强中小学的民族语文教育。内蒙古师范学院还编译出一批蒙文高校教材，包括语文、历史、数学、物理、化学、生物等方面共26种64册，为自治区民族高等教育事业作出了贡献。

从1957年到1965年，蒙古族与其他少数民族教育发展迅速。高等学校（蒙汉合校）由2所发展为3所，增长50%。蒙古族中学由13所发展为35所，增长1.69倍；蒙汉合校中学由2所发展为32所，增长15倍；其他少数民族学校新建5所。蒙古族小学由1 337所增加到2 978所，增长1.23倍；蒙汉合校小学由247所增加到651所，增长1.64倍；其他民族小学由111所发展为166所，增长49.54%。少数民族在校学生由135 997人增加到290 219人，增长1.13倍。蒙古族在校学生由117 320人增加到249 491人，增长1.13倍；其中高等学校在校生由785人增加到1 780人，增长1.27倍；中等专业学校由2 202人增加到3 227人，增长46.55%；普通中学由10 704人增加到20 261人，增长89.28%；小学生由103 629人增加到220 331人，增长1.13倍。其他少数民族在校生由18 677人增加到40 728人，增长1.18倍；其中高等学校在校生由113人增加到347人，增长2.07

① 据内蒙古自治区统计局编：《辉煌的内蒙古》，中国统计出版社1999年版，第358、360、362页数据计算。

倍；普通中学由 3 031 人增加到 6 092 人，增长 1.02 倍；小学生由 15 080 人增加到 35 875 人，增长 1.38 倍。① 截至 1964 年 4 月，全区各级学校里有 11 000 多名各少数民族教师。其中蒙古族教师 9 500 多人，绝大部分是解放后毕业于师范学校和高等学校的，牧区和少数民族地区 90% 以上的中小学有了本民族的教师。全区每个盟都有专为牧民子弟设立的蒙古族完全中学；在城镇和蒙古族散居地区设有蒙古族中小学，或在一般中小学中设有蒙古族学生班级；有些中等专业学校和高等院校也设有蒙古族学生班级。自治区陆续建立了 12 所师范学校，其中 4 所是蒙古族师范学校，其他师范学校也设有蒙古语文班级。内蒙古师范学院和内蒙古大学均设立了蒙古语言文学专业，内蒙古师范大学在数学、物理、化学、历史等本专科均开设了用蒙古语文授课的班级，培养中等学校的蒙古族师资。在 9 500 多名蒙古族中小学教师中，有 1 000 多人担任校长、教导主任等领导工作，发挥骨干作用；高等院校的助教、讲师、副教授等少数民族教师也有 280 多人。

内蒙古自治区的教育事业，在 8 年期间经历了所谓“大跃进”和调整、发展的过程，有“大跃进”造成的失误，也有经过调整发展的成就。学校、学生和教师的数量在探索中基本上得到成倍或数倍的发展，教学秩序趋于正常，教学质量有所提高，从初等教育到高等教育的教育体系基本形成，基本适应社会经济发展的需求。但是，由于在调整过程中“左”倾错误还没有得到彻底纠正，特别是政治、思想战线上还在发展，接连不断的政治运动仍然冲击着教育战线。1966 年 5 月 7 日，毛泽东针对教育问题提出“五七指示”，要求学生以学为主，兼学别样，要批判资产阶级，教育要革命，资产阶级知识分子统治学校的现象，再也不能继续下去了，直至“文化大革命”彻底否定了正在发展的教育事业，造成了学校教育的极大混乱与倒退。

文化事业　1958 年在“大跃进”的狂潮中，自治区掀起了文化热潮，在全区发动搜集和创作百万民歌，举办各种形式的赛诗、赛歌活动。据当时的媒体报道，全区办起了 1 万多个农村俱乐部，7 千多个业余剧团、文工团，创办了数以千计的人民公社文化馆、文化站、图书馆、图书室、书店、文艺创作组等。但是，在“大跃进”形势下，一哄而起创办的文化机构绝

① 参见内蒙古自治区统计局编：《辉煌的内蒙古》，中国统计出版社 1999 年版，第 363—365 页。

大部分没有生存下来，轰动一时的各种文化活动未能持久。无疑，这是“浮夸风”在文化战线上的具体表现。在为社会主义服务，为生产劳动服务的方针下，全区文艺工作者深入工厂、农村、牧区，为广大人民群众表演传统的优秀文艺节目；创作具有民族特点、地区特点，为广大群众喜闻乐见的戏曲、舞蹈等。反映蒙古族生活的“鄂尔多斯舞”“挤奶员舞”“盅碗舞”“安代舞”；反映区内少数民族的“鄂伦春”“索伦”“哈库麦”等舞蹈；蒙古族老艺人毛依罕巴杰创作的“铁牤牛”“互助合作好”等诗歌说唱作品；京剧“巴林怒火”晋剧“锡尼喇嘛”“草原烽火剧”“沙漠水库之歌”；话剧“草原曙光”；二人台“卖碗”“十对花”；歌剧“柳叶青青”“黎明前”“敖力格尔玛”；舞剧“蒙汉人民是一家”；音乐“嘎达梅林交响诗”及杂技等，奉献给蒙汉各族人民，受到广泛的赞誉。1957 年自治区建立了第一所综合性中等艺术学校——内蒙古艺术学校（内蒙古大学艺术学院的前身），开设音乐、舞蹈、舞台美术，戏曲等 5 个专业，专门培养民族艺术人才。

1957 年春天，锡林郭勒盟苏尼特右旗组建了以演出、辅导、服务为内容的只有 12 人的第一支乌兰牧骑，当年行程 3 000 多里，为全旗牧民演出、服务，受到了群众的热烈欢迎。自治区文化局总结推广，许多牧区旗县效法组建乌兰牧骑。到 1964 年，全区共组建了 30 个乌兰牧骑，其中 26 个分布在牧业区和半农半牧区旗县，4 个在达斡尔族、鄂温克族、鄂伦春族 3 个少数民族自治旗和额尔古纳边境旗。乌兰牧骑队伍精干，队员身兼数职，一专多能，吹拉弹唱，样样皆通；活动内容丰富多彩，形式多样，人少戏多，台上演出，台下服务，装备轻便，移动迅速；密切联系群众，坚持到最基层为工农牧兵群众服务，坚持为社会主义服务的文艺方向，是一支深受广大人民群众特别是牧民群众欢迎的独特的文艺轻骑兵。1964 年到 1965 年，自治区乌兰牧骑代表队先后进京汇报演出，受到毛主席、周总理及其他党和国家领导人的多次接见。文化部赞誉牧骑是“一面值得骄傲的文艺界红旗”，遂遵照周总理的建议，组织内蒙古 3 个乌兰牧骑代表队，赴全国 28 个省、市、自治区巡回演出 600 多场，鲜明的民族特色，浓郁的草原生活气息，使长城内外、大江南北的上百万观众耳目一新，赞不绝口。内蒙古党委和政府发出“向乌兰牧骑学习”的号召，全区各行各业开展了学习乌兰牧骑的活动，并组织乌兰牧骑式的文艺工作队，深入农村牧区为广大群众服务，形成了文艺为工农兵服务，为社会主义事业服务的风气。

1958 年，内蒙古自治区第一座电影制片厂——内蒙古电影制片厂成立。在长春电影制片厂等兄弟厂的帮助下，经过全厂职工的艰苦奋斗、努力工作，到 1964 年底，制作了《红旗插遍内蒙古》《前进中的内蒙古自治区》《呼和浩特在前进》《百万民歌》等多部纪录片和《内蒙古人民的胜利》《草原上的人们》《牧人之子》《草原晨曲》等多部反映自治区人民生活和建设成就的故事片、艺术片以及多部新闻简报片。此外，译制了《党的女儿》《柳堡的故事》等多部蒙语故事片。全区各大中小城镇有 51 座电影院，还有 300 多个电影放映队，分别为城镇、农村、牧区、林区、偏远山区的广大工农牧群众放映电影；全区有 33 座剧场、49 个艺术表演团体、88 个文化馆、1 座博物馆，群众的文艺生活得到极大的丰富。

文学艺术创作，包括区内各个民族的专业与业余的文学、戏剧、音乐、舞蹈、美术、曲艺、翻译、电影和摄影等创作队伍已经形成，并有大批蒙古族和区内少数民族的作家和艺术家参与其中。参加中国作协、音协、舞协、美协、剧协、影协、民研等内蒙古分会的会员达 436 名，其中蒙古族和区内少数民族会员 147 名；参加全国作协、美协、剧协、影协、音协、舞协、曲艺、民研、摄影等协会的有 104 名，其中蒙古族和区内少数民族会员 42 名。出现了一批深受群众喜爱的、具有鲜明民族特点和地区特点的优秀作品，如革命回忆录《王若飞在狱中》,长篇小说《在茫茫的草原上》,中篇小说《金色兴安岭》,短篇小说《科尔沁草原的人们》《欢乐的除夕》等；诗歌《狂欢之歌》《生命的礼花》《铁犴牛》；长诗《英雄格斯尔可汗》；诗集《大跃进交响曲》《凯歌》等。群众业余文艺创作蓬勃发展，革命回忆录、厂史、公社史、民歌、音乐、舞蹈、戏剧、美术等作品，数以万计。文艺理论研究、文艺评论等学术活动比较活跃。

群众性的民族民间文学遗产的搜集、整理工作有很大进展，搜集到口头和书面文学资料几万种，仅蒙古族书面文学资料就达 500 多种。整理出版了蒙古族古典优秀诗篇《红色勇士谷诺干》《英雄陶克陶之歌》《狂人沙格德尔》；古典文学名著《格斯尔传》《江格尔传》《青史演义》《一层楼》《泣红亭》；古典历史文学名著《蒙古秘史》；民间故事集《巴拉根仓的故事》

《蒙古族民间故事集》等等。编写出版了《蒙古族文学简史》《内蒙古自治区文学史》等。

蒙汉文互译工作是丰富自治区文学艺术读物，促进文化交流的重要途径。1957 年到 1965 年期间，将重要的汉文文艺理论著作和许多优秀的现代文学作品，及时译成蒙文出版发行，为蒙古文读者提供了急需的读物，为以蒙古文创作研究创造了条件。同时，将许多蒙古族的优秀古典文学作品和中华人民共和国成立以来的优秀作品，也及时译成汉文出版发行，为汉族读者提供了欲求的读物，为以汉文创作者提供了蒙古文作品。蒙汉文著作如此交流互补，是自治区文学艺术发达的重要标志。《毛泽东选集》《毛泽东论文艺》《毛泽东诗词》及部分马克思、恩格斯、列宁的著作译成蒙文出版发行，为蒙古族广大读者学习马列主义经典著作，提供了方便。除了《内蒙古日报》《实践》杂志以蒙汉两种文字刊行外，全区性的文艺刊物《草原》《花的原野》（蒙文）、《鸿雁》《鸿嘎鲁》（蒙文）、《内蒙古画报》（蒙、汉文版）、《钢城火花》等，以蒙汉文交替刊行。①

1957 年至 1965 年期间，自治区的图书出版由 287 种增加到 427 种，增长 48.78%；图书总印数由 251 万册增加到 2 400 万册，增长 8.56 倍；蒙文图书由 227 种增加到 1 791 种，增长 6.88 倍。② 整理、出版了蒙古族文化遗产中的优秀作品，并将其中的部分名著译成汉文出版；同时还出版了一批蒙古族作家用蒙文创作的文学作品。

医疗卫生事业 1958 年到 1965 年期间，自治区的医疗卫生工作，在政治、经济曲折发展的进程中，以社会主义建设服务为出发点，坚持“面向工农兵、预防为主、团结中西医、卫生工作与群众运动相结合”的四项原则，继续贯彻“人畜两旺”和“全面预防，重点消灭疾病”的方针，以繁荣民族人口为中心，积极建设城乡卫生机构，建立城乡卫生网；发展医学教育，培养医药卫生技术队伍，开展防病治病工作，降低各种疾病的发病率，为蒙汉各族人民的健康服务。医疗卫生工作经历了轰轰烈烈的所谓“大跃

① 参见郝维民主编：《内蒙古自治区史》，内蒙古大学出版社 1999 年版，第 280—282 页；参见王铎主编：《当代中国的内蒙古》，当代中国出版社 1992 年版，第 515—522 页。

② 参见内蒙古自治区统计局编：《辉煌的内蒙古》，中国统计出版社 1999 年版，第 372、373 页。

进”运动，度过了经济极端困难的3年，经过调整走上了复苏发展的轨道。

从1958年到1959年期间，贯彻自治区卫生行政会议提出的医疗面向人民群众的方针，开展群众性的医疗卫生运动。1958年3月，成立了内蒙古自治区爱国卫生运动委员会，乌兰夫任主任，哈丰阿、孙兰峰、胡尔钦毕力格任副主任；响应党中央、国务院除四害，讲卫生的号召，掀起了声势浩大的除四害讲卫生运动；大力开展消灭鼠疫、性病、布氏杆菌病3大疾病的工作；妇幼卫生工作普遍推行三调三不调（即孕妇调轻不调重，经期调干不调湿，乳期调近不调远）的劳动保护制度；工矿企业开展防尘降温卫生工作；开展以灭鼠、灭蝇，防治传染病为中心的群众运动，严格管理城镇的饮食和旅店行业的卫生；大力进行基层医疗卫生机构建设；开展医学科学研究，特别是开展中蒙医研究，整理民族医学遗产；创办医学院校，大力培养医疗卫生人才和干部。1959年，成立了内蒙古中蒙医学会；1960年，内蒙古自治区人民政府颁发了《内蒙古自治区中蒙医（药）带徒弟办法》，扶持中蒙医事业。这两年有“大跃进”浮夸的一面，但对医疗卫生事业的发展也有推动促进的一面。

1960年7月，自治区卫生厅在昭乌达盟阿鲁科尔沁旗绍根公社绍根生产队召开全区卫生工作现场会议，肯定了绍根生产队卫生工作的成绩，将其树立为全区卫生红旗单位；决定在呼伦贝尔、昭乌达、锡林郭勒、乌兰察布4盟的牧区开展学赶绍根运动，使全区卫生工作进一步掀起高潮。全区有44个旗、县、市基本做到无家鼠；8个旗、县、市做到了消灭家、野鼠；夏季疾病发病率比上年同期下降42%；有90%以上的旗县在整个夏季没有急性传染病流行。10月，全区卫生系统抽调大批干部分赴农业第一线，结合生产开展秋季卫生工作。全区基本消灭了人间布氏杆菌病，消灭性病的扫尾工作接近完成，工业卫生和妇幼保健工作也进展很大。

1961年，全区抽调大批医务工作者深入基层开展医疗卫生工作。在实践中摸索出一套防治克山病的办法。克山病是流行于自治区呼伦贝尔盟的东部山区、莫力达瓦达斡尔自治旗、阿荣旗、布特哈旗，锡林郭勒盟的多伦县、太仆寺旗及昭乌达盟的克什克路旗一带的一种地方病，给各族人民的健康带来很大威胁。自治区党委每年都专门派300多人的医疗队分赴上述地区，对克山病进行预防治疗，扼制了流行复发。

1962 年 1 月，自治区举行首届民族卫生工作会议，会议根据“调整、巩固、充实、提高”的方针，实事求是地总结检查了自治区的民族卫生工作，确定了新的工作方针、任务，制定了各项具体措施，以进一步推动民族卫生工作，更好地为实现“人畜两旺”与民族发展繁荣服务，更有力地促进自治区的社会主义建设事业的发展。在加大民族卫生工作力度的同时，全面实行全区医疗卫生工作的调整，纠正“大跃进”中出现的弊端，克服经济困难造成的问题，探索发展的途径，走上了正常发展的轨道。

自治区的医疗卫生工作，经过不懈努力，取得了较好成绩。全区基本上消灭了天花、回归热、斑疹伤寒等疾病；痢疾、伤寒、麻疹、百日咳等疾病均有显著减少；开展除四害、消灭三大疾病的工作，持续开展大规模的除害灭病运动，取得了良好效果；加强中西医的团结合作，以中蒙药为主治疗性病和布氏杆菌病，产生了奇特的疗效；加强了工业卫生工作和妇幼保健工作，改善了人民的健康状况，特别是促进了蒙古族及其他少数民族人口的发展与繁荣；发展和提高城乡医疗预防能力，普遍办起了公社卫生院，许多生产大队设立了卫生所、生产队设立了卫生保健站，安排了卫生员、保健员、接生员等；托儿所、幼儿园的卫生水平普遍提高。为培养医疗卫生技术人员，提高卫生工作干部的素质，特别是为培养民族医疗卫生干部，全区成立了高级医学院校 7 所，在校学生 2 796 人，中级卫生学校 15 所，在校学生 942 人。并加强了医药药材生产供应工作，尽可能保证医疗卫生事业的需求。

从 1957 年到 1965 年，全区医疗卫生机构由 2 152 个发展到 3 820 个，增长 77. 50%。其中医院由 136 个发展到 436 个，增长 2. 51 倍；疗养院、所由 3 个发展到 16 个，增长 4. 33 倍；门诊部、所由 1 682 个发展到 3 065 个，增长 82. 22%；卫生防疫站由 59 个发展到 116 个，增长 96. 61%。卫生机构床位由 7 733 张发展到 23 241 张，增长 2 倍多。其中医院床位由 5 700 张发展到 15 820 张，增长 1. 76 倍：疗养院、所床位由 194 张发展到 1 669 张，增长 8. 02 倍。卫生机构人员由 21 848 人发展到 40 695 人，增长 86. 26%。其中卫生技术人员由 18 290 人发展到 33 215 人，增长 81. 60%；医生由 10 556 人发展到 18 029 人，增长 70. 97%；护师、护士由 1 977 人发展到 4 644 人，增长 1. 35 倍。同时，自治区各级卫生部门，还为农村、牧区培训了2万多名不脱产的卫生员、接生员，其中近1 000名是自治区各级卫生部门组织的巡回医疗队培训的。卫生经费由1 511万元增加到3 612万元，增长1.39倍。其中卫生事业费由952万元增加到2 711万元，增长1.85倍；医院卫生院费由369万元增加到1 304万元，增长2.53倍；防治防疫费由803万元增加到1 540万元，增长91.78%；妇幼保健费由54万元增加到93万元，增长72.22%。①

医疗卫生事业的发展，初步改变了自治区疫病流行、缺医少药的状况，改善了人民的健康水平，服务于社会主义建设。特别是民族医疗卫生事业的发展，对实现自治区党委提出的“人畜两旺”，发展少数民族人口的战略目标，起了重要作用。1957年到1965年，自治区蒙古族人口由111.6万人发展到144.5万人，增长29.48%；达斡尔族由24 278万人发展到35 980人，增长48.20%；鄂温克族由6 178人发展到9 191人，增长48.76%；鄂伦春族由949人发展到1 272人，增长34.03%；回族由6.7万人发展到11.3万人，增长68.65%；满族由2.1万人发展到5.3万人，增长1.52倍；朝鲜族由11 247人发展到11 412人，增长1.47%（增幅如此小，可能统计有误，引者注）。汉族人口则由811.2万人发展到1 129.4万人，增长39.23%，其中1958年增加了45.9万人，1959年增加了73.6万人，1960年增加了119.1万人。（如此大的增幅，与“大跃进”中无序移民有关）。全区总人口由936万人发展到1 296.4万人，增长38.50%。② 人口的如此迅速发展，与医疗卫生的改善和人民健康水平的提高是直接相关的。

体育事业　1958年开始的“大跃进”运动中，自治区体育运动争相“跃进”，尤其是群众体育活动迅速兴起。城镇基层体育协会普遍建立，纷纷举办各种形式的体育运动会。运动项目有传统民族运动摔跤、射箭、赛马等项目，有田径、球类、体操、举重、冰上等竞技运动项目，还有广播操、投布鲁、拔河、武术、棋类等群众运动项目。此外，还结合民兵训练，开展了射击、航空模型、摩托、跳伞、滑翔、无线电等国际体育活动。除参加全

① 据内蒙古自治区统计局编：《辉煌的内蒙古》，中国统计出版社1999年版，第367—370页数据计算。

② 据内蒙古自治区统计局编：《辉煌的内蒙古》，中国统计出版社1999年版，第257页数据计算。

国性比赛外，自治区、各盟、市、旗、县和公社也分别举办了各种综合的或单项的运动竞赛。蒙古民族传统的那达慕大会，不仅自治区、盟、市、旗、县举办，有些公社、生产队也举办。规模不断扩大，竞赛项目、活动内容日益丰富多彩，深受广大农牧民欢迎。

随着群众体育运动的发展，自治区优秀运动员队伍迅速壮大，各项运动的技术水平和成绩也有大幅度提高。1956 年，内蒙古开始组织优秀运动队，有 6 个项目 70 名运动员。1958 年，自治区有 11 人次共打破自治区男女田径、速度滑冰、举重、射箭、射击等 55 个项目的最高纪录；在全国马拉松锦标赛上内蒙古的运动员郑昭信、张云程夺得了冠军，而且超过了第十六届奥林匹克运动会马拉松的纪录，自治区的 3 名运动员达到健将级标准。1959 年在全国冰上运动会上，自治区获速度滑冰和滑雪运动团体总分第三名；9 月，在中华人民共和国第一届全国运动会上，自治区蒙古、汉、鄂伦春、达斡尔、鄂温克、回、满、朝鲜等民族的 257 名运动员参加了 16 个项目的比赛，取得了优异成绩，获得金牌 18 枚、银牌 13 枚、铜牌 6 枚，金牌总数名列全国第六位。女运动员刘正以 10 秒 9 的成绩，打破了女子 80 米低栏的全国纪录。自治区的摔跤、马术、射箭等蒙古族传统体育项目，在国内外的比赛中争得了荣誉。20 世纪 50 年代后期，农村牧区的群众体育活动兴起，据 1959 年统计，全区各地建立基层体育协会 3 400 多个，会员达 47 万多人。60 年代初，以乌日哲为代表的射箭女队，在 5 年中连破 8 项全国纪录，4 次出国比赛取得了好成绩；以赵连璧为代表的射箭男队多次打破全国纪录，出国比赛多次夺得冠军。创造了射击、摩托车、无线电收发报、赛马、障碍赛马等 41 项自治区纪录。自治区还为国家培养输送了数十名优秀运动员。

1962 年，自治区先后有 28.8 万人达到体育各级劳卫制标准，有 4 万人达到各级运动员标准，并有 37 人成为运动健将，各级达标裁判员有 6 999 人，有 9 人获得国家级裁判员资格。体育总经费 1957 年到 1965 年，从 148 万元增加到 261 万元，增长 76.35%；体育事业费由 63 万元增加到 219 万元，增长 2.48 倍。1958 年呼和浩特建成一座 33 万平方米的大型标准赛马场，另有大型体育场 4 处，普通体育场 29 处，体育馆 2 所，健身房 3 所，以及大量的简易运动场地。自治区各级体育部门进行了组织建设、基本建设，购置各项体育器材和设备，并发动群众自制了许多器材设备。根据自治区的特长，在整理和改进蒙古式摔跤、赛马、障碍赛马、马球、马上动作、射箭等项目的比赛规则、技巧和教材、器材等方面，也做了大量工作。

1965年，自治区举行第二届运动会，有4名运动员打破两项全国纪录，40名运动员刷新了29项自治区纪录。9月，在中华人民共和国第二届全国运动会上，自治区组织250名各族运动员参加了12个项目的比赛，获得6枚金牌、8枚银牌、16枚铜牌，打破了3项全国纪录，金牌总数列全国第16名。刘一祥在第二届全运会上获得马拉松冠军，冀成文打破了5 000米障碍赛全国纪录。①

五、科学技术事业

1958年开始的“大跃进”运动中，内蒙古自治区也掀起了兴办科学技术事业的热潮，以前所未有的速度创办了一批科学研究机构，成立了一批学术团体，也取得了不少研究成果。尽管在“大跃进”的气氛中出现了浮夸风，有脱离实际、违反科学规律、大轰大嗡的现象。但是，科学家和科技工作者们的执著，群众渴望科学的热情，及其所开展的工作，为内蒙古科学技术事业的发展奠定了基础。

自然科学与科技事业　在内蒙古自治区实施发展国民经济第一个五年计划期间，于1956年7月，自治区召开科学技术普及协会第一次会员代表大会，成立了内蒙古科学技术普及协会；确定了科普工作任务，即积极发展科普组织，加强领导，提高宣传质量，并以工农牧兵群众为主要宣传对象，着重宣传基础科学技术知识和先进生产经验；通过了内蒙古科学普及协会会章和大会决议。1957年2月，全区建立科普中心支会52个，会员达2 500名。各科普支会积极向广大工农牧兵群众宣传科学技术知识，传播先进生产经验，掀开了向科学进军的序幕。

在“一五”期间，1953年，建立了内蒙古自治区轻工科学研究所；

① 综合参见王铎主编：《当代中国的内蒙古》，当代中国出版社1992年版，第568—585页；内蒙古自治区统计局编：《辉煌的内蒙古》，中国统计出版社1999年版，第377页；参见内蒙古自治区体育局主办：《内蒙古体育》，内蒙古体育网《参加全国运动会》文。

1954 年，建立了内蒙古畜牧兽医科学研究所（1981 年改称内蒙古自治区畜牧科学院）和内蒙古林业科学院（1982 年改称内蒙古自治区林业科学研究院）；1955 年，组建了内蒙古度量衡检定所（1979 年改称内蒙古自治区计量测试研究所）；1956 年，建立了内蒙古自治区农业科学院；1957 年，组建了内蒙古自治区水利科学研究所。同时，1952 年成立了内蒙古自治区昆虫学会、中华医学会内蒙古自治区分会；1954 年成立了内蒙古自治区兽医学会。从自治区民族特点、经济特点出发，开始科技研究，为经济建设服务。

1958 年到 1960 年期间，在技术革命和文化革命“大跃进”的形势下，成立了科学技术领导组织，创办了一批自然科学和科技研究机构及群众学术团体。1958 年 3 月 26 日，成立了内蒙古自治区科学工作委员会；1959 年 2 月，改称内蒙古自治区科学技术委员会（简称科委）。这是内蒙古党委领导科技工作的参谋部，也是自治区人民委员会管理科技工作的职能部门。同时，各盟市、旗县也相继成立了科学技术委员会。1958 年 12 月 8 日，组建了中国科学院内蒙古分院，下设生物、物理、化学、半导体、数学、力学等 6 个研究所和科技图书馆。

为大力发展科学研究，1958 年，相继组建了内蒙古自治区交通设计研究所、内蒙古自治区科学技术情报研究所、内蒙古自治区冶金设计研究所（1965 年改称内蒙古自治区冶金研究所）、内蒙古农业机械化研究所（1984 年改称内蒙古自治区农牧业机械化研究所）、内蒙古自治区电力试验研究所；1959 年，组建了内蒙古自治区地质局地质研究所（1976 年改称内蒙古自治区地质研究队）、中国兵器工业部五二研究所、呼和浩特铁路局科学技术研究所；1960 年，组建了冶金工业部包头冶金建筑研究所、机械电子工业部呼和浩特畜牧机械研究所；组建了内蒙古自治区水产科学研究所。3 年组建了 11 个研究所，涉及工农牧业等诸多经济领域的科学技术，在当时的历史条件下，是科学技术促进经济建设的良好开端。这期间还成立了一批相应的协会、学会和研究会等学术团体。1958 年 6 月，成立了中华全国自然科学专门学会内蒙古分会（简称科联）；同年，成立了内蒙古自治区数学学会、物理学会、工程学会、纺织工程学会、中医学会及中国药学会内蒙古自治区分会、中国解剖学会内蒙古自治区分会；1959 年，成立了内蒙古自治区化学学会、气象学会、地质学会、植物学会、水利学会、兵工学会、化工学会、土木建筑学会；1960 年，成立了土壤学会。

这些研究机构和学术团体成立后，在当时由于“左”倾错误的影响，“大跃进”错误思潮的干扰，浮夸不实，技术力量不足，研究基础薄弱，只做了一些开创性的工作，难以达到欲求的目标。

1962 年，按照中央“调整、巩固、充实、提高”的八字方针，自治区对国民经济实行全面调整，科学技术事业也在调整中逐步发展。1962 年 7 月，中国科学院内蒙古分院撤销，保留科技图书馆，由部分学术骨干组成综合研究所，其余人员划归内蒙古大学。1963 年 9 月，又组建了内蒙古自治区气象科学研究所、冶金工业部包头稀土研究院、中国农业科学院草原研究所。同时，学术团体也在调整中发展。1962 年，成立了内蒙古自治区心理学会、林学会；1963 年，成立了内蒙古自治区机械工程学会、植保学会；1964 年，成立了内蒙古自治区农业机械学会、电机工程学会、金属学会、畜牧学会。连同此前成立的研究机构和学术团体，在调整中恢复科学技术工作。

从 1958 年到 1965 年，自然科学研究在曲折中发展，并取得了较好的成果。群众性的技术改革和科学研究，对发展生产力、推动工农牧业生产起到了积极的作用。据当时的报道和统计，包钢机运公司修理车间工人创造了“割垫刀”，提高工效 239 倍；包头机械厂工人改进了切管机，提高工效 8 倍以上。全区改良、改装各种农机具 2 930 种，推广 24 万多件，节省了农村劳动力，减轻了农民的劳动强度，提高了劳动效率。开鲁县创制成功“玉米、大豆混播机”，每天每台可节省人工 7 个，畜工 4 个。仅此项改革，在春播中就节省人工 21 万个，畜力 7 万个……另外，还创制出马拉割草机、自动饮水器、大型青贮饲料切割机，以探索畜牧业机械化。

广大知识分子、技术人员、高等院校师生和研究部门的研究人员，深入社会，深入生产实践，进行科学实验、发明创造，为建设社会主义服务。不少老蒙医献出了秘方 40 多种，丰富了蒙医科学。自治区的科学技术人员发明创造的电动手摇两用抹灰器、万能钢片磨、水平断层摄影机、家畜骨化透明标本、家畜干制标本、毫秒爆破器、烟雾灭鼠法等等，都是当时具有一定水平的发明创造。据当时的统计，1958 年国庆节和 1959 年元旦，科学技术发明创造献礼项目共计 20 110 件；研究人员增加了 12 倍多，研究所增加了 32 倍多；出版了《内蒙古科学技术报》《科学简报》《研究报告》等刊物；

举办科普讲演333.5万多次，受益群众6 623.8万多人次。

1958年12月1日至6日，自治区召开了第一次科学技术工作会议，各盟市、各高等院校、有关科学研究机构和厂矿的五十多名代表出席。会议讨论了全区1959年科学研究规划，讨论了元旦及国庆10周年献礼问题，交流了科学工作经验和建立全区科学研究机构及其体制等问题。1959年，自治区的科学技术工作进一步发展，五大生产建设指标方面的科学研究工作顺利开展，并在钢铁、粮食、畜牧业等方面取得了较为突出的研究成果；对于木材、畜牧副产品的综合利用、块碱湖的成分分析、布氏杆菌病的防治、基建方面的快速施工法、三大建筑主材代用品等等研究项目，也取得了不小的成绩。10月20日至22日，自治区科学技术协会举行第二次代表大会，来自各种岗位上的优秀科技工作者和专职科学技术干部300人出席大会，交流了科技工作经验，讨论了自治区科技工作的任务，选举了内蒙古科学技术协会新的领导机构。12月30日，内蒙古科学技术委员会和内蒙古科学技术协会联合召开了内蒙古科学技术界1960年元旦献礼报捷大会，大会收到的报捷科学项目有6 693项。

1960年1月2日至12日，中国科学院内蒙古分院和内蒙古大学联合举办了自治区第一届科学讨论会。乌兰夫、苏谦兰、杨植霖、胡昭衡等内蒙古党委和政府领导人出席了大会。并有北京大学、中央民族学院、西北大学、西北民族学院、黑龙江大学等院校代表和学者参加。自治区各高等院校、各科学研究机构代表也都参加了讨论会。乌兰夫在开幕式上讲了话。他指出，科学技术在实现自治区社会主义建设上有着重要的地位和作用，当前科学技术工作中应注意的问题是：第一，发展科学技术工作，要加强党的领导，坚持正确的方向；第二，科学技术工作要与生产实践紧密结合；第三，科学技术工作要走群众路线，贯彻两条腿走路的方针，把专业研究和群众性的技术革新与技术革命结合起来；第四，要动员各方面的力量，大力培养科学技术队伍；第五，要鼓足干劲，力争上游；第六，要有共产主义协作精神。提交讨论会的人文科学和自然科学论文76篇，连同其他参考、研究的论文共有150多篇。这是自治区第一次内容丰富，课题众多的科学讨论会，标志着自治区科学研究事业新的发展。

1958年至1960年期间，自治区的科学技术事业是在“大跃进”和人民公社化运动中，在“左”倾错误日益发展、浮夸风盛行的形势下发展起来的，所以带有一定的盲目性，有许多项目脱离实际，有的半途而废，当时反映的有些成果和数据不尽符合实际。但是，它毕竟是自治区科技事业发展的一个重要时期，成就也是突出的。

1961 年 6 月，中共中央公布试行《关于自然科学研究机构当前工作的 14 条意见（草案）》（即《科研 14 条》），清理当时科研战线上的各种“左”的错误，保证科研工作得以正常进行。《科研 14 条》对总结经验，纠正错误，起了很大作用。自治区贯彻执行中央调整国民经济的方针，科学研究工作沿着调整的轨道，既扎扎实实，又非常活跃地进一步发展起来。内蒙古大学、内蒙古师范学院、内蒙古农牧学院、内蒙古医学院、内蒙古工学院等大专院校和各科研单位遵照乌兰夫关于“担负起繁荣和发展内蒙古民族文化和培养本民族的知识分子，开展本地区科学研究工作的任务”的指示，积极开展了蒙古族语言、文学艺术、蒙古族历史、内蒙古经济发展史、内蒙古植物、内蒙古动物、布氏杆菌病防治等多方面的研究，并取得了相当规模的成果；同时派出科研人员深入基层帮助解决生产实际问题，或进行社会调查，两个方面均收到很好的成效。

1962 年 3 月，全国科学技术工作会议召开，周恩来总理为知识分子“行脱帽礼”，在聂荣臻副总理主持下制订了《1963 年至 1972 年第二个科技发展规划》,提出重视农业发展，加强基础科学研究的方针。内蒙古农业科学研究所召开全区农业科学研究座谈会。会议学习了关于自然科学工作的若干政策，总结了自治区农业科学研究工作的经验、成果，布置了 1962 年农业科学研究的任务。参加会议的有各盟市农业科学研究所、呼和浩特的农业高等院校和产业部门的代表。座谈会上提出并讨论了 163 篇农业科学论文。会议认为，在农业科学研究工作中，要加强党的领导，坚决贯彻执行两条腿走路的方针，坚持理论联系实际和为当地当前农业生产服务的方针。会议最后还集中讨论了 1962 年农业科学技术研究的 6 项重点任务。此后，自治区各专门学会配合生产，积极开展了学术活动，多次召开学术报告会和讨论会，提交了大量具有较高学术水平的论文。农学会配合内蒙古农业科学研究所召开的农业科学技术问题讨论会，集中讨论和总结了对自治农业生产有密切关系的抗旱保墒、盐碱土壤改良、良种选育等 6 个方面的技术措施，对促进自治区农业生产起到了良好作用。

为了进一步加强农业科学技术工作，促进自治区农业技术改革和农业生产的迅速发展，1962 年 12 月 25 日至 1963 年 1 月 10 日，全区农业科学技术工作会议，自治区和各盟市的农业科学技术工作者、自治区农业及其他有关部门的负责人、高等院校的有关教学科研人员及农业劳动模范共计 72 人出席。乌兰夫等党政领导人接见了全体代表。会议期间，代表们听取了党的中共八届十中全会有关决议的传达报告和内蒙古党委的指示；听取了中央有关负责同志关于科学研究和知识分子政策问题报告的传达；学习了党中央关于自然科学工作的方针政策。会议提出了自治区当前农业生产中迫切需要解决的一系列科学技术关键问题，全面深入地讨论了今后一个较长时期的科学技术研究规划。内蒙古农业科学研究所的科研人员，针对内蒙古“十年九旱”的特点，深入大青山以北干旱农区进行调查研究，终于掌握了旱区土壤水分的季节动态和运动规律，对发展旱区农业生产有重大意义；针对自治区生产条件和自然条件，选育出一批适宜这里生长的小麦、谷子、玉米、甜菜等优良品种，对保证农业丰收作出了贡献。1964 年至 1965 年，自治区的科技工作蓬勃发展，重点逐渐转向基层，发展科学普及工作。

截至 1965 年，据内蒙古地理、植物、物理、心理、土壤、植保、农学、医学、护理、解剖 10 个学会的统计，召开各种学术会议 754 次，参加学术活动者 2 万余人次，交流学术论文 1 512 篇；举办学术讲座 29 次，听众达 3 950 人次。1959 年，内蒙古农学会在巴彦淖尔盟召开小麦大面积丰产座谈会，总结丰产经验；内蒙古医学会和药学会，连续召开布氏杆菌病、灭鼠、性病防治研究及公社卫生、工业卫生等座谈会和继承发扬祖国医学传统现场会；1964 年，内蒙古土壤学会邀请中国科学院学部委员、北京农业大学教授李连捷来呼和浩特作土壤地理学术报告。此外，通过举办科普讲座、科普展览、科教影视、科普出版、科普创作等形式，进行科普宣传。在城市厂矿，主要通过现场会议、展览会、比武会、先进代表会等形式，开展群众性技术革新、技术革命运动。仅呼伦贝尔、哲里木、昭乌达、乌兰察布 4 盟的科学实验小组就有 12 200 多个，计有试验田、样板田、示范田 15.4 万多亩。

全区性的科学普及和科学研究网正在逐步形成，群众性的农牧业科学实验普遍发展起来。突泉县在全县 14 个公社普遍建立了基层科协，在生产大队建立了374个科学普及小组，发展科学普及员2 400多名，各生产队以科学普及员为核心，建立了科学技术研究小组，基本上形成了群众性的科学普及和科学研究网。呼盟农业科学研究所特约研究员毕义臣领导的科右前旗居力公社红旗大队第六生产队，经过连续3年的科学实验，亩产已由173斤增长到270多斤，1963年向国家缴售良种15万斤，生产水平已由全大队16个生产队的末位跃居为首位。①

从1958年到1965年的8年期间，内蒙古自治区的科学技术事业经历了曲折发展。1956年国家吹响向科学进军的号角之后，知识分子还未及全面行动，便被1957年的反右派斗争泼了一盆冷水。反右派斗争、1964年的“四清”运动，都不同程度地伤害了知识分子。否认知识的价值，歧视知识分子，否认他们是工人阶级的一部分，否认科学研究工作中的学术自由，反对在科学技术领域贯彻执行“百家争鸣”的方针，这些“左”的思想都曾程度不同地干扰了自治区的科技事业，给自治区科技工作造成了一定的危害。

社会科学研究事业　内蒙古自治区的社会科学研究事业起步于20世纪50年代。最初于1953年在西部绥远地区成立了蒙文研究会；1954年，内蒙古师范学院设蒙古语言文学专业，教授蒙古语言文学兼作研究工作；1957年，自治区成立了蒙古语言文学研究所和内蒙古历史研究所，在国家民族事务委员会统一组织下，开展了蒙古族社会历史调查。是年，内蒙古大学成立时设蒙古语言文学系，兼作研究工作，1962年成立蒙古语文研究室，隶属于蒙语系；1958年，内蒙古大学历史系设蒙古史教研室，1962年改称蒙古史研究室。蒙古语文、文学、历史成为自治区社会科学研究的重点学科。同时，社会科学学术团体相继成立。1958年，内蒙古自治区哲学学会成立；1959年，内蒙古历史学会、内蒙古自治区教育学会成立。

内蒙古自治区的社会科学研究从20世纪50年代后期开始，是以蒙古历史、语文研究为中心逐步发展起来的。这是1947年5月《内蒙古自治政府

① 综合参考《内蒙古自治区志·政府志》，方志出版社2001年版，第616—618页；《内蒙古大辞典》，内蒙古人民出版社1991年版，第699—718页；郝维民主编：《内蒙古自治区史》，内蒙古大学出版社1991年版，第287—292页。

施政纲领》中明确规定了的。1958 年 5 月，内蒙古大学成立了人民革命斗争史研究室，9 月并入新成立的历史系蒙古史教研室，决定在历史系开设蒙古史专门课程。11 月间，内蒙古党委决定成立内蒙古革命史编审委员会，编写《内蒙古革命史》,组织内蒙古大学历史系师生、内蒙古师范学院历史系师生以及内蒙古历史研究所、内蒙古党校的部分教学研究人员，共 170 余人参加，1962 年编印出了试版本。这是内蒙古历史研究的重大举动，也是蒙古史研究的开端。

1962 年 6 月 22 日，内蒙古历史学会在内蒙古大学举办了纪念成吉思汗诞辰 800 周年蒙古史科学讨论会，除了内蒙古的史学工作者外，翁独健、邵循正、马长寿、杨志玖等国内著名历史学家和史学工作者 20 多人应邀出席，对蒙古族族源、蒙古社会制度、对成吉思汗的评价等诸多问题进行了广泛交流，内蒙古大学亦邻真的《成吉思汗与蒙古民族共同体的形成》、周清澍的《成吉思汗生年考》,受到很高的评价，讨论会历时 8 天。与会者还赴成陵参加了成吉思汗诞辰 800 周年纪念大会。这是中国第一次全国性的蒙古史学术讨论会。12 月 29 日，内蒙古历史学会又在内蒙古大学举办了纪念《蒙古源流》成书 300 周年学术会议，有 3 篇论文的作者发了言，内蒙古大学的额尔德尼·白音和周清澍合写的《〈蒙古源流〉初探》受到了与会者的高度评价。这两次学术会议有力地推动了内蒙古历史研究的发展。

到 1965 年，内蒙古的史学工作者发表了一批蒙古史、北方民族史和内蒙古地区史方面的学术论文。古代史：胡钟达《呼和浩特旧城（归化）建城年代初探》《丰州滩上出现了青色的城——阿勒坦汗和三娘子·古丰州》；陈国灿《大黑河诸水沿革考辨》；史筠《蒙古族科学家明安图》《明安图〈割园密率捷法〉的写作年代和正式出版前的流传概况》《明安图是蒙古人考》《明安图在钦天监五十余年工作记略》；周清澍《试论清代内蒙古农业的发展》；朱葆珊《试论西汉时期在西域统治的确立和汉匈统一的形成》；周良霄《关于成吉思汗》；舒振邦《成吉思汗编年大事记》。近代史：黄时鉴、特布信、郝维民《中国旧民主主义革命时期内蒙古人民的革命斗争》；戴学稷《西方殖民主义者在河套鄂尔多斯等地的罪恶活动》《1900 年内蒙古西部地区蒙汉各族人民的反帝斗争——义和团运动在“口外七厅”和伊盟等地的发展》《辛亥革命时期呼包地区的起义斗争》；阮芳纪、王永福、金启琮、何志《从清初到五四运动前夕呼和浩特地区农业的发展》；黄时鉴《日本帝国主义的“满蒙政策”和内蒙古反动封建上层的“自治”“独立”运动》《论清末清政府对内蒙古的“移民实边”政策》；何志《从清初到抗日战争前夕的呼和浩特商业》；黄时鉴、张思成《关于“伊盟事变”》；郝维民《伊克昭盟“独贵龙”运动》（中国旧民主主义革命时期）等。《内蒙古大学学报》出版了两辑“蒙古史专号”。这批史学论文，从研究蒙古史和内蒙古地区史入手，打开了自治区历史研究的局面，对内蒙古的历史研究工作，具有开创性的意义，

与此同时，对马克思主义哲学和经济学的研究，蒙古族哲学思想、蒙古族语言学、蒙古族文学、蒙古族文献学、蒙古族文学史、内蒙古文学史的研究也相继启动。1964 年，由内蒙古大学蒙古语言文学系编著的《现代蒙古语》出版，填补了高校自编蒙古语语法教材的空白，代表当时中国蒙古语研究的水平。

1956 年，在全国人民代表大会常务委员会民族委员会和国务院民族事务委员会领导下，开展少数民族社会历史调查；1958 年，在国务院民族事务委员会和中国科学院哲学社会科学学部领导下，组织编写少数民族简史。这是国家民委民族问题五种丛书之一。国家民委民族问题五种从书编委会还统一规划编写中国少数民族自治地方概况丛书。内蒙古自治区的专家学者和民族工作干部，参加了蒙古族、鄂伦春族、鄂温克族、达斡尔族社会历史调查，获得了大批调查资料，同时组织编写鄂伦春族、鄂温克族、达斡尔族简史；参加了《蒙古族简史》的编写工作，1959 年完成了各简史初稿，1963 年付印征求意见，但是由于“文化大革命”的干扰而停顿。在内蒙古自治区《民族问题五种丛书》领导小组指导下，自治区组织编写了《内蒙古自治区概况》,1959 年由内蒙古人民出版社出版。这是内蒙古自治区民族史志研究开创性的重要工程。

内蒙古自治区的社会科学研究从 50 年代后期开始，在当时的政治气氛下，也以跃进的势头发展起来，蒙汉各族社会科学工作者以空前的热情开展研究工作，取得了上述开创性的成就，这是不容置疑的，是应当充分肯定的。但是，在经济战线上出现的浮夸风，也吹到了科学技术领域，头脑发热，脱离实际，不顾原有的学科研究基础和现实条件，一哄而上，使有些科

学进军计划和科研目标没能实现；特别是“左”倾指导思想对社会科学领域中的影响，造成了一定的负面影响。60 年代前后，在社会科学领域中的主观主义、教条主义倾向和浮夸、浮躁等不正学风兴起，马克思主义学说被曲解，史学研究中以现实与历史类比，以今论古，以古比今，以推论代替客观历史，以现实理念苛求历史，赋予历史强烈的现实感。尤其是在社会主义时期民族问题研究中，出现了“民族问题的实质是阶级问题”的错误理论，刮起了“民族融合”风，否认民族特点，抹杀民族差别，理论上的错误导致民族工作上的失误。这是值得总结和汲取的教训。

第　九　章

“文化大革命”中的内蒙古

从1966年5月到1976年10月，中国发生了一场祸国殃民的“文化大革命”。它使中国共产党、国家和人民遭到中华人民共和国成立以来最严重的挫折和损失。“这场‘文化大革命’是毛泽东发动和领导的。他的主要论点是：一大批资产阶级的代表人物、反革命的修正主义分子，已经混进党里、政府里、军队里和文化领域的各界里，相当大的一个多数的单位的领导权已经不在马克思主义者和人民群众手里。党内走资本主义道路的当权派在中央形成了一个资产阶级司令部，它有一条修正主义的政治路线和组织路线，在各省、市、自治区和中央各部门都有代理人。过去的各种斗争都不能解决问题，只有实行文化大革命，公开地、全面地、自下而上地发动广大群众来揭发上述的黑暗面，才能把被走资派篡夺的权力重新夺回来。这实质上是一个阶级推翻一个阶级的政治大革命，以后还要进行多次。”① 在“文化大革命”的发展过程中，又把这些论点概括成为所谓“无产阶级专政下继续革命的理论”②。这些“左”倾错误论点，明显地脱离了马克思列宁主义、

① 中国共产党中央委员会：《关于建国以来党的若干历史问题的决议》（1981年6月27日中国共产党第十一届中央委员会第六次全体会议一致通过），《三中全会以来重要文献选编》，人民出版社1982年版，第757页。

② 中国共产党中央委员会：《关于建国以来党的若干历史问题的决议》（1981年6月27日中国共产党第十一届中央委员会第六次全体会议一致通过），《三中全会以来重要文献选编》，人民出版社1982年版，第757页。

毛泽东思想的轨道。林彪、江青这两个阴谋夺取党和国家最高权力的反革命集团，进行了一系列反革命罪恶活动，从而给党、国家和人民造成了极大的灾难。

第一节 从前门饭店会议到全区动乱

一、前门饭店会议的背景与由来

1965 年 11 月，姚文元发表文章对吴晗新编历史剧《海瑞罢官》的批判以及文学艺术领域里的批判运动的开展，是得到毛泽东支持的。这是“文化大革命”的序幕。1966 年 3 月 30 日，毛泽东否定和批判了经中央政治局常委会同意的《文化革命五人小组关于当前学术讨论的汇报提纲》（简称《二月提纲》）；4 月 16 日，毛泽东在杭州中央政治局扩大会议上批判了文化革命五人小组组长、北京市委第一书记彭真的所谓“反党罪行”。江青、姚文元、关锋、戚本禹等在这场批判中打头阵，矛头直指中共北京市委。这是舆论准备阶段。

5 月 4 日至 26 日，中共中央政治局根据毛泽东的意见，在北京召开政治局扩大会议，通过了由康生、陈伯达等人起草，经毛泽东几次修改的《中共中央通知》（即《五一六通知》），反映了毛泽东发动“文化大革命”的“左”倾错误论点的基本内容，是发动“文化大革命”的纲领性文件；根据康生的诬陷发言，错误地揭发批判了彭真、罗瑞卿、陆定一、杨尚昆等的所谓反党集团；撤销了《二月提纲》和以彭真为首的文化革命五人小组，决定重新设立中央文化革命小组，会后任命陈伯达为组长，康生为顾问，江青、张春桥为副组长，王力、关锋、戚本禹、姚文元等为成员；对中共中央机关负责人作了重要调整；5 月 18 日，林彪在会上作了长篇发言，大谈政变经，诬陷中共中央内部有人要搞政变，宣扬天才论，鼓吹个人崇拜，大谈对毛泽东的崇拜，以捞取政治资本。

这次会议从政治上、组织上完成了全面发动“文化大革命”的准备，使“左”的方针在中共中央占据了统治地位，并成为“文化大革命”十年动乱的开端。

内蒙古自治区在这场“文化大革命”中，遭受了一场浩劫。5月17日，《内蒙古日报》发表社论：《全区各族人民行动起来，积极参加社会主义文化大革命》,这是内蒙古发动“文化大革命”的第一个公开信号。于是自治区各盟市、旗县及一些大工矿企业，先后以不同的方式表明拥护发动“文化大革命”的态度。

1964年以后，由于“左”的思想越来越严重，乌兰夫提出重视民族工作，反对大汉族主义倾向的问题。特别是在当时的“四清”运动中，忽视民族特点，忽视贯彻民族政策，乌兰夫及时发现了问题，采取果断措施纠正在民族问题上的“左”倾偏向。当时，中共中央书记处书记、中共中央华北局第一书记李雪峰来内蒙古视察工作；华北局书记解学恭在内蒙古蹲点领导“四清”运动。在他们的影响下，社会上散布出内蒙古抓阶级斗争“死水一潭”，内蒙的领导人像“行尸走肉”，内蒙争地盘、“搞独立王国”等等谣言，矛头直指乌兰夫。① 乌兰夫针对如此言论，于1966年1月，向自治区领导干部印发了1935年毛泽东发表的《对内蒙古人民宣言》,结合学习毛主席著作进行学习，弄清内蒙古的行政地域是毛泽东早在1935年的“宣言”中划定的，中华人民共和国成立以后逐步实施的，不存在争地盘、“搞独立王国”的事情。但是，华北局的报告歪曲事实，说这个“宣言”是“当时党内教条主义者假借毛主席的名义发表的”，将这个“宣言”说成是乌兰夫反党叛国的纲领，而且加了许多罪名。

当“文化大革命”的恶浪在北京泛起以后，首先冲击到了内蒙古，几乎与向北京市委第一书记彭真和中共北京市委发难的同时，1966年5月在中共中央华北局工作会议上，即有计划地开始对乌兰夫进行诬陷，制造了所谓“乌兰夫反党叛国集团”冤案，随即导致了内蒙古的全面动乱。在上海“一月风暴”后，在内蒙古又制造了“二月逆流”冤案。经过“挖乌兰夫黑线、肃乌兰夫流毒”运动，通过挖“内人党”又制造了“新内人党”冤案，通过“清理阶级队伍”运动中一次又一次的反复，制造了各种各样的冤假错案；党的各项方针政策遭到破坏，党的民族政策全面被否定；社会主义民族关系被践踏；社会主义经济、文化、教育、卫生等各项事业遭到全面破

① 参见王铎：《五十春秋——我做民族工作的经历》,内蒙古人民出版社1992年版，第493页。

坏；几十万蒙、汉各族干部、群众遭到迫害，数万人被致残致死，自治区各级党政领导机关和人民团体被彻底搞垮。因此，内蒙古的实践证明，“文化大革命”不是也不可能是任何意义上的革命或社会进步，而是一场灾难，是社会的倒退。

内蒙古各族干部和群众，在实践中逐步认识了“文化大革命”的本质，在各个阶段，通过不同的形式进行了程度不同的抵制和斗争。

二、前门饭店会议与第一大冤案

5月25日，在康生等人授意下，北京大学贴出了聂元梓等7人写的所谓“文化大革命”的第一张“马列主义”大字报，矛头直指北京大学党委和北京市委，诬陷北京大学党委和北京市委搞修正主义，声称要把“社会主义文化大革命进行到底”。由康生将大字报底稿直送毛泽东批准，于6月1日由中央人民广播电台全文播发，6月2日全国各大报纸全文刊登。与此同时，5月31日经毛泽东批准，陈伯达代表中共中央改组了的《人民日报》,6月1日发表陈伯达授意撰写的《横扫一切牛鬼蛇神》的社论，以后又接二连三地发表社论，把《五一六通知》的精神捅向全国，煽动青少年和亿万群众起来造反。6月4日《人民日报》公布了中共中央改组北京市委的决定，由中共中央华北局第一书记李雪峰任北京市委第一书记，调吉林省委第一书记吴德任北京市委第二书记；并改组了北京大学党委。“文化大革命”就这样被煽动起来。

在中共中央政治局扩大会议的后期，于5月21日中共中央华北局也在北京前门饭店召开工作会议，一直开到7月25日。内蒙古自治区有146人参加会议。内蒙古党委第一书记乌兰夫、书记处书记奎璧、王铎、王再天、权星垣、高锦明、刘景平，党委常委吉雅泰、雷代夫、克力更以及自治区有关部门，部分盟市、旗县和农村、牧区、城市四清工作团负责人等参加。这次会议是有目的、有准备地集中力量向乌兰夫发难。会议传达了中共中央政治局扩大会议的精神，紧接着从6月7日开始集中力量错误地揭发批判乌兰夫，直到7月20日，整整用了43天的时间。除了小会外，还先后开了8次内蒙古党委常委会议，6次有各盟、市委书记参加的自治区党委扩大会议，16次全体会议。乌兰夫被迫作了4次检讨。与此同时，内蒙古党委于6月4

日在呼和浩特市召开了自治区高等院校领导干部和部分师生代表会议，紧跟北京发动“文化大革命”的形势，作了深入开展“文化大革命”的动员。6月6日《内蒙古日报》发表题为《做无产阶级革命派，还是做资产阶级保皇派》的社论，按照《五一六通知》的精神，号召全区各族群众造走资本主义道路的当权派的反。这样，在自治区直属机关和高等院校，首先煽动起了“文化大革命”，以所谓“大鸣、大放、大字报、大辩论”的形式，把矛头主要引向乌兰夫及一大批土默特旗蒙古族老干部和部分多年在内蒙古工作的汉族干部。这样会内会外相结合，给乌兰夫罗织了大量罪名。1966年7月27日，《中共中央华北局关于乌兰夫错误问题的报告》给乌兰夫定了五大罪状，称“乌兰夫的错误是反党、反社会主义、反毛泽东思想的错误，是破坏祖国统一、搞独立王国的民族分裂主义、修正主义的错误，实质上是内蒙古党组织中最大的走资本主义道路的当权派。对乌兰夫错误的揭露和批判，是挖出了一颗埋在党内的定时炸弹”。

中共中央华北局呈报党中央的这份报告，对于乌兰夫历来的讲话采取断章取义、歪曲事实的手法，按照上述总的帽子，生拉硬扯地罗列了五条罪状，把乌兰夫的许多正确的意见和观点歪曲为修正主义加以批判。乌兰夫针对一切以阶级斗争为纲的观点，认为社会主义时期民族问题的实质不能一概说成是阶级斗争问题，应当从民族问题的具体事实出发，实事求是地对待，而且强调重视民族问题，正确地解决民族问题，要巩固祖国的统一，加强民族团结。“报告”却说这是反对突出政治，反对以阶级斗争为纲。乌兰夫认为“学毛选要从自治区的实际出发，要有的放矢”，“学习毛泽东思想要与内蒙古实际相结合”，“解决了从实际出发的问题，我们的工作才会有所作为，才能踏出自己的路”。报告却认为这一马克思主义的正确观点是反对毛泽东思想，是“另打旗帜，自立体系”。乌兰夫在内蒙古牧区民主改革的实践中，提出并证明是正确的“不斗、不分、不划阶级”“牧工牧主两利”的民主改革政策，以及社会主义改造中提出并行之有效的“稳、宽、长”原则，对民族宗教上层实行成功的统一战线政策，均被华北局的“报告”指控为“否认阶级斗争，取消阶级斗争”，“在牧区实行和平过渡，对民族上层和宗教上层实行和平共处”。乌兰夫针对牧区1965年遭受的特大自然灾害，要求在牧区大力发展畜牧业，提出“千条万条增加牲畜是第一条”，

“搞不搞生产是关系到生死存亡的大问题，是真革命与假革命的问题”。在当时指导思想日趋“左”倾，阶级斗争理论日趋荒谬的形势下，乌兰夫这些难能可贵的正确的意见，却被指控为“是一个典型的经济主义者和实用主义者”，是“用生产代替阶级斗争”。①

三、全区大动乱

1966年6月1日，《人民日报》发表《横扫一切牛鬼蛇神》的社论之后，当晚，中央人民广播电台播发了聂元梓等7人的大字报。此后《人民日报》陆续发表了有关发动“文化大革命”的社论和评论员文章。《内蒙古日报》对此及时作出了反应，不仅转发了这些社论、文章和北京的消息，而且接连报道内蒙古工农兵群众欢呼党中央改组北京市委的决定，坚决支持北京大学师生的革命行动等消息。内蒙古党委也像前面提到的，迅速于6月4日召开高等院校领导干部和部分师生代表会议，表示拥护党中央的决定，深入开展“文化大革命”。《内蒙古日报》则除了于6月6日发表题为《做无产阶级革命派，还是做资产价级保皇派》的社论外，紧接着又于6月12日，以《“三家村”的黑手伸到了包头》为题，揭发了所谓邓拓在包头的罪行。就这样在自治区直属机关、高等学校中联系内蒙古的所谓实际，发动“大鸣、大放、大字报、大辩论”，很快把矛头引向了乌兰夫及一批蒙古族老干部。

8月3日，《内蒙古日报》公布了中共内蒙古自治区委员会经中共中央华北局批准，改组中共呼和浩特市委员会的决定，新市委由巴图巴根任第一书记。同日，《内蒙古日报》报道了呼和浩特市各族群众声讨原中共呼和浩特市委第一书记李贵的所谓反党反社会主义反毛泽东思想罪行的消息。在华北局前门饭店会议上，李贵已被诬陷为黑帮分子。这时公开点名批判李贵，是在内蒙古发动对乌兰夫批判运动的重要步骤，是公开联系所谓内蒙古的实际，发动“文化大革命”的开始。8月4日，内蒙古党委文化革命小组成立，高锦明任组长，权星垣任副组长。同时，内蒙古党委“四清”领导小

① 王铎：《五十春秋——我做民族工作的经历》，内蒙古人民出版社1992年版，第494—503页；《中共中央华北局关于乌兰夫错误问题的报告》（1966年7月27日）。

组成立，王铎任组长，李质、雷代夫任副组长；内蒙古党委生产领导小组成立，李质任组长，沈新发任副组长。这是前门饭店会议后的一个重大的组织措施，通过这一措施，将前门饭店会议上划入“乌兰夫反党集团”的领导干部排除出党政领导岗位。从8月5日开始，内蒙古党委文革小组在内蒙古大学组织了“三天辩论大会”，借助青年学生的狂热情绪，一举打倒了在学校主持工作的于北辰、田心以及林阳等一批党政干部，搞垮了学校党政领导，形成了一片混乱局面。8月6日，《内蒙古日报》发表了题为《坚决向修正主义民族分裂主义黑帮猛烈开火》的社论，把华北局前门饭店会议上批判诬陷乌兰夫的内容安在李贵头上公开批判，并接连报道呼和浩特各族各界声讨李贵和全区各地欢呼改组呼和浩特市委的消息。呼和浩特各高等院校学生立即响应内蒙古大学学生的行动。这样，从大学到中学并迅速蔓延及党政机关、人民团体，很快出现了全面动乱的形势。8月8日，《中国共产党中央委员会关于无产阶级文化大革命的决定》（简称《十六条》）公布后，全区出现了欢呼《十六条》，拥护《十六条》的狂热。8月16日，中共中央批准撤销乌兰夫内蒙古党委第一书记、华北局第二书记的职务，任命解学恭为内蒙古党委第一书记，李树德、康修民为内蒙古党委书记处书记。这样对乌兰夫的斗争实际上已经公开化，只是报刊上不点名而已。8月19日，在呼和浩特召开了八万多人的群众大会，当时仍在岗位上的自治区党政领导人王铎、王再天、王逸伦、刘景平、朋折克以及权星垣、高锦明、李质；内蒙古军区负责人刘华香、肖应棠、黄厚、吴涛，以及呼和浩特市领导人出席了大会。高锦明主持大会，王铎在会上讲了话。大会发出了“跟着毛主席闹革命，砸烂旧世界，建设新世界”的号召。这是8月18日毛泽东在首都与百万群众共同庆祝文化大革命之后，相应举行的群众大会。8月22日，内蒙古党委举行呼和浩特大中学校师生员工大会，进一步动员群众，向所谓“反党反社会主义反毛泽东思想的黑帮猛烈开火”。呼和浩特大中学校师生、自治区直属机关和呼和浩特市部分机关干部约六万余人参加，高锦明发表了长篇讲话，鼓励师生员工将文化大革命进行到底。

此前的8月10日，毛泽东曾发出“你们要关心国家大事，要把无产阶级文化大革命进行到底”的号召，这无疑是为已经发动起来的文化大革命加了一把火。8月20日，首都红卫兵走上街头，张贴标语、大字报，散发传单，集会演说，开始进行幼稚的“破四旧”运动。9月5日，中央通知各地组织大中学校师生员工代表分期分批赴北京参观、学习，交流经验。从此，全国各类学校均停课“闹革命”，而且就此出现了全国性的“革命大串联”运动。从8月18日至11月26日，毛泽东在北京天安门城楼先后8次接见全国的红卫兵、学生、教师1 100多万人，在林彪多次讲话的煽动下，红卫兵“杀向社会”“横扫‘四旧’”，由“学校的斗、批、改发展到社会的斗、批、改”，导致全国性的大动乱。内蒙古自治区首批赴京参观的两千多名红卫兵，于9月18日返回呼和浩特。呼和浩特两千多名红卫兵、师生和干部在火车站隆重迎接；高锦明发表讲话，肯定了学生们的行动。接着，自治区的大中学生，部分教师，一批又一批地赴北京，赴全国各地，造成了一种极端混乱的大动荡局面。

第二节 全面夺权运动

一、内蒙古的所谓“二月逆流”

从1967年上海的所谓“一月风暴”开始，发动了全国性的“夺权”斗争，把“文化大革命”推向一个新的阶段。1月6日，在张春桥、姚文元等策划下，以王洪文为头头的“上海市工人革命造反总司令部”等32个造反组织联合夺了上海市的党政大权，即所谓的“一月风暴”。1月23日，“上海革命造反联络站”成立，取代中共上海市委。2月5日，以张春桥为主任，姚文元、王洪文为副主任的“上海人民公社”（后改为上海市革命委员会）宣告成立。上海的一月夺权得到毛泽东的支持，他说“这是一个阶级推翻一个阶级，这是一场大革命”，“上海革命力量起来，全国就有希望”。由中央文革小组起草，以中共中央、国务院、中央军委、中央文革小组的名义向上海市各“造反团体”发出贺电，称上海一月夺权为全国“树立了光辉的榜样”。《人民日报》《红旗》杂志也相继发表有关支持夺权斗争的社论，号召所谓“无产阶级革命派联合起来，向党内一小撮走资本主义道路的当权派夺权”。于是全国掀起了夺权之风。党政领导机构陷于瘫痪，大批党政领导干部遭到打击和迫害；不同的造反组织之间也产生了尖锐分歧和激烈的争权斗争，全国形成了十分混乱的状态。

由“一月风暴”引起的全国进一步大动乱，使广大干部党员和群众不同程度地产生了怀疑、忧虑，甚至进行某种程度的抵制。面对“文化大革命”给党和国家和人民带来的严重灾难，2 月 14 日至 16 日，在中南海怀仁堂召开的碰头会上，中央军委和国务院领导人陈毅、谭震林、叶剑英、李富春、李先念、徐向前、聂荣臻等，对“文化大革命”的错误做法，特别是林彪、江青等诬陷老干部，乱党、乱军的做法提出了强烈的批评，这就是著名的“二月抗争”。2 月 18 日，毛泽东召集部分中央政治局委员开会，严厉批评了这些老同志，指责他们是搞复辟、搞翻案。江青、康生等乘机给这次抗争定了“二月逆流”的罪名，并在全国发动了“反击复辟逆流”的浪潮，造成更大规模的动乱。

内蒙古自治区在“一月风暴”中，也先后出现了呼和浩特红卫兵第三司令部及与此相对立的工农兵革命委员会、无产者革命造反联合总部等“造反团体”。在各盟市、旗县也相继成立了类似的组织，层层展开了夺权斗争。一时间派系林立，你争我夺，一片混乱。1967 年 1 月 11 日，内蒙古日报社的造反派组织查封并接管了报社，代之出版了《内蒙古日报》(《东方红电讯》)。18 日，呼和浩特革命造反司令部联合总部（简称呼三司）接管了《内蒙古日报》社，23 日，出版了黑字报头的《内蒙古日报》(新一号)。2 月 16 日，报社部分群众将报头又改为红字继续出版。5 月 7 日，在造反组织的冲击下，红字号《内蒙古日报》又被停刊。6 月 1 日，造反组织再次夺了办报权，继续出版黑字报头《内蒙古日报》。所谓红字报头就是毛泽东题写的《内蒙古日报》报头，黑字报头即普通黑体字报头。内蒙古日报社被夺权以后,1 月 24 日，以《各地无产阶级革命派立即行动起来，实行大联合，全面彻底自下而上地把一切大权通通夺过来》为题，以新华社消息报道了呼和浩特等地造反派进行全面夺权，掀起夺权浪潮，与上海的所谓“一月风暴”作了紧密的配合，进一步搞乱全区局势。这时，内蒙古党委文革小组出面支持呼三司观点的一派，而内蒙古军区根据中央军委文革小组的指示，派部队接管了报社。于是，呼三司一派强烈反对内蒙古军区接管内蒙古日报社。

2 月初，以呼三司为主的造反派在内蒙古军区门口静坐、喊话、讲演宣传，要内蒙古军区支持呼三司造反派夺权，部队接管内蒙古日报社是压制造反派。内蒙古党委文革小组说内蒙古军区支左犯了方向错误，给军区施加压力。于是，事态愈演愈烈，进而于2月5日发生造反派冲击军区事件。内蒙古军区进行了针锋相对的斗争，挫败了逼迫军区支持造反派的图谋。2月6日，国务院、中央军委电示立即停止军区事件，不要扩大事态；要求内蒙古党委、军区和呼和浩特红卫兵第三司令部、内蒙古职工红卫军总部等四方面各派5名代表到北京，商谈解决内蒙古的问题。内蒙古的四方代表到达北京后，2月10日，在周恩来总理主持下，第一次接见上述内蒙古四方面代表，耐心说服各方不要扩大事态。从2月10日到4月13日的两个月零3天的时间，周恩来总理和当时中央文革的康生、陈伯达、江青、张春桥、姚文元等，于2月10日、2月16日、3月18日、4月6日、4月13日6次接见内蒙古四方面代表。主要是内蒙古四方代表提出各自的问题进行协商，实际是无休止的争论，争论的主要问题是：哪个群众组织是革命派，哪个是保守派；内蒙古军区是支持了造反派，还是支持了保守派；内蒙古党委文革小组应该支持哪一派；内蒙古的领导干部中谁是革命派，谁是走资派、是坏人？各执己见，互不相让。康生等中央文革小组的成员，越来越明朗地支持呼三司造反派和高锦明等所谓革命领导干部。①

二、中央对内蒙问题的“四一三”决定

1967年4月13日，周恩来以及陈伯达、康生、萧华、王力、李天佑等第6次接见内蒙古四方代表，周恩来从大局出发作了长篇讲话，批评了内蒙古军区个别领导人，口头宣布了中央关于处理内蒙问题决定的主要内容。康生专门谈了王逸伦“是个坏人”，“我总觉得他像个特务”，要群众组织“把这个坏人揭出来”。康生不仅无端陷害王逸伦，而且进一步激化了内蒙古的问题。会后发出《中共中央关于处理内蒙古问题的决定》（中发［67］126号文件）（简称《四一三决定》）。决定错误地认为内蒙古军区“2月5日以来，在支左工作中，犯了方向、路线错误，严重打击了呼和浩特三司等革命群众组织，大批逮捕革命群众，支持了内蒙党内走资本主义道路的当权派乌

---

① 参见王铎：《五十春秋——我做民族工作的经历》，内蒙古人民出版社1992年版，第512—518页。

兰夫的代理人王逸伦等人以及他们操纵的保守组织”，确认内蒙古党委书记高锦明、权星垣、康修民是“已经站在革命群众方面”的领导干部，“内蒙事件主要由王逸伦、王铎负责，其次由内蒙古军区某些领导人负责”，这是指黄厚、王良太、刘昌、张德贵等。这样，由中央确定了内蒙古的群众组织当时以呼三司为首的少数派是革命造反派，以红卫军为首的几十万群众是反对“文化大革命”的保守派，从而在全国首先把群众分为“造反”和“保守”两派，造成了以后的群众斗群众，进一步搞乱内蒙古局势的严重恶果，同时制造了以王逸伦、王铎为代表的“内蒙二月逆流”错案。这是“文化大革命”中制造的内蒙古第二大冤假错案。事实证明，这也是一个支持以呼和浩特红卫兵第三司令部为核心的内蒙古地区造反派全面夺权的决定。

《中共中央关于内蒙古问题的决定》还任命原青海省军区司令员刘贤权为内蒙古军区司令员，吴涛任政治委员；以刘贤权、吴涛为首改组内蒙古军区的领导，成立以刘贤权、吴涛为首的内蒙古革命委员会筹备小组，高锦明、权星垣、康修民以及所谓革命群众组织的负责人参加筹备小组。由筹备小组领导内蒙古的“文化大革命”及其他各项工作。实际上取代了内蒙古党委和内蒙古自治区人民委员会的职权。《四一三决定》还要求在内蒙古公开揭露批判所谓“党内走资本主义道路当权派乌兰夫问题”；对“王逸伦实行隔离反省，王铎停职检查，交给群众斗争批判”；要求“帮助革命群众组织恢复和发展”。这一决定否定了内蒙古党委和自治区人民政府，保证了内蒙古造反派的夺权斗争，公开明确了内蒙古“文化大革命”的矛头所向，在群众中制造了十分严重的对立和斗争。①

6 月 18 日，呼和浩特 15 万群众集会，隆重庆祝我国第一颗氢弹爆炸成功，同时宣布成立内蒙古自治区革命委员会筹备小组由滕海清接替刘贤权任筹备小组组长，吴涛任副组长，高锦明、权星垣、康修民等以及郝广德、高树华、刘立堂、霍道余、杨万祥、王志友、周文孝、那顺巴雅尔等造反派头目共 17 人为成员。滕海清、高锦明发表讲话，《内蒙古日报》发表题为《天翻地覆慨而慷》的社论，提出了向“自治区党内最大的走资本主义道路

① 参见王铎：《五十春秋——我做民族工作的经历》，内蒙古人民出版社 1992 年版，第 512—518 页；图们、祝东力：《康生与“内人党”冤案》，中共中央党校出版社 1995 年版，第 35—39 页。

当权派及其代理人王逸伦、王铎展开总攻击的战斗任务”，要求批判所谓“内蒙二月逆流”。6月26日，《内蒙古日报》发表题为《打一场大批判的人民战争》的社论，号召所谓无产阶级革命派对内蒙古党内最大走资派及其代理人开展大批判，并要求同本单位的斗争结合起来。7月17日，内蒙古自治区革命委员会筹备小组发布《关于全面深入开展革命大批判的动员令》，在重复强加给乌兰夫及王逸伦、王铎头上的种种罪名之后，以“大方向，总决战”为题，要求集中火力对准所谓内蒙古党内最大的走资派及其代理人王逸伦、王铎，“全面深入地开展革命的大批判、大斗争。”8月29日，《内蒙古日报》又发表了《打倒乌兰夫》的社论，在报刊上第一次公开点名批判乌兰夫。社论诬蔑乌兰夫是“十恶不赦的反革命修正主义、民族分裂主义分子，是大野心家、大阴谋家，是封建王公贵族、牧主、地主、资产阶级的代理人”，而且又荒唐地加了一顶“当代王爷”的帽子。乌兰夫怎么能既是封建阶级的代理人，又是资产阶级的代理人？真是荒唐到了连起码的形式逻辑都不讲究的地步。且不论这些无端捏造的罪名是多么离奇，其用心却是很明白的，那就是通过这些耸人听闻的罪名，煽起群众性的批判乌兰夫的恶潮，为造反派在内蒙古的全面夺权制造舆论。

三、在内蒙古的全面夺权运动

1967年8月17日，内蒙古革命委员会筹备小组和内蒙古军区联合召开全区有线广播大会，吴涛在讲话中号召在全区范围内“开展夺权斗争，建立各级临时权力机构。”于是在9月19日，成立了内蒙古第一个旗县级革命委员会——海勃湾市革委会。为此，《内蒙古日报》发表了《鄂尔多斯高原上的红星》的社论，进行了大肆宣扬。接着，各盟市相继成立革委会，展开了全面夺权斗争。10月18日，呼和浩特市革命委员会成立，高增贵任主任；同时成立锡林郭勒盟革命委员会，高万宝扎布任主任；20日，乌兰察布盟革命委员会成立，周发言任主任。

11月1日，内蒙古自治区革命委员会成立，滕海清任主任，吴涛、高锦明、霍道余任副主任。常委除以上4人外，还有谢振华、权星垣、杨永松、李树德、李质、张广有、郝广德、高树华、王金保、王志友、刘立堂、杨万祥、那顺巴雅尔、李枫、周文孝，其中郝广德以下都是造反派组织的头目。滕海清在成立大会上发表长篇讲话。他除了尽情歌颂内蒙古自治区夺权斗争的成就外，主要对乌兰夫进行了进一步的诬陷；除了批判已经重复多次的所谓反党、反社会主义、反毛泽东思想、反革命修正主义、民族分裂主义等莫须有的罪名外，严厉批判了乌兰夫提出的“从实际出发”“踏出自己的路子”“注意民族问题”“民族特点”“地区特点”以及牧区民主改革中实行的“不斗、不分、不划阶级”“牧工牧主两利”等一系列行之有效的观点和政策。同时他还提出深挖所谓乌兰夫的死党和余党，为进一步扩大打击面定了调子。内蒙古革命委员会的成立，实现了在内蒙古总夺权的目的。

内蒙古革命委员会成立后，又相继成立了其他盟市革委会。12 月 6 日，巴彦淖尔盟革委会成立，刘恒礼任主任；12 月 24 日，呼伦贝尔盟革委会成立，尚民任主任；1968 年 1 月 10 日，哲里木盟革委会成立，赵玉温任主任；1 月 28 日，昭乌达盟革委会成立，巴图任主任；2 月 28 日，包头市革委会成立，李质任主任；3 月 24 日，伊克昭盟革委会成立，陈维舟任主任。截至 1968 年 7 月 1 日，内蒙古自治区 7 盟 2 市 94 个旗县全部成立了革委会，96% 以上的农村、牧区人民公社和绝大多数的工矿、企业、机关、学校也成立了革委会或权力机构。在此之前，2 月 13 日成立了中共内蒙古自治区革命委员会核心小组，滕海清任组长，吴涛、高锦明任副组长，成员有权星垣、李树德、杨永松、李质。7 月 4 日，《内蒙古日报》发表了《我区盟市旗县全部成立革命委员会》的专题报道，称这是《内蒙山河一片红》，“宣告了中国赫鲁晓夫及其在内蒙古的代理人乌兰夫反党叛国集团妄图在内蒙古复辟资本主义，分裂祖国统一的罪恶阴谋的彻底破产”，是所谓夺权斗争“全面胜利”的标志。这是内蒙古“文化大革命”从发动到全面夺权阶段的结束。

第三节 “挖肃、清队”与“新内人党”冤案

一、“挖肃”运动的由来

内蒙古自治区革命委员会成立后，很快发动了一场“挖乌兰夫黑线，肃乌兰夫流毒”的所谓“挖肃”运动。这是内蒙古“文化大革命”深入发

展的一个极其严重的阶段。

1967 年 6 月底，滕海清在“呼三司”造反派头目的一次学习会上发表长篇讲话。他说“我们必须看到当前阶级斗争的复杂性和严重性，必须彻底揭开内蒙地区阶级斗争的盖子。当前，内蒙地区的阶级斗争，仍然处在两个阶级、两条道路、两条路线的决战阶段。”他说：“这里有乌兰夫黑线；有执行资产阶级反动路线的顽固分子；军队又犯了错误，有一小撮人是反党反中央的反党集团，这就增加了内蒙地区阶级斗争的复杂性。阶级敌人采取各种阴险、毒辣、隐蔽、曲折的手段进行公开或隐蔽的破坏活动，如暗杀、打黑电话、破坏生产等等。”① 滕海清已经开始制造“挖肃”的舆论。

11 月 12 日，江青对文艺界发表谈话，讲了文艺界挖黑线的问题；27 日，江青又在北京工人座谈会上说：“整党建党的过程中，在整个无产阶级文化大革命的过程中，都要逐渐地清理队伍”。② 这是最早提出的“清理阶级队伍”的问题。与此同时，康生说：“内蒙敌人是有很多的，有苏修的，有蒙修的，有日本的，有伪满的，有蒙疆的，有傅作义的，内部有乌兰夫的”。据此，内蒙古文艺界首先发动了所谓“彻底挖尽乌兰夫在文艺界的残党余孽，肃清乌兰夫在文艺界的流毒”的斗争。

1968 年 2 月 21 日，滕海清秉承江青、康生的旨意明确提出在内蒙古进行一场“挖乌兰夫黑线，清乌兰夫流毒”的人民战争。他说已经“揪斗了一批乌兰夫残党余孽，挖出许多叛徒、特务，以及重大政治案件的线索。”“问题越揭越深，线索越揭越多，情况越揭越明”，“正在进行的这一场挖黑线，清流毒的斗争，大方向是完全正确的。”“这是革命的需要，是形势的需要，是巩固政权的需要，是对敌斗争的需要，是反修、防修的需要，是夺取无产阶级文化大革命全面胜利的需要。”③ 这一连串的需要把这场人为制造的“挖肃”运动，强调到了内蒙古“文化大革命”的唯一重要的位置之上，一场灾难就这样开始了。为了把这场“挖肃”运动推向高潮，2 月 28 日，自治区及呼和浩特市宣传、教育、卫生、文艺等部门的四十多个所谓革

① 图们、祝东力：《康生与“内人党”冤案》，中共中央党校出版社 1995 年版，第 47 页。

② 《红旗内参》1968 年 6 月 6 日，第 176 页。

③ 《内蒙古日报》1968 年 2 月 24 日，第 1、3 版。

命群众组织，联合举行誓师大会，提出“决心彻底摧毁乌兰夫反党叛国集团的又一套班子，挖尽乌兰夫黑线，肃清乌兰夫流毒。”《内蒙古日报》于3月2日在《把挖乌兰夫黑线，清乌兰夫流毒的人民战争进行到底》的通栏大标题下，发表了题为《夺取全面胜利的大决战》的社论，说“江青同志去年11月12日讲话发表后，我区无产阶级革命派和广大革命群众，闻风而动，紧跟毛主席的伟大战略部署，向以乌兰夫为代表的反革命势力发起了总攻击，这场以挖乌兰夫黑线为中心的激烈的阶级斗争，与清理阶级队伍和群众专政紧密结合，汇成了波澜壮阔的群众斗争的洪流。”这一段话，对“挖肃”运动的来历以及在内蒙古“文化大革命”中的重要性作了进一步的说明。4月13日，滕海清在呼和浩特军民庆祝《中共中央关于处理内蒙问题的决定》发布一周年的集会上，发表长篇讲话时说：“我们正在开展的挖黑线、肃流毒的人民战争，已经进入了向乌兰夫及其一切残余势力发动全线总攻击的新阶段。”他把“清流毒”改称“肃流毒”，这就是“挖肃”运动的来历。同一天，自治区各盟市也举行了类似的群众集会，除了庆祝《四一三决定》外，也鼓噪掀起“挖肃”运动高潮。4月23日，《内蒙古日报》又发表《发动全面总攻，夺取决战决胜》的社论，声称“发动全面总进攻，就是要在全区旗县以上的各条战线，一起出击，全面开花。斗争的重点是文教卫生、公检法和党政机关，其中文艺界和公检法是重点中的重点。但是，既要狠抓重点，又要顾及全面。”真是杀气腾腾，不可一世。通过一系列有关“挖肃”的社论和文章，把这场灾难性的“挖肃”运动推向了高潮。与此同时，“揪叛联络站”“揪乌联络站”“批哈联络站”“揪黑手联络站”等“挖肃”的群众性组织纷纷建立，摆出了总攻的架势。

从江青到康生以至在内蒙古坐镇指挥的滕海清，把自北京前门饭店会议以后，逐步捏造出来的所谓“乌兰夫反党叛国集团”渲染成为具有左一套班子、右一套班子、明班子、暗班子，分布在各条战线各个角落的一个庞大无际的集团，是一条又粗又长的黑线。为挖掉这一套又一套班子，挖出这又粗又长的黑线，采取了精心的部署，选择了苦心“侦察”的所谓突破口，祸及更多的蒙古族革命干部的“挖肃”运动就这样愈演愈烈。在“挖肃”重点的公检法战线，首先向内蒙古党委书记处书记、自治区副主席王再天开刀，在文教口则向内蒙古党委宣传部副部长特古斯挥剑，接着又把自治区副主席哈丰阿、朋斯克，高级人民法院院长特木尔巴根以及巴图巴根、暴彦巴图、鲍荫扎布、木伦、义达嘎苏伦、巴图等一大批厅局、盟市级领导干部打入了所谓“乌兰夫反党叛国集团”，挂在了所谓乌兰夫黑线上，而且越挂越多，几乎搜寻到每个角落。

从北京前门饭店会议到“挖肃”运动，内蒙古的蒙古族干部，不管是西部的，还是东部的，绝大部分被打入了“乌兰夫反党叛国集团”。有一批长期在内蒙古工作，并同蒙古族干部亲密合作、团结共事的汉族干部如李质、王逸伦、王铎、石光华、刘景平等，也被打入了“乌兰夫反党叛国集团”，扩大了“乌兰夫反党叛国集团”冤案。

二、“新内人党”冤案的制造

挖“新内人党”是林彪、江青反革命集团在内蒙古制造的骇人听闻的一起最大的冤案，也是“挖肃”运动发展的结果。1968 年 2 月 4 日，康生对滕海清说：“内人党至今还有地下活动，开始可能揪得宽点，不要怕。”在康生的指使下，在所谓“挖乌兰夫黑线，肃乌兰夫流毒”的过程中，内人党便成为“挖肃”的主要目标。所谓“内人党”，即“内蒙古人民革命党”，“文化大革命”中简称为“内人党”。在民主革命时期，内蒙古历史上有过两次“内蒙古人民革命党”。1925 年 10 月在张家口成立了“内蒙古人民革命党”。这是一个在共产国际指导和中国共产党的帮助下，坚持反帝反封建的民族民主革命纲领，代表内蒙古蒙古族劳动人民利益的革命政党，20 世纪 30 年代中期已经消逝。1945 年 8 月抗日战争胜利后，一部分原内蒙古人民革命党党员联合蒙古族各方面力量，恢复“内蒙古人民革命党”，建立了该党东蒙党部，发表《内蒙古人民解放宣言》。1946 年 3 月又改组为“新内蒙古人民革命党”。在“内蒙古自治运动统一会议”（即“四三”会议）上，决定接受中国共产党的领导，解散“内蒙古人民革命党”。1947 年内蒙古自治政府成立前，虽有人提出恢复该党，但未能实现。内蒙古人民革命党的历史就此结束。

在内蒙古的“挖肃”运动开始后，林彪、江青反革命集团就决定在内蒙古挖所谓“内人党”。以滕海清为首的内蒙古自治区革命委员会，竭尽全力把“挖肃”运动引向挖“新内人党”。当他们挖出所谓“乌兰夫反党叛国集团”的另一套班子以后，使用极其残酷的逼供手段，从曾经参加过1945年“内蒙古人民革命党”者身上，寻找“内人党至今还有地下活动”，“明里是共产党，暗里是内人党”的线索。甚至拿逼供的所谓“证据”向党中央、向林彪报捷。1968年7月20日，内蒙古自治区革命委员会作出《关于对“内蒙古人民革命党”的处理意见》，在对1925年和1945年两次组织的内蒙古人民革命党，进行歪曲历史的分析之后，断定1947年5月1日内蒙古自治政府成立后“内人党”便转入地下，称乌兰夫是“内人党”的后台，并决定对所谓“内人党”支部委员以上的骨干分子均按反革命分子论处，勒令一般党员进行自首登记，对抗拒者从严惩处。遂将此“处理意见”上报中央，并以内蒙古自治区革命委员会内革发351号文件印发全区。当时，内蒙古自治区革委会内部亦有不同看法，向康生汇报请示时，康生说：“你们内蒙的同志脑子里是没有敌情的。内蒙有这么大的反革命组织，你们还向中央请示什么？有多少挖多少，越多越好嘛！”①

据此，把哈丰阿、特木尔巴根、朋斯克等大批蒙古族干部别有用心地说成是一贯的民族分裂主义分子，诬陷他们“钻入共产党内，窃据了重要职位”，“在中共中央关于1947年4月20日正式决定‘不组织内蒙古人民革命党’以后，又非法组织地下‘内人党’及其变种组织等反革命活动”，把他们所从事的革命工作诬陷为民族分裂主义活动，是“内人党”的工作。为了让人们相信他们的谎言，把早已被公安部门否定的“二〇六案件”重新抛出来，作为“内人党”存在并进行活动的证据。所谓“二〇六案件”是，1963年2月6日发现从集宁寄往外蒙古的一封信中所说：1961年11月26日召开了22名代表参加的“内人党”首届代表大会，说该党共有党员2 346名，主张内外蒙合并。当时内蒙古公安厅进行反复侦察，未能破案，并报国家公安部。经过侦察，分析案情，认为显然是属于个别人的反间破坏活动。即使在大挖“内人党”的过程中也没有任何材料能证实这一案件是事实。然而它却成为打破挖“内人党”缺口的“重型炮弹”。以“二〇六案件”发案的集宁为中心的乌兰察布盟，便成为首先重点挖“内人党”的地区，并逐渐向其他盟市蔓延。

---

① 图们、祝东力：《康生与“内人党”冤案》，中共中央党校出版社1995年版，第143—145页。

10 月 18 日，中国人民解放军呼和浩特市公安机关军事管制委员会，根据内蒙古自治区革委会政法委员会《关于对“内人党”进行登记的几个具体问题意见的报告》,发布了对“内人党”及其变种组织成员进行登记的《通告》,对所谓“内人党”及其变种组织成员发出警告，号召群众检举揭发，规定了具体登记办法和要求，划定了骨干分子和一般成员的界限及定性、处理的办法，限定从 10 月 21 日至 11 月 21 日期间必须登记等。① 一场灾难性的挖“内人党”的运动正式开始了。

当挖“内人党”的形势越来越严重的时候，广大共产党员、干部、群众十分忧虑，并以各种形式进行有限的抵制。在中共内蒙古自治区革命委员会核心小组内部也发生了意见分歧。高锦明在 9 月 25 日的一次讲话中提出了防“左”的意见，说不能再挖了，再挖就要挖到自己头上了。滕海清为贯彻康生的指示，置广大干部、群众的情绪和呼声于不顾，也不接受防“左”的意见，反而提出反右倾的口号，批判高锦明的右倾机会主义，并把他打成内蒙古的“二代王爷”，乌兰夫反党叛国集团的暗班子。为了加紧挖“内人党”，从 12 月开始派出大批工人毛泽东思想宣传队（简称“工宣队”)、解放军毛泽东思想宣传队（简称“军宣队”)，领导挖“内人党”的活动。凭借工人、军人朴素的阶级感情，使用蒙骗的手法，驱使工、军宣队打头阵。逼、供、信成为他们挖“内人党”的主要手段，一时形成恐怖的气氛。

与此同时，滕海清主持起草了《关于“内人党”问题的汇报提纲》,除了捏造事实，概述所谓“内人党”的历史，罗织其罪行，勾画其组织系统外，把乌兰夫列为“内人党”的总头目，大摆挖“内人党”的成果，并做了深挖的计划。这时，北京军区派张南生等来内蒙古军区调查了解挖“内人党”的情况，提出了防“左”的建议。滕海清置之不理，并且集中了几个笔杆子在北京撰写了《从“二月逆流”到“九月暗流”》的长篇文章，12 月 31 日在《内蒙古日报》《工人风雷》《红卫兵》等报刊联合发表，把反右倾机会主义的调子提高到无以复加的地步，紧密配合这场恐怖性的深挖“内人党”的行动。1969 年 1 月 8 日，滕海清说：“从党、政、军看，真是三里五界都有‘内人党’……现在不但军队里有，还被他们夺了权，有的

① 参见图们、祝东力：《康生与“内人党”冤案》,中共中央党校出版社 1995 年版，第 149 页。

已钻进革委会里来了。"

1969 年 2 月 4 日，中央文革小组召开碰头会接见滕海清，周恩来以及陈伯达、康生、江青、张春桥、姚文元等出席。滕海清按事先拟好的"汇报提纲"，专题汇报挖"内人党"的问题。周恩来说："你们不要把我们中央文革某些人的讲话，当作中央的指示来执行。""解决内蒙问题需要一个过程，要花时间，你们的步子太快了，中央从来没有督促你们，你们不要急嘛。清理阶级队伍要注意掌握政策，要扩大教育面，缩小打击面。"① 然而，康生却说："军队里也有内人党，这个问题很严重"，"内人党有多少挖多少，这是埋在我国北部边疆的定时炸弹，挖！决不能手软。"谢富治说："内人党明里是共产党，暗里是内人党，要把它搞掉。"② 这就是许多共产党的组织被打成"内人党"组织的来历。江青也煞有介事地说："'内人党'是专门搞破坏的"，"内蒙的边防线那么长，骑兵到处跑怎么得了？"黄永胜接过来杀气腾腾地说："内人党有多少挖多少，要挖净。"③ 周恩来与康生等是两个调子、两种态度，这是显而易见的。

2 月 22 日，滕海清主持制定《关于对待"新内蒙古人民革命党"的若干规定（草案）》中说："'新内人党'是 1946 年春由哈丰阿、博彦满都、特木尔巴根等一小撮民族反动派为首笼络了一些民族上层分子和蒙族中的资产阶级知识分子组织起来的。内蒙党内最大的走资派、反革命修正主义、民族分裂主义分子乌兰夫，利用内蒙古自治运动的机会和他窃取的权力，大耍反革命两面派手法，极力网罗民族分裂主义势力，把'内人党'的头目哈丰阿等人陆续拉入共产党内。从此，他自己成为新'内人党'的总头目，成为一个暗藏在革命阵营的反革命集团，一个地下的独立王国。……1947 年 4 月 20 日，我党中央明令在内蒙古不组织'内人党'。'新内人党'暂时有计划地转入地下。1960 年后，'新内人党'进入了组织大发展时期。……经过这个时期的大发展，在党里、政府、军队里和一些农村、牧区建立起'新内人党'组织。"经过这样一番离奇的捏造，终于勾画出一个以乌兰夫

① 图们、祝东力：《康生与"内人党"冤案》，中共中央党校出版社 1995 年版，第 218 页。

② 《中华人民共和国最高人民检察院特别检察厅起诉书》（1980 年 11 月 2 日）。

③ 《林、江反革命集团是制造"内人党"大冤案的罪魁祸首》，《内蒙古日报》1981 年 1 月 8 日。

为党魁的庞大的所谓“新内人党”。从前门饭店会议到所谓“二月逆流”，经过“挖肃”运动到挖“内人党”，把内蒙古地区各个时期几个方面的绝大部分蒙古族革命干部归结到所谓“乌兰夫反党叛国集团”和“新内人党”的名下，进行了一场残酷的迫害。从1968年12月到1969年4月，是挖“内人党”的高潮阶段。为了把捏造说成是事实，一方面搜集所谓各种实物证据，除了“二〇六案件”的反间信件外，还把1946年3月“新内蒙古人民革命党”党纲、党章以及东蒙古人民自治政府旗帜，1958年正兰旗红光人民公社民兵团团旗，在伊克昭盟鄂托克旗发现的1925年的内蒙古人民革命党鄂托克旗旗党部印章等历史遗物，作为“新内人党”的所谓“罪证”，进行展览，蛊惑群众；一方面大搞逼、供、信，施以数十种极其残忍的酷刑，逼迫受害者制造大量伪证。受害者在酷刑折磨下，出于无奈，编造假笔记、假日记、假记录、假文件、篆刻假印章，制作假党旗。如昭乌达盟翁牛特旗的白音公社的一位民办教师，被迫交出的1966年“党纲”12条，是逼供者故意放他回家伪造的；内蒙古军区某师一位干部不得已让妻子用孩子的红领巾假制了一个上面画有锄头套马杆的党旗上交；伊克昭盟准格尔旗的一位受害者篆刻了一枚蒙文“内人党”印章，而所刻蒙文字却不成字；乌兰察布盟的一位领导干部从1969年1月27日至2月底被迫伪造了4件所谓“新内人党”证据，以证实“二〇六案件”中所述“内人党”活动的存在。如此等等，不一而足。还有不少受害者在逼供、诱供之下，按照“内人党明里是共产党，暗里是内人党”的提示，把自己加入中国共产党及党的活动交代为加入“内人党”，参加了“内人党”的活动。有许多受害者被迫编造了一些组织名称，什么“内蒙古民族统一党”“蒙古民族独立党”“柳条子党”“井眼党”“沙窝子党”“黑虎厅”“白虎厅”等等，名目之多，无奇不有。这就是所谓“内人党”的变种组织。甚至把草原上的民兵连、“文化大革命”中的群众组织也打成“内人党”的变种组织。经过几个月的折腾，制造出百余个变种组织。从城市到农村、牧区、林区，到处都有“内人党”及其变种组织，有34.6万多名干部、群众遭到诬陷、迫害，有16 222人被迫害致死。[①] 连同其他冤案共有27 900余人被迫害致死，有12万多人被迫

① 参见《中华人民共和国最高人民检察院特别检察厅起诉书》（1980年11月2日）。

害致残。至于受株连而遭到打击的干部、群众就更多了。遭受打击迫害的主要是蒙古族及其他少数民族干部、群众，也有大批汉族干部、群众，这是蒙汉各民族的共同灾难。吉雅泰、高布泽博、特木尔巴根、哈丰阿等一批领导干部含冤而逝。在大挖“内人党”的日子里，内蒙古处在政治恐怖之中，锡林郭勒盟的“挖肃”者一直挖到“蒙古包”中，挖到羊群里。“一九六八年，由于康生、谢富治的煽动，使所谓‘内蒙古人民革命党’的冤案造成惨重的后果，大批干部和群众被迫害致死致残。”① 其惨状令经历者不堪回首。

三、清理阶级队伍及其恶果

“清理阶级队伍”（简称“清队”）是“文化大革命”中的一项重要活动。为什么要“清队”？“清”什么？怎样“清”？中共中央从未发过专门文件，作出明确的规定和说明。所以各地只能自行其是，没有统一的政策和标准。在内蒙古自治区，“挖肃”运动和挖“内人党”也视为“清理阶级队伍”的部分内容，只是提法特殊而已。此外，在牧区进行了划阶级，农村也开展清理阶级成分的工作。在党政机关、群众团体、学校、厂矿、企业也进行了“挖肃”和挖“内人党”以外的“清理阶级队伍”的工作。在林彪、江青反革命集团的破坏和“左”倾错误的指导下，“挖肃”和挖“内人党”以外的“清理阶级队伍”，从另一个方面打击迫害了许许多多的干部、群众，伤害了大批农牧民群众，其后果也是十分严重的。在“挖肃”运动开始的时候，就已经开展了抓叛徒、抓特务、抓阶级异己分子的活动。许多汉族干部虽然没有被划入乌兰夫黑线和“内人党”中，可是叛徒、特务、走资派、阶级异己分子等各种帽子，随时都可能扣到头上来。因此被无辜诬陷者也为数不少。另外，内蒙古地区的起义人员较多，在“清队”中他们也被作为“清理”的对象，被视为历史上有重大罪恶，起义后政治表现不好的，必须揪出来批斗甚至实行所谓无产阶级专政。还有在“文化大革命”中说了一些不合时宜的话，做了一些不合时宜的事，随时被打成现行反革命和坏分子，被列入地、富、反、坏、右五种人的行列，实行专政。这类受害

① 《中华人民共和国最高人民法院特别法庭判决书》（1981 年 1 月 23 日）。

者也有相当数量，这些都是“清理阶级队伍”的对象。1968 年 7 月 20 日，内蒙古自治区革委会制定了《关于在牧区划分和清理阶级成分的几项政策规定（草案）》,全面否定了中国共产党在牧区实行的“不斗、不分、不划阶级”、“牧工牧主两利”的民主改革政策，决定在牧区划分阶级、斗牧主、分牲畜。在牧区划分为牧主、富牧、上中牧、中牧、下中牧、贫牧共两个阶级，六个阶层。牧主、富牧是牧区的剥削阶级。在喇嘛中也要划分宗教职业者和宗教上层分子。前者为团结对象，后者为打击对象。凡划为牧主、富牧、封建上层、宗教上层分子的人，一律撤销其在各级政权机关、公社、牧场和群众团体中担任的一切职务，一律取消其在公社、牧场中的定息和畜股报酬，一般的均剥夺其公民权，取消社员资格，对他们实行无产阶级专政。对牧主、封建上层、宗教上层分子超过当地贫牧占有水平的生产资料、自留畜及全部金银珠宝、大量现款、囤积的大量生活用品等，原则上一律没收。对牧主、富牧分子等的银行存款，暂实行冻结。没收和征收的财产，全部归公社和生产队集体所有，作为公积金和公益金。另外，林彪提出建设所谓政治边防，将大批边境蒙古族牧民向内迁徙。在内蒙古几十万人口的牧区进行划阶级，造成了牧区的极大混乱。1968 年 12 月 2 日，《内蒙古日报》发表题为《农村牧区要广泛深入开展清理阶级队伍工作》的社论，声称“这是把农村、牧区的政权切实掌握在贫下中农、贫下中牧手里，把农村、牧区的文化大革命进行到底的关键一仗。”显然，这是内蒙古自治区革委会的一个重大部署。社论指责刘少奇、乌兰夫“造成了一部分农村和广大牧区、林区、农牧场阶级阵线不清的严重状况。”社论说，除了在牧区没有划阶级外，“还在靠近牧区的农村搞了一个‘防护地带’（指半农半牧区），使 16 个旗县约 80 万人口的地区，根本没有进行过土地改革。在西部多数地区是搞‘和平土改’，在约有一百多万人口的蒙汉杂居地区划阶级，执行了对‘蒙族地主、富农降一格’的反动政策。这都漏划和包庇了大批地主、富农”。据此，在内蒙古农村，特别是在蒙汉杂居的半农半牧区，尤其是在蒙古族农民中重划了阶级，否定了过去土地改革中一切具有民族特点、地区特点的政策，严重扩大了打击面，使蒙古族地主、富农的比例急剧上升。斗地主，分财产，严重混淆了阶级阵线，伤害了蒙古族农民。牧区划阶级，农村清理阶级队伍，如同“挖肃”、挖“内人党”一样，实质上是破坏党的民族政策，迫害蒙古族干部、群众的另一种形式。

第四节 从“五二二”批示到全面军管

一、从“五二二”批示到“一二一九”决定

“挖肃”运动、挖“内人党”和“清理阶级队伍”，给内蒙古各族人民造成极大的灾难。内蒙古的广大干部、群众，没有被林彪、江青反革命集团的恐怖行为所吓倒。他们通过各种途径，以不同方式向中央反映情况，向周恩来反映冤情。周恩来密切注视事态的发展，并指示内蒙古注意清理阶级队伍中的扩大化问题。1969 年 4 月 1 日，中国共产党第九次全国代表大会在北京召开。“党的九大使‘文化大革命’的错误理论和实践合法化，加强了林彪、江青、康生等人在党中央的地位。九大在思想上、政治上和组织上的指导方针都是错误的。”① 毛泽东在九大上虽就纠“左”的问题作了指示，但是，在“文化大革命”浓烈的“左”倾气氛中，“左”倾错误没有也不可能得到纠正。在九大期间，毛泽东指出：“在清理阶级队伍中，内蒙已经扩大化了。”中央对正在参加九大的滕海清、吴涛进行了批评，指出内蒙犯了严重的逼供信和扩大化的错误。其实，在这以前，中央曾多次指示内蒙要注意防“左”和扩大化。1968 年国庆节前，周恩来接到一个下放到内蒙古边境的知识青年来信，说在十几户牧民家里，只有三户不是乌兰夫反党叛国集团的。周恩来指示滕海清要注意这个问题，不要扩大化。可是，滕海清几次向中央汇报内蒙古的问题，没有检查，反而说自己是正确的。这次经过中央的批评教育，滕海清、吴涛、李树德于 4 月 19 日向中央作了检查。但是，他们回到内蒙古以后不作传达，抵制纠正错误。当内蒙古的广大干部和群众得知毛泽东和中央关于内蒙古问题指示的消息后，以强大的呼声要求纠正错误。5 月 13 日，周恩来来电，要高锦明、权星垣、李树德、李质到中央汇报内蒙古的情况。16 日，又要滕海清、吴涛、肖应棠等 6 人到中央。从 5 月 13 日到 19 日，中央政治局领导人周恩来等先后 4 次接见内蒙古自治区革

① 中共中央文献研究室编：《三中全会以来重要文献选编》（下），人民出版社 1982 年版，第 760 页。

委会、内蒙古军区上述负责人，仔细听取内蒙古情况的汇报。前两次是高锦明、权星垣、李树德、李质参加，后两次滕海清等10人一起被接见。每次接见长达5小时左右，16日一天之内接见两次，约12小时。中央领导指出，“在前一阶段清理阶级队伍的工作中，主要是在挖“内人党”的工作中，犯了严重的错误。在滕海清同志“左”倾错误思想的指导下，内蒙犯了严重的逼、供、信、扩大化，违反政策的错误，比延安整风的时候还严重。主要责任在滕海清同志。在纠正错误中，关键是滕，要作沉痛的检查。”周恩来语重心长地说：“内蒙古各族人民群众是好的，内蒙犯了这样严重的错误，那里的群众中伤了好多好人，那里的群众没有向外蒙跑的。他们都是心向毛主席，心向北京，热爱祖国，热爱社会主义的，这是你们纠正错误的有利条件”，“中央要求迅速按照九大精神，加强团结，纠正错误，总结经验，落实政策，稳定局势，共同对敌”，“现在对挖内人党的问题，你们第一，要停止下来；第二，要给搞错的平反；第三，要放人。”同时指出，高锦明、权星垣是支持造反派的，高锦明提出防“左”的意见，滕海清当作右倾机会主义、“九月暗流”等加以批判，是错误的。5月19日，滕海清、吴涛、高锦明、权星垣、李树德、李质6人联名向中央写了《坚决贯彻执行中央关于内蒙当前工作指示的几点意见》。5月22日，中共中央批转了滕海清等6人的意见，毛泽东批示，照办。这就是“五二二”批示。①

中共中央虽然对内蒙古在清理阶级队伍中所犯的扩大化错误表明意见，毛泽东也作了批示，但这都是在中共九大总的错误指导方针下作出的。中央接见滕海清等内蒙古自治区革委会、内蒙古军区负责人的除了周恩来外，还有陈伯达、康生、江青、谢富治、黄永胜、吴法宪、叶群等林彪、江青反革命集团的主要成员。人们以后才知道他们正是指使滕海清在内蒙古搞“挖肃”，挖“内人党”的罪魁祸首。内蒙古发生的问题何止是“清队”扩大化，内蒙古“清队”中的错误何止应当由滕海清一人负责，但他们却一起出动接见，一股脑地批评滕海清，这不仅是文过饰非，分明是舍小卒，保车马将帅，使滕海清也有苦难言。周恩来虽然作了最大努力，但是在当时没有也不可能彻底纠正这一冤案。当时中央的结论只是在挖“内人党”工作中

---

① 参见图们、祝东力：《康生与“内人党”冤案》，中共中央党校出版社1995年版，第241—243页。

犯了扩大化错误，“反乌兰夫、挖‘内人党’、清理阶级队伍，方向还是对的。”所以“五二二”批示只起了在一定程度上纠正扩大化，停止挖“内人党”的作用，内蒙古的“文化大革命”依然沿着九大确定的错误方针在发展。

二、内蒙古各族人民的愤怒抗争

当“挖肃”运动发展到挖“内人党”以后，内蒙古的广大干部、群众越来越迷惑不解。绝大多数人连“内人党”这个名词也没有听说过，却不明不白地成了“内人党”党徒，越来越多的所谓变种组织的出现，越来越多的共产党基层组织被打成“内人党”组织，蒙古族的许多传统的活动和风俗习惯也被视为“内人党”的活动。凡此种种，不能不让人们觉得离奇。许多人惨遭迫害，不少人含冤而逝，使人们不得不思索，也不由得人们不愤怒。不过，怎么想党中央也不会这样做，怎么想毛主席也不允许这样干。于是，不少干部通过各种途径向中央反映，有的直接赴京告状，也有许多牧民骑着马从遥远的草原奔赴祖国的首都，站在天安门前默默地诉说内蒙古各族人民的冤情，渴望毛主席，渴望党中央为内蒙古人民雪冤。

当中共中央关于内蒙古当前工作的指示逐级传达以后，内蒙古各族干部、群众的绝大多数人认为，中央只指出滕海清在挖“内人党”工作中犯了扩大化错误，这与他在内蒙古所犯的错误相差甚远。人们认为挖“内人党”如果只是扩大化错误，说明“内人党”还是存在的，乌兰夫反党叛国集团也存在，所谓“内蒙二月逆流”也存在，牧区划阶级、农村清理阶级队伍自然也是正确的。然而这些运动究竟怎么样，广大干部和群众心里是明明白白的。所以中央的指示并没有满足他们的要求与愿望。再加上滕海清认错态度不够端正，还有少数在挖“内人党”中的急先锋拒不接受中央的指示，借保滕海清来保护自己。这样矛盾便日趋激化，在内蒙古引发了各民族人民为彻底、全面纠正在“挖肃”运动、挖“内人党”以及清理阶级队伍中的“左”倾错误，为推倒一切冤假错案而进行的抗争，矛头直指“左”倾错误的直接责任者滕海清，一时出现了空前规模的批滕运动。工人、农民、牧民、知识分子、干部、学生，蒙古族、汉族以及其他少数民族，上上下下，几乎形成了一致的行动，批判滕海清的错误，从各个方面揭露“挖肃”、挖“内人党”、农村清理阶级队伍、牧区划阶级中所出现的问题。各盟市、旗县揭露出来的问题是触目惊心的，有许多情况足令闻者毛骨悚然。同时有大批干部、群众陆续赴北京上访，各盟市旗县的干部、群众到呼和浩特上访。批判滕海清错误的热浪和群众、干部上访的大潮，使内蒙古革委会无法招架，形成瘫痪状态，社会出现了混乱局面。

在蒙汉各族干部、群众对“左”倾错误发起强烈抗争的时候，7 月 5 日，中共中央又批准将呼伦贝尔盟（突泉县，科尔沁右翼前旗除外）划归黑龙江省；哲里木盟和呼伦贝尔盟突泉县、科尔沁右翼前旗划归吉林省；昭乌达盟划归辽宁省；巴彦淖尔盟的阿拉善左旗和阿拉善右旗的巴彦淖尔、乌力吉、塔木素、阿拉腾敖包、笋布尔等公社划归宁夏回族自治区；巴彦淖尔盟阿拉善右旗其余部分和额济纳旗划归甘肃省。中国共产党领导内蒙古人民经过几十年的斗争，经过十多年推行民族区域自治政策而实现的内蒙古统一的民族区域自治又被分割开来。蒙古民族及其他各民族无不痛心疾首。这也是九大错误的指导方针在民族问题上的表现，是对内蒙古自治区的破坏，引起了蒙、汉各族人民的不满。应当说，这也是当时引起内蒙古进一步混乱局面的主要原因之一。

三、对内蒙古实行分区全面军管

在内蒙古出现混乱局面后，内蒙古自治区革命委员会以及不少盟市旗县革命委员会，处于瘫痪半瘫痪状态，既无力领导落实政策、纠正错误，也无力组织生产建设和维护社会秩序，且与群众形成对立状态。面对这种局面，中共中央于 1969 年 12 月 19 日作出《关于内蒙实行分区全面军管的决定》，由北京军区对内蒙古实行分区全面军管。北京军区司令员郑维山、副司令员杜文达、副政委黄振棠、张正光组成内蒙古前线指挥所（简称“前指”），统一全面领导内蒙古的工作。同时向当时仍归内蒙古管辖的锡林郭勒盟、乌兰察布盟、伊克昭盟、巴彦淖尔盟以及呼和浩特市，包头市派出前线指挥所，分别领导各盟市的工作。由上述 4 人组成内蒙古前指党的领导小组，郑维山任书记，黄振棠、杜文达任副书记。内蒙古自治区革命委员会在北京军区内蒙古前线指挥所党的领导小组的领导下进行工作。1970 年 1 月 8 日，北京军区内蒙古前线指挥所批复了中共内蒙古自治区革命委员会核心小组

《关于整顿内蒙古革委会办事机关的建议》,决定“自治区革委会办事机构除留少数人外，其余人员调出举办毛泽东思想学习班”。1 月 11 日，内蒙古自治区参加毛泽东思想学习班的学员即陆续从呼和浩特出发，前往河北省唐山市。1 月 20 日，由中央开办的毛泽东思想学习班内蒙班在唐山市开学，中共内蒙古自治区革命委员会核心小组和革命委员会的领导人也参加了学习班。学习班直到 1971 年 6 月 1 日结束，历时一年又 4 个月之久。学习班以批判乌兰夫为纲，同时批判滕海清、高锦明等内蒙古革命委员会的主要领导人。这个学习班的目的是，总结经验教训，审查干部，整顿思想，统一认识。而陈伯达在内蒙古革委会上述“建议”批示“五不准”，即不准串联、不准打电话、不准写信、不准探视、不准上街。这简直是“软禁”。内蒙古的问题是“四人帮”制造的，而广大干部却替他们负罪。盟市也由各盟市前线指挥所领导，盟市革命委员会办事机关也进行整顿，同样把绝大多数干部拉去外地办学习班。5 月 26 日，又以内蒙古革命委员会的名义决定筹建内蒙古自治区革命委员会“五七”干校。实际上 2 月份已经筹建五原“五七”干校，4 月初开始抽调干部进行新的筹建工作，决定筹办黄河、新华、乌兰塔拉、浩丰、白银陶海（五原“五七”干校）5 个“五七”干校，可容纳 2 800 名至 3 000 名干部。经过一年多时间的筹建，于 1971 年 7 月 22 日在内蒙古革命委员会礼堂举行开学典礼，吴涛兼任校长，张增命任政委。

6 月间，唐山毛泽东思想学习班结束以后，一部分人安排了工作，一部分人被送到“五七”干校继续学习，一部分人被送往农村插队劳动锻炼。还有一些没有参加学习班的干部也被送到“五七”干校。其中还包括一部分继续受审查的人员。1969 年 5 月，中央对内蒙古当前工作的指示和毛泽东的“五二二”批示下达后，由于中共内蒙古自治区革命委员会核心组及革命委员会对纠正错误领导不力，群众性的批判“挖肃”、挖“内人党”的呼声与行动日益激烈，内蒙古的局势趋于混乱，内蒙古革委会和党的核心小组已失去控制能力，中央为了稳定局势，在把内蒙古自治区的东 3 盟和西 3 旗分别划归邻近各省区管辖的同时，一方面对内蒙古实行分区全面军管，一方面把大批干部暂时调离内蒙古举办学习班。这是为了分散力量，缓解矛盾，无疑对于稳定局势有一定的作用。但是，这些措施由于是在九大错误的指导方针下采取的，也包含着重大错误因素，如内蒙古自治区行政区划的变更，是对中国共产党成功地领导实现内蒙古统一的民族区域自治的破坏；实行分区军管，以前线指挥所取代造反派在内蒙古夺权的产物——内蒙古革委会是必要的，但是将大批干部调离内蒙古举办学习班，在内蒙古、在各地学习班继续批判乌兰夫的所谓反革命修正主义、民族分裂主义是错误的，而且进一步编造了所谓乌兰夫的“黑十论”将其作为批判的靶子。从前门饭店会议的五大罪状到毛泽东思想学习班的“黑十论”，可以看出，林彪、江青反革命集团，始终没有放弃对乌兰夫的诬陷，许多被迫害的干部、群众没有得到昭雪平反，说明“文化大革命”的错误还在继续。

从 1971 年初开始，内蒙古自治区陆续成立了中国共产党各旗、县、市、区委员会，逐步恢复了基层党组织。5 月 11 日，中共中央同意北京军区内蒙古前线指挥所党的领导小组《关于内蒙古自治区革命委员会“补台”工作的请示报告》,实际上是以“补台”的形式改组了内蒙古自治区革命委员会。确定尤太忠任内蒙古革命委员会主任，增补徐信、邓存伦、赵紫阳、滕俊清、倪子文、宝日勒岱、沈新发 7 人为副主任；增补尤太忠等 18 名常委、67 名委员。免去滕海清的中共内蒙古自治区革命委员会核心小组组长和内蒙古革委会主任、霍道余的内蒙古革委会副主任和谢振华、杨永松、张广有、李枫、王志友的常委以及李钨臣等 37 人的委员职务。

5 月 1 日至 18 日，中共内蒙古自治区第三次代表大会第一次会议在呼和浩特召开，尤太忠代表内蒙古前线指挥所党的领导小组向大会作工作报告。大会选举产生了中国共产党内蒙古自治区第三届委员会，经第一次全委会选举产生了 13 人组成的常务委员会，尤太忠任第一书记，吴涛、徐信、邓存伦、赵紫阳等任书记。1972 年 1 月 19 日，中共中央决定李树德任内蒙古党委常委，内蒙古革委会副主任，内蒙古自治区党政领导机构进行了初步的调整和整顿，恢复了对自治区各项工作的领导，从而结束了对内蒙古的分区军管。

第五节 艰难曲折的斗争与“四人帮”的覆灭

一、从批林整风运动到批林批孔

中共九大，林彪被选为中共中央副主席，他的同伙黄永胜、吴法宪、叶群、李作鹏、邱会作也进入中共中央政治局。他们在党政军内控制了很大一部分权力。之后，林彪等人的反革命野心急剧膨胀起来，加紧了篡夺党和国家最高权力的活动。

林彪阴谋在第四届全国人民代表大会上篡夺国家主席的职位，于是从1970年4月以后屡次向毛泽东提出设国家主席的问题，结果都遭到否决。8月23日至9月6日在庐山召开的中共九届二中全会上，林彪突然发表鼓吹“天才”论观点的长篇讲话，吹捧毛泽东是“天才”，同伙陈伯达等制造有人反对“天才”的毛泽东当国家主席的谎言，企图借毛泽东拒绝当国家主席之机把林彪推上去。毛泽东敏锐地识破了林彪的阴谋，严厉批评了林彪等人的错误，挫败了他们的阴谋。会后，宣布对陈伯达进行审查，并在党内开展“批陈整风”运动。从1971年1月下旬开始，在党的各级领导机关开展了“批陈整风”运动。4月，中央召开“批陈整风”汇报会，林彪集团的主要成员黄、吴、叶、李、邱被迫作了检查，周恩来代表中央宣布他们在政治上犯了方向路线错误，组织上犯了宗派主义错误。林彪集团不甘心这次失败，便开始密谋策划反革命武装叛乱，制订了代号为《“571工程”纪要》的反革命政变计划，加紧武装政变的准备。毛泽东已觉察到即将发生的危险。8月14日，他开始巡视南方，在沿途对各地党政军负责人的谈话中反复讲了林彪集团的问题和庐山会议的斗争。林彪一伙得知毛泽东谈话的内容后，决定立即发动武装政变。9月8日林彪下达政变手令，决定在上海暗杀毛泽东，宣布林彪接班；如果不成，则南逃广州，另立中央，制造割据局面。毛泽东突然改变行程，于9月12日下午回到北京，打乱了林彪集团的预谋部署，由于周恩来的紧紧监视，林彪一伙南逃的图谋也相继流产。于是便在13日凌晨1时50分，仓皇驾机北逃，在蒙古人民共和国温都尔汗坠落，机毁人亡，林彪反革命集团终于覆灭。史称“九一三”事件。

之后，中共中央逐步向全党全国传达了林彪叛逃事件，陆续印发了一批《粉碎林彪反党集团反革命政变的斗争》材料，在全国开展了“批林整风”运动。随后，在毛泽东主席的支持下，周恩来总理主持中共中央的日常工作。他努力排除江青一伙的干扰破坏，结合“批林整风”运动，为纠正“文化大革命”以来理论和实践两方面的“左”倾错误，为克服“文化大革命”在经济、组织、外交等领域造成的危害，为落实党的知识分子政策，进行了不懈的努力。1971 年 10 月 1 日，《人民日报》《红旗》杂志、《解放军报》联合发表《夺取新的胜利》的社论，提出落实干部政策、知识分子政策、经济政策等各项政策，提倡又红又专，为革命学业务、文化和技术等正确的观点。10 月 14 日，《人民日报》发表了根据周恩来总理关于批判极左思潮的指示而撰写的《无政府主义是假马克思主义骗子的反革命工具》等三篇文章，联系林彪一类政治骗子，尖锐地批判了“文化大革命”中的极左思潮和无政府主义。11 月 14 日，毛泽东主席为“二月逆流”平了反。12 月 5 日，国务院起草了《1972 年全国计划会议纪要》，提出了整顿企业的若干措施。1972 年 4 月 24 日，《人民日报》发表了根据周恩来的意见改写的《惩前毖后，治病救人》的社论，要求相信 90% 以上的干部是好的和比较好的，要严格区分两类不同性质的矛盾，对干部要坚持“团结—批评—团结”的方针。以后继续解放和使用了一批干部。1973 年 3 月，经毛泽东批准，恢复了邓小平党的组织生活和国务院副总理的职务，陈云、王震等一批老同志也在“九一三”事件后得到解脱。由于“批林整风”运动的开展，广大群众起来揭发林彪反革命集团的罪行，清理与其有关的人和事，在全党进行了一次思想、政治方面的教育，使国家的形势发生了转机。

内蒙古党委和内蒙古自治区革委会按照中央的部署，从 1971 年下半年全面开展了“批陈整风”运动。7 月 23 日，召开“批陈整风”动员大会，批判陈伯达反党、反马列主义，阴谋篡党夺权的罪行。大会确定开展以反骄破满、三破三立，破一贯正确论，立“一分为二”世界观，破“领导高明论”，立“群众是真正的英雄”观念，破“骄傲有资本论”，立“为人民立新功”的思想为中心的群众性自我教育运动，并把反对无政府主义、反对极左思潮和资产阶级派性作为整风的内容。“九一三”事件后，内蒙古党委按照中央的部署，在全区逐步传达了林彪事件的全部材料，并开展了批判活动。1972 年 7 月 18 日至 8 月 11 日，内蒙古党委召开全委扩大会议，传达贯彻中央批林整风汇报会议精神，集中力量联系内蒙古的实际，批判了林彪反革命集团篡党夺权的阴谋，推动批林整风运动的发展。在批陈整风和批林整风的过程中，内蒙古党委和自治区革委会根据周恩来进行整顿的精神，对农村牧区经济政策和发展经济工作进行了调整。1971 年 9 月 6 日至 28 日，内蒙古党委召开了全区农村、牧区政策座谈会。10 月 18 日，中共内蒙古自治区委员会作出《关于农村牧区若干政策问题的规定》共计17条。“规定”针对“文化大革命”中极左思潮对农村、牧区人民公社制度和经济政策的影响，重申坚持人民公社“三级所有，队为基础”的制度，正确执行农村“以粮为纲，全面发展”的方针，认真执行牧区坚持以牧为主，农牧林相结合，因地制宜，全面发展的方针；并针对农村、牧区各项经济政策遭受破坏而造成的严重问题，提出进一步落实自留地政策，允许社员经营少量的自留地和家庭副业，规定了自留地的数量，对因人口变动而调整自留地的原则以及为下乡知识青年、城镇下放人口和新迁入户调剂自留地的办法也作了规定；允许社员饲养少量自留畜，对牧区、农区和半农牧区饲养自留畜的数量均作了具体规定；鼓励社员种植少量自留树，可在房前、屋后、院内和生产队指定的其他地方植树，长期归社员所有；提倡发展和办好社队企业；大力发展养猪事业，除了生产队集体养猪外，允许社员养猪和饲养母猪，并可根据社员养猪头数，分配给社员一部分饲料地；坚决反对平调，严格控制非生产性开支，凡无偿占用生产队物资、资金和劳动力的单位，要坚决退赔，不准一平二调，不得以任何方式随意增加脱产人员和补助工分，必须坚决压缩非生产性开支和非生产性用工；要求认真搞好粮食分配工作，提出了粮食分配原则，根据不同情况合理分配粮食；正确处理积累和分配的关系，既不要“吃光、分光”，也不要积累过多；搞好劳动计酬，克服平均主义，必须坚决贯彻“按劳分配”的社会主义原则，充分调动社员参加集体劳动的积极性，加强财务管理，认真解决超支借款问题；认真帮助解决贫下中农牧中困难户的困难，把手工业劳动者的生产活动纳入社会主义集体经济的轨道；坚持干部参加集体生产劳动制度。这个“规定”虽然没有也不可能彻底解决农村、牧区生产建设方针和具体政策上的“左”倾错误，但是针对林彪一伙在农村强迫扩社并队、没收自留地、砍家庭副业、搞“一平二调”的罪行，在一定程度上刹住了这股“穷过渡”的歪风，对于恢复与发展农牧业生产起了积极作用，受到广大农牧民的欢迎。

内蒙古党委10月18日还作出《关于在牧区开展阶级复查工作的决定》，仍然错误地坚持在牧区划分阶级。然而对1968年7月《关于在牧区划分和清理阶级成分的几项政策规定（草案）》中划分阶级的标准，牧主与富牧的界限，富牧与上中牧的界限，富牧的剥削量计算标准，规定牧主和富牧最多不得超过总户数的8%，处理没收和征收的财物以及区别对待的政策等，作了说明和限制性规定，起到了控制打击面的作用。

1971年底和1972年初，在全区迅速落实了上述17条政策，调动了广大农牧民发展生产的积极性，对农村牧区的生产发展起到了促进作用。在牧区，对1968年所划阶级进行了复查，按新的规定纠正了一些扩大化的问题，但仍划分了阶级，破坏了正确的牧区民主改革政策。1972年8月24日，内蒙古党委发出《关于民族、宗教上层人士阶级成分问题的通知》，指出民族、宗教上层人士家庭和本人的阶级成分，按当地解放前3年的经济状况划定，不再另划民族、宗教上层分子，已划者也按此精神改划适当的阶级成分，以宗教职业收入为生活主要来源者，划为宗教职业者。

1971年11月18日至12月6日，全区农业学大寨经验交流会召开。公社以上各级党委负责人，基层学大寨先进单位代表，内蒙古军区、内蒙古生产建设兵团的代表出席了会议。12月22日至1972年1月14日，又召开了全区农牧业机械化会议，拟订了《全区农牧业机械化发展规划（草案）》，提出了《关于加速实现我区农牧业机械化问题的报告》。1972年由于落实内蒙古党委农村牧区若干政策规定，并由于在当时的历史条件下学大寨群众运动的推动，农牧业出现了恢复、发展的形势。1972年11月24日至12月4日，再次召开全区农牧业学大寨经验交流会，总结交流了各地学大寨的经验和所取得的成就。1972年4月15日至5月12日，内蒙古党委召开了全区工业学大庆经验总结会。8月13日，内蒙古党委作出了《关于财政金融工作若干问题的规定》《关于手工业若干问题的规定》《关于商业工作若干问题的规定》和《关于工业交通企业若干问题的规定》。8月24日，内蒙古党委发出了《关于贯彻执行工交财贸方面四个规定（试行草案）的通知》，要求把落实政策同批修整风和工业学大庆群众运动紧密结合起来，研究措施，加强领导，切实把落实政策和企业管理抓紧、抓细、抓好。

关于财政金融方面的规定有：一、积极支持工农牧业生产发展；二、改进财政、银行体制；三、加强企业财务管理；四、正确贯彻税收政策；五、加强基建财务管理；六、加强信贷资金管理；七、加强工资基金管理；八、严格财经纪律，反对铺张浪费；九、建立健全财政、财务、金融机构；十、加强党对财政金融工作的领导。

关于手工业方面的规定有：一、关于生产方向；二、关于管理体制和机构；三、关于所有制；四、关于产供销；五、关于企业管理；六、关于收益分配和职工待遇；七、关于技术改造；八、关于传统产品生产；九、关于“五七”工厂；十、加强党对手工业的领导。

关于商业工作方面的规定有：一、大力支持工农牧业生产的发展；二、积极做好市场供应；三、健全商业网点，加强体制管理；四、加强经营管理；五、正确贯彻物价政策；六、加强市场管理；七、严格纪律，赏罚严明；八、关心职工生活；九、充实和健全商业队伍；十、加强党对商业工作的领导。

关于工交方面的规定有：一、认真落实党的干部政策；二、充分发挥工程技术人员的作用；三、充分发挥老工人的骨干作用；四、热情培养教育青年工人；五、健全企业管理机构；六、加强企业管理；七、把产品质量提到第一位；八、切实搞好安全生产；九、严格控制非生产人员；十、严格纪律、奖惩严明；十一、认真管好家属工厂；十二、加强党的领导。

上述四个方面的各项规定，是根据周恩来总理为克服“左”倾错误在经济领域造成的危害，提出整顿和加强工业企业管理的要求后，所作的具体落实。它使自治区工业企业管理混乱和经济效益日趋恶化的状况有所好转，促进了工商财贸工作的发展。

1973 年，中共内蒙古自治区委员会先后决定召开共青团内蒙古自治区第五次代表大会、内蒙古自治区工会第三次代表大会、内蒙古自治区第四次妇女代表大会。5 月 12 日至 20 日，召开共青团内蒙古自治区第五次代表大会，出席代表 636 名，选举产生了共青团内蒙古自治区第五届委员会。6 月 27 日至 7 月 3 日，召开内蒙古自治区工会第三次代表大会，出席代表 621 名，作出了《全区各族工人团结起来，争取社会主义革命和建设事业的更大胜利》的决议；选举产生了内蒙古自治区总工会第三届委员会。9 月 21 日至 26 日，召开内蒙古自治区第四次妇女代表大会，出席代表 709 名，选举产生了内蒙古自治区妇女联合会第四届委员会。在“文化大革命”中被冲散的工青妇组织得到了恢复。这也是周恩来为克服和消除“左”倾错误在组织工作领域造成的危害而斗争的结果。

批林整风运动的开展，特别是周恩来为消除极左思潮在各个领域的影响而作的努力，使国家的形势有了明显的转机。但是，由于“左”倾思想没有得到彻底的克服，由于江青一伙的干扰破坏，没能全面彻底完成对林彪反革命集团罪行的清算。江青、张春桥、姚文元等对批判极左思潮进行了反扑，诬蔑为“修正主义”“右倾回潮”、是“复辟”等等。毛泽东也错误地认为当时的任务仍然是反对“极右”，否定了周恩来的正确意见。从1973年底开始，“四人帮”发动了把矛头指向周恩来的反对“右倾回潮”运动。因此，党内的“左”倾错误不但没有得到纠正，反而愈演愈烈。1973年8月24日至28日召开的中共十大，由于“文化大革命”的“左”倾错误指导方针没有改变，也由于江青、张春桥等人的干扰破坏，错误地认为九大的政治路线和组织路线都是正确的，江青集团中的一大批骨干分子进入了党的中央委员会和中央领导机构。王洪文、康生当了中央委员会副主席，张春桥成为中央政治局常委，江青、姚文元仍然是政治局委员。此后，江青、张春桥、姚文元、王洪文结成了“四人帮”。由于毛泽东主席的支持和周恩来的努力，一批久经考验的、在“文化大革命”中受排斥和打击的老同志，如邓小平、王稼祥、乌兰夫、李井泉、谭震林、廖承志等被选为中央委员。会后，乌兰夫被任命为中共中央统战部部长，所谓“乌兰夫反党叛国集团”事实上予以平反。

1973年5月，毛泽东提出批孔的问题，而且要把林彪与孔子联系在一起。江青乘机组织写作班子，整理出所谓《林彪与孔孟之道》的材料，送毛泽东并建议开展一个所谓“批林批孔”运动。1974年1月1日，《人民日报》《红旗》杂志、《解放军报》联合发表的《元旦献词》中提出批判林彪路线的极右实质，就是批判修正主义，而且说批孔是批林的一个组成部分，为开展批林批孔，大造舆论。1月18日，毛泽东以中共中央1974年1号文件的名义批发了《林彪与孔孟之道》的材料，开始在全国发动“批林批孔”运动。江青等人煽动军队参与“批林批孔”运动，企图搞垮军队领导机关，以批“党内的大儒”为名，把矛头对准周恩来和大批被解放的老干部，以批“右倾回潮”否定“九一三”事件以来各条战线的整顿。1月24日，江青背着中央政治局、中央军委召开了驻京部队“批林批孔”动员大会。1月25日，迫使周恩来主持了中央、国务院直属机关的“批林批孔”动员大会，迟群、谢静宜在会上发表了煽动性的长篇讲话，江青、姚文元还不时插话为批判增温。接着江青又到处写信、送材料、煽风点火，终于在全国煽起了一股“批林批孔”的恶浪。

“批林批孔”运动一开始，在内蒙古就引起了不同的反响。1973 年 12 月 28 日，经江青一伙密谋策划，《北京日报》发表了所谓《一个小学生的来信和日记摘抄》,把一个五年级的小学生吹捧成“反潮流典型”，以证明所谓教育战线修正主义路线的回潮。内蒙古生产建设部队十九团政治处王亚卓写信给这个小学生，批评了她的一些极左的错误观点。江青等策划这个小学生写了一封给王亚卓的公开信，以激烈的言辞攻击王亚卓。当时这在内蒙古乃至全国也成为一件不大不小的政治事件。1974 年 2 月初，中共内蒙古自治区委员会召开直属机关“批林批孔”动员大会，要求放手发动群众，迅速掀起“批林批孔”高潮。2 月 2 日至 11 日召开的自治区工交、基建、财贸、文教系统先进集体和先进生产者代表会议，也把“批林批孔”作为重要内容，批判所谓回潮。3 月 8 日，自治区党委召开电话会议，部署农村牧区的“批林批孔”运动。4 月 15 日，内蒙古党委和自治区革委会举行万人批林批孔大会，提出要“深入揭发批判林彪反党集团推行‘克己复礼’反革命修正主义路线，破坏无产阶级文化大革命的滔天罪行，迎头痛击否定无产阶级文化大革命，攻击社会主义新生事物，妄图复辟资本主义的反动思潮。”于是在自治区各条战线、各单位、各部门进行了所谓联系实际的“批林批孔”运动。内蒙古的一些帮派头目又乘机串联，策划搞乱内蒙古局势，另立指挥中心，否定各条战线的整顿，密谋篡党夺权。在内蒙古制造了一场规模不算小的混乱。4 月末和 7 月间，中央两次听取内蒙古的“批林批孔”情况的汇报，并批评了带头搞乱局势的帮派头目，才控制了内蒙古的动乱局势。这次动乱中断了已见成效的整顿工作，经济建设、文化教育、落实政策等方面的工作受到了冲击，“左”倾错误继续发展。

二、反复搏斗中的内蒙古

1974 年 10 月 4 日，毛泽东提议邓小平担任国务院第一副总理，江青等气急败坏，乘准备召开第四届全国人民代表大会之机，加紧结帮篡权活动。他们向毛泽东诬告周恩来、邓小平、叶剑英、李先念等人，并妄想在四届人大上由江青组阁。毛泽东及时识破了他们的阴谋。1975 年 1 月 5 日，根据毛泽东的提议，中共中央任命邓小平为中共中央军委副主席兼中国人民解放军总参谋长，并委托周恩来筹备四届人大工作。

1975 年 1 月 8 日，周恩来受毛泽东委托主持召开中共十届二中全会，讨论了四届人大的准备工作，虽然没能完全摆脱“左”倾错误的指导方针，但提出了关于实现农业、工业、国防和科学技术现代化的目标，提出了基本上正确的政府人选名单，选举邓小平为中共中央副主席、中央政治局常委，挫败了江青一伙妄图“组阁”的阴谋。1 月 13 日至 17 日，举行的第四届全国人民代表大会第一次会议，向全国人民重新提出了把中国建设成为社会主义现代化强国和发展国民经济的正确方针。朱德当选为全国人大常委会委员长，董必武、陈云、乌兰夫等大批老一辈无产阶级革命家当选为副委员长，确定了以周恩来、邓小平为核心的国务院人选，一批老干部重新担任了国家的重要职务。

四届人大一次会议后，因周恩来病重，毛泽东确定由邓小平主持党政日常工作。邓小平根据四届人大一次会议确定的建设社会主义现代化强国的宏伟目标和毛泽东提出的安定团结，把国民经济搞上去的意见，开始对交通、工业、农业、科技、军事等各条战线进行整顿，同时抓了教育和文艺方面的整顿，并在短短的一年中取得了显著成效。

内蒙古工交战线上的整顿也是从整顿铁路运输开始的。“批林批孔”运动中一度出现的混乱局面，曾使内蒙古的铁路运输受到影响。2 月 25 日至 3 月 8 日，中共中央召集各省、直辖市、自治区主管工业的书记开会，邓小平作了《全党讲大局，把国民经济搞上去》的讲话，认为把国民经济搞上去“当前的薄弱环节是铁路。”随即，中共中央作出《关于加强铁路工作的决定》,由铁道部统一管理全国铁路，恢复和健全各项规章制度，增强铁路职工纪律观念，调整各级领导班子，反对派性，打击破坏铁路运输的坏人。由于内蒙古自治区铁路系统的各级领导闻风而动，狠抓整顿，在较短的时间内扭转了混乱局面，出现了正常运输的形势。经过整顿，铁路货运量 1975 年达到 3 190 万吨，首次突破了“文化大革命”以来的 3 千万吨大关。客运量 1975 年达到 1 324 万人次，是“文化大革命”以来客运量最高的一年。① 4 月 12 日至 19 日，自治区召开了内蒙古自治区工业学大庆经验交流会，来自

① 参见内蒙古自治区统计局编：《辉煌的内蒙古》,中国统计出版社 1999 年版，第 346 页。

全区工业、交通、基本建设和生产建设部队等厂矿企业学大庆的先进集体和先进个人代表，以及各盟市、旗县党政负责人和部分重点厂矿企业领导干部，共500多人出席。会上交流了工业学大庆的经验，树先进，鼓干劲，以推动自治区工业学大庆群众运动的发展。通过整顿和工业学大庆运动的开展，工业生产得到迅速恢复和发展。1975年工业总产值（1970年不变价格）的达到365 441万元，比1974年的4 032万元增加了71 409万元，增长率为24.29%，是“文化大革命”以来最高的一年。其中重工业产值为214 101万元，比1974年的159 770万元增加了54 331万元，增长了34%；轻工业产值为151 340万元，比1974年的4262万元增加了17 078万元，增长了12.72%。[①] 1975年，原煤产量为1 699万吨，比1974年的1 398万吨增长了21.53%；发电量为28.62亿千瓦/小时，比1974年的25.11亿千瓦/小时增长了13.97%；钢产量为49万吨，比1974年的27万吨增长了81.48%；化肥产量为8.19万吨，比1974年的4.42万吨增长了85.29%。[②]其他各项工业产值或产量都有不同程度的增长，均为“文化大革命”以来的最高产值或产量。事实雄辩地证明，工业产值或产量如此高速增长，整顿是符合人民的愿望和社会发展的要求的，整顿创造了奇迹般的成就。

中共中央对农业也进行了整顿。整顿农业当时主要强调农业学大寨。1975年1月26日至2月1日，内蒙古召开全区农牧业学大寨先进集体、先进生产者代表会议，共有1 808人参加。这次大会号称“奋战1975年，摘掉缺粮帽，作出新贡献的动员和誓师大会”，提出了一些学大寨的措施，决定开展农田水利建设和牧区草原建设。9月15日至10月19日，全国召开了农业学大寨会议，邓小平代表中共中央和国务院在会上讲了话，强调发展农业的重要性。这次会议主要是提出普及大寨县。10月29日，内蒙古党委召开直属机关党员干部万人大会，贯彻全国农业学大寨会议精神，动员为普及大寨县而奋斗，要求结合学习会议文件进行整顿，对照先进，揭矛盾，找差距，从思想上行动上解决对农业学大寨的认识。会后，自治区机关及各盟市、旗县、公社派出36 000多名干部，组成农业学大寨宣传队、工作队，

① 参见内蒙古自治区统计局编：《辉煌的内蒙古》，中国统计出版社1999年版，第335页。
② 参见内蒙古自治区统计局编：《辉煌的内蒙古》，中国统计出版社1999年版，第336、337页。

深入农村牧区开展学大寨运动。由于全国农业学大寨仍然是以“左”倾思想为指导，因此从体制到方针、政策不适合农村经济发展的要求，不可能真正充分调动农民的生产积极性，只是通过大轰大嗡动员农民，不能持久，也不可能收到明显的效果。不过在农业已经遭到极大破坏的情况下，对于重新组织农民投入农业生产，恢复农业经济还是起了一定的积极作用。1975 年，农业总产值为 282 255 万元，比 1974 年的 275 477 万元增长 2. 46%。其中种植业产值 1975 年为 154 918 万元，比 1974 年的 153 998 万元增长 0. 6%；粮食产量为 519. 5 万吨，比 1974 年的 502. 5 万吨增长 3. 38%。[①] 这一增长幅度也起到恢复农业生产的作用，整顿农业还是收到了一定的成效。

与此同时，科学技术、文化艺术、教育卫生战线也开始进行整顿。但是，在这些领域，江青反革命集团渗透很深，控制较严，干扰破坏较大，整顿工作进展缓慢，收效甚微。

三、从“批邓反右倾翻案风”到“四人帮”覆灭

邓小平对各条战线的整顿，引起江青一伙的不满与恐慌。从整顿一开始，他们就千方百计地进行破坏。1975 年初，毛泽东发出了“学习无产阶级专政理论”的指示，要求搞清楚这个问题，要让全国知道，不然会变修正主义的。毛泽东关于理论问题指示的核心是“文化大革命”中形成的“无产阶级专政下继续革命”的错误理论。江青一伙借题发挥，给邓小平捏造了许多搞修正主义的罪名，并借批所谓经验主义，打击一批已经出来工作的老干部；借评《水浒》恶毒地影射邓小平，说什么邓小平就像宋江架空晁盖一样在架空毛泽东。邓小平主持各条战线的全面整顿，实际是纠正“文化大革命”中所实行的错误政策。当整顿收到显著效果的时候，便触动了“文化大革命”一概正确的观念。于是“四人帮”异常愤怒。从 1975 年 11 月开始，毛泽东又发动了所谓“批邓、反击右倾翻案风”运动。清华大学党委副书记刘冰等两次写信告江青在教育界的同伙迟群、谢静宜，并通过邓小平将信转送毛泽东。毛泽东从而以邓小平“算文化大革命的账”为由，对邓小平作了错误的批评，停止了他的大部分工作。11 月下旬，中共中央

---

① 参见内蒙古自治区统计局编：《辉煌的内蒙古》，中国统计出版社 1999 年版，第 317、322 页。

召开“打招呼会议”，宣读了经毛泽东审阅批准的《打招呼的讲话要点》,把清华大学出现的问题看作是两个阶级、两条道路、两条路线斗争的反映，是一股右倾翻案风，就此掀起了“批邓、反击右倾翻案风”的恶浪。这股恶浪很快冲击到全国各地、各部门。1976 年 1 月 21 日和 28 日，由毛泽东先后提议，并经中央政治局通过，确定华国锋任国务院代总理并主持中央日常工作。此后，接二连三地发出“批邓、反击右倾翻案风”的指示与部署，从党内到党外，逐步公开点名批判邓小平，而且不断升级。这使“四人帮”欣喜若狂，加紧进行其反革命的夺权活动，使经过整顿刚刚好转的形势遭到破坏，全国再次陷入一片混乱之中。

内蒙古自治区也受到“批邓、反击右倾翻案风”恶浪的冲击。自治区几所高等院校按照中央和内蒙古党委的部署，联系所谓实际，反击教育战线上的所谓“右倾翻案风”，否定整顿，肯定开门办学。内蒙古党委宣传部于 3 月 26 日至 4 月 25 日，召开理论工作会议，贯彻毛泽东学习理论的指示，解决“批邓、反击右倾翻案风”的认识问题。

1976 年 1 月 8 日，周恩来逝世以后，内蒙古各族人民同全国各族人民一样，沉浸在无限的悲痛之中。尽管“四人帮”多方限制对周恩来的悼念活动，内蒙古各族人民仍以各种形式表达对周恩来逝世的沉痛悼念。4 月 5 日在北京出现群众性天安门广场悼念周恩来，声讨“四人帮”的“四五”运动时，内蒙古各族人民也起而响应。有许多人奔赴北京，参加“四五”运动，有的人书写传单传播北京斗争的情况，也有在公共场所举行小型悼念活动，表达对“四人帮”的不满。这充分说明“四人帮”的倒行逆施越来越引起内蒙古各族人民的愤怒。

毛泽东根据姚文元等“四人帮”组织炮制的关于天安门事件的“现场报道”所捏造的罪名，作出撤销邓小平一切职务的错误决定。4 月 7 日，中共中央政治局通过了《中共中央关于华国锋同志任中共中央第一副主席、国务院总理的决议》和《关于撤销邓小平党内外一切职务的决议》。

“四五”运动被镇压下去以后，“四人帮”更加猖獗，强迫各地追查所谓“政治谣言”，收缴所谓“反动诗词”，追查参与“四五”运动者，镇压革命群众，制造白色恐怖，并继续推动“批邓、反击右倾翻案风”恶浪。

4 月 9 日，内蒙古自治区、呼和浩特市党政方面组织 15 万人的集会、游行，表示“拥护”中共中央两个决议，声讨所谓“不肯改悔的走资派邓小平”，声讨所谓“天安门反革命事件”。接着，在各盟市也组织了类似的集会、游行。4月13日，《内蒙古日报》发表了4月8日中共内蒙古自治区委员会《致电毛主席党中央坚决拥护两个决议》的电文。这样在自治区进一步掀起“批邓、反击右倾翻案风”的恶浪。不管开什么会，干什么事，发表什么议论，前面都要加上几句“批邓、反击右倾翻案风”的帽子。农业学大寨要批邓，工业学大庆要批邓，牧业学大寨要批邓，春耕生产要批邓，医药卫生系统开会要批邓，知识青年办共产主义大学要批邓，开展爱国卫生运动也要批邓，更为可笑的是，用邓小平主持全面整顿后农业、牧业、工业、交通、卫生等各方面所取得的成果诬陷邓小平搞右倾翻案。总之，这种牵强附会的“批邓、反击右倾翻案风”和各族人民极不情愿的“批邓、反击右倾翻案风”，只不过是一场闹剧而已。内蒙古各族干部、群众更多的是在思考议论，几个月前，毛泽东主席正确地评价：“邓小平人才难得，政治思想性强”，并亲自提议并很快安排到仅次于周恩来的位置，主持中央党政军工作；可是不到一年，他又发动“批邓，反击右倾翻案风”运动，指责邓小平“不抓阶级斗争”，代表“资产阶级”，直至提议撤销邓小平党内外一切职务。人们还思考议论，凡是江青等人出面发动“批林批孔”和“批邓、反击右倾翻案风”的时候，内蒙古和全国一样，总要混乱一阵，这是为什么？吃过混乱苦头的内蒙古各族干部、群众，只是表面应付这种使人费解的一个又一个运动，并不是实实在在地去参加。这就是内蒙古“批邓、反击右倾翻案风”的实际情形。

1976年7月6日，朱德与世长辞，9月9日，毛泽东主席逝世。噩耗相继传来，全国各族人民悲痛万分。

朱德同志是党和国家的主要领导人之一，中国人民解放军的创始人之一，伟大的无产阶级革命家、政治家和军事家。他为伟大的共产主义事业无私地贡献了毕生精力。他德高望重，深受全国人民的爱戴。他的逝世，引起了全国各族人民深切的哀痛和思念。

毛泽东是伟大的马克思主义者，是伟大的无产阶级革命家、战略家和理论家。他为我们党和中国人民解放军的创立和发展，为中国各族人民解放事业的胜利，为中华人民共和国的缔造和我国社会主义事业的发展，建立了永远不可磨灭的功勋。他为世界被压迫民族的解放和人类进步事业作出了重大的贡献。他虽然在“文化大革命”中犯了严重错误，但是就他的一生来看，他对中国革命的功绩远远大于他的过失。他在中国各族人民中享有崇高的威望，受到全党全军全国各族人民无限的崇敬和爱戴。

毛泽东逝世后，内蒙古各族人民和全国各族人民一样沉浸在无限的悲痛之中。在全国各族人民沉痛悼念毛泽东的日子里，内蒙古各族干部、群众无限深情地回忆毛泽东在民主革命时期，始终关怀和亲自领导内蒙古人民特别是蒙古民族的解放事业，正是光辉的毛泽东思想，特别是他那马克思主义民族理论与中国民族问题实际相结合的解决国内民族问题的思想理论，指引内蒙古人民获得了民族民主革命的胜利，内蒙古自治区是他亲自指导建立的，没有毛泽东和毛泽东思想就没有内蒙古的解放。人们还深深怀念毛泽东为实现内蒙古统一的民族区域自治，对内蒙古的社会主义革命和建设给予的关怀和指导。人们也知道在“文化大革命”中是毛泽东指示周恩来严密地保护并较早地解放了乌兰夫；在林彪、江青反革命集团大搞“挖肃”、大挖“内人党”的时候，是毛泽东首先发出指示停止了这一罪恶活动。人们惋惜他晚年的失误，也同情他遭受林彪、江青反革命集团的欺骗、利用和折磨。总之，人们以无限崇敬的心情在公正地评论他的功过。

毛泽东逝世以后，江青反革命集团加紧了夺取党和国家最高领导权的阴谋活动。江青试图把毛泽东所存的文件、手稿和其他材料搞到手，作为篡党夺权的“重磅炸弹”；王洪文在中南海另设值班室，妄图指挥全国，取代中共中央的领导，他们指示各地的党羽，盗用群众的名义，给江青写“效忠信”“劝进书”；他们伪造“按既定方针办”的所谓毛泽东的“临终遗嘱”；他们公开向中央发难，伸手为江青要权；江青也四处游说，散布流言蜚语，以蛊惑人心；他们同时准备发动反革命武装叛乱夺取政权。

“四人帮”的篡党夺权活动已紧锣密鼓，迫在眉睫。以华国锋、叶剑英、李先念为核心的中共中央政治局，密切注视着“四人帮”的动向，并经过多次酝酿和精心研究，根据大多数政治局委员和老同志的意见，决定以召开会议的形式，突然宣布对“四人帮”成员实行隔离审查，并立即召开政治局会议通过并宣布这一决定。10月6日晚，中央政治局代表人民的愿望，执行党和人民的意志，按原定部署，宣布对王洪文、张春桥、姚文元、江青等实行隔离审查，顺利地处置了祸国殃民的“四人帮”，结束了使全国人民深受灾难的“文化大革命”。

10月14日，中共中央正式宣布了粉碎“四人帮”的消息。全国一致声讨“四人帮”，万民欢呼粉碎“四人帮”，真是大得人心，大快人心。10月21日，内蒙古自治区呼和浩特20万军民举行集会和声势浩大的庆祝游行。这一天呼和浩特万里晴空、阳光灿烂，锣鼓喧天、鞭炮齐鸣，洋溢着一派欢乐、团结、战斗、胜利的气氛。一队队各族工人、农民、人民解放军指战员、民兵、革命干部、知识分子、青年学生、街道居民，高举红旗，兴高采烈，从四面八方像潮水般地涌向市中心的新华广场。内蒙古自治区和呼和浩特市党政军负责人出席大会，内蒙古党委第二书记、革委会副主任池必卿传达了中共中央关于粉碎“四人帮”的重要通知；内蒙古党委第一书记、革委会主任尤太忠发表讲话，代表内蒙古党委、自治区革委会和全区各族人民热烈拥护中共中央、中央军委粉碎“四人帮”的英明决定，热烈庆祝粉碎“四人帮”篡党夺权阴谋的伟大胜利。内蒙古军区第二政委滕俊清、中共呼和浩特市委第一书记郝秀山，以及自治区工会、共青团、妇女联合会的负责人发表了热情洋溢的讲话。他们联系内蒙古的实际，愤怒声讨“四人帮”的滔天罪行，热烈欢呼中共中央、中央军委粉碎“四人帮”的英明决策。会场内外，人山人海，红旗招展，口号声、欢呼声不绝于耳。与此同时，在全市街道扩音喇叭下，人群聚集，收听大会实况广播。会后，自治区党政军领导人带队举行了盛大的示威游行。当时，内蒙古自治区管辖的锡林郭勒盟、乌兰察布盟、巴彦淖尔盟、伊克昭盟和包头市、乌海市的蒙汉各族人民也纷纷集会游行，庆祝粉碎“四人帮”的胜利，声讨“四人帮”的罪行。在辽阔的草原上，蒙古族牧民也穿上鲜艳的民族服装，拉起马头琴，载歌载舞、欢庆胜利。

第六节　民族区域自治遭受破坏

一、抹杀民族特点否定民族政策

内蒙古的民族特点、地区特点，是在历史发展演变的进程中形成的。它是不同的历史时期，反映社会现象的重要标志。民族特点、地区特点是随着历史的发展不断地发生变化的。当历史发生演变的时候，又会产生新的特点，或与原有的特点并存，或取代原有的特点。因此，内蒙古的民族特点、地区特点，将会在很长的历史长河中存在。就内蒙古革命和建设中的民族特点、地区特点而言，基本上分两个大的历史时期，即近代的百余年和当代的五十余年。

在近代，内蒙古的民族特点和地区特点，归纳起来主要有10个方面：（一）内蒙古地区是我国蒙古族最大的聚居区域，蒙古民族是内蒙古的主体民族，在这里的历史舞台上发挥着主导作用，在政治、经济、文化等多方面有独特的内容。（二）内蒙古地区的汉族有久远的历史，特别是20世纪开始以后，清朝政府取消“蒙禁”政策和大量移民放垦“蒙地”，在半个世纪里，汉族人口增长了4倍，成为这里人口最多的民族。（三）还有世居在内蒙古的达斡尔、鄂温克、鄂伦春和回、满、朝鲜、俄罗斯等少数民族。（四）蒙古族及其他少数民族外受帝国主义的侵略，内遭清朝、北洋军阀和国民党政府等为代表的国内封建主义的民族压迫。（五）汉族同样遭受帝国主义的侵略，汉族人民也受国内封建主义的压迫剥削。（六）蒙古族及其他少数民族与汉族、特别是与汉族人民有着共同的命运。（七）由于历史的原因，蒙古族及其他少数民族，与汉族在政治、经济、文化方面存在着事实上的不平等。（八）由于近代大汉族主义民族压迫制度的存在，蒙古族及其他少数民族与汉族之间存在民族纠纷，甚至矛盾。（九）内蒙古民族问题是近代内蒙古社会总问题的一部分，是内蒙古革命的中心问题。（十）内蒙古地区有农业区、牧业区、半农半牧区，既有主要由汉族农民经营的占相当比重的农业经济，又有主要由蒙古族及其他少数民族牧民经营的畜牧业经济，还有主要由蒙汉各族农牧民经营的农牧兼营经济，并有由此而产生的农牧矛盾、民族矛盾。

中国共产党就是从内蒙古社会的实际出发，从民族特点、地区特点入手，解决内蒙古民族问题，完成了内蒙古的民族民主革命任务。

在当代，内蒙古历史上的民族特点、地区特点有些还依然存在，同时还不断出现新问题、产生新特点。（一）中华人民共和国成立初期，内蒙古的历史地域还没有恢复，实现内蒙古统一的民族区域自治，是解决内蒙古民族问题的首要任务；（二）内蒙古是最大的蒙古族聚居区，还居住着人口众多的汉族以及其他少数民族，蒙古族与汉族人口的比例是1∶7；（三）内蒙古的各民族经济文化发展水平不同，语言文字、风俗习惯和宗教信仰不同；（四）内蒙古的阶级、阶层、职业差异较大，有地主、资产阶级、牧主和各族劳动人民，有民族上层、宗教上层和其他爱国民主人士，有工、农、牧、猎民和干部、知识分子等；（五）内蒙古有工、农、林、牧、猎、渔等多种经济并存，而且与民族问题息息相关；（六）蒙古民族在历史上长期处于被分割统治的状态，由此而产生的民族内部的问题，还没有完全消除；（七）内蒙古的地域辽阔而狭长，交通不便，资源丰富，人口稀少，气候寒冷，这是发展经济必然遇到的难题，等等。

中国共产党面对内蒙古如此复杂的民族问题、民族特点、地区特点，在推进内蒙古历史的发展中，每前进一步，每实施一个重大举措，每制定一项方针政策，每处理一个社会问题，都从内蒙古的实际出发，慎重地实行党和国家的路线、方针、政策，基本上获得了成功。这也是乌兰夫主持内蒙古自治区工作19年中，被中央充分肯定的原因所在。

在"文化大革命"中，"左"倾错误路线，特别是林彪、江青反革命集团，全然否认内蒙古的民族特点、地区特点，从而全盘否定党和国家在内蒙古实行的民族政策。

内蒙古在"文革"前的19年中，对民族干部的培养使用是实行民族区域自治、少数民族当家做主的关键。1947年5月，内蒙古自治政府成立的时候，政府主席、副主席和参议会议长、副议长全是蒙古族；19名政府委员中有16名是蒙古族。这是特殊历史时期的特殊配置。1949年至1955年，内蒙古自治区人民政府主席、副主席中有4名蒙古族、4名汉族；1955年至1966年，内蒙古自治区人民委员会主席、副主席中，乌兰夫任主席，先后有15人任副主席（其中两名汉族副主席于1962年调任他职），其中有3名蒙古族。① 内蒙古党委领导干部中的民族干部，1949年12月至1966年8月，乌兰夫一直是内蒙古党委的书记或第一书记；1954年3月以前，内蒙古党委的书记、副书记蒙、汉族各1名；1954年3月至1955年7月，内蒙

① 参见《内蒙古自治区志·政府志》，方志出版社2001年版，第394、398、399页。

古党委书记、副书记中蒙古族2名、汉族3名；1956年7月以后，内蒙古党委第一书记、书记中蒙古族3名、汉族4名；1963年4月至1966年8月，内蒙古党委第一书记、书记处书记中蒙古族4名、满族1名、汉族5名。[①]在各级党政机关的蒙古族领导干部一般占30%左右。这是一个符合民族区域自治政策的干部配置，体现了蒙古民族在自治区的主体民族、自治民族的地位，在“文革”前19年自治区的社会进步、经济发展、贯彻民族政策、调整民族关系、加强民族团结等方面发挥了不可替代的作用。历史证明，民族干部是解决民族问题的关键，也是实施民族政策不可或缺的力量。

但是，“文化大革命”抹杀民族特点，否定民族政策，就是从打倒民族干部入手的。“文革”一开始，即给乌兰夫定了五大罪状，其中“民族分裂主义”罪是核心，从而制造了乌兰夫反党叛国集团冤案，制造了挖“新内人党”冤案，两个冤案把蒙古族干部的大多数囊括了进去。蒙古族干部除留极少数装点门面外，绝大部分被打倒。除了乌兰夫之外，在第一、二次国内革命战争时期参加革命的蒙古族老一辈革命家奎璧、吉雅泰、高布泽博、李森、勇夫、王再天、朋斯克、特木尔巴根、乌力吉敖其尔、毕力格巴图、孔飞、廷懋、克力更等无一遗漏地被打倒；在抗日战争时期和解放战争时期参加革命的一大批蒙古族厅局、盟市级干部潮洛蒙、云曙碧、云曙芬、齐峻山、云治安、李永年、云照光、李文精、陈炳宇、云成烈、云成光、塔拉、寒峰、墨志清、赵戈锐、王悦丰、马富纲、李景山、金汉文、哈丰阿和胡尔钦毕力格、暴彦巴图、都固尔扎布、乌力吉纳仁、嘎如布僧格、乌力图、旺丹、巴图巴根、高万宝扎布、布喀莎巴塔尔、金起先、肇和斯图、关保、色音鄂理布、巴图、旺软、孟和特木尔、杨达赖、吴占东等也落入了两大冤案之中；还有一批蒙古族爱国上层人士博彦满都、达理扎雅、鄂其尔呼雅克图等也遭到了劫难。在“文化大革命”前期，内蒙古革委会和党的核心小组中只有吴涛1人是蒙古族；1971年“补台”调整后的内蒙古党委书记、常委中只有吴涛、宝日勒岱2人是蒙古族，革委会副主任中也只有宝日勒岱1人是蒙古族。以下各级党委、政府中的蒙古族领导干部的职位也大体如此，所剩无几。

① 参见《内蒙古自治区志·共产党志》，内蒙古人民出版社1999年版，第639—653页。

谁都明白，党的民族政策中民族干部政策是核心内容，没有相应比例的民族干部，就无法贯彻党的民族政策，不可能切实解决民族问题。这是“文革”否定民族政策的关键。

在批判乌兰夫及一大批蒙古族领导干部的时候，把他们的“罪状”都与历史联系了起来，把历史上根据民族特点、地区特点，从实际出发制定的方针、政策和措施，都说成是民族分裂主义。把内蒙古的社会民主改革政策、社会主义改造政策、统一战线政策、经济建设和社会发展的方针政策，都诬蔑为修正主义、民族分裂主义。从而全面否定了党和国家在内蒙古实行民族区域自治的方针、政策和成就。林彪、江青反革命集团挖空心思，歪曲事实，编造出一套又一套所谓民族分裂主义的言论材料，欺骗群众，制造混乱，造成极其严重的恶果。

内蒙古自治区从上到下，取消了民族工作机构。内蒙古党委以及下属各级党委不复存在，内蒙古党委被革委会党的核心小组取代，党委所属的统战部自然也被撤销；各级政府，特别是内蒙古自治区的民族自治区机关——内蒙古自治区人民政府也被内蒙古自治区革命委员会取代，政府下设的民族、宗教、蒙古语文等工作机构也都被撤销。实际上只剩下内蒙古自治区的空架子，民族区域自治的实际内容所剩无几。

在内蒙古实行统一的民族区域自治，是中国共产党针对历史上内蒙古被清王朝、北洋军阀、国民党分割统治蒙古民族的状况而提出的，是对内蒙古历史上的民族压迫制度的宣战，是彻底推翻民族压迫制度的重要标志，是蒙古民族梦寐以求的愿望，同时得到了汉族及其他少数民族的热情积极的支持。从1920年12月毛泽东主张中国的蒙古等边疆少数民族地区实行自治自决，后被中共二大列入党的民族纲领，到1935年12月毛泽东在《对内蒙古人民宣言》中根据历史实际勾勒出内蒙古的区域范围；从抗日战争中提出民族区域自治的构想，到解放战争中成立内蒙古自治政府；从1949年3月毛泽东提出要恢复内蒙古的历史地域，到1956年实现内蒙古统一的民族区域自治。这是中国共产党解决内蒙古民族问题的光辉历程和成功的实践，而且开辟了中国解决国内民族问题的道路。

可是，1964年，中共中央华北局主要负责人却说这是乌兰夫争地盘，搞“独立王国”。乌兰夫印发学习毛泽东《对内蒙古人民宣言》,也成为一条重大的核心罪状，被指控为向中央要账、争地盘，搞“独立王国”，甚至说《宣言》是乌兰夫进行民族分裂的纲领。1969年7月，将内蒙古自治区的呼伦贝尔盟划归黑龙江省，哲里木盟及呼伦贝尔盟的突泉县、科尔沁右翼前旗划归吉林省，昭乌达盟划归辽宁省，巴彦淖尔盟的阿拉善左旗、右旗和额济纳旗分别划归宁夏回族自治区和甘肃省，重复了历史上分割内蒙古地域的历史。内蒙古实现统一的民族区域自治12年以后，自治区域遭到破坏，蒙古族、汉族及其他少数民族遭受切肤之痛。

总之，破坏党和国家的民族政策，是“文化大革命”，特别是林彪、“四人帮”使内蒙古惨遭浩劫的最大的罪恶。民族干部从乌兰夫到各级领导干部的绝大多数遭到陷害、清洗，民族区域自治的关键不存在了；行之有效的一整套方针、政策及其在实践中积累的丰富经验被全面否定了；民族区域自治机关及民族、宗教、统战机构被撤销了；民族自治地方的自治区域被分割瓦解了，作为民族自治地方还能有比这更严重的问题吗?

二、全面否定民族工作成就与经验

内蒙古自治区在“文化大革命”前的19年中，民族工作取得了举世瞩目的成就，被中央誉为民族区域自治的“良好榜样”。关于民族工作，在“文革”以前的各章中，以大量丰富的史实，从政治、经济、文化等多方面进行了全面的叙述。无论是在内蒙古自治区成立初期的解放战争年代，还是在中华人民共和国成立初期恢复国民经济的3年，或是在发展国民经济的第一个五年计划时期，内蒙古自治区社会安定、经济兴旺、文化繁荣、民族团结，是自治区历史上的第一个“黄金时期”；在此后全面建设社会主义的近10年中，尽管因全国性的“大跃进”、人民公社化运动以及“左”倾思想的影响，出现了曲折发展的一面，但是，经过调整，在“文化大革命”开始前率先得到迅速的恢复与发展。对内蒙古自治区来说，无疑得益于中国共产党和国家的民族区域自治政策。这是内蒙古成为民族区域自治“良好榜样”的主要标志。但是在“文革”中却遭到全面否定，颠倒了历史。

“文化大革命”在否定内蒙古自治区19年的成就的时候，有一个非同寻常的切入点就是否认民族特点，否定从实际出发的原则。内蒙古自治区19年期间所取得的成就，就是在马列主义、毛泽东思想指导下，按照中国共产党和国家制定的路线、方针、政策，密切结合内蒙古自治区的实际，特别是民族特点、地区特点，创造性地发展社会经济，稳妥地解决民族问题，成功地推进历史发展的结果。这是来之不易的成就，非常宝贵的经验。乌兰夫的两句话是精辟的概括，即“只有真正认识了内蒙古的实际，解决了从实际出发的问题，我们的工作才会有所作为，才能踏出自己的路”；学习毛泽东思想“要从自治区的实际出发，要有的放矢”。“文化大革命”就针对这么两句话，大做文章，全面否定内蒙古自治区的成就，否定创造性地实行民族区域自治政策、自治机关民族化政策、干部民族化政策、民族宗教政策、民族统战政策、民族教育政策、民族语文政策、民族文化政策、民族经济政策，特别是牧区和半农半牧区社会民主改革、蒙旗农村土地改革、农村牧区社会主义改造等一整套独特的政策。

如何看待民族主义？是内蒙古“文化大革命”中的核心问题，也是“文革”否定内蒙古自治区 19 年成就的切入点之一。林彪、“四人帮”把他们认为的内蒙古问题，都归结到地方民族主义、民族分裂主义上，歪曲事实、颠倒黑白、罗织罪名、上纲上线，定罪发难。其实，中国共产党历来反对资产阶级民族主义，即反对大民族主义、地方民族主义，在中国就是反对大汉族主义和地方民族主义。但是，有主次之分、轻重之别。毛泽东对于民族关系和民族主义有许多精辟的论述。1956 年他曾说：“我们着重反对大汉族主义。地方民族主义也要反对，但是那一般地不是重点。”① 1957 年在谈到汉族和少数民族的关系时指出：“这个问题的关键是克服大汉族主义。在存在有地方民族主义的少数民族中间，则应当同时克服地方民族主义。无论是大汉族主义或者地方民族主义，都不利于各族人民的团结，这是应当克服的一种人民内部的矛盾。”② 很显然，搞好民族关系克服大汉族主义是关键，而且这两种民族主义都是人民内部矛盾。可是在“左”倾错误盛行的年代，尤其是“文革”中，把子虚乌有的地方民族主义、民族分裂主义视为主要矛盾，而且都视为敌我矛盾，成为打击蒙古族及其他少数民族的一根政治大棒，挑拨民族关系，制造民族矛盾，破坏民族团结。实际上这是“左”倾

① 《毛泽东文集》第 7 卷，人民出版社 1999 年版，第 33 页。
② 《毛泽东文集》第 7 卷，人民出版社 1999 年版，第 227 页。

错误反映在民族关系上的大汉族主义思想。这就是问题的症结所在。

第七节　动乱中的内蒙古社会经济

在“文化大革命”的10年中，内蒙古社会经济的发展，经历了头年发展、中3年衰退和后6年两起两落的过程。这一过程与“文化大革命”中激烈的政治斗争的曲折历程密切相关，政治形势的变化极大地影响着社会经济的发展。

一、第一年政治较量中的社会经济

内蒙古自治区的国民经济在“文化大革命”以前，经过5年的全面调整，从1963年到1965年有了全面恢复与发展。1966年5月“文化大革命”开始后，中共中央对工交战线和农村“文化大革命”采取了某些限制措施，直到年底还没有全面影响到经济领域。因此，1966年自治区的国民经济继续保持着全面发展的势头。到年终，国民经济的主要指标发展到“文化大革命”前的最高或较高水平。以1966年与1962年相比，1966年，全区国民生产总值为38.32亿元，比1962年的25.12亿元增长了52.55%；工农业总产值为50.49亿元，比1962年的31.31亿元增长了62.69%。其中农业总产值为20.93亿元，比1962年的17.05亿元增长了22.75%，工业总产值为29.56亿元，比1962年的14.26亿元增长了1.07倍。铁路货运量1966年为2 425万吨，比1962年的1 754万吨增长了38.26%。地方财政收入为4.8455亿元，比1962年的3.3590亿元增长了44.25%。①

二、社会经济全面衰退的3年

“文化大革命”对内蒙古国民经济发展的直接全面的影响，是从1967年的所谓“一月风暴”全面夺权开始的。1966年12月，中共中央先后发出《关于抓革命，促生产的十条规定（草案）》，称工人群众有建立“革命组

① 参见内蒙古自治区统计局编：《辉煌的内蒙古》，中国统计出版社1999年版，第245、255、273、346页。

织”，进行革命“大串联”的权利；《关于农村无产阶级文化大革命的指示（草案）》,决定在农村也开展“文化大革命”运动。于是，工人、农民也开始卷入“文化大革命”的漩涡，工人抓了“革命”，影响了生产；农民参加了“革命”，耽误了农活。从1967年初开始，自治区各级党政部门、机关团体，厂矿企业、农村牧区以及教育、卫生、医疗、文化、体育等各个系统，自下而上、自上而下地进行全面夺权，社会秩序一片混乱。社会上各派造反组织之间无休止地争权打派战，已经无人过问经济，也无法组织生产，只靠工人、农民、牧民以及广大干部、知识分子、职工自觉地维持秩序，支撑局面。从1967年底到1969年中，在全区进行所谓“清理阶级队伍”、“挖肃”运动和挖“内人党”运动，气氛恐怖，人心惶惶，迷茫、困惑，无所适从，即使卷入派战的人们，也不明白自己是对是错。在这种情况下，生产怎么能发展，经济建设怎么能搞上去？1969年5月，中共中央指示停止挖“内人党”，纠正扩大化错误；广大受害的干部、群众理所当然地要求平反，要求彻底否定错误的“挖肃”和挖“内人党”运动。整整3年的大动乱，给内蒙古的经济建设造成了极大的危害，使“文化大革命”前迅速发展中的内蒙古经济急转直下，成为自治区经济大衰退的时期。

1967年到1969年的3年期间，国民生产总值从1966年的38.32亿元分别下降为31.80亿元、32.96亿元、32.90亿元，1969年比1966年下降14.14%；工农业总产值从1966年的50.94亿元分别下降为41.71亿元、43.27亿元、42.27亿元，1969年比1966年下降19.44%；农业总产值从1966年的15.69亿元下降为1969年的13.80亿元，下降12.04%；工业总产值从1966年的23.86亿元下降为1969年的20.97亿元，下降12.11%；铁路货运量从1966年的2 425万吨下降为1969年的1 792万吨，下降26.10%；地方财政收入从1966年的4.8455亿元下降为1969年的2.7680亿元，下降42.87%；大牲畜和羊从1966年的3 717.5万头（只），下降到1969年的3 544.8万头（只），下降4.64%。[①] 这是3年动乱中经济下滑的真实记录。

① 参见内蒙古自治区统计局编：《辉煌的内蒙古》,中国统计出版社1999年版，第245、255、273、317、328、335、346页。

内蒙古自治区在全面大动乱的局势下，工矿企业停工停产，交通运输阻塞，经济秩序混乱，经济管理机关瘫痪，经济工作处于无政府状态。在极左错误思想的指导下，把5年调整过程中逐步形成的正确的经济政策和合理的规章制度全部废除掉，诬蔑为修正主义的管、卡、压；把改善经营管理、增加盈利，诬蔑为“利润挂帅”；把农村牧区的自留地、自留畜、家庭副业和集市贸易等当作资本主义尾巴割掉，当作修正主义进行批判；把从内蒙古的实际出发，经过多年实践证明是正确的，而且具有民族特点、地区特点的经济政策诬蔑为搞民族分裂，搞“独立王国”，一律予以废除。因此，一切正确的方针、政策被废弃，合理的规章制度被破坏，领导、管理机构被砸烂，领导干部、管理人员被打倒，工人、农民、牧民有的遭迫害，有的被迫卷入运动之中，生产遭破坏，经济大倒退，这是显而易见的。

三、社会经济6年两起两落

内蒙古自治区经过持续3年的大动乱之后，实行了全面分区军管，当时面临的问题，一是稳定局势；二是纠正错误，为挖“内人党”受害者平反；三是恢复生产。

中央在内蒙古虽然采取分区全面军管的措施，但是没有能够从根本上改变“左”倾错误的指导方针，“文化大革命”的大局不变，彻底纠正“左”倾错误是不可能的。当然，对稳定内蒙古的局势是有积极作用的。局势的相对稳定，在一定程度上促进了生产的恢复。北京军区内蒙古前线指挥所虽然在一定程度上领导纠正挖“新内人党”所谓扩大化错误，但是继续清理阶级队伍和批判乌兰夫。除按照中央的部署应对变幻莫测的政治形势外，北京军区内蒙古前线指挥所还花了较大力气组织工农牧业生产。广大工人、农民、牧民和其他劳动者自觉地坚守生产岗位，经过艰苦努力，使自治区的国民经济从1970年开始逐步恢复。1970年与1969年相比，按当年价格国内生产总值为32.90亿元，增长19.05%，工农业总产值为51.80亿元，增长22.54%，农业总产值为24.00亿元，增长20.30%，工业总产值为27.80亿元，增长24.55%；地方财政收入4.4088亿元，增长59.27%。[①] 国民经济

① 参见内蒙古自治区统计局编：《辉煌的内蒙古》，中国统计出版社1999年版，第247、255、273页。

从崩溃的边缘回头发展。

这样高的发展速度是从瘫痪状态中急剧回升的，不完全是正常的发展。一方面说明1970年以前的3年经济大衰退，确实是“打倒一切”、无政府主义和社会动乱的产物；另一方面也说明实行分区全面军管，虽不能从根本上转变“左”倾错误指导方针，但是只要稳定社会秩序，着力抓生产，在一定程度上还是可以扭转倒退局面的。

1971年5月，采取“补台”方式调整内蒙古自治区革命委员会，并召开中共内蒙古自治区第三次代表大会，重新成立中共内蒙古自治区委员会以后，自治区有了相对稳定的党政领导机构，虽然不可能扭转“文化大革命”总的趋势，还是基本上能够控制自治区的局势。盟市旗县各级革委会也经过“补台”调整，逐步成立了各级党委，健全了党的领导机构，使社会秩序、生产秩序、工作秩序逐步好转，能够以较大的精力抓生产，促使自治区的国民经济在艰难曲折中逐步得到恢复、发展。1971年与1970年相比，按当年价格国内生产总值为41.61亿元，增长6.22%，工农业总产值为54.76亿元，增长5.71%，工业总产值为31.09亿元，增长11.83%，而农业总产值为23.67亿元，下降1.54%；地方财政收入为3.6543亿元，减少17.11%。①

就全国而言，这一年由于经济建设上实行“以战备为中心”，急于求成、盲目冒进的“左”倾指导思想，出现了职工人数、工资总额、商品粮购销量三个突破，造成了市场供应紧张，经济形势不稳的危险局面。内蒙古的经济发展也受到影响，1972年主要经济指标出现负增长趋势。

周恩来总理为了解决农业战线上存在的问题，特别是“三个突破”的问题，采取了紧急对策，控制了局面。与此同时，周恩来总理在主持中央日常工作期间，为纠正经济领域中的“左”倾错误而采取了许多措施，进行了巨大努力。(1) 对企业进行整顿，恢复和健全岗位责任制等7项制度，加强企业管理，提高产品质量，进行经济核算，扭转企业亏损，加强劳动纪律；(2) 纠正农村“左”的政策，批判林彪、陈伯达一伙在农村扩社并队、没收自留地、砍掉家庭副业，搞“一平二调”等极左错误，重申

① 参见内蒙古自治区统计局编：《辉煌的内蒙古》，中国统计出版社1999年版，第247、255、273页。

党的有关政策。经过这次调整，国民经济发展取得显著成就，经济工作出现转机。

内蒙古党委适时制定了关于农村牧区17条经济政策，对农牧业生产的发展起到了积极作用；同时对工矿企业进行了整顿，工业生产也出现了再次回升趋势。1973年与1972年相比，按当年价格国内生产总值从39.36亿元增加到44.07亿元，增长11.96%；工农业总产值从52.74亿元增加到60.39亿元，增长14.50%。其中农业总产值从21.17亿元增加到27.72亿元，增长30.94%；工业总产值从31.57亿元增加到32.67亿元，增长3.48%；地方财政收入从3.1314亿元增加到3.4123亿元，增长8.97%。①

1974年初，“四人帮”有计划有预谋地发动了一场“批林批孔”运动，矛头直指周恩来，否定上年有效的经济调整工作，再次在全国搞乱了刚刚得到整顿的社会经济秩序。内蒙古也出现了一场不大不小的动乱，刚刚走出困境的内蒙古经济再次出现回落。国内生产总值为43.26亿元，下降1.87%，工农业生产总值为59.35亿元，下降1.75%，农业生产总值为29.57亿元，增长6.67%，工业生产总值为29.78亿元，下降9.70%；地方财政收入为2.6863亿元，下降27.02%。② 其他经济指数也都明显下降。上述数据表明，除了由于广大农牧民没有参加“批林批孔”动乱而使生产少受影响外，其他经济领域均受到了冲击，经济指数明显下降，这又是“四人帮”破坏经济建设的一条无可推卸的罪责。这是“文革”后6年内蒙古社会经济发展的第一次起落。

“四人帮”通过“批林批孔”篡党夺权的阴谋败露后，毛泽东鉴于周恩来病重，决定由邓小平主持中央日常工作。从1975年初开始，邓小平果断地对各条战线进行整顿，使社会秩序、经济秩序、工作秩序有了明显的好转，国民经济出现了迅速发展的势头。内蒙古各方面形势的好转，也明显地体现出整顿的威力。1975年与1974年相比，按当年价格国内生产总值为48.55亿元，增长12.22%，工农业总产值为67.70亿元，增长14.06%，农业总产值为30.80亿元，增长4.16%，工业总产值为36.90亿元，增长

① 参见内蒙古自治区统计局编：《辉煌的内蒙古》，中国统计出版社1999年版，第247、255、273页。

② 参见内蒙古自治区统计局编：《辉煌的内蒙古》，中国统计出版社1999年版，第247、255、273页。

23.90%；地方财政收入2.7375亿元，增长1.90%，[①] 整顿初见成效。

但是，邓小平的全面整顿以及对存在问题的暴露，是全面肯定“文化大革命”的毛泽东不能容忍的，再加上“四人帮”从中作祟，又发动了“批邓、反击右倾翻案风”的运动，势头强劲，邓小平再次被打倒，颇有活力的整顿夭折，全国的经济形势再度恶化。内蒙古也未能逃脱这次厄运，1976年，国内生产总值为48.09亿元，下降0.95%；工农业总产值为68.90亿元，仅增长1.77%；农业总产值为31.29亿元，仅增长1.59%；工业总产值为37.61亿元，仅增长1.92%；地方财政收入为2.6587亿元，下降2.96%。[②] 这种低水平增长，足以说明“批邓、反击右倾翻案风”对内蒙古社会经济发展造成的恶果。这是“文革”后6年内蒙古社会经济发展的第二次起落。

波及全国的“文化大革命”10年中，内蒙古的经济发展历经反复无常的曲折变化，受到极大的影响。从1966年到1976年，经济发展主要指数年平均增长率：国内生产总值为2.54%，工农业总产值为3.64%，农业总产值为4.94%，工业总产值为2.72%。[③] 如此增长率，大大低于“文革”前19年的平均增长率。这就是“文化大革命”给内蒙古的国民经济造成的恶果。社会状况的好坏，与经济状况息息相关。社会稳定，则经济发展；社会动乱，则经济倒退，这是不依人们意志为转移的法则与规律。

在十年动乱中，内蒙古近20年创造的符合内蒙古的实际，具有民族特点、地区特点而且行之有效的一系列发展经济的方针、政策、规章、制度，以及各种措施，都被破坏殆尽。“文革”后期，在周恩来、邓小平主持的两次可贵的调整整顿中，内蒙古恢复了部分原有的政策措施，也制定了一些适应时势的规章、制度，但却一次又一次受到批判，甚至被推翻，造成经济发展的跌落。这也是值得汲取的经验教训。毛泽东说：“政策和策略是党的生命，各级领导同志务必充分注意，万万不可粗心大意。”[④] 这一正确论断是值得一切做领导工作的人永远铭记的。

---

① 参见内蒙古自治区统计局编：《辉煌的内蒙古》，中国统计出版社1999年版，第247、255、273页。
② 参见内蒙古自治区统计局编：《辉煌的内蒙古》，中国统计出版社1999年版，第247、255、273页。
③ 参见内蒙古自治区统计局编：《辉煌的内蒙古》，中国统计出版社1999年版，第247、255、273页。
④ 《毛泽东选集》第4卷，人民出版社1966年横排本，第1241页。

十年动乱中，林彪、江青反革命集团一次又一次的捣乱，使内蒙古的经济蒙受了极大损失；以周恩来、邓小平为核心的老一辈革命家一次又一次的整顿，使内蒙古的经济得以恢复和在曲折中发展；内蒙古的各族工人、农民、牧民、干部、知识分子及一切劳动者，在极其困难的条件下经过艰苦努力，才维持了自治区的经济不至于崩溃，才使自治区的经济逐步恢复与发展；内蒙古各族人民对错误的“文化大革命”的抵制与抗争，则几乎贯串于“文化大革命”的始终。

人民是推动社会经济发展的原动力。人们虽然被“文化大革命”的恶潮卷动，但是内蒙古的各族工人、农民、牧民及一切劳动者，仍然在发展经济的战线上力所能及地维持生产，而且不时以各种方式抵制极左路线。历史证明，人民是社会的主人，人民才是真正的英雄。

第十章

拨乱反正 开启新时期

第一节 揭批“四人帮”拨乱反正

一、揭批江青反革命集团在内蒙古的罪行

1976年10月，以粉碎江青反革命集团为标志，“文化大革命”宣告结束，中国进入了社会主义现代化建设的新时期。

粉碎“四人帮”以后，纠正以阶级斗争为纲的“左”倾错误路线，纠正“文化大革命”中的一系列错误，尽快把工作重心转移到经济建设上来，进行社会主义现代化建设，是社会发展的要求，是全国各族人民的共同愿望。

中共中央及时领导全国人民大力开展揭批“四人帮”的罪行，拨乱反正，正本清源。从12月10日至1977年9月23日，党中央先后下发《王洪文、张春桥、江青、姚文元反党集团罪证》三批材料，以大量的事实和确凿的证据，揭露了“四人帮”反党乱军，企图篡党夺权的阴谋、罪恶和他们的反革命面目，揭露和批判了“四人帮”炮制的“老干部是民主派，民主派就是走资派”的反革命政治纲领。按照中共中央的部署，在全国掀起了揭批“四人帮”的群众运动。揭批江青反革命集团的斗争分三个步骤进行，第一步结合宣讲罪证材料之一，集中揭批“四人帮”篡党夺权的反革命阴谋活动和反对毛泽东，篡改马列主义、毛泽东思想，迫害老一辈革命家

的罪行，批判他们的反革命政治纲领，同时审查他们的政治历史；第二步结合宣讲罪证材料之二，集中批判“四人帮”的罪恶历史和反革命面目；第三步结合宣讲罪证材料之三，深入批判他们的反革命理论、思想及其在各方面的表现。同时，清查同江青反革命集团篡党夺权阴谋活动有牵连的人和事。这场全国范围的揭批查江青反革命集团的运动，经过两年多的斗争取得了基本胜利。

内蒙古是“文化大革命”浩劫的重灾区之一。揭批“四人帮”及其在内蒙古的追随者的罪行，清查其在内蒙古的帮派体系及与其篡党夺权阴谋活动有牵连的人和事，摧毁其帮派体系，彻底肃清其在内蒙古的流毒和影响，彻底纠正“文化大革命”中及以前的“左”倾错误，平反一切冤假错案，全面落实党的各项政策，从多方面拨乱反正，使自治区的社会主义革命和建设工作真正回到马列主义、毛泽东思想的轨道上来，保证祖国北疆在政治上的安定团结，以便尽快把各项工作的重点转移到社会主义现代化建设上来，这是新时期开始后的第一项重大任务。

内蒙古各地、各族、各界热烈庆祝粉碎“四人帮”的伟大胜利。1976年10月21日，中央人民广播电台播发粉碎“四人帮”的消息后，自治区首府呼和浩特当天有20万军民率先集会游行，庆祝粉碎“四人帮”的伟大胜利。接着各盟市、旗县以各种形式，举行各种活动，表达胜利的喜悦，声讨“四人帮”的罪行。

内蒙古揭批“四人帮”的斗争迅速展开。1976年11月中旬，内蒙古党委即成立了清查办公室，着手揭批、清查“四人帮”的工作。在庆祝粉碎“四人帮”的热潮中，11月23日至28日，内蒙古党委召开全区宣传工作会议。全区各盟市、旗县、各大厂矿企业、高等院校主管宣传工作的负责人，自治区各部、委、办、厅、局和群众团体的负责人，部队主管宣传工作的负责人参加会议。会议认为，江青反革命集团虽然被粉碎，但要彻底清除其影响和危害还需要相当一段时间的斗争。因此，必须在全区范围内，有领导、有组织、有步骤地掀起一个规模宏大的群众性的大宣传、大学习、大揭发、大批判的高潮。会议要求紧紧抓住江青反革命集团披着马列主义的外衣，背叛马克思主义、列宁主义、毛泽东思想，篡改毛泽东主席指示，大搞修正主义、大搞分裂、大搞阴谋诡计，千方百计地篡夺党和国家领导权这个基本特点，放手发动群众，集中力量，从政治上、思想上、组织上、经济上、文化上揭发批判江青反革命集团的罪行，对于被他们搞乱的问题和他们散布的谬论，要一个一个地揭发批判，把揭罪行、剥画皮、论危害、肃流毒结合起来，还他们资产阶级阴谋家、野心家的反革命真面目。同时强调要严格区分两类不同性质的矛盾，把“罪行严重不肯悔改的帮派分子与一时糊涂犯有错误的人”区别开来，团结一切可以团结的人，共同清算“四人帮”的罪行。

会议强调，各级领导干部带头，组织宣传大军，深入农村、牧区、厂矿、学校、商店、街道，广泛宣讲中央有关文件和指示精神，组织广大干部群众认真学习马列著作和毛主席著作，提高马列主义水平，掌握思想武器，要把学习同批判紧密结合起来，层层举办学习班，大力培训骨干，带动群众的学习和批判，在斗争中不断发展壮大理论队伍，充分发挥各种宣传舆论工具的作用。各级党委要切实加强对宣传工作的领导，各级宣传部门要在党的领导下把宣传工作抓起来，在运动中严格区分和正确处理两类不同性质的矛盾，把斗争矛头对准“四人帮”，团结一切可能团结的人，允许犯错误的人改正错误，把“四人帮”插手内蒙古所搞的阴谋活动揭深批透，彻底查清。

11 月 24 日，内蒙古党委、中共呼和浩特市委召开全区揭发批判“四人帮”反革命罪行广播大会，全区各盟市、旗县 100 万各族军民收听了广播批判大会实况。24 日，《内蒙古日报》发表了《放手发动群众，大揭大批“四人帮”滔天罪行》的社论；26 日，《内蒙古日报》又发表了题为《乘胜前进，痛打落水狗》的社论。同时，各盟、市以及旗、县党委组织各种形式的声讨、揭发“四人帮”罪行的活动。仅巴彦淖尔盟截至 1977 年 2 月 11 日，办黑板报 3 938 块，大批判栏 2 000 多块，刊出 1.2 万期；举办学习班 2 723 期，培训理论骨干 1.2 万多名；出漫画专栏 2 121 个，成立流动漫画组 22 个，文艺宣传队 274 个，演出 660 场，[①] 这是揭批“四人帮”的一个典型侧面。这样，拉开了内蒙古自治区揭批“四人帮”的序幕。

12 月 10 日，中共中央下发了《王洪文、张春桥、江青、姚文元反党集

① 邢野、宿梓枢主编：《内蒙古文化大革命通志》，中国科学教育文化国际交流促进会出版社 2005 年版，第 460 页。

团罪证（材料之一）》。22日，《人民日报》发表《“四人帮”的要害是篡党夺权》的社论，指出“四人帮”反党集团全部反革命的要害，是通过阴谋活动，分裂党，培植其反革命势力，以篡夺党和国家的最高领导权，在中国建立法西斯帮派统治。内蒙古自治区各级党组织，在中共中央和内蒙古党委的统一部署下，大力宣传和组织群众学习中共中央的决定，联系内蒙古的实际，揭发“四人帮”的反革命罪行。对于江青反革命集团祸国殃民的罪恶，特别是对其在内蒙古所犯的桩桩罪行，从多方面进行了深入的揭发批判，同时联系批判林彪反革命集团，使内蒙古各族人民认清了“文化大革命”十年内乱的严重性及其根源，认清了搞乱内蒙古局势，制造大量冤假错案，破坏民主与法制，破坏党的民族政策与民族团结，破坏社会生产，造成社会秩序混乱，摧残文化、教育、科学事业，使国民经济受到严重损害，人民生活发生严重困难等问题的根源。揭发批判林彪、江青这两个反革命集团的罪行，为自治区的拨乱反正开了头，打开了正本清源的局面。

1977年3月6日，中共中央发出《王洪文、张春桥、江青、姚文元反党集团罪证（材料之二）》以后，内蒙古自治区揭批“四人帮”的斗争更广泛深入地发展起来。自治区直属机关、各盟市旗县、各大厂矿企业和内蒙古军区，接连不断地召开各种类型的会议，联系内蒙古的实际，揭批“四人帮”的反革命面目及其罪恶历史。5月7日，自治区直属机关召开揭批“四人帮”罪行大会，有5 000多名蒙汉各族干部、职工以及自治区党政军和各部、委、办负责人参加。5月30日、6月30日、8月13日，自治区直属机关又接连召开3次大规模的揭批“四人帮”及其在内蒙古的追随者阴谋篡党夺权罪行大会。其中6月13日有7 000多名蒙汉各族干部、职工以及自治区党政军和各部、委、办、厅、局负责人参加。自治区直属机关各部门联系各自的实际，系统地揭发批判了“四人帮”及其在内蒙古的追随者的一系列罪行。发言者以大量的事实揭露“四人帮”反对毛泽东、周恩来，反对马克思列宁主义、毛泽东思想，妄图篡夺党和国家的最高权力的反革命面目，以确凿的证据揭发批判“四人帮”及其在内蒙古的追随者在内蒙古地区犯下的一系列罪行。林彪、江青反革命集团及其在内蒙古的追随者，除在内蒙古制造了骇人听闻的“乌兰夫反党叛国集团”案、“内蒙古二月逆流”案和“新内人党”案以外，为了实现其在内蒙古篡党夺权的阴谋，还极力散布老干部是“民主派”，“民主派”就是“走资派”的谬论，继续打击迫害革命老干部，叫嚣抛开党委闹革命，进驻党委，围攻党委的负责人，甚至搞车轮战、疲劳战，刮起要官、要权、要党票的邪风，鼓吹“权的问题上不用避嫌”“要当仁不让”，鼓吹“造反有功、掌权有理、入党有份”等谬论。他们插手政法机关，提出要砸烂公安机关，叫嚣要“冲破牢笼救战友，打开牢门找左派”，妄图颠覆无产阶级专政。他们破坏生产，破坏铁路运输，鼓吹“宁要社会主义的晚点，不要修正主义的正点”，以搞乱内蒙古的局势，达到篡党夺权的目的。与此同时，各盟市旗县、各系统也联系实际开展了揭批“四人帮”及其在内蒙古追随者的斗争。

9月23日，中共中央发出了《王洪文、张春桥、江青、姚文元反党集团罪证（材料之三)》。10月12日，内蒙古党委召开直属机关党员干部大会，自治区党政军负责人出席。11月中旬，内蒙古党委召开揭批“四人帮”在内蒙古的资产阶级帮派体系的罪行大会。12月8日，内蒙古党委召开有200多万人参加的全区有线广播大会，自治区党委第一书记尤太忠传达了党中央关于江青反革命集团在内蒙古资产阶级帮派体系的挂帅人物问题的两次重要批示，并进行了大会批判。内蒙古地区资产阶级帮派体系的挂帅人物，从“文化大革命”开始就参与把乌兰夫等一批内蒙古的革命老干部打成反革命修正主义和民族分裂主义分子，参与制造了“内蒙古二月逆流”错案，此后又进入了内蒙古自治区革委会及其核心小组，是所谓“挖乌兰夫黑线、肃乌兰夫流毒”的“挖肃”运动的主要策划者之一，是“新内人党”假案的主要制造者之一，是积极推行林彪、江青反革命集团的反革命路线，网罗内蒙古的资产阶级帮派体系，一次又一次搞乱内蒙古局势的挂帅人物。他安排资产阶级帮派头目、反革命分子郝广德插手自治区公检法，鼓吹林彪、江青反革命集团的“两个否定”“一个砸烂”的反革命方针，诬蔑自治区公安机关是某某国的“情报机关”，广大公安干部是“旧人员”、某某国的“情报员”“叛徒、特务、反革命”等等，以所谓“群众立案、群众办案、群众定案、群众判案”为幌子，成立所谓“群众专政指挥部”，取代公检法职能，并把资产阶级帮派头目和骨干分子安排在各级“群专”的领导岗位上，一度全面控制了公检法的权力。这是他们制造大量冤假错案，颠覆无产阶级专政，实行资产阶级专政的重要步骤。粉碎“四人帮”以后，内蒙古资产阶级帮派体系的挂帅人物及其同伙，又竭力阻挠揭批“四人帮”，以维护其资产阶级帮派体系。为了排除内蒙古揭批“四人帮”斗争的障碍，党中央果断地就内蒙古资产阶级帮派体系的挂帅人物的问题作了两次重要批示，将自治区揭批“四人帮”的斗争引向深入。

内蒙古自治区各行各业、各个系统，联系各自的实际，广泛深入地开展了揭批“四人帮”及其在内蒙古的帮派体系的斗争。自治区教育系统深入揭发批判了江青反革命集团炮制的对教育战线的所谓“两个估计”，即解放后17年“毛主席的无产阶级教育路线基本上没有得到贯彻执行”，“资产阶级专了无产阶级的政”；大多数教师和解放后培养出来的大批学生的“世界观基本上是资产阶级的”，是“资产阶级知识分子”的谬论。文艺战线揭发批判了江青反革命集团对内蒙古乌兰牧骑的攻击诬蔑，对京剧、舞剧《草原小姐妹》打击迫害乃至篡改窃取的罪行。内蒙古体育界揭发批判了江青反革命集团制造内蒙古乒乓球队事件，并无端审查迫害乒乓球运动员及内蒙古体委干部的案件。内蒙古党委直属机关揭发批判“四人帮”及其在内蒙古的追随者进行反党篡权的阴谋活动。内蒙古军区揭批其在内蒙古反党乱军的罪行。蒙汉各民族的干部和群众愤怒揭发批判江青反革命集团及其在内蒙古的追随者歧视少数民族，践踏党的民族政策，破坏民族团结，破坏边疆建设的罪行。总之，揭批“四人帮”及其在内蒙古的资产阶级帮派体系的斗争，在各条战线，各个角落普遍展开。

清查同江青反革命集团篡党夺权阴谋活动有牵连的人和事，是揭批“四人帮”斗争的重要组成部分，是深入揭批斗争必须的内容和阶段。党中央指示揭批内蒙古资产阶级帮派体系的挂帅人物之后，这一斗争已逐步展开。各单位、各部门在揭批斗争的过程中开始对有牵连的人和事进行了逐个的清查，弄清了是非，教育了一批犯错误的人，查出了一批“四人帮”的追随者和帮派体系的骨干分子和现行反革命分子。1978年4月3日，在呼和浩特内蒙古体育馆召开群众大会，揭批原内蒙古革命委员会常委、乌盟盟委书记、盟革委会副主任郝广德。他是“四人帮”在内蒙古的资产阶级帮派头目、现行反革命分子。大会以大量确凿的证据揭发批判了郝广德紧跟“四人帮”恶毒攻击毛泽东、周恩来等中央领导人，盗窃党和国家大量绝密文件，拉帮结派，大搞阴谋活动，猖狂进行反党乱军，篡党夺权的罪行。当场宣布开除现行反革命分子郝广德的党籍和公职，并交由政法机关依法惩办。其他盟市和单位也查处了一些“四人帮”帮派体系的骨干分子，从组织上摧毁了“四人帮”在内蒙古的帮派体系。

1978年12月10日，内蒙古党委“清查办公室”充实为“运动办公室”，从组织上清查与“四人帮”有牵连的人和事，即清查“四人帮”在内蒙古各地的帮派头目、骨干和打砸抢分子以及各类罪恶事件。清查工作坚持重证据、重调查研究的原则，实行扩大教育面、缩小打击面、严禁逼供信、批判从严、处理从宽、抗拒从严、悔过从宽的政策，认真、细致、慎重地处理清查出的人和事。经过两年多时间的清查，基本查清了与“四人帮”有牵连的人和事，在立案清查的2 859人中，对2 757人分别给以党纪、政纪和刑事处理；另将犯有打砸抢罪行的1 102人移交司法机关处理。对于认识错误，包括犯有严重错误的人，只要愿与“四人帮”划清界线，说清楚问题，且有悔过表现的，本着“惩前毖后，治病救人”的原则，给予出路，重新安排工作。通过揭批查工作的有序开展，自治区各项工作步入拨乱反正、正本清源的轨道。

二、联系内蒙古的实际开展真理标准的讨论

揭发批判江青反革命集团及其帮派体系是一场尖锐复杂的斗争，每深入一步都会碰到阻力和障碍。所以，要夺取揭批斗争的彻底胜利，必须冲破阻力，排除障碍。正当揭发批判江青反革命集团及其帮派体系的斗争深入发展的时候，1977年2月7日，《人民日报》《红旗》杂志、《解放军报》发表了题为《学好文件抓住纲》的社论，提出“凡是毛主席作出的决策，我们都坚决维护，凡是毛主席的指示，我们都始终不渝地遵循”的“两个凡是”的方针。这是时任中共中央主席华国锋和时任政治局常委汪东兴提出来的，其实质是维护毛泽东晚年的“左”倾错误，压制思想解放，阻碍拨乱反正。这是与全国人民要求纠正毛泽东的“左”倾错误，进行拨乱反正，迅速解决大量历史遗留问题的愿望背道而驰的，而且为平反一系列冤、假、错案和落实党的政策设置了障碍。

邓小平在未恢复领导职务的时候，便率先领导了从理论上批评“两个凡是”不符合马克思主义。1977年4月10日，邓小平向中央写信提出：

“我们必须世世代代地用准确的、完整的毛泽东思想来指导我们全党、全军和全国人民，把党和社会主义事业，把国际共产主义运动的事业，胜利地推向前进。”① 5 月 3 日，中央转发了这封信，肯定了他的正确意见。5 月 24 日，邓小平和中央两位同志谈话时指出：“‘两个凡是’不行”，“把毛泽东同志在这个问题上讲的移到另外的问题上，在这个地点讲的移到另外的地点，在这个时间讲的移到另外的时间，在这个条件下讲的移到另外条件下，这么做，不行嘛！”“毛泽东同志说，他自己也犯过错误。一个人讲的每句话都对，一个人绝对正确，没有这回事情。”他强调“这是个重要的理论问题，是个是否坚持历史唯物主义的问题。”② 邓小平接连不断地针对“两个凡是”，进行了深刻的批评，一是划清了毛泽东思想科学体系同林彪、江青反革命集团对它的歪曲的界限，推动了揭批“四人帮”斗争；二是划清了毛泽东思想科学体系同“两个凡是”的界限；三是划清了批评毛泽东晚年的错误和否定毛泽东思想的界限。这在党内外引起了强烈的反响，思想理论界为突破“两个凡是”而进行了巨大努力，写出了一些好文章。在这场争论中涉及关于真理标准问题的讨论。反对“两个凡是”，坚持实事求是，是关于真理标准问题讨论的第一个阶段。从 1977 年底到 1978 年 11 月召开的中共中央工作会议期间，围绕检验真理的标准问题展开了热烈的讨论。1978 年 5 月 11 日，《光明日报》发表了《实践是检验真理的唯一标准》的特约评论员文章。12 日《人民日报》和《解放军报》同时转载，全国绝大多数省、直辖市、自治区的报纸也相继转载。文章论述了检验真理的标准只能是社会实践，理论与实践的统一是马克思主义的一个最基本的原则的观点，主张任何理论都要不断接受实践的检验，在实践中不断增加新的内容。文章发表后，在全党、全国引起了强烈的反响。邓小平、叶剑英、李先念、陈云、胡耀邦等积极支持这一讨论。但是，华国锋、汪东兴却压制这场讨论。这是关系党的思想路线的原则分歧与争论。6 月 2 日，邓小平在全军政治工作会议上肯定了这场讨论，再次批评了“两个凡是”的观点，指出实事求是是毛泽东思想的出发点和根本点。9 月 16 日，他又一次批评“两个凡是”不

① 《邓小平文选》（1975—1982），人民出版社 1983 年版，第 36 页。

② 《邓小平文选》（1975—1982），人民出版社 1983 年版，第 35 页。

是高举毛泽东思想，而是损害毛泽东思想。9月25日，胡耀邦在信访工作会议上鲜明地提出，凡是不正确的结论和处理，不管什么时候、什么情况下搞的，不管是哪一级，什么人定的、批的，都要实事求是地改正过来。在邓小平等中央多数领导人的正确引导和积极支持下，关于真理标准问题的讨论，在全国范围内迅速展开。11月召开的中共中央工作会议和12月召开的中共十一届三中全会，更进一步地坚决批判了“两个凡是”的错误方针，强调必须完整地、准确地掌握毛泽东思想的科学体系，高度评价了关于真理标准问题的讨论，确定了解放思想、开动脑筋、实事求是、团结一致向前看的指导方针。会议认真讨论了“文化大革命”中发生的一些重大政治事件，实事求是地审查和解决了党的历史上一批重大冤假错案和一些重要领导人的功过是非问题，为全国各地拨乱反正，解决各地的重大政治事件和平反冤假错案作出了榜样。

内蒙古的拨乱反正，在粉碎“四人帮”后的前两年也受到“两个凡是”方针的影响，对于“左”倾思想认识不足，对“文化大革命”的错误纠正不力，对恢复老干部的工作迟疑犹豫，平反冤假错案进展缓慢，恢复经济的政策、目标不够明确，领导生产缺乏得力的措施，甚至出现盲目冒进的倾向。

关于什么是真理，检验真理的标准是什么的问题，在内蒙古也展开了热烈的讨论。当1978年5月11日，《光明日报》发表特约评论员文章《实践是检验真理的唯一标准》后，《内蒙古日报》于5月13日即转载了这篇文章。9月，内蒙古党委连续6次召开关于真理标准问题的学习讨论会，并领导新闻理论界、区直机关和盟市、旗县的干部群众，针对自治区的实际深入学习和讨论。10月8日，内蒙古党委公开表态支持真理标准问题的讨论，新华社发表了内蒙古党委书记王铎在自治区直属机关局以上干部学习会上的讲话，他指出：“真理是人脑对客观世界及其规律性的正确反映，对同一对象的真理只能有一个，那就是符合客观事物及其规律的认识。……人的思想是否正确，是否具有真理性，思想、理论自己并不能证明自己是否正确。只有通过社会实践，才能把认识和客观实际相对照、相比较，并根据实践所得到的结果，来检验认识是否符合客观实际。凡是正确地反映了客观事物及其规律的，就是正确的思想，就是真理，反之就是不正确的思想，就不是真理。”他援引了毛泽东的一段话：“真理只有一个，而究竟谁发现了真理，不依靠主观的夸张，而依靠客观的实践，只有千百万人民的革命实践，才是检验真理的尺度。”① 从此，真理标准问题的讨论从自治区到基层全面展开。通过学习讨论，解放了思想，冲破了许多禁区、禁令，摆脱了现代迷信和“两个凡是”的束缚，为平反冤假错案、实事求是地处理历史遗留问题和落实党的各项政策创造了有利条件。中共十一届三中全会后，1979 年 1 月 5 日至 24 日，内蒙古党委召开传达学习中共十一届三中全会精神的工作会议，联系内蒙古的实际讨论解决历史遗留问题和工作重点转移问题，认为实现工作重点转移的关键是扫荡禁区、解放思想、分清大的路线是非。各级领导层，结合自治区的实际，对落实政策，解决历史遗留问题，恢复和发扬党的实事求是的作风，巩固和发展安定团结的政治局面，转移工作重点，尽快把自治区的经济建设搞上去等重大问题，进行了研究，提高了认识，明确了方向，增强了信心，调动了同心协力建设现代化的积极性，也为自治区全面拨乱反正奠定了思想基础。

关于“真理标准问题的讨论虽然已经取得了比较显著的效果，但是发展很不平衡，不少单位的领导还没有引起足够的重视，特别是由于两个凡是，错误思潮的干扰，使这一讨论没有很好地深入和普遍地开展”，“有一部分同志持怀疑观望态度，有极少数人持反对态度。”② 因此，9 月 11 日至 19 日，中共内蒙古自治区委员会召开三届九次全委扩大会议，回顾了全区对真理标准问题的讨论，肯定了成绩，找出了差距，研究了措施，提出了要求。会议于 19 日通过了《关于继续深入开展真理标准问题讨论的决定》,认为通过前一段“全区开展真理标准问题的讨论，对解放思想，冲破了‘两个凡是’的禁区；拨乱反正，深入批判林彪、‘四人帮’的极左路线，加快冤、假、错案的平反昭雪，实事求是地处理历史遗留的一些重大问题；对全党工作着重点的顺利转移，都起到了推动作用”。《决定》要求各级党委必须把真理标准问题讨论的补课，提到重要议事日程上来，首先是搞好领导班子的补课，必须收到应有的效果；补课的重要问题“就是什么是毛泽东思

① 王铎：《坚持实践　总结经验　搞好工作》（1978 年 10 月 10 日），《实践》1978 年第 11 期。

② 《内蒙古党委关于继续深入开展真理标准问题讨论的决定》（1979 年 9 月 19 日），中共内蒙古自治区委党史研究室编著：《拨乱反正》（内蒙古卷），中共党史出版社 2008 年版，第 253 页。

想，怎样对待马列主义、毛泽东思想”，必须从根本原则上划清与“两个凡是”思想的界限，“完整地准确地掌握马列主义、毛泽东思想的科学体系”；“必须深入批判林彪、‘四人帮’的极左路线，肃清它的流毒和影响”，“坚持‘两个凡是’的观点，是林彪、‘四人帮’的思想体系，只有继续肃清林彪、‘四人帮’的流毒，冲破‘两个凡是’的精神束缚，才能勇敢地进行拨乱反正”；补课“必须密切联系实际，补到实处，真正解决思想上、工作上存在的实际问题。各个地区、各条战线、各个部门、各个机关、学校、工厂、商店，以及农村牧区人民公社的生产队，都要正确地运用实践是检验真理的唯一标准这个武器，充分发动群众，紧密联系内蒙的地区特点、民族特点和干部、群众的思想状况及各条战线的实际情况和存在的问题”，“凡是实践证明是正确的，就坚持；凡是实践证明是错误的，就坚决纠正。”① 11月22日，《内蒙古日报》发表了《补课要落实到行动上》的社论，首先肯定了第二阶段“补课已经收到了很好效果”，同时指出“在这次补课中，泛泛议论比较多，见诸行动比较少；讲一般道理比较多，联系实际解决问题比较少；讨论过去比较多，面对现实探讨问题比较少”等问题。针对这种情况，提出真理标准问题的讨论和这次的补课，最根本的是解决实事求是的思想路线问题，补好实践是检验真理唯一标准这一课，光停留在口头上不行，必须落实到行动上；不能光是总结过去的经验教训，更要重视指导当前和今后的实践；也不能光是在理论上搞清楚一些问题就算了，更要着重研究和解决新的历史条件下的新问题，必须着眼于现在和未来，必须见诸行动。

内蒙古党委如此坚持不懈地领导讨论真理标准问题，使全区党员和广大干部、群众，提高了对完整地准确地掌握毛泽东思想的科学体系和党的实事求是思想路线的认识，是一次广泛深刻的马克思主义教育运动和思想解放运动，对于自治区的拨乱反正和社会主义现代化建设具有重大的现实意义和深远的历史意义。

1981年6月，中共十一届六中全会作出《关于建国以来党的若干历史问题的决议》，对中华人民共和国成立以来的一系列重大问题作出了正确的

① 《内蒙古党委关于继续深入开展真理标准问题讨论的决定》（1979年9月19日），中共内蒙古自治区委党史研究室编著：《拨乱反正》（内蒙古卷），中共党史出版社2008年版，第255页。

结论，彻底否定了“文化大革命”，并对毛泽东作了正确的评价，对毛泽东思想作了科学的论断，为中国历史的发展指明了方向。内蒙古自治区就这样进入了伟大的历史转折时期。

第二节 平反冤假错案

一、平反三大冤假错案

内蒙古的三大冤假错案，即“乌兰夫反党叛国集团”“内蒙古二月逆流”和“新内人党”案。这三大冤假错案，涉及的面广，株连的人多，案情惨烈，影响甚大。“文化大革命”对内蒙古的浩劫始于“乌兰夫反党叛国集团”冤假大案。

“乌兰夫反党叛国集团”案是在标志“文化大革命”开始的1966年中共中央《五一六通知》发出的第六天开始制造的，即5月21日中共中央华北局在北京前门饭店召开的工作会议上制造的。由此而引发了内蒙古的大动乱，导致了“内蒙古二月逆流”案，接着通过挖乌兰夫黑线，肃乌兰夫流毒引出了“新内人党”案，进而造出了一系列冤假错案。

1969年，在中共九大期间，毛泽东根据内蒙古“挖肃”运动中挖“新内人党”的严重问题，作出“五二二”批示，停止了挖“新内人党”，掀起了群众性的平反要求。12月19日，中央决定对内蒙实行分区全面军管，特别是1971年中共内蒙古自治区第四届委员会成立后，内蒙古党委领导全区各级党委进行了对挖“新内人党”案的平反工作，“对于被打成‘新内人党’的干部、群众政治上给以平反，有关材料销毁；对致死致残的干部、群众及其家属，分别给予抚恤、治疗和生活上照顾；对查抄的财物，给予清还或一定的补偿；对乘机进行阶级报复的阶级敌人，有的依法惩处；等等。广大干部和蒙汉各族群众对这些是满意的。”①

① 《尤太忠、池必卿、侯永关于进一步解决好挖“新内人党”问题的意见的报告》（1978年4月20日），中共内蒙古自治区委党史研究室编著：《拨乱反正》（内蒙古卷），中共党史出版社2008年版，第159页。尤太忠时任内蒙古党委第一书记、池必卿时任第二书记、侯永时任秘书长。

为了彻底解决挖“新内人党”的问题，1978年4月20日，尤太忠、池必卿、侯永代表内蒙古党委向中共中央报告解决挖“新内人党”问题的意见，在之前解决挖“新内人党”问题的基础上，提出继续解决遗留问题的5条意见：“一、对致死的干部和群众从政治给以平反后，还应由有关党组织对他们的历史和工作作出全面、正确的评价，写出书面材料，通知其家属和生前所在单位的群众。二、有关党政组织和领导干部要亲切关怀死者家属和伤残人员，尽可能解决他们的实际困难。过去对死者家属的生活补贴和伤残人员的治疗、困难补助问题的有关规定，要继续认真贯彻执行。三、有些生产队因死伤人员过多，集体负担过重的，国家给予适当的经济补助，扶持他们发展生产。四、对于极少数证据确凿、借机搞阶级报复的阶级敌人和严重违法乱纪、民愤极大的刑事犯罪分子，应经盟市以上党委审查批准，由政法部门依法惩处。五、对有关干部、群众提出的其他要求，凡是合理的，要抓紧研究，及时解决；办不到的，要认真解释，说明情况；不合理的，要耐心说服，做好思想工作。”① 中共中央批准了这一报告，实际上彻底推倒了“新内人党”冤假大案。

为落实中央批准的上述报告，1978年6月，内蒙古党委落实政策领导小组制定了《关于进一步解决挖“新内人党”历史错案遗留问题的几项具体政策》，总共10项：一、关于平反范围问题；二、关于彻底清理和销毁“新内人党”的材料问题；三、关于致死者和遗属的待遇问题；四、关于严重致伤、致残者的治疗问题；五、关于查抄物资的退赔问题；六、关于致死和严重致伤者的子女安排问题；七、关于打击两种坏人的问题；八、关于对待犯了错误的人的问题；九、关于农民、牧民和城镇居民生活困难和生产队负担过重的补助问题；十、关于团结问题。② 这些政策达到了解决好“新内人党”问题的要求，成为彻底推倒“新内人党”冤假大案的政策基础。

乌兰夫于1969年在毛泽东主席的决策下，由周恩来总理安排，秘密从

---

① 中共内蒙古党委党史研究室编著：《拨乱反正》（内蒙古卷），中共党史出版社2008年版，第160—161页。

② 中共内蒙古党委党史研究室编著：《拨乱反正》（内蒙古卷），中共党史出版社2008年版，第163页。

北京转移到湖南省长沙市郊沙灰塘军管监护。1970年，乌兰夫两次给毛泽东主席、周恩来总理并党中央写信，要求审查他的问题，希望尽快为党工作。1971年春，乌兰夫再次写信，希望尽快出来工作。是年冬，中共中央决定解除对乌兰夫在长沙的军管监护，让他回到北京。1972年1月10日和8月1日，乌兰夫分别参加陈毅的追悼会和出席中国人民解放军建军45周年招待会，公开露面。1973年8月24日至28日，参加中国共产党第十次全国代表大会，并当选为中共中央委员，频频参加公开活动。1975年1月13日至17日，参加第四届全国人民代表大会，当选为全国人民代表大会常务委员会副委员长，频繁参加外事活动和国务活动。

内蒙古在开始拨乱反正，对被伤害的干部、群众进行平反的过程中，被所谓"乌兰夫反党叛国集团"株连的部分干部也逐步平反，也有一些干部陆续安排了工作。尽管如此，作为内蒙古的第一大冤假大案，直至"文化大革命"结束两年有余，还没有被彻底推倒，平反昭雪。

1979年1月15日，内蒙古党委向中央上报了《关于彻底推倒"乌兰夫反党叛国集团""内蒙古二月逆流"冤假案的请示报告》[①]（以下简称《报告》）。《报告》扼要陈述了制造两案的过程及其恶劣后果与影响，提出了彻底推倒这两个冤假大案，并为受害同志彻底平反昭雪，恢复名誉的建议。1月21日，中共中央批示：同意内蒙古党委的请示报告。并指出："内蒙古自治区，是在我党的直接领导下，成立最早的一个民族自治区。文化大革命前的19年，内蒙古自治区党组织把马列主义、毛泽东思想和内蒙古的实际相结合，团结并带领全区蒙、汉各族人民群众，在正确贯彻执行党的民族区域自治政策方面创造了丰富经验，在革命和建设事业中取得了一个又一个胜利，为加强民族团结、维护祖国统一、保卫祖国北疆作出了重大贡献。"中共中央如此全面评价和肯定内蒙古自治区在"文化大革命"前19年的工作和成就，实际上是内蒙古全面拨乱反正的指导方针，是内蒙古平反冤假错案，落实政策的大纲。

1月23日，内蒙古党委召开为"乌兰夫反党叛国集团"和"内蒙古二

---

① 中共内蒙古党委党史研究室编著：《拨乱反正》（内蒙古卷），中共党史出版社2008年版，第198页。

月逆流”冤假大案彻底平反昭雪全区有线广播大会，自治区党委第一书记周惠在会上发表重要讲话，全面概述了“文化大革命”中林彪、“四人帮”在内蒙古制造三大冤假错案的由来，指出：“‘文化大革命’以来，林彪、‘四人帮’阴谋篡党夺权，制造了一系列的冤、假、错案。在内蒙古涉及全区，影响最大，危害最深的是所谓‘乌兰夫反党叛国集团’、‘内蒙古二月逆流’和‘新内人党’这三大冤案”。“1966 年 5 月华北局前门饭店会议期间，李雪峰伙同高锦明、权星垣、吴涛等人按照林彪‘五一八政变经’的调子，对乌兰夫同志造谣中伤，无中生有，颠倒黑白，胡说‘乌兰夫要搞大蒙古国，想当成吉思汗第二’，‘搞宫廷政变’，‘搞民族分裂的叛国活动’，诬蔑乌兰夫同志是‘内蒙古党组织内最大的走资派’’”。会后在全区煽动揪乌兰夫黑帮，揪斗领导干部，推行林彪、“四人帮”“怀疑一切，打倒一切”的反革命修正主义路线。1967 年初，林彪、“四人帮”在上海刮起一月反革命夺权“黑色风暴”以后，内蒙古也煽起了反革命夺权运动，遭到广大干部、群众的抵制，从而制造了为乌兰夫翻案的所谓“内蒙古二月逆流”案。由于林彪、“四人帮”插手，中央遂错误地作出《关于处理内蒙问题的决定》,把高锦明、权星垣、李树德封为革命领导干部，把王逸伦、王铎定为乌兰夫翻案的代理人，把群众组织和所属群众分别定为“造反派”、“保皇派”，在内蒙古酿成更大的混乱。进而发动了“大挖乌兰夫黑线，大肃乌兰夫流毒”运动，制造了以“乌兰夫为总头目的新内人党”的骇人听闻的大冤案。周惠指出：“上述三大冤案，恰好篡改了内蒙历史的本来面目，颠倒了敌我关系，混淆了路线是非，分裂了革命队伍，破坏了民族团结，后果是极其严重的。今天，在党中央的亲切关怀下，危害全区的三大冤、假、错案，彻底推倒、平反了；束缚着广大受害的各族干部、群众的精神枷锁彻底砸碎了。”郑重宣布：“新内人党”、“乌兰夫反党叛国集团”和“内蒙古二月逆流”三大冤假错案的制造，从根本上颠倒了内蒙古的历史，应予彻底平反昭雪。对三大冤案的否定，使内蒙古几十万受害的各族干部群众得到了平反昭雪及妥善安置，为更多的受株连者恢复了名誉。

二、全面平反冤假错案

平反其他冤假错案，是内蒙古拨乱反正的重要内容。1977 年 12 月，内蒙古党委作出《关于认真解决好审查干部工作中遗留问题的意见》和《关于认真清理文化大革命运动中形成的干部档案材料的意见》,要求各级党组织严肃、认真、尽快、妥善地处理干部审查工作中的遗留问题，推倒“四人帮”强加的一切不实之词。

1978 年 3 月 7 日至 16 日，自治区党委召开了全区落实党的干部政策会议，各盟市、各大厂矿（公司）企业和自治区直属机关各部、委、办、局主管组织、人事工作的负责人参加了会议。会议就尽快妥善处理“文化大革命”中审干遗留问题；认真做好安排老干部的工作；关于青年干部的问题；关于落实党的知识分子政策；关于解决下放基层、插厂插队的干部问题，制定了具体办法，要求各级党委采取果断措施，全面落实党的各项政策。12 月 10 日，内蒙古党委成立了运动办公室，统一抓揭批查工作和冤、假、错案的平反昭雪工作。自治区党委直属各单位、内蒙古军区以及各盟市、旗县普遍成立了落实政策办公室，拨乱反正，推倒冤、假、错案，落实各项政策的工作在自治区全面展开。

1979 年 2 月 7 日，内蒙古党委发出《关于进一步解决冤假错案政策问题的原则规定》,其中特别指出，1968 年内蒙古自治区农村、牧区重划阶级是错误的，一律予以纠正。6 月 16 日，内蒙古党委和革委会发出《关于进一步解决冤、假、错案政策问题的原则规定的补充规定》的通知。在平反冤假错案的过程中，从实际出发，在实践中逐步完善了政策规定和具体措施，保证了平反冤假错案和落实各项政策的顺利进行。在甄别、平反工作中坚持实事求是、有错必纠的原则，采取全错全平、部分错部分平、不错不平的方法，对受害的干部、群众进行了平反昭雪；对致伤、致残、致死的人及其家属、子女，分别进行了适当照顾和安置；对受到刑事、行政、党籍、团籍处分的，平反后一律发给书面证明；错误开除公职的一律复职、复工，扣发的工资给予补发；个人档案中的错误材料由各单位统一清理销毁。对被迫害致死的自治区党政机关负责人吉雅泰、哈丰阿、特木尔巴根、高布泽博、达理扎雅等一批老干部平反昭雪，沉痛悼念。

内蒙古党委在为三大冤案平反的同时，对于“文化大革命”中的一切冤假错案及“文化大革命”前“左”倾错误下发生的历史错案也一一进行了甄别平反，实事求是地落实了党的干部政策、民族政策、统战政策、知识分子政策、农村牧区经济政策。这是自治区拨乱反正的重要内容，是蒙汉各族干部和人民群众的强烈要求，也是增强各民族和各方面团结，调动广大干部、群众积极性的重要措施。内蒙古党委要求对“文化大革命”中审查干部时遗留的问题，严肃认真妥善处理；对林彪、江青及其在内蒙古的追随者强加于人的一切诬蔑不实之词坚决予以推倒；历史上遗留下来的重大问题要尽快解决。冤案要昭雪、假案要平反、错案要纠正的工作被提到了自治区各项工作的首位。

（一）为自治区和盟市党、政、军一些领导人平反昭雪。内蒙古党委决定，为遭受林彪、江青反革命集团及其在内蒙古的追随者迫害致死的自治区党政机关负责同志平反昭雪，恢复名誉。并陆续为他们举行了隆重的追悼会，号召全区各族人民和共产党员，学习他们热爱党、热爱人民，勤勤恳恳为人民服务的精神。这些含冤而逝的同志有：原内蒙古自治区党委常委、统战部长、内蒙古自治区人民委员会副主席吉雅泰；原内蒙古自治区人民委员会副主席、全国政协四届常委哈丰阿；原自治区党委常委、自治区高级人民法院院长、党组书记、内蒙古政协副主席特木尔巴根；原自治区农业厅党组书记、厅长高布泽博；原内蒙古自治区人民委员会副主席、巴彦淖尔盟盟长达理扎雅；原自治区卫生厅党组代书记、厅长胡尔钦毕力格；原自治区民政厅厅长、党组成员乌力图；原中共昭乌达盟委副书记穆林；原内蒙古自治区人民委员会副秘书长嘎如布僧格；原自治区农委副主任宋振鼎；原自治区农业厅副厅长邓荫南；原自治区林业厅副厅长张莒令；原自治区体委副主任喀莎巴塔尔；原呼和浩特铁路局局长、党委副书记马林；原内蒙古师范学院院长、党委副书记兼包头分院院长左智；原自治区商业厅副厅长李国夔；原中国共产主义青年团内蒙古自治区委员会副书记沙梯；原内蒙古农牧场管理局副局长、内蒙古政协第四届委员会委员海福隆；原自治区农牧学院副院长、党委委员、教授金泉秀；原内蒙古自治区文化局副局长、党组成员、内蒙古文联副主任金起先；原内蒙古哲学社会科学研究所副所长、党组成员、内蒙古历史研究所所长勇夫；原内蒙古大学历史系副主任、副教授何志等。

（二）内蒙古党委还分别作出决定，为原内蒙古大学党委副书记、副校长于北辰，内蒙古大学党委副书记田心，内蒙古大学党委宣传部长兼政治历史系主任林阳，以及其他因所谓于、田、林“反革命事件”而受牵连的同志彻底平反；为原内蒙古大学副校长、内蒙古语文历史研究所副所长牙含章彻底平反，恢复名誉。

内蒙古军区党委作出决定，为遭受所谓“乌兰夫反党叛国集团”案株连的原内蒙古军区副司令员孔飞、副政委廷懋，司令部副参谋长塔拉、云一立彻底平反；为在“内蒙古二月逆流”案中被打成“黄、王、刘、张反党集团”的原内蒙古军区副司令员黄厚、参谋长王良太、副政委刘昌、政治部副主任张德贵彻底平反，并恢复名誉。

中共呼和浩特市委作出决定，彻底推倒“呼（和浩特）市宫廷政变”假案，为李质、陈炳宇、曹文玉、云治安、张露等彻底平反，恢复名誉。

中共包头市委作出决定，为原包头市委书记、市长寒峰，市委书记、副市长墨志清、吴步渊等彻底平反，恢复名誉。

中共巴盟盟委作出决定，为原巴盟盟委第一书记巴图巴根，原盟委常委、盟长肇和斯图，原盟委副书记扬力生，原盟委常委、副盟长关保，原副盟长张学谦等以及被打成“内蒙古二月逆流”案中急先锋的原巴盟盟委书记石生荣，副书记王林堂、王健民、郭全德等彻底平反、恢复名誉。

中共锡林郭勒盟委作出决定，彻底推倒与“乌兰夫反党叛国集团”、“新内人党”等假案有关的案件，为高万宝扎布、张广前、色音鄂理布、旺钦、孟和特木尔等彻底平反，恢复名誉。

中共乌兰察布盟委作出决定，彻底推倒“李、旺反党集团”案，为原盟委副书记、盟长李文精，副书记旺丹、郝秀山、阎耀先，盟委委员、副盟长李景山等彻底平反、恢复名誉。

中共伊克昭盟委作出决定，为原盟委第一书记暴彦巴图，原盟委书记郝文广、田万生，副书记金汉文、杨达赖、康骏，盟长王悦丰，副盟长马富纲、李正东、吴占东等彻底平反，恢复名誉。

（三）“文化大革命”中的其他冤假错案有与三大冤假错案相关的错案，也有另外制造的冤假错案；有集群性错案，也有个人错案；有对组织系统、事件以及一批作者、作品的错案。如呼和浩特市的“宫廷政变”案、乌兰察布盟的“李、旺反党集团”案等等，还有被判处的一大批“现行反革命案件”，对一切冤假错案都逐一甄别平反，妥善处理。

1979 年 7 月，内蒙古党委作出了《关于为“联社”彻底平反的决定》。

“文化大革命”中，一些干部群众为了维护党的民族政策，抵制林彪、江青反革命集团及其内蒙古的追随者在内蒙古的罪恶活动，发起组织了“东方红联社”等群众组织，当时的内蒙古自治区革委会曾错误地把“联社”定为“为乌兰夫翻案的反动组织”，使参加“联社”及“卫东”“星火燎原”“土中革纵”“一一一”等所谓“变种组织”的各族干部、群众遭到了残酷镇压、迫害，不少人致残、致死。1974 年初，内蒙古自治区革委会曾对“联社”等组织进行过平反。但是，由于当时仍受极左路线的影响，平反工作不彻底。这次内蒙古党委再次决定，为“联社”（包括“卫东”等）组织及被打成所谓“联社”分子和受株连的广大干部、群众彻底平反，恢复名誉，为被打成“联社”黑后台的乌兰夫以及云北峰、李永年、云善祥等彻底平反、恢复名誉。“决定”特别指出，内蒙古自治区革委会于 1968 年发出的将“联社”打成“为乌兰夫翻案的反动组织”的文件是完全错误的，应予撤销。

1979 年 3 月，内蒙古党委、内蒙古军区作出《关于撤销“内蒙古军区 1968 年 5 月，对内蒙古体委系统命令”的决定》，彻底推倒强加给内蒙古体委“独立王国”的罪名和一切不实之词；由此而造成的一切冤、错、假案以及受迫害、受株连的人予以彻底平反、恢复名誉。1968 年 5 月，内蒙古军区对内蒙古体委和各盟市体委的命令是林彪、江青反革命集团极左路线的产物，它颠倒了是非，混淆了黑白，把内蒙古体委打成了以包彦、赵俞廷、谷献瑞、奇文祥为首的“独立王国”“黑窝子”“修正主义大染缸”，把广大的体育工作者、运动员诬蔑为“独立王国的公民”“反动的社会基础”“乌兰夫宫廷政变的别动队”等，进行残酷斗争、无情打击。各盟市旗县的广大体育工作者也受到了迫害，使自治区的体育事业遭到了空前浩劫。内蒙古党委、内蒙古军区所作出的决定，彻底砸碎了多年来压在体育工作者头上的精神枷锁，并充分肯定了“文化大革命”前的 19 年中，自治区体育工作者，在自治区党委和国家体委的领导下，为发展内蒙古的体育事业所作出的贡献及取得的成绩。

1979 年，内蒙古党委和内蒙古军区党委作出决定，为被打成“乌兰夫反党集团御林军”的内蒙古骑兵五师彻底平反、恢复名誉；对被打成“新内人党”的 290 人和其他受害者，予以彻底平反，恢复名誉；为被迫害致死的人彻底平反昭雪、确认为烈士，对其家属子女予以抚恤，妥善安排他们的工作和生活；恢复英雄模范连的光荣称号、恢复英雄模范人物的政治声誉。内蒙古军区党委还决定，为在“内蒙古二月逆流”中制造的“黄王刘张反党集团”案和“郈德胜事件”彻底平反，内蒙古军区后勤部召开了平反昭雪大会，追认郈德胜为烈士，并在烈士的家乡召开了追悼会。

内蒙古党委及党委宣传部作出《关于为〈鄂尔多斯风暴〉、〈茫茫的草原〉彻底平反的通知》和《为内蒙古文联、内蒙古歌舞团、〈花的原野〉编辑部、〈草原〉编辑部等单位平反的决定》。撤销了原内蒙古党委于1972年所发的《关于批转〈内蒙古自治区文艺创作工作会议纪要〉的通知》。该通知将自治区大批优秀文艺作品打成了毒草、叛国文学，从而加以长期禁锢，许多作家、诗人、画家、音乐舞蹈工作者和演员等受到残酷迫害和株连。同时被宣布平反恢复名誉的有曾在当时的《内蒙古日报》上公开点名批判的布赫、珠岚、玛拉沁夫、敖德斯尔、纳·赛音胡克图、朝克图那仁、金少良、云志厚、娅茹等人，以及其中一些人的作品，如《草原晨曲》《文学艺术论文集》《骑士的荣誉》《遥远的戈壁》《花的草原》《幸福与友谊》《金店》等。被宣布平反恢复名誉的作家与作品还有：杨植霖、吉雅泰等的《艰苦的岁月》,韩燕如的《爬山歌选》,巴·布林贝赫的《生命的礼花》,石万英的《气壮山河》,达木林的《牧人之子》,高彬、吴新秦等的《包钢人》,其木德道尔吉的《锡拉木伦的浪涛》,周戈的《血案》,陈清漳、赛西雅拉图、芒·牧林整理翻译的《嘎达梅林》《巴拉根仓的故事》,扎拉嘎胡的《红路》,安柯钦夫翻译的蒙古族古典史诗《英雄格斯尔可汗》,白歌乐的《成吉思汗的两匹骏马》和文浩的雕塑作品等。

当时仍归属东北各省的呼伦贝尔盟、哲里木盟、昭乌达盟以及归属宁夏、甘肃的阿拉善左旗和右旗、额济纳旗，也积极进行了平反冤假错案的工作，推翻了一切不实之词，为大批受害者恢复了名誉，落实了政策。①

① 以上3部分平反昭雪内容，参见郝维民主编：《内蒙古自治区史》,内蒙古大学出版社1991年版，第362—366页。

第三节　落实民族政策

“文化大革命”的“左”倾路线对民族政策的破坏是极其严重的，是内蒙古重灾区中的重灾。抹杀社会主义时期的民族问题，蔑视少数民族的自治权利，全面否定内蒙古自治区成立以来民族工作和经济建设的成就；制造大批冤假错案，打击迫害蒙古族及其他少数民族干部；否定民族工作的各项行之有效的政策，特别是分割内蒙古统一的民族自治区域，致使民族关系、民族团结、经济建设、社会发展遭到严重破坏。因此，进行马克思主义民族理论和党的民族政策再教育，深入批判“左”倾路线对民族事业的危害，认真检查民族工作中的问题，全面落实党的民族政策，是内蒙古社会主义现代化建设新时期开始时的头等重要的工作。

一、民族理论与民族政策教育

马克思主义民族理论和党的民族政策教育，是清算林彪、江青反革命集团在民族问题上的极左理论与罪行的思想、理论武器和首要问题。在整个拨乱反正过程中，内蒙古党委根据中共中央统战部和国家民族事务委员会的统一部署，在全区有计划、有步骤地系统地进行了马列主义、毛泽东思想民族理论和党的民族政策的宣传教育，结合检查民族政策执行情况，为落实民族政策，开展民族工作创造条件。

林彪、江青反革命集团的极左路线对内蒙古的民族工作破坏极大，党的民族政策遭到粗暴的践踏，造成了极其严重的恶果。自治区拨乱反正中揭露出来的大量事实就是证明。由此而造成不少干部和群众对党的民族政策观念淡漠了，执行党的民族政策的自觉性也不高了，少数人甚至认为民族政策过时了，新一代青年和大批新干部，没有受过系统的无产阶级民族观和党的民族政策的教育，因此，有些人滋长了资产阶级民族主义思想。在实际工作中不尊重少数民族的自治权利、语言文字、风俗习惯，不注意培养少数民族干部等现象时有发生。因此，肃清林彪、江青反革命集团的流毒，消除他们在民族工作上的影响，落实党的民族政策，调动各族人民的积极性，维护自治区的安定团结，实现新时期的历史任务，就必须首先进行无产阶级民族观和党的民族政策再教育。这是搞好自治区民族工作的一件大事。内蒙古党委始终把民族理论和民族政策教育作为一项长期的战略任务常抓不懈。

1977年4月，内蒙古党委发出认真进行民族政策再教育和检查民族政策执行情况的通知，决定在内蒙古自治区成立三十周年之际，在全区开展这一工作。内蒙古党委号召全区各级党组织和各族人民，把深入揭批“四人帮”挑拨民族关系、制造民族分裂、破坏民族团结的罪行，同认真学习马列主义民族理论和党的民族政策结合起来，划清两条路线、两种民族观的界限；认真克服资产阶级民族主义思想，提高对民族问题的重要性和长期性的认识，进一步落实党的民族政策，加强民族团结。全区各地区、各部门、各单位按照内蒙古党委的部署，集中一段时间，领导与群众相结合，通过多种形式，广泛开展了民族政策的再教育，并检查了民族政策的执行情况。通过检查，总结交流经验，按照党的民族政策及时解决存在的问题，使广大干部和群众对党的民族政策有了进一步的认识。

1978年7月，内蒙古党委又发出通知，决定在全区继续进行党的民族政策再教育，要求各地联系自治区的实际，揭批林彪、“四人帮”及其追随者全盘否定自治区成立以来的成绩，恶毒攻击民族区域自治政策，诬陷和打击一大批热爱祖国的各族干部和群众，破坏民族经济文化教育事业的罪行，拨乱反正，把他们颠倒了的思想、理论、路线是非纠正过来。通知要求充分肯定自治区成立以来的成就，肯定自治区贯彻党的民族区域自治政策的成功经验。各盟市、旗县、各部门，边宣传、边学习、边检查落实，对保障少数民族的自治权利、培养少数民族干部、使用和发展民族语言文字等，进行了认真的检查，切实解决了一些实际问题。1978年12月，《内蒙古日报》编辑部编写、发表了《认真学习党的民族政策》讲话，共七讲；1979年2月，内蒙古党委宣传部召开民族理论务虚会议，研究部署民族理论、民族政策宣传教育问题。

7月，内蒙古党委宣传部编撰了《各族人民团结起来，为实现新时期民族工作的任务而奋斗》的讲话十讲，在《内蒙古日报》上连载；当月，《内蒙古日报》编辑部、《实践》杂志编辑部联合撰写《加强民族团结，为实现四化而奋斗》的理论文章，同期分别发表；与此同时，《内蒙古日报》、内蒙古电视台创办了民族政策宣传专栏、讲座。内蒙古党委采取及时有效的措施，密切配合民族问题上揭批林彪、“四人帮”的极左理论及其破坏民族政策，打击迫害蒙古族及其他少数民族干部、群众，制造民族分裂、破坏民族团结的罪行，在全区各族干部、各族人民中，进一步学习马克思主义民族理论和中国共产党的民族政策，从理论和思想上分清马克思主义同“左”倾错误的界限，检查民族工作中存在的问题，结合教育、检查落实党的民族政策，初步消除了“文革”破坏民族政策的恶劣影响。

落实党的民族政策。为了改善和发展社会主义的民族关系，加强民族团结，内蒙古党委和内蒙古自治区人民政府，按照中共中央拨乱反正的伟大战略部署和对民族工作采取的一系列方针政策，特别是1981年中共中央关于内蒙古工作的重要指示精神，做了大量艰苦细致和卓有成效的工作。清理了民族工作中的“左”倾错误，在全区各族人民中重新确立了社会主义时期各民族平等团结、共同繁荣、共同发展的民族关系；否定了社会主义时期“民族问题的实质是阶级问题”的错误观点；明确了民族工作的重点要放在发展经济、文化上，放在维护和发展平等、团结、互助的民族关系上；平反了冤假错案，医治了十年动乱在民族关系上造成的严重创伤；恢复了原有行政区划，调整了全区经济建设方针；广泛地开展了民族政策和民族团结的教育，通过报刊、广播、电视、文化、出版等部门，加强了民族理论、民族政策、民族团结的宣传，各级党校、高等院校和中等学校恢复和设置了民族理论、民族政策的课程；蒙古语文的使用得到了恢复和发展；大力培养和选拔了一批蒙古族和其他少数民族干部。通过上述民族政策的落实和民族工作的开展，内蒙古自治区的社会主义民族关系得到了进一步巩固和发展，各民族间的相互信任、团结合作进一步增强，民族关系进入了又一个好的历史时期。

1979年5月22日至6月7日，国家民委第一次委员扩大会议在天津举行，会议确定了新时期党对民族工作的任务是：“高举毛泽东思想的伟大旗帜，贯彻执行新时期的总路线、总任务，坚持四项基本原则，坚持贯彻党的民族政策，加强民族团结，巩固祖国统一，维护边疆、少数民族地区的安定，充分调动各少数民族人民的社会主义积极性，为把我国建设成为社会主义的现代化强国而奋斗。国家实现现代化的过程中，大力帮助少数民族加速发展经济和文化建设，大力培养有共产主义觉悟的少数民族干部和各种专业技术人才，逐步消除历史遗留下来的事实上的不平等，使各少数民族能够赶上或接近汉族的发展水平。”① 会议还检查、部署了民族政策的再教育工作，要求在全国范围内大张旗鼓地开展民族政策再教育，宣传新时期民族工作的任务，认真落实党的民族政策。并指出这是当前一个十分紧迫的任务，是民族工作中拨乱反正的需要，也是调动少数民族积极投入“四化”建设必不可少的一步。

1980年1月5日，内蒙古党委召开全区电话会议，要求在春节前后集中进行民族政策的宣传教育。会后，各盟市、旗县结合当地实际情况，采取积极措施，广泛地开展民族政策再教育活动。有的盟市利用报刊、电视、墙报、通讯、美术、摄影等形式开展宣传；有的组织民族理论和民族政策专题讲座；有的专门办了读书班、学习班，培训民族理论的宣传员、指导员，并对干部进行轮训；有的旗县还通过文艺形式宣传民族团结的先进事迹。各地党组织切实加强对这项工作的领导。许多地区部门和单位的领导带头，组织干部、群众学习马克思主义民族理论和党的民族政策，总结民族工作的经验教训，提高思想认识，使民族政策再教育工作在全区范围内有领导、有计划地开展起来。各地还结合检查了民族政策的执行情况。各盟市、旗县组成由书记挂帅，有统战部、组织部、宣传部以及民族局、计委、民政局、商业、粮食、公安局等单位参加的民族政策检查组，深入农、牧、林区和厂矿企事业单位，认真了解检查民族政策执行情况，切实解决民族工作中存在的问题，真正做到了边学习、边宣传、边检查、边改进，使党的民族政策落到实处。这次民族政策再教育，取得了可喜的成果，全区民族团结事业展现出新的面貌。

内蒙古党委决定，自治区的大专院校恢复被林彪、江青反革命集团砍掉的马克思主义民族理论和党的民族政策课程。1982年8月，内蒙古党委宣传部发出《关于恢复和加强民族理论和民族政策课的通知》，要求全区各大中专院校在9月1日开学后，全部恢复民族理论和民族政策课。此后，各大中专院校陆续恢复了这门课程。通过学习，使青年学生明确了马克思主义民

① 杨静仁：《社会主义现代化建设时期民族工作的任务》，《新时期民族工作文献选编》，中央文献出版社1990年版，第5页。

族理论的基本观点，加深了对党的民族政策的理解，提高了对中共中央关于内蒙古工作的一系列决定和指示的认识，增强了辨别民族问题上是非的能力。

1983 年 1 月，内蒙古党委要求从三四月份开始，结合传达、学习中共十二大精神和新宪法，在全区各级干部和群众中继续进行民族政策和民族团结教育，进一步发展平等、团结、互助的社会主义民族关系，切实解决民族工作中存在的问题。3 月，内蒙古党委发出关于筹备全区民族团结表彰大会的通知后，各级党委普遍组织了报告团、宣讲团，或派出辅导员、宣传员，深入群众中宣传马克思主义民族理论和党的民族政策，进行民族团结教育。各级党委还把这次学习宣传活动与检查民族工作、表彰民族团结先进集体和先进个人活动结合起来。此外，全区各级党校、各类培训班、干训班都开设了民族理论这门必修课；报纸、电台、电视台、有线广播站都集中进行这方面的宣传教育；各文艺团体也普遍排练和演出了关于这方面的节目。这样，一个广泛、深入地进行民族理论、民族政策和民族团结的教育活动，在全区持续不断地开展起来，并经常化、制度化。

马克思主义民族理论、党的民族政策和民族团结的教育活动，是新时期民族工作的一项重要内容。这项活动的开展，进一步肃清了“四人帮”的流毒和影响，使广大干部和群众逐步树立了马克思主义民族观，对于加强各民族的团结，维护和发展自治区安定团结的政治局面，促进自治区的四化建设，巩固祖国北部边疆，具有十分重要的意义。①

二、恢复内蒙古统一的民族区域自治

1969 年 7 月，内蒙古自治区的东三盟和西三旗（即呼伦贝尔盟、哲里木盟、昭乌达盟和阿拉善左旗、阿拉善右旗、额济纳旗），分别划归与内蒙古毗邻的五省区管辖。这是“文化大革命”破坏民族政策，无视少数民族自治权利的最典型的事件。所谓分割，即内蒙古自治区被一分为六，当时在 118 万多平方公里的内蒙古自治区聚居着一百五十多万蒙古族人，划分后的面积只有 45 万平方公里，蒙古族人口只剩下五十多万人；被划出去的 73 万

---

① 参见郝维民主编：《内蒙古自治区史》，内蒙古大学出版社 1991 年版，第 427—431 页。

平方公里的区域和近100万蒙古族人以及鄂伦春、鄂温克、达斡尔3个少数民族自治旗，被分散在5个省区；至于资源配置失调，经济发展失衡，对蒙古民族及其他少数民族造成的影响是不言而喻的事实。对此，无论是留在内蒙古还是被划分出去的蒙汉各族干部群众当时即表示不满，“文革”后更强烈要求恢复内蒙古自治区的行政区域。1978年，内蒙古党委尊重历史，体察民情，关注现实，着眼未来，曾数次向中央报告了恢复内蒙古自治区行政区域的问题。1978年10月，乌兰夫也向中央报告了此事，对这一关系到蒙古民族自治权利的重大问题给予极大的关注。

中共十一届三中全会以后，为了进一步落实党的民族区域自治政策，实现内蒙古人民特别是蒙古民族要求恢复内蒙古统一的民族区域自治的愿望，加强各民族的团结，促进内蒙古地区经济建设和文化教育事业的发展，加强祖国北疆的国防建设，1979年5月30日中共中央、国务院决定恢复内蒙古自治区1969年7月以前的原有行政区划，发出《关于恢复内蒙古自治区原行政区划的通知》，决定将划归辽宁省的昭乌达盟，吉林省的哲里木盟和科尔沁右翼前旗、突泉县，黑龙江省的呼伦贝尔盟，甘肃省的额济纳旗、阿拉善右旗，宁夏回族自治区的阿拉善左旗，从1979年7月1日起划回内蒙古自治区；指出：“内蒙古自治区恢复原行政区划后，在工业企业建设上，要注意照顾历史形成的协作关系和物资供应渠道，实行经济管理的原则，以利于生产的发展”，并就管理权限、物资统配管理、煤炭电力管理、林业管理体制、国营农场、牧场的隶属关系，提出6条具体要求；对军事工作也作出4项决定；关于党、政、财、文等工作的交接事项原则，由内蒙古党委召集有关省区革命委员会商定；军事工作的交接，由总参谋部召集有关军区商定。中央要求“各项交接工作要积极稳妥，扎实细致，按条件成熟程度分别进行，争取在一九七九年内完成”。这是继内蒙古“三大冤假错案”平反昭雪之后，进一步落实党的民族政策的又一重大步骤，是中国共产党的民族区域自治政策在新的历史时期的光辉体现，充分表达了党和国家对内蒙古各族人民特别是蒙古民族的关怀与尊重。这也是内蒙古自治区拨乱反正，落实民族区域自治政策的重大胜利。

内蒙古党委和革委会连续两次召开直属机关干部大会，传达了中共中央、国务院关于恢复内蒙古自治区原行政区划的决定。这一喜讯很快传遍全区，引起了强烈的反响，内蒙古自治区原行政区划内的一千八百多万蒙汉各族人民欢欣鼓舞，热烈拥护中共中央、国务院的决定，各族各界知名人士纷纷发表谈话，表示欢迎与拥护之情。

6月16日至20日，内蒙古党委根据中央决定的精神，邀请辽宁、吉林、黑龙江、甘肃、宁夏五省区和东三盟、西三旗代表以及国务院有关部门负责人，在内蒙古党委的主持下，在呼和浩特召开交接工作会议，研究确定了交接方案。上述5省区党政负责人、国家民族事务委员会、计委、经委和煤炭部、林业部、电力部的负责人，昭乌达盟、哲里木盟、呼伦贝尔盟和科尔沁右翼前旗、突泉县、鄂伦春自治旗、莫力达瓦达斡尔族自治旗、额济纳旗、阿拉善右旗、阿拉善左旗的负责人出席会议。会议传达了中共中央、国务院的决定，学习、讨论了中央决定的精神，研究了执行的具体措施。与会同志回顾历史，畅谈现实，展望未来，一致认为六省区各族人民，几十年来一直是紧密团结，互相支持的。大家齐心协力，顺利地完成了交接工作。

为了贯彻中共中央、国务院关于恢复内蒙古自治区原行政区划的决定，内蒙古自治区党政负责人周惠、王铎、王逸伦、杰尔格勒以及自治区各部门负责人，分赴东三盟、西三旗进行调查研究和慰问；内蒙古歌舞团二队、直属乌兰牧骑二队、内蒙古京剧团、内蒙古杂技团和伊盟杂技团等文艺团体，也分赴东三盟、西三旗进行慰问演出。分离10年后重新统一，别有一番情趣。7月15日，《内蒙古日报》还为此发表了题为《各族人民团结起来为建设繁荣昌盛的内蒙古而奋斗》的社论，阐述了中央决定的意义。恢复内蒙古自治区的行政区划，又重演了一次内蒙古实现统一的民族区域自治的历史，不过这是顺应历史发展规律的重演。

在恢复内蒙古自治区原有行政区划之后，国务院又批准设立阿拉善盟，恢复兴安盟，这是进一步落实民族区域自治政策，完善自治区行政建制的重大决策。

12月12日，经国务院批准，内蒙古自治区新设置阿拉善盟。经半年多时间的筹备工作，内蒙古党委和自治区人民政府决定，中共阿拉善盟盟委、阿拉善盟行政公署从1980年4月1日起正式办公。阿拉善盟所辖范围为：阿拉善左旗、阿拉善右旗、额济纳旗。盟公署设在巴彦浩特。5月1日，巴彦浩特蒙汉各族人民隆重集会，热烈庆祝阿拉善盟正式成立。内蒙古自治区党委第一书记周惠，自治区党委书记、自治区人民政府副主席云世英，内蒙古军区代表团团长鲍荫扎布，宁夏回族自治区代表团团长马思忠，甘肃省代表团团长黄正清，兰州军区代表团团长范戈以及中共阿拉善盟盟委书记杨力生，盟长苏德宝扎木苏等参加了庆祝会。内蒙古党委、自治区人民政府有关部门和邻近盟市也应邀派代表参加了大会。4 月 29 日，中共内蒙古自治区委员会、内蒙古自治区人大常委会、内蒙古自治区人民政府向中共阿拉善盟委员会、阿拉善盟行政公署发出贺电，向阿拉善盟各族人民致以热烈祝贺。贺电说，阿拉善幅员辽阔、资源丰富，发展畜牧业和其他各项事业的潜力很大，坚信在新的历史时期，阿拉善各族人民定会在中国共产党的领导下，同心协力、全力以赴，为建设一个繁荣兴旺的阿拉善盟而努力。

1980 年 7 月 26 日，国务院决定恢复内蒙古自治区兴安盟建制，辖原属呼伦贝尔盟的扎赉特旗、科尔沁右翼前旗、突泉县和原属哲里木盟的科尔沁右翼中旗，并恢复乌兰浩特市。中共兴安盟委和盟公署驻乌兰浩特市。10 月 1 日，乌兰浩特市各族各界举行盛大集会，热烈庆祝恢复兴安盟建制，并通过有线广播，同全盟 130 万蒙汉各族人民一同庆祝这一大喜事。内蒙古党委常务书记王铎、兄弟省区和驻军部队的代表，以及呼盟、哲盟的党政负责人参加了庆祝大会。

解放战争时期，兴安盟地区的蒙汉各族人民在中国共产党的领导下，为创建我国第一个少数民族自治区作出了贡献，乌兰浩特是内蒙古自治区的诞生地和内蒙古自治政府的所在地。

8 月 29 日，中共内蒙古自治区委员会、内蒙古自治区人大常委会、内蒙古自治区人民政府曾向中共兴安盟委员会、兴安盟行政公署发出贺电说，国务院批准恢复兴安盟建制，是自治区行政区划方面的又一重大决策，这对尽快医治十年浩劫造成的严重创伤，调整和搞活国民经济，都有重要意义。兴安盟地区的经济文化建设有较好的基础，各族人民有勤劳勇敢的传统，各级领导有一定经验，希望在党的领导下，解放思想、艰苦奋斗、团结一致、同心同德，把各项工作搞得好上加好。

内蒙古自治区是一个以蒙古族实行民族区域自治，同时又是汉族居多数，还包括达斡尔、鄂温克、鄂伦春、回、满、朝鲜等少数民族的多民族地区。各民族人民间的团结，是社会主义革命和建设事业蓬勃发展，各民族的繁荣和进步的根本保证。为此，自治区按照国务院关于恢复内蒙古原行政区划的通知精神，在继续揭批林彪、江青反革命集团的极左路线，及其破坏民族政策、破坏民族团结、破坏内蒙古自治区社会主义革命和建设的同时，在全区各族干部、群众中普遍深入地进行党的民族政策教育，要求广大干部、群众着重克服大汉族主义，同时注意克服和防止地方民族主义。各民族要坚持民族平等、团结的原则，发展互相尊重、互相帮助、互相学习的关系，认真贯彻执行党的民族区域自治政策，切实保障少数民族的自治权利，逐步实现自治机关民族化，大力培养少数民族干部，特别是各级领导骨干和科学技术干部。从而加快我区经济文化建设事业，逐步消除历史遗留下来的各民族间事实上的不平等。自治区党委特别关心我国第一个建立的少数民族自治旗——鄂伦春自治旗以及莫力达瓦达斡尔族自治旗、鄂温克族自治旗三个少数民族自治旗的建设和发展，专门强调，要保障他们享有充分的民族自治权利，要给予更多的特殊照顾，要千方百计满足他们生产、生活资料的供应，使这三个旗的经济文化事业得到迅速发展。为实现新时期的总任务，共同努力，把内蒙古自治区建设成为繁荣昌盛的社会主义边疆。①

三、落实民族语文政策

民族语文政策是民族区域自治政策的重要组成部分。在内蒙古自治区蒙古语言文字的使用，是蒙古民族实行自治的重要标志，是内蒙古自治区自治民族必须有的标志。在“文化大革命”中，蒙古语文被弃之不用，这是对民族区域自治政策的破坏，是对蒙古族自治权利的侵害。因此，内蒙古自治区在民族问题上揭批林彪、“四人帮”破坏民族政策，撤销蒙古语文工作机构，遣散蒙古语文工作队伍，停止使用蒙古语文等罪行的同时，大力落实民族语文政策，恢复了蒙古语文工作，并取得了良好效果。

第一，从理论上、思想上、实践上清算了林彪、“四人帮”对蒙古语文工作的破坏。林彪、“四人帮”蔑视、干扰、阻止少数民族使用自己的民族语言文字，是否定中国共产党一贯尊重、支持少数民族使用自己语言文字的

① 这部分内容，参见郝维民主编：《内蒙古自治区史》，内蒙古大学出版社 1991 年版，第 370—373 页的内容。

权利，否定党的民族政策，否定民族工作的成就。从理论上、思想上批驳林彪、“四人帮”蒙古语文战线“黑线专政”论，蒙古语文政策“过时”论，蒙古语文“无用”论等谬论；从实践上揭发“四人帮”长期扣压八省、自治区蒙古语文工作会议文件，制造“调查事件”，企图将八省、自治区蒙古语文工作协作会议和第一次蒙古语文专业会议打成“右倾翻案”、“复辟倒退”、“民族分裂”的罪行；用事实证明党的民族政策、民族工作以及蒙古语文政策的正确与取得的成就。

在拨乱反正中，全区通过各种形式、在各种场合对林彪、“四人帮”否定蒙古语文政策和破坏蒙古语文工作罪行的揭发批判，用大量事实证明内蒙古自治区在“文化大革命”前19年，蒙古语文工作的路线、方针、政策是正确的，其成就是空前巨大的，在内蒙古社会经济发展、促进民族团结，促进蒙古民族发展方面的作用是不可替代的。通过揭批林彪、“四人帮”，进一步提高了干部、群众对使用、发展民族语文和进行民族语文工作的必要性、重要性的认识，为彻底拨乱反正，为迅速恢复、发展民族语文工作创造了条件。

第二，恢复、健全蒙古语文工作机构，整顿充实蒙古语文工作队伍。早在1974年，周恩来总理主持中共中央和国务院工作期间，在内蒙古自治区行政区域被分割，蒙古语文工作遭受破坏的状况下，指示内蒙古、黑龙江、吉林、辽宁、甘肃、宁夏、新疆、青海八省、自治区，成立蒙古语文协作小组，共同协商解决蒙古语文工作中的共同性问题。国务院就此专发了国发［1974］3号文件。1975年邓小平主持中央工作、进行全面整顿期间，于5月6日至13日在呼和浩特召开八省、自治区蒙古语文协作会议，成立了八省、自治区蒙古语文协作领导小组。8月，八省区蒙古语文工作协作小组办公室在呼和浩特成立；是月，八省、自治区蒙古语文工作协作小组召开协作专业会议，同时在会上宣布成立中国蒙古语文学会，这是第一个全国性的蒙古语文学术团体，推动了蒙古语言文字的研究；并召开首次蒙古语文专业会议，研讨恢复蒙古语文工作，解决一些共同性的问题；12月10日至26日，在内蒙古党委和革命委员会的领导下，在呼和浩特召开八省、自治区第一次蒙古语文专业会议，审定统一了278条名词术语、确定以“名从主人”的原则转写外国国名、人名、地名和“知、蚩、诗、日、思、儿”等几个蒙文特殊字的书写形式。① 但是，年底“四人帮”发动所谓反击邓小平右倾翻案风时，这次会议被诬蔑为“复旧倒退”、“右倾翻案”、“民族分裂”的会议。由于蒙古语文工作者们坚决而巧妙的抵制，协作小组没有被搞垮，会议成果也保留了下来。

1977 年 3 月 11 日，内蒙古自治区革命委员会向国务院上报《关于八省、自治区蒙古语文工作协作会议情况的报告》。11 月 7 日，国务院批复并同意成立八省、自治区蒙古语文工作协作小组，这是在党的领导下，负责指导八省、自治区蒙古语文工作的领导机构，由 21 人组成，内蒙古 3 人，其他各省、区各 2 人，中央有关单位 4 人，日常工作由内蒙古革命委员会领导。② 国务院同意所报《内蒙古自治区革命委员会关于加强蒙古语文工作的意见》《内蒙古自治区革命委员会蒙古语文工作领导小组的任务》《内蒙古、黑龙江、吉林、辽宁、甘肃、宁夏、新疆、青海八省、自治区近期蒙古语文工作协作计划要点》《内蒙古、黑龙江、吉林、辽宁、甘肃、宁夏、新疆、青海八省、自治区近期蒙古语文工作协作小组工作简则》4 个文件。这是粉碎“四人帮”后，落实蒙古语文政策，恢复蒙古语文工作的第一个重大步骤。

与此同时，内蒙古自治区革命委员会成立了主管蒙古语文工作的领导机构——蒙古语文工作领导小组，各盟市和有关旗县也相继建立了相应的领导小组及其办事机构；自治区、盟市、有关旗县和有关部门，根据需要建立和健全了编译机构或配备专职人员，统筹安排蒙古语文工作人员，合理使用；有计划、有步骤地培养教育蒙古语文工作者和蒙语师资，提高业务水平。

第三，落实蒙古语文工作方针、政策，逐步恢复蒙古语文工作。内蒙古自治区革命委员会针对“四人帮”破坏蒙古语文政策造成的问题，提出民族语文工作的八项方针、政策：1. 自治区党政机关和有关单位发往蒙古族居住地区的各种文件必须使用蒙汉两种文字；各级机关、团体、有关企事业

---

① 参见内蒙古革命委员会转报：《关于八省、自治区第一次蒙古语文专业会的报告》（内革发［1976］83 号），1976 年 5 月 28 日。

② 参见国务院：《关于八省、自治区蒙古语文工作协作会议情况报告的批复》（国发［1977］138 号），1977 年 11 月 7 日。

单位的公章、证件、挂牌等，同蒙古族群众有直接关系的各种表册、字据、商标等，必须用蒙汉两种文字；各种重要会议和蒙古族基层干部和群众参加的各种会议，都要用蒙汉两种语文；有关企事业单位和服务行业，也要使用蒙文蒙语。2. 办好蒙文报纸和蒙语广播。3. 充实出版部门的编译力量，增加蒙文书刊、课本的种类和数量。4. 各文艺团体和乌兰牧骑要增加蒙语演出节目，电影译制片厂要做好蒙语影片的译制工作。5. 蒙古族居住地区、蒙古族居民较多的城镇要办好蒙古族中、小学；有蒙古族学生的中、小学，要创造条件，增设蒙语授课班级；蒙古族干部、职工较多的城镇，设立用蒙语教学的幼儿园；有关大专院校、中等专业学校，要继续办好蒙文专业，有些专业要用蒙语授课或加修蒙文；各级党校和各种培训班，根据需要设蒙语授课班；蒙古族干部要学好蒙语蒙文，蒙古族居住地区的汉族干部也应学习蒙语蒙文；用蒙语的蒙古族群众中应以蒙文扫盲。6. 审定和统一名词术语，要从实际出发，坚持便于蒙古族群众使用的原则。能用蒙古语表达的，要用蒙古语词；蒙古语词不能表达的，一般借用汉语词；兄弟民族的人名、地名和外国国名、人名、地名，一般按“名从主人”的原则处理；群众的习惯用语，不宜轻易更动。7. 现行蒙文必须逐步实行拉丁化改革，应做好准备工作。8. 加强蒙古语文的科学研究。①

由吉林、辽宁、黑龙江、内蒙古、宁夏、甘肃、青海、新疆八省、自治区召开数次专业协作会议。在揭批林彪、“四人帮”破坏民族语文工作罪行的同时，切入专业，八省区蒙古语文工作者就蒙古语文的现代语文、古代语文、语音、语法、辞书编撰等，开展协作攻关的成果，进行了审定；统一了一批常用哲学、政治、经济以及其他一些学科的名词术语，审定、统一了常用名词术语 303 条，原则通过了机关企事业单位名称译法 2 800 多条，一致同意了由 18 个符号组成的“蒙古标点符号”，迈出了恢复、发展蒙古语文工作的重要一步。

1978 年 7 月 26 日至 8 月 4 日，八省、自治区蒙古语文工作协作小组在呼和浩特举行第二次扩大会议，以揭批林彪、“四人帮”为纲，进一步澄清

① 参见内蒙古自治区革命委员会：《关于加强蒙古语文工作的意见》（国发［1977］138 号），1977 年 11 月 7 日。

思想、理论、路线是非，总结协作小组成立以来的工作；讨论制订了 1978 年至 1985 年蒙古语文工作协作规划要点。会议提出：继续深入揭批林彪、“四人帮”破坏蒙古语文政策和蒙古语文工作的谬论，肃清其恶劣影响；大力抓好蒙古语文的学习、使用这个中心环节，以各种形式办好从中、小学到大学的蒙古语文教学；加强蒙古语文的科研工作，恢复整顿蒙古语文研究机构，恢复和增设研究机构，充实研究人员，提高研究水平，解决研究经费，制订研究规划；建立又红又专的蒙古语文工作队伍，采取多种办法培养一批既有政治觉悟，又精通业务的专门人才，对被林彪、“四人帮”诬陷的蒙古语文工作干部要平反昭雪，恢复工作，调离的应从速归队；加强各省、自治区党委和革委会对蒙古语文工作的领导，定期听取工作汇报，督促、检查民族政策、蒙古语文政策执行情况，解决工作中的具体问题。会议强调了学习、使用和发展蒙古语文的必要性和重要性，明确了蒙古语文工作的基本任务，并对协作工作进行了全面部署。①

1979 年 9 月 21 日至 10 月 14 日，八省、自治区蒙古语文工作协作小组在新疆乌鲁木齐召开第三次蒙古语文专业会议。在内蒙古自治区恢复原行政区划后，蒙古族的分布发生了变化，蒙古族一百多万人口划回内蒙古自治区，除宁夏外的其他六省、自治区的蒙古族还有近八十万人，蒙古语文工作仍需从多方面开展协作。会议根据这种新情况，提出加强协作的 3 项意见：1. 用蒙古语授课的内蒙古高等院校及中等专业学校应面向八省、自治区招生。目前除了内蒙古一些高校、甘肃西北民族学院、青海民族学院设有蒙语授课班外，其他省、自治区均无蒙语授课的专业或班级，蒙文初、高中毕业生无法保证其升大学。2. 蒙文教材协作和图书出版协作，划归八省、自治区蒙古语文工作协作小组管理，由其与内蒙古教育局、出版局密切配合，协调各省、区蒙文教材、图书的出版发行工作。3. 由于阿拉善左旗划回内蒙古自治区，宁夏已无协作任务，协作小组由八省、自治区变为七省、自治区，据此调整协作小组成员为 25 名，内蒙古 5 名，辽宁、新疆、青海各 3 名，黑龙江、吉林、甘肃各 2 名，中央有关单位 5 名，组长由内蒙古派人出

① 参见《关于八省、自治区蒙古语文工作协作小组（扩大）会议的报告》（内革发［1978］226 号），1978 年 11 月 20 日。

任，副组长10名由中央单位、内蒙古各出2名，其他六省、自治区各出1名；协作小组由内蒙古自治区人民政府领导，国家民族事务委员会指导；各省、自治区蒙古语文办公室受所在省、自治区人民政府领导。虽然宁夏已不承担协作任务而退出协作小组，但是，八省、自治区称谓已经习惯，协作小组名称仍沿用原称——八省、自治区蒙古语文工作协作小组。

这次会议，着重讨论了我国蒙古语基础方言、标准音、音标方案等有关蒙古语规范问题。会议讨论了内蒙古自治区蒙古语文工作委员会受八省区蒙古语文工作协作小组委托，在大量调查研究和数次专业会议论证的基础上，提出的《关于蒙古语基础方言、标准音和音标（试行）方案》，同意将国内蒙古语划分为三个方言，即西部方言——卫拉特方言，东北部方言——巴尔虎、布利亚特方言，中部方言——贺兰山到大兴安岭的蒙古族土语；同意以中部方言区的内蒙古正蓝旗为代表的察哈尔土语为我国蒙古语标准音；原则上同意以上述蒙古语标准音为基础，以拉丁字母标识的蒙古语音标方案。[①]这一方案对促进蒙古语文的书面语同口语的统一，进一步规范我国蒙古语文具有重大学术价值，为蒙古族青少年或不懂蒙古语的人学习蒙古语文创造了条件。与此同时，内蒙古自治区蒙古语文工作办公室召开了粉碎“四人帮”以来的第一次蒙古语文科学讨论会，并对蒙古语文科研工作提出了具体建议。

内蒙古自治区各级党委和人民政府十分重视蒙古语文的学习和使用。在内蒙古自治区语文工作委员会的领导下，全区相关盟市、旗县也恢复、健全了蒙古语文工作机构，配备充实了工作人员，全面开展蒙古语文的学习、使用；内蒙古自治区机关、团体、学校、工厂、企业、厂矿等的公文、标牌、重要会议，均书写、使用蒙古语言文字，恢复了以往行之有效的规章制度。各级党政机关的行文、会议等方面的翻译工作有了明显的改进；在新闻出版方面，蒙古语文的使用范围也越来越广；一批蒙古语文授课的中小学逐步恢复，蒙汉学生同校的蒙古族学生班也开授蒙古语文课程。特别是1979年7月1日，内蒙古自治区革命委员会颁布了《关于学习与使用蒙古语文的奖励

① 参见《〈关于确定蒙古语基础方言、标准音和试行蒙古语音标的请示报告〉的通知》（内政发［1980］80号），1980年3月31日。

办法》,“奖励办法”共9条，从奖励范围、奖励条件、奖励办法到奖励的具体工作都做了明确的规定。这是对1962年内蒙古自治区人民委员会颁发的《关于学习与使用蒙古语奖励办法》修改后，恢复执行的。[①] 蒙古族干部、群众学习蒙古语文的积极性更加高涨。

在“文化大革命”后期，周总理和邓小平主持中央工作期间，对“文化大革命”造成的混乱局面进行了全面整顿，蒙古语文工作幸运地得到关注；粉碎“四人帮”以后，经过落实蒙古语文政策，恢复了蒙古语文工作，为蒙古语文的使用、研究、发展、繁荣创造了良好的条件。

四、落实民族干部政策

“文化大革命”中内蒙古各级党政机关的蒙古族及其他少数民族干部屈指可数。经过拨乱反正，落实民族干部政策，各级党政机关的民族干部逐渐增加。1977年7月，在内蒙古自治区成立30周年的时候，全区干部总数为230 144人，其中蒙古族和其他少数民族干部仅占全区干部总数的12%。1978年，自治区干部总数为217 807人，其中少数民族干部为30 949人，占全区干部的14.21%，蒙古族干部为25 302人，占全区干部总数的11.62%。到1979年，自治区干部总数为349 598人，其中少数民族干部是72 963人，占当年全区干部的20.87%，蒙古族干部是58 938人，占干部总数的16.86%，其他少数民族干部14 025人，占干部总数的4.01%。[②] 落实民族干部政策初见成效。

民族干部的配备也发生了很大的变化。在“文化大革命”中，自治区级蒙古族领导干部仅有2人，经过拨乱反正，落实民族干部政策，自治区级党政领导干部中民族干部逐步增加。从1978年10月开始，内蒙古自治区革命委员会主任由孔飞（蒙古族）担任。1979年12月恢复内蒙古自治区人民政府后，政府主席一直由蒙古族干部担任。1977年12月到1980年期间，自

---

① 参见《内蒙古自治区革命委员会关于学习与使用蒙古语文的奖励办法》（内革发［1979］168号），1979年7月1日。

② 《内蒙古自治区志·人事志》,内蒙古教育出版社1999年版，第88、89页。

治区10名副主席中蒙古族有4名[①]；中共内蒙古自治区委员会12名书记、副书记中蒙古族有6人[②]；1979年12月内蒙古自治区第五届人民代表大会设常务委员会后，常委会主任廷懋（蒙古族），在12名副主任中蒙古族有6名[③]；1977年12月，政协内蒙古自治区第四届委员会第一次会议选举尤太忠任主席，在14名副主席中蒙古族有6名；1979年12月16日至28日，政协内蒙古自治区四届委员会第二次会议选举奎璧（蒙古族）为主席，增选10名副主席中蒙古族1名，达斡尔族1名。[④] 自治区党委各部门、政府各厅局和各部门、人大和政协各委员会，基本上配备了相应的民族干部；盟市旗县也同样，绝大部分民族老干部逐渐恢复了相应的职务，也有一批中青年民族干部走上了领导岗位。这是拨乱反正，落实民族干部政策的具体体现。

历史的经验从正反两方面证明，使用少数民族干部，是发展民族事业，巩固和发展社会主义民族关系十分重要的环节，也是蒙古族及其他少数民族行使和维护自治权利的重要标志。民族干部更能够切实反映少数民族的意愿，解决少数民族的切身问题，连接党和政府与少数民族的关系，沟通与汉族的联系，能从民族特点出发思考民族问题。少数民族干部是党和政府联系少数民族群众的纽带和桥梁，是贯彻党的民族政策、发展民族团结进步事业的中坚力量。自治区针对“十年断层”导致的少数民族干部队伍年龄老化、文化水平偏低、结构不合理、领导骨干后继乏人等问题，采取有力措施，培养少数民族干部，重点加强培养少数民族科技干部，使少数民族干部队伍建设步入适应新时期贯彻党的民族区域自治政策、适应社会主义现代化建设的发展轨道。经过短短几年的努力，开始出现少数民族干部在干部队伍中所占的比例，少数民族专业技术、管理人员在整个专业技术、管理人员中所占的比例，高于少数民族人口在全区总人口中所占比例的趋势。开始形成由蒙古族和其他少数民族组成的，包括政治、经济、科技、文教、医疗卫生等各方面人才的干部队伍，一批德才兼备的少数民族干部担任了各级领导职务，少

---

① 《内蒙古自治区志·政府志》，方志出版社2001年版，第409、410、422、423页。

② 《内蒙古自治区志·共产党志》，内蒙古人民出版社1999年版，第663、664页。

③ 参见《内蒙古自治区志·人民代表大会志》（审定稿）。

④ 参见内蒙古自治区政协编印：《中国人民政治协商会议内蒙古自治区委员会三十年大事记》，第116、130页。

数民族专业技术干部中也涌现出大批优秀人才。

第四节 全面落实政策

“文化大革命”对各领域的政策造成很大影响。因此，全面落实政策是拨乱反正的重要内容。诸如落实统战政策、干部政策、知识分子政策、民族政策、宗教政策、侨务政策、对国民党起义和投诚人员的政策、台属和台胞政策、农村牧区政策以及各项经济政策。有的政策在拨乱反正中逐一落实，有的还需结合实际工作逐步解决，加以完善。对“文化大革命”中农村牧区重划蒙古族的阶级成分，一律宣布作废；对反右派斗争中错划的右派分子一律改正，妥善处理；为地主、富农和坏分子摘了帽子。从 1978 年至 1981 年的 4 年中，自治区用于落实政策的善后补助和医疗经费计 3 500 多万元，其中中央直接下拨的落实政策款项是 1 200 万元；用于落实政策的招工指标 41 000 多个。

蒙古自治区大规模的平反冤假错案和落实政策工作基本结束。从 1978 年以来的 8 年间，为 60 余万“文化大革命”中的受害者落实了政策，为 7 000 余人恢复了党籍、公职，撤销了错误处分，为 6 000 余名非正常死亡的干部做了恰当的结论，并复查处理了“文化大革命”前的 2. 27 万件历史积案。这对于消除“文化大革命”的不良影响，改善党和政府同人民群众之间的关系，增强受害者及其家属对党的信任，弥合民族间的伤痕，改善民族关系，增强民族团结，加速自治区的建设，都产生了积极的作用。

一、落实农村、牧区经济政策

“文化大革命”中，林彪、“四人帮”否定从内蒙古地区特点、民族特点出发制定的农村土地改革、牧区民主改革的正确政策，在农村、牧区重划阶级成分，严重打击了广大农牧民，混淆了阶级阵线，破坏了生产，造成了严重的恶果。纠正这一错误，是农村牧区拨乱反正的首要任务。

1978 年 12 月 22 日，中共十一届三中全会指出：“全党目前必须集中主要精力把农业尽快搞上去，因为农业这个国民经济的基础，这些年来受了严重的破坏，目前就整体来说还十分薄弱。”1979 年 9 月 28 日，中共中央作出《关于加快农业发展若干问题的决定》以及《农村人民公社工作条例(试行草案)》,总结了农业合作化以来正反两个方面的经验，确定了农业发展的方针、政策和重大措施。

内蒙古党委及自治区政府按照中央的精神，有计划、有步骤地开始着手纠正农村工作中一系列“左”的错误，特别是农村、牧区重划阶级的错误，制定发展农牧业生产的方针、政策和措施。1979 年 2 月 7 日，内蒙古党委、内蒙古革命委员会在《关于进一步解决冤、错、假案政策问题的原则规定》中指出，“一九六八年农村、牧区重划阶级是错误的，一律予以纠正。遗留问题按上述规定（即本文件的八项规定），妥善处理。”从而为广大被错划为剥削阶级的蒙古族及其他民族的劳动农牧民平了反，恢复了名誉和政治地位，为恢复、发展农村、牧区生产创造了条件。

1979 年 2 月 7 日，内蒙古党委提出《关于尽快地把我区农牧业生产搞上去的意见》,首先分析了内蒙古农牧业生产状况，指出中华人民共和国成立以来内蒙古的农牧业生产有一定的发展，从 1949 年到 1978 年，粮食总产量每年平均递增 2. 4%，牲畜总数每年平均递增 4. 4%。高产稳产田面积、草库伦面积、水浇地面积、草牧场面积、有林面积、森林覆盖率均有提高。但现状还十分落后，发展速度慢、水平低、不稳定，特别是近十年来表现得十分突出。1949 年到 1965 年，粮食总产量平均每年递增 3. 3%，牲畜总数平均每年递增 9. 6%。而 1966 年以后的 13 年，粮食总产量平均仅递增 0. 9%，牲畜总头数反而下降了 25%。劳动生产率下降，农牧业生产不稳定，中华人民共和国成立以来畜牧业减产 9 次，1966 年以来的 13 年即减产 6 次，因干旱仅 1978 年粮食减产 6 亿多斤。形成这种状况，其主要原因：一是林彪、“四人帮”对农牧民自主权和生产积极性的剥夺与挫伤；二是集体所有制遭到严重破坏，生产队的自主权和所有权得不到保护；三是以农业为基础的思想基本上没有解决，对农牧业的物质支持和技术支持十分不够；四是瞎指挥严重，不从实际出发安排生产，片面强调抓粮食，排挤林牧业，大量开荒，破坏生态，后果严重。以伊盟解放以来 3 次大开垦为例，导致农业吃牧业，沙子吃农业的恶性发展，沙化面积比 1960 年以前扩大了 65%。乌盟后山地区滥垦牧场，破坏压青轮歇作业，粮食产量越来越低。应当说，这在当时是一个很实在的分析。

据此，提出发展农牧业的方针、布局和任务。当时，内蒙古自治区只辖伊、乌、锡、察四盟和呼、包、乌海三市。

农牧业生产方针："从我区实际出发，认真实行农牧林结合，宜农则农，宜牧则牧，宜林则林。近一两年内，主要是落实政策，休养生息，调整恢复，培养地力，改善牧场，增加收入，为稳定、全面、高速度地发展农牧林业生产积极准备条件。"

农牧业生产的布局：牧区主要是16个牧业旗①，实行"以牧为主，围绕畜牧业生产，发展多种经营"的方针，要加速草牧场建设，要认真执行"禁止开荒，保护牧场"的政策。已经开垦的地方，必须尽快采取措施，恢复植被，还林还牧。沙化严重、沙漠面积大的牧区，要大力造林种草，治理沙漠，防止过度放牧，减少并控制草场退化沙化。要因地制宜，搞好畜种配置。根据自然和草场条件，集中建立肉牛基地、肉羊基地、细毛羊、半细毛羊基地以及传统的骆驼基地、山羊基地、滩羊基地等。半农半牧区②的经营方针应逐步改为"以牧为主，农牧林结合，因地制宜，全面发展"。要把部分农耕地退耕还牧。要恢复和提倡粮草轮作、压青轮歇制度。同时加速滩川地建设，逐步把它建成高产稳产的粮油生产基地。黄河中游水土流失严重地区，③ 逐步实行以林牧为主的方针，植树种草，促进农业发展。农业区④，实行"以农为主，农牧林结合，多种经营，全面发展"的方针，努力建成稳产高产的商品粮基地、油料基地和甜菜生产基地。同时提出今后7年农牧业着重抓粮、畜、林、油、糖五大指标，并安排了具体规划。

关于发展农牧业的政策和措施，共计15条：1. 人民公社、生产大队和生产队的所有权和自主权，必须受到国家法律的保护。2. 减轻农牧民的负担，严禁"一平二调"。3. 认真执行按劳分配的社会主义原则，克服平均主

① 牧区16个牧业旗是：乌珠穆沁左旗、乌珠穆沁右旗、阿巴嘎旗、苏尼特左旗、苏尼特右旗、正蓝旗、正镶白旗、镶黄旗、阿巴哈纳尔旗、四子王旗、达尔罕茂明安联合旗、杭锦旗、乌审旗、鄂托克旗、乌拉特中旗、乌拉特后旗。

② 半农半牧区主要是：乌拉特前旗、固阳县、武川县、察右后旗、察右中旗、察右前旗、太仆寺旗、化德县、多伦县等阴山以北靠近牧区边缘的地带。

③ 黄河中游水土流失严重地区：主要是准格尔旗、达拉特旗、伊金霍洛旗、东胜县、凉城县、林格尔县、清水河县、卓资县。

④ 农业区：主要是河套、土默川平原、伊盟沿黄河地区和乌盟前山地区。

义。4. 正确执行粮食政策。5. 认真贯彻社员发展家庭副业的政策。6. 对农牧业的投资要逐步增加。7. 继续搞好农田草牧场基本建设。8. 努力提高科学种田水平。9. 畜牧业生产要继续贯彻执行水、草、舍、繁、改、管、防、工八项增产措施。10. 根据农业生产建设发展的需要，大力发展林业。11. 办好国营农牧场。12. 加强革命老根据地和偏远山区的建设。13. 自治区工业一定要很好地为农牧业服务。14. 要大力发展社队企业。15. 切实加强科学研究、技术推广和培养大批又红又专的科技人才和经济管理人才。这是实现农牧业现代化的关键。

内蒙古党委关于把农牧业生产搞上去的意见，是在总结历史上农牧业生产经验教训的基础上，通过对农牧业生产现状的分析，从落实政策的角度，基本上重申了过去行之有效的政策，也从实际出发提出一些新的措施。从总体上看，在认识上、实践上是恢复农牧业生产的一个过渡性的思考。

1979 年 2 月 8 日，内蒙古党委、内蒙古革命委员会《关于农村牧区若干政策问题的决定》,把上述 15 项政策措施连同新增加的“开放农村牧区集市贸易”、“禁止开荒，保护牧场”、“调动广大农村牧区基层干部的积极性”3 项，归纳为农村牧区 10 项政策规定公告实行，要求全区各级干部和各族农牧民必须认真贯彻执行，如有违者，任何人都有权向党的各级纪律检查委员会和法院提出控告。可谓坚决严厉。

通过落实政策，在政治上保障了广大农牧民群众的权利；在经济上充分关心农牧民群众的物质利益；在生产上给予充分的自主权；在分配上强调了按劳分配的原则，克服平均主义的现象；明确了社员的自留地、家庭副业以及集市贸易，是社会主义经济的必要补充，任何人不得干涉；大幅度提高了粮食收购价格，对其他农畜产品的价格也作了相应调整，极大地调动了广大农牧民的生产积极性。这些方针政策的调整与落实，是实行农业生产责任制的开始，也是农村经济体制改革的序幕。

二、落实统战政策

中国共产党的统一战线政策，被林彪、“四人帮”破坏殆尽，全国统战、民族、宗教工作部门被诬蔑为“执行投降主义路线”，由此而加了五花八门的种种罪名。1979 年 2 月 3 日，中共中央统战部向中央报告，建议为全国统战、民族、宗教工作部门摘掉“执行投降主义路线”帽子。中共中央批准这个报告后，中央统战部采取四项措施加以落实，一是将此报告向各省、市、自治区党委和统战部门传达，向全党传达；二是根据报告的基本内容，由新华社发布消息，并由乌兰夫向党内外发表一个讲话在报上公布；三是强加给各级统战系统的干部和党外工作人员有关“执行投降主义路线”等不实之词，应一律推倒，彻底平反；四是1979年召开全国统战会议，总结经验，澄清思想、理论、路线是非，明确新时期统战工作的方针任务，彻底肃清林彪、“四人帮”的流毒和影响。内蒙古自治区的统战工作，除了上述民族工作外，还包括民主党派工作、党外知识分子工作、宗教工作等多方面的工作。

（一）落实对民主党派的政策。在“文化大革命”前，1954年4月，中国国民党革命委员会在呼和浩特成立了学习小组，时有成员22人；1959年4月，九三学社在呼和浩特成立了学习小组，时有成员12人；1962年，中国民主同盟在呼和浩特建立学习小组，时有成员50人；另有中国民主促进会直属内蒙古会员支部，不发展成员。民主党派在内蒙古的活动极其有限。在“文化大革命”中，所有民主党派均无活动可言。

粉碎“四人帮”以后，特别是中共十一届三中全会以后，在拨乱反正中，民主党派在内蒙古自治区逐步发展起来。1980年6月，中国民主建国会在内蒙古有5名成员，民建中央在中共内蒙古自治区委员会、中共包头市委的支持下，筹建了民建包头市筹备小组；中国农工党在内蒙古自治区有4名成员，没有组织机构，也没有开展活动。1981年6月，中共内蒙古自治区委员会为贯彻新时期党的统一战线工作方针，根据中共中央统战部的建议和民主党派中央的要求，开始在内蒙古自治区发展民主党派成员，逐步建立民主党派组织。在中共内蒙古自治区委员会统战部的帮助下，按照“以重点分工为主，以大城市为主，以有一定代表性的人士为主”的原则，民主党派开始在内蒙古地区发展成员，筹建地方组织。1982年4月，中国国民党革命委员会、中国民主同盟、九三学社、中国民主促进会、中国农工党成立了内蒙古自治区民主党派联合办公室，合署办公，筹备建立内蒙古自治区各民主党派组织。1984年7月到9月，民盟、九三学社、民革先后建立了内蒙古自治区委员会，在自治区三党派第一次代表大会上，李树元当选为民盟主任委员，陈杰当选为九三学社主任委员，杨令德当选为民革主任委员。1985年6月至11月，民建、农工党召开内蒙古自治区第一次代表大会，刘及时和兰乾福分别当选为该两党主任委员。1990年11月，民建内蒙古自治区委员会成立，陈又遵当选为主任委员。[①] 至此，民主党派在内蒙古自治区的领导机构全部建立，创造了民主党派在内蒙古参政议政的条件。建立民主党派组织是落实民主党派政策的首要任务。

（二）落实知识分子政策。知识分子是“文化大革命”中受冲击的主要对象之一，除了遭受各种政治迫害之外，主要是修正主义路线培养出来的知识分子是“臭老九”的谬论，使知识分子的地位、待遇没有应得的尊重，其作用得不到充分的发挥，特别是一些有作为的专业技术人员受到迫害，有的被打成“反动学术权威”，有的被扣上各种政治帽子。1966年到1976年国家分配到内蒙古的高校毕业生比1965年减少49%。因此，落实知识分子政策成为拨乱反正的重要内容。

在“文化大革命”期间，内蒙古发生的冤假错案中不同程度地涉及知识分子；在反右派以及其他历史旧案中也有大量知识分子。在解决这些问题的过程中，解决了与知识分子相关的问题。

1978年3月7日至16日，内蒙古党委召开全区落实干部政策会议，其中落实知识分子政策是落实干部政策的重要内容，会上制定了具体措施和实施办法，并付诸实施。9月，中共中央转发了《贯彻中央关于全部摘掉右派分子帽子决定的实施方案》的通知，内蒙古党委召开两次摘右派帽子的工作会议，专门研究这个问题。这是落实知识分子政策的重要环节。

同年12月，中共十一届三中全会以后，中共中央重新确立了“知识分子是工人阶级的一部分”“尊重知识，尊重人才”“科学技术是第一生产力”的观点和相应的政策，强调对知识分子“政治上充分信任，工作上放手使用，生活上关心照顾”。内蒙古党委把知识分子的问题提到“四化”建设的战略高度来认识，再三强调解决好知识分子的问题，是社会主义事业必定兴旺发达的重要标志，是振兴经济、复兴文化的希望所在。1980年4月，内蒙古党委和自治区人民政府决定，为自治区科研、教育、文化、卫生等部门

① 参见《内蒙古自治区志·共产党志》，内蒙古人民出版社1999年版，第490—491页。

的高级知识分子改善居住条件，拨专款300万元，建造住宅；1981年3月，为解决部分知识分子家属农村户口转城镇户口的问题，内蒙古自治区公安厅发出《关于解决部分专业干部的农村家属迁往城镇问题的通知》，提出在3年内分期分批办理完知识分子农村家属迁移户口的问题。

1982年1月30日，中共中央发出《关于检查一次知识分子工作的通知》①，指出："没有知识分子，我们的事情就不能做好，我们需要建立一支坚持社会主义道路的，具有专业知识和能力的宏大的干部队伍。""解决这个问题的根本途径是，认真落实中央关于知识分子的政策和归侨政策，进一步消除党内和社会上对他们的偏见。""目前，各行各业的业务骨干，大多是中年知识分子，他们担负的任务特别繁重，而工作、学习和生活条件都比较差，要切实帮助他们解决那些应该解决而经过努力能够解决的实际困难。"中央批评了对知识分子在新时期的地位和作用认识不足，对落实知识分子政策不认真的问题，要求对知识分子工作进行一次检查，切实研究制定改进的措施，力争在短期内做出成绩。4月，内蒙古党委组织部提出检查知识分子工作的方案，这次检查涉及的各类知识分子共有102 682人，检查的主要内容是专业技术干部的使用情况和政治生活待遇及落实政策情况。经检查，全区知识分子中共发生冤、假、错案12 704起，其中"文化大革命"中立案审查的有9 050起，被打成右派分子者1 370人，其他历史遗留问题2 284件。通过边检查边落实政策，到8月，平反冤、假、错案和改正右派分子共计11 529人；专业技术干部使用不当的有651人，已调整工作的有447人；专业不对口、用非所长的有1 504人，已调整工作的有499人。同时，对知识分子出国出境、兼职过多、两地分居、子女安排、居住状况等问题，也进行了全面调查，解决了2 618名知识分子夫妻两地分居的问题，为知识分子的待业子女13 253人安排了工作，自治区12所高等院校新建住宅9万多平方米，初步缓解了部分知识分子的住房困难。这些工作得到了知识分子和社会各界的拥护，激励了知识分子的为新时期社会主义建设奉献力量的热情与积极性。中共十一届三中全会后，有21 879名知识分子申请加入

① 参见中共中央文献研究室编：《三中全会以来重要文献选编》（下），人民出版社1982年版，第1064页。

中国共产党，有 6 586 人被吸收为中共党员。

自治区在贯彻落实党的知识分子政策方面做了大量的工作。知识分子队伍中的冤、假、错案得到了平反昭雪；在对科技人员进行了全面普查的基础上，对用非所学的科技人员进行了调整归队，截至 1978 年底，全区已有 1 297 名用非所学的科技人员重返科研、教学和生产岗位；恢复和建立了技术职称的评定制度；知识分子的工作条件、生活条件、学习条件逐步得到了改善，积极慎重地发展了近万名知识分子入党；到 1982 年，先后提拔了 8 800 多名知识分子担任各级领导职务。

内蒙古党委经常召开会议，检查落实知识分子政策的情况。1983 年 1 月 14 日，内蒙古党委、自治区人民政府制定了《关于改善知识分子政治、工作和生活待遇的暂行规定》，决定提高中高级知识分子的政治待遇，在知识分子中积极发展中共党员，做好对知识分子的管理与使用，注重对知识分子的培养与提高，改善他们的生活条件。采取切实措施，落到实处，对中级以上的知识分子发放书报费、房电补助费、报销探亲路费、加发退休金；对在农业第一线的大、中专毕业生加发生活补助，逐步解决其子女的就业问题；对支援内蒙古社会主义建设的知识分子，提高他们的待遇，表彰其先进分子。之后，内蒙古党委组织部对上述《暂行规定》中的若干问题作了具体解释与说明。同时，内蒙古自治区劳动人事厅、财政厅、教育厅、科学技术委员会也根据《暂行规定》，对提高知识分子生活待遇问题作出了相应的具体规定。

1984 年初，内蒙古党委组织部组织了 4 个检查组，对全区落实知识分子政策的情况进行了全面检查，在肯定落实知识分子政策取得的成效的同时，也发现了需要进一步解决的问题，特别就改善知识分子的工作条件和生活待遇提出了具体建议。8 月，中共中央办公厅转发了《中央落实政策小组扩大会议纪要》，要求在中共第十三次代表大会召开前，要基本上完成落实政策的工作。内蒙古党委在继续实施已经提出的落实知识分子政策的具体措施的同时，突破难点，着重抓部分知识分子子女就业难的问题。9 月间，自治区劳动人事厅发出的《关于安排知识分子待业子女就业的通知》，集中解决了知识分子子女就业难的难题。到 1986 年 9 月，全区平反涉及知识分子的冤、假、错案 19 950 件，纠正错判经济案件 54 件，清理人事档案 78 600

份，清退查抄物资 3 542 件，为 2 215 人补发“文化大革命”中错停、减发的工资 4 114 455 元，为 96 人清退在“文化大革命”中被挤占的私房 219 间，解决夫妻两地分居 3 782 人，解决知识分子配偶和子女“农转非”户口 14 235 人。当月，内蒙古党委组织部召开全区落实干部政策工作座谈会，总结了此前落实干部政策特别是落实知识分子政策的情况，又提出“文化大革命”中涉及知识分子的冤、假、错案 2 580 件和“文化大革命”前的历史老案 316 件，决定在 1987 年上半年抓紧解决完毕。① 各级党委集中力量，抓紧工作，按上述要求，在既定时间平反了再次提出的“文革”的冤、假、错案和清理了“文革”前的历史老案。是年 7 月，内蒙古党委组织部对全区落实知识分子政策工作进行了检查验收，并向内蒙古党委作了总结报告。至此，内蒙古自治区落实知识分子政策的工作基本完成，落实政策过程中所制定的提高知识分子政治、工作和生活待遇等规定，列入各级党委和政府部门的经常性工作，有的形成制度。

内蒙古自治区落实知识分子政策的工作，基本上达到了对知识分子在政治上一视同仁、工作上放手使用、生活上关心照顾的要求，从而使知识分子在建设团结、文明、富裕的内蒙古的伟大事业中开始发挥出积极作用。

（三）落实宗教政策。中国共产党的宗教政策在“文化大革命”中被林彪、“四人帮”破坏殆尽，宗教工作机构和宗教团体、宗教组织被取消，宗教活动被停止，正当的宗教事务被加上种种罪名，制造了冤假错案，严重地影响民族团结和社会安定。这是必须通过拨乱反正，落实宗教政策，加以解决的重大问题。

粉碎“四人帮”以后，首先从中央到地方恢复了统战工作部门和宗教事务部门，积极领导宗教领域的拨乱反正，揭批林彪、“四人帮”破坏宗教政策和宗教工作的罪行，平反冤假错案，肃清其“铲除宗教”的极左影响，砸烂强加在宗教人士、信教群众和宗教工作者身上的精神枷锁。这是落实宗教政策的前提。

内蒙古党委、自治区人民政府按照中央的部署，恢复、健全自治区各级宗教工作机构，恢复宗教团体和宗教组织，团结宗教界人士和信教群众，本着“特别慎重”、“十分严谨”、“周密考虑”的精神，积极而稳妥地开展宗

① 参见《内蒙古自治区志·共产党志》，内蒙古人民出版社 1999 年版，第 421—424 页。

教工作中的拨乱反正。同时，积极地有步骤地落实宗教政策。1979 年 3 月，内蒙古党委统战部批转中共中央统战部《关于做好宗教人士落实政策的意见》,从而启动了落实宗教政策的工作。7 月 25 日，自治区召开全区民族宗教工作会议；11 月召开全区统战工作会议，传达了国家民委第一次全委（扩大）会议和第 14 次全国统战会议的精神。在这两次会议上，强调宗教是历史上产生、发展而形成的，宗教的消逝也需要长期的历史过程，不能以行政命令、更不能采取高压手段消灭宗教；在社会主义现代化建设新时期，宗教信仰自由政策，仍然是我国对宗教、对待群众信仰宗教的根本政策，必须坚持不懈地贯彻执行；会议确定了今后一个时期宗教工作的方针：抓紧平反冤假错案，恢复宗教团体和爱国组织的活动，保证信教群众的正常宗教生活等。

1980 年 1 月 23 日，内蒙古党委统战部提出贯彻中央统战部《关于当前宗教工作中急需解决的两个政策性问题的请示报告》和《第八次全国宗教工作会议纪要》的具体方针政策。一、开放宗教活动场所。根据中央“首先是对外开放的城市，应在做好工作的基础上，有领导有步骤地开放少量寺庙教堂”的精神，在呼、包二市的天主教、基督教、伊斯兰教、喇嘛教各开放一个活动场所；各盟所在地，要根据当地的实际情况重点开放 1—2 个宗教活动场所；有些旗县、农村信教群众聚居而且宗教影响大、当前活动又多的重点地区，应考虑开放少量场所，或应确定宗教活动点。已确定的开放场所或点，无神职人员的要调剂解决；旅游活动地区或文物保护召庙，应由外事办公室、旅游局协商修葺；暂不开放的寺庙、教堂，应采取措施保护，坚决制止继续破坏的行为。开放宗教活动场所，按隶属地区报上一级党委批准。要做好开放前的准备工作，召开各类座谈会，宣传宗教政策，进行宗教信仰自由政策的再教育，正确认识开放宗教活动。二、加强对宗教活动的管理。凡已开放的寺庙、教堂，要成立“教管会”或“教管小组”，其组成人员要注意教派和代表性，并制定管理办法。重申：年满 18 岁的公民有信仰宗教的自由，也有不信仰宗教和宣传无神论的自由；不得强制未满 18 岁的青少年信仰宗教，不准带领少年儿童参加宗教迷信活动；信教群众正常的宗教信仰活动应受到政府法律的保护，同时任何宗教都必须遵守政府的政策法令，不得干涉行政、教育和婚姻，不得妨碍生产和社会秩序，不得诈骗钱财和危害人身健康；不得恢复已废除的宗教封建特权和压迫剥削制度，允许信教群众自愿施舍少量的布施、乜贴；不准任何人动用国家、集体和社队企业的财物，资助宗教迷信活动；不准宗教职业者和其他宗教人员到处乱串，宣扬宗教、进行剥削，不准炮制、录制、转抄和出售攻击、诬蔑党的领导和社会主义制度等带有反动性的经典、书刊、传单、录音带及其他迷信品；共产党员和共青团员不得信仰宗教；对披着宗教外衣进行反革命活动的阶级敌人，坚决打击。三、落实政策。尽快对各地的主教、神甫、牧师、阿訇、和尚、喇嘛等宗教界人士进行全面调查，从实际出发适当安排和解决他们的生产、生活问题，对有些人安排在开放的寺庙、教堂内，以利管理和教育；对宗教界人士在“文化大革命”中造成的冤、假、错案，应予彻底平反，对于被害致死的应予昭雪，对于致伤、致残者应在经济上给予适当补助，妥善解决他们的政治和生活待遇问题；清退宗教界人士被查抄的财物，凡有实物或可追回的应退还本人，实物下落不明的原则不予退赔，生活上有困难的可予补助，实物被贪污、盗窃的一定要追查退赔，情节严重的严肃处理；宗教职业者自筹资金所办企业，人员被赶走，财产被没收的，原则上应由原没收财产单位安置被赶走人员，对年老体弱或因病不能继续工作的，应按退职处理或给予生活补助；对失去劳动能力且无依无靠、生活确实困难的宗教界人士，特别是有影响、有贡献的进步朋友，政治上、工作上应作妥善安置，生活上应有保证；鉴于喇嘛教寺庙基本上由国家或集体单位拆除，物资被没收或变卖的，部分已入国库，大部分被公社、生产队占用，这些财物一般不再清退，但少数年老喇嘛生活无着落者，原则上由占用或没收庙产的公社、生产队负责安置，庙产被国家没收入库的，由所在公社、生产队向没收单位提出退还全部或部分庙产，作为对该庙喇嘛的生活补助之用；宗教界人士的子女入党、入团、升学、分配工作等，不受其父母宗教身份的影响。四、几个具体问题。宗教工作机构的设置，凡有宗教工作任务的盟市，由民委兼做宗教工作，配备专职干部，一套机构，挂民委和宗教局牌子；根据工作需要恢复自治区佛教协会和天主教爱国会，呼和浩特基督教爱国会可恢复活动，其他盟、市的宗教团体是否恢复，由盟、市委决定；对宗教团体的房产要进行清理，凡属宗教团体收取房租的，仍按原办法办理，房管部门收取房租的，据实际情况协商解决，原宗教活动场所，准备开放的，现占用单位应予退还，宗教在银行的存款应予解冻，被挪用的应退还。①

内蒙古党委同意这一报告，并于3月5日转发自治区各级党委贯彻执行。这是宗教问题上揭批“四人帮”、拨乱反正、落实宗教政策系统的规定，有力地推动了宗教政策的落实。

1981年11月，内蒙古自治区召开全区宗教工作会议，总结了近两年落实宗教政策的进展与成效，分析了新形势、新问题，特别是有些信教群众比较集中的地区宗教势力和影响在扩大，个别地区甚至出现了宗教狂热。也有人乘机进行非法、违法活动，外国宗教势力的渗透也比较严重。因此，准确掌握宗教政策，分清正当宗教活动与非法、违法活动的界限，既不用行政命令限制、干涉宗教活动，又不放任自流，不加管理，要使宗教工作健康发展。会议在内蒙古党委统战部前曾提出的具体意见的基础上，通过补充、修订，形成更加全面、准确、适用的若干具体规定。其基本内容如下：

第一，尊重和保护正当的宗教活动，制止和打击非法、违法活动。确定宗教活动管理工作的方针是，保护合法，制止非法。明确了6项合法的宗教活动和12项不允许的活动。第二，对宗教界人士落实政策。进一步清理并彻底平反冤、假、错案，对有代表性的宗教界人士，恢复职务或另作安排；被查抄的财物，有实物或有下落的必须退还，无着落的也要向本人说明情况，取得谅解，生活确有困难者，给予适当补助；对失去劳动能力而又无依无靠、生活确实困难的宗教界人士，特别是有过贡献的进步朋友，生活上给予保证；加强对宗教界人士的团结、教育、改造工作；宗教界人士和教徒的家属、子女在政治上的待遇，不能因家庭的宗教信仰而受影响。第三，宗教活动场所，本着“因地因教制宜，因陋就简，方便群众，有利生产”的原则，应尽快做出安排，有可能恢复的寺庙教堂，有计划有步骤地逐步开放，满足信教群众正当的宗教活动需求，杜绝地下宗教活动；由于喇嘛教召庙在“文革”中多被拆毁，信教群众和宗教职业者，可以在为旅游开放的召庙、或在尚存的庙殿进行宗教活动、过宗教生活；已被批准开放的寺庙教堂，如

① 参见内蒙古党委统战部：《关于认真贯彻执行中央有关宗教工作两个文件意见的报告》（1980年1月23日），中共内蒙古党委党史研究室编：《拨乱反正》（内蒙古卷），中共党史出版社2008年版，第264页。

仍被有关单位占用，应责令其限期退还；在宗教改革时已停的宗教活动场所，一般不再开放，如信教群众较多，又要求开放，需经批准，方可开放；凡保存下来的寺庙教堂，暂不开放，但应采取保护措施，防止继续破坏，如被占用，则由占用单位负责维修；新建城镇和工矿区，回族人口多，经批准可建沐浴室和划拨坟地，其经费一般由信教群众自筹；经批准开放的寺庙教堂，其维修经费原则上由宗教团体自行解决，也允许信教群众自愿捐款；开放宗教活动场所，必须经旗县以上党政机关批准；开放的寺庙教堂，如无宗教职业者主持宗教活动，应在旗县、盟市范围内调剂解决，如需到外地聘请，必须经当地政府宗教事务部门批准。第四，宗教团体房产、财物的处理。“文革”前产权属宗教团体的房屋，现需开放为宗教活动场所的必须退还原产权宗教团体，如不收回自用的要由占用单位付给租金，如已拆除或卖掉的，则由拆除或卖掉的单位赔款给宗教团体或宗教事务部门；列为重点文物古迹、现又开放为旅游点的召庙，由盟市或旗县的宗教事务部门牵头，吸收文化、旅游、外事等有关部门组成领导小组，进行管理；“文革”以来停付的房租，按国家有关规定结算，除去维修费、房产税和管理费，多退少不补；“文革”期间宗教团体存款被冻结上交财政的，应解冻退还，被挪用的由挪用单位偿还；没收喇嘛生产队的一切财产必须退还，重新组织喇嘛生产队，不能恢复生产队的，生活困难的老喇嘛全部由没收其财产的单位负责养起来；“文革”期间被没收、私分和变卖的寺庙教堂的其他财物，凡有下落的坚决追回退还，凡个人贪污的依法处理；现存寺庙教堂及宗教文物，按国务院有关规定，分级管理，认真保护，对破坏寺庙教堂和倒卖宗教文物的人，依法制裁。①

1982 年 3 月 31 日，中共中央书记处研究形成了《关于我国社会主义时期宗教问题的基本观点和基本政策》，“比较系统地总结了中华人民共和国成立以来党在宗教问题上的正反两个方面的历史经验，阐明了党对宗教问题的基本观点和基本政策。”一、宗教是人类社会发展一定阶段的历史现象，有

① 参见内蒙古党委统战部：《关于进一步贯彻执行党的宗教政策的几项具体规定》（1981 年 11 月 17 日），内蒙古党委于同年 12 月 10 日批转各地贯彻执行，内蒙古党委党史研究室编：《拨乱反正》（内蒙古卷），中共党史出版社 2008 年版，第 372 页。

它发生、发展和消亡的过程；二、我国是一个有多种宗教的国家；三、中华人民共和国成立以来，我们党对宗教的工作经历了一段曲折的时期；四、尊重和保护宗教信仰自由，是党对宗教问题的基本政策；五、争取、团结和教育宗教界人士尤其是各种宗教职业人员，是党对宗教的工作的重要内容，也是贯彻执行党的宗教政策的极其重要的前提条件；六、合理安排宗教活动的场所，是落实党的宗教政策，使宗教活动正常化的重要物质条件；七、充分发挥爱国宗教组织的作用，是落实宗教政策，使宗教活动正常化的重要组织保证；八、有计划地培养和教育年轻一代的爱国宗教职业人员，对我国宗教组织的将来面貌具有决定的意义；九、我们党宣布和实行宗教信仰自由的政策，这当然不是说共产党员可以自由信奉宗教；十、坚决保障一切正常的宗教活动，就意味着要坚决打击一切在宗教外衣掩盖下的违法犯罪活动和反革命破坏活动，以及各种不属于宗教范围的、危害国家利益和人民生命财产的迷信活动；十一、加强党的领导，是处理好宗教问题的根本保证。①

内蒙古党委在1980年和1981年两年的实践中，进一步清理林彪、“四人帮”破坏党的宗教政策的极左思想和恶果，认真总结历史经验，分析宗教工作的新形势、新问题，通过上述两个文件，恢复、充实、修订、完善了自治区的宗教政策，有针对性地解决了宗教工作中的若干问题。这些政策规定完全符合中央对宗教问题的基本观点和基本政策，执行中收到了良好的效果。

1983年，内蒙古自治区基本上完成了落实宗教政策的工作，只有一些遗留问题还在继续解决。落实宗教政策基本情况：1. 开放了宗教活动场所，恢复宗教活动，开展了正常的宗教活动。1983年，全区开放清真寺76处、喇嘛庙3所，开放天主教堂、基督教堂、佛教寺庙16所，建立宗教活动点128处，成立了各宗教协会和“三自”爱国运动会。到1987年，全区恢复宗教活动场所500余处，其中寺庙教堂168座，简易活动场所332处，并拨专款500多万元，对全区重点寺庙进行了不同程度的修缮。2. 对自治区历次运动中宗教界的冤、假、错案，进行甄别平反。全区有4 800多人政治上

① 参见《中共中央印发〈关于我国社会主义时期宗教问题的基本观点和基本政策〉的通知》（1982年3月31日），《新时期民族工作文献选编》，中央文献出版社1990年版，第154页。

得到平反，补发了被扣、停发的工资 56 180 元，对宗教界有影响的上层人士 430 多人在政治上作了安排，担任旗县以上人大、政协委员以及自治区以上宗教团体的委员或理事。3. 恢复和建立了宗教团体和爱国宗教组织，1980 年和 1981 年，先后恢复内蒙古自治区天主教爱国会和中国佛教协会内蒙古分会，1983 年，成立了内蒙古自治区伊斯兰教协会，各盟市和一些重点旗县也恢复或建立了宗教团体和组织。1982 年底，全区 99 个旗、县、市、区中有 83 个建立了民族宗教工作机构。4. 落实宗教团体房产政策。截至 1987 年 7 月，清理并明确宗教房屋产权 25 160 多间，退还宗教团体的 7 220 间，退赔被拆毁房屋折价 70.22 万元。5. 解决失去劳动能力并无依无靠喇嘛的生活问题。全区达 3 800 多人，每人每月生活费 20 元，后增加为 50 元。① 内蒙古党委制定的落实宗教政策的规定，基本上得到落实，宗教问题上的拨乱反正基本实现。

三、纠正“文革”中的反革命错案

1978 年 4 月，最高人民法院在北京召开的第八次全国人民司法工作会议以后，内蒙古自治区司法部门解放思想，冲破禁区，为一批所谓“现行反革命案件”，实事求是地给予改判纠正。1979 年 9 月，内蒙古自治区高级人民法院召开全区人民法院院长会议，要求坚持“有错必纠，全错全平，部分错部分平，不错不平”的原则，做好复查纠正冤假错案的工作。在十年动乱中自治区被判处的“现行反革命案件”共 2 000 多起，其中有相当一部分是错案，有的地区错案、冤案达 70%，而这些受害者绝大多数是群众。

十年动乱期间，自治区有不少为刘少奇公开鸣不平的各族干部和群众，他们为此而受到迫害。三中全会以后，自治区政法机关及有关部门对这些冤假错案，陆续作了复查纠正。据自治区高级人民法院初步统计，在内蒙古自治区这类案件有 260 多件。

在这一时期，还注意了中华人民共和国成立后至“文化大革命”前的一些历史遗留案件的复查和纠正工作。其中主要有：错划右派的改正工作，为地主、富农和反、坏分子的摘帽工作。1979 年 4 月，内蒙古党委作出

---

① 参见《内蒙古自治区志·共产党志》，内蒙古人民出版社 1999 年版，第 501 页。

《关于为土旗“黑四清”平反的决定》。

1981年6月，中共十一届六中全会通过了《关于建国以来党的若干历史问题的决议》,决议彻底否定了“文化大革命”，也为“文化大革命”中的一切冤假错案作了总的平反。至此，拨乱反正的工作取得了全面的胜利。自治区大规模的平反冤假错案工作到1985年基本结束。从1978年以来的8年时间里，自治区为几十万在“文化大革命”中的受害者落实了政策，给7 000多名干部恢复了党籍、公职，或撤销了错误处分，给近6 000多名非正常死亡的干部做了恰当的结论。

由于平反冤假错案和全面落实党的各项政策，极大地调动了自治区各族人民建设社会主义的积极性，医治和弥补了“左”倾错误带给各族人民的精神创伤和物质损失，巩固和发展了自治区安定团结的政治局面，得到了全区各族人民的拥护。

四、清理历史旧案，解决遗留问题

所谓历史旧案，即指“文化大革命”前形成的各类历史案件。清理历史旧案，解决遗留问题，主要指改正1957年错划右派分子，落实起义投诚人员政策，甄别其他历史案件。

（一）1957年的反右派斗争的扩大化，在内蒙古也是相当严重的，主要有两部分，一是一般的右派分子，一是民族右派分子。这两部分右派分子主要在知识分子中间。1957年反右派斗争中，自治区共划资产阶级右派分子5 868人。1964年前，先后5次为2 421人摘了右派分子帽子。1978年，按中央11号和55号文件精神，各地、各单位召开专门会议，研究部署为右派分子摘帽子的问题，到12月，对全区3 447名右派分子摘了帽子。1978年11月25日至12月2日召开了全区第二次摘掉右派分子帽子工作会议，总结了前一段摘帽子工作的情况，根据中央55号文件的精神，就若干具体问题进行了深入研究，提出了5项解决办法。

第一，关于安置工作。原来未予开除公职处理的人，但因单位处理不当而失去公职者，仍保留公职由原单位安置，工龄连续计算；离职期间的工资和生活费不再补发，生活确有困难的可酌情给予一次性适当补助。对开除公职和退职或自行离职的人，需重新录用、安置就业或社会救济的人，由现居住地公社或街道办事处统计并提出建议，由旗县、市区摘帽办公室会同有关部门制定方案，经批准实施；对其中有专长、具备工作条件，需重新录用者，经批准就地安排录用，原单位录用优先，对无专长者，由旗县、市区以上集体所有制单位安置就业，安置不了的上报统一调整，需社会救济的由公社或街道办事处定期定额补助；重新录用和安置就业的人员，应按其分配的工作、担任的职务和表现，在3个月内正式评定工资级别，从批准之月起执行，未评定级别之前，每月按33元发给初期工资；对原留公职的人员，重新安排工作后的工资待遇，可根据其工作、职务和表现进行评定。

第二，改正问题。中央决定在反右派斗争扩大化的错误中，被错划为右派分子的均应改正。按1957年10月15日中共中央关于划分右派分子的标准，会议认为下列几种人应予改正。原内部掌握的中右分子，后按右派对待的；本人拒绝签字或审批手续不健全的，要认真审查，据实确定改正与否；公私合营企业私方职员被划为右派，按小型工商业者中间原则上不进行反右派斗争的精神，对基层企业中无领导职务，合营前无雇工剥削，且一直从事劳动者，原则与国营企业售货员同等对待，少数资金较多的私方人员，需改正者要经盟市委批准；原是预备党员，改正后应恢复党籍；坚持实事求是的原则，划错多少，改正多少，本人有无申诉或已死亡，均按规定标准复查，凡属错划的就要改正；改正结论，由旗县或旗县以上党委按干部管理权限审批。全区改正错划右派5 716 人。

第三，落户问题。重新安置和改正的人回城市落户，按中共中央1978年55号文件的规定办理。凡符合政策规定应该回城市的，都要准予落户。落户人员除本人外，还包括配偶及其抚养的老人和未成年子女；久居城镇，因受牵连被遣送农村、牧区的家属；本人无依靠且失去劳动能力，在城镇有亲属赡养者。

第四，家属和子女问题。过去招工受影响的，有关单位招工时应予照顾；原来有工作的家属和子女，因受牵连而被解除工作的，一并安排他们的工作；因受牵连对家属和子女处理不当的，应予撤销处分。

第五，其他问题。因右派问题判刑的，按摘帽子人员的有关政策对待，起义投诚人员因右派问题被判刑的，释放、摘帽子后仍按起义投诚人员对待，原来有工作的要做适当的安排；现行反革命分子或其他坏分子戴右派帽子的，只摘其右派帽子；原发生活费的人员，无故被取消生活费或降低标准的，摘帽安置后应酌情给予一次性补助；原来划的“民族右派”和 1957 年反右派斗争以后划的右派，也按中央 1978 年 55 号文件的规定办理。①

根据各地所掌握的情况，这次会议提出全区需要重新安置的共有 2 110 人，拟在全民所有制单位安置 1 996 人，集体所有制单位安置 114 人。其中原保留公职，后被解除，现需安排工作的 319 人；已被开除公职，且有专长，有关部门要重新录用的 714 人；需由组织、劳动、人事部门安置就业的 1 050 人。②

（二）落实起义投诚人员政策。内蒙古地区的起义投诚人员，主要是绥远、阿拉善旗、额济纳旗和平起义中的起义投诚人员。这些起义投诚人员的绝大部分，在起义后即已按当时的政策作了妥善安排；有的由于当时了解情况不够，掌握政策不准，没有按起义投诚政策对待；有相当一部分是在“文化大革命”中，林彪、“四人帮”否定了党的起义投诚政策而造成的错案。

内蒙古党委从 1979 年初开始，落实起义投诚人员政策，就起义投诚人员的身份界限、复查安置、工资待遇、子女安排等相关问题，进行了大量的调查研究，作出了一系列具体规定。

关于起义人员的范围和界限，内蒙古党委在批转 1979 年 1 月 20 日③和 1980 年 3 月 25 日④内蒙古党委统战部等单位的请示报告和政策规定中指出，

---

① 《全区第二次摘掉右派分子帽子工作会议纪要》（1978 年 12 月 12 日），1979 年 1 月 8 日，内蒙古党委办公厅印发执行，内蒙古党委党史研究室编：《拨乱反正》（内蒙古卷），中共党史出版社 2008 年版，第 186 页。

② 《全区第二次摘掉右派分子帽子工作会议纪要》（1978 年 12 月 12 日），1979 年 1 月 8 日，内蒙古党委办公厅印发执行，内蒙古党委党史研究室编：《拨乱反正》（内蒙古卷），中共党史出版社 2008 年版，第 186 页。

③ 内蒙古党委转发内蒙古党委统战部：《关于统战政策几个具体问题的请示报告》（1979 年 1 月 20 日），内蒙古党委党史研究室编：《拨乱反正》（内蒙古卷），中共党史出版社 2008 年版，第 196 页。

④ 内蒙古党委统战部等九部门：《关于落实对国民党起义、投诚人员政策的补充规定》（1980 年 3 月 25 日），内蒙古党委党史研究室编：《拨乱反正》（内蒙古卷），中共党史出版社 2008 年版，第 280 页。

继续执行内蒙古党委1956年5月25日[①]和1958年5月14日[②]批转的两个文件对起义投诚人员范围和界限的规定，绥远“九一九”起义签字单位和团体中的委员、理监事和工作人员；所在部队和单位宣布起义时，本人因事在外，得知起义消息后，立即回原部队或单位，或用电函表示拥护起义的人员；在外地参加起义，“九一九”前来绥远谋生或解放后参加工作者；在外地参加起义而后投敌或多次被捕，最后确实参加“九一九”起义的人员；傅作义、董其武部建制的农垦部队十七师官兵；绥远省旗县以上政府所属农场中国民党政府委任派遣的场长和职员；绥远省政府建设局所属公路系统单位的工作人员，国民党旗县以上政府委任派遣的职员；绥远省革新学院的正式学员和工作人员；绥远省旗县以上政府委任的公立中、小学校长和教导主任；未参加起义的傅作义、董其武部人员，在1950年2月底前到原绥远省无职干部招待所、学习团报到或学习的，拥护起义者，均可按起义人员对待。1948年在张家口、新保安、天镇三战役中被人民解放军俘虏的傅作义部校级以上军官，可比照对起义人员的政策处理。[③] 解放前与中国共产党有联系，赞助、支持、参加解放战争或党领导的自治运动，解放后接受党的领导的少数民族上层人士和知识分子，“文革”前已是统战对象，且无现行罪行者；非起义人员和非民族上层人士，解放后已按统战对象对待的，“文革”中被打成“叛徒”、“特务”、“历史反革命”、“托派分子”等，解放后未发现新罪行的，仍按统战对象对待。“文革”中虽发现统战对象的一些新问题，但不足以改变其历史问题的性质者，仍按统战对象对待，对其停发、减发的工资全部补发。[④]

关于复查与处理原则，根据“有反必肃，有错必纠”的政策，对中华人民共和国成立初期处理起义人员的案件，必须进行复查。对因究历史问题

---

① 《内蒙古党委十人小组对起义人员范围和界限的几个解释》（1956年5月25日）。

② 《关于对“内蒙古党委五人小组对起义人员范围和界限的几个解释”所提出的意见的答复》（1958年5月14日）。

③ 参见内蒙古党委批发《关于起义投诚人员几项政策界限的补充》（1982年10月21月），内蒙古党委党史研究室编：《拨乱反正》（内蒙古卷），中共党史出版社2008年版，第396页。

④ 参见内蒙古党委转发内蒙古党委统战部：《关于统战政策几个具体问题的请示报告》（1979年1月20日），内蒙古党委党史研究室编：《拨乱反正》（内蒙古卷），中共党史出版社2008年版，第196页。

或主要因究历史问题而错处理的，按“既往不咎”的政策，一律纠正，恢复其起义人员身份；因现行反革命活动而被判刑的，凡证据确凿的，维持原判；经复查，如证据不足或事实不存在的，错了的一律纠正；犯有刑事罪而判刑的，按照当时的政策进行复查，对构不成刑事犯罪而连同历史问题追究刑事责任的，予以纠正，应追究其刑事责任的，是什么问题就按什么问题处理，但不否定其起义投诚的身份；对犯有错误和政治表现不好，不够干部条件而被处理、被淘汰的，均不按错案处理，不作纠正；有特务身份，起义后继续隐瞒，受到审查处理者，不予改变；凡因贪污、行贿、受贿、反动言论、反对起义、“反对改革旧制度，施行新政策”等不法行为和错误受到法律制裁和行政处分者，均不予改变；起义时或起义后，无故离开部队、工作岗位或请假逾期不归者，均以自动离职处理。

关于安置问题，根据国家职工退职、退休的规定，对年龄大、身体差，坚持正常工作有困难者，就地退职、退休，妥善安置；对起义投诚时有贡献有影响，符合安置工作条件的，优先安置，但已丧失工作能力，政治表现较好的，可安排荣誉职务；1957 年以前参加工作，60 年代退职精简下放的国家职工，年老体弱、生活无出路的，按政策给予生活救济费，有特殊贡献的，按规定办理经济补助手续；对生活无着落、流落在社会的起义人员和宽释人员，给予生活救济，特别是对将师级、专员级人员要认真解决；对年老体弱、无依无靠、鳏寡孤独者，当地有福利院的可入福利院养老。在劳改单位的起义人员，一律转为正式职工，不能工作的办理退休手续，对愿意回原籍者予以办理，妥善安置；“文革”期间被扣发的工资，应予补发；在劳改农场的起义投诚人员，改判后已在劳改农场就业的县团级以上人员，逐步迁出劳改单位就地安置。对“文革”中致死或严重致残的起义投诚人员，可安排一名子女就业；其家属子女因受株连失去公职的可恢复其公职，能工作的安置工作，失去工作条件的以退职、退休处理。

关于工资待遇和工龄，起义投诚后已定工资级别的，恢复原工资级别，无工资级别的，只定职未定级的，根据其政治表现和工作能力及其所定职务，确定其工资级别；未定职、级的，根据本人起义投诚时的贡献、政治表现、工作能力、业务水平，确定其工资级别；对现行级别确实偏低的，在同行业调级时优先考虑；对纠正后定级太低，或有重大贡献或有较大影响的，其工资级别和生活费太低的，可个别适当调高一些。工龄从起义投诚之日起计算；错判、错处理期间的工龄连续计算；自动离职、脱离部队、资遣回家、非因追究历史问题而开除公职后，而又参加革命工作的，从重新参加工作之日起计算工龄。

对起义投诚人员的落户、子女安排、房产问题、经济补助和社会救助等相关问题，都作了明确的规定。①

（三）对“文革”前历史旧案进行了甄别处理。这类案件涉及面广，牵涉的人也多，问题复杂，大多与当时的历史背景和政治形势有关，甄别的难度较大。但是，自治区各有关部门在内蒙古党委的统一领导下，经过艰难细致的工作，取得了突出的成效。“文革”前的历史旧案有 4 893 件，甄别改判 1 829 件，涉及 1 957 人。

---

① 参见内蒙古党委统战部等九部门：《关于落实对国民党起义、投诚人员政策的补充规定》（1980 年 3 月 25 日）；内蒙古党委批发：《关于起义投诚人员几项政策界限的补充》（1982 年 10 月 21 日），内蒙古党委党史研究室编：《拨乱反正》（内蒙古卷），中共党史出版社 2008 年版，第 280、391 页。

第十一章

新时期的政治建设与社会治理

第一节　党政人大政协领导机构的恢复与完善

在“文化大革命”中，内蒙古自治区的党委、政府、人大、政协领导机构都遭到破坏，以党的核心小组取代了党委，政府、人大、政协全被革命委员会所取代，工作部门被撤销，工作人员被遣散，各种规章制度被否定，而且加上种种罪名。因此，“文化大革命”后，恢复与建设中共内蒙古自治区委员会、内蒙古自治区人民政府、内蒙古自治区人民代表大会、中国人民政治协商会议内蒙古自治区委员会及其下属各级机构，成为内蒙古自治区政治建设的首要任务。

一、内蒙古党委及各级党的领导机构的恢复与完善

中共内蒙古自治区委员会和各级党委领导机构在“文化大革命”中遭到破坏后，直到1971年5月，才举行中共内蒙古自治区第三次代表大会。出席代表680名，其中少数民族代表98名，占代表总数的14.4%。大会选举产生了中共内蒙古自治区第三届委员会，由77名委员和15名候补委员组成。其中蒙古族委员占总数的18.19%。中共内蒙古自治区第三届委员会，从5月19日举行第一次全委会议到1984年11月18日召开第十五次全委会议的13年期间，经历了两个阶段。

第一个阶段，从1971年5月到1976年10月，仍处在“文化大革命”

的动乱过程中，内蒙古党委召开了6次全委会。1973年9月19日，内蒙古党委决定撤销内蒙古自治区革委会办公室，成立中共内蒙古自治区委员会办公厅；撤销自治区革委会政治部，恢复中共内蒙古自治区委员会组织部、宣传部、统战部。这期间，内蒙古党委下辖地方党组织有中共锡林郭勒盟、乌兰察布盟、巴彦淖尔盟、伊克昭盟委员会和呼和浩特市、包头市、乌海市委员会，有59个旗、县、区委员会和1 504个基层党委、817个党总支、20 965个党支部、296 638名党员。[①] 内蒙古党委第一书记尤太忠，第二书记池必卿，书记吴涛（蒙古族）、徐信、邓存伦、赵紫阳、宝日勒岱（蒙古族、女）、刘景平。

第二个阶段，从1976年10月到1984年6月，内蒙古党委召开了9次全委会议。期间，1978年10月10日，中共中央根据尤太忠的请求，免去其中共内蒙古自治区委员会第一书记职务，周惠任中共内蒙古自治区委员会第一书记，廷懋（蒙古族）任第二书记，王铎任常务书记。此后内蒙古党委书记、副书记、常委进行了频繁的调整，在1984年12月中共内蒙古自治区第四次代表大会召开前，逐步形成相对稳定的领导集体。1979年6月，中共中央决定并恢复了内蒙古自治区的原行政区划；1980年4月，国务院批准成立了阿拉善盟；7月，国务院批准恢复了兴安盟建制；1983年10月，中央批准昭乌达盟撤盟建赤峰市。至此，内蒙古党委下辖中共呼和浩特市、包头市、乌海市、赤峰市委员会和中共呼伦贝尔盟、兴安盟、哲里木盟、锡林郭勒盟、乌兰察布盟、巴彦淖尔盟、伊克昭盟、阿拉善盟委员会，即4个市委8个盟委。内蒙古自治区中国共产党的领导机构、基层组织全面恢复，党的建设全面展开，共有党员673 012名，成为自治区各项事业的领导核心。

这期间，内蒙古党委领导揭批林彪、江青反革命集团在内蒙古的罪行，进行拨乱反正，平反冤、假、错案，全面落实政策，开启了社会主义建设新时期。贯彻中共十一届三中全会的路线、方针、政策，把工作重点转移到经济建设上来，经过调查研究，总结历史的经验教训，从内蒙古的实际出发，提出了“林牧为主，全面发展”的经济建设方针，领导各条战线开展社会主义建设。全面进行经济体制改革，率先在农村实行分田到户、“联产承包

① 参见《内蒙古自治区志·共产党志》，内蒙古人民出版社1999年版，第662页。

责任制”，牧区也开始探索各种类型的责任制；探索城镇经济体制改革的途径。适应新形势、新任务，对各级领导班子逐步进行了调整，进行干部队伍的革命化、年轻化、知识化、专业化的建设，一批党性强、作风正，具有专业知识的年轻干部走上各级领导岗位。

1984 年 12 月 1 日至 7 日，中共内蒙古自治区第四次代表大会举行，出席大会的正式代表 449 名，候补代表 44 名。其中少数民族党员代表 153 名，占代表总数的 34.08%，比第三次代表大会增加了近 20%，基本上恢复到了“文化大革命”前的比例；中青年代表 359 名，占 79.8%；大专以上文化程度的 150 名，占 33.4%，在年轻化、知识化方面迈出了可喜的步伐。

这次大会主要是贯彻执行中共十一届三中全会精神，首先实事求是地总结了自治区 30 多年来，特别是党的十一届三中全会以来，自治区各条战线上取得的伟大胜利和基本经验，提出今后 5 年的主要任务是：坚定不移地贯彻党的路线、方针和政策，在继续深化和完善农村牧区改革的同时，扎扎实实地搞好以城市为重点的经济体制改革；在坚持改革、对内搞活、对外开放中，充分发挥内蒙古的资源优势，进行综合开发。总的奋斗目标是：在不断提高经济效益，人民得到更多实惠的前提下，到本世纪末国民生产总值在 1980 年的基础上翻两番，并力争超过。特别要抓好一些关系全区人民生活的建设项目。为此，确定了关于简政放权，承包经营，积极推进技术进步，加快企业改造和设备更新，增强企业活力，进一步扩大开放，改革人事管理制度，落实知识分子政策，加强党的组织建设和各级领导班子建设等一系列重要措施。以经济建设为中心，把中央的路线、方针、政策及外地的经验与内蒙古的实际相结合，把改革热情与科学态度相结合，把自治区的社会主义现代化建设不断向前推进。这是一次继往开来，大力把工作重点向经济建设转移的大会。

大会选举产生了由 51 名委员、13 名候补委员组成的中共内蒙古自治区第四届委员会，其中蒙古族委员 21 名，占委员总数的 41.18%；选举产生了由 44 名委员组成的中共内蒙古自治区顾问委员会；选举产生了由 33 名委员组成的中共内蒙古自治区纪律检查委员会。周惠、张曙光、王群先后任中共内蒙古自治区第四届委员会书记。

1984 年 12 月至 1989 年 12 月，中共内蒙古自治区第四届委员会召开了

9 次全委会议和 1 次中共内蒙古自治区代表会议，对自治区经济建设和社会发展作出了重大决策和部署。除了及时传达贯彻中央对全国经济建设、社会发展的方针、政策和部署外，还结合自治区的实际，作出了相应的安排。制定《内蒙古自治区 1986—2000 年经济、技术、社会总体发展纲要（稿）》，贯彻中共中央《关于社会主义精神文明建设指导方针的决议》,制定《关于“念草木经，兴畜牧业”的实施方案（试行草案）》；提出在努力发展生产的基础上，全区城乡人民生活水平逐步达到全国中等以上水平，在林、牧、农、工协调发展的基础上，逐步实现粮食基本自给，在不断提高经济效益的前提下，逐步提高全区财政自给率，并有一定的机动财力用于发展经济文化的近期三项奋斗目标；平息 1989 年的政治风波，稳定全区局势，切实抓好政治整顿，深化改革，积极稳妥地发展国民经济，坚决惩治腐败，搞好党的建设。

1989 年 12 月 21 日至 26 日，中共内蒙古自治区第五次代表大会举行，出席会议的代表 527 名，代表全区 83 万名党员。其中少数民族党员代表 171 名，占代表总数的 32.4%；大专以上文化程度的 299 名，占代表总数的 56.7%；年龄在 50 岁以下的 283 名，占代表总数的 53.7%。大会选举产生了 49 名委员、8 名候补委员组成中共内蒙古自治区第五届委员会，其中蒙古族委员 19 名，占委员总数的 38.77%；选举产生了由 23 名委员组成的中共内蒙古自治区顾问委员会和由 31 名委员组成的中共内蒙古自治区纪律检查委员会。王群、刘明祖先后任中共内蒙古自治区第五届委员会书记。

大会总结了第四次代表大会以来，全区上下坚持四项基本原则，巩固和发展了安定团结的政治局面，保持了经济和社会生活的正常秩序；经济体制改革逐步深化，对外开放打开了局面，治理整顿初见成效；三项近期奋斗目标进展明显，国民经济呈现出稳定发展的势头。大会提出今后五年争取基本实现三项近期奋斗目标，人均国民生产总值达到 1 000 元；人均粮食产量稳定在 375 公斤以上，实现基本自给；牲畜总头数发展到 5 000 万头（只），改良畜、良种畜达到 55% 以上；财政自给率提高到 70%，自我发展能力明显增强。

1989 年 12 月至 1994 年 12 月，中共内蒙古自治区第五届委员会召开了十一次全委会议和一次中共内蒙古自治区代表会议，主要议题：制定贯彻落实《中共中央关于加强党同人民群众联系的决定》的措施；研究确定自治区今后十年和“八五”时期的发展经济奋斗目标和基本思路；贯彻《中共中央关于进一步加强农业和农村工作的决定》,联系自治区的实际，确定发展目标，制定政策措施，开创农牧业和农村牧区工作的新局面；贯彻落实中央的指示和中央民族工作会议精神，提出要抓住时机，加快发展，集中精力把全区经济搞上去，扩大对外开放，加快实施沿边发展战略，加大改革分量，加快改革步伐，创造良好的政治环境，保证改革开放和经济发展顺利进行；研究确定围绕建立社会主义市场经济体制目标，加快改革步伐，实现自治区经济超常规发展目标、重点、措施和保证；贯彻《中共中央关于建立社会主义市场经济体制若干问题的决定》,提出内蒙古加快改革、加快发展、维护团结稳定的任务和思路；根据《中共中央关于加强党的建设几个重大问题的决定》,制定了内蒙古党委贯彻落实的意见。

1994 年 12 月 19 日至 23 日，中共内蒙古自治区第六次代表大会举行，出席代表 597 名，代表全区 95 万名党员。其中少数民族党员代表 183 名，占代表总数的 30. 65%；代表年龄在 50 岁以下的 351 名，占代表总数的 58. 79%；大专以上文化程度的代表 413 名，占代表总数的 69. 18%。大会选举产生了由 51 名委员和 9 名候补委员组成的中共内蒙古自治区第六届委员会，其中蒙古族委员 18 名，占委员总数的 35. 29%；选举产生了由 33 名委员组成的中共内蒙古自治区纪律检查委员会。刘明祖、储波先后任中共内蒙古自治区第六届委员会书记。

大会总结了内蒙古自治区以实现粮食基本自给、提高人民生活水平、提高财政自给率三项近期奋斗目标为努力方向，正确处理改革、发展和稳定的关系，经济建设成就显著，改革开放取得明显成效，科技、教育、文化等项事业健康发展，人民生活水平进一步提高，民族团结进步事业出现新局面，精神文明建设和民主法制建设有了新的进展，党的建设得到加强，取得了改革开放和社会主义现代化建设新的胜利。大会提出以实现小康为目标，以改革为动力，加快社会主义现代化建设的步伐，到本世纪末完成两大历史性任务，即实现小康和初步建立社会主义市场经济体制。确定今后要围绕建立社会主义市场经济体制的目标，全面深化改革，继续扩大开放，努力开辟国际国内两个市场；以小康目标统揽农村牧区工作，促进农村牧区经济全面发展；以经济效益为中心，坚持现有企业改造和新项目建设并重的方针，提高工业的整体水平；突出发展第三产业，重点抓好交通通信等基础设施建设；以兴办乡镇企业为重点，发展壮大旗县经济，逐步扭转财政困难局面；综合开发，分级负责，切实加强扶贫工作；积极发展科技教育事业，促进国民经济走上依靠科技进步和提高劳动者素质的轨道等主要任务。

1994 年 12 月到 2001 年 12 月，中共内蒙古自治区委员会召开 15 次全委会议和 1 次中共内蒙古自治区代表会议，主要议题和决议：讨论自治区“九五”计划纲要，研究“九五”计划编制工作的指导思想和实现“九五”计划的几个战略性问题；通过了《中国共产党内蒙古自治区委员会工作条例》《中国共产党内蒙古自治区委员会关于加强自身建设的决定》；确定了“九五”期间，自治区经济和社会发展的总体目标，即完成基本实现小康和初步建立起社会主义市场经济体制的两大历史性任务，努力实现提高财政收入水平和提高城乡人民生活水平，全面实施资源转换、开放带动、科教兴区、人才开发和名牌推进五大战略措施；讨论了《内蒙古自治区国民经济和社会发展第九个五年计划和 2010 年远景目标纲要》；通过了《关于加强和完善党政领导班子和领导干部实绩考核的决定》；提出了贯彻《中共中央关于加强社会主义精神文明建设若干重要问题的决议》的意见；提出了贯彻《中共中央关于农业和农村工作若干重大问题的决定》的意见；通过了《关于加快产业结构调整的决定》；提出了贯彻《中共中央关于国有企业改革和发展若干重大问题的决定》的意见；讨论了《内蒙古自治区国民经济和社会发展第十个五年计划纲要》。①

中共内蒙古自治区委员会从 1976 年 10 月第三届委员会第二阶段开始，到 2001 年 12 月第六届委员会结束的 25 年期间，领导内蒙古自治区蒙汉各族人民，经历了拨乱反正、改革开放、社会主义现代化建设的光辉历程，党的领导机构经过恢复、完善，形成了自治区各项事业坚强的领导核心；在党委组成人员中，蒙古族及其他少数民族成员恢复到了“文化大革命”前的

① 本目内容主要参见《内蒙古自治区志·共产党志》；内蒙古党委办公厅编：《内蒙古自治区历次党代会文献汇编》（内新图准字［2001］第 74 号）和《中共内蒙古自治区六届委员会历次全委会文献汇编》（内新图准字［2002］第 35 号）。

比例，体现了民族区域自治的特征；党委成员的革命化、年轻化、知识化的水平逐步提高，体现了与时俱进的活力。

二、内蒙古自治区人民政府恢复与施政

“文化大革命”开始以后，内蒙古自治区的党政领导机构陷于瘫痪。1967年11月1日，内蒙古自治区革命委员会成立。1967年至1976年10月，滕海清、尤太忠先后任主任，期间有15人先后任副主任，在正副主任中蒙古族2人，占11.76%。1968年2月13日，中共内蒙古自治区革命委员会核心小组成立，从而取代了中共内蒙古自治区委员会和内蒙古自治区人民委员会，成为内蒙古自治区的最高领导机构。1969年12月19日，中共中央作出《关于内蒙古实行分区全面军管的决定》后，内蒙古自治区革命委员会以及革命委员会党的核心小组，均置于北京军区内蒙古自治区前线指挥所党的领导小组的领导之下进行工作。1971年5月，中共内蒙古自治区第三届委员会成立，中共内蒙古自治区革命委员会核心小组结束。1973年6月13日，内蒙古自治区党政机构分开，自治区革命委员会行使人民政府职能。

1977年12月，内蒙古自治区第五届人民代表大会第一次会议举行，选举产生了新的内蒙古自治区革命委员会。1977年12月至1979年12月期间，尤太忠、孔飞（蒙古族）先后任内蒙古自治区革命委员会主任，先后有12人任副主任，其中蒙古族2人。在正副主任中蒙古族3人，占21.43%。1979年12月，内蒙古自治区第五届人民代表大会第二次会议举行，选举产生了内蒙古自治区人民政府，取代了内蒙古自治区革命委员会，恢复了内蒙古自治区人民政府行政职能体制。孔飞（蒙古族）、布赫（蒙古族）先后任内蒙古自治区人民政府主席，直至1983年4月召开自治区六届人大一次会议，先后有10人任副主席，其中蒙古族4人。在正副主席中蒙古族6人，占50%。

从1977年12月到1983年4月期间，内蒙古自治区人民政府在新时期开始以后，领导内蒙古蒙汉各族人民，实现了历史性的转变。在粉碎“四人帮”，特别是中共十一届三中全会以后，“在一系列重大问题上进行了艰巨的拨乱反正工作，不断清除过去‘左’的错误影响，巩固和发展了安定团结的政治局面，实现了工作重点的转移，国民经济在调整和改革中走上了

健康发展的道路。根据党中央对内蒙古工作的重要指示，我们在总结过去正反两方面经验教训的基础上，坚决贯彻了符合内蒙古实际的正确处理民族关系、搞好经济建设的方针，各个方面的工作都取得了重大成就。”“经过全面贯彻调整、改革、整顿、提高的方针，放宽农村牧区各项政策，搞活经济，实现了工农牧业生产的持续上升。”“在生产发展的基础上，城乡人民的生活有了显著提高。”“在建设物质文明的同时，精神文明的建设也取得了可喜的成绩。”这期间的基本经验：清除“左”的影响，坚持拨乱反正，坚决把工作重点转移到经济建设上来；坚持四项基本原则，坚定地与党中央在政治上保持一致；解放思想，放宽政策，包字当头，搞活经济；从实际出发，坚持了“林牧为主，多种经营”的生产建设方针；加强各民族的团结。存在的问题：整个经济工作的经营管理水平低，经济效益差；农村牧区还有许多问题有待进一步解决；社会秩序、社会治安方面的问题也还不少，今后的改革任务还十分艰巨。①

1983 年 4 月，内蒙古自治区第六届人民代表大会第一次会议举行，选举产生了内蒙古自治区人民政府，布赫任主席，直至 1988 年 5 月召开自治区七届人大一次会议，先后有 7 人任副主席，其中蒙古族 2 人。在正副主席中蒙古族 3 人，占 37.5%。

从自治区第六届人民代表大会第一次会议到 1988 年 5 月的五年期间，内蒙古自治区人民政府以经济建设为中心，坚持四项基本原则，坚持改革开放的方针，依靠全区两千多万各族人民的共同奋斗，社会主义物质文明和精神文明建设都取得了显著成就，安定团结的政治局面进一步巩固和发展。五年来，经济体制改革从农村牧区发展到城市；经济持续稳定增长，后续发展能力增强，社会生产力水平明显提高；在经济体制改革的带动和促进下，科技教育和各项社会事业都得到发展，在“两个文明”建设中显示出重大作用；不断扩大对外开放，努力发展横向联合，加快了国民经济向开放型转变；努力加强精神文明建设，推动了人们思想观念的更新，安定团结的政治局面进一步巩固和发展。

① 参见布赫《政府工作报告》（1983 年 4 月 30 日在内蒙古自治区第六届人民代表大会第一次会议上），内蒙古自治区人大常委会办公厅编：《五十年历程》，内新图准字［2004］第 95 号，2004 年印。

但是，政府工作中也存在着差距和问题，主要是经济发展速度慢，经济效益低。国民生产总值和国民收入年均增长速度比全国平均水平分别低1.8和2个百分点；1987年全民所有制独立核算工业企业全员劳动生产率比全国平均水平低40.4%，全部工业资金利税率比全国平均水平低将近50%；粮食产量、大小牲畜年末存栏数在全国所占位次有所下降。其原因，一是思想解放不够，改革开放的意识不强，思路不宽，步伐不快，胆子不够大，创新精神差，各级政府权力集中过多，政府职能转变落后于形势；二是在坚持农业是国民经济的基础问题上，发生摇摆，一度忽视“绝不放松粮食生产”的方针；三是各级政府机关自身改革进展缓慢，机构臃肿，人浮于事，互相扯皮，工作效率低的状况没有根本改变，官僚主义、铺张浪费、以权谋私等不正之风依然存在。这是需要认真解决的问题。

在实践中对区情有了进一步的认识，自治区地域辽阔，地上、地下资源都十分丰富，经济开发的潜力巨大，对外经济联系的地理位置也比较优越。但是，经济基础差，实力不强，缺资金，缺技术，缺人才；商品经济很不发达，生产力水平处于落后状态，处于社会主义初级阶段的较低层次。认识到在经济建设上，要从自治区的自然特点出发，从资源特点出发，从地理特点出发，从地区特点出发。① 但是，唯独没有提到从民族特点出发，作为民族自治地方，这是最根本的特点。

1988年5月，内蒙古自治区第七届人民代表大会第一次会议举行，选举产生了内蒙古自治区人民政府，布赫任主席，直至1993年4月召开自治区八届人大一次会议，先后有6人任副主席，其中蒙古族3人。在正副主席中蒙古族4人，占57.14%。

从自治区第七届人民代表大会第一次会议到1993年4月期间，内蒙古自治区人民政府突出抓了对经济社会发展产生重大作用的6项工作：不断强化国民经济的基础，农牧业生产出现持续较快发展的新局面；加快了经济结构调整和重点建设步伐，进一步增强了全区国民经济发展的实力和后劲；认真实施“科教兴区”战略，为提高自治区国民经济整体水平注入新的活力；

---

① 参见布赫《政府工作报告》（1988年5月25日在内蒙古自治区第七届人民代表大会第一次会议上），内蒙古自治区人大常委会办公厅编：《五十年历程》，内新图准字［2004］第95号。

努力加大改革力度，建立社会主义市场经济体制呈现良好势头；大力推进对外开放，全区各地开始形成全方位对外开放的态势；坚持“两个文明”建设一起抓，经济社会出现了更加繁荣兴旺的新气象。①

1993 年 4 月，内蒙古自治区第八届人民代表大会第一次会议举行，选举产生了内蒙古自治区人民政府，乌力吉（蒙古族）任主席，直至 1998 年 1 月召开自治区九届人大一次会议，先后有 8 人任副主席，其中蒙古族 4 人。在正副主席中蒙古族 5 人，占 55.56%。

从自治区第八届人民代表大会第一次会议到 1998 年 1 月期间，内蒙古自治区人民政府五年的施政主要成就：综合经济实力和社会生产力水平迈上了新台阶；以国有企业改革为重点的经济体制改革不断深入；以公有制为主体、多种经济成分共同发展的良好格局初步形成；对外开放和交往进一步扩大；在解决长期困扰发展的一些难点问题上取得了新进展；顺应和把握自然规律的本领有所提高；驾驭市场和调控经济的能力逐步增强；经济与社会发展更趋协调；安定团结的政治局面得到巩固和发展。

1998 年 1 月 17 日，内蒙古自治区第九届人民代表大会第一次会议举行，选举产生了内蒙古自治区人民政府。云布龙（蒙古族）、乌云其木格（蒙古族）先后任主席，直至 2003 年 1 月自治区第十届人大一次会议，先后有 8 人任副主席，其中蒙古族 5 人。

2001 年 2 月，在自治区第九届人大第四次会议上，内蒙古自治区人民政府总结了“九五”期间的工作。“九五”期间，是自治区经济社会在体制上实现重大转变、发展上实现新飞跃的重要历史时期。主要表现在 6 个方面：即国民经济持续快速健康发展，综合经济实力明显增强；改革开放稳步实施，各项社会事业全面发展；精神文明和民主法制建设不断加强，实施安定团结的政治力度不断加大，社会主义市场经济体制初步建立；固定资产投资规模不断扩大，经济发展后劲进一步增强；财政收入稳步增长，人民生活进一步改善；科教兴区战略稳步实施。

但是，在前进中还存在着必须正视的问题和矛盾，主要是：经济结构不

① 参见布赫《政府工作报告》（1993 年 5 月 5 日在内蒙古自治区第八届人民代表大会第一次会议上），内蒙古自治区人大常委会办公厅编：《五十年历程》，内新图准字［2004］第 95 号。

够合理，农牧业基础仍很脆弱，一部分企业竞争能力不强；财政收支矛盾比较突出，一部分城乡居民生活仍很困难，稳定脱贫基础不牢；科技教育发展不能够很好地适应经济建设的需要，人才缺乏特别是高级技术和管理人才不足；基础设施建设相对滞后，环境污染、生态环境恶化的趋势尚未得到有效控制；在一些领域适应市场经济和依法行政的能力不强，贪污腐化、奢侈浪费现象依然存在。①

综观在社会主义现代化建设新时期，内蒙古自治区人民政府按照中共中央在新时期的路线、方针、政策，根据中共内蒙古自治区委员会的决策，领导全区蒙汉各族人民，经过拨乱反正，改革开放，实行调整、改革、整顿、提高的方针，通过发展国民经济四个五年计划、两个十年发展战略，自治区的经济建设、社会发展取得了巨大成就，创造了丰富的经验，在政治、经济、教育、科技、文化、卫生、体育等各个领域发生了天翻地覆的变化，是内蒙古自治区历史发展的第二个“黄金时期”，这是不容置疑的客观事实。当然，在自治区二十多年的发展过程中，由于主观和客观的诸多因素，在历史发展的各个阶段，出现过这样那样的问题和缺点，乃至失误和教训，这也是值得总结的。内蒙古自治区是蒙古族为主体，汉族人口占多数，又包括其他少数民族的多民族地区，这里的民族特点和民族地区特点，是作出经济建设、社会发展决策的极其特殊的出发点。内蒙古自治区人民政府恢复施政以来二十多年间，向自治区人民代表大会总共作了 24 个政府工作报告，在总结工作或部署任务中讲民族问题和民族政策的不算多，而且缺乏深度；在讲自治区特点的时候不讲民族特点；蒙古族和鄂伦春、鄂温克、达斡尔等自治民族的发展，也缺乏专门数据标识，看不出实行自治的民族及其他少数民族发展的量化内容。

三、内蒙古自治区人民代表大会制度的恢复与完善

内蒙古自治区自 1954 年实行人民代表大会制度以来，在“文化大革命”前召开三届九次代表会议。在“文化大革命”中，1975 年 1 月 17 日第

① 参见乌云其木格《政府工作报告》（2001 年 2 月 16 日在内蒙古自治区第九届人民代表大会第四次会议上），内蒙古自治区人大常委会办公厅编：《五十年历程》，内新图准字［2004］第 95 号。

四届全国人民代表大会第一次会议通过的《中华人民共和国宪法》第22条规定："地方各级革命委员会是地方各级人民代表大会的常设机关，同时又是地方各级人民政府。"据此，1967年11月1日成立的内蒙古自治区革命委员会也被确认为内蒙古自治区第四届人民代表大会的常设机关。

1977年12月，内蒙古自治区第五届人民代表大会第一次会议召开。当时内蒙古自治区原行政区划还未恢复，经盟市革委会和内蒙古军区、驻区部队协商，在当时内蒙古自治区行政区划内产生了660名代表，出席会议代表600名，选举产生了新一届内蒙古自治区革命委员会，尤太忠任主任，池必卿、宝日勒岱（蒙古族、女）、刘景平、滕俊清、沈新发、王铎、邵子言、孟琦、乌恩（蒙古族）、侯永、张鹏图、姜习、赵军、云世英（蒙古族）任副主任，委员60名。虽然恢复了人民代表大会制度，但是自治区的权力机关和行政机关的职能还不明确。

1979年12月18日至27日，内蒙古自治区第五届人民代表大会第二次会议召开。是年7月1日内蒙古自治区原行政区划恢复，从邻省区划回内蒙古自治区的东3盟、西3旗人民代表也随之划入内蒙古自治区人民代表之中。因此，内蒙古自治区第五届人民代表大会的蒙汉各民族代表总数增加为976名，其中蒙古族代表357名，占代表总数的36.58%；汉族代表545名，占代表总数的55.84%；鄂伦春、鄂温克、达斡尔等3个自治民族的代表20名，占代表总数的2.04%；其他少数民族的代表50名，占代表总数的5.13%。① 大会选举内蒙古自治区第五届人民代表大会常务委员会组成人员，廷懋（蒙古族）为常委会主任，王逸伦、高增培、沈新发、克力更（蒙古族）、刘昌、孙兰峰、张如岗、寒峰（蒙古族）、奇峻山、色音巴雅尔（蒙古族）、宝日勒岱、鄂其尔呼雅克图（蒙古族）、张荣臻为副主任。在主任、副主任14人中，蒙古族7人，占50%；常务委员45名。② 自治区五届人大代表的民族比例和人大常委会领导成员的民族比例，是对"文化大革

① 参见《内蒙古自治区历届人民代表大会代表情况统计表》，《内蒙古自治区志·人民代表大会志》，2008年审定稿。

② 参见《内蒙古自治区人民代表大会会议大事记》，《五十年历程》（下），内蒙古自治区人大常委会办公厅编：内新图准字［2004］第95号。

命”破坏民族政策的拨乱反正，是对自治区民族特点、地区特点的充分体现。

本届人大共召开5次会议，经过整顿，代表名额到第三次会议调整为957名，逐步完善人民代表大会制度，并行使自身的职能。从自治区第五届人民代表大会第二次会议开始，人大常委会承担起了人大闭会期间过去由行政机关承担的职责。自1979年内蒙古自治区第五届人民代表大会常务委员会成立以来的3年多期间，常委会主要做了6项工作：1. 进行社会主义民主和法制建设，制定地方性法规，开展立法工作；2. 开始起草内蒙古自治区自治条例；3. 听取、审议政府和两院工作报告，讨论、决定重大事项；4. 组织旗县级直接选举；5. 决定干部任免；6. 联系人民代表和各级人大常委会，办理代表提案，组织视察工作。①

1983年4月20日至29日，内蒙古自治区第六届人民代表大会第一次会议召开。本届蒙汉各族代表801名，其中蒙古族代表305名，占代表总数的38.08%；汉族代表412名，占代表总数的51.44%；鄂伦春、鄂温克、达斡尔3个自治民族代表26名，占代表总数的3.25%；回、满、朝鲜等少数民族代表58名，占代表总数的7.24%。② 大会选举了自治区第六届人大常务委员会组成人员，巴图巴根（蒙古族）为人大常委会主任，李文、郝秀山、孙兰峰、周北峰、何耀、色音巴雅尔（蒙古族）、鄂其尔呼雅克图（蒙古族）、潮洛濛（蒙古族）、布特格其（蒙古族）、阿拉坦敖其尔（蒙古族）、胡钟达为副主任。主任、副主任12名中，蒙古族6名，占50%；常务委员37名。③

自治区第六届人民代表大会常务委员会五年来的主要工作：1. 地方立法工作取得了新进展，五年中审议通过地方性法规14件，有关法规问题的决定8件，批准呼和浩特市人大常委会制定的地方性法规2件，两次审议并

---

① 参见内蒙古自治区第五届人民代表大会第三、四、五次会议常委会工作报告，内蒙古自治区人大常委会办公厅编：《五十年历程》（上），内新图准字［2004］第95号。

② 参见《内蒙古自治区历届人民代表大会代表情况统计表》,《内蒙古自治区志·人民代表大会志》2008年审定稿。

③ 参见《内蒙古自治区人民代表大会会议大事记》,内蒙古自治区人大常委会办公厅编：《五十年历程》（下），内新图准字［2004］第95号。

形成《内蒙古自治区自治条例》；2. 监督工作逐步加强，检查监督民族区域自治法实施情况，组织检查团、调查组深入9个盟市，44个旗县（市），61个苏木、乡、镇，30多个农牧场、草原站和厂矿，检查草原法、草原管理条例实施情况；3. 依法行使任免权，五年来共任免国家机关工作人员794名，还任免自治区人大常委会机关工作人员31名；4. 积极开展普法教育，1987年在全区1 764万普法对象中有917万人不同程度地受到普法教育，约占普法对象的52%，其中全区有42万名各级干部受到了普法教育，普及率达80%以上；5. 组织指导换届选举，加强地方政权建设；6. 加强同人大代表的联系，五年来组织人民代表视察1 144人次，视察机关、学校、厂矿等631个单位，提出建议627条，收到代表议案535件，代表意见、批评和建议2 729件；7. 逐步加强组织制度和工作机构建设，制定了《内蒙古自治区人民代表大会常务委员会工作条例（试行）》等4个程序性法规，组建常委会下设的民族、政法、财经、教科文卫等4个工作委员会，机构不断完善，工作走上制度化、规范化。

1988年5月25日至6月9日，内蒙古自治区第七届人民代表大会第一次会议召开。本届蒙汉各族代表586名，其中蒙古族代表226名，占代表总数的38.6%；汉族代表412名，占代表总数的48.6%；鄂伦春、鄂温克、达斡尔等3个自治民族代表27名，占代表总数的4.61%；回、满、朝鲜等少数民族代表43名，占代表总数的7.33%。① 大会选举巴图巴根（蒙古族）为自治区人大常委会主任，布特格其（蒙古族）、张灿公、色音巴雅尔（蒙古族）、许令任、白俊卿（蒙古族）、刘震乙、沙驼（鄂温克族）为副主任。在8名主任、副主任中，蒙古族4人，占50%，鄂温克族1人；常务委员41名。②

自治区第七届人民代表大会常务委员会五年来的主要工作：1. 适应改革开放和经济建设的需要，有计划地加快地方立法步伐；2. 根据党中央和

---

① 参见《内蒙古自治区历届人民代表大会代表情况统计表》，《内蒙古自治区志·人民代表大会志》2008年审定稿。

② 参见《内蒙古自治区人民代表大会会议大事记》，内蒙古自治区人大常委会办公厅编：《五十年历程》（下），内新图准字［2004］第95号。

自治区党委的决策，更好地决定重大事项；3. 把加强法律实施的监督检查，放到同地方立法同等重要的位置；4. 围绕党委决策的执行，积极主动地开展工作监督；5. 认真贯彻我国选举制度的基本原则，指导旗县、苏木乡镇换届选举；6. 保障人大代表依法行使代表职权，努力改进联系代表的工作；7. 坚持民主集中制原则，认真加强常委会的制度建设。

1991 年 5 月 6 日，在七届四次会议上通过了《内蒙古自治区国民经济和社会发展十年规划和第八个五年计划纲要》，提出了自治区九十年代主要奋斗目标和基本指导思想。主要奋斗目标，即十年战略思想：发挥资源优势，坚持改革开放，依靠科技进步，努力兴区富民。主要任务和目标：在八五期间，基本实现近期三项奋斗目标；到本世纪末，全面实现第二步战略目标，即国民生产总值在 1980 年的基础上翻两番，综合经济实力大大增强，人民生活达到小康水平；经过努力，把我区建成国家重要的能源、原材料、冶金、重化工和毛纺工业基地，建成畜牧业、林业和粮、油、糖基地，力争在某些方面居于全国的先进地位；科技、教育、文化等各项社会事业进一步发展。①

1993 年 5 月 5 日至 13 日，内蒙古自治区第八届人民代表大会第一次会议召开。本届蒙汉各族代表 587 名，其中蒙古族代表 197 名，占代表总数的 33.6%；汉族代表 326 名，占代表总数的 55.53%；鄂伦春、鄂温克、达斡尔等 3 个自治民族代表 23 名，占代表总数的 3.92%；回、满、朝鲜等少数民族代表 41 名，占代表总数的 6.98%。② 大会选举王群为人大常委会主任，于兴隆（蒙古族）、刘作会、伊钧华（蒙古族）、刘震乙、崔维岳、贾才、刘珍（蒙古族）、王秀梅（蒙古族、女）、舍勒巴图（鄂伦春族）、刘晓旺为副主任。在 11 名主任、副主任中，蒙古族 4 名，占 36.36%；鄂伦春族 1 名；常务委员 46 名。③ 蒙古族和其他少数民族在代表和领导人中的比例有所下降。

---

① 参见《内蒙古自治区国民经济和社会发展十年规划和第八个五年计划纲要》，内蒙古自治区人大常委会办公厅编：《五十年历程》，内新图准字［2004］第 95 号。

② 参见《内蒙古自治区历届人民代表大会代表情况统计表》，《内蒙古自治区志·人民代表大会志》2008 年审定稿。

③ 参见《内蒙古自治区人民代表大会会议大事记》，内蒙古自治区人大常委会办公厅编：《五十年历程》（下），内新图准字［2004］第 95 号。

自治区第八届人民代表大会常务委员会五年来的主要工作：1. 地方立法工作成绩显著，为全区改革和发展提供了法律保障；2. 监督工作迈出新步伐，促进了党的决策和法律法规的正确实施；3. 加强指导，推动全区人大工作深入发展；4. 密切同代表和人民群众的联系，加强常委会的建设。

1998 年 1 月 8 日至 18 日，内蒙古自治区第九届人民代表大会第一次会议召开。本届蒙汉各族代表 533 名，其中蒙古族代表 162 名，占代表总数的 30. 39%；汉族代表 314 名，占代表总数的 58. 91%；鄂伦春、鄂温克、达斡尔等 3 个自治民族代表 19 名，占代表总数的 3. 56%；回、满、朝鲜等少数民族代表 38 名，占代表总数的 7. 13%。[①] 大会选举刘明祖为人大常委会主任，白音（蒙古族）、宋志民、张廷武、包文发（蒙古族）、贾才、王秀梅（蒙古族）、舍勒巴图（鄂伦春族）、张鹤松、陈瑞清为副主任。在 10 名主任、副主任中，蒙古族 3 名，占 30%；鄂伦春族 1 名；常务委员 48 名。[②] 蒙古族及其他少数民族在代表和领导人中的比例进一步下降。

自治区第九届人民代表大会常务委员会五年来的主要工作：1. 地方立法工作取得明显进展，为依法治区创造了良好条件；2. 监督工作进一步加强，在促进重大决策落实和法治环境建设中发挥了重要作用；3. 积极发挥人大常委会在民主决策中的作用，认真依法开展任免工作；4. 密切联系代表和人民群众，加强对全区人大工作的指导；5. 加强常委会自身建设，增强做好人大工作的责任感和使命感。

四、内蒙古自治区政治协商会议制度的恢复与发展

中国人民政治协商会议内蒙古自治区委员会，自 1955 年 2 月 22 日举行第一届第一次会议以来，在“文化大革命”前举行过三届委员会会议，“文革”中因政治动乱而停顿。1977 年 12 月 17 日，召开政协内蒙古自治区第四届第一次全体委员会议，出席会议的委员 322 名。本届委员共 324 名，其

---

① 参见《内蒙古自治区历届人民代表大会代表情况统计表》，《内蒙古自治区志 · 人民代表大会志》2008 年审定稿。

② 参见《内蒙古自治区人民代表大会会议大事记》，内蒙古自治区人大常委会办公厅编：《五十年历程》（下），内新图准字［2004］第 95 号。

中中国共产党30名，共产主义青年团13名，工会21名，贫下中农牧协会17名，妇女联合会16名，科学技术界50名，教育界32名，文学艺术界19名，新闻出版界9名，医药卫生界22名，体育界5名，华侨和台湾籍同胞3名，特别邀请85名。其中蒙古族102名，占委员总数的31.48%；其他少数民族16名，占代表总数的4.93%。政协内蒙古自治区第四届委员会主席尤太忠，副主席奎璧（蒙古族）、克力更（蒙古族）、王再天（蒙古族）、孙兰峰、刘华香、孔飞（蒙古族）、李世杰、朋斯克（蒙古族）、黄巨俊、周北峰、鄂其尔呼雅克图（蒙古族）、杨令德、张荣臻、谭振雄，共14名，其中蒙古族6名，占42.85%；常务委员40名。1979年12月16日至28日，举行四届二次会议，选举奎璧（蒙古族）为主席，增选武达平、赵展山、赵云驶、那钦双和尔（蒙古族）、王建功、胡钟达、齐永存、梁一鸣、王海山（达斡尔族）、魏兆融，共10名副主席，其中蒙古族1名，达斡尔族1名。四届三次会议增选李森（蒙古族）为副主席。由于工作调动、任职变动和逝世等原因，副主席人选变动较大，不予列述。

政协内蒙古自治区第四届委员会从1977年12月到1982年12月的五年期间，先后召开五次全委会议，其主要工作与活动：1. 拨乱反正，平反冤假错案，落实政策，对原政协、参事室、文史馆三机关以及代管的爱国人士144人在“文革”中形成的3 827份材料分别进行了清理、登记、造册，当众销毁或退还本人；涉及落实政策的职工达133人，属于“三大冤假错案”受害者一律予以平反，对7名右派分子均进行复查改正，对爱国统战人士安排了工作，被查抄的个人财物清查退还本人，落实政策的问题基本处理完毕。2. 恢复、整顿、健全政协机构，核定自治区政协编制28人；全区盟市级政协全部建立，建立旗县级政协74个，各级政协委员达6 200余人。3. 学习贯彻中共中央关于新时期的路线、方针、政策和决议、决定，学习贯彻内蒙古党委对自治区工作的方针、政策和决策、决定及工作部署，确定政协配合工作的内容。4. 参与自治区的民主法制建设，讨论自治区人大提出的法律、法规、条例，提出修改、补充建议和意见。5. 建立自治区政协学习委员会，组织两批参观学习团，分赴区内外参观学习，开阔眼界，增长见识，提高议政、参政能力。6. 组织在区内考察调研，提供资政建议或意见。7. 建立文史资料研究委员会及其办事机构，恢复、推进文史资料研究、编辑、出版工作，征集文稿300多篇，编辑出版《内蒙古文史资料选辑》共7集。8. 广泛开展统一战线工作。①

1983年4月18日至26日，政协内蒙古自治区第五届委员会第一次会议召开，并列席内蒙古自治区第六届人民代表大会第一次会议。本届委员460名，中国共产党19名，中国民主同盟3名，中国国民党革命委员会2名，中国民主建国会1名，中国民主促进会2名，九三学社2名，中国共产主义青年团11名，青年联合会2名，工会21名，农牧民12名，妇女联合会15名，文学艺术界26名，科学技术界108名，社会科学界12名，新闻出版界8名，教育界56名，医药卫生界36名，体育界13名，台胞、港澳同胞、归侨13名，工商联合会8名，宗教界9名，少数民族27名，特别邀请54名。五届一次会议选举石生荣为政协内蒙古自治区第五届委员会主席，陈炳宇（蒙古族）、乌力更（蒙古族）、杨令德、那钦双和尔（蒙古族）、韩明、魏兆融、马振铎（蒙古族）、李树元、刘震乙、暴彦巴图（蒙古族）、云照光（蒙古族）为副主席。主席、副主席中蒙古族6名，占50%。政协常委57名，其中少数民族30名，占52.63%。

政协内蒙古自治区第五届委员会共召开5次全委会、20次常委会、60次主席会议，除了例行工作会议外，集中研究自治区政治、经济、教育、科技、文化等方面的一些重要问题，提出意见或建议。期间，帮助民主党派发展组织，开展活动。1983年前3季度民主党派成员发展到400人，比1982年增长5倍；接待民主党派中央领导及学者智力支边团、讲学组11个50余人，讲学17场，听众5 520人；开展社会办学活动，创办高考补习班，办青城大学；接待民主党派、团体的智力支边人员20多批150余人，作报告90多场次，听众达3万多人；编辑出版《内蒙古文史资料》5辑，征集160多万字稿件，7个盟市和6个旗县政协出版了文史资料；落实非党政协委员政策，应落实者3 188人，已落实2 939人，补发工资78万元，救济补助60万元，退赔查抄财物金额142万元，退房2 358间，安排子女1 191人；全区12个盟市全部建立政协，在97个旗县中有95个建立了政协机构；组

① 参见内蒙古自治区政协编印《中国人民政治协商会议内蒙古自治区委员会三十年大事记》，1987年印，第113—171页。

织政协委员考察自治区经济体制改革、教育改革、职业教育、工程质量、财务管理、文化体育设施、渔业生产等，提出意见或建议；组织政协委员赴四川、广东等省以及区内考察，举行内蒙古与黑龙江、吉林、辽宁政协联系会议，促进与东北的经济开发；考察卓资县经济、政治体制改革情况和农业科学院、畜牧科学院科研情况，撰写考察报告，报内蒙古党委和自治区人民政府参考；参与讨论《关于进一步落实“林牧为主，多种经营”经济建设方针实施方案》和内蒙古自治区自治条例；办理政协提案，发挥政协参政作用。

1988 年 5 月 23 日至 6 月 4 日，政协内蒙古自治区第六届第一次会议召开，全体委员列席了自治区人大七届历次会议。本届委员 468 名，中国共产党 21 名，中国国民党革命委员会 6 名，中国民主同盟 5 名，中国民主建国会 3 名，中国民主促进会 6 名，中国农工民主党 6 名，九三学社 6 名，无党派民主人士 15 名，中国共产主义青年团 6 名，工会 15 名，妇女联合会 15 名，青年联合会 4 名，工商业联合会 13 名，农牧林界 49 名，科学技术界 72 名，社会科学界 20 名，文化艺术界 21 名，新闻出版界 9 名，教育界 51 名，医药卫生界 27 名，体育界 9 名，台胞、港澳同胞、归侨 22 名，少数民族 27 名，宗教界 10 名，特别邀请人士 30 名。六届一次会议选举石生荣为政协内蒙古自治区第六届委员会主席，乌力更（蒙古族）、韩明、李树元、暴彦巴图（蒙古族）、云照光（蒙古族）、王崇仁、陈杰、突克（蒙古族）、兰乾福、云曙芬（蒙古族、女）、奇忠义（蒙古族）、乌兰（蒙古族）、张顺臻为副主席。在主席、副主席中蒙古族 7 名，占 50%。政协常委 75 名，其中少数民族 32 人，占 42.66%。

本届政协共召开 5 次全委会议、20 次常委会议、65 次主席会议，除了审议政协历次全委会议工作报告和政协有关事项外，全体委员列席内蒙古自治区七届人大历次代表会议，听取和参与审议自治区人民政府工作报告、历年国民经济和社会发展计划报告以及财政预决算报告；制定常务委员会工作规则、秘书长和副秘书长工作规则、专门委员会组织通则，以规范政协工作；开展基层政协工作的调查研究；参加华北、东北邻省区政协工作联系会议，交流、研讨发挥政协的政治协商、民主监督基本职能作用和建立社会主义商品经济新秩序，搞好政协自身建设等问题；举办第五次华北 5 省区文史资料工作协作会议和政协六届第一次文史资料委员会会议；举办首次政协委员活动日，全国和自治区政协驻呼和浩特委员150多人参加；恢复经济技术咨询服务部的工作；视察呼和浩特市、包头市、伊克昭盟国营、集体、个体企业，考察街道企业及城市就业；讨论全国和自治区人大、政府制定的法规草案；研究编写了《畜牧业商品生产知识一千问》丛书。主席会议提出：1. 加强学习，提高认识，政协各级领导人要抓好分管部门的学习，旗帜鲜明地反对动乱。2. 要严于律己，廉洁奉公，反奢崇俭，勤奋工作。3. 要教育好自己的子女，不要参与社会上的不正当活动。本届政协还召开华北地区政协工作横向联系座谈会，研究内蒙古草原退化及其对策，提出5条建议：1. 发展草地生态畜牧业，应使生产同资源进一步协调合理；2. 畜牧业应以草业为基础、畜群良种化为支柱；3. 农牧紧密结合，发展半舍饲畜牧业；4. 应加快科学技术措施的推广和应用；5. 加快牧区智力开发，是建设现代化畜牧业的重要条件。视察准格尔煤田建设中的问题，提出意见和建议。赴南方江苏、浙江、福建、广东4省8市参观、考察、取经。召开林业座谈会议，讨论林业建设政策、管理和投入问题。讨论《内蒙古自治区国民经济和社会发展十年规划》和《八五计划纲要》草案，提出修改意见和建议。制定《内蒙古政协关于改进机关作风的规定》。考察、研究新能源开发利用问题，赴山东济南、淄博、潍坊、青岛、威海、烟台考察经济发展。

1993年5月4日至10日，政协内蒙古自治区第七届委员会第一次会议召开，并列席内蒙古自治区第八届人民代表大会第一次会议。本届委员465名，中国共产党27名，中国国民党革命委员会7名，中国民主同盟7名，中国民主建国会6名，中国民主促进会7名，中国农工民主党7名，九三学社7名，无党派民主人士14名，中国共产主义青年团6名，工会13名，妇女联合会12名，青年联合会4名，工商业联合会14名，农牧林界40名，科学技术界55名，社会科学界14名，经济企业界24名，科学技术协会界13名，文化艺术界18名，新闻出版界9名，教育界40名，医药卫生界21名，体育界6名，台胞、港澳同胞19名，侨联界7名，少数民族24名，宗教界10名，特别邀请人士34名。千奋勇（蒙古族）当选为政协内蒙古自治区第七届委员会主席，张佐才、乃登（蒙古族）、王崇仁、陈杰、兰乾福、乌兰（蒙古族）、奇忠义（蒙古族）、张顺臻、袁明铎、格日勒图（蒙古族）、乌伦赛（蒙古族）、夏日（蒙古族）、杨紫珍、陈又遵、许柏年为副主席。在主席、副主席中蒙古族7名，占43.75%。常务委员82名，其中少数民族占41.46%。

本届政协共召开5次全委会议、20次常委会议、52次主席会议，除了研究决定政协例行会议工作报告和有关问题外，全体委员列席内蒙古自治区八届人大历次代表会议，听取和参与审议自治区人民政府工作报告、历年国民经济和社会发展计划报告以及财政预决算报告；举行反腐败斗争报告会，参与自治区反腐倡廉斗争；继续组织赴区外参观考察，拓展对外开放渠道，加大在区内的考察调研活动力度，对呼和浩特市两大开发区总体规划进展情况、轻工业的趋势和现状、“三资”企业发展现状及其经验和存在的问题、高校教育人才流失状况及对策、自治区三级医院在市场经济新形势下面临的新问题、企业女职工在市场经济新形势下的生产和生活状况等进行了视察，就自治区的经济建设、社会发展提出意见和建议，召开“加快发展内蒙古经济研讨会”并提出了意见和建议，调查农村牧区工作和当前农牧业生产中存在的问题并提出意见和建议；成立自治区政协企业家联谊会，发挥政协企业家委员的群体作用；制定了《关于内蒙古政协专门委员会调查报告的处理办法》《内蒙古政协专门委员会主任联系会议制度》《政协内蒙古自治区第七届委员会常务委员会会务工作规则》，并加强自身建设；举行《中华人民共和国民族区域自治法》颁布10周年座谈会；视察呼和浩特市文化市场管理情况，提出改进意见和建议。内蒙古自治区人民政府作出《关于支持自治区政协履行政治协商、民主监督、参政议政职能的决定》，内蒙古党委作出《内蒙古自治区党委关于进一步加强和改善对人民政协工作领导的通知》，进一步为政协工作的发展创造了条件。本届政协通过贯彻《政协全国委员会关于政治协商、民主监督、参政议政的规定》，进一步发挥政协的作用。

1998年1月7日至14日，政协内蒙古自治区第八届第一次全委会召开，并列席内蒙古自治区第九届人民代表大会第一次会议。本届委员469名，中国共产党26名，中国国民党革命委员会8名，中国民主同盟8名，中国民主建国会8名，中国民主促进会8名，中国农工民主党8名，九三学社8名，无党派民主人士16名，中国共产主义青年团4名，工会8名，妇女联合会11名，青年联合会6名，工商业联合会18名，农牧界38名，科学技术界35名，社会科学界12名，经济企业界51名，科学技术学会界13名，文化艺术界22名，新闻出版界9名，教育界34名，医药卫生界22名，体育界6名，台胞台属界16名，侨联界6名，社会福利界8名，少数民族19名，宗教界11名，特别邀请人士30名。千奋勇（蒙古族）当选为政协内蒙古自治区第八届委员会主席，冯奉、乃登（蒙古族）、谭博文、乌兰（蒙古族）、格日勒图（蒙古族）、夏日（蒙古族）、许柏年、罗锡恩、奇英成（蒙古族）、盖山林、李仕臣为副主席。在主席、副主席中蒙古族6名，占50%。常务委员87名，其中少数民族占45.97%。

本届政协从1998年1月至2000年12月的主要工作：召开全委会3次、常委会10次、主席会议35次。作出《关于把改善生态环境列为政协今后几年的重要议题的决议》及实施方案，对伊克昭盟4个旗、13个苏木乡、30多个点的沙漠综合治理进行实地调查，形成伊盟治理沙漠的成功经验及存在的问题的调查报告，成立政协改善生态环境调研工作领导小组，分设生态农业组、草原森林组、城市环保组，举办荒漠化生态环境建设与可持续发展座谈会；对呼和浩特、包头20多个民营企业进行专题调查，提出发展民营企业的思路与对策。考察乌审旗生态平衡、植被保护、水土保持、综合治理，提出加强生态环境意识的建议。与自治区政府联合提出《关于将阿拉善地区生态环境综合治理工程列入国家和各部委“九五”计划并纳入西北“三西”生态环境治理规划》《关于成立内蒙古自治区蒙医院和蒙医研究所》等提案，审议通过内蒙古党委《关于贯彻中共中央关于农业和农村工作若干重大问题的决议》。专题考察巴彦淖尔盟、阿拉善盟荒漠化问题，提出了意见和建议。考察浙江民办大中学校，结合自治区实际提出社会办学的意见和建议。召开民族教育座谈会，了解民族教育现状、存在的问题以及改革发展趋势所应采取的措施。对呼伦贝尔盟、兴安盟、哲里木盟和鄂温克自治旗、莫力达瓦达斡尔自治旗、扎赉特旗、科右中旗、奈曼旗的23所学校的民族教育和素质教育现状和存在的问题实地调查，形成调查报告。调查锡林郭勒盟部分旗县草原生态建设情况。1999年9月，全区12个盟市101个旗县市都建立了政协组织，政协委员从第一届的2 500名发展到13 740名，委员界别由17个扩展到29个。为实施西部大开发战略献计献策，主办部分省、市、区第四次民族和宗教工作研究会，结合西部大开发研讨民族和宗教工作。①

政协内蒙古自治区委员会从1977年12月到2000年12月的23年间，历经第四届到第八届的第3年，经过恢复整顿自治区政协机构，逐步组建盟、市及旗、县、区政协组织，使政协工作步入正常轨道，在政治协商、民主监督、参政议政方面进行大量有效的工作，发挥了重要作用。特别是在经济建设、社会发展、对内改革、对外开放方面发挥了不可替代的作用。

第二节　党政人大机构和人事制度改革

一、党政人大机构改革

在改革开放中，政治体制改革从党政人大机关的机构改革开始。1983年，中共中央办公厅、国务院办公厅《关于批复内蒙古自治区区级党政机关机构改革方案的通知》，批准自治区党政群机关机构61个，自治区级党政群机关编制总额定为4 800人（不含公安、检察院、法院、司法行政机关的编制）。对于内蒙古党委顾问委员会、纪律检查委员会；自治区人大常委会、自治区政协、民主党派和人民团体以及机关党委等组织机构，其编制包括在自治区级党政群机关总编制内。据此，自治区级党政群机构逐步进行了机构改革。

内蒙古自治区的政治体制改革，首先是从党政机构的改革开始的。内蒙古党委机构在“文化大革命”中被解散后，1971年恢复中共内蒙古自治区委员会；1973年撤销内蒙古自治区革委会办公室，恢复党委办公厅、组织部、宣传部、统战部和直属机关党委，并成立政策研究室，后改为调查研究室。1983年机构改革时改称中共内蒙古自治区委员会政策研究室，1989年成立中共内蒙古自治区委员会农村牧区政策研究室，与中共内蒙古自治区委

① 关于内蒙古政协的主要参考资料，见政协内蒙古自治区委员会编印：《中国人民政治协商会议内蒙古自治区委员会——三十年大事记》和《中国人民政治协商会议内蒙古自治区委员会大事记（1986—2000）》；内蒙古政协办公厅、文史资料委员会编：《中国人民政治协商会议内蒙古自治区委员会九届政协委员名录》，《内蒙古文史资料》第57辑。

员会政策研究室一套班子两个牌子。1983 年成立中共内蒙古自治区委员会政法委员会，为内蒙古党委领导政法工作的职能部门。1979 年恢复内蒙古自治区档案局，为内蒙古党委和内蒙古自治区人民政府的直属机构，1983 年划归内蒙古自治区人民政府领导，1995 年定为受内蒙古党委、内蒙古自治区人民政府委托管理全区档案工作的事业单位，由内蒙古党委办公厅管理。1980 年成立中共内蒙古自治区委员会党史资料征集委员会和革命史编审委员会，两个名称一套机构；1985 年更名为中共内蒙古自治区委员会党史资料征集委员会；1988 年成立中共内蒙古自治区委员会党史领导小组，1990 年中共内蒙古自治区委员会党史资料征集委员会改称中共内蒙古自治区委员会党史研究室。内蒙古党委的机构改革逐步形成了适应形势发展的机制，同时盟市、旗县党委的组织机构也进行了相应的改革调整。①

1979 年 7 月，第五届全国人民代表大会第二次会议通过的《中华人民共和国地方各级人民代表大会和地方各级人民政府组织法》规定，地方各级人民代表大会均设立常务委员会；地方各级革命委员会改为人民政府，恢复省长、市长、自治区主席和县长等地方政府领导称谓。同年 12 月，内蒙古自治区五届人大二次会议召开，会议决定内蒙古自治区人民代表大会设常务委员会，作为人代会的常设机关，选举产生了常务委员会主任、副主任、秘书长和常务委员，常委会议每两个月召开一次；常委会设主任会议，由主任、副主任组成，研究决定、处理常委会日常工作。会议决定撤销内蒙古自治区革命委员会，恢复内蒙古自治区人民政府，选举产生了内蒙古自治区人民政府主席、副主席，从而使人民代表大会的立法权力与人民政府的行政职能明确分开，各司其职。

内蒙古自治区人民代表大会及其常务委员会制定了一系列关于人大工作的地方性法规，以完善自治区人民代表大会制度，加强人大自身建设。内蒙古自治区人民代表大会在原提案（议案）审查委员会、代表资格审查委员会的基础上，五届人大常务委员会又增设了预算委员会、法制委员会；陆续制定了内蒙古自治区人民代表大会议事规则，常务委员会议事规则、工作条

① 参见《内蒙古自治区志·共产党志》第 5 篇《党的部门工作》有关内容，内蒙古人民出版社 1999 年版，第 339 页。

例、立法条例；各级人民代表大会选举实施细则、常务委员会监督工作条例、执法检查条例、信访工作条例；旗县级人民代表大会议事规则及其常务委员会议事规则、工作条例；苏木、乡、民族乡、镇人民代表大会工作条例及其主席、副主席工作条例；颁布了人大常委会任免国家机关工作人员办法，保证人大代表有权有责，发挥人大监督作用。

内蒙古自治区人民代表大会及其常务委员会，从1980年到2000年制定和批准地方性法规181件，批准地方性法规、自治条例、单行条例65件，在自治区法制建设，依法治区、兴区方面发挥了主导作用。

1979年至1981年自治区开始实行旗县直接选举，由选民直接选举出席旗、县人民代表大会的代表。全区参加投票的选民达到917万多人，占全区选民总数的94%，选出人民代表2.29万人。以后，由旗、县人民代表大会选举产生旗、县人民代表大会常委会主任、副主任、委员；选举产生旗、县人民政府正副旗、县长，并根据实施过程中提出的问题，逐步改革、完善。从而把社会主义民主用法律的形式固定下来，保障人民充分行使基本民主权利，保障民主制度具有稳定性、连续性和权威性。①

内蒙古自治区人民政府是省级国家行政机关和自治机关，也是内蒙古自治区人民代表大会的执行机关，对内蒙古自治区人民代表大会和中华人民共和国国务院负责并报告工作，在内蒙古自治区人民代表大会闭会期间，对内蒙古自治区人民代表大会常务委员会负责并报告工作，行使法律赋予的职权暨自治机关的自治权。

内蒙古自治区人民政府自1979年12月恢复后，逐步恢复政府各部门，并根据形势发展的需要和政府机构改革的要求，进行了政府机构建设。除了政府办公厅外，逐步设置了61个厅、局、委员会、办公室和两个调查队，是自治区机构最多、规模庞大、干部人数位居榜首，肩负繁重施政任务的政权机构。在政府机构改革中，有些政府常规部门因发展形势的需要和管理内容的变化，进行了整合，改变了名称；为适应新时期社会经济发展的要求，增设了新的政府部门。截至2000年，内蒙古自治区科学技术委员会改为科

---

① 参见陶建等主编：《内蒙古区情》第1节《内蒙古自治区人民代表大会及其常务委员会》有关内容，内蒙古人民出版社2006年版，第174页。

学技术厅、食品药品管理局改为药品监督管理局、广播事业管理局改为广播电影电视局；新设了内蒙古自治区国家安全厅、审计厅、劳动和社会保障厅、建设厅、国土资源厅、工商行政管理局、地方税务局、质量技术监督局、环境保护局、粮食局、国家税务局、地震局、煤矿安全监察局、邮政局、出入境检验检疫局、通信管理局、旅游局、人口和计划生育委员会、国有资产监督管理委员会、政府调查研究室、法制办公室、金融工作办公室、扶贫开发领导小组办公室、信息化工作办公室等。盟市、旗县政府机构也进行了相应的改革。政府机构改革，充分体现了内蒙古自治区人民政府在新时期的施政内容与特色，及对自治区社会主义建设的全方位领导。①

二、干部人事制度改革

1978 年，中共十一届三中全会后，按照邓小平同志提出的“勇于改革不合时宜的组织制度、人事制度”的要求，内蒙古自治区在党政机构改革的同时，对干部人事制度逐步进行了一系列改革。在改革中，坚持人事工作为党的基本路线和经济建设服务的指导思想，干部队伍建设以“革命化、年轻化、知识化、专业化”为方针，废除领导职务终身制，建立了干部离休退休制度，实现了新老干部正常交替，促进了领导班子年轻化；建立了干部培训制度，促进干部素质的提高，实行后备干部制度；在干部考核中引入了民主评议等方法，探索扩大干部人事工作民主化、科学化的途径；实行干部分类管理体制，打破了单一的干部管理模式；下放干部管理权限，并赋予有关业务主管部门相应的干部管理权限。

1992 年，中共十四大以后，随着社会主义市场经济的逐步建立，自治区干部人事制度改革的力度逐步加大，特别是根据中共十四届四中全会提出的“扩大民主、完善考核、推进交流、加强监督”的总体要求，自治区通过深化改革，逐步创造出一个公开、平等、竞争、择优的用人环境；人事部门两次作出对企业下放人事权的决定，着力转变人事部门的职能，逐步改变批指标、调干部、办手续的微观管理办法，实行统筹规划、掌握政策、信息

① 参见陶建等主编：《内蒙古区情》第 2 节《内蒙古自治区人民政府》有关内容，内蒙古人民出版社 2006 年版，第 198 页。

引导、组织协调、提供服务和检查监督的宏观管理。1993 年以后，根据国家人事部建立与社会主义市场经济体制相配套的人事体制，即“三个制度、三个体系”的思路，自治区提出建立健全三个制度、五个体系的人事管理体制。三个制度：即符合机关、企业、事业单位不同特点的具有竞争激励和新陈代谢机制的人事分类管理制度；科学合理的机关、事业单位工资分配制度；多层次的机关、事业单位工作人员社会保险制度。五个体系：即培育发展统一、开放、竞争、有序的人才市场体系；专业技术人员管理服务体系；全方位覆盖的人事培训教育和考试考核体系；人事宏观调控体系；人事法规体系。1995 年，根据中共十四届五中全会实现关系全局的两个根本性转变的精神（即从传统的计划经济体制向社会主义市场经济体制转变，经济增长方式从粗放型向集约型转变），自治区提出人事工作的两个调整，即把适应计划经济的人事管理体制调整到与社会主义市场经济相配套的人事管理体制上来；把传统人事管理调整到整体性人才资源开发上来。要建立三支队伍，即精干、廉洁、高效的公务员队伍；适应现代化建设需要的专业技术人员队伍；会经营、善管理的管理人员队伍。自治区的人事工作体制经过 80 年代的初步改革和 90 年代根本性的改革，走上了适应社会主义市场经济体制下人事工作的轨道。

对国家干部的录用，最初主要是通过统配充实干部队伍，即统配大中专院校毕业生和军队转业干部，这是自治区干部队伍的主要来源。同时吸收符合干部条件的全民所有制单位的“以工代干”人员、社会人员充实干部队伍。从 1983 年开始，对苏木、乡、镇机关工作人员，根据需要，经盟、市主管部门批准，在编制之内用自然减员指标，从农村高中毕业生、牧区初中毕业生中选聘为合同制干部。从 1991 年开始，盟市旗县、区直机关厅局补充干部，限制从企业、事业单位调入干部，一律实行考试考核择优录用。考试录用工作按照公正、平等、竞争、择优的原则进行，由自治区人事部门统一领导，盟市人事部门具体组织。1993 年《国家公务员制度暂行条例》颁布后，内蒙古自治区开始推行公务员制度，从自治区到盟市都成立了推行国家公务员制度领导小组，分阶段进行推行工作。从 1994 年开始，自治区在全国率先实行了国家公务员制度，自治区各级政府实行公务员制度，各级党委、人大、政协、司法机关参照试行了公务员管理。截至 1997 年底，自治区、盟市、旗县直属行政机关及苏木、乡、镇全部完成了推行国家公务员制度的工作，有 112 800 人通过过渡考试、考核、培训，过渡为国家公务员。期间，自治区制定了考试录用、培训、考核、奖励、辞职、辞退、职位管理实施办法和《自治区公务员制度入轨后规范化管理的实施意见》等 11 个较为详细的公务员管理单项法规，推动了自治区公务员管理向规划稳步发展。从 1994 年到 1999 年，共有 23 000 人报考自治区直属、盟市、旗县、乡镇苏木等国家机关公务员，其中 2 200 人通过公平竞争进入公务员队伍。从 1983 年到 1996 年，自治区国家干部从 543 876 人增加到 724 506 人，增加了 33. 23%；自治区的干部总数始终占国家职工总数的 22%—23% 左右，占当年自治区人口的 2%—3%。① 2000 年，结合国家机构改革，开展了自治区直属机关的机构改革，裁减编制 47%，精简公务员队伍，优化队伍结构，并开展了盟市及其以下机关的机构改革。②

在国家机关实行公务员制度的同时，90 年代末，随着科技、教育、卫生、新闻、广电、出版、文化等行业的体制改革，对事业单位的产权制度、财政制度、社保制度、领导体制等进行一系列改革，人事部门重点推行以聘用制度改革为重点、以分配制度改革为核心的事业单位人事制度改革。

从社会公开选拔领导干部，已经成为人事制度的重要内容。从 1991 年到 1999 年，全区通过“一推双考”共选拔副厅级领导干部 38 名、处级干部 350 多名、科级干部 500 多名。通过公开选拔上来的领导干部，普遍显示出较高的综合素质，受到了社会各界的好评。同时，严格执行公务员辞退制度，全区实行公务员制度和参照管理以来，共有 167 名国家公务员因故被辞退。通过改革，内蒙古自治区正在建立起一套干部能上能下、能进能出、充满活力的人事管理体制。

---

① 以上内容，参见《内蒙古自治区志·人事志》相关部分，内蒙古教育出版社 1999 年版。

② 参见陶建等主编：《内蒙古区情》第 6 章《人事人才工作》，内蒙古人民出版社 2006 年版，第 275 页。

第三节　纪检监察体制改革与强化社会治理

一、党的纪检机构的恢复与纪检工作

1977 年 8 月，在中共第十一次全国代表大会修改党章的报告中，提出恢复党的纪律检查机构，但是未能实施，纪检工作由各级党委组织部承担。1978 年 12 月，中共十一届三中全会正式作出重建党的纪律检查机构的决定，并选举产生了中共中央纪律检查委员会。随之，各省、市、自治区党的纪律检查委员会相继建立。党委领导体制的改革就此开始。根据党的十一届三中全会的决定和中共中央的统一部署，1979 年 1 月 24 日，中共内蒙古自治区委员会三届八次全委会议，选举产生了中共内蒙古自治区委员会纪律检查委员会及其常务委员会，受中共中央纪律检查委员会和中共内蒙古自治区委员会的双重领导。之后，自治区各盟市委开始组建党的纪律检查委员会；内蒙古党委机关党委、内蒙古自治区人民政府机关党委、内蒙古自治区政法机关党委及牙克石林业管理局党委也设立了纪律检查委员会。到年末，全区有 9 个盟市 82 个旗县建立了党的纪律检查委员会；近 50% 的农村牧区人民公社和生产大队党支部确定了分管纪律检查的书记，党委和支部增选了纪律检查委员；全区纪检干部有 844 名。全区各级党组织逐渐开展党的纪律检查工作。

1980 年和 1981 年，内蒙古自治区纪委围绕贯彻《关于党内政治生活的若干准则》,进行了大量工作，先后召开了 5 次全区性座谈会、汇报会和经验交流会；派出 5 个工作组对 8 个盟市、33 个旗县贯彻《准则》情况进行督促检查；协助内蒙古党委制定了《关于自治区级党政负责干部生活待遇的若干具体规定》《关于厅局级干部生活待遇的暂行规定》。

1982 年 9 月，中共十二大在新党章中彻底清理了“左”的错误，对各级党组织和党员提出更严格、更严肃的要求，决定进一步加强党的纪律检查工作，建立从中央到地方的纪律检查工作系统，赋予党中央和党的各级纪律检查机关新的任务与重大责任。1983 年 3 月，中共中央纪律检查委员会对各级党委、党组织和各部门党的纪律检查工作机关，作出了具体规定，以规

范纪检工作机构。5 月 24 日，中共内蒙古自治区委员会纪律检查委员会按中纪委的规定，更名为中共内蒙古自治区纪律检查委员会，受中共内蒙古自治区委员会和中共中央纪律检查委员会双重领导。1984 年 12 月，中国共产党内蒙古自治区第四次代表大会选举产生了中共内蒙古自治区纪律检查委员会。1988 年 12 月，中国共产党内蒙古自治区第五次代表大会换届选举了中共内蒙古自治区纪律检查委员会。从 1982 年到 1993 年，自治区的 12 个盟市和 101 个旗县（市、区）均建立了党的纪律检查委员会；在相当于县级以上的设有党委的厂矿企事业单位建立了纪律检查委员会；在 31 个厅局级单位派驻了纪检组；各盟市、旗县也在其部分直属机关派驻了纪检组。根据中纪委和中组部 1988 年 6 月《关于党的各级纪委内部机构和干部职务设置的若干规定》,内蒙古自治区纪委和内蒙古党委组织部对自治区各级纪委内部机构和干部职务等作了具体规定。到 1993 年 6 月，全区建立党的纪检机构 2 627 个，纪检机构基本建立健全；配备纪检干部 7 801 人，纪检干部队伍基本上适应纪检工作的需求，内蒙古自治区党的纪律检查工作得到全面发展。

从 1979 年起，各级纪委着重对抵制落实干部政策，阻碍经济调整，反对中共十一届三中全会路线、方针、政策的案件进行了检查处理，协助各级党委贯彻中央经济上进一步调整，政治上进一步安定的方针。1987 年，各级纪委开展 3 个方面的工作：一是坚持四项基本原则，切实担负起维护党的政治纪律的职责；二是坚定不移地贯彻和支持改革开放，使纪委工作成为促进改革的重要力量；三是坚持从严治党，继续纠正党内不正之风，切实抓好党性教育和党内监督工作，全面加强党风建设。

1978 年到 1992 年，自治区党的纪律检查工作从恢复、组建机构，改革体制，到围绕党的中心工作，履行职责，为促进政治、经济、文化建设，作出了重要贡献。

从 1979 年 3 月开始到 1992 年，中共内蒙古自治区纪律检查委员会根据中共中央、中共中央纪律检查委员会各项规定的精神，陆续制定了纪检工作的任务、职权范围、机构设置、立案检查、处分党员、严肃党纪等纪律检查工作的各项重要规定，既规范了党的纪律检查工作，又配合了自治区的中心任务。

1978 年 5 月到 1981 年底，全区各级纪委共立案检查 7 915 起党员违纪案件，处分违纪党员 4 300 多名。复议复查案件 19 993 件，纠正平反和部分平反 10 422 件，处理了 14 万件次人民群众来信来访。在拨乱反正、平反冤假错案中，先后拘捕判刑 848 人，进行党纪处分的 1 666 人，进行行政处分的 1 560 人。1982 年到 1987 年，各级纪委立案检查 16 833 件违纪案件，有 11 065 名党员受到党纪处分。1988 年到 1992 年，各级纪委立案检查党员违纪案件 10 184 件，有 7 021 名党员受到党纪处分。①

随着党的工作重点向经济建设转移，反对经济领域的不正之风和违法乱纪行为，成为纪检工作的迫切任务。1982 年 1 月，中共中央发出《关于打击严重经济犯罪活动的紧急通知》（简称《紧急通知》），指出当时在一些干部中出现走私贩私，贪污受贿，把大量国家财产窃为己有等严重的违法犯罪行为，提出“对于这个严重毁坏党的威信，关系我党生死存亡的重大问题，全党一定要抓住不放，雷厉风行地加以解决。对那些情节严重的犯罪干部，首先是占据重要职位的犯罪干部，必须依法逮捕，加以最严厉的法律制裁，有的特大案件的处理结果还要登报。”2 月 1 日，内蒙古党委召开自治区党委常委、人大常委会和人民政府、政协的党员领导参加的会议，制定了贯彻中央《紧急通知》的措施，要求盟市、自治区直属机关各部、委、办、厅、局党委（党组）成员学习中央《紧急通知》和中纪委通知，提出贯彻措施，迅速查清、处理涉及负责干部的现行经济重大案件和集团性案件；对这两年来没有严肃处理的重大案件，提交党委（党组）研究处理；对某些典型重大案件，在处理之后要公布于众；对重大案件一抓到底，搞个水落石出。但是，不要在干部和群众中开展检举揭发运动，防止发生诬告和混乱现象。3 月 12 日，内蒙古党委成立了贯彻中央《紧急通知》领导小组，党委第二书记廷懋任组长，内蒙古党委纪委为办事机构。

1982 年，自治区打击严重经济犯罪活动的斗争全面展开。到 7 月，全区经济犯罪案件和重要线索 3 870 起，其中贪污受贿 3 020 起，投机诈骗 300 起，走私贩私 180 起，盗窃国家和集体财物 170 起，其他 180 起；个人非法所得 5 000 元以上的 570 起，1 万元以上的 180 起；涉及盟市厅局级干

① 参见《内蒙古自治区志·共产党志》，内蒙古人民出版社 1999 年版，第 302、303 页。

部20余人，旗县级干部90人，党员1 750人，已结案835起，判刑99人，受党纪政纪处分613人。追回赃款赃物折合人民币183万余元。打击经济犯罪活动初战告捷。到1983年9月，全区已有1万余人的办案队伍，查处了5 000多起案件，有87名盟市以上的负责人，对73起阻力大、牵涉面广的大案要案，实行包案责任制，有力地推动了斗争的深入发展。

这场专项斗争从1982年到1986年底，经过5年时间，取得了明显的成绩。全区共立案11 478件，立案审查了13 969人，其中个人非法所得万元以上的651人；涉及厅局级以上干部75人，旗县处级以上干部185人，党员3 357人。结案10 034件，结案人数12 212人。实际惩处4 724人，其中县团级以上干部20人；1 071名党员受到党纪处分，1 578名被开除公职；2 122人受到刑事处分，12人被判处死刑。总共收缴赃款和赃物折合人民币2201.07万元。①

与此同时，内蒙古自治区纪委、监察厅和内蒙古自治区人民政府纠正行业不正之风办公室，统一部署，共同开展了纠正党内不正之风和行业不正之风、两次"清房"、清查清理参与政治风波的违纪党员、党风廉政建设大检查等专项治理工作，收到了良好的效果。

纠正党内不正之风和行业不正之风是治理社会的重要内容，党风不正，行风不正，对社会风气的影响极大，甚至引发诸多社会问题。1978年至1989年，主要查处表现在党风、行风不正的热点问题，如发生在招生、招工、提干、农村户口转为城镇户口等工作中的违法乱纪；在建房分房、装修住房中以权谋私、公款请客送礼、大吃大喝、挥霍浪费、乱砍滥伐林木等违法乱纪行为。1990年以后，纠风工作一是查处党政干部违纪违法建私房和用公款超标准装修住房，集中开展全区性的清房工作；二是纠正行业不正之风。首先选择15个厅局和呼和浩特、包头2市以及农行、税务、医药3个系统，作为纠风工作重点，进行典型调查，取得经验后全面推广。据1991年10月不完全统计，全区查出问题4 340多条，涉及有问题的人3 860多人，有问题的金额1.55亿元，已退赔1.5亿元。两年中全区受理举报行业不正之风问题的线索2 700多件，立案1 911件，结案1 719件，处理1 284

① 参见《内蒙古自治区志·共产党志》，内蒙古人民出版社1999年版，第307、308页。

人。1992 年，各行各业对存在的突出问题，进行专项治理。公安部门整顿警风警纪，全区辞退不合格干警 56 人，调离公安部门的 111 人，党纪政纪处分的 70 人。交通部门重点治理司乘人员以票谋私的问题；金融部门主要是教育、清理、整顿、纠正以贷谋私问题。对于用公款请客送礼问题，建立健全制度，实行规范管理。对于拖欠公款公物，对于招生、招工、招兵、农转非、评职称中的违纪违规，对于公款安装私宅电话等问题，进行了检查处理。①

1979 年以后，在建房分房中以权谋私、搞特殊化等不正之风日趋严重，人民群众表示强烈愤慨，社会影响极坏。为此，1983 年 2 月 22 日，中共中央纪律检查委员会特地发出《必须坚决制止党员、干部在建房分房中的歪风——致全国党政机关、企业事业单位各级领导干部的公开信》，要求对这一歪风再进行一次检查治理。内蒙古自治区纪委作出了相应的规定，并逐级传达中纪委的“公开信”，层层部署自治区的检查工作。8 月 27 日，内蒙古党委、自治区人民政府发出了《关于纠正党员、干部在建房分房中不正之风几个问题的规定》，规定凡能按照本规定主动纠正的，可以从宽处理或免予处分；凡顶着不办，拒不纠正的，要给以必要的党纪政纪处分。对于各级干部按职级应得的住房面积作了具体规定，凡是《准则》公布以后新建的超面积住房，超过 10 平方米以上的每平方米每月按房屋折旧费、维修费、管理费收房租，并按成本收取暖费；凡擅自转让的住房按上述 3 项费用再加税金、利息收取租金。内蒙古自治区纪委规定了清房五条验收标准，并要求各级党纪委限期清理，不留死角，建立健全规章制度。

1984 年 11 月，全区验收工作结束。据全区 12 个盟市的旗县和自治区直属机关 101 个厅局级单位的统计，旗县处级以上职级干部中有《公开信》所列五类问题和一般超标准多占住房的 2 442 户，占旗县处级以上干部总数 15 334 人的 15.9%（其中多占住房的 349 人，非法建私房的 26 人），总共超面积 51 768.47 平方米。清理结果，是年 9 月底，纠正处理有问题的 2 358 人，占应处理户的 96.6%，清退住房面积 15 190.93 平方米，对多占的 31 533.56 平方米作了加租处理；受党纪政纪处分的 31 人，其中盟市级

① 参见《内蒙古自治区志·共产党志》，内蒙古人民出版社 1999 年版，第 308 页。

干部4人，旗县级干部27人，受刑事处罚的1人。①

从1979年到1982年的4年期间，在党政干部中仅在住房问题上就出现了如此严重的不正之风。中共中央及时作出纠风决定，内蒙古党委、自治区人民政府果断行动，自治区纪委强化措施，经过1983年和1984年两年的清理，在一定程度上扼制了这股歪风，缓解了群众的义愤。但是，仍没有引起一些党政领导干部的警觉，更没有从党性的高度认识这个问题的严重性。因此，在这以后这股歪风愈刮愈烈，自治区一些党政干部利用职权，在住房、建房和装修住房中竞相攀比，以权谋私，违纪违法日趋严重，再度引起公众的强烈不满，甚至影响对党、对政府、对社会的信任。1989年11月，内蒙古自治区纪委、监察厅联合发出《关于认真检查修房、建房中的违纪违法问题的通知》，要求在全区开展清理工作。1990年7月12日，中央纪委发出《关于清理党政干部违纪违法建私房和用公款超标准装修住房的通知》。接着，内蒙古党委、自治区人民政府于9月12日决定，成立内蒙古自治区清房工作领导小组及办公室，在全区开展清房工作，并批转了清房领导小组《关于进一步搞好清房工作的意见》，对清理的范围、对象、主要内容、方法、步骤和时间，以及对违纪违法案件的查处等提出明确的要求；1991年4月，内蒙古党委办公厅和政府办公厅印发了《关于党政干部在建房住房中违纪违法问题的若干规定》。6月24日，内蒙古自治区纪委、监察厅发出党政干部在建房住房中违纪违法纪律处分的若干规定。这次清房分申报摸底、纠正处理、整改验收3个阶段进行。

1992年8月，全区第二次清房工作结束，清理出违反规定、违纪违法建房住房、装修住房的党政干部13 994人。其中违纪违法建私房的3 000人，超面积住房的1万多人，用公款超标准装修住房的466人，厅局级干部154人，县处级干部1 691人。共收回各类资金1 015万余元。立案检查党政干部在建房住房中的违纪违法案件322起，已结案277起，党政干部受到党纪政纪处分的172人，被追究刑事责任的7人。②

此外，清查了参与1989年政治风波事件的违纪党员576人，按照中纪

① 参见《内蒙古自治区志·共产党志》，内蒙古人民出版社1999年版，第310页。

② 参见《内蒙古自治区志·共产党志》，内蒙古人民出版社1999年版，第311页。

委通知的精神区别情况，做了不同的处理。1988 年至 1992 年，内蒙古自治区纪委按照中央的部署，组织了党风廉政建设调查和检查活动。1988 年 11 月，对自治区直属 116 个厅局级单位的党风党纪进行了全面调查和检查，发现重要案件线索 250 件，其中大案要案线索 101 件，涉及厅局级干部 22 人、处级干部 32 人，均进行了处理。1989 年 8 月，在盟市、旗县、乡镇苏木、厅局、院校、公司、厂矿等 87 个单位，查处案件，惩治腐败，加强党风廉政建设，纪检机构组织建设等，还写了调查报告。1990 年 2 月，为了检查领导班子团结及过双重组织生活、党风建设、执行党纪、惩治腐败、查处 1988 年调查发现案件线索等情况，全区开展大检查 527 次，参加者 4 091 人，检查了 8 954 个单位，发现 1 232 条案件线索。1991 年，又对自治区直属 120 个厅局级单位和 12 个盟市领导班子的党风党纪、廉政建设进行了大检查，进行了 38 700 多人次的调查，反馈调查意见和建议 1 500 多条，发现案件线索 105 件，其中向盟市交办 97 件。1992 年，在全区开展落实企业政策法规大检查，在 214 个大中型企业和 110 个政府部门进行了检查，发现政策法规不落实和制约、影响企业发展的问题 1 131 件。[①] 对于调查、检查发现的上述案件线索和问题，均进行了处理和解决。

二、纪检机构和监察机关合署办公

1993 年 2 月，中共中央批准中纪委、监察部关于中纪委与监察部合署办公与机构设置有关问题的请示，正式启动了这一重大改革。中共内蒙古自治区纪委、内蒙古自治区监察厅按照中央的统一部署，于 2 月 15 日成立了中共内蒙古自治区纪委常委会、中共内蒙古自治区监察厅党组联席会议领导的“内蒙古自治区纪委、监察厅机关合署办公室”，准备合署事宜，草拟合署方案。5 月 20 日，内蒙古自治区纪委、内蒙古自治区监察厅向中共内蒙古自治区委员会、内蒙古自治区人民政府呈报了合署办公方案及有关问题的请示报告；5 月 28 日，中共内蒙古自治区委员会、内蒙古自治区人民政府批转了上述报告和《关于盟市、旗县（市、区）纪委监察局机关合署办公的意见》。在中共内蒙古自治区委员会的统一领导下，进一步强化党的纪律

① 参见《内蒙古自治区志 · 共产党志》，内蒙古人民出版社 1999 年版，第 311—313 页。

检查和政府行政监察两项职能，有利于党的纪律检查和政府的行政监察密切结合、统一行动，避免纪检、监察工作重复交叉；实行一套机构，两个名称，履行两种职能，有利于精简机构和精简人员，提高工作效率和质量，体现政治体制改革的原则。6月1日至3日，召开全区盟市委书记、监察局长会议，传达了中央关于纪检、监察机构合署办公的精神，讲明了合署办公的目的、意义，部署了全区纪检、监察机构合署办公的原则、方法、步骤、时间和要求。

会后，自治区全面实行纪检监察合署工作。中共内蒙古自治区纪委、内蒙古自治区人民政府监察厅合署办公后的内设机构，由合署前纪委10个、监察厅12个，总计22个精简为15个，减少了31.8%；委、厅机关人员共计162人。① 中共内蒙古自治区纪律检查委员会常务委员会履行党的纪律检查和政府行政监察两种职能，完成纪检监察两项任务，对中共内蒙古自治区委员会和中共中央纪律检查委员会全面负责；内蒙古自治区监察厅正副厅长都进入内蒙古自治区纪委常委会班子，在常委会统一分工，各司其职；内蒙古自治区监察厅仍属于政府序列，继续在内蒙古自治区人民政府和监察部的领导下工作，其职责、权限、工作程序及与政府和政府各部门的关系等，仍按《中华人民共和国行政监察条例》执行，正副厅长任免仍按有关法定程序办理。盟市纪委与监察局合并后，内设机构8—13个；旗县（市、区）纪委监察局合署后内设机构6—9个；苏木（乡、镇）保留纪检机构，同时挂行政监察的牌子，履行纪检监察两种职能，承担两项任务。1994年4月，全区纪检监察机关合署办公事宜全部完成。

1994年5月4日，中共中央、国务院批准内蒙古自治区党政机构改革方案后，对自治区纪委监察厅机关及其派驻机构的改革也提出了具体要求。内蒙古自治区纪委、监察厅随即提出《关于自治区直属机关纪检监察机构设置的意见》；11月6日，中共内蒙古自治区委员会办公厅、内蒙古自治区人民政府办公厅就此发出通知，要求在自治区直属机关中的重要经济管理部门、意识形态部门、国家司法部门和行政执法监督部门设置派驻纪检监察机构。据此，在自治区30个厅、局、室单位设置派驻纪检组和监察室；内蒙

① 参见《内蒙古自治区志·共产党志》，内蒙古人民出版社1999年版，第287、288页。

古自治区纪委在内蒙古自治区高级人民法院、检察院设置派驻纪检组，与其内设监察机构合署办公；内蒙古自治区监察厅在内蒙古自治区教委、公安厅、安全厅设派驻监察室，与驻在单位的纪委合署办公；内蒙古自治区直属机关纪工委、内蒙古自治区教育纪工委明确为自治区纪委的派出机关；不设派驻纪检、监察机构的自治区直属单位，凡设党组（党委）的设党组纪检组或纪委，与机关党委或人事处合署办公，不设党组（党委）的可设一定职级的专职纪律检查员。合署办公实行一套工作机构、两个机构名称、履行两种职能的体制；派驻纪检监察机构实行内蒙古自治区纪委、监察厅和驻在部门党组、行政领导的双重领导。同时，对派驻机构的人员、职务等作了明确的规定。

至1997年底，全区共建立纪检监察机构4 490个，编制人数11 545人，配备专职纪检监察干部9 147人，兼职纪检监察干部5 220人。其中中共党员8 474人，民主党派或无党派人士15人，大专以上学历5 230人，中专以下学历3 630人，妇女干部1 747人，蒙古族及其他少数民族干部2 649人。①

纪检监察机构的合署办公，使自治区纪检监察工作进入了一个新时期。1993年8月，中共中央作出加大反腐败斗争力度的重大决策，确立了反腐败斗争三项工作格局，即领导干部廉洁自律，查办大案要案，纠正部门和行业不正之风。从而使纪检监察工作进入了以反腐败斗争为重点的新阶段。从此，全区各级纪检监察机关在合署办公的新体制下，履行党的纪律检查和行政监察两项职能。1997年1月，中纪委提出发扬艰苦奋斗优良传统，坚决反对奢侈浪费等消极腐败现象；5月，中共中央、国务院发出《关于党政机关厉行节约制止奢侈浪费行为的若干规定》。于是，全区各级纪检监察机关在开展上述3项工作的同时，大力开展厉行节约、制止奢侈浪费行为的工作。9月，中共十五大对反腐败斗争的重大意义以及指导思想、基本原则、领导体制、工作格局等问题，作了明确的阐述，把反腐败工作摆在了全党工作十分重要的位置。

领导干部廉洁自律是反腐败斗争3项工作之一，而且是反腐败能否卓有成效的关键。各级领导干部通过专题民主生活会，自查自纠，做到廉洁自

① 参见《内蒙古自治区志·共产党志》，内蒙古人民出版社1999年版，第290页。

律。1993 年至 1997 年，全区 12 个盟市、101 个旗县（区）、130 多个直属厅局的 2 500 多个县处级以上单位的 13 000 多名县处级以上干部；13 000 多个乡镇苏木基层站所的 58 000 多名干部；1 000 多个国有企业和事业单位的共 5 600 多名干部，按要求参加了各年度的专题民主生活会，因故没有参加的进行了补课。在这五年期间，各级领导干部廉洁自律自查自纠收到了良好效果。自查或组织清查出的主要问题大致有 3 个方面：一、在公务活动中接受礼金、有价证券、信用卡和单位公款信用卡归个人使用、个人费用公款报销者有 626 人，金额为 24.7306 万元；接受股票的有 769 人，金额为 247.19 万元；从事有偿中介活动、个人经商办企业及为配偶、子女、亲友经商办企业提供方便的有 10 人；在经济实体中兼职的有 821 人，其中领取报酬的 314 人，辞去一头职务的 259 人，退回酬金 9 050 元。有 138 名县处级以上领导干部上交礼品、礼金 13.29 万元，有 117 名拒收礼品、礼金达 9.87 万元，还有 7 200 名县处级以上领导干部申报了财产，占同级干部的 70%。国有企业领导干部收取回扣、中介费、礼金者有 15 人，金额为 0.98 万元；领取兼职工资、奖金者 2 人，已全部退回。二、全区自查清理出 1 323 名县处级以上领导干部超面积住房、197 名县处级领导干部两处住房，清退住房 116 套；违规集资建房的 59 人；借公款买房或压价购房 35 人，涉及金额 284.93 万元，收回此款 225.76 万元；超标准装修住房 4 人，用公款 3.63 万元。国有企业违规多占住房 43 人，纠正 41 人，退出住房 640.9 平方米。三、县处级以上领导干部拖欠公款的 295 人，欠款 86.19 万元，全部清退。①

查处大案要案是反腐败斗争的核心内容。各级纪检监察机关始终把查办党政领导机关、领导干部和司法部门、行政执法部门、经济管理部门及其工作人员违法违纪案件作为重点，着重查处领导干部贪污受贿、以权谋私案件，执法执纪人员徇私舞弊、贪赃枉法、执法犯法、执纪违纪案件以及法人违纪案件。根据不同类型的案件，分 3 个方面，分年度着重查处；实行领导包案责任制和案件查处工作责任制。从 1993 年 6 月到 1997 年 12 月，全区受理群众信访举报 131 272 件次，初查 25 973 件，了结 18 634 件，立案检

---

① 参见《内蒙古自治区志·共产党志》，内蒙古人民出版社 1999 年版，第 314 页。

查 7 552 件，结案 7 052 件，给予党纪处分 4 876 人，挽回经济损失 11 022 万元。①

在反腐败斗争中，对解决群众反映强烈的减轻农牧民负担，减轻企业负担，制止公路“三乱”，制止中小学乱收费，清理违规购置小汽车，清理预算外资金，制止公款出国（境）旅游，整治药品回扣等 8 个方面的部门和行业不正之风进行了专项治理。

农民负担越来越重的问题是多年积累下来的，原因是多方面的，既有国家有关部门制定的规定已不合时宜的问题，也有违法违纪增加农民负担的问题，还有巧立名目乱摊乱收的问题。1993 年 3 月和 7 月，中央先后发出《关于切实减轻农民负担的紧急通知》和《关于涉及农民负担项目审核处理意见的通知》，指出农民除了依法纳税和按国务院《农民负担费用和劳务管理条例》村提留和乡统筹费严格控制在农民上年人均纯收入 5% 以内的规定继续执行外，其他涉及农民负担的各种摊派、集资、达标活动和行政事业性收费，以及在农村建立的各种基金等，一律先行停止，进行清理。10 月，内蒙古党委和政府下发《关于涉及农牧民负担项目审核处理意见的通知》，决定对涉及农牧民负担项目的中央和国家机关有关文件和自治区人民政府和有关部门文件 21 项取消执行，暂缓执行的 1 项，修改执行的 12 项，纠正强制、摊派和搭车收费的 13 项。1993 年至 1995 年，全区取消涉及农民负担的文件 1 174 件，查处违纪案件 98 件，收回违纪金 564 万元。1995 年 11 月，自治区人大常委会发布《内蒙古自治区农牧民负担监督管理条例》；内蒙古党委、政府、人大常委会办公厅联合下发《关于认真宣传贯彻减轻农牧民负担各项政策法规进一步做好减轻农牧民负担工作的紧急通知》，使农牧民负担监督管理走上规范化、法制化的轨道。1996 年，全区 1 565 个乡镇苏木实行农牧民负担预决算制度的占 95%，有 70% 的农牧户领到了农牧民负担监督卡，对 20% 的村嘎查进行了专项审计。

1996 年 12 月，中央又作出《关于切实做好减轻农民负担工作的决定》。自治区各级纪检监察机关会同政府有关部门，贯彻落实中央的决定，取得了良好的效果。全区取消了涉及农牧民负担的收费项目 78 项，立案查处 217

① 参见《内蒙古自治区志 · 共产党志》，内蒙古人民出版社 1999 年版，第 314、315 页。

件，违纪金额达 2 617.3 万元，结案 205 件，受党纪、政纪处分的 127 人，移交司法机关处理的 4 人。据不完全统计，全区农牧民减负金额达 6 511.6 万元。①。

企业减负问题，根据中央关于治理向企业乱收费、乱罚款和各种摊派等问题的决定，自治区纪检监察机关会同有关部门，首先治理向乡镇企业、个体私营企业以及外资、合资企业乱收费、乱摊派、乱罚款和吃、拿、要、卡的不正之风。1996 年取消涉及 7 个部门的 12 项口岸收费和 11 项涉及私营企业和乡镇企业的行政事业性收费项目，并降低了房地产租赁管理费等 7 项收费标准，查处了 37 起违规向个体私营企业乱收费案件。1997 年，内蒙古党委决定将治理上述不正之风，特别是减轻国有企业负担，作为当年纠风专项治理的重点，建立了分管领导责任制和部门责任制，成立了领导小组和办事机构。在对国有大中型企业、商业企业、乡镇企业、个体私营企业、三资联营企业的负担状况专项调查的基础上，内蒙古自治区人民政府决定取消和降低 38 项城镇住宅建设收费项目；宣布全区第一批取消涉及企业负担的不合理收费 109 项，减轻企业负担 17 840 万元；全区 12 个盟市宣布取消涉及企业负担的不合理收费 538 项，查处涉及企业负担案件 527 件，查处金额 1 019 万元，减轻企业负担 2 725 万元。②

治理公路“三乱”问题，自治区纪检监察机关根据中央禁止在公路上乱设站卡乱罚款乱收费的通知，进行了专项治理，1995 年集中力量对区内国道、区道进行突击检查和清理整顿，自治区原批准的 338 个公路检查站卡撤销了 165 个；公安部门在公路上设立的 286 个检查站全部撤销，实行巡逻检查。全区共撤销各类站卡 520 个，其中取缔了未经批准的各类非法检查站 117 个。③

治理中小学乱收费是与群众利益密切相关的问题，1995 年 2 月 25 日在全区纪检监察工作会议上确定为纠风工作的重点内容，建立了中小学收费管理制度和收费卡制度，公开收费项目、标准，接受群众监督。1996 年 5 月，

① 参见《内蒙古自治区志·共产党志》，内蒙古人民出版社 1999 年版，第 315、316 页。
② 参见《内蒙古自治区志·共产党志》，内蒙古人民出版社 1999 年版，第 316 页。
③ 参见《内蒙古自治区志·共产党志》，内蒙古人民出版社 1999 年版，第 317 页。

国务院办公厅转发国家教委等4部门关于在全国开展治理中小学乱收费问题的意见后，自治区又制定了实行全区统一收费监督卡制，加大了治理力度，当年全区查出乱收费金额183万元，如数退还学生，罚没上交财政14.28万元。1997年，自治区把治理重点放在完善收费管理制度、加大监督检查力度、严肃查处乱收费违纪案件上，进行了两次全区性检查，纠正和查处了乱收费问题。同年受理群众举报222件，查处134件；处理直接责任人32人，其中通报批评19人，党纪政纪处分13人。查出各种乱收费151.77万元，处理乱收费金额91.59万元，其中清退57.39万元，罚没4.2万元。义务教育阶段择校生比上年减少1 120人，减少择校费60.36万元。① 3年的治理收到了一定的效果，但是中小学乱收费的问题并没有从根本上得到治理，只有标本兼治，方可根除。这是历史性的任务，不可能一蹴而就。

清理预算外资金，是治理部门不正之风的重要内容。1995年5月4日，国务院办公厅转发财政部等3部门《关于清理检查"小金库"的意见》，据此在全区开展了"小金库"自查自清工作，不到半年即清理出"小金库"违纪金额1 716.7万元，当年上缴财政314.7万元，重点清查的9 153个单位，有1 164家有"小金库"，涉及金额670多万元。1996年7月6日，国务院发布《关于加强预算外资金管理的决定》，据此精神，自治区开展了自清自查和重点检查，到10月底清查面达99%，违纪户占自查户的19.7%，自查违规金额692万元，违规支用金额4 004万元，补交财政预算金额211万元，缴存财政专户金额4 183万元。在自查的基础上，全区组织864个检查组，对6 742个部门和单位进行了重点检查，查出违规收取金额1 121万元，应缴未缴财政预算金额2 947万元，应缴未缴财政专户金额33 255万元，预算外违规支用金额3 052万元。1997年3月18日，内蒙古自治区人民政府发布了《关于预算外资金管理暂行办法》，内蒙古纪委监察厅下发了贯彻执行此办法的通知。经过再次清查，1996年全区预算外资金收入总计488 329万元，其中自治区直属单位124 036万元，盟市364 293万元。通过重点检查，自治区直属单位少报漏报预算外收入71 602万元，预算外收入未储或少储38 889万元，自立项目收费或超标准、超范围收费161万元，

① 参见《内蒙古自治区志·共产党志》，内蒙古人民出版社1999年版，第317、318页。

不使用专用票据收费 2 100 万元，应缴未缴财政预算收入 95 758 万元。① 行政部门如此违反财政法规，其性质是严重的，对依法管理经济的危害也是很大的，更为严重的是自查隐瞒，查后再犯，如何才能根治？

清理违纪购买小汽车，是当时群众极为关注的问题。群众视其为领导干部、领导机关腐败的表现。从 1993 年开始，自治区纪检监察机关会同有关部门对此进行了反复的清理整治。自治区还专门出台了《关于对违纪购买小汽车的处理意见》，成立了自治区处理违纪小汽车工作领导小组，制定了组织领导、实施步骤、处理办法等具体规定。到 2005 年底，全区查出违纪购买小汽车 2 060 台，其中有进口走私小汽车 1 347 台，违控小汽车 570 台，超标准小汽车 139 台。共处理违纪小汽车 1 540 台，其中没收 58 台，罚款处理 1 037 台，罚款金额 1 777 多万元，通报批评 71 台，并查出地方车挂军警车号牌 76 副。②

另外，制止用公款出国（境）旅游，整治药品回扣等不正之风，也取得了成效。1993 年和 1994 年，自治区对公费出国（境）旅游问题进行了专项治理。全区清查出公费出国（境）旅游的副处级以上领导干部 353 人，退回出国费 30 万元，收回 6 个组团单位中间费 16.28 万元；取消了 6 个公费出国团组、104 人出国，节省开支 260 万元。整治药品回扣是一个复杂的问题，涉及医药经营管理体制，只从药品购销环节治理是难以根治的。自治区自查和重点清查出 1993 年以来药品购销折扣、让利 5 865 万元，自查、检查出收受回扣 219 万元，查出贪污、挪用公款、个人非法倒卖药品 253 万元，涉嫌 37 人，其中 9 人移送司法机关处理。③ 此后的事实证明，这次的专项治理仅仅是开始。

从 1978 年 5 月到 1997 年 12 月，根据中央关于党风廉政建设和反腐败工作的精神，内蒙古党委、政府以及纪检委、监察厅，进行了大量而艰巨的工作，取得了上述卓有成效的成绩，治理社会的效果是明显的，保证了改革开放和社会主义现代化建设事业的顺利进行。同时，在近 20 年的纠风工作

① 参见《内蒙古自治区志·共产党志》，内蒙古人民出版社 1999 年版，第 318 页。
② 参见《内蒙古自治区志·共产党志》，内蒙古人民出版社 1999 年版，第 318 页。
③ 参见《内蒙古自治区志·共产党志》，内蒙古人民出版社 1999 年版，第 319 页。

和清查出的大量事实也告诉人们，在社会主义事业蒸蒸日上的形势下，有一股反其道而行的暗流也在蠢蠢欲动，党内的不正之风是它的温床，党内的极少数腐败分子是它的基干部队。因此，伴随改革开放和社会主义现代化建设，党中央从党风建设入手到反腐败斗争，始终不渝地从多方面进行整顿治理。内蒙古党委、政府和纪检监察机关按照中央的部署，结合自治区的实际，采取多种形式，应用各种手段，坚持不懈地进行各方的整治。在每一个阶段，在一定程度上纠正了不正之风，打击了腐败势力。但是，树欲静而风不止，不正之风变个法兴风作浪，腐败势力改头换面借机作恶，这似乎成为一条规律性的现象，党风建设，反腐败工作，不能一蹴而就，需长期坚持。1997 年以后的历史已经证明了这一点。

三、开展打击刑事和经济犯罪的斗争

在党内进行纪律检查和政府进行行政监察的同时，在社会上开展打击刑事犯罪和经济犯罪的斗争，是社会治理的长期任务。

在社会主义现代化建设新时期，在改革开放中，经济社会迅速发展的形势下，一些地区刑事犯罪活动猖獗，流氓滋扰，行凶殴斗，拦路强奸、抢劫，残害无辜等恶性事件时有发生，一些绝迹的社会丑恶现象死灰复燃，严重破坏社会秩序，毒化社会风气，败坏社会道德，干扰破坏改革开放和经济建设。社会治理成为重要的任务。1983 年 8 月，全国人民代表大会常委会作出《关于严惩严重危害社会治安的犯罪分子的决定》和《关于迅速审判严重危害社会治安的犯罪分子的程序的决定》；8 月 25 日中共中央作出《关于严厉打击刑事犯罪活动的决定》。党和国家高度重视打击严惩危害社会治安的刑事犯罪活动，要求“以三年为期，组织三次战役，按照依法‘从重从快，一网打尽’的精神，对刑事犯罪分子予以坚决打击。”① 内蒙古自治区按照上述决定和中央的统一部署，从 1983 年 8 月到 1986 年，持续进行了历时 3 年严厉打击刑事犯罪的斗争，组织了 3 个战役，全区集中统一行动，打了 10 仗，取得了重大胜利，各级人民法院依法审理各类刑事案件 23 410 件，判处罪犯 29 765 人，摧毁犯罪团伙 2 000 多个。主要打击流氓团伙分

① 王维澄主编：《有中国特色社会主义大典》，天津人民出版社 1993 年版，第 487 页。

子；流窜作案分子；杀人犯、放火犯、爆炸犯、投毒犯、贩毒犯、强奸犯、抢劫犯和重大盗窃犯；拐卖妇女、儿童的人贩子，强迫、引诱、容留妇女卖淫的犯罪分子和制造、复制、贩卖内容反动、淫秽的图书、图片、录像带的犯罪分子；有现行破坏活动的反动会道门分子；劳改逃跑犯、重新犯罪的劳改释放分子和解除劳改人员，以及其他通缉在案的罪犯；书写反革命标语、传单、挂钩信、匿名信的现行反革命分子。对严重破坏社会秩序和危害人民生命财产安全的犯罪分子，进行了从严从重从快惩处，缴获了一大批枪支弹药、凶器和赃物。同时查禁卖淫赌博，收缴了一批淫秽物品和赌资。对于重大刑事案件实行公开宣判，弘扬法制，人民民主专政的强大威力震慑了犯罪分子，维护了法律的尊严，树立了法律的权威，伸张了正义，鼓舞了人民群众维护社会治安的信心。在常治不懈的同时，1997 年全区再次开展了多种形式的“严打”斗争和专项治理，破获各类刑事案件 30 563 起，其中特大案件 13 043 件，抓获全案成员 16 606 名。同时，查禁毒、赌、黄等社会丑恶现象，查处治安案件 43 583 件。①

1982 年 3 月 8 日，《全国人大常委会关于严惩严重破坏经济罪犯的决定》指出：“鉴于当前走私、套汇、投机倒把牟取暴利、盗窃公共财物、盗卖珍贵文物和索贿受贿等经济犯罪活动猖獗，对国家社会主义建设事业和人民利益危害严重”。② 4 月 13 日，《中共中央、国务院关于打击经济领域中严重犯罪活动的决定》指出，“近两三年来，走私贩私、贪污受贿、投机诈骗、盗窃国家和集体财产等严重犯罪活动有了明显增加，在少数地区、少数人员中还相当猖獗。”③ 两个决定对经济领域中犯罪问题的严重性，对打击经济领域中犯罪活动的必要性和迫切性，以及政策措施和方法步骤都有明确的阐述和部署。内蒙古党委和政府按照中央上述决定，结合自治区的实际，进行了周密的部署，公安、检察、法院协调行动，对经济领域中的犯罪活动发动了持续不断的强大攻势。从 1983 年到 1986 年，共查处经济案件 2 万多

---

① 参见《内蒙古自治区志・共产党志》，第 253 页；《内蒙古大辞典》，内蒙古人民出版社 1991 年版，第 169 页。

② 王维澄主编：《有中国特色社会主义大典》，天津人民出版社 1993 年版，第 480 页。

③ 王维澄主编：《有中国特色社会主义大典》，天津人民出版社 1993 年版，第 482 页。

件，人民检察院立案侦破贪污、受贿、投机倒把等犯罪案件 3 497 件，对于追究刑事责任的犯罪分子依法逮捕，提起公诉和出庭支持公诉；人民法院重点审理贪污受贿、走私贩私、投机诈骗、盗窃国家和集体财产等大案要案，审结了 3 848 件。1997 年，自治区各级检察院对贪污贿赂等犯罪案件立案 1 206 件，查处大案要案 228 件。

四、司法建设与社会治理

在改革开放的 20 多年中，被“文化大革命”冲击解散的人民法院、人民检察院、司法行政部门以及人民公安等，逐步得到了恢复、充实、加强，有力地开展了社会治理，保卫改革开放和社会主义现代化建设，保护人民的生命财产安全，维护社会秩序，成为经济发展、社会进步事业的保卫者。

人民法院　“文化大革命”开始以后，在砸烂公检法的极“左”口号的冲击下，1967 年 1 月，自治区各级人民法院基本瘫痪，审判工作停顿。12 月，根据中共中央的决定，对公安、检察、法院实行军事管制，审判权由公安机关军管会行使，人民法院不复存在。直到 1972 年 10 月，恢复了自治区高级人民法院。直到 1978 年，逐步恢复了盟市、旗县各级人民法院，依法审理刑事、民事、经济和行政案件，发挥了审判机关的职能。同时在审判工作中，从自治区的民族特点、地区特点出发，实事求是地办理涉及民族问题的案件，维护民族团结，维护法律的公正。在刑事、民事、经济、行政案件的审判中做出了积极的贡献。

刑事审判。从 20 世纪 80 年代开始，在打击严重刑事犯罪活动、整顿社会治安、服务经济建设和社会发展中，与公安、检察部门密切配合，从 1983 年 8 月到 1986 年 8 月的 3 年中，分期分批地打击了严重刑事犯罪分子。第一个战役，突出打击重点，严惩七个方面的罪犯，加快办案，集中打击，公开审判，镇压严重犯罪分子的气焰。第二个战役，深挖隐藏在各个角落和单位的刑事犯罪分子，突出打击流窜犯、在逃犯，使斗争向纵深发展。第三个战役，贯彻中央“一手抓打击，一手抓综合治理”和“边打击、边防范、边建设”的方针，切实整顿好社会治安。三年来，全区各级人民法院召开大型宣判大会 1 100 余次，旁听群众 336 万余人，审结各类刑事案件 23 410 件，判处罪犯 29 765 名。同时对社会治安进行有效的综合治理。1991 年以后，各类严重刑事犯罪案件增多，全区各级法院加强了各类案件审结。1989年至2000年，全区审结刑事一审案件104 814件，刑事二审案件15 839件，刑事再审案件5 754件。

民事审判。这是运用法律手段，对现实生活中发生的婚姻、家庭纠纷和各种民事关系加以确认、保护、调整、限制、制裁，使婚姻、家庭和公民、法人的民事活动，能够遵循婚姻法和民事法律的规定，符合国家和社会公共利益，符合广大人民群众的利益，维护社会主义婚姻家庭关系，加强社会安定团结，促进城乡经济繁荣，保护国家、集体和公民的合法权益，保障社会主义物质文明、精神文明和政治文明建设事业的顺利进行。从1977年到1990年，全区各级法院受理民事案件325 609件，其中婚姻家庭案件175 188件，财产权益案件150 421件。1989年至2000年，共审理各类民事一审案件933 769件，二审案件61 116件，民事再审案件12 628件。

经济审判。在城乡经济体制改革和商品经济发展的形势下，法律成为调节经济关系和经济活动的重要手段。1979年10月，自治区高级人民法院和呼和浩特、包头两市中级人民法院设立了经济审判庭；到1985年，全区各级人民法院都设立了经济审判庭。1980年6月召开第一次全区经济审判工作座谈会，经济审判工作步入正轨。当年审理经济案件97件，至1990年审理6 172件。各级人民法院本着便民诉讼、有利生产、解决纠纷、保证质量、提高工效的原则，采取简易程序或普通程序以及信函调解等多种方法，处理各类经济纠纷案件。1989年8月，召开第二次全区经济审判工作会议，以改革审判方式为主题，总结了以往的工作，交流了经验。会后，在全区各级人民法院开展以"加强公开审理，注重当事人举证责任，发挥合议庭作用"为主要内容的审判方式的改革。1989年到2000年，全区审结各类经济一审案件1 116 934件，二审案件11 009件。

行政审判。1982年3月，全国人大常委会颁布《民事诉讼法（试行）》，是我国行政诉讼制度建立的标志，自此全区各级人民法院开始受理行政诉讼案件。1983年至1986年受理行政案件95件；1987年至1990年受理744件。1987年开始实施新的治安管理处罚条例，规定不服治安处罚可向人民法院提起诉讼，据此行政案件数量大幅度增多。当年受理各类一审行政案件118件，其中大部分是治安行政案件。1988年，全区受理各类一审行政案件155

件。1989年4月，《中华人民共和国行政诉讼法》颁布后，行政审判工作有较大发展，当年受理一审行政案件226件。这是人民通过法律程序，端正行政执法的良好开端。1990年至2000年，全区共受理行政案件6 567件，其中土地案件1 755件，公安案件1 432件，这两项占受案总数的48.7%，反映出行政执法在这两方面的问题比较突出。同时逐渐呈现行政一审案件类型多样化，涉及食品卫生案件、环保案件、邮电案件、公安消防案件、草原和森林案件以及由于城建、交通、城镇拆迁、农民负担、企业改制、社会保障、土地草牧场承包引发的案件等等。这类案件，一般是人数众多，矛盾尖锐，各级法院在处理这类案件中都持审慎态度，妥善解决问题，促进了社会和谐稳定。①

人民检察　“文化大革命”开始不久，1967年4月，检察院的职能分别由公安、法院行使。1971年，根据中央撤销人民检察院的决定，自治区三级检察机关全部撤销。1978年3月，《中华人民共和国宪法》规定，重新设置各级人民检察院。3月12日，中共内蒙古自治区委员会作出重新设立人民检察机关的决定；12月1日，内蒙古自治区人民检察院恢复，自治区各级检察院相继重建，逐渐恢复了人民检察制度，开展各项检察工作。

刑事检察。自治区各级检察院恢复、重建以后，首先将维护社会治安秩序，严厉打击刑事犯罪作为工作重点，同时配合有关部门清理积案，平反“文革”中的冤假错案。1979年，开始依法严厉打击严重危害社会治安的刑事犯罪分子。1981年5月，贯彻执行中央政法委员会制定的依法从重从快打击严重危害社会治安的刑事犯罪的方针，加强对失足青少年的帮教和以法制宣传为主要形式的综合治理。从1983年到1986年，配合公安、法院及有关部门，坚决依法从重从快严厉打击刑事犯罪活动，重点打击危害社会治安的严重刑事犯罪，涉枪和重大盗窃犯罪及流氓恶势力犯罪，从快批捕起诉，严惩了一批刑事犯罪分子。1997年，在全区严打整治百日行动中，配合有关部门清枪爆、破大案、禁毒品、抓防范，净化社会面。1998年，参加盗窃抢劫机动车辆、侵害中小学生犯罪专项斗争和反走私联合行动，严厉打击破坏金融管理秩序、扰乱市场秩序、危害税收征管等破坏社会主义市场经济

① 参见陶健等主编：《内蒙古区情》，内蒙古人民出版社2006年版，第247—250页。

秩序的犯罪。1999 年，把打击严重危害公共安全的杀人、爆炸、涉枪等暴力犯罪，带黑社会性质的团伙犯罪、毒品犯罪和严重影响群众生命财产安全的盗窃、抢劫等多发性犯罪作为打击的重点。对触犯刑律的法轮功分子，应追究刑事责任的犯罪嫌疑人及时批捕起诉。2000 年，突出打击了严重破坏社会秩序的刑事犯罪，坚决开展同法轮功邪教组织的斗争，参加自治区统一组织的打击拐卖妇女儿童犯罪，打痞除霸、反走私、打击制售假冒伪劣产品、打击假币犯罪、打击骗取国家出口退税、扫黄打非等严打整治斗争的专项治理行动。

自侦工作。1982 年，按照中央和自治区的部署，全区检察机关全面加强了打击经济犯罪的工作，查处贪污受贿等经济犯罪分子。1985 年，根据经济犯罪抬头趋势，把打击经济犯罪作为主要任务。1988 年，确定把反贪污贿赂斗争列为第一位的工作。1989 年，最高人民检察院、最高人民法院发布《关于贪污受贿、投机倒把犯罪分子必须在限定期内自首坦白的通告》后，全区以检察机关为主，掀起了全社会动员的反贪污受贿的战役，在期限内全区有 329 名贪污受贿分子投案自首。1993 年 8 月，中共中央作出深入开展反腐败斗争的决定后，全区依法查办了 69 名国家工作人员贪污受贿、徇私舞弊案件。1994 年以来，执法重点放到查办贪污受贿大案要案，查办发生在党政领导机关、行政执法机关、司法机关和经济管理部门犯罪案件，特别是旗县以上领导干部犯罪要案；查处国有企业、农村牧区的犯罪案件，并结合办案开展预防职务犯罪工作。1998 年，落实最高人民检察院的办案九条规定，清正廉明、依法办案、公正执法。1999 年至 2000 年，加大办案力度，推动反腐败斗争深入发展，采取从源头治理的措施。

法律监督。这是检察机关的主要职责。根据不同情况，在刑事立案监督中重点纠正有罪不究，以防放纵犯罪；在侦查监督中注意防错防漏，做到不枉不纵；在刑事审判监督中重点纠正重罪轻判、轻罪重判以及有罪判无罪、无罪判有罪，对确有错误的刑事判决裁定依法提出抗诉；在刑法执行和监管活动监督中重点纠正超期羁押以及违法保外就医、减刑、假释问题；在民事审判和行政诉讼活动监督中，对明显不公的判决、裁定坚持依法抗诉，对裁定判决正确的，主动做好息诉工作；在控告申诉检察工作中，重点立案复查刑事申诉案件，依法纠正确有错误的立案，作出不批捕、免于起诉和不起诉决定。

检察机关的法律监督活动，在法院、公安机关的活动中发挥有效的监督，对于正确执法具有不可替代的作用。自检察机关重建以来，全区先后有 1 500 余个（次）单位，7 600 人（次），受到各级的表彰奖励；104 个检察院被评为文明单位，52 个集体和 51 名个人受到最高人民检察院的表彰。①

人民公安　这是人民民主专政的重要工具，是武装性质的国家治安行政力量和刑事司法力量。在社会主义现代化建设的新时期，自治区的公安机关和公安民警，为保卫改革开放和促进经济建设，发挥自身的职能，是社会治理的重要力量。除自治区公安厅到盟市、旗县公安局、公安分局和 1 643 个行政编制公安派出所外，还有公安边防、消防、警卫现役部队共计 7 950 人。另外，自治区公安厅领导呼和浩特铁路公安局、大兴安岭森林公安局、集通铁路公安局，列管民航公安处、自治区森林公安局、呼和浩特和满洲里海关缉私局，在编民警总计 7 455 人。

社会治安。保证自治区的社会安定，维护国家安全，保卫改革开放，促进经济建设，打击敌人、保护人民、惩治犯罪、服务群众，是人民公安工作的使命与职责。

在改革开放的 20 年中，自治区各级公安机关是严厉打击严重刑事犯罪活动、稳定社会治安的主力军。1983 年至 1986 年的 3 年"严打"中，参加了 3 个战役，打了 10 仗，破获了一批刑事犯罪案件，依法从重从快打击了一批严重刑事犯罪分子。1991 年至 1993 年，针对刑事案件上升的趋势，又开展了"严打"活动，遏制了刑事犯罪案件持续上升的势头。此后，于 1995 年至 1999 年，不停顿地开展"严打"斗争，使全区社会治安进一步好转。

为了全面开展社会治安工作，根据治安形势的需要，除了上述各级公安机关外，自治区专门设置了 139 个治安派出所，绝大多数盟市设置了数量不等的治安派出所。治安派出所布点有集贸市场、风景旅游区、厂矿企业、农村牧区、铁路交通、军用机场、水上、院校等，形成了基层治安网。

"扫黄打非"是社会治安新的特殊内容。20 世纪 80 年代以来，卖淫嫖娼、赌博活动和制贩非法出版物，逐渐多了起来，而且影响到社会基层和群

---

① 参见陶健等主编：《内蒙古区情》，内蒙古人民出版社 2006 年版，第 251—253 页。

众之中，成为危害社会安定的严重问题。因此，中央决定在全国范围内开展打击卖淫嫖娼、赌博和制贩非法出版物的斗争，此谓“扫黄打非”斗争。历史上的卖淫嫖娼，在中华人民共和国成立初期经过严厉惩治，基本绝迹。在80年代后期，特别是90年代以后，沉渣泛起，一些娱乐场所、旅店、洗浴场所，隐蔽地提供色情服务，甚至强迫、容留、介绍妇女卖淫，采取各种手段与方式对付执法机关，对社会造成严重的黄色污染，危害社会治安。赌博也是历史上遗留下来的恶习，中华人民共和国成立初期也进行了惩治，但是始终没有绝迹。80年代以后，逐渐复活蔓延，而且形成一股社会势力，从城镇到乡村，开设地下赌场，参加赌博者既有赌头、赌棍，也有农民、学生、个体户，甚至有国家公职人员。赌博方式多种多样，既有传统方式，又有电子游戏机，甚至利用电脑互联网，同样对社会污染、危害极大。自治区连续不断地开展“扫黄打非”斗争，收到了一定的效果。但是，这是一项长期而艰巨的任务。

禁毒是公安工作的又一项重任。种毒、制毒、贩毒、吸毒是历史上内蒙古地区的一个严重的社会问题，中华人民共和国成立初期经过严厉禁止，已完全绝迹。80年代以后，受国际毒潮的渗透和影响，死灰复燃，逐渐泛滥，毒品违法犯罪活动日趋严重，严重威胁人民生活和经济建设以及社会治安。1990年以来，党委、政府负总责，公安禁毒部门主管，各级禁毒委员会齐抓共管，全社会广泛参与，形成了全面禁毒的格局。全区公安禁毒部门侦破毒品案件14 768起，捣毁制、贩、吸毒窝点427个，缴获海洛因47.68公斤、鸦片497公斤、大麻10多公斤、冰毒201公斤、麻黄素13吨、盐酸二氢埃托啡60 475片，抓获毒品犯罪分子19 332人；广泛开展毒品预防宣传教育，全区101个旗县区建立了永久性禁毒教育基地，青少年吸毒人数逐年下降，强制戒毒人数累计22 171人，劳教戒毒4 644人；全区累计铲除非法种植罂粟2 724亩，查获非法渠道流入的麻黄素13.3吨。①

司法行政 内蒙古的司法行政是自治区政权的组成部分。1980年自治区着手建立盟市、旗县（市区）两级司法行政机关，到1983年，全区12个盟市和101个旗县（市区）全部建立健全了司法行政组织体系。并将司法

① 参见陶健等主编：《内蒙古区情》，内蒙古人民出版社2006年版，第253—255页。

厅负责的人民法院的工作交自治区高级人民法院管理，并将劳改、劳教工作整建制地由公安厅移交司法厅管理。1995 年，实施“三定方案”，自治区司法厅的主要职能：领导和管理监狱、劳教；律师、公证；法制宣传教育和依法治理；人民调解、基层法律服务；仲裁委员会登记；刑释解教人员安置帮教；综合管理司法行政外事；归口管理法学会、律师协会、公证员协会等工作。2000 年机构改革时，自治区司法厅是自治区人民政府主管全区司法行政工作的职能部门，在司法职能范围内，行使司法职权，协同法院、检察院、公安部门，维护社会安定，保卫改革开放，促进经济建设，为社会治理履行了司法职责。

第四节　民族区域自治与民族事业

中共十一届三中全会后，中央确定了新时期的总路线、总任务：坚持四项基本原则，坚持贯彻党的民族政策，加强民族团结，巩固祖国的统一，维护边疆、少数民族地区的安定，充分调动各少数民族人民的社会主义积极性，为把我国建设成为社会主义现代化强国而奋斗。① 彻底否定了“民族问题的实质是阶级问题”的错误观点，全面恢复落实党和国家的民族政策。1979 年 5 月，国家民委召开委员（扩大）会议，着重讨论了新时期民族工作的重点转移到为现代化建设服务的轨道上来的问题。1981 年 4 月 21 日，中共中央书记处批准的《云南民族工作汇报会纪要》中提出：“党的民族工作的总方针是，坚定不移地关心、帮助各少数民族的政治、经济和文化的全面发展，沿着社会主义道路不断前进，逐步实现各民族事实上的平等。中华人民共和国的创建，社会主义制度的确立，铲除各民族的互相猜疑、互相歧视的根源，开辟了各民族共同发展、共同繁荣的道路。但是，要彻底消除历史上遗留下来的各民族之间的隔阂和差别，还需要作长期的艰苦的努力。”②

---

① 杨静仁：《社会主义现代化建设时期民族工作的任务》，国家民族事务委员会、中共中央文献研究室编：《新时期民族工作文献选编》，中共中央文献出版社 1990 年版，第 5 页。

② 国家民族事务委员会、中共中央文献研究室编：《新时期民族工作文献选编》，中央文献出版社 1990 年版，第 85 页。

1989 年以后，由于国际、国内形势发生变化，尤其是苏联解体、东欧剧变，国外敌对势力打着民族、宗教旗号在我国进行渗透活动，西方形形色色的民族理论和观点在我国传播，出现了一些不切合中国民族问题实际的思潮和负面影响。1990 年 2 月，国家民委召开全国民委主任会议，在中共中央总书记江泽民主持下，中央领导同志和各部门负责人，听取了国家民委和有关省、自治区、直辖市与会者汇报各自的民族工作。江泽民、李鹏分别讲话，强调在我们这样一个多民族的社会主义国家，党和国家十分注意民族工作；要加强民族团结，反对民族分裂，坚决维护国家的统一；要高度重视培养、教育、使用少数民族干部；要加快民族地区的发展，逐步实现各民族的共同富强和共同繁荣。① 1992 年 1 月，召开了中央民族工作会议，江泽民、李鹏发表了重要讲话。会议对中华人民共和国成立以来，特别是中共十一届三中全会以来，党中央和中央人民政府处理民族问题的理论和实践进行了科学的总结，对国内民族工作的形势进行了客观分析，提出了民族工作的指导思想和基本任务，研究了民族工作的方针、政策，确定了加快少数民族地区社会发展的政策和措施。1999 年 9 月 29 日，江泽民总书记指出民族工作的主要任务是："以经济建设为中心，加快少数民族和民族地区的经济发展和社会进步，提高少数民族人民群众的生活水平，加强民族团结，维护祖国统一和社会稳定，巩固和发展平等、团结、互助的社会主义民族关系，逐步实现各民族的共同发展和共同繁荣。"②

在改革开放以来的 20 年中，内蒙古党委和自治区人民政府坚决贯彻中央关于新时期民族工作的任务、方针、政策，通过持续不断地进行马克思主义民族理论教育，经常性地检查民族政策执行情况，大力落实党的民族政策，使内蒙古的少数民族事业从人口发展到法制建设、教育文化、科学技术、科技人才、干部队伍、民族经济等方面，都有了空前的发展。

一、汉族与少数民族人口状况

内蒙古自治区人口呈增长的态势，据公安户籍年末统计数，1947 年自治

---

① 《中国共产党主要领导人论民族问题》，民族出版社 1994 年版，第 220—233 页。

② 江泽民：《在中央民族工作会议暨国务院第三次国家民族团结进步表彰大会上的讲话》（1999 年 9 月 29 日），新华社 9 月 29 日电。

区成立时是561.7万人，1953年全国第一次人口普查是758.4万人，比1947年增长35.02%，年平均增长5.84%；1964年第二次人口普查是1 253.7万人，比1953年增长65.31%，年平均增长5.94%；1982年第三次人口普查是1 941.6万人，比1964年增长54.87%，年平均增长3.05%；1990年第四次人口普查是2 162.6万人，比1982年增长11.38%，年均增长1.42%；2000年第五次人口普查是2 372.4万人，比1990年增长9.70%，年平均增长0.97%。[①]社会主义现代化建设新时期，自治区的总人口从1978年的1 823.4万人增加到2000年的2 372.4万人，增长30.11%，年平均增长1.36%。[②]

汉族是占内蒙古人口绝大多数的民族，其人口据公安户籍年末统计数，1947年是469.6万人，1953年达到649.3万人，比1947年增长38.27%，年平均增长6.39%；1964年达到1 091.4万人，比1953年增长68.09%，年均增长6.19%；1982年达到1 637.9万人，比1964年增长50.07%，年均增长2.78%；1990年达到1 749.1万人，比1982年增长6.79%，年均增长0.85%；2000年达到1 832.50万人，比1990年增长4.7%，年均增长0.48%。前30多年，汉族人口增长率高于全区人口平均增长率，除自然增长外，50年代国家有计划地支边移民和接收邻省移民，特别是60年代经济困难时期以及“文化大革命”期间的无序移民占有相当大的比例。支边移民大多在城镇，而无序移民多半落户农村、牧区。新时期汉族人口从1978年的1 592.9万人发展到2000年的1 832.50万人，增长15.04%，年平均增长0.68%。汉族占全区总人口的79.17%。[③]

内蒙古的少数民族人口1947年是92.1万人，据全区1—4次人口普查数据，1953年增加到96.0687万人，比1947增长4.31%，年平均增长0.72%；1964年增加到160.4425万人，比1953年增长67.01%，年平均增长6.09%；1982年增加到299.6628万人，比1964年增长86.77%，年平均

① 据内蒙古自治区统计局：《辉煌的内蒙古》第256页和内蒙古自治区统计局：《内蒙古统计年鉴》(2001)，中国统计出版社2001年版，第144页。

② 据内蒙古自治区统计局：《辉煌的内蒙古》第256页和内蒙古自治区统计局：《内蒙古统计年鉴》(2001)，中国统计出版社2001年版，第144页。

③ 据内蒙古自治区统计局：《辉煌的内蒙古》第257页和内蒙古自治区统计局：《内蒙古统计年鉴》(2001)，中国统计出版社2001年版，第148页。

增长 4.82%；1990 年增加到 416.6432 万人，比 1982 年增长 39.04%，年平均增长 4.88%；2000 年，据全国第五次人口普查为 485.7633 万人，比 1990 年增加了 16.59%，年平均增长 1.66%。新时期少数民族人口从 1978 年的公安户籍年末统计数 230.5 万人增加到 2000 年的 485.7633 万人，增长 1.1 倍，年平均增长 5.05%，占全区总人口的 20.83%。少数民族人口增长率高于全区人口增长率和汉族人口增长率。[①]

内蒙古自治区的少数民族人口迅速发展，是中国共产党和国家的民族政策的体现，是少数民族发展的重要标志。20 世纪 40 年代末和 50 年代，针对历史上牧区蒙古族人口减少的状况，曾提出“人畜两旺”的方针；对鄂伦春、鄂温克、达斡尔等人口较少的民族更是鼓励发展人口。80 年代以前，少数民族人口增长速度较快。在社会主义现代化建设新时期，少数民族人口高速增长，人口素质明显提高，民族事业空前兴旺。

蒙古族是内蒙古实行区域自治的主体民族，其人口以持续较快的速度在增长。据公安户籍年末统计数，1947 年是 83.2 万人，1953 年增加到 98.5 万人，比 1947 年增长 18.39%，年均增长 3.06%；1964 年增加到 140.3 万人，比 1953 年增长 42.44%，年均增长 3.86%；1982 年增加到 253.2 万人，比 1964 年增长 80.47%，年均增长 4.47%；1990 年增加到 328.5 万人，比 1982 年增长 29.74%，年均增长 3.72%；2000 年增加到 386.0135 万人，比 1990 年增长 17.50%，年均增长 1.75%。蒙古族人口从 1977 年的 193.1 万人增加到 2000 年的 86.0135 万人，增长 1.07 倍，年均增长 4.86%，在 22 年期间增加了 192.9 万人，其中 1982 年和 1986 年分别增加了 38 万和 17 万多人。这种异常增长是与部分汉族按政策更改民族成分有关。从而使蒙、汉族人口的比例发生了曲折的变化，1947 年是 1∶5.6；到 1964 年由于汉族移民增加而变为 1∶7.8；2000 年则变为 1∶4.6。蒙古族人口占全区总人口的 17.13%。[②]

---

① 据内蒙古自治区统计局：《辉煌的内蒙古》第 257、259 页和社会科技统计司、国家民族事务委员会经济发展司编：《2000 年人口普查中国民族人口资料》第 5—26 页数据综合计算。

② 据内蒙古自治区统计局：《辉煌的内蒙古》第 257 页和内蒙古自治区统计局：《内蒙古统计年鉴》（2001），中国统计出版社 2001 年版，第 148 页。

蒙古族分布在全区 5 市 7 盟所辖 101 个旗、县、市、区。据 2000 年普查，呼和浩特市 20.4846 万人，包头市 6.7209 万人，乌海市 1.3904 万人，赤峰市 83.0357 万人，通辽市 137.3470 万人，呼伦贝尔盟 23.1276 万人，兴安盟 65.2385 万人，锡林郭勒盟 28.4995 万人，乌兰察布盟 6.0064 万人，伊克昭盟 15.5845 万人，巴彦淖尔盟 7.6368 万人，阿拉善盟 4.4630 万人。① 主要集中在牧区、半农半牧区和一部分农业区及盟市、旗县所在地的主要城镇。

内蒙古自治区的鄂伦春族、鄂温克族、达斡尔族是建立自治旗的 3 个自治民族。鄂伦春族主要聚居在呼伦贝尔盟鄂伦春自治旗及其他 12 个旗、市，1950 年人口只有 916 人，到 2000 年发展到 3 573 人，增长 2.9 倍。鄂温克族主要聚居在呼伦贝尔盟鄂温克族自治旗及其他 12 个旗、市，1950 年人口 5 269 人，到 2000 年发展到 2.6201 万人，增长了 3.97 倍。达斡尔族主要集中聚居在呼伦贝尔盟莫力达瓦达斡尔族自治旗及其他 12 个旗、市，1950 年人口 1.6932 万人，到 2000 年发展到 7.7188 万人，增长 3.56 倍。2000 年达斡尔族人口占全区人口的 0.33%；鄂温克族人口占全区人口的 0.11%；鄂伦春族占全区人口 0.015%。②

满族、朝鲜族建有民族乡，有人口较多的回族以及人数不等的壮、藏、锡伯、苗、土家、彝、维吾尔等族，还有人数较少的其他少数民族的人们，共有 47 个民族和民族成分。

回、满、朝鲜等世居民族人口状况：1950 年回族 4.6 万人，满族 1.8 万人，朝鲜族 5 921 人。2000 年回族发展到 20.9 万人，满族 47.0 万人，朝鲜族 2.3278 万人；50 年分别增长 3.54 倍，25.11 倍，2.93%；回族人口占全区人口的 0.896%，满族人口占全区人口的 2.015%，朝鲜族人口占全区人口的 0.099%。③

其他少数民族或民族成分共 47 个，2000 年的人口合计 2.3702 万人，占

① 据国家统计局人口和社会科技统计司、国家民族事务委员会经济发展司编：《2000 年人口普查中国民族人口资料》综合计算。

② 据内蒙古自治区统计局：《辉煌的内蒙古》和国家统计局人口和社会科技统计司、国家民族事务委员会经济发展司编：《2000 年人口普查中国民族人口资料》综合计算。

③ 内蒙古自治区统计局：《内蒙古统计年鉴》（2001），中国统计出版社 2001 年版，第 148 页。

全区人口的 0.1%：俄罗斯族（5 020 人）、锡伯族（3 023 人）、苗族（2 159 人）、彝族（2 089 人）、藏族（2 062 人）、壮族（1 895 人）、土家族（1 678 人）、维吾尔族（1 259 人）、布依族（822 人）、侗族（540 人）、黎族（449 人）、土族（437 人）、白族（248 人）、瑶族（231 人）、佤族（206 人）、独龙族（190 人）、柯尔克孜族（153 人）、傈僳族（145 人）、高山族（144 人）、东乡族（118 人）、羌族（109 人）、傣族（96 人）、畲族（94 人）、哈尼族（92 人）、水族（54 人）、赫哲族（54 人）、拉祜族（35 人）、纳西族（31 人）、仫佬族（30 人）、塔吉克族（29 人）、景颇族（28 人）、裕固族（27 人）、撒拉族（26 人）、哈萨克族（20 人）、仡佬族（20 人）、毛南族（15 人）、京族（13 人）、普米族（11 人）、门巴族（11 人）、怒族（9 人）、乌孜别克族（8 人）、保安族（7 人）、塔塔尔族（6 人）、阿昌族（6 人）、布朗族（1 人）、德昂族（1 人）、基诺族（1 人）。其中 1 000 人以上 8 个民族，100 人以上 13 个民族，100 人以下 10 人以上 18 个民族，10 人以下 8 个民族。①

二、贯彻《民族区域自治法》

内蒙古自治区经过拨乱反正，落实民族政策，少数民族事业得到恢复。总结历史的经验教训，坚持、发展、完善民族区域自治制度，关键是进行民族法制建设，使民族工作走上法制化的轨道。

中央从 1981 年即由乌兰夫主持研究、制定民族区域自治法。1982 年修改《中华人民共和国宪法》时，对“文革”中篡改的民族政策条文进行了重大修改补充。根据新《宪法》关于民族政策的规定，又经过两年的调查研究和反复审议，提出了《中华人民共和国民族区域自治法》草案。1984 年 5 月 31 日，第六届全国人民代表大会第二次会议讨论通过了《中华人民共和国民族区域自治法》，它是在总结我国三十五年来实行民族区域自治政策的基础上，对新《宪法》关于实行民族区域自治制度的具体化，是建设我国三大政治制度之一的民族区域自治制度的一项基本大法。它要求各民族

① 据国家统计局人口和社会科技统计司、国家民族事务委员会经济发展司编：《2000 年人口普查中国民族人口资料》综合计算。

自治地方必须维护国家的统一，保障宪法和法律在本地方的遵守和执行。《民族区域自治法》保障民族自治地方充分行使自治权，使自治机关有大于一般地方机关的自主权；并且明确规定上级国家机关的决议、决定、命令和指示，如有不适合民族自治地方实际情况的，自治机关可报经该上级国家机关批准，变通执行或者停止执行。《民族区域自治法》充分体现了国家尊重和保障各少数民族管理本民族内部事务权利的精神，体现了国家实行各民族平等、团结和共同繁荣的原则。它的颁布，是我国社会主义民主和法制建设的一项重要成就，标志着我国民族区域自治制度进入了一个新的发展阶段。《中华人民共和国民族区域自治法》所作的各项规定，反映了我国各民族的根本利益和共同愿望，受到了全国各族人民的热烈欢迎和拥护。

内蒙古自治区位居祖国北部边疆，又是中国首先实行民族区域自治的地方，又是切实实施民族区域自治法，贯彻落实党的各项民族政策，对维护民族团结、稳定边疆，促进改革开放，进行社会主义现代化建设具有特别重大的现实意义。1984 年 6 月 3 日，内蒙古自治区党政领导人与各族各界代表欢聚一堂，热烈庆祝《中华人民共和国民族区域自治法》公布。布赫阐述了《民族区域自治法》颁布的重大意义后，要求全区干部和群众立即掀起学习、宣传、贯彻落实《民族区域自治法》的热潮，把自治区的民族工作及其他各项工作向前推进一步。与会者热情发言，认为《民族区域自治法》是我国实行民族区域自治制度经验的总结，自然也包括着我国第一个民族区域自治地方内蒙古自治区的实践经验，这是内蒙古各族人民的光荣。《民族区域自治法》是少数民族地区新时期的“振兴法”，它将充分地保障少数民族人民按照民族特点自主地进行社会主义现代化建设，这是全国各族人民，也是内蒙古各族人民的一件大喜事。

内蒙古党委和自治区人民政府，认真贯彻实施《民族区域自治法》；自治区人民代表大会常务委员会积极制定民族法规，并监督实施；政协内蒙古自治区委员会在政治协商、民主监督、参政议政中，大力贯彻《民族区域自治法》，从而形成合力建设民族区域自治制度的态势。自治区各级政府充分利用广播、电视、报刊等媒体，以知识竞赛、征文等形式多样的活动，开展相关的理论和法律知识宣传；各级党校和党政机关通过举办专题培训班、报告会等形式，开展民族区域自治法的学习和宣讲；同时在全国普法的过程中，把学习民族区域自治法作为“三五”普法和“四五”普法活动的主要内容。在民族区域自治法颁布实施至2000年民族团结进步表彰活动月期间，内蒙古自治区坚持把宣传、学习民族区域自治法和马克思主义民族理论、党的民族政策作为活动的主要内容，不断增强各民族干部群众的法制意识和执行民族区域自治法的自觉性。在学习和宣传的同时，为了进一步落实民族区域自治法的有关规定，加大可操作性，内蒙古党委、人民政府根据民族区域自治法的原则精神，制定出台了一系列具体的工作条例和实施办法，以扶持少数民族的经济和社会文化事业。2000年又作出了《内蒙古自治区党委、政府关于进一步加强民族工作的决定》,12个盟市也相继根据各自地方的实际、参照自治区的决定出台了具体实施意见。

内蒙古自治区人民政府各有关部门在实际工作中制定具体措施，以保障民族区域自治法中各项规定的实施。自治区财政继续保留了统收统支时期5%的民族机动金5 000多万元，专门用于少数民族的经济、社会事业的发展；自治区财政每年安排500万元左右的少数民族地区补助费，解决少数民族群众在生产、生活、文化、教育等方面的一些特殊问题；在财政实施“分灶吃饭”体制，确定基数时，自治区财政为每个自治旗增加100万元，为每个少数民族人口超过50%的旗县多安排50万元，为每个民族乡多安排5万元。自治区财政还对少数民族特需用品的生产和贸易实行补助和贴息；对边远牧区群众购买风力发电机给予补贴；对边远牧区销售茶叶的供应采取“企业保本、微利经营，自治区财政定额补贴费用”的办法，照顾边远地区的少数民族。内蒙古自治区人民政府计划、交通、水利、农牧、扶贫、教育、文化、广播、卫生等部门都相继制定了对少数民族和少数民族聚居区照顾和倾斜的政策。①

为了切实保证《中华人民共和国民族区域自治法》的学习、宣传、贯彻执行，内蒙古党委于1984年7月10日发出《关于认真学习、宣传、贯彻执行〈中华人民共和国民族区域自治法〉的通知》,要求：一、各机关、学校、人民团体、城镇街道、农村牧区、工矿企事业和部队，都要组织广大干

① 参见内蒙古自治区民族事务委员会：《关于我区贯彻实施民族区域自治法有关情况的汇报》(2004年5月)。

部群众和指战员，认真学习《民族区域自治法》,特别是正在进行整党的单位，要把学习《民族区域自治法》作为整党学习的一个重要内容。二、贯彻和实施《民族区域自治法》必须正确理解和处理好中央的集中统一领导和实行民族区域自治的关系；国家帮助和自力更生的关系；实行区域自治的民族同自治区其他各民族的关系。贯彻《民族区域自治法》必须同当前的各项改革结合起来，进一步解放思想，加速自治区的经济建设，发展自治区的文化教育事业，积极培养少数民族干部，特别是各种专业人才和技术人才；三、各级人民代表大会及其常务委员会要监督实施《中华人民共和国民族区域自治法》,并抓紧制定《内蒙古自治区自治条例》。

全区各级党委和人民政府立即组织广大干部群众学习《民族区域自治法》,并结合总结三十多年来内蒙古实行民族区域自治的经验，联系实际，推动学习，促进工作。各地区、各单位运用各种宣传工具，采取各种形式，大张旗鼓地宣传《民族区域自治法》。自治区司法厅和民族事务委员会还联合绘制编印了《认真学习、贯彻民族区域自治法宣传画》；内蒙古党委统战部、自治区民委和《实践》杂志编辑部联合编写了《学习〈中华人民共和国民族区域自治法〉通俗讲话》。自治区六届人大常委会第十次会议作出的《关于在全区各族公民中加强法制宣传教育、普及法律常识的决议》中，明确规定《民族区域自治法》为全民普法的重要内容之一，要求各地认真学习、宣传。自治区普及法律常识五年规划，也把《民族区域自治法》作为普法的主要内容。这样，民族区域自治法得到了广泛的宣传。1987 年初统计，全区 1 531 万名普法对象中，按普法要求已有 553 万人受到《民族区域自治法》的常识教育。

内蒙古自治区在贯彻实施《中华人民共和国民族区域自治法》的过程中做了大量工作，取得了一定的成绩。但是，由于内蒙古地区地域辽阔、边境线长，而绝大多数的少数民族集中居住于偏远的边境地区，那里的经济欠发达，生活环境、文化教育和医疗卫生等社会事业相对落后，仍然存在着一些不容忽视的问题。在全面建设小康社会的过程中，真正实现各民族共同发展和共同繁荣的任务依然艰巨。内蒙古党委、人大常委会、人民政府曾多次进行调查研究，并以各种方式向中共中央、国务院及所属有关部门提出意见与建议。

（1）关于支持民族法制建设问题。《中华人民共和国民族区域自治法》是一部基本法，其对各方面的规定都很原则，缺乏量化标准和可操作性，在实施过程中存在一定困难。在国务院即将出台贯彻实施民族区域自治法若干规定之际，建议国务院及其所属有关部门应在各自职权范围内，尽快制定出台相应的法规、行政规章，支持内蒙古自治区制定出台自治条例。

（2）关于财政、税收、金融。在实行分税制的财政体制下，国家对财政困难民族地区的支持，主要是通过财政转移支付制度实现的。转移支付制度的实施，缓解了中西部民族地区的财政困难。但由于内蒙古自治区各少数民族基本处于边境地区，经济欠发达，大多数旗县级财政仅能发工资，有些旗县甚至连工资也不能全额发放。因此，在一般性转移支付不能增加的情况下，国家是否可以设立如民族教育、边境建设等专项财政转移支付制度，以解决影响民族地区长远发展的突出困难。

有关税收，为了促进民族地区的经济发展，可否规定在一定时期内，降低增值税等主要税种的税率，同时增加民族地区增值税增量部分的分成比例。

在金融政策方面，目前各商业银行几乎全部从边境牧区撤销了网点，原因是边境牧区地处边远，人烟稀少，银行经营成本高。然而边境牧区要发展则更需要金融的支持，希望各商业银行在基层设点问题上，能从民族地区、边境地区的实际出发；在考虑商业银行经营成本问题上，国家应采取一些有效的补偿措施或制定相关政策，支持商业银行在边境不发达的少数民族地区设点。

（3）关于民族教育。内蒙古自治区的民族教育近年来取得了较大的成绩，但仍然存在一些突出并亟待解决的问题。主要有投入不足，硬件建设差，教育设备短缺；对少数民族贫困生的补助资金基本得不到解决等问题。《中华人民共和国民族区域自治法》第 37 条规定：为少数民族牧区设立以寄宿为主、助学金为主的公办民族小学和民族中学（即民族教育的“两主一公”），办学经费和助学金由当地财政解决，当地财政困难的，上级财政应当给予补助。然而，这一问题在内蒙古自治区很难得到解决。例如：呼伦贝尔市目前执行的 3 个少数民族助学金标准是 1960 年制定的，每个学生每月最高 14 元，最低 5 元，按当时的消费标准，的确起到了一定的助学作用。

而这个标准不及现在学生所需社会费用的1/10，即使执行这一标准，许多地区的财政也难以维持，造成少数民族学生因生活困难而辍学的越来越多。因此，重新核定少数民族学生助学金标准势在必行；同时，国家能否将民族区域自治法中“由当地财政解决”变通为“民族自治地方财政确实困难的，由国家财政给予一定的补贴”，或者国家能够出台相应的补贴办法。

（4）其他有关民族区域自治的问题。关于民族自治地方的界线变更、民族自治地方撤销和合并、民族自治地方名称的改变等问题，应该事先广泛征求各民族干部群众和少数民族代表人士的意见，然后经同级人民代表大会讨论通过。由于对此没有明确的规定，目前在内蒙古自治区的行政区划内，还有其他省的行政建制（呼伦贝尔市的加格达奇市版图在内蒙古自治区范围内，管辖权却仍属黑龙江省），长期得不到解决。关于在内蒙古自治区实行撤盟设市的问题，很多少数民族干部群众不理解，存有看法；在有的已撤盟设市的地方，少数民族干部群众对新设市后的名称有意见。

关于民族区域自治法中规定对输出自然资源的民族自治地方给予一定补偿的问题，对此应该有具体量化的标准，同时这种补偿应属国家财政支出范围，而不是由地方企业负担，要通过国家税收政策给予补偿。

关于减免基础设施建设项目配套资金的问题，《中华人民共和国民族区域自治法》第56条规定：国家在民族地区安排基础设施建设，需要民族自治地方配套资金的，根据不同情况给予减少或者免除配套资金的照顾。目前国家有关部委仍在强调自治区应按照相应比例配套。由于配套资金难以解决，所以有些项目资金不予安排。

关于发展民族文化、医疗卫生事业。对于少数民族文化古籍的挖掘、抢救、整理属于国家的事业，而不是哪一个民族或民族自治地方自己的事情，国家应该设立专门机构和专门资金。对民族医药的挖掘、发展上也应该出台特殊的优惠政策。

三、民族法制建设

《中华人民共和国民族区域自治法》在第三章关于自治机关的自治权中明确规定：“民族自治地方的人民代表大会有权依照当地民族的政治、经济和文化的特点，制定自治条例和单行条例。自治区的自治条例和单行条例，报全国人民代表大会常务委员会批准后生效。”1980 年 2 月，内蒙古自治区人大常委会正式设立后，在内蒙古党委的领导下，依照《中华人民共和国宪法》《中华人民共和国民族区域自治法》的有关规定，围绕新时期内蒙古自治区改革开放和现代化建设的中心，在不断探索民族立法的过程中，明确了民族立法的重要性和权限范围，制定了一系列有利于民族自治地方经济社会发展的自治条例、单行条例以及有关民族工作的地方性法规，使内蒙古自治区的民族立法工作逐步走上了正轨。

（一）制定《内蒙古自治区自治条例》

制定《内蒙古自治区自治条例》,是宪法赋予的一项重要职权，是具体实施《中华人民共和国宪法》《中华人民共和国民族区域自治法》的地方性自治法规，是规范自治区政治、经济、文化、教育等各项工作，特别是民族工作的具体法规。内蒙古自治区党委、政府和社会各界高度重视《内蒙古自治区自治条例》的起草制定，全区各族人民特别是少数民族普遍关注这件大事。它对于切实保障自治区根据内蒙古的实际，贯彻执行国家的法律和民族区域自治政策，维护和发展各民族平等、团结、互助的社会主义民族关系，建设繁荣昌盛的内蒙古，具有重大而深远的意义。

内蒙古自治区人大常委会肩负这项使命，从 1980 年 6 月开始，即决定起草《内蒙古自治区自治条例（草案)》,成立了以内蒙古党委书记王铎为主任的自治条例起草委员会；11 月经内蒙古党委批准、由自治区五届人大六次会议通过，又成立了以内蒙古党委第二书记、自治区人大常委会主任廷懋为主任的新的自治条例起草委员会。在起草过程中，内蒙古党委两次听取汇报，重点研究了遇到的问题。经过反复修改，1982 年 2 月《内蒙古自治区自治条例（草案)》形成第 5 稿。1983 年 4 月，自治区六届人大一次会议选举巴图巴根为人大常委会主任，遂任自治区自治条例起草委员会主任。1984 年 6 月 18 日，内蒙古自治区自治条例起草委员会举行第一次委员会议，进一步研究部署了《内蒙古自治区自治条例》起草工作。依据新宪法和民族区域自治法，在第 5 稿的基础上进行了多次修改，于 1985 年 5 月形成《内蒙古自治区自治条例（草案)》第 13 稿，并报请内蒙古党委审查。内蒙古党委决定将“草案”下发全区各地征求意见，同时报送全国人大和中央有关部委。1986 年 6 月 30 日至 7 月 8 日，内蒙古自治区人民代表大会第六届常委会第十七次会议，专题审议了《内蒙古自治区自治条例（草案)》。为广泛听取各方面的意见，会议扩大了列席人员的范围，与会者以《中华人民共和国宪法》和《中华人民共和国民族区域自治法》以及国家有关法律为依据，从内蒙古自治区的民族特点、地区特点以及政治、经济、文化等方面的实际出发，对自治条例草案，从结构到内容进行了认真审议，逐章、逐条、逐款、逐句地进行深入、细致的讨论，提出了许多重要的修改意见。会后，再次进行了认真的推敲、修改，经自治条例起草委员会会议讨论，形成了《内蒙古自治区自治条例（草案修改稿)》。8 月自治区人大常委会党组将《内蒙古自治区自治条例（草案修改稿)》《关于起草〈内蒙古自治区自治条例（草案)〉情况的汇报》报请内蒙古党委审定。1987 年5 月，内蒙古党委向自治区各部、委、办、厅、局和各盟市、旗县发出《关于征求〈内蒙古自治区自治条例（草案修改稿)〉意见的通知》,广泛征求意见。之后，起草委员会进行反复修改，形成《内蒙古自治区自治条例（草案)》第 17 稿。内蒙古党委常委会议听取了自治区人大常委会党组的汇报后，决定将“草案”第 17 稿上报全国人大民族委员会、法律工作委员会及国务院有关部委。

1989 年 10 月，起草委员会根据全国人大民委、法工委对“草案”的审议意见，对第 17 稿做了较大修改。在征求了自治区政府有关部委和专家、学者的意见，并经自治区七届人大常委会审议后，报送内蒙古党委。1990 年，内蒙古党委办公厅批复自治区人大常委会党组，“待国务院研究批示后一并对《内蒙古自治区自治条例（草案)》送审稿（修改稿）进行审核”。

1993 年 5 月，内蒙古自治区八届人大常委会产生后，成立了以内蒙古党委副书记千奋勇为组长，由自治区党委、人大、政府领导及有关部门负责人组成的《内蒙古自治区自治条例（草案)》修改工作领导小组，下设办公室和 5 个工作组，提出了《〈内蒙古自治区自治条例（草案)〉修改工作方案》,决定修改工作先起草自治条例纲要，将自治条例的基本内容特别是需要与国家各有关部门协调的问题写入纲要，经内蒙古党委同意后，由自治区政府各有关部门同国务院各部委对口协调，取得国务院和各部委对纲要内容的认可和支持后，再起草出一个基本成熟的自治条例（草案），然后依程序审议和报批。但是，正值建立社会主义市场经济体制，国家对计划、财政、外贸等体制将进行彻底改革和调整的时期；同时《宪法》已经修改，《民族区域自治法》的修改也提上了日程，制定民族区域自治条例涉及一些重要内容和新问题，因此，《内蒙古自治区自治条例》起草工作停了下来。2001年2月，《中华人民共和国民族区域自治法》修改公布以后，内蒙古自治区再次启动《内蒙古自治区自治条例》的起草工作。

（二）鄂温克族、鄂伦春族、莫力达瓦达斡尔族3个自治旗自治条例和单行条例的制定

鄂温克族自治旗、鄂伦春自治旗、莫力达瓦达斡尔族自治旗是内蒙古自治区3个少数民族自治旗。根据《中华人民共和国宪法》《中华人民共和国民族区域自治法》的规定，这3个自治旗有权根据当地民族的政治、经济和文化特点，制定自治条例和单行条例。这是内蒙古自治区民族立法工作的重要组成部分。

3个自治旗自治条例的起草工作开始于20世纪80年代初，在内蒙古党委、人大常委会的领导和支持下，参考学习云南、广西、贵州等省区按照市场经济体制的要求，结合当地实际情况制定自治州、自治县自治条例的经验，3个自治旗人大历经10多年的不懈努力与积极探索，3部自治条例分别出台。《鄂伦春自治旗自治条例》经1996年5月16日鄂伦春自治旗第十届人大第三次会议通过，于1996年6月1日由自治区第八届人大常委会第十二次会议批准。《莫力达瓦达斡尔族自治旗自治条例》在1997年5月16日莫力达瓦达斡尔族自治旗第八届人大第四次会议上通过；《鄂温克族自治旗自治条例》在1997年5月17日鄂温克族自治旗第八届人大第四次会议上通过。1997年5月31日自治区第八届人大常委会第二十六次会议批准这两个自治旗的自治条例。3个自治旗的自治条例出台，对推动自治旗坚持实行民族区域自治制度，促进经济社会发展发挥了重要作用。

为实施自治旗自治条例，各自治旗人大开始制定自治旗单行条例。1998年4月8日、1999年1月20日，莫力达瓦达斡尔族自治旗人大分别通过了《莫力达瓦达斡尔族自治旗土地管理条例》《莫力达瓦达斡尔族自治旗民族教育条例》，自治区人大常委会分别于2000年8月6日九届十七次会议、10月15日九届十九次会议批准。自治区人大常委会在审查修改这2件单行条例的过程中，根据3个自治旗政治、经济和文化的特点，制定单行条例对实施自治旗自治条例的重要性，以及宪法、民族区域自治法和立法法中关于自

治条例、单行条例制定权限和范围的规定，于2000年7月10日，向内蒙古党委提出《关于批准3个自治旗单行条例有关问题的报告》。8月1日，内蒙古党委复函同意。对3个自治旗民族立法权限范围的理解所达成的共识，使得3个自治旗其他各项单行条例顺利出台。

鄂伦春族、鄂温克族、莫力达瓦达斡尔族3个自治旗，是内蒙古自治区全面实施天然林资源保护、草原生态建设、退耕还林还草等生态环境综合治理的重点区域之一。然而，由于各种原因，这些地区的自然环境遭到严重破坏，生态治理的任务十分艰巨。鄂温克族自治旗属于牧业旗，可利用草原面积占全旗总面积的62.4%，是呼伦贝尔草原的重要组成部分。但是，作为全旗基础产业的畜牧业经济的增长方式，未能完全摆脱外延扩大型的粗放式增长模式，加上人口过快增长、超载放牧和管理薄弱，从而加速了草场逆向演化的进程。到2000年，草场退化面积几乎是80年代初的1.8倍。为了依法管理和保护草原，合理开发和利用草场，2001年，自治旗人大出台了《鄂温克族自治旗草原管理条例》。条例对草原的管理、保护和权属界定等事项作出了明确的规定；就建设养畜、集约化经营、发展生态畜牧业等方面，作出了操作性较强的具体规定；对转变传统的生产方式、建设养畜过程中可能出现的问题，作出了预防性的规定。这一单行条例的出台，有效地控制了全旗草原生态环境遭到破坏的现象。

莫力达瓦达斡尔族自治旗属于农业旗，中华人民共和国成立初期拥有人口5.43万，耕地面积57.6万亩；2000年人口近30万人，耕地面积近380万亩。50年来，人口总数增长了近5倍，耕地面积扩大了近7倍。这种以毁林毁草为代价的耕地面积的盲目扩大，使自然环境遭到严重破坏，导致水土流失和风、旱、洪、涝等自然灾害的频频发生。为此，《莫力达瓦达斡尔族自治旗土地管理条例》从当地实际出发，依法界定了国有土地和农民集体所有土地。彻底解决了自治旗长期存在的国有土地和农民集体所有土地划分不清；驻旗国有农场、军队农场和农民无止境地开垦国有荒地，而不承担法律责任的问题。为防止因对国有土地无偿使用而造成的国土资源流失和生态环境的破坏，规定除依法划拨和营造生态公益林外，自治旗对使用国有土地的单位和个人，征收每年每亩5元的国有土地有偿使用费。

（三）民族教育立法

民族教育是内蒙古自治区教育事业的重要组成部分，也是内蒙古自治区民族工作的重要内容。民族教育立法有助于促进内蒙古自治区民族教育与经济社会的协调发展。为了培养少数民族人才，加快民族地区经济社会的发展，2000年，呼和浩特市、莫力达瓦达斡尔族自治旗出台了各自的《民族教育条例》。这两个地区性民族教育单行条例的共性是：立法目的明确；针对性、可操作性强。均规定：要“优先、重点”发展民族教育；发展民族教育的最终目的，是提高各少数民族的整体素质；用民族语言实施的教育只是民族教育中的一种形式，而民族教育是指对少数民族实施的各级各类教育。均针对目前单纯以民族语言文字接受教育的学生，出路窄、就业选择余地小的状况，规定要加强对少数民族学生实施双语、三语教学。即在学习本民族语言文字的同时，要适时学习汉语言文字、外国语言文字。

为了支持和发展民族教育，呼和浩特市和莫力达瓦达斡尔族自治旗从各自地区的实际出发，在各自的条例中，关于保证民族教育经费、改善和提高民族教育工作者的工作与生活待遇、资助少数民族贫困生完成民族教育各阶段的学业等事项，均作出了具有可操作性的规定。呼和浩特市规定“民族学校的办学经费以财政拨款为主，教育费附加每年用于民族教育的比例，不得低于教育费附加总额的10%”。这两个条例均规定：政府人事、教育行政主管部门设置教师专业技术职务岗位时，适当提高民族学校中高级职称比例，对民族学校教职工实行在原工资基础上的浮动工资制度。

但是，自治区民族教育立法滞后是显然的事实。民族教育立法是自治区民族教育发展的法律保障，以往是通过民族政策指导民族教育的发展，虽然民族区域自治法有原则的规定，而可操作性不强，事实上民族教育没有得到具体的法律保证。改革开放以来，民族教育是有了很大的发展，这是不容置疑的事实。但是，20世纪末民族教育已经有萎缩的苗头，特别是中小学民族教育。这是潜在的危险。因此，民族教育从自治区到盟市、旗县都应立法，以法律保障民族教育的发展。民族教育是民族区域自治、民族事业发展的核心问题之一。内蒙古自治区成立五十多年的历史，从正反两方面证明了这个问题。

内蒙古自治区人大常委会的民族立法工作，截至2000年，出台了一个自治旗的自治条例和一部与民族立法相关的单行条例、地方性法规，为扭转自治区在全国民族立法工作中相对滞后的局面，缩小与其他省区在民族立法工作方面的明显差距，迈出了可喜的步伐，实现了内蒙古自治区出台有关民族问题单行条例、以及专门用于调整民族关系的地方性法规零的突破。

然而，《内蒙古自治区自治条例》的制定历经 18 年，还没有出台，内蒙古自治区的民族立法单行条例仍然是一项空白。为了给内蒙古自治区经济、社会、文化建设提供有力的法制保障，适应少数民族经济社会发展的需求，民族立法工作有待完善。从 1980 年到 2000 年，自治区人大制定和批准的地方性法规 183 条，制定现行有效的地方性法规 118 条，批准地方性法规、自治条例、单行条例 65 条，在自治区法制建设，依法治区、兴区方面发挥了主导作用。但是，民族立法的法规、自治条例、单行条例，显得薄弱。这是 20 世纪留给新世纪的一项不容忽视的问题。

四、少数民族干部的培养与使用

内蒙古自治区依照《中华人民共和国民族区域自治法》的要求，加强对少数民族干部的培养和使用，努力发展民族经济和各项社会事业。根据民族区域自治法的规定，在坚持自治区政府主席和 3 个自治旗旗长均由自治民族的公民担任的同时，各盟市和其他旗县党政领导班子中，党政一把手一般由汉族干部和少数民族干部分别担任；在各级党政机关及所属部门的领导班子中，都配备了一定比例的少数民族干部。在少数民族散杂居地区增设了 10 个民族乡（苏木），使自治区域内的 8 个世居民族中除汉族和蒙古族以外，都建立了本民族的自治旗或民族乡（苏木），实现了在中国共产党的领导下，自己管理自己民族内部事务的愿望。改革开放以来，内蒙古党委、人民政府和全区各民族干部群众在中共中央、国务院的部署下，充分利用民族区域自治法有利于民族地区经济发展的政策和规定，以经济建设为中心，一心一意谋发展，使全区经济发展速度明显加快。在加速发展经济的同时，少数民族文化教育等各项社会事业也得到全面发展。民族教育事业已经形成从幼儿园教育到高等教育的蒙古语授课教育体系；蒙古语言文字的学习、使用与科研得到加强；少数民族古籍整理得到重视；蒙古语卫星广播电视节目已覆盖全区；少数民族文学艺术、新闻出版、医疗卫生、体育等事业均有一定的进步。

内蒙古自治区的少数民族干部在“文化大革命”中遭到严重摧残。粉碎“四人帮”以后，特别是党的十一届三中全会以来，内蒙古党委坚决落实党的民族政策，一方面平反冤假错案，使大批少数民族干部恢复了工作，同时大力培养少数民族新干部。这是新时期自治区民族工作的主要内容和全党的一项战略任务。

但是，“文化大革命”使民族干部队伍出现“10 年断层”，造成了诸多问题。其一，年龄老化。厅局级少数民族干部平均年龄为 54 岁，45 岁以下只占 3%；旗县处级少数民族干部平均年龄为 52 岁，40 岁以下也只占 4.2%。其二，文化程度偏低。厅局级少数民族干部中大学文化程度的只占 5%，初中以下文化程度的却占 75%；旗县处级少数民族干部中大学文化程度的只占 2.1%，初中以下文化程度的却占 77%。其三，结构不合理。在党政部门的多，经济、科技部门的少，全区少数民族科技干部占科技干部总数的 18.7%，占少数民族干部总数的 29%。其四，少数民族领导干部后继乏人，少数民族一般干部的来源也不充分。这是培养和使用少数民族干部面临的紧迫问题。①

自治区针对上述问题，采取有力措施，培养少数民族干部，重点加强培养少数民族科技干部，使少数民族干部队伍建设步入适应新时期贯彻党的民族区域自治政策，适应社会主义现代化建设的发展轨道。经过短短几年的努力，开始出现少数民族干部在干部队伍中所占的比例，少数民族专业技术、管理人员在整个专业技术、管理人员中所占的比例，高于少数民族人口在全区总人口中所占比例的趋势。开始形成由蒙古族和其他少数民族组成的，包括政治、经济、科技、文教、医疗卫生等各方面人才的干部队伍，一批德才兼备的少数民族干部担任了各级领导职务，少数民族专业技术干部中也涌现出大批优秀人才。

1979 年，党和国家在提出新时期民族工作任务的同时，国家民委主任杨静仁指出：“国家在实现现代化的过程中，大力帮助少数民族加速发展经济和文化建设，大力培养有共产主义觉悟的少数民族干部和各种专业技术人

---

① 参见内蒙古党委组织部：《积极培养选拔少数民族干部》，《内蒙古日报》1980 年 8 月 21 日。

才，逐步消除历史遗留下来的事实上的不平等，使各少数民族能够赶上或接近汉族的发展水平。”① 坚决、正确、全面、持久地实行民族区域自治，是民族自治地方的社会主义现代化建设，经济社会发展的关键；民族干部则是实行民族区域自治权的关键。这已经是被内蒙古自治区五十余年历史反复证明了的事实。

内蒙古党委根据1978年10月中共中央组织部《关于少数民族地区干部工作的几点意见》,在1980年5月和7月两次召开常委会，专门研究培养和使用少数民族干部的问题，提出了新的相应措施，决定把有真才实学、年富力强的少数民族干部选拔安排到自治区各级领导班子中，发挥民族干部应有的作用及其使命。要求通过各种形式，大力培养少数民族新干部，充实民族干部队伍，壮大民族干部的力量；坚决防止和克服对少数民族干部不信任、甚至歧视和排斥的错误倾向。

培养使用少数民族干部的具体政策和措施：一是实行在同等条件下优先选拔少数民族干部的方针，积极培养、大胆选拔蒙古族及其他少数民族中的优秀中青年干部，在边境旗和自治旗中注意培养和选拔当地少数民族干部。二是大量培养少数民族科技干部，以适应民族地区和少数民族经济、文化、教育、科技等各项事业发展和繁荣的需要。三是采取多种形式和办法，提高在职少数民族干部的业务能力。四是加强民族教育，从基础教育入手，尽快普及农村牧区的小学教育，采取多学科制和多种形式办学，从根本上解决少数民族干部的来源问题。五是根据自治区汉族人口占多数，而且蒙汉民族长期杂居的特点，还要注意培养选拔汉族干部，使蒙汉各族干部团结携手，带领各民族建设家园，建设国家。同时，对蒙汉各民族干部比例的配置也作了原则规定，即实行民族区域自治的自治民族的干部与本民族人口的比例，要高于自治民族人口与各民族总人口的比例；蒙古族干部与其民族人口的比例，要高于汉族与其人口的比例；其他少数民族干部与其民族人口的比例，要高于其民族人口与蒙古族的比例，如此使蒙古族、汉族及其他少数民族干部的配备大体有一个适当的比例，构成各民族干部的配置结构，以调整各民

① 杨静仁：《社会主义现代化建设时期民族工作的任务》,《新时期民族工作文献选编》,中共中央文献出版社1990年版，第5页。

族干部、群众的心理平衡，促进各民族干部和各民族的团结。这既是政策，又是策略，也是务必充分注意的问题。

1983年开始进行机构改革，特别是1984年《中华人民共和国民族区域自治法》颁布实施以后，民族干部的培养与使用进入了法制化的轨道，按照干部革命化、年轻化、知识化、专业化的原则，又从少数民族和民族地区的实际出发，采取多渠道、多层次、多形式的办法，培养少数民族干部和专业技术人员。具体做法：一是扩大办学门路，就地培养深造少数民族在职干部。从1983年开始，恢复了自治区各级党校，进行干部学历教育和专业教育；新建了3所管理干部学院、19个各级各类科技培训中心，以提高干部的业务素质；自治区和各盟市开办了一批政治、经济、法律、文学等专业的干部大专进修班；教育学院、职工大学、电视大学、函授大学、夜大学、刊授大学、成人中专等各级各类学校，先后招收了少数民族干部近千人，在干部学历教育和专业培训方面发挥了重要作用；根据需要，各地还举办了不同层次各种类型的短期训练班；内蒙古党校、内蒙古团校还开办了蒙语授课培训班。少数民族干部纷纷参加学习，提高了政治、文化素质，有的得到了专业技术培训，不少人受到了不同层次的学历教育，为使用民族干部创造了条件。二是发展民族教育。从小学到大学的各个学历教育阶段，为少数民族学生创造各种必需的学习条件，民族小学、中学纷纷恢复与新建，普通中学中有民族班、混合班，民族基础教育逐步恢复与发展，创造了培养干部的基础条件；大学本科、专科以及民族预科以降线录取的优惠条件招生，民族中专扩大招生名额，为使用民族干部输送人才，解决民族干部的来源问题。三是加大培养少数民族干部的力度，对于有突出贡献的少数民族科技人员，予以重用，破格晋升；选拔优秀且有培养前途的少数民族专业技术人员，到国内重点院校或出国学习、考察、留学，加速培养高素质的少数民族干部和科技人才，适应发展民族区域自治和经济建设、社会进步的需要。从1981年到1986年，全区派往国外进修、留学的少数民族专业技术人员96人，占当时全区出国学习人员的47%。

由于民族干部政策的调整和加强，少数民族干部的状况迅速发生变化，出现了可喜的增长趋势。1987年内蒙古自治区成立40周年时，自治区干部总数增加到588 903人，少数民族干部增加到131 003人，占干部总数的

22.2%。其中蒙古族干部增加到 106 412 人，占干部总数的 18.6%；其他少数民族干部 24 591 人，占干部总数的 4.17%。少数民族干部、蒙古族干部、其他少数民族干部各增长 3.26%、1.75%、0.17%。①

蒙古族干部的文化程度、学历结构、年龄结构、职务结构、政治派别、分布状况，也随着民族干部工作的加强和新时期新形势的要求，发生了相应的变化。1987 年蒙古族干部 106 412 名中，女性有 33 717 人，占 31.7%。职称与学历：取得中级以上职称的 3 546 人，占 3.3%；大专以上学历的有 25 506 人，占 24%；中专学历的有 35 209 人，占 33%；高中文化程度的有 16 784 人，占 15.8%；初中文化程度的有 28 910 人，占 27.2%。政治身份，中共党员有 41 988 人，占 39.5%；共青团员 18 232 人，占 17.2%；无党派干部 46 160 人，占 43.3%；民主党派 32 人。年龄结构：30 岁以下的有 35 745 人，占蒙古族干部的 33.2%；年龄在 31 岁至 40 岁之间的有 35 182 人，占 33.1%；年龄在 41 岁到 50 岁之间的有 25 082 人，占 23.6%；年龄在 51 岁至 60 岁之间的有 10 054 人，占 9.5%；年龄在 61 岁以上的有 619 人，占 0.6%。工作领域与部门：在党政群团机关的有 33 864 人，占 31.8%；在企事业单位的有 72 548 人，占 68.2%。职级结构：在机关中自治区正副主席有 18 人，占蒙古族干部的 0.02%；正副厅局级有 317 人，占 0.3%；正副处长级有 2 479 人，占 2.3%；正副科长级 8 966 人，占 8.4%；蒙古族其他干部 22 084 人，占 20.8%。企事业单位中相当于厅局级干部 88 人，占 0.08%；相当于县处级干部 1 511 人，占 1.4%；中小学正副校长、书记有 1 879 人，占蒙古族干部的 1.8%，蒙古族其他干部 69 070 人，占 6.5%。②

经过党的十一届三中全会后近 9 年时间，落实民族干部政策，采取上述诸多措施，民族干部特别是蒙古族干部的革命化、年轻化、知识化、专业化程度有了较快提高，民族干部的数量也在不断增加，蒙古族领导干部的职数也有明显增多，蒙古族干部分布的领域和部门都很广泛，体现了民族干部特别是蒙古族干部在自治区的经济建设、社会发展中的特殊作用。

---

① 《内蒙古自治区志·人事志》，内蒙古教育出版社 1999 年版，第 96 页。

② 《内蒙古自治区志·人事志》，内蒙古教育出版社 1999 年版，第 97 页。

1990 年 2 月，国家民委召开全国民委主任会议提出，要高度重视培养、教育、使用少数民族干部。1992 年 1 月，中央民族工作会议全面科学地总结了党中央和中央人民政府处理民族问题的理论和实践，分析了国内民族工作的形势，提出了民族工作的指导思想和基本任务，研究了民族工作的方针、政策，确定了加快少数民族地区社会发展的政策和措施，继续培养使用少数民族干部成为重要议题。1993 年 12 月，中共中央组织部、统战部和国家民委联合作出《关于进一步做好培养选拔少数民族干部工作的意见》，提出培养和使用少数民族干部要适应社会主义市场经济体制的具体要求和规划，主要是：1. 加强培养教育，全面提高少数民族干部队伍的素质；2. 加强民族地区基层干部队伍建设；3. 加强少数民族专业技术干部队伍建设；4. 重视少数民族领导干部的选配；5. 积极培养选拔少数民族后备干部。这都是中央关于少数民族干部问题的重要指导方针、政策，是做好民族干部工作的依据。

1992 年 5 月，内蒙古自治区主席布赫，在谈到坚持大力培养和造就少数民族干部时指出："在民族地区，民族干部是党联系人民群众的纽带和骨干力量。民族干部土生土长，与本民族成员有着广泛而密切的联系，熟悉本地区的历史和现状，大都通晓本民族的语言文字，懂得本民族的生活方式和风俗习惯，对改变本民族地区的落后面貌、建设社会主义有强烈的愿望，这些长处和特有的作用，其他干部是很难替代的。"对于使用民族干部的意义，布赫指出："民族干部的状况，又是衡量一个民族发展水平的重要标志。大力培养和造就少数民族干部，是民族区域自治地方加强党的领导，贯彻执行党的路线、方针、政策的可靠保证，是贯彻民族区域自治政策、充分行使少数民族人民自治权利的关键。"① 在民族地区，民族干部的作用是显然的。

20 世纪 90 年代以后，内蒙古党委和自治区人民政府，根据中央对民族工作的基本方针、政策和具体措施，加大了培养选拔使用民族干部的力度，使民族干部的素质迅速提高，数量相应增长，其作用也得到了发挥。从 1987 年自治区成立 40 周年到 1995 年国民经济"八五"计划完成，自治区

---

① 布赫：《努力开创民族工作的新局面》，内蒙古人民出版社 2004 年版，第 100 页。

的少数民族干部增加到 166 300 人，比 1987 年的 131 003 人净增 35 297 人，增长 26.94%，占当年全区干部总数的 23.3%。其中蒙古族干部从 106 412 人增长到 136 952 人，净增 30 540 人，增长 28.69%，占全区干部总数的 19.19%，占全区少数民族干部的 82.3%。其他少数民族干部从 24 591 人增加到 29 348 人，净增 4 757 人，增长 19.34%，占全区少数民族干部的 17.64%。少数民族干部文化结构的变化，以蒙古族干部为例，大专学历从 25 506 人增加到 50 528 人，增长 98.10%；中专学历从 35 209 人增加到 51 057 人，增长 45.01%；高中学历从 16 784 人增加到 19 964 人，增长 18.94%，初中学历大幅负增长。少数民族干部的文化结构 1980 年与 1995 年相比，大学学历从 12 263 人增加到 61 751 人，15 年增长 4.03 倍；中专学历从 21 328 人增加到 59 769 人，增长 1.79 倍；高中学历从 10 510 人增加到 24 773 人，增长 1.35 倍；初中学历减少从 29 612 人减少为 20 011 人，减少 47.97%。①

通过一系列深入细致的工作和采取有效的措施，自治区已经形成一支具有相当规模的、由蒙古族和达斡尔族、鄂伦春族、鄂温克族、满族、回族、朝鲜族等组成的，包括政治、经济、科技、文教、医疗卫生等各方面人才的少数民族干部队伍。民族干部队伍人数的增长，学历的提高，文化结构的优化，是民族干部素质提高、作用加强的重要标志，也是自治区坚持和完善民族区域自治制度的重要环节。

五、蒙古语文事业的发展繁荣

经过拨乱反正，落实民族语文政策，蒙古语文研究工作全面恢复。蒙古语文科研工作的恢复，标志着蒙古语文研究事业进入了新的发展阶段。内蒙古社会科学院语言研究所、内蒙古大学蒙古语文研究室，充实研究人员，拓展研究领域，加大研究力度，取得了可喜的新成果；内蒙古师范学院成立了蒙古语文历史研究室，成为蒙古语文研究的又一支新兴力量。内蒙古大学蒙古语言文学系、内蒙古师范学院蒙古语言文学系，在教学的同时，大力开展蒙古语文的研究，既促进了教学水平的提高，也发展了蒙古语文的研究。

---

① 据《内蒙古自治区志·人事志》（内蒙古教育出版社 1999 年版，第 93—100 页）数据计算。

1980 年 4 月，召开自治区全区蒙古语文工作委员会主任会议，中心议题是总结经验，研究新情况，解决新问题，繁荣蒙古语文，适应民族经济、文化的发展，加速自治区四化建设。会议提出，要广泛宣传、深入贯彻党的民族语文政策，并对执行情况进行检查；努力做好蒙古语文的科研工作；进一步抓好民族教育、蒙古语文教育和职工业余学习蒙古语文的工作。① 7 月，内蒙古自治区人民政府发出通知，批准并转发了八省、区蒙古语文工作协作小组《关于确定蒙古语基础方言、标准音和试行蒙古语音标的请示报告》。通知指出，以内蒙古中部方言为我国蒙古语的基础方言、以内蒙古自治区正蓝旗为代表的察哈尔土语为标准音、以拉丁字母为基础的蒙古语音标试行方案的确定，是三十年来广大蒙古语文工作者团结奋斗、精心研究所取得的重大成果。它对于进一步规范我国蒙古语，迅速提高蒙古族人民的科学文化水平，促进蒙古语文的繁荣发展，具有重要意义。② 这一方案的推广和试行，是我国蒙古族人民政治文化生活中的一件大事，是落实党的民族政策的一次生动体现，是发展繁荣蒙古语文的一项重大措施。全区各级党委和人民政府充分认识到推广蒙古语标准音工作的重要性和迫切性，把它当做落实党的民族语文政策，搞好蒙古语文工作的重要内容列入议事日程，按照自治区蒙古语文工作委员会的统一部署开展工作，并取得了显著成效。

1981 年 6 月 26 日，内蒙古自治区人民政府批转了自治区蒙古语文工作委员会《关于进一步加强蒙古语文工作的意见》。《意见》分四个阶段总结了 30 多来的蒙古语文工作，从自治区成立到 1956 年是蒙古语文繁荣发展的 10 年；1957 年到“文化大革命”开始，蒙古语文工作有所发展，但受到“左”倾思想干扰，偏离了方向；在“文化大革命”中，蒙古语文遭到毁灭性的破坏；粉碎“四人帮”，特别是党的十一届三中全会后，蒙古语文工作开始恢复发展。但是，发展繁荣蒙古语文的使用与研究任重道远，轻视和忽视蒙古语文工作仍然是主要倾向；落实民族语文政策阻力很大；蒙古语文工

① 内蒙古自治区蒙古语文工作委员会：《关于盟市语委主任会议的报告》，内蒙古自治区人民政府文件内政发［1980］211 号。

② 八省、区蒙古语文工作协作小组：《关于确定蒙古语基础方言、标准音和试行蒙古语音标的请示报告》，内蒙古自治区人民政府文件内政发［1980］80 号。

作中的形式主义比较普遍；法定用蒙汉两种文字行文的地区、部门仍有忽视蒙文行文的现象；蒙古语文的学习使用范围日趋狭窄；许多蒙古族干部缺乏正当的民族意识。为此，继续肃清“左”倾错误的影响，实行真正的民族平等、语言平等的政策和尊重、学习、使用、发展民族语文的方针；批判林彪、“四人帮”歧视、限制、取消民族语文的反动政策；批判民族语文即将融合消亡的错误论调；批判蒙古语必须“向汉语靠拢”“向汉语过渡”、“统一祖国语言”的大民族主义思想；批判和纠正用行政命令解决蒙古语文学术问题的错误做法；批判蒙古语文“无用”的错误论调，比较好地清理了蒙古语文工作中存在的思想认识和实际问题。《意见》提出要提高蒙古语文的社会地位，扩大蒙古语文的使用范围；组织蒙汉族干部、职工学习蒙古语文；进一步加强高等院校和中等专业学校中的蒙文教学；加强蒙文书刊出版发行工作；大力加强蒙古语文科研工作；认真执行《关于学习使用蒙古语文奖励办法》；巩固和发展蒙古语语言环境；加强党对蒙古语文工作的领导。对于上述各条均提出了具体实施的要求。①

1981 年 9 月 11 日至 16 日，八省、自治区蒙古语文工作协作小组在呼和浩特举行第三次会议。会议认为以前曾提出的影响蒙古语文工作的各类问题，仍然不同程度地存在。针对存在的问题，经过讨论，再次确定了几项解决办法：关于民族教育，强调解决小学和中学蒙文师资问题，提高大学招生人数问题；关于蒙文教材和蒙文图书出版，主要由内蒙古供应，加强发行工作；关于蒙古语文科研工作，当前以学习、使用为重点，开展蒙古语语音、词汇、语法的研究和蒙古语文规范化的研究，也要开展现代语言学的研究。②

发展蒙古语文教育、文化事业，是蒙古语文工作中拨乱反正的重要体现。“文化大革命”中一度停止的蒙古语文教学，在 20 世纪 70 年代前期，高等学校通过招收工农兵大学生有所恢复。粉碎“四人帮”后，1977 年高

① 内蒙古自治区蒙古语文工作委员会：《关于进一步加强蒙古语文工作的意见》，内蒙古自治区人民政府文件内政发［1981］199 号。

② 《关于报送八省、自治区蒙古语文工作协作小组第三次会议情况的报告》，内蒙古自治区人民政府文件内政发［1982］72 号。

等学校恢复正常招生，内蒙古大学蒙古语言文学系、内蒙古师范学院蒙古语言文学、内蒙古蒙文专科学校都开始正常招生，恢复和加强了蒙古语文教学；特别值得提出的是内蒙古师范大学各系各专业实行蒙古语和汉语授课双轨教学，拓展了蒙古语文的教学学科和教学领域；还有一些院校设置了蒙古语授课系或专业。在“文化大革命”中被砍掉的蒙古族中、小学校相继恢复，1982 年全区接受蒙语授课的中、小学生达 38 万人，从幼儿教育到高等教育的民族教育体系初步形成。

扩大了蒙古语广播，创办了蒙古语电视节目，蒙古语文在新闻出版业的使用范围更加广泛，全区有蒙文刊物近 30 种，出版蒙古文图书数百万册。各级党政机关行文、会议等均有蒙古语文翻译，中央、自治区的文件全部有蒙古语文翻译文本，发往牧业旗县的文件一律用蒙、汉文并发；自治区内的公文印章、单位牌匾、商品标签、车辆牌照等均蒙汉文并行；全区 20 多个文艺团体中大部分有蒙语演出节目；蒙古学科研究迅速恢复发展，与国际蒙古学界的学术交流日趋频繁，成为对外交流的先行者。

民族语文政策是党的民族政策的重要组成部分。使用发展少数民族语言文字，是关系到民族平等、团结、进步的大事。蒙古语文对于提高蒙古民族政治、经济和科学文化水平，加强蒙汉各民族的团结，维护祖国统一，有着重要作用。粉碎“四人帮”以后，自治区各级党委和人民政府坚决贯彻党的民族语文政策，揭批“四人帮”对蒙古语文工作的破坏，把使用发展蒙古语文作为贯彻党的民族政策、行使宪法赋予的民族自治权利的一项重要内容，建立健全了蒙古语文工作机构，广泛开展了学习蒙古语文活动，加强了蒙古语文的研究和使用，使蒙古语文工作出现了繁荣发展的新局面。

几年来，在各级党委和政府的重视下，广大干部和职工学习蒙文蒙语的积极性大大提高。自治区直属机关多次举办业余蒙文学习班，参加学习的有 320 多人次。各盟市、旗县参加业余蒙文学习的职工达 3 000 多人次。自治区直属机关连续四年奖励学习使用蒙古语文积极分子，受奖先进集体 88 个，先进个人达 2 万多人次。1984 年 9 月，举行全区性的学习使用蒙古语文先进集体、先进个人表彰大会。中共中央统战部、国家民委代表团团长文正一向大会致贺词，周惠作重要讲话，巴图巴根作了题为《全面贯彻党的民族语文政策，进一步开创蒙古语文工作的新局面》的报告。大会表彰了来自全区各条战线的26个先进集体和274名先进个人。这次会议是对自治区蒙古语文工作成绩的一次检阅，对于进一步繁荣发展蒙古语文，增强民族团结，使蒙古语文更好地为自治区两个文明建设服务，起了积极的推动作用。这在内蒙古是第一次，在全国也是首创，对全国的民族语文工作产生了促进作用。

1985年7月，八省、自治区蒙古语文工作协作小组第五次会议及成立十周年纪念会在长春举行。协作小组组长巴图巴根作了《进一步巩固和发展八省、自治区蒙古语文协作工作的新局面》的工作报告。会议确定了1986年到1988年蒙古语文协作工作规划。

在深入贯彻党的蒙古语文政策的同时，1985年，内蒙古党委办公厅，内蒙古自治区人民政府办公厅和自治区语委组成联合检查团，对直属机关94个单位的机关名牌、公章、文件头等实行蒙、汉两种文字并用制度的情况进行了检查，同时对各机关使用蒙、汉两种文字行文及翻译工作也作了了解。同年6月，召开自治区直属机关使用蒙、汉两种文字检查总结大会，检查结果表明，自治区直属机关是重视使用蒙、汉两种文字的。会议强调，在内蒙古自治区要搞好社会主义现代化建设，必须使用蒙、汉两种文字，要从贯彻执行宪法和民族区域自治法的高度去认识这个问题。1986年3月召开的全区盟市蒙古语文工作委员会主任会议强调，要坚持蒙古语文工作为自治区团结建设服务的方针，要逐步扩大使用范围，同时要认真检查民族语文政策执行情况。

为了进一步落实民族语文政策，使蒙古语文工作更好地为开发民族智力、促进民族经济、增强民族团结服务，内蒙古党委办公厅和自治区人民政府办公厅于1986年8月发出《关于全面检查贯彻执行党的民族语文政策情况的通知》,由自治区蒙古语文工作委员会牵头，各盟市、旗县及自治区各部门、大专院校、厂矿企业、军区、武警总队等，都成立了由主管蒙古语文工作的党政领导参加的民族语文政策检查领导小组，检查各级党政机关、人民团体、企事业单位、交通、邮电、公、检、法等部门的公章、牌匾、文件、办公用纸、公用信笺、信封等两种文字使用以及翻译机构和人员的状况。接着，自治区民族语文政策检查领导小组派出7个检查组，分赴全区12个盟市和自治区直属机关进行抽查。从自治区直属机关到苏木、乡、镇，从国营企事业单位到个体工商户，均进行了抽查。抽查结果表明，中共十一届三中全会以来，自治区的蒙古语文工作有了很大发展。

1987 年 5 月，内蒙古自治区精神文明建设委员会、蒙古语文工作委员会联合发出通知，要求各地区、各单位认真执行蒙、汉两种语言文字并用政策，把它作为创建文明单位活动的一项重要内容，并要求结合本地区、本单位实际，对贯彻执行民族语文政策进行一次全面检查，以促进蒙古语文工作的健康发展。

六、民族团结进步表彰活动

在内蒙古自治区，蒙古族是实行民族区域自治的主体民族，同时汉族人口占多数，又有达斡尔、鄂温克、鄂伦春等 3 个自治民族，还包括回、满、朝鲜、俄罗斯等其他少数民族，是一个多民族地区。蒙汉各民族的团结，是内蒙古实现社会主义现代化和各民族共同繁荣进步的根本保证。按照民族平等、团结的原则，各民族既要搞好民族之间的团结，又要搞好民族内部的团结；各民族都要坚持民族区域自治政策，要防止和克服大汉族主义，也要防止和克服地方民族主义。这是关系国家统一和内蒙古自治区安定团结的战略大局。

在实行改革开放，恢复、发展、完善民族区域自治政策，进行社会主义现代化建设的过程中，涌现出许多民族团结的动人事迹和先进人物，各民族平等、团结、互助、友爱的社会主义民族关系开始恢复。为了进一步发展各民族团结互助，共同进步的事业，1983 年 3 月 28 日，内蒙古党委发出《关于筹备全区民族团结表彰大会的通知》，决定表彰民族团结的先进集体和先进个人。全区各盟市、旗县按照内蒙古党委的决定，相继成立了由一名书记任组长的“民族团结表彰大会筹备领导小组”，成立了办事机构，并通过多种形式广泛开展马克思主义民族理论、党的民族政策的学习和宣传，有的开展民族团结宣传月活动；有的组织民族理论报告会和“民族团结宣讲团”；自治区和各盟市、旗县的广播电台、电视台、广播站和报纸，都开辟专栏、专题节目，宣传民族理论、民族政策，报道民族团结的先进事迹、先进人物；文艺单位创作反映民族团结的节目，进行表演；有的地方还把民族团结写进了“文明公约”或“乡规民约”。从 5 月份开始，各旗县及一些较大的企业单位和学校举行民族团结表彰大会。锡林郭勒、阿拉善、伊克昭、巴彦淖尔、兴安和乌海、包头等盟市以及内蒙古军区、内蒙古武警总队、内蒙古武装森林警察总队，于8月间举行了民族团结表彰大会，表彰了一批民族团结的先进集体和个人，为自治区民族团结表彰大会的召开营造了良好的气氛。

1983年9月15日至19日，内蒙古自治区首届民族团结先进集体、先进个人表彰大会在呼和浩特隆重举行。党中央、国务院对这次大会非常重视、特别关怀。以中共中央书记处候补书记郝建秀为团长，中共中央统战部副部长江平、国家民委副主任洛布桑为团员的中央代表团及北京军区代表吴岱等前来参加。正在内蒙古视察工作的国务委员、国家计委主任宋平，国家计委顾问周子健、李人俊等也出席了表彰大会。来自全区的蒙、汉、鄂温克、鄂伦春、达斡尔、回、满、朝鲜等27个民族的1 034名代表出席了大会。其中先进集体代表201名，先进个人557名，特邀代表46名，列席代表230名。这些先进集体和先进个人，是在旗县、盟市举行表彰大会，广泛开展表彰活动的基础上，从各地表彰的10 000多先进集体、先进个人中推选出来的优秀代表。① 内蒙古党委第一书记周惠致开幕词时说："我们这次大会，是自治区成立三十多年来召开的第一次民族团结表彰大会，是全区各民族大团结的盛会，也是全区各族人民政治生活中的一件大喜事。……三十多年来的实践证明了这样一条真理：加强民族团结，是搞好内蒙古建设事业的关键，也是巩固边防、保卫祖国的关键。……在任何时候，任何情况下，我们都要像爱护眼睛一样爱护民族团结，像珍惜生命一样珍惜民族团结。"② 郝建秀在代表党中央和国务院的讲话中说："党的十一届三中全会以来，内蒙古在政治经济上发生了很大的变化，各方面的工作进入了最好的历史时期之一，出现了欣欣向荣的大好形势。特别是各民族的大团结，汉族干部离不开少数民族干部，少数民族干部离不开汉族干部的正确思想日益深入人心，各族干部都能自觉地维护和加强民族团结。对此，党中央和国务院是满意的，内蒙古各族人民是高兴的，我们伟大的社会主义祖国各族人民都为内蒙古各

① 参见《内蒙古自治区志·政府志》，方志出版社2001年版，第726页。

② 周惠：《自治区民族团结表彰大会开幕词》，《内蒙古日报》1983年9月16日，第2版。

族人民取得这样的成绩而欢欣鼓舞！”① 江平代表中共中央统战部、全国人大和国家民委讲了话，吴岱代表北京军区党委致了贺词。内蒙古自治区人民政府主席布赫作了题为《进一步巩固和发展民族团结的新局面》的报告，充分肯定了中共十一届三中全会以来，自治区在维护和加强民族团结方面所取得的伟大成绩，内蒙古的“民族团结进入了建国以来又一个最好的历史时期”。② 他总结了三十多年来自治区民族工作的基本经验，提出了以后工作的要求。

大会表彰了各个地区和各条战线上维护和加强民族团结作出突出贡献的先进集体202个和先进个人560名，总结交流了贯彻党的民族政策、加强民族团结的经验；明确了今后进一步做好民族工作、改善和发展社会主义民族关系的任务。这次群英荟萃的大会，是全区民族团结的一次大检阅，也是全区1 900多万蒙汉各族人民，在新的历史时期团结前进的生动体现。各条战线上涌现出如此众多的民族团结先进集体和个人，这是内蒙古党委和自治区人民政府贯彻执行党的十一届三中全会以来的路线、方针、政策，贯彻中共中央对内蒙古工作的指示，深入进行马克思主义民族理论、党的民族政策和民族团结教育的丰硕成果。他们的先进事迹，“反映了内蒙古民族大团结的新发展”。③ 这次大会对于进一步贯彻党的民族政策，发展各民族之间平等、团结、互助的社会主义民族关系，巩固和发展安定团结的大好形势，全面开创自治区现代化建设的新局面，起了巨大的动员和推动作用。

1984年4月，内蒙古党委和自治区人民政府决定：从1984年起，将每年的9月份定为全区民族团结表彰活动月。6月12日，正式发出《关于开展“民族团结表彰活动月”的通知》，指出：自1983年全区民族团结表彰大会以后，不少地方和部门积极制定措施，使民族团结表彰活动经常化、制度化，并把这一工作列为社会主义精神文明建设的七项长期的重要内容；要求通过举办“民族团结表彰活动月”，经常宣传《中华人民共和国民族区域自治法》，通过大力表彰民族团结先进集体和个人的模范事迹，持续宣传马克

① 《内蒙古日报》1983年9月16日，第1版。

② 布赫：《进一步巩固和发展民族团结的新局面》，《内蒙古日报》1983年9月21日，第1版。

③ 《郝建秀在自治区民族团结表彰大会上的讲话》，《内蒙古日报》1983年9月16日，第1版。

思主义民族观，提高执行党的民族政策和维护民族团结的自觉性，不断巩固和发展平等、团结、互助的社会主义民族关系，充分调动各族人民的积极性，搞好各项改革，促进自治区社会主义两个文明建设。

根据内蒙古党委的部署，各地相继成立了“民族团结表彰活动月”领导小组，9 月 1 日，开展了各种形式的有利于加强民族团结的活动，揭开了全区第一个“民族团结表彰活动月”的序幕。各地组织干部群众学习《中华人民共和国民族区域自治法》、中共中央对内蒙古工作的指示，以及布赫、周惠在全区民族团结表彰大会上的讲话；回顾和总结一年来民族工作和民族团结的情况，评选出维护和加强民族团结的先进集体和个人，开展了多种形式的表彰活动；通过各种媒体和宣传工具，报道宣传“民族团结表彰活动月”的内容，产生了良好的效果。

1985 年 6 月 18 日，内蒙古党委和自治区人民政府联合发出《关于搞好今年“民族团结表彰活动月”的通知》。全区各级党委和政府按照《通知》的精神，把民族团结表彰活动与经济建设、改革开放和整党联系起来，使第二个民族团结表彰活动月，在广度、深度上比第一次都有了新的发展。全区十二个盟市和自治区直属机关党委及党校、大型厂矿企业都确定一名领导干部专门负责这项活动，成立“民族团结表彰活动月”领导小组，下设办公室，具体负责检查落实各项工作。伊克昭盟举办为民族团结积极分子挂奖章活动，乌兰察布盟召开民族团结经验交流会，呼和浩特市召开民族团结表彰大会，有的旗县还举办了那达慕、联谊会等。各地的表彰活动，紧紧围绕改革和经济建设这个时代的主旋律，突出表彰了在经济体制改革、整党和发展民族文化教育事业等方面作出贡献的先进集体和个人。第二个“民族团结表彰活动月”的开展，生动地反映了全区各族人民在团结、文明的道路上共同前进的真实情况，促进了我区民族团结的进一步发展。

1986 年 8 月，内蒙古党委和自治区人民政府发出通知，指出认真搞好今年“民族团结表彰活动月”，对于保证改革的顺利进行和“七五”计划第一年各项任务的胜利完成，实现党风和社会风气的明显好转，迎接自治区成立四十周年都具有重要意义。

据此，各级党委和人民政府，结合总结四十年来民族团结经验，广泛进行了民族理论和民族政策再教育。由于民族工作的重点向发展民族经济、文化事业上转移，这次民族团结表彰活动要突出“团结、建设”的思想，重点表彰了加强民族团结、促进改革和经济文化建设的先进集体和个人。表彰活动以基层为主、小型为主、精神鼓励为主。各地还结合表彰活动，通过调查研究，检查民族政策的执行情况，解决了一些实际问题。各族人民之间开展了广泛的横向联系，互相学习、取长补短，使民族团结表彰活动不断有新发展。

内蒙古党委和自治区人民政府，把大力开展民族团结进步表彰活动，作为新时期民族工作的一项重要内容，并形成制度化的活动。1987 年，结合纪念内蒙古自治区成立 40 周年，开展了民族团结进步的宣传活动。在基层为主、小型为主、精神鼓励为主的原则下，从 1983 年到 1988 年，全区共表彰了各级民族团结进步先进集体、先进人物 20 918 个，其中先进集体 5 279 个，先进人物 15 639 名；表彰活动形式多样、生动活泼、扎扎实实地进行。随着改革的深化和民族工作重点的转移，各地表彰活动的着眼点是民族团结和进步，重点表彰了为发展民族经济事业和民族教育文化事业做出突出贡献的先进集体和个人。此后于 1988 年、1990 年、1993 年、1997 年穿插举行了 4 次全区民族团结进步表彰大会，在主题一致的前提下，根据改革开放、经济建设、社会发展的新形势、新要求注入了适应时代的新内容，民族团结进步表彰活动不断发挥新的作用。受到自治区表彰的民族团结进步先进集体、先进个人 1 406 个，其中受到国家民委表彰的民族团结进步先进集体、先进个人 201 个，受到国务院表彰的先进集体、先进个人 242 个。①

我区各地民族团结进步表彰活动是自下而上和自上而下相结合地进行的。各地的表彰活动都注重一个“新”字，表彰的要有新单位、新内容、新角度，表彰的老典型也要不断作出新贡献。深入开展民族团结进步表彰活动，对于进一步维护和加强各民族的团结，促进自治区的两个文明建设，具有十分深远的意义。

内蒙古党委总结民族团结进步工作的五点体会是：一、大力发展社会主义生产力是民族团结进步事业的核心问题。二、改革开放是民族团结进步的必由之路。三、贯彻《中华人民共和国民族区域自治法》，是实现民族团结

① 《内蒙古自治区志・政府志》，方志出版社 2001 年版，第 726 页。

的重要保证。四、自力更生、艰苦奋斗精神是民族团结进步的重要法宝。五、加强民族团结的关键在于党内和干部队伍内部的团结，在于领导干部和党员的模范作用。

七、民族经济及其发展趋势

在改革开放中，全社会在变革，经济形态也在发生剧烈的变化，民族经济自然也不能一成不变。一方面在传统的民族经济中不断注入新的内容，形成了反映时代特征的新的民族经济形态；一方面各民族的传统经济相互交融，相互吸收，走向一体，共同创新，形成了各民族共同的新的经济形态。牧区蒙古族及其他少数民族的传统畜牧业经济，经过经济体制改革和结构调整，在“林牧为主，多种经营”的方针下，向市场化发展，向城镇化靠拢，与以畜牧业为原料源头的现代产业集团相连接，与区内外市场紧密挂钩，形成开放性的畜牧业经济，向新型现代畜牧业经济的方向发展。同时大量的市场交易和边境贸易，在传统特色中注入了新的运转方式。总之，保持传统是相对的，变革创新则是绝对的，变革使少数民族走向富裕。二十多年来，牧民人均年收入由188元增加到3 354元，就是这种变革的结果。这只是对内蒙古现实民族经济及其发展趋势概念化的概括。

什么是内蒙古自治区的民族经济？这一直是个不很清晰的问题。内蒙古自治区的民族经济，应该是除汉族以外，以蒙古族为主体包括其他少数民族的经济。民族经济包括蒙古族及其他少数民族自身经营的经济内容，也有与汉族及少数民族之间共同经营的经济；有行业的区别，也有经济环境的不同。如果反映民族经济状况，既要有少数民族自身经营的经济，也要有各民族共同经营的经济，否则难以判断民族经济发展的状况。在内蒙古自治区五十多年来的统计资料中，很难找到上述民族经济的统计数据。以往的著述或领导人的报告，一般是以自治区经济发展的数据和状况，推断蒙古族及其他少数民族经济的状况与发展；或以牧区或牧民经济状况及其数据，说明民族经济的状况与发展。前者不可能具体、准确，后者并不只是蒙古族及其他少数民族所独有，而且蒙古族及其他少数民族还从事有其他行业。因此，民族经济与民族政治、教育、文化、人口等相比，官方的统计资料少之又少，如反映内蒙古自治区1947至1999年社会经济发展统计资料的《辉煌的内蒙古》以及80年代开始出版的《内蒙古统计年鉴》，尽管有二十多项统计内容，却找不到民族经济状况与发展的系统而确切的统计数据。不得不说，这是内蒙古统计工作的缺憾。

在改革开放中涌现出一批少数民族在经济领域的精英，他们融入全国性的经济大潮中，遍布各地，从事各行各业的经济活动，寻求自我发展的道路。他们虽与传统的民族经济关系甚少，但是为新型民族经济的形成注入了活力，这无疑是一种巨大的进步。而且自治区经济发展和社会进步整体实力的加强，对蒙古族及其他少数民族事业的发展是强有力的支持，这是民族事业发展的可靠基础，也是体现民族区域自治的标志。

在民族事业蓬勃发展的同时，也存在着必须关注的问题。民族区域自治制度根据新形势、新问题需要不断发展、完善；中央政府有关部门的法规、条例需与《民族区域自治法》衔接，不能相违；《内蒙古自治区自治条例》亟待制定颁行，配套法规需要尽快完善；实行市场经济后，国家对少数民族原有的优惠照顾政策有的已经失效，有的力度有限，急需制定新的配套政策措施；环境严重污染，草原生态日趋恶化，对蒙古民族及其他从事畜牧业的少数民族造成的影响，需要采取特殊而果断有力的措施加以扼制；对蒙古语文教育事业的退化趋势，需有紧急对策；在一体化、国际化、全球化趋势下，如何发展民族事业，是亟待研究的新问题；对于蒙古民族及其他3个自治民族的自治自主权利需要明确具体，切实实施。内蒙古自治区的民族事业，只有与时俱进、开拓创新，才能不断发展；过时的理念，停止的观点，都是不对的。历史经验告诉我们：无论在民主革命时期，还是在社会主义历史阶段，对于解决内蒙古民族问题的重要性、迫切性，必须有深刻的理解和高度的重视，否则难免重演历史的悲剧。

1999年9月，朱镕基总理在全国民族工作会议上指出："必须认识到，如果没有少数民族和民族地区的经济繁荣和社会进步，就没有祖国的兴旺和文明昌盛，没有少数民族和民族地区的现代化，也就没有全中国的现代化。"① 这是一个非常精辟的阐述。在中国，少数民族事业的发展关系全局，这既是历史的结论，又是新世纪民族工作头等重要的问题。

① 《人民日报》1999年10月4日，第1版。

第五节　社会主义民主与法制建设

一、民主与法制教育

1978年12月，中共十一届三中全会提出，“为了保障人民民主，必须加强社会主义法制，使民主制度化、法律化，使这种制度和法律具有稳定性、连续性和极大的权威性，做到有法可依、有法必依、执法必严、违法必究”① 的民主法制建设基本方针。1982年12月，全国人民代表大会第五次会议修订、通过了《中华人民共和国宪法》。从此，中国社会主义法制建设进入一个新的历史时期。

民主与法制教育是法制建设的重要环节，通过宣传教育，使广大干部、群众增强民主意识与法制观念；参加民主、法制建设，在建设中深化对民主、法制的认识，形成全民的共识。全国人大常委会决定，在1982年5月到8月期间，组织全国人民讨论《中华人民共和国宪法修改草案》，广泛征求意见，使其成为我国新的历史时期的一部根本大法，成为全国各族人民、一切国家机关、人民武装力量、各政党、各社会团体、各企事业单位的行动准则，成为我国社会主义民主制度和社会主义法制建设的基础，这是社会主义民主与法制教育的第一步。全民讨论宪法修改草案本身，就是社会主义民主和社会主义法制优越性的生动体现，是社会主义制度优越性的生动体现，也是各族人民在国家政治生活中，行使管理国家事务权利的一种途径和形式。通过学习讨论，对各族干部、群众进行社会主义教育、爱国主义教育，使干部、群众理解宪法修改草案的基本精神和基本内容，明白公民的权利和义务，认识遵守宪法的必要性，加强社会主义民主和法制的观念，提高遵守宪法的自觉性。6月，内蒙古自治区第五届人大常委会议作出《关于进一步组织全区各族人民学习讨论〈中华人民共和国宪法修改草案〉的决议》，要求充分发扬民主、畅所欲言、各抒己见，力求做到家喻户晓、人人明白。

自治区人大常委会于7月间组织了全区性宣讲宪法修改草案的队伍，自

① 《中国共产党第十一届三中全会公报》，1978年12月。

治区印发了12万份蒙汉两种文字的《宪法修改草案》单行本，印发了15万份宣传材料，盟市、旗县翻印分发；同时运用报刊、广播、电视、文化站、橱窗、板报、标语、文艺节目等形式，进行宣传。有些地方出动宣传车、乌兰牧骑演出队、电影队，利用轮训干部、民兵会、小型群众集会、那达慕大会，进行有声有势的宣传。机关干部、群众团体集中学习一个月；工矿企业单位和农村牧区结合生产，集中一段时间学习讨论。全区在学习中提出1 176条意见和建议，最后综合整理为126条，呈报全国宪法修改委员会。这既是法制教育，又体现了民主制定宪法的精神。①

内蒙古各族人民发扬主人翁的精神，以饱满的政治热情，积极地、认真地、热烈地学习、讨论宪法修改草案，履行公民的神圣职责。全区司法行政、公证、律师、司法助理以及基层调解人员，充分利用这个机会，一边学习宪法，一边以群众喜闻乐见的形式，通俗地宣传宪法修改草案，发挥了司法行政机关的积极作用。

内蒙古各族人民通过学习、讨论宪法修改草案，进一步认识到中国革命和建设的胜利，是在马列主义、毛泽东思想指引下，由中国共产党领导取得的；宪法修改草案充分体现了四项基本原则，明确了我国是人民民主专政的社会主义国家，社会主义是我国的根本制度；用法律规定了我国人民的根本任务是集中力量进行社会主义现代化建设；明确了社会主义全民所有制和集体所有制是我国当前社会主义经济制度的基础；在法律规定范围内的城乡劳动者的个体经济是社会主义公有制经济的补充；宪法修改草案对改革国家体制，加强各级政权建设，充分发挥各级人民代表大会及其常设机关的作用，完善社会主义政治制度方面作了许多新的规定；宪法修改草案赋予我国各族人民享有最广泛的民主和自由，规定了公民的人身自由不受侵犯等。所有这些规定，充分体现了公民的权利和义务，体现了社会主义民主与法制的高度结合，是各族人民进行社会主义建设的根本保证，用法律的形式切实保证了少数民族自治地方自治机关的自治权。全区各族人民不仅积极参加学习讨论，而且积极提出修改意见，为制定出一部完备的宪法贡献力量。

---

① 参见内蒙古自治区人大常委会办公厅编：《五十年历程》，第1500、1501页，内新图准字〔2004〕第95号，2004年印。

内蒙古各族干部、群众学习、讨论宪法修改草案，是自治区民主与法制教育良好的开端，为全区的普法工作开了好头。广大干部、群众明白了社会主义民主必须以社会主义法制作为保障，社会主义法制也必须以社会主义民主为基础的道理。在普法教育的过程中，引导广大干部、群众在熟悉法律基本内容的基础上，增强社会主义的公民意识和法制观念。社会主义公民意识的内涵是丰富的、多方面的，主要有人民当家做主观念、公民权利和义务观念、社会主义平等观念、社会主义自由和纪律观念、依法办事观念、公共财产神圣不可侵犯观念等等。干部、群众学法、懂法、用法，是民主与法制建设的基础，是执法部门正确司法和维护法律公正的重要条件。

1985 年 3 月，自治区六届人大常委会第十次会议作出《关于在全区各族公民中加强法制教育，普及法律常识的决议》,接着于 9 月 2 日召开全区法制宣传教育工作会议，又对全区普及法律常识的工作进行了具体部署。全区上上下下开始了全面、深入地普及法律常识的工作，争取实现在全区从 1985 年起用五年左右时间，有计划、有步骤地在各族公民中基本普及法律常识的目标。全区各盟市、旗县相继成立了普法领导小组，制定了普法规划；有 1 506 个乡镇（苏木）也制定了普法规划。据统计，全区聘请法制宣传员 76 382 名，通过各种形式培训了 49 630 名宣传骨干。各地积极订购普法教材，仅司法部统编的普法教材在全区就订购了 77 万多册。根据内蒙古的民族特点，司法部门还编印了蒙文法律常识读本 7 万册。1985 年到 1986 年的一年中，重点抓了对各级领导干部的普法教育。全区采取多种形式对 6 875 名领导干部进行了培训，其中厅局级以上干部 230 名，县团级干部 1 460 名，科局级干部 5 185 名，学习《中华人民共和国刑法》《经济合同法》的基本理论。与此同时，他们重点学习了《中华人民共和国宪法》《中华人民共和国民族区域自治法》,还加强了对青少年的法制教育。在全区 2 228 所中学的初中三年级学生中普遍开设了法律常识课，390 多所民族中学都用少数民族语言讲授；在 17 289 所小学中，三年级以上的班级开设了含有法制启蒙教育内容的思想品德课。

1987 年 2 月，内蒙古自治区人大第六届常委会第二十一次会议通过《关于认真学习、坚决贯彻全国人大常委会〈关于加强法制教育维护安定团结的决定〉的决议》,要求在各族人民中进行以宪法为核心的法制教育，做到知法、守法，把宪法作为行动准则，在宪法和法律范围内活动，维护宪法和法律的尊严，同违反宪法和法律的行为作斗争，严格依法办事。全区再次进行了法制教育。据 1987 年 9 月统计，全区普法对象 1 764 万人中，已有 917 万多人次受到了程度不同的普法教育，约占普法对象的 52%。自治区法制教育的主要特点是：1. 各地以干部、青少年为重点对象，积极开展普法教育，形成了各级领导干部带头，全面踊跃学法、用法的生动局面；2. 通过普法教育，广大干部、职工和各族人民群众增长了法律知识，增强了法制观念，提高了对社会主义民主与法制建设的认识，在观念上产生了新的变化；3. 向全民普及法律常识仅两年时间，法律知识便得到迅速普及，学法、守法、用法成为各族公民的自觉要求，取得了可喜成效。①

如此广泛的普法教育，在内蒙古自治区尚属首次。这是自治区社会主义法制建设的基础。从实际出发，因地制宜，反映地区特点、民族特点，制定法律法规，提高公民的法律意识，广泛反映公民的意志，至关重要。而且也是施法执法的基本条件。

二、自治区法制建设的探索

1979 年 12 月，内蒙古自治区人民代表大会第五届第二次会议设立常委会以来，行使宪法和地方组织法赋予的发展社会主义民主、健全社会主义法制的职权，组织召开各级人民代表大会，对政府、法院、检察院行使监督权，加强各级人民代表的活动，依法行使选举、任命、罢免权，加强人大自身建设等；在发展社会主义民主，健全社会主义法制，促进自治区社会主义现代化建设，促进自治区的社会主义精神文明建设中，发挥了法律保障作用。

从 1980 年到 1987 年，自治区进行了法制建设的探索，选择一些领域进行立法执法试点，收到了良好的效果，迈出了法制建设的步伐。通过普法教育，广大干部、群众增强了法制观念和公民意识，不少部门或行业开始试图依法行事。到 1987 年，全区有 839 个大中小企业聘请律师担任法律顾问，94 个大中企业设立了法律顾问室，通过法律顾问维护企业的合法权益。自治区颁布公证条例以后，不少单位办理各类公证事项，从而制止了 245 起不

① 参见郝维民主编：《内蒙古自治区史》，内蒙古大学出版社 1991 年版，第 415—419 页相关内容。

法分子利用“合同”进行的违法活动，为国家和集体避免了经济损失。[①]

自治区的草原建设与管理，长期以来没有法规可依，致使滥垦滥占草原和过度放牧问题始终未能依法解决，以致草场植被大面积退化、沙化；农牧区或草牧场界线不清，不断引起草场纠纷，影响了民族团结和畜牧业经济的发展；而且开车践踏草场和其他破坏草场的行为无从依法制止。《中华人民共和国草原法》和《内蒙古自治区草原管理条例》的颁布实施，使昔日草原“管理无法、破坏无罪”的局面得到改善。依法治理草原，促进了草原建设的发展。到1986年底，全区人工种草保存面积达1 630万亩，草库伦达2 500多万亩，改良草场达1 200多万亩，从事草原建设的牧民达3万多户。自治区草原管理部门依照上述草原法规的有关规定，在全区范围内积极落实“双权一制”：即草牧场所有权落实到集体所有制的基层生产单位，使用权落实到乡、苏木或个人，同时实行草原管理保护责任制，集人、草、畜、责、权、利于一体，彻底改变了草原吃“大锅饭”的局面。据1987年统计，全区已有近9亿亩草牧场落实了所有权，占可利用草场的88.6%，其中7亿多亩草场落实了使用权，已发放草原所有权证14 000多份，使用权证121 000多份，大部分生产单位和农牧民领到了“双权”证。

在贯彻《中华人民共和国草原法》和《内蒙古自治区草原管理条例》的过程中，同时建立草原执法机构。到1987年，全区建立盟市、旗县、乡（苏木）三级草原监理机构77处，配备监理人员800多名。这些草原监理机构，利用广播、电视、报刊等多种形式，广泛宣传《草原法》和《草原管理条例》；同时按“有法必依、执法必严，违法必究”的原则，处理各种违犯草原法规、破坏草牧场案件2 100多起，依法治理草原的工作卓有成效。仅鄂托克旗即先后处理各种案件240多起，罚款1万多元；收取草原养护费10万多元，基本做到违犯草原法规的行为都要依法处理，凡处理的案件都能够落实执行。[②]

审计机关是专门对国家各级政府及金融机构、企事业组织的财务收支进行事前和事后的审查，进行经济执法的重要机关，是法制建设的重要环节。

① 参见郝维民主编：《内蒙古自治区史》，内蒙古大学出版社1991年版，第423页相关内容。

② 参见郝维民主编：《内蒙古自治区史》，内蒙古大学出版社1991年版，第426、427页相关内容。

自治区在法制建设中，较早组建各级审计机关，逐步开展财政财务收支审计、财经法纪审计、经济效益审计；实行对行政事业单位定期审计；对厂长（经理）离任实行经济责任审计等，对经济领域依法执法产生了重要效应。对自治区支农资金的审计就是一例。经过调查研究发现，全区支农资金的使用存在较多且严重的违纪违法问题，有的将支农资金挪用于建办公楼、宿舍、购买汽车，甚至被挪用于经商办企业或借给非受援人使用；有的挪用支农资金购买沙发、照相机、录像机和彩电等非生产性用品，等等。自治区各级审计部门对全区支农资金使用情况进行逐级审计，截至1987年，全区共审计查出各种非法挤占挪用支农资金达1 069万元。自治区审计部门维护党纪国法，保证国家支农资金用于发展农牧业生产，履行了应尽的职责。[①]

为了依法建设国家政权的基础组织——农村村民委员会、牧区嘎查、城镇居民委员会，1987年自治区和盟市民政部门组织力量在全区67个旗县（市区）的159个苏木、乡、镇、街道办事处，247个嘎查、村（居）民委员会进行调查，召开了各种座谈会，听取了各方面的意见；旗县（市区）民政部门也在301个苏木、乡、镇和315个嘎查、村（居）民委员会进行了调查，基本掌握了基层政权和群众自治组织的现状和存在的问题。同时在全区城镇普遍整顿了居民委员会，健全了居民委员会组织。在全区2 981个居民委员会中，整顿了2 591个，占总数的86.9%。通过整顿，健全了组织，制定了规章制度，明确了任务，促进了社会治安综合治理，从基层推动了民主与法制建设。

自治区人民法院恢复建制以后，在全区逐步设立人民法院派出机构人民法庭400多个，在基层、在第一线依法办案，就地处理案件，既便利了民众，又把执法普及到基层，这也是前所未有的新鲜事；而且直接为经济体制改革和两个文明建设，为社会安定团结服务。全区各地的人民法庭，审理了大量一般民事案件和轻微闹事案件，及时处理了大量简单经济纠纷，依法调整和保障了公民的财产权利和人身权利。人民法庭审理的民事案件占全区一审民事案件的60%左右，有效地解决了群众“告状难”的问题。兴和县的6个人民法庭，对因退婚要求返还“彩礼”引起的纠纷及时进行调解处理，

① 参见郝维民主编：《内蒙古自治区史》，内蒙古大学出版社1991年版，第424页相关内容。

截至 1985 年，共调解处理民事案 61 件，无一件因处理不当而转化为刑事案件。1986 年，全区人民法庭共审理经济案件 800 余件，处理简单经济纠纷 3 200 余起。有些人民法庭还积极为乡镇企业、个体工商户提供法律服务。赤峰市郊区初头朗镇人民法庭针对乡镇企业、工商户中许多人不懂法，各种经济纠纷时有发生的情况，组织学习经济合同法等有关法律，帮助建立健全管理制度，进行以“讲公平、守信用”为中心的职业道德教育。各地人民法庭还积极参与社会治安的综合治理，就地公开审判，以案讲法，收到了“审理一案，教育一片”的效果。奈曼旗八仙筒人民法庭辖区的麻吉简村，1985 年上半年发生多起赡养老人的纠纷。法庭选择其中一起典型案件公开审理，被告人当场用小车将其老母接回家里。1987 年，自治区高级人民法院在呼和浩特市召开全区首次人民法庭工作会议，表彰了 42 个先进集体。①

自治区司法行政机关自 1980 年重建以来，在开展严厉打击刑事犯罪活动的斗争中，运用各种宣传工具和宣传形式，大力宣传党的政策和国家法律，使党中央关于严厉打击刑事犯罪活动的决定，基本上家喻户晓。劳改和劳教部门，加强了对“两劳”人员的管理教育，注意提高劳教质量。本着既改造人、又造就人的精神，1986 年全区劳改、劳教单位成立了文化班 139 个，生产技术班 35 个，满足了罪犯刑满释放、劳教人员解除劳教后就业谋生的需要。各地人民调解委员会在及时调解民间纠纷的同时，开展对有轻微违法行为的青少年的帮教工作，并做亲属的思想政治工作。律师积极承担刑事案件的辩护，协助法庭正确运用法律，准确定性量刑，做到不枉不纵。各级司法行政机关，运用法律手段参与经济管理，为经济建设服务。到 1987 年，先后为 126 家企事业单位担任了法律顾问。从 1983 年到 1987 年上半年共办理经济合同公证 26 800 多件，有效地防止和减少了经济纠纷，提高了合同履约率，维护了经济秩序。②

自治区工商行政管理部门担负着经济执法和行政监督的重要职能，是政府管理经济工作的主要职能部门。在自治区经济体制改革中，工商行政管理队伍不断加强自身建设，改善管理，严格经济监督，全面整顿市场，在搞活

① 参见郝维民主编：《内蒙古自治区史》，内蒙古大学出版社 1991 年版，第 425 页相关内容。
② 参见郝维民主编：《内蒙古自治区史》，内蒙古大学出版社 1991 年版，第 425 页。

管好社会主义统一大市场的工作中发挥了积极作用。同时不断完善和加强标准、计量、质量监督检查工作，对开发新产品，提高产品质量，节约能源和材料，以及科技、贸易的发展，起到了保证和促进作用。

1986 年 12 月 5 日，内蒙古自治区人大常委会召开了人大工作经验交流会。这是自治区各级人大常委会在回顾和总结常委会建立以来工作的基础上，举行的第一次经验交流会。会上有十几个市、旗县市、市辖区人大常委会从不同侧面介绍了各自工作的经验。内蒙古党委副书记、自治区人大常委会主任巴图巴根在会上回顾了自治区人大几年来的工作。他首先简要回顾了自治区人大常委会的工作，一是开始建立地方性法规。其中通过了具有地区特点、民族特点的法规，如《内蒙古自治区草原管理条例（试行）》《内蒙古自治区森林管理条例（试行）》《内蒙古自治区选举实施细则》。“选举细则”确定了实行民族区域自治的民族在人民代表中所占比例，在政权机关组成人员中所占比例，保证了自治民族的合法权利与地位，体现了民族平等，增强了民族团结。同时开始了《内蒙古自治区自治条例》的起草工作。二是监督本级人民政府和人民法院、人民检察院的工作。听取和审议“一府两院”的工作报告；加强对法律、法规执行情况的监督；加强对政法部门执法情况的监督；通过审议“一府两院”的工作报告，讨论、决定了一系列重大事项；依法选举、任免干部；加强人大自身建设，加强领导力量，充实工作人员，健全了机构；成立了各盟人大工作办公室。总之，内蒙古自治区的人大工作全面展开，发挥了地方国家权力机关的职责与作用。

巴图巴根还从七个方面总结了各级人大常委会做好人大工作的基本经验：一、必须提高对人大工作的认识。地方各级人大常委会是权力机关，也是工作机关。对人大及其常委会的性质、地位和作用的认识解决得好，是搞好人大工作的前提条件。二、必须开好法定的三个会议，即开好各级人民代表大会、常务委员会议、主任会议，这是行使地方国家权力机关职权的最主要形式。三、必须敢于和善于依法行使职权。地方人大常委会的职权有立法权、监督权、决定权、任免权；没有立法权的市、旗县市、市辖区人大常委会，主要行使监督权和决定权，这是履行宪法和地方组织法赋予地方人大常委会职权的关键。围绕党的中心工作，紧紧抓住本地广大人民群众普遍关心，特别是带有全局性的重大问题，认真调查研究，揭露矛盾，分析原因，提出措施，作出决议、决定，督促“一府两院”去实施。四、必须加强同人民代表的联系，充分发挥人民代表的作用。人民群众是通过自己的代表行使管理国家的权力的，人民代表是构成权力机关的基础。自治区各级人大常委会制定了联系人民代表的办法或制度，采取多种形式积极开展代表活动，注意发挥人民代表的作用。五、必须经常进行调查研究。只有搞好调查研究，才能制定好地方性法规，监督宪法和法律的执行，审议政府、法院、检察院的工作报告，督促代表议案的办理；参政议政才有发言权，提出问题才能切中要害，作出决定或决议才能符合实际，制定的法规、办法才能切实可行。调查研究是人大常委会正确行使职权的基础。六、必须加强人大常委会的自身建设。人大常委会不仅要有适应工作需要的健全机构，而且要有健全的工作程序和工作制度，要不断提高人大常委会组成人员和工作人员的参政、议政能力。七、要紧紧依靠党的领导，这是做好人大工作的根本保证。巴图巴根还提出各级人大常委会及其工作人员，要提高认识，勇于实践，为开创各级人大工作新局面而努力。①

这次经验交流会通过了《内蒙古自治区人大工作经验交流会纪要》,这是1987年庆祝内蒙古自治区成立40周年前，对自治区人大工作特别是法制建设的简要总结，也是进一步发展人大法制建设工作的新起点。

三、自治区法制建设的基本情况

内蒙古自治区的各级人民代表大会及其常务委员会，制定地方性法律、法规，监督检查执法，是其法制建设的核心。从1977年12月，内蒙古自治区第五届人民代表大会第一次会议起，到2001年2月，内蒙古自治区第九届人民代表大会第四次会议的20年中，在改革开放的年代，总结历史的经验教训，顺应自治区社会主义现代化建设的潮流，从内蒙古的民族特点、地区特点出发，根据《中华人民共和国宪法》《中华人民共和国民族区域自治法》及国家的其他法律、法规，开展了大规模的法制建设工作；配合政府完善了各级执法机构和监察机构，形成了依法治区、依法兴区的格局；持续

① 参见内蒙古自治区人大常委会办公厅编：《五十年历程》,第769—777页，内新图准字［2004］第95号，2004年印。

进行普法教育，在干部、群众中基本形成了社会主义法制观念，从而基本上保证了自治区在法制的轨道上，进行经济建设，促进社会进步。

这期间，内蒙古自治区人民代表大会制定地方性法规3项，内蒙古自治区人民代表大会常务委员会制定地方性法规116项，批准实施呼和浩特市、包头市地方性法规82项，批准实施鄂伦春族、鄂温克族、莫力达瓦达斡尔族3个自治旗的自治条例和自治地方法规5项。总计制定、批准内蒙古自治区地方性法规、自治条例206项；制定对国家法令的实施办法、补充规定27项。

内蒙古自治区制定地方性法规包含的内容极其丰富，涉及的方面非常广泛。在这些地方性法规中，关于人民代表大会及其常务委员会建设的法规数量很多，包括各级人代会及其常委会议事规则，工作条例，立法条例，监督工作条例，选举实施细则，工作办法，代表法，执法检查条例，任免工作办法，评议工作办法，审查监督预算办法，苏木、乡、民族乡、镇人民政府工作条例，行政执法监督条例等，形成了人大依法进行自身建设，依法行使立法权、监督权、决定权、任免权的法律依据。这是内蒙古自治区在改革开放中立法机构自身法制建设的重要成就，是自治区全面进行法制建设的保证。

在自治区法制建设中，农、牧、林业及相关领域的立法数量最多、针对性最强。内蒙古自治区制定了实施国家“农业技术推广法”办法、实施国家“村民委员会组织法”办法、实施国家“野生动物保护法”办法、实施国家“森林法”办法、实施国家“土地管理法”办法、实施国家“水土保持法”办法、实施国家“防洪法”办法。自治区制定了农业环境保护条例、耕地保养条例、农业机械管理条例；草牧场管理条例、种畜禽管理条例、草原管理条例；国有农牧场条例、农村牧区集体经济组织审计条例、嘎查村财务管理条例；农牧民负担监管条例、农牧业承包合同条例；林木种苗条例、珍稀林木保护条例；环境保护条例、黄河流域水污染防治条例、西辽河流域水污染防治条例、气象条例等。这些办法、条例，是在20多年来改革开放和发展农、牧、林业经济的实践中，根据实施国家在这些方面的基本法律和实践中遇到的问题及实际需要逐步制定出来的，使自治区农、牧、林业生产及相关领域，逐步得到法律保障，在法制化的轨道上发展前进。

工业、建筑、交通、邮电是自治区经济中的大宗产业，是内蒙古经济发展的重心。自治区工业中钢铁、稀土、煤炭、森林工业是主体，同时有诸多工业行业。内蒙古自治区制定了实施“国家全民所有制工业企业法”办法、实施国家“矿山安全法”办法、实施国家“水法”办法、实施国家“城市规划法”办法、实施国家“人民防空法”办法、实施国家“标准化法”办法、实施国家“价格法”办法。自治区还制定了地方煤矿管理条例、建筑施工安全管理条例、建筑市场管理条例、建设工程质量管理条例、盐业管理条例、电力设施保护条例、地热资源管理条例、矿产资源管理条例、水利工程管理条例；公路管理条例、道路运输管理条例、道路交通事故处理规定；国企厂长（经理）离任审计条例、城市房屋拆迁条例、乡镇企业条例；个体工商户条例、企业集体合同条例；计量管理条例、产品质量监督管理条例；外商投资企业工会条例、私营企业工会条例；预算外资金管理条例、统计管理条例、测绘管理条例、消防条例。这些实施办法和条例，涉及经济领域的方方面面，是根据经济发展所需而制定的，也反映出经济发展的大好形势。

教育、科技、文化、卫生、体育等行业的发展，是自治区经济发展、社会进步的重要标志。二十多年来，在这些方面的立法从无到有，并取得了巨大成就。内蒙古自治区制定了实施“国家义务教育法”办法、实施国家“教师法”办法。自治区还制定了国防教育条例、技术市场管理条例、科学技术协会条例、科技进步条例、促进科技成果转化条例；文物保护条例、文化市场管理条例、档案条例、旅游业管理条例、公共图书馆条例；爱国卫生条例、食品摊贩和集市贸易食品卫生条例；体育设施管理条例、体育市场管理条例等。这些实施办法和条例，同样使这些领域适应经济发展的形势，在法制化的轨道上前进。

社会保障是自治区新时期社会稳定、社会进步的重要保证。内蒙古自治区制定了实施国家“工会法”办法、实施国家“妇女权益保障法”的补充规定、执行国家“婚姻法”的补充规定、实施国家“母婴保健法”办法、实施国家“游行示威法”办法、实施国家“残疾人保障法”办法、实施国家“归侨侨眷权益保护法”办法、实施国家“消费者权益保护法”办法、实施国家“献血法”办法、实施国家“红十字会法”办法。自治区还制定了人口与计划生育条例、未成年人保护条例、妇女儿童保护条例；禁止赌博条例、边境管理条例、防震减灾条例、信访条例；劳动保护条例、城镇职工养老保险条例；人才市场管理条例、公证条例等。这些实施办法、补充规定和条例，涉及面广，中心是反映人民的切身利益和保障社会的安定与进步。①

综观内蒙古自治区在改革开放的二十多年来，遵循《中华人民共和国宪法》《中华人民共和国民族区域自治法》及国家一系列法律、法规，密切结合自治区的民族特点、地区特点和经济社会发展的需要，制定了上述一系列实施国家法律的办法和自治区方方面面的法规条例，其内容之广泛，时代性之鲜明，适用性之强，是显而易见的。这里归纳了五个部分：第一，人民代表大会及其常委会职能的“四权”首先是立法权，而立法必须先立自身之法，这是建设人民代表大会制度的首要环节，通过自身的法制建设才能谈得上监督执法。制定实施国家法令的办法或补充规定，是自治区人民代表大会法制建设的重要方面，既要全面理解和掌握国家法令的基本内容，又需从调查研究自治区的实际出发，从而形成符合国家法令、面向自治区实际的实施办法或补充规定，将国家的法令与自治区的实际结合起来，才能在自治区产生适用的效能。同时，要密切关注自治区的经济建设，社会发展中的新形势、新问题，及时制定有针对性的各种具有法律效力的条例，这在法制建设中的比重是很大的，从上述法律条例的内容可一目了然。第二，在农、牧、林及相关行业与领域的立法是法制建设的重头之一。它涉及的人数最多，历来很少有法律涉入，无论是社会变革，还是经济发展，基本上是靠相关政策行事，政策的变化一般是没有法律根据，甚至是人为因素起主导作用，这就难以保证生产和经济的持续发展，历史的教训实在是不少。因此，改革开放中进行法制建设，是依法兴农、依法兴牧、依法兴林及依法兴相关领域事业的保证，20多年来迈出了可喜的步伐，产生了明显的效应。第三，以社会主义工业为中心的各项相关事业，是经济领域法制建设的另一个重头。以往，同样经历过无法可依的发展历程。20世纪60年代，虽有过“农业六十条”、“工业七十条”等各行各业的条例、意见、规定、办法，但是都以文件形式下发执行，没有经过法定程序形成具有法律效力的法规，不受法律约

① 参见内蒙古自治区人大常委会办公厅编：《五十年历程》有关法制建设的内容；根据陶建等主编：《内蒙古区情》（内蒙古人民出版社2006年版，第185—198页）法规目录整理。

束和监督。历史的经验值得注意。改革开放后时势的发展，实践中碰到的问题，使制定法规势在必行，初步出台了一部分法规、条例。第四，教、科、文、卫、体等领域，以往更是无法可依，以政令行事，同样经过曲折的发展历程。在改革开放中也形成了一些有针对性的法规，开启了依法行事的局面。第五，自治区出台的与社会有关的法规、条例最多，把与人有关的事包罗进去，这是历史的进步。

第六节　发展爱国统一战线

一、坚持统战政策　发展统战工作

全面坚持和发展新时期的统一战线政策，大力开展统一战线工作，是一项长期的任务。1979 年 6 月 15 日，邓小平在全国政协五届二次会议的开幕词中说："新时期统一战线和人民政协的任务，就是要调动一切积极因素，同心同德，群策群力，维护和发展安定团结的政治局面，为把我国建设成为现代化的社会主义强国而奋斗。"① 1982 年 9 月 1 日，胡耀邦在中共十二大的报告中指出："要继续坚持'长期共存，互相监督'、'肝胆相照、荣辱与共'的方针，加强同各民主党派、无党派民主人士、少数民族人士和宗教界爱国人士的合作。必须尽一切努力，进一步巩固和加强由全体社会主义劳动者、拥护社会主义的爱国者和拥护祖国统一的爱国者组成的，包括台湾同胞、港澳同胞和国外侨胞在内的最广泛的爱国统一战线。"② 中央对新时期统一战线的范围、任务和方针、政策，都有明确的规定，指明了统一战线工作的方向。

内蒙古党委、政府按照中央的部署，落实统一战线政策，开展统一战线工作，解决存在的实际问题，充分发挥统一战线的"法宝"作用，促进自

① 国家民族事务委员会、中共中央文献研究室编：《新时期民族工作文献选编》，中央文献出版社 1990 年版，第 16 页。

② 国家民族事务委员会、中共中央文献研究室编：《新时期民族工作文献选编》，中央文献出版社 1990 年版，第 176 页。

治区的经济发展和社会进步。内蒙古的统一战线的范围和内容非常广泛，包括民族、宗教界、民主党派、工商界、群众团体、国民党起义投诚人员、海外侨胞侨属等许多方面。在拨乱反正的过程中，特别是中共十一届三中全会以后，内蒙古的统一战线工作部门逐渐恢复，统一战线工作逐步走上了正常轨道。1979 年 11 月 17 日至 12 月 2 日，内蒙古党委召开 14 年来第一次全区规模的统战工作会议，与会者认真学习了全国统战工作会议的精神，回顾了 30 年来自治区统战工作的成绩与失误，总结了经验与教训，联系实际批判了林彪、江青反革命集团破坏统战工作的罪行。会议明确了新时期统战工作的性质、任务、方针和基本政策。在以社会主义现代化建设为中心任务的新时期，统一战线的内容也发生了新的变化，发展以爱国为旗帜的更广泛的统一战线，包括工人、农民、知识分子，包括民族、宗教界人士，各民主党派、台湾同胞、港澳同胞、海外侨胞及一切热爱祖国的人们。新时期统战工作的根本任务，就是团结一切可以团结的力量，调动一切积极因素，同心同德，群策群力，维护和发展安定团结的政治局面，为内蒙古的社会主义现代化建设共同奋斗。会议强调，为了进一步做好新时期的统战工作，还要继续深入地批判林彪、“四人帮”的极左路线，广泛开展统一战线政策的教育，从思想路线上保证统战政策的贯彻执行。这次会议的召开，标志内蒙古自治区的统战工作进入了一个新阶段。

内蒙古党委常务书记王铎在会上发表了讲话，提出自治区当前统战工作的任务和要求，即“从自治区的实际情况出发，我们的统战工作的重点应当主要放在民族工作、知识分子工作和起义投诚人员工作上。”这是切准了当时统战工作急需解决的问题，抓住了要害，点明了方向。关于民族工作，一是继续平反冤、假、错案，落实政策；二是培养、提拔、使用少数民族干部；三是培养少数民族工人；四是重视学习使用和发展（少数民族）语言文字，尊重少数民族风俗习惯、宗教信仰。关于知识分子工作，必须大力培养知识分子，特别是注意培养少数民族出身的知识分子。目前的问题是不少知识分子不安心在内蒙古工作，相当多的科技人员调往区外，外流的原因主要是知识分子政策落实得不够好，对他们的安排使用和政治待遇、工作条件、物质生活等方面的问题没有得到解决。因此，正确解决对知识分子的认识问题，做到政治上充分信任，业务上积极支持，生活上热情关怀；对他们当中有冤、假、错案的要抓紧平反昭雪；对有成就、有贡献、有能力的中老年知识分子，政治上适当安排他们担任行政领导职务，而且有职、有权、有责。关于起义人员工作，鉴于自治区西部是和平解放地区，起义人员数量多，在“文化大革命”中大都受到冲击甚至迫害，而且牵连到家属和子女。爱国一家，既往不咎，一视同仁，量才录用，妥善安置，是中共对起义人员的一项重要政策，要认真抓紧解决好这方面的问题。

内蒙古党委统战部、内蒙古政协以及民族宗教事务部门、人民政府参事室及文史馆等机构先后恢复，各盟市、旗县也恢复和建立了相应的统战部门和机构，高等院校、大型厂矿企业和部分科研单位陆续成立统战部或设专人负责统战工作。在拨乱反正中，由于统战部门的积极领导、参与、配合，中国共产党的民族政策、民主党派政策、知识分子政策、工商业者政策、侨务政策、台胞和港澳同胞政策、宗教政策及国民党起义投诚人员政策迅速落实。

1982 年 4 月 13 日至 21 日，内蒙古党委再次召开全区统战工作会议，传达了全国统战工作会议精神，总结了近几年来的统战工作，确定 1982 年的工作任务是，进行调查研究，狠抓政策落实。会议强调，各级党委要进一步重视和加强对统战工作的领导，要教育全党认清在新时期发展和壮大爱国统一战线的重要性，要从自治区的民族特点、地区特点和历史特点等实际出发，把统战工作提高到一个新的水平。

1983 年，内蒙古党委统战部着重抓了落实台属、台胞和起义投诚人员政策，对 49 名原国民党军、师、专员级起义人员和五十多名民主党派、工商联、民族宗教上层代表性人物的落实政策遗留问题，逐人逐事地进行了复查；对建国初期错捕、错判、错处理的一千多个案件进行了复查纠正；会同内蒙古政协、民主党派组成检查组，对自治区和盟市政协委员的党外人士的落实政策问题进行了普遍检查。又从有关部门抽调干部，组成 13 个工作组，分赴各盟市，进行了检查督促。台胞政策基本落实，台属和起义投诚人员中的受冤假错案处理的人，绝大多数政治上平了反，工作、生活、子女就业问题作了适当安置；有代表性的党外人士、高级知识分子、起义中有重大贡献和有一定影响的起义人员，在各级人大、政协中作了适当的政治安排。①

① 参见《内蒙古党委统战部工作总结》（党统发［1984］5 号）。

1984 年以来，各级统战部门深入开展工作，认真落实各级政协委员、台胞、台属，起义投诚人员的政策，进一步开展了人民政协和各民主党派工作，对确有真才实学、富有改革精神的非党人士及非党知识分子的工作进行了妥善安排。内蒙古党委以“长期共存，互相监督”、“肝胆相照，荣辱与共”的方针为指导，进一步加强了与民主党派、无党派人士的合作共事关系，帮助六个民主党派加强了组织建设，在部分高等院校、科研单位和盟市，建立了民主党派基层组织，还与党外人士建立了定期联系制度，经常召开党外人士座谈会，由党委和政府的领导人到会通报情况，听取意见。在机构改革中注意了非党干部的安排，安排一批非党干部担任了盟市（厅局）、旗县（处室）的行政领导工作。为了更好地发挥政协的政治协商、民主监督的作用，调整增加了政协委员中非共产党员的比例。自治区第五届政协非党委员由上届的 40% 增加到 61%，科技界、文教卫生界委员增加的更多。

截至 1986 年底，全区已为 3.5 万名统战对象落实了政策，从中央到自治区和各盟市共拿出 780 万元资金，用近 500 个劳动指标，解决了 4 211 人的就业、10 284 件落实政策的问题；为 840 多名在“文化大革命”中致伤致残的统战对象发放了伤残证。① 从而调动了全区各民族、各阶层、各党派及一切爱国人士的积极性，涌现出一批锐意改革，在两个文明建设和推进祖国统一事业中，做出显著成绩的先进集体和个人。1986 年 12 月 15 日至 19 日，内蒙古政协主持召开自治区首届各族各界爱国人士为“四化”作贡献表彰大会，来自自治区民革、民盟、民进、农工民主党、九三学社、宗教界、侨联、台联、工商联和黄埔同学会内蒙古小组的 170 余名代表参加。内蒙古党委、政府、军区领导人及有关方面负责人出席。大会表彰了先进集体 13 个、先进个人 145 名。推动各民主党派、工商联开展智力支边和经济咨询服务，参加者达 680 多人次，支边、咨询项目 280 多个，举办各种专业技术训练班 110 多个，培训专业技术骨干 2 600 多人，举办专业知识讲座，听众达 15 000 多人。② 内蒙古自治区的统一战线工作，在社会主义现代化建设新时期开创了新局面。

---

① 参见《内蒙古党委统战部工作总结》（党统发［1987］8 号）。

② 参见《内蒙古党委统战部工作总结》（党统发［1987］8 号）。

1987 年 3 月 10 日至 16 日，内蒙古党委召开统战工作会议，党委统战部部长乌力更作了题为《高举团结建设旗帜，发展最广泛的爱国统一战线，为振兴内蒙古而奋斗》的报告。会议总结了 1982 年以来自治区的统战工作，在进一步深入学习和领会中共的十一届三中全会以来有关统战工作的方针政策的基础上，研究和部署了自治区统战工作的任务，即以统一祖国、振兴中华为总目的，高举团结、建设的旗帜，坚持四项基本原则，发展最广泛的爱国统一战线，为内蒙古的改革、开放、搞活服务，为贯彻“林牧为主、多种经营”的经济建设方针服务，为完善社会主义民主和法制、维护和发展安定团结的政治局面服务。会议强调，统战工作必须旗帜鲜明地坚持四项基本原则，这是做好统战工作的根本保证。会后，结合庆祝内蒙古自治区成立 40 周年，广泛开展统战工作，促进各方面的团结，为自治区的经济建设、社会发展作出了贡献。

二、贯彻中央的统战方针　全面发展统战工作

中共十一届三中全会以来，经过十多年落实统战政策，调整统战工作，理顺统战关系，保证了自治区改革开放、经济建设、社会发展的顺利进行。从 90 年代前后开始，随着自治区第二个 10 年发展战略的实施，坚持和发展统一战线政策，全面深入地开展统一战线工作，进一步协调各方面的关系，为自治区深化改革开放，实施发展国民经济“八五”、“九五”计划，建立社会主义市场经济，创造了充分调动一切积极因素的条件。

这始终是自治区统战工作的首要任务。1990 年 6 月 11 日，江泽民总书记在全国统战工作会议上发表《努力发展最广泛的爱国统一战线》① 的讲话，指出：建设有中国特色社会主义宏伟事业必须有一个最广泛的统一战线。巩固和发展统一战线，是我们党一项事关全局的长远的战略方针。中国革命和建设的历史经验证明，最广泛的统一战线是战胜困难、夺取革命和建设事业胜利的强大力量源泉，是中国共产党在政治上的一大优势。他提出，今后一个时期爱国统一战线的任务是：高举爱国主义、社会主义旗帜，团结一切可以团结的力量，调动一切积极因素，同心同德，群策群力，为巩固和

① 参见王维澄主编：《有中国特色社会主义大典》，天津人民出版社 1993 年版，第 515 页。

发展安定团结的政治局面服务，为推进社会主义现代化建设和改革开放服务，为健全社会主义民主和法制服务，为促进“一国两制”、和平统一祖国服务。同时提出完成这一任务的5项措施：一是在爱国主义、社会主义旗帜下，实行广泛团结；二是坚持党对统一战线的领导；三是发扬社会主义民主，加强政治协商和民主监督；四是密切联系党外各界人士，进一步巩固我党同党外人士的联盟；五是大力倡导和发扬自我教育的优良传统。7月14日，中共中央发出《关于加强统一战线工作的通知》①，强调统一战线过去是、现在是、今后仍然是我们党的一大法宝。《通知》特别指出，在新的历史时期，党领导的爱国统一战线包括两个范围的联盟：一个是大陆范围内以爱国主义和社会主义为政治基础的团结全体劳动者和爱国者的联盟；一个是大陆范围以外以爱国和拥护祖国统一为政治基础的团结台湾同胞、港澳同胞和国外侨胞的联盟。这两个范围的联盟构成爱国统一战线的整体，前者是主体，联盟的核心是中国共产党。江泽民总书记的讲话和中央的通知，对新时期的统一战线理论、方针、任务作了与时俱进的阐述，是统战工作的指导方针和依据。同时不断根据新形势、新问题，在实践中逐步完善党的统战工作方针政策，拓展统战范围，以适应形势发展的要求。

内蒙古党委始终结合自治区的实际，全面贯彻中央统战工作的方针政策，提出实施意见与方案，使自治区的统一战线工作稳妥而积极地发展。从1990年到2000年期间，内蒙古党委及统战部，对中央历年关于统战工作的指示、决定以及中央领导人的重要讲话，及时传达，认真学习，坚决贯彻，有计划，有总结，发挥了统战工作的积极作用。1990年和1991年，全面落实中央关于统一战线工作的一系列文件精神，成为自治区统战工作的中心任务。除了上述江泽民的讲话和中央关于统战工作的指示外，中央关于坚持和完善多党合作和政治协商制度的意见，关于加强和改善党对工会、共青团、妇联工作领导的通知，关于加强党同人民群众联系的决定，关于进一步加强和改进知识分子工作的通知等，② 都是中央关于统战工作或与统一战线相关工作的文件，内蒙古党委逐一贯彻，各级党委层层落实，形成了全区统战工

① 参见王维澄主编：《有中国特色社会主义大典》，天津人民出版社1993年版，第513页。

② 参见王维澄主编：《有中国特色社会主义大典》，天津人民出版社1993年版，第513—516页。

作的新局面。

三、民主党派的建设与发展

在“文化大革命”以前，中共中央与各民主党派达成“在少数民族地区暂不发展民主党派组织”的协议。因此，民主党派在内蒙古自治区没有建立地方组织，只有支边而来的82位民主党派成员，其中中国国民党革命委员会于1954年10月建立了呼和浩特市学习小组，有成员22名；九三学社于1959年4月建立呼和浩特市学习小组，有成员12名；中国民主同盟于1962年在呼和浩特市建立学习小组，有成员50名；另有直属中国民主促进会中央的内蒙古会员支部，只过组织生活和学习政治，不发展会员。

民主党派的组织建设　中共十一届三中全会以后，中共中央与各民主党派再次达成民主党派在少数民族地区可以发展地方组织的协议。1981年6月，内蒙古党委根据新时期党中央关于统一战线工作的方针政策、中共中央统战部的建议和民主党派的要求，同意在内蒙古自治区发展民主党派成员，建立民主党派组织。在内蒙古党委统战部的支持和帮助下，按照“以重点分工为主、以大中城市为主、以有一定代表性的人士为主”的原则，各民主党派开始在内蒙古自治区发展成员、筹建地方组织。

1982年4月，中国国民党革命委员会（简称民革）、中国民主同盟（简称民盟）、九三学社、中国民主促进会（简称民进）、中国农工民主党（简称农工党）等五党派成立了内蒙古自治区民主党派联合办公室，筹建各自在内蒙古自治区的地方组织。

1982年7月27日至8月1日，中国民主同盟召开内蒙古自治区盟员大会，成立了民盟内蒙古自治区筹备委员会。民盟中央副主席费孝通、常务委员钱伟长等专程到会指导，内蒙古党委常委布赫到会祝贺。1984年7月2日至6日，中国民主同盟内蒙古自治区第一次代表大会召开，总结了自治区民盟筹委会成立两年来的工作，确定了民盟的主要任务，即适应改革的形势，为两个文明建设做出新贡献，实行“政治协商、民主监督、合作共事、广交朋友、自我教育”的五项准则，积极参加国家和自治区的政治生活、经济建设和社会发展中重大问题的民主协商，协助共产党和政府宣传贯彻各方面的方针、政策，调动民盟成员及其所联系的知识分子献身“四化”、建设边疆、巩固和发展爱国统一战线。大会通过了《中国民主同盟内蒙古自治区第一次代表大会决议》，选举产生了民盟内蒙古自治区第一届委员会，李树元任主任委员。

1983年7月13日，中国国民党革命委员会内蒙古自治区筹备委员会成立，民革中央副主席贾亦斌出席指导，内蒙古党委副书记巴图巴根到会祝贺。1984年9月24日至27日，中国国民党革命委员会内蒙古自治区第一次代表大会召开，总结了民革内蒙古自治区筹委会成立以来的工作，号召自治区民革组织和全体成员，要以“毋忘团结奋斗，致力振兴中华”为座右铭，在中国共产党领导下，团结奋进，锐意改革创新，为实现祖国统一大业，为内蒙古自治区的“四化”建设事业，做出新的成绩。大会通过了《中国国民党革命委员会内蒙古自治区第一次代表大会决议》，选举产生了民革内蒙古自治区第一届委员会，杨令德任主任委员。

1983年8月5日至27日，中国民主促进会内蒙古自治区筹备委员会召开成立大会，总结了民进中央直属内蒙古会员支部的工作。内蒙古党委副书记刘贵谦到会祝贺。1985年6月27日至29日，中国民主促进会内蒙古自治区第一次代表大会召开，总结了民进内蒙古筹委会的工作，确定了今后的工作方针和任务；并学习贯彻中共中央关于城市经济体制改革和教育体制改革的决定。大会选举产生了民进内蒙古自治区第一届委员会，刘及时任主任委员。

1983年9月3日，九三学社内蒙古自治区工作委员会筹委会召开成立大会，九三学社中央副主席金善宝专程到会指导；内蒙古党委常委、宣传部部长乌恩到会祝贺。1984年9月3日至5日，九三学社内蒙古自治区第一次社员大会召开，总结了筹委会一年来的工作，选举产生了九三学社内蒙古第一届委员会，陈杰任主任委员。

1984年3月下旬，中国农工民主党召开内蒙古自治区筹备组成立大会，农工民主党中央执行局副主任章师明到会讲话，要求成员遵照“长期共存，互相监督，肝胆相照，荣辱与共”的方针，为“四化”建设和祖国统一大业做出贡献。1985年10月21日至23日，中国农工民主党内蒙古自治区第一次代表大会召开，通过了《锐意改革，团结奋斗，发挥我党优势，为四化建设做出新贡献》的工作报告，总结了一年来的工作，确定了今后的任务，选举产生了中国农工民主党内蒙古自治区第一届委员会，兰乾福任主任委员。

1990 年 11 月，民建召开内蒙古自治区第一次代表大会，成立了民建内蒙古自治区委员会，陈又遵任主任委员。

1996 年 6 月 17 日，内蒙古党委转发《内蒙古党委组织部、统战部关于支持和帮助各民主党派加强基层组织建设的意见》，明确了中共基层组织对民主党派基层组织的政治领导，宣传共产党的路线、方针、政策，帮助民主党派加强思想建设、搞好领导班子建设，支持其按各自的章程开展工作，充分调动其积极性，为共产党的中心工作服务。1990 年以来，内蒙古党委统战部组织或协助各民主党派举办自治区区委委员以上干部和基层干部读书班、培训班 6 次，选派 30 人到中央社会主义学院学习，参加区外考察 7 次，组织学习座谈会 71 次，帮助民主党派进行了换届选举。

1996 年 9 月到 1997 年 7 月，各民主党派先后召开内蒙古自治区第二次代表大会，总结了各自第一届委员会的工作，进行了本世纪最后一次换届选举：民革内蒙古自治区第二届委员会主任委员崔维岳，副主任委员孙英年、张及钧；民盟内蒙古自治区第二届委员会主任委员李树元，副主任委员林干、田慕潜；九三学社内蒙古自治区第二届委员会主任委员陈杰，副主任委员涂友仁、王桂铮、赵华；民进内蒙古自治区第二届委员会主任委员杨秉祺，副主任委员德继民、盖山林；农工党内蒙古自治区第二届委员会主任委员兰乾福，副主任委员张清德、陶作义。

到 1997 年 12 月，内蒙古自治区 6 个民主党派下辖 20 个市级委员会、22 个总支、238 个支部、14 个小组，共计有 4 600 名成员，主要分布在呼和浩特、包头、赤峰、乌海 4 个市。①

内蒙古自治区的民主党派成员中，有相当一部分人是 50 年代响应国家的号召，抱着支援边疆的心愿，从内地来到这里的。几十年来，他们为发展内蒙古的经济、文化、教育、科技、医疗卫生等各项事业，做出了积极的贡献。内蒙古自治区各民主党派领导机构的建立，标志着自治区民主党派进入了一个新的发展阶段，促进了民主党派工作的开展，并成为促进内蒙古自治

① 参见《内蒙古自治区志·共产党志》，内蒙古人民出版社 1999 年版，第 490—491 页。

区经济建设、社会发展的重要政治力量。

民主党派的思想政治建设 思想政治建设是民主党派建设的核心问题。历史发展到90年代以后，国际国内形势变化剧烈，特别是1989年国内发生的政治风波，对各方面产生了很大影响。正确认识形势，坚决进行治理整顿，理顺各方面的关系，坚持改革开放，实现经济持续、稳定、协调发展，成为当时的中心任务。内蒙古党委根据中央的一系列指示和部署，结合自治区的实际情况，在统一战线工作中有针对性地开展形势教育，维护和加强政治稳定、经济稳定、社会稳定，树立稳定压倒一切的思想，澄清了认识，端正了思想，明确了方向。1990年内蒙古党委协助民主党派和有关人民团体举办了学习班、培训班和研讨班5期，有270多名领导干部参加，收到了良好的效果。1991年，全区统战工作坚持“一个中心，两个基本点”的基本路线，继续学习和贯彻落实中央关于统战工作的一系列文件和精神，议大事，抓大事，突出重点，提高工作层次，进一步团结一切可以团结的力量，为自治区的政治稳定、民族团结、经济建设和改革开放服务。1992年以后，自治区的统一战线工作首先以邓小平建设有中国特色社会主义理论为指导，紧紧围绕经济建设这个中心，履行统战工作的基本职能，组织民主党派、群众团体，学习和树立“中心意识”，探索统战工作为自治区的政治稳定、经济发展和民族团结服务的新路子。接着，贯彻落实全国统战会议和内蒙古自治区统战工作会议的精神，进一步提高了对新形势下统战工作的方针、政策的理解。民主党派的思想政治建设，在自治区建设有中国特色社会主义的历史进程中，逐步深入，逐步提高，逐步完善，使其在自治区的政治稳定、经济发展、社会进步、民族团结等方面，发挥了越来越大的积极作用。

民主党派为自治区经济社会发展服务 在内蒙古党委、政府及各级党组织和各级人民政府的支持、帮助下，各民主党派、无党派人士发挥各自的人才智力优势，积极为自治区的经济建设和社会发展服务，做出了重要贡献。民主党派充分利用各方面的关系，积极开展智力支边活动。1984年4月，在内蒙古党委统战部的帮助下，成立了自治区民主党派、工商联智力支边、咨询服务联系小组及其办公室，以统筹、协调支边咨询工作。

民主党派从自治区人才缺乏、教育滞后的实际出发，大力组织社会办学，以补充国家办学之不足。1983年10月，民盟自治区委员会率先创办了全区第一所全日制民办综合性职业大学——青城大学；随即，民革自治区委员会也创办了民办中山学院。1985 年，为了统筹兼顾、合理配制教学力量，内蒙古自治区人民政府批准青城大学与中山学院合并为丰洲联合大学，并列入国家招生计划。民盟中央副主席陶大镛、民革中央副主席贾亦斌担任名誉校长；民革内蒙古区委主任委员杨令德任董事长，民盟内蒙古区委主任委员李树元任校长。农工民主党内蒙古区委也创办了中药刊授学院，培养中药人才，1995 年改为前进成人进修学院。民进内蒙古区委主要是着力培训中小学教师，邀请著名教育家张志公、霍懋征、张庄荣等在呼和浩特、赤峰等地讲学，影响颇大，效果显著；组织自治区优秀教师举办中小学教师培训班，或到盟市、旗县开展支教活动；牵线搭桥组织内地学校与内蒙古的学校结成姐妹学校，长期开展支教活动。1986 年 12 月 15 日至 19 日，政协内蒙古自治区委员会和内蒙古党委统战部联合举办了“全区爱国人士为四化建设作贡献表彰大会”，表彰了 13 个成绩突出的先进集体和 145 名先进个人。

改革开放以来，民主党派发挥各自的智力优势，为自治区教育事业的发展做出了重要贡献。民主党派通过社会办学培养大专毕业生达 19 156 名，到 20 世纪末，在校学生有 3 300 名。

民主党派面向社会、面向基层，通过多种形式、多种渠道，进行了智力开发、咨询，与有关单位协同配合，邀请全国知名的学者、专家来自治区讲学，进行科技咨询和经济咨询，推动智力开发、人才引进和信息交流。九三学社内蒙古区委发挥科技优势，以“九通合作”为主要内容开展智力支边。1991 年 10 月，九三学社内蒙古区委组织专家，第一次应邀赴通辽对 11 家大中型企业的技术改造和计算机推广应用进行考察咨询。1993 年 11 月，应哲里木盟盟委、公署、政协的邀请，以九三学社中央常务副主席徐采栋为团长的科技考察团赴通辽考察访问，签订了《九通科技合作协议》,九三学社成为哲里木盟科技兴盟的重要依托力量，哲里木盟也成为九三学社为科技服务的重要地区。九三学社帮助制订了《哲里木盟近中期经济与社会发展战略规划》,并开展了矿产资源调查研究、讲学和引资工作。1996 年以后，九三学社的“九通合作”的范围扩展到奈曼等 4 个旗以及东三省的一些县市。农工民主党发挥其在医疗卫生方面的优势，组织专家学者开展医药卫生下乡活动，无偿为偏远农村和山区农民送医送药，普及卫生知识；利用节假日为学校、幼儿园教师以及离退休老干部义务体检，为下岗职工、劳动模范进行义诊；到田间、地头、畜牧点开展农牧业科技咨询，以发挥所长，为社会服务。据 80 年代不完全统计，民主党派共派出约 2 150 余人次，完成各类支边项目 790 多个，经济效益达 2 200 万元，举办各类讲学、讲座、培训班 440 期（次），听讲人数达 11 万之众。①

在改革开放的 20 余年中，各民主党派与中国共产党风雨同舟，并肩战斗，以振兴内蒙古为己任，积极参加了国家和自治区的政治生活、经济建设和社会发展中重大问题的民主协商，显示了多党合作和政治协商制度的巨大优越性；民主党派开展社会办学和智力支边活动，取得了优异的成绩，获得了全区各族各界人民的赞誉。

四、多党合作和政治协商制度的建设

中共十二大将与民主党派"长期共存，互相监督"的方针，发展为"长期共存，互相监督，肝胆相照，荣辱与共"的方针，体现了新时期与民主党派合作共事的新思想新内容。1983 年，中国共产党进行整党整风工作时，内蒙古党委按照上述方针，多次邀请民主党派、无党派人士座谈，听取他们对整党的意见。他们知无不言、言无不尽，提出许多宝贵意见和建议。此后，民主党派工作的重点逐步转移到多党合作与政治协商制度建设上来。1985 年，自治区党委统战部向内蒙古党委提出《关于同党外人士建立定期座谈会制度的报告》，建议内蒙古党委同民主党派、各界党外人士建立定期座谈会制度，定期向民主党派通报自治区的政治、经济、文化、教育及政治体制改革方面的情况，就自治区的重大决策征求意见，并提出实施办法。12 月 5 日，内蒙古党委办公厅转发了这个报告，要求各级党委因地制宜，采取各种形式加强同党外人士的联系，听取他们的意见和建议，发挥他们的作用。内蒙古党委首先建立了同党外人士定期召开座谈会的制度，由统战部对每次座谈会的内容、形式、方法和具体事项做出安排，使座谈会的实效显著，促进了自治区社会主义民主政治建设的发展。1986 年 1 月，自治区党

① 参见《内蒙古自治区志・共产党志》，内蒙古人民出版社 1999 年版，第 495—496 页。

委同民主党派座谈，征求他们对自治区发展国民经济“七五”计划主要设想的意见。他们本着实事求是的态度，从实际出发，积极献计献策，对发展自治区经济、科技、教育、文化以及实现党风和社会风气的根本好转提出了很多宝贵建议。3月，内蒙古党委邀请各民主党派负责人和无党派人士，座谈、讨论《内蒙古自治区经济、科技、社会总体发展纲要》。《纲要》是内蒙古党委和自治区人民政府从自治区的实际出发，经过长期和多方面的调查讲究，提出到20世纪末自治区奋斗目标的总体规划。与会者在对《纲要》的指导思想给予肯定的同时，对教育、科技、林业发展以及主要战略措施提出了很好的意见和建议。8月，内蒙古党委统战部召开各民主党派、无党派人士座谈会，对实施“林牧为主、多种经营”经济建设方针进行讨论。与会者根据自己的实践，各抒己见，从不同角度对这一重大方针的贯彻执行提出了许多建设性意见。1988年3月25日，内蒙古党委办公厅批转了统战部《关于建立健全同民主党派、无党派爱国人士协商对话制度的报告》，要求各级党委长期坚持与民主党派、无党派爱国人士协商对话制度，贯彻实行统一战线工作16字方针。

1989年12月30日，中共中央发出《关于坚持和完善中国共产党领导的多党合作和政治协商制度的意见》（中发［1989］14号文件），从理论上、政治上阐述了中国共产党领导的多党合作和政治协商制度，提出了合作与协商的方针、政策和原则，以及发挥民主党派、无党派人士的作用，支持民主党派加强自身建设等方面的24条原则性的意见。[①] 从而使中国共产党领导的多党合作和政治协商制度建设进入了新的阶段。1990年1月和10月，内蒙古党委相继发出贯彻中央上述“意见”的通知和实施意见，主要内容：1. 各级党委做好上述中央“意见”的学习、宣传工作，列为各级党校干部培训班的重要教学内容，加强新闻单位学习、宣传上述中央“意见”的精神，报道统一战线和民主党派的有关活动。2. 加强内蒙古党委同民主党派和无党派人士的合作协商，内蒙古党委领导人与民主党派领导人、无党派人士每年举行一至二次协商会议，就内蒙古党委的大政方针和国计民生的重大问题、统一战线的重大问题以及其他重大问题等，进行民主协商；就共

① 参见王维澄主编：《有中国特色社会主义大典》，天津人民出版社1993年版，第512页。

同关心的问题，举行不定期的小范围谈心会，自由交谈，沟通思想，交换意见；内蒙古党委召开与民主党派、无党派人士双月座谈会，通报和交流重要情况信息，传达重要文件，听取民主党派、无党派人士提出的政策性建议或就重要问题的专题讨论，征求对中共内蒙古自治区代表大会报告以及自治区人大、政府、政协的重要人事安排的意见。3. 充分发挥民主党派成员、无党派人士在内蒙古自治区人大、政府、政协工作中的作用，征求对制定重要地方法规的意见；吸收民主党派和无党派人士参加特定问题的调查委员会和有关问题的视察；旗县（市区）以上人大、政协同时举行全体会议时，人大要邀请同级政协委员列席；各级政府的重大决策，要据情征求民主党派、无党派人士的意见；政府及有关部门处理重大问题可委托或邀请政协、民主党派、无党派人士参加调查，提出意见；政府组织的各类检查和监察、审计、工商行政管理等部门组织的重大案件调查，可吸收民主党派成员和无党派人士参加；各级政府召开全体或有关工作会议视需要邀请有关民主党派地方组织负责人和无党派人士列席等。① 内蒙古党委和自治区人民政府凡提出改革开放的重大举措、制定重要法规、有重大活动和重要人事安排，事先都要与民主党派协商、征求意见，力图做到决策科学化、民主化；每年向民主党派、无党派人士通报经济、社会发展的情况，使之了解主流和成就，知道存在的问题，和衷共济，知情出力。通过实践，总结经验，内蒙古党委对上述“意见”修改充实，形成《内蒙古党委关于同党外人士民主协商进一步规范化、制度化的意见》。

内蒙古党委为民主党派和有关人民团体创造参政议政的条件。1990 年召开党外人士座谈会 7 次，听取对自治区政治、经济、文化发展以及统战工作的重大问题的意见、要求和建议，组织 16 名民主党派成员到自治区有关盟市参观考察，协助民主党派向政府推荐部门负责人选，帮助民主党派选拔年轻干部，进行领导班子的换届。1991 年召开民主党派、无党派人士协商会、座谈会、谈心会 8 次，就自治区的发展计划、党委全委会议报告、人大和政协人事安排等征求意见，民主党派与政府部门建立对口联系。1993 年，加强党外干部的政治安排和实职安排工作，圆满完成了自治区人大、政协换

① 参见《内蒙古自治区志・共产党志》，内蒙古人民出版社 1999 年版，第 492—493 页。

届中的党外人士的安排任务，一大批新的党外代表人物被选为人大代表和政协委员；党外干部实职安排厅局级干部 7 名、副旗县长 25 名、处级干部 256 名。

1994 年 12 月 20 日，内蒙古自治区人民政府发出《关于充分发挥民主党派、无党派人士参政监督作用的意见》,进一步明确了凡涉及自治区经济、教育、科技和社会发展的重大决策要与民主党派、无党派人士协商，听取他们的意见和建议；自治区人民政府召开全体会议，或召开有关经济、教育、科技等专业会议，邀请民主党派主要负责人列席或视情况邀请列席；按照德才兼备的原则和干部“四化”的要求，举荐民主党派和无党派人士担任自治区人民政府部门的领导职务，使其有职、有权、有责，放手使用；自治区有关部门要继续加强同民主党派的对口联系；自治区人民政府及有关部门邀请民主党派成员和无党派人士担任特约检查员、监察员、审计员、教育督导员等；支持民主党派、无党派人士围绕自治区改革开放、经济社会发展的难点问题进行调查研究，开展科技咨询、支边扶贫、办学讲学和引进外资活动；自治区人民政府领导人会见重要外宾或代表团、进行视察等重要内事活动、参加重大庆典纪念，视情况邀请民主党派负责人、无党派代表人士作陪或出席；政府及有关部门帮助民主党派机关改善工作条件。① 1994 年和 1995 年，根据全国统战工作会议和全国民主党派工作会议精神，内蒙古党委先后提出关于民主协商进一步制度化、规范化的意见，关于充分发挥民主党派、无党派人士参政监督作用的意见，关于党委、政府领导广交党外朋友的意见，关于解决民主党派干部待遇问题的意见等。并召开了全区民主党派工作会议，总结了 5 年来的工作，修订了民主协商制度化建设的 4 个文件。召开了各种形式的民主协商等会议 17 次，落实民主党派、无党派人士参加国庆庆典、接见外宾等内外事活动，协助有关部门物色、考核、聘任特约监察员、检查员、审计员、教育督导员，加强民主党派的监督作用。

党外干部的实职安排又有了新进展。1996 年，落实关于培养选拔党外干部担任政府及司法机关领导职务的规划，深入 10 个盟市、18 个旗县检查督促落实规划，考察党外干部 30 余人，制定了《关于加强我区党外代表人

① 参见《内蒙古自治区志·共产党志》,内蒙古人民出版社 1999 年版，第 494 页。

物队伍建设的意见》,调整充实联系对象200人，向自治区人民政府推荐了1名主席助理、11名参事；同时经过修改形成了《内蒙古党委关于同党外人士民主协商进一步规范化、制度化的意见》①，从而完善了多党合作和政治协商制度。1997年，以帮助民主党派换届为重点，推动民主党派组织建设和思想建设，协助民主党派中央做好自治区民主党派出席全国代表大会代表的组织工作和思想政治工作，进一步做好内蒙古党委、政府与民主党派和党外人士民主协商、参政监督制度的落实。②

从1990年到1997年，内蒙古党委和自治区人民政府主要领导人与民主党派负责人、无党派人士举行座谈会、协商会、通报会79次。1991年2月9日，内蒙古自治区人民政府办公厅和内蒙古党委统战部联合发出《关于做好自治区各有关部门同民主党派对口联系工作的通知》,根据民主党派从事活动的内容及其成员的特点，本着“由少到多，逐步扩大”的原则，首先确定了部分民主党派的对口联系部门，即民革与经贸厅、文化厅、计委、新闻出版局；农工党与计委、卫生厅、农委；九三学社与科委、农委、计委结成对口联系关系。③ 各级党委和政府也逐步加强多党合作和民主协商进程，初步使之制度化、规范化。

1989年6月9日，内蒙古自治区监察厅首次聘请刘森杰等6位民主党派成员担任自治区第一批特约检查员。1990年10月26日，内蒙古自治区审计厅聘请张淑英等7位民主党派成员担任首批特约审计员。1991年4月13日，内蒙古自治区监察厅聘请孙英年等6位民主党派成员为自治区首批特约监察员。1993年5月22日，内蒙古自治区教育厅聘请高希文等3位民主党派成员为自治区首批教育督导员。从1989年到1997年底，共聘请民主党派和无党派人士200人担任特约“四员”，发挥了良好的监督作用。

内蒙古党委和政府为民主党派参政议政提供方便，创造条件。1993年开始，在原来的基础上，每年增加办公经费20万元。1995年4月24日，内蒙古

---

① 参见《内蒙古自治区志·共产党志》,内蒙古人民出版社1999年版，第493页。

② 综合参见内蒙古党委统战部工作总结（党统发［1991］8号、［1992］1号、［1993］28号、［1995］1号、［1996］1号、［1997］6号、［1998］5号）。

③ 参见《内蒙古自治区志·共产党志》,内蒙古人民出版社1999年版，第493—494页。

党委转发了统战部《关于各级党政领导干部广交深交党外朋友的意见》,要求各级党政领导干部根据分管业务，深交二三名党外朋友。这是统战工作走群众路线、实行多党合作与政治协商的重要途径。1996 年 1 月，为自治区民主党派领导机关各配制一辆办公轿车，改善办公条件，而且为担任自治区人大或政协正副主席的民主党派负责人、无党派人士解决住房、用车、公费医疗问题。5 月 18 日，内蒙古党委召开内蒙古党委、政府办公厅、统战部、财政厅、卫生厅及其他有关部门负责人会议，专题研究解决民主党派、无党派人士工作、生活上的实际问题，形成了书记办公会议纪要，并付诸实施。

在社会主义现代化建设的新时期，内蒙古自治区的统战工作，在各级党组织、各民主党派、各有关人民团体和各界爱国人士的共同努力下，取得了很大成绩。爱国统一战线的不断壮大，为自治区两个文明建设，为社会主义民主和法制建设，为维护和发展自治区安定团结的政治局面发挥了重大作用。

五、民族统战工作

民族统战工作始终是内蒙古全局工作中的重要内容。它涉及各个领域，体现在各项工作之中，在统战工作中的民族工作也不例外。内蒙古党委统战部协同有关部门，在 80 年代，以进行马克思主义民族理论教育、全面落实党的民族政策、坚持以民族区域自治制度为中心，从各方面开展民族工作。对区内特别是边境地区少数民族的生产生活状况进行调查研究，提出相应的政策措施，建议有关部门解决；对各盟市少数民族经济文化发展情况进行了调查，对在少数民族地区开发利用自然资源及处理与当地群众利益的相关问题进行了调查，提出了对策。中共中央批转 1987 年 1 月 23 日中共中央统战部、国家民族事务委员会《关于民族工作几个重要问题的报告》,指出:“当前，民族工作的主要问题是：经济效益差，贫困面较大。全国少数民族中大约有一千五百万人的温饱问题还没有完全解决。在民族关系上，仍然存在着一些影响安定团结的因素。在贯彻《民族区域自治法》,培养少数民族干部，以及少数民族语言文字工作等方面，也存在一些需要认真研究解决的问题。”《报告》提出新时期民族工作总的指导思想和根本任务是：“坚持四项基本原则，坚持改革、开放、搞活的基本国策，紧密结合少数民族地区和少数民族的实际，从民族平等、民族团结、民族进步、相互学习、共同致富出发，以经济建设为中心，全面发展少数民族的政治、经济和文化，不断巩固社会主义的新型民族关系，实现各民族的共同繁荣。"① 内蒙古党委统战部对自治区执行《民族区域自治法》的情况组织了全面检查，对检查组提出的9个专题报告中的36个问题，分类归纳，邀请各有关委、办、厅、局负责人座谈，通报情况，听取意见，并呈报内蒙古党委。内蒙古党委结合庆祝内蒙古自治区成立40周年，对自治区的民族工作进行了全面系统的总结，进一步推动了民族工作的发展。

进入20世纪90年代以后，自治区的经济社会进入了第二个10年发展新阶段，民族工作的形势、内容、要求也发生了新的变化，出现了新特点，要求以新的理念、新的方式开展民族工作。在这个阶段，内蒙古自治区持续深入进行马克思主义民族理论和民族观的教育，进行党的民族政策的宣传教育，开展民族团结进步表彰月活动。1991年初，自治区党委统战部发出《关于调查了解党的民族政策落实情况，总结民族工作经验的通知》,推动各级党委统战部门开展调查研究，总结民族政策执行情况与经验，并经过调查研究，向自治区党委汇总提出进一步贯彻执行民族政策、巩固和发展社会主义民族关系的意见。1992年到2000年，自治区党委统战部与宣传部持续不断地联合开展马克思主义民族观和党的民族政策宣传教育；围绕建设社会主义市场经济，调查研究民族关系的新情况、新变化及少数民族经济文化发展问题，向自治区党委写了《关于社会主义市场经济建设和发展中的民族关系的调查报告》《内蒙古自治区稳定与发展的报告》《内蒙古自治区享受民族区域自治法和中央给老少边穷困地区优惠政策情况的报告》等；对修订《中华人民共和国民族区域自治法》和内蒙古自治区自治条例的制定，提出意见和建议；建立了与少数民族代表人士的联系制度和联系内容与方法。从统战工作的角度开展民族工作，取得了显著的效果。

① 国家民族事务委员会、中共中央文献研究室编：《新时期民族工作文献选编》，中央文献出版社1999年版，第307页。

六、宗教统战工作

内蒙古自治区是一个多宗教并存的地区，主要有佛教、道教、伊斯兰教、天主教、基督教、东正教6种宗教，宗教活动场所有805处，信教群众约90余万人，约占全区总人口的3.7%，有教职人员4 945 人。

佛教有藏传佛教和汉传佛教。藏传佛教俗称喇嘛教，在内蒙古主要信仰者是蒙古族，也有在内蒙古定居的藏族。自治区有喇嘛教召庙和宗教活动场所116座，有喇嘛3 370 人（其中活佛15 人），信教群众约32 万多人。① 汉传佛教，在内蒙古自治区正式登记的活动场所45 处，比丘98 名、比丘尼45 名，信徒有12 万人。②

1983 年9 月至1994 年6 月，中国佛教协会内蒙古自治区分会先后召开了3 次代表会议，选举各届理事会理事、常务理事和会长、副会长、秘书长，总结会务，部署工作。每次会议，内蒙古自治区人民政府主席布赫、政协内蒙古自治区委员会主席千奋勇等自治区领导人，先后接见了与会代表，表示内蒙古党委、政府对佛教协会工作的支持与关怀。③

道教是中国的五大宗教之一，发源于中国，是由中国人创立的宗教，所以称其为“本土宗教”。当今，内蒙古自治区只有呼和浩特有道教活动，现有太清宫、慧云观两处道教活动场所，有道士6 人，信教群众500 多人。④

伊斯兰教在内蒙古有悠久的历史，信教者散居于自治区各地，是大杂居小聚居；信仰伊斯兰教的主要是回族；阿拉善盟的阿左旗有千余名蒙古族群众也信仰伊斯兰教。全区有正式登记的清真寺177 座，阿訇366 名。在1982 年12 月至2000 年9 月期间，内蒙古自治区伊斯兰教先后召开4 次代表会议，成立了内蒙古自治区伊斯兰教协会；选举了协会历届会长、副会长和秘

① 参见内蒙古自治区民族事务委员会：《内蒙古现有藏传佛教寺庙情况》，见内蒙古自治区民族宗教网2004—2—20；德勒格：《内蒙古喇嘛教史》，内蒙古人民出版社1998 年版，第778 页。

② 参见内蒙古自治区民族事务委员会：《内蒙古汉传佛教》，见内蒙古自治区民族宗教网2004—02—20。

③ 参见内蒙古自治区民族事务委员会编：《内蒙古自治区佛教协会第三、四、五次代表会议》资料，见内蒙古自治区民族宗教网2004—02—20。

④ 参见内蒙古自治区民族事务委员会：《内蒙古道教》，见内蒙古自治区民族宗教网2004—02—20。

书长，总结、部署协会工作。

天主教在内蒙古自治区有5个教区，共有主教4人，教区长1人，副主教2人，神甫107人，修女109人；正式登记教堂、活动点共159个，信教群众17.8万人。自治区设有天主教爱国会、天主教教务委员会机构。1980年8月至2000年12月期间，自治区天主教先后召开5次代表大会，选举历届天主教爱国会会长、教务委员会主任；总结、部署爱国会、教务委员会工作。1985年5月28日经内蒙古自治区人民政府批准，内蒙古自治区天主教神哲学院恢复招生、培训工作。

基督教分布在内蒙古十多个地区。20世纪80年代，内蒙古自治区成立了基督教三自爱国运动委员会和基督教协会。截至2002年，全区有基督教信徒14.37万人，慕道友1.87万人，牧师11人，副牧师23人，长老97人，传道员403人，正式登记教堂、活动点306个。1987年9月经内蒙古自治区人民政府宗教局批准，成立了自治区基督教"两会"义工培训班，到2002年共举办14期，招生538人。1982年12月至1999年6月期间，内蒙古自治区基督教先后召开4次代表会议，选举"两会"历届会长及领导机构，总结、部署"两会"工作。

内蒙古自治区东正教信仰者全部集中在呼伦贝尔俄罗斯民族之中，信教群众2 400人（占全国东正教信教人数的88.8%），主要集中在额尔古纳市。该市俄罗斯民族人口3 245人，信仰东正教群众1 970人，主要分布在黑山头镇、室韦俄罗斯族民族乡、三河回族乡和新城街道办事处。无神职人员，信教群众的宗教活动主要是以家庭聚会形式进行。①

宗教统战工作是自治区统一战线工作的重要方面，特别是新时期宗教工作面临许多新问题、新挑战、新任务。因此，必须面对实际，既要总结和借鉴以往宗教工作的成功经验，又要汲取失误和教训，与时俱进，解决好这一敏感而重大的社会问题。

宗教统战工作具有长期性、群众性、敏感性的特点。在社会主义现代化建设的新时期，内蒙古自治区的宗教统战工作，是引导各宗教爱国组织在中国共产党的领导下，在各民族人民团结、建设的良好氛围中，坚持独立自

① 参见内蒙古自治区民委政法处编：《民族宗教工作法律法规汇编》，2002年。

主、自办教会的方针，反对任何外来势力对自治区教会的干涉和渗透，制止极少数人借宗教名义进行非法、违法活动；协助党和政府贯彻执行宗教信仰自由政策，向信教群众和宗教界人士进行爱国守法教育，帮助他们不断提高爱国主义、社会主义觉悟；代表宗教界的合法权益，组织正常的宗教活动，努力办好自治区的各级教务，团结宗教界人士和信教群众积极投身于祖国的改革开放和社会主义现代化建设事业。从而使自治区在这一时期的宗教问题得到妥善解决，而且使各派宗教活动步入健康、正常的轨道。宗教界人士分别参加了力所能及的生产劳动、社会服务、宗教学术研究、爱国的社会政治活动和国际友好往来等；广大信教群众和宗教界人士紧密地团结在党和政府周围，爱国、爱教、守法，维护安定团结，和全区各族人民一道，同心同德，为建设团结、富裕、文明的内蒙古作出了贡献。

落实党的宗教政策，使宗教工作重新走上正确轨道。从1980年开始，内蒙古自治区先后恢复了自治区各宗教的爱国宗教团体；有关盟市也相继恢复、成立了宗教团体和宗教管理部门。宗教界人士在政治上得到适当安排，全区5 300多名宗教职业者中有430人担任了旗县以上人大常委、政协委员和全国、自治区宗教团体的委员、理事。自治区开办了佛教协会喇嘛学校、天主教神哲学院和基督教义工培训班，培养了一批热爱祖国、拥护共产党、有一定宗教学识的年轻宗教职业者；并妥善安排了4 000多名无依无靠的老年喇嘛的生活。国务院和自治区人民政府先后拨款1 500万元，用于修缮和维护寺庙及整理宗教文物史料。到1990年，自治区已开放寺庙、教堂157处，活动点210处；20座寺庙、教堂被自治区人民政府列为全区重点文物保护单位。过去被挤占的宗教房产，已有7 220间退还宗教团体，暂时退不出的，由占用单位按期交纳租金。宗教政策的落实，调动了宗教界人士为社会贡献力量的积极性。各宗教团体在搞好内部事务的同时，积极从事农牧业生产，兴办社会公益事业，开展医疗卫生、文化教育、旅游及工商服务活动，既为宗教自养解决了资金，又为社会创造了财富。此外，在对外开放的形势下，宗教界还开展了国际交往活动。

自治区级爱国宗教团体有内蒙古自治区佛教协会、伊斯兰教协会、天主教爱国会和教务委员会、基督教“三自”爱国会、基督教协会等。盟市、旗县有宗教团体50多个。自治区级宗教院校（班）有3所，即内蒙古自治区佛教学校、天主教神哲学院、基督教义工培训班。自治区宗教界爱国人士中有全国政协委员 2 人；自治区政协委员 10 人，其中政协副主席 1 人、常委 3 人；自治区人大常委 1 人、代表 2 人。盟市、旗县（区）的人大代表和政协委员共有 400 多人。

内蒙古自治区在宗教界和信教群众中进行以党的宗教政策为主要内容的社会主义、爱国主义教育，发出了《关于在教徒聚居区进行以党的宗教政策为主要内容的社会主义、爱国主义教育的通知》，建立宗教界政治学习制度，举办宗教界人士学习会、座谈会，举办天主教、基督教中青年教职人员读书会等多种形式的学习活动，广泛进行形势、政策法律、社会主义、爱国主义教育，切实加强了宗教界的思想政治工作。

为了准确了解、掌握宗教现状与动态，正确执行宗教政策，采取有针对性的对策解决实际问题，内蒙古党委和政府深入基层持续进行调查研究，提出《自治区宗教工作新情况、新问题及主要对策意见》《弱化宗教影响、遏制宗教增长势头的对策意见》，制定了《关于集中力量对宗教地下势力和非法组织进行综合治理的意见》《关于对宗教进行管理的暂行条例》《内蒙古自治区宗教活动场所管理办法》；发出了《关于做好我区喇嘛教教育引导工作，认清达赖喇嘛集团分裂祖国活动实质的通知》；汇总完成了全区宗教问题调研 12 个统计报表和《内蒙古自治区宗教问题调研综合报告》《内蒙古自治区喇嘛教问题调研报告》《内蒙古自治区天主教问题调研报告》等等，对自治区宗教情况作出说明，对宗教事务依法管理。

对宗教依法进行了综合治理。贯彻中央关于宗教工作的方针、政策和全国及自治区宗教工作会议精神，坚持管政策、抓协调、抓大事的原则，召开自治区直属机关 18 个部门负责人和有关人员的宗教工作协调会议，各有关部门相互配合，制定宗教工作齐抓共管责任制，建立和坚持统战、宗教、公安等部门联席会议制度和联络员制度，及时沟通情况，协调动作，针对宗教工作中的难点、热点和突出性问题提出对策意见，建立了宗教界政治学习制度，着重抓宗教活动和宗教场所的依法管理，把宗教事务引导到“两个文明”建设的轨道上来。

坚决、正确地解决宗教地下势力问题，是新形势下宗教工作的一项重要内容。在改革开放深入发展的过程中，自治区宗教方面出现了新情况、新问题，特别是境外敌对势力的渗透和宗教地下势力的非法宗教活动，有逐渐蔓延趋势。对此，自治区在教育、引导和加强宗教管理的同时，开展了专项治理。统战、宗教、公安、安全等部门协调行动，在全区范围内对天主教地下势力、基督教非法活动进行专项治理，严厉打击“全范围教会”、“门徒会”等邪教组织；查处取缔、治理天主教地下势力和基督教非法组织；收缴非法宣传品；传讯地下和非法宗教组织骨干，对情节严重者分别给以拘留、治安处罚、劳教等处罚；对其信徒进行教育，维护了自治区稳定，保证了依法正常的宗教活动。①

七、党外知识分子的统战工作

这是统战工作的一项重要内容。这方面工作的主要职责是：联系各界党外知识分子代表人物，了解其思想情况，反映他们的意见和要求；调查研究党外知识分子思想上、工作上、生活上存在的普遍性问题，提出政策性建议，协调党委与党外知识分子的关系；参加制定知识分子政策，检查知识分子政策在党外知识分子中贯彻落实情况；发现、培养、选拔党外知识分子中的代表性人物，做好对他们的举荐工作。中共十一届三中全会以后，内蒙古党委为落实知识分子政策，大力发挥知识分子的作用，做出一系列决定，极大地调动了知识分子的积极性。从统战工作的角度，大力开展党外知识分子的工作，取得了良好效果。内蒙古党委统战部承担了“右派”摘帽和改正工作，参加了落实知识分子政策工作和落实知识分子政策的检查。1984 年落实知识分子政策工作基本结束后，统战部门的知识分子工作转入抓党外知识分子工作上来。1991 年，内蒙古党委统战部提出建立党外知识分子重点联系单位和联系对象的意见；7 月，召开了首次党外知识分子工作会议，确定了党外知识分子重点联系单位和联系对象，聘请了解党外知识分子工作的联络员；1993 年，又确定德才兼备、有贡献、有影响、有代表性的中青年党外知识分子为自治区统战部重点联系的对象。这项工作逐步推广到盟市、旗县、高校、厂矿，形成了全区党外知识分子工作网。1997 年 8 月 26 日至

---

① 以上综合参见内蒙古党委统战部工作总结（党统发［1991］8 号、［1992］1 号、［1993］28 号、［1995］1 号、［1996］1 号、［1997］6 号、［1998］5 号）。

29 日，内蒙古自治区统战部召开了党外知识分子工作座谈会，修订了党外知识分子工作条例，明确了加强与重点工作单位的联系，在扩大党外知识分子代表人物队伍的基础上，提高重点联系对象的层次，形成分层次管理的思路。是年底，享受政府特殊津贴专家和有突出贡献的中青年专家及其他方面的优秀党外知识分子达 300 余人，其中 120 人为内蒙古党委统战部重点联络对象。对党外知识分子的统战工作形成了规范化、制度化的格局。①

八、台湾、香港、澳门同胞及海外侨胞的统战工作

这是对境外统战工作的主要内容。内蒙古党委统战部，根据 1986 年 5 月中央关于海外统战工作座谈会的精神，提出在自治区落实的措施和意见，并同有关部门联系，经过调查，初步掌握了自治区台湾同胞、港澳同胞、海外侨胞及其眷属的基本情况。在内蒙古自治区有台胞 87 户、187 人；去台人员 4 504 人，其中上层人士 475 人；台属 4 041 户、17 881 人；侨务对象 87 705 人。1980 年，内蒙古党委对台工作小组办公室成立，设在统战部，主要是落实台胞、台属政策，对台宣传，接待台属等；1987 年 12 月，内蒙古自治区人民政府台湾事务办公室正式成立，与党委对台工作小组办公室合为一套机构、两块牌子，负责处理内蒙古自治区与台湾的事务性工作，坚持“一国两制”、和平统一祖国的方针，做好以对台工作为重点的海外统战工作，深入了解台胞、港胞、澳胞眷属情况，开展“三胞”联谊活动，召开座谈会、形势报告会，通过“三胞”向海外亲友解疑释惑。1990 年回内蒙古旅游、观光和探亲台胞明显增多，而且高层次人士、经贸人员和内蒙古籍人士增多，确定了一批重点联系对象。1991 年，有 30 多位港、台人士参观自治区首次全区那达慕大会；自治区还积极筹建了自治区海外联谊会。1993 年，自治区首次海外统战工作会议召开，加强海外联系，接待海外“三联胞”25 人，海联会有海内外理事 85 人，有些盟市也成立了海联会，并在厦门、珠海设立了联络处，加强了台海联络工作。1994 年，接待包括台、港前来观光、考察、投资的海外团体及个人有 7 批 56 人，还有全国第十一届

① 参见《内蒙古自治区志·共产党志》，内蒙古人民出版社 1999 年版，第 496—498 页；内蒙古党委统战部工作总结（党统发［1992］1 号、［1993］28 号、［1995］1 号）。

台胞青年内蒙古夏令营活动，批准安置了9名台胞回内蒙古定居，修订了《内蒙古自治区归侨、侨眷权益保护法》。自治区对台、港、澳的联系日趋活跃。1997年，结合内蒙古自治区成立50周年，邀请17名有经济实力、有社会影响的海外客商和台湾商人前来参加庆典和经贸活动；邀请14名台湾工商界人士前来考察经贸；有8批50名人士前来进行学术、文化、体育交流活动。截至1997年底，台湾来内蒙古探亲、旅游、从事经贸和各项交流活动的台湾同胞近9 000人次，内蒙古居民赴台探亲、探病、奔丧以及从事各种交流活动的累计200多人次；在内蒙古自治区注册的台资企业达137家。

以中华民族的传统文化为纽带，积极开展对台各项交流，内蒙古自治区的艺术团体赴台访问演出，深受台湾同胞的欢迎。内蒙古民族艺术团赴台访问3个月，演出150场，观众达30万人次。台湾高雄县龙发堂大乐团，台湾“东海大学”“中山大学”“静宜大学”“淡江大学”等高等学校师生“大陆行参访团”，台湾“工业总会”组织的台湾大企业、大财团参访团，“台湾经贸参访团”等纷纷来访。这种互访互动，促进了自治区与台湾的联系。同时，内蒙古自治区对台宣传日益加强，通过新闻媒体和出版物广泛介绍内蒙古的风土人情、改革开放以来的经济建设和社会发展成就、投资环境等。内蒙古自治区台办还与中国新闻社联合举办了“内蒙古辉煌50年”大型对台对外系列宣传报道，出版了对台宣传图书《塞外风景线》等。

1998年以后，为了进一步加强对台、港、澳工作，对“三胞”及其眷属和台资企业进行认真的调查研究工作，对全区12个盟市和154个直属单位的“三胞”眷属进行了深入细致的调查研究，完成了《关于三胞及眷属基本情况调查结果分析》；对28家台资企业进行了逐一调查，完成了《内蒙古自治区台资企业的现状、问题及对策》的调查报告。加强对海外宣传工作，《内蒙古日报》开辟了《海峡瞭望》专栏；台湾《“中国”时报周刊》发表了《策马长城外　坐拥内蒙古大草原》的长篇署名报道，介绍内蒙古50年来的巨变和资源优势、投资环境。对台、港、澳和海外交流交往取得新进展，自治区有11人分别赴台进行文化交流；民营企业家组团赴美国进行经贸考察；企业界人士组成科技考察团，赴澳门参加尤里卡五周年活动；接待50多位台、港、澳和海外人士来访；海外统战工作出现了新的局面。①

九、人民团体

在社会主义现代化建设新时期，内蒙古的人民团体在内蒙古党委的领导下，围绕内蒙古自治区的中心任务，结合各自全国性组织的部署，以自身的特点，参加自治区的改革开放和社会主义现代化建设，发挥了重要作用，做出了巨大贡献。

内蒙古自治区总工会（简称内蒙古总工会） 从1973年到1999年，先后举行了五次代表大会（即第三次到第七次），各次代表大会的代表共计2 511名，依次代表自治区135.8万工人；241.3万工人；350多万职工和250多万工会会员；390万职工和300万工会会员；336.5万职工和217.8万工会会员分别出席各次代表大会，听取了内蒙古自治区总工会各届委员会的工作报告，分别讨论了工人阶级在内蒙古自治区拨乱反正、改革开放、经济建设、社会发展中的责任和作用，选举产生了内蒙古自治区总工会各届委员会。1973年6月第三次代表大会的工作报告是《团结起来，为巩固无产阶级专政，加速社会主义建设而奋斗》；1985年1月第四次代表大会的工作报告是《发扬工人阶级的主人翁精神，为建设团结、富裕、文明的内蒙古，锐意改革，开拓进取》；1990年2月第五次代表大会的工作报告是《动员各族职工，发扬主人翁精神，努力实现三项近期目标，为建设团结富裕文明的内蒙古而奋斗》；1995年1月第六次代表大会的工作报告是《充分发挥工人阶级主力军作用，为实现内蒙古第二步战略目标立新功》；1999年10月第七次代表大会的工作报告是《高举邓小平理论伟大旗帜，团结和动员各族职工为实现我区跨世纪宏伟目标建功立业》。历届代表大会所作的工作报告，一是显示了内蒙古自治区每个时期的中心任务，二是突出了每个时期的奋斗目标，三是提出了工人阶级在每个阶段的任务。

---

① 综合参见《内蒙古自治区志·共产党志》，内蒙古人民出版社1999年版，第507—511页；内蒙古党委统战部工作总结（党统发［1987］8号、［1991］8号、［1993］28号、［1995］1号、［1996］1号、［1997］6号、［1998］5号、［1999］9号）。

内蒙古自治区各级工会在改革开放的二十多年中，特别重视自身的学习与提高，恢复和创办各种类型的职工业余学校、职工大学，开办各种文化技术培训班，开展青壮年职工文化技术学习与补课。到 1985 年初，全区参加文化和技术学习的职工达 70 多万人，占职工总数的 30% 以上。到年底，全区参加文化补课的青壮年职工就有 65 万余人，补课合格率达 67%；参加技术补课的青壮年职工有 43 万余人，补课合格率达 61%，按期完成了国家规定的职工“双补”任务。与此同时，职工教育逐步向正规化发展。到 1987 年初，工会系统有职工大学 2 所，职工高等教育函授站 1 处，职工学校 12 所。据 1986 年 6 月统计，全区职工中累计有 50. 3 万人初中文化补习课合格，占应补人数的 82. 5%；初级技术补习课累计有 35. 5 万人合格，占应补课人数的 83. 5%，达到了国家对职工文化教育规定的要求。

总工会和各级工会在职工中广泛开展读书活动，作为职工队伍建设的重要环节，是工会精神文明建设的重要内容。1983 年 7 月，成立了自治区职工读书指导委员会。到 1985 年初，全区参加读书活动的职工达 30 多万人，1987 年发展到 47 万人。各级工会还创办“职工之家”、“工人之友”等职工活动场所，开展健康文明的文化娱乐活动。到 1987 年 7 月底，全区建成合格的“职工之家”9 689 所。

全区各级工会推行职工代表大会制度，充分保障职工的民主权利。1983 年，全区建立职代会制度的企事业单位有 4 100 多个，民主选举基层领导干部的单位有 530 多个。到 1985 年初，全区已有 4 706 个企事业单位建立了职代会制度，占企事业单位的 50. 1%，有 547 个单位选举了基层领导干部。职工代表大会行使审议企业重大决策、监督行政领导和维护职工合法权益等重要职责。这期间，各级工会的组织建设也有很大的发展，到 1985 年初，全区工会基层组织有 1. 2925 万个，工会小组 10. 9 万个，会员达 160 万人。到 1986 年底，全区职工队伍发展到 334. 8 万多人，其中全民所有制企业中的少数民族职工达 35. 4 万人；工会基层组织发展到 1. 5267 万个，工会会员发展到 192. 7 万人。职工代表大会制度的建立及逐步完善，工会组织的恢复与健全，职工队伍的不断壮大，极大地增强了自治区工人阶级的力量。

内蒙古总工会和各级工会，在自治区改革开放和社会主义现代化建设中，积极组织职工开展多层次、多种形式的竞赛活动。1978 年至 1986 年底，全区涌现出全国劳动模范、先进生产者257人，其中蒙古族31人，其他少数民族6人；自治区和国家部、委、办级劳模和先进生产者4 687人，其中蒙古族434人，其他少数民族144人。自治区总工会第四次代表大会表彰了113个先进基层工会、135名优秀工会工作者和145名优秀工会积极分子。第五次代表大会表彰了131个工会工作先进集体和369名先进个人。第六次代表大会表彰了全区工会工作先进集体132个，优秀工会工作者199人，优秀工会积极分子148人，荣誉工会积极分子49人。第七次代表大会表彰了47个全区工会工作先进集体，98个全区模范职工之家，145个全区模范职工小家，200名全区优秀工会工作者，56名全区优秀工会积极分子，39名全区荣誉工会积极分子。①

内蒙古自治区的工人阶级在实现自治区两大战略目标，创建物质文明、精神文明中发挥了主力军的作用。

中国共产主义青年团内蒙古自治区委员会（简称内蒙古团委） 在“文化大革命”中受冲击而瘫痪，被内蒙古革命委员会下设的政治部群工组取代。1972年开始逐渐恢复共青团的组织和工作，1973年5月正式恢复中国共产主义青年团内蒙古自治区委员会。

内蒙古团委在内蒙古党委的领导下，在社会主义现代化建设的新时期，带领全区共青团员和蒙汉各族青年，积极投入自治区的改革开放、经济建设、社会发展的各项事业中，充分发挥先进青年群众组织的作用，活跃在各条战线上。

内蒙古团委和各级团组织，在改革开放和社会主义现代化建设新时期的主要任务：“以共产主义精神教育全区青年；帮助全区各族青年用马克思主义、毛泽东思想和现代科学文化知识武装自己；引导广大青年在社会主义现代化建设的实践中，锻炼成为有理想、有道德、有文化、有知识、守纪律的共产主义事业接班人。同时围绕党的中心工作，开展适合青年特点的独立活动，关心青年的全面成长，帮助青年做到身体好、学习好、工作好。”②

内蒙古团委从1973年到1997年期间，共召开了共青团内蒙古自治区六

① 参见陶健等主编：《内蒙古区情》，内蒙古人民出版社2006年版，第262—263页。
② 参见陶健等主编：《内蒙古区情》，内蒙古人民出版社2006年版，第263页。

次代表大会（即第五次到第十次），各次代表大会的代表总计 3 497 名，其中少数民族代表占 35% 左右，妇女代表占 25% 左右。自治区团委各届委员会分别向各次代表大会作了工作报告，每次代表大会的工作报告均有时代特征，反映了每次代表大会期间自治区的形势、任务，反映了共青团的职责与使命。

内蒙古团委组织共青团员和广大青年学雷锋、树新风，是共青团思想建设的重要内容。从 1977 年 3 月开始，自治区团委持续不断地开展学雷锋活动，以雷锋思想与事迹陶冶青年；1978 年，自治区团委召开了全区第三次青年社会主义建设积极分子大会，号召全区各族青年学雷锋、树新风，做新长征的英勇突击队；1979 年 4 月，自治区团委要求各地团组织动员团员和青年，争当新长征突击手；10 月间，在共青团内蒙古自治区第六次代表大会上提出，引导团员、青年学文化、学科学、学技术、学业务。这以后，全区各级团组织坚持党的四项基本原则，加强对青年的共产主义思想教育，广泛深入地开展“争当新长征突击手”、“学雷锋、树新风”、“创建模范团支部”和“做一名合格共青团员”等活动。同时在广大青年中掀起了学文化、学科学、学技术、学业务的热潮。学雷锋一直成为共青团教育团员青年，培育一代又一代接班人的重要活动。

在“全民文明礼貌月”活动中，自治区各级团组织带领广大团员、青年发挥了突击队作用。自治区团委组织全区青少年开展了“宣传”、“卫生”、“益民”、“绿化”活动日；开展全区十城市“文明礼貌先锋杯”竞赛；参加打扫卫生、为民服务、维护秩序、植树造林等公益活动，“红领巾卫生街”、“共青团文明路”在各地城镇建立起来，各种形式的“益民小组”、“青年服务队”活跃在城乡；开展向张海迪学习，积极参加读书活动；开展“义务采集草种、树种，为支援甘肃、绿化家乡作贡献”活动；组织各种学雷锋小组、益民服务队；组织青年职工“五小”智慧杯竞赛，兴建为社会造福、改变人民生活环境的“青字号”工程。随着时间的推移，虽然活动内容不断创新，文明礼貌教育始终是共青团塑造一代又一代“四有”青年的经常性的任务。

自治区团委在全区青少年中开展“热爱内蒙古、建设内蒙古、献身内蒙古”教育活动，举办了解内蒙古的宣传教育，开展各族青少年大团结活动，开展建设内蒙古的生产、工作、学习竞赛，评选先进、树立标兵。在内蒙古改革开放和经济建设的发展进程中，“热爱、建设、献身”内蒙古，始终是共青团教育培养团员青年的特殊而不变的主题。这一主题深深镌刻在一代又一代青年的心灵中，这是一笔宝贵的财富。

内蒙古团委和各级团组织，动员青少年开展采集草种、树种等活动，参与自治区“林牧为主、多种经营”经济方针的实施；在全区团员青年中进行形势、政策、任务教育，动员团员青年投入改革开放与经济建设；农村牧区团的工作重点是扶贫致富，号召团员青年开展以富带贫、扶贫致富的竞赛活动，引导青年农牧民变革观念，采用多层次、多渠道、多形式，开展对青年农牧民的实用技术培训，使其掌握一、两项实用技术，逐渐成为振兴农牧区经济的技术骨干。内蒙古团委、学联、教育厅等有关单位，利用暑假组织全区大中专学校学生，开展“学习社会、扶贫致富、振兴内蒙古”社会实践建设营活动，并荣获团中央、全国学联授予的优秀社会实践建设营称号。

全区各级团组织发挥突击队作用和联系广大青年的桥梁作用，为自治区的繁荣发展培育出一代又一代新人。据1986年统计，全区有共青团员106.32多万名，其中蒙古族及其他少数民族团员20多万名；全区有基层团支部（总支）8.6449万个，团的专职干部7 126名，其中少数民族团干部1 813名，占全区专职团干部的25.4%，大专以上文化程度的专职团干部占达20.1%。全区有9 182个“青年之家”遍布农村牧区，为促进农村牧区两个文明建设发挥了巨大作用。全区有249人、37个集体被命名为全国新长征突击手（队）。全区600万各族青年在改革、开放、搞活和两个文明建设中，发挥着巨大的作用。到2000年，全区12个盟市、101个旗县（县级市、区）以及学校、厂矿企业等，都有共青团的组织和工作机构，成为各级党组织的得力助手。

内蒙古自治区青年联合会（简称内蒙古青联） 是以内蒙古共青团组织为核心的各青年团体的联合组织，是全区各族各界青年广泛的爱国统一战线组织，成立于1954年11月，在“文化大革命”中受冲击而停止活动，先后历经九届。1980年6月，内蒙古自治区青年联合会召开第五届委员会第一次会议，同时召开自治区学生联合会第二次代表大会。两会讨论了新时期自治区青联、学联工作的任务和方针，提出要在党的领导下，以共青团为核心，广泛团结各族各界青年献身“四化”。这两个大会的召开，使中断十几年的青联、学联组织焕发了青春，标志着自治区青联、学联工作进入了一个新的阶段。

内蒙古青联本着服务社会、服务青年、服务委员的宗旨，致力于团结带领全区各族各界青年，高举爱国主义、社会主义伟大旗帜，为推动自治区的改革开放和社会主义现代化建设；维护和巩固社会安定和民族团结；扶持青年奋发有为，建功立业；发展同国内外青年组织的交往与合作；推进自治区两个文明建设，做出了积极的贡献。

内蒙古青联实行会员团体和个人委员制，现有会员团体 21 个，个人委员 426 名。本会最高权力机关是全体委员会，每届任期五年；全体委员会设名誉主席 1 名、主席 1 名、副主席若干名；全体委员会闭会期间，由常务委员会主持会务，常设办事机构为内蒙古青联秘书处，设秘书长 1 人，副秘书长若干名。①

内蒙古自治区妇女联合会（简称内蒙古妇联）　是自治区各族各界妇女在内蒙古党委领导下，为实现男女平等、促进妇女发展而联合起来的社会群众团体，具有广泛的代表性、群众性和社会性，是党和政府联系妇女群众的桥梁和纽带，是国家政权的重要社会支柱之一，是全国妇联系统的省级地方组织，业务上接受全国妇联的指导。成立于 1949 年 1 月，在“文化大革命”中也受冲击而瘫痪。1973 年 9 月，恢复机构，开展活动。

内蒙古妇联的主要任务：鼓励各族各界妇女学习科学文化知识；团结、动员广大妇女积极参加社会主义现代化建设和改革开放；保护妇女儿童的合法权益；发展同全国各省、市、自治区妇女组织的友谊与合作等。

1973 年到 2000 年，内蒙古妇联先后召开五次代表大会（即第四次至第八次），出席各次代表大会的代表共计 1 869 名。第四届代表大会筹备小组和以后各届执委会向大会作了工作报告。第四届代表大会筹备小组的报告是《全区各族妇女团结起来，为巩固无产阶级专政，建设社会主义而奋斗》；第四届执委会向第五次代表大会所作的工作报告是《高举团结建设的旗帜，锐意改革，开创我区妇女运动的新局面》；第五届执委会向第六次代表大会

① 综合参见郝维民主编：《内蒙古自治区史》，内蒙古人民出版社 1991 年版，第 461 页；陶健等主编：《内蒙古区情》，内蒙古人民出版社 2006 年版，第 263—265 页。

所作的工作报告是《自尊自信自立自强，为振兴内蒙古团结奋进》；第六届执委会向第七次代表大会所作的工作报告是《全区各族妇女团结起来，为实现自治区两大历史性任务立新功》；第七届执委会向第八次代表大会所作的工作报告是《面向新世纪，迎接新挑战，团结动员全区各族妇女为实现自治区发展的宏伟目标而奋斗》。历次工作报告可以清晰地看出自治区改革开放历史发展阶段的轨迹，也反映出各个阶段妇女工作的任务与使命。

1973 年，内蒙古妇联恢复机构以后，仍然处在“文化大革命”时期，没有能够正常开展有益的活动。1978 年 9 月，自治区妇联根据第四次全国妇代会精神，结合内蒙古拨乱反正，改革开放，恢复、发展经济的中心任务，大力开展了妇女工作，带领全区各族妇女发挥了“半边天”的作用，在自治区的各条战线上，广泛开展了“三八”红旗竞赛活动；在城乡宣传贯彻新婚姻法，普遍开展“五好家庭”活动。1983 年，全区共评选出旗县以上“三八”红旗手 7 800 多名，“三八”红旗集体 1 023 个，其中有 256 名个人和 44 个集体受到全国妇联表彰。全区各级妇联发动和组织各族妇女，加强以共产主义思想为核心的精神文明建设，全区共评选出“五好家庭”8 972 户，其中有 300 户受到全国妇联的表彰。从而把全区妇女发动了起来，开创了妇女工作的新局面。

内蒙古妇联提出要把妇女工作同党的总任务、总目标联系起来，同经济体制改革和对外开放联系起来；要把维护妇女儿童合法权益的工作做得更广一些、更深一些、更活一些；加强对妇女智力和人才的开发，提高妇女文化科学素质。1985 年 1 月，提出把妇女工作转移到以经济建设为中心的轨道上来，动员妇女积极投身改革，努力提高政治、文化素质，不断丰富妇女儿童工作的内容，开拓新的工作领域。

全区各级妇联紧紧围绕党的总任务、总目标，议大事、懂全局、管本行，动员和组织妇女投身改革，充分发挥妇联组织的独特作用。各地妇联大力表彰在城乡改革中涌现出的女强人、女改革者和成绩突出的专业户、个体户；并配合有关部门，为妇女发展商品生产铺路架桥。1985 年，全区以妇女为主的专业户、重点户已近十万个，占全区“两户”总数的 50% 以上。在城镇中有一大批女厂长、女经理，在改革中闯新路。各级妇联普遍开展了以共产主义思想为核心的“自尊、自爱、自强、自重”的“四自”教育，鼓励妇女做有理想、有文化、有道德、守纪律的新女性。各级妇联为提高妇女的文化、技术素质，组织妇女参加扫盲班、培训班、科技组和农业广播学校的学习。全区为妇女举办各种业务技术培训班100多期，参加学习的有3 900多人。提拔了一批年富力强的中青年妇女干部，具有大专文化程度以上的妇女干部占全区专职妇女干部的44%。

在全区各族妇女中开展“学文化、学科学，比素质、比贡献”的竞赛活动；在妇联组织和妇联干部中开展“争当优秀妇联干部和创建先进妇联组织”竞赛活动。1986年，在这项活动中涌现出42个先进妇女组织、130名优秀妇女干部、109名“女状元”，受到自治区的隆重表彰。

全区各级妇联组织围绕自治区的总任务，并从自治区的民族特点和地区特点出发，使各族妇女在经济建设、社会发展中发挥了重要作用。到1986年底，全区共有女职工120.7万人，占职工总数的36%以上。全民所有制单位的女职工有80.6万人，其中少数民族职工12.5万人，蒙古族职工8.9万人。妇女参选参政，广泛行使当家做主的权利。在各级人民代表中，妇女约占20%左右。在自治区第六届人大代表中，妇女代表占22.7%。1986年，全区女干部占干部总数的31.6%，其中蒙古族女干部3万多人。全区小学、中学在校女学生171万多人，中等专业学校在校女学生1.8521万人，高等学校在校女学生1.1349万人，其中女研究生119人。全区女知识分子、专业技术人员有11.7万多人，其中女专业技术干部4.39万多人，约占全区技术干部总数的1/3以上。在1985年自治区颁发的第一次技术进步奖中，女科技人员参加的获奖项目51项，占获奖项目总数的30%，获奖的女科技工作者82人，占获奖者总数的15%。到1987年，全区以妇女为主的乡镇、家庭企业已发展到8.4361万个，有26万妇女参加乡镇企业生产，占妇女劳动力总数的14%。全区农村、牧区已有128.2160万名妇女掌握了一门以上实用技术。[①] 这是改革开放以来妇女工作的巨大成就，是自治区妇女自尊、自信、自立、自强意识的重大进步。

20世纪90年代，内蒙古妇联提出高举团结、建设的旗帜，紧紧围绕党的指导方针和奋斗目标，励精图治，奋发自强，提高素质，开拓进取，坚决

---

① 参见郝维民主编：《内蒙古自治区史》，内蒙古人民出版社1991年版，第467页。

维护妇女儿童合法权益，精心培育儿童、少年，在两个文明建设中充分发挥主动性，为推进经济体制改革和四化建设、为妇女解放事业作出新的贡献。

自治区各族各界妇女团结一致，自尊、自信、自立、自强，全面提高自身素质，积极投身改革和建设，主动参与民主政治活动，为维护自治区的政治稳定和国民经济持续、稳定、协调发展，为妇女进一步解放进行了不懈的奋斗。

内蒙古自治区工商业联合会（简称内蒙古工商联） 是内蒙古自治区工商界的人民团体和民间商会，是自治区政协参加单位之一，是统一战线的组成部分，是党和政府联系非公有制经济人士的桥梁和纽带，是政府管理非公有制经济的助手。成立于1955年，“文化大革命”开始以后被撤销。1978年，内蒙古党委决定恢复内蒙古自治区工商业联合会。

内蒙古工商联的宗旨：坚持党在社会主义初级阶段的基本路线和纲领，坚持以公有制为主体、多种所有制经济共同发展的基本经济制度，坚持对广大会员进行团结、帮助、引导、教育，促进内蒙古自治区非公有制经济健康发展，为社会主义物质文明和精神文明建设，为改革开放贡献力量。

内蒙古工商联的主要职能职责：参与社会经济重大决策的协商，发挥民主监督作用；对有关法律、法规、政策的制定提出意见和建议，并协助贯彻执行；发扬自我教育的优良传统，宣传国家的方针政策，加强和改善思想政治工作，提倡爱国、敬业、诚信、守法，提高会员素质，培养非公有制经济代表人士积极分子队伍；代表并维护会员合法权益，反映会员的意见、要求和建议；引导会员弘扬中华民族传统美德，投身先富帮后富，走共同富裕道路的光彩事业，热心社会公益事业；为会员提供信息、科技、管理、法律、会计、审计、融资、咨询等服务；开展工商专业培训，帮助会员改善经营管理，提高生产技术和产品质量；组织会员举办和参加各种对内对外展销会、招商会、交易会，组织会员出国、出境考察访问，帮助会员开拓国内、国际市场；增进与港澳地区和世界各国工商社团及工商经济界人士的联系和友谊，促进经济、技术和贸易合作的发展，协助引进资金、技术、人才；为会员提供必要证明，协调关系，为会员企业调解经济纠纷；组织指导所属同业公会、行业商会及专业组织，开展会务活动；办好会办事业。①

① 陶健等主编：《内蒙古区情》，内蒙古人民出版社2006年版，第267页。

1980 年至 2000 年，内蒙古工商联先后召开五届会员代表大会（即第四届至第八届）。1980 年 3 月，内蒙古工商联召开第四届会员代表大会，传达了中华全国工商业联合会第四届会员代表大会精神，审议了自治区工商联上届执委会工作报告，通过了相应的决议，选举产生了新的领导机构。这次会议是全区工商业者整顿组织、统一步伐，在新的历史时期向“四化”进军的动员大会。

自治区工商联广大成员，在中国民主建国会和全国工商联制定的“坚定不移跟党走，尽心竭力为四化”行动纲领指导下，从自治区的特点和实际出发，发挥自己的特长，在广开门路、搞活经济方面，开展了大量的工作。为促进内蒙古的经济建设献计献策，提出了许多建议和意见；开展多种形式的经济咨询服务工作，帮助有关单位加强企业管理，提高经济效益；协助有关部门兴办和整顿集体企业，并且自办、合办集体企业，扩大就业门路；以工商专业培训为重点，在医药、百货、副食、饮食等行业，采取小型讲座、业余定期讲课和带徒弟等多种形式培训人员；积极开展对外经济联络工作；在协助政府引进技术、资金，发展对外贸易、增进友谊等方面，发挥了积极作用。

1985 年，工商联组织围绕经济体制改革，开展咨询服务。咨询服务范围由集体企业、国营企业逐步扩大到乡镇企业和个体户；咨询项目由食品工业、轻纺工业发展到机械、冶金等重工业。呼和浩特、包头二市工商联除到边远旗县及小城镇开展咨询外，还接受委托，聘请兄弟省市“两会”人员来内蒙古提供经济服务。到 1985 年 11 月，北京、天津、河北、山西、辽宁、黑龙江、青海等省市“两会”人员 193 人次来到内蒙古，对自治区的 91 个企业、117 个项目提供了咨询服务，使一些企业扭亏为盈，起死回生。1985 年末，邀请接待了香港和澳大利亚等地来内蒙古友好访问、洽谈贸易的工商界人士 28 人次，并商定了意向性项目 5 个，在包头、赤峰、哲盟、乌海、巴盟等地举办会计、糕点、缝纫专业培训班 36 期，培训学员 1 922 人。还兴办了企业和网点。这一时期，工商联的组织建设有很大发展，近四千名老会员进行了登记，并发展了一大批新会员。一些盟市及旗县纷纷恢复和建立了工商联组织，到 1986 年，全区已恢复各级工商联组织 40 个。

1987 年 3 月，自治区工商联召开五届三次执委（扩大）会议，号召全区各级工商联组织和广大会员，解放思想，强化工商联职能机构，充分发挥民间商会的独特作用，为自治区两个文明建设做出新贡献。这次会议对于转变思想、更新观念、搞好自治区各级工商联组织的恢复和自身建设，团结和组织广大会员承担新任务等起了积极作用。

20 世纪 90 年代，内蒙古工商联为自治区深入改革开放，发展社会主义市场经济，实现自治区本世纪末第二个战略目标，在职责范围内进行了大量的工作，发挥了工商联的特殊作用。自治区的工商联组织进一步发展壮大。到 20 世纪末，全区 12 个盟市和 101 个旗县（包括县级市、区）都建立了工商联组织，而且有乡镇分会 257 个，同业公会、行业商会 83 个，全区共有会员 20 118 名，直属会员企业有 48 个。

内蒙古自治区社会科学联合会（简称内蒙古社科联） 是内蒙古党委领导下的社会科学群众性学术团体的联合组织。主要职责：贯彻执行中央和内蒙古党委、政府有关社会科学工作的方针政策、法规；指导与协调自治区社会科学各学会、协会、研究会和盟市社科联的工作；组织开展各种群众性学术活动，促进社会科学学术团体之间、理论工作部门与实际工作部门之间、社会科学界与自然科学界之间的联系、交流和协作；组织重大科研项目的联合攻关，协调促进科研成果的转化和利用；开展社会科学知识的普及和信息咨询、智力开发等服务工作；开展和促进国内外学者、学术团体之间的学术交流和友好往来；组织全区社会科学成果的评奖和表彰工作，编辑出版有关学术信息资料；维护宪法和法律赋予本会团体会员及社会科学工作者的合法权益，加强社会科学界队伍建设；对自治区社会科学学术性团体的成立、变更、注销提出审查意见。

内蒙古社科联成立于 1959 年，“文化大革命”中停止活动。1980 年 6 月恢复活动，并召开第一次代表大会，有 150 多名代表参加，代表 16 个团体会员和 2 000 余名会员出席，选举产生社科联委员和领导机构，修改了社科联章程，开始了新时期的工作。此后于 1991 年 5 月召开了第二次代表大会，有 157 名代表出席，代表 64 个团体会员和 26 000 余名会员；1997 年 10 月召开第三次代表大会，有 254 名代表出席，代表 728 个团体会员和近 40 000 名会员。三次代表大会分别总结了社科联的工作，选举了各次的社科联委员和领导机构，修改了社科联章程，部署了工作。

内蒙古社科联内设办公室、学会工作部、信息咨询普及部、《前沿》杂志社、机关事务服务中心；下属社会科学学会、协会、研究会等团体会员和会员不断扩大，出版《前沿》期刊，学术交流活动日益活跃。

内蒙古自治区文学艺术联合会（简称内蒙古文联）　是内蒙古各文学艺术家协会和各盟市文联、各产业文联组成的社会团体，是党和政府联系全区各族文艺家的桥梁和纽带。主要职能：对各团体会员开展联络、协调、服务工作，通过文艺创作、理论研究、学术交流、文艺评奖等工作，对团体会员进行业务指导；致力于繁荣、发展自治区文学艺术事业，团结文艺界，组织、推动文艺界积极开展文艺创作和理论批评活动；组织和扩大文艺队伍，重视作家和艺术家的培养；促进各民族文学艺术的发展，尤其注重区内少数民族文学艺术的发展，并加强同兄弟省、市、区及国外文化交流。

内蒙古文联成立于1954年10月，在“文化大革命”中受到冲击而停止活动。1980年7月召开第三次代表大会，恢复机构，正式开展活动。1988年12月和1999年5月，先后召开第四次、第五次代表大会，总结工作，进行换届选举，部署工作。下属内蒙古作家协会、内蒙古戏剧家协会、内蒙古美术家协会、内蒙古摄影家协会、内蒙古电影家协会、内蒙古书法家协会、内蒙古曲艺家协会、内蒙古杂技家协会、内蒙古电视艺术家协会、内蒙古职工文联等13个协会；设文艺理论研究室、《草原》编辑部、《花的原野》编辑部、美术馆等业务部门；出刊文学月刊《草原》（汉文）、《花的原野》（蒙文）、音乐期刊《草原歌声》和蒙文文学翻译刊物《世界文学译丛》、蒙文文艺理论刊物《金钥匙》等杂志。全区文联各艺术门类会员13 930名，其中全国会员1 338名。

内蒙古自治区归国华侨联合会（简称内蒙古侨联）　中共十一届三中全会以后，全区各级党委和人民政府加强对侨务工作的领导，落实侨务政策，对归侨和侨眷实行“一视同仁，不得歧视，根据特点，适当照顾”的政策，妥善解决他们生活和工作中的问题，使广大归侨和侨眷的爱国热情和建设祖国的积极性不断提高。

内蒙古侨联的主要职责：广泛团结归侨、侨眷和海外侨胞，充分发挥他们在开展经贸合作和科技、文化等方面的优势和作用，负责做好归侨、侨眷人大代表、政协委员、侨联委员人选的推荐工作，参与政治协商，发挥民主监督作用；反映归侨、侨眷和海外侨胞及侨资企业的意见和要求，提出解决问题的意见和建议；依照法律和侨联章程，独立自主地开展工作，维护归侨、侨眷和海外侨胞的合法权益；积极联系广大归侨、侨眷和海外侨胞，凝聚侨心，发挥侨力，集中侨智，引导他们共同致力于祖国的完全统一和振兴中华的伟大事业。

1980年6月16日至21日，内蒙古自治区召开第一次归国华侨代表大会，通过了《内蒙古自治区归国华侨联合会章程》,选举产生了第一届侨联的领导机构。这是自治区成立以来，全区各族归侨、侨眷第一次团结的盛会，也是各族归侨、侨眷为“四化”建设贡献力量动员大会。

内蒙古侨联在内蒙古党委的领导和全国侨联的指导下，按照上述职责，充分发挥了联系广大归侨、侨眷和海外侨胞的桥梁和纽带作用，在积极宣传党的侨务政策、配合自治区侨办广泛进行侨胞普查工作和落实侨务政策等方面做了大量工作，取得了很大成绩。全区广大归侨、侨眷发扬爱国爱乡的光荣传统，以振兴内蒙古为己任，发挥了“海外关系”的特殊优势，积极为自治区经济建设作贡献。内蒙古华侨引进服务公司积极为自治区的建设和归侨、侨眷的生产致富引进资金、技术、设备和人才，并为他们从事贸易、劳务、管理等经济活动牵线搭桥、提供咨询服务。同时，城镇归侨和侨眷集体、个体企业也正在兴起。几年来，全区有34名归侨、12名侨眷被授予全国或全区先进生产（工作）者光荣称号，2人被评为全国“三八红旗手”、2人被评为全国“边陲优秀儿女”。中共十一届三中全会以来，有328名归侨和侨眷光荣地加入了中国共产党，他们为扩大爱国统一战线、实现祖国统一做出了贡献。

内蒙古自治区台湾同胞联谊会（简称内蒙古台联） 1983年12月19日至23日，内蒙古自治区台湾同胞第一次代表会议召开，正式成立了内蒙古自治区台湾同胞联谊会，通过了《内蒙古自治区台湾同胞联谊会章程》和《给台湾父老兄弟姐妹的致敬信》,选举产生了联谊会第一届理事会。自治区台联的成立，是内蒙古台湾同胞政治生活中的一件大事，极大地调动了他们献身“四化”建设和祖国统一大业的积极性。

内蒙古台联充分发挥其群众组织的优越性，发挥党和政府联系台湾同胞的桥梁和纽带作用，开辟了多领域、多渠道、多形式的工作。台联积极组织全区的台湾同胞努力学习党的方针政策；加强同台湾地区各族人民和旅居国外台胞的联系，广泛宣传党和政府的政策；对全区台胞的工作、生活情况进行了详细的调查；妥善安置老台胞，积极培养新台胞，接待了来自治区探亲、旅游、参观、访问、洽谈贸易的台胞，密切配合有关部门做好对他们的服务和安置工作；积极投身于自治区的建设事业，并努力与台湾地区的同胞进行民间往来。这些工作的开展，对扩大爱国统一战线，促进全民族的大团结，实现祖国和平统一大业有着重要的意义。

内蒙古自治区红十字会（简称内蒙古红十字会）　1995 年 5 月，机构单设，理顺了管理体制，业务主管部门是内蒙古自治区卫生厅。业务范围：宣传实施《中华人民共和国红十字会法》及国际人道主义法；备灾救灾，卫生救护；组织红十字青少年，进行社区服务；兴办实业，开展国际友好往来和国际援助等。

内蒙古红十字会成立于 1956 年，隶属于内蒙古自治区卫生厅，“文化大革命”期间停止活动。1987 年 5 月，恢复机构与活动。1995 年 5 月，机构单设，理顺了管理体制，并在全区盟市、旗县逐步实行“三列”，即机构单列、人员列编、经费列支，形成自上而下、独立自主开展工作的组织体系，发展会员单位近 2 000 个、会员 30 多万人。

内蒙古红十字会坚持人道主义、博爱、奉献的红十字精神，以崇高的职业道德，团结群众、艰苦奋斗，经受了水灾、雪灾、地震等重大自然灾害的考验，积极协助政府开展救灾救助工作，为改善最易受伤害群体的生活境况做出了积极的贡献。20 世纪末 21 世纪初，累计筹集救灾款物计 2 亿元，为灾民提供了粮食、衣物，参与灾区重建，累计援建灾民新村 74 个 5 389 户，红十字学校 35 所，医院和卫生院 20 所，卫生室 9 个，养老院 1 所，牲畜暖棚 410 座；组织医疗队开展巡回医疗活动，组织医疗队 400 多个，培训不脱产红十字急救员 7 万余名；从 2000 年起组织“扶贫复明行动”，募集资金 100 多万元，为贫困白内障患者免费实行复明手术。红十字会精神在内蒙古发扬光大。①

① 参见陶健等主编：《内蒙古区情》，内蒙古人民出版社 2006 年版，第 267—269 页。

第七节 社会主义精神文明建设

一、中共中央关于社会主义精神文明建设的决策

在社会主义现代化建设的新时期，全党工作重点转移到现代化建设上来以后，中共中央多次郑重指出，在建设高度物质文明的同时，要努力建设高度社会主义精神文明。这是建设社会主义的战略方针。从1979年9月以来，在中共中央的有关决议、决定和中央领导人的重要讲话中，反复论述了建设社会主义精神文明的重要性。

1982年5月28日，中共中央转发中宣部、团中央《深入持久地开展“五讲四美”活动争取社会主义精神文明建设的新胜利》的通知，从五个方面指出：一是总结以往“五讲四美”和“全民文明礼貌月”活动的成果、经验和社会影响；二是强调“五讲四美”活动要经常化，其关键在于各级领导要坚定确立“两个文明一起抓”的指导思想；三是深入开展“五讲四美”活动的中心环节，是坚持用共产主义思想、道德教育人民，特别是教育党员、干部和青少年；四是“五讲四美”活动要落实到基层，建立健全规章制度，使之经常化、制度化；五是中共中央已经把开展“五讲四美”活动列为全党全民的一件大事。①

1986年9月26日，中共十二届六中全会通过了《中共中央关于社会主义精神文明建设指导方针的决议》，阐明了社会主义精神文明建设的战略地位：社会主义现代化建设的总体布局是以经济建设为中心，坚定不移地进行经济体制改革，坚定不移地进行政治体制改革，坚定不移地加强精神文明建设，使这几个方面互相配合，互相促进。物质文明建设为精神文明建设的发展提供物质条件和实践经验，精神文明建设为物质文明的发展提供精神动力和智力支持。社会主义精神文明建设，是关系社会主义兴衰成败的大事。社会主义精神文明建设的基本指导方针：必须是推动社会主义现代化建设的精神文明建设，必须是促进全面改革和实行对外开放的精神文明建设，必须是

① 参见王维澄主编：《有中国特色社会主义大典》，天津人民出版社1993年版，第484页。

坚持四项基本原则的精神文明建设。社会主义精神文明建设的根本任务：适应社会主义现代化建设的需要，培育有理想、有道德、有文化、有纪律的社会主义公民，提高整个中华民族的思想道德素质和科学文化素质。①

1996 年 10 月，中共十四届六中全会通过了《中共中央关于加强社会主义精神文明建设若干重要问题的决议》，进一步阐述了社会主义精神文明建设的指导思想：以马克思主义、列宁主义、毛泽东思想和邓小平建设有中国特色社会主义理论为指导，坚持党的基本路线和基本方针，加强思想道德建设，发展教育科学文化，以科学的理论武装人，以正确的舆论引导人，以高尚的精神塑造人，以优秀的作品鼓舞人，培养“四有”社会主义公民，提高全民族的思想道德素质和科学文化素质，团结和动员各族人民把我国建设成为富强、民主、文明的社会主义现代化国家。《决议》提出今后 15 年精神文明建设的主要目标：在全民族牢固树立建设有中国特色社会主义的共同理想，牢固树立坚持党的基本路线不动摇的坚定信念；实现以思想道德修养、科学教育水平、民主法制观念为主要内容的公民素质的显著提高，以积极健康、丰富多彩、服务人民为主要要求的文化生活质量的显著提高，以社会风气、公共秩序、生活环境为主要标志的城乡文明程度的显著提高；在全国范围形成物质文明建设和精神文明建设协调发展的良好局面。

经过十多年社会主义精神文明建设的实践与总结，1995 年，中宣部、农业部在全国农村开展了以创建文明家庭、文明村镇和文明乡镇企业为主要内容的农村群众性创建精神文明活动。1996 年冬，铁路、航空、交通、邮电、卫生、内贸、电力、公安、建设、金融等十大“窗口行业”和部门率先实施了以“为人民服务，树行业新风”为主题的创建文明行业活动，相继推出 150 多项改进服务的措施和 300 多个文明服务示范窗口单位；1997 年 1 月，新闻界公布了全国新闻系统 41 家精神文明示范单位，新闻出版署、中国出版工作者协会也联合公布了全国 10 家新华书店精神文明示范单位；5 月，民政、工商、旅游、司法、水利等十大行业也相继向社会公布了本行业文明服务示范单位、服务标准和监督措施。1997 年 3 月，创建文明城市、文明村镇示范点工作正式启动。中宣部公布了 100 个创建文明城市示范点、

① 参见王维澄主编：《有中国特色社会主义大典》，天津人民出版社 1993 年版，第 500 页。

55 个小区、44 条街道和 3 个区；公布了 200 个创建文明村镇示范点、50 个县、50 个乡和 100 个村。7 月，由中央精神文明建设指导委员会部署的“讲文明、树新风”活动在全国普遍开展，向更广的范围、更深的层次上拓展。

中共中央决策、倡导，由中央和国家各有关部门、单位、行业实施，经过近 20 年的实践、探索，逐步形成了具有中国特色的社会主义精神文明建设思想理论、指导方针和基本内容，在社会主义经济建设、社会进步中发挥了巨大而不可替代的作用。

二、内蒙古的社会主义精神文明建设

内蒙古在全国社会主义精神文明建设历史的轨道上，根据自治区的民族特点、地区特点，从 1981 年到 2000 年，持续不断地开展了社会主义精神文明建设活动。二十多年来，每年都有精神文明建设的计划，年年都有精神文明建设工作的总结；各个年度既有贯彻始终的精神文明建设的主题，又有不断创新的活动内容；精神文明建设中有检查验收、复查认定程序，还有各色各样的竞赛、评比、命名、挂匾活动；参加建设的单位、行业无所不包，涉及建设的方面广泛周到。社会主义精神文明建设逐步形成了全社会的总动员。

二十多年来的社会主义精神文明建设，大体分为 3 个阶段，1981 年至 1985 年可视为初创阶段，1986 年至 1995 年是发展阶段，1996 年至 2000 年是强化阶段。

初创阶段　从中央来说，1981 年 2 月 25 日，全国总工会、共青团中央、全国妇联、全国文联、中央爱卫会、全国学联、全国伦理学会、中国语言学会、中华全国美学学会向全国人民特别是青少年倡议：开展以讲文明、讲礼貌、讲卫生、讲秩序、讲道德和心灵美、语言美、行为美、环境美为内容的“五讲四美”文明礼貌活动。同日，中共中央宣传部等 16 个单位联合发出《动员起来，扎扎实实抓好活动的联合通知》，要求搞好今年 3 月第一个“全民文明礼貌月”活动，开好头，做出榜样。2 月 28 日，中共中央宣传部、教育部、文化部、卫生部、公安部联合发出了《关于开展文明礼貌活动的通知》，要求相应部门积极支持各群众团体开展文明礼貌活动。从中央的群众团体到有关党政部门相呼应，把这样一个政治建设、社会治理的倡议提到全社会面前，这是一个伟大的举动。12 月 10 日，《中央领导同志关于大张旗鼓地提倡社会主义精神文明的批示》中提出：必须动员全国一切广播（包括电视广播）和一切报纸，每天都有各种各样（个人与集体、男人与女人、大人与小孩、军人与非党群众、民族与民族、归国华侨和在中国的国际友人等等）动人的好典型报道，也有少量的对错误思想倾向的批评和揭露。1982 年 2 月 17 日，中央转发的中宣部《关于深入开展“五讲四美”活动的报告》中决定，每年 3 月为“全民文明礼貌月”，并提出治理“脏”“乱”“差”的问题。1983 年 3 月 30 日，中央成立了“五讲四美三热爱”活动委员会，领导全国的社会主义精神文明建设工作。

内蒙古自治区按照中央的部署，迅速行动，积极领导。1981 年 3 月 2 日，共青团内蒙古自治区委员会举办了“学雷锋树新风”座谈会，从而发出了开展社会主义精神文明建设的信号。3 月 13 日，内蒙古党委召开座谈会，由常务书记王铎主持，讨论自治区促进社会主义精神文明建设问题。内蒙古党委宣传部、自治区教育厅、高教局、文化局、卫生局、公安厅以及工会、青年团、妇联、文联、爱卫会、学联、社会科学院哲学研究所等部门、单位的负责人参加，讨论了自治区社会主义精神文明建设问题。与会者认为医治“文革”造成的精神领域的创伤，要从以“五讲四美”为内容的文明礼貌活动抓起，进行共产主义思想、理想、信念、道德、情操、精神、纪律的建设，这是现阶段社会主义精神文明建设的重要内容和步骤。会议确定，当年的活动重点是中小城市和旗县所在地城镇，教育的对象侧重在青少年；3 至 4 月上旬开展全区“五讲四美”宣传月活动。内蒙古党委遂发出《关于在全区广泛开展“五讲四美”文明礼貌活动的座谈会纪要》。3 月 17 日，内蒙古党委宣传部转发中宣部等单位 2 月 28 日《关于开展文明礼貌活动的通知》,从而拉开了内蒙古自治区社会主义精神文明建设的序幕。自此，全区以“五讲四美”为主要内容，各种形式的精神文明建设活动逐步展开。12 月，内蒙古党委、政府通知，在元旦、春节期间，全区农牧区开展“五讲四美”活动，提倡树立新风，反对陈规陋习；提倡学科学用科学，反对封建迷信；提倡爱国家爱集体，勤俭办事业，勤俭持家，反对破坏公共财物，反对铺张浪费；提倡团结互助，反对损人利己。宣传婚事新办，处理赌棍、巫婆、神汉、吸毒贩毒、盗窃财物和危害农牧区安定团结的犯罪分子。社会主义精神文明建设有针对性地向农村牧区推进。①

1982 年，内蒙古自治区迅即开展了第一个“全民文明礼貌月”活动。2 月 27 日，内蒙古党委召开“全民文明礼貌月”活动动员大会，蒙汉各族干部群众和军队指战员 1 500 多人参加。3 月 2 日，呼和浩特开展“全民文明礼貌月”活动第一个统一行动，内蒙古自治区党政军领导人周惠、廷懋、王铎、孔飞等和出席旗县委书记会议的全体人员，以及蒙汉各族干部群众 4 000 多人，参加打扫卫生，美化环境的劳动。接着，党政军机关和群众团体纷纷开展“全民文明礼貌月”活动，带动了全区，形成了全区文明礼貌月活动的热烈气氛。②

与此同时，内蒙古自治区进行了检查、评比、表彰活动。5 月 8 日，内蒙古党委直属机关举行“全民文明礼貌月”活动表彰大会，内蒙古党委常务书记王铎等领导人及直属机关干部群众 1 000 余人参加，表彰了 3 个红旗单位 19 个先进集体 97 名积极分子，并颁发了奖旗、奖状和奖品。5 月 15 日，内蒙古自治区人民政府直属机关也举行了表彰大会，自治区主席孔飞等领导人及直属机关干部群众数百人参加，表彰了 15 个先进集体 114 名积极分子，颁发了奖状和奖品。由自治区党政机关首先开展“全民文明礼貌月”活动，发挥了表率作用。③

紧接着，5 月 23 日至 31 日，内蒙古自治区召开全区宣传工作会议，传达中央的部署，总结“全民文明礼貌月”活动的成果与经验，专题研究社会主义精神文明建设并使之经常化、制度化问题，制定了具体措施，推动全区的精神文明建设。9 月 30 日，内蒙古党委宣传部召开自治区有关厅局、群众团体负责人会议，公安、交通、商业、教育、卫生、粮食、财政、民政、文化、高教、城建、工商、民航、工会、团委、妇联、爱卫会、呼铁局、内蒙古日报社、内蒙古广播电台和呼和浩特市委宣传部的负责人参加，

① 参见内蒙古自治区文明委：《内蒙古自治区精神文明建设大事记》，内蒙古大学出版社 2004 年版，第 1—6 页。

② 参见内蒙古自治区文明委：《内蒙古自治区精神文明建设大事记》，内蒙古大学出版社 2004 年版，第 9—10 页。

③ 参见内蒙古自治区文明委：《内蒙古自治区精神文明建设大事记》，内蒙古大学出版社 2004 年版，第 13—14 页。

部署深入开展“五讲四美”活动，广泛开展治理脏、乱、差，把社会主义精神文明建设推进一步。① 内蒙古第一个“全民文明礼貌月”活动取得了理想的效果。

在1983年至1985年期间，内蒙古自治区的社会主义精神文明建设的组织领导进一步完善，建设内容不断充实，活动形式多种多样，初步形成了经常化、制度化的工作。1983年2月24日，内蒙古党委决定：自治区、各盟市、旗县建立“五讲四美三热爱”活动委员会。1984年成立了内蒙古自治区“五讲四美三热爱”活动委员会（简称“五四三”委员会，“三热爱”即热爱祖国、热爱社会主义、热爱共产党），内蒙古党委常委、宣传部长乌恩任主任，自治区人民政府副主席赵志宏、内蒙古党委宣传部副部长刘云山任副主任，下设办事机构“五四三”委员会办公室。直至2000年，内蒙古自治区“五四三”委员会组成人员进行了5次调整更换。各盟市、旗县也陆续成立了“五四三”委员会。内蒙古自治区社会主义精神文明建设有了专门领导机构和具体办事机构。

1983年第二个“全民文明礼貌月”活动，以“五讲四美三热爱”为主要内容，普遍开展“三优一学”竞赛，即比优质服务，比优良秩序，比优美环境和学雷锋、争先进。2月27日，呼和浩特市600多个益民小组和学雷锋小队近万名共青团员及青年群众，走上街头，开展“三优一学”活动。内蒙古党委、政府领导人周惠、孔飞等以及共青团中央书记处书记克尤木·巴吾东，参加了这次活动。3月1日，全区20多万共青团员和青年参加了此项活动。11月，铁道部授予89/90次列车流动红旗嘉奖，内蒙古自治区人民政府命名其为“文明列车”。这一年突出抓了4项活动：有针对性地进行了“三热爱”教育；紧密联系改革，开展了“三优一学”活动；深入开展学雷锋、学先进活动；抓了文明村（镇）、文明厂（矿）、文明商店、文明单位和五好家庭的建设。②

① 参见内蒙古自治区文明委：《内蒙古自治区精神文明建设大事记》，内蒙古大学出版社2004年版，第14、16页。

② 参见内蒙古自治区文明委：《内蒙古自治区精神文明建设大事记》，内蒙古大学出版社2004年版，第21、25页。

1984 年，自治区“五四三”活动和“全民文明礼貌月”活动，以全区普遍地、大力地创建文明单位为主要内容，在继续治理“脏、乱、差”的基础上，进一步搞好优质服务，建设优良秩序，创建优美环境，改变社会风气，搞好“三优一学”活动；城乡文明建设，逐渐由创建文明村（嘎查）为主转向文明城镇建设，重点抓盟市和旗县所在地的文明建设。自治区“五四三”委员会按照上述内容，全面推进全区社会主义精神文明建设，9 月 2 日，命名伊克昭盟伊金霍洛旗阿腾席热镇为“文明镇”、呼和浩特铁路局 89/90 次列车为“文明列车”、东胜中药厂为“文明厂”。12 月 25 日，在总结此前精神文明建设经验的基础上，自治区“五四三”委员会提出并经内蒙古党委批准文明单位基本标准：（一）领导得力，党风端正，党团员模范作用好；（二）政策落实，积极改革，生产、工作好；（三）贯彻党的民族政策，各族干部、群众团结好；（四）民心健康，尊老爱幼，照顾病残孤寡好；（五）环境整洁，绿化、美化、净化工作好；（六）遵纪守法，安定团结，社会秩序好；（七）礼貌待人，热情周到，服务质量好；（八）执行人口政策，计划生育好；（九）重视科普文化教育，文娱、体育活动好。这是一个内容丰富，内涵深刻，涉及面广，切合自治区民族特点、地区特点的标准；是适应自治区政治建设、社会治理的标准。

1985 年 1 月 14 日，自治区“五四三”委员会提出当年自治区“五四三”活动的要求：高举团结建设的旗帜，把既定的整个活动抓得更紧、更实，创建更多的、水平更高的文明单位，着重抓好盟市、旗县所在地和二连浩特、满洲里等地的文明城市建设，以城镇带农村，以农村促城镇。自治区“五四三”委员会首先检查、指导、协调内蒙古自治区党、政、军机关与呼和浩特市共建文明活动；3 月末到 5 月 3 日，组织检查组分赴各盟市、旗县检查、验收和指导、协调社会主义精神文明建设。一组赴东部哲里木盟、兴安盟、呼伦贝尔盟和赤峰市的 14 个旗（县、市）、5 个乡镇、4 个嘎查村、1 个居委会、1 个旗县级渔场、1 个铁路分局和当地驻军的 2 个军级机关、10 个师级机关（包括军分区）、12 个团级机关（包括武警支队）、3 个连队（包括 1 个武警中队），对群众创建文明单位活动和军（警）民共建精神文明活动，进行了检查、验收和协调工作。另一组赴乌兰察布盟集宁市和清水河县、包头市、伊克昭盟伊金霍洛旗伊金霍洛苏木哈拉霍少嘎查、鄂托克旗额尔和图苏木、巴彦淖尔盟和乌海市等地，对群众性创建文明单位活动进行了检查、指导。经过检查、验收，8月15日内蒙古党委、政府、军区命名：哲里木盟通辽市、包头市青山区、赤峰市红山区、伊克昭盟伊金霍洛旗阿腾席热镇、伊克昭盟东胜中药厂、呼和浩特铁路局89/90次列车车队等32个单位为文明单位；51151部队56分队等6个单位为军（警）民共建文明单位。授予：呼和浩特市机床附件厂等198个单位为精神文明先进集体；51131部队2分队等单位为军（警）民共建先进集体。①

从8月23日开始，内蒙古自治区党委、政府、人大以及有关厅局领导人和自治区“五四三”委员会负责人，分赴呼和浩特、赤峰、乌兰察布、巴彦淖尔、兴安、呼伦贝尔、哲里木等盟市，向被命名为社会主义精神文明建设“文明单位”、社会主义精神文明建设先进集体授匾、挂匾，颁发荣誉证书和奖状。从而对初创阶段的社会主义精神文明建设作了一个圆满的总结。

发展阶段　1986年2月18日，内蒙古自治区“五四三”委员会提出，1986年自治区“五四三”活动要突出以共产主义思想为核心的“四有”教育，大面积、高标准地创建文明单位；文明单位不实行终身制，每年复查一次，不合格的要摘掉文明匾。随即开始年度检查，由自治区“五四三”委员会牵头，以西部盟市“五四三”委员会负责人组成赴东部检查组，7月10日至8月上旬进行检查；以东部盟市“五四三”委员会负责人组成赴西部检查组，9月4日至10月9日进行检查。② 通过检查、指导，推动了精神文明建设的发展。

9月28日，中共十二届六中全会通过了《中共中央关于社会主义精神文明建设指导方针的决议》，阐明了社会主义精神文明建设的战略地位、基本指导方针和根本任务。这是中央对社会主义精神文明建设的战略性部署。10月3日，内蒙古党委宣传部发出学习宣传中央决议的通知。12月3日，

---

①　内蒙古党委、政府、军区发布：《关于命名表彰“文明单位”及“社会主义精神文明建设先进集体”的决定》（1985年8月15日）。

②　参见内蒙古自治区“五四三”委员会：《关于1986年全区继续深入开展五讲四美三热爱活动要点》（1986年2月18日）。

内蒙古党委提出贯彻中央决议的意见：（一）认真组织好对《决议》的学习；（二）广泛开展对《决议》的宣传；（三）进一步开展民族团结教育；（四）开展热爱内蒙古，献身内蒙古，振兴内蒙古的活动；（五）加强职业道德建设；（六）抓好普法守纪教育；（七）加强农村牧区基础教育；（八）积极引导农牧民文明、健康、科学生活；（九）加强广播、电视事业发展步伐；（十）搞好农村牧区文化建设。①

1987 年 1 月 24 日和 3 月 13 日，内蒙古自治区“五四三”委员会分别发出 1986 年精神文明建设工作总结和 1987 年工作要点。1986 年以创建城乡文明单位为主要内容的“五四三”活动，促进了两个文明建设，社会风气日趋改善，社会治安明显好转，服务质量进一步提高，环境面貌明显改观，文明村镇建设有了新的发展，农牧民开放意识正在替代封闭观念，军（警）民共建文明活动取得了新成果。1987 年要突出抓好城乡文明单位建设活动和“窗口”单位文明礼貌、优质服务活动，继续开展禁止赌博、吸毒、封建迷信、酗酒滋事的活动。城镇开展“做文明市民，创文明单位，建文明城市”活动；农村牧区倡导文明、健康、科学的生活方式，婚丧从简，移风易俗。② 3 月 14 日，内蒙古党委决定自治区“五四三”委员会改名为内蒙古自治区精神文明建设委员会。各级精神文明委员会，围绕上述内容，开展了各种形式的竞赛评比活动。7 月 10 日，内蒙古党委、政府、军区联合命名包头市昆都伦区等 62 个单位文明单位，授予呼和浩特市公共汽车公司等 175 个单位精神文明建设先进集体称号，陆续授匾、挂匾，颁发荣誉证书和奖状。③

从 1988 年开始，内蒙古自治区的精神文明建设从内容到形式有了明显的发展。2 月，自治区精神文明建设委员会 1988 年的工作要点中提出开展

① 参见内蒙古党委：《关于 1987 年贯彻执行〈中共中央关于社会主义精神文明建设指导方针的决议〉的意见》（1986 年 12 月 3 日）。

② 参见内蒙古自治区“五四三”委员会：《内蒙古自治区五讲四美三热爱活动委员会 1986 年工作总结》（1987 年 1 月 24 日）和《内蒙古自治区五讲四美三热爱活动委员会 1987 年工作要点》（1987 年 3 月 13 日）。

③ 内蒙古党委、政府、军区：《关于命名文明单位和表彰精神文明建设先进集体的决定》（1987 年 7 月 10 日）。

以创“三优”（优美环境、优良秩序、优质服务）为主要内容的文明城镇建设活动和以“六抓、六治、六变”（抓生产发展，治穷变富；抓思想教育，治旧变新；抓文化科学，治愚变智；抓社会秩序，治乱变安；抓服务质量，治差变优；抓环境建设，治脏变美）为主要内容的文明村、嘎查，文明乡、苏木建设活动，对以前的建设内容作了归纳创新。2 月 13 日，内蒙古党委提出《关于全区 1988 年至 1990 年社会主义精神文明建设的安排意见》12 条，在原来精神文明建设内容的基础上，强调和充实了更为文明广泛的内容，如强调加强民族团结，发展安定团结的政治局面；建设团结、富裕、文明的内蒙古；加强民主法制和纪律教育；加强教育工作，大力培养人才；发展科技事业，加快振兴经济步伐；繁荣民族文化艺术事业，丰富人民精神生活等，在精神文明建设中赋予了经济、文化、教育、科技等新的内容，体现了精神文明和物质文明相互关系的内涵。

在 1988 年至 1990 年的三年期间，加强了精神文明建设的力度，各行各业各类竞赛评比，检查验收，命名表彰，复查认定等工作，频频进行。1989 年 4 月，内蒙古自治区精神文明建设委员会、自治区农业委员会、民政厅联合发出创建文明嘎查（村）、文明苏木（乡、镇）活动的意见，继续以“六抓、六治、六变”为主要内容，引导广大农牧民走科学种田、科学养畜、科学致富的道路；同时制定了文明嘎查（村）的 10 项标准，包括党的建设、领导班子、生产、教育、科技、文化、移风易俗、社会秩序、计划生育、环境治理等达标内容。① 1990 年 8 月 14 日，内蒙古自治区党委、政府、军区命名呼和浩特市郊区巧报乡后巧报村、赤峰市喀喇沁旗马蹄营子乡、哲里木盟通辽市丰田乡建新村、锡林郭勒盟阿巴嘎旗青格力宝力格苏木等 48 个苏木（乡、镇）、嘎查（村）为文明苏木、乡、镇和文明嘎查、村；表彰 8 个单位为军（警）民共建先进单位；② 8 月 20 日，表彰了全区一批大中型优质服务百货商场、优秀营业组和优秀营业员，授予呼和浩特市内蒙古民族

① 内蒙古自治区文明委、农业委员会、民政厅：《关于广泛开展创建文明嘎查（村）、文明苏木（乡、镇）活动的意见》（1998 年 4 月）。

② 内蒙古党委、政府、军区：《关于命名文明苏木、乡、镇和嘎查、村，表彰军警民共建先进单位的决定》（1990 年 8 月 14 日）。

商场等7个单位为“全区大中型百货商场优质服务竞赛甲级单位”称号，赤峰市昭乌达商场等6个单位为“全区大中型百货商场优质服务竞赛乙级单位”称号，呼伦贝尔盟扎兰屯市大华商场棉布组等34个营业小组为优秀营业小组，包头市百货大楼马美珍等41名营业员为优秀营业员，并颁发了牌匾、证书。① 8月30日，内蒙古党委、政府、军区命名赤峰市喀喇沁旗马蹄营子乡等27个单位为文明苏木、乡、镇和文明嘎查、村，颁发了牌匾；为全区7个大中型百货商场优质服务竞赛甲级单位颁发了文明牌匾。②

3年来，全区精神文明建设的深入开展，振奋了民族精神，坚定了社会主义信念，激发了人们的生产积极性，提高了道德文化素质，促进了经济发展；进一步增强了民族团结，对稳定政治、稳定经济、稳定社会，发挥了积极作用；弘扬了正气，抵制和抨击了丑恶行为；改善了城乡的环境面貌。

从1991年到1996年10月，内蒙古自治区的社会主义精神文明建设从内容、形式到效果，都有了巨大发展。1991年1月12日，公布了《文明单位管理暂行规定》和《内蒙古自治区精神文明建设委员会及其办公主要职责》,精神文明建设工作开始制度化、规范化建设。1991年的精神文明建设工作，一是学习，把中央和自治区党委有关指示，以及各地的经验，纳入政治学习的内容；二是坚持学雷锋活动；三是制定规划，健全各项规章制度，强化管理手段；四是大力加强农村牧区的精神文明建设；五是狠抓文明单位的创建和各种共建活动。文明城市建设要突出抓好廉政建设，加强行业的精神文明建设，纠正不正之风。农村牧区继续以“六抓、六治、六变”为内容，突出抓“除六害”、“治四乱”、“兴五风”活动，开展“一乡、二村、一组、十户”活动（一乡即文明乡、苏木、镇；二村即文明村、嘎查，民族团结友谊村、嘎查；一组即党群共建文明组；十户即爱国贡献户、民族团结户、科技示范户、遵纪守法户、文化教育户、卫生整洁户、计划生育户、

---

① 内蒙古自治区文明委、商业厅、广播电视厅、内蒙古日报社联合发布：《关于表彰全区大中型优秀服务百货商场、优秀营业组和优秀营业员的决定》（1990年8月20日）。

② 参见内蒙古自治区文明委：《内蒙古自治区精神文明建设大事记》,内蒙古大学出版社2004年版，第106页。

移风易俗户、五好家庭户、双文明户)。①

1991 年，学雷锋，树新风，成为精神文明建设的主题活动。自治区文明委组织 12 名学雷锋标兵、先进人物，组成 3 个报告团，从 3 月 4 日开始，分赴各盟市巡回报告，历时 16 天，行程万余里，共作了 47 场报告，直接听众达 4.7 万多人次。内蒙古电视台举办“全区学雷锋树新风”纪实电视展播，举办了学雷锋大型摄影展。内蒙古党委、政府授予包头市工商银行办事处等 52 个单位为“学雷锋先进集体”；乌云、南斯勒玛等 30 人为“学雷锋标兵”；张书荣、桑吉德玛等 126 人为“学雷锋积极分子”。3 月 4 日，在呼和浩特举行了表彰大会。②

4 月，自治区那达慕大会领导小组和自治区文明委决定开展“那达慕文明杯”竞赛活动，设“那达慕文明优质服务杯”、“那达慕文明优美环境杯”、“那达慕文明优良秩序杯”、“那达慕文明城市杯”4 种杯，使自治区的精神文明建设注入了具有鲜明的民族特点的内容。经过周到精密的组织，10 月间，圆满地完成了“那达慕文明杯”竞赛评比程序；11 月 7 日，内蒙古党委宣传部隆重举行了自治区那达慕宣传工作表彰大会，内蒙古党委、政府、军区领导人向竞赛优胜者颁发奖杯和证书。获奖者分别是：荣获自治区“那达慕文明杯”竞赛第一名的是呼和浩特市新城区等 25 个单位和地区，荣获第二名的是海拉尔市百货大楼等 34 个单位和地区，荣获第三名的是包头市 10 路公共汽车等 44 个单位和地区。内蒙古自治区“那达慕文明杯”竞赛，其新闻宣传规模之大，活动范围之广，参赛单位之多，气氛之热烈，影响之深远，是自治区历次大型活动中最为突出、国内外影响最大的一次活动。它把自治区的精神文明建设从内容到形式、从广度到深度，更推进了一步。③

5 月，内蒙古自治区文明委经内蒙古党委批准，决定对 1984 年到 1989

---

① 参见内蒙古自治区文明委：《关于 1991 年全区群众性精神文明建设活动的安排意见》(1991 年 1 月 30 日)。

② 参见内蒙古自治区文明委：《内蒙古自治区精神文明建设大事记》，内蒙古大学出版社 2004 年版，第 114—118 页。

③ 参见内蒙古自治区文明委：《内蒙古自治区精神文明建设大事记》，内蒙古大学出版社 2004 年版，第 118、120、122、123、124、125 页。

年命名的264个自治区级文明单位和军（警）民共建先进单位以及自治区文明委命名的4组文明列车进行全面复查，并制定了复查方案，组织6个复查组分6片复查。第一片呼伦贝尔盟、兴安盟；第二片哲里木盟、赤峰市；第三片呼和浩特市、锡林郭勒盟；第四片包头市、乌兰察布盟；第五片伊克昭盟、巴彦淖尔盟；第六片乌海市、阿拉善盟。①

1992年3月14日，自治区文明委发布自治区级文明单位复查结果：对取得突出成绩的73个单位和1组列车通报表扬；对有一定进步的183个单位和3组列车予以认定；对停止不前，某些方面不具备文明单位标准的7个单位给予警告批评，暂缓认定，到1992年8月底之前如能认真整顿，经再次复查，重新达标者撤销警告，予以认定，仍不达标者除名摘匾；对于存在严重问题而不具备文明单位标准的1个单位，撤销其文明单位称号，并摘其牌匾；对已撤销原建制的4个单位，自行取消其文明单位称号。②

1993年到1996年期间，按已经形成的精神文明建设基本内容，开展创建活动。1994年4月5日，内蒙古党委、政府批转自治区文明委关于《内蒙古自治区文明单位建设管理暂行规定》，确定文明单位的创建活动实行条块结合，以块为主的原则；创建工作着重搞好基础建设，积极开展创建文明班组、文明科室、文明岗位、文明楼院、文明家庭、"十星级奔小康文明户"以及评选"四有"职工、"四有"公民等活动。修订后的文明单位的10项基本标准：即党的建设和领导班子好；精神文明建设活动开展的好；思想政治工作好；职业道德、社会公德教育好；经济效益和社会效益好；民族团结好；教育、科技、文化、体育活动好；遵纪守法、综合治理好；计划生育好；环境绿化、美化、净化好。③《暂行规定》和10项标准，不仅总结概括了以往的精神文明建设成果，而且增加或强化了经济效益、教科文体、计划生育的要求，进一步拓展、完善了精神文明建设内容，提高了它的战略地位。

4月15日，内蒙古自治区文明委发出全面复查和重新认定自治区级文明单位的通知，复查以《内蒙古自治区文明单位标准》为依据；对党纪、

① 参见内蒙古自治区文明委：《关于复查自治区级文明单位的通知》（1991年5月11日）。
② 参见内蒙古自治区文明委：《关于自治区级文明单位复查结果的通报》（1992年3月14日）。
③ 参见内蒙古自治区文明委：《内蒙古自治区文明单位建设管理暂行规定》（1994年4月5日）。

民族团结、综合治理、计划生育、税务、环境保护等方面存在的严重问题以及企业出现非政策性严重亏损，实行一票否决；复查方法采取看、听、访，明查与暗查相结合，复查组检查与群众意见相结合；复查步骤，文明单位自查，盟市复查组全面复查，自治区文明委复查组抽查；符合标准者予以认定，不符合标准的取消其文明单位荣誉称号，对不断进步成绩突出者通报表扬。[①] 这是根据存在的问题，实施新标准，强化管理的重要举措。

6 月 2 日，内蒙古党委、政府、军区命名内蒙古电力学校、呼和浩特市郊区巧报乡等 137 个单位为 1992—1993 年度自治区级文明区、文明乡、文明镇、文明苏木、文明企业、文明学校、文明单位；[②] 9 月 8 日，内蒙古自治区文明委表彰 1992—1993 年度全区 89 个军（警）民共建先进地区、单位和 174 个先进工作者，颁发了光荣牌匾和荣誉证书。[③] 7 月 10 日至 8 月初，自治区文明办组织 3 个组，对 1984 年到 1991 年期间命名的 362 个自治区级文明单位重点抽查 118 个单位。[④] 11 月 22 日，发出复查结果通报，对于取得突出成绩，起到文明单位的典型示范作用的 43 个单位予以表扬；对于继续保持荣誉称号，且有一定进步的 231 个单位予以认定；对于停滞不前，在某些方面存在一些问题的 26 个单位予以警告批评，限其整改；对于因部队整编、企业兼并、体制改革、建制改革而撤销建制或改变性质的 14 个单位自然取消其文明单位称号；对于存在严重问题已不符合文明单位标准的 34 个单位撤销其文明单位荣誉称号，收回牌匾。[⑤] 11 月 28 日，自治区文明委公布了《内蒙古自治区军（警）民共建精神文明活动暂行规定》，对于军（警）民共建的指导思想、主要内容、基本形式、基本原则、组织领导、表

① 参见内蒙古自治区文明委：《关于全面复查和重新认定自治区级文明单位的通知》（1994 年 4 月 15 日）。

② 参见内蒙古党委、政府、军区：《关于命名 1992—1993 年度自治区级文明单位的决定》（1994 年 6 月 2 日）。

③ 参见内蒙古自治区文明委：《关于表彰 1992—1993 年度全区军（警）民共建社会主义精神文明先进单位的决定》（1994 年 9 月 8 日）。

④ 参见内蒙古自治区文明委：《内蒙古自治区精神文明建设大事记》，内蒙古大学出版社 2004 年版，第 165 页。

⑤ 参见内蒙古自治区文明委：《关于对 1991 年前命名的自治区级文明单位复查结果的通报》（1994 年 11 月 22 日）。

彰办法等都做了明确规定。在实践中总结经验的基础上，社会主义精神文明建设在规范化、制度化方面迈出了新的步伐。

与此同时，内蒙古党委为贯彻中共中央《爱国主义教育实施纲要》，结合精神文明建设，制定了实施规划，开展了一系列活动。12 月 7 日，内蒙古党委宣传部与自治区农业厅、畜牧厅、文化厅、公安厅等 12 个单位联合发出开展组织文化下乡，禁毒、禁赌，反对封建迷信，提高全社会文明水平活动的意见，肯定了以往精神文明建设的突出成就，同时指出基层文化生活比较贫乏，科普工作比较薄弱，已经绝迹的丑恶东西又沉渣泛起，种毒、贩毒、吸毒、赌博以及封建迷信活动趋于蔓延，侵蚀人们的思想，危害社会风气，影响社会治安，严重损害两个文明建设，引起人民群众的不满情绪。为此，在今冬明春集中开展一次有针对性的战役。①

1995 年，内蒙古自治区文明委拟定在全区开展星级文明城镇和文明杯竞赛，在全区盟市所辖市、区，旗县所在地的城镇开展星级文明城镇竞赛活动，在宾馆、商场、公交、交通、电业、医院、邮电、铁路、银行、旅游、集贸市场、个体工商户、社会治安、城市美化等 14 个行业开展文明杯竞赛活动；拟定了贯彻中央关于《爱国主义教育实施纲要》的实施规划，与社会主义精神文明建设结合起来，密切结合“热爱内蒙古、建设内蒙古、振兴内蒙古”为主题的爱国主义教育。在开展上述活动的同时，11 月 6 日，发出对 1994—1995 年度 170 个单位验收合格为文明单位的通报。11 月 23 日，对 1994 年验收存在问题并予批评警告的 26 个单位，经过再次复查，达到了标准的，撤销警告，重新认定其文明单位称号。

1996 年，结合爱国主义教育，全区开展“五十佳”评选活动。在城镇评选爱国爱家、文明素质高、事迹突出的十佳市民；在企业评选热爱本职、业绩突出的十佳职工；在“窗口”单位评选业务拔尖、文明待客的十佳服务标兵；在农村牧区评选学用科学、勤劳致富奔小康的十佳带头人；在政法部门评选业务精通、文明执法的十佳执法标兵。8 月，命名呼和浩特市乌兰

① 内蒙古党委宣传部与自治区农业厅、畜牧厅、文化厅、公安厅等 12 个单位联合发出：《关于贯彻中央八部委〈通知〉精神，组织文化下乡，禁毒、禁赌、反对封建迷信，提高全社会文明水平活动的安排意见》（1994 年 12 月 7 日）。

夫纪念馆等 27 个单位为爱国主义教育基地，评选出 155 名精神文明建设先进工作者。

1986 年以来的 10 年间，内蒙古自治区的社会主义精神文明建设，从内容到形式有了很大的发展，而且逐步走上规范化、制度化，克服形式主义，注重求真务实，其内容向社会的纵深发展，向高层次的理性发展，社会效应日渐明显。

强化阶段　1996 年 10 月，中共十四届六中全会通过了《中共中央关于加强社会主义精神文明建设若干重要问题的决议》，进一步深刻阐述了社会主义精神文明建设的指导思想，提出今后 15 年的基本目标，特别指出在新形势下以经济建设为中心，使物质文明建设和精神文明建设相互促进、协调发展，防止和克服一手硬、一手软；在深化改革、建设社会主义市场经济体制的条件下，形成有利于社会主义现代化建设的共同理想、价值观念和道德规范，防止和遏制腐败思想和丑恶现象的滋长蔓延；在扩大对外开放、迎接世界新科技革命中，吸收外国优秀文明成果，弘扬祖国传统文化精华，防止和消除文化垃圾的传播，抵制敌对势力对我国"西化"、"分化"的图谋。这是在社会主义现代化建设进程中必须解决的历史性课题，也是社会主义精神文明建设强化深化的课题。从此，社会主义精神文明建设进入了一个新的发展阶段。

内蒙古自治区党委、政府按照中共十四届六中全会的《决议》和部署，对自治区的社会主义精神文明建设进行了认真的研究部署。11 月 3 日，中共内蒙古自治区第六届四次全委会议通过了贯彻《中共中央关于加强社会主义精神文明建设若干重要问题的决议》的意见，提出自治区今后五年社会主义精神文明建设的主要目标：在马列主义、毛泽东思想和邓小平理论指导下，以加强思想道德、科学文化、民主法制教育为主要内容，实现公民素质的明显提高；以坚持党的全心全意为人民服务宗旨为核心，实现干部队伍素质的明显提高；以加强社会主义职业道德建设为重点，实现行业风气的明显好转；以群众性精神文明创建活动为主要形式，实现城乡社会风尚的明显好转，促进物质文明建设与精神文明建设协调发展。并制定了 10 项具体任务。11 月 13 日，内蒙古自治区文明委提出了自治区 1996—2000 年精神文明建设规划。

按照中央的“决议”精神、内蒙古党委的贯彻“意见”和规划，自治区有条不紊地开展精神文明建设。1997年1月，做出了1—3月全区开展文化、科技、卫生“三下乡”活动的安排。所谓“三下乡”，一是文化下乡，组织图书、报刊、戏剧、电影电视下乡，开展群众性文化活动，丰富基层精神文化生活，满足农牧民的文化需求；二是科技下乡，组织科技人员、科技信息下乡，广泛开展科普活动，宣传、推广适用科学技术，满足农牧民学习科技知识，提高致富本领的需求；三是卫生下乡，组织医务人员下乡，扶持乡村卫生组织，培训农村牧区卫生人员，提高农牧民健康水平。遂组织3个系统人员，分赴各盟市、旗县，深入乡、苏木和嘎查、村，开展“三下乡”活动，收到了良好的效果。① 1998年11月18日，内蒙古党委宣传部等13个部门联合发布表彰“三下乡”活动中的先进集体、先进个人等决定，对包头市科委等63个先进集体、张月世等90名先进个人、赤峰市委宣传部等4个优秀组织单位和内蒙古日报社汉文科教部等5个先进新闻单位予以表彰奖励。

1995年以来，全区11个“窗口”行业“文明杯”竞赛健康地发展起来。1997年2月，表彰了169个竞赛优胜单位。是年，全区精神文明建设工作安排为：1. 各级党政机关广泛开展“三优一满意”活动，即“创优质服务、优良作风、优美环境的文明机关，做人民满意的公仆”活动；2. 开展“热爱内蒙古，建设内蒙古”的主人翁精神教育活动；3. 以首府为重点建设21个文明城市；4. 深化群众性精神文明创建活动；5. 开展社会服务承诺制为重点的文明行业评比竞赛活动；6. 开展评比“十星级奔小康文明户”为基础的创建文明苏木、乡、镇和文明嘎查、村活动；7. 深入开展爱国主义教育；8. 进行社会公德建设，开展社会公德教育；9. 开展精神文明建设调查研究和理论研讨；10. 建立健全精神文明建设的运行机制。② 5月20日，内蒙古自治区文明委决定从6月底到7月中旬，组织3个组分赴各盟市，检查验收1996年和1997年度自治区级文明单位和文明单位标兵。8月27日，

① 参见内蒙古党委宣传部等13部门联合发出《关于贯彻落实中央宣传部等十部委〈通知〉精神，组织开展文化、科技、卫生“三下乡”活动的安排意见》（1997年1月5日）。

② 参见内蒙古自治区精神文明建设委员会：《1997年全区群众性精神文明建设工作具体安排意见》（1997年3月11日内蒙古党委、政府办公厅批转）。

经党中央、国务院、中央军委批准，表彰了北京市西城区厂桥街道办事处和驻军某部等 231 对军民共建社会主义精神文明先进单位，颁发了江泽民题写的“军民共建社会主义精神文明先进单位”牌匾，内蒙古有 7 对 14 个单位受到表彰，获此荣誉称号。

几年来，在城市开展了以创“三优”、提高市民素质为目标的星级文明城市竞赛活动，全区有 27 个市区参加竞赛；在农村牧区开展了以奔小康、提高农牧民科学文化水平和思想觉悟为目标的“十星级奔小康文明户”的评比竞赛活动，全区有 89 个旗县、1 425 个苏木乡镇、10 989 个嘎查村的 234 万多农牧民参加竞赛活动；在“窗口”行业开展了以加强职业道德建设、提高服务质量为重点的行业文明杯竞赛，有 11 个行业系统参加了竞赛活动。在这三大创建活动中，确定创建文明城市示范点 42 个，文明行业示范点 101 个，文明村镇示范点 21 个。期间，全区表彰了“五十佳”标兵 50 名，授予：李国安等 10 人为“十佳市民”，邵玉镇等 10 人为“十佳职工标兵”，汤进富等 10 人为“十佳执法标兵”，巴雅尔图等 10 人为“十佳奔小康带头人”，乌兰等 10 人为“十佳服务标兵”。广泛开展爱国主义教育，编写爱国主义教材 183 种，共印发 649 万多册，图片 10 余种 6 000 多幅，建成爱国主义教育基地 495 个。① 1998 年 2 月 23 日，自治区文明委决定授予张贵等 205 人为 1996—1997 年度全区精神文明建设先进工作者荣誉称号。②

1998 年 12 月 22 日，内蒙古自治区文明委按照全国农村精神文明建设工作会议的精神，对全区农村牧区精神文明建设作了专题安排，重点抓六项工作，一是突出抓思想道德教育；二是抓“十星级奔小康文明户”的创建评比活动；三是抓创建文明村镇活动示范点工作，到 2000 年建成 1 个乡镇城市化示范区（县）、10 个文明建设示范镇、100 个文明中心小城镇、1 000 个小康建设示范嘎查、村；四是加强文化阵地建设，力争到 2000 年实现乡乡有规范化、标准化、功能齐全的综合服务文化站；五是搞好“讲文明、

---

① 参见内蒙古自治区精神文明建设委员会：《内蒙古自治区群众性精神文明创建活动情况汇报》（1997 年 11 月 17 日）。

② 参见内蒙古自治区精神文明建设委员会：《关于表彰 1996—1997 年度全区精神文明建设先进工作者的决定》（1998 年 2 月 23 日）。

树新风”活动向农村牧区的延伸；六是继续抓好“三下乡”活动。[①]

1999年2月1日，内蒙古自治区文明委通报了对1992—1995年命名的自治区级文明单位的复查结果：对于两个文明建设中创造出新经验，两个文明建设位于全区同行业前列，有良好的社会声誉和整体形象的55个单位予以通报表扬；对于能够保持荣誉称号并有一定进步的223个单位予以认定；对于某些方面存在问题的6个单位予以警告；对存在严重问题，已不符合文明单位标准的7个单位，撤销其自治区级文明单位荣誉称号。另外，自治区级11个文明单位因机构撤销，其荣誉称号自然取消[②]。

2月24日，内蒙古自治区文明委发出全区农村牧区精神文明建设“一十一百”评选活动的方案，主要是以苏木乡镇、嘎查村为基本参评单位，重点选拔示范点和自治区“一、十、百、千”工程建设试点村镇；并对“十星级奔小康文明户”和十佳苏木乡镇、百佳嘎查村的评选做出了规定。[③] 3月23日，公布了《内蒙古自治区创建文明行业（系统）标准及管理办法（试行）》，其标准：组织领导好、本职工作好、创建活动好、行风和服务好、思想道德教育和科技文化培训好、民族团结好、环境卫生好、综合治理好共8条。4月4日，内蒙古自治区文明委等11个单位，联合发出关于开展“保护生态环境，倡导文明新风”活动的意见，主要是搞好植树绿化，清理白色垃圾，改善空气质量，治理水污染。为此，围绕保护生态环境，治理环境污染，提出组织10项活动。[④] 把保护生态环境纳入了精神文明建设，是新内容新发展。6月22日，自治区文明办与纠风办提出开展“优质规范服务，倡导文明新风”活动，要求突出坚持为人民服务，树立行业新风这一主题；突出以社会服务行业（即窗口行业）、其他行业中的服务窗口（即行业窗口）为两个重点；落实制定服务规范，实施规范化服务，解决群众实际问题等三项任务；

---

① 参见内蒙古自治区精神文明建设委员会：《关于贯彻全国农村精神文明建设工作座谈会精神，加强我区农村牧区精神文明建设的具体安排意见》（1998年12月22日）。

② 据内蒙古自治区精神文明建设委员会：《关于对1992—1995年命名的自治区级文明单位复查结果的通报》（1999年2月1日）。

③ 据内蒙古自治区精神文明建设委员会：《全区农村牧区精神文明建设“一十一百”评选活动方案》（1999年2月24日）。

④ 据内蒙古自治区精神文明建设委员会等：《关于在全区开展“保护生态环境，倡导文明新风”活动的安排意见》（1999年4月4日）。

抓好制度规范、加强教育、完善管理、强化监督这四个环节。[①] 把纠正不正之风与精神文明建设联系了起来，延伸了精神文明建设的范围与内容。

这一年，内蒙古自治区文明办于3月25日通报全国在内蒙古创建的文明城市、文明村镇活动示范点的复查结果，中央文明办复查审核认为，呼和浩特市金蒙电力城小区、赤峰市元宝山区向阳小区、包头市钢铁大街商业街、通辽市科尔沁区、兴安盟科右前旗额尔格图苏木、巴彦淖尔盟乌拉特前旗大佘太镇南苑村、赤峰市敖汉旗四道湾子镇二道湾子村符合标准，重新确认为"全国精神文明建设活动示范点"，并正式挂牌。5月18日通报全区各盟市创建文明城市、文明村镇活动示范点复查结果，呼和浩特市金蒙电力城小区等62个创建活动示范点合格，分别确认为：全区创建文明城市活动文明小区示范点、文明街道示范点；全区创建村镇活动文明苏木示范点、文明乡（镇）示范点、文明嘎查示范点、文明村示范点。内蒙古自治区文明委颁发了牌匾。[②] 7月15日通报对1997—1998年度全区星级文明城市竞赛考核验收结果，参加甲组竞赛的城市被评为四星级的6个、三星级的5个、二星级的1个；参加乙组竞赛的城市被评为四星级的7个、三星级的4个、二星级的6个。[③] 8月7日，内蒙古自治区文明委发布命名表彰"十星级奔小康文明户"评比活动和十佳苏木乡镇、百家嘎查村的决定，命名：呼和浩特市土默特左旗兵州亥乡等12个苏木乡镇为全区"十星级奔小康文明户"评比活动十佳苏木乡镇；呼和浩特市郊区西菜园乡西菜园村等100个嘎查村为全区"十星级奔小康文明户"评比活动百佳嘎查村。9月16日，中央文明委表彰全国精神文明创建工作先进单位，包头市被评为全国先进文明城市工作先进市；赤峰市等12个市、苏木乡镇、嘎查村被评为全国创建文明村镇工作先进市、镇、村；包头市煤气公司营业部等6个单位被评为全国创建文明行业工作先进

---

① 据内蒙古自治区精神文明办、纠风办：《关于深入开展"优质规范服务，倡导文明新风"活动的通知》（1999年6月22日）。

② 据内蒙古自治区精神文明建设委员会《关于对全区创建文明城市、文明村镇活动示范点复查结果的通报》（1999年5月18日）。

③ 据内蒙古自治区精神文明建设委员会《关于对1997—1998年度全区星级文明城市竞赛考核验收结果的通报》（1999年7月15日）。

单位；内蒙古新城宾馆等15个单位被评为全国精神文明建设先进单位。[①]

2000年，内蒙古自治区的精神文明建设，在继续既定方针和内容的同时，又提出了新的课题，采取了新的措施。一是学习、贯彻江泽民总书记关于精神文明建设的重要批示，增强对精神文明建设的责任感、使命感；二是突出重点，增强实效；三是坚持“两手抓、两手都要硬”的方针。2月24日，中央文明办提出开展“倡导文明新风，共建美好家园”活动的要求。3月14日，内蒙古党委、政府、军区批转了内蒙古自治区文明委关于2000年精神文明建设的安排，在总结以往精神文明建设的内容和经验的基础上，归纳为10个方面的工作。[②] 3月22日，内蒙古自治区文明委与民政、公安、建设、文化、卫生、体育、团委、妇联、科协等10个部门联合提出开展“倡导文明新风，共建美好家园”活动的实施意见，按照巩固、提高、延伸、辐射的思路，继续解决文明言行、环境卫生、服务质量、交通秩序这4个方面存在的问题，在继续推进“送温暖，献爱心”、“保护生态环境，倡导文明新风”等工作的同时，开展“倡导文明新风，共建美好家园”的活动。美化居住环境、维护治安秩序、丰富文体生活、普及科学知识、拓展社区服务、密切人际关系，是这一活动的主要内容，从而推动“讲文明、树新风”活动向社区延伸。[③] 紧接着于4月7日内蒙古自治区文明委发出开展“双十佳”评选活动的通知，决定在全区旗县所在地的城关镇和旗县（市、区）行政区域内的建制镇中开展“十佳文明示范城关镇”和“十佳文明示范建制镇”评比活动，按照发展小城镇、带动农村经济和社会发展的发展思路，将“讲文明、树新风”活动向农村延伸。[④] 从而把自治区的精神文明建设推向了新的发展阶段。

这一年的1月18日，内蒙古党委、政府、军区发布《关于命名1998—

① 参见内蒙古自治区文明委办公室编《内蒙古自治区精神文明建设大事记》，内蒙古大学出版社2004年版，第271页。

② 参见内蒙古自治区精神文明建设委员会：《2000年全区精神文明建设工作安排》（2000年3月14日）。

③ 参见内蒙古自治区精神文明建设委员会等10部门：《关于深入开展“倡导文明新风，共建美好家园”活动的实施意见》（2000年3月22日）。

④ 参见内蒙古自治区精神文明建设委员会：《关于开展全区“双十佳”评选活动的通知》（2000年4月7日）。

1999年度自治区级文明单位和文明单位标兵的决定》，命名内蒙古公安厅机关等219个单位为自治区级文明单位（文明苏木、文明嘎查、文明学校、文明企业、文明医院）；命名内蒙古大学等39个单位为自治区级文明单位标兵。2月16日，内蒙古自治区文明委和内蒙古人事厅表彰1998—1999年度全区精神文明建设先进工作者，杭光义等214人荣获全区精神文明建设先进工作者称号。① 8月10日，内蒙古自治区文明委决定命名兴安盟扎赉特旗音德尔镇等10个城关镇为全区“十佳文明示范城关镇”。② 11月，中共中央宣传部、中央文明办、文化部实施“百县宣传文化中心”建设工作，资助内蒙古自治区建设9个“宣传文化中心”，包括图书馆（室）、阅览室、多功能教室、展览室、文化活动室、宣传橱窗等，建筑面积不低于2 000平方米，经费由中央和自治区各出50%。③ 11月21日，内蒙古自治区文明委上报对1998年度中央“百县乡镇宣传文化工程”定点资助的内蒙古自治区20个苏木乡镇进行检查，验收合格，全部投入使用。④ 这一年，自治区精神文明建设工作，重点突出，措施有力，推动有序，效果明显，以优异的成就、圆满的结局，送走了伟大的20世纪。

内蒙古自治区的社会主义精神文明建设，在改革开放和社会主义现代化建设的20多年中，大体上经历了初创、发展、强化3个阶段。社会主义精神文明建设，从“五讲四美三热爱”到“全民文明礼貌月”；从创“三优一学”到“三优一满意”；从开展“三下乡”到“彩虹文化计划”；从创“十佳”“十星”到文明单位、文明社区、文明村镇；从“学雷锋、树新风”到“倡导文明新风，共建美好家园”；从思想道德领域到教科文体领域；从社会领域到经济领域；从精神文明到物质文明；从“一手硬、一手软”到“两手抓、两手都要硬”，等等，活动的内容步步拓展，活动的内涵层层深

---

① 参见内蒙古自治区文明委、内蒙古人事厅：《关于表彰1998—1999年度全区精神文明建设先进工作者的决定》（2000年2月16日）。

② 参见内蒙古自治区文明委：《关于命名表彰全区“十佳文明示范城关镇”的决定》（2000年8月10日）。

③ 参见内蒙古党委宣传部、内蒙古自治区文明委、文化厅：《关于做好“百县宣传文化中心”建设工作的实施意见》（2000年11月20日）。

④ 参见内蒙古自治区文明委：《关于内蒙古自治区1998年度“百县乡镇宣传文化工程”检查验收的报告》（2000年11月21日）。

入。精神文明建设活动的方式多种多样，有群众性建设活动，也有各级党政领导组织建设的工程；有各式各样的竞赛评比活动，更有频繁的检查验收、奖励惩罚的制度。这是一场伟大的社会变革和社会治理工程，也是一项社会治本工程。它强烈地冲击着人们的心灵，激荡社会前进的浪涛。它的社会效益、经济效益，是不言而喻的。但是，由于精神文明建设内容不断更新、充实，活动形式不断变化调整，变化、更新之快使人们始料不及，难以适应；贪形式，走过场的现象也不乏存在，预期效果不能完全达到，甚至有虚假夹杂其中。当然，社会主义精神文明建设不可能一蹴而就，还要不断深化发展。

第 十 二 章

经济发展　社会巨变

第一节　经济建设方针与发展战略

内蒙古党委和政府遵循全党全国社会主义现代化建设新时期的总任务总方针，通过对内蒙古实际的认识再认识，在二十年（1980—2000）的实践中制定和逐步完善经济建设方针和发展战略，推动了自治区的现代化建设。

一、落实、放宽政策，恢复、发展生产

1978 年 12 月，中共十一届三中全会作出了《中共中央关于加快农业发展若干问题的决定（草案）》。“全会认为，全党目前必须集中主要精力把农业尽快搞上去，因为农业这个国民经济的基础，这些年来受了严重的破坏，目前就整体来说还十分薄弱。只有大力恢复和加快发展农业生产，坚决地、完整地执行农林牧副渔并举和‘以粮为纲，全面发展，因地制宜，适当集中’的方针，逐步实现农业现代化，才能保证整个国民经济的迅速发展，才能不断提高全国人民的生活水平。为此目的，必须首先调动我国几亿农民的社会主义积极性，必须在经济上充分关心他们的物质利益，在政治上切实保障他们的民主权利。从这个指导思想出发，全会提出了当前发展农业生产的一系列政策措施和经济措施。”① 这是中央在新时期开始后，对农业问题

① 中共中央文献研究室编：《三中全会以来重要文献选编》（上），人民出版社 1982 年版，第 7 页。

的基本方针。

1979年2月7日，内蒙古党委和政府根据中央上述方针，从内蒙古的实际出发，提出《关于尽快地把我区农牧业生产搞上去的意见》（以下简称《意见》）。《意见》提出在中央“以粮为纲，全面发展，因地制宜，适当集中”方针指导下，从自治区的实际出发，“实行农牧林结合，宜农则农，宜牧则牧，宜林则林。在近一二年内主要是落实政策，休养生息，调整恢复，培养地力，改善牧场，增加收入，为稳定、全面、高速度地发展农牧林业生产积极准备条件。从长远来说，就是要以牧为主，全面搞好农牧林业的生产和配置，大力发展生产力，逐步实现全区农牧林的现代化”，使“内蒙古自治区在农牧林业生产高度发达的基础上，建成祖国的畜牧业基地，为国家多贡献畜产品、油料和食糖。”《意见》规划了农牧林业生产布局，制定了相应的生产方针，即牧业区，实行“以牧为主，围绕畜牧业生产，发展多种经济”的方针；半农半牧区，逐步改为“以牧为主，农牧林结合，因地制宜，全面发展”的方针；农业区，实行“以农为主，农林牧结合，多种经营，全面发展”的方针。① 这是新时期，内蒙古党委和政府在对内蒙古的农、牧、林业实际分析、认识的基础上，提出恢复、发展农牧林业生产的第一个指导方针。

根据中央的方针政策和自治区的实际，内蒙古党委和政府制定了多项政策和发展农牧林业生产的各种措施，即允许社员出售自产的农产品、畜产品和副业产品；保证优先分配农牧业建设物资；大搞农田草牧场建设，发挥现有水利工程设施的效益，提高科学种田水平；禁止开荒，保护牧场，大搞草库伦和水、草、棚圈建设，提高抗灾能力；专项安排山老区建设投资，从财政、物资、技术上重点扶持；搞好工业为农牧业服务工作；恢复、充实农牧林院校和科学研究、技术推广机构的支农支牧工作。

1980年7—8月间，内蒙古党委再次提出放宽经济政策的意见，调整了粮食征购政策，对于余粮旗县、缺粮旗县、近三年连续吃返销粮或提供商品粮较多的生产队，提出了鼓励先进、解决困难的具体措施，还提出油料、甜

① 中共内蒙古自治区委员会、内蒙古自治区民族事务委员会编：《内蒙古改革开放20年》，内蒙古人民出版社1999年版，第345页。

菜和畜产品可以折顶粮食征购包干任务。对工交、财贸、基本建设等企业的所有制形式、企业自主权、工资制度等方面的政策也有所放宽；鼓励发展集体和个体手工业及服务行业以及农村牧区手工业；允许多种所有制经济成分和多种生产经营方式并存；扩大社员自留地，鼓励社员发展自留畜，不限制品种和数量，并划给一定数量的饲草、饲料地和自留树地；城镇工商业可实行计件工资制等。1981 年 2 月，内蒙古自治区人民政府对上述政策作了修订补充，发布了《关于农村牧区若干经济政策问题的布告》,进一步放宽了种树种草、生产责任制、收益分配、粮油征购、自留地、自留畜、自留树、家庭副业、农牧业税收、农贸市场、社队企业等方面的政策。

落实、调整经济政策，探索、实行发展经济的方针，取得了显著成效。1979 年，农牧业生产即获得全面丰收，缓解了粮食困难局面，大牲畜和羊的头数扭转了连续 3 年下降的局面，自留畜头数增长了 76%。1981 年与 1978 年相比，社会总产值和国民收入分别增长 6.7% 和 14.5%；工农业总产值增长 11.88%，农业总产值增长 10.9%，畜牧业年中牲畜总头数增长 13%。①

二、实行“林牧为主、多种经营”的经济建设方针

内蒙古党委和政府对自治区的历史和现状进行了实事求是的分析和总结。1958 年以后的一段时间，特别是“文化大革命”中，由于受“左”倾错误指导思想的影响，以及林彪、江青反革命集团的破坏，经济建设一度违背自然规律和经济建设规律，片面强调粮食生产，多次出现毁草毁林种粮食，造成草原退化、农田沙化、森林萎缩、生态失衡，致使农业发展缓慢，牧业、林业受到严重影响，教训是深刻的。经过两年多时间的讨论、认识、调查、研究、调整、实践，对内蒙古的自然条件、生产力状况、民族特点和地区特点，有了比较符合实际的认识。

1979 年 4 月 1 日，内蒙古党委在进一步分析内蒙古的自然特点、经济特点，总结历史经验，按照“以粮为纲，全面发展，因地制宜，适当集中”的原则，提出总体上实行“以牧为主、农林牧结合、因地制宜、各有侧重、

① 参见《内蒙古自治区志·共产党志》,内蒙古人民出版社 1999 年版，第 232—234 页。

多种经营、全面发展”的生产建设25字方针。1981年5月，向中央作了《关于内蒙古经济建设问题的报告》，提出从提高各族人民的物质文化生活水平着眼，从发展生产入手，通过调整，逐步把全区经济建设转到农轻重的轨道上，协调发展的经济建设总体设想。坚持以牧为主的25字方针，调整农牧业布局，按照林（草）—牧—粮（多种经营）的顺序，逐步改善生态环境和大农业内部的经济结构。在农业区发展粮食生产，狠抓林、牧、副、渔多种经营；在半农半牧区，少数已经沙化或水土流失严重的地方，有计划地种树种草和发展其他可能的生产；在适宜种植甜菜、油料的地方，在保持粮食产量稳定或略有增长的前提下，充分发挥糖、油生产的优势。工业上大力发展以毛纺工业为中心的农、林、畜产品加工业和少数民族用品工业，随着农、牧、林业生产的发展，逐步增加毛纺、皮革、木材、乳制品、酒、油、糖、食品等生产，改革工艺，加强综合利用；根据内蒙古的矿产资源和经济能力，重点发展能源、建材、矿产以及为农、牧、林业和为轻纺工业服务的机械制造工业，同时发展公路建设；以此为出发点发展商业、文教、卫生等事业，为经济建设服务。

1981年7月16日，中共中央书记处召开会议，主要讨论了内蒙古自治区的工作，并形成了《中央书记处讨论内蒙古自治区工作的纪要》。中央认为“内蒙古自治区在五十年代、六十年代曾经是全国的先进地区，是少数民族自治区实行民族区域自治，坚决执行党的民族政策，正确处理民族关系的模范自治区，在国内外都曾经产生过良好的影响。后来由于‘左’的指导思想的影响，工作走了弯路。重工业的发展过快，畜牧业的发展被削弱，影响了全区生产的发展。”指出在“文化大革命”中遭受破坏严重，“内蒙古自治区是全国‘重灾区’之一。”① 中共十一届三中全会以来，内蒙古党委坚决贯彻执行了三中全会的路线、方针、政策，积极平反冤假错案，认真落实民族区域自治政策和干部政策，切实整顿和加强各级领导班子，民族关系处理得比较好，生产恢复得比较快，群众生活有所改善，各族人民比较高兴。总的来说，中央对内蒙古自治区的工作是满意的。但是，内蒙古自治区

① 《中共中央关于转发〈中央书记处讨论内蒙古自治区工作的纪要〉的通知》（1981年8月3日，中发［81］28号文件）。

的生产还比较落后，群众生活还有许多困难，进一步发展生产的任务还很艰巨。

中央在阐述内蒙古自治区的经济建设方针时指出："应下决心以二、三十年或半个世纪的时间，用愚公移山的精神，因地制宜，走出一条以林牧业为主的多种经营的路子。同时，在农业区要做到粮、油、糖和农副业也有个较大的发展。工业发展的方向应该是，在发展林牧业的基础上，发展皮革、制糖、乳制品、毛纺、民族日用品、木材工业，以及国家投资的稀土、钢铁工业等。要放手发展林牧业，多种树，多种草，用几十年的时间，坚持不懈地把林业和草原发展起来。目前主要任务是发展和扩大草原，保护草原，改良草原。草原发展了，不仅畜牧业可以得到迅速发展，还可以调节气候，增加雨量，保护水土，减少风沙。要科学养畜，……这是一个战略任务。为此，必须认真解决草地、山林所有制问题。要在牧区和农业区建立和健全各种形式的生产责任制，给人民群众以看得见的物质利益，使各项工作与群众利益结合起来。除此之外，政府要拿出一部分资金发展种树、种草，在这方面找到一条投资少，效益大的路子。"① 中央把林业和畜牧业提到内蒙古经济建设的主导地位，提出"林牧为主，多种经营"的思路，实际上是把内蒙古党委和政府提出的"以牧为主，农林牧结合，因地制宜，各有侧重，多种经营，全面发展"的25字生产建设方针，概括为"林牧为主，多种经营"的经济建设方针。

为了贯彻、落实《中央书记处讨论内蒙古自治区工作的纪要》精神，内蒙古党委和政府进一步从内蒙古的实际出发，对内蒙古自治区的经济建设作了全面规划。1982年2月，内蒙古党委召开全区旗县委书记会议，对自治区经济建设的设想进行了深入的阐述，作出了详细的部署。

首先是靠政策把城乡市场特别是林、牧、粮多种经营搞活；要继续解决"大锅饭"和"铁饭碗"的问题，进一步提高劳动生产率和经济效益；在农村牧区要长期坚持各项经济政策，要总结、完善和稳定各种形式的生产责任制；要解决好荒山、荒沙和草牧场的使用权问题，加快草牧场建设的步伐；

① 《中共中央关于转发〈中央书记处讨论内蒙古自治区工作的纪要〉的通知》（1981年8月3日，中发［81］28号文件）。

在城镇要抓紧对企业的全面整顿，有重点有步骤地对现有企业进行技术改造，积极发展集体和个体经营的企业。

其次，是把现在的经济结构逐步调整到以“林牧为主，多种经营”为基础的轨道上来。主要从四个方面进行调整：1. 经济建设要往以大农业为基础的方向上调整。所谓大农业，即包括林（草）、牧、粮和多种经营。大农业发展了，经济建设领域里就会出现工业原料增多，产品市场扩大，资金积累增加，劳动力就业门路宽广的局面。2. 大农业要往“林牧为主”的方向上调整。要在稳定目前粮食总产量，并逐步有所增长的前提下，因地制宜地尽最大力量种树种草。3. 副渔多种经营的发展，有相当数量的农、林、畜产品需要自治区当地加工，这就必须有计划地积极地提高加工能力，逐步形成收购加工—销售的生产和流通线。4. 重工业要往为农、林、牧业、轻纺工业服务上调整。自治区的钢铁工业和机械工业已有一定规模，发展能源、建材、采矿等还有很大潜力。重工业主要是有计划地调整产品结构和服务方向；扩大服务领域，提高服务质量和经济效益，为国家和自治区作出贡献。

第三，是靠科学技术、科学管理和科学决策，加快经济发展速度。加快经济发展的主要途径，是对现有生产能力进行挖潜、改造、革新和增产投资，扩大内涵再生产，更重要的还是要依靠科学技术、科学管理和科学决策。因此要大力发展教育科学文化事业，加速人才培养；要充分发挥现有科技人员的作用，继续落实知识分子政策，根据“林牧为主、多种经营”的方针，逐步调整和整顿科技机构和科研项目，改变某些“大而全”、“小而全”的状况，为农林牧业、轻纺工业的发展和能源的开发利用服务。

三、确立“念草木经，兴畜牧业”主攻方向

在内蒙古党委和政府的领导下，全区各地正确贯彻“林牧为主、多种经营”的经济建设方针，经过近五年的努力在各方面取得了很大进展。但是，要振兴内蒙古，使经济发展进入全国先进行列，还需要不断总结经验，提高认识，从实践到认识，再实践到再认识，使“林牧为主、多种经营”的经济建设方针，得到全面深入的落实。

从 1986 年 4 月开始，内蒙古党委书记张曙光亲自挂帅，先后用三个多

月的时间，深入12个盟市、61个旗县和部分基层单位进行调查研究，接触了3 400多名各级各族干部，广泛听取了各方面的意见。在调查中，针对各地贯彻执行“林牧为主、多种经营”的方针和经济、社会发展的实际问题，分别出题目，发动干部、群众进行讨论。在全区性的调查研究之后，内蒙古党委集中群众的智慧，为了突出“林牧为主”的思想，形象地提出“念草木经、兴畜牧业”的口号，以促进植树种草，尽快改善生态环境，促进畜牧业的发展。在自治区直属机关各部门、全区各级有关单位还分别开展讨论，加深对自治区的自然、经济、社会的历史和现状，对自治区国民经济的基础，对全区经济和社会发展战略的认识，提高各级干部贯彻执行党的实事求是思想路线的自觉性，提高贯彻落实“林牧为主、多种经营”经济建设方针的自觉性。11月5日至29日，内蒙古党委召开了全区旗县委书记会议，传达贯彻中共十二届六中全会精神，并研究了“念草木经，兴畜牧业”的问题。12月1日至3日，在内蒙古党委召开的四届三次全委会议上，讨论并原则通过了《关于“念草木经，兴畜牧业”的实施方案（试行草案）》,要求牧区在防风固沙、种草种树、养牛养羊、加工增值、用钱买粮的基础上，搞好水、圈、草、电、路等基础设施，特别是水、圈、草的建设；半农半牧区充分发挥蒙古族善于放牧、汉族善于舍饲的特长，有计划地退耕还草还牧，充分利用秸秆、饲料、饲草，搞好舍饲、育肥和流通，走以农养牧、以牧促农、农牧结合、多种经营的道路；农区在水利、气候条件较好的地方，仍以种粮为主，实行科学种田，提高单产，不宜种粮的地方，要有步骤地退耕还牧，种草养畜；林区走林牧结合、多种经营的路子。畜牧业要从小农经济自给自足的陈旧观念束缚中解脱出来，由传统的以牲畜存栏多少为标准转到以经济效益为目的，在适当发展数量的基础上，狠抓质量、出栏、周转、流通和转化，使畜牧业真正走上社会主义商品经济的轨道。

“念草木经，兴畜牧业”不能搞“一刀切”，而要从实际出发，把全区划成5种经济类型区，因地制宜，突出优势，分类指导。（一）农牧经济型——主要是农业区和半农半牧区，约占全区总面积的20%多，而牲畜总头数占全区50%以上，畜牧业总产值也占70%以上。农民有种植经验，牧民有养畜实践，要以种草、种饲料为主，以农养牧，以牧促农，农牧结合，多种经营，形成农牧业的良性循环。（二）畜牧业经济型——主要是现在的牧区，要实行保护、建设、利用草场资源，逐步实施科学养畜的生产方针。要切实贯彻执行草原法规，护草护林人人有责；建设草原要抓水、草、圈、电、路、医、机，进行综合建设；建立合理的畜群结构，要分类分群饲养，做好繁殖、改良和疫病防治工作。（三）林牧经济型——主要是大兴安岭林区、宜林宜牧的坨沼区和丘陵区，实行以林为主、林牧结合、多种经营的生产方针。在大兴安岭林间草场发展牧业，在坨沼区和丘陵区发展林牧，以草养灌，以灌养乔，草、灌、乔相结合，以短养长，长短结合，形成“空中牧场”，达到林牧两旺。（四）小城镇经济型——主要是小城市、铁路公路沿线集镇，实行大力发展乡镇企业和第三产业，沟通城乡经济交流，为城乡人民的生产和生活服务的方针。（五）城郊经济型——主要是中小城市的郊区，实行根据市场需要，发展多种经营，按“贸、工、农”的原则，走“种、养、加”路子的方针。这是深化“林牧为主，多种经营”方针的主攻方向，是符合内蒙古自治区自然特点、经济现状、发展需求的重要举措。

四、“两带一区”经济发展总体战略

根据中共十四大加快改革开放和现代化建设的步伐，夺取有中国特色社会主义事业更大胜利的新要求，1992 年 4 月，内蒙古党委提出利用国际和国内两个市场、两种资源和两种资金，全面实施“以开放驱动全局”的“两带一区”经济发展总体战略。即自治区 18 个旗、市和呼伦贝尔盟要以满洲里市、二连浩特市及若干边境贸易点为通道和窗口，尽快形成沿边开放带；铁路干线周围选择呼和浩特市、包头市、乌海市、赤峰市、通辽市、集宁市等一批重点城市，建设出口加工生产基地，兴办高科技和经济技术开发区，广泛吸引国内外资金、技术、人才，逐步形成沿线经济技术开发带；在农牧林水和矿产资源富集的地区，建成若干各具特色的资源开发区。抓住对外开放的关键环节，以开放驱动全局，走出一条以改革促开放，以开放促改革、促发展的路子，充分利用自治区优越的沿边地理位置，确保全区经济建设快速发展。

1993 年 6 月，内蒙古党委进一步提出全面实施“两带一区”总体战略的具体措施。（一）沿边开放带建设。加快自治区边境地区由“点”到“线”的开放进程，与周边国家建立更广泛的经济联系，开拓不同层次的国际市场，实现经济领域全方位开放，实现7个具体突破：1. 放开边民互市和小额贸易；2. 简化出入境手续，方便经商人员，扩大经商范围；3. 兴建一批边境小“牧区”，鼓励边民、边区率先致富；4. 沿边与沿海结合，沿边与沿海地区联系，兴办具有竞争力的企业，共同开发国外市场；5. 大力发展边境地区旅游业；6. 发挥口岸城市和边境重点城镇的“龙头”作用，带动沿边开放带经济、贸易的全面发展；7. 对外经济技术合作。（二）铁路沿线经济技术开发带建设。铁路沿线重点城市要以发展外向型经济为目标，开辟国内、国际市场，实行全方位对外开放，吸引区外、国外的资金、技术和人才。建设出口生产加工基地，兴办高科技开发区和经济技术开发区，促进现有产业、企业的“嫁接”改造，形成一批支柱型产业和“拳头”产品，逐步增强这些区域性中心城市的吸引力、辐射功能。（三）资源富集区的开发和建设。以抓优势、重点突破、加速转化、加快发展为主导思想，以煤炭、电力为先导产业，大力发展冶金、化工、建材、轻纺、食品等工业，开发新的重点工程和改造扩建项目。

五、经济社会发展的“五大战略”

1994年12月19日，中共内蒙古自治区第六次代表大会，回顾和总结了上次代表大会以来的工作，确定了本世纪末自治区改革开放和经济社会发展的目标与任务。从1995年1月开始，为自治区改革开放进一步深化，为经济社会全面发展，为实现中共内蒙古自治区第六次代表大会提出的奋斗目标和任务，在全区范围开展了社会主义市场经济理论大学习、大讨论。通过这次学习、讨论，各级干部和群众对社会主义市场经济有了基本认识；各地各部门清理制约改革开放的思想障碍，转变思想观念，初步树立了适应市场经济的新观念；制定了一系列加快发展的改革措施；解决了许多长期困扰经济发展的实际问题。

在此基础上，提出了加快自治区经济发展的“五大战略”，即资源转换战略、开放带动战略、科教兴区战略、人才开发战略和名牌推进战略。1995年8月17日，内蒙古党委六届二次全委会议确认“五大战略”是自治区经济社会发展的主要战略，是自治区在改革开放和现代化建设中，广大干部和群众在实践中创造的宝贵经验的结晶，是实现自治区“九五”目标和任务的重大举措。

“五大战略”的基本内容：（一）资源转换战略。改变封闭型初级资源转换的状况，逐步向开放型资源综合转换的模式过渡。1. 加强农牧业资源的综合开发，实现从粗放经营向集约化经营转变；从自然农牧业向建设农牧业转变；从广种薄收向精种高产转变；从传统生产方式向先进生产方式转变；从自给自足、出售原料向外向型、加工增值转变；从数量农牧业向效益农牧业转变。2. 调整和优化工业经济结构，逐步形成根据经济发展规律自觉调整结构的良好机制。3. 重点发展以煤炭、电力为主的能源工业，以钢铁为主的冶金工业，以绒毛皮加工、医药和食品为主的轻工业，以重型载重汽车和电视接收机为主的机械电子工业等支柱产业，以及以水泥、石材、装饰材料、陶瓷为主的建材工业和以石油化工、煤化工、盐碱化工、油脂化工为主的化学工业等优势产业，逐步形成独具特色的主导产业群。4. 提高区内加工、制造和综合利用资源的比重，提高资源深度加工、综合利用、多次增值的水平。（二）开放带动战略。1. 确立以资源引技术，以产权引资金，以市场引项目，以存量引增量的新思路。2. 发展多种贸易形式，努力提高出口产品的质量和档次，巩固和发展与蒙古国、俄罗斯的经贸合作。3. 优化投资环境，搞好基础设施建设，为内外客商提供更加优质的服务；提高各个层次和各个环节的办事效率，创造良好的人文环境。4. 增强开放意识，突破地区和部门的狭隘眼界，形成全区共同发展的合力。5. 巩固和发展国内横向经济联合，加强与周边省区特别是环渤海经济区的联合，加强与其他省市的定向合作，实现优势互补。6. 继续采取产品补偿和合资、合作、联营、入股等方式，把更多的资金、技术吸引进来。（三）科教兴区战略。1. 把科学技术和教育摆在优先发展的战略位置，把经济建设逐步转移到依靠科技进步和提高劳动者素质的轨道上来，增强自治区的科技实力及向生产力转化的能力。2. 坚持以教育为本，提高全区人民的科学文化素质；建立新型的科技投入体系。3. 深化科教体制改革，推动科研、教育部门和科技人员进入经济建设主战场，从而不断提高科技成果应用率、覆盖面和规模效益，初步建立起适应社会主义市场经济体制和科教自身发展规律的科技体制和教育体制。（四）人才开发战略。1. 注重人才资源的综合开发，改革干部、人事制度，逐步建立体现市场竞争原则、充满生机和活力的用人机制，创造优秀人才脱颖而出的社会环境。2. 在普遍提高劳动者素质的同时，培养和造就数量充足、结构合理、素质优秀的党政领导干部、企业经营管理者和专业技术人员3支人才队伍，满足自治区经济发展和改革开放对人才的需求。3. 培养和发展人才市场，按照市场经济的规律，实现人才资源的合理配置。4. 重视发挥现有人才的作用，充分发掘现有人才的潜力，积极发现人才，大胆起用人才。5. 积极培养后继人才，通过大力发展教育事业，加强与发达地区的合作等形式，扩大人才培养渠道。6. 大力引进人才，制定优惠政策，吸引区外各方面的人才来内蒙古施展才华，为内蒙古的经济社会发展作贡献。（五）名牌推进战略。1. 增强全社会的质量意识、效益观念和市场竞争意识，发挥名牌产品对整个经济社会发展的推进作用。2. 促进企业强化经营管理，加速技术改造和产品的更新换代，提高工业的整体素质，切实做到创一个名牌、兴一个企业，带动一个行业乃至一个地区的经济发展。

六、“两项历史任务”与“两个转变”、“两个提高”

1996年1月，内蒙古党委六届三次全委（扩大）会议上提出自治区“九五”期间经济社会发展的总体目标，即完成基本实现小康和初步建立起社会主义市场经济体制的两个历史任务。围绕这个目标，实现“两个提高”，即提高财政收入水平，提高城乡人民的生活水平。完成这两项历史任务，实现“两个提高”，关键是要有“两个转变”，即从传统的计划经济体制向社会主义市场经济体制转变，从粗放型经营方式向集约型经营方式转变。实现“两个转变”，要有利于“两个提高”，以提高经济效益为出发点，走发挥优势，调整结构，挖掘潜力，面向市场，寻求发展的新路子，实现经济全面增长。

在“九五”期间，自治区要实现基本达小康的目标，任务是艰巨的；初步建立起社会主义市场经济体制，更非易事。要落实到提高自治区财政收入，那是要由实绩显示的；要实实在在提高城乡各族人民的生活水平，更是要看得见摸得着。因此，对内蒙古党委和政府，以及各级党政领导机关和各级领导干部，是一次严峻的考验，要向全区蒙汉各族人民有个圆满的交代。这是20世纪的最后一次拼搏。

内蒙古自治区近50年的历史变革，特别是新时期改革开放和现代化建设取得的辉煌成就，使内蒙古发生了天翻地覆的变化。这是继续发展的坚实基础。但是，必须清醒地认识到，自治区的农业基础仍然薄弱，有不少地方依然没有摆脱靠天种田的状况，有不少贫困甚至极其贫困的农村人口；畜牧业生产的基础同样薄弱，抵御自然灾害的能力还很差，特别是草原生态的日趋恶化，对畜牧业的发展和牧民的生存是很大的威胁，可以说靠天养畜的状况还没有根本改变；工业基础从总体上说比较薄弱，而且分布不均匀，技术力量也有较大差距，在自治区国民经济中的主导作用还没有充分显示出来；国民经济的整体素质不高；建设投资需求很大，而自身资金供应能力弱；交通、通讯、信息和城市服务等基础设施仍很薄弱。从纵向上看，各方面“薄弱”是特点；而横向比较，与全国总体发展水平相比，自治区经济发展的差距不是在缩小，而是在逐渐拉大，许多经济发展指标在后移，有的甚至排在全国的最后，不能不说这是当时的一个严峻的现实。当然，这只是从完成“两个历史任务”的角度和发展的眼光分析的，并不是否认新时期的长足发展。

内蒙古党委和政府提出 3 个“两”的发展思路，不仅见地很高，而且面对严峻形势，鼓足勇气，部署周详，毅然起动。这对全区各级干部既是压力，又是动力，对各族人民群众来说是期盼，期盼内蒙古自治区以灿烂的成就结束 20 世纪，以雄健的步伐跨入 21 世纪。

内蒙古在改革开放二十多年的 4 个五年计划期间，随着历史发展的进程，把握党和国家不断发展的总体方针、发展战略，逐步深化对自治区实际的认识，在历史运转中制定、完善经济社会发展方针和战略、措施，不失时机地促进具有中国特色社会主义事业在内蒙古的发展，在 20 世纪结束之际，使内蒙古自治区发生了举世瞩目的变化。

第二节　经济体制改革

一、农村经济体制改革

中共十一届三中全会以前，内蒙古农村约有 1/3 的生产队缺粮靠返销，花钱靠救济，生产靠贷款，被称为“三靠队”，另外 2/3 的生产队，多数也并不富裕。不少生产队的社员日劳动分红只有0.1元左右，社员干了一年，分红时扣去口粮款还要倒欠，此谓“倒分红”。据自治区西部地区统计，社员超支欠款户占总农户的45.2%。① 这就是问题的严重性、紧迫性所在。

1978年12月，中共十一届三中全会通过了《中共中央关于加快农业发展若干问题的决定（草案）》，提出“农林牧副渔并举和‘以粮为纲，全面发展，因地制宜，适当集中’的方针”，同时明确提出“加强劳动组织，建立严格的生产责任制”，并肯定了包工到组，联产计酬等形式。② 这是农村经济体制改革的重要信号。1979年9月，中共十一届四中全会通过了《中共中央关于加快农业发展若干问题的决定》，对我国农业现状和历史经验作了正确的分析和总结，提出了农业现代化的部署和一系列方针政策。③ 加快发展农业生产已经放到了党和国家的重要日程，而且明确地提出农村经济体制改革的问题。

1979年2月7日，内蒙古党委提出了《关于尽快地把我区农牧业生产搞上去的意见》。第二天，即以《关于农村牧区若干政策问题的决定》（以下简称《决定》）为题发表在《内蒙古日报》上。《决定》制定了恢复发展内蒙古农牧林业生产的总方针和农区、牧区、半农半牧区的三条具体方针，提出了放宽农村牧区经济的9项政策：1. 人民公社、生产大队和生产队的所有权和自主权，必须受到国家法律的保护。2. 减轻农牧民的负担，严禁“一平二调”。搞清楚农牧民身上不合理的负担，认真进行处理。3. 认真执行按劳分配的社会主义原则，克服平均主义。可以按定额记工分，可以按时记工加评议，也可以在生产队统一核算和分配的前提下，包工到作业组，联系产量计算劳动报酬，实行超产奖励。超产奖励可占超产部分的50%左右，其中实物可占10%—20%，至多不超过30%。牧区要认真推行“两定一奖”，定产、定工指标落实到畜群，责任落实到人。4. 正确执行粮食政策。粮食征购指标继续稳定在1971年到1975年“一定五年”的基础上不变……

① 参见内蒙古党委党史研究室编：《中国新时期农村的变革·内蒙古卷》，中共党史出版社1999年版，第105页。

② 参见《三中全会以来——重要文献选编》（上），人民出版社1982年版，第7页；王维澄主编：《有中国特色社会主义大典》，天津人民出版社1993年版，第367页。

③ 王维澄主编：《有中国特色社会主义大典》，天津人民出版社1993年版，第373页。

社员自留地生产的油料和甜菜，自愿卖给国家的，一律按加价收购。5. 认真贯彻社员发展家庭副业的政策。自留地退还给社员耕种，蒙古族社员的双份自留地不变。社员自主种植自留地，产品不计征，不顶口粮。牧业队社员可养自留畜十来只，可自养奶牛、乘马和役畜。自留畜仔畜由社员处理。农业队发展集体养猪、养羊、养牛，鼓励社员养猪、养羊、养兔、养鸡、养鸭和养奶牛、肉牛等，数量不限。支持社员植树造林，每户划给三五亩、十几亩，以至几十亩。6. 对农牧业的投资要逐步增加。国家对农牧业的投资，专款专用，不准挪用。自治区财政收入的 70%，盟市、旗县财政收入的 80%—90%，要用于农牧业和农用工业。物资分配优先保证农牧业建设。7. 继续搞好农田草牧场基本建设，一定要注重实效。土壤不适宜种粮食作物的，应退耕还林或退耕还牧，牧区和靠近牧区的旗县，要有计划地压缩耕地，还牧还林。8. 努力提高科学种田水平。9. 畜牧业要继续贯彻执行水、草、舍、繁、改、防、工等八项增产措施。① 这是在总结历史的经验教训，分析认识内蒙古农牧林业现状的基础上提出的恢复发展农牧林生产的方针政策，也是启动农村经济体制改革的举措。

1979 年和 1980 年，内蒙古党委和政府以放宽、落实农村经济政策，制定生产建设方针，恢复农村经济为中心，为探索农村经济体制改革，做了思想上、政策上的准备。

伊克昭盟的大部分旗县、巴彦淖尔盟五原县、乌兰察布盟卓资县和呼和浩特市托克托县等地的有些生产队也实行小段包工、定额管理，在生产队统一管理下，对农业生产中的部分环节实行承包责任制。当时，对提高社员的生产积极性，起了一定的作用，收到一定的效果，具有责任制雏形的特点，是一次有意义的探索。内蒙古党委从农村牧区发展生产的形势与提出的问题入手，进一步提出了农村牧区若干经济政策，鼓舞了农牧民发展生产的积极性。

但是，小段包工、定额管理这两种形式，仍然是在生产队统一管理的制度下，只是在部分生产环节上的承包，不可能完全消除生产上的“大帮哄”

---

① 转引自中共内蒙古自治区委党史研究室、内蒙古自治区民族事务委员会编：《内蒙古改革开放 20 年》，内蒙古人民出版社 1999 年版，第 345 页。

的弊端，而且整个农业生产周期中各个环节的劳动质量也很难保证。

中共十一届三中全会提出关于加快农业发展的方针政策，内蒙古党委和政府提出的相应的方针政策，推动了农村经济体制改革。在上述改革尝试的基础上，一些社队又提出了实行“口粮田到户”的责任制，也就是生产队给社员划一块地，由社员自种粮食，以保证其口粮自给；其余土地为生产队集体经营的“商品粮田”。在探索中又产生了“包产到组，联产计酬”的责任制形式，即在生产队组织作业组，包产到组，实行联系产量计工付酬，超产奖励，减产受罚。这两种生产责任制比起小段包工、定额管理，又前进了一步，能够较多地关注社员的利益，激励社员的生产积极性，种好口粮田，既解决社员的吃饭问题，增产又可卖余粮；包产到组、联产计酬、超产受奖，是一种集体奖励机制，在一定程度上能够调动社员的积极性。但是，这两种生产责任制，同样都是生产队统一经营管理下的生产责任制，对于调动社员的积极性都有难以克服的局限性。口粮田到户，社员倾心管理口粮田，而忽视商品粮田的经营，所以商品粮田的产量往往低于口粮田。包产到组，作业组的构成一般有两种，一种是由一户几个劳动力或兄弟亲戚几户组成的承包作业组，同心协力搞生产，人们称这是“合心组”，效果还比较好；另一种相当多的作业组是由生产队统一分配组合的，人们也说这是“合组不合心”，不能充分调动社员的积极性。不管哪一种，如果能够同心合力还好，否则“合组不合心”，难以合力，必然影响承包效果。在分配制度上由“大锅饭”变成“二锅饭”，实际上是由大集体变为小集体。这是农村经济体制改革需要解决的问题。

在实行上述两种生产责任制的过程中，富有创造性的农民，逐步解放思想，寻求更好更符合农民需求的生产责任制。实际上，在1978年春天，伊克昭盟达拉特旗耳字壕公社康家湾大队的一位妇女社员赵丑女，由于家住在远离生产队的山沟里，往返生产队几十里，不便集体出工。她毅然提出承包生产队土地的要求，居然得到生产队支持，并签订了协议，承包了14亩土地、一辆水车、一头骡子。秋后，她家的承包地亩产300公斤以上，还供应了全生产队的大白菜和大蒜，人均收入高出生产队人均收入的数倍。但是，干部和群众对赵丑女的作为评说不一，而伊克昭盟党政领导经过调查研究，给予支持。后来又得到中共中央总书记胡耀邦的肯定。赵丑女“承包土地”

的行动，比安徽省凤阳县小岗村 18 户农民实行承包早了半年，可谓全国实行“包产到户”迈出的第一步。

发展农业生产的根本出路，在于改革束缚农村生产力的生产关系；调动农民生产积极性的关键，是把生产效益同农民的个人利益很好地结合起来。在这方面，应该说赵丑女迈出了不寻常的第一步。一石激起千层浪，激活了鄂尔多斯农村经济体制变革，影响了全区农村经济体制改革。1979 年春天，伊克昭盟的大多数旗县和其他盟市的一些贫困队，开始实行“包产到户”责任制，将产量和土地一起包到农户；农业机械和水利设施等，由生产队统一经营，社员交钱使用；耕畜和农具，经民主估价后交社员使用；凡承包者，每人每年向集体交一定的公共积累。杭锦旗巴拉亥公社新明生产大队的 7 个生产队实行“包产到户”责任制，群众认为这种责任制“责任最明确，利益最直接，方法最简便，效果最明显”。“包产到户”与其他几种责任制形式相比，显示了优越性。这种以农民家庭为单位的联产承包责任制，把劳动成果与家庭收入紧密地结合在一起，在全部生产活动中彻底改变了吃“大锅饭”的平均主义状况。哲里木盟奈曼旗白音昌公社，连续 13 年吃返销粮，是有名的“老返销”，实行“包产到户”一年，不仅摘掉了“老返销”的帽子，还卖给国家 35 万斤余粮。巴林左旗浩吐尔公社的一个生产队，连续 7 年吃“返销粮”，欠国家贷款，“包产到户”一年后，由缺粮队变成了余粮队，并还清了国家的贷款。这些变化，在全区各地引起了极大的反响，广大农民积极要求实行“包产到户”生产责任制。

据统计，截至 1980 年 7 月，全区农村有 93.7% 的生产队建立了不同形式的生产责任制。其中实行小段包工、定额管理的生产队占 31.7%，包工到组、联产计酬的生产队占 30.9%，包产到户的生产队占 16.1%。伊克昭盟、巴彦淖尔盟、乌兰察布盟农村包产到户的生产队分别占各盟生产队数的 62.9%、39.9%、22.8%。[①] 就全区来说，包产到户的生产队仍然占少数。

内蒙古党委根据农村经济体制改革的形势和出现的认识问题，1980 年 7 月 28 日至 8 月 7 日，召开常委扩大会议，在认真总结全区 30 年经济建设的

① 参见内蒙古党委党史研究室编：《中国新时期农村的变革·内蒙古卷》，中共党史出版社 1999 年版，第 107 页。

主要经验教训的基础上，讨论了进一步解放思想，放宽政策，尽快把内蒙古经济搞活的问题。提出在经济政策上放宽、放宽、再放宽。在所有制方面要"多种所有制成分和多种生产经营方式并存，保护竞争，互相促进"，"国家、集体、个人适合谁干，就让谁干，谁干有利，就让谁干，这里唯一的标准，就是发展生产力，增加社会财富"。会议规定扩大社员的自留地，增加自留畜，给一部分自留树（草）地；凡有利于鼓励生产者最大限度地关心集体生产，有利于增加生产、增加商品的责任制形式都是好的，都是可行的；要允许"包产到户""包产到劳力""口粮田"等一切可以增产增收的生产责任制形式，凡是社员要求搞责任制的，由社员根据他们的实际情况自行决定，不能用行政命令的方式硬性规定实行某一种责任制，不应该"顶牛"，不应该"一刀切"。[①] 这是对自治区刚刚起步的农村牧区经济体制改革的充分肯定和理性总结。

9月27日，中共中央印发各省、市、自治区党委第一书记座谈会纪要《关于进一步加强和完善农业生产责任制的几个问题》，客观总结了我国农业曲折发展的历程和经验教训，提出了农业"专业承包联产计酬责任制，就是在生产队统一经营的条件下，分工协作，擅长农业的劳动力，按能力大小分包耕地；擅长林、牧、副、渔、工、商各业的劳动力，按能力大小分包各业；各业的包产，根据方便生产、有利经营的原则，分别到组、到劳力、到户；生产过程的各项作业，生产队宜统则统，宜分则分；包产部分统一分配，超产或减产分别奖罚；以合同形式确定下来当年或几年不变。"特别提出"在那些边远山区和贫困落后的地区，长期'吃粮靠返销，生产靠贷款，生活靠救济'的生产队，群众对集体丧失信心，因而要求包产到户的，应当支持群众的要求，可以包产到户，也可以包干到户，并在一个较长的时间内保持稳定。就这种地区的具体情况来看，实行包产到户，是联系群众、发展生产、解决温饱问题的一种必要措施。就全国而论，在社会主义工业、社会主义商业和集体农业占绝对优势的情况下，在生产队领导下实行包产到户是依存于社会主义经济，而不会脱离社会主义轨道的，没有什么复辟资本主

① 参见内蒙古党委党史研究室编：《中国共产党内蒙古地区史大事记》第3卷，内蒙古人民出版社2004年版，第46页。

义的危险，因而并不可怕。”① “纪要”既对当时农村经济体制改革给予了充分肯定，也指明了改革的方向，确定了一系列具体政策，特别是排除了人们对“包产到户”的疑虑，又对内蒙古农村牧区经济体制改革，从总体到具体指明了方向。

从 1981 年到 1984 年，内蒙古的农村经济体制改革进入一个新的阶段。经过 4 年时间，初步进行了以承包责任制为内容的农村经济体制改革，这是实行承包责任制阶段。“包工到组，联产计酬”和“包产到户”这两个阶段实际上是穿插进行，互为补充，互相促进，探索农村的经济体制的变革。

内蒙古党委和政府根据中央的精神，对自治区农业生产责任制问题进行了深入的研究，认为内蒙古总体属于祖国的边远和贫困落后地区，一些地区的生产队是“吃粮靠返销，生产靠贷款，生活靠救济”的“三靠队”。在这些地区、这些生产队“可以包产到户，也可以包干到户，并在一个较长时期稳定”实施，在“占全区 30%—40% 的穷队，都可以包产到户”，“其他一些富一些的生产队，群众要求‘包产到户’，也不要勉强限制”。1979 年，全区“包产到户”的生产队只占 5%；1980 年底全区有 40% 的生产队实行“包产到户”责任制；1981 年春季，实行“包产到户”已经成为势不可挡的潮流，在内蒙古各地农村迅猛兴起。1981 年 9 月，自治区 98% 以上的社队实行了各种形式的生产责任制，其中实行“包产到户”责任制的社队已占 65% 左右。② “包产到户”顺民心、合民意，成为全区农村的普遍要求。

“包产到户”是农村生产关系的一次大调整，是农业经营方式的一次重大改革。它把按劳分配的原则真正落到了实处，把自主权真正交给了农民，把社员的劳动责任、劳动成果和劳动报酬直接联系起来，把社会主义制度的优越性和广大农民的积极性、创造性紧密地结合在一起。农村中流行着一种形象的说法，即“勤的更勤了，懒的也变勤了。过去是喊破嗓子打烂钟，出工最早九点钟。现在不用队长叫一声，上工天不明，收工点了灯。”1980 年，在遭受特大旱灾的情况下，全区仍有 7 000 多个“三靠队”摘掉了“吃粮靠返销”的帽子，占“三靠队”的 1/3；甜菜、油料作物产量分别比

① 引自《三中全会以来重要文献选编》（上），人民出版社 1983 年版，第 503 页。

② 参见郝维民主编：《内蒙古自治区史》，内蒙古大学出版社 1991 年版，第 392 页。

上年猛增70%、20%以上，创造了历史最高水平；农牧民人均收入比上年增长16.3%。1980年到1981年4月底，全区销售的返销粮只占原计划销售的32.4%。[①]

1981年，自治区制订了维护土地、农田水利设施、大型机械、耕畜的具体规定，以保证"包产到户"责任制健康发展。当时，农村经济体制改革的形势发展很快，承包责任制不断完善。1982年，全区绝大多数社队除了承包土地以外，其他生产资料全部作价归户，取消社队统一核算，人们称这是"包干到户"，是"包产到户"的发展。所谓"包干到户"也就是"大包干"，当时统称为家庭联产承包责任制。"包干到户"的生产队逐步增加，其他形式的责任制逐渐减少。据1982年3月的统计，全区农村包产到组的生产队由占生产队总数的34.1%减少到2.2%；小段包工、定额管理的生产队由30.3%减少到2.7%；包产到户的生产队由9.9%减少到1.3%；实行包干到户的生产队由占全区生产队总数的1.2%增加到88.4%。其中实行包干到户的生产队在乌兰察布盟占生产队总数的99.9%，伊克昭盟占99.8%，巴彦淖尔盟占99.2%，锡林郭勒盟占97.1%，兴安盟占91.4%。到年底，全区农村实行大包干生产责任制的生产队达到99%。[②] 大包干责任制已扩展到公共水利建设、农业机械、农业制种、科学技术推广等农业生产的各个部门、各个环节，开发性承包有了新的发展，承包合同也更加完备。个体造林在林业生产中居首位，许多可以划拨的荒山、荒坡、荒沙等都划给农民造林，有82%的集体林已承包到户；全区共有45 000多个生产队建立了各种形式的林业生产责任制。绝大多数的蔬菜生产队实行了以"大包干"为主的家庭联产承包责任制。水利管理和渔业生产也实行了各种切实可行的承包责任制。[③] 从"包产到户"到"包干到户"只是一字之差，从"产"到"干"，是由承包产量向全面承包的发展，是生产责任制改革的深化，是充分调动农民生产积极性的有效的办法，是经济体制改革中的一次思想大解

---

① 参见郝维民主编：《内蒙古自治区史》，内蒙古大学出版社1991年版，第392页。

② 参见内蒙古党委党史研究室编：《中国新时期农村的变革·内蒙古卷》，中共党史出版社1999年版，第109页。

③ 参见郝维民主编：《内蒙古自治区史》，内蒙古大学出版社1991年版，第393页。

放，引起了强烈的社会反响。“大包干”家庭联产承包责任制成为内蒙古农村经济体制的主要形式，在农业经济的各种领域和各个方面逐步推广，走在全国农村经济体制改革的前列。

1983 年 1 月 2 日，中共中央发出《当前农村经济政策的若干问题》的一号文件，指出我国农村随着联产承包责任制和各项农村政策的推行，打破了农业生产长期停滞不前的局面，促进了农业从自给半自给经济向着较大规模商品化生产转化，从传统农业向着现代农业转化。为适应这种形势，中央阐明了农村经济政策的 14 个方面的问题，其中谈到稳定和完善农业生产责任制，仍然是当前农村工作的主要任务，指出当前随着多种经营的开展和联产承包责任制的建立，出现了大批专业户（重点户），包括承包专业户和自营专业户，出现了各项生产的社会化服务。① 1984 年 1 月 1 日，中共中央在《关于一九八四年农村工作的通知》中要求：（一）继续稳定和完善联产承包责任制，帮助农民在家庭经营的基础上扩大生产规模，提高经济效益。（二）加强社会服务，促进农村商品生产的发展。（三）继续进行农村商业体制改革，进一步搞活经济。② 为了克服农业管理体制上的缺陷，促进农村产业结构的合理化，使农业生产适应市场的需求，1985 年 1 月 1 日，中共中央、国务院发出《关于进一步活跃农村经济的十项政策》：（一）改革农产品统购派购制度；（二）大力帮助农村调整产业结构；（三）进一步放宽山区、林区政策；（四）积极兴办交通事业；（五）对乡镇企业实行信贷、税收优惠；（六）鼓励技术转移和人才交流；（七）放活农村金融政策，提高资金的融通效益；（八）按照自愿互利原则和商品经济要求，积极发展和完善农村合作制；（九）进一步扩大城乡经济交往，加强对小城镇建设的指导；（十）发展对外经济、技术交流。③

中央从 1983 年到 1985 年，在这 3 年的 1 月 1 日或 2 日分别发出了 3 个文件，讲的都是农业经济和农村工作，对农村经济体制改革的思路和方针政策逐步深化，对农村经济发展提出了全新的办法，使农村经济改革在全国经

---

① 参见王维澄主编：《有中国特色社会主义大典》，天津人民出版社 1993 年版，第 485 页。

② 参见王维澄主编：《有中国特色社会主义大典》，天津人民出版社 1993 年版，第 488 页。

③ 参见王维澄主编：《有中国特色社会主义大典》，天津人民出版社 1993 年版，第 492 页。

济体制改革中起了引领作用。事实上，1985 年初，中国农村开始了第二步改革，基本要求是在进一步完善联产承包责任制的同时，大力发展商品经济，积极稳步地调整产业结构，探索全方位的改革，使农牧民尽快富裕起来，为整个国民经济的振兴奠定坚实的基础。

在稳定和完善已经普遍建立起来的农村家庭联产承包责任制的基础上，内蒙古党委和政府按照中央稳定和完善农村家庭联产承包责任制的精神，一方面做好稳定和完善工作，同时也在思考、探索农村经济体制的进一步改革问题，农民也在实践中摸索更好的经济体制模式。

1984 年 5 月 14 日，内蒙古自治区人民政府根据中央上述两个文件的精神，制定并发布了《关于发展农村牧区商品生产，搞活经济的七项规定》。（一）继续稳定和完善联产承包责任制；（二）积极扶持和发展“两户一体”；（三）减少农畜产品统购派购品种，改革收购办法；（四）扩大市场交易，疏理商品流通渠道；（五）积极发展乡镇企业和加强集镇建设；（六）加强社会服务，发展社会化的服务事业；（七）大力发展贫困地区经济，积极扶持贫困户。[①] 七项规定项项都有具体要求，涉及农村牧区经济的方方面面。这是在总结几年来农村牧区经济体制改革的基础上，根据中央农村政策的精神，密切结合内蒙古的实际，提出的全方位深化自治区农村牧区经济体制改革的规定。

几年来，按照既定的思路和方针政策，稳定、完善农村联产承包责任制，围绕统分结合和联产计酬，采取了切实可行的办法：

第一，完善了土地承包方式，加强了土地管理。这是实行联产承包责任制的核心与基础。自治区在推行联产承包责任制的过程中，对土地承包实行多种形式，主要有：一是按社员人口数决定承包土地的数量；二是按社员劳动力决定承包土地的数量；三是按社员人口和劳动力比例承包土地，人口与劳力比例为三七开或对半开；四是将社员承包的土地分为“口粮田”和“责任田”，前者只负担农业税，后者承担农产品定购任务和各项提留。由此形成社员与生产队的土地承包关系，承包期内可不再变动。确定承包关系

---

① 参见内蒙古党委党史研究室、内蒙古自治区民族事务委员会编：《内蒙古改革开放 20 年》，内蒙古人民出版社 1999 年版，第 362 页。

后，对土地严加管理，凡集体所有的土地，所有权归生产队，承包期内使用权归承包者；登记土地，建立档案；对土地分等定级，落实到户，定期评估，对地力升奖降罚；据情推行适度的规模经营。

第二，联产承包责任制推广到多种经营项目。农村集体所有和集体固定使用的全民所有制的草原、草牧场采取承包到户的办法，核定草场载畜量，建立以草定畜的承包制度。对集体所有的山林，以自留山林和责任山林方式承包经营，前者允许社员长期经营，后者在生产队统一规划下，由社员或专业队承包经营，也可以折股联营承包，承包期为 30 年—50 年；集体果园由专业队（组）承包，或专业户承包，或联产承包，比例分成。集体水面由有养殖生产专业技术、有经营能力、管理经验的承包者承包，承包期 2 至 5 年。集体农机具，集体所有井、泉、池、扬水站等水利设施，集体“五荒”的开发利用，均据情实行承包责任制。

第三，建立健全了承包合同制。通过承包合同明确了集体与个人之间的经济关系和双方的权利、义务。1992 年 12 月内蒙古人大常委会制定了《内蒙古自治区农牧业承包合同条例》,规范了承包原则、财务关系、承包方式以及承包双方的权利和义务、奖罚制度，明确了各级农村经营管理部门是农业承包合同的管理机关及其职能和主要任务。

第四，建立了以家庭经营为主的双层经营体制。所谓双层经营体制，即集体经营与家庭经营，两者都是相对独立的经营实体，改变了原来的集体经济统一经营、统一劳动、统一核算和分配的集中经营体制，使其一分为二，基本部分由家庭承担，一部分由集体承担。在家庭经营中又分承包经济和自营经济两部分，而集体经营部分又有发包经营与直接经营两部分。这是集体经济组织内部，在共同经营内容和目标下的两个层次分工负责的经营形式。

第五，改革“政社合一”的人民公社体制。早在 1981 年 7 月 16 日，内蒙古党委曾在《关于内蒙古自治区工作情况的汇报提纲》中指出：“农村实行包产到户责任制后，人民公社‘政社合一’、‘三级所有、队为基础’的体制已经很不适当”，并对各级领导机关和职能部门的工作方法和工作作风提出了新的要求。遂进行了人民公社体制改革试点。

从 1983 年 3 月起，内蒙古党委和政府陆续进行政社分开的试点工作，并于 7 月上旬在巴彦淖尔盟临河召开了全区人民公社体制改革试点会。同年

10 月 12 日，中共中央和国务院发出了《关于实行政社分开建立乡政府的通知》。

试点会后，在全区大多数人民公社实行政社分开。到 1984 年底，全区政社分开，建立乡、苏木人民政府的工作基本完成。全区建立了乡、苏木人民政府 1 341 个，其中乡人民政府 897 个，苏木人民政府 431 个，民族乡 13 个；另建镇人民政府 202 个。[①] 同时成立了乡、苏木和镇中共党委。乡、苏木人民政府按照《中华人民共和国地方各级人民代表大会和地方各级人民政府组织法》的规定行使职权，领导本乡、苏木的经济、文化和各项社会建设，开展公安、民政、司法、文教、卫生、计划生育等工作。原人民公社改为以农工商、牧工商为主要形式的综合经济组织，为群众的产前、产中、产后服务，促进农牧业生产向专业化、社会化和商品化方向发展。同时，取消了生产大队和生产队，改设行政村和自然村建制，组成新的生产合作社或经济联合体。村、嘎查建立村民委员会，规模一般仍以原大队为基础。以后陆续进行了调整，据 1995 年的统计，全区农村共有乡、镇 1 068 个，村 10 422 个，村民小组 54 665 个。[②]

内蒙古党委和自治区人民政府，坚持把中央的精神与内蒙古的实际结合起来，采取了积极稳妥的方针，从总的指导思想上坚持两个不动摇，即坚持整个国民经济以大农业为基础的思想不动摇，坚持“绝不放松粮食生产，积极发展多种经营”的方针不动摇。在农村经济体制改革中，实行家庭联产承包责任制，使整个农村生产关系和经营体制经历了一场大变革；在具体工作中，从自治区实际出发，积极合理调整农村产业结构，改革农产品统购统销制度，推动农村商品经济的发展，使自治区农村第二步改革取得了突出的成就。

自治区农村实行联产承包责任制以来，农户家庭经营收入一直是农村经济总收入的主体，一般占农村经济总收入的 80%—90%。1995 年农户家庭总收入比 1985 年增加 2. 5 倍。据 1995 年统计，在全区 10 422 个村中，双层

① 参见郝维民主编：《内蒙古自治区史》，内蒙古大学出版社 1991 年版，第 393—394 页。

② 参见内蒙古党委党史研究室编：《中国新时期农村的变革 · 内蒙古卷》，中共党史出版社 1999 年版，第 115 页。

经营比较完善的有 2 273 个，占总数的 21. 8%；有一定统的功能的为 2 533 个，占总数的 24. 3%。通辽市建新村把全村 5 000 亩耕地分给农户，每人 3 亩农田、半亩草地，由集体资金购置了拖拉机、汽车及大型农牧业机具，实行统一经营、承包管理，而且办起了砖瓦厂、酒厂、牧场、基建队等 9 个企业。全村 420 户 600 多个劳动力中进入村办企业的有 400 多人，只有 200 多人务农，从而实现了机械化、水利化、良种化、林网化。1995 年，粮食总产量达到了 650 万斤，农业总收入达 435 万元，农民人均纯收入达到了 2 300 元。[①] 这是实行统分结合的双层经营体制优越性的体现。

农村实行统分结合、双层经营经济体制，解放了农村生产力，极大地调动了农民的积极性，也发挥了农村集体组织的优越性，使自治区的农业生产发生了巨大变化，极大地提高了经济效益。1995 年，全区粮食播种面积为 4 143. 2 千公顷，比 1978 年增加 1. 2%；粮食单产 2 547 公斤/公顷，比 1978 年增加 1. 1 倍；粮食总产量 1 055. 4 万吨，比 1978 年增加 1. 1 倍；油料作物播种面积 556. 8 千公顷，比 1978 年增加 60%；油料单产 1 262 公斤/公顷，比 1978 年增加 2. 5 倍；油料总产 70. 2 万吨，比 1978 年增加 4. 6 倍。[②] 这是农村经济体制改革的丰硕成果。

农村实行联产承包责任制，对于国家、集体和个人三者的利益关系的处理，探索出一条新路子，取得了明显的效果。对于“包干到户、联产计酬”办法，有一句形象的概括：“交够国家的，留足集体的，剩下是自己的”。这就比较彻底地消除了人民公社体制在收益分配上的弊端。联产承包责任制的承包合同，把三者的权利和义务用契约的方式规定了下来，使国家、集体、个人三者利益得到法律保证，排除了片面地以行政命令、集体意志行事的做法，在调整、把握国家、集体、个人三者利益方面，显示了优越性。1995 年，全区农林集体经济组织与农户签订承包合同达 241. 1 万户，占总农户的 80. 3%，签订合同达 252. 3 万份，户均近 1. 1 份。当年国家税收

① 参见内蒙古党委党史研究室编：《中国新时期农村的变革・内蒙古卷》，中共党史出版社 1999 年版，第 116 页。

② 参见内蒙古党委党史研究室编：《中国新时期农村的变革・内蒙古卷》，中共党史出版社 1999 年版，第 117—118 页。

105 361. 5 万元，比 1978 年增加 12. 6 倍；乡村集体提留 41 937. 7 万元，比 1978 年增加 1. 8 倍；农民人均纯收入 1 208 元，比 1978 年增加 8. 2 倍。①

农村实行联产承包责任制，促进了农村商品经济的发展。首先是农业的门类形成了专业，除土地承包外，林、牧、渔、工、运输、商业以及农机、水利、植保等也采取了承包，同时农户家庭副业得到发展，甚至成为主业，形成了专业户；其次是在各业内部形成专门的生产或技术服务，从而使农村经济从自给性半自给性生产向商品性、社会化生产转变。1995 年，农林牧渔业商品产值 192. 0 亿元，比 1978 年增加 3. 6 倍，其中农业商品产值 111. 6 亿元，比 1978 年增加 4. 8 倍；粮食作物商品产值 57. 5 亿元，比 1978 年增加 3. 3 倍；经济作物商品产值 24. 5 亿元，比 1978 年增加 2. 9 倍。是年，全区农村出售产品收入 164. 9 亿元，占农村总收入的 37. 7%。其中出售农产品收入 74. 3 亿元，占农业总收入的 49. 7%；出售牧业产品收入 23. 4 亿元，占牧业总收入的 54. 7%；出售工业产品收入 59.1 亿元，占工业总收入的 57. 3%。农村出售产品收入均比 1978 年增加 10—31 个百分点。② 这是农村经济体制改革带来的经济发展的跃进。当然不同于 60 年代的“大跃进”，这是实实在在的跃进。

农村多种形式的合作经济的进一步发展，形成了农村经济的新格局。由于生产的发展，经济门类的扩大，经营范围的广阔，家庭联产承包责任制的局限性，已经不能适应农村经济发展的需求。于是，在自愿互利的原则下，出现了各种形式的联合。有农户之间在播种、秋收等生产上的变工互助；有在养殖、农产品加工、建筑、运输、采掘等行业中的联合经营；有在产前、产后的联合供销。在经营方式方面，有统一经营；有以资金、技术、劳力入股，实行股份制经营；有雇工经营，发展私人企业。总之，在原有农村国营经济、乡村合作经济等基础上，形成了以公有制为主导，多种经济成分、多种经营形式并存，以按劳分配为原则，多种分配形式并存的农村经济新

① 参见内蒙古党委党史研究室编：《中国新时期农村的变革 · 内蒙古卷》，中共党史出版社 1999 年版，第 118—119 页。

② 参见内蒙古党委党史研究室编：《中国新时期农村的变革 · 内蒙古卷》，中共党史出版社 1999 年版，第 119—120 页。

格局。

内蒙古自治区农村经济体制改革，在20多年的时间里，从“小段包工，定额管理”，“包工到组，联产计酬”及“包产到户”，直至“包干到户，家庭联产”（大包干）承包责任制，形成以“包”字当头多种形式的承包责任制，同时进行改革人民公社体制、调整农村产业结构、实行统分结合双层经营，从而变革了农村的生产关系，解放了农村的生产力，农村经济发展了，人民生活提高了，社会在进步，历史在前进。

二、牧区经济体制改革

内蒙古自治区的畜牧业经济，在社会主义改造时期实行“慎重稳进”方针和“稳、宽、长”政策，牲畜头数迅猛增长，牧民生活也有显著改善。但是，由于“左”倾指导思想的影响，特别是“文化大革命”的破坏，畜牧生产力同样受到束缚。改革生产关系、解放生产力，是新时期发展畜牧业经济的主要问题。

早在1977年1月，内蒙古党委召开了全区畜牧业工作会议，就解决发展集体畜与自留畜的矛盾；按劳分配与平均主义的矛盾；生产队财务管理混乱，集体资产流失，干群关系紧张；“三靠队”比例大，牧民生活下降等问题进行了研究。会议决定恢复“文革”前的“定、包、奖”制度，在牲畜、草场等主要生产资料集体所有，统一计划、统一核算、统一调配、统一按工分分配的前提下，包畜群到组或到劳力，定工定产，超产奖励。这一办法下达实行后，干部、群众反响热烈，广泛响应。这是借鉴历史经验，变革畜牧业经营体制的初步尝试。

中共十一届三中全会以后，内蒙古党委和政府重新制定和调整了牧区经济政策，提出要进一步加强和完善生产责任制。1979年2月8日，内蒙古党委和政府发出《关于农村牧区若干政策问题的决定》，共计10条，其中与牧区和畜牧业相关的有：依法保护人民公社、生产大队和生产队的所有权和自主权；减轻农牧民负担，严禁“一平二调”；执行“按劳分配”的社会主义分配原则，克服平均主义；全面实行生产责任制；巩固和发展集体经济，鼓励社员发展家庭副业；发展牧区的集市贸易；严禁开荒，保护牧场；发展牧区社队企业等。

1980 年 2 月 9 日，内蒙古党委和政府发出《关于畜牧业方针政策的几项规定》,确定了畜牧业生产实行以牧为主、农牧林副渔全面发展的方针，要求推行“两定一奖”（定工、定产、超产奖励）或“三定一奖”（定工、定产、定费用、超产奖励）制度，定产、定工指标落实到畜群作业组，责任落实到人，超产奖励占 50% 到 70%，直接奖励畜群作业组和个人；鼓励社员发展自留畜，并规定了饲养自留畜的数量；牧区职工、干部亦可饲养羊和奶牛；加强草牧场管理和建设，确定草牧场使用权，逐步颁发执照；草牧场建设实行“全面规划，加强保护，合理利用，重点建设”的方针，禁止开荒，保护牧场；根据条件，积极发展以畜产品加工为主的小型社队工业企业，各行各业为扶持牧区社队企业出力，五年内免征企业所得税。① 上述方针政策，对畜牧业生产的恢复、发展起了积极的促进作用，在一定程度上调动了牧民的积极性。实行“两定一奖”责任制，生产者产量的高低、产值的大小虽和分配有关系，但是联系不够紧密，没有完全根据生产者付出的劳动量大小来计算报酬；有些地区“两定一奖”只落实到组，没有落实到畜群或个人，这实质上把“大锅饭”变成了“小锅饭”。因此，牧区的生产责任制还亟待进一步改进和完善。

1980 年 6 月末，全区自留畜仅有 802 万头（只），约有 20%—30% 的牧户还没有自留畜。7 月，内蒙古党委常委扩大会议针对牧区的上述情况，指出：“今后农村牧区的自留畜从品种到数量可以考虑不加限制。”并决定了发展自留畜的四项措施：一是在责任制的兑现中奖给社员一定比例的母畜母羔；二是从收购的肉畜中选部分尚可生育一二胎的超龄母畜原价卖给社员；三是把难以过冬的母畜和幼畜处理给社员或包户饲养分成；四是从载畜量多或受灾地区有计划地买进一部分母畜，调给山老区社员做自留畜。②

1981 年，牧区又出现了新“苏鲁克”“队有户养”“专业承包，以产计酬”等形式的生产责任制。5 月，内蒙古党委和自治区人民政府召开全区牧

---

① 参见内蒙古党委党史研究室、内蒙古自治区民族事务委员会编：《内蒙古改革开放 20 年》,内蒙古人民出版社 1999 年版，第 351 页。

② 参见内蒙古党委党史研究室编：《中国新时期农村的变革 · 内蒙古卷》,中共党史出版社 1999 年版，第 61 页。

区经营管理座谈会，总结了自治区三十多年来发展畜牧业的经验，把落实牧业生产责任制作为中心议题，进行了认真的探讨。会议根据内蒙古的民族特点和畜牧业生产特点，从生产力发展水平和干部管理水平的实际出发，肯定了十一届三中全会以来牧区实行的“两定一奖”或“三定一奖”、新“苏鲁克”、“队有户养”、“专业承包、以产计酬”等牧业生产责任制形式。会议特别指出，每个生产队究竟实行哪种形式的责任制，要从实际出发，因地制宜；不管实行哪种形式的牧业生产责任制，都应当使责任制与群众利益越直接越好，责任制越具体越好，方法越简便越好。在集体责任制和个人责任制中，以个人责任制为主；在阶段责任制和常年责任制中，以常年责任制为主；在作业责任制和产量责任制中，以产量责任制为主；在超产奖励和超产归己两种办法上，以超产归己为主。会议还强调指出，在落实牧业生产责任制过程中，要逐步明确草牧场保护、使用和建设的责任，注意解决好草畜矛盾。①

会后，上述几种形式的牧业生产责任制，特别是新“苏鲁克”责任制，很快在全区牧区推行开来。新“苏鲁克”责任制的基本作法是，在坚持“三不变”（集体牲畜所有权不变，牲畜原本原值不变，出卖、宰杀权不变）、四统一（草原建设统一规划，牲畜改良统一要求，畜疫防治统一组织，出场放牧统一安排）的原则下，由生产队把畜群包给社员，不计工，不提生产费用；成畜保本保值（成畜死亡可以用仔畜补足），仔畜和畜产品由生产队和承包者按比例分成，一年或几年一结算。新“苏鲁克”责任制，与牧民的利益关系比较直接，责任比较明确，方法也比较简便，因而当时颇受群众的欢迎，调动了广大牧民养畜的积极性。

内蒙古党委和政府制定的牧区经济体制改革方针政策，在全区牧区和半农半牧区逐步推行，而且在实践中创新发展。在伊盟、锡盟、呼盟、昭盟的一些牧区贫困社队，分别试行了“统一管理，包产到户”，“保本承包，少量提留，费用自理，收入归己”和“牲畜作价，个人承包，提取积累”等经营形式。1982 年，大部分牧区陆续实行了“包畜到户”责任制，半农半

① 参见内蒙古党委党史研究室、内蒙古自治区民族事务委员会编：《内蒙古改革开放 20 年》，内蒙古人民出版社 1999 年版，第 357 页。

牧区则称牲畜“分户饲养”责任制，统称为牧业“大包干”责任制。基本作法是，保本承包，少量提留，费用自理，收入归己，即集体将牲畜根据种类、数量、质量，按人口或劳力平衡承包给各户牧民，实行成畜保本、仔畜和畜产品比例分成或全部归牧民，费用由承包户负担，一般三年至五年或更长一些时间内不变。全区实行“大包干”的牧业队占71%。这种“大包干”责任制虽然解决了吃“大锅饭”的问题，但仍是实物形态（牲畜头数）的承包管理办法，兑现手续烦琐，经营管理困难，而且可能出现承包畜和自留畜不被同等对待，忽视承包畜、重视自留畜的现象，还会促使一些牧民盲目追求头数，而不注意质量，以至影响畜牧业的健康发展。

昭盟和呼盟的一些牧区则实行“作价承包，提取积累”的办法，试图从实物形态向价值形态转变。哲里木盟科左后旗伊合塔拉公社在“大包干”的基础上，对牲畜承包方式和结算方式进行了大胆改革，实行“作价保本，现金提留”责任制，即将成畜保本、仔畜比例分成的实物兑现办法，改为牲畜作价保值、提留包干的现金兑现办法。赤峰市有些牧区社队和呼伦贝尔盟陈巴尔虎旗实行了“作价承包，提取积累”责任制，将牲畜作价承包给牧民，实行仔畜、开支、积累三项现金提成。这就使牧区承包责任制由实物形态向价值形态转变，克服了实物形态管理上的一些缺陷，有利于充分发挥承包户的自主权，促进畜牧业生产向专业化和商品化方向发展。

1983年底，内蒙古党委三届十三次全委（扩大）会议和全区旗县委书记会议，充分肯定了牲畜作价承包的办法。会后，牧区不少社队在作价承包的基础上，又逐步实行了“作价归户，分期偿还，私有私养”的责任制。从此，牧区生产责任制形式发生了根本性的变化。牲畜作价归户，是畜牧业生产责任制形式的新发展，是牧区生产关系的重大变革。

在牧区经济体制改革的同时，1983年到1984年，牧区进行了人民公社体制改革，公社改称“苏木”（与乡同），生产队改称“嘎查”（与村同），按照“苏木的规模以一社一乡，嘎查的规模以一个生产队的规模为宜”的原则，全区牧区建立了431个苏木，牧区人民公社的体制结束，苏木人民政府和嘎查委员会为牧区基层行政组织，并代行原社队集体经济的管理职能。对于社队拥有的生产资料和其他财产，能分解到户的分解到户，不能分解的大型机具、森林、果园等实行分户承包或联产承包，收益分成；国家所有的草原，由嘎查委员会或苏木（镇）人民政府统一管理。实行行政组织与生产经营组织的分离，这是落实生产责任制的重要措施。

内蒙古党委在牲畜经营管理体制上进行的一系列调整和改革，使牲畜的饲养经营效益与牧民的物质利益结合起来，调动了牧民经营饲养牲畜的积极性。但是，实行对牲畜承包经营责任制后，牲畜数量快速增长，草牧场面积有限，而且由于自然灾害，特别是滥垦牧场，草场退化、沙化，草畜矛盾越来越突出，改革草原管理体制迫在眉睫，草原建设的问题成为牧区发展生产的突出问题。在实行生产责任制的过程中，起初只承包牲畜，不承包草场，因此，草场缺乏保护和建设，利用也不尽合理，出现了争牧、抢牧、滥牧的现象，使草场沙化、退化日趋严重，产草量不断下降，直接影响着畜牧业的发展。

内蒙古党委和政府经过调查研究，针对草原管理上的许多老框框、老套套、老章法，在方针、政策上进行调整和改革，并通过立法程序，修改和颁布了《内蒙古自治区草原管理条例》。一是对草原的所有制进行改革，把过去的草原单一的全民所有制改为社会主义全民所有制和集体所有制，对原人民公社生产队经营的草原实行集体所有；二是对草原管理体制进行改革，把草原的使用权和管理、保护、利用与建设，用责任制的形式承包给基层生产单位或个体经营者，使草原承包责任制同牲畜的饲养管理责任制结合起来，这就是草畜统一经营责任制。对草原的使用权，采取按居住点划分、按放牧点划分、按水源点划分，夏秋草场划分到户，冬春草场划分到组；准备建设的草场、打草草场划分到户，放牧草场集体使用等多种形式。

《中华人民共和国草原法》颁布后，《内蒙古自治区草原管理条例》随之出台，对草原的管理、利用、建设、保护有法可依，规定了草原使用权与管理、利用、建设、保护的责任。在改革的实践中，牧区逐步实行“牲畜作价归户，分期偿还，收回的价款由集体周转使用，用于扩大再生产”；“划定草牧场边界，把草牧场使用权落实到户或组，确定适宜的载畜量，以草定畜，承包户向集体交一定比例的草场使用费”。牲畜作价归户，草场固定使用，初步解决了牲畜所有权和草场使用权的统一，结束了长期存在的牧民共同吃牲畜的“大锅饭”、“牲畜吃草场的大锅饭”的弊病。把草原和牲畜两个方面的权、责、利归于牧民一身，使人、草、畜统一起来，调动牧民养畜和保护、建设草原的“两个积极性”。1984年，在“牲畜作价，户有户养”的基础上，全区牧区普遍推行“草场公有，承包经营，牲畜作价，户有户养”为内容的“草畜双承包”责任制，解决了家庭承包牲畜，牲畜吃公有草场“大锅饭”的矛盾。这是自治区牧区经济体制改革的一项创举，是牧区解放生产力，变革生产关系的一次革命，进一步发展了家庭承包经营责任制。

实践表明，把牲畜的发展与草原的保护、建设紧密地联系起来，有力地促进了畜牧业经济的迅速发展，极大地激发了广大牧民发展生产的积极性。1984、1985两年人工种草1 300万亩，围建畜群草库伦1 100多万亩，围建的草库伦质量比过去提高，由围封为主向草、水、林、料、棚综合配套方向发展。1984年全区用于草原建设的农牧民自筹资金1亿多元，大约是国家当年投资的3倍多。到1986年底，全区人工种草保存面积发展到1 630万亩，建草库伦达2 500多万亩。1987年已有9亿亩草牧场落实了所有权，占可利用草牧场的88.6%；有7亿亩落实了使用权。至此，从根本上改变了牧场公有无人管，放牧自由“吃大锅饭”的状况。与此同时全区建立盟市、旗县、苏木（乡）三级草原监理机构77处，以处理破坏草原的违法事件。

1985年9月26日，内蒙古党委和政府作出《关于加速发展畜牧业若干问题的决定》，规定“凡使用国有草原或集体所有草原的单位和个人都应交纳草原管理费。”接着在阿鲁科尔沁等10旗试行草原有偿承包使用制度，有7个方面的内容：划分草场边界；明确草原“双权”；确定收费办法；以草定畜；采取灵活多样的承包形式；建立草原管理机构；保护草原植被。经过三年多试行实践，积累了一些经验，初步证明可行有效。1989年9月1日，自治区人民政府在阿鲁科尔沁旗召开了全区落实草牧场使用权、实行草牧场有偿承包使用现场会议，认为实行“草场公有，承包经营，牲畜作价，户有户养”责任制以后，进一步实行草牧场有偿承包使用，是草牧场使用制度上的又一次深刻的变革，从根本上解决了牲畜吃草原“大锅饭”的问题。10月15日，自治区人民政府批转内蒙古自治区农业委员会实行草牧场有偿承包使用制度的报告，提出坚持4项原则，即坚持草牧场使用者责权利统一的原则；坚持发展与提高生产力的原则；坚持经济效益与生态效益并重的原则；坚持科学管理的原则。并提出划分草牧场，落实使用权；测定产草量，核定合理的载畜量；制定合理的收费标准及管理制度；建立草场转让制度和以罚为主要形式的管理机制；加强草牧场的科学化、法制化管理等5项要求和18条具体做法，[①] 以规范草牧场有偿承包使用制度。并要求在全区各地牧区组织试行，取得经验，全面推广。

1993年，对阿鲁科尔沁等10旗实行草牧场有偿承包使用试点通过了检查验收。当年年底，全区有59个旗、590个苏木（镇）、3 898个嘎查、269万户牧民对3 800万公顷草牧场实行了有偿承包使用。[②] 1994年9月，国家农业部在阿鲁科尔沁旗召开全国草牧场有偿承包使用现场会议，充分肯定了内蒙古自治区有偿承包使用草牧场的经验，并向全国牧区推广。

1996年11月20日，内蒙古自治区人民政府印发《内蒙古自治区进一步落实完善草原“双权一制”的规定》，所谓“双权”，即“草原所有权”和“草原使用权”；所谓“一制”，即“草原承包责任制”。

关于草原所有权，内蒙古自治区境内的草原，依法属于社会主义全民所有和劳动群众集体所有。社会主义全民所有是指国有农牧林场，企事业单位、社会团体、军事场点使用的草原，国家划定的城市规划区的草原，草地类自然保护区，尚未开发利用的草原以及其他不属于集体所有的草原。全民所有草原不属于任何一个使用该草原的国有单位所有，不颁发《草原所有证》。集体所有草原的所有权必须依法落实到基层的农牧业集体经济组织，即落实到嘎查、村一级的农业集体经济组织，或嘎查、村民委员会，由其行使草原集体所有权；已经落实到苏木、乡、镇级农牧业集体经济组织或自然村一级集体经济组织集体所有的，一般不再变更其所有权。草原的集体所有权确定以后，依法由旗县级人民政府颁发《草原所有证》，作为草原集体所有权的法律凭证。

关于草原使用权，全民所有草原的使用权，由行使草原管理权的地方人民政府负责落实到使用全民所有草原的单位或组织。依法由旗县级人民政府

① 参见《关于进一步落实草牧场使用权、实行草场有偿承包使用制度初步意见的报告》（1989年10月15日），《内蒙古改革开放20年》，内蒙古人民出版社1999年版，第377页。

② 参见内蒙古党委党史研究室编：《中国新时期农村的变革·内蒙古卷》，内蒙古人民出版社1999年版，第67页。

颁发《草原使用证》,作为草原使用权的法律凭证。全民所有而未开发利用的草原，不论以何种方式由国有单位、集体经济组织或其他社会团体开发使用，其所有权不变。由行使草原管理权的地方人民政府为使用单位依法确定草原使用权，颁发《草原使用证》。

关于草原承包责任制，草原集体使用单位及草原使用单位，可将所属草原分片承包给基层生产组织或农牧民经营，原则上承包到户。实行草原承包责任制要签订《草牧场承包合同书》,要坚持“大稳定，小调整”的原则；公平与效益结合的原则；统分结合的双层经营原则；权、责、利结合的原则；草畜平衡、增草增畜原则。草原承包期宜长不宜短，一般30年不变，也可以承包50年。

关于实行草原有偿承包责任制，凡使用国家所有或集体所有草原的单位和个人，都必须按规定缴纳草原使用费。养畜大户占用无畜或少畜户的草场，要给予承包户相当于使用费数额的占用费。实行草原有偿承包责任制，要特别明确和解决好草原使用费的性质和收缴，收费标准，超载牲畜加收使用费，草原使用费的管理和使用等问题,[①] 从而形成“双权一制”草原管理体制。这是内蒙古自治区草原承包责任制完善化、草原管理和使用法制化的重要步骤，是从根本上促进畜牧业经济持续发展的有效保障，表明内蒙古自治区牧区经济体制改革第二步目标的实现。

在此基础上，自治区进一步稳定、完善家庭承包责任制，调整、理顺家庭承包与嘎查集体经营的关系，建立和完善承包合同，明确双方的权、责、利关系；建立和完善嘎查合作经济组织和各种服务实体为骨干的多层次、多成分、多功能的服务体系和网络，从而形成统分结合的双层经营体制。在20世纪90年代经过逐步完善，使双层经营体制改革纳入规范化、法制化的轨道，形成以畜草承包的牧户经营为主体，个体、集体经济共同发展的新格局。同时调整优化牧区产业结构，非牧产业从无到有，乡镇企业也在发展；对嘎查事务和管理制度进行改革，制定嘎查事务公开和民主管理的内容、方式、要求和保证措施，依法治理嘎查，收到了良好的效果，牧区体制改革步入了新阶段。

在牧区经济体制改革逐步深化的过程中，由于个体经营为主体，统一管

① 参见《内蒙古自治区人民政府文件》(内政发［1996］138号)、内蒙古自治区档案局（馆）主编:《内蒙古自治区党委政府文件数据库》,陕西电子音像出版社2005年版。

理体制上的问题日益突出。多种经营和社会分工受到限制；超载过牧和草原保护、建设难以统筹管理；畜疫防治质量下降，牲畜品种质量退化，商品交换困难，实际是统分管理失调所致。1984 年 5 月，内蒙古自治区人民政府根据出现的问题，制定了发展农村牧区商品生产和搞活经济的规定，其中提出扩大市场交易和疏理商品流通渠道，发展乡镇企业和加强集镇建设，加强社会服务和发展社会化的服务事业的要求。1985 年 5 月，自治区又召开全区牧区工作会议，专门研究了加强统一经营和社会化服务的问题，及时采取措施加以调整。在实行“草畜双承包”责任制的同时，要加强统一管理的功能，组织动员各方面的力量，国家、集体、个体齐动员，逐步建立和完善配套的畜牧改良、疫病防治、饲草饲料加工、畜产品加工、商品信息以及贮藏、运输、供应、销售方面的服务体系，以嘎查合作经济组织和各种服务实体为骨干，形成多层次、多成分、多功能的服务体系和网络，形成畜草承包的牧户经营为主体，个体、集体经济共同发展的新格局，逐步使双层经营体制改革纳入规范化、法制化的轨道，促进牧区经济的全面发展。

从 1985 年开始，改革畜产品统购统销制度，合理地调整产业结构，推动牧区商品经济的发展。1985 年 8 月，全区牧区工作会议召开，总结新经验，研究新问题，制定了新措施，强调要从内蒙古实际出发，调整牧区产业结构。牧区第二步改革对马、牛、羊等畜牧业内部结构，牧业、草业等牧业经济结构，卫生、商业等牧区经济结构进行了调整。作为发展牧区商品经济突破口的乡镇企业发展迅速。1985 年，全区牧区乡镇企业产值达 1. 2539 亿多元，占牧区社会总产值的 30% 以上。到 1986 年，自治区牧区乡镇企业已发展到 2. 6 万多个，从业人员约占牧区总劳力的 20% 左右；牧区皮、毛、奶等加工企业发展到 300 多个；牲畜肉、骨、血的加工企业也开始创办；第三产业也已兴起。根据牧区特点，乡镇企业实行全方位开放，走具有牧区特点的横向联合的道路。1990 年在牧区 3 426 个嘎查中，双层经营体制比较完善的有 1 245 个，占 36. 34%；有一定程度统的功能的嘎查有 669 个，占 19. 53%；基本上仍为单层经营的有 1 512 个，占 44. 13%。①

① 参见内蒙古党委党史研究室编：《中国新时期农村的变革 · 内蒙古卷》，内蒙古人民出版社 1999 年版，第 70 页。

内蒙古自治区牧区经济体制改革，在长达20年时间内，经历了以“家庭承包”为基础的多种形式的承包责任制、“草畜双承包”责任制、草牧场有偿承包使用制、草原双权及草牧场有偿承包责任制（即双权一制）以及畜牧业承包责任制和社会化服务的双层经营体制等变革过程。与牧区民主改革和社会主义改造相比，这是又一场牧区生产关系的深刻变革，是解放牧区生产力的又一次革命。它的效应以牧区经济长足的发展得到检验，牧区社会发展日新月异是有力的见证。

在20世纪即将结束，新世纪来临之际，内蒙古党委于1998年10月23日提出贯彻《中共中央关于农业和农村工作若干重大问题的决定》的意见，共计6项30条，其主要内容是：按照农村牧区经济体制改革的总目标，建立以家庭承包经营为基础，以农牧业社会化服务体系、农畜产品市场体系和国家、自治区对农牧业的支持保护体系为支撑，适应发展社会主义市场经济要求的农村牧区经济体制；大力加强生态环境保护和建设；调整和优化农村牧区经济结构，提高农村牧区经济的整体素质和效益；积极推进科教兴农兴牧，加快农牧业增长方式转变；加快农村牧区达小康进程，加大扶贫攻坚力度；坚持农村牧区改革的基本方针，进一步加强和完善对农村牧区工作的领导，并根据农牧业的特点，分别提出发展农业、牧业经济的一系列具体措施。这是20世纪末对内蒙古自治区农村牧区经济发展提出的目标。

三、乡镇企业体制改革与发展

在改革开放新时期，随着农村牧区经济体制改革，自治区的乡镇企业也逐步改革，迅速发展壮大。乡镇企业是在农畜产品加工和手工业、家庭副业的基础上发展起来的，在人民公社时期称社队企业。

1977年1月，在呼和浩特召开的全国农业学大寨会议上，即提出大力发展社队企业，成立管理机构的问题。3月，内蒙古即成立了社队企业管理局。1978年，国家召开社队企业工作会议，制定了《关于大力发展社队企业若干问题的规定》。随即，内蒙古自治区也召开社队企业工作会议，通过了《关于大力发展社队企业的调查报告》和《关于社队企业发展的意见》，提出对社队企业要“提高认识，调整整顿，制订规划，加强管理，促进发展”。中共十一届三中全会以后，随着农村牧区经济体制改革的展开，农牧民逐步开办社队企业，拓宽生产经营领域，自治区的乡镇企业由政府专职部门统一管理，并有政策依据，走上了健康发展的道路。到1984年，全区社队企业达到9.2万个，从业人员41万人，占农村劳动力的8.2%；社队企业年总产值为9.89亿元，占农业总产值的18%，实现利润1.27亿元。[①] 由此激发了农民的生产积极性、创造性，出现了创办养殖业、运输业、建筑业、饮食业、小商品业的良好势头。

1985年，在社队企业局的基础上，自治区各级政府成立了乡镇企业局，以加强对乡镇企业的领导，促进乡镇企业的发展。并在加快发展原有社队企业的同时，创办了一大批合作、联营、个体企业，逐步形成了集体、个体、联户、合资形式的乡镇企业。创办依托资源优势的资源开发型企业，开展多种形式的横向联合，立足于农牧业，服务于农牧业。

多种经营和商品经济的发展，使小集镇的改革与建设成为农村、牧区经济改革与发展的一个重要课题。为了发展商品生产，扩大城乡交流，促进小集镇的建设，自治区从1985年初首先选择了一些小集镇进行小城镇改革和建设试点工作。改革的主要内容是，下放管理权限，打破条块分割，建立镇管村制和镇一级财政，强化镇政权的职能，将一部分工商企业下放给镇管理，并通过改、包、租、转等形式，逐步改变经营机制，吸引农牧民进城办企业，从而促进乡镇企业的发展。

中共中央在制订“七五”计划的建议中指出：“发展乡镇企业是振兴我国农村经济的必由之路”。发展乡镇企业也是实现内蒙古农牧业产值翻两番的重要突破口，是改变农牧区产业结构的中心环节，是农牧民致富的重要途径，是增加财政收入的重要来源之一，是建设社会主义新农村、新牧区的战略措施。内蒙古党委和政府从内蒙古的实际出发，确定了兴办乡镇企业要坚持以中小型为主，以个体联办为主，以自筹和群众集资为主，以近期见效为主和以小集镇的改革与建设为重点的指导方针，采取放宽、优惠、扶持、开放的政策，积极发展乡镇企业。到1987年，全区乡镇企业已发展到26.3451万个，比1986年增长17%；从业人员达到90.6203万人，比1986年增长

① 参见内蒙古党委党史研究室编：《中国新时期农村的变革·内蒙古卷》，中共党史出版社1999年版，第163页。

16%；年末实现总收入32.07亿元，总产值27.89亿元，均比上年增长30%多；实现利润3.86亿元，上缴国家税金1.17亿元，分别比1986年增长26%和21%。到1987年底，10个收入超亿元旗县的目标如期实现，较上年翻了一番。在10个重点乡镇的带领下，全区乡镇企业收入超过1 000万元的乡镇达到66个。乡镇企业在自治区已成为一个独立的、全功能的综合经济部门，成为全区国民经济的一个重要支柱，成为拥有五大行业的新型产业体系。8年中，全区乡镇企业直接分配给农牧民的资金达13亿元，用于扶贫及提供文化、教育、卫生、小集镇建设的资金，总计超过1亿元。① 乡镇企业以优异的成就，展现在内蒙古自治区成立40周年之际。

内蒙古的乡镇企业在发展中不断创新，积极推行和完善承包经营责任制，加强企业管理，抓紧企业升级、技术改造和创优，增强了企业的自我运转能力和市场竞争能力。开展横向联合，发展重点企业和重点地区，培养人才，重视智力投资，是乡镇企业创新发展的关键。又经过3年时间，内蒙古的乡镇企业的发展又上了一个新台阶。1990年，自治区乡镇企业总数达到了29.8万个，比1987年增加了3.4549万个，年均增长1.1万个；从业人员发展到96.7万人，比1987年增加了6.0797万人，年均增长2万多人；总产值56.2亿元，比1987年增加了28.31亿元，增长1.01倍。另外，年出口交货值44.12万元，固定资产净值22.2亿元，自有流动资金5.6亿元，实现利润6.69亿元；农牧民人均从乡镇企业得到纯收入80元；年产值超亿元旗县19个、乡3个，年产值超500万元企业26个。② 这是一条不寻常的发展之路，其中依靠科学技术，内涵发展与外延发展结合，重视经济、社会、生态效益，开拓国内市场与国际市场，进行专业化、社会化生产，是乡镇企业发展的新特点，也是取得进一步发展的重要因素。

1991年3月2日，内蒙古党委和政府作出《关于进一步发展乡镇企业的决定》，要对乡镇企业实行优惠的税收政策。新办乡村集体企业从投资经营之日起，免征产品税、增值税、营业税、所得税1—3年，对于贫困旗县、

---

① 参见郝维民主编：《内蒙古自治区史》，内蒙古大学出版社1991年版，第395—396页。

② 参见中共内蒙古自治区委党史研究室编：《中国新时期农村的变革·内蒙古卷》，内蒙古人民出版社1999年版，第164页。

山老区（即山区和老解放区）旗县、边境旗县可以再放宽，原有乡村集体企业如纳税有困难，经税务部门批准也可以减免所得税；还对乡镇企业开发的新产品、对国营企业扩散给乡镇企业的加工产品、对乡村福利企业和校办企业、对接受外商来料加工和来件装配及中小型补偿贸易企业、合资企业等，规定了不同的减免税照顾。同时规定了鼓励乡镇企业推进技术进步和引进资金、技术、人才等政策，这是自治区乡镇企业发展的新起点。

在发展国民经济的“八五”计划期间，中央对乡镇企业“积极扶持，合理规划，正确引导，加强管理”的方针以及国务院关于加快发展中西部乡镇企业的决定，使内蒙古的乡镇企业进入快速发展时期，取得了更大的成就，堪称内蒙古乡镇企业进入了第一个“黄金时期”。1995 年，全区乡镇企业达到 67 万家，比 1990 年增加了 37. 2 万家，增长了 1. 25 倍，其中集体企业 2. 68 万家，联户企业 64 万家；从业人员发展到 245 万人，比 1990 年增加了 148. 3 万人，增长了 7. 46 倍，约占农村牧区劳动力的 40%；总产值达到 685. 8 亿元，比 1990 年增加了 629. 6 亿元，增长了 11. 2 倍，是 1978 年的 41 倍；固定资产原值达 141. 8 亿元，比 1990 年增加了 119. 6 亿元，增长了 4. 39 倍。乡镇企业的经济效益迅猛增长，社会效益也极其可观，1995 年上缴乡村利润 3. 2 亿元，其中用于支援农牧业生产 10 067 万元，用于农村小城镇建设 3 458 万元，用于教育事业 58 万元，集体福利支出 3 472 万元。5 年期间，乡镇企业的规模和分布不断扩大，产值达 50 亿元以上的盟市有 6 个，入库税金超亿元的盟市有 4 个，入库税金占地方财政收入 18% 以上的盟市有 5 个；产值超亿元的旗县 84 个、乡镇有 183 个、村 43 个；产值达 500 万元以上的企业有 442 家，产值达 1 000 万元以上的企业有 208 家，亿元企业（集团）有 12 家。科技进步是这一时期乡镇企业的重要特点，开发新产品 884 项，创立名牌产品 19 项，引进了一大批制革、毛纺、饲料、食品加工、铸造等先进技术和设备，带动了乡镇企业的生产技术水平的发展。①

1995 年 5 月 24 日，内蒙古党委和政府作出了《关于加快发展乡镇企业

① 参见内蒙古党委党史研究室编：《中国新时期农村的变革 · 内蒙古卷》，中共党史出版社 1999 年版，第 165—167 页数据。

的若干规定》,鼓励农牧民、嘎查村、苏木乡镇和国有企事业单位积极筹资创办独资、联户、合伙、股份合作等形式的乡镇企业，而且规定了增值税收取后分别返还地方留成部分的80%、40%；鼓励利用外来资金兴办乡镇企业；鼓励国家干部、技术人员、教师、工人和大中专毕业生以及社会闲散科技人员，到乡镇企业工作，工资照发，并享受所在企业同类人员的待遇；星火计划贷款、技改贷款、贴息贷款、扶贫贷款、扶贫支农支牧资金、燎原计划贷款，按比例用于发展乡镇企业。这又是一个扶持乡镇企业的很有力度的政策措施。接着相继颁布了《内蒙古自治区乡镇企业发展规划》(1995—2000年)、《内蒙古自治区1995至1997年发展乡镇企业奖励办法》,有计划有措施地推进乡镇企业的更快发展，收到了显著成效。1999年，乡镇企业进一步发展到86万家，比1995年又增加了19万家；从业人员增加到385万人，比1995年增加了140万人；总产值730.5亿元，比1995年又增加了44.7亿元。①

内蒙古的乡镇企业，在农村牧区经济体制改革的进程中，相随进行体制改革，改革中求发展，发展中求创新，既使乡镇企业自身突起，又促进了农村牧区的经济体制改革和农牧业生产的发展，在自治区社会主义现代化建设中发挥了不可替代的作用。

四、林业经济体制改革

林业经济体制改革，1980年自治区制订了林业改革的10项措施，改变了以往造林绿化以社队为主的办法，实行国家、集体、个体造林，以家庭经营为主的方针，个人造林不限数量，谁造林归谁有，长期不变，而且允许继承、转让；实行集体林木作价归户，以家庭经营为主；国有次生林实行委托村屯联户管理或由个人承包经营，或实行作价归户经营；国有林场实行以家庭承包为主的责任制等等，总之实行与农牧业基本相适应的经营体制，形成农牧林业相互促进、协调发展的格局。

1990年以后，自治区在上述国家、集体、个人造林，以家庭经营为主方针的基础上，进行不断的改革，实行林业“八项调整”，即调整经济利益

① 参见云布龙主编:《中国西部概览——内蒙古》,民族出版社2000年版，第183页。

机制，调整资金投放重点，调整林业生产结构，调整林种结构，调整树种结构，调整建设布局，调整种植结构，调整技术政策，从经营管理、生产技术等方面进行改革调整，从实际出发发展林业。同时，从体制上进行了“四项改革”，即进一步改革农村牧区林业经营体制，完善林业社会化服务体系，重点推行股份合作制林业；深化国有林场改革，转换经营机制，加快国有林场脱贫步伐；拍卖集体宜林“三荒”使用权，实行土地使用权有偿流转；改革种植方式，发展混农林业。从 1990 年开始，每年对林业生产建设以主要指标进行考核。这些调整、改革和考核措施，理顺了林业生产关系，解放了林业生产力，调动了农牧民和林业职工的生产积极性，促进了林业生产的发展。在 90 年代中后期，随着改革开放的深入，自治区继续进行林业经济改革，并从 6 个方面进行了探索：一是落实宜林“三荒”的使用权，对于农牧民和林业职工购买力低和立地条件差的地区，可以无偿划拨给群众治理；二是大力发展多种经济成分的林业；三是进一步深化国有场圃改革，以公有制为主，实行多种所有制形式和经营方式并存；四是积极探索森林资源有偿流转；五是进一步完善林业社会化服务体系；六是加快林业企业转制的步伐。

五、国营农牧场体制改革

在改革开放的形势下，特别是由于全区农村牧区经济体制改革的影响，自治区国营农牧场的经营体制和管理方法已不适应生产力发展的需要，成为自治区长期亏损大户，到了不得不改革的地步。从 1980 年起，全区国营农牧场系统开始推行生产责任制，先后经历了基本工资加奖励—纯收益分配—产量工资—大包干等几个发展阶段，初步探索出一条改革的路子，收到了良好的效益。1983 年，全区国营农牧场终于摘掉了长达 16 年亏损的帽子，取得了纯盈利 500 万元的好成绩。

1983 年 3 月，自治区召开了全区国营农牧场管理体制改革会议，贯彻中央关于经济体制改革和内蒙古党委关于改革农牧场管理体制的精神，作出内蒙古国营农牧场进一步进行体制改革的部署。会议认为内蒙古国营农牧场经过体制改革，“取得了生产上升、基本扭亏和贡献增加的好成绩。”内蒙古自治区人民政府和农牧场管理总局已经批准成立了自治区和盟市共 10 个农牧场农（牧）工商联合企业公司，这是国营农牧场体制的一项重大改革，“有利于进一步发挥地方的积极性，加强和改善党对企业的领导，因地制宜地加快发展农牧场的生产建设步伐；有利于正确处理和解决与地方的关系，促进农（牧）、工、商综合经营和联合经济的发展。”会议要求“大力发展农牧场农（牧）工商综合经营，进一步办好盟市农（牧）工商联合企业公司，直接管理直属企业的人、财、物、产、供、销等业务工作，使农工商联合企业公司逐步成为经济实体。”“由现在的行政管理机构逐步过渡到农（牧）工商综合经营，实行产、供、销一条龙的经济实体联合企业公司。”要以“包”字为中心抓好改革，进一步完善联产承包责任制，彻底打破“铁饭碗”、“大锅饭”，发展农牧场职工专业户、重点户。①

会后，以巴彦淖尔盟国营农场和哲里木盟珠日河国营牧场搞家庭承包农牧场为开端，逐步在全区国营牧场系统兴办职工家庭牧场。按生产资料归属的不同，职工家庭牧场基本分为4种类型：一是家庭承包经营，即将国营农牧场的公有牲畜作价承包给职工，按照“保本保值、仔畜分成、定额上交、自负盈亏”的办法承包经营；同时将草场和牧业生产设施及大中型牧业机具也承包给职工经营使用，收取草场使用费和固定资产原值折旧费或占用费。二是作价归户经营，即将国营农牧场的公有牲畜作价卖给职工，自主经营，定额上交，自负盈亏，作价5—7年还清。同时将牲畜棚舍、牧业机械也作价卖给职工。三是自有经营，牧区、半农半牧区农牧场职工利用自有牲畜兴办家庭牧场，由大场划分给草场，缴纳一定的草场使用费；或办开发性的小牧场，改造无水或碱化沙化草原，在一定时期内免收草场占用费。四是自有兼营，即农牧场非专营牧业的职工一般都兼营牧业，自有主要指有奶牛、羊、猪、禽等，以舍饲半舍饲为主。

经过生产经营体制改革，促进了国营农牧场生产的迅速发展。到1995年，全区共有牧场56个、牧业生产队166个、牧业工人3万余人，草原30万公顷，人工种草13 336.73公顷，建设草库伦65.1万公顷。

1999年，内蒙古农垦系统有13个盟市管理机构，有62个农场、53个

① 参见《全区国营农牧场管理体制改革会议纪要》内蒙古自治区人民政府文件（内政发［1983］162号）。

牧场、304个工业企业、244个商贸企业、38个科技推广和科研单位，有各类学校615所，医疗单位524个。农垦系统总人口47.3万人，其中农垦职工23万人；垦区土地面积595万公顷（居全国垦区首位），其中耕地面积57万公顷（居全国垦区耕地面积第二位）。国民生产总值16.4亿元，其中第一产业增加值11.2亿元，第二产业增加值2.2亿元，第三产业增加值3.0亿元。①

1984年，国营种畜场也开始推行生产责任制。自治区种畜公司在红格尔塔拉种羊场试行后，提出种畜场体制改革的意见和办法，并继续探索。1986年6月，全区重点种畜场工作会议召开，肯定了3种责任制形式：一是敖汉旗种羊场的"以队管理，群为单位，单户或联户承包"责任制，实行国营种畜场的性质不变，种羊和生产资料所有制性质不变，国家职工的性质不变和种羊生产由场统一计划、统一领导、统一管理，坚持所谓"三不变""三统一"的原则。二是红格尔塔拉种羊场按种畜性别年龄合理组群，"统一技术管理，以户定群，作价承包，按质收购种畜，生产费用自理，双方履行合同，一年一定的承包制"。三是高林屯种畜场的对优良品种及新品种育种核心群实行"全民所有，多户经营，专业承包，定额上交"的大包干生产责任制。并对种畜场的布局、定向、定型进行了全面调整，建立和完善全区各类畜禽的良种繁育体系。对规模较大、面向全区和全国的重点原种场由自治区畜牧部门直接领导、管理。确定了16个原种场、51个良种繁殖场，还有商品场。到1995年末，全区有种畜场89个，草场面积56万公顷，粮食播种面积1.5万公顷。②

六、城市经济体制改革

按照中共中央的部署，内蒙古党委和政府逐步进行了城市经济体制改革。以企业改革为中心，全面进行城市经济体制改革，大体分为"放权让利"改革，实行厂长负责制和目标责任制，实行承包经营责任制，建立现

① 参见云布龙主编：《中国西部概览——内蒙古》，民族出版社2000年版，第43页。

② 参见内蒙古党委党史研究室编：《中国新时期农村的变革·内蒙古卷》，中共党史出版社1999年版，第73—75页。

代企业制度等阶段。

中共十一届三中全会以后，从 1979 年开始，自治区主要在企业进行“放权让利”改革。6 月，在县办工业企业试行按比例利润留成的让利改革；11 月，在全区地方国营工业企业试行企业基金和超计划利润留成奖励的让利改革。1980 年，这项改革进一步拓展内容，扩大范围，在全区工交、商业、服务、科研等领域普遍试行以利润留成为内容的让利改革；政府将企业自有资金支配、物资采购、奖励分配等权力下放给企业，并将自治区直属企业下放到盟市。从 1984 年开始，自治区直属企业，除包钢、包铝、呼包电网等少数企业外，大部分企业逐步下放到盟市管理。到 1985 年，自治区直属的 32 个工业企业、35 个商业企业及所有建筑企业全部下放到盟市管理。同时下放、扩大盟市对基本建设项目利用外资、横向联合项目的审批权；缩小指令性计划，扩大指导性计划的范围。从 1985 年到 1987 年，自治区直接管理的产品品种由 1 020 种减少到 434 种，其中指令性计划产品减少到 52 种，物资分配品种由 256 种减少到 20 种。“放权让利”改革实际上是扩大企业自主权的尝试。

1983 年 6 月，自治区在国营企业推行“利改税”改革，国家对企业实现的利润征收一定比例的所得税和地方税，对企业所得税后利润，大中型企业的税后利润由国家和企业按规定再行分配，小型企业和服务企业的税后利润全部留给企业。由此保障了国家应得的税利，企业利润留成也有了保证，相应扩大企业在计划安排、产品销售、扩大再生产等方面的权利，给企业创造压力和动力。1984 年 10 月，自治区又进行了第二次“利改税”改革，企业按国家规定的 11 个税种向国家缴税，从而由第一步的“利税并存”过渡到“以税代利”的改革，税后利润由企业支配使用。由此使国家应得的利益进一步得到保障，而且扩大了企业的自主权。1983 年，全区有 3 091 家国营企业实行了第一步利改税，较好地解决了国家与企业之间的利益关系，开始打破企业吃国家的“大锅饭”的局面。第二步利改税，使企业在基本同等的条件下开展竞争，促进了生产和企业的发展。实际上，“利改税”是“放权让利”改革的深化。

内蒙古党委和政府比较清醒地看到了内蒙古城市经济体制改革与发展的艰巨性和复杂性。因而在传达贯彻中共中央关于实行“调整、改革、整顿、提高”的八字方针时，一再强调态度要坚决，工作要细致，步子要稳妥。在经济调整的指导思想上，确定了先易后难、先点后面、循序渐进、稳步发展的原则。在具体做法上，制定了一些符合内蒙古实际情况的具体的经济政策与措施。与此同时，提出要扩大企业的自主权，使企业成为相对独立的社会主义经济单位，改变行政部门干预过多、企业内部缺乏活力的现象。

1981 年 1 月 15 日—24 日，中共内蒙古自治区代表会议召开，传达中央工作会议精神，研究自治区经济形势和经济调整等问题，总结了两年来贯彻中央八字方针的工作成果，农牧业推行承包责任制，工商业开始管理体制改革，扩大工业自主权试点，财政、外贸体制改革，轻纺工业的发展和农、轻、重关系的调整，都取得了积极的效果。会议对自治区城市经济方面存在的财政入不敷出、基本建设战线过长、企业经济效益差等问题，进行了认真的分析研究，一致认为，今后的经济建设必须摆脱“左”的指导思想的束缚，真正从实际出发，量力而行，循序渐进，讲求实效，使经济建设走上稳定发展的轨道。从自治区来说，基本点就是要调整到自治区财力、物力可能承担的水平上。

会后，全区各级都重视调整工作，坚决压缩了一批基本建设项目；对一些长期亏损的企业，实行关、停、并、转。与此同时，结合工业改组，专业化协作，对企业整顿，加强领导，对现有企业进行挖潜、革新、改造，并注意发挥自治区的优势，积极发展轻纺工业等等，从而使各种经济关系得到了进一步的调整。

农村牧区经济形势的迅猛发展，向城市改革提出了新的要求。一是要求改革商品流通体制，疏通流通渠道，扩大城乡交流，为农民贩运和销售开绿灯；二是要求工业部门生产适销对路的产品，提高产品质量，满足农村牧区生产、生活的需要；三是要求打开城门，让农牧民进城办第三产业，进一步搞活城乡经济。城市经济体制改革势在必行。中共中央及时作出城市经济体制改革的决定，并明确指出，要从解决国家与企业、企业与职工的关系入手，把经济搞活。调动企业和职工的积极性，把企业和职工的物质利益同企业经营管理的好坏和职工劳动成果的好坏联系起来。一要推行各种形式的责任制，解决职工吃企业“大锅饭”的问题；二要改革调整国家与企业的关系，解决企业吃国家“大锅饭”的问题。

内蒙古党委和政府按照中央的精神，及时总结了在这之前就出现的一些企业效仿农村实行联产承包责任制的做法和经验，提出了请“包”字进城的建议。并明确指出，要狠抓简政、放权、承包，推行以承包为主要形式的经济责任制。打破“铁饭碗”和“大锅饭”，实行社会主义按劳付酬的原则，奖勤罚懒，使责、权、利有机地结合起来，逐步把城市经济体制改革引向深入。

从1983年开始，“包”字进城，实行企业“改革、承包、开放”的方针，进一步扩大企业自主权，由试点到推广，逐步扩大范围。1984年5月，国务院作出国营工业企业扩权的10条规定，自治区提出管理企业的政府部门转变职能，制定放权政策，给企业放权。在承包责任制方面，普遍推行的是多层次的全面承包形式。企业向国家全面承包，把国家下达的各项经济技术指标和对企业经营管理的要求，作为企业的责任，以产值、产量、成本、利税、安全等作为主要指标，全面考核其完成情况，按照承包合同进行利润分成。企业向国家承包之后，再把各项指标逐级分解成分指标，层层落实到车间（科室）、工段、班组和个人，使每个环节、每个职工都有明确的经济责任和考核要求。企业管理人员以至主管局干部也分别承包，根据工作职责，确定分管指标，承包考核。这样的承包方式，使责、权、利紧密结合，经济效益与经济利益联系起来，比较有效地调动起了职工、企业的积极性，加强了企业管理，提高了经济效益。不少企业把现代管理手段与经济责任制结合起来，提高了管理水平和企业素质。

1984年10月，中共十二届三中全会作出了《关于经济体制改革的决定》。12月1日至7日，中共内蒙古自治区第四次代表大会召开，集中贯彻中共中央《关于经济体制改革的决定》，进一步研究了自治区的经济体制改革和现代化建设问题。大会确定自治区经济发展总的战略思想是，在坚持改革、对内搞活、对外开放中，充分发挥资源优势，进行综合开发；以城市为重点的经济体制改革，必须从内蒙古的实际出发，坚持中央决定中提出的积极而稳妥的方针，看准了就坚决改，看准一项改一项，一时拿不准的，就先进行试点；要继续做好简政、放权、承包，增强企业活力。各级政府部门要正确行使经济管理职能，树立为基层和企业服务的思想，正确处理与企业的关系，学会运用政策和发挥经济杠杆的作用来管理经济，原则上不直接管理企业，该放给企业的权力要坚决放下去，真正做到把宏观经济管住管好、把微观经济放开搞活。要充分发挥城市的经济文化中心的作用，逐步形成以城市为依托的不同规模的开放式、网络式的经济区；要积极推进技术进步，加快企业改造，进一步对外开放，开展区内外和国内外多方面的经济联系，把闭关自守、封闭式的经济，变为开放式开拓型经济；要搞活交通运输，努力抓好影响全局的一些骨干项目；抓紧资源开发和重点项目的前期准备工作；改革人才管理制度，落实知识分子政策，加速智力开发，使以城市为重点的整个经济体制改革全面展开。

1986 年，国有企业的改革向管理体制改革推进，扩大企业的自主经营权，普遍推行厂长、经理负责制和目标责任制，以改变国有企业计划目标能否完成，生产经营结果如何，最终无人负法定责任的弊端。到 1987 年，全区已有 1 141 家企业实行了厂长负责制，其中预算内国营企业 898 个，占国营企业的 91%。试行结果，效益显著。同时，全区在 3 464 个国营小型商业企业中有 56. 5% 的门点实行了“改、租、转”，其中改为国家所有、集体经营的 1 266 个，占 36. 5%；转为集体所有制的 497 个，占 14. 4%；转为租赁经营的 196 个，占 5. 7%。供销社的体制改革也有重大进展。经营形式和经营方式改变后，营业额和上缴国家税收都有很大增长。通过这些改革，初步打破了两个“大锅饭”，调动了企业和职工的积极性，使企业活力明显增强。

1987 年，按照中央的统一部署，对国有企业全面推行承包经营责任制，实行“包死基数，确保上交，超收多留，欠收自补”的办法，承包者通过竞标上岗。这次改革是在此前进行的一系列探索性改革的基础上，分两轮进行的规范性承包经营制改革。第一轮承包从 1987 年下半年开始，到 1988 年 5 月，全区 78% 的工交企业实行了承包责任制，其中地方预算内企业占 81%，大中型企业占企业总数的 82%；全区 527 家大中型商业企业中实行承包责任制的占 70. 2%；有 85. 6% 的小型商业企业进行了改、转、租、卖。到 1990 年上半年，历时 3 年，全区绝大部分中小企业实行了承包经营。这一轮改革调动了承包经营者的积极性，一定程度上促进了生产的发展，但是对承包者约束力不强，存在负盈不负亏的问题，致使企业后劲不足。从 1990 年下半年到 1993 年 7 月，根据自治区体制改革委员会制定的 7 个配套文件，国有企业进行了第二轮承包经营体制改革，主要是规范制度，重点强化监督、管理。这对第一轮承包漏洞有所堵塞，对存在问题有一定的改善。但是由于承包制本身的人为因素的局限，未能从根本上跳出承包制的局限性和克服其固有的弱点。1992 年 7 月，国有企业改革的重心开始向贯彻国务院《全民所有制工业企业转换经营机制条例》转移。1993 年 1 月，自治区人民政府制定了贯彻上述国务院“条例”的配套《实施办法》,落实企业经营 14 项自主权，改革工资分配制度和人事用工制度，改革经营机制，推行承包制、租赁制、兼并制，引入竞争机制和风险机制，探索企业所有权和经营权的分离模式。又经过 3 年多时间的探索，企业管理体制改革取得了明显的经济效益，绝大部分改制企业提高了产值、利税和劳动生产率，提高了职工工资、奖金，出现了国家、企业、职工收入同步增长的趋势。但是，这项改革未能触动企业产权。

至此，第一个阶段的企业体制改革，经过实行两步利改税，试行厂长（经理）负责制，推行承包经营责任制，转换企业经营机制等一系列以放权让利为主要特征的改革，使全区 90% 以上的企业实行了各种形式的经济承包责任制。

第二个阶段，1992 年 12 月，中共十四大提出建立社会主义市场经济体制的目标。从 1993 年开始，国有企业改革逐步转向大规模的产权制度改革和制度创新。从 1994 年起，国家在全国选择了 100 户企业进行建立现代企业制度试点，主要是“产权清晰、责权明确、政企分开、管理科学”16 字改革内容。经过国家一年的统一试点，1995 年自治区制定了调整国企改革的战略部署，以搞好国有经济为出发点，以促进资产流动和重组为重点，以建立现代企业为目标，抓大放小，着力重构重塑地区经济结构。从 1995 年起，自治区正式启动现代企业制度试点。首先选择了 13 户企业进行试点，1996 年又选择了 17 户企业进行推广，1997 年再选了 20 户企业再推广。自治区还成立了现代企业制度试点领导小组，以加强试点工作；制定了《内蒙古自治区建立现代企业制度工作整体实施方案》,对试点企业进行了理论培训和指导。1997 年底，全区范围内推行现代企业制度试点的企业达到 96 户。试点的实践表明，企业多数实现了产权多元化，普遍建立了法人治理结构，实行了企业内部 3 项制度改革，健全了财务、人事、工资等现代管理制度。在试点的同时，全区各地也本着“抓大放小”的原则，对中小企业普遍进行转换经营机制，实行产权多元化改造。

经过建立现代企业制度的试点，企业股份制建设全面展开，实施大集团战略成效显著，企业股份制改革发展迅速，上市公司从无到有。到20世纪末，国企改制大中型企业达65%，小型企业达81%；组建规范的股份制有限公司78户、有限责任公司1 287户；组建各类企业集团93户；中小企业进行多种形式的改革，转制面达50%以上；2000年上市公司发展到18家。以建立社会主义市场经济体制为目标，对财税、金融、计划、投资、外贸、价格、流通、工资、住房、社会保障体系进行了重大改革。本着转变职能、理顺关系、精兵简政、强化服务、提高效率的原则，推进了各级政府的机构改革，到1995年基本完成了自治区、盟市、旗县、乡镇苏木四级政权机构改革。

在企业体制改革的同时，自治区进行了计划体制、财政体制、税收体制、金融和保险体制、流通体制、外贸体制等改革，以及物价与工资改革、城市综合体制改革与小城镇改革和所有制结构调整等，有力地促进了经济体制改革。①

（一）关于计划体制改革。缩小指令性计划领域，扩大指导性计划和市场调节。农业生产完全改为指导性计划和市场调节；工业生产指令性计划指标由过去的1 020种减少到109种；区内商业指令性计划指标由过去的59种减少到36种；物资分配指令性计划品种由过去的256种减少到29种。同时，扩大了盟市计划管理权限，向盟市下放基本建设、利用外资、横向联合项目的审批权和计划管理权限。由此逐步形成物资市场、技术市场、劳务市场、房地产市场，开始显示市场机制的作用。

（二）关于财政体制改革。1980年自治区实行了“定收定支，分级包干”的财政体制。从1984年起，实行分税制财政管理体制，根据财权和事权相结合的原则，将税制改革后的税种设置划分为自治区和盟、市两级财政

---

① 综合参考内蒙古自治区档案局（馆）主编：《内蒙古自治区党委、政府文件数据库》，陕西电子音像出版社2005年版；内蒙古自治区人民政府（1978—2000）相关文件；《内蒙古自治区志·政府志》；《内蒙古自治区志·共产党志》；《内蒙古改革开放20年》等。

收入，将金融保险营业税、自治区直属企业所得税、部分重点企业增值税的25%留归自治区级，其余放到盟市、旗县，按事权划分自治区和盟市财政支出，定额补助或上解。盟市对旗县也实行分税制改革。行政事业单位实行经费包干，结余留用；对支工支农支牧财政周转金，签订合同有偿使用，提高资金使用效益。1985年开始对各盟市实行“划分收支，分级包干”的新财政管理体制。对于收大于支的盟市，实行“核定收支，定额上交，超收留用，自求平衡”，一定5年不变的大包干办法。这样，90%以上的财政收入归盟市，60%以上的支出由盟市安排，增加了盟市的财权，调动了盟市增收节支的积极性，使全区财政自给率有了提高。1982年全区财政收入是5.18亿元，财政自给率为28.6%。到1987年，全区财政收入增加到19.4亿元，财政自给率提高到56.23%，比1982年的自给率提高27.63%

（三）关于税收体制改革。从1983年开始税制改革，开征国营企业利润所得税，税后利润部分上缴国家，部分企业留用；1984年又实行利改税，并开征资源税和城市建设维护税。1994年对工商税制进行了结构性改革，实行分税制财政体制，以推行规范化的增值税为核心，相应设置了消费税、营业税，建立了新的流转课税体系；对内资企业实行统一的企业所得税；统一个人所得税，取消个人收入调节税和城乡个体工商业户所得税；调整、撤并和开征其他税种，工商税由三十多种简化合并为18种。分税制和新税制的实行，调动了地方的积极性，税收收入迅速增长，促进了自治区的经济发展。

（四）金融、保险体制改革。1979年以来，自治区的中国银行、工商银行、建设银行、农业银行相继恢复，自治区成立了保险和信托投资等非银行金融机构，逐步形成了以中国人民银行为领导，以四家国有专业银行为主体，城乡信用合作机构等为补充，政策性银行与商业性银行相分离，保险、信托投资、证券等非银行金融机构并存的金融体系。

金融体制改革扩大了金融业务范围，增多了服务品种，采用股票、债券、商业票据、大额定期存单、信用卡等多种信用工具，改变了传统单一的信用形式；除传统的银行存、贷、汇、国际结算业务外，发展了信托投资、投资咨询、委托等业务；银行贷款从流动资金贷款扩展到固定资产、科技领域、个人住房领域，增设了固定资产贷款、抵押贷款、乡镇企业贷款、外资贷款、科技开发贷款、楼宇按揭贷款、居民消费贷款等项目，开辟了多种融资渠道，加快了资金流转，促进了经济发展。

除了国有四大专业银行外，自治区还成立了工商银行内蒙古信托投资公司等5家信托投资机构，发展了城市信用社50个，短期资金市场3个；还与河北、山西联合，成立了冀晋蒙10地市融资公司；与华北4省市联合，成立了华北5省市区融资网络。全区经济建设资金已由财政渠道为主转为信用渠道为主。1987年与1982年相比，由银行渠道解决的生产、建设、流通资金增加了1.5倍。

（五）流通体制的改革。在坚持国营企业起主导作用的前提下，调整了所有制结构，实行了多渠道、少环节、开放式、网络化的经营方式。1984年自治区将35个直属商业企业随同计划、经营、财务等各种权力全部下放到盟市。对小型商业企业，实行开放搞活的政策，初步打破了国营商业企业独家经营的局面。1987年底，全区在3 464个小型企业中，实行改、转、租等开放经营的企业占56.5%，个体商业的零售额占社会商品零售总额的10.98%。全区城乡集贸市场已发展到900多个。粮食流通体制也进行了改革，实行多渠道经营粮食，除国营粮食部门外，先后成立80多个议购议销企业，还在全区的城镇和乡村建立了800多个粮食市场。从1985年起，取消粮食统购，实行合同定购。1987年全区社会商品零售总额达到105.4亿元，比1982年翻一番；1982年，商业系统亏损2 388万元，1987年实现利润6 311万元，上缴税利1.5亿元，比1982年增长了35.4%。

（六）外贸体制的改革。从1985年1月1日开始，实行了政企分开的管理体制。自治区经贸厅专司行政管理权，并明确了21条行政管理职责。同时，放开了计划外出口商品的限制，允许生产企业自找销路或委托外贸公司代理出口。在机构设置上，除满洲里、二连浩特市外，全部撤销了旗县外贸局，变成了经济实体。

（七）物价和工资改革。按照国家统一部署，自治区的价格体系改革已迈出了重要的一步。本着“走小步，走一步，看一步，放调结合”的指导方针，先后取消了生猪派购，实行有指导的议购、议销价格；放开了蔬菜等鲜活副食品的价格；调整了粮食购销价格，实行了倒三七比例作价的办法；生产资料价格实行了“双轨制”等。

随着物价的改革，工资制度、人事制度也进行了改革。1984 年以后，对企业的工资、奖金分配进行了多种形式的改革试验，如计件工资制、定额包干制，还有工资、奖金同经济效益挂钩等。1985 年，机关、事业单位实行了以职务工资为主的结构工资制。从 1983 年起，在部分国营企业试行了劳动合同制。1986 年，开始废除子女顶替制度，实行劳动合同制，部分地区试行了退休金社会统筹。从 1987 年底开始，又探索优化人员、择优上岗劳动组合制。

（八）所有制结构的调整。在大力发展全民所有制经济和集体所有制经济的同时，鼓励发展个体经济、私营经济以及中外合资经营、合作经营和外商独资企业，初步形成了以公有制为主体的多种经济成分、多种经营方式并存的所有制结构。1985 年，全区工业总产值中，全民所有制企业占 81.5%，集体企业占 18%，个体和其他类型企业占 0.5%。1987 年统计，全区个体工商企业已发展到 20.2 万多户，比 1982 年增长 4.5 倍，从业人员达 30.4 万人，增长 5.3 倍。全区雇工 8 人以上的私营企业达 2 300 多户，拥有资金 3 450 万元。个体工商户和私营企业营业额累计达 45.3 亿元。在社会商品零售总额中，集体所有制商业的零售额由 1983 年的 17.6% 上升到 34.56%，个体商业零售额由 2.1% 上升到 10.98%。

（九）城市综合体制改革和小城镇改革。呼和浩特、包头已列入全国 63 个试点改革城市之中，这两个城市在综合改革方面做了大量试点工作。卓资县被列为全国 10 个县级综合体制改革试点县之一。呼和浩特市由体制改革办公室牵头，会同有关部门拟定了 9 个配套改革文件，逐步由市政府批转执行。包头市在全国会议之后，已拟定了 6 个方面的改革方案。满洲里市制定了 54 条综合改革方案，收到了较好的效果。乌海市、乌兰浩特市、海拉尔市等地区的综合改革成效也较显著。此外，根据自治区面广、点多、边境线长等特点，扩大了盟市、旗县管理经济的权力，使之能够单独开展与东北、华北、西北经济区的协作和联合。

城镇的改革试点工作也在探索中前进。自治区以乌兰察布盟的旗下营、隆盛庄和哲里木盟的木里图镇等为试点，不断总结经验教训。其他盟市根据当地的实际，按照不同的方式也搞了一些试点。

城市经济体制改革的稳步发展，有效地加快了自治区社会主义现代化建设的步伐，城乡经济空前繁荣。“六五”期间，全区工业在调整改革中稳定、协调发展，经济效益显著提高。1985 年全区工业总产值达到 95.1 亿元，比 1980 年增长 61.5%，年均增长 10.1%。1985 年，全区社会商品零售总额达 82.7 亿元，比 1980 年增长 86.7%，年均增长 13.3%；国内纯购进额达到 47.05 亿元，增长 83.9%，年均增长 13%。多年来市场商品匮乏、流通不畅的状况，逐步得到改善。1985 年自治区进出口总值达到 1.8 亿美元，比 1980 年增长 3 倍多。1985 年全区地方财政收入达 11.3 亿元，比 1980 年增长 1.7 倍，超过了同期工农业总产值的增长速度。在经济发展的基础上，1985 年人均国民收入由全国第 17 位上升到第 14 位。城乡人民生活水平显著提高。城镇职工家庭就业面逐步扩大，“六五”期间安置待业人员 94.6 万人。1985 年，职工家庭人均年生活费达到 669 元，比 1980 年增长 85.8%，扣去物价上涨因素，增长 55%。同时，科技、教育等事业与经济建设的关系趋向协调，取得了很大进展。

第三节 国民经济发展的战略目标

内蒙古自治区在改革开放的 20 年间，国民经济长足发展，社会面貌发生了巨大变化。“文化大革命”结束，特别是中共十一届三中全会后，经过调整、恢复，从 1981 年到 2000 年的 20 年间，在改革开放的历史大潮中，通过“六五”到“九五”4 个五年计划，分两个大的发展阶段实施经济翻两番的战略目标。

一、第一个阶段的发展目标及其结果

从 1980 年到 1990 年，实施发展国民经济“六五”和“七五”计划。通过两个五年计划，在探索经济体制改革的同时，进行经济建设，实现国民经济翻一番的第一个战略目标。

1978 年 12 月中共十一届三中全会以后，内蒙古农村牧区一面恢复被“文化大革命”破坏的经济，调整紊乱的经济秩序；一面摸索经济体制改革。经过十多年的探索，逐步形成了家庭联产承包责任制为基础的农村牧区新的经济体制，成功地发展了生产力；同时，实施“林牧为主、多种经营”

的经济建设方针和发展农牧业生产的各项政策、措施，有力地促进了农村牧区经济的发展。中共十二届三中全会通过《关于经济体制改革的决定》后，城市经济体制改革也逐步全面展开，制定了发展生产的各项政策、措施，大力发展生产，收到了良好的效果。

农村牧区的经济体制改革，调动了农牧民发展生产的积极性，初步形成社会安定，民族团结，生产发展，各业兴旺的景象。农业生产推广优良品种、模式化栽培、地膜覆盖等适用增产技术，畜牧业生产推广良种、改良繁殖、科学饲养、疫病防治等适用技术。有力地推动了农牧业生产的发展。另外农牧业机械总动力、各种拖拉机、载重汽车、有效灌溉面积、化肥施用量、农药和塑料薄膜使用量等都有大幅度增加，农牧业生产条件有了较大改善。1978 年到 1990 年，农、牧、林、渔业总产值从 283 500 万元增加到 1 569 192 万元，按不变价格计算增长 4. 53 倍，其中农业总产值从 187 961 万元增加到 1 031 256 万元，增长 4. 49 倍；牧业产值由 84 200 万元增加到 464 131 万元，增长 4. 51 倍；粮食由 499 万吨增加到 973 万吨，增长 94. 99%；牲畜年中总数由 4 162. 3 万头（只）增加到 5 307. 5 万头（只），增长 27. 51%。

在城市以企业为重点的全面体制改革，促使经济快速发展。1978 年到 1990 年，工业总产值从 52. 96 亿元增加到 263. 33 亿元，按当年价格计算增长 3. 97 倍，其中轻工业产值由 22. 05 亿元增加到 108. 51 亿元，重工业产值由 30. 91 亿元增加到 154. 82 亿元；交通运输客、货周转量分别由 31. 80 亿人公里和 224. 55 亿吨公里增加到 99. 01 亿人公里和 621. 90 亿吨公里；邮电业务量由 4 159 万元增加到 11 729 万元；国内贸易社会消费零售总额由 36. 83 亿元增加到 130. 58 亿元；外贸进出口总额由 0. 27 亿元增加到 25. 29 亿元；金融机构存、贷款年末余额分别由 16. 47 亿元和 40. 33 亿元增加到 169. 77 亿元和 272. 92 亿元。在 44 种主要工业产品产量中有 23 种产品产量完成或超额完成了计划，特别是一批重要能源、原材料工业基础设施的建成投产，使能源、原材料工业产品产量大幅度增长。

经过恢复调整和两个五年计划，自治区的经济有了很大的发展，1978 年到 1990 年，按当年价格国民生产总值和国内生产总值均由 58. 04 亿元增加到 319. 19 亿元，增长 4. 49 倍；工农业总产出由 81. 30 亿元增加到 420. 30

亿元，增长 4.16 倍；财政收入总额由 69 046 万元增加到 329 763 万元，增长 3.77 倍，各项税收收入总额由 60 750 万元增加到 342 192 万元，增长 4.63 倍，财政自给率有所提高。

经济快速发展，财政收入稳定增长，人民生活显著提高，社会各项事业发展迅速。1978 年与 1990 年相比，农民人均纯收入由 126 元增加到 607 元；牧民人均纯收入由 188 元增加到 906 元；城镇居民人均生活费收入由 273.65 元增加到 1 050.01 元。1985 年与 1990 年相比，全社会固定资产投资总额由 52.42 亿元增加到 70.77 亿元，有力地促进了基本建设、更新改造、房地产开发等事业的发展。对科技、教育事业加大经费投入，文化、卫生、体育事业都有不同程度的发展。1980 年与 1990 年相比，各类专业技术人员由 15.84 万人增加到 45.48 万人，科技经费由 0.19 亿元增加到 0.87 亿元，取得科技成果 2 752 项，其中重大科技成果 673 项。高等学校由 14 所增加到 19 所，年招生由 6 882 人增加到 9 870 人；中等专业学校由 58 所增加到 101 所，年招生由 12 089 人增加到 16 578 人；普通中学由 5 194 所减少为 2 058 所，年招生由 586 546 万人减少为 363 642 人；小学由 26 980 所减少为 14 634 所，年招生由 671 512 人减少为 446 068 人。据《辉煌的内蒙古》统计文献记载，1978 年是中小学数量和学生人数猛增的一年，以后逐年锐减 50% 左右，同时计划生育的实施，学校调整合并，专业学校的增加，也是普通中学和小学及其学生人数减少的原因。各类文化事业机构由 2 155 个增加到 4 656 个；报刊出版发行事业有较大增长。医疗卫生事业稳步发展，卫生机构由 4 000 个增加到 5 161 个，人员由 75 123 人增加到 121 443 人；卫生经费由 1979 年的 8 403 万元增加到 23 760 万元。体育经费由 714 万元增加到 3 155 万元。①

“六五”和“七五”期间，在探索发展中出现了社会局部不安定因素，经济出现过热现象，导致通货膨胀加剧，物价上涨过猛，经济秩序混乱。1987 年物价总指数上升 8.1%，1988 年又上升 16.3%，对企业经营和城镇居民生活产生了一定的影响。特别在流通领域，出现了牟取私利、非法经

① 参见内蒙古自治区统计局编：《辉煌的内蒙古》，中国统计出版社 1999 年版，第 243—377 页相关项目数据。

营、倒买倒卖、哄抬物价的问题，干扰了正常的流通秩序，损害了消费者利益。在经济运转中，计划外固定资产投资规模扩大，重复建设，盲目上马，脱离资金和所需条件的承受能力；消费需求过旺，信贷规模过大，货币发行过多，加剧了供需矛盾；收入分配不公，脑体劳动收入倒挂，产生了消极影响。在经济秩序混乱中，出现以权谋私，贪污受贿等腐败现象，引起社会的关注与忧虑。1989 年北京出现的政治风波影响到内蒙古，出现了短暂而局部的社会波动。此等负面现象，在一定程度上干扰了改革开放，影响了经济社会的发展。

内蒙古党委及时进行全面治理整顿，持续打击危害社会安定的刑事犯罪活动；控制物价，压缩社会需求，整顿流通秩序，整顿金融税收，惩治腐败；适度放慢经济增长速度，收到了良好效果，完成和超额完成了两个五年计划，实现了国民生产总值翻一番的第一步战略目标。

二、第二个阶段的发展目标及其结果

从 1991 年到 2000 年，实施发展国民经济的“八五”和“九五”计划。在加快改革开放步伐的同时，建立与发展社会主义市场经济，实现国民经济再翻一番的第二个战略目标。

内蒙古自治区在 1991 年确定了 20 世纪最后 10 年的战略思路，即发挥资源优势，坚持改革开放，依靠科技进步，努力兴区富民。其主要任务和目标是，在“八五”期间，基本实现近期 3 项奋斗目标；到 20 世纪末，全面实现第二步战略目标，即国民生产总值再翻一番，增强综合经济实力，人民生活达到小康水平。在实施“八五”计划的过程中，按照建立和发展社会主义市场经济的要求，通过实践不断调整发展思路，先后提出“两带一区”发展战略和经济、社会发展的“五大战略”，并据时势发展需要，制定了一系列政策和具体措施。在实施“九五”计划时，确定经济和社会发展的总体目标是，完成基本实现小康和初步建立起社会主义市场经济体制两大历史性任务。围绕这一总体目标，实现两个提高，即提高财政收入水平，提高城乡人民生活水平。为达到此目标，要求实行两个根本性转变，即经济体制从传统的计划经济向社会主义市场经济转变，经济增长方式从粗放型向集约型转变。

自治区把发展农牧业始终放在经济工作首位。“八五”期间，继续深化农村牧区改革，着力实施科技兴农兴牧，加强以水利为中心的农田草牧场基本建设，推进土地使用制度改革，加强了农村牧区社会化服务体系建设。“九五”期间，按照强化开发第一产业的思路，进一步调整优化农牧业产业结构，农牧业生产能力跃上了新台阶。10 年来，推广了 182 项农牧业增产增收技术，有 220 万农牧民接受了适用技术的培训，新增农田有效灌溉面积 350 万亩，水土保持治理面积 2 321 万亩，植树造林面积 2 537 万亩，牲畜出栏率、商品率提高 6 个和 5 个百分点。1990 年到 2000 年，按当年价格农林牧渔业总产值由 1 569 192 万元增加到 5 431 645 万元，增长 2. 46 倍，其中农业产值由 1 031 256 万元增加到 3 083 645 万元，增长 1. 99 倍；牧业产值由 464 131 万元增加到 2 054 581 万元，增长 3. 42 倍；粮食总产量由 973 万吨增加到 1 241. 9 万吨，增长 27. 63%；牲畜总头数由 5 307. 5 万头（只）增加到 7 300. 5 万头（只），增长 37. 55%；农区、半农半牧区牲畜头数已占全区牲畜总头数的 58%。农牧业综合效益稳步提高。

工业经济持续稳步发展，基本建设步伐加快。“八五”期间，依靠技术进步，加强企业管理，狠抓扭亏增盈，工业经济发展加快，效益明显提高。“九五”期间，贯彻“全党抓经济，重点抓工业，突出抓效益”的思路，加快结构调整、技术改造和体制创新步伐，工业及各项建设取得了巨大发展。1990 年到 2000 年，按当年价格工业总产值由 263. 33 亿元增加到 1 266. 11 亿元，增长 3. 8 倍，其中轻工业产值由 108. 51 亿元增加到 488. 69 亿元，增长 3. 5 倍；重工业产值由 154. 82 亿元增加到 777. 42 亿元，增长 4. 02 倍；建筑业总产值由 27. 89 亿元增加到 138. 80 亿元，增长 3. 97 倍；交通运输业客、货周转量分别由 99. 01 亿人公里和 621. 9 亿吨公里增加到 219. 10 亿人公里和 1 041. 20 亿吨公里；邮电业务总量由 2. 12 亿元增加到 56. 25 亿元；国内贸易社会消费零售总额由 130. 58 亿万元增加到 483. 98 亿元；外贸进出口总额由 25. 29 亿元增加到 168. 78 亿元；金融机构存、贷款年末余额由 169. 77 亿元和 272. 92 亿元增加到 1 094. 17 亿元和 1 192. 35 亿元。

经过两个五年计划，自治区的社会经济蓬勃发展。1990 年到 2000 年，按当年价格国民生产总值由 319. 19 亿元增加到 1 400. 81 亿元，增长 3. 38 倍；国内生产总值由 319. 31 亿元增加到 1 401. 01 亿元，增长 3. 38 倍；工农业总产出由 420. 30 亿元增加到 1 809. 27 亿元，增长 3. 3 倍；财政收入由 32. 98 亿元增加到 155. 59 亿元，增长 3. 71 倍；各项税收收入由 34. 22 亿元增加到 122. 66 亿元，增长 2. 58 倍。

由于经济大幅度增长，人民生活显著提高，全社会固定资产投资逐年增长，科技、教育事业空前发展，文化、体育、卫生、社会福利、环境保护等社会事业发展迅速。1990 年与 2000 年相比，农民人均纯收入由 607 元增加到 1 869 元；牧民人均纯收入由 906 元增加到 3 354 元；城镇居民人均生活费收入由 1 050 元增加到 4 601 元。全社会固定资产投资由 70. 77 亿元增加到 430. 42 亿元，使基本建设、更新改造、房地产开发以及其他固定资产投资事业长足发展。从城市到农村牧区面貌的巨变，是全社会固定资产投资的标记。教育事业迅速发展，高等教育管理体制改革和布局结构调整的阶段性目标已完成，普通高等学校招生人数由 9 870 人增加到 33 183 人，增长 2. 36 倍，在校学生由 3. 7 万人增加到 7. 2 万人，增长 94. 59%；普通中等学校招生人数由 43. 62 万人增加到 58. 23 万人，增长 33. 49%；小学招生人数有所减少。各类学校数目虽然有增有减，但是这与教育体制改革和结构调整不无关系，高等教育发展迅速，以普及九年制义务教育为重点的基础教育进一步巩固、提高。科学技术在发展经济中的作用日益突出，科技机构已发展到 422 个，从事科技事业的人员由 45. 48 万人增加到 50. 95 万人，科技经费筹集额由 0. 87 亿元增加到 8. 69 亿元，科技市场成交额达 6. 03 亿元。文化事业机构有 2 008 个，从业人员达 1. 38 万人；文物事业机构 103 个，从业人员 1 407 人；图书、杂志、报纸的出版发行量与日俱增；广播电视电影事业飞速发展，蒙语广播和电视四套节目送上卫星，广播电视覆盖率达到 81. 3%；医疗卫生改革取得突破性进展，农村牧区三级医疗卫生保健网不断巩固完善，计划生育率达到 94%；社会救济、优抚、旅游、气象、测绘、地矿、地震、人防、新闻出版、社会科学、宗教、侨务、残疾人事业、档案、无线电管理等各项事业都有相应的发展。①

在 20 世纪的最后 10 年，全面实现了国民生产总值再翻一番的第二步战

① 据内蒙古自治区统计局编：《辉煌的内蒙古》，中国统计出版社 1999 年版，第 243—377 页相关项目数据和内蒙古自治区统计局编：《内蒙古自治区统计年鉴》，1999、2000 年相关项目数据计算。

略目标，人民生活基本达到小康水平。这是内蒙古自治区历史上的第二个“黄金时期”，社会安定，经济繁荣，人民生活显著提高，各项事业欣欣向荣。自治区以光辉灿烂的业绩载入20世纪的史册。

第四节 国民经济发展的辉煌成就

二十多年来，内蒙古自治区的经济发展，从实行调整、恢复，进行经济体制改革到建立社会主义市场经济，经历了探索、发展，再探索、再发展的过程。在这个过程中，体现了实践、认识，再实践、再认识，不断实践、不断认识的历史唯物主义与辩证唯物主义的观点、方法。依这个过程中丰富的历史事实，总结出内蒙古经济发展的规律，形成理论上的升华，那将是历史的宝贵财富。

一、畜牧业经济的发展

自治区在总结内蒙古历史上畜牧业经济发展的经验教训的基础上，经过对“文化大革命”后畜牧业经济状况的分析、认识，提出了“林牧为主，多种经营”的经济建设方针，实际上确认了“文化大革命”前曾经提出的“以牧为主”的方针。在深化认识的过程中，把林业与畜牧业紧密地联系了起来，形成了“林牧为主”的理念，从生态建设与发展畜牧业的角度看，无疑是正确的。因此，畜牧业在内蒙古经济发展中的地位是显而易见的。

内蒙古在“林牧为主，多种经营”的方针指导下，畜牧业的发展充分体现在发展国民经济的4个五年计划之中。

第六个五年计划期间（1981—1985年），畜牧业的发展在自治区经济发展中占有重要的战略地位。1985年“六五”计划结束时，计划牲畜年末总头数要发展到4 420万头（只），其中大畜增长24.8%，小畜增长19.4%，猪增长0.3%，猪牛羊肉总产量达到31万吨，增长30.3%。五年期间，年计划造林500亩，执行中力争超过。①

“六五”畜牧业发展计划执行结果：畜牧业经济效益明显提高，与1980

① 参见布赫：《政府工作报告》（1983年4月20日），《五十年历程》（上），第157页。

年相比，肉类产量达34.9万吨，增长46.6%，超原计划12.58%；牲畜出栏率为25.7%，增加0.2%；商品率为16.1%，增长1.3%，出现了畜牧业向效益型发展的新变化。因1985年部分地区遭受自然灾害，年末牲畜头数为3 205万头（只），未能达到计划目标。[①] 除了自然灾害的原因，牲畜出栏率和商品率的提高，也是牲畜总头数未达标的因素之一。

第七个五年计划期间（1986—1990年），“坚持畜牧业大发展的方针，在政治上和经济上都具有重大意义。总的要求是：数量和质量并重，生产和经营同步，农区和牧区兼顾，草食动物和杂食动物一齐上，把我区畜牧业的生产、管理水平和经济效益提高到一个新的阶段。”[②]

“七五”畜牧业发展计划执行结果：1990年牧业年度牲畜总头数达到5 307.1万头（只），年末达到4 254.1万头（只），分别比1985年增长22.2%和16%；肉类总产量达到50万吨，比1985年增长43.27%。广泛开展科技兴牧活动，推广牧业适用增产技术，培训技术人员，合理利用、保护和建设草原，畜牧业防灾基地和商品基地建设，都有显著的效果。人工种草达380万公顷，兴建水、草、林、机、料五配套的草库伦9.2万公顷，在38个旗县初步建成可以抗御较大自然灾害、实现畜牧业稳步发展的防灾基地；牧业产值连续五年创历史最好水平。[③]

第八个五年计划期间（1991—1995年），“畜牧业继续坚持数质兼顾、以提高质量为主的方针，走建设养畜、科学养畜的道路，发展商品畜牧业、效益畜牧业。加强水、草、林、机、料五配套的畜群草库伦建设，改善畜牧业的生产条件。加快种畜场基地综合项目的建设，促进畜种改良和畜种结构的调整，提高适龄母畜的比重。农区、半农半牧区要走农牧结合的道路，因地制宜地发展牛、羊、猪、禽、杂多种生产，实现农牧业的互相促进，协调发展。建立健全畜牧业的服务体系，加强疫病防治，大力推广适用畜牧业科

① 参见布赫：《关于“七五”计划（草案）的报告》（1986年4月30日，内蒙古自治区六届人大四次会议通过），《五十年历程》（上），第185页。

② 布赫：《关于“七五”计划（草案）的报告》（1986年4月30日，内蒙古自治区六届人大四次会议通过），《五十年历程》（上），第185页。

③ 参见布赫：《政府工作报告》（1991年4月25日），《五十年历程》（上），第240页；内蒙古自治区统计局编：《辉煌的内蒙古》，第330页。

技成果，提高畜产品质量，为轻纺工业提供更多的优质原料，促进畜牧业的商品化和效益化。”这是内蒙古党委和自治区人民政府通过改革，加深对内蒙古畜牧业现状及其重要性的认识，在实践中探索出发展畜牧业的方针、措施、办法的结果。并提出自治区的畜牧业要稳定头数，提高牲畜质量和畜产品质量，提高畜牧业经济效益的要求。到 1995 年，牲畜总头数计划年末稳定在 5 500 万头（只），肉类总产量要达到 60 万吨，奶类产量达到 65 万吨，绵羊毛产量达到 7 万吨，大畜商品率提高到 20% 以上，羊的商品率提高到 25% 以上，生猪商品率提高到 40% 。①

“八五”畜牧业发展计划执行结果：在深化牧区经济体制改革、稳定和完善草畜双承包责任制和统分结合双层经营体制的同时，改革、加强牧区社会化服务体系建设；加大科教兴牧力度，重点推广 182 项农牧业增产增收技术，有 220 万农牧民接受适用技术培训；加强草牧场基本建设；坚持发展商品效益畜牧业，牲畜出栏率、商品率分别比“七五”时期提高 6 个和 5 个百分点；农区、半农半牧区牲畜总头数已占全区牲畜总头数的 58%；畜牧业连年丰收，按牧业年度 1995 年全区牲畜总头数达到 6 065. 7 万头（只），比 1990 年增长 14. 28%；② 肉类总产量达到 73. 88 万吨，增长 47. 76% 。③

第九个五年计划期间（1996—2000 年），在牧区实行“双权一制”体制改革的同时，畜牧业生产主要是提高综合生产能力，提高农畜产品的质量和农牧业的效益，保证农牧民收入有较快的增加。加强以水为中心的草牧场建设，加大牧业综合开发力度，提高畜牧业生产能力，加强牧区社会化服务体系建设，逐步建立以旗县和乡苏木两级的专业经济技术部门和基层供销社为依托，以嘎查村合作经济组织为基础，以牧民自办联办的服务组织为补充的畜牧业社会化服务体系。发展壮大集体经济，大力发展种养加、贸工牧、储运销一体化等多种形式的经济合作组织，把分散的小生产与大市场联结起来，延伸牧业产业链，加快牧业的市场化进程。合理利用牧业后备资源，拓

① 参见《内蒙古自治区国民经济和社会发展十年规划和第八个五年计划纲要》（1991 年 5 月 6 日），《五十年历程》（上），第 252 页。

② 参见乌力吉：《政府工作报告》（1996 年 2 月 5 日），《五十年历程》（上），第 312 页；内蒙古自治区统计局编：《辉煌的内蒙古》，第 327 页。

③ 参见内蒙古自治区统计局编：《辉煌的内蒙古》，第 330 页。

宽牧民的收入来源。畜牧业继续加强以水为中心的草牧场建设和饲料基地建设，搞好畜种改良，调整优化畜群结构，巩固提高牧区畜牧业，大力发展农区、半农半牧区和城郊畜牧业。农区要稳步发展猪禽生产，加快发展养牛养羊业。牧区要开发利用呼盟、兴安盟、锡盟北部草场。农区、半农半牧区要提高秸秆利用率，加快发展饲料工业，增加优质牲畜的饲养量。在“九五”计划结束时，全区牧业年度牲畜总头数稳定在6 500万头（只）以上，其中农区、半农半牧区达到4 000万头（只），年末出栏率保持在40%以上，良种及改良种牲畜的比重提高到70%以上，基础母畜提高到60%，繁殖成活率提高到80%。肉类总产量达到126万吨，奶95万吨，禽蛋30万吨，山羊绒3 320吨，绵羊毛6.4万吨。[①] 这是20世纪末加快畜牧业发展的宏伟计划，且加大科技兴牧的力度，加快畜牧业市场化进程，是完成自治区第二个发展目标的最后冲刺。

“九五”畜牧业发展计划执行结果：2000年在全区66个旗县遭受特大持续旱灾，入冬又有51个旗县遭受白灾的困难形势下，牧业年度牲畜总头数仍达到7 436.16万头（只），比上年增长0.66%，比1995年增长22.59%；肉类达到142.19万吨，比上年增长9.88%，比1995年增长92.46%；鲜奶71.2万吨，比上年增长6.09%；禽蛋23.49万吨，比上年增长10.75%；毛线产量7.38万吨，比上年增长0.13%；畜牧业总产值107.60亿元，比上年增长5.93%。[②]

二、农业经济的发展

经过对自治区农业经济发展历史的总结，在认识历史经验教训的基础上，内蒙古党委和政府根据内蒙古发展农业的自然条件和农业生产的现状，在进行农村经济体制改革的同时，探索发展农业的路子。实行“林牧为主，多种经营”的建设方针，并不是放弃农业，相反，农业的基础地位更加重

① 参见《内蒙古自治区国民经济和社会发展第九个五年计划和2010年远景目标纲要》（1996年2月11日，内蒙古自治区第八届人民代表大会第四次会议通过），《五十年历程》（上），第321页。

② 据内蒙古自治区地方志办公室年鉴编辑部编：《内蒙古年鉴》（1999—2000），方志出版社2000年版，第144、530页数据。

要，牧业、林业及其他各业的发展离不开农业。特别是自治区在20世纪末要实现粮食自给，不仅不能削弱农业的地位，而且要加强。关键是正确解决农牧业的关系，特别是从自治区的自然条件出发，宜农则农，宜牧则牧，宜林则林，协调发展，相互促进，使农、牧、林共同发展。

内蒙古的农业，经过“文化大革命”结束后的调整、恢复，特别是中共十一届三中全会后的探索农村经济体制改革，形成了通过改革求发展的思路。

第六个五年计划时期（1981—1985年），自治区把发展农业放在特别重要的战略地位上，贯彻中央有关农村经济政策精神，采取一系列的政策措施，坚持自治区“林牧为主，多种经营”的生产建设方针，实行农牧林结合，抓紧粮食生产，提高单位面积产量，抓好商品粮基地建设，实现了粮食总产量稳定增长。粮食产量，5年合计达到555亿斤，年均110亿斤，最高年份达到118亿斤；1985年油料产量达到10亿斤；甜菜产量达到34亿斤。农业总产值达到57亿元，年均递增10%。①

“六五”农业发展计划执行结果：农村第一步改革取得历史性胜利，第二步改革已经起步，逐步形成适合自治区特点的家庭经营的社会主义新型经营体制，有效地促进了生产力的发展。到1985年，农业总产值达到了63.93亿元，比1980年增长78.8%，年均增长12.3%。1985年与1980年相比，粮食产量在播种面积有所减少的情况下，总产量达到了604.1万吨，增长52.4%，年均增长8.8%；油料产量达79.4万吨，增长2.2倍，年均增长25.8%；甜菜产量254.2万吨，增长2.1倍，年均增长25.6%。② 如此快的发展速度，粮、油、糖产量年年创新，这在自治区农业发展历史上是少有的奇迹。

第七个五年计划时期（1986—1990年），农业是国民经济的基础，粮食则是基础的基础。为此，自治区继续深入贯彻“林牧为主，多种经营”的生产建设方针，进一步采取发展农业的各项政策，搞好农业的各项基本建

① 参见布赫：《政府工作报告》（1983年4月20日），《五十年历程》（上），第157页。

② 参见布赫：《关于“七五”计划（草案）的报告》（1986年4月30日内蒙古自治区六届人大四次会议通过），《五十年历程》（上），第185页。

设。为确保粮食生产继续稳定增长，粮食播种面积大体保持在365万公顷左右，提高单产，增加总产，发展优、新、名、特品种；经济作物的播种面积根据市场需求和社会承受能力，适当调节和控制；切实加强农业各项基础设施的建设，发挥政策及资金、科技等各项投入的合力效益，继续坚持和采取各种有利于保护和提高农民种粮积极性、有利于发展粮食生产和搞活流通的政策，适当增加农业投资的比重，加强和改善农业技术的普及和推广工作，逐步提高科学种田的水平；改进耕作，有计划地逐步扩大饲草饲料和绿肥作物的播种面积，使粮田种植形成粮食作物—饲草饲料作物—经济作物比例适当的三元结构，走养畜肥田、以草促粮、“反弹琵琶”的发展粮食的新路子；加强水利建设，重点建设河套等黄河灌区以及松辽平原，建立一批高效稳产的商品粮生产基地；在旱区大力种草，以户承包小流域治理，向科技要粮，向水要粮，向“草”要粮。1990年，农业总产值达到85亿元，年递增6%，“七五”粮食总产量合计达到3 225万吨，农民年人均收入达到600元。①

“七五”农业发展计划执行结果：从农业是国民经济的基础出发，一是各级政府增加了对农业的投入，“七五”期间累计投入资金33亿元，比“六五”计划增加57%。二是狠抓了以水利为中心的农田基本建设，完成大小水利工程4.5万项，新增配套机电井5.1万眼，新增保灌面积19.4万公顷，分别比“六五”时期增长67%、46%和17.3%。三是广泛开发了科技兴农、兴牧活动，制定了农业“丰收计划”，大力推广农牧业适用增产技术，培养农牧民技术员，帮助农牧民掌握农牧业增产技术，发挥科学技术在农牧业增产增收中的作用。四是因地制宜地对农业进行开发与改造，五年新开发耕地19.1万公顷，改造中低产田47.2万公顷，这对农业特别是粮食增产发挥了很大的作用，使农业生产出现了稳定发展的新局面。1990年农业总产值达到了155.2亿元；粮食生产连续四年丰收，1990年总产量达97.3亿公斤，比1989年增产29.5亿公斤，增长43.5%，粮食综合生产能力达到

---

① 参见布赫：《关于“七五”计划（草案）的报告》（1986年4月30日，内蒙古自治区六届人大四次会议通过），《五十年历程》（上），第185—195页。

75 亿公斤左右，登上了一个新台阶。①

第八个五年计划时期（1991—1995 年），种植业要坚持灌溉农业和旱作农业并举，常规农业与开发农业并举，以改造中低产田、提高单位面积产量为主的方针。突出抓好粮食生产，稳步发展油料和甜菜生产，积极发展多种经营。"八五"期间，要重点建设东部四盟市农业开发一、二期工程和伊盟沿黄河平原农业开发一期工程，加快河套和土默川灌区的配套建设，大力开展中小流域治理，保持水土，提高土地生产能力；全区粮食播种面积要稳定在 366.7 万公顷左右，增加粮食生产主要依靠提高单位面积产量。到 1995 年，粮食产量稳定在 90 亿公斤左右；油料产量达到 75 万吨；甜菜产量达到 250 万吨。②

"八五"农业发展计划执行结果：农牧业放在经济工作的首位，采取一系列重要措施，农牧业的基础地位得到巩固和加强，农村经济体制改革在稳定和完善家庭联产承包责任制的同时，有效地推进土地使用制度改革，加强了社会化服务体系建设；实施科教兴农兴牧和"丰收计划"，重点推广 182 项农牧业增产增收技术，有 220 万农牧民接受多种形式的适用技术培训；进行以水为中心的农田草牧场建设，5 年累计新增农田有效灌溉面积 350 万亩，水土保持治理面积 2 321 万亩；农业增加值由 1990 年的 112.6 亿元增加到 1995 年的 238 亿元，按可比价年均递增 4%；粮食生产在 1995 年部分地区受灾严重的情况下，总产量达到 105.5 亿公斤，比计划稳定在 90 亿公斤增长了 17.22%，人均粮食产量由"七五"时期的 340 公斤增长到"八五"时期的 480 公斤。③

第九个五年计划时期（1996—2000 年），加强农业的基础地位，大力开展以水利为中心的农田草牧场建设，抓好大江大河水资源开发、水利工程建设和险工险段治理，依法保护基本农田和水利设施；重点加强中低产田改造，在适度开垦宜农荒地，加快必要的退耕还林还牧基础上，稳定播种面

---

① 参见布赫：《政府工作报告》（1991 年 4 月 25 日），《五十历程》（上），第 240—251 页。

② 参见《内蒙古自治区国民经济和社会发展十年规划和第八个五年计划纲要》（1991 年 5 月 6 日），《五十年历程》（上），第 252 页。

③ 参见乌力吉：《政府工作报告》（1996 年 2 月 5 日），《五十年历程》（上），第 312 页；内蒙古自治区统计局编：《辉煌的内蒙古》，第 327 页。

积，提高单产，稳步增加粮食总产量；加强农牧业综合开发和商品粮、油、糖、肉、蛋、奶基地建设，变广种薄收为精种高产；调整种植结构，提高质量和效益。到2000年，粮食总产量达到1 350万吨，油料产量80万吨，甜菜产量330万吨，良种推广面积达到85%以上。围绕国家计划增产350万吨粮食的任务，继续搞好农业综合开发和商品粮基地建设，采取工程和技术措施，改造中低产田2 800万亩，选择条件较好、增产潜力大的区域，实行集约开发，新开宜农荒地480万亩。①

"九五"农业发展计划执行结果：5年来，经受了亚洲金融危机的影响，国内市场需求不足的宏观环境和森林草场大火、强烈地震、特大洪涝、持续干旱等严重自然灾害的严峻考验，按照"强化开发第一产业，优化提高第二产业，突出发展第三产业"的总体思路，农牧业生产整体上保持了发展势头。2000年与1995年相比，粮食总产量由105.5亿公斤提高到142.85亿公斤，增长35.40%；油料（向日葵、油菜、胡麻）总产量由计划8亿公斤提高到9.01亿公斤，增长12.63%；甜菜总产量由计划33亿公斤减少为16.14亿公斤，主要受糖价走低等市场因素的影响，造成甜菜种植面积和产量大幅度减少所致。②

三、林业经济的发展

林业在内蒙古自治区国民经济发展中占有特殊重要的地位，不仅因为有大兴安岭森林工业基地，还因为有大面积的荒漠草原和广阔的农田缺乏森林，而且有十年九旱的气候因素。无论从保护与改善生态环境的角度出发，还是为发展农业、牧业考虑，发展林业生产都具有不可或缺的重要作用。中央把林业放在内蒙古"林牧为主，多种经营"生产建设方针之首，东林西铁，南农北牧，农需林，牧亦需林，林占了上方，可见林业之重要性。

第六个五年计划时期（1981—1985年），林区继续贯彻以更新造林为重

---

① 参见《内蒙古自治区国民经济和社会发展第九个五年计划和2010年远景目标纲要》（1996年2月11日，内蒙古自治区第八届人民代表大会第四次会议通过），《五十年历程》（上），第321页。

② 据内蒙古自治区地方志办公室年鉴编辑部编：《内蒙古年鉴》（1999/2000），第528、529页相关数据。

点，采育结合、综合利用、多种经营的方针，逐步解决采育失调的矛盾；林业生产要贯彻“谁造谁有”的政策；后来又提出实行“个体、集体、国家一起上，以家庭经营为主”的方针，对现有集体林，便于家庭经营的，都可以家庭承包或作价归户，国有次生林，进一步扩大委托管理范围；广泛发动群众造林、护林，绿化祖国，以建设“三北”防护林为重点，逐步提高森林覆盖率，坚决刹住乱砍滥伐的毁林歪风。林业计划每年造林500亩，并力争超过。① 有了林业体制改革和发展林业的初步思路，但还没有找到有效的措施，所以要求也不高。

“六五”林业发展计划的执行结果：由于实行林业体制改革，生产力开始解放，林业职工和农牧民植树造林的积极性有所提高，林业空前发展。5年造林面积总计291万公顷，相当于1953年到1980年造林总面积的57.7%；1985年种草面积达到101.5万公顷，比1980年增长7.3倍。林草业发展居全国首位。人工绿化和小流域治理面积超过自然退化面积。这是一个惊人的发展，是逐步调整林业政策，采取有效措施的结果，路子走对了。

第七个五年计划时期（1986—1990年），林草业是调整农村牧区产业结构的重点之一。继续坚持大力种草种树，保证质量，稳步发展；积极发展林草加工业，把搞好林草产品的转化，作为“七五”期间发展林草业的突破口；突出抓好灌木的种植、加工和利用，做到以绿化带转化，以转化促绿化，充分发挥林草的经济效益、社会效益和生态效益；加强生态治理。人工造林累计达到300万公顷，到1990年森林覆盖率力争由1985年的14.5%达到16.5%；人工种草5年累计达到244万公顷。② 这个任务是可观的。

“七五”林业发展计划执行结果：植树造林，1986年22.63万公顷；1987年24.83万公顷；1988年26.60万公顷，这一年突出抓了提高植树造林的成活率和保存率；1989年23.7万公顷，比上年减少12.23%；1990年造林面积29.80万公顷，比上年增长25.73%。③ 5年总计造林127.56万公

① 参见布赫：《政府工作报告》（1983年4月20日），《五十年历程》（上），第157页；布赫：《政府工作报告》（1984年5月3日），《五十年历程》（上），第167页。

② 参见布赫：《关于“七五”计划（草案）的报告》（1986年4月30日，内蒙古自治区六届人大四次会议通过），《五十年历程》（上），第185页。

③ 参见内蒙古自治区统计局编：《辉煌的内蒙古》，第319页。

顷，只完成五年计划的 42.52%；人工种草达 380 万公顷，超原计划的 55.73%。

第八个五年计划时期（1991—1995 年），生态环境的保护和建设是一项造福子孙后代的战略任务，林草业成为生态建设的主要环节。大搞植树造林，切实控制草原、耕地沙化、退化，防止水土流失，不断优化生态环境，从根本上改善农牧业生产条件。林业要坚持乔、灌、草结合和造、管、护并重方针，继续贯彻执行国家、集体、个人一起上，谁造谁有的政策。重点加强黄河流域、西辽河流域和其他沙化区的植被恢复工作，保质保量地完成"三北"防护林体系二期工程建设。继续加强大兴安岭林区建设。在保证成活率的前提下，每年坚持植树造林 27.6 万公顷，到 1995 年，达到 138 万公顷，全区森林覆盖率提高到 15% 以上。①

"八五"林业发展计划执行结果：植树造林面积达 210.02 万公顷，比原计划增加 72.02 万公顷；除 1994 年造林 37.19 万公顷，略低于原计划外，其他年度造林均高于原计划。

第九个五年计划时期（1996—2000 年），林业继续坚持国家、集体、个人一起上和造、管、封、护并重的方针，实现经济效益、生态效益和社会效益相统一。发挥林业在生态建设中的重要作用，继续加强黄河流域、西辽河流域和其他沙化区的植被恢复工作。重点搞好"三北"防护林工程和治沙工程建设，大力发展防护林、用材林和经济林，加强山、沙区林业工程建设，每年植树造林 500 万亩，有计划地开展封山、封沙、育林、育草，到 2000 年，森林覆盖率提高到 15.6%。

"九五"林业发展计划执行结果："九五"时期，特别是 2000 年，发动了世纪末林业建设事业的冲刺，取得了惊人的成就。全区完成人工造林合格面积 640 万亩，比原计划每年植树造林 500 万亩增加 140 万亩，增长 28%；飞播造林 161 万亩，封山（沙）育林 135 万亩；全民义务植树 5 698 万株，"四旁"植树 5 060 万株；退耕还林还草 255.6 万亩。

这期间，林业建设发展较快，特别是 20 世纪的最后两年有突破性进展。

① 参见《内蒙古自治区国民经济和社会发展十年规划和第八个五年计划纲要》（1991 年 5 月 6 日），《五十年历程》（上），第 252 页。

除了上述森林培育外，在森林灾情与防护方面，1999 年全区发生森林火灾 33 起，受害面积 7 007 公顷；发生草原火灾 30 起，受害面积 24. 67 万公顷，及时组织了扑救；侦破查处各类森林及野生动物案件 3 626 起，查处各类违法人员 5 264 人。2000 年全区发生森林火灾 18 起，受害面积 1 251. 5 公顷；发生草原火灾 27 起，受害面积 16. 7 万公顷；发生森林行政案件 3 481 起，查处 3 474 起；全区发生各类森林和野生动物案件 7 568 起，查处 7 554 起，打击处理违法人员 8 675 人次。防御林业天灾人祸的能力逐步加强，收到了明显的效果。

清查毁林开垦，1999 年毁林开垦达 29. 4129 万公顷；重大毁林开垦面积 14 208 公顷，毁林 112 万株，造成经济损失 237 万元。经清查，1996—1998 年，全区非法征占林地 24 623. 87 公顷。自治区决定总计退耕还林 247 905 公顷，1999 年退耕还林 10 915 公顷，2000 年退耕还林 100 309 公顷，2001 年退耕还林 38 481 公顷。2000 年退耕还林还草 255. 6 万亩。从而加快了退耕还林还草的步伐。

林业基础建设，1999 年新建 97 个达国家标准的乡镇林业站。至此，全区有 34 个旗县共 585 个乡镇苏木成为达国标林业站，占全区乡级林业站的 48. 7% 。2000 年又有 8 个旗县的 109 个乡镇林业站成为达国标林业站。至此，全区有 42 个旗县的 694 个乡镇苏木林业站成为达国标林业站，占全区乡级林业站的 57. 8% 。

重点生态工程建设，“三北”防护林体系第三期、治沙一期、黄河流域防护林、辽河流域防护林、平原绿化等重点生态建设工程，共完成人工造林 560. 93 万亩，飞播造林 150. 21 万亩，封山（沙）育林 135 万亩。①

此外，林木种苗工程、村屯绿化、新建自然保护区、资源管理、林政管理、林业严打专项斗争、“保护母亲河、建设草牧场”行动等，都取得了明显的效果，形成了发展林业的配套建设，林业建设已有成熟的思路和切实的措施。

① 综合内蒙古自治区地方志办公室年鉴编辑部编：《内蒙古年鉴》（1999—2000），第 146、533 页相关数据。

四、工业经济的发展

内蒙古自治区的工业，从总体上说，资源丰富，煤炭、稀土、天然碱储量等都在全国占有重要地位，资源优势是自治区经济能够较快发展的物质基础，而且经济发展的潜力大。但是，工业发展滞后，有近百亿元的工业固定资产创造的产值、税利只相当于全国平均水平的一半。计划从 1981 年起，经过 10 年建设，达到当时全国的平均水平，即工业总产值翻一番；再经过 10 年建设，建成国家重要的能源、原材料、冶金、重化工和毛纺工业基地。

第六个五年计划时期（1981—1985 年），1. 要加快轻纺工业和食品工业的发展，生产呢绒 640 万米、食糖 14 万吨、乳制品 1.3 万吨、饮料酒 10 万吨、卷烟 20 万箱、电视机 7 万台。2. 能源、交通是建设的战略重点，煤炭产量达 2 870 万吨、发电量达 67 亿度、新修油路 500 公里、完成全长 400 米喇嘛湾黄河大桥、邮电增设呼和浩特至东四盟长途载波通信，全区 12 个盟市全部开通自动电话。3. 重工业保持一定的增长速度，为整个经济服务，钢产量达到 159 万吨、生铁 152 万吨、钢材 113 万吨、铅锭 4 万吨、水泥 115 万吨、平板玻璃 110 万标箱、化肥 10 万吨、小四轮拖拉机 5 000 台、内燃机 12 万马力，使农业、轻工业和重工业的比例关系进一步趋于协调。4. 基本建设投资，国家控制投资总规模 51.4 亿元，其中国务院各部委直接安排 39.8 亿元，主要用于能源和交通运输建设；地方统筹安排 11.6 亿元，主要用于农牧业、文教卫生、城市建设，同时适当安排地方交通、邮电、轻纺工业、商业、粮食、供销等建设。自治区列入国家计划的大中型建设项目有 26 个，其中煤炭工业 7 个、电力工业 7 个、铁路工业 7 个，石油、建材、有色金属、化工、森林工业各 1 个。① 经过 1980 年以前的调整、恢复之后，从当时内蒙古工业状况的实际出发，审慎地安排了“六五”工业建设计划，并留有余地；同时也表明内蒙古的工业仍处在滞后状态，有些部门甚至还需要一段时间的调整、恢复性的建设。

“六五”工业发展计划执行结果：工业在调整改革中稳定、协调发展，重点调整工业内部结构和产品结构的同时，从扩大自主权入手，以搞活企业为

① 参见布赫：《政府工作报告》（1983 年 4 月 20 日），《五十年历程》（上），第 157 页。

中心，实行政企分开，责权利相统一，下放自治区所属企业，建立和健全多种形式的生产经营责任制，使企业积蓄的潜在生产力逐步得到解放。1985 年工业总产值95.1 亿元，比1980 年增长61.5%，年均增长10.1%，超过了“六五”计划“保四争五”的目标，主要工业产品产量，大部分提前完成了计划。特别是在国民经济中占有重要地位、体现自治区资源优势的发电量、生铁、木材、水泥、玻璃、毛线、机制糖、原盐等产品，提前一至三年达到或超过“六五”计划国家规定的指标。“六五”期间，基本建设集中力量加强重点，全民所有制固定资产投资总额达122.98 亿元，基本建设投资完成87.96 亿元，建成投产的大中型项目有通辽玻璃厂、赤峰毛纺厂、元宝山电厂等9 个，单项工程有霍林河南露天矿、伊敏河矿区一号首采区等32 个。能源、交通是建设重点项目，5 年新增发电机组容量121.5 万千瓦，新增采矿能力796 万吨，新建铁路复线正线铺轨543.2 公里，新建公路498 公里，改建公路286 公里，修建旗县和乡苏木公路719 公里，包头和喇嘛湾黄河公路大桥已建成使用。① 工业建设逐步展开，特别是重点项目的建成投产，技术改造步伐加快，增强了经济发展的后劲，经济效益也明显提高，迈出了工业建设的重要一步。

第七个五年计划时期（1986—1990 年），是内蒙古自治区经济发展的一个进一步开拓创新的重要时期。这一时期的基本任务，一是全面改革经济、教育和科技等管理体制，基本奠定具有自治区特点的新型经济体制的基础，进一步理顺各种关系，使经济社会的发展协调运行；二是保持经济的持续稳定增长，1987 年比1978 年翻一番，1990 年比1980 年翻一番；三是进一步改善人民生活。到1990 年，人均工农业产值、农牧民和城市居民人均收入有较大幅度的提高。工农业总产值达到225 亿元，其中工业总产值达到140 亿元，年递增8%；钢产量220 万吨，年递增5.2%；生铁产量240 万吨，年递增5.7%；原煤产量4 810 万吨，年递增8.5%；发电量156 亿度，年递增14.2%；水泥产量230 万吨，年递增7.3%；平板玻璃产量200 万重量箱，年递增12.1%；糖产量25 万吨，年递增6.9%；乳制品产量2.5 万吨，

---

① 参见布赫：《关于“七五”计划（草案）的报告》（1986 年4 月30 日，内蒙古自治区六届人大四次会议通过），《五十年历程》（上），第185 页。

年递增 11.8%；呢绒产量 1 650 吨，年递增 15.4%。[①]

“七五”工业发展计划执行结果：工业生产保持了较好的发展势头，较快地扭转了一度出现的生产下滑的局面。1990 年，全区工业总产值达到 260.1 亿元，比 1985 年增长 64.4%，年均递增 10.4%。重点工业产品的生产能力显著扩大，产品产量大幅度增加。1990 年与 1985 年相比，原煤产量 4 762 万吨，增长 48.62%；发电量 169.54 亿千瓦时，增长 110.71%；原油生产从无到有，开采能力达到 100 万吨；铝产量增长 116.5%；钢产量 273 万吨，增长 60.58%；生铁产量 281 万吨，增长 54.39%；钢材产量 175.74 万吨，增长 75.49%；水泥产量 227.97 万吨，增长 23.15%；原盐产量 93.28 万吨，增长 40.60%；平板玻璃 250.20 万重量箱，增长 121.72%；合成洗涤剂 1.1936 万吨，增长 51.12%。[②] 大部分产品产量完成或超额完成了“七五”工业发展计划指标，为自治区第二步发展奠定了良好的基础，工业生产开始走上良性发展轨道。

这期间，基本建设成绩突出，更新改造步伐加快，全区完成固定资产投资 304.9 亿元，比“六五”期间增加 149.8 亿元，增长 96.6%。调整了投资结构，一方面加大生产建设性投资，同时突出增加住房建设等非生产性建设投资；另一方面集中力量加强了能源、原材料、交通、通信等重点建设。5 年中开工建设大中型项目 52 个，完成并投产 22 个；石油 3 项工程进展顺利，5 大煤电建设项目全面铺开；交通运输和邮电通信条件得到较大改善，全民所有制单位累计投资 31.3 亿元，是“六五”投资的 2.5 倍。包（头）神（木）、霍（林河）通（辽）、海（拉尔）伊（敏河）铁路全线开通；大（同）包（头）铁路复线基本建成；集（宁）通（辽）铁路东西两段破土动工；新建、改建公路重点干线 1 080 公里，建成喇嘛湾、乌海黄河大桥；邮电业务总量比 1985 年增长 84.7%。经济建设的发展，促进了财政收入的大幅度增长，从 1985 年的 11.4 亿元增加到 1990 年的 33 亿元，增长 1.9 倍，财政自给率由 39% 增加到 64%；银行年末存款余额由 64.3 亿元增加到 170

① 参见布赫：《关于“七五”计划（草案）的报告》（1986 年 4 月 30 日，内蒙古自治区六届人大四次会议通过），《五十年历程》（上），第 185 页。

② 参见内蒙古自治区统计局编：《辉煌的内蒙古》，第 336、337 页。

亿元，增长 1. 6 倍。[①] 这些新建项目和新增的生产能力，既增强了自治区经济社会发展的后劲，也激励了蒙汉各民族建设自治区的热情。

第八个五年计划时期（1991—1995），工业发展的重点是加快基础工业和基础设施的建设，加强现有企业特别是国营大中型企业的技术改造和技术进步，促进产业结构和产品结构的调整，第二产业的比重达到 41% 。

基础工业计划，要继续贯彻能源、原材料工业开发与节约并重的方针。能源工业要坚持以煤炭工业为基础，电力工业为中心。积极发展坑口电厂和热电联产。积极组织煤电运联营和企业集团，充分发挥能源工业的规模经济效益和综合经济效益，提高资源转换效率。原材料工业要加快现有企业特别是大中型企业的技术改造，提高产品的技术含量，增强带动地方经济发展的能力。到 1995 年，全区能源工业主产品产量达到：原煤 7 900 万吨，发电量 275 亿度，原油 150 万吨，钢 330 万吨，钢材 230 万吨，生铁 340 万吨，铝锭 8 万吨，黄金 6 250 公斤，化肥 35 万吨，烧碱 10 万吨，木材 500 万立方米，水泥 290 万吨。

基础设施建设计划，充分调动各方面的积极性，多方筹集资金，加快铁路、公路、民航、黄河航运、邮电通信和城市基础设施的建设，改善投资环境。“八五”期间，新增铁路通车里程 1 157 公里，完成双线铺轨 475 公里，到 1995 年，铁路通车里程达到 6 613 公里，货运量达到 8 630 万吨，客运量达到 2 500 万人次；公路通车里程达到 4. 6 万公里，公路货运量达到 1 亿吨，加强旗县和乡、苏木的道路建设，改善边远地区和贫困地区交通闭塞情况；改造和扩建重点机场，增加航线、航班，扩大客、货运量，新增通航里程 6 473 公里，民航客运量达到 13 万人次；加快邮政通信市话、长途通信和邮政场地建设，全区交换机总容量达到 66. 2 万门，长途电话线路达到 3 100 条，邮电业务总量达到 1. 76 亿元；加强城市建设的统筹规划，稳步发展住宅和公用设施建设，基础设施建设与国民经济发展同步进行。

轻纺工业要以市场需求为导向调整产品结构，调整企业组织结构，调整生产力布局。到 1995 年，主要轻纺工业产品达到：呢绒 1 450 万米，毛线

---

① 参见布赫：《政府工作报告》（1991 年 4 月 25 日，内蒙古自治区第七届人民代表大会第四次会议），《五十年历程》（上），第 240 页。

6 200 吨，地毯 70 万平方米，化学纤维 1.4 万吨，食糖 25 万吨，原盐 155 万吨，乳制品 3 万吨，机制纸及纸板 22 万吨。①

“八五”工业计划执行结果：通过深化改革，依靠技术进步，加强企业管理，狠抓扭亏增盈等措施，工业经济的发展速度和效益稳步提高。1995 年工业增加值达到了 256 亿元，按可比价格计算，比上年增长 14%，5 年年均递增 12%，比“七五”时期年均递增高 6 个百分点。5 年完成技术改造投资 150 亿元，比“七五”时期增长 2.5 倍；开发新产品 3 683 种，产品更新率达 50%。基本建设步伐加快，固定资产投资 1 000 亿元，比“七五”时期增长 2.2 倍。主要能源、原材料产品产量有较大幅度增长，1995 年与 1990 年相比，煤炭 7 055 万吨，增长 48.15%；电力装机容量 278.54 亿千瓦，增长 64.29%；钢 355.36 万吨，增长 30.16%；生铁 345.78 万吨，增长 23.05%；水泥 349.27 万吨，增长 53.20%。新增铁路运输能力 2 200 万吨，新增公路通车里程 1 326 公里，民航旅客发运量 75.4 万人次。② 工业生产计划指标，绝大部分完成或超额完成，对全区经济的发展起了促进作用。

第九个五年计划时期（1996—2000 年），以资源转换为重点，培育壮大支柱产业和优势产业，重点发展以毛绒纺织、皮革、食品、医药为主的农畜产品加工业，以煤炭为基础、以电力为主的能源工业，以钢铁为主的冶金工业，以重型汽车为主的机械电子工业等支柱产业；同时重视发展化学工业、建材工业、森林工业等优势产业，以此带动全区经济的快速发展。到 2000 年，按 1995 年价格水平计算，第二产业增加值达到 564 亿元，年均递增 12%，其中工业增加值达到 441 亿元，年均递增 11.5%。

1. 农畜产品加工业。纺织工业以绒毛加工为重点，支持呼市、包头、赤峰、伊盟等地区组建羊绒纺织、毛纺织企业集团，带动纺织工业的全面发展；制皮工业要加大皮革、皮毛行业技术改造力度，更新设备，改进工艺，提高加工水平；医药工业以赤峰、通辽和自治区西部医药工业为依托，充分

① 参见《内蒙古自治区国民经济和社会发展十年规划和第八个五年计划纲要》（1991 年 5 月 6 日，内蒙古自治区第七届人民代表大会第四次会议通过），《五十年历程》（上），第 252 页。

② 参见乌力吉：《政府工作报告》（1996 年 2 月 5 日），《五十年历程》，第 312 页；内蒙古自治区统计局编：《辉煌的内蒙古》，中国统计出版社 1999 年版，第 336 页。

利用农畜、中蒙药材、化工产品等资源，以科技进步为先导，以质量和效益为基础，研制开发优质、高效新产品；食品工业，充分利用自治区丰富的农牧业、野生植物和矿泉水资源，重点发展乳品、肉类、制糖、粮油糖深加工。

2. 能源工业。煤炭工业，配合国家完成在建的重点工程，稳定现有矿区的生产能力。到2000年，原煤产量力争达到10 000万吨，满足市场需求，原煤输出量4 200万吨，出口煤300万吨。电力工业，以大型电厂和大型机组为重点，加快东部、中部、西部3个大型火电基地建设。新增电力装机容量625万千瓦，全区电力装机容量达到1 200万千瓦，发电量540亿度；大中型风力发电供电装机容量达到20万千瓦。石油工业，以鄂尔多斯油气田为依托，进行“以气代油”工程的研究与开发。到2000年，天然气开采和利用量分别达到15亿和10亿立方米，原油开采和加工能力分别达到300万吨和260万吨。

3. 冶金工业。以钢铁和有色金属工业为重点，以规模经营为目标，以提高加工深度和调整产品结构为方向，在稳步发展钢铁工业的同时，发展有色金属、稀土和贵重金属工业。到2000年，主要产品产量争取达到钢550万吨，钢材448万吨，10种有色金属20.7万吨，黄金6365公斤。加强稀土资源的综合开发利用，促进稀土工业产业化，到2000年，稀土精矿产量达到5.5万吨。

4. 机械工业。机械工业以重型汽车为重点，实行以大带小，以强带弱，以整机带附件，加强现有企业的改组和改造。重型汽车发展三大主导产品，即北方重型载重汽车、奔驰改装车和重型矿用自卸车。到2000年，重型汽车生产能力达到10 000辆。同时，大批量生产各种以拖拉机和拖内配件、机床附件、工矿配件和机械基础为主的拳头产品。

另外，对电子、建材、化学、森林等工业的发展，进行统筹安排，逐类制定发展目标、管理要求和生产措施。①

“九五”工业计划执行结果：在“全党抓经济，重点抓工业，突出抓效

① 参见《内蒙古自治区国民经济和社会发展第九个五年计划和2010年远景目标纲要》（1996年2月11日内蒙古自治区第八届人民代表大会第四次会议通过），《五十年历程》（上），第321页。

益”的指导思想指引下，加快结构调整、技术改造和体制创新，农牧产品加工、能源、冶金、化工等优势产业竞争力和盈利水平不断提高，涌现出一批全国驰名品牌。煤炭、制糖、纺织行业通过压缩、淘汰落后生产能力和资产重组，基本上走出了困境，国有企业亏损面大幅度下降，经济效益不断提高。2000 年，全部工业增加值达到了 450 亿元，比“八五”期末增长 79.1%，年均增长 12.4%。①

五、交通运输、邮电通信业

公路运输　内蒙古自治区地域广阔，但交通不便始终是制约经济社会发展的重要因素。内蒙古党委和政府把公路建设和公路运输作为发展交通运输事业的重点。改革开放的 20 多年中，建设、巩固干线公路是重中之重，先后修建了锡林浩特至张家口、呼和浩特至喇嘛湾、乌兰花至赛汉塔拉、牙克石至满洲里、呼和浩特至老爷庙、通辽至乌兰浩特、经棚至锡林浩特以及包头至临河的公路。各级政府纷纷出台优惠政策，采取各种措施，调动各方面的积极性，掀起多修路、快修路、修好路的热潮，涌现出五原县、镶黄旗、杭锦旗等一批先进典型。杭锦旗修建穿越库布其沙漠公路的壮举，受到国家和社会的赞誉。

公路线路里程及运输能力。1980 年与 2000 年相比，公路里程从 35 016 公里增加到 67 346 公里，增长 92.33%；客运量由 2 164 万人次增长到 20 061 万人次，增长 8.27 倍；货运量由 3 511 万吨增长到 34 979 万吨，增长 8.96 倍。1999 年底，全区 1 491 个乡、镇、苏木和 11 075 个行政村、嘎查通了公路；新改建县乡村公路 8 994 公里，整修县乡村公路 21 893 公里，累计投工投劳折合人民币 7.35 亿元。“133”工程全年修通不通公路的乡、苏木 50 个，全区已通公路的乡占乡总数的 95.5%，有 541 个乡修通了油路。全区营运汽车 15.8 万辆，其中客车 4.7 万辆，货车 11.1 万辆；客运线路 3 292 条，其中跨省区 406 条，跨盟市 425 条，盟市内 2 461 条；日发班车 7 536 车次，客运班车乡、镇、苏木通车率为 99%，村、嘎查通车

① 参见乌云其木格：《政府工作报告》（2001 年 2 月 16 日），《五十年历程》（上），第 370 页。

率为 79%。①

从 1982 年起，经国务院批准，内蒙古自治区陆续开通 14 条公路（水路）口岸。到 1999 年底，开通出入境货物运输口岸 9 个，定期旅客运输口岸 7 个，国际汽车客运班线 15 条。1993 年到 1999 年，汽车运输出入境货物 188.66 万吨，出入境旅客 424.44 万人次。边境口岸对于开拓国际间交通运输技术交流与经济合作，吸引外资，推动涉外运输向深层次、多元化方向发展，促进经贸和旅游事业发挥了特殊作用。

内蒙古的公路交通发生了飞跃性的进步，为自治区经济社会发展开通了前进渠道。但是，由于自治区地域广阔，交通里程长，资金短缺，公路等级低、标准不高、质量较差、基础设施不够完善，国有交通企业经营困难，公路运输远远不能适应经济市场化、全球化的需求。这是留给 21 世纪必须解决的问题。

铁路运输　改革开放前，内蒙古共有铁路干、支线 18 条，计 2 374.3 公里。之后，在改革开放的大潮中，铁路运输迅猛发展，先后建成北京至通辽、通辽至霍林河、集宁至通辽、大同至准格尔旗 4 条干线。到 1997 年，自治区境内有铁路干线 17 条、支线 14 条、主要联络线 7 条。正线总延展长度 7 200 余公里。另有铁路专用线 480 条，长约 600 公里。铁路延展长度和营业里程名列全国省、区、市、自治区前茅。截至 2000 年，铁路通车里程达到 6 561 公里，比 1980 年的 4 361 公里增长 50.44%；客运总量达 3 378 万人次，比 1980 年的 1 994 万人次增长 69.40%；货运总量达 9 648 万吨，比 1980 年的 4 142 万吨增长 1.33 倍。②

内蒙古有连接国内外的干线，滨（哈尔滨）洲（满洲里）线、集（宁）二（连）线是连接我国与东欧、俄罗斯、蒙古国的主要通道；京（北京）包（头）线、包（头）兰（州）线是连接华北、西北的主要干线；京（北京）通（辽）线是内蒙古东部地区盟市、旗县直接进京的唯一铁路通道；集（宁）

① 参见内蒙古自治区统计局编：《辉煌的内蒙古》，第 344—347 页；内蒙古自治区统计局编：《内蒙古统计年鉴》（2001），第 425 页；云布龙主编：《中国西部概览——内蒙古》，民族出版社 2000 年版，第 123—127 页。

② 参见内蒙古自治区统计局编：《辉煌的内蒙古》，第 344—347 页；内蒙古自治区统计局编：《内蒙古统计年鉴》（2001），第 425 页；云布龙主编：《中国西部概览——内蒙古》，民族出版社 2000 年版，第 127—129 页。

通（辽）线不仅是贯通内蒙古东、中、西三部分的交通大动脉，而且是目前国内最长的地方铁路。此外，还有丰（镇）准（格尔）线、包（头）神（木）线，将会成为连接内地的铁路通道。自治区的铁路网开始形成，它不仅是沟通辽阔的大草原以及与国内外交往的交通大动脉，也是沟通区内外各民族联系，增强民族团结、互助和共同发展、共同繁荣的纽带。

航空事业　在改革开放以前，内蒙古已有以呼和浩特为中心、分布在东西部地区的 7 个机场，成为除新疆以外机场最多的省区。1980 年以后，民用航空走上了企业化道路。1990 年，组建了中国国际航空公司内蒙古分公司，划归中国国际航空公司直接领导，主要经营国际国内客货运输和通用航空业务。1993 年，局属航空油料供应系统划归中国航空油料华北公司，成立了中国航空油料内蒙古分公司。民航内蒙古自治区管理局在民航华北管理局的领导下，直接管理和经营上述 7 个机场及 5 个国际导航台。

在国家民航总局和自治区政府的领导下，民航内蒙古自治区管理局的各机场基础设施建设不断加强。从 1985 年开始，先后对 7 个机场进行扩建、改建和移建，机场的飞行区等级有所提高，设备不断更新，结束了自治区民航使用土跑道的历史。1991 年，呼和浩特白塔机场被国务院批准为航空口岸机场，1993 年，被国际民航组织确认为国内 14 个国际定期航班机场之一；同年，海拉尔东山机场也被国务院批准恢复为航空口岸机场。到 1999 年，从全区 7 个机场始发的区内外航线有 19 条，国际航线有 1 条，通航 17 个国内外城市。呼和浩特机场对俄罗斯货运包机已开通，与国内国航、东航、南航等 7 家航空公司签订了国际、国内客货运输在内蒙古地区的代理协议，形成了覆盖全区的微机联网销售网络。通航里程由 1980 年的 3 734 公里发展到 2000 年的 40 469 公里，增长 9.84 倍。

内蒙古民用航空运输不断发展，吞吐量不断增加，成为内蒙古自治区客货运输的重要渠道。1980 年与 2000 年相比，客运量由 4 万人增加到 110 万人，增长 26.5 倍；货运量由 0.05 万吨增加到 2 万吨，增长 39 倍。①

---

①　参见内蒙古自治区统计局编：《辉煌的内蒙古》，第 349 页；内蒙古自治区统计局编：《内蒙古统计年鉴》（2001），第 433 页；云布龙主编：《中国西部概览——内蒙古》，民族出版社 2000 年版，第 133—143 页。

邮电通信业　内蒙古的邮电通信事业，“文化大革命”前在当时的历史条件下，已经有了相当的发展。“文化大革命”结束后，特别是实施发展国民经济第六个五年计划以后逐年发展，势头强劲。1980年到1998年，邮政与电信没有分家以前，邮电业务总量有了巨大发展，从4 546.6万元发展到174 000.7万元，增长了37.27倍。其中函件从7 145.7万件增加到8 520.9万件，虽然90年代随着电信业务的发展而使邮政业务缩减，但是邮政函件仍然增长了19.25%；报刊发行数从328.5万份增加到408.0万份，增长了24.20%；电报业务量从435.7万份锐减到139.2万份，这与电话业务的猛增有关；长途电话从494.6万次猛增到17 428.8万次，增长了34.24倍。

1998年12月31日，内蒙古邮政局正式挂牌运营，邮政与电信分家。到2000年的两年间，邮政业务总量从1999年的34 591.1万元增加到39 463.4万元，增长了14.09%；电信业务总量从356 700.0万元增加到523 000.0万元，增长了46.62%。1998年到2000年，邮政函件从8 520.9万件增加到9 677.2万件，增长了13.57%；长途电话从17 428.8万次增加到21 088万次，增长了20.30%。①

邮电通信事业有如此发展，主要得益于改革开放方针的实施，邮电体制改革的不断深化，在业务发展上不断强化市场经济意识，以市场为导向，开发特色鲜明、市场前景看好的新业务。不是传统意义上的函、包、汇、发，而是涵盖了商品、信息、货币三大流通领域，主要有四大门类：一是邮递类业务，除函件、包裹、特快专递、报刊发行、机要通信等传统业务外，又根据自身特色和市场需求，开发了商业函件、礼仪、邮购、广告、报刊零售和音像制品批销等。二是金融类业务，包括居民储蓄和汇兑，先后开发了代收电话费、水费、电费、煤气费，代发工资、养老金，代办保险等一系列代字号业务。三是集邮类业务，由原来单纯销售邮票向开发制作邮品发展，为社会提供精神食粮。四是电子信息类业务，主要是依托邮政综合计算机网和现代通信技术手段，开发电子商务、网上邮政、电子信函、混合邮件信息类业

① 参见内蒙古自治区统计局编：《辉煌的内蒙古》，第345、347页；内蒙古自治区统计局编：《内蒙古统计年鉴》（2001），第425页；云布龙主编：《中国西部概览——内蒙古》，民族出版社2000年版，第130—132页。

务。同时还进行储蓄、报刊发行、礼仪、邮购、广告等专业化经营。邮政科技促进了邮政业务的进步与发展，窗口服务电子化，到1999年底建成电子化支局330处，多媒体电脑触摸屏、ATM自动取款机、信息自动分拣机、包裹自动分拣机等技术设备，从无到有，逐步推广，使邮政业务进入了科技发展的新时代。

电信业伴随邮政业走过了几十年历程，给社会带来了通信便捷。20世纪80年代以来，在国家加快邮电通信发展的方针政策下，特别是“八五”、“九五”期间的大规模建设，自治区电信通信网的通信能力、技术层次和服务水平都发生了巨大变化，电信通信业从制约社会经济发展的“瓶颈”产业转变为推进社会进步和经济发展的先导产业之一。到2000年，建成长达27 000余公里，横贯东西、纵跨南北、四通八达的光缆传输骨干网和本地网，技术装备水平实现了质的飞跃。电信通信网完成了由人工网向自动网、模拟网、数字网的转变。全区公用电话网的规模容量达到200余万门，电话用户达150余万户，公网电话普及率达6.63部/百人。

1997年10月27日，中国联通公司内蒙古分公司成立，负责中国联通在内蒙古地区的电信建设和业务发展。截至1999年底，在自治区9个盟市建立了机构，开展了移动通信业务。1999年3月，中国联通内蒙古分公司GSM130网投入试运营，一期工程建设规模为5万门，建成呼和浩特和包头2个交换局、60个基站、251个载频，工程总投资为2.5亿元人民币，网络覆盖内蒙古自治区西部6个盟市的主要城镇。是年10月，二期工程建成运行，对原网进行扩容，并新建赤峰、通辽和海拉尔3个交换局。至此，全区网络总容量达14万、基站138个、载频708个，工程总投资2.7亿元人民币，网络覆盖内蒙古自治区东西部9个盟市。①

六、财政、金融、保险业

财政事业　内蒙古在改革开放和经济发展中，为财政收入的增长创造了良好的条件，特别是不断改革和完善税制，保证了各项收入的完成和宏观调控的实施。1985年至1998年税收收入年均以20%以上的速度增长，其中工

① 参见云布龙主编：《中国西部概览——内蒙古》，民族出版社2000年版，第133—143页。

商税收年均递增率为18.79%，税收的快速增长有力地带动了财政收入的提高。实行分税制以来，1994年上划中央的增值税和消费税收入完成31.9亿元，地方税收完成26.53亿元。实行分税制的当年，自治区财政总收入比上年增长21%，从1993年国税、地税机构分设前的36.5%提高到1998年的63.35%，分税制的成效是明显的。自治区地税机构积极进行地方税制建设，1996年对8个税种的39个税目、税率、税额和计税依据进行了调整、完善，当年仅完善税制即新增税收达6.14亿元。

自治区的财政实力逐步增强，财政收入从单纯依靠企业利润上缴向主要依靠税收转变；从单纯依靠国有企业向收入来源多样化、多渠道、多层次转变。在财政收入的构成中，税收成为主要的收入项目，从“六五”到“八五”计划期间，工商税收占全部财政收入的比重都在70%以上。从1998年财政收入看，工商税收占财政收入的74%，农牧业税收占10%，企业收入仅占0.9%，税收进一步成为财政收入的主体，其比例已达到90%以上，而且来自非国有经济的财政收入比重呈上升趋势。

改革开放以来，自治区财政收入从1980年的41 284万元增加到2000年的1 555 898万元，增长36.68倍，年均增长1.83倍；财政收入占国内生产总值由6.0%增加到11.1%。财政收入1985年是13.18亿元，5年突破10亿元大关；1993年是56.12亿元，8年突破了50亿元大关；1997年是111.27亿元，仅4年突破了100亿元大关；2000年是155.59亿元，仅3年突破了155亿元大关。这是自治区财政收入快速发展历程的记录。

财政收入的快速增长，有力地支持了经济和社会事业的发展。从1980年到2000年，财政支出由183 721万元增加到2 610 629万元，增长了13.20倍。截至1998年，自治区财政投入到工业基础设施建设累计63.13亿元，工业增加值由新中国成立初的0.69亿元提高到485.56亿元；投入农牧林水基础设施建设累计97.67亿元，改善了农牧业的生产条件，巩固了农牧业的基础地位。①

内蒙古的财政发展中存在财政收入规模小，财政收入占GDP的比重较

① 以上数据参见内蒙古自治区统计局编：《内蒙古统计年鉴》（2001年），第247—249页；云布龙主编：《中国西部概览——内蒙古》，民族出版社2000年版，第197—199页。

低，财政支援经济建设、调控经济运行的力度不够的问题。1989 年到 1997 年财政收入占 GDP 的比重，均低于全国财政收入占 GDP 的比重，也低于相近的省区；财政收入结构还有待调整，第三产业和非公有制经济发展很快，在国内生产总值中所占的比例上升也较快，但对财政的贡献率上升却相对缓慢：依法治税的环境较差，财政管理力度不够，税收管理偏松，偷、逃、坑、骗税行为时有发生，以费挤税、以费代税、弱化征税和乱收费的问题没有从根本上得到解决。总之，财政体制改革和财政、税收管理上的问题不少。

金融事业　内蒙古自治区的金融事业，在改革开放以来的二十多年间，经过金融体制改革，机构调整，健全完善金融体系，发展金融市场，改进和拓宽服务领域，创新金融工具，颁布实施金融法律，使金融事业飞速发展，为经济发展和社会进步做出了积极的贡献。

中国人民银行内蒙古自治区分行，为中央银行负责制定实施货币政策，对金融业进行监督管理，不再办理对企业和个人的存贷业务；工商、农业、建设和中国银行等 4 家国有银行内蒙古分行，以及中国人民保险公司相继分设、恢复；各类非银行金融机构迅速发展，逐步打破了国家专业银行垄断金融业的局面；设立国家政策性银行，商业性金融和政策性金融分离，为把专业银行办成现代商业银行创造了条件。1998 年，撤销中国人民银行省级分行，全国设立 9 个跨省、市、自治区的分行，加大辖区金融监督管理的力度。1999 年 1 月 1 日，中国人民银行内蒙古自治区分行和呼和浩特二级分行合并，成立中国人民银行呼和浩特中心支行，与其他 11 个盟市中心支行分别负责全区金融监管和货币政策的贯彻实施。从而全区有中国人民银行 12 家盟市中心支行；工、农、中、建 4 家国有商业银行分行；国家开发银行分行和农业发展银行分行；交通银行包头支行和光大银行呼和浩特支行；地方性商业银行有呼和浩特市和包头市商业银行；保险公司 3 家；信托投资公司 2 家；典当行 4 家；基金会 4 家；城乡信用社 1 444 家。从业人员总计 78 161 人。由人民银行实施有效监管和调控，政策性金融与商业性金融分离，国有商业银行为主体，多种金融机构并存的新型金融体系构架基本形成。

金融机构在竞争中不断改进金融服务，创新经营品种，大力组织存款，合理摆布贷款投向，为经济发展作出了突出贡献。2000 年，全区金融机构各项存款余额 1 092.3695 亿元，是 1980 年 23.1227 亿元的 47.24 倍。其中城乡居民储蓄存款余额 875.7399 亿元，是 1980 年 4.8642 亿元的 180.04 倍，成为金融机构的主要资金来源；企业存款余额 304.1165 亿元，是 1980 年 8.2688 亿元的 36.78 倍。金融机构各项贷款余额 1 340.7383 亿元，是 1980 年 49.2949 亿元的 27.20 倍。其中工业贷款 231.3182 亿元，是 1980 年 12.9636 亿元的 17.84 倍；商业贷款 356.5930 亿元，是 1980 年 28.9980 亿元的 12.29 倍；农业贷款 69.2289 亿元，是 1980 年 6.7516 亿元的 10.25 倍。固定资产贷款迅速增加，重点支持国家和自治区重点建设项目和国有大中型企业的技术改造，基本建设贷款 251.3613 亿元，是 1982 年 1.5587 亿元的 161.26 倍；技改贷款 57.7427 亿元，是 1980 年 0.5677 亿元的 101.71 倍。①

保险业 1979 年 4 月，国务院批准中国人民银行总行恢复了中断 20 年的国内保险业务。1980 年 1 月 1 日，内蒙古自治区也正式恢复机构，对外营业，并在全区 10 个盟市设立了支公司。1984 年，在开办城市企业财产和家庭财产两个财产保险险种业务的基础上，又恢复了简易人身保险等人身保险业务。到 1987 年，开办了各类财产保险、各种人身保险、农险以及涉外业务 61 个险种，逐步发展成为自治区重要的金融部门。

在中国人民保险公司内蒙古自治区分公司的基础上，分设了中国人民人寿保险有限公司内蒙古自治区分公司和中国人民财产保险有限公司内蒙古自治区分公司。20 世纪末，全区 12 个盟市、100 个旗、县、区均设立了分支机构，有盟市级支公司、营业部 15 个，旗县级支公司、办事处 151 个，下辖 127 个保险服务网点，形成了遍布全区、纵横交错的保险服务网络。1999 年，中保人寿保险有限公司更名为中国人寿保险公司。年末，中国人民人寿保险有限公司内蒙古自治区分公司，随之更名为中国人寿保险公司内蒙古自治区分公司，成为内蒙古最大的商业保险公司，各类资产总额超过 16 亿元，全区 12 个盟市、101 个旗县区均有分支机构和代理网点，有盟市级分公司 13 个，旗县级支公司 95 个，员工总数近万人。②

① 参见内蒙古自治区统计局编：《内蒙古统计年鉴》（2001），第 497 页数据。
② 参见云布龙主编：《中国西部概览——内蒙古》，民族出版社 2000 年版，第 213 页。

改革开放的二十多年来，自治区的保险业务不断发展，险种逐年增加。从1980年的城市企业财产险、家庭财产险两个险种，发展到1987年底的各类财产险、各种人身保险、农险以及涉外业务计61个险种，全区134户中央企业，5 150户地方国营企业、446户集体企业和个体企业参加了财产保险。保险费收入达3 020万元，较1980年增长29.8倍。参加人寿保险的人数达67.8万人，保险费收入为2 564.5万元，占区内业务收入的27.5%，成为全区第三大险种。1980年至1985年，全区人寿保险系统累计实现业务总收入43.52亿元，实现利润4亿元，上缴国家税金1.68亿元，形成固定资产3.61亿元，银行存款4.57亿元，各类准备金8.19亿元，资产总额为10.55亿元，处理各类案件110多万件，支付赔款和给付14.86亿元，社会捐助达2 000多万元。

1996年，保险机构分设以后，自治区人寿保险系统各级公司采取一系列有效的政策措施，强化经营管理，推动了业务发展。2000年，中资保险公司业务技术指标：财产保险（包括企业财产险、家庭财产险、机动车辆险、货物运输险、建筑安装工程险、农业险、其他险），保险金额1 471.6亿元，保险费80 716.9万元，赔款及给付39 050.5万元；人寿保险（包括寿险、健康险、人身意外伤害险），保险金额152.7亿元，保险费165 552.4万元，赔款及给付40 144.6万元。全区人寿保险业务收入与赔付：新承保人数3 954 983人，保费收入165 552.4万元，赔款14 845.3万元，满期给付25 299.3万元；财产保险业务收入与赔付：保险金额14 715 492.9万元，保险收入80 716.9万元，已决赔款39 043.0万元，未决赔款10 215.3万元。[①] 保险机构分设以后的经营效果，比以前有很大的提高，对促进自治区的经济发展，对人民生活的安定发挥了积极作用。

七、商贸事业

国内商贸　商贸事业包括商饮服务、物资贸易、粮油贸易、对外贸易和供销合作社事业等领域。它关系到国计民生的方方面面。

商饮服务业，在计划经济体制时期，是以购、销、调、存为业务范围的

① 参见内蒙古自治区统计局编：《内蒙古统计年鉴》（2001），第501、503页数据。

三级批发加零售的经营模式。1978 年以后，原来的经营体制渐渐不适应经济社会发展的需求，在“改革、开放、搞活”的方针下，流通领域发生了深刻的变化，多种经济成分、多种流通渠道、多种经营方式、减少流通环节的“三多一少”新型流通体制逐步形成，而且国内商业主体向多层次全方位发展。从而增添了流通企业的活力，改善了商业服务，促进了现代商业文化的发展，极大地丰富了人民物质文化生活，促进了经济的发展。

商业网点逐年增加，市场环境不断改善，各种经济类型的网点遍布城乡牧区。二十多年来，自治区改建、扩建、新建现代化商厦、商城大增，电梯进入商厦，装潢讲究，商品陈列革新，有的购物、休闲、娱乐成为一体，服务改善，消费者受到尊重。到 1998 年，全区商业网点发展到 33.5 万个，从业人员达到 98.6 万人。1997 年，国营商业企业点占商业网点的 4.4%，各类集体商业企业占 16.1%，私营企业点占 79.5%。[①]

截至 2000 年，社会消费品零售总额达到 4 839 814 万元，比 1980 年的 443 085 万元增长 9.92 倍，年均增长 49.61%；批发零售贸易业达到 3 146 209 万元，比 1980 年的 377 210 万元增长 7.34 倍，年均增长 36.70%。其中限额以上批发、零售贸易商品购、销、存总额：购进总额 1 964 784 万元，销售总额 2 126 973 万元，销售总额大于购进总额的 8.25%，库存总额 347 586 万元。[②] 商贸增长率如此之高，表明消费者的购买力以非凡的速度在增长，这是经济社会发展的重要标记。

对外贸易 1979 年以来，在“改革、开放、搞活”的方针下，逐步进行了外贸体制改革。1985 年，开始全面实行外贸自营出口。1988 年至 1990 年实行 3 年承包经营责任制。1991 年，国家取消出口补贴，在汇率调整的基础上，建立外贸自负盈亏机制，逐步走上统一政策、平等竞争、自主经营、自负盈亏、工贸结合、推行代理制的轨道。1992 年，将设在各盟市的 13 个外经贸管理机构和 105 个各类外经贸企业以及相应的人员编制 442 个，劳动工资、固定资产 2 亿元和行政经费 221 万元划归盟市行署、政府管理，

---

① 参见内蒙古自治区统计局编：《国内贸易繁荣兴旺　对外开放成绩卓著》，《辉煌的内蒙古》，第 117 页。

② 参见内蒙古自治区统计局编：《内蒙古统计年鉴》（2001），第 447、448 页数据。

实现了盟市外经贸自主经营、自负盈亏。1996 年成立了内蒙古外经贸（集团）总公司，将自治区外经贸厅原辖29 家国内外企业全部划归外经贸集团，实行政企分离。这是自治区外经贸企业向实业化、集团化、国际化经营发展的重要标志，使自治区外经贸厅的行业宏观归口管理职能进一步加强。

从 20 世纪 50 年代开始，自治区即与苏联、蒙古以及东欧各国发展易货贸易、协定贸易，还将活牛、鸡蛋、蜜瓜、土豆、带皮山羊肉向香港、澳门等口岸出口。改革开放以后，自治区的对外贸易迅速扩大，逐步向市场化、国际化发展。1979 年，以补偿贸易方式，引进外资 1 310 万美元。1983 年至 1985 年分别与苏联和蒙古恢复和开展了边境易货贸易。1988 年拓展了与苏、蒙的经济技术合作业务。对外贸易随着改革开放的深入，从初期以苏联、蒙古及东欧各国为主，中期以亚非拉第三世界国家为主，转变为向东西方发达国家扩展。国内在北京、天津、秦皇岛、大连、广州、深圳、海口、厦门设立了办事处；国外在美国、日本、俄罗斯、蒙古、东欧各国设立了贸易公司；同一百五十多个国家和地区建立了贸易往来和合作关系。全区有七百多家企业享有对外经营权，业务范围包括现汇贸易、边境小额贸易、边民互市贸易、承包工程和劳务合同、利用外资、外贸运输、包装装潢、广告展览等，形成管理和经营为一体，进出结合，多层次、多渠道、多形式经营的“大经贸”格局。

外贸出口商品结构也逐步变化，由以农副产品、畜产品和五矿原料为主转变为农副、土畜类、纺织、轻工、工艺类、五金矿产、化工、机械类、医药类、丝绸类、机械设备、煤炭等 13 大类，有 680 多种商品打入国际市场。开发了一批质量好、创汇较高的名牌和骨干商品，其中山羊绒、羊绒制品、稀土、饲料、地毯、麻黄素、氟石、钢材、活牛、活羊、煤炭、荞麦等颇受青睐。年出口额在百万美元以上的商品有 60 多种，其中出口额在千万美元以上的商品有 16 种。①

二十多年来，自治区的进出口贸易有了巨大发展。1980 年与 2000 年相比，进出口贸易总额从 6 555 万元增加到 1 687 811 万元，增长了 256. 48 倍，年均增长 13. 27% 。其中出口总额从 3 970 万元增加到 847 114 万元，

① 参见云布龙主编：《中国西部概览——内蒙古》，民族出版社 2000 年版，第 162—164 页。

增长了 212.38 倍，年均增长 10.61%；进口总额从 2 585 万元增加到 840 697 万元，增长了 324.22 倍，年均增长 16.21%。“七五”到“九五”期间利用外资，1986 年与 2000 年相比，从 664 万美元增加到 54 819 万美元，增长了 81.56 倍，年均增长 4.07%。①

在进出口贸易中现汇贸易和边境贸易占主导地位。在自治区有外贸经营权的 721 家企业中，有边境小额贸易经营权的企业有 178 家。同自治区有贸易和经济合作关系的国家和地区由 1990 年的 55 个发展到 150 多个，客户由 1 000 多家发展到 2 000 多家；出口商品品种由 439 种增加到 680 种。开展边境外贸是自治区外贸的特点，由国家外经贸部批准，组建了众多的边境贸易公司，按规定有对外经营权的出口生产企业也进行边贸，使边境贸易出现了大发展的势头，边贸额由占外贸额的 25.94% 上升到 64.1%，成为外贸的主角。1999 年，全区边贸额达到了 6.6 亿美元，占全区外贸总额的 41%。与此同时，大力开放与建设口岸，对俄罗斯新开放黑山头、室韦口岸，对蒙古国的口岸一类 11 个，二类临时过货点 7 个，合计开放 18 个口岸。自治区 19 个边境旗、县、市中 10 个有自己的口岸。此外，利用外资、国外经济合作、境外加工贸易、国际多边双边无偿援助等，也有相应的发展，成为对外经贸活动的重要组成部分。②

八、乡镇企业与私营经济

乡镇企业 内蒙古自治区的乡镇企业是在改革开放的形势下发展壮大的。在农村牧区和城市经济体制改革的过程中，适应经济发展的形势，应运而生。在国民经济发展的“六五”、“七五”计划时期，乡镇企业处在探索发展的阶段；“八五”以后则进入快速发展时期，特别是 1995 年，自治区特地制定了《关于加快乡镇企业发展的若干规定》和《内蒙古自治区乡镇企业条例》，以政策和法规支持、引导、规范乡镇企业，使其更快地发展。在 20 世纪末，乡镇企业发展成为自治区经济发展和社会进步的生力军。

1999 年，全区乡镇个体私营企业共计 86.6 万个，职工 337 万人。其中

---

① 参见内蒙古自治区统计局编：《内蒙古统计年鉴》（2001），第 468 页数据。

② 参见云布龙主编：《中国西部概览——内蒙古》，民族出版社 2000 年版，第 162—165 页。

私营企业3.6万个，职工65.9万人；个体企业81.7万个，职工271.2万人；乡镇集体企业1.25万个，从业人员48.2万人。上规模的企业和企业集团，在盟市中增加值超50亿元的有8个，超10亿元的旗县（区）有26个，实际入库税金超2亿元的盟市有7个，入库税金超5 000万元的旗县（区）有19个，超2 000万元的旗县（区）有53个；营业收入10亿元以上的旗县达79个，营业收入1亿元以上的村、嘎查267个。5 000万元以上规模的企业106个，1 000万元以上的企业517个，组建企业集团42家。

全区乡镇企业实现增加值730.5亿元，其中个体私营企业完成增加值654.4亿元，占乡镇企业增加值的89.58%；乡镇集体企业实现增加值76.1亿元，占乡镇企业增加值的10.43%。在乡镇企业增加值730.5亿元中，第一产业增加值为20.6亿元，占2.82%；第二产业增加值为350.9亿元，占48.04%；第三产业增加值为359亿元，占49.14%。

乡镇企业的迅速发展，对社会的贡献越来越大。1999年，全区乡镇企业实际入库税金达27.1亿元，占全区财政总收入的18.87%；全区农牧民人均从乡镇企业得到的纯收入达975元。乡镇企业的发展，促进了农牧民剩余劳动力的转移，同时为乡镇下岗职工提供了新的再就业机会，该年就业人数达385万人，占全区农村牧区劳动力的44%以上。乡镇企业支付职工工资总额达226.2亿元，乡镇企业职工年人均收入5 871元。乡镇企业用于支农建农资金达4.2亿元；乡镇企业为社会提供原煤3 607万吨，食用植物油25万吨，水泥91万吨，机制纸14万吨，实现利润总额271.2亿元。

乡镇企业小区建设发展迅速。截至1999年，全区有初具规模的乡镇企业示范区104个，国家级和自治区级42个，小区面积1.2万平方公里，有企业16.9万个，年创增加值17.8亿元，创利税16.9亿元，固定资产投资40多亿元，发挥了带动辐射作用。项目建设，全年开发新产品320项，创造产值7.3亿元，完成固定资产投资5万元以上的项目3 311个，总投资53.3亿元。

乡镇企业的招商引资和科技进步创造新纪录。引资是乡镇企业解决资金、技术、人才问题的重要环节。1999年，引资38亿元，完成东西部合作项目144个，有3家企业获得了自营进出口权。全区共有三资企业25家，职工5 287人，当年实际投资486万美元，创增加值1.28亿元。乡镇联营企业 183 个，实现增加值 2.5 亿元，利润 7 463 万元，拥有固定资产原值 2.9 亿元。有计划地培育了 62 家科技先导型企业和 25 个产学研结合企业，获得国家和农业部乡镇企业科技进步奖 6 项，培训干部和职工 6 万人次以上。

改进和加强企业管理，提高产品质量，是乡镇企业生存发展的根本。与创建企业相比，搞好企业管理是企业发展持久的工作。自治区首先抓了 10 家骨干企业的经营管理、产品质量、经济效益方面的工作，不断规范和完善财务管理、现场管理、营销管理、质量管理，降低成本，提高效益，建立现代企业管理制度，发挥示范作用。提高产品质量是企业永恒主题。1999 年有 8 个产品被评为第四批自治区名牌产品，区局再次确认了 10 个自治区乡镇企业名优产品、20 个乡镇企业名牌产品和 30 个质量信得过产品。这是乡镇企业从发展数量向提高质量的转变。

扶持嘎查、村发展集体经济是乡镇企业的重要使命。为了使广大农牧民共同富裕达小康，乡镇企业至 1999 年底共扶持了 3 952 个集体经济十分薄弱的嘎查、村，完成“九五”计划的 79.1%，新上项目 3 700 多个，项目总投资 5.95 亿元，扶持面占全区嘎查、村的 29%。被扶持的嘎查、村 4 年累计实现利润总额 1.6 亿元，累计向嘎查、村上缴利润 5 200 万元，上缴税金 2 658 万元，吸纳农村牧区剩余劳动力 3.6 万人。经过乡镇企业的扶持，嘎查、村的集体经济实力不断加强，固定资产达近 4 亿元，嘎查、村企业发展到 3 700 多个，提高了农牧民的收入，为发展农村牧区经济作出了特殊贡献。①

个体私营经济　自治区的个体私营经济经历了曲折发展的过程，到 1979 年全区只有个体工商业者 1 135 户。在改革开放的初期，个体私营经济处在观望、探索、恢复的阶段。直至 1987 年 8 月，国务院发布《城乡个体工商户管理暂行条例》；1988 年 6 月，国务院制定公布了《中华人民共和国私营企业暂行条例》；1992 年中共十四大提出建立社会主义市场经济体制，初步形成了发展个体私营经济的方针、政策、法律、法规。据此，1993 年 6 月，内蒙古自治区人民政府发布了《关于加快个体私营经济发展的决定》；

① 以上数据参见内蒙古自治区地方志办公室年鉴编辑部编：《内蒙古年鉴》（1999—2000），方志出版社 2000 年版，第 544—546 页。

1995年10月，内蒙古自治区党委和政府召开全区发展个体私营经济工作会议，党委和政府联合发布了《关于进一步加快个体私营经济发展的决定》，使自治区的个体私营经济进入了较快发展阶段。到1996年底，全区个体工商业户发展到437 826户，从业人员736 213人，注册资金达388 796万元，产值224 890万元，营业额1 172 378万元，零售额767 216万元；私营企业发展到9 190户，从业人员140 065人，注册资金330 158万元，产值179 344万元，营业额188 194万元，零售额118 813万元。

1997年，中共十五大以后，个体私营经济的发展出现了强劲势头。1998年6月，内蒙古党委和自治区政府又发布了《关于鼓励、扶持和引导个体私营经济进一步加快发展的通知》,从方针政策上加大了发展个体私营经济的力度，从办法、措施上加强了引导工作，使个体私营经济出现了快速发展的局面。到1999年底，全区工商户发展到755 735户，从业人员1 476 682人，注册资金863 039万元，产值553 263万元，营业额2 210 687万元，零售额1 498 041万元，比1996年分别增长72.6%、1.01倍、1.22倍、1.46倍、88.6%、95.3%；私营企业发展到24 663户，从业人员387 086人，注册资金1 347 644万元，产值601 447万元，营业额656 318万元，零售额370 227万元，比1996年分别增长1.68倍、1.76倍、3.08倍、2.35倍、2.48倍、2.11倍。

个体私营企业的发展，促进了劳动力、资金、技术等生产要素的优化组合，形成了新的社会生产力；促进了所有制结构的调整；加速了农村牧区产业结构的调整；促进了城乡市场的繁荣与发展；方便了群众生活；开拓了就业门路，扩大了劳动就业；加快了脱贫致富的步伐；增加了财政收入；支持了社会公益事业。同时，个体私营企业经济发展中存在着需要逐步解决的问题，诸如企业运行质量不高，在全区国民经济的比重低于全国的水平；自产商品少，以经销外地商品为主；经营管理水平低，缺乏专业技术人才；产业结构不尽合理，影响正常发展。这要留给21世纪解决。①

① 参见云布龙主编：《中国西部概览——内蒙古》,民族出版社2000年版，第188—190页。

第五节　社会事业的长足发展

内蒙古自治区在二十多年的改革开放过程中，社会事业伴随经济发展也相应地发展起来，自治区的社会状况发生了极其深刻的变化。教育、科技、文化、卫生、体育、广播电视、新闻出版、人民生活、社会福利、环境保护等社会事业空前发展，民族团结，社会安定，小康社会的景象在部分地区已展现，自治区以全新的面貌跨进了21世纪。

一、教育事业

“文化大革命”结束后，教育战线经过拨乱反正，恢复了各类学校统一招生考试制度，恢复并发展了民族教育。中共十一届三中全会以后，教育成为自治区社会发展的战略重点，并采取了一系列切实有效的改革措施，使自治区的教育事业进入了历史上最好的发展时期。

在1977—1980年的调整、恢复时期，内蒙古自治区的各级各类学校得到了迅速的恢复。在德智体全面发展的教育方针指导下，着力提高教学质量。加强高等教育，重点办好内蒙古大学等5所原有院校，积极筹建民族师范学院和民族医学院。加强中等学校教育，普及初等教育，恢复和发展民族教育，大力发展职工业余教育，办好农村牧区扫盲教育，取得了良好效果。大学由1978年的9所发展到1980年的14所，中等专业学校由58所发展到73所，[①] 普通中小学也得到了调整。

第六个五年计划时期（1981—1985），教育是自治区发展的战略重点，这期间安排教育、科学、文化、卫生事业经费24.5260亿元。到1985年全区50%以上旗县普及或基本普及小学教育，城市基本普及初中教育，职业中学招生5万人，中等职业学校招生1.3万人，高等学校招生7 800人。[②]

1985年“六五”计划结束时，教育总投资为5.5018亿元，比1980年增加1.1倍，调整理顺了教育内部的比例关系。高等院校增加了2所，在校

① 参见内蒙古自治区统计局编：《辉煌的内蒙古》，第358页。

② 参见布赫：《政府工作报告》（1983年4月20日），《五十年历程》（上），第157页。

学生增加了 13 837 人，调整专业科类比例和层次结构，加强培养能力，改善办学条件，建立教学、科研、生产联合体，为自治区培养了近 2.5 万名专业人才；中等专业学校增加了 14 所；大力改革中等教育结构，积极发展职业技术教育，通过调整初中，压缩高中，大力普及初等教育。1984 年，自治区人民政府制定了《内蒙古自治区普及初等教育实施方案》,明确规定普及初等教育是地方事业，并提出普及的规划。1985 年底有 46 个旗、县、市、区完成了普及初等教育，成人教育发展较快，民族教育受到重视。①

第七个五年计划时期（1986—1990 年），基本普及初等教育，有步骤地实施九年制义务教育，加强学前教育；进一步调整教育结构，大力发展职业技术教育和中等专业教育，充实提高高等教育，稳步发展多层次、多形式的成人教育，努力完成农牧民扫盲教育。采取特殊政策和措施，切实加强民族教育，培养各个层次、各种规格的少数民族人才。

1990 年“七五”计划结束时，各级财政支出教育事业费累计 35.1 亿元，比“六五”时期增长 98.8%。全区 100 个旗县基本普及初等教育，中小学“一无两有”和牧区苏木中心学校“两主一公”建设成绩显著。1985 年以来，自治区贯彻《中共中央关于教育体制改革的决定》,实行“地方负责，分级管理”的体制，促进了全区普及初等教育工作的开展。普通教育与职业技术教育相结合的初中教育形式已逐步建立。1990 年与 1985 年相比，高等教育稳步发展，在校学生由 31 633 人发展到 32 428 人；中等教育学校和在校学生虽然增加较少，但是通过改革，教育结构逐步趋于合理，职业技术教育初具规模。民族教育得到优先重点发展，民族教育经费有较大幅度增长，民族职业技术教育较快发展。成人教育通过调整和整顿，走上健康发展轨道。②

第八个五年计划时期（1991—1995 年），加快教育发展，提高全民素

---

① 参见布赫：《关于“七五”计划（草案）的报告》（1986 年 4 月 30 日，内蒙古自治区六届人大四次会议通过），《五十年历程》（上），第 185 页。

② 参见布赫：《政府工作报告》（1991 年 4 月 25 日，内蒙古自治区第七届人民代表大会第四次会议），《五十年历程》（上），第 240 页。

质。继续贯彻教育必须为社会主义现代化建设服务，必须同生产劳动相结合，培养德、智、体全面发展的合格人才的方针，全面提高教育者和受教育者的思想政治水平和业务素质。深化教育体制改革，提高教育质量和办学效益，以适应自治区经济社会发展的需要。

1. 加强基础教育。提高基础教育的投资比例，改善中小学特别是农村牧区中小学的办学条件；办好幼儿和学龄前儿童的启蒙教育；重视残疾、弱智等特殊教育；推进普及九年制义务教育的进程，在城市以及经济较发达的农村牧区基本普及初中阶段的义务教育。2. 职工技术教育。多方筹措资金，增加投入，培训师资，编写教材，以多种形式办学，使各类中等职业技术学校在校学生数占高中阶段在校生的50%以上。3. 优先发展民族教育。加强民族中、小学建设，巩固和办好大中专院校的民族语言授课班。4. 高等教育。稳定现有规模，合理调整专业设置，适当发展专科教育，提高教学质量和办学效益，深化教育改革，适应有计划商品经济发展的需要。5. 成人教育。加强岗位培训和中初级技术人才的培养，提高企业职工队伍的专业技术水平和农牧民运用新科技的能力，积极扫除青壮年文盲。

教育事业发展的主要目标：普通高等院校招生规模控制在 9 200—9 500 人；普通中专学校招生规模在 1.3 万—1.5 万人；普通技工学校招生规模在 9 000—10 000 人；职业高中招生规模在 2.4 万—3 万人；普通高中招生规模稳定在 6 万人；初中毕业升学率达到 45%；争取在占全区总人口 45% 左右的城镇和条件较好的乡、苏木普及九年制义务教育。①

1995 年“八五”计划结束时，落实教育优先发展战略，以九年制义务教育为重点的基础教育得到加强，适龄儿童入学率、女童入学率和小学升学率均高于全国平均水平。1995 年与 1990 年相比，小学招生在严格计划生育的条件下增长了 1.37%；成人教育、中等职业技术教育迈出了新步伐，招生数增长了 42.95%；普通中学招生数增长了 12.76%；中等专业学校招生数增长了 14.72%；高等教育稳步发展，教学与科研水平有了新的提高，招生数增长了 22.65%，内蒙古大学正在争进国家“211 工程”建设。蒙古语

① 参见《内蒙古自治区国民经济和社会发展十年规划和第八个五年计划纲要》（1991 年 5 月 6 日），《五十年历程》（上），第 252 页。

文的学习与使用取得新成绩，民族教育得到优先重点发展，少数民族在校学生增长了10.71%，其中蒙古族学生增长了11.73%。①

第九个五年计划时期（1996—2000年），实施科教兴区战略，贯彻“教育为本”的思想，深化教育体制改革，积极探索与实现两个转变相适应的办学机制和办学模式。增加教育投入，“九五”期末财政预算内教育经费占财政支出的比例达到20%以上。加快调整教育结构和专业设置，优先发展民族教育，大力发展中级职业技术教育和成人教育，稳步发展高等教育。提倡多种形式的联合办学。加强九年制义务教育普及工作，到20世纪末，全区基本普及初等义务教育，60%以上的旗、县和80%以上的乡、苏木达到初级中等义务教育，基本扫除青壮年文盲。

“九五”期间，以实施九年制义务教育为重点的基础教育得到了全面发展。全区共有71个旗县实现“两基”达标，以旗县为单位的人口覆盖率达到65%，初中毕业生升学率近60%；累计扫除青壮年文盲18.8万人，青壮年非文盲率达到96.8%。各类学校教育发展迅速。1995年与2000年相比，各类学校在调整过程中有增有减，在校学生不断增加，总体上呈现出良好的发展势头。高等学校虽然由19所调整为18所，而在校学生则由37 248万人增加到71 967万人，增长93.21%；普通中学由1 853所调整为1 707所，而在校学生则由1 093 531人增加到1 307 251人，增长19.54%；中等专业学校由104所调整为86所，而在校学生由57 656人增加到106 407人，增长84.55%；职业中学由420所增加到425所，增长1.19%，在校学生由153 665人增加到207 600人，增长35.09%；小学由13 645所调整为10 147所，在校学生由2 343 129人减少到2 015 076人，计划生育工作的加强，是小学生人数逐年减少的主要原因；幼儿园有1 960所，入园124 894人；特殊教育学校29所，学生3 245人。②

高等教育已经形成学科门类比较齐全、具有地区特色、民族特点的体

① 参见乌力吉：《政府工作报告》（1996年2月5日），《五十年历程》，第312页；内蒙古自治区统计局编：《辉煌的内蒙古》，中国统计出版社1999年版，第360、364页。

② 参见内蒙古自治区统计局编：《辉煌的内蒙古》第358—361页；内蒙古自治区统计局编：《内蒙古统计年鉴》（2001），第509页。

系，设置文、理、工、农、林、医、师范、财经、政治、艺术、外语等本专科专业门类；有博士授权单位 2 个，博士点 10 个，硕士授权单位 8 个，硕士学位点 101 个；有国家级重点学科 1 个，“211 工程”建设学科 2 个，自治区重点学科 35 个；高校系、所合一或专门研究机构 49 个，专兼职科研人员 11 300 多人；近年来，每年承担国家级、部委级、自治区级自然科学和社会科学项目 800 项左右，一批项目获得各级颁发的奖励。

成人教育从无到有，健康发展。全区现有成人高校 16 所，在校学生有 36 328 人；成人中专 139 所，在校学生有 4.3 万人。成人教育的迅速发展，成为自治区教育事业的重要组成部分，形成与普通教育优势互补、协调发展的格局。

以岗位培训为重点，积极推进企业教育综合改革。仅 1998 年，全区参加岗位培训人数达 660 万人次，培养大专专业证书学员 18 747 人，中专专业证书学员 13 143 人。全区各行各业建有 38 个培训中心，为建立现代化企业制度和企业教育制度创造了条件。同时，社会力量办学步入新的发展阶段，成为政府办学的重要补充。全区社会力量办学机构有 965 所，其中非学历高等专科层次学校 46 所，中等层次学校 5 所，中学 72 所，小学 119 所，每年招生 4 万人。

内蒙古自治区从实际出发，经过二十多年的探索、改革，教育事业取得了突破性的进展，形成了多层次、多规格、多形式的教育体系。但是，有些方面还没有完全达到预期的目标，如“普九”与国家在 20 世纪末基本实现“普九”的目标还有差距；教育管理体制的改革和推进素质教育的要求还不适应，新型体制和运行机制尚未建立健全。

二、自然科学技术事业

内蒙古党委和政府以“科学技术工作必须面向经济建设，经济建设必须依靠科学技术”的战略方针为宗旨，在实践中不断提出发展科学技术事业的有针对性的具体方针、政策和要求，以指导科技工作。1979 年 12 月，提出科技工作的主攻方向是为重点生产建设提供科学依据和先进技术，要研究具有自治区特点的畜产品加工技术，稀土分离、提取和综合利用技术，能源开发利用技术和化学化工技术。当前要加强农牧业科学研究，开展治沙、农牧业综合考察和农牧业现代化中间试验。研究畜产品加工、制糖、风能、太阳能利用和环境保护等技术。1980 年列入全区计划的科研项目有 126 项。1982 年再次强调贯彻执行科学技术与经济社会协调发展的方针，把科学技术放到了重要位置。同时，编制了《全区科学技术“六五”规划及十年轮廓设想》。[①] 1983 年 4 月，提出重点抓好畜牧业、林业、农业、能源开发和节能技术，以畜产品加工为中心的轻工业、能源开发利用技术、医疗卫生、环境保护和污染治理等方面 31 项攻关项目，并重点推广 28 项现有重要科技成果。科研工作采取多种多样的形式，同生产紧密地结合，为经济发展服务。为此，一是组织现有的科技力量，发挥专业特长，为振兴经济、促进科学技术进步作出贡献；二是推广普及适合自治区条件的科研成果，尽快转化为生产力；三是对研究单位和研究课题进行必要的调整，克服脱离实际、重复研究、力量分散和吃大锅饭等弊端。[②]

在“六五”期间（1981—1985 年），科技战线焕发生机，成果丰硕。多数科研单位实行所长承包责任制和课题承包制，积极发展横向联系，开辟技术市场，加快科技成果商品化。1981 年到 1985 年，获奖科研成果约有 490 多项，有 253 项受到自治区人民政府奖励，有 1 项获国家发明奖，有 4 项获国家科学技术进步奖，一部分达到国内和国际先进水平。[③] 同时，科技成果的推广、应用及吸收、消化工作，以及农村、牧区多种形式的科普和科技服务活动，更加广泛、深入。新能源的利用，从试验进入推广阶段。据 1986 年统计，全区旗县以上的科学研究机构已发展到 155 个，职工总数达 11 110 人。从科研机构的设置来看，包括农业、林业、畜牧业、渔业、水利、气象、煤炭、冶金、建材、农牧业机械、轻纺、化工、电子、电力、机械、粮食加工、交通、邮电、中蒙医、地方病、传染病、环境保护等，凡是与自治

① 参见孔飞：《内蒙古自治区革命委员会工作报告》（1979 年 12 月 18 日，内蒙古自治区五届人大二次会议上的报告）；孔飞：《政府工作报告》（1981 年 3 月 3 日，内蒙古自治区五届人大三次会议上的报告）；孔飞：《政府工作报告》（1982 年 3 月 30 日，内蒙古自治区五届人大四次会议上的报告）；孔飞：《政府工作报告》（1982 年 12 月 20 日，内蒙古自治区五届人大五次会议上的报告），《五十年历程》（上），第 117、129、138、147 页。

② 参见布赫：《政府工作报告》（1983 年 4 月 20 日），《五十年历程》（上），第 157 页。

③ 参见布赫：《关于“七五”计划（草案）的报告》（1986 年 4 月 30 日，内蒙古自治区六届人大四次会议通过），《五十年历程》（上），第 185 页。

区地区特点和民族特点有关的领域，都具备了一定的科研力量。一个多层次、多学科、多功能，与自治区经济建设相适应的，具有自治区特色的科学研究体系已基本形成。

在“七五”时期（1986—1990年），自治区贯彻1985年中共中央发出的《关于科学技术体制改革的决定》，从自治区的实际出发，合理组织科技力量，建立严格的科技经济责任制，强化科技管理部门的职能，扩大科研单位的自主权，建设具有自治区地区特点、民族特点和资源特点的科技体系和科技队伍；重点研究应用技术，解决当前生产中存在的问题，为产业结构、产品结构和技术结构的合理化做出贡献。扩大横向联系，计划引进、推广、应用的重要科技成果项目132项；科技攻关项目288项；基础科学研究30项。实施“星火计划”，增加科技经费投入，改革科技体制，充分发挥科研机构和科研人员的作用，切实把经济建设转到依靠科技进步的轨道上来。

“七五”期间，1985年6月内蒙古自治区人民政府发布的《内蒙古自治区科学技术进步奖励办法》，极大地激励了科技研究单位和科技人员的积极性。经过5年的奋力拼搏，自治区完成科技成果1 621项，其中获国家级奖22项，获自治区级奖548项。技术市场活跃，通过技术开发、转让、咨询等多种服务形式，5年中签订技术合同一千五百多项，合同总金额达一亿多元。科技工作较好地完成了“七五”计划所列的项目，取得了预期的效益，为“八五”科技事业的更大发展打下了良好的基础。

在“八五”时期（1991—1995年），重申贯彻“经济建设必须依靠科学技术，科学技术工作必须面向经济建设”的方针，把科技放在突出的战略地位，当作实现小康社会的巨大动力。动员和组织科技人员深入基层和生产第一线，把经济建设作为主战场，把提供服务作为主要任务。国民经济各部门进一步提高依靠科技进步的自觉性和紧迫感，采取有效措施，更多地采用先进、适用技术，改造传统产业，发展新兴产业，全面提高国民经济素质。① 科技攻关的重点，要围绕农牧业、工业、高新技术、环境与社会发展

① 参见布赫：《政府工作报告》（1991年4月25日，内蒙古自治区第七届人民代表大会第四次会议），《五十年历程》（上），第240页。

四大领域的重点课题展开。科技进步的主要目标是，牧业良种和改良种牲畜头数占牲畜总头数的60%左右；农作物良种推广面积达到85%左右；工业生产推广适用新技术和新工艺70项，开发附加价值高、经济效益好和能够出口创汇的新产品5 000种，新产品更新率达到60%以上。到1995年，优质产品率达到25%；新产品销售额的比重达到15%以上。①“八五”科技计划的方针明确，任务具体，要求严格，是在实践中探索出的一条创新思路。

“八五”期间，在上述方针的指导下，科学技术与经济建设结合日益密切，科技的效果显著，发挥了“科学技术是第一生产力”的巨大作用，面向市场的科技运行机制正在形成。5年来，共取得自治区级科研成果1 733项，其中有9项获得国家级奖励，有551项获得自治区级奖励。科技成果推广率达到15%，科技对经济增长贡献率达30.4%。②

在“九五”时期（1996—2000年），根据此前3个五年计划期间科技工作的实践与认识，自治区制定了科教兴区战略，明确把科学技术摆在优先发展的战略位置，把经济建设转移到依靠科技进步和提高劳动者素质的轨道上来，增强自治区的科技实力及向生产力转化的能力；建立新型的科技投入体系，深化科技体制改革，推动科研部门和科技人员进入经济建设主战场；不断提高科技成果应用率、覆盖面和规模效益，初步建立适应社会主义市场经济体制和科技自身发展规律的科技体制。按照“科学技术是第一生产力”的思想和“科教兴区”战略部署，建立多渠道、多元化的科技投入体系，加速推广、应用科技成果、适用技术和高新技术，逐步建成一批自治区级重点实验室和中试基地，集中力量解决工农牧业生产和社会发展中的关键技术问题。到20世纪末，科技成果推广率提高到30%以上，科技成果转化率提高到50%，科技进步对经济增长的贡献率提高到40%。③

“九五”时期，在自治区“科教兴区”战略的推动下，自治区注重科技体制改革、技术创新体系建设和人才培养、引进，使科技发展步伐明显加

---

① 参见《内蒙古自治区国民经济和社会发展十年规划和第八个五年计划纲要》（1991年5月6日），《五十年历程》（上），第252—269页。

② 参见乌力吉：《政府工作报告》（1996年2月5日），《五十年历程》（上），第313页。

③ 参见乌力吉：《政府工作报告》（1996年2月5日），《五十年历程》（上），第312—321页。

快。5 年来，全区组织实施各类科技计划项目 1 243 项，投入经费 44. 3 亿元，完成科技成果 2 048 项，科技成果的转化率超过 40%，科技对经济增长的贡献率由“八五”期末的 30% 提高到 40%。①

二十多年来，在内蒙古自治区经济建设和社会发展中，科学技术确实发挥了第一生产力的作用。自治区的科研机构经过恢复、新建，形成了门类比较齐全，学科和专业基本配套的科研体系和专业技术队伍。全区自然科学研究机构发展到 133 家，高等院校和大中型企业创办的科研机构有 99 个，民营科技企业达到 800 多家，高新技术企业有 97 家。全区各类专业技术人员达到 47. 6 万人，其中具有高级技术职称的科技人员 2. 31 万人，中级职称的专业人员 13. 95 万人，这两者占技术人员总数的 34. 22%。科技经费投入逐年增加，以地方财政拨款为主，又有多渠道筹集，有力地支持了科学技术研究开发。全区科技进步对工农业总产值的贡献份额达 33%。“八五”以来，推广先进适用科技成果 313 项，累计新增产值 100 多亿元，增收节支近 10 亿元，增产粮食近 50 亿公斤。1998 年，高新技术产值增长达 46. 22 亿元，占全部工业产值的 4. 06%。技术市场活跃，1999 年全区有各种所有制形式的技术贸易机构 822 家，累计订立各类技术合同 22 890 份，成交总金额 252 012 万元。获准科技专利项目 3 955 件，专利技术实施累计新增产值 67 亿元，新增利税 11. 8 亿元，创汇 1. 4 亿美元。截至 1999 年，全区登记科技成果数 6 005 项，其中获国家级奖 55 项，获自治区级科技奖 2 656 项。开展与境外的科技交流、合作，同 14 个国家和地区签订科技合作与人才交流协议，列入政府间科技合作项目 21 项，签订双边或多边科技合作协议和意向书 40 多份，先后派出留学生、进修生、访问学者 1 800 多人。②

二十多年来，特别是 20 世纪 90 年代，创造了一批重要科技成果。在基础科学领域取得了具有世界先进水平的“不相交斯坦纳三元大集 Ⅰ—Ⅶ”等重大成果。在农业科技领域，培育出适合旱地和水地栽培的小麦新品种 7 个，可代替原主栽品种的玉米品种 4 个，甜菜新品种育种 12 个。在畜牧业

① 参见乌云其木格：《政府工作报告》（2001 年 2 月 16 日，内蒙古自治区九届人大四次会议上的报告），《五十年历程》（上），第 370 页。

② 参见云布龙主编：《中国西部概览——内蒙古》，民族出版社 2000 年版，第 228—231 页。

科技领域，在细毛羊、肉羊、白绒山羊及肉牛等牲畜新品种繁育、育种基地和育种核心群建设等方面取得了突破性进展。全区良种和改良种牲畜的比重达牲畜总头数的66.6%，试管羊、试管牛、牛羊胚胎移植技术等多项研究成果达世界先进水平和国内领先水平。在高新技术领域，稀土功能材料和系列产品的开发，生产了一批有自主知识产权的高新技术产品；利用生物技术研制成功高科技生物保健制品“金双歧”，已被列入国家类新药行列；建起了全国最大的高科技萃取高档沙棘油系列品生产基地；高炉炉墙厚度在线监测研究居国内领先水平，先后在包钢、太钢、首钢等大型企业应用；乳品、肉类、羊绒等深加工产品开发以及冶金、化工、重型汽车、煤炭、森工等方面，取得了大批水平高、应用效果好的科技成果。

内蒙古自治区的科技进步事业，纵向比较进步长足，横向比较还很滞后。总体科技水平比较低，创新能力不强，技术储备不足，成果转化不畅。科技进步综合评价，在全国31个省、市、自治区中名列第24位。特别是企业创新主体地位尚未形成，技术开发能力比较薄弱；科技力量分散，科技资源的潜力还未发挥出来，多元化的研究与开发机制尚未形成；高新技术产业化水平低，基础较差，增加值指数居全国第27位；技术改造手段落后，技术引进力度不大；科技成果的转化特别是先进适用技术的推广、应用和普及率不高。这是内蒙古21世纪科技进步事业需要着力解决的问题。

三、社会科学事业

社会科学是人们认识世界、改造世界的重要工具，是推动历史发展和社会进步的重要力量。社会科学与自然科学，对于人类社会的发展进步，对于建设中国特色社会主义，居于同样重要的地位。在现代化经济建设中，在社会发展进步事业中，社会科学总是站在历史发展的前沿，回答前进中遇到的问题。

在20世纪的最后20年里，内蒙古自治区的社会科学事业取得了突破性的发展。社会科学各个学科领域的研究，都取得了丰硕的研究成果，各种类型的成果以专著、论文、研究报告等形式，奉献给读者，成为巨大的精神食粮。特别是具有民族特点、地区特点的成果，大放异彩，举世关注。

蒙古学是内蒙古社会科学研究的重点，且具有最突出的特色。蒙古学是一门国际性的学问，包括许多学科，以历史学、语言学、文学、哲学、法学、政治学、民族学、宗教学、民俗学等形成蒙古学学科群。20 世纪 80 年代以前，蒙古学一般只限于蒙古历史、语言、文学 3 个学科，之后的研究逐步拓展到上述诸多学科领域，成为蜚声国内外的一门特殊的学问。

内蒙古自治区的蒙古学研究机构，在内蒙古大学从原来的蒙古史研究室、蒙古语文研究室、蒙古国研究所发展为蒙古史研究所、内蒙古近现代史研究所、蒙古语言研究所、蒙古文学研究所、周边国家研究所；同时有建校以来创建的蒙古语言文学系，创建了蒙古历史、蒙古语言文学硕士、博士学位点，形成了以蒙古历史、语言、文学为主体的蒙古学研究、教学基地，有专职教学、科研人员 120 多名。在此基础上，蒙古学学院于 1996 年成立，统揽蒙古学各学科的建设，这是中国第一个蒙古学学科集群。内蒙古师范大学在蒙古语言文学系的基础上，建立了蒙古语言文学研究所、蒙古史研究所、科技史研究所、教育科学研究所，蒙古历史、语言、文学研究与教学成为学校科研、教学的特色，成为新发展起来的蒙古学研究基地。1978 年，内蒙古自治区社会科学院成立，设有历史研究所、语言研究所、文学研究所、民族研究所、经济研究所、哲学社会学研究所、情报研究所等研究机构，蒙古学是其研究的重要内容，研究人员发展到 200 多人。另外，内蒙古民族师范学院、内蒙古蒙文专科学校、内蒙古财经学院、内蒙古党校等院校，也设有蒙古学或与蒙古学有关的研究机构，有部分教师兼做这方面的研究。内蒙古自治区地方志编纂委员会领导的各级地方志、专业志编纂机构，编写出版了大量的自治区地方、专业史志成果，与蒙古学密切相关；内蒙古党委党史研究室及各级党史研究机构的研究成果也涉及蒙古学内容。除了蒙古学专职研究人员 300 余人外，还有数百名社会科学工作者涉足蒙古学领域的研究。截至 2000 年，全区性社会科学研究机构计有 30 多所，专职研究人员 300 余名。

内蒙古为社会科学事业，举办了以蒙古学为主要内容的国际学术活动，促进了社会科学领域的开放，取了颇具影响的效应。从 1987 年至 2000 年，内蒙古大学相继举办了 4 次蒙古学国际学术讨论会，累计有国内外蒙古学学者近 600 人次参加，有 500 多篇学术论文在会上交流，在国内外学术界引起了很好的反响，得到了很高的评价。内蒙古师范大学于 1988 年 8 月举办了

《蒙古秘史》国际学术讨论会，8个国家的100多位学者参加，这是《蒙古秘史》首次国际研讨会，引起了国际学术界的关注。蒙古学以及其他社会科学学科的国内学术活动频繁，研究成果丰硕，极大地推动了内蒙古社会科学事业的发展。

内蒙古的社会科学研究日渐活跃，学术活动也日趋频繁，学术团体纷纷恢复和建立。截至2000年，内蒙古自治区哲学社会科学联合会所属学会有90多个，会员达4万余人。全国性学会有中国蒙古史学会、中国蒙古语文学会、中国蒙古文学学会；全区性学会主要有内蒙古历史学会、内蒙古语文学会、蒙古族经济史学会、内蒙古民族理论学会、蒙古族哲学及社会思想史学会、考古博物馆学会、蒙古国学会、内蒙古民族贸易学会、中共内蒙古党史学会、延安精神研究会、乌兰夫研究会、达斡尔学会、鄂温克学会、鄂伦春学会以及大批专业性学会。各个学会都有各自的学术活动和编印或出版的各种学术论文和资料。其中中国蒙古史学会从1979年9月成立以来，举办了7次学术讨论会，收到学术论文上千篇，编印《中国蒙古史学会论文集》4册，出版《蒙古史研究》7辑。中国蒙古语文学会于1979年10月成立以来，举办了8次全国性的学术讨论会，编辑出版了8册会议论文集，同时创办了《中国蒙古语文学会通讯》。全区各学科学会，根据各自的学术领域，开展了丰富多彩的学术活动，成为活跃学术气氛，进行学术交流的论坛。

社会科学研究成就突出，尤其是具有自治区优势和特色的蒙古学研究取得了长足进步。截至2000年底，出版的各学科领域的著作，蒙古史、内蒙古地区史著作：《蒙古族简史》《蒙古族通史》（上、中、下）、《蒙古民族通史》（第三、四卷）、《简明古代蒙古史》《内蒙古近代简史》《内蒙古自治区史》《沙俄侵略我国蒙古地区简史》《内蒙古历史地理》《内蒙古革命史》《大青山抗日斗争史》《当代中国的内蒙古》《呼和浩特革命史》《百年风云内蒙古》等。蒙古语文研究著作：《蒙古语语法》《汉蒙字典》《蒙汉辞典》《蒙古语言研究概论》《蒙古语标准音》《现代蒙古语语法》等；蒙古文学研究著作：《蒙古族文学简史》《蒙古族文学史》（4卷）、《蒙古族历代文学作品选》《中国蒙古族当代文学史》等。蒙古历史文献研究著作：《蒙古秘史校勘》《新译校注〈蒙古源流〉》《汉译〈蒙古黄金史纲〉》等。蒙古族哲学思想研究著作：《蒙古哲学史》《蒙古族哲学思想史》《最初的探索——蒙古族哲学思想史研究》《蒙古族哲学》《蒙古族哲学思想史》《蒙古族美学史》《蒙古哲学史研究》等。北方民族史著作：《中国古代北方各民族简史》《中国古代北方民族关系史》《匈奴通史》《突厥史》《东胡史》《北方民族文化遗产研究》《中国古代北方少数民族历史人物》《鄂伦春族简史》《达斡尔族简史》《鄂温克族简史》等。经济学研究著作：《蒙古族经济发展史研究》（第一、二集）、《内蒙古工业简史》《内蒙古垦务研究》《畜牧业经济管理》《内蒙古自治区经济发展史》等。考古学著作：《鄂尔多斯式青铜器》《和林格尔汉墓壁画》《阴山岩画》《乌兰察布岩画》《内蒙古历史文化遗迹》《内蒙古历史地名》《内蒙古中南部原始文化研究文集》《内蒙古东部区考古学文化研究文集》等。民族学著作：《社会主义社会民族问题研究》《内蒙古蒙古族向社会主义过渡问题》。宗教学研究著作：《内蒙古喇嘛教》《内蒙古寺庙》等。[①] 此外，教育学、法学、人才学、新闻学等学科的研究，也取得了可喜的成果，也有不少专著问世。社会科学领域的各学科发表的学术论文，截至 2000 年，据不完全统计达 5 千篇以上，其中蒙古学领域的学术论文居多。

社会科学有一大批研究成果获得国家级、部委级和自治区级的奖励，《内蒙古革命史》获得首届国家社会科学基金项目优秀成果二等奖，《成吉思汗哲学思想研究》和《生长的旋律——自组织演化的科学》获得三等奖，内蒙古自治区名列全国获奖单位的第七名。获省部级奖励的著作和论文约 300 项以上。

内蒙古的社会科学研究，在自治区经济发展和社会进步事业中发挥了不可替代的作用。在马克思主义，特别是在发展着的马克思主义的指导下，为贯彻党的思想路线、政治路线，推动改革开放和促进社会主义物质文明、政治文明、精神文明协调发展，弘扬和培育民族精神，引导人们树立有利于中国特色社会主义事业发展的思想观念；对于从内蒙古自治区的实际出发，特别是结合自治区的民族特点、地区特点，进行社会主义现代化建设，作出了突出的贡献。

---

① 参见额尔德尼编：《蒙古学论著索引》，辽宁民族出版社 1997 年版，第 565—599 页。

四、文化事业

内蒙古的文学、艺术、广播、电影电视和新闻出版等文化事业，有雄厚的历史积淀和鲜明的民族特点、地区特色，取之不尽，用之不竭。改革开放以后，在思想解放、创新发展的氛围中，得到充分的释放。到2000年，全区文化事业机构有2 008个，从业人数达13 844人。①

文学创作　内蒙古作家协会以及盟市作家协会，维系了一大批专业作家和业余作家。他们不断深入农村牧区、工矿企业体验生活，采风创作；他们还深入历史，走近历史，挖掘民族文化、地区文化的往事，寻找创作的素材。他们创作了一部又一部反映现实生活、喜闻乐见的各种作品；他们还从历史中提炼富有民族情节、地区韵味的文化资源，创作具有民族特点、地区特色的文化精品。被称为时代史诗的长篇小说，以衡量文学成就的标志，诞生在当代历史新时期。在改革开放的20年间，《茫茫的草原》（下部）、《草原雾》《嘎达梅林传奇》《黄金家族的毁灭》《骑兵之歌》《深情的原野》《伊和塔拉之战》《燎原烈火》《黄金梦》《呼伦湖畔》《风雪草原》《牧民的后代》《甘珠尔迷雾》《驼铃的回音》《吉里木草原蜃气》《旷荡的杭盖》《黑骏马》《霜秋》《戈壁回响曲》《动荡的鄂尔多斯》《忽必烈大传》《一代天骄成吉思汗》《草原人的爱》《茶道》等上百部长篇小说奉献给了读者。至于中、短篇小说更是硕果累累。获全国和内蒙古自治区大奖的作品《蓝幽幽的峡谷》《驼铃》《蓝色的阿尔善河》《月亮湖的姑娘》《活佛的故事》《煴火》《悬崖回响》《蒙兀尔斤阿爸》《遥远的草原》《大漠歌》《沙狐》《弥留之光》《虔诚的遗嘱》《圣火》等等，反映了社会生活的广度和深度，有新的突破，称得上是新时期小说的思想性和艺术水准的代表作。②

自治区各族作家立足于本民族、本地区人民的生活，写出了一批在自治区、在全国、甚至在国外产生广泛影响的佳作。在20世纪80年代全国两届

---

① 参见内蒙古自治区统计局编：《内蒙古统计年鉴》（2001年），第518页。

② 以上作品资料参见孙兆文、苏利娅主编：《民族区域自治与蒙古族的发展进步》，内蒙古教育出版社2004年版，第114—115页。

文学评奖中，内蒙古先后有40篇（部）各种形式的作品，获得优秀作品奖及荣誉奖。在中国作家协会1982年全国短篇小说、第二届（1981—1982）中篇小说评奖中，乌热尔图（鄂温克族）的短篇小说《七岔犄角的公鹿》、冯苓植的中篇小说《驼峰上的爱》分别获奖。蒙古族作家扎拉嘎胡的《草原雾》和佳峻的《驼铃》，在第二届全国少数民族文学创作评奖中，分别获长篇小说奖和中篇小说一等奖。自治区人民政府为鼓励文学艺术创作也拨出专款举行全区性的文艺评奖。1981年、1984年两届全区性的文艺评奖中有二百余篇（部）各种门类的文学作品获奖。

内蒙古号称诗的海洋、歌的故乡，真是名不虚传。诗歌创作成为新时期文学创作中最活跃的领域。改革开放以来出版了百余部各种诗集。大型诗集《草原歌手》《民族之魂》《诗的微笑》《诗的希望》《可爱的祖国》《英雄的故乡》《美丽的秋天》《花果之乡》《战马嘶鸣》《小草和大地》《犊牛的牧场》《故乡与爱情》《爱的哈达》《马背恋情》《明珠闪闪》《抒情诗选》《叙事诗选》《散文诗选》《爱情诗选》《儿童诗一百首》《纳·赛音朝克图全集》《巴·布林贝赫的诗歌》等，是深受读者喜爱的诗集，反映了诗歌创作的繁荣景象。值得推崇的是反映新时期诗歌发展水准的有《命运之马》《春天的觉醒》《光的赞歌》《献给绿叶的歌》《心灵的报春花》《太阳的女儿》《蝈蝈之歌》《草原珍珠》《苏米亚》等佳作。新时期内蒙古诗歌的发展，反映了时代精神和时代气息，时代为诗人们提供了广阔、宽松的创作空间，诗人们为讴歌时代而自由地创作，诗人与时代和谐相随、比翼共进。

散文和报告文学也与小说、诗歌争相吐艳。《金色的边疆》《马莲花》《内蒙古风光》《蒙古族当代散文选》《十二人散文集》《远方集》《黎明变奏曲》《风尘集》《敖德斯尔散文集》《云照光散文集》《色力布散文集》《苏尔塔拉图散文》《大海集》《故乡之歌》《母亲湖》《百变人生》《瑞草集》《绰尔河》《元上都探古》《圣洁的乳汁》等等散文，真诚地讴歌时代的风光，传递着时代前进的信息。报告文学更是紧贴生活的脉搏，紧跟时代的步伐，洞察时代声心，报告时代前进的主旋律，鼓舞人们奋发向上。《光辉的足迹　难忘的印象》《戈壁胡杨》《良心》《淘金之路》《一千万的主人们》《从亚洲挺立的健将》《大雁之歌》《哈扎布传》《宝音德力格尔传》

等，是感化人们心灵，鼓舞人们前进的报告文学佳作。[①]

艺术创作与表演　1987 年，在内蒙古自治区成立 40 周年之际，全区艺术表演团体发展到 143 个，并逐步建立起了比较完整的民族歌舞、歌剧、话剧和京剧、晋剧、漫瀚剧、杂技、二人台、曲艺等 16 个品种的艺术表演体系，专业人员达 6 813 人。乌兰牧骑也获得蓬勃发展。1985 年，自治区人民政府颁布了《内蒙古自治区乌兰牧骑工作条例》，为乌兰牧骑适应新时期的发展提出更高要求。1987 年，在乌兰牧骑创建 30 周年时，全区已有乌兰牧骑 50 个，队员 1 000 余人，形成一支自成体系的文艺轻骑兵。当时，乌兰牧骑队员中有 46 人次在全国调演或艺术比赛中获 18 项奖励，有 159 个节目、214 人次在自治区的各类艺术活动中获奖。乌兰夫曾题词："让乌兰牧骑文艺之花，在全国开放。"自治区的广大艺术编创人员，创作演出了一大批优秀剧目。乌兰察布盟歌舞剧团的大型舞剧《东归的大雁》、包头漫瀚剧团的《丰州滩传奇》、呼伦贝尔盟话剧团的《屋巴锡汗》、伊克昭盟歌舞剧团的《森吉德玛》、呼市民间歌剧团的《塞上昭君》、内蒙古二人台剧团的二人台优秀传统小戏、内蒙古少儿艺术团的歌舞节目等进京演出后，引起首都各界的强烈反响和热烈欢迎。1986 年全国舞蹈比赛中，内蒙古参赛的五个节目共获 12 项奖。自治区已形成了一支从编剧、导演到演员、作曲的蒙语戏剧专业队伍，出现了一大批蒙古族人民喜闻乐见的剧目。

经过文化体制改革的不断深化，艺术表演团体继续推行法人代表负责制、艺术结构工资制和全员聘用制等改革措施，艺术事业又发生了深刻的变化。艺术机构逐渐完善，艺术布局趋于合理，艺术队伍的素质不断提高，艺术创作表演活动日益繁荣，进入了创新发展的新阶段。截至 2000 年，艺术事业机构 146 个，从业人数 5 976 人；艺术表演团体 116 个，从业人数 5 330 人；艺术表演场所 30 个，从业人员 646 人；艺术教育事业机构 10 个，从业人员 683 人；艺术创作机构 10 个，从业人员 96 人；艺术研究机构 6 个，从业人员 102 人；艺术展览机构 3 个，从业人员 185 人。[②] 与 80 年代相

---

① 参见孙兆文、苏利娅主编：《民族区域自治与蒙古族的发展进步》，第 113—117 页；云布龙主编：《中国西部概览——内蒙古》，第 237 页。

② 参见内蒙古自治区统计局编：《内蒙古统计年鉴》（2001），第 518 页。

比，机构门类和从业人数有增有减，这是体制改革中调整、重组的结果。

在改革的浪潮中，各种艺术节目不断涌现。话剧《旗长，您好》《司法局长》，漫瀚剧《契丹女》，杂技《四人踢碗》《射箭》《滚灯》，舞蹈《牧人浪漫曲》《翔》，蒙古剧《银碗》《满都海斯琴》，舞蹈诗《鄂尔多斯情愫》《生命欢歌》，大型民族歌舞诗《腾飞吧，内蒙古》，京剧《萧观音》《甘泉》，国庆50周年大型文艺晚会《草原情深》等，是深受内蒙古各族人民喜爱的剧目。演出活动频繁，1999年，全区118个专业艺术表演团体全年演出1 101场，开展“百团千场下基层”演出活动，3个月演出2 354场，观众达134.65万人。自治区艺术工作者在全国比赛中获奖12项。2000年，全区三级艺术表演团体共演出一万二千二百余场，下乡演出达七千一百余场。《萧观音》《舍楞将军》《羊皮官司》等剧目获全国奖项。一年一度的春节晚会、各种文化节、艺术节及大型纪念性活动，都要排练演出大型文艺节目，极大地丰富了群众艺术生活。

内蒙古的艺术剧目获得了国际、国内各种奖项。1990年，杂技《四人踢碗》获得法国巴黎第13届世界明日杂技节金奖，而且是中国首次少数民族演员获得国际大赛金奖。在国内，连续3次获得中国戏剧梅花奖，连续4次获得文化部“文化新剧目奖”；连续5次共7部作品获得中共中央宣传部“五个一工程”入选奖。1993年以来，在区外艺术评奖中获得80多项一等奖。①

广播电视电影事业 自治区的广播电视事业飞速发展。到1986年底，全区有广播电台21座，广播发射台和转播台58座，调频广播电台33座，电视台25座，电视发射台、转播台和差转台691座。自1982年起，先后建设了太原至呼和浩特和以呼和浩特为中心，东到满洲里、西至巴彦浩特的3条主要微波干线。到1986年底，全区微波干线总长4 700多公里，有微波站120多个。自治区成立40周年时，全区有卫星电视地面站165座，比上年增长94.1%，全区电视混合覆盖率达73.9%，基本形成了一个遍布全区城乡和牧区的广播电视传输网和覆盖网。1987年，广播电台节目套数为29

---

① 以上艺术作品及活动参见内蒙古自治区统计局编：《内蒙古统计年鉴》（2001），第220、619页；云布龙主编：《中国西部概览——内蒙古》，民族出版社2000年版，第237页。

个，比上年增长3.6%；电视节目套数达26个，比上年增长4.0%。有相当数量的广播稿件和电视片在全区评比中获奖，如《左邻右舍》在全国首届优秀电视专栏节目评奖中获二等奖；大型彩色电视纪录片《飞腾的内蒙古》荣获中央电视台举办的国庆35周年各省市自治区电视台联合展播节目单项金奖；《山林的雾》在全国首届少数民族题材电视剧、电视艺术片“骏马奖”评选中获电视剧一等奖。几年来，蒙语广播电视事业取得很大发展。到1986年底，全区共有8座广播电台进行蒙语播音。1987年，内蒙古电视台已单道开频，正式播出包括新闻、专题、电影、电视剧以及文艺等比较完整的一套蒙语电视节目。1987年，内蒙古彩电中心建成，标志着内蒙古的广播电视事业向现代化迈出了一大步，进入了一个新的发展阶段。内蒙古广播电视艺术团为内蒙古电台、电视台录制了许多具有民族特点和地方特色的优秀节目，在各类表演节目评比中获奖五十多人次。其中，由阿拉腾奥勒创作的歌曲《美丽的草原我的家》,被联合国教科文组织以世界优秀歌曲选入音乐教材和亚太歌曲集。到1986年底，全区广播电视战线上的职工队伍达10 066人，其中少数民族占有相当比例。

在20世纪90年代改革开放的大潮中，通过进一步的体制改革，广播电视事业进入了腾飞时期。截至2000年，自治区广播电视播出机构发展到125个，广播电视节目制作经营单位1个。广播电台调整为14座，广播发射台和转播台调整为56座，蒙汉语节目88套，平均每日播音时间964小时09分，包括新闻、专题、教育、文化、服务性广播节目制作达74 209小时，用中短波、微波、卫星等传输手段传播，在自治区境内覆盖率达85.5%。1997年1月1日，内蒙古广播电视卫星地球站建成运营后，内蒙古人民广播电台开始采用数字技术，通过亚洲2号卫星，信号源从区内扩展到全国乃至53个国家和地区，每天通过卫星传输蒙古语广播节目17.25小时，汉语广播节目17.20小时，还有对外蒙古语节目《内蒙古之窗》向周边国家的蒙古语听众广播。内蒙古人民广播电台的在编人员380多名，其中专业技术人员331人。[①] 随着经济发展，社会进步，听众的需求也在多样化，为适应

① 参见云布龙主编：《中国西部概览——内蒙古》,第240页；内蒙古自治区统计局编：《内蒙古统计年鉴》(2001)，第520页。

新形势新变化，广播工作向频道专业化转变，以吸引越来越多的听众，充分发挥广播电台的效应。

内蒙古电视台成立于1969年。2000年，全区有电视台14座，电视发射台和转播台1 992座，卫星电视地球站1座，电视节目41套，电视人口覆盖率81.42%，平均每周播出时间2 403 小时38分，包括新闻、专题、教育、文化、服务性电视节目制作达12 916 小时。全区有旗县级以上电视台65座，旗县级以上有线电视网78个，有微波站111座，卫星地面接收站8 300多座。1997年投资2 000多万元进行改造、扩建后，内蒙古电视台的蒙汉语节目的覆盖面积扩大到了全国及世界53个国家和地区，内蒙古卫视节目在全国的落地率为18.66%，人口覆盖率为19.68%。内蒙古广播电视厅所属内蒙古经济电视台，1995年与蒙古国合资在乌兰巴托建成第一个有线电视网——桑斯尔有线电视公司，在乌兰巴托覆盖率达80%以上，用户超过2万户。中央电视台一套节目、内蒙古电视台蒙古语卫视节目以此进入了蒙古国主流社会、决策层家庭、各国驻蒙古国的使领馆，成为对外宣传中国的窗口。内蒙古卫视蒙古语节目吸引了蒙古国众多观众，尤其是1999年译播中央电视台《新闻联播》,①其宣传效应更为突出。

1979年6月，经国务院批准，原内蒙古电影译制片厂改建为内蒙古电影制片厂，使内蒙古电影事业的发展成为一个包括电影制片、民族语译配、发行、放映、器材供应修配和管理等比较完整的综合体系。“六五”期间，自治区生产彩色故事片10部，艺术片1部，彩色纪录片5部，译制蒙古语影片958部。1984年蒙古语译制片《桥》获文化部和国家民委颁发的优秀译制片奖。内蒙古电影制片厂摄制的儿童故事片《月光下的小屋》荣获3项国际奖，即在印度第四届国际儿童电影节中荣获最佳故事片奖，获国际评奖团授予的“金象”奖和儿童评奖团授予的金牌；1986年又获广播电影电视部颁发的优秀儿童故事片奖，并在美国洛杉矶国际青少年电影节上再次被评为外国语最佳家庭娱乐片，获特别奖。与青年电影制片厂合作摄制的历史巨片《成吉思汗》,上映后受到广泛好评。到1986年底，全区电影放映单位

① 参见内蒙古自治区统计局编：《内蒙古统计年鉴》（2001），第520页；云布龙主编：《中国西部概览——内蒙古》,民族出版社2000年版，第241页。

发展到 3 370 个，电影事业从业人员达 10 782 人，形成了遍布城市、农村、牧区、边境的电影发行放映网络。这是电影事业迅猛发展的时期。进入 90 年代以后，由于电视业迅速发展，人们的选择发生变化，电影事业逐渐走入了低谷。电影单位从 1981 年的 4 050 个锐减为 1998 年的 1 009 个，影剧院、俱乐部、电影院从 1981 年的 452 个减为 213 个。① 甚至在 20 世纪结束前两年的统计年鉴中也找不到电影业的记载。

文物考古事业　内蒙古自治区的文物考古工作始于 20 世纪 50 年代，1954 年成立了内蒙古文物工作组，是自治区文物考古研究机构诞生的标志。1962 年 6 月改称内蒙古自治区文物工作队，1984 年更名为内蒙古自治区文物考古研究所，截至 20 世纪末，研究所有职工 57 人，其中业务人员 41 人。经过半个世纪的艰苦工作，内蒙古的文物考古工作取得了巨大成绩，为中国古代北方少数民族历史研究和边疆考古作出了突出的贡献。

20 世纪 70 年代发掘的和林格尔汉代壁画，为研究东汉时期的庄园经济及北方边疆地区的社会面貌、风土人情提供了珍贵资料。80 年代对和林格尔土城子古城遗址、中南部地区汉代墓葬的大规模发掘，提供了汉代政治、军事、经济和社会生活的重要资料。对辽上京、中京城址及一批墓葬的调查、勘探、发掘，为研究辽代历史提供了丰富的考古资料，其中 1986 年发掘的陈国公主墓，成为全国“七五期间十大考古发现”之一；耶律羽之墓的发掘，被评为 1992 年全国十大考古新发现之一。90 年代以后，与美国、加拿大、法国、德国、意大利、日本、蒙古等国家的考古工作者进行了多方面的业务交流和合作调查、研究，在方法、手段上有突破性进展。

2000 年，全区有文物保护管理机构 69 个，从业人员 621 人；文物研究机构 2 个，从业人员 63 人；收藏文物 63 487 件。内蒙古属于全国重点文物保护单位的有 4 处，属于自治区级文物保护单位的有 51 处，拥有文物藏品 131 638 件。综合性博物馆 25 个，从业人员 651 人；专业性博物馆 8 个，从业人员 132 人；文物商店 7 个，从业人员 72 人。② 在革命遗址的保护方面也做了大量的工作，如王若飞活动遗址、大青山抗日游击根据地革命遗址、

① 参见内蒙古自治区统计局编：《辉煌的内蒙古》，第 371 页。

② 参见内蒙古自治区统计局编：《内蒙古统计年鉴》（2001），第 518 页。

“五一”大会会址等。1986 年，经国务院批准，呼和浩特市成为国家历史文化名城之一。

图书馆事业 在社会主义现代化建设新时期，自治区的图书馆事业从恢复走向发展，形成了为经济建设、社会发展服务的公共图书馆、高等教育图书馆、科研院所图书馆等 3 大图书情报网络。

公共图书馆，是由各级人民政府投资兴办的公益性机构，具有开发、收集、整理、存储、加工文献资料的功能，向社会开放，服务于社会公众。1980 年，全区公共图书馆有 83 个，从业人员 739 人，总藏书量为 150 余万册（件），馆舍建筑总面积 34 014 平方米。其中内蒙古自治区图书馆 1 所，盟市级图书馆 8 所，旗县级图书馆 74 所。鄂伦春自治旗图书馆、鄂温克族自治旗图书馆、达斡尔族自治旗图书馆和呼和浩特回民区图书馆，也是在这一时期建立起来的。已经形成了有民族特点、地区特点的图书馆网络。在 20 年来改革开放的过程中，随着经济建设、社会发展的需要，图书馆事业也进入了快速发展的时期。截至 2000 年，自治区的公共图书馆发展到 108 所，增长 30. 12%；从业人员也增加到 1 833 人，增长 1. 48 倍；藏书总量为 666. 56 万册（件），增长 3. 44 倍，其中蒙古文图书 14 万册；馆舍总面积猛增到 129 770 平方米，增长 2. 81 倍。其中自治区图书馆仍为 1 所，盟市图书馆增加到 12 所，旗县级图书馆增加到 95 所（包括儿童图书馆 2 所），进一步普及完善了公共图书馆网络。

内蒙古自治区图书馆是自治区人民政府创办的最大的综合性公共图书馆。它走过了近 50 年的发展历程，直到 20 世纪 90 年代中期建成了规模宏大、设备精良、功能齐全、初具现代化水平的图书馆。该馆主体六层、主楼四层、书库九层，总占地面积 28 311. 90 平方米，建筑占地面积 5 266. 50 平方米，总建筑面积 20 508. 04 平方米；总藏书设计容量可达 300 万册，拥有 7 个外借服务窗口，有 20 多个不同类型的阅览室，近 2 000 个阅览席位。除了古籍等少数珍贵文献外，其余采用大范围开架借阅的服务模式。根据内蒙古民族地区特点和馆藏民族文献的特殊性，专设蒙古文经卷特藏库和地方文献阅览室。它是一座具有民族特色的开放式、多功能、研究型、现代化公共文献信息中心，主要业务工作已采用自动化管理；设有高标准的多功能厅、电子阅览室，已经面向国内外、区内外公众提供全方位的优质服务。

高等教育图书馆，是自治区各高等院校创办的学校文献信息中心，是学校信息化和社会信息化的重要基地，专为高等学校教学与科学研究服务的学术性图书馆，以藏书品位高、专业性强为特点，兼容普及性读物。1981 年，全区有普通高校图书馆 16 所，馆藏文献总量 346.6 万册（件），馆舍总面积 22 000 平方米，图书馆研究人员和工作人员 392 人，为各高校的近 4 000 名教师和 2 万多名在校学生教学、科研和学习服务。到 2000 年，全区有普通高等学校 18 所，高校图书馆也相应地发展到 18 所；馆藏图书文献总量增加到 625.9 万册（件），比 1981 年增长了 80.58%；馆舍总面积增加到 90 394 平方米，比 1981 年增长了 3.10 倍；图书馆研究人员和工作人员增加到 712 人，比 1981 年增长 81.63%，为各高校的 8 856 名教师和在校本科生 67 139 人、研究生 1 546 人的教学、科研和学习提供服务。

由科技图书馆和科技情报机构组成的科技信息网，在 70 年代后期全区恢复、建立了 70 多个科技情报机构，有专职工作人员 19 名，科技情报人员 500 余人，藏书总量 215 700 册。1979 年内蒙古社会科学院建立以后，成立了社科院图书馆和 7 个研究所资料室，特别是 80 年代以来，仅自治区直属研究单位及党政部门的研究机构就发展到 56 个，藏书总量达 31 万册。

群众文化工作不断发展。截至 2000 年，全区有群众文化事业机构 1 712 个，从业人员 4 460 人，其中有群众艺术馆 13 处，从业人员 454 人；旗县级文化馆 104 个，从业人员 1 391 人；文化站 1 595 个，从业人员 2 615 人。其中乡文化站 1 509 个，从业人员 2 490 人，遍及全区各个旗县的广大农村牧区乡镇（苏木）。他们开展了内容广泛、形式多样的文化活动，在丰富各族群众文化生活方面起了核心作用。

五、新闻出版事业

1951 年 1 月，内蒙古自治区新闻出版局成立；1952 年 6 月，成立了内蒙古人民出版社。此后在三十多年的时间里，内蒙古新闻出版局、内蒙古人民出版社、内蒙古文化局分分合合，体制和名称多次变更。直到 1988 年 4 月，再次成立内蒙古自治区新闻出版局，是自治区人民政府管理全区新闻出版工作的行政机构。

内蒙古人民出版社与新闻出版局虽有过合署办公的经历，但是，基本上保持了独立经营出版事业的综合图书出版社的性质，总揽除教材以外的出版业务。1960 年 4 月，内蒙古教育出版社成立，是出版蒙汉文教材、教辅用书和教育图书的专业出版社，主要编译出版幼儿、普通中小学、职业学校蒙汉文教学大纲、教材，蒙汉文教育理论图书、学术著作以及其他读物，蒙古文、蒙汉文对照、蒙汉外文对照的各类工具书等。保证自治区中小学蒙汉文教材的供应，也是全国蒙古文中小学教材建设基地。1982 年 8 月，经国家出版事业管理局和内蒙古党委批准，内蒙古自治区新成立了文化出版社、少年儿童出版社和科学技术出版社等 3 个蒙文专业出版社，分别设于海拉尔、通辽和赤峰，极大地促进了蒙文出版事业的发展。1985 年，内蒙古大学成立了内蒙古大学出版社，这是自治区唯一的大学出版社，出版大学、中专教材、学术专著、译著、教学参考书、教学工具书以及自然科学和社会科学普及读物。同时，成立了内蒙古新闻出版局所属的远方出版社。截至 20 世纪末，全区共有 7 个出版社，从业人员 599 人。

图书、杂志、报纸的出版发行。图书出版种数从 1980 年到 1990 年逐年递增，由 618 种增长到 1 145 种。90 年代以后增长缓慢，且呈减少趋势，从 1990 年的 1 145 种增长到 1997 年的 1 611 种以后，到 2000 年减少到 1 531 种。印刷数量从 1980 年的 7 200 万册基本上徘徊在 2000 年的 7 423 万册之间，也有少数年份略有突破。这与图书出版市场出现的无序局面不无关系。蒙文图书的出版，从 1982 年的 207 种增加到 2000 年的 764 种，增长 2.69 倍，印数从 607 万册增加到 804 万册，增长 32.45%。图书市场无序状况，对蒙文图书的干扰较少。杂志出版种数从 1980 年的 41 种增加到 2000 年的 154 种，增长 2.75 倍，印数从 580 万册增加到 1 584 万册，增长 1.73 倍。蒙文杂志，从 1982 年的 29 种增加到 2000 年的 46 种，增长 58.62%，印数从 244 万册减少到 123 万册，下降 49.59%。报纸出版从 1981 年的 28 种增加到 2000 年的 64 种，印数从 9 363 万份增加到 17 967 万份，增长 91.89%。蒙文报纸从 1982 年到 2000 年一直是 12 种，印数从 1 179 万份增加到 17 967 万份，增长 14.23 倍。①

① 参见内蒙古自治区统计局编：《辉煌的内蒙古》，第 372、373 页；内蒙古自治区统计局编：《内蒙古统计年鉴》（2001），第 519 页。

到20世纪末，全区各类印刷企业发展到近千家，其中书刊定点和领有书报刊印刷许可证的印刷企业有85家。电子分色制版、激光照排、高速彩色印刷和装订联动技术已经应用，印刷种类日趋齐全，印刷能力不断提高，科技进步极大地推进了新闻出版事业的高速有效发展。图书报刊发行形成了多种流通渠道、多种购销形式、多种经营成分并存的格局。网点遍布城市、农村、牧区的新华书店系统有98家书店，发行网点637个，其中科技、少儿、课本、古旧等专业门市部各1处，外文书店也有两个发行点，旗县以下发行网点有351个。报刊除了传统的邮政发行外，1998年组建了全区第一家报业中心，同时局系统企业组建发行集团，成立有限责任公司，主导发行。新闻出版业向产业化、集约化方向发展，全行业从业人员近6万人。自治区新闻出版局系统有11个直属企事业单位，职工5 990人，资产达4.97亿元。①

新闻出版在改革开放后的二十多年间，除了图书、杂志、报纸在种类数量上增长外，还呈现出鲜明的时代特征、民族特点、地区特色。自治区坚持了正确的新闻出版导向，贯彻“加强管理，优化结构，提高质量”的方针，突出时代主旋律，宣传马克思主义，特别是发展着的马克思主义，宣传中国共产党和国家的路线、方针、政策，为推进社会主义现代化建设，为物质文明、政治文明、精神文明建设，发挥了特别重要的作用。民族特点、地区特色是内蒙古新闻出版事业最鲜明的闪光点。无论是图书，还是报刊，都有相应的蒙文出版物，而且种类之多、数量之大，居全国之首位，在世界上也是蒙文出版物数量最大、最集中、最有权威，精品也最多。组织出版科学技术书刊，推广传播科学技术读物，是内蒙古新闻出版的重要特色，创办了《内蒙古科技报》《现代农业》等一批科技报刊，出版了《希氏内科学》《生物体结构的三定律》《内蒙古历史地理》等一批具有国际先进水平的科技著作，引起了读者的兴趣和学术界的关注，特别是《内蒙古植物志》,受到美国、日本、瑞士等国的植物学家的高度评价，他们认为填补了世界植物志的空白。②

内蒙古各类报刊发表的作品获得国家和自治区级奖项近千项，内蒙古版图书获国内外奖项也达数百部。其中除《内蒙古革命史》和《成吉思汗哲

① 参见刘通午、赵剑平等:《新闻出版》,《内蒙古区情网》2006年6月16日发布。

② 参见云布龙主编:《中国西部概览——内蒙古》,民族出版社2000年版，第246页。

学思想研究》《生长的旋律——自组织演化的科学》获得国家级优秀成果奖项外,[①]《蒙古秘史》《现代蒙古语频率词典》等8种图书获国家图书奖；《内蒙古大词典》《内蒙古民族团结史》《三千孤儿与草原母亲》等5种图书获中宣部“五个一工程”入选奖；《蒙古族民俗百科全书》等6种图书获中国图书奖；[②] 获内蒙古第一届到第六届哲学社会科学优秀成果一等奖的专著和论文达50多部（篇）。这都展示了内蒙古新闻出版事业质的飞跃。

六、卫生事业

内蒙古的卫生事业在改革开放中取得了巨大发展。医疗卫生体系进一步完善，医疗服务提高，卫生工作加强，医学研究深化，医学教育兴旺，疫病防治及时，民族特点、地区特点突出，为保障人民健康、增强民族团结、促进边疆稳定，为保证社会主义现代化建设和社会发展进步，发挥了特殊的作用。

在改革开放后的二十多年中，内蒙古的医疗卫生设施不断调整与改善。1980年至2000年，卫生机构从4 350个增加到4 427个，增加77个；床位从49 630张增加到66 903张，增长34.80%。卫生机构1988年至1992年增加到5 000个以上，以后逐年减少，其中，医院从1760个增加到1 988个，增长12.95%；床位从47 271张增加到63 156张，增长33.60%。疗养院所从9个增加到11个；床位从1 295张增加到1 984张。门诊部所从2 164个减少为1 902个。专科防治所站从39个增加到63个，增长61.53%。卫生防疫站从126个增加到185个，增长46.82%。妇幼保健所站从118个减少为108个。每万人口拥有卫生机构从2.32个减少为1.87个；每万人口医院床位数从25.19张增加为28.24张，增加3.05个。卫生机构人员数从88 188人增加到124 362人，增长41.01%，其中，卫生技术人员从70 022人增加到100 688人，增长43.79%；医生从31 068人增加到52 299人，增长68.33%；中医从8 411人减少为5 204人，减少38.12%；西医师从

① 参见全国哲学社会科学规划办公室编：《获奖成果简介》，中国社会科学出版社2000年版，第156、453、515页。

② 参见云布龙主编：《中国西部概览——内蒙古》，民族出版社2000年版，第244—246页。

11 131 人增加到 30 551 人，增长了 1. 74 倍；西医护士从 11 526 减少为 9740 人，减少 15. 50%；护师护士从 9 126 人增加到 25 726 人，增长 1. 82 倍；每万人口医生数从 17 人增加到 22 人，增长了 5 人。① 内蒙古医疗卫生机构已经遍布全区城镇和乡、苏木，特别是“八五”中期开始的“卫生三项建设”，即配套改造建设了 1 370 所苏木、乡、镇卫生院，立项建设了 71 所县级卫生防疫站和 66 所妇幼保健所，分别为对应卫生机构总数的 91%、71%、66%。这三项建设工程多次受到国家的表彰。1998 年，农村、牧区的村、嘎查卫生室覆盖率达到 93%；农村、牧区初级卫生保健达标旗县已发展到 75 个，占全区旗县的 86%，基本上形成了从城市到农村、牧区的医疗卫生保健网。②

内蒙古的中蒙医是具有民族特点、地区特色的医疗卫生事业，经历了近五十年挖掘、整理、研究、发展的过程。从 1955 年 5 月 25 日，内蒙古自治区人民委员会召开第一次全区中医、蒙医代表大会开始，到 1956 年成立内蒙古医学院中蒙医系，1959 年，成立内蒙古中蒙医学会，1960 年，内蒙古自治区人民委员会颁布《内蒙古自治区中蒙医（药）带徒弟办法》,1974 年创刊《蒙医药》《内蒙古中医药》杂志等，开创了内蒙古中蒙医事业。改革开放以后，中蒙医事业得到了迅速发展。1978 年分别成立了内蒙古中医学会和内蒙古蒙医学会，团结、组织中蒙医工作者开展学术研究，推动中蒙医事业的发展。1982 年 9 月，召开了内蒙古“全区中蒙医暨民族卫生工作会议”，探讨了突出中蒙医特色问题。1984 年 4 月，制定了《蒙医医院工作条例》和《蒙医病历书写格式》,规范蒙医医疗工作。1986 年建立了内蒙古自治区蒙药厂。是年编撰、出版了《医学百科全书·蒙医分卷》,《中华本草·蒙药分卷》也于 2002 年出版。1987 年，成立了蒙医学院。1990 年在内蒙古中蒙医院建立了“国家蒙医培训基地”和“国家蒙药制剂中心”。1994 年，制定实施《内蒙古自治区中蒙医继续医学教育实施方案》；是年，内蒙古医学院开始培养蒙医学硕士研究生，蒙医学人才培养跨上了新台阶。1995 年，制定了《内蒙古自治区中蒙医科研工作管理办法及 2010 年发展规划》《内

① 参见内蒙古自治区统计局编：《内蒙古统计年鉴》（2001），第 529—532 页数据折算。

② 参见云布龙主编：《中国西部概览——内蒙古》,民族出版社 2000 年版，第 248—249 页。

蒙古自治区蒙医医院住院病历检查评分标准》《内蒙古自治区专科专病领先学科实施方案》,进一步规范了中蒙医学科建设。1998 年，内蒙古自治区中蒙医院被列入首批全国“百佳医院”行列；是年，在全区范围评选“内蒙古自治区百佳医院”，被评为自治区级的“百佳医院”中的中蒙医院有 11 家。1999 年 9 月，蒙医执业医师考试全国统考开始实施。① 上述事实反映了中蒙医发展繁荣的轨迹，中蒙医已经成为内蒙古医疗卫生事业独特的医学学科，是内蒙古医药学的闪光点。

截至 20 世纪末，全区中蒙医药机构 112 所，病床 6 134 张，蒙医病床 1 732 张，专业人员约 15 000 人；中医院 17 家，蒙医院 29 家，中医门诊部 37 个，中蒙医研究所 6 个，其中有 7 家中蒙医院纳入全国和自治区示范中蒙医院建设计划。自治区挖掘整理出版了 90 多部蒙医学著述。1999 年自治区科技创新大会将蒙药开发纳入重点发展产业。②

内蒙古已初步建立起学科比较齐全，专业基本配套，能够满足社会需要的医学教育和科研体系，有高等医学院校 3 所，中等卫生学校和职工中专 16 所，在校学生近万名，形成了具有一定特色和规模的医学科研体系，先后获得自治区以上科技成果奖 486 项。

全区爱国卫生运动蓬勃发展，从 1981 年起开展具有民族、地区特色的城镇爱国卫生“阿吉奈”奖评比活动，推动了群众性爱国卫生运动，已有 88% 的旗县所在地的城镇达标，赤峰市荣获“国家卫生城市”称号。呼和浩特、包头、通辽、锡林浩特荣获“全国卫生城市”称号；农村牧区卫生改水受益人口达 1 124. 50 万人，占农村牧区总人口的 72. 96% 。③

医疗卫生事业的发展，促进了人民群众健康水平的提高。由于加强了地方病防治工作，急性克山病已基本控制，地方病在全区已达到基本控制和基本消灭的标准，布氏杆菌病基本上无新患者发生。低氟改水工作有了突破性进展，在饮水含氟量为 4. 1 毫克/升以上的重病区，90% 以上的人口喝上了低氟水。全区爱国卫生运动已形成制度，食品卫生、环境卫生的监督监测工

① 参见《内蒙古中蒙医事业十六件大事》,《中国中医药报》2002 年 11 月 8 日。

② 参见云布龙主编:《中国西部概览——内蒙古》,民族出版社 2000 年版，第 248—249 页。

③ 参见云布龙主编:《中国西部概览——内蒙古》,民族出版社 2000 年版，第 248—249 页。

作不断加强。

七、体育事业

内蒙古的体育事业，在自治区五十多年的历史上，特别是改革开放后的二十多年中，取得了巨大成就。在经济发展和社会进步的进程中，逐步形成了传统民族体育、群众体育、竞技体育3大门类，且突出显示民族特点、地区特色的体育运动事业。

在20世纪80年代以后，内蒙古重新确立了“重点发展民族传统体育优势项目和地方体育优势项目”的竞技体育，“以民族传统体育为主”，大力开展群众体育活动的指导方针，逐渐形成了以摔跤、射箭、柔道、马术、曲棍球、中长跑、马拉松为重点的自治区传统优势项目，使内蒙古体育事业在普及的基础上蓬勃发展起来。

内蒙古的传统民族体育运动，是自治区最具特色的体育运动。它既有悠久的历史，又有创新与发展，形成了以“那达慕”和少数民族体育运动会为赛事的民族体育运动事业。民族体育赛事从传统的蒙古族摔跤、赛马、射箭、蒙古象棋等常见的项目，发展到各少数民族传统体育项目，而且通过挖掘、创新，不断丰富民族体育运动的内容。自治区在1950年—1953年，举办了全区性规模较大的民族传统体育运动会16次。1954年，蒙、绥合并后自治区人民政府举办了第一届那达慕大会；1957年和1962年，在纪念内蒙古自治区成立10周年和15周年时，举办了第二、第三届全区那达慕大会。80年代以后，那达慕赛事生机盎然，从全区那达慕发展到盟旗、苏木、家庭那达慕，参赛项目和参加人数迅猛增长，内容丰富，形式新颖活泼。1982年，锡林郭勒盟、哲里木盟、乌兰察布盟、呼伦贝尔盟、伊克昭盟举办了那达慕大会，不仅有传统的搏克（摔跤）、赛马、射箭、布鲁、蒙古象棋等，还增加了现代体育项目和趣味性娱乐项目，而且有众多女性登上搏克赛场显身手。1984年2月，阿拉善右旗努日盖苏木呼和乌拉嘎查牧民其木德一家，在春节期间举办了首次家庭那达慕，进行赛骆驼、摔跤、乘马射箭、赛民歌等项比赛。这件事引起了媒体的关注，全国有23家报刊报道，成为轰动全国的新闻，开创了民办那达慕的先河。此后，锡林郭勒盟、哲里木盟、巴彦淖尔盟、乌兰察布盟、阿拉善盟的牧民纷纷效仿，举办了内容丰富、形式多样的家庭那达慕和家庭运动会，创造了民族体育运动的新形式。1991 年和 1997 年，自治区举办了两次规模宏大的全区那达慕大会，以那达慕为赛事的民族传统体育活动成为自治区体育事业的独特内容，而且形成了体育赛事的制度。

内蒙古自治区的少数民族运动会，成为内蒙古体育事业的又一个特点。从 1985 年至 1999 年，相继举行了四届全区少数民族运动会。第一届是 1985 年 8 月 11 日至 10 月 3 日在锡林浩特、通辽和巴音浩特分 3 个赛区进行，来自全区 8 盟 2 市的蒙古、回、满、藏、朝鲜、达斡尔、鄂温克、鄂伦春等各民族三千多名运动员，参加了搏克、中国式摔跤、速度赛马、秋千、跳板、布鲁、赛骆驼等 7 个项目的比赛，并进行了走马赛、乘马射箭、沙拉宝尔摔跤、“棒棍”、“颈力”、武术和踢花毽 7 个项目的表演赛。这一届以庞大的规模、丰富多彩的比赛与表演，把民族传统体育活动推向了高潮，开创了自治区独特的新赛事。此后，在 1989 年 8 月、1995 年 7 月、1999 年 6 月，分别举行了自治区第二、三、四届少数民族运动会，增加了射击、曲棍球、秋千押加、射弩、乘马射击、马上拾哈达、马上技巧、抢枢等比赛项目和表演项目。搏克运动被列入全国少数民族传统体育运动会和全国农民运动会的正式比赛项目。自治区的搏克运动员于 1996 年、1998 年参加了两届法国“巴黎市长杯”中国式摔跤国际邀请赛和 1998 年首届亚洲体育节，分别做了表演。①

从 1953 年 11 月开始至 1999 年 9 月，内蒙古的少数民族运动员参加了全国六届少数民族传统体育运动会，始终是赛场劲旅之一。他们既学习全国各少数民族的传统体育技艺，又向国内各民族展示了内蒙古少数民族，特别是蒙古民族的传统体育的风貌。

内蒙古的少数民族体育运动，不仅活跃于国内赛事，还开始走上世界体坛，并以创新发展的步伐，跨进了 21 世纪。

---

① 以上资料综合参见苏永生、张志：《内蒙古自治区发展民族传统体育事业综述》,2006 年 9 月 20 日新华网内蒙古频道《内蒙古新闻》；内蒙古体育局：《民族传统体育活动》,载内蒙古体育局主办《内蒙古体育》,内蒙古科技信息网；云布龙主编：《中国西部概览——内蒙古》,民族出版社 2000 年版，第 250—252 页。

内蒙古的群众体育活动是自治区体育事业的主体，涉及面最广，参加的人数最多，活动的内容最丰富。它包括学校体育、职工体育、农牧民体育、老年人体育、残疾人体育和城市社区体育等方面。改革开放以来，自治区的群众体育事业日益兴旺。加强社会体育的指导，大力培训社会体育指导员，组织群众体育骨干队伍，是发展群众体育的基本保障。从 1995 年至 2001 年，全区举办各级社会体育指导员培训班 300 多次，培养社会体育指导 5 000 多人，其中国家级 47 名，一级 480 名，二级和三级 4 600 余名。开展国民体质监测，掌握国民体质状况，是指导群众体育的依据。从 1996 年开始，全区 12 个盟市都成立了体质监测中心，成立了 60 多个监测站（点），几年来对 30 多万人进行了体质监测。在改革中逐步建立体育管理责任制，规范群众体育工作，1997 年自治区与各盟市行署、政府签订以全民健身为主要内容的体育工作目标化管理责任书，从多方面确定了量化管理目标。以建立体育先进旗县、社区、苏木乡镇的评比，推动群众体育事业的发展。到 2000 年，自治区有全国体育先进旗县 11 个，自治区体育先进旗县 16 个，先进苏木乡镇 13 个。全区所有旗县都成立了农牧民体育协会，苏木乡镇也建立了文体活动站。内蒙古在是年第四届全国农民运动会上获得了 6 金 3 银 3 铜奖牌的成绩，名列 32 个代表团中的第 9 名。加强了城市社区体育活动的指导，截至 2000 年，城区社会体育指导员有 2 000 多人，社区体育组织 700 多个，参加健身锻炼的群众越来越多。学校体育是国民体育的基础，配合学校开展青少年体育工作是实施全民健身计划的重点。经过全面推行《国家体育锻炼标准实施办法》，实施面和达标率分别从 1996 年的 88.7% 和 84.4%，达到了 2000 年度的 95% 和 87%。各级各类体育传统项目学校达到 700 余所。从 1996 年到 2000 年，共有 51 个集体、90 名个人受到国家的表彰，有 113 个集体、148 名个人受到了自治区的表彰。

1995 年 6 月，国务院颁布了《全民健身计划纲要》。这是由国家领导、社会支持、全民参与，有目标、有任务、有措施的体育健身计划。从 1996 年开始，自治区 12 个盟市 101 个旗县市区都逐步成立了各级全民健身领导机构，举办全民健身活动。在“九五”期间，有近 1 000 万人直接或间接参加全民健身活动。据 2001 年统计，在 12 个盟市建有 36 个全民健身工程，占地总面积 28 万平方米，室内面积 12 000 平方米，共建有健身路径 37 条；

室内外活动场地 143 个，棋牌室 40 个，综合训练房 48 个，排球场、门球场、羽毛球场、篮球场、网球场 400 余个，配有乒乓球台 180 余张，台球桌 190 个，综合健身器 100 余套，儿童综合器械 50 余套。总投入 1 300 万元，其中国家体育总局投入 276 万元，自治区投入 73 万元，各地区投入 546 万元，各受赠单位投入 30 万元，社会力量投入 340 万元。由于实施全民健身计划，到 2000 年末，全区体育人口已从 1996 年的 33% 上升到 35%，比全国的平均水平 31.4% 高 3.6 个百分点。①

内蒙古的竞技体育是自治区体育事业的精华。竞技体育是在群众体育发展的基础上，创建培训场所和体育设施，精选优秀运动员，经过专门培训，并通过参加各种竞技赛事，逐步形成了竞技专业队伍。截至 1995 年，全区各级各类体育场馆已发展到 20 236 个，与 1983 年相比，容纳万人以上的大型体育场由 11 个增加到 33 个，各类体育馆由 5 个增加到 13 个，游泳池由 15 个增加到 28 个，固定看台的灯光球场由 48 个增加到 79 个，运动场由 336 个增加到 526 个。到 1998 年，各类体育馆增加到 15 个，游泳池增加到 33 个，固定看台的灯光球场增加到 81 个，运动场增加到 529 个。

自治区的专业运动队从最初成立时的 6 个运动项目、70 人的运动队，到 1986 年发展为拥有 19 个运动项目、660 多人的运动队伍。等级运动员，从 1980 年到 2000 年，由 1 072 人增加到 1 645 人。历年的运动健将和等级运动员有增有减，总体呈增长趋势。内蒙古竞技运动的优势项目是摔跤、柔道、拳击、马术、曲棍球、中长跑、马拉松等。到 1999 年末，内蒙古运动员有 7 人 6 次破超 5 项世界纪录，260 人多次打破全国纪录。从 1959 年至 1997 年，内蒙古共参加 8 届全国运动会，共获金牌 90 枚、银牌 192 枚、铜牌 75 枚；在全国 40 个左右的代表团中获金牌总数和团体总分基本上位居 15 名左右，原本体育基础相对落后的内蒙古，能有这样的成绩是难能可贵的。内蒙古运动员在国内外重大赛事中的成绩也很可观。1984 年，4 名摔跤、柔道运动员第一次代表中国参加第 23 届奥运会，两人分获第四、第七名。河套姑娘高凤莲在荷兰举行的第四届世界女子柔道锦标赛上一举夺魁，为祖国

① 参见内蒙古自治区体育局：《我区群众体育工作情况介绍》,《内蒙古体育》；云布龙主编：《中国西部概览——内蒙古》,民族出版社 2000 年版，第 252 页。

获得了有史以来第一个女子柔道世界冠军，成为内蒙古体坛上的第一位世界冠军，实现了自治区体育运动史上的重大突破；在第五、第六届世界女子柔道锦标赛又夺金牌，实现了“三连冠”。1990 年在第十一届亚运会上，蒙古族运动员宝玉、呼日嘎各得一项摔跤比赛冠军，改写了中国在洲际摔跤赛事上未得金牌的历史。1993 年，胡刚军在北京国际马拉松比赛中成为本赛事首位夺冠的中国人，也是中国第一个闯进 2 小时 10 分大关的男子马拉松运动员。是年，岳勇在世界杯射击比赛中打破了世界纪录，这是第一个破世界纪录的内蒙古运动员；蒙古族射箭运动员扎拉嘎、航模运动员朱传高、敖维雄、崔仁智以及射击运动员赵桂英、王莉华分别在比赛中打破或超、平世界纪录。1997 年，张河在首届亚洲马术锦标赛上夺得场地障碍赛第一名，是第一个获国际马术比赛冠军的中国运动员。赛娜在第九届全国冬季运动会上夺得女子速滑全能 500 米比赛冠军，结束了内蒙古在全国冬运会上未获金牌的历史。内蒙古男、女曲棍球队在第六、第七届全运会上双双夺冠。内蒙古运动员在这些体育赛事上的优异成绩，对全区蒙汉各族人民鼓舞很大，激励很强，体育的魅力深入人心。①

八、人民的生活

“人民，只有人民，才是创造世界历史的动力。”这是毛泽东的一句名言，也是颠扑不破的真理。我们叙述了中华人民共和国成立以后，内蒙古半个世纪的历史，这是内蒙古蒙汉各族人民创造的历史。人民创造了辉煌的历史，人民到底得到了什么？这是写完这段历史必须回答的问题。

在中华人民共和国刚刚诞生的时候，内蒙古这片祖国北疆的大地还是遍地创伤，人民虽然有了翻身的喜悦，但是穷困的烦恼仍然压在他们心头。经过 3 年恢复经济，又经过第一个五年计划，人民手头宽裕多了。不幸的是，“大跃进”狂澜的干扰、自然灾害的袭击，搅乱了人们致富的梦想。经过中央“调整、巩固、充实、提高”八字方针的实施，一定程度上纠正了“左”的错误对经济领域的干扰，度过了 3 年困难时期而走向复苏。但更不幸的

---

① 以上资料综合参考内蒙古自治区体育局：《我区群众体育工作情况介绍》《参加全国运动会》《内蒙古体育》；云布龙主编：《中国西部概览——内蒙古》，民族出版社 2000 年版，第 253、254 页。

是，“文化大革命”的破坏打乱了历史前进的步伐。

“文化大革命”的结束，特别是中共十一届三中全会的决策，开启了社会主义现代化建设的新时期。在新时期的20多年间，内蒙古自治区的经济空前的发展，社会极大的进步，体现在人民身上也是发生了史无前例的巨大变化。人民政治权利的提高，绝大多数人们生活的巨大改善，这是看得见、摸得着的现实。但是，最有说服力的还是反映人民生活的诸多数据的变化。

人民物质文化生活：

收入——从1978—2000年，农牧民家庭人均纯收入从131元增加到2 038元，增长了14.56倍，其中农民家庭人均收入从126元增加到1 869元，增长了13.83倍；牧民家庭人均纯收入从188元增加到3 354元，增长了16.84倍。城镇居民人均生活费收入从273.65元增加到4 601.74元，增长了15.82倍；城镇居民人均可支配收入从301.01元增加到5 129.05元，增长了16.03倍。

从1985—2000年：

就业——每一农村劳动力负担人数从1.84人减少到1.48人；每一城镇就业者负担人数从2.99人减少到1.92人；城镇登记失业率从4.0%降到3.34%。

消费水平——全区居民从519元增加到2 425元，增长了3.67倍，其中农村牧区居民从412元增加到1 609元，增长了2.91倍；城镇居民从762元增加到3 930元，增长了4.16倍。

储蓄——城乡居民年底储蓄余额从29亿元增加到876亿元，增长了29.21倍；平均每人存款余额从144元增加到3 875元，增长了25.91倍。

住房面积——农村牧区平均每人居住从13.5平方米增加到16.96平方米，增长了25.63%；城镇平均每人居住从5.20平方米增加到9.29平方米，增长了78.65%。

城市公用事业——自来水普及率从61.1%增长到89.1%；用气普及率从2.7%增长到58.6%；每万人拥有绿地面积从2.4公顷增加到7.0公顷，增长了1.91倍。

文化——城镇每百户有彩色电视机从23.18台增加到106.66台，增长了3.6倍；农村每百户有电视机从9.23台增加到96.07台，增长了9.41倍；

广播综合人口覆盖率达到了 85.58%；电视综合覆盖率达到了 81.42%；每人每年拥有报纸从 2.24 份增加到 7.56 份；每人每年拥有图书杂志从 7.13 册减少为 3.79 册，这是一个值得思考的问题。

教育——学龄儿童入学率从 96.80% 增长到 99.50%；每万人口中在校大学生数从 15.60 人增加到 29.60 人，增长了 89.74%。

卫生——每万人有医院、卫生院病床从 25.20 张增加到 28.24 张；每万人有卫生技术人员从 43.40 人减少为 42.39 人；每万人有医生数从 18 人增加到 22 人。[①] 医疗卫生事业发展滞后，这或许是医疗卫生体制改革中值得思考的问题。

这是改革开放以来，整体反映人民物质文化生活发生巨大变化的相对准确的数据。它体现在绝大多数人们的身上，这是不争的事实。人民群众对国家的整体发展是肯定的，对未来是充满信心的。相信人民的感觉是最现实的，人民的评论是最准确的。因为这一切都是属于人民的。

内蒙古自治区半个多世纪的历史已经过去。历史是一面镜子，历史的方方面面都会在这面镜子上显现出来。本卷概述用 10 章的篇幅叙述了内蒙古自治区在中华人民共和国成立以后 50 年来的历史，为人们回顾这段历史提供轮廓和线索。珍惜历史，迎接挑战，向更加美好的未来奋进。

人类历史是辉煌的，但是历史的进程是曲折的，有灿烂的篇章，也有昏暗的页面，这在历史的镜子上都会显现出来。这才是历史的相对完整体。因此，在兴奋地回顾 50 年光辉历程的时候，还应当冷静地思考历史留给我们的遗憾与问题。在 20 世纪后半期，内蒙古自治区的成就空前辉煌，经验丰富多彩，但是，历经曲折，教训也不乏存在。只有认真地总结历史，才能清醒地继续前进。

① 参见内蒙古自治区统计局编：《内蒙古统计年鉴》（2001），第 277—279 页。

第三编

专　　题

第 十 三 章

行政建制与党政军机构

第一节　内蒙古自治区行政区域与建制演变

内蒙古自治区行政区域建制演变主要记述新中国成立后至2000年底，中国共产党、中华人民共和国在内蒙古区域实行“民族区域自治制度”中，为适应发展少数民族政治、经济、科学技术、文化教育，为适应社会主义革命和社会主义现代化建设，为适应改革开放、民族团结、巩固国防，先后依据《中国人民政治协商会议共同纲领》《中华人民共和国宪法》《中华人民共和国民族区域自治法》《中华人民共和国地方各级人民代表大会和地方各级人民政府组织法》等法律法规和政策，实现了内蒙古统一的民族区域自治；划分内蒙古区域为自治区，自治区辖市、盟，自治旗、旗、县、市、自治区辖市的区，镇、苏木、乡、民族乡4级建制体制；相应设置各级权力机关、行政机关、派出机关；以及对行政区域建制的调整、变更、改革和勘定与邻省区的行政区域界限等，从而形成今天内蒙古自治区地方各级行政区域建制体制的客观实际。

一、实现内蒙古统一的民族区域自治

1949年3月5日，中共中央在河北省平山县西柏坡召开中国共产党七届二中全会期间，毛泽东明确提出要为恢复内蒙古的历史地域创造条件，逐

步实现东西蒙统一的内蒙古自治区。[①] 为此，提出将内蒙古自治政府领导机构迁往张家口，待绥远解放以后再移驻归绥市。此时，内蒙古自治政府管辖的地区为呼伦贝尔、纳文慕仁、兴安、锡林郭勒、察哈尔5个盟。

5月1日，中共中央、中共中央东北局决定，东北行政委员会发布命令：将原属热河省的昭乌达盟划归内蒙古自治政府管辖；9日，又将原属辽北省的哲里木盟划归内蒙古自治政府管辖。[②]

9月29日，中国人民政治协商会议第一届全体会议通过的《中国人民政治协商会议共同纲领》，将民族区域自治规定为中华人民共和国解决民族问题的基本政策。12月2日，中央人民政府任命乌兰夫为内蒙古自治区人民政府主席，内蒙古自治区的名称就此启用，内蒙古自治政府遂改称为内蒙古自治区人民政府。当月下旬，内蒙古自治区党政军领导机关开始由乌兰浩特市迁往张家口。从此，历经7年之久，到1956年终于基本完成了内蒙古统一的民族区域自治。

在内蒙古自治区党政军领导机关迁至张家口的同时，内蒙古西部地区的民族区域自治工作陆续展开。1949年12月，在中共绥远省委和绥远省人民政府分别设立了蒙古工作委员会；1950年5月，分别成立了伊克昭盟人民自治区和乌兰察布盟人民自治区。

撤销绥远省建制　实行蒙绥合并　实行蒙绥合并，是实现内蒙古统一的民族区域自治的关键。经过从中央到地方的艰苦细致的思想工作，在有关方面领导人达成共识的基础上，1952年5月11日，中共中央华北局作出《关于内蒙和绥远工作关系问题向中央的请示》报告，提出了4项关于解决内蒙和绥远工作关系问题的办法。12日，中共中央即复电华北局：中央同意你们《关于内蒙和绥远工作关系问题的四项解决办法》，望即布置执行。6月20日，内蒙古分局向华北局发出《关于西迁归绥的计划电》，决定分局于27日迁往归绥市。[③] 6月下旬，内蒙古自治区党、政、军机关陆续由张家口迁

① 王铎：《五十春秋——我做民族工作的经历》，内蒙古人民出版社1992年版，第367页。

② 内蒙古档案馆编：《中国第一个民族自治区诞生档案史料选编》，远方出版社1997年版，第155—156页。

③ 以上3份文件见《中国第一个民族自治区诞生档案史料选编》，第164—167页。

驻归绥市。

为进一步加强内蒙古自治区人民政府和绥远省人民政府工作上的密切合作，6 月 28 日，中央人民政府政务院作出了《对今后内蒙绥远双方工作关系的决定》。具体内容为：1. 绥远省人民政府由本院和内蒙古自治区人民政府双重领导，但各有重点，省的一般行政事宜和非民族自治区工作领导重点在中央，辖区内各盟旗民族事务领导重点在内蒙；2. 内蒙古自治区人民政府机关即由张家口移驻归绥市；3. 绥远省人民政府主席董其武辞职业已照准，遗缺即由乌兰夫兼任，苏谦益、杨植霖、奎璧、孙兰峰任副主席；4. 杨植霖兼任内蒙古自治区人民政府副主席。①

内蒙古自治区党政军机关迁驻归绥市以后，8 月 25 日，经中共中央批准绥远省委和内蒙古分局合并，改称为蒙绥分局。原绥远省委委员参加分局为委员，绥远省人民政府保存不变，由乌兰夫兼任省政府主席。

1953 年 11 月 1 日，内蒙古自治区人民政府与绥远省人民政府实现了合署办公。为此，10 月 30 日内蒙古自治区人民政府、绥远省人民政府曾联合发出《关于蒙绥政府合署办公的通知》，通知告知内蒙及绥远各直属机关、东部行署、盟、专、市、县、旗、镇、矿区："内蒙古自治区人民政府迁绥后，在执行'双重领导，各有重点'的原则下，对绥远工作特别是民族工作推动很大。但一年来在执行过程中，我们也深深感到领导层次重叠，工作效率不高，人为浪费很大。且绥远除伊克昭盟、乌兰察布盟 2 个自治区外，其他地区亦为民族杂居区，各方面都牵连着民族问题，故重点亦难以区分。为了加强民族工作，精简机构，减少层次，提高工作效率，抽出必要的干部转向经济建设。经两政府委员会于 10 月 17 日召开联席会议研究决议：内蒙古自治区人民政府与绥远省人民政府合署办公，并呈请政务院于 10 月 20 日批准。兹决定 11 月 1 日正式合署办公"。②

1954 年 1 月 11 日至 17 日，绥远省第一届第三次各界人民代表会议在归绥市召开。会议听取和讨论了中共中央蒙绥分局副书记苏谦益作的《关于绥远、内蒙古合并，撤销绥远省建制的建议》的报告，代表们一致认为这

---

① 《中国第一个民族自治区诞生档案史料选编》，第 169 页。

② 《中国第一个民族自治区诞生档案史料选编》，第 170 页。

一建议的实行，对于蒙绥地区的建设和发展、对于民族团结都是有利的。这项建议得到了全体代表的赞成和拥护，并作出了《绥远省第一届第三次各界人民代表会议〈关于中共中央蒙绥分局建议绥远、内蒙古合并，撤销绥远省建制案〉的决议》,主要内容为：1. 绥远、内蒙古自治区合并，撤销绥远省建制，统一由内蒙古自治区人民政府领导。2. 改集宁专区为平地泉行政区，改陕坝专区为河套行政区，并应结合普选于春季完成。平地泉行政区成立后除原辖丰镇、萨拉齐、集宁、兴和、凉城、卓资、和林格尔、托克托、武东、武川、清水河 11 县和平地泉 1 镇外，将土默特旗与原东 4 旗亦划归该行政区管辖。河套行政区成立后除原辖五原、临河、安北、狼山 4 县和陕坝 1 镇外，杭锦后旗与达拉特后旗亦划归该行政区管辖，原伊盟驻陕坝办事处即行撤销。两行政区均为内蒙古自治区领导下的一级政权。3. 绥东旗县并存问题应结合普选即行解决，将绥东 4 旗改为 3 个旗。取消陶林县建制，划陶林东部与集宁东北部为察哈尔右翼后旗（即原正红旗）；陶林西南部与卓资县北部为察哈尔右翼中旗（即原镶红镶蓝联合旗）；以原正黄旗为基础适当调整，改为察哈尔右翼前旗，并均划归平地泉行政区管辖。具体划界问题，由政府组成专门委员会处理。4. 原伊克昭盟和乌兰察布盟自治区，即应成为内蒙古自治区人民政府领导下的一级政权，改称伊克昭盟人民政府和乌兰察布盟人民政府。① 会后，绥远省人民政府将该决议报请中央人民政府政务院批准。28 日，中央人民政府政务院第 204 次会议讨论批准：同意内蒙古自治区人民政府和绥远省人民政府提出的绥远省第一届第三次各界人民代表会议上通过的《关于将绥远省划归内蒙古自治区并撤销绥远省建制的四项决议的报告》,并命令内蒙古自治区人民政府、绥远省人民政府遵照执行。② 2 月 28 日，《人民日报》发表了题为《中国历史上解决民族问题的重大措施》的社论。

3 月 6 日，内蒙古自治区人民政府、绥远省人民政府联合发布布告：绥远省、内蒙古自治区正式合并，撤销绥远省建制和绥远省人民政府。原绥远省辖区统一由内蒙古自治区人民政府领导。与此同时，绥远军政委员会、绥

① 《中国第一个民族自治区诞生档案史料选编》,第 171—172 页。

② 《中国第一个民族自治区诞生档案史料选编》,第 174 页。

远省各界人民代表会议协商委员会同时撤销，内蒙古自治区协商委员会筹备委员会成立。

绥远省建制撤销后，被划归内蒙古自治区的行政区域建制单位有：归绥市，辖玉泉区、回民自治区、庆凯区、新城区、郊区；包头市，辖1区、2区、郊区；乌兰察布盟（驻固阳县），辖固阳县（城关镇）、四子王旗（乌兰花镇）、乌拉特前旗（公庙子）、乌拉特中后联合旗（海流图）、达尔罕茂明安联合旗（百灵庙）、白云鄂博办事处（白云鄂博）、石拐沟矿区（石拐子）；伊克昭盟（驻东胜），辖东胜县（城关镇）、准格尔旗（沙圪堵）、达拉特旗（树林召镇）、郡王旗（阿勒腾席连）、札萨克旗（新街）、乌审旗（达布察克镇）、鄂托克旗（乌兰镇）、杭锦旗（锡尼召镇）；平地泉行政区（驻平地泉镇），辖集宁县（平地泉镇）、丰镇县（城关镇）、兴和县（城关镇）、凉城县（城关镇）、武东县（旗下营）、武川县（可可以力更镇）、卓资县（卓子山）、托克托县（托克托）、和林格尔县（和林格尔）、清水河县（清水河）、萨拉齐县（萨拉齐镇）、察哈尔右翼前旗（土贵乌拉镇）、察哈尔右翼中旗（科布尔）、察哈尔右翼后旗（土牧尔台）、土默特旗（归绥）、平地泉镇（县级）；河套行政区（驻陕坝镇），辖临河县（解放镇）、五原县（隆盛长）、安北县（兴安镇）、狼山县（永安堡）、杭锦后旗（三道桥）、达拉特后旗（塔尔湖）、陕坝镇（县级）等2个地级市、2个盟、2个行政区、8个市辖区、17个旗、17个县、2个矿区、2个县级镇。

4月20日，内蒙古自治区人民政府发布命令，因自治区首府“归绥市”之名包含有妨碍民族团结之意，经向各族各界人民广泛征求意见后，并报请中央人民政府政务院批准，自4月25日起，将归绥市更名为呼和浩特市，“呼和浩特”是蒙古语，意为“青色之城”。

多伦、宝昌、化德、商都4县划归　在展开“撤销绥远省建制、实行蒙绥合并”工作的同时，华北行政委员会于察哈尔省建制撤销之前，决定将蒙、汉民族杂居的多伦、宝昌、化德3县划归内蒙古自治区。

由于历史上造成的诸多原因，内蒙古自治区的察哈尔盟与当时的察哈尔省北部毗邻地区，土地交错，蒙、汉民族杂居，民族纠纷时有发生，行政管辖存在着诸多不便。为此，从1950年3月开始，在中共中央华北局的领导下，内蒙古自治区人民政府和察哈尔省人民政府本着尊重历史，照顾现实，维护民族团结的原则，协商重新划定蒙、察两区边界。经过双方代表的反复磋商，3月5日，出台了《内蒙古自治区人民政府、察哈尔省人民政府关于呈核划定蒙、察边界会商意见》,并报请中央人民政府政务院批准。8月10日，蒙、察两区代表30余人组成工作组，分赴多伦、宝昌、化德3县，进行划界工作与办理接收手续。9月22日，由内蒙古自治区人民政府主席乌兰夫与察哈尔省人民政府主席张苏共同发出《内蒙古自治区人民政府、察哈尔省人民政府联合布告》,内容为：1. 划界确定：化德县除三区外之全部地区；宝源县境内张多公路线及其以北（即原宝昌县公路属内蒙）地区及与沿太左旗南界紧相毗连之租银地全部；多伦除大二号区以外全部县区，均划归内蒙管辖。察北之康保、商都两县与内蒙之原界照旧，但该二县境内与其北边界线紧相毗连之租银地村庄，亦划归内蒙。2. 察北境内之蒙民“租银地”，根据中央土地政策并参照内蒙土地处理办法，由察省负责处理。原“租银地”之“租银”即予取消，其住于察盟境内因停收租银，致牧民生活受到很大困难的，由内蒙古自治区人民政府统筹解决。3. 划界后仍住于察北各县之蒙民，即归当地政府领导，不再由察盟领导。划归察盟之各县蒙汉人民统由察盟政府领导。至于康保县城子区大盐淖的产权及经营方式暂保持旧有习惯不变。

1951年4月24日，将察哈尔盟宝昌县第5区所辖波罗素庙、戴家营、三盖淖尔、脑包洼、阎油房5个行政村、14个自然村移交给了察哈尔省察北专署。

1952年9月22日，中共中央批准了华北局关于撤销察哈尔省建制的意见后，华北局经与内蒙古自治区、河北省、山西省等相关省区的协商，提出了撤销察哈尔省建制以后的行政区划调整方案，其中拟将原察哈尔盟地面的商都、康保、尚义、沽源4县划归内蒙古自治区。10月中旬，经中共中央决定将上述4县划于河北省。①

1962年3月7日，经国务院批准，将河北省所辖商都县划归内蒙古自治区；7月1日，正式回归内蒙古自治区，由乌兰察布盟管辖。

撤销热河省建制，赤峰等旗县划归内蒙古自治区 1955年7月27日，

① 《中国第一个民族自治区诞生档案史料选编》,第157—162页。

国务院全体会议第15次会议决议撤销热河省建制，将热河省所属行政区域分别划归河北省、辽宁省、内蒙古自治区管辖；30日提请全国人民代表大会一届二次会议正式批准，决定将原热河省管辖的赤峰、宁城、乌丹3个县，以及敖汉旗、喀喇沁旗、翁牛特蒙古族自治旗（1956年更名为翁牛特旗）3个旗划归内蒙古自治区昭乌达盟管辖。1956年4月，昭乌达盟人民委员会等领导机构由林东迁驻赤峰，接管了由热河省划归的6个旗县。①

与此同时，将原卓索图盟所属蒙旗，分别划归内蒙古自治区昭乌达盟和辽宁省。之后在这些少数民族地区相继建立了辽宁省喀喇沁左翼蒙古族自治县、阜新蒙古族自治县，实现了民族区域自治。原卓索图盟从此取消。

1956年2月23日，经国务院批准，将吉林省长岭县保康镇划归内蒙古自治区哲里木盟科尔沁左翼中旗管辖。5月16日，将宁城县左丈营子村划归辽宁省凌源县。10月16日，将河北省围场县太平地乡双敖包自然屯划归内蒙古自治区喀喇沁旗管辖。1957年7月20日，经国务院批准，将辽宁省彰武县十家子乡北敖德海屯等划归内蒙古自治区库伦旗管辖。

阿拉善、额济纳2旗划归内蒙古自治区　1956年4月3日，国务院全体会议第26次会议批准了《甘肃省人民委员会和内蒙古自治区人民委员会关于巴彦浩特蒙古族自治州和额济纳蒙古族自治旗区划问题的请示报告》，并决定：1. 将甘肃省的巴彦浩特蒙古族自治州（1950年3月成立的由宁夏省管辖的阿拉善蒙古族自治区，1954年9月划归甘肃省管辖，1955年3月改称甘肃省蒙古自治州，11月改称甘肃省巴彦浩特蒙古族自治州）和额济纳蒙古族自治旗（1949年11月成立的由甘肃省管辖的额济纳旗自治区，1951年划归宁夏省管辖，1954年9月又划归甘肃省，1955年10月改为额济纳蒙古族自治旗）合并，改设为巴彦淖尔盟，划归内蒙古自治区领导；2. 将原属阿拉善旗巴彦浩特镇，改设为巴彦浩特市，由巴彦淖尔盟领导，巴彦淖尔盟人民委员会驻巴彦浩特市；3. 调整后，巴彦淖尔盟管辖阿拉善旗、额济纳旗、磴口县及巴彦浩特市4个行政单位。

1956年6月1日，巴彦浩特蒙古族自治州正式改建为巴彦淖尔盟，巴

① 《中国第一个民族自治区诞生档案史料选编》，第183页。

彦浩特镇正式改建为巴彦浩特市。[①]

至此，内蒙古统一的民族区域自治终于实现了。当时，内蒙古自治区的总人口为896.6万人。其中汉族775.7万人，占全区总人口的86.51%；蒙古族108.6万人，占12.11%；回族6.2万人，占0.69%；满族2.0万人，占0.22%；朝鲜族10 213人，占0.11%；达斡尔族22 253人，占0.24%；鄂温克族5 665人，占0.06%；鄂伦春族1 009人，占0.01%。[②]

东三盟、西三旗划出与回归 在内蒙古实现统一的民族区域自治13年之后，内蒙古自治区的东三盟、西三旗被分别划入临近省区管辖，蒙古民族的自治区域遭到破坏。所谓东三盟即呼伦贝尔盟、哲里木盟、昭乌达盟；西三旗即阿拉善左旗、阿拉善右旗、额济纳旗。

1969年7月5日，中共中央、国务院顺应“文化大革命”的需求，作出决定：将呼伦贝尔盟及其所辖海拉尔市、满洲里市、阿荣旗、布特哈旗、额尔古纳左旗、额尔古纳右旗、喜桂图旗、陈巴尔虎旗、新巴尔虎左旗、新巴尔虎右旗、扎赉特旗、科尔沁右翼前旗、鄂伦春自治旗、鄂温克族自治旗、莫力达瓦达斡尔族自治旗划归黑龙江省管辖；将哲里木盟及其所辖通辽市、通辽县、开鲁县、库伦旗、奈曼旗、扎鲁特旗、科尔沁左翼中旗、科尔沁左翼后旗和呼伦贝尔盟的科尔沁右翼中旗、突泉县划归吉林省管辖；将昭乌达盟及其所辖赤峰市、赤峰县、林西县、宁城县、巴林左旗、巴林右旗、克什克腾旗、阿鲁科尔沁旗、敖汉旗、喀喇沁旗、翁牛特旗划归辽宁省管辖；将巴彦淖尔盟的阿拉善左旗和阿拉善右旗的巴音诺尔、乌力吉、塔木素、布拉格、阿拉腾敖包、笋布尔等人民公社划归宁夏回族自治区管辖；将巴彦淖尔盟的阿拉善右旗、额济纳旗划归甘肃省管辖。这种残缺的自治区域状况维持了近10年之久。

中共中央十一届三中全会召开以后，1979年5月30日，中共中央、国务院为落实民族区域自治政策，发出了《关于恢复内蒙古自治区原行政区划的通知》,同时对交接事项和内蒙古自治区与相关省区的协作关系等重大问题作出详细规定。7月1日，东三盟、西三旗正式回归，内蒙古统一的民

① 《中国第一个民族自治区诞生档案史料选编》,第184—189页。

② 参见内蒙古自治区统计局编：《辉煌的内蒙古》,中国统计出版社1999年版，第256—257页。

族区域自治得到恢复。

二、内蒙古自治区权力机关与行政机关的调整变更

内蒙古自治区各界人民代表会议与人民政府　内蒙古自治区人民代表会议代行人民代表大会的职能，为内蒙古自治区的权力机关；内蒙古自治区人民政府为行政机关。内蒙古自治区人民代表会议和内蒙古自治区人民政府统称为内蒙古自治区自治机关。

1949 年 9 月 29 日，中国人民政治协商会议第一届全体会议通过的《中国人民政治协商会议共同纲领》第五十一条规定："各少数民族聚居的地区，应实行民族的区域自治，按照民族聚居的人口多少和区域大小，分别建立各种民族自治机关"；第十四条规定："凡人民解放军初解放的地方，应一律实施军事管制，取消国民党反动政权机关，由中央人民政府或前线军政机关委任人员组织军事管制委员会和地方人民政府，领导人民建立革命秩序，镇压反革命活动，并在条件许可时召集各界人民代表会议"；"在普选的地方人民代表大会召开以前，由地方各界人民代表会议逐步地代行人民代表大会的职权"。新中国成立之际，在当时的内蒙古自治政府领导下的内蒙古东部地区，已经实行各界人民代表会议选举产生自治政府的制度；而内蒙古西部地区的绥远省绥东解放区，则由华北人民政府命令组成绥远省人民政府；"九一九"宣布起义的国民党绥远省政府经中央人民政府决定，由"绥远省军政委员会"领导。

1949 年 12 月 2 日，从中央人民政府任命乌兰夫为内蒙古自治区人民政府主席开始，内蒙古自治区这一名称被正式启用。内蒙古自治政府改称内蒙古自治区人民政府。人民政府实行委员会制。年底，内蒙古自治区党政军领导机关开始由乌兰浩特迁往张家口。同时，由东向西、自上而下建立统一的内蒙古自治区人民代表会议和人民政府制度工作就此展开。

1950 年 5 月 26 日，内蒙古自治区人民政府发出《关于召开旗县努图克（区）人民代表会议及继续建立嘎查（村）人民政权的指示》。据此，在当时的内蒙古自治区辖区普遍地召开了各旗县的各界人民代表会议。1951 年 3 月 15 日，内蒙古自治区人民政府发布《关于 1951 年建政工作的指示》，要求各盟视具体情况，制订出全年建政计划，有领导地开好盟、旗、县、市、嘎

查、村各界人民代表会议或代表大会，使之成为人民行使政治权利的经常制度。同年7月28日又作出《政权建设工作补充指示》,强调各级领导进一步重视政权建设工作，开好盟市、旗县、嘎查（村）的各界人民代表会议或代表大会。

与此同时，内蒙古西部的绥远地区也全面开展了各级人民代表会议工作，逐步建立和完善了人民代表会议制度和人民政府制度。1949年12月16日，绥远省人民政府由绥东地区的丰镇迁抵归绥市。27日，绥远省军政委员会成立。31日，绥远省人民政府布告全省：经中央人民政府委员会第四次会议通过，组成由22名委员参加的绥远省人民政府，即由绥远省人民政府和起义的国民党绥远省政府合并建立的新的绥远省人民政府。1950年初开始对绥远省以下旧政权进行改造，成立盟、旗及专署、市、县、区各级人民政府。至1951年春，绥远省政府彻底废除了旧政权，并普遍召开了各界人民代表会议，建立了旗、县、市、区等各级人民民主政权。新政权主要是通过召开人民代表会议选举产生，并通过建设各级人民代表会议制度来实现的。

阿拉善旗和平解放后，由宁夏省军管会帮助组建了阿拉善旗人民政府。1950年3月，经中共宁夏省委批准成立了阿拉善旗蒙古族自治区人民政府。

1949年11月5日，由甘肃省领导成立了额济纳旗蒙古族自治区人民政府，1951年划归宁夏省管辖。随后，阿拉善旗和额济纳旗的基层乡、苏木（村）逐步建立了人民政权。内蒙古自治区东西部各级人民代表会议制度建设工作基本上在1952年结束。

1952年5月，中共中央批准了华北局《关于内蒙和绥远工作关系问题的四项解决办法》以后，6月，内蒙古自治区党政军领导机关开始陆续由张家口迁往归绥市；9月，在归绥市召开的绥远省第一届第二次各界人民代表会议，选举产生了由36名委员组成的绥远省人民政府。

1954年1月，绥远省第一届第三次各界人民代表会议召开，通过了《绥远、内蒙古合并，撤销绥远省建制的决议》；3月5日，内蒙古自治区人民政府、绥远省人民政府、绥远省军政委员会、绥远省各界人民代表会议协商委员会联席扩大会议，讨论撤销绥远省建制、撤销绥远省各界人民代表会议协商委员会，成立内蒙古自治区协商委员会筹备委员会；同日，内蒙古自治区人民政府、绥远省人民政府发布《关于绥远、内蒙古合并，撤销绥远省建制，统一由内蒙古自治区人民政府领导的命令》；3 月 6 日，正式撤销绥远省建制，绥远省划归内蒙古自治区，绥远省人民政府停止行使职权，撤销绥远省军政委员会。

内蒙古自治区人民代表大会与人民委员会　1954 年 7 月，内蒙古自治区第一届人民代表大会第一次会议在呼和浩特市召开。从此，内蒙古自治区人民代表大会成为内蒙古自治地方的自治权力机关。

1955 年 4 月 25 日召开的内蒙古自治区第一届人民代表大会第二次会议决定：内蒙古自治区各级人民政府一律改称人民委员会。11 月 11 日，中华人民共和国主席毛泽东发布命令，公布全国人民代表大会常务委员会第 27 次会议批准，内蒙古自治区第一届第二次会议制定的《内蒙古自治区各级人民代表大会和各级人民委员会组织条例》。《条例》规定：自治区；盟、行政区、自治区辖市；旗、县、市、自治区辖市的区；苏木、嘎查（当时相当乡）、乡、民族乡、镇四级均设人民代表大会和人民委员会。各级人民代表大会由本级人民委员会召集。各级人民代表大会选举产生本级的自治区主席副主席、盟行政区、市的盟长副盟长、行政区主任副主任、市长副市长，旗、县、市、区的旗长副旗长、县长副县长、市长副市长、区长副区长，苏木、嘎查、乡、镇的苏木长副苏木长、嘎查长副嘎查长、乡长副乡长、镇长副镇长。《条例》规定：各级权力机关是人民代表大会，各级行政机关是人民委员会。《条例》对各级权力机关和行政机关的组织、职权等均作了详细规定。①

1957 年 4 月 18 日召开的内蒙古自治区第一届人民代表大会第四次会议，讨论通过了《关于修改自治区各级人民代表大会和各级人民委员会组织条例的说明》和《关于盟、行政区一级政府改为自治区人民委员会派出机关的建议》。1958 年 4 月 2 日，经国务院批准，内蒙古自治区人民委员会通知，各盟、行政区先后由一级政权单位改建为内蒙古自治区人民委员会的

① 参见内蒙古自治区人大常委会编：《五十年历程》（1954—2004），内图新准字（2004）第 95 号，第 1305 页。

派出机关。①

内蒙古自治区革命委员会替代自治机关 “文化大革命”时期，1967年6月18日，内蒙古自治区革命委员会筹备小组在呼和浩特市成立，它不仅替代了内蒙古自治区人民代表大会和人民委员会自治机关，而且替代了内蒙古自治区党的领导机构，严重破坏了中国共产党的民族区域自治制度。8月4日，内蒙古自治区革命委员会领导小组和内蒙古军区联合召开全区三级干部生产会议，会议发出《迅速建立自治区直属机关“抓革命、促生产”领导班子的通知》，要求在自治区建立起由军队干部、地方干部和群众组织头头组成的“抓革命、促生产”领导小组，实行“革命三结合”的领导体系。

11月1日，内蒙古自治区革命委员会成立。1968年8月30日召开的内蒙古自治区革命委员会常委（扩大）会议决定：自治区革命委员会下设办公室、政治部、生产建设部、人民保卫组，内蒙古自治区原党政部门一律停止行使职权。从此，内蒙古自治区各盟、市、旗、县的4级行政建制单位，全部相继由革命委员会所替代。

1969年12月19日，中共中央作出《关于内蒙古实行分区全面军管的决定》以后，由北京军区组成北京军区内蒙古前线指挥所（简称“前指”），进驻呼和浩特市，统一领导军管。同时，在“前指”人员的基础上成立了北京军区内蒙古前线指挥所党的领导小组（简称“前指”党的领导小组），内蒙古自治区革命委员会在其领导下工作。在“前指”统一领导下，分别由63军、65军、69军、27军对包头市、巴彦淖尔盟、锡林郭勒盟、乌兰察布盟、呼和浩特市、伊克昭盟等地区的革命委员会实行分区全面军管（此前，1969年7月5日中共中央、国务院决定，将呼伦贝尔盟、哲里木盟、昭乌达盟和巴彦淖尔盟的阿拉善左旗、阿拉善右旗、额济纳旗分别划归黑龙江、吉林、辽宁、宁夏、甘肃等省、自治区管辖）。

1971年5月11日，中共中央同意“前指”党的领导小组《关于内蒙古自治区革命委员会“补台”工作的请示报告》。1972年1月12日，内蒙古自治区革命委员会经过整顿、调整，基本恢复了对自治区各项工作的领导，

---

① 《内蒙古大事记》，内蒙古人民出版社1997年版，第265页。

内蒙古自治区的分区全面军管结束。1973 年 6 月 13 日，内蒙古自治区党、政领导机关分开办公，自治区革命委员会开始行使人民政府职能。随之，内蒙古自治区直属机构逐步恢复职能。

1977 年 12 月 21 日，内蒙古自治区第五届人民代表大会第一次会议在呼和浩特市的召开，恢复了内蒙古自治区人民代表大会权力机关和行政机关的职能，基本结束了所谓党政军“一元化”，军队干部、地方干部、群众组织头头“三结合”的领导班子，内蒙古自治区革命委员会各行政机关逐步恢复行使职能。

内蒙古自治区人民代表大会常务委员会与人民政府　1979 年 12 月 18 日，内蒙古自治区第五届人民代表大会第二次会议在呼和浩特市召开。会议根据中华人民共和国第五届人民代表大会第二次会议通过的《中华人民共和国地方各级人民代表大会和地方各级人民政府组织法》的有关规定，选举产生内蒙古自治区第五届人民代表大会常务委员会（简称“人大常委会”），为内蒙古自治区人民代表大会的常设机关。会议决定：将内蒙古自治区革命委员会改为内蒙古自治区人民政府。12 月 30 日，内蒙古自治区人大常委会、内蒙古自治区人民政府分别正式挂牌办公。

内蒙古自治区人民代表大会的立法权、监督权、人事任免权等与人民政府的行政职能由此分开。人民代表大会闭会期间，由人大常委会行使职权。这次会议之后，内蒙古自治区所辖各市、旗（自治旗）、县，按照“组织法”的规定，陆续召开人民代表大会，选举产生了市、旗（自治旗）、县人民代表大会常务委员会和人民政府。市、旗（自治旗）、县人大常委会成为各市、旗（自治旗）、县的常设机关。

三、内蒙古自治区盟、专员公署、行政区建制变更

内蒙古自治区在推行中国共产党关于民族区域自治制度的进程中，对于自治区域内盟、专署、行政区建制的变更，主要是对盟、行政区、专员公署等建制同时并存的调整，对部分盟的建制进行撤销、合并、设立、更名，以及对盟一级政权机关与派出机关的设置和隶属关系进行调整等。

（一）行政区、专员公署并入盟建制

伊克昭盟自治区和乌兰察布盟自治区改盟　1950 年 5 月 8 日，中央人

民政府政务院批准了绥远省军政委员会第四次委员会议通过的《关于解决绥远境内蒙古民族问题的方案》，决定在绥远省人民政府统一领导下，设伊克昭盟人民自治区，成立伊克昭盟自治区人民政府；设乌兰察布盟人民自治区，成立乌兰察布盟自治区人民政府；同时设立土默特旗人民政府，直属绥远省人民政府领导。5 月 11 日，将伊克昭盟人民自治区政府改称为伊克昭盟自治区人民政府；8 月 11 日，将乌兰察布盟人民自治区政府改称为乌兰察布盟自治区人民政府，驻地迁至包头，1951 年 10 月移驻固阳县城关镇。1954 年 3 月 6 日，在绥远省建制撤销，其区域并入内蒙古自治区的同时，伊克昭盟自治区、乌兰察布盟自治区均被撤销。改设为由内蒙古自治区人民政府领导下的：伊克昭盟人民政府，驻东胜，辖准格尔旗、达拉特旗、郡王旗、杭锦旗、札萨克旗、乌审旗、鄂托克旗、东胜县；乌兰察布盟人民政府，驻固阳县，辖四子王旗、达尔罕茂明安联合旗、乌拉特前旗、乌拉特中后联合旗、白云鄂博办事处、石拐沟矿直属区。

平地泉行政区的设置与撤销 1949 年 11 月，设立集宁专员公署，驻集宁城关镇，辖丰镇县、兴和县、集宁县、龙胜县、陶林县、武东县；同时，设立和林专员公署，驻和林格尔县，辖凉城县、托克托县、清水河县、和林格尔县。1950 年 3 月，设立包头专员公署，驻包头（今东河区），辖包头县、归绥县、萨拉齐县、固阳县、武川县。

8 月 5 日，撤销和林专员公署，将凉城县划归集宁专员公署；将托克托、清水河、和林格尔 3 县划入包头专员公署。

9 月 4 日，包头专员公署更名为绥中专员公署；集宁专员公署更名为绥东专员公署。11 月 27 日，又将绥中专员公署更名为萨拉齐专员公署，驻萨拉齐镇；绥东专员公署更名为集宁专员公署。

1954 年 3 月 6 日，撤销集宁专员公署，设立由内蒙古自治区人民政府领导下的平地泉行政区人民政府，辖集宁县、丰镇县、兴和县、凉城县、卓资县、武东县、武川县、托克托县、和林格尔县、清水河县、萨拉齐县、察哈尔右翼前旗、察哈尔右翼中旗、察哈尔右翼后旗、土默特旗、平地泉镇。

1958 年 4 月 2 日，经国务院批准，撤销平地泉行政区建制，将所辖集宁市和丰镇、兴和、凉城、和林格尔、清水河、托克托、武川、卓资 8 个县，以及土默特、察哈尔右翼前、中、后等 4 个旗划归乌兰察布盟管辖。乌兰察布盟行政公署由固阳县迁驻集宁市。

5月，将原由乌兰察布盟管辖的固阳县、白云矿区划归包头市管辖；同年，又将由乌兰察布盟管辖的乌拉特前旗、乌拉特中后联合旗划归巴彦淖尔盟管辖（原属乌兰察布盟管辖的旗县仅剩四子王旗、达尔罕茂明安联合旗）。乌兰察布盟行政公署辖有1市、6旗、8县。

绥东四旗中心旗和察哈尔盟建制的撤销　1950年1月。绥远省人民政府决定，撤销绥东四旗蒙旗办事处，建立以察哈尔右翼正红旗为中心的绥东四旗中心旗（相当盟级），驻平地泉；并将察哈尔右翼镶蓝、镶红2旗，合并为镶红镶蓝联合旗。绥东四旗中心旗辖察哈尔右翼正红旗、镶红镶蓝旗、正黄旗。

1954年3月5日，内蒙古自治区人民政府决定，撤销绥东四旗中心旗、镶红镶蓝联合旗和正黄旗，设置察哈尔右翼前旗、察哈尔右翼中旗、察哈尔右翼后旗建制。3月19日，内蒙古自治区人民政府出台《关于结束绥东旗县并存划界方案》。据此方案，正红旗改称为察哈尔右翼后旗，以正红旗和正蓝旗、陶林县、集宁县、四子王旗的部分地区合并为其行政区域；正黄旗改称为察哈尔右翼前旗，以原正黄旗和集宁、卓资、丰镇、兴和等县部分地区合并为其行政区域；镶红镶蓝联合旗与陶林县合并改称为察哈尔右翼中旗，以镶红镶蓝联合旗、陶林县、卓资县的部分地区合并为其行政区域。当时，这3旗均隶属于平地泉行政区。1958年4月2日，撤销平地泉行政区建制，3旗随划归乌兰察布盟管辖。

1957年9月26日，经国务院批准，撤销察哈尔盟建制，并将所辖正蓝旗、镶黄旗、正镶白旗、太仆寺旗、商都县、多伦县、化德县划归锡林郭勒盟管辖。

河套行政区的设置与撤销　1950年3月20日，设立陕坝专员公署，驻陕坝镇；9月4日，陕坝专员公署更名为绥西专员公署；12月，恢复陕坝专员公署，辖五原县、临河县、安北县、狼山县、米仓县、晏江县和陕坝镇（县级）。

1954年3月6日，陕坝专员公署更名为河套行政区人民政府，驻陕坝镇，为内蒙古自治区人民政府领导下的一级行政区域建制单位。辖五原县、临河县、安北县、狼山县、达拉特后旗、杭锦后旗、陕坝镇。1955年7月，改称为河套行政区人民委员会。

1958 年 4 月 2 日，经国务院批准，撤销河套行政区建制，并将其所辖五原县、临河县、杭锦后旗划归巴彦淖尔盟管辖。同年，又将乌兰察布盟的乌拉特前旗、乌拉特中后联合旗划入巴彦淖尔盟管辖。加之巴彦淖尔盟原来所辖有的阿拉善旗、额济纳旗、磴口县，至此，巴彦淖尔盟共辖有 3 县、5 旗。巴彦淖尔盟行政公署由巴彦浩特镇迁驻磴口县三盛公；1969 年，巴彦淖尔盟革命委员会由磴口县迁往临河县。

东部区行政公署的设置与撤销 1950 年 9 月 22 日，设立内蒙古自治区人民政府东部区办事处。1953 年 1 月 23 日，经内蒙古自治区人民政府决定设立内蒙古自治区东部区行政公署；2 月 1 日，内蒙古自治区东部区行政公署正式成立，驻乌兰浩特市。同时，撤销呼伦贝尔纳文慕仁盟、哲里木盟、兴安盟建制。东部区行政公署管辖原呼伦贝尔纳文慕仁盟、哲里木盟、兴安盟（实际是盟人民政府与东部区行政公署并存）以及昭乌达盟（盟人民政府改称为盟行政公署）等地区。

1954 年 5 月 21 日，内蒙古自治区人民政府发布命令：撤销内蒙古自治区东部区行政公署；将原呼伦贝尔纳文慕仁盟与原兴安盟合并，建立呼伦贝尔盟，盟人民政府驻海拉尔，辖海拉尔市、满洲里市、乌兰浩特市、新巴尔虎左翼旗、新巴尔虎右翼旗、陈巴尔虎旗、额尔古纳旗、索伦旗、鄂伦春自治旗、喜桂图旗、莫力达瓦旗、阿荣旗、布特哈旗、科尔沁右翼前旗、科尔沁右翼中旗、扎赉特旗、突泉县；恢复哲里木盟，盟人民政府驻通辽市，辖科尔沁左翼中旗、科尔沁左翼后旗、库伦旗、奈曼旗、扎鲁特旗通辽县、开鲁县、通辽市；恢复昭乌达盟，盟人民政府驻林东，辖阿鲁科尔沁旗、巴林左旗、巴林右旗、克什克腾旗、林西县。上述 3 个盟人民政府，均为内蒙古自治区人民政府直辖的一级行政区域建制单位。

1980 年 7 月 26 日，经国务院批准，恢复了兴安盟建制，盟行政公署驻乌兰浩特市。兴安盟辖乌兰浩特市、科尔沁右翼前旗、科尔沁右翼中旗、扎赉特旗、突泉县等 1 市、3 旗、1 县。

阿拉善盟建制的设置 内蒙古党委为了进一步完善内蒙古自治区行政建制，1979 年 11 月经国务院批准，设置阿拉善盟。1980 年 4 月 1 日，阿拉善盟行政公署正式成立，驻阿拉善左旗巴彦浩特镇。阿拉善盟下辖阿拉善左旗、阿拉善右旗、额济纳旗等3旗。

（二）盟级政权机关与派出机关

内蒙古自治区的盟，始于清政府统治蒙古族的“盟旗制度”。20世纪40年代中后期以后，内蒙古地区在中国共产党领导下，历经内蒙古自治运动、民主改革和社会主义建设，从根本上废除了旧制度。今天的盟，是内蒙古自治区内相当于地区级的管理区域，不是一级政权行政区域建制单位，因此不是政权机关；而是内蒙古自治区人民政府设置的盟行政公署，属于内蒙古自治区人民政府的派出机关。

中国共产党领导下的内蒙古地区的盟级机关设置，从1945年11月内蒙古自治运动联合会起至2000年底经历了55年的时间。盟作为一级机关设置，在不同的历史时期经历了不同的法律规定和机构演变过程。

内蒙古自治运动联合会时期　内蒙古自治运动联合会是在中国共产党领导下，团结内蒙古各民族、各阶层的统一战线性质的组织，既是群众团体，同时又是具有政权职能的自治运动领导机关。1945年11月27日在张家口召开的内蒙古自治运动联合会成立大会，通过的《内蒙古自治运动联合会目前工作方针》中指出：“广泛发动和组织各盟旗之群众，改造和帮助建立包含各个阶层之各盟旗民主之政府”，“这种政权在目前是一种区域性之自治”。

据此，1946年，在察哈尔盟、锡林郭勒盟等地通过民主选举，改造旧政权，成立了盟民主政府。当时的盟民主政府是通过民主选举产生，为直辖于内蒙古自治运动联合会的一级行政区域建制单位，属于政权机关。

内蒙古自治政府、内蒙古自治区人民政府时期　1947年4月27日，在乌兰浩特召开的内蒙古人民代表会议，通过的《内蒙古自治政府施政纲领》规定：内蒙古自治政府是内蒙古民族各阶层联合内蒙古区域内各民族实行高度自治的区域性的民主政府；以民主集中制为组织原则，以内蒙古人民所选举之内蒙古参议会为权力机关。内蒙古自治政府以内蒙古各盟（包括盟内旗县市）旗为自治区域；自治政府以下之各级政府（包括盟民主政府）由各级人民代表大会选举之。实际做法是召开盟各界人民代表会议，推举盟民主政府主席、盟长。当时的盟民主政府为直辖于内蒙古自治政府的一级行政区域建制单位，属于政权机关；同时，根据1947年4月27日内蒙古人民代表会议通过的《内蒙古自治政府暂行组织大纲》的规定：各级地方行政区域之权力机关为各代表大会。即盟各界人民代表会议是盟的权力机关。

内蒙古自治区人民委员会时期 1955年11月11日，全国人民代表大会常务委员会第二十七次会议批准，由中华人民共和国主席公布的《内蒙古自治区各级人民代表大会和各级人民委员会组织条例》规定：盟、行政区设立人民代表大会和人民委员会，盟长、行政区主任、副盟长、副主任及委员由盟、行政区人民代表大会选举产生。盟、行政区人民代表大会都是地方国家权力机关；盟和行政区人民委员会都是地方国家行政机关。

1957年4月22日，内蒙古自治区第一届人民代表大会第四次会议，讨论通过了《关于撤销盟、行政区一级政权建制改设自治区人民委员会派出机关的建议方案》指出：各盟、行政区一级政权撤销后，按盟原行政区域分别设置盟行政公署，其机关首长称盟长。

1958年4月5日，经国务院批准，内蒙古自治区人民委员会发出《关于撤销呼伦贝尔等五个盟和平地泉行政区一级政权建制改建盟公署和专员公署的决定》,具体内容：同意呼伦贝尔盟、察哈尔盟、哲里木盟、乌兰察布盟、伊克昭盟和平地泉行政区人民代表大会关于撤销各盟、行政区一级政权建制的决定，改建为呼伦贝尔盟、哲里木盟、乌兰察布盟、察哈尔盟、伊克昭盟行政公署和（平地泉）专员公署，作为内蒙古自治区人民委员会的派出机关。

4月17日，内蒙古自治区人民委员会通知，昭乌达盟、锡林郭勒盟由一级政权机关建制改设盟行政公署，为内蒙古自治区人民委员会的派出机关。

这一时期的盟即由一级行政区域建制单位的政权机关，改设为内蒙古自治区人民委员会的派出机关。

内蒙古自治区革命委员会时期 1966年5月，“文化大革命”开始以后，内蒙古自治区的各盟行政公署机关陷于瘫痪状态。随着内蒙古自治区革命委员会筹备小组的成立，1967年10月8日，锡林郭勒盟革命委员会成立；10月，乌兰察布盟革命委员会成立；11月，巴彦淖尔盟革命委员会成立；12月24日，呼伦贝尔盟革命委员会成立；1968年1月10日，哲里木盟革命委员会成立；1月28日，昭乌达盟革命委员会成立；3月，伊克昭盟革命委员会成立。盟革命委员会不仅替代了盟行政公署建制，甚至成为当时“党政合一”盟级集权机构。盟革命委员会隶属于内蒙古自治区革命委员会。

直至1979年7月1日，由中华人民共和国全国人民代表大会第二次会议通过了修正的《中华人民共和国地方各级人民代表大会和地方各级人民政府组织法》,结束了“革命委员会”这一非正常时期的机构设置。组织法规定：省、自治区的人民政府在必要的时候，经国务院批准，可以设立若干行政公署，作为它的派出机关。

在此之前，1978年6月，锡林郭勒盟已经恢复盟行政公署；10月，乌兰察布盟、伊克昭盟相继恢复盟行政公署；11月，巴彦淖尔盟恢复盟行政公署。1979年7月，昭乌达盟、哲里木盟陆续恢复盟行政公署；12月，设置阿拉善盟行政公署。1980年7月26日，恢复兴安盟建制，同时设置盟行政公署；8月，呼伦贝尔盟恢复盟行政公署。

1983年10月，撤销昭乌达盟，设立赤峰市，实行市管县体制。

1999年，撤销哲里木盟，设立通辽市，实行市管县体制。

内蒙古自治区的盟，在作为内蒙古自治区行政区域建制的一级权力机关和行政机关时，是内蒙古自治区辖一级行政区域建制单位；在作为内蒙古自治区人民政府（人民委员会）的派出机关时，是内蒙古自治区人民政府（人民委员会）委派的盟行政区域的管理单位。撤盟设市，实行市管县体制，使内蒙古自治区人民政府的派出机关改建为内蒙古自治区辖一级行政区域建制单位。

四、内蒙古自治区旗、县建制调整

内蒙古地区的“县制”起于战国时期，“旗制”始于清朝。1947年5月，内蒙古自治政府成立以后，内蒙古地区逐步废除了封建王公贵族的统治，建立起社会主义的民主政治制度。中华人民共和国建立以来，内蒙古自治区在推行中国共产党的民族区域自治制度的进程中，旗、县作为一级行政区域建制单位，是重点改革和建设的一级基础政权单位。首先调整了历史遗留的“旗、县并存”制度；其次陆续建立了鄂伦春、鄂温克、达斡尔3个少数民族自治旗；同时根据民主革命、社会主义建设和国防建设，以及改革开放以来经济发展的需求，陆续撤销、合并和新建了一些旗、县，并更改了个别旗、县的名称和隶属关系。

（一）调整“旗、县并存”制度

1950年2月25日，撤销达拉特旗战时组训处，建立了达拉特旗人民政府。10月21日，撤销了桃力民中心区（县级），将其所辖区域分别划归杭锦旗、鄂托克旗。

1952年7月16日，撤销了乌兰察布盟直属乌兰花区（1950年从武川县一区设为乌兰察布盟直辖区），将其所辖区域并入四子王旗。10月3日，绥远省人民政府发出《贯彻执行“承认历史，照顾现实，解决问题，达到团结的方针”的通知》,要求尽快解决“旗县并存”、“一地两治”的历史遗留问题。10月21日，撤销伊克昭盟通格朗区、达尔扈特区（县级），将2个区的所辖区域划归札萨克旗。

1953年5月14日，中共中央蒙绥分局召开会议，讨论解决土默特旗和绥东四旗的“旗县并存”问题。9月28日，绥远省人民政府发布命令，撤销伊克昭盟的杭锦旗、达拉特旗在河套地区（黄河以北）的区、乡政权，将其所辖区域合并于当地县行政区域内，再重新统一划定；撤销米仓县，设置杭锦后旗，驻三道桥；晏江县改建为达拉特后旗，驻塔尔湖。

1954年2月11日，绥远省人民政府发出《关于结束绥中地区旗县并存的实施方案》,决定撤销归绥县建制，依原归绥县所辖地区为基础，将其邻近各县毗连的纯牧业村和蒙古族聚居占多数的沙尔沁、塔布子等12个村庄，划归土默特旗管辖；原属土默特旗管辖的召河区划归达尔罕茂明安联合旗，磴口乡划归石拐沟矿区，其余邻近归绥市、包头市、托克托县、和林格尔县、清水河县、萨拉齐县、凉城县、武川县、武东县、四子王旗的村庄，被分别划归各邻近市、县、旗人民政府管辖。3月6日，内蒙古自治区人民政府、绥远省人民政府在联合发出的“关于绥远、内蒙古合并，撤销绥远省建制，统一由内蒙古自治区人民政府领导的命令”中决定：结束绥东旗县并存，取消陶林县和东四旗建制，改划为三个旗，即划陶林东部与集宁东北部为察哈尔右翼后旗（原正红旗）；划陶林西南部与卓资县北部为察哈尔右翼中旗（原镶蓝镶红联合旗）；以原正黄旗为基础适当调整，改为察哈尔右翼前旗。察哈尔右翼3旗和土默特旗归平地泉行政区人民政府管辖。3月19

日，内蒙古自治区人民政府作出了《关于结束绥东旗县并存划界方案》，对察哈尔右翼3旗与临近各县的具体划界作出规定。

1956年3月9日，撤销昭乌达盟的乌丹县，并将其管辖区域并入翁牛特旗（乌丹）。9月11日，撤销宝昌县，并将其管辖区域分别划归太仆寺旗、正蓝旗、正镶白旗。

1958年4月2日，撤销狼山县，并将其管辖区域并入杭锦后旗；撤销安北县，将其管辖区域并入乌拉特前旗（旗人民委员会由扒子补隆移驻西山咀）；撤销萨拉齐县，将其管辖区域的西部（包括杨圪楞、鄂尔圪逊、沙尔沁、大巴拉盖4个乡）划归包头市，其余乡镇划归土默特旗（旗人民委员会移驻萨拉齐镇）；撤销武东县，将其所辖区域的北部（后哈卜泉、乌兔沟、库联图、二元井、活佛滩、忽鸡图、英兔等7个乡）划归四子王旗，东部（蒙古寺、上西河子、大滩、大井、广益隆、麻迷兔、头号、阳坡子、义合隆等9个乡）划归察哈尔右翼中旗，南部（吉庆营、东河子、大同营子、旗下营、红召、巨宝庄、福兴、速力图等8个乡）划归卓资县，西部（厂汉此老、高家沟、西河子、东梁府等4个乡）划归武川县。

从此，结束了内蒙古地区历史上遗留下来的“旗县并存”、“一地两制”的问题。

（二）建立鄂伦春族、鄂温克族、达斡尔族自治旗

鄂伦春自治旗　1951年4月7日，经中央人民政府政务院批准，在呼伦贝尔盟建立鄂伦春旗，隶属于当时的呼伦贝尔纳文慕仁盟。旗政府驻小二沟（今诺敏镇），同时将分别隶属于莫力达瓦旗、布特哈旗、喜桂图旗、额尔古纳旗的多布库尔、甘奎、诺敏、托扎明4个鄂伦春族聚居点，分设为4个苏木，划归为鄂伦春旗的行政区域。10月31日，在小二沟召开鄂伦春旗人民代表大会，选举产生了鄂伦春旗人民政府旗长等成员。1952年5月31日，中央人民政府政务院内务部批准，将鄂伦春旗改建为鄂伦春自治旗；随之，鄂伦春旗人民政府改称为鄂伦春自治旗人民政府。建旗日定为公历10月1日。

1964年8月10日，经国务院批准，大兴安岭特区人民政府成立，隶属于黑龙江省，驻地为鄂伦春自治旗境内的加格达镇，加格达镇区域仍隶属于鄂伦春自治旗管辖。

鄂温克族自治旗 1957 年 3 月 8 日，内蒙古党委根据鄂温克族人民的意愿，取消索伦、通古斯、雅库特等称谓，恢复鄂温克族的名称，并实行民族区域自治。1958 年 5 月 29 日，经国务院全体会议第 77 次会议通过，决定撤销索伦旗，设立鄂温克族自治旗，将原索伦旗的区域改设为鄂温克族自治旗的行政区域。7 月 16 日，内蒙古自治区人民委员会发出通知，决定 8 月 1 日正式撤销索伦旗，设立鄂温克族自治旗；同时，鄂温克族自治旗人民委员会（旗长）正式成立，驻南屯。

莫力达瓦达斡尔族自治旗 1958 年 5 月 29 日，国务院全体会议第 77 次会议通过，决定撤销莫力达瓦旗，设立莫力达瓦达斡尔族自治旗，将原莫力达瓦旗的区域改设为莫力达瓦达斡尔族自治旗的行政区域。7 月 16 日，内蒙古自治区人民委员会发出通知，决定 8 月 15 日正式撤销莫力达瓦旗，设立莫力达瓦达斡尔族自治旗，同时，莫力达瓦达斡尔族自治旗人民委员会（旗长）正式成立，驻尼尔基镇。

1966 年 12 月 12 日，全国人民代表大会常务委员会第一届第 135 次会议，分别批准并公布实施了《内蒙古自治区鄂温克族自治旗人民代表大会和人民委员会组织条例》《内蒙古自治区莫力达瓦达斡尔族自治旗人民代表大会和人民委员会组织条例》。

（三）撤并与新建旗、县建制

1949 年 9 月 29 日，《中国人民政治协商会议共同纲领》公布之后，内蒙古地区各旗、县逐步开始实行，由各族各界人民代表大会代行人民代表大会的职权，选举产生各旗、县人民政府之旗长、副旗长、县长、副县长及其委员会成员。

1950 年 1 月 23 日，设置喜桂图旗，以牙克石街、索伦旗的扎罗木得区、免渡河及布特哈旗的博克图努图克为其行政区域，旗人民政府驻牙克石，隶属于呼伦贝尔纳文慕仁盟。4 月 7 日，分别恢复东公旗为乌拉特后旗、中公旗为乌拉特中旗、西公旗为乌拉特前旗。

1952 年 5 月 6 日，龙胜县更名为卓资县，驻卓资山。6 月 6 日，撤销锡林郭勒盟中部联合旗，将所辖区域并入西部联合旗；撤销科尔沁右翼后旗，将所辖区域分别划归科尔沁右翼前旗和扎赉特旗。7 月，撤销乌拉特中旗、乌拉特后旗，设置乌拉特中后联合旗（1970 年 10 月 30 日，分置潮格旗；

1981年8月21日，乌拉特中后联合旗更名为乌拉特中旗，潮格旗更名为乌拉特后旗）。10月11日，达尔罕旗与茂明安旗合并，组建达尔罕茂明安联合旗，驻百灵庙。

1955年11月11日公布的《内蒙古自治区各级人民代表大会和各级人民委员会组织条例》规定：各级旗、县人民代表大会是权力机关，大会选举产生旗、县人民委员会之旗长、副旗长、县长、副县长及其委员会组成人员。旗、县人民委员会是行政机关。

1956年6月14日，撤销锡林郭勒盟东部联合旗，分别恢复为东乌珠穆沁旗（驻喇嘛库伦庙）、西乌珠穆沁旗（驻王盖庙）；锡林郭勒盟西部联合旗更名为阿巴嘎旗（驻罕布音庙）。9月11日，商都镶黄联合旗更名为商都镶黄旗（驻新宝力格）；正白镶白联合旗更名为正镶白旗（驻察汗淖尔）；撤销明安太右联合旗，将所辖区域分别并入正镶白旗、正蓝旗。

1957年10月1日，撤销集宁县，将其所辖区域分别划归集宁市、察哈尔右翼前旗、察哈尔右翼后旗、兴和县。

1958年7月5日，撤销达拉特后旗，将其所辖区域并入五原县。

1959年1月20日，撤销伊克昭盟的札萨克旗、郡王旗，设置伊金霍洛旗，以原札萨克旗、郡王旗的全部区域为伊金霍洛旗的行政区域（驻新街，1965年移驻阿勒腾席热）。

1960年9月13日，撤销化德县，将其所辖区域并入镶黄旗（1967年4月13日，恢复化德县）。

1961年4月22日，撤销阿拉善旗，分别设阿拉善左旗（驻巴音浩特）、阿拉善右旗（驻雅布赖，1965年移驻额肯呼都格）。

1962年10月20日，恢复突泉县（1960年7月17日，突泉县曾被撤销）。

1963年10月23日，设置阿巴哈纳尔旗（驻锡林浩特镇），析阿巴嘎旗、西乌珠穆沁旗各一部分区域为其行政区域。

1965年3月27日，撤销土默特旗建制，分别设置土默特右旗（驻萨拉齐镇）、土默特左旗（驻察素齐镇）。

1966年1月18日，撤销额尔古纳旗，分别设置额尔古纳左旗（驻根河）、额尔古纳右旗（驻三河）。5月16日以后，在“文化大革命”时期，内蒙古自治区各旗、县的人民代表大会和人民委员会等机关均被革命委员会取代。

1979年7月4日，公布了修正的《中华人民共和国地方各级人民代表大会和地方各级人民政府组织法》规定：县、自治县设立人民代表大会和人民政府；县级人民代表大会设立常务委员会；县、自治县的人民代表大会代表由选民直接选举。11月9日，内蒙古自治区革命委员会发出《关于直接选举工作有关问题的通知》，旗、县直接选举工作在全区展开（截至1981年11月底，全区99个旗、县级单位，除1个旗外，都召开了人民代表大会，选举产生了旗、县人民代表大会常务委员会和人民政府。各旗、县人民代表大会常务委员会主任、副主任和委员，蒙古族和其他少数民族平均占44.28%；人民政府旗长、副旗长、县长、副县长等领导成员，蒙古族和其他少数民族干部平均占50.38%。各旗、县人民代表大会常务委员会和人民政府均取代了革命委员会。

1980年8月12日，伊克昭盟鄂托克旗南部地区被划出，设置为鄂托克前旗，旗人民政府驻敖勒召其。

1981年2月，内蒙古自治区人民政府决定，将阿巴哈纳尔旗更名为阿巴嘎纳尔旗。

五、内蒙古自治区辖市、市辖区、镇建制

（一）市建制

内蒙古自治区的建制市是工商业、交通运输业、文化教育、科学技术、市场信息、医疗卫生等企事业较发达，聚居人口以及非农业人口较多的城镇，或是新兴工业开发区、新兴矿区、对外口岸、盟行政公署驻地、森林管理区、牧业贸易集散地设置的一级行政区域建制单位。根据《中华人民共和国宪法》中，关于省、自治区辖市分为较大的市（辖区、县）及县级市的规定，内蒙古自治区市的建制，可具体分为自治区辖市、自治区计划单列市（准地级）和县级市。内蒙古自治区建市情况如下：

1947年5月1日，内蒙古自治政府成立时，所辖区域内仅有海拉尔市、满洲里市。11月26日，将内蒙古自治政府驻地王爷庙改建为乌兰浩特市。

1948年1月15日，设置扎赉诺尔市（矿区）；1949年4月，将其并入

满洲里市（1950 年 1 月，满洲里市成立军政委员会，直属东北局和东北军区领导）。

1951 年 7 月 17 日，经中央人民政府政务院批准，设置通辽市，以通辽县城关区为通辽市所辖行政区域。

1953 年 5 月 10 日，经中央人民政府政务院批准，将乌兰浩特市、海拉尔市、满洲里市、通辽市列为内蒙古自治区人民政府辖市。次年 5 月 21 日，将乌兰浩特市、海拉尔市、满洲里市改为呼伦贝尔盟辖市；通辽市改为哲里木盟辖市。

1954 年 3 月 6 日，撤销绥远省建制，所辖区域划归内蒙古自治区，原绥远省辖归绥市、包头市被列为内蒙古自治区辖市（地级）。4 月 20 日，内蒙古自治区人民政府决定将归绥市更名为呼和浩特市，为内蒙古自治区人民政府驻地（亦称内蒙古自治区首府）。

1954 年 11 月 11 日，经全国人民代表大会常务委员会第 27 次会议批准的《内蒙古自治区各级人民代表大会和各级人民委员会组织条例》中规定：在自治区设立“自治区辖市人民代表大会和人民委员会，旗、县、市、自治区辖市的区人民代表大会和人民委员会”。自治区辖市、县级市的人民代表大会选举产生市人民委员会和市长、副市长。6 月 9 日，国务院作出《设置市镇建制的决定》,对设置市的标准、市辖区的条件、郊区范围的划分等具体问题作出详细规定。

1956 年 2 月 23 日，经国务院批准，撤销平地泉镇，设立集宁市（1951 年 6 月 21 日，将集宁县城关区改设为平地泉镇），划平地泉镇的区域为集宁市的行政区域；并将集宁县所辖榆树湾乡的 4 个村、那森格勒乡的 5 个村及边墙乡的小贲红、陈家村等 17 个村划归集宁市管辖。4 月 3 日，经国务院批准，设立巴彦浩特市，划阿拉善左旗巴彦浩特镇的区域为巴彦浩特市的行政区域。集宁市为平地泉行政区人民委员会驻地，巴彦浩特市为巴彦淖尔盟人民委员会驻地（1958 年 10 月 4 日，撤销巴彦浩特市，改为阿拉善旗辖巴彦浩特镇）。

1958 年 10 月 22 日，经国务院批准，撤销赤峰县，设立赤峰市（县级），将原赤峰县辖区划为赤峰市行政区域。赤峰市为昭乌达盟行政公署驻地。

1959 年 9 月 17 日，全国人民代表大会常务委员会第二届第九次会议通过了《关于直辖市和较大的市可以领导县、自治县的决定》。

1960 年 1 月 7 日，经国务院批准，撤销磴口县，设立巴彦高勒市，作为巴彦淖尔盟行政公署驻地；同时，撤销三盛公镇（1964 年 7 月 20 日，撤销巴彦高勒市，恢复磴口县，驻巴彦高勒镇）。2 月 1 日，内蒙古自治区报经国务院批准，将土默特旗划归呼和浩特市管辖（1963 年 3 月 31 日，又将土默特旗划回乌兰察布盟）。7 月 14 日，经国务院批准将乌拉特前旗划归包头市管辖（1963 年 11 月 17 日，又将乌拉特前旗划回巴彦淖尔盟；固阳县划回乌兰察布盟）。

1961 年 7 月 9 日，经国务院批准，设立乌达市，以原巴彦淖尔盟乌达镇的辖区为其行政区域；同时，设立海勃湾市，以原伊克昭盟卓子山矿区的区域为其行政区域。

1964 年 7 月 20 日，经国务院批准，撤销乌兰浩特市，将其所辖区域并入科尔沁右翼前旗。

1966 年 1 月 18 日，经国务院批准，设立二连浩特市，隶属于锡林郭勒盟管辖。

1970 年 10 月 3 日，经国务院、中央军委批准，将乌兰察布盟辖区的土默特左旗、托克托县划归呼和浩特市管辖，将乌兰察布盟辖区的土默特右旗、固阳县划归包头市管辖；对呼和浩特市、包头市实行市管旗、县的体制。

1975 年 8 月 30 日，经国务院批准，撤销乌达市、海勃湾市，设置乌海市，为自治区辖市，以原乌达市、海勃湾市所辖区域为其行政区域。次年 1 月 10 日，乌海市成立大会在海勃湾举行，乌海市革命委员会正式挂牌办公。

1980 年 7 月 26 日，决定恢复乌兰浩特市建制，为兴安盟行政公署驻地；10 月 1 日，正式成立。12 月 9 日，国务院批转的《全国城市规划工作会议纪要》强调指出，今后城市发展的基本方针是：控制大城市规模，合理发展中等城市，积极发展小城市；市的设置模式应从城乡分割的城镇设市的模式，转到城乡结合的撤县设市的模式上来。同年，呼和浩特市被列入全国 24 个省会、自治区首府大城市之一。

1983 年 10 月 10 日，经国务院批准，撤销昭乌达盟，设置赤峰市，为自治区辖市。将原昭乌达盟所辖宁城县、林西县、喀喇沁旗、敖汉旗、翁牛特旗、巴林左旗、巴林右旗、阿鲁科尔沁旗、克什克腾旗归由赤峰市管辖，实行市管旗、县体制；撤销赤峰县，将其所辖区域并入赤峰市区。赤峰市人大常委会和人民政府驻赤峰。

与此同时，撤销呼伦贝尔盟喜桂图旗，设置牙克石市，以原喜桂图旗所辖区域为牙克石市的行政区域；撤销布特哈旗，设置扎兰屯市，以原布特哈旗所辖区域为扎兰屯市的行政区域。2 个市均隶属于呼伦贝尔盟管辖。

同时，撤销锡林郭勒盟所辖阿巴哈纳尔旗，设置锡林浩特市，以原阿巴嘎纳尔旗所辖区域为锡林浩特市的行政区域；锡林郭勒盟行政公署驻锡林浩特市。

同时，撤销东胜县，设置东胜市，以原东胜县所辖区域为东胜市的行政区域；伊克昭盟行政公署驻东胜市。

以上新设置的牙克石市、扎兰屯市、锡林浩特市、东胜市分别为市管林区、市管牧区和农区的市。

1984 年 12 月 11 日，经国务院批准，撤销临河县，设置临河市，以原临河县所辖区域为临河市的行政区域；巴彦淖尔盟行政公署驻临河市。12 月 15 日，经国务院批准，包头市被列为“较大的市”。

1985 年 1 月 23 日，内蒙古党委决定，二连浩特市、满洲里市升级为准地级市，按甲类城市对外开放；7 月，经国务院批准，满洲里市正式被列为对外开放城市（1993 年 5 月 20 日，满洲里、二连浩特 2 个市被列为内蒙古自治区计划单列市）。11 月 9 日，经国务院批准，哲里木盟霍林河煤矿区办事处改建为霍林郭勒市，隶属于哲里木盟管辖；霍林郭勒市人大常委会和人民政府驻珠斯花镇。

1986 年 7 月 21 日，经国务院批准，撤销通辽县建制，并将其所辖区域并入通辽市。11 月，经国务院批准，乌兰浩特市、赤峰市 2 个市被列为对外开放城市。12 月 19 日，经国务院批准，呼和浩特市被列为国家历史文化名城。

1990 年 11 月 15 日，撤销乌兰察布盟所辖丰镇县，设置丰镇市，以原丰镇县所辖区域为丰镇市的行政区域，隶属于乌兰察布盟管辖。

1994 年 4 月 28 日，经国务院批准，撤销呼伦贝尔盟管辖的额尔古纳左旗，设置根河市，以原额尔古纳左旗所辖区域为根河市的行政区域，仍隶属于呼伦贝尔盟管辖。7 月 13 日，经国务院批准，撤销呼伦贝尔盟管辖的额尔古纳右旗，设置额尔古纳市，以原额尔古纳右旗所辖区域为额尔古纳市的行政区域，仍隶属于呼伦贝尔盟管辖。

1995 年 5 月 18 日，经国务院批准，将乌兰察布盟武川县、达尔罕茂明安联合旗分别划归呼和浩特市、包头市管辖。11 月 21 日，经国务院批准，将乌兰察布盟的和林格尔县、清水河县划归呼和浩特市管辖。

1996 年 6 月 10 日，经国务院批准，析兴安盟科尔沁右翼前旗北境阿尔山地区，设置阿尔山市，隶属于兴安盟管辖，为内蒙古自治区新兴的旅游城市。

（二）自治区辖市的区

《中华人民共和国宪法》规定："较大的市分为区、县"。内蒙古自治区辖市的区是相当旗、县一级的行政区域建制单位，设置区人民代表大会常务委员会和人民政府。1979 年 7 月 4 日，全国人民代表大会常务委员会公布的《中华人民共和国地方各级人民代表大会和地方各级人民政府组织法》（修正）规定："市辖区的人民代表大会设立常务委员会"。据此，内蒙古自治区辖市的区，均相继经过区人民代表大会选举产生了区人民代表大会常务委员会主任、副主任和委员。区的人民代表大会常务委员会为常设的权力机关，区人民政府为行政机关（区长）。

呼和浩特市　1954 年 3 月 6 日，呼和浩特市辖有新城区（1953 年 11 月设立）、玉泉区（1953 年设立）、回民自治区（1950 年设立，1955 年 12 月改为回民区）、庆凯区（1956 年 9 月 26 日撤销，将其所辖区域分别划归玉泉区、回民区）。1956 年 9 月 20 日，设立呼和浩特市郊区。1967 年 7 月，"文化大革命"时期，回民区更名为红旗区；新城区更名为东风区；玉泉区更名为向阳区（1978 年以后，相继恢复为回民区、新城区、玉泉区）。

包头市　1954 年 3 月 6 日，包头市辖有一区、二区、郊区。1953 年 6 月，设立回民自治区。1956 年 8 月 15 日，撤销一区、二区、回民自治区，设立东河区；同时，撤销新市区办事处，设立青山区、昆都仑区；撤销包头市郊区工作委员会，设立包头市郊区。1956 年 11 月 20 日，设立包头市石拐沟矿区。1958 年 5 月，撤销固阳县，设立包头市固阳区（1961 年 7 月 9 日，恢复固阳县)；同时，设立包头市白云矿区（1954 年 8 月，曾设置乌兰察布盟驻白云鄂博办事处)。1977 年 2 月 16 日，设立建华矿区（县级，1980 年 11 月 1 日撤销)。

乌海市 1979 年 12 月 13 日，乌海市设立海勃湾区、拉僧庙区（后更名为海南区)、乌达区。

赤峰市 1983 年 10 月 10 日，赤峰市升级为地级市以后，设置红山区、元宝山区、郊区。1993 年 7 月 11 日，郊区更名为松山区。

通辽市 1999 年，撤盟建市。

（三）城市街道办事处

城市街道办事处是市辖区、不设区的市人民政府的派出机关，属于基层政权组织范围，不是一级行政区域建制单位。

1954 年 12 月 30 日，由全国人民代表大会常务委员会通过并公布的《城市街道办事处组织条例》规定：为了加强城市的居民工作，密切政府和居民的联系，市辖区、不设区的市的人民委员会，按照工作需要设街道办事处，作为它的派出机关。街道办事处的管辖区域，一般同公安派出所的管辖区域相同。内蒙古自治区根据《城市街道办事处组织条例》的规定，在呼和浩特市、包头市的辖区和不设区的海拉尔市、满洲里市、乌兰浩特市、通辽市分别设置了街道办事处。

1958 年，在“人民公社化运动”时期，内蒙古自治区各城市街道办事处设置了人民公社。

1962 年，逐步恢复了城市街道办事处。

1966 年，在“文化大革命”时期，城市街道办事处全部被街道革命委员会所取代。

1979 年 7 月 4 日，《中华人民共和国地方各级人民代表大会和地方各级人民政府组织法》（修正）颁布实施。内蒙古自治区根据该组织法规定的“市辖区、不设区的市的人民政府，经上一级人民政府批准，可以设立若干街道办事处，作为它的派出机关”，从 1980 年开始逐步撤销街道革命委员会，恢复街道办事处。随着内蒙古自治区改革开放和社会主义现代化建设的发展，新兴工业矿区、旅游区、边境对外口岸、森林工业区、农畜产品加工、工业和科技园区开发区的发展，城市人口迅速增加，新设市镇增多，与此相适应的城市街道办事处和居民委员会等群众自治组织也随之增加。根据内蒙古自治区民政厅编印的《行政区划简册》中的统计情况为：1954 年，内蒙古自治区有市辖区 7 个，准地级和县级市 4 个，街道办事处 53 个。到 1998 年发展至市辖区 16 个，准地级和县级市 16 个，街道办事处 174 个（其中，区辖街道办事处 90 个，准地级和县级市辖街道办事处 84 个），居民委员会 4 083 个。

（四）镇建制

镇建制属于小城市范畴。在社会主义现代化建设时期，尤其是在工业化、城镇化的建设中，镇建制已经成为城镇化的标志之一。镇建制是基层行政区域建制单位。内蒙古自治区境内的镇建制，有的是盟行政公署和旗、县行政机关的驻地，有的是城市与农村、牧区、半农半牧区、林区、工矿区的物资文化交流集散地，有的是边境贸易重镇，有的是新兴矿区、科技工业园区，有的则是新建旅游景点区等。

1947 年 5 月，内蒙古自治政府成立时，所辖区域内的街镇仅有：王爷庙街（今乌兰浩特市）、牙克石街（今牙克石市）、索伦镇（今科尔沁右翼前旗境内）等。

1955 年，内蒙古自治区境内镇建制单位有 73 个。镇设人民代表大会和人民委员会（设镇长、副镇长）。同年 6 月 9 日，国务院《关于设置市、镇建制的决定》颁布之后，内蒙古自治区人民委员会批准在盟、旗、县机关驻地，或新兴工矿区、林区，或有相当数量的工商业居民聚居区，或牧区、半农半牧区有条件的浩特等设置镇建制。

1958 年，在“大跃进”时期，内蒙古自治区所辖各镇都成立了人民公社。

1966 年 5 月，在“文化大革命”时期，内蒙古自治区所辖各镇均成立了革命委员会。

1979 年末，内蒙古自治区辖有镇建制 102 个。同年 11 月至 1981 年，内蒙古自治区在开展旗、县级直接选举中，各镇均召开了人民代表大会，选举产生了镇人民政府（设镇长、副镇长），取代了革命委员会。

1984 年 11 月 20 日，国务院《批转民政部〈关于调整建制镇标准的报告〉的通知》下达以后，内蒙古自治区在未设置镇的旗、县驻地，在人口稀少的边远地区、山区、牧区、小型矿区、风景旅游区、边境口岸等有设置镇建制必要的地区，在非农业人口不足 2 000 人的情况下，也批准设置镇建制。并在撤销苏木、乡、民族乡设置镇建制以后，实行镇管农村、牧区、林区的体制。

截至 1998 年 7 月，内蒙古自治区共辖有镇建制 314 个，其中，呼和浩特市所辖 14 个，包头市所辖 7 个，赤峰市所辖 70 个，呼伦贝尔盟所辖 74 个，兴安盟所辖 19 个，哲里木盟所辖 44 个，锡林郭勒盟所辖 12 个，乌兰察布盟所辖 16 个，伊克昭盟所辖 21 个，巴彦淖尔盟所辖 26 个，阿拉善盟所辖 10 个。①

六、内蒙古自治区苏木、乡、民族乡建制

苏木、乡、民族乡是内蒙古自治区的基层行政区域建制单位。1947 年 5 月，内蒙古自治政府成立时通过的《内蒙古自治政府暂行组织大纲》确定：努图克、苏木、街、村政府为基层行政区域建制。1949 年 4 月 5 日，内蒙古自治政府决定：凡农业旗的行政村，统一改称嘎查，自然村称艾里。当时，由绥蒙政府管辖的绥东解放区基层政权单位是区、乡、行政村民主政府。

1949 年 10 月 1 日，中华人民共和国成立以后，内蒙古自治区的基层行政区域建制，先后经历了废保建政，即废除国民党政府的保甲制度和王公贵族封建特权制度，建立苏木、乡、民族乡、镇人民政府、人民委员会基层行政区域建制；建立人民公社管理委员会，即实现人民公社化，实行“政社合一”制度；改人民公社为苏木、乡、民族乡，即政社分开，取消人民公社，建立苏木、乡、民族乡、镇人民政府建制，并建立健全群众性自治组织等 3 个发展阶段。在各个发展阶段的基层行政区域建制，均保证了国家、自治区各项政策在基层的实施，执行了领导和管理本行政区域内的政治、经济、文化教育、社会服务等各项行政管理职能。

调整基层行政区域建制　1950 年，中央人民政府政务院制定出台了《乡（行政村）人民代表会议组织通则》《乡（行政村）人民政府组织通则》。据此，内蒙古自治区人民政府以及绥远省人民政府，结合不同地区历

---

① 参见《内蒙古大辞典》，内蒙古人民出版社 1991 年版，第 15—42 页。

史和现实状况，有步骤地全面开展了基层行政区域建制的调整。

1950 年，绥远省废除保 1 192 个，废除甲 13 639 个。并通过农、牧民协会和人民代表会议民主选举，建立了行政村（相当于乡）人民政府（设村长）714 个、镇人民政府（设镇长）23 个。

1951 年，内蒙古自治区（原内蒙古自治政府辖区）通过人民代表会议选举，共建立了苏木（牧区）、嘎查（设旗的农业区）、乡人民政府 2 710 个（设苏木长、嘎查长、乡长）。同年，内蒙古自治区人民政府下所辖区域内，结合人民代表会议选举，开展了“撤村建乡”人民政府的工作。

1953 年 4 月 14 日，绥远省人民政府作出《关于撤销行政村建制及建立乡建制的指示》,在绥远省辖区内依照“基本不动，个别调整”和“旗、县并存地区暂维持现状”的原则，撤销行政村 2 149 个，建立乡人民政府 1 840 个、镇人民政府 20 个。

1954 年 10 月 20 日，内蒙古自治区牧区基层建制会议确定：牧业区“以苏木为基层政权的组织形式”。

1955 年 11 月 11 日，《内蒙古自治区各级人民代表大会和各级人民委员会组织条例》规定：基层行政区域建制为苏木、嘎查、乡、民族乡、镇人民代表大会和人民委员会；苏木、嘎查、乡、民族乡、镇人民代表大会选举本级人民委员会组成人员和苏木长、嘎查长、乡长、镇长各 1 人，副苏木长、副嘎查长、副乡长、副镇长各若干人。

同年，内蒙古自治区根据内务部《关于健全乡政权组织的指示》,在农业区乡、嘎查、镇人民委员会下设立了生产合作社、文教卫生、治安保卫、人民调解、人民武装、民政、财粮等工作委员会；在乡、嘎查、镇以下，以自然村或选区为单位，设人民代表主任；在牧区苏木人民委员会实行集体领导，委员适当分工，并根据工作需要设置处理员若干人，具体办理各项工作；苏木以下设立巴嘎达（即村长），在苏木人民委员会领导下联系群众，开展各项工作。

1956 年 3 月 21 日，内蒙古自治区人民委员会为适应农业合作化发展的需要，在第一次基层换届选举时，作出《内蒙古自治区调整农业区、半农半牧区嘎查、乡的行政区划和编制的试行方案》。经过调整，适当扩大了苏木、乡的区域。全区由原来的 5 122 个苏木、嘎查、乡，调整为 2 243 个苏木、嘎查、乡。当年，内蒙古自治区已建立的农牧业高级合作社达9 622 个。

实行人民公社化制度　1958 年 8 月，中共中央政治局作出《关于在农村建立人民公社的决定》。9 月 10 日，内蒙古党委第一届第八次全体委员（扩大）会议通过了《关于实行人民公社化的初步规划的决议》,在这次会议之后的近 2 个月时间里，内蒙古自治区迅速实现了农村人民公社化。12 月10 日，中共中央八届六中全会作出《关于人民公社若干问题的决议》。16日，内蒙古自治区人民委员会作出《关于建立人民公社中有关调整行政区划和基层政权组织机构的几点意见》,指出：人民公社突破原旗、县界限时，由有关旗、县协商，报盟审批；乡社合一，人民公社名称按所在乡、苏木名称命名。当年，内蒙古自治区建立农村人民公社 778 个，牧区人民公社152 个。

1959 年 1 月 9 日，内蒙古党委在作出的《关于牧区人民公社若干问题的指示》中指出：牧区以苏木为单位建立人民公社比较适宜。据此，经过调整，全区牧区基本实现了 1 个苏木建立 1 个人民公社。

至此，内蒙古自治区农村、牧区人民公社取代了苏木、乡、民族乡、镇人民代表大会和人民委员会的职能，实行“政社合一”制度。人民公社既是农村、牧区集体经济组织，领导各项生产建设；又是基层政权组织，管理本地区的行政事务。人民公社实行人民公社社员代表大会制度。人民公社的管理机构是人民公社管理委员会，管理委员会由社员代表大会选举产生的主任、副主任及委员所组成。

1966 年 5 月，在“文化大革命”时期，内蒙古自治区的各人民公社管理委员会从 1967 年开始，陆续被人民公社革命委员会所取代。由干部、军队代表、群众组织负责人组成“三结合”的革命委员会领导班子。人民公社革命委员会由主任、副主任、委员组成，下设助理员若干，办理各项事务。

1979 年 7 月 4 日，全国人民代表大会第五届第二次会议通过的《中华人民共和国地方各级人民代表大会和地方各级人民政府组织法》（修正）规定：人民公社设人民代表大会和管理委员会，人民代表大会代表由选民直接选举。据此，从当年的 11 月开始，内蒙古自治区在旗、县和人民公社、镇开展了直接选举试点，截至1981年11月基本完成自治区人民公社选举。此时，人民公社的权力机关是人民代表大会，管理机关是人民公社管理委员会。

截至1981年6月底，内蒙古自治区各盟、市共有农村、牧区人民公社1 328个。其中，呼和浩特市辖有44个，包头市辖有51个，呼伦贝尔盟100个，兴安盟73个，哲里木盟165个，昭乌达盟197个，锡林郭勒盟142个，乌兰察布盟271个，伊克昭盟130个，巴彦淖尔盟117个，阿拉善盟38个（乌海市这时没有农牧区人民公社）。

恢复苏木、乡、民族乡建制 1982年12月4日，全国人民代表大会第五届第五次会议通过的《中华人民共和国宪法》规定：县以下分为乡、民族乡、镇；城市和农村按居住地区设立居民委员会或者村民委员会等基层群众性自治组织。12月10日，全国人民代表大会第五届第五次会议通过的《关于修改〈中华人民共和国地方各级人民代表大会和地方各级人民政府组织法〉的若干规定的决议》中决定：人民公社改为乡、民族乡；人民公社管理委员会改为乡、民族乡人民政府；人民公社主任、副主任改为乡长、副乡长等。1983年10月12日，中共中央、国务院发出《关于实行政社分开建立乡政府的通知》,要求根据宪法规定，在农村建立乡政府，政社必须相应分开，这项工作要与选举乡人民代表大会代表工作结合进行，并强调这是当前的首要任务。

内蒙古自治区组织有关部门的干部首先在宁城县、托克托县等地，开展了政社分开、建立乡人民政府的试点工作。继而，内蒙古党委、自治区人民政府全面部署了在全区实行政社分开，建立苏木、乡、民族乡、镇人民政府的工作。通过召开同级人民代表大会，选举产生了自治区各基层人民政府。截至1984年10月20日，内蒙古自治区建立和恢复苏木、乡、民族乡、镇人民政府1 552个。其中，苏木人民政府431个，乡人民政府896个，民族乡人民政府13个，镇人民政府212个。同时，全区组建牧区嘎查委员会3 478个，农区村民委员会9 988个，合计农村、牧区群众性自治组织13 466个。

苏木、乡、民族乡、镇人民政府设苏木达、乡长、镇长各1人，副苏木达、副乡长、副镇长各若干人，实行苏木达、乡长、镇长负责制。下设若干助理员及人民武装部、公安派出所等。

1984年5月10日，内蒙古自治区人民代表大会常务委员会第六届第六次会议通过了《内蒙古自治区嘎查、村民委员会简则（试行)》。7月7日，内蒙古自治区人民政府转发的民委、民政厅、名词术语委员会、地名委员会《关于区、乡、村蒙古语称谓问题的意见》中规定：以蒙古语的称谓，区一律称努图克，乡一律称苏木，村一律称嘎查。

1986年，内蒙古自治区民政部门通过对全区41个旗县的159个苏木、乡、镇和249个嘎查、村民委员会的基层政权建设情况进行了调查研究，并向内蒙古党委、自治区人民政府提出建议。据此，1987年10月19日，内蒙古党委、自治区人民政府发出《关于加强农村牧区基层政权建设工作的通知》。指出：改变原农村、牧区“政社合一”的人民公社体制，建立苏木、乡、民族乡、镇人民政府。这项改革工作的开展，初步改变了过去长期存在的党政不分、政企不分的状况，对于解放生产力、发展商品生产和各项建设事业起到了积极作用。同时强调指出，要注意理顺党、政、企之间的分工，简政放权以使经济组织有自主权、有活力等。

1991年4月20日，内蒙古自治区人民代表大会常务委员会第七届第二十次会议通过的《内蒙古自治区苏木、乡、民族乡、镇人民政府工作条例》规定，苏木、乡、民族乡、镇人民政府是本级人民代表大会的执行机关，是基层国家行政机关；苏木、乡、民族乡、镇人民政府分别设苏木达、副苏木达，乡长、副乡长，镇长、副镇长，由同级人民代表大会选举产生；苏木人民政府中应由蒙古族公民担任苏木达或副苏木达，民族乡人民政府的乡长由建立民族乡的公民担任。

依据1982年内蒙古自治区民政厅《内蒙古自治区行政区划简册》的统计数据显示，截至1982年2月，内蒙古自治区各盟、市的苏木、乡建制改革以前的情况为：呼和浩特市的基层行政区域建制65个，其中镇2个、人民公社44个、办事处19个；包头市的基层行政区域建制83个，其中镇2个、人民公社51个、办事处30个；乌海市的基层行政区域建制17个，其中办事处17个；赤峰市的基层行政区域建制216个，其中镇10个、人民公社197个、办事处9个；呼伦贝尔盟的基层行政区域建制155个，其中镇34个、苏木2个、人民公社100个、乡5个、管理区3个、办事处11个；兴安盟的基层行政区域建制 82 个，其中镇 4 个、人民公社 73 个、办事处 5 个；哲里木盟的基层行政区域建制 180 个，其中镇 6 个、人民公社 165 个、办事处 9 个；锡林郭勒盟的基层行政区域建制 152 个，其中镇 8 个、苏木 1 个、人民公社 142 个、管理区 1 个；乌兰察布盟的基层行政区域建制 291 个，其中镇 14 个、人民公社 271 个、办事处 6 个；伊克昭盟的基层行政区域建制 138 个，其中镇 8 个、人民公社 130 个；巴彦淖尔盟的基层行政区域建制 127 个，其中镇 10 个、人民公社 117 个；阿拉善盟的基层行政区域建制 42 个，其中镇 4 个、人民公社 38 个。全区总计有基层行政区域建制单位 1 548 个，其中镇 102 个、苏木 3 个、人民公社 1 328 个、乡 5 个、管理区 4 个、办事处 106 个。

内蒙古自治区基层行政区域建制历经 11 年的改革以后，截至 1993 年 5 月，各盟、市的苏木、乡建制情况为：呼和浩特市共有基层行政区域建制 65 个，其中镇 6 个、乡 39 个、办事处 20 个；包头市共有基层行政区域建制 91 个，其中镇 6 个、苏木 2 个、乡 46 个、办事处 37 个；乌海市共有基层行政区域建制 18 个，其中办事处 18 个；赤峰市共有基层行政区域建制 282 个，其中镇 58 个、苏木 44 个、乡 167 个、民族乡 3 个、办事处 10 个；呼伦贝尔盟共有基层行政区域建制 181 个，其中镇 62 个、苏木 36 个、民族苏木 2 个、乡 45 个、民族乡 11 个、办事处 25 个；兴安盟共有基层行政区域建制 88 个，其中镇 15 个、苏木 34 个、乡 31 个、民族乡 1 个、办事处 7 个；哲里木盟共有基层行政区域建制 208 个，其中镇 40 个、苏木 89 个、乡 66 个、办事处 13 个；锡林郭勒盟共有基层行政区域建制 163 个，其中镇 12 个、苏木 112 个、乡 33 个、办事处 6 个；乌兰察布盟共有基层行政区域建制 295 个，其中镇 17 个、苏木 26 个、乡 240 个、民族乡 1 个、办事处 11 个；伊克昭盟共有基层行政区域建制 144 个，其中镇 12 个、苏木 36 个、乡 92 个、办事处 4 个；巴彦淖尔盟共有基层行政区域建制 137 个，其中镇 22 个、苏木 24 个、乡 82 个、办事处 9 个；阿拉善盟共有基层行政区域建制 48 个，其中镇 8 个、苏木 40 个。全区总计有基层行政区域建制单位 1 720 个，其中镇 258 个、苏木 443 个、民族苏木 2 个、乡 841 个、民族乡 16 个、办事处 160 个。

努图克、区建制 努图克、区的建制是在解放战争中，中国共产党为适应战争的需要，而在旗、县民主政府之下设置的一级政权性质的建制单位。努图克政府下辖苏木、嘎查；区政府下辖乡。1949 年 10 月，在内蒙古自治政府辖区内，普遍设置努图克人民政府；在绥远省人民政府所辖的解放区内设置区人民政府。

1950 年 12 月，由中央人民政府政务院公布的《区人民政府及区公所组织通则》,对于设区的原则及其组织机构和职权范围作出了详细规定。1951 年，内蒙古自治区人民政府为减少行政机构层次，提高工作效率，将原努图克、区人民政府，改设为努图克、区公所，作为旗、县人民政府的派出机关；努图克达和区长执行旗、县人民政府交办的事项，指导、监督、协助所辖苏木、嘎查、乡、行政村（小乡）的工作。

1954 年 3 月 6 日，撤销绥远省建制，实现蒙绥合并以后，内蒙古自治区人民政府下辖努图克、区公所 553 个。同年，根据《中华人民共和国宪法》的有关规定，内蒙古自治区通过开展“撤区划苏木、乡的工作”，建立了旗、县（市）人民委员会领导下的苏木、乡、镇的行政建制。1957 年，内蒙古自治区人民委员会所辖的努图克、区公所减少至 281 个。

1958 年 1 月 27 日，内蒙古自治区人民委员会发出《关于结合基层选举工作进行重点调整乡的行政区域和撤销努图克（区）公所的通知》。同年，在全国兴起的“人民公社化运动”的影响下，内蒙古自治区的努图克、区公所与苏木、乡、镇人民委员会全部被“政社合一”的人民公社制度所替代。

直至 21 年之后的 1979 年 7 月 4 日，经过重新修正的《中华人民共和国地方各级人民代表大会和地方各级人民政府组织法》规定：“县、自治县的人民政府在必要的时候，经省、自治区、直辖市的人民政府批准，可以设立若干区公所，作为它的派出机关”。据此，内蒙古自治区在撤销人民公社制度，恢复建立苏木、乡、镇建制之后，经内蒙古自治区人民政府批准，1983 年在全区设置区公所 2 个，至 1985 年自治区共设置区公所 14 个。

七、内蒙古自治区与邻省、区勘定行政区域界线

行政区域界线是国家和各省、市、自治区实施行政管理的有效依据。内蒙古自治区成立以来，在与邻省、区间发生的边界纠纷问题上，始终坚持承

认历史、照顾现实、实事求是、互谅互让的解决问题的原则，曾多次与相邻省、区进行了双边、多边的协商，最终达成了协议，划定了界线，营造了团结、互助、和睦相处的和谐局面。

1957 年 8 月 2 日，内蒙古自治区人民委员会与黑龙江省人民委员会经过勘定、协商，共同批准了扎赉特旗和泰来县《关于划分吐牧吉乡与和平乡的界线协议》、扎赉特旗和龙江县《关于划定三合村嘎查与仙人洞乡南部地区界线协议》。

1965 年 2 月 8 日，内蒙古自治区人民委员会主席乌兰夫在呼和浩特市主持召开内蒙古自治区巴彦淖尔盟与甘肃省武威、张掖、酒泉专区有关旗、县行政界线问题的座谈会。双方经过充分协商后，就阿拉善左旗、阿拉善右旗、额济纳旗与古浪、武威、民勤、永昌、临泽、肃北等各县，存在争议问题的地区的行政区域界线达成了协议。

勘定与宁夏回族自治区相邻行政区域界线 1959 年，内蒙古自治区与宁夏回族自治区组织人员，协商划定了相邻的行政区域界线，形成了边界协议书，标绘了相关的边界线地图。

1988 年，双方民政部门根据边界地区出现的问题，再次进行了专题讨论，并作出了《关于宁夏、内蒙古核实行政区划界线竖立界桩工作的安排意见》。双方共同认为，由于受当时技术条件和测量方式的局限，使得相关界线下协议文字、附图和实地情况之间均存在不相一致之处，加之当初竖立的界标简易，以致年长日久后已经全部被损坏和消失。因此，诱发了新的边界矛盾和争议，不仅给相邻地区政府的行政管理带来困难，也影响了相关地区的民族团结和社会稳定。宁夏、内蒙古 2 个自治区人民政府决定，分别成立自治区、地盟（市）勘界工作领导小组，同时，有关旗、县（市）也组成联合勘界工作组，开始展开实地核界。至 1988 年底，已经核定界线 480 公里。

1989 年，国家民政部将内蒙古自治区与宁夏回族自治区相邻界线列入全国省际勘界试点线。为此，2 个自治区对核定的界线按照《省、自治区、直辖市行政区域界线勘定办法（试行）》和《省级行政区域界线测绘技术规定（试行）》进行了标准化处理。同时，对于有争议的界线和界点，采取以逐层协商为主，自下而上协商，两自治区间协商等方法，解决了大部分存在的争议问题；对于少数久拖不决的争议问题，由民政部适时派人具体指导和协调。

1990年11月，2个自治区有关方面人士在民政部的主持下，于银川市召开了勘界遗留问题协商会议，针对勘界中基层协商难以解决的界点和界线等问题，通过双方的进一步沟通和协商，最终达成了共识，求得了一致。

1992年7月，民政部在北京主持召开了内蒙古自治区和宁夏回族自治区界线收尾工作会议，形成了《关于宁蒙堪界收尾工作的会议纪要》。会议之后，由民政部派员协助2个自治区将会议纪要的内容落到实地。

1994年7月，应内蒙古自治区和宁夏回族自治区的请求，民政部对于刀石泉下井地段界线提出处理意见。至此，各有关旗、县均在边界线地形图上签字，内蒙古自治区与宁夏回族自治区之间的行政区域界线最终划定。9月24日，在2个自治区之间701.8公里行政区域界线的实地勘定、竖立界桩和内业资料汇总工作全部完成之后，由内蒙古自治区勘界领导小组和宁夏回族自治区勘界领导小组，联合作出了《内蒙古自治区、宁夏回族自治区行政区域界线勘定工作总结》。

勘定与吉林省相邻的行政区域界线　1989年，内蒙古自治区民政厅和吉林省民政厅分别向民政部上报了《关于勘定两省、区行政区域界线的请示》报告，10月17日，民政部作出了《关于勘定内蒙古自治区与吉林省之间行政区域界线的批复》。同时，成立了两省、区联合勘界领导小组。

1990年4月7日，两省、区第一次勘界协调会议在内蒙古自治区哲里木盟的通辽市召开，会议制定了《关于勘定内蒙古自治区与吉林省行政区域界线的实施方案》。双方决定：两省、区之间的界线以两省、区原来的协议为依据进行核定；双方有关地、盟、市分别成立勘界工作领导小组，有关旗、县（市）组成联合工作组。次年6月，两省、区在吉林省白城市召开了第二次勘界协调会议。

1995年6月13日和10月18日，两省、区人民政府代表分别在《内蒙古自治区人民政府和吉林省人民政府行政区域界线联合勘定协议书（第一号)》上签字。该协议书明确指出：内蒙古自治区和吉林省的边界线共涉及双方5个盟、地、市，13个旗、县（市）；边界线由北向南从内蒙古自治区、吉林省、黑龙江省3省、区边界线交会点的1号界桩起，到3省、区边界线交会点的266号界桩止，全长800多公里，正式勘定了527.02公里，同时完成了界桩埋设和测绘工作。该协议书还对于内蒙古自治区和吉林省边界线勘定的其他遗留问题，商定了继续解决的原则和办法。

关于蒙吉黑、蒙吉辽2个3省、区边界交会点，已于1991年6月26日在吉林省白城市协商确定。

勘定与山西省相邻的行政区域界线 1996年7月30日，内蒙古自治区、山西省联合勘界工作领导小组办公室第一次联席会议在太原市召开，会议制定了《关于勘定山西省与内蒙古自治区行政区域界线实施方案》。会议强调此次勘界工作应根据国务院《关于开展勘定省、县两级行政区域界线工作有关问题的通知》和国家有关勘界政策法规为依据，以长城、黄河和分水岭为基础，坚持以有利于经济建设为原则，从实际出发，实事求是、互谅互让、友好协商地勘定2省、区的边界线。内蒙古自治区、山西省的有关盟、地、市分别成立了勘界工作领导小组，有关旗、县（市、区）组成联合勘界工作组。年底，即完成了对于边界线的调查、协商、勘定和界桩埋设以及测绘等项工作。

1997年1月23日，2省、区代表签署了《山西省人民政府和内蒙古自治区人民政府联合勘定的行政区域界线协议书》。内蒙古自治区、山西省之间的边界线涉及双方6个盟、地、市，14个旗、县（市、区），边界线由西向东，从山西省、内蒙古自治区、陕西省3省、区边界线交会点起，到河北省、山西省、内蒙古自治区3省、区边界线交会点止，全线长453.6公里，已经全部埋设界桩，并完成了测绘工作。该协议书对于内蒙古自治区、山西省边界线走向、界桩位置都作出详细说明，对于边界线的维护和管理均作了明确规定。

冀晋蒙、晋蒙陕2个3省、区边界交会点，分别已于1996年8月28日、9月19日，在内蒙古自治区乌兰察布盟的兴和县、山西省的河曲县签字。

勘定与黑龙江省相邻的行政区域界线 1997年4月，内蒙古自治区人民政府和黑龙江省人民政府勘界工作领导小组，研究制定了《内蒙古自治区和黑龙江省联合勘定行政区域界线实施方案》。2省、区有关的5个盟、地、市，分别成立了勘界工作领导小组，毗邻的17个旗、县（市、区）组成联合勘界工作组，展开实地勘界工作。10月完成了对蒙、黑边界线的调查、勘定、竖桩和测绘工作。边界线北由中俄界线上的2省、区分界点起，向南至内蒙古自治区、吉林省、黑龙江省的3省、区边界线交会点止，全长2 302公里（蒙吉黑3省、区边界线交会点已于1991年6月26日，在内蒙古自治区兴安盟的扎赉特旗签署了协议）。双方同意内蒙古自治区鄂伦春自治旗与黑龙江省的呼中区、新林区、呼玛县、嫩江县的行政区域界线，按双方习惯线划定。对于加格达奇、松岭地区，在中共中央、国务院作出新的决定之前，仍维持现行管理体制。

勘定与辽宁省相邻的行政区域界线 1998年3月10日，内蒙古自治区人民政府和辽宁省人民政府勘界领导小组办公室在沈阳市召开第一次协商会议，会议形成了《内蒙古自治区与辽宁省联合勘定行政区域界线实施方案》,并报经国务院勘界工作领导小组批准。7月23日，2省、区勘界领导小组办公室，在内蒙古自治区的通辽市召开了第二次协商会议，在双方旗、县级会商核定了大部分边界线的基础上，协商确定了在旗、县会商中有争议的问题。9月10日、12月26日，2省、区勘界领导小组办公室在国务院勘界领导小组的指导下，先后召开了第三次、第四次协商会议，重点协商讨论了2省、区勘界遗留问题。

1999年7月12日，在国务院勘界领导小组指导下，2省、区勘界领导小组办公室再次协商，确定了内蒙古自治区、辽宁省勘界遗留的2处争议地段的界线走向。8月，内蒙古自治区人民政府代表和辽宁省人民政府代表在2省、区《联合勘定的行政区域界线协议书》上签字。蒙辽边界线涉及双方6个盟、市，15个旗、县（市、区），由西向东从冀蒙辽3省、区边界线交会点起，至蒙辽吉3省、区边界线交会点界桩止，全长1162.5公里，全部勘定、竖桩、绘图。

根据内蒙古自治区民政厅区划处统计资料，截至2000年底，内蒙古自治区按照国务院下达的任务，与接壤的8个省、区勘定了行政区域界线9 230.9公里；自治区内勘定了12个盟、市、101个旗、县（市、区）之间的界线21 750公里，苏木、乡、镇之间的界线50 000多公里。

此外，从1991年开始，在外交部的统一安排下，内蒙古自治区勘界委员会与俄罗斯有关地区官方，对内蒙古自治区所辖的中俄边界东段，进行了勘界、竖界标作业工作。至1995年8月31日，双方共完成了1 048公里边界线101座界标的竖立、测定工作，拆除了旧界线标志和压（越）界设施，开辟了界标通道，完成了水文测量等工作。

第二节　中国共产党内蒙古自治区委员会

中国共产党内蒙古自治区委员会是中国共产党内蒙古自治区代表大会闭会期间自治区党的最高权力机关，执行党的代表大会的决议，并领导全区党的各项工作。是中国共产党中央委员会在内蒙古自治区的地方组织，接受中央委员会的直接领导。由内蒙古自治区党的代表大会选举产生，简称内蒙古党委（亦称“中共内蒙古自治区委员会”）。

一、新中国成立后内蒙古地区中共党组织领导机构及组织沿革

（一）中共中央内蒙古分局

1947 年 7 月 1 日，内蒙古共产党工作委员会成立后，内蒙古地区党的组织迅速扩大。1949 年党的基层支部发展到 2 100 个，党员总数 27 139 人，建立内蒙古地区统一的党组织的条件基本成熟。1949 年 11 月中共中央决定撤销内蒙古共产党工作委员会，成立中共中央内蒙古分局。内蒙古分局由委员 7 人、候补委员 3 人组成，书记乌兰夫（云泽）。隶属中共中央华北局领导，机关驻地由乌兰浩特迁往张家口。1952 年 5 月，中央决定苏谦益、杨植霖为内蒙古分局委员，苏谦益任内蒙古分局副书记。中共中央内蒙古分局所辖地方组织：中共内蒙古东部区委员会、察哈尔盟地委、锡林郭勒盟委。

中共中央内蒙古分局领导人：

书　　记　乌兰夫（蒙古族，1949. 11—1952. 8）

副 书 记　苏谦益（1952. 5—8）

委　　员　乌兰夫（蒙古族，1949. 11—1952. 8）

　　　　　奎　璧（蒙古族，1949. 11—1952. 8）

　　　　　刘　春（1949. 11—1952. 8）

　　　　　王逸伦（1949. 11—1952. 8）

　　　　　王再天（蒙古族，1949. 11—1952. 8）

　　　　　王　铎（1949. 11—1952. 8）

　　　　　高增培（高锋，1949. 11—1952. 8）

苏谦益（1952. 5—8）
杨植霖（1952. 5—8）
候补委员　吉雅泰（蒙古族，1949. 11—1952. 8）
克力更（蒙古族，1949. 11—1952. 8）
特木尔巴根（蒙古族，1949. 11—1952. 8）
秘 书 长　权星垣（1949. 11—1952. 8）

1949 年 11 月，中共中央内蒙古分局领导机关西迁张家口时，为加强对内蒙古东部地区党的工作的领导，中共中央决定成立中国共产党内蒙古东部区委员会（简称“东部区党委”），受中共中央内蒙古分局直接领导。东部区党委由 20 人组成，设正副书记各 1 人。机关驻地乌兰浩特（1954 年初迁驻海拉尔），负责呼纳盟、兴安盟、哲里木盟、昭乌达盟党的领导工作。1955 年 5 月经中共中央批准，内蒙古党委决定撤销东部区党委。

中国共产党内蒙古东部区委员会领导人：

书　　记　刘　春（1949. 11—1950. 9）
王　铎（1950. 9—1955. 5）
副 书 记　王逸伦（1949. 11—1955. 5）
常　　委　刘　春（1949. 11—1952）
王逸伦（1949. 11—1955. 5）
克力更（蒙古族，1949. 11—1955. 5）
夏辅仁（1949. 11—1955. 5）
胡秉权（1949. 11—1955. 5）
胡子寿（1949. 11—1955. 5）
高锦明（满族，1949. 11—1955. 5）
伍　彤（1949. 11—1955. 5）
特木尔巴根（蒙古族，1949. 11—1955. 5）
哈丰阿（蒙古族，1949. 11—1955. 5）①

① 参见《中国共产党内蒙古自治区组织史资料》，内蒙古人民出版社 1995 年版，第 116—117 页；《内蒙古自治区志 · 共产党志》，内蒙古人民出版社 1999 年版，第 639—640 页；王铎：《五十春秋——我做民族工作的经历》，内蒙古人民出版社 1992 年版，第 312 页。

（二）中国共产党绥远省委员会

1949 年 6 月，根据华北人民政府命令原绥蒙区改称绥远省，中共中央随之决定建立中国共产党绥远省委员会（简称“中共绥远省委”），隶属中共中央华北局领导，原绥蒙区党委撤销。12 月中共绥远省委由丰镇迁驻归绥市（今呼和浩特市）。中共绥远省委所辖地方组织：归绥市委、包头市委、乌兰察布盟委、伊克昭盟委、陕坝地委、包头（萨县）地委、集宁地委、土默特旗委、绥东四旗中心旗委。1952 年 8 月 25 日，中共中央批准华北局决定，中共绥远省委与中共内蒙古分局合并，撤销中共绥远省委，中共内蒙古分局改称中共蒙绥分局，中共绥远省委委员参加中共蒙绥分局为委员。中共绥远省委所辖地方党组织由中共蒙绥分局直接领导。

中国共产党绥远省委员会领导人：

书　　记　高克林（1949. 6—1952. 8）
　　　　　苏谦益（代，1949. 6—1952. 8）
常　　委　高克林（1949. 6—1952. 8）
　　　　　苏谦益（1949. 6—1952. 8）
　　　　　杨植霖（1949. 6—1952. 8）
　　　　　姚　喆（1949. 6—1952. 8）
　　　　　裴周玉（1949. 6—1952. 8）
　　　　　王文达（1949. 6—1952. 8）
秘 书 长　李　质（1949. 6—1952. 8）
副秘书长　陈之向（1952. 5—8）①

（三）中共中央蒙绥分局

1952 年 8 月 25 日，中共中央批准华北局决定，将中共绥远省委和中共中央内蒙古分局合并，撤销中共绥远省委建制，中共中央内蒙古分局改称中共中央蒙绥分局，隶属中共中央华北局领导。原绥远省委委员参加蒙绥分局为委员，分局机关从张家口迁驻归绥市。中共中央蒙绥分局所辖地方组织：归绥市委、包头市委、东部区党委、察哈尔盟地委、锡林郭勒盟工委、乌兰

① 参见《中国共产党内蒙古自治区组织史资料》，内蒙古人民出版社 1995 年版，第 70 页；《内蒙古自治区志 · 共产党志》，内蒙古人民出版社 1999 年版，第 98 页。

察布盟委、伊克昭盟委、陕坝地委、集宁地委、绥东四旗中心旗委、土默特旗委。

中共中央蒙绥分局领导人：

书　　记　乌兰夫（蒙古族，1952.8—1954.3）

副 书 记　苏谦益（1952.8—1954.3）

常　　委　（1953年5月始设）

乌兰夫（蒙古族，1953.5—1954.3）

苏谦益（1953.5—1954.3）

杨植霖（1953.5—1954.3）

奎　璧（蒙古族，1953.5—1954.3）

王文达（1953.5—1954.3）

王再天（蒙古族，1953.5—1954.3）

王逸伦（1953.5—1954.3）

潘纪文（1953.5—1954.3）

高增培（1953.5—1954.3）

秘 书 长　高锦明（满族，1952.9—1953.5）

常振玉（1953.5—1954.3）

副秘书长　陈之向（1952.5—1954.3）

李　质（1952.9—1953.11）①

（四）中共中央内蒙古分局

1954年1月28日，经中央人民政府政务院第204次政务会议讨论通过，内蒙古自治区人民政府、绥远省人民政府共同发布布告："绥远、内蒙古合并，撤销绥远省建制和绥远省人民政府；自1954年3月6日起，原绥远省辖区统一由内蒙古自治区人民政府领导"。随着行政建制的改变，经中共中央同意从3月15日起，将中共中央蒙绥分局改称中共中央内蒙古分局，隶属中共中央华北局领导。中共中央内蒙古分局所辖的地方组织：东部区党委、归绥市委、包头市委、察哈尔盟地委、锡林郭勒盟委、乌兰察布盟委、伊克昭盟委、河套（原陕坝）地委、平地泉（原集宁）地委、绥东四旗中

① 参见《内蒙古自治区志·共产党志》，内蒙古人民出版社1999年版，第641页。

心旗委、土默特旗委。机关驻地归绥市。

中共中央内蒙古分局领导人：

书　　记　乌兰夫（蒙古族，1954.3—1955.7）
副 书 记　苏谦益（1954.3—1955.7）
　　　　　杨植霖（1954.6—1955.7）
　　　　　奎　璧（蒙古族，1954.3—1955.7）
常　　委　乌兰夫（蒙古族，1954.3—1955.7）
　　　　　苏谦益（1954.3—1955.7）
　　　　　杨植霖（1954.3—1955.7）
　　　　　奎　璧（蒙古族，1954.3—1955.7）
　　　　　王文达（1954.3—1955.7）
　　　　　王再天（蒙古族，1954.3—1955.7）
　　　　　王逸伦（1954.3—1955.7）
　　　　　潘纪文（1954.3—1955.7）
　　　　　高增培（1954.3—1955.7）
　　　　　王　铎（1954.6—1955.7）
秘 书 长　常振玉（1954.3—1955.7）
副秘书长　陈之向（1954.3—1954.11）①

二、中国共产党内蒙古自治区委员会领导机构与组织沿革

中国共产党内蒙古自治区委员会。1955 年 7 月 1 日，中共中央决定撤销中共中央内蒙古分局，改设中国共产党内蒙古自治区委员会，隶属中共中央华北局领导。设委员 21 人，常务委员会委员 9 人。

中国共产党内蒙古自治区代表会议　1955 年 9 月 2 日至 14 日在呼和浩特市举行。会议代表 180 人。自治区有关方面负责人列席会议。乌兰夫作了题为《加强党对经济建设工作的领导，为胜利完成和超额完成国家和自治区第一个五年计划而奋斗》的报告；通过了《中共内蒙古自治区代表会议关于拥护〈中国共产党全国代表会议关于高岗、饶漱石反党联盟的决

① 参见《内蒙古自治区志 · 共产党志》，内蒙古人民出版社 1999 年版，第 642 页。

议〉的决议》《中国共产党内蒙古自治区代表会议关于发展农牧业生产互助合作的决议》以及《中国共产党内蒙古自治区代表会议关于内蒙古自治区发展国民经济的第一个五年计划草案的决议》；会议根据《中国共产党全国代表会议关于成立党的中央和地方监察委员会的决议》，选举产生了中共内蒙古自治区监察委员会，书记奎璧，副书记黄巨俊、沈新发、杨经纬。

9 月 19 日，中共中央批准成立了中国共产党内蒙古自治区委员会书记处，由书记乌兰夫，副书记苏谦益、杨植霖、奎璧、王铎组成。

根据自治区在社会主义过渡时期各项工作的实际情况，适应有计划地发展经济建设的形势，加强党的统一领导，经中共中央批准，11 月 15 日内蒙古党委决定，撤销中国共产党内蒙古东部区委员会，并在呼伦贝尔盟建立中国共产党呼伦贝尔盟委员会。原属东部区党委领导的昭乌达盟委、哲里木盟委以及新建的呼伦贝尔盟委均由内蒙古党委直接领导。

1956 年 6 月，原属甘肃省领导的巴彦浩特蒙古自治州划归内蒙古自治区后改称巴彦淖尔盟；11 月 6 日中国共产党巴彦淖尔盟委员会建立，直属内蒙古党委领导。

至此，中国共产党在内蒙古自治区统一的领导机构正式形成。中国共产党内蒙古自治区委员会所辖的地方组织有：呼和浩特市委、包头市委、呼伦贝尔盟委、昭乌达盟委、哲里木盟委、锡林郭勒盟委、察哈尔盟委、乌兰察布盟委、伊克昭盟委、巴彦淖尔盟委、平地泉行政区地委、河套行政区地委、绥东四旗中心旗委、土默特旗委。机关驻地呼和浩特市。

中国共产党内蒙古自治区委员会领导人：

书　　记　乌兰夫（蒙古族，1955. 7—1956. 7）

副 书 记　苏谦益（1955. 7—1956. 7）

杨植霖（1955. 7—1956. 7）

奎　璧（蒙古族，1955. 7—1956. 7）

王　铎（1955. 7—1956. 7）

常　　委　乌兰夫（蒙古族，1955. 7—1956. 7）

苏谦益（1955. 7—1956. 7）

杨植霖（1955. 7—1956. 7）

奎　璧（蒙古族，1955. 7—1956. 7）

王　铎（1955. 7—1956. 7）

王逸伦（1955. 7—1956. 7）

王再天（蒙古族，1955. 7—1956. 7）

王文达（1955. 7—1956. 7）

高增培（1955. 7—1956. 7）

吉雅泰（蒙古族，1955. 12—1956. 7）

权星垣（1955. 12—1956. 7）

秘书长　常振玉（1955. 7—1956. 7）①

中国共产党内蒙古自治区第一届委员会　1956 年 7 月 5 日至 17 日，中国共产党内蒙古自治区第一次代表大会在呼和浩特市召开。出席会议的代表 392 人，候补代表 30 人，代表着全区 151 756 名党员。正式代表中有少数民族代表 152 人，占 38. 78%；妇女代表 34 人，占 8. 67%。45 岁以下有 368 人，占 92. 23%。代表中有区以上各级党、政、军、经济、文化教育、卫生、科学、群众团体等部门的领导干部 345 人，工矿企业、农村牧区和农业生产合作社基层组织的代表 29 人，劳动模范和先进工作者 25 人。代表中还有大革命、土地革命、抗日战争、解放战争时期以及新中国成立后入党的党员。

会议是在贯彻中国共产党民族区域自治政策，实现内蒙古统一的民族区域自治，在自治区农业、牧业、手工业和资本主义工商业的社会主义改造基本完成，各级党组织逐步完善的形势下，为发扬党内民主，充分调动党员建设社会主义的积极性，确保国民经济第一个 5 年计划的实现，在旗县市等基层党组织普遍召开党代会的基础上召开的。会议听取、审查并通过了乌兰夫受内蒙古党委委托作的工作报告，以及中共内蒙古自治区监察委员会的工作报告。会议选举产生了中国共产党内蒙古自治区第一届委员会，委员 35 人，候补委员 13 人。还选举产生了内蒙古自治区出席中共第八次全国代表大会代表 21 人、候补代表 2 人。

中共内蒙古自治区第一届委员会共召开了 16 次全委会议。历次会议均

① 参见《内蒙古自治区志·共产党志》，内蒙古人民出版社 1999 年版，第 642—643 页。

在呼和浩特市举行，会议均由委员、候补委员出席，自治区有关方面负责人列席。

一届一次全委会议（1956. 7. 20） 选举了中国共产党内蒙古自治区第一届委员会常务委员会委员和书记处书记。经中共中央批准，由乌兰夫等15人组成中共内蒙古自治区第一届委员会常务委员会；乌兰夫任书记处第一书记，苏谦益、杨植霖、奎璧、王铎任书记。

一届二次全委会议（1956. 11. 5—19） 乌兰夫作了《内蒙古党代表大会以来的主要工作概况和当前主要工作的报告》，会议传达了中共第八次全国代表大会文件，通过了《关于贯彻八大决议，整顿党的作风，加强党对社会主义建设的领导的决议》。

一届三次全委会议（1957. 5. 20—23） 传达了毛泽东在最高国务会议第11次（扩大）会议上《关于正确处理人民内部矛盾的问题》讲话、《中共中央关于整风运动的指示》等中共中央文件，通过了《内蒙古党委执行中央关于整风运动的指示的计划》。

一届四次全委会议（1957. 10. 16—24） 传达了中共八届三中（扩大）会议文件，研究了进一步深入开展整风、反右派斗争和社会主义教育问题，自治区1958年生产计划和第二个五年计划轮廓问题，牧业生产政策及牧区社会主义改造规划等问题。

一届五次全委会议（1958. 1. 15—16） 讨论修改了自治区《第二个五年计划主要轮廓和1958年国民经济计划》。

一届六次全委会议（1958. 4. 16—27） 传达了中央领导在中央政治局扩大会议上的讲话，讨论了解放思想、克服教条主义、经验主义和大办工业问题，原则通过了自治区《关于第二个五年计划期间发展地方工业的规划纲要（草案）》，通过了自治区《关于农业技术改造的决定》。

一届七次全委会议（1958. 5. 29—6. 4） 传达了中共八届二次会议文件，通过了《关于贯彻执行社会主义建设总路线的决议》和《关于创办理论刊物的决定》，刊名为《实践》。

一届八次全委会议（1958. 9. 10—21） 传达了中央政治局北戴河扩大会议和中央召开的各省、自治区、直辖市工业书记会议文件，通过了《内蒙古党委关于加强党对工业领导的决议》《内蒙古党委关于全面规划争取农业生产二三年内亩产千斤的决定》《关于加强物资调配和管理工作的决定》《关于执行中央全面皆兵的方针的决定》等文件。

一届九次全委会议（1958. 12. 27—1959. 1. 7） 传达了中共八届六次全会文件，通过了《关于整顿、巩固人民公社若干问题的指示》《关于牧区人民公社若干问题的指示》和《推动基本农田制和在农业区和半农半牧区大力发展畜牧业生产的决定》等文件。

一届十次全委会议（1959. 8. 29—9. 13） 乌兰夫作了《关于目前内蒙古的形势与任务》的报告，会议传达了中共八届八中全会文件，通过了《坚决保卫党的总路线，反对右倾机会主义思想，深入开展增产节约运动的决议》。

一届十一次全委会议（1960. 2. 10—18） 乌兰夫作了《新阶段、新形势、新任务》的报告，会议传达了中共中央政治局扩大会议文件，确定了自治区的建设方针，通过了召开中共内蒙古自治区第二次代表大会的决定。

一届十二次全委会议（1960. 11. 24—12. 4） 会议根据《中共中央关于农村人民公社当前政策的紧急指示信》的要求，检查了自治区的工作；揭发批判背离人民公社政策，影响农牧区社会主义生产关系、破坏生产力的“共产风”、浮夸风、命令风等干部思想作风；通过了《关于农村人民公社当前政策问题的补充规定》《牧区人民公社当前政策问题的若干规定》。

一届十三次全委会议（1961. 1. 25—2. 9） 传达了中共八届九中全会通过的《关于在农村深入贯彻“十二条”进行整风整社的决定》等文件，审议通过了《关于 1961 年 1 月至 6 月份粮食销调安排意见》等报告。

一届十四次全委会议（1961. 10. 3—8） 会议根据中央庐山工作会议决定，讨论研究了有关人民生活的粮食、市场安排以及机构精简、整顿教育、整顿工业、农村牧区整风整社等问题；决定按照中央“调整、巩固、充实、提高”的八字方针，对自治区的国民经济进行全面调整。

一届十五次全委会议（1962. 10. 29—11. 3） 传达了中共八届十中全会通过的《关于进一步巩固人民公社集体经济，发展农业生产的决定》《农村人民公社工作条例》《关于商业工作的决定》等文件，通过了《内蒙古党委关于贯彻执行中央关于进一步巩固人民公社集体经济，发展农业生产的决定的指示》《内蒙古党委关于贯彻执行中央关于商业工作问题的决定的指示》

《关于召开中国共产党内蒙古自治区第二次代表大会的决定》。

一届十六次全委会议（1963. 3. 11—15） 学习了中央工作会议文件和中央财政小组《关于讨论1962年调整计划的报告》,通过了内蒙古党委向自治区第二次党代会的报告。

中共内蒙古自治区第一次代表大会之后，经中共中央和政务院同意，对内蒙古自治区盟市行政区划相继作了调整。1958年4月，平地泉地委与乌兰察布盟委合并，组成新一届中共乌兰察布盟委员会，驻地集宁市；7月，河套地委与巴彦淖尔盟委合并，组成新一届中共巴彦淖尔盟委员会，驻地磴口；9月，撤销察哈尔盟及盟委建制，所属旗县划归锡林郭勒盟，组建了新一届的中共锡林郭勒盟委员会，驻地锡林浩特。至此，中国共产党内蒙古自治区第一届委员会所辖地方组织：呼和浩特市委、包头市委、呼伦贝尔盟委、哲里木盟委、昭乌达盟委、锡林郭勒盟委、乌兰察布盟委、伊克昭盟委、巴彦淖尔盟委等7盟2市，机关驻地呼和浩特市。

中国共产党内蒙古自治区第一届委员会领导人：

第一书记 乌兰夫（蒙古族，1956. 7—1963. 4）
书　　记 苏谦益（1956. 7—1962. 8）
　　　　 杨植霖（1956. 7—1962. 8）
　　　　 奎　璧（蒙古族，1956. 7—1963. 4）
　　　　 王　铎（1956. 7—1963. 4）
　　　　 王再天（蒙古族，1960. 3—1963. 4）
　　　　 王逸伦（1960. 3—1963. 4）
候补书记 权星垣（1960. 3—1963. 4）
　　　　 胡昭衡（1960. 3—1963. 4）
常　　委 乌兰夫（蒙古族，1956. 7—1963. 4）
　　　　 苏谦益（1956. 7—1962. 8）
　　　　 杨植霖（1956. 7—1962. 8）
　　　　 奎　璧（蒙古族，1956. 7—1963. 4）
　　　　 王　铎（1956. 7—1963. 4）
　　　　 王文达（1956. 7—1958. 10）
　　　　 王再天（蒙古族，1956. 7—1963. 4）

王逸伦（1956. 7—1963. 4）
权星垣（1956. 7—1963. 4）
吉雅泰（蒙古族，1956. 7—1963. 4）
高增培（1956. 7—1963. 4）
特木尔巴根（蒙古族，1956. 7—1963. 4）
胡昭衡（1956. 7—1963. 4）
刘景平（1956. 7—1963. 4）
黄巨俊（1956. 7—1963. 4）

秘 书 长 常振玉（1956. 7—1958. 11）
周 明（1958. 11—1963. 4）①

中国共产党内蒙古自治区第二届委员会　1963 年 3 月 20 日至 30 日，中国共产党内蒙古自治区第二次代表大会在呼和浩特市召开。按照党章规定这次党代会应于 1959 年举行，由于生产建设和其他重大任务，经内蒙古党委请示中央批准而推迟召开。出席会议代表 412 人，候补代表 41 人，代表全区 274 616 名党员。正式代表中的少数民族代表 192 人，占 46. 6%；妇女代表 59 人，占 14. 32%。33 名自治区有关部门和各盟市旗县负责人列席会议。

这次会议是在内蒙古自治区按照党的社会主义建设总路线要求实现了大跃进和人民公社化，战胜了 3 年严重自然灾害，然而在经济建设、政治等方面仍面临着严峻困难的情况下召开的。乌兰夫作了题为《全党全民团结一致，继续高举三面红旗，为争取自治区社会主义建设的新高涨而斗争》的工作报告；选举产生了中国共产党内蒙古自治区第二届委员会，委员 35 人，候补委员 13 人。

中国共产党内蒙古自治区第二届委员会共举行了 3 次全委会议，历次会议均在呼和浩特市召开，委员、候补委员出席，自治区有关方面负责人列席。

二届一次全委会议（1963. 4. 1）　选举产生了中国共产党内蒙古自治区第二届委员会常务委员会、书记处成员；选举了中国共产党内蒙古自治区监察委员会组成人员。

① 参见《内蒙古自治区志·共产党志》，内蒙古人民出版社 1999 年版，第 643—650 页。

中共内蒙古自治区第二届委员会常务委员会由乌兰夫等 14 人组成；书记处第一书记乌兰夫，书记奎璧、王铎、王再天、王逸伦、权星垣、胡昭衡；中共内蒙古自治区监察委员会书记奎璧，副书记沈新发、尹吉生、高增贵，委员由 12 人组成。

二届二次全委会议（1964. 7. 1—31）　传达了中共中央工作会议文件；讨论和部署了在城乡开展“五反”（反贪污盗窃、反投机倒把、反铺张浪费、反官僚主义、反分散主义）、“四清”（清政治、清经济、清组织、清思想）运动及反修斗争，决定从自治区机关抽调 50% 的干部参加社会主义教育运动，争取在五至七年内完成以阶级斗争为纲的城乡社会主义教育任务；补选了书记处书记、常委会委员等成员。中共中央书记处书记、华北局第一书记李雪峰到会并讲话。

二届三次全委会议（1965. 10. 25—11. 13）　传达了中共中央工作会议文件；研究了有关粮食、生产自救、牧区“四清”及庆祝自治区成立 20 周年等问题；通过了《更高举起毛泽东思想伟大红旗，以自治区社会主义革命和社会主义建设的大发展，迎接国家第三个五年计划和自治区成立 20 周年的决议》。

中国共产党内蒙古自治区第二届委员会领导人：

第一书记　乌兰夫（蒙古族，1963. 4—1966. 5）

书　　记　奎　璧（蒙古族，1963. 4—1966. 5）

王　铎（1963. 4—1966. 5）

王再天（蒙古族，1963. 4—1966. 5）

王逸伦（1963. 4—1966. 5）

权星垣（1963. 4—1966. 5）

胡昭衡（1963. 4—9）

高锦明（满族，1964. 5—1966. 5）

刘景平（1964. 5—1966. 5）

毕力格巴图尔（蒙古族，1964. 5—1966. 5）

常　　委　乌兰夫（蒙古族，1963. 4—1966. 5）

奎　璧（蒙古族，1963. 4—1966. 5）

王　铎（1963. 4—1966. 5）

王再天（蒙古族，1963.4—1966.5）
王逸伦（1963.4—1966.5）
权星垣（1963.4—1966.5）
胡昭衡（1963.4—9）
吉雅泰（蒙古族，1963.4—1966.5）
刘景平（1963.4—1966.5）
王文达（1963.4—1966.5）
高锦明（满族，1964.5—1966.5）
吴 涛（蒙古族，1963.4—1966.5）
李 质（1963.4—1966.5）
毕力格巴图尔（蒙古族，1964.5—1966.5）
黄巨俊（1963.4.1—4.19）
李振华（蒙古族，1964.5—1966.5）
雷代夫（1964.5—1966.5）
克力更（蒙古族，1964.5—1966.5）
张鹏图（1965.10—1966.5）
秘书长 周 明（1963.4—1965.10）
代秘书长 张 鲁（1965.8—1966.5）

1966年1月25日，经内蒙古党委常委92次会议决定：由郭以青、沈新发、陈炳宇、云世英、潮洛濛、布赫、浩帆、厚和、突克、云北峰、肖应棠、李斌三、和兴革13人组成中国共产党内蒙古自治区委员会代理常委。6月8日，经内蒙古党委常委会决定撤销。

中国共产党内蒙古自治区第二届委员会所辖地方组织：呼和浩特市委、包头市委、呼伦贝尔盟委、哲里木盟委、昭乌达盟委、锡林郭勒盟委、乌兰察布盟委、伊克昭盟委、巴彦淖尔盟委7盟2市。①

内蒙古自治区革命委员会与核心小组 从1966年5月至1976年10月的“文化大革命”期间，中共内蒙古自治区委员会基本处于瘫痪状态。这一时期中国共产党在内蒙古地区的领导机构和组织沿革可划分为4个阶段。

① 参见《内蒙古自治区志·共产党志》，内蒙古人民出版社1999年版，第650—653页。

（1）“文化大革命”开始至内蒙古自治区革命委员会成立期间（1966.5—1967.11）

1966年5月21日至25日，中共中央华北局工作会议在北京前门饭店召开（简称“前门饭店会议”），会议传达了《中共中央关于开展无产阶级文化大革命的通知》和中共中央政治局扩大会议内容；组织开展了对内蒙古党委第一书记乌兰夫的所谓反党、反社会主义、反毛泽东思想、搞民族分裂等问题的揭发和批判。会后在自治区逐级传达了乌兰夫的“罪行”，下发了《关于在全区开展文化大革命的初步意见》等文件。

8月4日，内蒙古党委常委会决定成立“内蒙古党委文化革命小组”，组长高锦明，副组长权星垣、李树德；由高锦明主持内蒙古党委日常工作。同时成立了内蒙古党委“四清”领导小组，组长王铎，副组长李质、雷代夫；内蒙古党委生产领导小组，组长李质，副组长沈新发。这些机构同时取代了内蒙古党委的职权。

8月16日，中共中央决定撤销乌兰夫内蒙古党委第一书记、华北局第二书记职务，并任命解学恭为内蒙古党委第一书记，李树德、康修民为书记处书记。11月2日经中共中央同意，免去了乌兰夫内蒙古军区司令员兼政治委员及内蒙古大学校长职务。

1967年4月13日，中共中央作出《关于处理内蒙古自治区问题的决定》（简称“4.13”决定），共8条。该决定错误地宣布支持“呼三司”等造反派群众组织；改组了内蒙古军区领导班子；成立了以刘贤权、吴涛为首的内蒙古自治区革命委员会筹备小组。6月18日，经中共中央批准，内蒙古自治区革命委员会筹备小组正式成立，组长滕海清，副组长吴涛，成员有张广有、邵仲康、高锦明、权星垣、康修民、郝广德、高树华、王志友、刘立棠、霍道余、杨万祥、周文孝、那顺巴雅尔等17人。革命委员会筹备小组实际上取代了内蒙古党委、内蒙古人民委员会的职能，在革命委员会筹备小组的支持下自治区的夺权行动全面展开，各级临时权力机关相继建立。此时的中国共产党内蒙古自治区第二届委员会陷入瘫痪状态。

这一阶段的中国共产党内蒙古自治区委员会所辖的地方组织仍为呼和浩特、包头2个市委、呼伦贝尔、哲里木、昭乌达、锡林郭勒、乌兰察布、伊克昭、巴彦淖尔7个盟委。

中国共产党内蒙古自治区第二届委员会领导人（1966.5—1967.11）：

第一书记　乌兰夫（蒙古族，1966.5—8）

　　　　　解学恭（未到职）

书　　记　奎　璧（蒙古族，1966.5—1967.11）

　　　　　王　铎（1966.5—1967.11）

　　　　　王再天（蒙古族，1966.5—1967.11）

　　　　　王逸伦（1966.5—1967.11）

　　　　　权星垣（1966.5—1967.11）

　　　　　高锦明（满族，1966.5—1967.11）

　　　　　刘景平（1966.5—1967.11）

　　　　　毕力格巴图尔（蒙古族，1966.5—1967.11）

　　　　　李树德（1966.8—1967.11）

　　　　　康修民（1966.8—1967.11）

代理秘书长　张　鲁（1966.5—1967.4）

（2）内蒙古自治区革命委员会成立至军事管制期间（1967.11—1969.12）

1967年11月1日，经中共中央批准，内蒙古自治区革命委员会（简称“内蒙古革委会”）在呼和浩特市成立。主任滕海清，副主任吴涛、高锦明、霍道余，常委19人，委员85人。革委会实行“一元化”领导，总揽了自治区党、政、财、文、司法等所有权力。这一时期内蒙古革委会在呼和浩特市召开了4次全委会议。

革委会第一次全委会议（1967.11.3—5）　通过了《关于内蒙古自治区无产阶级文化大革命形势和任务的决议》。6日召开的革委会第二次常委扩大会议研究了常委分工和机构设置问题。

12月12日，内蒙古革委会发出《关于成立革委会的单位恢复党的组织生活问题座谈会议纪要的报告》,要求按照中共中央的指示，根据不同情况建立临时党委、总支、支部或党的小组；并指出这是一个过渡的组织形式，与革命委员会暂不建立领导关系。

革委会第二次全委（扩大）会议（1968.1.6—18）　会议错误地认为“内蒙古自治区的无产阶级文化大革命虽然取得了决定性胜利”，但“阶级斗争的盖子还没有彻底揭开”，“乌兰夫反党集团的残余势力和流毒还没有挖尽肃清”。因此，提出“要打一场挖乌兰夫黑线，肃乌兰夫流毒（简称‘挖肃’运动）的人民战争”。

1968年2月13日，经中共中央、中央军委、中央“文革”小组批准，内蒙古自治区革命委员会核心小组成立，由滕海清、吴涛、高锦明、权星垣、李树德、杨永松、李质7人组成。核心小组起党组（党委）的作用，负责办理日常党务工作，与内蒙古革委会暂不建立领导关系。4月10日，内蒙古革委会审干领导小组成立，组长权星垣，副组长李树德，开始对全区各级干部进行全面审查。

革委会第三次全委（扩大）会议（1968.7.5—21） 会议通过了《关于对“内蒙古人民革命党”的处理意见》《关于对“内蒙古人民革命青年团”的处理意见》《关于“挖乌兰夫黑线、肃乌兰夫流毒”斗争中几个具体政策问题的意见》和《关于在牧区划分和清理阶级成分的几项政策规定（草案)》等文件。从此，即“挖肃运动”之后又揭开了挖“新内人党运动”的序幕。

革委会第四次全委（扩大）会议（1968.11.3—19） 会议传达了中共八届十二中全会内容，批判了高锦明的“右倾机会主义路线”，决定在全区各界充分发动群众，深挖、深批、肃清刘少奇等党内最大的走资派及其在内蒙古自治区的代理人乌兰夫的反革命修正主义流毒。于是，内蒙古自治区的“挖肃运动”，特别是挖“新内人党运动”再掀高潮，将这一运动从自治区党、政、军机关入手一直扩大到广大农牧民群众中。

1969年7月5日，经中共中央决定，跨省区调整内蒙古自治区东西两段的部分行政区划。将东部的呼伦贝尔、哲里木、昭乌达3盟分别划入黑龙江、吉林、辽宁3省；西部巴彦淖尔盟的额济纳旗、阿拉善左旗、阿拉善右旗分别划入甘肃省、宁夏回族自治区。从此，内蒙古自治区从所辖的7盟2市缩小为4盟2市；旗县区由96个缩小为57个。即：锡林郭勒盟、乌兰察布盟、伊克昭盟、巴彦淖尔盟、呼和浩特市、包头市。

中国共产党内蒙古自治区革命委员会核心小组领导人：

组　　长　滕海清（军人，1968.2—1969.12）

副 组 长　吴　涛（军人，蒙古族，1968.2—1969.12）

高锦明（满族，1968. 2—1969. 12）

秘 书 长　康修民（1969. 6—12）

（3）军事管制至中共内蒙古自治区第三次代表大会召开期间（1969. 12—1971. 5）

1969 年 12 月 19 日，中共中央作出《关于对内蒙古自治区实行分区全面军管的决定》,责成北京军区承担军管任务。北京军区司令员郑维山、副司令杜文达、副政委黄振堂、张正光组成北京军区内蒙古自治区前线指挥所（简称“前指”），进驻呼和浩特市；并由以上 4 人组成北京军区内蒙古自治区前线指挥所党的领导小组（简称“前指”党的领导小组），书记郑维山，副书记黄振堂、杜文达，对内蒙古自治区实行“一元化”领导，内蒙古革委会在“前指”党的领导小组领导下开展工作。继而，包头市、巴彦淖尔盟、锡林郭勒盟、乌兰察布盟、伊克昭盟等地区的革命委员会、军分区（警备区）分别由第 63 军、第 65 军、第 69 军、第 27 军组成前线指挥所，实行分区军管。

1971 年 5 月 11 日，中共中央批准“前指”党的领导小组《关于内蒙古自治区革命委员会“补台”工作的请示报告》,同意尤太忠任内蒙古革委会主任，增补徐信、邓存伦、赵紫阳、滕俊清、倪子文、宝日勒岱、沈新发为副主任，增补 18 名常委。同时免去滕海清内蒙古革委会核心小组组长、内蒙古革委会主任职务，免去霍道余内蒙古革委会副主任和谢振华、杨永松、张广有、李枫、王志友内蒙古革委会常委职务。

这一时期，内蒙古自治区行政区划和所辖盟市没有变化。

“前指”党的领导小组成员：

书　　记　郑维山（1969. 12—1971. 5）

副 书 记　黄振堂（1969. 12—1971. 5）

杜文达（1969. 12—1971. 5）

（4）中共内蒙古自治区第三次代表大会召开至“文化大革命”结束（1971. 5—1976. 10）

1971 年 5 月 13 日至 18 日。中国共产党内蒙古自治区第三次代表大会在呼和浩特市召开。出席会议代表 680 人，代表党员 19 万余人。代表中军人 176 人，占 25. 9%；工人 180 人，占 26. 5%；农牧民 152 人，占 22. 4%；其他劳动者 37 人，占 5.4%；干部 118 人，占 17.4%；知识分子 16 人，占 2.4%；少数民族 98 人，占 14.4%；妇女 108 人，占 15.9%。选举产生了由 77 名委员、15 名候补委员组成的中国共产党内蒙古自治区第三届委员会。这次大会遵照《中共中央关于召开地方各级党代表大会的通知》要求，开始恢复内蒙古党委对自治区各项工作的领导，自治区内各级党组织陆续恢复和建立，这标志着“踢开党委闹革命”的非正常局面在内蒙古地区的结束。

中国共产党内蒙古自治区第三届委员会在 1976 年 10 月“文化大革命”结束之前，共召开了 6 次全委会议，历次会议均在呼和浩特市举行，有委员、候补委员出席会议，自治区有关方面负责人列席会议。

三届一次全委会议（1971.5.19）　选举产生了中共内蒙古自治区第三届委员会常务委员会委员、书记、第一书记。常委会由尤太忠、吴涛（蒙古族）、徐信、邓存伦、赵紫阳、滕俊清、宝日勒岱（女，蒙古族）、何凤山、褚传禹、王弼臣、王秩然、沈新发、秦淑珍（女）13 人组成。

三届二次全委会议（1971.6.24—7.5）　传达了中央工作会议文件，学习了《毛主席会见美国友好人士斯诺谈话纪要》，讨论了当前国际形势。

三届三次全委会议（1971.10.28—30）　传达了中共中央［1971］67 号文件和关于揭批林彪、陈伯达叛党反革命集团的 7 个文件，以及中央领导在北京军区党委常委扩大会议的讲话；研究部署了向全区干部群众传达上述文件的具体工作。

三届四次全委会议（1972.7.18—8.11）　传达了中央批林整风汇报会议文件，批判了林彪反革命集团阴谋篡党夺权的罪行。

三届五次全委会议（1973.6.5—20）　传达了周恩来在中央工作会议上的 3 次讲话；对《中国共产党党章》提出了修改意见；讨论了关于批判林彪军事路线的两个材料和国民经济计划问题。会议还传达了中共中央［1973］21 号文件，决定成立内蒙古自治区知识青年上山下乡领导小组。选举产生了自治区出席中共第十次全国代表大会的 21 名代表。

三届六次全委会议（1973.9.6—16）　传达了中共第十次全国代表大会文件，研究部署了自治区的工作。尤太忠作了《认真学习十大文件，坚决贯彻十大精神》的报告。

随着地方各级党组织的恢复和建立，为充分发挥地方干部的作用，依据自治区“三支两军”（即支左、支工、支农，军管、军训）会议要求，全区 2 660 名“三支两军”人员，从 1972 年开始先后撤出 1 552 名。结合到各级革委会工作的军队干部，在不影响部门工作的情况下逐步作了调整，其余 1 108 名“三支两军”人员分两批于 1973 年 5 月、7 月撤出。

1973 年 9 月 19 日，内蒙古党委决定撤销内蒙古革委会办公室，成立内蒙古党委办公厅；撤销内蒙古革委会政治部，恢复内蒙古党委组织部、宣传部、统战部。10 月，恢复了自治区直属机关党委、政策研究室等机构。

1975 年 8 月 30 日，经国务院批准设立乌海市（乌达、海勃湾 2 市合并），为自治区直辖市，随即组建了中共乌海市委。

中国共产党内蒙古自治区第三届委员会所辖地方党组织为：锡林郭勒、乌兰察布、巴彦淖尔、伊克昭 4 个盟委，呼和浩特、包头、乌海 3 个市委，59 个旗县区委。总计 1504 个基层党委，817 个党总支，20 965 个党支部，296 638 名党员。

中国共产党内蒙古自治区第三届委员会领导人（1971. 5—1976. 10）：

第一书记 尤太忠（军人，1971. 5—1976. 10）

第二书记 池必卿（1975. 5—1976. 10）

书　　记 吴　涛（军人，蒙古族，1971. 5—1976. 10）

徐　信（军人，1971. 5—1973. 2）

邓存伦（1971. 5—1975. 7）

赵紫阳（1971. 5—1972. 3）

宝日勒岱（女，蒙古族，1975. 2—1976. 10）

刘景平（1975. 2—1976. 10）①

中国共产党内蒙古自治区第三届委员会 （1976. 10—1984. 12） 1976 年 10 月粉碎江青反革命集团的胜利，宣告了“文化大革命”的结束，这时正值中国共产党内蒙古自治区第三届委员会工作期间。1973 年 9 月三届六次全委会议之后，中共内蒙古自治区第三届委员会先后又召开了 9 次全委会议，历次会议均在呼和浩特市举行，均由委员、候补委员出席，自治区有关方面负责人列席。

---

① 参见《内蒙古自治区志·共产党志》，内蒙古人民出版社 1999 年版，第 653—658 页。

三届七次全委会议（1977.6.16—17） 尤太忠作了总结讲话；会议选举产生了内蒙古自治区出席中共第十一次全国代表大会的25名代表。

三届八次全委会议（1979.1.24） 中国共产党内蒙古自治区纪律检查委员会成立，第一书记王逸伦，书记寒峰，副书记石生荣、石汝麟、周吉；纪律检查委员会常务委员会由14人组成。

三届九次全委会议（1979.9.11—19） 内蒙古党委书记周惠作了工作报告；会议通过了《关于继续深入开展真理标准问题讨论补课的决定》《关于召开中国共产党内蒙古自治区第四次代表大会的决议》；讨论了《内蒙古自治区国民经济三年调整规划（草案）》。

三届十次全委会议（1980.3.15—23） 传达和学习了中共十一届五中全会通过的《关于党内政治生活的若干准则》等文件；通过了《关于推迟召开自治区第四次党代表大会的决议》；讨论、修改了自治区有关部门起草的《关于当前农村牧区经济政策落实情况和今后意见》《动员起来，发展生产，增收节支，争取财政状况的迅速好转》《贯彻"调整、改革、整顿、提高"八字方针，大搞增产节约，努力争取我区工业企业减亏增盈》等3个文件。

三届十一次全委会议（1981.1.10—14） 传达了《中共中央政治局会议通报》和中央工作会议文件；研究了自治区国民经济调整和加强改善党的领导等问题；通过了《关于延期召开中国共产党内蒙古自治区第四次代表大会的决议》。

中国共产党内蒙古自治区代表会议 1981年1月15日至24日在呼和浩特市召开，出席会议代表331人。内蒙古党委书记周惠作了工作报告；会议选举产生了自治区出席中共十二大的代表25人，候补代表3人。

三届十二次全委会议（1983.1.15—19） 内蒙古党委书记周惠在报告中提出：内蒙古自治区在经济上实行"林牧为主、多种经营"，在此基础上发展其他各项事业；政治上坚持民族平等、民族团结，实行各民族干部群众"谁也离不开谁"的方针。会议围绕中共十二大文件要求，重点研究了从内蒙古的实际出发，努力实现"翻两番"，全面开创内蒙古社会主义现代化建设新局面等重大问题。

三届十三次全委会议（1983.11.28—30） 传达了中共十二届二中全会文件；学习了邓小平、陈云的讲话和《中共中央关于整党的决定》；研究了内蒙古自治区整党工作的安排。

三届十四次全委会议（1984. 3. 28—4. 1） 会议讨论了深化改革、整党工作等问题；通过了《关于召开中国共产党内蒙古自治区第四次代表大会的决议》。

三届十五次全委会议（1984. 11. 18—20） 学习了中共十二届三中全会通过的《中共中央关于经济体制改革的决定》；审议通过了中共内蒙古自治区第三届委员会向自治区第四次党代表大会的报告（稿）。

1978 年 10 月 10 日，中央根据尤太忠的请求决定免去其内蒙古党委第一书记职务，任命周惠为内蒙古党委第一书记；19 日，中央批准孔飞等 6 人为内蒙古党委副书记。1981 年以后又增补布赫等 6 人为内蒙古党委副书记。1983 年 3 月中央决定调整内蒙古党委领导成员，第一书记周惠，副书记布赫等 4 人，常委石光华等 7 人，原任书记、副书记、常委同时免职。

从 1976 年 10 月至 1979 年 5 月，内蒙古党委所辖地方党组织：呼和浩特、包头、乌海 3 个市委，锡林郭勒、乌兰察布、伊克昭、巴彦淖尔 4 个盟委。1979 年 5 月中共中央、国务院决定恢复内蒙古自治区 1969 年 7 月以前的行政区划，将分别划归黑龙江省、吉林省、辽宁省的呼伦贝尔、哲里木、昭乌达 3 个盟以及分别划归宁夏回族自治区、甘肃省的阿拉善左旗、阿拉善右旗、额济纳旗重新划归内蒙古自治区。

经国务院批准：1980 年 4 月成立阿拉善盟，同时建立中共阿拉善盟委；7 月恢复兴安盟建制，9 月组建中共兴安盟委。1983 年 10 月撤销昭乌达盟建制，改建赤峰市；中共昭乌达盟委改为中共赤峰市委，实行市管县体制。

至此，内蒙古党委所辖地方党组织有：呼和浩特、包头、乌海、赤峰 4 个市委，呼伦贝尔、兴安、哲里木、锡林郭勒、乌兰察布、伊克昭、巴彦淖尔、阿拉善 8 个盟委。

中国共产党内蒙古自治区第三届委员会领导人（1976. 10—1984. 12）：

第一书记 尤太忠（军人，1976. 10—1978. 10）

周　惠（1978. 10—1984. 12）

第二书记 池必卿（1976. 10—1978. 5）

周　惠（1978. 7—1978. 10）

廷　懋（军人，蒙古族，1979. 6—1982. 12）

常务书记　王　铎（1978. 7—1982. 12）
书　　记　吴　涛（军人，蒙古族，1976. 10—1979. 1）
　　　　　宝日勒岱（女，蒙古族，1976. 10—1982. 8）
　　　　　刘景平（1976. 10—1980. 5 逝世）
　　　　　孔　飞（蒙古族，1978. 10—1982. 12）
　　　　　王逸伦（1978. 10—1982. 8）
　　　　　云世英（蒙古族，1978. 10—1982. 12）
副 书 记　张鹏图（1978. 10—1982. 12）
　　　　　杰尔格勒（蒙古族，1978. 10—1982. 2 逝世）
　　　　　李　文（1978. 10—1983. 3）
　　　　　布　赫（蒙古族，1981. 12—1984. 12）
　　　　　石生荣（1981. 12—1983. 3）
　　　　　千奋勇（蒙古族，1981. 12—1984. 12）
　　　　　林蔚然（1982. 4—1983. 3）
　　　　　巴图巴根（蒙古族，1982. 12—1984. 12）
　　　　　刘贵谦（1982. 12—1984. 11）
常　　委　尤太忠（军人，1976. 10—1978. 10）
　　　　　吴　涛（军人，蒙古族，1976. 10—1980. 1 免）
　　　　　滕俊清（1976. 10—1979. 7）
　　　　　宝日勒岱（女，蒙古族，1976. 10—1982. 8）
　　　　　何凤山（1976，10—1977. 9）
　　　　　王弼臣（1976. 10—1978. 10）
　　　　　王稚然（1976. 10—1978. 5）
　　　　　沈新发（1976. 10—1983. 3）
　　　　　秦淑珍（女，1976. 10—1978. 10）
　　　　　李树德（1976. 10—1980. 1 免）
　　　　　刘景平（1976. 10—1980. 5 逝世）
　　　　　池必卿（1976. 10—1978. 5）
　　　　　周　惠（1978. 7—1984. 12）
　　　　　王　铎（1978. 7—1982. 12）

李　文（1978.7—1983.3）
孔　飞（蒙古族，1978.10—1983.3）
王逸伦（1978.10—1982.8）
云世英（蒙古族，1978.10—1982.12）
张鹏图（1978.10—1983.3）
杰尔格勒（蒙古族，1978.10—1982.2 逝世）
黄巨俊（1978.10—1979.11）
布　赫（蒙古族，1978.10—1984.12）
蒋　毅（1978.10—1979.11）
彭梦庾（1978.10—1979.11）
廷　懋（军人，蒙古族，1979.6—1983.3）
黄　厚（军人，1979.6—1982.8）
石生荣（1981.12—1983.3）
千奋勇（蒙古族，1981.12—1984.12）
林蔚然（1982.4—1983.3）
巴图巴根（蒙古族，1982.8—1984.12）
苏　和（蒙古族，1982.8—1984.7）
刘贵谦（1982.8—1984.11）
石光华（1983.3—1984.12）
蔡　英（军人，1983.3—1984.12）
乌　恩（蒙古族，1983.3—1984.12）
李向义（1983.3—1984.12）
田聪明（1983.8—1984.12）
许令妊（女，1983.3—1984.12）

秘书长　侯　永（1976.10—1978.11）
蒋　毅（1978.11—1979.11）
宝音图（蒙古族，1979.11—1982.5）
田聪明（1983.3—1984.12）①

---

① 参见《内蒙古自治区志·共产党志》，内蒙古人民出版社 1999 年版，第 658—665 页。

中国共产党内蒙古自治区第四届委员会 1984年12月1日至7日，中共内蒙古自治区第四次代表大会在呼和浩特市召开，出席会议代表449人，候补代表44人，代表党员673 012名。正式代表中工人34人，占7.6%；农牧民38人，占8.5%；其他劳动者9人，占2%；各类专业技术人员72人，占16%；干部280人，占62.4%；解放军、武警16人，占3.6%；少数民族153人，占34.08%；妇女60人，占13.4%。代表中中青年359人，占79.96%；大专以上文化程度150人，占33.4%。周惠作了题为《坚决贯彻十二届三中全会精神，加快改革步伐，为夺取内蒙古社会主义建设的新胜利而奋斗》的工作报告；会议选举产生了由51名委员、13名候补委员组成的中共内蒙古自治区第四届委员会；由44名委员组成的中共内蒙古自治区顾问委员会；由33名委员组成的中共内蒙古自治区纪律检查委员会。

中共内蒙古自治区第四届委员会期间共举行了9次全委会议，会议均在呼和浩特市召开，由委员、候补委员出席，自治区有关方面负责人列席。

四届一次全委会议（1984.12.8） 会议选举了由周惠等13人组成的中共内蒙古自治区第四届委员会常委会、书记、副书记；通过了中共内蒙古自治区顾问委员会、纪律检查委员会第一次全会选举结果的报告。

四届二次全委会议（1986.1.21—23） 传达了中共全国代表会议文件内容；学习了《中共中央关于国民经济和社会发展第七个五年计划的建议》；讨论了《内蒙古自治区1986—2000年经济、科技、社会总体发展纲要（稿）》。

四届三次全委会议（1986.12.1—3） 内蒙古党委书记张曙光作了报告；会议通过了《内蒙古党委关于1987年贯彻执行〈中共中央关于社会主义精神文明建设指导方针的决议〉的意见》,原则通过了《关于“念草木经，兴畜牧业”的实施方案（试行草案）》。

四届四次全委会议（1987.4.23—24） 会议确定了内蒙古自治区出席中共第十三次全国代表大会的代表候选人预备人选；通过了《内蒙古党委关于召开中共内蒙古自治区代表会议的决定》。

中国共产党内蒙古自治区代表会议 1987年6月21日至25日在呼和浩特市举行。出席会议代表219人。内蒙古党委书记张曙光通报了有关情况；选举产生了出席中共十三大的代表32人。

四届五次全委会议（1987. 12. 26—1988. 1. 3）　内蒙古党委书记王群作了《高举团结建设旗帜，加快改革开放步伐》的报告。会议根据中共十三大的要求，研究确定了自治区的近期三项奋斗目标；讨论了加快和深化改革、实行全方位开放的问题。

四届六次全委会议（1988. 5. 17—19）　会议研究讨论了内蒙古党委常委会向内蒙古自治区七届人大、六届政协提出的内蒙古自治区人大常委会、政府、政协领导人员建议名单。

四届七次全委会议（1989. 5. 6—8）　讨论了关于召开内蒙古自治区第五次党代表大会的有关工作；通过了《关于召开中国共产党内蒙古自治区第五次党代表大会的决议》。会议确定要旗帜鲜明地反对动乱，维护和发展安定团结的政治局面；继续抓好治理整顿、深化改革，推动全区经济稳定协调向前发展；加强党的建设增强党的凝聚力、战斗力和吸引力。

四届八次全委会议（1989. 6. 29—7. 3）　会议传达了中共十三届四中全会文件，确定了把制止平息政治风波、进一步稳定全区局势，作为当前第一位的政治任务；切实抓好治理整顿、深化改革，积极稳妥地发展国民经济；把政治学习和思想教育引向深入；采取有力措施，坚决惩治腐败；聚精会神地搞好党的建设，自觉维护党中央的领导权威。

四届九次全委会议（1989. 12. 15—17）　会议审议了中共内蒙古自治区第四届委员会向自治区第五次党代表大会的工作报告。

1986 年 3 月 21 日，中共中央决定张曙光担任内蒙古党委书记，免去周惠内蒙古党委书记职务；1987 年 8 月 22 日，中共中央决定由王群担任内蒙古党委书记，免去张曙光内蒙古党委书记职务。

这一时期内蒙古党委所辖的地方党组织仍为：呼和浩特、包头、乌海、赤峰 4 个市委，呼伦贝尔、兴安、哲里木、锡林郭勒、乌兰察布、伊克昭、巴彦淖尔、阿拉善 8 个盟委。

中国共产党内蒙古自治区第四届委员会领导人：

书　　记　周　惠（1984. 12—1986. 3）
　　　　　张曙光（1986. 3—1987. 8）
　　　　　王　群（1987. 8—1989. 12）
副 书 记　布　赫（蒙古族，1984. 12—1989. 12）

千奋勇（蒙古族，1984.12—1989.12）
巴图巴根（蒙古族，1984.12—1989.12）
田聪明（1984.12—1989.12）
张丁华（1988.10—1989.12）

常　　委　周　惠（1984.12—1986.3）
布　赫（蒙古族，1984.12—1989.12）
千奋勇（蒙古族，1984.12—1989.12）
巴图巴根（蒙古族，1984.12—1989.12）
石光华（1984.12—1985.10 逝世）
蔡　英（1984.12—1988.9）
乌　恩（蒙古族，1984.12—1986.1）
李向义（1984.12—1986.1）
田聪明（1984.12—1989.12）
许令妊（女，1984.12—1989.12）
周荣昌（1984.12—1989.12）
马振铎（蒙古族，1984.12—1989.12）
文　精（蒙古族，1984.12—1989.12）
刘云山（1986.1—1989.12）
张曙光（1986.3—1987.8）
王　群（1987.8—1989.12）
杨恩博（1988.9—1989.12）
张丁华（1988.10—1989.12）

秘 书 长　田聪明（1984.12—1987.1）
刘云山（1987.1—1989.12）①

中国共产党内蒙古自治区第五届委员会　1989 年 12 月 21 日至 26 日，中共内蒙古自治区第五次代表大会在呼和浩特市召开。出席会议代表 527 人，代表党员 83 万多人。代表中干部 371 人，占 70.4%；各类专业技术人员 93 人，占 17.6%；先进模范 41 人，占 7.8%；解放军、武警、森警 22

① 参见《内蒙古自治区志·共产党志》，内蒙古人民出版社 1999 年版，第 665—671 页。

人，占4.2%；少数民族171人，占32.4%；妇女85人，占16.1%。代表中大专以上文化程度299人，占56.7%；50岁以下283人，占53.7%。这次大会还邀请了土地革命、抗日战争、解放战争时期以及新中国成立以后各个时期的党员代表。王群作了题为《加强党的领导，努力实现三项近期目标，为建设团结、富裕、文明的内蒙古而奋斗》的工作报告；会议听取审查了顾问委员会、纪律检查委员会的工作报告；选举产生了由委员49人、候补委员8人组成的中共内蒙古自治区第五届委员会，由23人组成的中共内蒙古自治区顾问委员会，由31人组成的中共内蒙古自治区纪律检查委员会。

中共内蒙古自治区第五届委员会期间共举行了11次全委会议，会议均在呼和浩特市召开，由委员、候补委员出席，自治区有关部门负责人列席。

五届一次全委会议（1989.12.27—28） 选举出由王群等10人组成的中共内蒙古自治区第五届委员会常委会以及书记、副书记；通过了中共内蒙古自治区顾问委员会和纪律检查委员会第一次全体会议选举结果的报告。

五届二次全委会议（1990.3.17—21） 会议制定了《贯彻中共中央〈关于加强党同人民群众联系的决定〉的措施》。

五届三次全委会议（1991.1.21—25） 传达了《中共中央关于制定国民经济和社会发展10年规划和“八五”计划的建议》；王群作了题为《解放思想，实事求是，团结一致搞建设，为实现第二步战略目标而奋斗》的报告，确定了自治区今后10年和“八五”时期的经济奋斗目标和基本思路。

五届四次全委会议（1991.12.28—1992.1.4） 传达了中共十三届八中全会文件，以及中共中央《关于进一步加强农业和农村工作的决定》；王群作了题为《改革创新，励精图治，努力开创我区农牧业和农村牧区工作新局面》的报告。

五届五次全委会议（1992.4.9—12） 会议讨论了贯彻落实中央民族工作会议的问题。提出要抓紧时机、加快发展，集中精力把全区经济搞上去；扩大对外开放，加快实施沿边发展战略；加大改革力度，加快改革步伐；创造良好的政治环境，保证改革开放和经济发展的顺利进行。通过了《内蒙古党委关于召开中共内蒙古自治区代表会议的决议》和内蒙古自治区出席中共十四大代表候选人预备名单。

中国共产党内蒙古自治区代表会议　1992年6月20日至22日在呼和浩特市举行。代表252人，出席会议229人，请假23人。会议研究了进一步深化改革、扩大开放、加快经济发展等问题；通过了《中共内蒙古自治区代表会议关于王群报告的决议》；选举产生了33名出席中共十四大的代表。

五届六次全委会议（1992.12.28—31）　王群作了题为《围绕建立社会主义市场经济体制目标，加快改革开放步伐，实现我区经济超常规发展》的报告；会议以中共十四大文件为指导，确定了自治区经济超常规发展的重点目标和保证措施。

五届七次全委会议（1993.4.28—29）　会议研究并统一了对全区经济社会发展中一些重大问题的认识；以及对中央同意的自治区八届人大和七届政协会议换届人事安排的认识。

五届八次全委会议（1993.12.22—28）　传达了中共十四届三中全会通过的《中共中央关于建立社会主义市场经济体制若干问题的决定》；王群作了题为《加大改革力度，加快经济发展，努力开创建立社会主义市场经济体制的新局面》的报告，提出了内蒙古自治区加快改革和发展，维护团结稳定的任务和思路。

五届九次全委会议（1994.5.15—16）　内蒙古党委书记刘明祖代表常委会作工作报告；会议通过了《关于召开中共内蒙古自治区第六次代表大会的决议》。

五届十次全委会议（1994.10.16—18）　会议传达了中共十三届四中全会文件；制定了《内蒙古党委贯彻落实中共中央〈关于加强党的建设几个重大问题的决议〉的意见》。

五届十一次全委会议（1994.12.16）　会议审议了第五届委员会向第六次党代表大会的工作报告；听取了关于换届选举人事安排意见的说明；通过了第五届委员会向第六次党代表大会的报告决议。

这一时期内蒙古党委所辖地方党组织仍为呼和浩特、包头、乌海、赤峰4个市委，呼伦贝尔、兴安、哲里木、锡林郭勒、乌兰察布、伊克昭、巴彦淖尔、阿拉善8个盟委。

中国共产党内蒙古自治区第五届委员会领导人：

书　　记 王　群（1989. 12—1994. 8）
刘明祖（1994. 8—12）
副 书 记 布　赫（蒙古族，1989. 12—1993. 6）
张丁华（1989. 12—1991. 12）
千奋勇（蒙古族，1989. 12—1994. 12）
乌力吉（蒙古族，1992. 3—1994. 12）
刘云山（1992. 2—1993. 4）
白恩培（1992. 3—1994. 12）
王　占（1993. 6—1994. 12）
常　　委 王　群（1989. 12—1994. 8）
刘明祖（1994. 8—12）
布　赫（蒙古族，1989. 12—1993. 6）
张丁华（1989. 12—1991. 12）
千奋勇（蒙古族，1989. 12—1994. 12）
乌力吉（蒙古族，1991. 10—1994. 12）
刘云山（1989. 12—1993. 4）
白恩培（1990. 5—1994. 12）
王　占（1993. 6—1994. 12）
格日勒图（蒙古族，1989. 12—1994. 12）
文　精（蒙古族，1989. 12—1990. 5）
杨恩博（军人，1989. 12—1994. 7）
陈奎元（1989. 12—1992. 1）
乌云其木格（女，蒙古族，1989. 12—1994. 12）
冯　秦（1994. 7—12）
彭翠峰（军人，1994. 7—12）
秘 书 长 刘云山（1989. 10—1991. 10）
宋志民（1991. 10—1993. 5）
韩茂华（1993. 5—1994. 12）①

---

① 参见《内蒙古自治区志·共产党志》，内蒙古人民出版社 1999 年版，第 671—676 页。

中国共产党内蒙古自治区第六届委员会　1994 年 12 月 19 日至 23 日，中共内蒙古自治区第六次代表大会在呼和浩特市召开。出席会议代表 597 人，代表党员 95 万人。代表中各级领导干部 415 人，占 69.51%；各类专业技术人员 107 人，占 17.92%；先进模范 48 人，占 8.04%；解放军、武警、边警、森警和消防警察 27 人，占 4.52%；妇女 118 人，占 19.77%；少数民族 183 人，占 30.65%；50 岁以下 351 人，占 58.79%；大专以上文化程度 413 人，占 69.18%。代表中有一定比例的土地革命战争时期以来各个时期入党的党员。刘明祖作了题为《解放思想，求实创新，为实现我区第二步战略目标而奋斗》的报告；审查通过了中共内蒙古自治区纪律检查委员会工作报告；选举产生了由委员 51 人、候补委员 9 人组成的中共内蒙古自治区第六届委员会，由 33 人组成的中共内蒙古自治区纪律检查委员会。

中共内蒙古自治区第六届委员会截至 2000 年底共召开了 11 次全委会议，历次全委会议均在呼和浩特市举行，由委员、候补委员出席，自治区有关部门负责人列席。

六届一次全委会议（1994.12.24）　选举产生了由刘明祖等 13 人组成的中共内蒙古自治区第六届委员会常委会以及书记、副书记；通过了中共内蒙古自治区纪律检查委员会第一次全会选举结果的报告。

六届二次全委会议（1995.8.17—19）　刘明祖作了报告；会议讨论了自治区“九五”计划纲要以及相关问题，讨论通过了《中国共产党内蒙古自治区委员会工作条例》《中国共产党内蒙古自治区委员会关于加强自身建设的决定》。

六届三次全委会议（1996.1.6—10）　刘明祖作了题为《解放思想，振奋精神，真抓实干，艰苦创业，全面实现自治区“九五”奋斗目标》的报告；确定了自治区“九五”期间经济和社会发展的总体目标：完成基本实现小康和初步建立起社会主义市场经济体制的两大历史性任务。围绕这一目标努力实现两个提高（即提高财政收入水平、提高城乡人民生活水平），要紧紧抓住经济体制和经济增长方式转变这一关键，全面实施五大战略措施（即资源转换、开放带动、科教兴区、人才开发、名牌推进）。会议还讨论了《内蒙古自治区国民经济和社会发展第九个五年计划和 2010 年远景目标纲要》；审议通过了《关于加强和完善党政领导班子和领导干部工作实绩考核的决定》。

六届四次全委会议（1996.10.30—11.3）　刘明祖作了题为《加快实现“两个提高”的进程，以优异成绩迎接自治区成立50周年》的报告，会议通过了内蒙古党委《关于贯彻〈中共中央关于加强社会主义精神文明建设若干重要问题的决议〉的意见》《关于递补白音德力海、肖东海为内蒙古党委委员的决定》。

六届五次全委会议（1997.3.28—29）　确定了内蒙古出席中共十五大代表候选人预备人选；通过了《内蒙古党委关于召开中共内蒙古自治区代表会议的决议》；决定递补刘学敏为内蒙古党委委员。

1997年6月18日，中国共产党内蒙古自治区代表会议在呼和浩特市举行。出席会议代表299人，请假11人。刘明祖发表题为《加强党的建设，做好各项工作，以优异成绩迎接十五大召开》的讲话；选举了自治区出席中共十五大代表35人。

六届六次全委会议（1997.10.29—11.2）　刘明祖作了工作报告；会议针对自治区经济社会发展的关键问题，研究了如何把内蒙古的改革开放和现代化建设推向新阶段等问题。

六届七次全委会议（1998.10.23）　会议通过了《关于贯彻中共中央〈关于农业和农村工作若干重大问题的决定〉的意见》。

六届八次全委会议（1999.7.29—31）　会议以江泽民视察自治区重要讲话为指导，贯彻中央关于当前经济工作的一系列中央决策和部署，总结上半年工作，明确下半年任务；讨论通过了《内蒙古党委关于加快产业结构调整的决定》。刘明祖作了题为《加快产业结构调整，再造经济发展优势，把我区改革开放和现代化建设事业继续推向前进》的报告。

六届九次全委会议（1999.10.25—26）　会议通过了《内蒙古党委关于贯彻〈中共中央国有企业改革和发展若干重大问题的决定〉的意见》（共12章，40条），并提出明确要求：1. 加大工作力度，努力完成国民经济增长目标；2. 采取有力措施，认真做好抗灾救灾工作；3. 以“三讲”教育为重点，进一步加强党的建设；4. 抓好自治区政府机构改革工作，为明年盟市、旗县政府机构改革做好准备；5. 做好维护稳定工作，进一步巩固发展全区安定团结的政治局面。

六届十次全委会议（2000. 1. 8） 这次会议主要根据中央关于各省、自治区、直辖市地委换届时间作适当调整的指示，为召开自治区党代表大会做好筹备工作而举行。内蒙古党委副书记白志健作了《关于调整和增选中共内蒙古自治区第六届委员会委员、候补委员和自治区纪委委员原则和名额的说明》。会议审议通过了《关于召开中国共产党内蒙古自治区代表会议的决议》《关于部分同志不再担任中共内蒙古自治区第六届委员会委员、自治区纪委委员职务的决议》；会议决定1月28日召开自治区党代表会议。

中国共产党内蒙古自治区代表会议 2000年1月28日在呼和浩特市举行。刘明祖作了重要讲话。会议充分肯定了内蒙古党委第六届委员会和纪律检查委员会组成以来的工作；增选出内蒙古党委第六届委员会委员9人，候补委员4人，纪律检查委员会委员8人。

六届十一次全委会议（2000. 10. 27—28） 刘明祖作了重要讲话；会议通过了《内蒙古自治区国民经济和社会发展第十个五年计划纲要》。

这一时期中共内蒙古自治区委员会所辖地方组织：呼和浩特市委、包头市委、乌海市委、赤峰市委、呼伦贝尔盟委、兴安盟委、哲里木盟委、锡林郭勒盟委、乌兰察布盟委、伊克昭盟委、巴彦淖尔盟委、阿拉善盟委。

中国共产党内蒙古自治区第六届委员会负责人：

书　　记　刘明祖（1994. 12—）

副 书 记　乌力吉（蒙古族，1994. 12—1998. 2）

　　　　　白恩培（1994. 12—1997. 3）

　　　　　王　占（1994. 12—）

　　　　　乌云其木格（女，蒙古族，1994. 12—）

　　　　　云布龙（蒙古族，1994. 12—2000. 6 殉职）

　　　　　白志健（1998. 7—）

常　　委　刘明祖（1994. 12—）

　　　　　乌力吉（蒙古族，1994. 12—1998. 2）

　　　　　白恩培（1994. 12—1997. 3）

　　　　　王　占（1994. 12—）

　　　　　乌云其木格（女，蒙古族，1994. 12—）

　　　　　云布龙（蒙古族，1994. 12—2000. 6 殉职）

冯　秦（1994.12—1998.5）
彭翠峰（军人，1994.12—2000.12）
韩茂华（1994.12—1997.6）
白　音（蒙古族，1994.12—）
万继生（1994.12—）
周德海（1994.12—）
尤　仁（蒙古族，1994.12—）
任亚平（1998.5—）
张国民（1998.5—）
杨　晶（蒙古族，1998.5—）
白志健（1998.7—）
巴特尔（蒙古族，1999.12—）
胡　忠（1999.12—）
黄高成（军人，2000.12—）
秘书长　韩茂华（1994.12—1997.6）
任亚平（1997.7—）①

三、中国共产党内蒙古自治区顾问委员会（1983.3.11—1992.12.31）

这是中国共产党内蒙古自治区委员会政治上的助手和参谋，在中国共产党内蒙古自治区委员会的领导下工作，简称“内蒙古顾委”。

机构沿革　1983年3月11日中共中央决定，王铎任中国共产党内蒙古自治区顾问委员会主任，副主任张鹏图、林蔚然、沈新发、克力更。7月20日内蒙古党委决定委任义苏平为内蒙古顾委秘书长。12月23日，内蒙古党委决定成立内蒙古顾委筹备组，组长王铎；副组长张鹏图、林蔚然、沈新发、克力更；成员李斌三、寒峰、奇峻山、李文精、云一立、石汝麟、苏雷、周吉、成枫涛、金墨言、墨志清。筹备组根据中共十二大通过的《党章》中的有关规定和党中央的具体要求开展工作。

① 参见《内蒙古自治区志·共产党志》，内蒙古人民出版社1999年版，第676—680页；中共内蒙古自治区六届委员会历次全委会：《文献汇编》，内蒙古党委办公厅编印，内新图准字［2002］第35号。

1984 年 12 月 6 日，中共内蒙古自治区第四次代表大会选举产生了中共内蒙古自治区顾问委员会，委员 44 人。7—10 日，内蒙古顾委第一次全体会议选举产生了中共内蒙古自治区第一届顾问委员会常务委员会，主任王铎；副主任张鹏图、林蔚然、沈新发、克力更；常务委员李斌三、寒峰、奇峻山、李文精、石汝麟、苏雷、周吉、成枫涛、金墨言、墨志清。

1986 年 1 月 3 日经中共中央批准，郝秀山任内蒙古顾委副主任。1988 年 6 月中共中央决定，郝秀山任内蒙古顾委主任，免去王铎主任职务。同月，内蒙古党委任命彭梦庾、王林中、云曙碧、潮洛濛为内蒙古顾委委员、常委。8 月经中共中央批准，陈炳宇任内蒙古顾委副主任。

1989 年 12 月 26 日，中共内蒙古自治区第五次代表大会选举了新一届内蒙古顾委，委员 23 人。27—28 日，内蒙古顾委第一次全体会议选举产生了中共内蒙古自治区第二届顾问委员会常务委员会，主任郝秀山；常务委员彭梦庾、潮洛濛、云曙碧。

1992 年 12 月 31 日，内蒙古党委五届六次全委会议审议批准了内蒙古顾委工作报告，同意报告中提出的关于不再设立内蒙古顾委的建议。1993 年初中国共产党内蒙古自治区顾问委员会逐步撤销，总共存在了 10 年时间。

内蒙古顾委下设办公厅，厅内设有秘书处、联络处、调查研究室。曾出版有内部刊物：《内蒙古顾委通讯》《学习资料》《简报》。

秘 书 长　苏　平（1983. 7—1990. 2）
　　　　　张连维（1990. 2—1993. 3）

职能与主要工作　内蒙古顾委负责人列席内蒙古党委常务会议，内蒙古顾委委员列席内蒙古党委全委会议；根据内蒙古党委的要求，参与自治区党的建设、改革开放、经济发展战略、重要工作及重要人事安排等重大问题的讨论与决策；围绕自治区的各项工作进行调查研究，实事求是地向内蒙古党委、人民政府及有关部门提出建议，同时接受咨询；承担内蒙古党委委托的其他工作任务。

设立顾问委员会是党的干部政策从终身制走向退休制的一种过渡形式。历届内蒙古顾委委员都是为党的事业奋斗了半个世纪以上的老共产党员、正厅局以上的老干部。顾问委员会的设立即可以使战争年代的一批老干部适时地退出第一线，有利于中青年干部进入领导班子，又可以使老干部丰富的工作经验得以继续发挥。内蒙古顾委成立后，在政治上积极发挥党的参谋与助手作用，努力维护安定团结的局面，为自治区的物质文明和精神文明建设做了大量的工作。

中共内蒙古自治区第四次代表大会选出的中国共产党内蒙古自治区顾问委员会共举行了 7 次全体会议。

中共内蒙古自治区第五次代表大会选出的中国共产党内蒙古自治区顾问委员会共举行了 5 次全体会议。①

四、中国共产党内蒙古自治区纪律检查委员会

这是中国共产党内蒙古自治区委员会的纪律检查机关，中共中央纪律检查委员会在内蒙古设立的地方组织，在中央纪律检查委员会和内蒙古党委的领导下工作（简称“内蒙古纪委”）。主要任务：检查全区党的路线、方针、政策的执行情况，检查和处理全区党的组织和党员违反《党章》、党纪的重要或比较重要的案件，受理全区党员的控告和申诉，以及教育党员遵守纪律、维护党的章程和其他重要规章制度等。

社会主义革命和社会主义建设时期组织机构沿革 根据 1949 年 11 月中共中央作出的《关于成立中央及地方各级党的纪律检查委员会的决定》，1950 年 3 月，中共中央内蒙古分局在张家口成立了中共中央内蒙古分局纪律检查委员会，书记王铎，副书记梁一鸣；11 月经中央批准，王再天任书记，副书记夏辅仁、梁一鸣。隶属中共中央华北局纪律检查委员会。

1950 年 1 月，中共绥远省委纪律检查委员会在呼和浩特市成立，书记姚喆，副书记黄巨俊、张如岗。隶属中共中央华北局纪律检查委员会。

1952 年 9 月，随着中共中央蒙绥分局的设立，中共中央内蒙古分局纪律检查委员会和绥远省纪律检查委员会合并，在归绥市组建了中共中央蒙绥分局纪律检查委员会，书记奎璧，副书记夏辅仁、黄巨俊，常委杨作杰、王宏烈；12 月经中央批准杨经纬任副书记。

1954 年 3 月中共中央决定，将中共中央蒙绥分局改为中共中央内蒙古分局。据此，中共中央蒙绥分局纪律检查委员会改称中共中央内蒙古分局纪

① 参见《内蒙古自治区志·共产党志》，内蒙古人民出版社 1999 年版，第 265—267 页。

律检查委员会，隶属关系不变。

1955 年 6 月，中共中央决定撤销中共中央内蒙古分局，成立中共内蒙古自治区委员会。9 月，中共内蒙古自治区代表会议根据中共全国代表大会通过的《关于成立党的中央和地方监察委员会的决议》要求，选举产生了中共内蒙古自治区监察委员会（替代了纪律检查委员会），书记奎璧，副书记黄巨俊、沈新发、杨经纬。隶属中共中央华北局监察委员会。

1958 年 4 月，内蒙古党委决定，中共内蒙古自治区监察委员会与内蒙古自治区人民委员会监察厅合署办公。1959 年 5 月，内蒙古自治区人民委员会监察厅撤销；6 月，将中共内蒙古自治区监察委员会改为中共内蒙古自治区委员会监察委员会（简称“内蒙古党委监委”）。隶属中共中央监察委员会驻华北局监察组。

1963 年 4 月，中共内蒙古自治区第二次代表大会选举产生了内蒙古党委监委；内蒙古党委监委第一次全体会议选举出常务委员会委员 8 名。经中共中央批准奎璧任书记，副书记沈新发、尹吉生、高增贵。

“文化大革命”时期组织机构沿革　1966 年“文化大革命”开始，党的各级监察委员会工作受到严重冲击。1968 年军宣队、工宣队进驻机关后掌握了党的领导权，党的组织机构处于瘫痪状态，党的监察工作被否定。1969 年 1 月党中央监察机构撤销。4 月，中共九大通过的《中国共产党章程》取消了关于党的监察机关的条款，中共内蒙古自治区委员会监察委员会随之撤销。

1969 年，内蒙古自治区革命委员会政治部下设监察组，负责监察工作。1973 年政治部撤销后，重建了中共内蒙古自治区委员会组织部，下设监察处，负责监察工作。从 1969 年至 1976 年，尽管设立了监察部门，然而全区党的监察工作基本处于停滞状态。

社会主义现代化建设时期组织机构沿革　1978 年 12 月 22 日，中共中央十一届三中全会作出重建党的纪律检查机构的决定，并选举产生了中共中央纪律检查委员会。1979 年 1 月 24 日，中共内蒙古自治区委员会四届八次全委会议，选举产生了中共内蒙古自治区委员会纪律检查委员会（简称“中共内蒙古自治区纪委”），第一书记王逸伦，书记寒峰，副书记石生荣、石汝麟、周吉；常委 7 人，兼职常委 2 人。1980 年 1 月中共中央批准，苏雷任副书记。隶属中共中央纪律检查委员会、内蒙古党委的双重领导。各盟市、旗县、机关、院校、厂矿企业的纪律检查机构陆续建立。

1983 年 3 月 2 日，中共中央纪律检查委员会制定了《关于健全党的纪律检查系统，加强纪检队伍建设的暂行规定》。据此，5 月 24 日，中共内蒙古自治区委员会纪律检查委员会更名为中共内蒙古自治区纪律检查委员会（简称“内蒙古自治区纪委”），隶属中共中央纪律检查委员会、内蒙古党委双重领导。内蒙古自治区纪委所辖纪检机构名称也作了相应变更。1983 年 3 月 11 日中共中央决定，石光华任内蒙古党委常委、内蒙古自治区纪委书记，副书记李永生、韩文贵。

1984 年 12 月 1 日，中共内蒙古自治区第四次代表大会选举产生的内蒙古自治区纪委，委员 33 人，常委 5 人；书记石光华，副书记韩文贵。1985 年 7 月 8 日经中共中央批准，内蒙古党委任命巴士杰为副书记。1986 年 1 月，因石光华病故，经中共中央批准任命何耀为书记。1989 年 2 月，经中共中央批准，内蒙古党委任命格日勒图为副书记；5 月 19 日，中共中央决定任命格日勒图为内蒙古党委常委、内蒙古自治区纪委书记，副书记袁明铎、姚祥。

1989 年 12 月 21 日，中共内蒙古自治区第五次代表大会选举产生的内蒙古自治区纪委，委员 33 人，常委 7 人；书记格日勒图，副书记姚祥、谭博文，秘书长孙显谦。1992 年 8 月经中共中央批准，内蒙古党委任命冯志来为副书记。

1988 年 6 月 6 日，中共中央纪律检查委员会、中共中央组织部发出《关于〈党的各级纪委内部机构和干部职务设置的若干规定〉的通知》，对各级纪委内设机构的名称、干部配备的规定以及检查员职务设置的比例均作了明确规定。8 月 23 日，内蒙古自治区纪委、内蒙古党委组织部作出《关于认真贯彻执行〈关于党的各级纪委内部机构和干部职务设置的若干规定〉的通知》，内蒙古自治区各级纪委按上述文件规定对机构设置和干部配备进行了相应调整。到 1993 年 6 月，全区共建立纪检机构 2 626 个，配备专职纪检干部 7 801 人。内蒙古自治区纪委内设机构增至 10 个：办公室、干部室、教育室、调研室、控申室、检查 1、2、3 室、审理室、机关党委，机关人员增至 100 人。全区各级纪检机构基本建立健全，纪检工作得到全面发展，纪检干部队伍基本适应了纪检工作的需要。

1993 年 2 月 22 日，中共中央批转《中央纪委、监察部〈关于中央纪委、监察部机关合署办公和机构设置有关问题的请示〉的通知》,作出中央纪委、监察部机关合署办公的决定。2 月 15 日，内蒙古自治区纪委、监察厅成立了由内蒙古自治区纪委常委会、监察厅党组联席会议领导下的“内蒙古自治区纪委、监察厅机关合署办公室”，主任谭博文，副主任侯钦，成员 8 人。具体落实有关合署事宜。5 月 28 日，内蒙古党委、自治区人民政府批转了内蒙古自治区纪委、监察厅《关于内蒙古纪委、内蒙古监察厅机关合署办公方案及有关问题的请示》《关于盟市、旗（市、区）纪委监察局机关合署办公的意见》,批示指出：本着有利于在内蒙古党委的统一领导下，进一步强化党的纪律检查和政府行政监察两项职能；有利于自治区人民政府继续加强对行政监察工作的领导，监察机关领导班子便于继续向政府负责；有利于避免纪检、监察工作重复交叉，精简机构和人员，提高工作质量和效率的原则，批准内蒙古自治区纪委、监察厅机关合署办公，实行一套工作机构，两个工作名称，履行两种职能的体制。

6 月 29 日，内蒙古自治区纪委、监察厅召开了机关合署办公大会，正式宣布合署办公。合署后的委厅机关人数共 162 人。内蒙古自治区纪委书记格日勒图，副书记韩文贵、姚祥、冯志来，常委孙显谦、张秉铎、云泽林、侯钦、刘玉槐，秘书长孙显谦；监察厅厅长韩文贵，副厅长侯钦、刘玉槐。到 1994 年 4 月全区纪检、监察机关合署办公工作全部完成。

1994 年 12 月 19 日，中共内蒙古自治区第六次代表大会选举产生了由 33 人组成的内蒙古自治区纪委。24 日召开的内蒙古自治区纪委第一次全体会议选举出 9 名常委，书记云布龙，副书记韩文贵、王尚罗、孙显谦，常委侯钦、钟玉堂、李久祥、王斌、娜仁，秘书长钟玉堂；监察厅厅长韩文贵，副厅长侯钦、李久祥。1997 年 8 月 11 日，中共中央决定，尤仁担任纪委书记，免去云布龙纪委书记职务。

合署办公后的领导体制内蒙古自治区纪委常委会履行党的纪律检查和政府行政监察两种职能，完成纪检监察两项任务，对内蒙古党委、中共中央纪律检查委员会全面负责。内蒙古自治区监察厅党员正副厅长全部进入内蒙古自治区纪委常委班子，在常委会统一分工下开展工作，内蒙古自治区监察厅不再设党组。纪委常委、包括未担任内蒙古自治区监察厅领导职务的常委，均有权处理分管部门的行政监察工作。

按照《宪法》规定，合署后的内蒙古自治区监察厅仍然属于政府序列，继续在内蒙古自治区人民政府和监察部的领导下工作，内蒙古自治区监察厅正副厅长的任免仍按有关法定程序办理。内蒙古自治区监察厅的职责、权限、工作程序及与政府各部门的关系等，仍按《中华人民共和国行政监察条例》的规定执行。合署后的监察厅保留厅长办公会议制度，除重大问题由内蒙古自治区纪委常委会集体讨论决定外，其他问题由正副厅长和厅长办公会议按规定的职权范围处理。继续执行民主党派和无党派人士担任各级行政监察机关领导职务的制度。

合署办公后的内设机构合署前内蒙古自治区纪委内设机构 10 个，内蒙古自治区监察厅内设机构 12 个。合署后的内设机构根据工作需要，合并职能相近的，保留职能不同的，加强薄弱部门，共设 15 个行政序列机构，比原来的 22 个精简了 31.8%。设有：办公厅（下设秘书处、案件管理处、行政处、老干部处）、监察综合室、研究室、执法监察室、党风廉政建设室（承担政府纠风办工作）、纪检监察 1、2、3、4、5 室、案件审理室、信访室（保留举报中心）、宣传教育室、干部管理室、机关党委。新组建了《时代风纪》杂志社、内蒙古纪检监察干部培训中心、综合服务中心等 3 个事业单位。

至 1997 年底，全区共建立纪检监察机构 4 490 个，纪检监察专职干部 9 147 人，其中，党员 8 474 人，民主党派 15 人；大专以上学历 5 230 人，中专以下 3 630 人；妇女干部 1 747 人，少数民族干部 2 649 人。

这一时期的中共内蒙古自治区纪律检查委员会书记巴特尔，副书记孙显谦、孟爱贞、钟玉堂，常委王斌、娜仁、陈哲、武兵，秘书长娜仁；内蒙古自治区监察厅厅长孙显谦，副厅长德继民、陈哲。①

第三节 内蒙古自治区人民政府

内蒙古自治区人民政府是省一级国家政权机关，也是内蒙古自治区人民

① 参见《内蒙古自治区志·共产党志》，内蒙古人民出版社 1999 年版，第 279—290 页。

代表大会的执行机关和民族自治地方的自治机关；对内蒙古自治区人民代表大会和国务院负责并报告工作，在自治区人民代表大会闭会期间，对自治区人民代表大会常务委员会负责并报告工作；根据《中华人民共和国宪法》和《中华人民共和国民族区域自治法》的规定，行使法律赋予的职权暨自治机关的自治权；自治区主席由实行民族区域自治的蒙古族公民担任。

内蒙古自治区人民政权始建于1947年5月，当时内蒙古不称自治区，人民政府亦不称自治区人民政府，而称作“内蒙古自治政府”。1949年9月中国人民政治协商会议第一届会议举行时，内蒙古是作为9个区域单位之一参加的，与平、津2市及西北、华北、华东、东北、华中、华南6个解放区和待解放地区并列，相对于大区的行政区。中国人民政治协商会议筹备会第一次全体会议通过的第一届政协全体会议参加单位名单中，开始称内蒙古为“内蒙古自治区”。中华人民共和国建立和中央人民政府组成后，内蒙古自治区隶属于中央人民政府。1949年12月2日，中央人民政府委员会第四次会议通过决议，任命内蒙古自治区政府委员时正式称作“内蒙古自治区人民政府委员”，从此，内蒙古自治政府即正式改称为内蒙古自治区人民政府。

一、内蒙古自治区人民政府（1949.12—1954.3）

1949年12月2日，中央人民政府正式任命了内蒙古自治区主席、副主席和政府委员。15日，为了便于对内蒙古西部地区的领导，内蒙古自治区人民政府开始陆续由乌兰浩特迁往张家口。1950年2月2日内蒙古自治区人民政府启用新印信。当时所辖的地方政府有：呼伦贝尔纳文慕仁盟、兴安盟、哲里木盟、昭乌达盟、锡林郭勒盟、察哈尔盟6个盟级人民政府和满洲里市、海拉尔市、乌兰浩特市、通辽市4个市级人民政府。1950年8月中央人民政府决定，将原属察哈尔省的多伦、宝昌、化德3县划归内蒙古自治区。

1952年5月，中共中央批准华北局关于《内蒙和绥远关系的四项解决办法》,6月28日内蒙古自治区人民政府由张家口迁驻归绥市，除领导内蒙古自治区的各项工作外，同时管理绥远省境内的民族事务。内蒙古自治区人民政府迁绥后，为了加强东部地区的领导工作，11月经中共中央批准设立了东部区行政公署，作为一级政权机构直接领导东四盟各旗县的工作，撤销呼纳、兴安、哲里木3盟建制。1953年11月内蒙古自治区人民政府和绥远省人民政府实行合署办公，直至1954年蒙绥合并。

内蒙古自治区人民政府领导人：

主　　席　乌兰夫（蒙古族，1949.12—1954.3）

副 主 席　哈丰阿（蒙古族，1949.12—1954.3）

　　　　　杨植霖（1952.6—1954.3）

秘 书 长　梁一鸣（1949.12—1954.3）

内蒙古东部区行政公署领导人：

主　　任　王　铎（1952.11—1954.4）

副 主 任　赵云驶（1952.11—1954.4）

　　　　　那钦双合尔（蒙古族，1952.11—1954.4）①

内蒙古自治区高级人民法院　1950年组建，1951年6月配备领导班子。内设机构有办公室、司法行政处、刑事审判庭、民事审判庭。1954年9月，根据《中华人民共和国宪法》《中华人民共和国人民法院组织法》规定，内蒙古自治区人民法院改为内蒙古自治区高级人民法院。

院　　长　赵　诚（蒙古族，1951.6—1954.3）

副 院 长　何警心（1952.4—1954.3）

　　　　　安　平（女，1953.1—1954.3）

内蒙古自治区人民检察署　1951年9月组建，1953年9月根据中央人民政府《各级地方人民检察署组织通则》的规定进一步健全。不久，随着绥远省建制的变更，内蒙古自治区人民检察署与绥远省人民检察署合署办公。

检 察 长　王再天（蒙古族，1951.11—1954.3）

副检察长　孙寒光（1953.10—1954.3）

　　　　　韩彬之（1953.10—1954.1）

内蒙古自治区人民政府工作部门　1950年，内蒙古自治区人民政府设有办公厅、民政部、财经委员会、财政部、农牧部、林务局、交通局、文教

① 参见《内蒙古自治区志·政府志》，方志出版社2001年版，第394页。

部、卫生部、出版局、人民监察委员会、工业局、人民银行、公安部、人民法院、东部区办事处等工作部门。①

二、绥远省人民政府

1949 年 6 月 13 日华北人民政府发布命令，蒙绥区改称绥远省，蒙绥区政府随之改称绥远省人民政府。华北人民政府同时任命了省政府主席、副主席。

主　　席　杨植霖（1949. 6—12）

副 主 席　奎　璧（蒙古族，1949. 6—12）

1949 年 9 月 19 日绥远省和平解放。12 月 31 日原设在绥东解放区的绥远省人民政府与接收改造后的原国民党绥远省政府正式合并，组成新的绥远省人民政府。中央人民政府委员会任命董其武为主席，副主席杨植霖，委员 22 人。绥远省人民政府组建后，财政、粮食、铁道以及各项政策、法令，均在中国人民政治协商会议共同纲领指导下统一起来。1952 年 6 月，中共中央批准董其武辞去绥远省主席职务的请求，决定遗缺由乌兰夫兼任，同时任命苏谦益为副主席。绥远省人民政府所辖地方政府为：归绥、包头 2 个市级人民政府，乌兰察布盟自治区、伊克昭盟自治区 2 个盟自治区人民政府，和林（绥南）专员公署，包头（绥中、萨县）专员公署，集宁（绥东）专员公署，绥东四旗及中心旗人民政府，陕坝专员公署。

绥远省人民政府领导人：

主　　席　董其武（1949. 12—1952. 6）
　　　　　杨植霖（代，1951. 1—1952. 6）
　　　　　乌兰夫（兼，蒙古族，1952. 6—1954. 3）

副 主 席　杨植霖（1949. 12—1954. 3）
　　　　　奎　璧（蒙古族，1949. 12—1954. 3）
　　　　　孙兰峰（1949. 12—1954. 3）
　　　　　苏谦益（1952. 6—1954. 3）

秘 书 长　李维中（1950. 1—1953）

---

① 参见《中国共产党内蒙古自治区组织史资料》，内蒙古人民出版社 1995 年版，第 421—423 页。

绥远省人民政府工作部门 1950年，绥远省人民政府工作部门设有办公厅、民政厅、财政厅、文教厅、工业厅、商业厅（后改为工商厅）、农林厅、公安厅、水利局、交通局、卫生局、新闻出版处、人民法院、财经委员会、人民监察委员会、民族事务委员会、参事室等工作部门。其中，农林厅包括畜牧局，交通局包括公路运输航运管理机构，人民法院包括看守所、监狱，财政厅包括粮食局、税务局。①

三、内蒙古自治区人民政府（1954.3—1955.4）

1954年初，经华北局提请中共中央和政务院批准，决定绥远省与内蒙古自治区合并，撤销绥远省建制，绥远省所辖区域划归内蒙古自治区统一领导；同年1月，绥远省一届三次各界人民代表会议通过了撤销绥远省建制的决议；3月6日正式宣布绥远省建制撤销，绥远省人民政府从即日起停止行使职权。

蒙、绥合并后，内蒙古自治区人民政府经政务院批准，调整了盟级政权建制。撤销集宁区专员公署，成立平地泉行政区人民政府；撤销陕坝区专员公署，成立河套行政区人民政府；结束绥东旗县并存建制，改划为察哈尔右翼前、中、后3个旗；将伊克昭、乌兰察布2个盟自治区分别改为伊克昭盟人民政府和乌兰察布盟人民政府；归绥市为内蒙古自治区首府、包头市作为主要工业基地，均划归内蒙古自治区人民政府直接领导。

1954年4月，内蒙古自治区人民政府决定，并经政务院批准，改归绥市为呼和浩特市；撤销东部区行政公署；撤销兴安盟建制，与呼纳盟辖区合并，改建呼伦贝尔盟人民政府，驻地海拉尔市；恢复哲里木盟建制，原辖区不变，成立哲里木盟人民政府，制定通辽市；昭乌达盟原建制不变，驻地仍在林东；原属内蒙古自治区直接领导的乌兰浩特市、海拉尔市、满洲里市、通辽市均改为盟辖市。

至此，内蒙古自治区人民政府所辖地方政府有：呼和浩特、包头2个市级人民政府，呼伦贝尔、哲里木、昭乌达、锡林郭勒、察哈尔、乌兰察布、伊克昭7个盟级人民政府，平地泉、河套2个行政区人民政府。

① 参见《内蒙古自治区志·政府志》，方志出版社2001年版，第389—392页。

内蒙古自治区人民政府领导人：

主　　席　乌兰夫（蒙古族，1954. 3—1955. 4）

副 主 席　苏谦益（1954. 3—1955. 4）

杨植霖（1954. 3—1955. 4）

奎　璧（蒙古族，1954. 3—1955. 4）

哈丰阿（蒙古族，1954. 3—1955. 4）

王再天（蒙古族，1954. 3—1955. 4）

孙兰峰（1954. 3—1955. 4）

王逸伦（1954. 3—1955. 4）

秘 书 长　梁一鸣（1954. 3—1955. 4）

内蒙古自治区高级人民法院

院　　长　赵　诚（蒙古族，1954. 3—1955. 4）

副 院 长　何警心（1954. 3—1955. 4）

安　平（女，1954. 3—7）

内蒙古自治区人民检察院

检 察 长　王再天（蒙古族，1954. 3—1955. 4）

副检察长　王一民（1954. 3—1955. 4）

内蒙古自治区人民政府工作部门　1954 年 3 月，绥、蒙两个人民政府合并之后的内蒙古自治区人民政府设有办公厅、扫盲委员会、文教委员会、体育运动委员会、公安厅、卫生厅、文化局、教育部、水利局、林业部、农牧部、交通部、民政部、对外贸易局、财经委员会、粮食部、商业部、税务局、财政厅、地质处、劳动局、统计局、建筑工程局、工业部、计划委员会、参事室、政法委员会、机要交通局、民族事务委员会、人事部、监察部、蒙古语文研究会、气象局、人民法院、检察院等工作部门。①

四、内蒙古自治区人民委员会（1955. 4—1967. 11）

从 1955 年 4 月始，内蒙古自治区人民政府改称内蒙古自治区人民委员会，直至 1967 年 11 月内蒙古自治区革命委员会成立止，内蒙古自治区人民

① 参见《内蒙古自治区志 · 政府志》，方志出版社 2001 年版，第 394—397 页。

代表大会共选举产生了3届人民委员会。

内蒙古自治区第一届人民委员会（1955.4—1958.6） 1955年4月在呼和浩特市召开的内蒙古自治区第一届人民代表大会第二次会议，选举产生了内蒙古自治区第一届人民委员会主席1人、副主席7人、委员37人。内蒙古自治区人民政府从此改称内蒙古自治区人民委员会。1956年3月内蒙古自治区第一届人民代表大会第三次会议增选副主席1人。

1956年1月撤销热河省建制，原属热河省管辖的翁牛特、喀喇沁、乌丹、赤峰、宁城、敖汉6个旗县划归内蒙古自治区昭乌达盟管辖，盟人民委员会由林东移驻赤峰；4月国务院决定将原属甘肃省的巴彦浩特蒙古族自治州和额济纳蒙古族自治旗划归内蒙古自治区，设巴彦淖尔盟，成立盟人民委员会，辖阿拉善旗、额济纳旗、磴口县、巴彦浩特市。

1958年4月内蒙古自治区人民委员会决定，撤销各盟一级政权建制，改设各盟行政公署，作为内蒙古自治区人民委员会的派出机构。

同年5月根据国务院决定，内蒙古自治区人民委员会发布命令撤销河套行政区，将其所辖的6个旗县及乌兰察布盟所辖的乌拉特前旗、乌拉特中后联合旗划归巴彦淖尔盟，盟公署移驻磴口县的三盛公镇；撤销平地泉行政区，将其所辖的15个旗县划归乌兰察布盟，盟公署移驻集宁市。

9月撤销察哈尔盟建制、将其所辖旗县划归锡林郭勒盟。至此，内蒙古自治区人民委员会所辖地方行政机关为呼和浩特、包头2市，呼伦贝尔、昭乌达、哲里木、锡林郭勒、乌兰察布、伊克昭、巴彦淖尔7个盟。

内蒙古自治区第一届人民委员会领导人：

主　　席　乌兰夫（蒙古族，1955.4—1958.6）
副 主 席　苏谦益（1955.4—1958.6）
杨植霖（1955.4—1958.6）
奎　璧（蒙古族，1955.4—1958.6）
哈丰阿（蒙古族，1955.4—1958.6）
王再天（蒙古族，1955.4—1958.6）
孙兰峰（1955.4—1958.6）
王逸伦（1955.4—1958.6）
达理扎雅（蒙古族，1956.2—1958.6）

秘 书 长 梁一鸣（1955.4—1957.9）

内蒙古自治区高级人民法院

院　　长 特木尔巴根（蒙古族，1955.4—1958.6）

副 院 长 陈质文（1954.4—1956.10）

刘秀梅（女，1955.4—1958.6）

何警心（1955.4—1958.6）

谢　军（1956.12—1958.6）

康根成（1956.12—1958.6）

内蒙古自治区人民检察院

检 察 长 张如岗（1955.4—1958.6）

副检察长 王一民（1955.4—1958.6）

木　伦（蒙古族，1955.8—1956.12）

刘　耿（1957.6—1958.6）①

内蒙古自治区第二届人民委员会（1958.6—1964.9）　1958 年 6 月召开的内蒙古自治区第二届人民代表大会第一次会议，选举产生了内蒙古自治区人民委员会主席 1 人、副主席 8 人、委员 36 人。1960 年 8 月，内蒙古自治区第二届人民代表大会第三次会议增选副主席 4 人。这一时期，内蒙古自治区人民委员会所辖地方行政机构仍为 7 盟 2 市。

内蒙古自治区第二届人民委员会领导人：

主　　席 乌兰夫（蒙古族，1958.6—1964.9）

副 主 席 苏谦益（1958.6—1962.8）

杨植霖（1958.6—1962.8）

奎　璧（蒙古族，1958.6—1964.9）

哈丰阿（蒙古族，1958.6—1964.8）

王再天（蒙古族，1958.6—1964.9）

孙兰峰（1958.6—1964.9）

王逸伦（1958.6—1964.9）

达理扎雅（蒙古族，1958.6—1964.9）

① 参见《中国共产党内蒙古自治区组织史资料》，内蒙古人民出版社 1995 年版，第 425—426 页。

吉雅泰（蒙古族，1960.3—1964.9）
高增培（1960.3—1964.8）
刘景平（1960.3—1964.9）
朋斯克（蒙古族，1960.3—1964.9）
李　质（1964.5—9）
秘书长　鲁志浩（1958.12—1964.9 代）
内蒙古自治区高级人民法院
院　　长　特木尔巴根（蒙古族，1958.6—1964.9）
副院长　刘秀梅（女，1958.6—1962.6）
何警心（1958.6—11）
谢　军（1958.6—10）
康根成（蒙古族，1958.6—1964.9）
鲁　健（1958.7—1959.11）
刘　耿（1962.3—1963.7）
王一民（1964.3—9）
王若川（1962.5—1964.9）
内蒙古自治区人民检察院
检察长　张如岗（1958.6—1964.9）
副检察长　王一民（1958.6—1964.3）
刘　耿（1958.6—1962.2）①

内蒙古自治区第三届人民委员会（1964.9—1967.11）　1964 年 9 月召开的内蒙古自治区第三届人民代表大会第一次会议，选举产生了主席 1 人、副主席 10 人、委员 38 人。

“文化大革命”即发生在内蒙古自治区第三届人民委员会任期内，因此，在内蒙古自治区“革命委员会”成立前仍属人民委员会建制。1966 年 5 月以后，人民委员会的领导干部被揪斗，机构所属各职能部门以及人民法院、人民检察院受到冲击和破坏，人民委员会基本处于瘫痪状态。

这一时期，内蒙古自治区人民委员会所辖地方行政机关仍为 7 盟 2 市。

① 参见《中国共产党内蒙古自治区组织史资料》，内蒙古人民出版社 1995 年版，第 427—428 页。

内蒙古自治区第三届人民委员会领导人：

主　　席　乌兰夫（蒙古族，1964.9—1966.8）

副 主 席　奎　璧（蒙古族，1964.9—1967.11）

　　　　　王再天（蒙古族，1964.9—1967.11）

　　　　　孙兰峰（1964.9—1967.11）

　　　　　王逸伦（1964.9—1967.11）

　　　　　达理扎雅（蒙古族，1964.9—1967.11）

　　　　　吉雅泰（蒙古族，1964.9—1967.11）

　　　　　刘景平（1964.9—1967.11）

　　　　　朋斯克（蒙古族，1964.9—1967.11）

　　　　　李　质（1964.9—1967.11）

　　　　　沈新发（1964.9—1967.11）

　　　　　张鹏图（1966.5—1967.11）

秘 书 长　鲁志浩（1964.9—1967 代）

内蒙古自治区高级人民法院

院　　长　特木尔巴根（蒙古族，1964.9—1967.11）

副 院 长　康根成（蒙古族，1964.9—1966.5）

　　　　　王一民（1964.9—1966.5）

　　　　　王若川（1964.9—1966.5）

内蒙古自治区人民检察院

检 察 长　张如岗（1964.9—1967.11）

副检察长　刘仙峰（1966.5—1967.11）

　　　　　成少江（蒙古族，1966.5—1967.11）①

内蒙古自治区人民委员会工作部门　1955 年 4 月，内蒙古自治区人民委员会第一次全委会决定，自治区人民委员会设立民政厅、公安厅、司法厅、监察厅、财政厅、粮食厅、工业厅、商业厅、交通厅、农牧厅、林业厅、水利厅、教育厅、卫生厅 14 个厅；对外贸易局、地质局、城市建设局、劳动局、文化局、统计局、物资供应局、气象局、人事局、机要交通局 10

① 参见《中国共产党内蒙古自治区组织史资料》，内蒙古人民出版社 1995 年版，第 428—429 页。

个局；计划委员会、民族事务委员会、蒙古文字改革委员会、体育运动委员会4个委员会；人民委员会办公室、宗教事务处、外事处、参事室4个处室；以及政法、文教、财贸、工业、农牧、国家资本主义等6个办公室。

在此基础上，历经十年的部门变更和整合调整，截至1965年，内蒙古自治区人民委员会的工作部门设有办公厅、档案管理局、外事处、公安厅、民政厅、宗教事务局、参事室、人民检察院、高级人民法院、政法小组办公室、计划委员会、统计局、劳动局、物资局、人事局、编制委员会、物价委员会、经济委员会、重工业厅、轻工业厅、建设厅、手工业管理局、交通厅、煤炭工业管理局、邮电管理局、电业管理局、地质局、设备成套局、农业厅、畜牧厅、林业厅、水利厅、气象局、农牧场管理局、农牧业机械管理局、农业办公室、财政厅、税务局、商业厅、粮食厅、供销合作社、对外贸易局、人民银行、财贸办公室、教育厅、文化局、卫生厅、广播事业管理局、科学技术委员会、体育运动委员会、蒙古语文工作委员会、计划生育委员会、文教办公室、国防工业办公室、二轻工业局。①

五、内蒙古自治区“革命委员会”（1967. 11—1979. 12）（即内蒙古“革委会”）

内蒙古自治区“革命委员会”时期可分为4个阶段。即内蒙古“革委会”成立，取代自治区党政机构，实行“一元化”领导；北京军区对内蒙古自治区实行分区全面军事管制；中共内蒙古自治区第三次代表大会的召开，恢复自治区党的组织，结束“一元化”领导体制；内蒙古自治区第五届人民代表大会召开，内蒙古“革委会”改称内蒙古自治区人民政府。

内蒙古自治区革命委员会成立至实行分区全面军管期间（1967. 11—1969. 12） 1966年5月“文化大革命”开始后，内蒙古自治区人民委员会的工作陷于瘫痪。1967年6月18日，内蒙古自治区“革命委员会”筹备小组成立，筹备小组由17人组成，组长滕海清，副组长吴涛。11月1日，内蒙古自治区“革命委员会”正式成立，同时取代了内蒙古党委、人民委员

① 参见《内蒙古自治区志·政府志》，方志出版社2001年版，第399—407页；《中国共产党内蒙古自治区组织史资料》，内蒙古人民出版社1995年版，第433—490页。

会的职能，实行“一元化”的领导体制。内蒙古革委会由 19 名常委、85 名委员组成，设主任 1 人、副主任 4 人。

1968 年 8 月 30 日召开的内蒙古“革委会”常委扩大会议决定，内蒙古“革委会”下设办公室、政治部、生产建设部、人民保卫组（后改为人民保卫部），自治区原各部、委、厅、局一律停止行使职权，原厅局下属各单位由革委会各部室直接领导；组织自治区直属机关毛泽东思想大学校，滕海清兼任校长，吴涛兼任副校长，下设 5 个分校，直属机关干部除留少数人在革委会工作外，其余人员全部送入大学校。

1969 年 7 月 5 日，经中共中央批准，呼伦贝尔盟（突泉县、科尔沁右翼前旗除外）划归黑龙江省；哲里木盟和呼伦贝尔盟所属突泉县、科尔沁右翼前旗划归吉林省；昭乌达盟划归辽宁省；巴彦淖尔盟所属阿拉善左旗和阿拉善右旗的巴音诺尔、乌力吉、塔木素格布拉格、阿拉腾敖包、笋布日等公社划归宁夏回族自治区；巴彦淖尔盟所属阿拉善右旗和额济纳旗划归甘肃省。

随着内蒙古自治区行政区划的变更，内蒙古“革委会”所辖行政机构缩为 4 盟 2 市，即锡林郭勒盟、乌兰察布盟、伊克昭盟、巴彦淖尔盟、呼和浩特市、包头市。

内蒙古自治区“革命委员会”领导人（1967. 11—1969. 12）：

主　　任　滕海清（军人，1967. 11—1969. 12）

副 主 任　吴　涛（军人，蒙古族，1967. 11—1969. 12）

　　　　　高锦明（满族，1967. 11—1969. 12）

　　　　　霍道余（工人，1967. 11—1969. 12）

　　　　　徐　信（军人，1967. 11—1969. 12）

内蒙古自治区人民检察院

检 察 长　张如岗（1967. 11—1969. 12）

（这一时期，内蒙古自治区人民检察院名义上还存在，但已无法行使职权）

实行分区全面军管至中共内蒙古自治区第三次代表大会召开期间（1969. 12—1971. 5）　1969 年 12 月 19 日，中共中央发布《关于内蒙古实行分区全面军管的决定》，责成北京军区对内蒙古自治区实行分区全面军管。

北京军区组成内蒙古自治区前线指挥部（简称“前指”），进驻呼和浩特市，内蒙古革委会在“前指”党的领导小组领导下开展工作。由北京军区抽人组成“前指”办事机构。实行军管后，1970 年 1 月将原在自治区“毛泽东思想大学校”的大部分干部送入中央开办的唐山“毛泽东思想学习班”。

这一阶段内蒙古自治区 4 盟 2 市的行政区划没有变动；内蒙古自治区高级人民法院、人民检察院的机构被撤销。

北京军区内蒙古前线指挥所领导人（1969. 12—1971. 5）：

郑维山（1969. 12—1971. 5）
杜文达（1969. 12—1971. 5）
黄振堂（1969. 12—1971. 5）
张正光（1969. 12—1971. 5）

内蒙古自治区“革命委员会”领导人（1969. 12—1971. 5）：

主　任　滕海清（军人，1969. 12—1971. 5）
副主任　吴　涛（军人，蒙古族，1969. 12—1971. 5）
霍道余（工人，1969. 12—1971. 5）
徐　信（军人，1969. 12—1971. 5）

中共内蒙古自治区委员会第三次代表大会召开至内蒙古自治区第五次人民代表大会期间（1971. 5—1977. 12）　1971 年 5 月 13 日中共内蒙古自治区委员会第三次代表大会召开，选举产生了中共内蒙古自治区第三届委员会，取消了“革命委员会”“一元化”的领导体制。“革命委员会”作为一级行政机构依然存在。

1972 年 5 月 29 日中共中央军委决定，北京军区在 6 月底以前撤销在内蒙古自治区设立的“前指”党的领导小组及其办事机构，各盟、市、旗、县除参加“三结合”的人员外，其他各军管部队人员全部撤回。对内蒙古自治区实行的分区全面军管结束。

与此同时，内蒙古自治区党政领导机构进行了初步的调整，党政机构分开办公，各行其是。内蒙古“革委会”开始行使人民政府职能。

10 月 1 日内蒙古党委批准，恢复内蒙古自治区高级人民法院。至 1973 年全区各级人民法院全部恢复并行使审判职能。

这一时期，内蒙古党委根据中共中央《关于打破重叠的行政机构，精兵简政，组织起一个革命化的领导班子》的指示，先后调整了“革委会”的办事机构。撤销办公室、政治部、生产建设部的部分组、局、委，成立5个办公室和一些业务局。调整后的“革委会”机关由办公室、政治部、计划委员会、政法办公室、工业交通办公室、农牧林水办公室、财政贸易办公室、文教体育卫生办公室以及各业务局（统计局、劳动局、电业管理局、水利局、农牧业机械管理局、人事局、机关事务管理局）组成。以上5个办公室不作为一级机构，对下不行文；各局为“革委会”的一级机构，在主管业务和既定政策范围内均可以局的名义行文。

1975年8月经国务院批准，由巴彦淖尔盟的乌达市和伊克昭盟的海勃湾市组成乌海市，定为内蒙古自治区的直辖市。

至此，内蒙古革委会所辖的地方行政机关变更为4盟3市。即锡林郭勒盟、乌兰察布盟、伊克昭盟、巴彦淖尔盟、呼和浩特市、包头市、乌海市。

内蒙古自治区“革命委员会”领导人（1971. 5—1977. 12）：

主　　任　尤太忠（军人，1971. 5—1977. 12）

副 主 任　吴　涛（军人，蒙古族，1971. 5—1977. 12）

徐　信（军人，1971. 5—1973. 2）

邓存伦（1971. 5—1975. 7）

赵紫阳（1971. 5—1972. 3）

滕俊清（军人，1971. 5—1977. 12）

倪子文（军人，1971. 5—1977. 12）

宝日勒岱（女，蒙古族，1971. 5—1977. 12）

沈新发（1971. 5—1977. 12）

李树德（1972. 1—1977. 12）

王　铎（1975. 2—1977. 12）

邵子言（1975. 2—1977. 12）

刘景平（1975. 2—1977. 12）

池必卿（1975. 7—1977. 12）

秘 书 长　李　质（1973. 6—1975. 6）

姜　习（1975. 6—1977. 12）

内蒙古自治区高级人民法院

院　　长　李俊元（军人，1972. 10—1973. 11）

副 院 长　刘露洗（1972. 10—1977. 12）

　　　　　李保民（1972. 10—1977. 12）

　　　　　王宏烈（1972. 10—1977. 12）

　　　　　苏　雷（1973. 5—1977. 12）①

内蒙古自治区第五次人民代表大会第一次会议与第二次会议期间（1977. 12—1979. 12）　“文化大革命”结束之初，内蒙古自治区各级政权仍沿袭“革命委员会”的建制。1977 年 12 月，随着拨乱反正的深入开展和社会秩序的逐步恢复，内蒙古自治区第五次人民代表大会在呼和浩特市召开，会议选举产生了由 60 名委员组成的新一届“革命委员会”，设主任 1 人，副主任 14 人，后又增选副主任 4 人；选举产生内蒙古自治区高级人民法院院长。

1978 年 3 月 12 日，根据新的《中华人民共和国宪法》的规定，内蒙古自治区人民检察院恢复建立，12 月正式挂牌办公。

同年 9 月，根据叶剑英在全国第五届人民代表大会上《关于修改宪法的报告》中“省、自治区下面的地区，除自治州以外，不作为一级政权，不设人民代表大会和革命委员会，而设行政公署，作为省、自治区革命委员会的派出机构，任命行政专员和副专员”的内容要求，内蒙古自治区决定将锡林郭勒、乌兰察布、巴彦淖尔、伊克昭 4 个盟的革命委员会改设为行政公署，原革命委员会主任、副主任改任盟长、副盟长。

1979 年 5 月 30 日，中共中央、国务院决定恢复内蒙古自治区 1969 年 7 月以前的行政区划。从 1979 年 7 月 1 日起将 1969 年划归黑龙江、吉林、辽宁 3 省的呼伦贝尔盟、哲里木盟、昭乌达盟，划归宁夏回族自治区的阿拉善左旗，划归甘肃省的额济纳旗和阿拉善右旗重新归属内蒙古自治区。12 月 6 日经国务院批准，设立阿拉善盟，驻阿拉善左旗巴彦浩特镇，辖阿拉善左旗、阿拉善右旗、额济纳旗；1980 年 4 月 1 日阿拉善盟公署正式挂牌办公。

至此，内蒙古革委会所辖地方行政机构变更为呼伦贝尔、昭乌达、哲里木、锡林郭勒、乌兰察布、伊克昭、巴彦淖尔、阿拉善 8 个盟行政公署和呼

---

① 参见《中国共产党内蒙古自治区组织史资料》，内蒙古人民出版社 1995 年版，第 535—604 页。

和浩特、包头、乌海 3 个市政府。

内蒙古自治区革命委员会领导人（1977. 12—1979. 12）：

主　　任　尤太忠（军人，1977. 12—1978. 10）
　　　　　孔　飞（蒙古族，1978. 10—1979. 12）

副 主 任　池必卿（1977. 12—1978. 5）
　　　　　宝日勒岱（女，蒙古族，1977. 12—1979. 12）
　　　　　刘景平（1977. 12—1979. 12）
　　　　　滕俊清（军人，1977. 12—1979. 12）
　　　　　沈新发（1977. 12—1979. 12）
　　　　　王　铎（1977. 12—1978. 10）
　　　　　邵子言（1977. 12—1978. 7）
　　　　　孟　琦（1977. 12—1979. 7）
　　　　　乌　恩（蒙古族，1977. 12—1979. 12）
　　　　　侯　永（1977. 12—1978. 12）
　　　　　张鹏图（1977. 12—1979. 12）
　　　　　姜　习（1977. 12—1979. 12）
　　　　　赵　军（1977. 12—1979. 10）
　　　　　云世英（蒙古族，1977. 12—1979. 12）
　　　　　周　惠（1978. 7—1978. 10）
　　　　　李　文（1978. 7—1979. 12）
　　　　　王逸伦（1978. 10—1979. 12）
　　　　　彭梦庾（1979. 1—1979. 12）

秘 书 长　姜　习（1977. 12—1978. 6）
　　　　　杨达赖（蒙古族，1978. 6—1979. 12）

内蒙古自治区高级人民法院

院　　长　李文精（蒙古族，1977. 12—1979. 12）

副 院 长　刘露洗（1977. 12—1979. 12）
　　　　　苏　雷（1977. 12—1978. 7）
　　　　　李保民（1977. 12—1979. 12）
　　　　　王宏烈（蒙古族，1977. 12—1979. 4）

孙　纲（1979.5—12）
胡尔查图（蒙古族，1979.11—1979.12）
内蒙古自治区人民检察院
检 察 长　韩是今（1978.4—1979.12）
副检察长　徐子干（1978.3—1979.12）
成少江（蒙古族，1978.3—1979.12）①

六、内蒙古自治区人民政府（1979.12—2000.12）

1979年12月18日，内蒙古自治区第五届人民代表大会第二次会议在呼和浩特市召开，会议根据全国五届人大二次会议制定的《中华人民共和国地方各级人民代表大会和地方各级人民政府组织法》和《中华人民共和国全国人民代表大会和地方各级人民代表大会选举法》，成立了内蒙古自治区人民代表大会常务委员会，选举了常务委员会主任、副主任、委员，从组织上、制度上使人民代表大会的立法权力与人民政府的行政职能明确分开；将内蒙古自治区革命委员会改为内蒙古自治区人民政府，恢复了内蒙古自治区人民政府的行政体制，选举了自治区主席、副主席。会议还选举了自治区高级人民法院院长和盟中级人民法院院长，选举了自治区人民检察院检察长和各盟人民检察院检察长。这是中国共产党在十一届三中全会之后为发展社会主义民主，健全社会主义法制，完善地方人民代表大会制度，加强人民政权建设的重大举措。

从1979年12月自治区五届人大二次会议召开至2000年底，内蒙古自治区坚持中国共产党民主集中制的原则，相继召开了第六届、第七届、第八届、第九届人民代表大会，共选举产生了5届内蒙古自治区人民政府领导机构。

内蒙古自治区第五次人代会期间（1979.12—1983.4）　1979年12月18日，内蒙古自治区五届人大二次会议选举产生内蒙古自治区人民政府主席1人，副主席10人，自治区高级人民法院院长，自治区人民检察院检察

① 参见《内蒙古自治区志・政府志》，方志出版社2001年版，第409—420页；《中国共产党内蒙古自治区组织史资料》，内蒙古人民出版社1995年版，第605—606页。

长。1980 年 1 月 1 日，内蒙古自治区革命委员会印章废止，内蒙古自治区人民政府新印章正式启用。

1980 年 7 月 26 日经国务院批准，内蒙古自治区人民政府决定恢复兴安盟和乌兰浩特市（县级）建制，兴安盟辖原呼伦贝尔盟的扎赉特旗、科尔沁右翼前旗、突泉县以及原哲里木盟的科尔沁右翼中旗；10 月兴安盟行政公署正式挂牌办公，机关驻乌兰浩特市。

这一时期内蒙古自治区人民政府所辖地方行政机构变更为呼伦贝尔、昭乌达、哲里木、兴安、锡林郭勒、乌兰察布、伊克昭、巴彦淖尔、阿拉善等 9 个盟行政公署和呼和浩特、包头、乌海 3 个市政府。

1983 年 1 月 13 日，内蒙古自治区五届人大常委会第 15 次会议通过了《关于接受孔飞辞去内蒙古自治区人民政府主席职务请求的决议》《关于布赫代理内蒙古自治区人民政府主席的决定》《关于免去云世英、巴图巴根内蒙古自治区人民政府副主席职务的决定》

内蒙古自治区人民政府领导人（1979. 12—1983. 4）：

主　　席　孔　飞（蒙古族，1979. 12—1983. 1）

　　　　　布　赫（蒙古族，1983. 1—1983. 4）

副 主 席　云世英（蒙古族，1979. 12—1983. 1）

　　　　　杰尔格勒（蒙古族，1979. 12—1982. 2 逝世）

　　　　　郝秀山（1979. 12—1983. 4）

　　　　　彭梦庾（1979. 12—1983. 4）

　　　　　周北峰（1979. 12—1983. 4）

　　　　　石光华（1979. 12—1983. 4）

　　　　　陈炳宇（蒙古族，1979. 12—1983. 4）

　　　　　巴图巴根（蒙古族，1979. 12—1983. 1）

　　　　　李斌三（1979. 12—1983. 4）

　　　　　王　西（1979. 12—1981. 6）

秘 书 长　杨达赖（蒙古族，1979. 12—1983. 4）

内蒙古自治区高级人民法院

院　　长　李文精（蒙古族，1979. 12—1983. 4）

副 院 长　刘露洗（1979. 12—1980. 5）

李保民（1979.12—1983.4）

孙　纲（1979.12—1983.4）

胡尔查图（蒙古族，1979.12—1983.4）

那顺乌力吉（蒙古族，1980.3—1983.4）

内蒙古自治区人民检察院

检 察 长　韩是今（1979.12—1983.4）

副检察长　徐子干（1979.12—1983.4）

成少江（蒙古族，1979.12—1983.4）

齐鲁巴根（蒙古族，1981.9—1983.4）①

内蒙古自治区第六次人代会期间（1983.4—1988.5）　1983 年 4 月 20 日，内蒙古自治区第六届人民代表大会第一次会议在呼和浩特市召开，会议选举内蒙古自治区人民政府主席 1 人，副主席 3 人，自治区高级人民法院院长，自治区人民检察院检察长。1985 年增选副主席 1 人，1986 年增选副主席 1 人，1987 年增选副主席 1 人。

1983 年 10 月 10 日，经国务院批准，撤销昭乌达盟建制，成立赤峰市（地级），实行市管县（旗）体制。

这一时期，内蒙古自治区人民政府所辖地方行政机构变更为呼伦贝尔、兴安、哲里木、锡林郭勒、乌兰察布、伊克昭、巴彦淖尔、阿拉善 8 个盟行政公署和呼和浩特、包头、乌海、赤峰 4 个市政府。

内蒙古自治区人民政府领导人（1983.4—1988.5）：

主　　席　布　赫（蒙古族，1983.4—1988.5）

副 主 席　刘作会（1983.4—1988.5）

白俊卿（蒙古族，1983.4—1988.5）

赵志宏（1983.4—1988.5）

马振铎（蒙古族，1985.3—1988.5）

张灿公（1986.3—1988.5）

裴英武（1987.9—1988.5）

---

① 参见《中国共产党内蒙古自治区组织史资料》，内蒙古人民出版社 1995 年版，第 607、608 页；《内蒙古自治区志・政府志》，方志出版社 2001 年版，第 422、423 页。

秘 书 长　周君球（蒙古族，1983. 8—1988. 5）

内蒙古自治区高级人民法院

院　　长　杨达赖（蒙古族，1983. 4—1988. 5）

副 院 长　那顺乌力吉（蒙古族，1983. 4—1988. 5）

　　　　　赵建勋（1983. 4—1988. 5）

　　　　　叶喜道尔吉（蒙古族，1983. 8—1988. 5）

内蒙古自治区人民检察院

检 察 长　王林中（1983. 4—1988. 5）

副检察长　张鹤松（1983. 4—1988. 5）

　　　　　胡尔查图（蒙古族，1983. 4—1988. 5）

　　　　　郑力群（1983. 4—1988. 5）①

内蒙古自治区第七次人代会期间（1988. 5—1993. 5）　1988 年 5 月 25 日，内蒙古自治区第七届人民代表大会第一次会议在呼和浩特市召开，会议选举内蒙古自治区主席 1 人，副主席 5 人，自治区高级人民法院院长，自治区人民检察院检察长。1991 年增补副主席 3 人，1992 年增补副主席 2 人。

这一时期内蒙古自治区人民政府所辖地方行政机构仍为 8 个盟行政公署和 4 个市政府。

内蒙古自治区人民政府领导人（1988. 5—1993. 5）：

主　　席　布　赫（蒙古族，1988. 5—1993. 5）

副 主 席　李文精（蒙古族，1988. 5—1990. 8）

　　　　　裴英武（1988. 5—1991. 1）

　　　　　刘作会（1988. 5—1993. 5）

　　　　　阿拉坦敖其尔（蒙古族，1988. 5—1993. 5）

　　　　　赵志宏（1988. 5—1993. 5）

　　　　　陈奎元（1991. 4—1992. 2）

　　　　　伊钧华（蒙古族，1991. 4—1993. 5）

　　　　　林用三（1991. 10—1993. 5）

---

①　参见《中国共产党内蒙古自治区组织史资料》，内蒙古人民出版社 1995 年版，第 610 页；《内蒙古自治区志 · 政府志》，方志出版社 2001 年版，第 422—424 页。

宋志民（1992. 4—1993. 5）

云布龙（蒙古族，1992. 4—1993. 5）

秘 书 长 周君球（蒙古族，1988. 5—1988. 9）

刘 珍（蒙古族，1988. 9—1993. 5）①

内蒙古自治区高级人民法院

院 长 杨达赖（1988. 5—1993. 5）

内蒙古自治区人民检察院

检 察 长 张鹤松（1988. 5—1993. 5）

内蒙古自治区第八次人代会期间（1993. 5—1998. 1） 1993 年 5 月 5 日，内蒙古自治区第八届人民代表大会第一次会议在呼和浩特市召开，会议选举内蒙古自治区人民政府主席 1 人，副主席 8 人，自治区高级人民法院院长，自治区人民检察院检察长。1995 年 1 月因 3 名副主席调离，增补副主席 3 人。

这一时期内蒙古自治区人民政府所辖地方行政机构仍为 8 个盟行政公署和 4 个市政府。

内蒙古自治区人民政府领导人（1993. 5—1998. 1）：

主 席 乌力吉（蒙古族，1993. 5—1998. 1）

副 主 席 赵志宏（1993. 5—1994. 11）

林用三（1993. 5—1995. 4）

宋志民（1993. 5—1997. 1）

云布龙（蒙古族，1993. 5—1995. 1）

张廷武（1993. 5—1998. 1）

沈淑济（女，1993. 5—1998. 1）

周维德（1993. 5—1998. 1）

包文发（蒙古族，1993. 5—1998. 1）

王 占（1994. 11—1998. 1 兼）

王凤岐（蒙古族，1995. 1—1998. 1）

宝音德力格尔（蒙古族，1995. 1—1998. 1）

---

① 参见《内蒙古自治区志·政府志》，方志出版社 2001 年版，第 422—424 页。

云公民（蒙古族，1997.1—1998.1）

秘 书 长　牛玉儒（蒙古族，1993.5—1996.11）

张国民（1996.11—1998.1）①

内蒙古自治区高级人民法院

院　　长　巴士杰（蒙古族，1993.5—1998.1）

内蒙古自治区人民检察院

检 察 长　张鹤松（1993.5—1998.1）

内蒙古自治区第九次人代会期间（1998.1—2000.12）　1998 年 1 月 17 日，内蒙古自治区第九届人民代表大会第一次会议在呼和浩特市召开，会议选举内蒙古自治区人民政府主席 1 人，副主席 8 人，自治区高级人民法院院长，自治区人民检察院检察长。

1999 年 8 月经国务院批准，撤销哲里木盟建制，成立通辽市（地级）。哲里木盟行政公署随之撤销，通辽市人民政府成立，为内蒙古自治区人民政府领导下的一级地方政权。

这一时期内蒙古自治区人民政府所辖地方行政机构变更为呼伦贝尔、兴安、锡林郭勒、乌兰察布、伊克昭、巴彦淖尔、阿拉善 7 个盟行政公署和呼和浩特、包头、乌海、赤峰、通辽 5 个市政府。

内蒙古自治区人民政府领导人（1998.1—2000.12）：

主　　席　云布龙（蒙古族，1998.1—2000.6 逝世）

乌云其木格（女，蒙古族，2000.8—12 代）

副 主 席　王凤岐（蒙古族，1998.1—2000.12）

宝音德力格尔（蒙古族，1998.1—2000.12）

周维德（1998.1—2000.12）

云公民（蒙古族，1998.1—2000.12）

沈淑济（女，1998.1—1998.10）

周德海（1998.1—2000.12）

傅守正（1998.1—2000.12）

郝益东（1998.1—2000.12）

① 参见《内蒙古自治区志·政府志》，方志出版社 2001 年版，第 422、423 页。

乌云其木格（女，蒙古族，2000.8—2000.12）

秘 书 长　张国民（1998.1—1998.4）

韩志然（蒙古族，1998.4—2000.12）①

内蒙古自治区人民政府工作部门　1980年，内蒙古自治区人民政府所设工作部门为人民政府办公厅、计划委员会、农业委员会、经济委员会、基本建设委员会、科学技术委员会、民族事务委员会、蒙古语文工作委员会、体育运动委员会、机构编制委员会办公室、公安厅、民政厅、司法局、人事局、农业厅、畜牧厅、林业厅、水利厅、气象局、农牧场管理局、农牧业机械管理局、社队企业管理局、冶金工业局、机械工业局、化学工业局、轻工业厅、第二轻工业局、电子工业局、煤炭工业管理局、电业管理局、邮电管理局、交通局、标准局、建材局、建工局、城建局、测绘局、教育局、卫生厅、文化厅、广播事业管理局、出版事业管理局、计量管理局、地震局、劳动局、统计局、物资局、地质局、物价局、档案局、劳改局、储备物资管理局、财政厅、粮食厅、商业厅、对外贸易局、工商行政管理局、供销合作社、国防工业办公室、人民防空领导小组办公室、知识青年上山下乡安置办公室、财政贸易办公室、文教体育卫生办公室、外事办公室、进出口办公室、计划生育办公室、人民政府参事室、文史馆。

历经机构改革、部室撤并等政府工作部门的数次变更，截至1999年12月，内蒙古自治区人民政府直属行政机构下设有人民政府办公厅、计划委员会、经济贸易委员会、教育委员会、科学技术委员会、民族事务委员会、民政厅、财政厅、人事厅、劳动厅、建设厅、地质矿产厅、石油化学工业厅、冶金机械厅、轻纺工业厅、交通厅、水利厅、农业厅、林业厅、畜牧厅、商务厅、对外贸易经济合作厅、文化厅、广播电视厅、卫生厅、体育运动委员会、计划生育委员会、审计厅、统计局、地方税务局、工商行政管理局、环境保护局、土地管理局、新闻出版局、技术监督局、煤炭工业局、乡镇企业局、人民政府参事室、物价局、国有资产管理局、外事办公室、人民防空办公室、对外经济协作办公室、扶贫开发领导小组办公室、人民政府法制局（准厅级，归口人民政府办公厅管理）、农牧业机械化服务管理局（准厅级，

① 参见《内蒙古自治区志·政府志》，方志出版社2001年版，第422、424页。

归口农业厅管理)、农牧场管理局（准厅级，农业厅管理)、政府口岸办公室（准厅级，归口经济贸易委员会管理)、无线电管理委员会办公室（准厅级，归口邮电管理局管理)、预算外资金管理局（准厅级，归口财政厅管理)、公安厅、安全厅、司法厅、监狱管理局（准厅级，归口司法厅管理)。①

第四节　内蒙古自治区人民代表大会

内蒙古自治区人民代表大会（简称“自治区人大”）是省一级的地方国家权力机关，是内蒙古自治区实行民族区域自治的自治机关。内蒙古自治区人民代表大会从1954年7月27日召开第一届第一次会议到1998年1月8日召开第九届第一次会议，总共召开9届人民代表大会。这期间，人大的组织机构、任期，行使国家机关权力和民族区域自治权力的形式、程序有所变化。从第一届到第三届，每届任期4年；在人代会闭会期间，人大的职能由自治区人民委员会行使。第四届是在“文革”期间被内蒙古自治区革命委员会取代。第五届人民代表大会是处在整顿调整的过渡阶段，代表未经选举，是协商产生的；第一次会议是在内蒙古自治区原行政区划未恢复的情况下召开的，第二次会议是在内蒙古自治区原行政区划恢复后召开的，从此每届人大任期5年，并选举产生内蒙古自治区人民代表大会常务委员会。人大常务委员会是人大的常设机关，对自治区人大负责并报告工作，任期与人大相同；自治区人大常委会由主任、副主任、秘书长、委员组成，常委会应有实行民族区域自治的蒙古族公民担任主任或副主任。从此，自治区人大根据《中华人民共和国宪法》以及1984年颁布的《中华人民共和国民族区域自治法》等有关法律规定，行使同级地方国家权力机关的职权，并同时行使自治权；有权制定自治区的自治条例和单行条例，报全国人大常委会批准后生效实施。

① 参见《内蒙古自治区志・政府志》,方志出版社2001年版，第426—441页。

一、内蒙古自治区第一届人民代表大会（1954.7—1958.6）

内蒙古自治区第一届人民代表大会共有代表391人。其中各界代表占代表总数的比例是：党务工作者67人，占17.14%；政府工作者134，占34.27%；解放军15人，占3.84%；工会工作者13人，占3.32%；工业劳模16人，占4.09%；农业劳模29人，占7.42%；牧业劳模14人，占3.58%；青年工作者7人，占1.79%；妇女工作者18人，占4.6%；文教科技工作者50人，占12.79%；合作社工作者3人，占0.77%；工商业工作者17人，占4.35%；宗教职业者6人，占1.53%；其他代表2人，占0.51%。各界代表中共有女性公民59人，占代表总数的15.09%。代表中的民族成分和各占代表总数的比例是：蒙古族150人，占38.36%；汉族216人，占55.24%；回族12人，占3.07%；满族4人，占1.02%；朝鲜族3人，占0.77%；鄂伦春族1人，占0.26%；其他少数民族5人，占1.28%。内蒙古自治区第一届人民代表大会共举行了四次会议。①

第一次会议　1954年7月27日至8月4日在呼和浩特市召开，全区7盟2市2个行政区和解放军代表367人出席。华北行政委员会主席刘澜涛代表中央人民政府政务院和华北行政委员会莅临大会指导，自治区主席乌兰夫致开幕词。大会讨论了《中华人民共和国宪法（草案）》,听取和审查了自治区人民政府工作报告，通过了《关于拥护中华人民共和国宪法草案的决议》《关于内蒙古自治区人民政府1954年上半年几项主要工作部署的报告的决议》和《关于提案审查工作报告及审查意见的决议》,选举了自治区出席第一届全国人民代表大会的代表13人。

第二次会议　1955年4月25日至30日在呼和浩特市召开，出席代表322名。会议讨论通过了自治区人民政府主席乌兰夫作的《内蒙古自治区人民政府1955年工作报告》、副主席杨植霖作的《关于1955年度内蒙古自治区国民经济计划（草案）的报告》等报告；选举乌兰夫为内蒙古自治区人民委员会主席，副主席苏谦益、杨植霖、奎璧、哈丰阿、王再天、孙兰峰、王逸伦，自治区高级人民法院院长特木尔巴根；通过了《关于议案审查工

① 参见《内蒙古大辞典》,内蒙古人民出版社1991年版，第144页。

作报告决议》；通过了《内蒙古自治区各级人民代表大会和各级人民委员会组织条例（草案）》,并报请全国人大常委会批准后实施。《条例》规定自治区；盟、自治区辖市、行政区；旗、县、市及市辖区；苏木、乡、民族乡、镇等四级政权均设人民代表大会和人民委员会。同年 11 月 11 日，中华人民共和国主席毛泽东发布命令，批准公布了《内蒙古自治区各级人民代表大会和各级人民委员会组织条例》。

第三次会议　1956 年 3 月 8 日至 14 日在呼和浩特市召开，出席代表 330 名。自治区人民委员会主席乌兰夫作了《关于内蒙古自治区 1955 年几项主要工作情况和 1956 年工作任务的报告》,并经会议讨论通过；会议作出《关于议案审查工作报告的决议》；增选达理札雅为内蒙古自治区人民委员会副主席；补选刘华香、塔旺扎布为自治区人民委员会委员，布和为自治区出席第一届全国人民代表大会代表。

第四次会议　1957 年 4 月 18 日至 25 日在呼和浩特市召开，出席代表 330 名。会议作出了《关于大力开展增产节约运动的决议》《关于自治区 1956 年决算和 1957 年预算的决议》《关于内蒙古自治区高级人民法院工作报告的决议》《关于提案审查的决议》《关于撤销盟、行政区一级政权建制改设自治区人民委员会派出机关并修改自治区各级人民代表大会和各级人民委员会自治条例的决议》。

二、内蒙古自治区第二届人民代表大会（1958. 6—1964. 9）

内蒙古自治区第二届人民代表大会共有代表 436 人，其中各界代表占代表总数的比例是：党务工作者 58 人，占 13. 30%；政府工作者 151 人，占 34. 63%；解放军 15 人，占 3. 44%；群众团体 43 人，占 9. 86%；科技工作者 25 人，占 5. 73%；文教卫生工作者 27 人，占 6. 19%；工业代表 38 人，占 8. 72%；农牧业代表 54 人，占 12. 39%；工商企业工作者 14 人，占 3. 21%；宗教界代表 9 人，占 2. 06%；其他代表 2 人，占 0. 46%。各界代表中共有女性公民 82 人，占代表总数的 18. 81%。代表中的民族成分和各占代表总数的比例是：蒙古族 163 人，占 37. 39%；汉族 232 人，占 53. 21%；回族 15 人，占 3. 44%；满族 7 人，占 1. 61%；达斡尔族 11 人，占 2. 52%；朝鲜族 3 人，占 0. 69%；鄂温克族 3 人，占 0. 69%；鄂伦春族 1

人，占 0.23%；其他少数民族 1 人，占 0.23%。内蒙古自治区第二届人民代表大会共举行了四次会议。①

第一次会议 1958 年 6 月 7 日至 16 日在呼和浩特市召开，374 名代表出席。会议通过了自治区人民委员会主席乌兰夫作的题为《关于坚决执行社会主义建设总路线，为加速建设社会主义的内蒙古自治区而奋斗》的政府工作报告及相应决议；作出了《关于内蒙古自治区 1956—1967 年农牧业发展规划（草案）的决议》《关于内蒙古自治区 1957 年决算和 1958 年预算报告的决议》《关于法院工作报告的决议》《关于提案审查的决议》。会议选举了内蒙古自治区人民委员会组成人员，主席乌兰夫，副主席苏谦益、杨植霖、奎璧、哈丰阿、王再天、孙兰峰、王逸伦、达理札雅及王文达等 36 名委员，自治区高级人民法院院长特木尔巴根；选举了自治区出席第二届全国人民代表大会代表 16 人。

第二次会议 1959 年 8 月 4 日至 17 日在呼和浩特市召开。自治区人民委员会副主席杨植霖作了题为《总结经验，鼓足干劲，为实现 1959 年继续跃进而奋斗》的政府工作报告，副主席王再天作了《关于自治区 1959 年国民经济计划大报告》,副主席王逸伦作了《关于自治区 1958 年决算和 1959 年预算的报告》,会议通过了关于这三项报告的决议。会议还听取了副主席苏谦益作的第二届全国人民代表大会第一次会议文件的传达报告。

第三次会议 1960 年 8 月 16 日至 21 日在呼和浩特市召开。内蒙古党委第一书记乌兰夫到会讲话，会议通过了自治区人民委员会副主席杨植霖作的《政府工作报告》及相应决议，增选吉雅泰、高增培、刘景平、朋斯克为自治区人民委员会副主席。

第四次会议 1962 年 6 月 2 日至 14 日在呼和浩特市召开。会议通过了自治区人民委员会主席乌兰夫作的《政府工作报告》及相应决议，作出了《关于 1960 年、1961 年财政决算的决议》《关于提案审查报告和审查意见的决议》。

---

① 参见《内蒙古大辞典》,内蒙古人民出版社 1991 年版，第 144 页。

三、内蒙古自治区第三届人民代表大会（1964.9—1967.11）

内蒙古自治区第三届人民代表大会共有代表511人。其中各界代表占代表总数的比例是：工人25人，占4.89%；农牧民88人，占17.22%；解放军17人，占3.32%；党务工作者40人，占7.82%；政府工作者187人，占36.59%；文教卫生工作者51人，占9.98%；科技工作者33人，占6.45%；工商企业工作者13人，占2.54%；人民团体代表45人，占8.8%；宗教界代表5人，占0.97%；其他代表7人，占1.37%。各界代表中有女性公民98人，占代表总数的19.18%。代表中的民族成分和各占代表总数的比例是：蒙古族193人，占37.77%；汉族266人，占52.05%；回族17人，占3.3%；满族9人，占1.76%；达斡尔族14人，占2.73%；朝鲜族4人，占0.78%；鄂温克族4人，占0.78%；鄂伦春族2人，占0.39%；其他少数民族2人，占0.39%。内蒙古自治区第三届人民代表大会共举行了一次会议。①

第一次会议　1964年9月18日至27日在呼和浩特市召开。会议通过了自治区人民委员会主席乌兰夫作的《政府工作报告》和相应决议，作出了《关于自治区1962年、1963年财政决算和1964年财政预算报告的决议》《关于法院工作报告的决议》《关于议案审查报告的决议》。会议选举了自治区人民委员会组成人员，主席乌兰夫，副主席奎璧、王再天、孙兰峰、王逸伦、达理札雅、吉雅泰、刘景平、朋斯克、李质、沈新发及毕力格巴图尔等38名委员，自治区高级人民法院院长特木尔巴根；选举出自治区出席第三届全国人民代表大会代表55人。这次会议之后，因受到“文化大革命”的影响，自治区第三届人民代表大会没有再召开会议。

从1954年至1964年，内蒙古自治区人民代表大会历经3届共召开了九次会议，对于推进自治区社会主义建设的进程，推动民族区域自治制度的完善，增强各民族人民的团结起到了重要作用。

① 参见《内蒙古大辞典》，内蒙古人民出版社1991年版，第144、145页。

四、内蒙古自治区第四届人民代表大会（1967.11—1977.12）

“文化大革命”期间，内蒙古自治区的人民代表大会制度受到严重破坏，人民代表大会停止工作长达10年之久。但是，根据1975年1月17日中华人民共和国第四届全国人民代表大会第一次会议通过的《中华人民共和国宪法》第22条规定：“地方各级革命委员会是地方各级人民代表大会的常设机关，同时又是地方各级人民政府”以及中共中央有关指示文件，1967年11月1日内蒙古自治区“革命委员会”成立，并被作为一届人民代表大会计算，即内蒙古自治区第四届人民代表大会。

五、内蒙古自治区第五届人民代表大会（1977.12—1983.4）

内蒙古自治区第五届人民代表大会共有代表976人，其中各界代表占代表总数的比例是：工人198人，占20.29%；农牧民281人，占28.79%；其他劳动人民58人，占5.94%；干部190人，占19.47%；知识分子150人，占15.37%；爱国人士60人，占6.15%；归侨台胞2人，占0.2%；解放军37人，占3.79%。各界代表中共有女性公民174人，占代表总数的17.83%。代表中的民族成分和各占代表总数的比例是：蒙古族357人，占36.58%；汉族545人，占55.94%；回族33人，占3.38%；满族8人，占0.82%；达斡尔族13人，占1.33%；朝鲜族8人，占0.82%；鄂温克族4人，占0.41%；鄂伦春族3人，占0.31%；其他少数民族1人，占0.1%。①内蒙古自治区第五届人民代表大会共举行五次会议。

第一次会议　1977年12月21日至28日在呼和浩特召开，因未恢复内蒙古自治区原行政区划，经盟市“革委会”和内蒙古军区、驻区部队协商产生代表660名，实际出席代表600名。内蒙古自治区“革命委员会”主任尤太忠作了《内蒙古自治区革命委员会工作报告》。会议选举了内蒙古自治区“革命委员会”组成人员，主任尤太忠，副主任池必卿、宝日勒岱、刘景平、滕俊清、沈新发、王铎、邵子言、孟琦、乌恩、侯永、张鹏图、姜习、赵军、云世英，委员60人，自治区高级人民法院院长李文精；选举了

① 参见《内蒙古大辞典》，内蒙古人民出版社1991年版，第145页。

自治区出席第五届全国人民代表大会代表44人。

第二次会议　1979年12月18日至27日在呼和浩特召开，由于是年7月1日恢复了内蒙古自治区的原行政区划，当时隶属于黑龙江、吉林、辽宁、宁夏、甘肃等省区的呼伦贝尔盟、哲里木盟、昭乌达盟、阿拉善左旗、阿拉善右旗、额济纳旗的人民代表划入内蒙古自治区的代表名额中，内蒙古自治区的人民代表总计为976名，出席本次会议的代表880名。内蒙古自治区“革命委员会”主任孔飞作了《政府工作报告》。会议通过了《关于政府工作报告决议》《关于自治区1979年国民经济执行情况、1980年国民经济初步安排的报告决议》《1979年财政预算执行情况、1980年财政预算草案的报告的决议》《关于自治区高级人民法院工作报告和自治区人民检察院工作报告的决议》。会议根据1979年7月1日第五届全国人民代表大会第二次会议通过的《中华人民共和国地方各级人民代表大会和地方各级人民政府组织法》的有关规定，选举产生了由45人组成的内蒙古自治区第五届人民代表大会常务委员会。会议决定撤销内蒙古自治区“革命委员会”，恢复内蒙古自治区人民政府建制；选举了自治区人民政府组成人员，主席孔飞，副主席云世英、巴图巴根、杰尔格勒、郝秀山、彭梦庾、周北峰、石光华、陈炳宇、李斌三、王西，自治区高级人民法院院长李文精，自治区人民检察院检察长韩是今。

12月30日，自治区人大常委会、自治区人民政府正式办公。内蒙古自治区人民代表大会常务委员会的建立，改变了以往人大闭会期间的工作由行政机关负责的状况，从组织上、制度上把权力机关的职能同行政机关职能划分开来，加强了人大闭会期间的工作。这对于发展社会主义民主，健全社会主义法制，完善地方人民代表大会制度至关重要。

内蒙古自治区第五届人民代表大会常务委员会：

主　　任　廷　懋（蒙古族，1979.12—1983.4）

副 主 任　王逸伦（1979.12—1983.4）

高增培（1979.12—1983.4）

沈新发（1979.12—1983.4）

克力更（蒙古族，1979.12—1983.4）

刘　昌（1979.12—1983.4）

孙兰峰（1979. 12—1983. 4）
张如岗（1979. 12—1983. 4）
寒　峰（蒙古族，1979. 12—1983. 4）
奇峻山（蒙古族，1979. 12—1983. 4）
色音巴雅尔（蒙古族，1979. 12—1983. 4）
宝日勒岱（女，蒙古族，1979. 12—1983. 4）
鄂其尔乎雅克图（蒙古族，1979. 12—1983. 4）
张荣臻（1979. 12—1982. 3）

第三次会议　1981 年 3 月 2 日至 10 日在呼和浩特召开，经过整顿调整，实有代表 957 名，出席会议代表 835 名。自治区人民政府主席孔飞作了《政府工作报告》。会议审议并作出了《关于政府工作报告的决议》《关于 1980 年国民经济计划执行情况和 1981 年国民经济计划安排的决议》《关于 1979 年财政决算、1980 年财政预算执行情况和 1981 年财政预算的决议》《关于自治区人民代表大会常务委员会工作报告的决议》《关于自治区高级人民法院工作报告的决议》《关于自治区人民检察院工作报告的决议》等 6 项决议。

第四次会议　1982 年 3 月 30 日至 4 月 6 日在呼和浩特市召开。自治区政府主席孔飞作了《政府工作报告》，自治区人大常委会主任廷懋作了《自治区人大常委会工作报告》。会议审议并作出了《关于政府工作报告的决议》《关于 1980 年财政决算、1981 年财政预算执行情况和 1982 年财政概算的决议》《关于自治区人民代表大会常务委员会工作报告的决议》《关于自治区高级人民法院工作报告的决议》《关于自治区人民检察院工作报告的决议》《关于接受张荣臻辞去内蒙古自治区第五届人民代表大会常务委员会副主任职务的请求的决议》等 6 项决议。

第五次会议　1982 年 12 月 19 日至 27 日在呼和浩特市召开。自治区人民政府主席孔飞作了《政府工作报告》，自治区人大常委会主任廷懋作了《自治区人大常委会工作报告》。会议审议并作出了《关于政府工作报告的决议》《关于 1982 年国民经济计划执行情况和 1983 年国民经济计划安排的报告的决议》《关于 1982 年财政预算执行情况和 1983 年财政概算报告的决议》《关于自治区人大常委会工作报告的决议》《关于自治区高级人民法院工作报告的决议》《关于自治区人民检察院工作报告的决议》《关于自治区第六届人民代表大会代表名额和选举问题的决议》等决议。

内蒙古自治区第五届人民代表大会常务委员会共举行了16次会议：

第一次会议（1979.12.28）　会议学习了《中华人民共和国地方各级人民代表大会和地方各级人民政府组织法》,讨论研究了自治区人大常委会的工作任务。会议决定自治区人大常委会先设立办公厅，办公厅下设秘书处、信访处、行政处。会议任命宁云程为自治区人大常委会秘书长、鲁志浩为副秘书长。

第二次会议（1980.3.1—5）　会议作出了《关于自治区1980年国民经济计划调整问题的决议》《关于旗县直接选举工作问题的决议》,通过了人事任免事项。

第三次会议（1980.5.2—5）　会议作出了《关于进一步整顿社会治安工作会议的决议》,审议了《内蒙古自治区旗县级直接选举实施细则（草案）》,并作出了《关于内蒙古自治区旗县级直接选举实施细则（草案）的决议》《关于成立内蒙古自治区选举委员会的决定》,通过了人事任免事项。

第四次会议（1980.7.1—5）　会议作出了《关于实施刑事诉讼法延长办案期限的决定》《关于财政收支情况和今后增收节支意见的报告的决议》《关于自治区工业交通增产节约增收节支工作的决议》,通过了人事任免事项。

第五次会议（1980.8.11—12）　会议补选廷懋为第五届全国人民代表大会代表，通过了人事任免事项。

第六次会议（1980.11.3—8）　会议作出了《关于召开自治区第五届人民代表大会第三次会议的决定》《关于起草内蒙古自治区条例和成立内蒙古自治区自治条例起草委员会的决议》《关于进一步搞好旗县级直接选举工作的决议》《关于批准恢复保安沼地区人民检察院的决定》；审议通过了《内蒙古自治区旗县级直接选举实施细则（试行)》；通过了以廷懋为主任的内蒙古自治区自治条例起草委员会组成人员；通过了人事任免事项。从这次会议开始，自治区人大常委会邀请各设区的市、旗县市（区）人大常委会负责人列席自治区人大常委会会议。

第七次会议（1981.2.23—25）　会议作出了《关于自治区第五届人民

代表大会第三次会议召开日期的决定》《关于在交通十分不便的边远旗县实施刑事诉讼法问题的决定》。会议还审议了《自治区人大常委会工作报告》。

第八次会议（1981. 5. 25—31） 会议作出了《关于继续整顿社会治安的决议》《关于自治区教育工作的决议》《关于变通自治区人大常委会会期的决定》《关于免去王西同志自治区副主席职务的决定》。会议决定任命了政府组成人员，还通过了其他人事任免事项。

第九次会议（1981. 9. 14—21） 会议学习讨论了《建国以来党的若干历史问题的决议》《中央书记处讨论内蒙古自治区工作纪要》,审议通过了《内蒙古自治区执行〈中华人民共和国婚姻法〉的补充规定》,决定撤销桑木腾的第五届全国人民代表大会代表资格，通过了人事任免事项。

第十次会议（1981. 12. 23—27） 会议审议并作出了《关于内蒙古自治区旗县级直接选举工作总结报告的决议》,通过了《关于召开自治区第五届人民代表大会第四次会议的决定》《关于加强物价管理和做好节日物资供应的决议》,通过了人事任免事项。

第十一次会议（1982. 3. 22—24） 会议作出了《关于召开自治区第五届人民代表大会第四次会议日期的决定》。

第十二次会议（1982. 6. 21—30） 会议作出了《关于进一步组织全区各族人民学习讨论〈中华人民共和国宪法（修改草案）〉的决定》《关于深入开展打击经济领域中严重犯罪活动的决议》《关于自治区 1981 年财政决算和 1982 年财政预算的决议》,审议并原则通过了《内蒙古自治区环境保护条例（试行）》,通过了人事任免事项。

第十三次会议（1982. 10. 7—12） 会议作出了《关于召开自治区第五届人民代表大会第五次会议的决定》,通过了人事任免事项。

第十四次会议（1982. 12. 13—16） 会议作出了《关于召开自治区第五届人民代表大会第五次会议日期的决定》《关于认真贯彻执行〈中华人民共和国文物保护法〉加强文物保护管理工作的决议》《关于确认依法逮捕田凤林的决议》,审议通过了《内蒙古自治区各级人民法院审理经济纠纷案件征收诉讼费暂行办法》,通过了人事任免事项。

第十五次会议（1983. 1. 13） 会议作出了《关于接受孔飞同志辞去内蒙古自治区主席职务的请求的决议》《关于布赫同志代理内蒙古自治区主席

的决定》《关于免去云世英、巴图巴根同志内蒙古自治区副主席职务的决定》。

第十六次会议（1983.4.2—11）　会议作出了《关于召开自治区第六届人民代表大会第一次会议的决定》。

六、内蒙古自治区第六届人民代表大会（1983.4—1988.5）

内蒙古自治区第六届人民代表大会共有代表801人，其中各界代表占代表总数的比例是：工人131人，占16.35%；农牧民184人，占22.97%；干部195人，占24.35%；知识分子177人，占22.10%；民主党派无党派爱国人士76人，占9.49%；归侨台胞5人，占0.62%；解放军33人，占4.12%。各界代表中共有女性公民174人，占代表总数的21.72%。代表中的民族成分和各占代表总数的比例是：蒙古族305人，占38.08%；汉族412人，占51.44%；满族27人，占3.37%；回族23人，占2.87%；达斡尔族16人，占2.00%；鄂温克族6人，占0.74%；朝鲜族8人，占1.00%；鄂伦春族4人，占0.50%。[①] 内蒙古自治区第六届人民代表大会共举行了六次会议。

第一次会议　1983年4月20日至29日在呼和浩特市召开。内蒙古自治区代主席布赫作了《自治区政府工作报告》。会议审议并作出了《关于政府工作报告的决议》《关于批准自治区人民政府1982年财政决算和1983年财政预算报告的决议》《关于推迟选举盟中级人民法院院长和自治区人民检察（分）院检察长的决定》。会议选举产生了由37人组成的内蒙古自治区第六届人民代表大会常务委员会；选举布赫为自治区政府主席，副主席刘作会、白俊卿、赵志宏，自治区高级人民法院院长杨达赖，自治区人民检察院检察长王林中；选举出自治区出席第六届全国人民代表大会代表64人。

内蒙古自治区第六届人民代表大会常务委员会：

主　　任　巴图巴根（蒙古族，1983.4—1988.5）

副 主 任　李　文（1983.4—1986.4）

　　　　　郝秀山（1983.4—1986.4）

① 参见《内蒙古大辞典》，内蒙古人民出版社1991年版，第145页。

孙兰峰（1983.4—1988.5）
周北峰（1983.4—1988.5）
何　耀（1983.4—1986.4）
色音巴雅尔（蒙古族，1983.4—1988.5）
鄂其尔乎雅克图（蒙古族，1983.4—1987.12 逝世）
潮洛濛（蒙古族，1983.4—1988.5）
布特格其（蒙古族，1983.4—1988.5）
阿拉坦敖其尔（蒙古族，1983.4—1988.1）
胡钟达（1983.4—1988.1）①

第二次会议　1984 年 5 月 31 日至 6 月 7 日在呼和浩特市召开。自治区主席布赫作了《自治区政府工作报告》。会议审议通过了《内蒙古自治区草原管理条例》，审议并作出了《关于政府工作报告的决议》《关于 1984 年国民经济和社会发展计划报告的决议》《关于 1983 年财政决算和 1984 年财政预算报告的决议》《关于自治区人大常委会工作报告的决议》《关于自治区高级人民法院工作报告的决议》《关于自治区人民检察院工作报告的决议》。会议补选关宇、赵好衔、敖东来为自治区人大常委会委员，选举了盟中级人民法院院长和自治区人民检察院盟检察分院检察长。

第三次会议　1985 年 4 月 23 日至 29 日在呼和浩特市召开。自治区主席布赫作了题为《巩固发展大好形势，努力实现 1987 年翻番的奋斗目标》的政府工作报告。会议审议并作出了《关于内蒙古自治区人民政府工作报告的决议》《关于 1985 年国民经济和社会发展计划报告的决议》《关于 1984 年财政决算和 1985 年财政预算的决议》《关于内蒙古自治区人大常委会工作报告的决议》《关于内蒙古自治区高级人民法院工作报告的决议》《关于内蒙古自治区人民检察院工作报告的决议》。

第四次会议　1986 年 4 月 30 日至 5 月 12 日在呼和浩特市召开。自治区主席布赫作了《关于“七五”计划（草案）报告》。会议审议并作出了《关于自治区“七五”计划草案报告和“七五”计划草案的决定》《关于自治区 1986 年国民经济就社会发展计划的决议》《关于自治区 1985 年财政决

① 参见《内蒙古大辞典》，内蒙古人民出版社 1991 年版，第 145 页。

算和1986年财政预算的决议》《关于自治区人大常委会工作报告的决议》《关于内蒙古自治区高级人民法院工作报告的决议》《关于内蒙古自治区人民检察院工作报告的决议》《关于接受李文、郝秀山、何耀辞去自治区人大常委会副主任职务申请的决议》《关于接受樊家扬辞去自治区人大常委会委员职务的决议》。

第五次会议　1987年4月27日至5月7日在呼和浩特市召开。自治区主席布赫作了《内蒙古自治区人民政府工作报告》。会议审议并作出了《关于内蒙古自治区人民政府工作报告的决议》《关于自治区1987年国民经济和社会发展计划的决议》《关于自治区1986年财政决算和1987年财政预算的决议》《关于自治区人大常委会工作报告的决议》《关于内蒙古自治区高级人民法院工作报告的决议》《关于内蒙古自治区人民检察院工作报告的决议》。

第六次会议　1988年1月18日至23日在呼和浩特市召开。会议选举了内蒙古自治区出席第七届全国人民代表大会代表63人。

内蒙古自治区第六届人民代表大会常务委员会共举行了28次会议：

第一次会议（1983.5.2—3）　会议听取了色音巴雅尔作的《关于自治区人大常委会机关机构改革意见的报告》,审议通过了《内蒙古自治区第六届人大常委会1983年5月至12月工作要点》,通过了人事任免事项。

第二次会议（1983.7.18—21）　会议作出了《关于乌海市人民代表大会提前换届的决定》,审议通过了《内蒙古自治区草原管理条例（试行）》,通过了人事任免事项。

第三次会议（1983.9.20—24）　会议传达学习了第六届全国人大常委会第二次会议文件，作出了《关于严厉打击刑事犯罪活动的决议》《关于内蒙古自治区人大常委会机构设置的决定》《关于旗县、乡两级人民代表大会代表选举时间的决定》,通过了人事任免事项。

第四次会议（1983.12.20—27）　会议传达学习了邓小平、陈云在党的十二届二中全会上的讲话，胡耀邦在接见团中央及各省、市、自治区团委负责人时的讲话，第六届全国人大第三次会议文件，内蒙古党委第三届十三次会议和旗县委书记会议文件，通过了《内蒙古自治区民事诉讼收费办法（试行）》,通过了人事任免事项。

第五次会议（1984. 2. 25—3. 1） 会议传达了胡耀邦同志的重要讲话，审议了《内蒙古自治区选举实施细则（修改草案）》，通过了《内蒙古自治区第六届人大常委会1984年工作要点和自治区选举委员会组成人员名单》，作出了《关于大力种草种树的决议》《关于召开内蒙古自治区第六届人民代表大会第二次会议的决定》。

第六次会议（1984. 5. 6—10） 会议作出了《关于召开内蒙古自治区第六届人民代表大会第二次会议日期的决定》，审议了《内蒙古自治区人大常委会工作报告》，通过了《内蒙古自治区选举实施细则》《内蒙古自治区嘎查、村民委员会工作简则（试行）》《内蒙古自治区第六届人民代表大会常务委员会代表资格审查委员会组成人员名单》，通过了巴图巴根为主任的内蒙古自治区自治条例起草委员会组成人员，通过了人事任免事项。

第七次会议（1984. 5. 25—26） 会议审议了内蒙古自治区第六届人民代表大会第二次会议的准备事项，听取审议了《自治区人大常委会代表资格审查委员会关于代表情况的报告》，审议了《自治区第六届人大第二次会议选举办法》，通过了人事任免事项。

第八次会议（1984. 9. 24—29） 会议听取了李文传达的《胡耀邦同志视察集二线时的谈话要点》，审议了自治区副主席刘作会《关于城市经济体制改革和对外开放情况的报告》、教育厅厅长郭福昌《关于中小学教育体制改革情况的报告》、自治区选举委员会主任何耀《关于全区旗县、苏木乡两级直接选举工作进展情况的汇报》，作出了《关于在交通十分不便的边远旗延长对重大复杂的刑事案件办案期限的决定》，通过了人事任免事项。

第九次会议（1984. 12. 18—22） 会议通过了《内蒙古自治区森林管理条例（试行）》，审议了《内蒙古自治区人大常委会办公厅关于自治区第六届人民代表大会第二次会议议案办理情况的报告（书面）》，作出了《关于建设呼和浩特至锡林浩特牧区公路的议案的决议》，通过了人事任免事项。

第十次会议（1985. 3. 1—6） 会议通过了《关于召开内蒙古自治区第六届人民代表大会第三次会议的决定》，作出了《关于在全区各族公民中加强法律宣传教育、普及法律常识的决议》《关于内蒙古自治区旗县和苏木乡两级人民代表大会代表直接选举工作情况报告的决议》，审议了内蒙古自治区选举委员会《关于内蒙古自治区旗县和苏木乡两级人民代表大会代表直接选举工作情况的报告（书面）》，审议并通过了《内蒙古自治区人大常委会1985年工作要点》，决定任命马振铎为内蒙古自治区副主席。

第十一次会议（1985.4.18—19）　会议审议了《内蒙古自治区第六届人民代表大会第三次会议的准备事项》《内蒙古自治区人大常委会工作报告》，作出了《关于召开内蒙古自治区第六届人民代表大会第三次会议日期的决定》，通过了内蒙古自治区第六届人民代表大会常务委员会代表资格审查委员会《关于对补选的自治区第六届人大代表资格的审查报告》。

第十二次会议（1985.6.20—27）　会议通过了《内蒙古自治区人民代表大会常务委员会工作条例（试行）》《内蒙古自治区人民代表大会常务委员会任免国家机关工作人员办法（试行）》《内蒙古自治区人民代表大会常务委员会制定地方性法规的若干规定（试行）》《内蒙古自治区保护妇女儿童合法权益的规定》，听取和审议了自治区农委副主任布和朝鲁《关于贯彻执行草原管理条例情况的报告》，作出了《关于废止〈内蒙古自治区各级人民法院审理经济纠纷案件征收诉讼费用暂行办法〉和〈内蒙古自治区民事诉讼收费办法（试行）〉的决定》，审议了《内蒙古自治区矿产资源开发管理暂行条例（草案）》，通过了人事任免事项。

第十三次会议（1985.8.27—31）　会议通过了《内蒙古自治区矿产资源开发管理条例（试行）》《内蒙古自治区人民代表大会代表工作办法（试行）》，通过了人事任免事项。

第十四次会议（1985.11.12—17）　会议作出了《关于批准调整1985年财政收支预算的决定》，听取和审议了自治区科委主任许令妊《关于贯彻〈中共中央关于科学技术体制改革的决定〉的报告》、自治区农委副主任布和朝鲁《关于牧区改革、牧区建设和畜牧业生产情况的报告》，通过了人事任免事项。

第十五次会议（1986.2.25—3.3）　会议作出了《关于召开内蒙古自治区第六届人民代表大会第四次会议的决定》，通过了《关于组织自治区人民代表大会代表视察工作的意见》《关于自治区第六届人民代表大会第三次会议议案办理情况的报告》《内蒙古自治区人大常委会1986年工作要点》，决定任命张灿公为内蒙古自治区副主席。

第十六次会议（1986.4.19—22）　会议审议了《自治区六届人大四次

会议的准备事项》,作出了《关于内蒙古自治区第六届人民代表大会第四次会议召开日期的决定》,审议通过了《内蒙古自治区人大常委会工作报告》《自治区人大常委会代表资格审查委员会关于对补选的自治区六届人大代表资格的审查报告》。

第十七次会议（1986. 6. 30—7. 8）　会议作出了《关于设立法制工作小组的决议》《关于伊克昭盟苏木、乡、镇人民代表大会代表选举时间的决定》,审议了《内蒙古自治区自治条例（草案）》。

第十八次会议（1986. 8. 28—9. 3）　会议学习讨论了《中共中央关于全党必须坚决维护社会主义法制的通知》,听取和审议了内蒙古自治区人民政府有关工作报告，管理人事任免事项。

第十九次会议（1986. 10. 29—11. 4）　会议作出了《关于切实组织好今冬明春抗灾救灾工作的决议》,通过了《包头市环境综合整治条例》《内蒙古自治区森林管理条例试行（修订草案)》。

第二十次会议（1986. 12. 20—27）　会议通过了《内蒙古自治区森林管理条例》《自治区人大常委会关于 1987 年换届选举工作的安排意见》《内蒙古自治区选举委员会组成人员名单》,审议了《内蒙古自治区地方性法规五年（1986—1990）规划（草案)》,作出了《关于批准部分变更 1986 年财政预算的决议》《关于进一步加强社会治安的决议》,通过了人事任免事项。

第二十一次会议（1987. 2. 20—27）　会议学习讨论了全国人大常委会《关于加强法制教育维护安定团结的决定》,作出了《关于认真学习坚决贯彻全国人大常委会〈关于加强法制教育维护安定团结的决定〉的决议》《关于召开内蒙古自治区第六届人民代表大会第五次会议的决定》《关于内蒙古自治区第七届人民代表大会代表名额和选举问题的决议》《关于批准内蒙古自治区成立 40 周年庆祝活动时间的决定》,审议批准了《呼和浩特市道路交通事故处理暂行规定》,通过了人事任免事项。

第二十二次会议（1987. 4. 20—23）　会议通过了《关于内蒙古自治区第六届人民代表大会第五次会议召开日期的决定》《关于罢免边云峰的第六届全国人民代表大会代表资格的决定》《通过了内蒙古自治区人大常委会工作报告（草案)》,通过了人事任免事项。

第二十三次会议（1987. 7. 10—13）　会议作出了《关于大兴安岭地区

防火扑火工作的决议》,通过了《内蒙古自治区道路交通事故处理规定》,审议了《内蒙古自治区禁止赌博条例（草案)》,通过了人事任免事项。7月15日作出了《关于依法纠正违法任免国家机关工作人员的决议》。

第二十四次会议（1987.9.15—22）　会议通过了《内蒙古自治区禁止赌博条例》,作出了《关于进一步实施草原法、草原管理条例的决议》,审议了《内蒙古自治区实施〈中华人民共和国义务教育法〉办法（草案)》《内蒙古自治区实施〈中华人民共和国土地管理法〉办法（草案)》,决定任命裴英武为内蒙古自治区副主席。

第二十五次会议（1987.11.25—12.1）　会议作出了《关于召开内蒙古自治区第六届人民代表大会第六次会议的决定》《关于内蒙古自治区1987年财政预算部分变更的决定》,通过了人事任免事项。

第二十六次会议（1988.1.13—15）　会议作出了《关于召开内蒙古自治区第六届人民代表大会第六次会议日期的决定》《关于接受阿拉坦敖其尔、胡钟达辞去自治区第六届人民代表大会常务委员会副主任职务的请求的决定》,审议了《内蒙古自治区第六届人民代表大会第六次会议选举第七届全国人大代表选举办法（草案)》,决定任命阿拉坦敖其尔为内蒙古自治区副主席。

第二十七次会议（1988.3.5—10）　会议作出了《关于召开内蒙古自治区第七届人民代表大会第一次会议的决定》《关于批准〈呼和浩特市城市建设拆迁安置管理办法〉的决议》,审议了《内蒙古自治区土地管理条例（草案)》《内蒙古自治区第六届人大常委会工作报告（草稿)》,原则通过了《内蒙古自治区人大常委会1988年工作要点》。

第二十八次会议（1988.5.16—20）　会议审议了内蒙古自治区七届人大一次会议的有关事项。作出了《关于内蒙古自治区旗县、苏木乡两级人民代表大会换届选举工作总结报告的决议》《关于〈发展自治区普通高等教育议案的处理意见的报告〉的决议》,公布了《内蒙古自治区第七届人民代表大会代表名单》。

七、内蒙古自治区第七届人民代表大会（1988.5—1993.5）

内蒙古自治区第七届人民代表大会共有代表586人。其中各界代表占代表总数的比例是：工人 73 人，占 12.45%；农牧民 116 人，占 19.79%；干部 202 人，占 34.49%；知识分子 121 人，占 20.65%；民主党派无党派爱国人士 48 人，占 8.19%；归侨台胞 5 人，占 0.85%；解放军 21 人，占 3.58%。各界代表中共有女性公民 127 人，占代表总数的 21.67%。代表中的民族成分和各占代表总数的比例是：蒙古族 226 人，占 38.56%（蒙古族人口占全区总人口数的 15.73%）；汉族 293 人，占 50%（汉族人口占全区总人口的 80.62%）；其他少数民族 67 人，占 11.44%（其他少数民族人口占全区总人口数的 3.65%）。① 内蒙古自治区第七届人民代表大会共举行了六次会议。

第一次会议 1988 年 5 月 25 日至 6 月 9 日在呼和浩特市召开。内蒙古自治区主席布赫作了《自治区人民政府工作报告》。会议经过审议作出了《关于政府工作报告的决议》《关于 1988 年自治区国民经济和社会发展计划的决议》《关于 1987 年自治区财政决算和 1988 年自治区财政预算的决议》《关于内蒙古自治区人大常委会工作报告的决议》《关于自治区高级人民法院工作报告的决议》《关于自治区人民检察院工作报告的决议》；选举产生了由 41 人组成的内蒙古自治区第七届人民代表大会常务委员会；选举布赫为内蒙古自治区人民政府主席，副主席裴英武、文精、刘作会、阿拉坦敖其尔、赵志宏，自治区高级人民法院院长杨达赖，自治区人民检察院检察长张鹤松。

内蒙古自治区第七届人民代表大会常务委员会内设机构有：办公厅、民族工作委员会、内务司法委员会、财经委员会、教科文卫委员会、法制委员会。

内蒙古自治区第七届人民代表大会常务委员会：

主　　任　巴图巴根（蒙古族，1988.5—1993.5）

副 主 任　布特格其（蒙古族，1988.5—1993.5）

张灿公（1988.5—1993.5）

色音巴雅尔（蒙古族，1988.5—1993.5）

许令妊（女，1988.5—1993.5）

① 参见《内蒙古大辞典》，内蒙古人民出版社 1991 年版，第 145 页。

白俊卿（蒙古族，1988.5—1993.5）
刘震乙（1988.5—1993.5）
沙　驼（鄂温克族，1988.5—1993.5）
周荣昌（1990.4—1993.5）
崔维岳（1990.4—1993.5）
于兴隆（蒙古族，1992.4—1993.5）①

秘 书 长　巴达拉呼（蒙古族，1988.5—1993.5）

第二次会议　1989 年 4 月 20 日至 27 日在呼和浩特市召开。内蒙古自治区主席布赫作了《自治区人民政府工作报告》。会议经过审议作出了《关于政府工作报告的决议》《关于 1989 年自治区国民经济和社会发展计划的决议》《关于自治区 1988 年财政决算和 1989 年财政预算的决议》《关于自治区人大常委会工作报告的决议》《关于自治区高级人民法院工作报告的决议》《关于自治区人民检察院工作报告的决议》。

第三次会议　1990 年 4 月 20 日至 28 日在呼和浩特市召开。内蒙古自治区主席布赫作了《自治区人民政府工作报告》。会议审议作出了《关于政府工作报告的决议》《关于 1990 年自治区国民经济和社会发展计划的决议》《关于自治区 1989 年财政决算和 1990 年财政预算的决议》《关于自治区人大常委会工作报告的决议》《关于自治区高级人民法院工作报告的决议》《关于自治区人民检察院工作报告的决议》，审议通过了《内蒙古自治区人民代表大会议事规则》。会议增选周荣昌、崔维岳为自治区人大常委会副主任，增选黄凤岐为自治区人大常委会委员。

第四次会议　1991 年 4 月 25 日至 5 月 6 日在呼和浩特市召开。内蒙古自治区主席布赫作了《自治区人民政府工作报告》。会议审议作出了《关于政府工作报告的决议》《关于 1991 年自治区国民经济和社会发展计划的决议》《关于自治区 1990 年财政决算和 1991 年财政预算的决议》《关于自治区人大常委会工作报告的决议》《关于自治区高级人民法院工作报告的决议》《关于自治区人民检察院工作报告的决议》，审查批准了《自治区国民经济和社会发展十年规划与第八个五年计划纲要》。会议增选陈奎元、伊钧华

① 参见《内蒙古大辞典》，内蒙古人民出版社 1991 年版，第 145 页。

为自治区副主席，增选方成海、王秀梅、李欣泉、郭儒为自治区人大常委会委员。

第五次会议 1992年4月20日至29日在呼和浩特市召开。内蒙古自治区主席布赫作了《自治区人民政府工作报告》。会议审议作出了《关于政府工作报告的决议》《关于1992年自治区国民经济和社会发展计划的决议》《关于自治区1991年财政决算和1992年财政预算的决议》《关于自治区人大常委会工作报告的决议》《关于自治区高级人民法院工作报告的决议》《关于自治区人民检察院工作报告的决议》。会议增选于兴隆为自治区人大常委会副主任，增选宋志民、云布龙为自治区副主席。

第六次会议 1993年1月5日至7日在呼和浩特市召开。会议选举出内蒙古自治区出席第八届全国人民代表大会代表63人。

内蒙古自治区第七届人民代表大会常务委员会共举行了32次会议：

第一次会议（1988.6.11—12） 会议审议了《内蒙古自治区人民代表大会常务委员会议事规则（草案）》,审议并原则通过了《内蒙古自治区人大常委会1988年下半年工作安排》,作出了《内蒙古自治区第七届人大常委会机构设置的决定》,通过了人事任免事项。

第二次会议（1988.9.6—15） 会议学习了中共中央政治局第九、十次会议文件、赵紫阳《关于逐步建立社会主义商品经济新秩序》、万里《关于同心同德、推进改革、逐步建立社会商品经济新秩序》等重要讲话，审议通过了《自治区第七届人大常委会工作要点》,通过了《内蒙古自治区人民代表大会常务委员会议事规则》《内蒙古自治区实施〈中华人民共和国义务教育法〉办法》,作出了《关于设立内蒙古自治区小黑河地区人民检察院的决定》,通过了人事任免事项。

第三次会议（1988.11.15—19） 会议作出了《关于贯彻全国人大常委会〈关于加强民主法制维护安定团结保障改革和建设顺利进行的决定〉的决议》《关于修改内蒙古自治区执行〈中华人民共和国婚姻法〉的补充规定的决定》,通过了《内蒙古自治区地方立法五年（1988—1992）规划》。

第四次会议（1988.12.25—29） 会议通过了《内蒙古自治区人大常委会1989年工作要点》,通过了人事任免事项。

第五次会议（1989.2.17—25） 会议通过了《内蒙古自治区人民代表

大会常务委员会工作条例》《内蒙古自治区第七届人民代表大会常务委员会代表资格审查委员会组成人员名单》,审议了《内蒙古自治区自治条例（草案修改稿)》《内蒙古自治区未成年人保护条例（草案)》《内蒙古自治区实施〈中华人民共和国渔业法〉办法（草案)》,作出了《关于召开内蒙古自治区第七届人民代表大会第二次会议的决定》《关于在全区开展执法检查的决定》《内蒙古自治区第七届人民代表大会常务委员会关于呼和浩特市、乌海市、赤峰市人民代表大会代表名额的决定》,通过了人事任免事项。

第六次会议（1989. 4. 11—15）　会议审议通过了《内蒙古自治区未成年人保护条例》《内蒙古自治区实施〈中华人民共和国渔业法〉办法》,作出了《关于召开自治区第七届人民代表大会第二次会议日期的决定》《关于批准〈包头市老年人保护条例〉的决议》。

第七次会议（1989. 7. 24—31）　会议作出了《关于维护宪法和法律尊严保障社会稳定的决议》,审议通过了《内蒙古自治区实施〈中华人民共和国土地管理法〉办法》《内蒙古自治区人民代表大会常务委员会制定地方性法规的规定》,审议了《内蒙古自治区劳动保护条例（草案)》,通过了人事任免事项。

第八次会议（1989. 9. 23—28）　会议审议通过了《内蒙古自治区劳动保护条例》《内蒙古自治区各级人民代表大会选举实施细则》《内蒙古自治区选举委员会组成人员名单》,审议了《内蒙古自治区矿产资源管理条例(修改草案)》,作出了《关于旗县、苏木乡两级人民代表大会代表选举时间的决定》。

第九次会议（1989. 11. 13—17）　会议作出了《在治理整顿、深化改革中强化审计工作的决定》,审议通过了《内蒙古自治区矿产资源管理条例》。

第十次会议（1989. 12. 13—16）　会议审议通过了《内蒙古自治区人民代表大会常务委员会联系代表工作办法》《内蒙古自治区人民代表大会常务委员会任免工作办法》《内蒙古自治区人民代表大会常务委员会 1990 年工作要点》,作出了《关于批准〈呼和浩特市城市人口机械增长管理办法〉的决议》,通过了人事任免事项。

第十一次会议（1990. 2. 22—27）　会议作出了《关于继续深入开展扫除“六害”斗争的决议》《关于召开内蒙古自治区第七届人民代表大会第三

次会议的决定》，审议了《内蒙古自治区文物保护管理条例（草案）》，通过了人事任免事项。

第十二次会议（1990.3.23—24）　会议作出了关于批准《呼和浩特市实施〈中华人民共和国集会游行示威法〉规定》的决议、关于批准《包头市实施〈中华人民共和国集会游行示威法〉规定》的决议。

第十三次会议（1990.4.10—14）　会议审议通过了《内蒙古自治区文物保护条例》，审议了《内蒙古自治区第七届人民代表大会第三次会议的准备事项》《内蒙古自治区人大常委会工作报告》，作出了《关于召开内蒙古自治区第七届人民代表大会第三次会议日期的决定》《关于在全区各族公民中继续深入开展法制教育的决议》。

第十四次会议（1990.6.12—16）　会议作出了《关于批准〈呼和浩特市人民代表大会议事规则〉的决议》《内蒙古自治区人大常委会关于接受云清同志辞去自治区第七届人大常委会委员职务的请求的决定》，审议了《内蒙古自治区保护消费者合法权益条例（草案）》《内蒙古自治区苏木、乡、民族乡人民代表大会工作条例（草案）》，通过了人事任免事项。

第十五次会议（1990.8.15—21）　会议作出了《关于进一步做好实施行政诉讼法准备工作的决议》《关于批准〈包头市妇女儿童保护条例〉的决议》，审议通过了《关于推迟旗县、苏木乡两级人民代表大会换届选举时间的决定》，审议了《内蒙古自治区老年人保护条例（草案）》《内蒙古自治区计划生育条例（草案）》，通过了《内蒙古自治区保护消费者合法权益条例》。会议补选林维申为第七届全国人民代表大会代表，通过了人事任免事项。

第十六次会议（1990.10.8—12）　会议审议通过了《内蒙古自治区老年人保护条例》《内蒙古自治区计划生育条例》，作出了《关于批准〈呼和浩特市城镇公共卫生管理办法〉的决议》，通过了人事任免事项。

第十七次会议（1990.12.4—8）　会议审议通过了《内蒙古自治区统计管理条例》《内蒙古自治区人大常委会1991年工作要点》，作出了《关于批准〈呼和浩特市人民代表大会常务委员会工作条例〉的决议》，通过了人事任免事项。

第十八次会议（1991.1.28—2.2）　会议作出了《关于大力发展苏木乡镇企业振兴自治区经济的决议》《关于批准〈呼和浩特市人民代表大会常务

委员会制定地方性法规的规定〉的决议》《关于批准〈包头市社会治安综合治理条例〉的决议》，审议通过了《内蒙古自治区实施〈中华人民共和国集会游行示威法〉办法》，通过了人事任免事项。

第十九次会议（1991. 3. 18—23）　会议作出了《关于召开内蒙古自治区第七届人民代表大会第四次会议的决定》《关于批准〈包头市市政工程设施管理条例〉的决议》《关于实施法制宣传教育第二个五年规划的决议》，审议通过了《内蒙古自治区环境保护条例》，审议了《内蒙古自治区实施〈中华人民共和国水法〉办法（草案）》《内蒙古自治区苏木、乡、民族乡、镇人民政府工作条例（草案）》，通过了《关于接受乌云其木格同志辞去自治区第七届人大常委会委员职务请求的决定》和其他人事任免事项。

第二十次会议（1991. 4. 16—20）　会议通过了《内蒙古自治区实施〈中华人民共和国水法〉办法》《内蒙古自治区苏木、乡、民族乡、镇人民政府工作条例》，通过了有关人事任免事项。

第二十一次会议（1991. 6. 25—29）　会议通过了《内蒙古自治区鼓励外商投资条例》，作出了《关于进一步深入开展“质量、品种、效益年”活动的决议》《关于加强禁毒工作的决议》《关于同意修改〈内蒙古自治区草原管理条例〉的决定》《关于撤销内蒙古自治区选举委员会的决议》，通过了人事任免事项。

第二十二次会议（1991. 8. 23—31）　会议作出了《关于修改〈内蒙古自治区草原管理条例〉的决定》《关于批准〈呼和浩特市社会治安综合治理条例〉的决议》《关于批准〈包头市环境综合治理条例〉的决议》，通过了人事任免事项。

第二十三次会议（1991. 10. 25—31）　会议作出了《关于批准〈呼和浩特市人民代表大会常务委员会议事规则〉的决议》，通过了人事任免事项。

第二十四次会议（1991. 12. 18—24）　会议审议通过了《内蒙古自治区实施〈中华人民共和国野生动物保护法〉办法》《内蒙古自治区妇女儿童保护条例》《内蒙古自治区旗县级人民代表大会常务委员会工作条例》，作出了《关于批准〈呼和浩特市人民代表大会代表工作条例〉的决议》《关于进一步搞好国营大中型企业的决议》，审议并通过了《内蒙古自治区人大常委会1992 年工作要点》，通过了人事任免事项。

第二十五次会议（1992. 2. 24—29） 会议审议通过了《内蒙古自治区邮电通信管理条例》，作出了《关于召开内蒙古自治区第七届人民代表大会第五次会议的决定》，通过了人事任免事项。

第二十六次会议（1992. 4. 13—17） 会议审议通过了《内蒙古自治区社会治安综合治理条例》，作出了《关于批准〈呼和浩特市土地管理办法〉的决议》《关于开展执法检查的决定》，通过了《内蒙古自治区人大常委会工作报告》以及人事任免事项。

第二十七次会议（1992. 6. 15—19） 会议审议通过了《内蒙古自治区实施〈中华人民共和国全民所有制工业企业法〉办法》《内蒙古自治区城乡集市贸易食品卫生管理条例》，作出了《关于批准〈呼和浩特市大气污染防治管理办法〉的决议》《关于加强人民法院执行工作的决议》，通过了人事任免事项。

第二十八次会议（1992. 8. 25—29） 会议作出了《关于修改〈内蒙古自治区鼓励外商投资条例〉的决定》，通过了《内蒙古自治区预算外资金管理条例》以及人事任免事项。

第二十九次会议（1992. 10. 26—30） 会议审议通过了《内蒙古自治区实施〈中华人民共和国城市规则法〉办法》《内蒙古自治区实施〈中华人民共和国村民委员会组织法（试行）〉办法》，作出了《关于召开内蒙古自治区第七届人民代表大会第六次会议的决定》《关于包头市第十届人民代表大会代表名额和选举时间的决定》，通过了人事任免事项。

第三十次会议（1992. 12. 24—30） 会议审议通过了《内蒙古自治区农牧业承包合同条例》《内蒙古自治区律师执行职务条例》，通过了《关于批准呼和浩特市人民代表大会常务委员会关于修改〈呼和浩特市城市建设拆迁安置管理办法〉的决定的决议》，作出了《关于批准〈包头市人民代表大会常务委员会制定地方性法规程序的规定〉的决议》《关于内蒙古自治区第八届人民代表大会代表名额和选举时间的决定》，审议了《内蒙古自治区人大常委会1993年工作要点（草案）》。

第三十一次会议（1993. 2. 26—3. 4） 会议审议通过了《内蒙古自治区人民代表大会常务委员会批准地方性法规和自治条例、单行条例的规定》《内蒙古自治区文物保护条例修正案》《内蒙古自治区人大常委会1993年工作要点》，作出了《关于批准〈呼和浩特市城市规划管理办法〉的决议》《关于批准〈呼和浩特市外商投资优惠办法〉的决议》《关于批准包头市人大常委会关于修改〈包头市妇女儿童保护条例〉的决定的决议》《关于召开内蒙古自治区第八届人民代表大会第一次会议的决定》《关于切实减轻农牧民负担的决议》，通过了《关于废止〈内蒙古自治区道路交通事故处理规定〉的决定》《关于废止〈呼和浩特市道路交通事故处理暂行规定〉的决定》。会议补选王维珍为出席第八届全国人民代表大会代表，通过了人事任免事项。

第三十二次会议（1993.4.20—21）　会议通过了《关于内蒙古自治区第八届人民代表大会代表资格审查报告》，审议通过了《内蒙古自治区第八届人民代表大会第一次会议准备事项》，审议了《内蒙古自治区人大常委会工作报告（草案）》。

八、内蒙古自治区第八届人民代表大会（1993.5—1998.1）

内蒙古自治区第八届人民代表大会共有代表587人。其中各界代表占代表总数的比例是：工人84人，占14.31%；农牧民109人，占18.57%；干部186人，占31.69%；知识分子122人，占20.78%；民主党派爱国人士55人，占9.37%；归侨台胞3人，占0.51%；解放军20人，占3.41%；武警8人，占1.36%。各界代表中共有女性公民137人，占代表总数的23.34%。代表中的少数民族成分和各占代表总数的比例是：蒙古族197人，占33.56%；满族18人，占3.07%；回族17人，占2.9%；达斡尔族12人，占2.04%；鄂温克族7人，占1.19%；鄂伦春族4人，占0.68%；朝鲜族6人，占1.02%。[①] 内蒙古自治区第八届人民代表大会共举行了五次会议。

第一次会议　1993年5月5日至13日在呼和浩特市召开。内蒙古自治区主席布赫作了政府工作报告。会议审议作出了《关于政府工作报告的决议》《关于1993年自治区国民经济和社会发展计划的决议》《关于内蒙古自治区1992年财政决算和1993年财政预算的决议》《关于自治区人大常委会

① 参见内蒙古自治区人大常委会档案室藏：《内蒙古自治区历届人民代表大会会议资料集》。

工作报告的决议》《关于自治区高级人民法院工作报告的决议》《关于自治区人民检察院工作报告的决议》。会议选举了由46人组成的内蒙古自治区第八届人大常委会，选举乌力吉为内蒙古自治区主席，副主席赵志宏、林用三、宋志民、云布龙、张廷武、沈淑济、周维德、包文发，自治区高级人民法院院长巴士杰，自治区人民检察院检察长张鹤松。

内蒙古自治区第八届人民代表大会常务委员会：

主　　任　王　群（1993.5—1997.1）

　　　　　刘明祖（1997.1—1998.1）

副 主 任　于兴隆（蒙古族，1993.5—1998.1）

　　　　　刘作会（1993.5—1997.1）

　　　　　伊钧华（蒙古族，1993.5—1998.1）

　　　　　刘震乙（1993.5—1998.1）

　　　　　崔维岳（1993.5—1998.1）

　　　　　贾　才（1993.5—1998.1）

　　　　　刘　珍（蒙古族，1993.5—1998.1）

　　　　　王秀梅（女，蒙古族，1993.5—1998.1）

　　　　　舍勒巴图（鄂伦春族，1993.5—1998.1）

　　　　　刘晓旺（1993.5—1998.1）

　　　　　宋志民（1997.1—1998.1）

第二次会议　1994年4月20日至26日在呼和浩特市召开。内蒙古自治区主席乌力吉作了政府工作报告。会议审议作出了《关于政府工作报告的决议》《关于自治区1994年国民经济和社会发展计划的决议》《关于自治区1993年财政决算和1994年财政预算的决议》《关于内蒙古自治区人大常委会工作报告的决议》《自治区高级人民法院工作报告的决议》《自治区人民检察院工作报告的决议》。

第三次会议　1995年4月15日至21日在呼和浩特市召开。内蒙古自治区主席乌力吉作了政府工作报告。会议审议作出了《关于政府工作报告的决议》《关于自治区1995年国民经济和社会发展计划的决议》《关于自治区1994年财政决算和1995年财政预算的决议》《关于内蒙古自治区人大常委会工作报告的决议》《关于自治区高级人民法院工作报告的决议》《关于自治区人民检察院工作报告的决议》，通过了《内蒙古自治区实施〈中华人民共和国妇女权益保障法〉的补充规定》《关于内蒙古自治区人民代表大会常务委员会组成人员名额的决定》，补选于化蛟、巴图苏和、刘佩勇、安利宝、陈启厚、郑长淮、高连元、道尔吉帕拉木为内蒙古自治区第八届人大常委会委员。

第四次会议　1996年2月5日至11日在呼和浩特市召开。内蒙古自治区主席乌力吉作了政府工作报告。会议审议作出了《关于政府工作报告的决议》《关于自治区1996年国民经济和社会发展计划的决议》《关于自治区1995年财政决算和1996年财政预算的决议》《关于内蒙古自治区人大常委会工作报告的决议》《关于自治区高级人民法院工作报告的决议》《关于自治区人民检察院工作报告的决议》，审查批准了《内蒙古自治区国民经济和社会发展第九个五年计划和2010年远景目标纲要》，补选马林、辛永福、贺金钟为内蒙古自治区第八届人大常委会委员。

第五次会议　1997年1月24日至30日在呼和浩特市召开。内蒙古自治区主席乌力吉作了政府工作报告。会议审议作出了《关于政府工作报告的决议》《关于自治区1997年国民经济和社会发展计划的决议》《关于自治区1996年财政决算和1997年财政预算的决议》《关于内蒙古自治区人大常委会工作报告的决议》《关于自治区高级人民法院工作报告的决议》《关于自治区人民检察院工作报告的决议》，通过了《关于接受王群辞去自治区人大常委会主任职务的决定》《关于接受刘作会辞去自治区人大常委会副主任职务的决定》《关于接受宋志民辞去自治区副主席职务的决定》《关于接受巴达拉呼、李欣泉、李铁生、哈斯、湖春辞去自治区人大常委会委员职务的决定》。会议选举刘明祖为自治区人大常委会主任，宋志民为自治区人大常委会副主任，于兴洲、刘凤亭、刘金山、杜光、吴凤德、高宗武、韩文贵、赛吉尔夫为自治区人大常委会委员，云公民为自治区副主席。

内蒙古自治区第八届人民代表大会常务委员会共举行了30次会议：

第一次会议（1993.5.16—17）　内蒙古自治区人大常委会主任王群宣布了自治区第八届人大常委会各位副主任的工作分工。会议学习讨论了《内蒙古自治区人民代表大会常务委员会工作条例》《内蒙古自治区人民代表大会常务委员会议事规则》《内蒙古自治区人民代表大会常务委员会任免工作办法》,通过了人事任免事项。

第二次会议（1993.7.6—9） 会议审议通过了《内蒙古自治区第八届人大常委会1993年下半年工作安排》《内蒙古自治区人大常委会关于旗县、苏木乡两级人民代表大会选举时间的决定》《内蒙古自治区选举委员会组成人员名单》,审议了《自治区第八届人大常委会委员工作规则及分工（试行草案)》,通过了人事任免事项。

第三次会议（1993.8.31—9.7） 会议作出了《关于批准〈包头市地方煤矿管理条例〉的决议》,审议通过了《内蒙古自治区第八届人大常委会工作要点》《内蒙古自治区人大常委会组成人员守则》《自治区第八届人大常委会代表资格审查委员会人员名单》,审议了《内蒙古自治区人大常委会三年（1993—1995）地方立法项目安排》。

第四次会议（1993.10.25—30） 会议审议通过了《内蒙古自治区技术市场管理条例》《内蒙古自治区实施〈中华人民共和国水土保护法〉办法》《自治区第八届人大常委会第四次会议表决方式的决定》,作出了《关于批准〈包头市城市供水管理条例〉的决议》《关于加强人民检察院查办贪污贿赂等大要案件工作的决议》,通过了人事任免事项。

第五次会议（1994.1.5—14） 会议审议通过了《内蒙古自治区实施〈中华人民共和国工会法〉办法》《内蒙古自治区旗县级人民代表大会常务委员会议事规则》《内蒙古自治区地方煤矿管理条例》《内蒙古自治区农作物种子管理条例》《内蒙古自治区人大常委会1994年工作要点》,作出了《关于批准〈呼和浩特市水资源管理办法〉的决议》《关于批准〈包头市文化市场管理条例〉的决议》《关于呼和浩特市第十届人民代表大会代表名额的决定》《关于乌海市第四届人民代表大会代表名额的决定》,通过了人事任免事项。

第六次会议（1994.3.1—4） 会议审议通过了《内蒙古自治区公路管理条例》,作出了《关于召开内蒙古自治区第八届人民代表大会第二次会议的决定》。

第七次会议（1994.4.15—16） 会议作出了《关于增设农牧业委员会、环境与资源保护委员会的决定》《关于设立各盟工作委员会的决定》,通过了人事任免事项。

第八次会议（1994. 5. 26—31）　会议通过了《内蒙古自治区信访条例》《内蒙古自治区文化市场管理条例》《内蒙古自治区各级人民代表大会常务委员会执法检查条例》《内蒙古自治区人民代表大会常务委员会盟工作委员会工作条例》《内蒙古自治区实施〈中华人民共和国矿山安全法〉办法》,作出了《关于批准〈呼和浩特市市政公用设施管理办法〉的决议》《关于批准〈包头市城市建设拆迁管理条例〉的决议》,通过了人事任免事项。

第九次会议（1994. 7. 13—17）　会议审议通过了《内蒙古自治区电力设施保护条例》《内蒙古自治区城市房屋拆迁管理条例》《内蒙古自治区实施〈中华人民共和国归侨侨眷权益保护法〉办法》,作出了《关于撤销内蒙古自治区选举委员会的决议》,通过了人事任免事项。

第十次会议（1994. 9. 12—16）　会议通过了《内蒙古自治区建筑市场管理条例》,作出了《关于进一步加强统计执法和统计监督的决议》,通过了人事任免事项。

第十一次会议（1994. 11. 14—19）　会议审议通过了《关于修改〈内蒙古自治区统计管理条例〉的决定》,作出了《关于批准〈包头市残疾人保护条例〉的决议》《关于接受赵志宏同志辞去自治区副主席职务请求的决定》,通过了其他人事任免事项。

第十二次会议（1995. 1. 10—12）　会议审议通过了《内蒙古自治区国防教育条例》《内蒙古自治区农业环境保护条例》,作出了《关于召开内蒙古自治区第八届人民代表大会第三次会议的决定》《关于接受云布龙同志辞去自治区副主席职务请求的决定》,通过了人事任免事项。

第十三次会议（1995. 3. 31—4. 5）　会议审议通过了《内蒙古自治区各级人民代表大会常务委员会监督工作条例》《内蒙古自治区水工程设施管理保护办法》,作出了《关于批准〈包头市建筑市场管理条例〉的决议》《关于重视和加强环境与资源保护工作的决议》《关于接受林用三辞去自治区副主席职务请求的决定》《关于接受万继生辞去自治区第八届人大常委会委员职务请求的决定》,通过了其他人事任免事项。

第十四次会议（1995. 5. 29—6. 2）　会议审议通过了《内蒙古自治区苏木、乡、民族乡、镇人民代表大会工作条例》《内蒙古自治区实施〈中华人民共和国残疾人保障法〉办法》,作出了《关于批准〈包头市科学技术进步条例〉的决议》《关于深入贯彻实施〈中华人民共和国妇女权益保障法〉的决议》,通过了人事任免事项。

第十五次会议（1995. 7. 17—20） 会议通过了《关于修改〈内蒙古自治区预算外资金管理条例〉的决定》以及人事任免事项。

第十六次会议（1995. 9. 11—15） 会议审议通过了《内蒙古自治区旗县级人民代表大会议事规则》,作出了《关于批准〈呼和浩特市城镇集贸市场管理办法〉的决议》,通过了人事任免事项。

第十七次会议（1995. 11. 13—17） 会议审议通过了《内蒙古自治区消防条例》《内蒙古自治区商品市场管理条例》《内蒙古自治区实施〈中华人民共和国红十字会法〉办法》《内蒙古自治区农牧民负担监督管理条例》《关于修改〈内蒙古自治区计划生育条例〉的决定》,作出了《关于批准〈呼和浩特市城市园林绿化建设管理办法〉的决议》《关于批准〈包头市水资源管理条例〉的决议》,通过了《关于召开内蒙古自治区第八届人民代表大会第四次会议的决定》《关于赤峰市第三届人民代表大会代表名额的决定》,作出了《关于接受袁志发辞去自治区人大常委会委员职务请求的决定》以及其他人事任免事项。

第十八次会议（1996. 1. 23—26） 会议作出了《关于批准〈包头市义务教育条例〉的决议》《关于赤峰市第三届人民代表大会常务委员会组成人员名额的决定》,审议通过了《内蒙古自治区第八届人民代表大会第四次会议准备事项》。

第十九次会议（1996. 3. 31—4. 3） 会议审议通过了《内蒙古自治区人大常委会关于修改〈内蒙古自治区各级人民代表大会选举实施细则〉的决定》《关于加强重要农牧业生产资料经营和价格管理的决定》,作出了《关于批准〈包头市集贸市场管理条例〉的决议》《关于批准〈包头市城市绿化管理条例〉的决议》《关于全区苏木乡镇人民代表大会选举时间的决定》《关于在自治区人民政府、自治区高级人民法院、自治区人民检察院实行执法责任制的决定》,通过了人事任免事项。

第二十次会议（1996. 5. 27—6. 1） 会议审议通过了《内蒙古自治区实施〈中华人民共和国消费者权益保护法〉办法》《内蒙古自治区科学技术进步条例》,作出了《关于批准〈呼和浩特市人民警察巡察条例〉的决议》

《关于批准〈呼和浩特市严格限制养犬规定〉的决议》《关于批准〈呼和浩特市客运出租汽车管理办法〉的决议》《关于批准〈鄂伦春自治旗自治条例〉的决议》《关于批准自治区1995年财政决算的决议》,通过了人事任免事项。

第二十一次会议（1996.7.22—27）　会议审议通过了《内蒙古自治区公民献血条例》《内蒙古自治区农牧场条例》《内蒙古自治区规章设定罚款限额规定》,作出了《关于批准〈包头市劳动力市场管理条例〉的决议》《关于继续开展法制宣传教育的决议》,通过了人事任免事项。

第二十二次会议（1996.9.23—28）　会议审议通过了《内蒙古自治区查处销售假冒伪劣商品行为的规定》《内蒙古自治区行政执法监督条例》《内蒙古自治区农村牧区集体经济组织审计条例》《内蒙古自治区境内黄河流域水污染防治条例》,作出了《关于批准〈呼和浩特市外来务工经商人员管理条例〉的决议》《关于批准〈包头市养犬管理条例〉的决议》《关于批准包头市人民代表大会常务委员会关于修改〈包头市建筑市场管理条例〉的决定的决议》《关于接受冯愈强辞去自治区第八届人大常委会委员职务请求的决定》《关于撤销李富林自治区石油化学工业厅厅长职务的决定》,通过了其他人事任免事项。

第二十三次会议（1996.11.20—24）　会议审议通过了《内蒙古自治区实施〈中华人民共和国农业技术推广法〉办法》《内蒙古自治区禁毒条例》,作出了《关于批准〈呼和浩特市城镇职工基本养老保险基金管理规定〉的决议》《关于批准〈呼和浩特市水土保持管理条例〉的决议》《关于批准〈包头市城市规划管理条例〉的决议》《关于加强土地管理的决议》《关于召开自治区第八届人民代表大会第五次会议的决定》,通过了人事任免事项。

第二十四次会议（1997.1.17—18）　会议审议通过了《关于补选代表的代表资格的审查报告》《内蒙古自治区人大常委会工作报告》,审议了《自治区第八届人民代表大会第五次会议的准备事项》。

第二十五次会议（1997.3.31—4.4）　会议审议通过了《内蒙古自治区专用电信网管理条例》《内蒙古自治区科学技术协会条例》《关于修改〈内蒙古自治区人民代表大会常务委员会议事规则〉的决定》,通过了人事任免事项。

第二十六次会议（1997. 5. 26—31）　会议审议通过了《内蒙古自治区国有企业厂长（经理）离任审计条例》《内蒙古自治区气象条例》《内蒙古自治区建筑施工安全管理条例》,作出了《关于批准〈呼和浩特市建设工程质量管理条例〉的决议》《关于批准〈莫力达瓦达斡尔族自治旗自治条例〉的决议》《关于批准〈鄂温克族自治旗自治条例〉的决议》《关于加强农牧业社会化服务的决定》《关于进一步加强贯彻执行草原法的决议》《关于批准1996年自治区本级决算的决议》,通过了人事任免事项。

第二十七次会议（1997. 7. 30—8. 2）　会议审议通过了《内蒙古自治区外商投资企业工会条例》《内蒙古自治区个体工商户条例》《内蒙古自治区实施〈中华人民共和国母婴保健法〉办法》,作出了《关于修改〈内蒙古自治区人民代表大会常务委员会工作条例〉的决定》《关于修改〈内蒙古自治区旗县级人民代表大会常务委员会工作条例〉的决定》《关于修改〈内蒙古自治区农村牧区集体经济组织审计条例〉的决定》,通过了人事任免事项。

第二十八次会议（1997. 9. 19—24）　会议审议通过了《内蒙古自治区食品摊贩和城乡集市贸易食品卫生管理条例》,作出了《关于修改〈内蒙古自治区禁止赌博条例〉的决定》《关于修改〈内蒙古自治区实施中华人民共和国矿山安全法办法〉的决定》《关于修改〈内蒙古自治区电力设施保护条例〉的决定》《关于修改〈内蒙古自治区实施中华人民共和国水土保持法办法〉的决定》《关于修改〈内蒙古自治区实施中华人民共和国渔业法办法〉的决定》《关于修改〈内蒙古自治区环境保护条例〉的决定》,作出了《关于批准〈呼和浩特市固定资产投资建设项目竣工决算审计监督办法〉的决议》《关于批准〈包头市房地产交易市场管理条例〉的决议》《关于批准呼和浩特市人大常委会关于修改〈呼和浩特市社会治安治理条例〉的决定的决议》《关于修改〈呼和浩特市实施中华人民共和国游行示威法规定〉的决定的决议》《关于修改〈呼和浩特市严格限制养犬规定〉的决定的决议》《关于修改〈呼和浩特市城市建设拆迁安置管理办法〉的决定的决议》《关于修改〈呼和浩特市城市规划管理办法〉的决定的决议》《关于修改〈呼和浩特市市政公用设施管理办法〉的决定的决议》《关于修改〈呼和浩特市土地管理法〉的决定的决议》《关于修改〈呼和浩特市大气污染防治管理办法〉的决定的决议》《关于批准包头市人大常委会关于废止〈包头市地方煤矿管理条例〉的决定的决议》《关于修改〈包头市文化市场管理条例〉的决定的决议》《关于修改〈包头市建筑市场管理条例〉的决定的决议》,审议通过了《关于自治区第九届人民代表大会代表名额和选举时间的决定》,通过了人事任免事项。

第二十九次会议（1997. 11. 17—20）　会议审议通过了《内蒙古自治区产品质量监督管理条例》,作出了《关于修改〈内蒙古自治区建筑市场管理条例〉的决定》《关于修改〈内蒙古自治区实施中华人民共和国土地管理法办法〉的决定》《关于批准〈呼和浩特市开发区管理条例〉的决议》《关于批准呼和浩特市人大常委会关于修改〈呼和浩特市园林绿化建设管理办法〉的决定的决议》《关于包头市第十一届人民代表大会代表名额的决定》《关于召开自治区第八届人民代表大会第一次会议的决定》《关于变更自治区第九届人民代表大会代表选举时间的决定》,通过了人事任免事项。

第三十次会议（1997. 12. 29—30）　会议作出了《关于包头市第十一届人民代表大会常务委员会组成人员名额的决定》,审议了《自治区第九届人民代表大会第一次会议准备事项》《内蒙古自治区第八届人大常委会工作报告》。

九、内蒙古自治区第九届人民代表大会（1998. 1—2000. 12）

内蒙古自治区第九届人民代表大会共有代表 533 人。其中各界代表占代表总数的比例是：工人 81 人，占 15. 20%；农牧民 103 人，占 19. 32%；干部 168 人，占 31. 52%；知识分子 115 人，占 21. 58%；民主党派爱国人士 41 人，占 7. 69%；归侨台胞 3 人，占 0. 56%；解放军 16 人，占 3. 00%；武警 6 人，占 1. 13%。各界代表中共有女性公民 132 人，占代表总数的 24. 77%。代表中的少数民族成分和各占代表总数的比例是：蒙古族 162 人，占 30. 39%；达斡尔族 8 人，占 1. 50%；鄂温克族 7 人，占 1. 31%；鄂伦春族 5 人，占 0. 94%；朝鲜族 5 人，占 0. 94%；满族 1 人，占 0. 19%；回族 14 人，占 2. 63%；藏族 1 人，占 0. 19%；俄罗斯族 1 人，占 0. 19%。[①] 截至 2000 年底，内蒙古自治区第九届人民代表大会共举行了三次会议。

---

① 参见内蒙古自治区人大常委会档案室藏：《内蒙古自治区历届人民代表大会会议资料集》。

第一次会议　1998年1月8日至18日在呼和浩特市召开。内蒙古自治区主席乌力吉作了政府工作报告。会议审议作出了《关于政府工作报告的决议》《关于1998年国民经济和社会发展计划的决议》《关于自治区1997年财政决算和1998年财政预算的决议》《关于自治区人大常委会工作报告的决议》《关于自治区高级人民法院工作报告的决议》《关于自治区人民检察院工作报告的决议》。会议审议通过了《内蒙古自治区人民代表大会议事规则修正案》《关于内蒙古自治区第九届人大常委会组成人员名额的决定》。会议选举了由48人组成的内蒙古自治区第九届人大常委会；选举云布龙为自治区主席，副主席周德海、沈淑济、周维德、王凤岐、宝音德力格尔、云公民、傅守正、郝益东，自治区高级人民法院院长巴士杰，自治区人民检察院检察长王尚罗；选举自治区出席第九届全国人民代表大会代表59人。

内蒙古自治区第九届人民代表大会常务委员会：

主　　任　刘明祖（1998. 1—2000. 12）

副 主 任　白　音（蒙古族，1998. 1—2000. 12）

宋志民（1998. 1—2000. 12）

张廷武（1998. 1—2000. 12）

包文发（蒙古族，1998. 1—2000. 12）

贾　才（1998. 1—2000. 12）

王秀梅（女，蒙古族，1998. 1—2000. 12）

舍勒巴图（鄂伦春族，1998. 1—2000. 12）

张鹤松（1998. 1—2000. 12）

陈瑞清（1998. 1—2000. 12）

秘 书 长　邢宝玉（1998. 1—2000. 12）

第二次会议　1999年2月1日至7日在呼和浩特市召开。内蒙古自治区主席云布龙作了政府工作报告。会议审议作出了《关于政府工作报告的决定》《关于自治区1999年国民经济和社会发展计划的决议》《关于自治区1998年财政决算和1999年财政预算的决议》《关于自治区人大常委会工作报告的决议》《关于自治区高级人民法院工作报告的决议》《关于自治区人民检察院工作报告的决议》《关于执行〈中华人民共和国草原法〉报告的决议》《关于增补自治区第九届人民代表大会计划预算审查委员会副主任委员的决定》。

第三次会议 2000年1月20日至27日在呼和浩特市召开。内蒙古自治区主席云布龙作了政府工作报告。会议审议作出了《关于政府工作报告的决议》《关于自治区2000年国民经济和社会发展计划的决议》《关于自治区1999年财政决算和2000年财政预算的决议》《关于自治区人大常委会工作报告的决议》《关于自治区高级人民法院工作报告的决议》《关于自治区人民检察院工作报告的决议》《关于执行〈中华人民共和国森林法〉报告的决议》。会议增选王家祥、乌日途、白朝蓉、孙海林、张钰、张俊杰、旺其嘎、阎华为自治区人大常委会委员。

截至2000年底，内蒙古自治区第九届人民代表大会常务委员会共举行了20次会议：

第一次会议（1998.1.19） 会议宣布了自治区第九届人大常委会副主任分工，审议并原则通过了《内蒙古自治区第九届人大常委会1998年工作要点》。

第二次会议（1998.4.12—16） 会议审议通过了《内蒙古自治区测绘管理条例》，作出了《关于修改〈内蒙古自治区统计管理条例〉的决定》《关于批准〈呼和浩特市城镇职工养老保险基金征缴办法〉的决议》《关于批准〈包头市促进科技成果转化条例〉的决议》《关于实施依法治区的决议》，通过了《关于旗县级人民代表大会选举时间的决定》《内蒙古自治区人大常委会组成人员守则》，通过了人事任免事项。会议期间举行了实施依法治国的有关问题的法制讲座。

第三次会议（1998.5.27—30） 会议审议通过了《内蒙古自治区种畜禽管理条例》《内蒙古自治区农业机械管理条例》，作出了《关于批准〈呼和浩特市实施中华人民共和国工会法办法〉的决议》《关于批准1997年自治区本级决算的决议》《关于旗县级人民代表大会代表名额的决定》，通过了《自治区第九届人大常委会代表资格审查委员会人员名单》和人事任免事项。

第四次会议（1998.7.27—31） 会议审议通过了《内蒙古自治区体育设施管理条例》，作出了《关于批准〈呼和浩特市城市房地产交易市场管理条例〉的决议》《关于批准〈包头市城市房地产开发经营管理条例〉的决议》,审议通过了《关于呼和浩特市人民代表大会代表名额和人大常委会组成人员名额的决定》《关于乌海市人民代表大会代表名额和人大常委会组成人员名额的决定》,通过了人事任免事项。

第五次会议（1998. 9. 21—28） 会议审议通过了《内蒙古自治区司法工作人员违法办案责任追究条例》《内蒙古自治区盐业管理条例》《内蒙古自治区道路运输管理条例》《内蒙古自治区爱国卫生条例》《内蒙古自治区耕地保养条例》《内蒙古自治区实施〈中华人民共和国全国人民代表大会和地方各级人民代表大会代表法〉办法》,作出了《关于批准〈呼和浩特市清真食品管理办法〉的决议》《关于批准〈呼和浩特市流动人口计划生育管理办法〉的决议》《关于批准〈包头市菜田保护建设管理条例〉的决议》《关于旗县级人大常委会组成人员名额的决定》《关于纠正库伦旗第十一届人民代表大会第五次会议另行选举中错误的决定》《关于接受沈淑济辞去自治区副主席职务请求的决定》,通过了其他人事任免事项。

第六次会议（1998. 11. 23—27） 会议审议通过了《内蒙古自治区边境管理条例》《内蒙古自治区各级人民代表大会代表评议工作条例》《内蒙古自治区基本草牧场保护条例》,作出了《关于修改〈内蒙古自治区文化市场管理条例〉的决定》《关于批准〈呼和浩特市邮政通信管理条例〉的决议》《关于批准〈呼和浩特市公路路政管理条例〉的决议》《关于召开自治区第九届人民代表大会第二次会议的决定》,通过了人事任免事项。

第七次会议（1999. 1. 22—24） 会议审议通过了《内蒙古自治区境内西辽河流域水污染防治条例》,作出了《关于批准〈呼和浩特市村庄集镇规划建设管理条例〉的决议》《关于批准〈包头市专业技术人员继续教育条例〉的决议》《关于增补自治区第九届人民代表大会计划预算审查委员会副主任委员的决定》,通过了其他人事任免事项。

第八次会议（1999. 3. 23—25） 会议审议通过了《内蒙古自治区档案条例》《内蒙古自治区建设工程质量管理条例》,通过了《关于修改〈内蒙古自治区消防条例〉的决定》《关于修改〈内蒙古自治区各级人民代表大会选举实施细则〉的决定》,作出了《关于批准〈呼和浩特市殡葬管理条例〉的决议》,通过了人事任免事项。

第九次会议（1999. 5. 24—27） 会议审议通过了《内蒙古自治区乡镇

企业条例》，作出了《关于批准〈包头市燃气管理条例〉的决议》《关于批准〈包头市市政工程设施管理条例〉的决议》《关于批准1998年自治区本级决算的决议》，通过了《关于全区苏木、乡、民族乡、镇人民代表大会换届选举时间的决定》《关于通辽市第一届人民代表大会有关事项的决定》，通过了人事任免事项。

第十次会议（1999.7.26—31） 会议审议通过了《内蒙古自治区实施〈中华人民共和国教师法〉办法》《内蒙古自治区苏木、乡、民族乡、镇人民代表大会主席、副主席工作条例》《内蒙古自治区矿产资源管理条例》，通过了《关于批准呼和浩特市人民代表大会关于修改〈呼和浩特市人民代表大会议事规则〉的决定的决议》《关于修改〈呼和浩特市人民代表大会代表工作条例〉的决定的决议》《关于批准〈包头市禁毒条例〉的决议》，通过了人事任免事项。

第十一次会议（1999.9.17—24） 会议审议通过了《内蒙古自治区旅游管理条例》《内蒙古自治区实施〈中华人民共和国防空法〉办法》《内蒙古自治区计量管理条例》《内蒙古自治区体育市场管理条例》，通过了《关于批准呼和浩特市人大常委会关于修改〈呼和浩特市人民代表大会常务委员会工作条例〉的决定的决议》，作出了《关于批准〈包头市商业网点规划建设管理条例〉的决议》《关于批准〈包头稀土高新技术产业开发区条例〉的决议》，通过了人事任免事项。

第十二次会议（1999.11.24—29） 会议审议通过了《内蒙古自治区私营企业工会条例》《内蒙古自治区城镇职工基本养老保险条例》《内蒙古自治区防震减灾条例》《内蒙古自治区实施〈中华人民共和国防洪法〉办法》《内蒙古自治区农业资源区划条例》《内蒙古自治区小城镇建设管理条例》《内蒙古自治区各级人民代表大会常务委员会信访工作条例》，作出了《关于修改〈内蒙古自治区计划生育条例〉的决定》《关于批准〈包头市住宅区物业管理条例〉的决议》《关于召开自治区第九届人民代表大会第三次会议的决定》，通过了人事任免事项。

第十三次会议（2000.1.11—14） 会议审议通过了《内蒙古自治区实施〈中华人民共和国价格法〉办法》《内蒙古自治区实施〈中华人民共和国献血法〉办法》，作出了《关于批准〈呼和浩特市职业病防治监督条例〉的决议》《关于批准〈呼和浩特市房屋拆迁管理条例〉的决议》。会议补选卢德勋为第九届全国人民代表大会代表，通过了人事任免事项。

第十四次会议（2000. 2. 23）　会议通过了人事任免事项。

第十五次会议（2000. 4. 4—8）　会议审议通过了《内蒙古自治区实施〈中华人民共和国村民委员会组织法〉办法》,作出了《关于批准〈呼和浩特市民族教育条例〉的决议》《关于批准〈呼和浩特市户外广告管理条例〉的决议》,通过了人事任免事项。

第十六次会议（2000. 5. 29—6. 1）　会议作出了《关于批准〈呼和浩特市私营企业权益保护条例〉的决议》,通过了《关于授权法制工作委员会承担地方性法规草案统一审议工作的决定》,通过了人事任免事项。

第十七次会议（2000. 7. 31—8. 6）　会议审议通过了《内蒙古自治区公证条例》《内蒙古自治区公共图书馆管理条例》《内蒙古自治区嘎查村财物管理条例》《内蒙古自治区实施〈中华人民共和国森林法〉办法》,作出了《关于批准〈莫力达瓦达斡尔族自治旗土地管理条例〉的决议》《关于批准〈包头市文化市场管理条例〉的决议》《关于批准1999年自治区本级财政决算的决议》《关于设立人事代表选举委员会及民族委员会、环境与资源保护委员会更名的决定》《关于重新确定呼和浩特市新城区、回民区、玉泉区、赛罕区人民代表大会代表名额的决定》,通过了人事任免事项。

第十八次会议（2000. 8. 23）　会议决定任命乌云其木格为内蒙古自治区副主席、代理自治区主席。

第十九次会议（2000. 10. 10—15）　会议审议通过了《内蒙古自治区企业集体合同条例》《内蒙古自治区促进科技成果转化条例》《内蒙古自治区人民代表大会常务委员会审查监督自治区本级预算办法》《内蒙古自治区实施〈中华人民共和国土地管理法〉办法》《内蒙古自治区地热资源管理条例》,作出了《关于批准〈莫力达瓦达斡尔族自治旗民族教育条例〉的决议》《关于批准〈呼和浩特市社会力量办学管理办法〉的决议》,通过了人事任免事项。

第二十次会议（2000. 12. 7—12）　会议审议通过了《内蒙古自治区人才市场管理条例》《内蒙古自治区实施〈中华人民共和国标准化法〉办法》《内蒙古自治区农牧业承包合同条例》《内蒙古自治区珍稀林木保护条例》,

作出了《关于修改〈内蒙古自治区气象条例〉的决定》《关于批准〈呼和浩特市大气污染防治管理条例〉的决议》《关于召开自治区第九届人民代表大会第四次会议的决定》。会议补选乌云其木格为第九届全国人民代表大会代表，通过了人事任免事项。

第五节　中国人民政治协商会议内蒙古自治区委员会

中国人民政治协商会议是中国共产党领导的具有广泛代表性的爱国统一战线组织，也是中国共产党领导的多党合作和政治协商的一种重要组织形式。人民政协的政治协商内容主要是，依据中国共产党同各民主党派和无党人士“长期共存，互相监督，肝胆相照，荣辱与共”的方针，对国家的大政方针、地方重要事务、政策法令的贯彻、群众生活和统一战线中的重大问题，加强政治协商和民主监督。

中国人民政治协商会议内蒙古自治区委员会是在中共内蒙古自治区委员会领导下的一个广泛的爱国统一战线组织，是中国人民政治协商会议全国委员会在内蒙古自治区的地方组织。简称“内蒙古政协、政协内蒙古自治区委员会”。1955 年 2 月由内蒙古政协第一届全体会议选举产生。其前身是 1947 年 4 月 23 日至 5 月 3 日，在王爷庙（今乌兰浩特市）举行的内蒙古人民代表会议选举产生的内蒙古临时参议会、1949 年 12 月 27 日成立的绥远省军政委员会以及 1951 年 3 月 22 日成立的绥远省各界人民代表会议协商委员会，[①] 这些机构都曾发挥了人民政协组织的作用。

绥远省各界人民代表会议协商委员会（1951. 3—1954. 3）　1951 年 3 月 15 日至 21 日，绥远省召开第一届各界人民代表会议，选举产生了由 59 人组成的绥远省各界人民代表会议协商委员会。

主　　席　苏谦益（1951. 3—1954. 3）
副 主 席　杨植霖（1951. 3—1954. 3）
　　　　　姚　喆（1951. 3—1954. 3）

① 参见《内蒙古年鉴》(1998)，方志出版社 1998 年版，第 149—150 页。

奎　璧（蒙古族，1951. 3—1954. 3）

孙兰峰（1951. 3—1954. 3）①

1954年3月蒙、绥合并，绥远省建制撤销。绥远省各界人民代表会议协商委员会于3月6日正式宣布撤销。经中共中央内蒙古分局批准，在内蒙古自治区参议会和绥远省各界人民代表会议协商委员会的基础上，由内蒙古自治区人民政府邀请内蒙古自治区各族各界及各人民团体有关的代表人士，成立了由25人组成的内蒙古自治区政治协商委员会筹备委员会，并于3月6日正式开始办公。筹备委员会除进行中国人民政治协商委员会内蒙古自治区委员会筹备事宜外，还肩负着内蒙古政协的工作任务。1955年2月12日，筹备委员会召开第9次会议，讨论和通过了《中国人民政治协商会议内蒙古自治区第一届委员会委员名单》《政协内蒙古自治区委员会主席、副主席、秘书长和常务委员选举投票办法（草案）》,同时发出《关于召开中国人民政治协商会议内蒙古自治区第一届委员会第一次会议日期的通知》。

内蒙古自治区协商委员会筹备委员会（1954. 3—1955. 2）:

主　　任　杨植霖（1954. 3—1955. 2）

副 主 任　王再天（蒙古族，1954. 3—1955. 2）

孙兰峰（1954. 3—1955. 2）

吉雅泰（蒙古族，1954. 3—1955. 2）

秘 书 长　鲁志浩（1954. 3—1955. 2）

副秘书长　杨令德（1954. 3—1955. 2）

嘎如布僧格（蒙古族，1954. 3—1955. 2）

闫兆麟（1954. 3—1955. 2）②

一、中国人民政治协商会议内蒙古自治区第一届委员会（1955. 2—1959. 2）

内蒙古政协第一届委员会经历了对农业、手工业和资本主义工商业的社会主义改造，通过政治协商，组织各族各界民主人士进行马列主义理论、毛

① 《绥远日报》1951年3月23日。

② 参见《内蒙古大辞典》,内蒙古人民出版社1991年版，第117页。

泽东著作及党和国家的政策法令的学习，推动各族各界人士进行了社会实践和劳动锻炼，对内蒙古自治区的社会主义改造和各项社会主义建设事业的顺利进行发挥了积极作用。

第一次会议　1955年2月22日至26日在呼和浩特市召开，出席会议的委员88人。经1955年2月12日内蒙古自治区协商委员会筹委会第9次会议协商通过的内蒙古政协第一届委员会委员为107人。组成第一届政协的委员来自17个界别，其中中国共产党8人、中国新民主主义青年团3人、内蒙古自治区工会5人、农牧民2人、内蒙古自治区民主妇女联合会8人、内蒙古自治区民主青年联合会2人、合作社2人、对外和平友好团体2人、内蒙古自治区工商业联合会7人、内蒙古文学艺术工作者联合会7人、自然科学团体7人、教育界9人、新闻出版界3人、医药卫生界5人、少数民族8人、宗教界7人、特别邀请人士22人。

中共中央内蒙古分局书记乌兰夫到会讲话。会议通过了《关于拥护政协第二届全国委员第一次全体会议宣言的决议》《关于协助政府胜利完成发行新人民币和推销1955年国家经济建设公债工作的决议》《关于自治区协商委员会筹备委员会工作报告的决议》《关于建立政协内蒙古自治区各级地方委员会的方案》。选举产生了由33人组成的内蒙古政协第一届委员会常务委员会，以及主席、副主席、秘书长。

中国人民政治协商会议内蒙古自治区第一届委员会：

主　　席　杨植霖（1955.2—1959.2）
副 主 席　吉雅泰（蒙古族，1955.2—1959.2）
　　　　　孙兰峰（1955.2—1959.2）
　　　　　特木尔巴根（蒙古族，1955.2—1959.2）
　　　　　陈炳谦（1955.2—1959.2）
秘 书 长　鲁志浩（1955.2—1959.2）

第二次会议　1956年2月20日至24日在呼和浩特市召开，出席委员151人，列席代表47人。会议通过了《关于拥护〈中国人民政治协商会议第二届全国委员会第二次全体会议政治决议〉的决议》《关于杨植霖作的〈为加快我区社会主义改造和社会主义建设而奋斗〉的报告的决议》《关于内蒙古政协常务委员会工作报告的决议》《政协内蒙古自治区第一届委员会第二次全体会议关于提案整理、审查的说明》。增补委员49人，其中原热河、甘肃省政协委员13人；增选、补选常务委员16人。

第三次会议 1957年4月8日至13日在呼和浩特市召开。本届委员165人，出席委员106人，列席代表41人，特邀代表8人。会议通过了《关于拥护〈中国人民政治协商会议第二届全国委员会第三次全体会议政治决议〉的决议》《政协内蒙古自治区第一届委员会第三次全体会议关于常务委员会工作报告的决议》《政协内蒙古自治区第一届委员会第三次全体会议关于提案审查的决议》。会议增补委员14人，补选常务委员4人。①

二、中国人民政治协商会议内蒙古自治区第二届委员会（1959.2—1965.5）

内蒙古政协第二届委员会经历了国民经济调整时期和社会主义教育运动，内蒙古政协组织各界人士结合各个时期的政治形势和人民政府的中心任务，开展视察、访问和调查研究工作，在密切党和政府同各族各界民主人士的关系方面起到了积极的作用。

第一次会议 1959年2月20日至3月4日在呼和浩特市召开。本届委员共238人，全部出席会议。组成第二届内蒙古政协的委员来自17个界别，其中中国共产党19人、中国共产主义青年团3人、内蒙古自治区工会联合会11人、农牧民9人、内蒙古自治区妇女联合会14人、内蒙古自治区民主青年联合会3人、合作社1人、内蒙古自治区工商业联合会13人、文艺界13人、科学技术界23人、教育界18人、新闻出版界4人、医药卫生界13人、对外友好团体1人、少数民族7人、宗教界15人、特别邀请人士71人。主要增加了工农牧业劳动模范，科学技术、文化艺术界代表人物和个别具代表性的牧主。

会议上，杨植霖作了《更积极地参加社会主义建设实践在自我改造的道路上继续跃进》的报告，吉雅泰作了《关于统战、民族、宗教问题的报告》,李世杰作了《政协内蒙古自治区第一届委员会常务委员会工作报告》,

---

① 参见内蒙古政协办公厅、文史资料委员会编：《九届政协委员名录》,第329—337页，《内蒙古文史资料》第57辑，2004年。

内蒙古党委书记王铎作了《关于巩固人民公社制度，加强自治区建设》的报告。会议通过了《关于杨植霖所作政治报告的决议》《关于政协内蒙古自治区第一届委员会常务委员会工作报告的决议》《关于提案审查报告的决议》。会议选举产生了由46人组成的政协内蒙古自治区第二届委员会常务委员会，以及主席、副主席、秘书长。

中国人民政治协商会议内蒙古自治区第二届委员会：

主　　席　杨植霖（1959.2—1962.8）

副 主 席　吉雅泰（蒙古族，1959.2—1965.5）

　　　　　孙兰峰（1959.2—1965.5）

　　　　　李世杰（1959.2—1965.5）

　　　　　朋斯克（蒙古族，1959.2—1965.5）

秘 书 长　朋斯克（蒙古族，1959.2—1965.5）

第二次会议　1960年8月16日至22日在呼和浩特市召开。出席委员320人。内蒙古党委第一书记乌兰夫到会讲话。吉雅泰作了《继续加强改造，积极服务，一心一意为社会主义建设贡献力量》的报告，李世杰作了《政协内蒙古自治区第二届委员会常务委员会工作报告》。会议通过了《政协内蒙古自治区第二届委员会第二次会议的决议》《关于提案审查报告的决议》。与会全体委员列席了内蒙古自治区第二届人民代表大会第三次会议。会议增补内蒙古政协委员10人。

第三次会议　1962年6月19日至7月7日在呼和浩特市召开。本届委员240人，出席委员176人，列席代表202人。会议传达了全国政协三届三次会议和民族工作会议文件。李世杰作了《内蒙古政协第二届委员会常务委员会工作报告》，王再天作了《进一步贯彻党的统一战线政策、民族宗教政策，加强政协以及其他群众团体工作的报告》。会议通过了《政协内蒙古自治区第二届委员会常务委员会工作报告》《政协内蒙古自治区第二届委员会第三次会议的决议》、提案审查委员会《关于提案审查结果的报告》等。

中国人民政治协商会议内蒙古自治区第二届委员会常务委员会：

常务主席　吉雅泰、孙兰峰、李世杰、朋斯克、博彦满都、王文达、克力更、蒋毅、鲁志浩、郭文通、张荣臻、巴文峻、杜如薪

秘 书 长　朋斯克（兼）

第四次会议 1964 年 1 月 20 日至 2 月 3 日在呼和浩特市召开。出席委员 241 人。李世杰作了《政协内蒙古自治区第二届委员会常务委员会工作报告》,自治区计委副主任阿木古郎作了《关于内蒙古自治区 1963 年国民经济计划执行情况和 1964 年建设任务的报告》。会议通过了《政协内蒙古自治区第二届委员会第四次全体会议的决议》《关于提案审查报告的决议》。会议决定政协内蒙古第二届委员会任期延至本年 10 月。

中国人民政治协商会议内蒙古自治区第二届委员会常务委员会：

常务主席 吉雅泰、孙兰峰、李世杰、博彦满都、毕力格巴图尔、鲁志浩、沈湘汉、杜如薪、陈介平、宿树钦、郭文通、张荣臻、巴文峻、杨令德

秘 书 长 杜如薪①

三、中国人民政治协商会议内蒙古自治区第三届委员会（1965. 5—1977. 12）

第一次会议 1965 年 5 月 6 日至 20 日在呼和浩特市召开。本届委员 280 人，出席会议 241 人。组成第三届内蒙古政协的委员来自 18 个界别，其中中国共产党 24 人、共产主义青年团 6 人、工会联合会 18 人、农牧民 9 人、妇女联合会 18 人、青年联合会 6 人、合作社 4 人、工商联合会 11 人、文学艺术界 16 人、科学技术界 37 人、教育界 26 人、新闻出版界 5 人、医药卫生界 16 人、对外友好团体 1 人、少数民族 10 人、华侨 1 人、宗教界 11 人、特邀人士 61 人。

会议上，李世杰作了《政协内蒙古自治区第二届委员会常务委员会工作报告》,乌兰夫作了《关于当前国际形势和统一战线、民族、宗教政策问题的报告》,提案委员会作了《关于提案审查的报告》。会议通过了《政协内蒙古自治区第三届委员会第一次全体会议的决议》《关于提案审查报告的决议》；选举产生了由 43 人组成的内蒙古政协第三届委员会常务委员会，以及主席、副主席、秘书长、常务委员。

---

① 参见内蒙古政协办公厅、文史资料委员会编：《九届政协委员名录》,第 338—345 页；《内蒙古文史资料》第 57 辑，2004 年。

中国人民政治协商会议内蒙古自治区第三届第一次会议以后，由于受“文化大革命”动乱的影响，内蒙古自治区的统一战线工作遭到严重破坏，内蒙古政协不仅被迫停止了正常工作，甚至机构被撤销、领导被批斗、人员被遣散。内蒙古政协停止一切活动长达10年之久。

中国人民政治协商会议内蒙古自治区第三届委员会：

主　　席　乌兰夫（蒙古族，1965. 5—）

副 主 席　吉雅泰（蒙古族，1965. 5—）

孙兰峰（1965. 5—1977. 12）

李世杰（1965. 5—1977. 12）

克力更（蒙古族，1965. 5—1977. 12）

特木尔巴根（蒙古族，1965. 5—）

武达平（1965. 5—1977. 12）

秘 书 长　杜如薪（1965. 5—）①

四、中国人民政治协商会议内蒙古自治区第四届委员会（1977. 12—1983. 4）

内蒙古政协第四届委员会经历了“文化大革命”以后，在内蒙古自治区进行全面的拨乱反正工作，并按照中共十一届三中全会把全党工作重心转移到社会主义现代化建设上来的精神，部署新时期的工作。本届内蒙古政协组织各族各界爱国人士开展调查研究和积极提出批评、建议，为继续纠正和克服“左”的错误影响，狠抓调整、稳定经济，为切实贯彻党的民族区域自治政策，维护安定团结的政治局面，做了大量的工作。

第一次会议　1977年12月20日至28日在呼和浩特市召开。参加会议的委员322人。经1977年12月7日内蒙古政协第三届委员会常务委员会第3次会议通过的委员为324人。组成第三届内蒙古政协的委员来自13个界别，其中中国共产党30人、共产主义青年团13人、工会21人、贫下中农牧协会17人、妇女联合会16人、科学技术界50人、教育界32人、文化艺

① 参见内蒙古政协办公厅、文史资料委员会编：《九届政协委员名录》，第346—350页；《内蒙古文史资料》第57辑，2004年。

术界 19 人、新闻出版界 9 人、医药卫生界 22 人、体育界 5 人、华侨和台湾同胞 3 人、特别邀请人士 85 人。

会议上，克力更作了《政协内蒙古自治区第三届委员会常务委员会工作报告》。会议通过了《政协内蒙古自治区第四届委员会第一次全体会议决议》；选举产生了由 56 人组成的内蒙古政协第四届委员会常务委员会，以及主席、副主席、秘书长、常务委员。与会代表列席了内蒙古自治区第五届人民代表大会第一次会议开幕式，听取了尤太忠作的《内蒙古自治区革命委员会工作报告》。

中国人民政治协商会议内蒙古自治区第四届委员会：

主　　席　尤太忠（军人，1977. 12—1978. 2）
　　　　　奎　璧（蒙古族，1979. 12—1983. 4）
副 主 席　奎　璧（蒙古族，1977. 12—1979. 12）
　　　　　克力更（蒙古族，1977. 12—1979. 12）
　　　　　王再天（蒙古族，1977. 12—1983. 4）
　　　　　孙兰峰（1977. 12—1983. 4）
　　　　　刘华香（1977. 12—1983. 4）
　　　　　孔　飞（蒙古族，1977. 12—1979. 12）
　　　　　李世杰（1977. 12—1979. 4 逝世）
　　　　　朋斯克（蒙古族，1977. 12—1983. 4）
　　　　　黄巨俊（1977. 12—1979. 12）
　　　　　周北峰（1977. 12—1983. 4）
　　　　　鄂其尔乎雅克图（蒙古族，1977. 12—1979. 12）
　　　　　杨令德（1977. 12—1983. 4）
　　　　　张荣臻（1977. 12—1979. 12）
　　　　　谭振雄（1977. 12—1978. 2）
　　　　　武达平（1979. 12—1983. 4）
　　　　　赵展山（1979. 12—1983. 4）
　　　　　赵云驶（1979. 12—1983. 4）
　　　　　那钦双合尔（蒙古族，1979. 12—1983. 4）
　　　　　王建功（1979. 12—1983. 4）

胡钟达（1979.12—1983.4）

齐永存（1979.12—1983.4）

梁一鸣（1979.12—1983.4）

王海山（达斡尔族，1979.12—1983.4）

魏兆融（1979.12—1983.4）

李　森（蒙古族，1982.3—1983.4）

第二次会议　1979年12月16日至28日在呼和浩特市召开。出席会议的委员352人，列席人员11人；会议听取、审议和通过了王再天作的《发挥人民政协作用积极为四化服务》的工作报告；选举奎璧为内蒙古政协主席，增选武达平、赵展山、赵云驶、那钦双合尔、王建功、胡钟达、齐永存、梁一鸣、王海山、魏兆融为内蒙古政协副主席，增选了于家田等15名内蒙古政协常务委员会员；通过了内蒙古政协第四届第二次会议提案委员会关于提案审查报告和提案审查决议。

经1979年12月12日内蒙古政协第四届委员会常务委员会第6次会议通过，增补内蒙古政协委员121人，其中包括东部三盟、西部三旗划归内蒙古自治区后，原省、自治区级政协委员为内蒙古自治区政协委员。

第三次会议　1981年2月27日至3月10日在呼和浩特市召开。参加会议的委员381人。会议期间，委员们学习了中央工作会议和自治区党代会文件，听取和审议了《内蒙古政协常委会工作报告》《提案审查委员会提案审查报告》。委员们列席了自治区第五届人民代表大会第三次会议，听取和讨论了《自治区政府工作报告》和其他各项工作报告。会议通过了《中国人民政治协商会议内蒙古自治区第四届委员会第三次会议决议》《关于提案审查报告的决议》。赵展山作了《加强政协工作为实行经济调整实现政治安定贡献力量》的报告。

第四次会议　1982年3月28日至4月7日在呼和浩特市召开。参加会议的委员307人。会议审议通过了朋斯克作的《关于内蒙古政协常务委员会工作报告》；传达了全国五届人大四次会议和五届政协四次会议以及全国统战工作会议文件；通过了《中国人民政治协商会议内蒙古自治区第四届委员会第四次会议政治决议》和提案审查委员会《关于提案审查报告的决议》；增选李森为内蒙古政协副主席，增选了刘桂清等10人为内蒙古政协常务委员会委员，增补了内蒙古政协委员 53 人。委员们列席了自治区五届人大四次会议。①

五、中国人民政治协商会议内蒙古自治区第五届委员会（1983.4—1988.5）

内蒙古政协第五届委员会经历了以经济建设为中心、以城市为重点的经济体制改革时期，对内蒙古党委确定的 1987 年全区工农业总产值实现翻一番的奋斗目标、为实现内蒙古自治区 80 年代的三大任务，积极献计献策，作出了贡献。

第一次会议 1983 年 4 月 18 日至 30 日在呼和浩特市召开。本届委员 460 人，出席会议 458 人，其中新提名委员 246 人。组成第五届内蒙古政协的委员来自 23 个界别，其中中国共产党 19 人，中国民主同盟 3 人，中国国民党革命委员会 2 人，中国民主建国会 1 人，中国民主促进会 2 人，九三学社 2 人，中国共产主义青年团 11 人，青年联合会 2 人，工会 21 人，农牧民 12 人，妇女联合会 15 人，文学艺术界 26 人，科学技术界 108 人，社会科学界 12 人，新闻出版界 8 人，教育界 56 人，医药卫生界 36 人，体育界 13 人，台胞、港澳同胞、归侨 13 人，工商联合会 8 人，宗教界 9 人，少数民族 27 人，特别邀请人士 54 人。民主党派和文化教育、科学技术等方面的委员有较大幅度的增加。

会议上，李树元作了题为《总结经验继续前进努力开创人民政协工作的新局面》的报告；会议通过了《政协内蒙古五届一次会议政治决议》《政协工作报告的决议》《提案审查报告的决议》；会议选举产生了内蒙古政协第五届委员会主席、副主席、秘书长和常务委员。

中国人民政治协商会议内蒙古自治区第五届委员会：

主　席　石生荣（1983.4—1988.5）

副主席　陈炳宇（蒙古族，1983.4—1988.5）

　　　　乌力更（蒙古族，1983.4—1988.5）

---

① 参见内蒙古政协办公厅、文史资料委员会编：《九届政协委员名录》，第 351—361 页；《内蒙古文史资料》第 57 辑，2004 年。

杨令德（1983. 4—1985. 10 逝世）
那钦双合尔（蒙古族，1983. 4—1985. 4 逝世）
韩　明（1983. 4—1988. 5）
魏兆融（1983. 4—1988. 5）
马振铎（蒙古族，1983. 4—1985. 4）
李树元（1983. 4—1988. 5）
刘震乙（1983. 4—1988. 5）
暴彦巴图（蒙古族，1983. 4—1988. 5）
云照光（蒙古族，1983. 4—1988. 5）

秘 书 长　李晋藩（1983. 4—1988. 5）

第二次会议　1984 年 5 月 29 日至 6 月 8 日在呼和浩特市召开。参加会议的政协委员共 398 人。陈炳宇作了《关于内蒙古政协第五届委员会常务委员会工作报告》，韩明作了《关于落实政协委员政策的工作报告》，魏兆融作了《关于五届一次会议提案办理情况的报告》。会议通过了《内蒙古政协五届二次会议选举办法》《提案审查报告的决议》《常务委员会工作报告的决议》《内蒙古政协五届二次会议政治决议》，增选了内蒙古政协第五届委员会常务委员 2 名。全体政协委员列席了内蒙古自治区第六届人大第二次会议，并听取和讨论了《内蒙古自治区人民政府工作报告》。

经 1984 年 5 月 27 日内蒙古政协第五届委员会常务委员会第 7 次会议通过，增补内蒙古政协委员 20 人；经 1985 年 3 月 29 日内蒙古政协第五届委员会常务委员会第 10 次会议通过，增补内蒙古政协委员 3 人。

第三次会议　1985 年 4 月 22 日至 30 日在呼和浩特市召开。参加会议的委员共 405 人，其中新增补的委员 33 人。李树元作了《内蒙古政协第五届常务委员会工作报告》，韩明作了《关于内蒙古自治区非党政协委员落实政策工作情况的报告》。参加会议的委员列席了内蒙古自治区六届人大三次会议，听取和讨论了《内蒙古自治区人民政府工作报告》。会议审议通过了《内蒙古政协第五届委员会第三次会议政治决议》《内蒙古政协第五届委员会常务委员会工作报告的决议》、提案工作委员会《关于内蒙古政协第五届委员会第三次会议提案审查报告》，增选了 24 名内蒙古政协第五届委员会常务委员，通过了其他任免事项。

经1985年4月30日内蒙古政协第五届委员会常务委员会第11次会议通过，增补内蒙古政协委员33人。

第四次会议 1986年4月28日至5月10日在呼和浩特市召开。参加会议的委员共387人。刘震乙作了《内蒙古政协第五届委员会常务委员会工作报告》,云照光作了《关于文史资料工作情况和今后任务的报告》,陈炳宇作了《内蒙古政协五届三次会议以来提案工作的报告》。委员们列席了内蒙古自治区六届人大四次会议，听取和讨论了《内蒙古自治区人民政府工作报告》。会议通过了《内蒙古政协第五届委员会第四次会议关于常务委员会工作报告的决议》《内蒙古政协五届四次会议政治决议》、提案委员会《关于五届四次会议提案审查情况的报告》。

经1986年4月24日内蒙古政协第五届委员会常务委员会第14次会议通过，增补内蒙古政协委员2人。

第五次会议 1987年4月25日至5月4日在呼和浩特市召开。参加会议的委员共368人。石生荣作了《内蒙古政协第五届委员会常务委员会工作报告》,陈炳宇作了《内蒙古政协五届四次会议以来提案工作情况的报告》。委员们列席了内蒙古自治区六届人大五次会议，听取和讨论了布赫作的《内蒙古自治区人民政府工作报告》以及其他有关报告。会议通过了《内蒙古政协第五届委员会常务委员会工作报告的决议》《内蒙古政协五届五次会议政治决议》《内蒙古政协提案审查情况的报告》,增选了内蒙古政协第五届委员会常务委员4人。①

六、中国人民政治协商会议内蒙古自治区第六届委员会（1988.5—1993.5）

内蒙古政协第六届委员会经历了政治、经济体制改革，学习贯彻了中共中央十三届四中、五中、六中、七中、八中全会文件内容，为稳定大局、进一步搞好治理整顿和深化改革积极参政议政、献计献策，为反分裂、反渗透、反颠覆、反和平演变，作出了积极的努力。

---

① 参见内蒙古政协办公厅、文史资料委员会编：《九届政协委员名录》,第361—362页；《内蒙古文史资料》第57辑，2004年。

第一次会议　1988 年 5 月 23 日至 6 月 4 日在呼和浩特市召开。参加会议的政协委员共 468 人。组成第六届内蒙古政协的委员来自 25 个界别，分别是中国共产党 21 人，中国国民党革命委员会 6 人，中国民主同盟 5 人，中国民主建国会 3 人，中国民主促进会 6 人，中国农工民主党 6 人，九三学社 6 人，无党派民主人士 15 人，中国共产主义青年团 6 人，工会 15 人，妇女联合会 15 人，青年联合会 4 人，工商业联合会 13 人，农牧林界 49 人，科学技术界 72 人，社会科学界 20 人，文化艺术界 21 人，新闻出版界 9 人，教育界 51 人，医药卫生界 27 人，体育界 9 人，台胞、港澳同胞、归侨 22 人，少数民族 27 人，宗教界 10 人，特别邀请人士 30 人。与第五届政协委员相比，增加了中国农工民主党、无党派民主人士两个界别。第六届政协委员中知识分子 339 人，占委员总数的 85.26%，其中拥有中高级技术职称的有 255 人，占委员总数的 54.49%；委员平均年龄 54.5 岁，是历届委员平均年龄最小的一届。从委员总数的比例上看，非中共党员占 63.4%，少数民族占 42.6%，妇女委员占 16.1%。民主党派成员占委员总数的 15.6%，是历届政协委员人数最多的一届，体现了共产党领导的多党合作和政治协商。

会议听取了云照光作的《内蒙古政协第五届委员会常委会工作报告》；通过了《内蒙古政协六届一次会议政治决议》《内蒙古政协六届一次会议提案审查情况报告》；选举了由 90 人组成的政协内蒙古自治区第六届常务委员会，以及内蒙古政协主席、副主席、秘书长。委员们列席了内蒙古自治区第七届人大第一次会议，听取并讨论了政府工作报告以及其他有关报告。

中国人民政治协商会议内蒙古自治区第六届委员会：

主　　席　石生荣（1988.5—1993.5）

副 主 席　云照光（蒙古族，1988.5—1993.5）

云曙芬（女，蒙古族，1988.5—1993.5）

王崇仁（1988.5—1993.5）

乌力更（蒙古族，1988.5—1993.5）

乌　兰（蒙古族，1988.5—1993.5）

兰乾福（1988.5—1993.5）

李树元（1988.5—1993.5）

张顺臻（1988.5—1993.5）

陈 杰（1988.5—1993.5）

奇忠义（蒙古族，1988.5—1993.5）

突 克（蒙古族，1988.5—1993.5）

韩 明（1988.5—1993.5）

暴彦巴图（蒙古族，1988.5—1993.5）

周君球（蒙古族，1991.5—1993.5）

乃 登（蒙古族，1992.4—1993.5）

秘书长 哈 伦（蒙古族，1988.5—1993.5）

第二次会议 1989年4月18日至24日在呼和浩特市召开。参加会议的委员共401人。兰乾福作了《内蒙古政协第六届委员会常务委员会工作报告》，暴彦巴图作了《内蒙古政协第六届委员会第一次会议以来提案工作情况的报告》。全体代表列席了自治区人大七届二次会议，听取和讨论了政府工作报告及其他报告。会议通过了《政协内蒙古自治区六届二次会议政治决议》《政协内蒙古自治区六届二次会议提案审查情况的报告》《政协内蒙古自治区第六届委员会常务委员会工作报告的决议》。

第三次会议 1990年4月18日至24日在呼和浩特市召开。参加会议的委员共402人。李树元作了《政协内蒙古自治区第六届委员会常务委员会工作报告》，暴彦巴图作了《政协内蒙古自治区第六届委员会第二次会议以来提案工作情况的报告》。其他代表列席了自治区人大七届三次会议，听取和讨论了政府工作报告及其他报告。会议通过了《政协内蒙古自治区六届三次会议政治决议》《关于常务委员会工作报告的决议》《关于提案审查情况的报告》，增补了内蒙古自治区第六届委员会常务委员会委员3人。

经1990年4月14日政协内蒙古自治区第六届委员会常务委员会第8次会议通过，增补内蒙古政协委员21人。

第四次会议 1991年4月23日至5月2日在呼和浩特市召开。参加会议的委员共437人。陈杰作了《内蒙古政协第六届委员会常务委员会工作报告》。全体代表列席了内蒙古自治区人大七届四次会议，听取并讨论了政府工作报告以及内蒙古自治区国民经济和社会发展十年规划和“八五”计划纲要草案。会议通过了《内蒙古政协六届四次会议政治决议》《关于常务委员会工作报告的决议》《关于本次会议提案审查情况的报告》；增补了内蒙古政协第六届委员会副主席1人，常务委员4人。

经1991年4月18日政协内蒙古自治区第六届委员会常务委员会第12次会议通过，增补内蒙古政协委员9人。

第五次会议　1992年4月18日至24日在呼和浩特市召开。参加会议的委员共有459人。张顺臻作了《内蒙古政协第六届委员会常务委员会工作报告》,暴彦巴图作了《内蒙古政协第六届委员会第四次会议以来提案工作情况的报告》。会议传达了全国人大七届五次会议、全国政协七届五次会议文件和内蒙古党委五届五次全委（扩大）会议文件内容。通过了《内蒙古政协六届五次会议政治决议》《关于内蒙古政协常委会工作报告的决议》《关于内蒙古政协六届五次会议提案审查情况的报告》。会议增选了内蒙古政协第六届委员会副主席1人、常务委员2人。全体代表列席了内蒙古自治区人大七届五次会议，听取并讨论了政府工作报告及其他报告。①

七、中国人民政治协商会议内蒙古自治区第七届委员会（1993.5—1998.1）

第一次会议　1993年5月4日至10日在呼和浩特市召开。参加会议的政协委员452人。经1993年4月22日内蒙古政协第六届委员会常务委员会第20次会议通过，内蒙古政协委员为465人。组成第七届内蒙古政协的委员来自28个界别，分别是中国共产党27人，中国国民党革命委员会7人，中国民主同盟7人，中国民主建国会6人，中国民主促进会7人，中国农工民主党7人，九三学社7人，无党派民主人士14人，中国共产主义青年团6人，工会13人，妇女联合会12人，青年联合会4人，工商业联合会14人，农牧林界40人，科学技术界55人，社会科学界14人，经济企业界24人，科学技术协会界13人，文化艺术界18人，新闻出版界9人，教育界40人，医药卫生界21人，体育界6人，台胞、港澳同胞界19人，侨联界7人，少数民族界24人，宗教界10人，特别邀请人士34人。

会议上，乃登作了《内蒙古政协第六届委员会常务委员会工作报告》。

---

① 参见内蒙古政协办公厅、文史资料委员会编：《九届政协委员名录》,第374—385页；《内蒙古文史资料》第57辑，2004年。

全体代表列席了内蒙古自治区人大八届一次会议，听取并讨论了政府工作报告和其他报告。会议通过了《内蒙古政协七届一次会议政治决议》《关于内蒙古政协第六届委员会常务委员会工作报告的决议》《内蒙古政协七届一次会议提案审查情况的报告》，选举了中国人民政治协商会议内蒙古自治区第七届委员会主席、副主席、秘书长以及常务委员会委员 99 人。

经 1993 年 8 月 25 日政协内蒙古自治区第七届委员会常务委员会第 2 次会议通过，增补委员 2 人。

中国人民政治协商会议内蒙古自治区第七届委员会：

主　　席　千奋勇（蒙古族，1993.5—1998.1）

副 主 席　张佐才（1993.5—1998.1）

乃　登（蒙古族，1993.5—1998.1）

王崇仁（1993.5—1998.1）

陈　杰（1993.5—1998.1）

兰乾福（1993.5—1998.1）

乌　兰（蒙古族，1993.5—1998.1）

奇忠义（蒙古族，1993.5—1998.1）

张顺臻（1993.5—1998.1）

袁明铎（1993.5—1998.1）

格日勒图（蒙古族，1993.5—1998.1）

乌伦赛（蒙古族，1993.5—1998.1）

夏　日（蒙古族，1993.5—1998.1）

杨紫珍（女，1993.5—1998.1）

陈又遵（1993.5—1998.1）

许柏年（1993.5—1998.1）

谭博文（土家族，1997.1—1998.1）

秘 书 长　王纪新（1993.5—1995.4）

王玉山（蒙古族，1995.4—1998.1）

第二次会议　1994 年 4 月 18 日至 24 日在呼和浩特市召开。参加会议的政协委员 443 人。张佐才作了《内蒙古政协第七届委员会常务委员会工作报告》。全体代表列席了内蒙古自治区人大第八届第二次会议，听取并讨论了政府工作报告和其他报告。会议通过了《内蒙古政协七届二次会议政治决议》《内蒙古政协七届二次会议常务委员会工作报告的决议》《内蒙古政协七届二次会议提案审查情况的报告》,增选了内蒙古政协第七届委员会常务委员8人。

经1994年4月14日内蒙古政协第七届委员会常务委员会第4次会议通过，增补委员9人，分别为中国共产党2人，工商业联合会1人，农牧林界1人，新闻出版界1人，医药卫生界1人，台胞、港澳同胞界1人，特别邀请人士2人。

第三次会议　1995年4月13日至19日在呼和浩特市召开。参加会议的政协委员451人。张佐才作了《政协内蒙古自治区第七届委员会工作报告》。全体代表列席了内蒙古自治区人大八届三次会议，听取和讨论了政府工作报告和其他报告。会议通过了《内蒙古政协七届三次会议政治决议》《内蒙古政协七届三次会议常委会工作报告的决议》《内蒙古政协七届三次会议提案审查情况的报告》。会议补选了内蒙古政协第七届委员会秘书长，增选了内蒙古政协第七届委员会常务委员2人。

经1995年4月10日内蒙古政协第七届委员会常务委员会第8次会议通过，增补委员18人，分别为中国共产党8人，工商联合会1人，农牧林界1人，经济企业界1人，文化艺术界3人，教育界3人，少数民族界1人。

第四次会议　1996年2月3日至8日在呼和浩特市召开。参加会议的政协委员428人。乃登作了《内蒙古政协第七届委员会常务委员会工作报告》。全体代表列席了内蒙古自治区人大八届四次会议，听取和讨论了政府工作报告和其他报告。会议通过了《内蒙古政协七届四次会议政治决议》《内蒙古政协七届四次会议常务委员会工作报告的决议》《内蒙古政协七届四次会议提案审查情况的报告》。

第五次会议　1997年1月23日至27日在呼和浩特市召开。参加会议的政协委员395人。许柏年作了《内蒙古政协第七届委员会常务委员会工作报告》。全体代表列席了内蒙古自治区人大八届五次会议，听取和讨论了政府工作报告和其他报告。会议通过了《内蒙古政协七届五次会议政治决议》《内蒙古政协七届五次会议常委会工作报告的决议》《内蒙古政协七届五次会议提案审查情况的报告》。会议增选了内蒙古政协第七届委员会副主席1人，增选了内蒙古政协第七届委员会常务委员6人。

经1997年1月19日内蒙古政协第七届委员会常务委员会第16次会议通过，增补政协委员4人，均为中国共产党党员。①

八、中国人民政治协商会议内蒙古自治区第八届委员会（1998.1—2000.12）

第一次会议 1998年1月7日至14日在呼和浩特市召开。参加会议的政协委员420人。经1997年12月24日内蒙古政协第七届委员会常务委员会第20次会议通过，内蒙古政协委员为469人。组成内蒙古政协第八届委员会的委员来自29个界别，分别为中国共产党26人，中国国民党革命委员会8人，中国民主同盟8人，中国民主建国会8人，中国民主促进会8人，中国农工民主党8人，九三学社8人，无党派民主人士16人，中国共产主义青年团4人，工会8人，妇女联合会11人，青年联合会6人，工商业联合会18人，农牧界38人，科学技术界35人，社会科学界12人，经济企业界51人，科学技术协会界13人，文化艺术界22人，新闻出版界9人，教育界34人，医药卫生界22人，体育界6人，台胞台属界16人，侨联界6人，社会福利界8人，少数民族界19人，宗教界11人，特别邀请人士30人。

会议上，乃登作了《内蒙古政协第七届委员会常务委员会工作报告》。全体代表列席了内蒙古自治区人大九届一次会议，听取和讨论了政府工作报告和其他报告。会议通过了《内蒙古政协八届一次会议政治决议》《关于内蒙古政协第七届委员会常务委员会工作报告的决议》《内蒙古政协八届一次会议提案审查情况的报告》,选举了内蒙古政协第八届委员会主席、副主席、秘书长以及常务委员会委员100人。

中国人民政治协商会议内蒙古自治区第八届委员会：

主　席　千奋勇（蒙古族，1998.1—2000.12）

副主席　冯　秦（1998.1—2000.12）

乃　登（蒙古族，1998.1—2000.12）

谭博文（土家族，1998.1—2000.12）

① 参见内蒙古政协办公厅、文史资料委员会编：《九届政协委员名录》,第386—398页，《内蒙古文史资料》第57辑，2004年。

乌　兰（蒙古族，1998. 1—2000. 12）
格日勒图（蒙古族，1998. 1—2000. 12）
夏　日（蒙古族，1998. 1—2000. 12）
许柏年（1998. 1—2000. 12）
罗锡恩（1998. 1—2000. 12）
奇英成（蒙古族，1998. 1—2000. 12）
盖山林（满族，1998. 1—2000. 12）
李仕臣（1998. 1—2000. 12）

秘 书 长　王玉山（蒙古族，1998. 1—2000. 12）

第二次会议　1999 年 1 月 31 日至 2 月 5 日在呼和浩特市召开。参加会议的委员 432 人。冯秦作了《内蒙古政协第八届委员会常务委员会工作报告》。全体代表列席了内蒙古自治区人大九届二次会议，听取和讨论了政府工作报告和其他报告。会议通过了《内蒙古政协八届二次会议政治决议》《关于内蒙古政协第八届委员会常务委员会工作报告的决议》《内蒙古政协八届二次会议提案审查情况的报告》。

第三次会议　2000 年 1 月 19 日至 24 日在呼和浩特市召开。参加会议的委员 463 人。罗锡恩作了《内蒙古政协第八届委员会常务委员会工作报告》。全体代表列席了内蒙古自治区人大九届三次会议，听取和讨论了政府工作报告和其他报告。会议通过了《内蒙古政协八届三次会议政治决议》《关于内蒙古政协第八届委员会常务委员会工作报告的决议》《内蒙古政协八届三次会议提案审查情况的报告》,表彰了内蒙古政协 1999 年度优秀提案，补选了内蒙古政协第八届委员会常务委员会委员 2 人。

经 2000 年 1 月 16 日内蒙古政协第八届委员会常务委员会第 7 次会议通过，增补内蒙古政协委员 29 人，分别为中国共产党 12 人，九三学社 1 人，无党派 1 人，农牧界 2 人，社会科学界 1 人，经济企业界 1 人，科学技术协会界 1 人，文化艺术界 1 人，教育界 1 人，台胞台属界 1 人，社会福利界 1 人，少数民族界 1 人，特别邀请人士 5 人。①

---

①　参见内蒙古政协办公厅、文史资料委员会编：《九届政协委员名录》,第 386—398 页，《内蒙古文史资料》第 57 辑，2004 年。

第六节 中国人民解放军内蒙古军区

一、绥远省军区

（一）机关

前身为1945年7月组成的绥蒙军区，当时驻在山西省左云县米昔马庄。1949年5月10日，根据中共中央军委命令，绥蒙军区与第8军合编组成绥远省军区，属华北军区建制。军区机关驻集宁。司令部设作战、侦察、训练、通信、机要、军务、管理等科室；政治部设宣传、组织、文化、保卫等部门；供给部设财务、军需、粮秣等科室；卫生部设医政、药材、防疫等科室。1950年1月19日，根据中共中央军委的命令，将“九一九”起义的国民党军绥远指挥所、第9兵团部并入绥远省军区机关，起义部队也归绥远省军区指挥。同时，绥远省军区机关由集宁移驻归绥（今呼和浩特市）。1951年8月20日，根据华北军区命令，中国人民解放军华北绥远省军区改称中国人民解放军绥远军区。①

绥远（省）军区领导人：

司 令 员 姚 喆（1949.5—1949.12）
傅作义（1949.12—1952.8）

政治委员 高克林（1949.5—1949.12）
薄一波（1949.12—1952.8 华北军区政治委员兼）

副司令员 王长江（1949.5—1949.12）
杨叶澎（1949.5—1949.12）
乌兰夫（蒙古族，1949.12—1952.8）
姚 喆（1949.12—1952.8）
孙兰峰（1949.12—1952.8）
董其武（1949.12—1952.8）

副政治委员 高克林（1949.12—1952.8）

① 参见《内蒙古自治区志·军事志》，内蒙古人民出版社2002年版，第185页。

杨叶澎（1949.10—1952.8）

苏谦益（1951.1—1952.8）

王克俊（1949.12—1951.3）①

（二）军分区

集宁军分区 1949年10月8日，在集宁组建绥东军分区，下辖6个人民武装部，全分区一千六百余人。1950年9月15日，绥东军分区改称集宁军分区；1952年6月19日，撤销集宁军分区，所辖人民武装部归军区直属。集宁（绥东）军分区先后辖有丰镇、集宁、卓资、武东、兴和、陶林、凉城等县和镶蓝旗、镶红旗、土默特旗等人民武装部。

绥南军分区 1949年10月8日，在绥南和林格尔县组建，下辖4个人民武装部。1950年9月撤销。

萨县军分区 1950年9月15日，将绥南军分区与包头军分区合并，成立萨县军分区，军分区机关驻萨拉齐，下辖8个旗、县人民武装部。1952年11月撤销。

乌兰察布盟军分区 1950年1月组建，由内蒙古骑兵第4师兼，军分区机关驻乌兰花（后移至包头昆都仑、固阳），下辖6个旗、2个直属区人民武装部。

陕坝军分区 1950年1月建立后套军分区，机关驻陕坝，下辖6个县人民武装部。1950年9月15日，改称陕坝军分区。

伊克昭盟军分区 1950年1月，由内蒙古骑兵第5师与原伊克昭盟军区（归西北军区建制）合并组建，机关驻达拉特旗小淖，后移至树林召。1952年，机构调整后移至东胜，下辖8个旗、县人民武装部。②

（三）部队

独立步兵第22师 由原第8军步兵第22师改称，下辖3个团。1951年调离绥远。

独立步兵第23师 由原第8军步兵第23师改称，下辖3个团。1950年撤销番号，与第22师合并为第22师，调离绥远。

---

① 参见《内蒙古自治区志·军事志》，内蒙古人民出版社2002年版，第186—187页。

② 参见《内蒙古自治区志·军事志》，内蒙古人民出版社2002年版，第185—186页。

独立骑兵第 1 师　由第 8 军骑兵第 1 师改称，下辖骑兵第 1、2、3 团。1952 年，骑兵第 1 师与察哈尔军区骑兵第 3 师合编后，调归兰州军区。

华北军区补充第 31 团　1951 年 9 月组建，归绥远军区领导。①

二、伊克昭盟军区

1949 年 7 月成立，属于西北军区建制，军区机关驻札萨克旗（今伊金霍洛旗）新街镇，设司令部、政治部、供给部。军区下辖 4 个支队，共千余人。1950 年 1 月，伊克昭盟军区番号撤销。

伊克昭盟军区领导人：

司 令 员　阿拉丙巴彦尔（王悦丰，蒙古族，1949. 7—1950. 1）

政治委员　高增培（1949. 7—1950. 1）

副司令员　高　平（1949. 7—1950. 1）

参 谋 长　高布仁（1949. 7—1950. 1）②

三、内蒙古军区

（一）机关

1949 年 5 月 13 日，根据中共中央军委命令，内蒙古人民解放军改称内蒙古军区，机关驻乌兰浩特，12 月迁至张家口。机构逐步健全。司令部陆续设有作战、侦察、训练、队列、通信、机要、管理等科；政治部设有组织、干部、宣传、保卫、秘书、总务等科；供给部设有财务、审计检查、军需、军械、运输、秘书等科；卫生部设有后方医院。

内蒙古军区部门以上领导人：

司令员兼政治委员　乌兰夫（蒙古族，1949. 5—1952. 8）

副　司　令　员　王再天（蒙古族，1949. 5—1952. 8）

那钦双合尔（蒙古族，1949. 5—1952. 8）

司令部参谋长　吉　合（1949. 5—1950. 2）

胡秉权（1950. 2—1952. 8）

---

① 参见《内蒙古自治区志・军事志》，内蒙古人民出版社 2002 年版，第 187 页。

② 参见《内蒙古自治区志・军事志》，内蒙古人民出版社 2002 年版，第 188 页。

政治部主任　廷　懋（蒙古族，1950. 9—1952. 8）

干部管理部部长　廷　懋（蒙古族，1951. 1—1952. 8 兼）

供给部部长　何　庸（1949. 5—1952. 8）

卫生部部长　李本周（1949. 5—1950. 8）

（二）部队

内蒙古人民解放军改称内蒙古军区后，1949 年 5 月，所辖部队统一整编为中国人民解放军内蒙古骑兵第 1、2、3、4、5 师和警卫团、军政大学。1949 年 12 月，内蒙古军区由东北军区改归华北军区建制。

骑兵第 1 师　原内蒙古人民解放军骑兵第 1 师，初辖骑兵第 1、2、3 团；1949 年 8 月 9 日，增辖骑兵第 16 团（由昭乌达盟军事部新编团改编）；1950 年 11 月，撤销师番号。

骑兵第 2 师　原内蒙古人民解放军骑兵第 2 师，辖骑兵第 4、5、6 团；1950 年 11 月，撤销师番号。

骑兵第 3 师　由原内蒙古人民解放军骑兵第 10 师改称，下辖骑兵第 7、8、32 团；1950 年 11 月，撤销师番号。

骑兵第 4 师　由原内蒙古人民解放军骑兵第 11 师改称，下辖骑兵第 10、11 团；1952 年 5 月，撤销师番号。

骑兵第 5 师　由原内蒙古人民解放军骑兵第 16 师改称，下辖骑兵第 13、14 团；1952 年 5 月，撤销师番号。

军区警卫团　由原内蒙古人民解放军警卫团改称。

内蒙古军政学校　1949 年 6 月，由内蒙古军政大学改称。

（三）军分区

中华人民共和国成立以后，1950—1952 年，根据和平时期国家建设需要，内蒙古骑兵部队陆续撤减，改为军分区。

锡林郭勒军分区　1950 年 11 月，以内蒙古军区骑兵第 1 师一部为基础组成，军分区机关驻锡林浩特，下辖内蒙古骑兵第 1 团和东部联合旗（以后改称东乌珠穆沁旗）、西部联合旗（以后改称西乌珠穆沁旗）人民武装部。

察哈尔军分区　1950 年 11 月，以内蒙古军区骑兵第 1 师一部为基础组建，军分区机关驻宝昌，下辖多伦县、化德县、正蓝旗、正镶白联合旗、商都镶黄联合旗等人民武装部和内蒙古骑兵第 2 团。

哲里木盟军分区 1950年11月，以内蒙古军区骑兵第2师一部为基础组建，军分区机关驻通辽，下辖科尔沁左翼中旗、科尔沁左翼后旗、奈曼旗、库伦旗、扎鲁特旗、开鲁县、通辽县、通辽市、科尔沁右翼中旗人民武装部和内蒙古骑兵第6团。

昭乌达军分区 1950年11月，以内蒙古军区骑兵第2师一部为基础组建，军分区机关驻林东，下辖林东、林西、天山3个人民武装部和骑兵第4团。

呼（伦贝尔）纳（文慕仁）军分区 1950年11月，以内蒙古军区骑兵第3师一部为基础组建，军分区机关驻海拉尔，下辖海拉尔市、布特哈旗、莫力达瓦旗、阿荣旗、喜桂图旗、新巴尔虎旗、陈巴尔虎旗、索伦旗、额尔古纳旗等人民武装部和骑兵第8团。

兴安军分区 1950年11月，以内蒙古军区骑兵第3师一部为基础组建，机关驻乌兰浩特，下辖乌兰浩特市、科尔沁右翼后旗、科尔沁右翼中旗、扎赉特旗、突泉县等人民武装部和骑兵第7团。①

四、蒙绥（绥蒙）军区

（一）机关

1952年8月8日，内蒙古军区与绥远军区合并为绥蒙军区；9月4日，改称蒙绥军区，属于华北军区建制。两军区机关合并以后，除将人民武装部撤销外，机关序列未变。1953年10月5日，军区后勤部改为后勤处。

蒙绥军区部门以上领导人：

司令员兼政治委员　乌兰夫（蒙古族，1952.8—1954.3）
副　司　令　员　王再天（蒙古族，1952.8—1954.3）
　　　　　　　　刘华香（1952.8—1954.3）
　　　　　　　　胡秉权（1952.8—1953.1）
副政治委员　苏谦益（1952.8—1954.3）
司令部参谋长　胡秉权（1952.8—1953.1兼）
　　　　　　　　刘冠军（1953.1—1954.3）

① 参见《内蒙古自治区志·军事志》，内蒙古人民出版社2002年版，第192—194页。

政治部主任　廷　懋（蒙古族，1952.8—1954.3）

干部管理部部长　张德贵（1952.8—1954.3）

后勤部部长　赵俞廷（1952.8—1954.3）

后勤部政治委员　白　云（1952.8—1954.3）

（二）军区东部指挥部（军事部）

1952年8月8日，在乌兰浩特组建绥蒙东部指挥部；1953年3月18日，东部指挥部改称蒙绥东部军事部，统一领导哲里木、呼纳、兴安3个军分区的工作。

（三）军分区

1953年3月18日，呼纳、哲里木、兴安3个军分区被同时撤销，所辖人民武装部交由蒙绥东部军事部领导。

蒙绥军区下辖原绥远军区所辖的萨县军分区（1952年11月17日改称集宁军分区）、乌盟军分区（后称乌兰察布军分区）、伊盟军分区（后称伊克昭军分区）、陕坝军分区和原内蒙古军区所辖之昭乌达、锡林郭勒、察哈尔军分区，以及包头郊区人民武装部（1953年11月以包头县人民武装部为基础组建），归绥郊区人民武装部（1953年3月成立）和军区军政干部学校、华北军区补充第31团（1953年11月撤销）。军区所辖部队大部分已经撤销，仅留有5个独立骑兵营、2个独立步兵营分布归各军分区领导。①

五、蒙绥合并后的内蒙古军区

（一）机关

1954年3月，绥远省建制撤销，绥远省人民政府和内蒙古自治区人民政府合并。为与地方的行政区划相一致，蒙绥军区改称内蒙古军区，同时撤销东部军事部。军区机关驻呼和浩特市。之后，内蒙古军区机关经历了多次的调整和整编。

内蒙古军区机关的序列为：司令部下设办公室和治安勤务、情报通信、队列、训练、军械、机要、管理等科；政治部下设秘书、组织、宣传、干部、保卫、文化等科；干部管理部下设任免统计、军衔奖励、动员等科；后

---

① 参见《内蒙古自治区志·军事志》，内蒙古人民出版社2002年版，第195、196页。

勤处下设组织计划、军需、卫生、兽医等科；兵役局下设办公室和动员、征集、统计、复员军人管理、民兵、兵役机关工作等科。

1955年2月11日，国防部决定，从4月20日起，内蒙古军区归国防部直接领导，行使大军区权限。内蒙古军区改为大军区后，军区领导、所辖部队和机关序列暂时未变。7月8日，遵照公安部、公安军司令部关于公安部队整编的指示，内蒙古自治区公安部队领导机关并入内蒙古军区机关。9月5日，遵照国防部的命令，内蒙古军区将司令部训练、军械科扩编为军事训练处、军械处，直属军区领导。司令部增设炮兵主任、工程兵主任、防化学兵主任等办公室。同时，将军法处改为军事法院，军区财务科改为军区财务处（以后又改为财务部），撤销编外人员处。10月26日，根据国防部命令，军区后勤处改为后勤部，下设政治委员办公室和组织计划、被服辎重、给养、卫生营房管理、兽医等处。

1956年4月6日，根据中共中央军委批复，内蒙古军区建立二级军事检察院。

1957年5月14日，内蒙古军区财务部并入军区后勤部组织序列。6月，根据军委扩大会议内容，对内蒙古军区机关组织机构进行了调整：兵役局改为司令部动员处；司令部的组织编制、队列、装备计划3个处合并为军务处，军事交通科改为军事交通处；政治部增设编译处、人民群众工作处，青年处与组织处合并为组织处，宣传处与文化处合并为宣传处；政治部干部处划归干部部建制。

1958年5月，组建内蒙古战士报社，隶属内蒙古军区政治部领导（1967年，《内蒙古战士报》改名为《红色战士报》,1969年停刊）。10月1日，撤销司令部炮兵主任、工程兵主任和防化学兵主任办公室，组建特种兵处。

1959年3月，内蒙古军区军械处划归后勤部建制。

1961年12月，内蒙古军区将司令部政治处和政治部政治处合编为直属政治部，隶属于司令部。

1962年10月，根据国防部指示，内蒙古军区司令部、政治部、后勤部下属处改称为部、局。改称以后的内蒙古军区机关序列为：司令部下设办公室、作战部、情报部、军训部、军务部、动员部、军事交通部、通信兵部、工程兵部、防化学兵部、炮兵部、直属政治部、机要局、管理局；政治部下设秘书处、组织部、干部部、宣传部、保卫部、青年部、文化部、群众工作部、《内蒙古战士》报社、编译处、军区军事法院、军区军事检察院；后勤部下设司令部、政治部、财务部、军需部、卫生部、军马部、军械部、营房部、运输部、生产部、油料处、物资计划处。1964 年 10 月，根据总参谋部、总政治部通知，内蒙古军区政治部增编国防工业工作部。

1967 年 5 月，根据中共中央军委命令，内蒙古军区改为省级军区，机关序列暂时未变。1969 年 11 月，内蒙古军区机关按省级军区编制进行了整编。整编以后的机关序列为：司令部下设办公室、作训处、情报处、防化处、通信处、军务动员处、工程兵处、机要处、直属政治处、管理处；政治部下设秘书处、干部处、组织处、宣传处、保卫处、群众工作处、军事法院、军事检察院；后勤部下设司令部（设有办公室、战勤科、军务科、管理科）、政治部（设有组织科、干部科、宣传科、保卫科）、供应处、军械处、营房处、运输处、卫生处。

1976 年 1 月，根据总参谋部、北京军区颁发的新编制表，内蒙古军区对机关、部队进行了整编，整编以后的军区机关序列为：司令部下设办公室、作战处、训练处、通信处、机要处、侦察处、边防处、军务处、动员处、特种兵处、管理处、政治处；政治部下设秘书处、干部处、组织处、宣传处、保卫处、文化处、编译处、群众工作处、联络处；后勤部下设军运处、营房处、卫生处、财务处、军需处。

1983 年，根据中共中央军委《关于军队体制改革精简整编方案》和总参谋部、北京军区相关指示要求，内蒙古军区机关和下属部队又一次进行了整编。将军区司令部训练处改为部队训练处，增编预备役训练处，侦察处改称边防侦察处，军务处改称军务装备处；军区政治部文化处与宣传处合并为宣传处；后勤部增设物资处。

1985 年 7 月，根据总部、北京军区编制调整方案，内蒙古军区司令部作战处与部队训练处合并为作训处，撤销工化处、人民防空处，增编特种兵处，边防侦察处改为侦察处，直属政治部改为直属工作处；将内蒙古军区检察院、军事法院分部改为北京军区呼和浩特军事检察院、军事法院；撤销后勤部物资处，运输处改为运输油料处。

1992年9月，内蒙古军区机关增编技术保障处（师级，1994年12月改称装备技术部）。

1998年8月，内蒙古军区按照总参谋部和北京军区的命令，对军区机关又一次进行了调整：装备技术部改称装备部，下设战技勤务处、军械装甲处、车船工化处；撤销司令部办公室、预备役训练处和政治部群众联络处、后勤部生产管理处。①

内蒙古军区领导人：

司令员兼政治委员 乌兰夫（蒙古族，1954.3—1966.11）

司　令　员 刘贤权（1967.4 未到职）

滕海清（1967.5—1971.5 代理）

尤太忠（1971.5—1978.11）

黄　厚（1978.11—1981.7）

蔡　英（1981.8—1988.6）

李贵彬（1988.6—1990.8）

刁丛洲（1990.6—1994.4）

彭翠峰（1994.4—2000.8）

黄高成（2000.8—2000.12）

第一政治委员 吴　涛（蒙古族，1972.5—1978.5）

周　惠（1978.11—1986.3 兼）

第二政治委员 滕俊清（1969.10—1979.4）

廷　懋（蒙古族，1979.4—1983.3）

政治委员 吴　涛（蒙古族，1967.5—1972.5）

王弼臣（1978.5—1978.12）

刘　昌（1978.5—1981.7）

廷　懋（蒙古族，1978.12—1979.4）

云一立（蒙古族，1978.12—1983.3）

张德斌（1979.4—1983.3）

李西恒（1983.3—1985.2）

---

① 参见《内蒙古自治区志·军事志》，内蒙古人民出版社2002年版，第196—198页。

刘一元（1985.2—1988.6）
杨恩博（1988.6—1994.4）
张　珍（1994.4—2000.12）
副　司　令　员　刘华香（1954.3—1981.7）
刘　彬（1955.1—1969）
孔　飞（蒙古族，1960.5—1966.9）
黄　厚（1964.3—1967.4）
肖应棠（1964.5—1970.2）
何凤山（1968.7—1977.9）
褚传禹（1969.10—1972.12）
宋中和（1969.12—1981.1）
王秩然（1969.12—1978.5）
杨玉明（1971.3 未到职）
齐德雨（1971.3—1973.8）
蔡　英（1971.7—1981.8）
张文卿（1971.7—1977.7）
张沛然（1972.9—1978.8）
袁　捷（1975.8—1978.3）
王良太（1978.3—1981.7）
董儒强（1978.5—1981.1）
塔　拉（蒙古族，1978.5—1981.4）
李存义（蒙古族，1978.12—1983.3）
梁凤岗（1981.1—1983.3）
杨绪才（1981.12—1985.7）
虎日勒巴根（蒙古族，1983.3—1985.7）
方成海（1985.7—1993.2）
李贵彬（1986.10—1988.6）
巴雅尔图（鄂温克族，1990.6—1996.8）
冯愈强（1993.2—1996.4）
高宗武（1994.6—2000.6）

昭日格图（蒙古族，1996.8—2000.12）
佟喜刚（1997.12—2000.8）
道布敦（蒙古族，2000.8—2000.12）

副政治委员 苏谦益（1954.3—1959.4）
廷 懋（蒙古族，1955.12—1967.5）
吴 涛（蒙古族，1959.2—1967.4）
刘 昌（1964.3—1967.4）
张德贵（1966.5—1981.4）
杨永松（1967.5 未到职）
王弼臣（1968.7—1978.5）
郭云昆（1969.12—1973.8）
杨竹亭（1969.12—1978.5）
田荫东（1969.12—1973.5）
靳甲夫（1970.12—1973.6）
宋国柱（1972.9—1976.10）
程襄文（1972.9 未到职）
白 云（1975.8—1978.5）
国 光（1976.4—1981.1）
李占和（1977.10—1983.3）
云一立（蒙古族，1978.5—1978.12）
席 达（蒙古族，1981.1—1983.5）
孟庆贤（1981.1—1985.5）
张枫林（蒙古族，1985.7—1988.6）
白永升（蒙古族，1988.6—1990.7）
昭日格图（蒙古族，1990.7—1994.4）
关树人（1992.11—2000.8）
张 本（1994.4—1997.7）
钟书栋（2000.8—2000.12）①

① 参见《内蒙古自治区志·军事志》，内蒙古人民出版社2002年版，第198—202页。

（二）军分区

从1954年3月蒙绥军区改称为内蒙古军区至2000年底，除锡林郭勒、乌兰察布、伊克昭3个军分区为原蒙绥军区即有，并且名称始终未变外，新建、重建、更改名称的军分区如下：

呼伦贝尔军分区　1954年3月25日组建，军分区机关驻海拉尔市。1969年7月23日，划归黑龙江省军区；1980年1月1日，复归内蒙古军区建制。呼伦贝尔军分区先后下辖海拉尔市、满洲里市、新巴尔虎左旗、新巴尔虎右旗、陈巴尔虎旗、额尔古纳旗（今额尔古纳市）、布特哈旗（今扎兰屯市）、阿荣旗、莫力达瓦达斡尔族自治旗、鄂伦春自治旗、索伦旗（今鄂温克族自治旗）、喜桂图旗（今牙克石市）、科尔沁右翼前旗、扎赉特旗、牙克石林管局、大兴安岭林管局、突泉县等人民武装部，以及骑兵第8团、骑兵第4团、公安内卫第5团、骑兵第1团、独立第2团和部分边防部队。1981年1月，突泉县、科尔沁右翼前旗、扎赉特旗人民武装部划归兴安军分区。

兴安军分区　1980年12月26日，重新组建。军分区机关驻乌兰浩特市，下辖科尔沁右翼前旗、科尔沁右翼中旗、科尔沁右翼后旗、扎赉特旗、乌兰浩特市、阿尔山市、突泉县人民武装部和部分边防部队。

通辽军分区　原哲里木军分区。1954年3月重建，军分区机关驻通辽。1969年7月23日划归吉林省军区；1980年1月1日，复归内蒙古军区建制。2000年3月，改称通辽军分区。先后辖有通辽县（后称通辽市、今为科尔沁区）、开鲁县、科尔沁左翼中旗、科尔沁左翼后旗、扎鲁特旗、奈曼旗、库伦旗、霍林郭勒市等人民武装部。

赤峰军分区　原称昭乌达军分区。军分区机关驻赤峰。1969年7月23日，划归辽宁省军区；1980年1月1日，复归内蒙古军区建制。1983年12月27日，改称赤峰军分区。赤峰（昭乌达）军分区先后辖有天山、林东、林西、赤峰市、赤峰县、克什克腾旗、巴林右旗、巴林左旗、阿鲁科尔沁旗、翁牛特旗、敖汉旗、喀喇沁旗、宁城县、乌丹县、红山区、元宝山区、松山区等人民武装部。

呼和浩特军分区　1961年2月23日，以呼和浩特人民武装部为基础组建，军分区机关驻呼和浩特市。1969年12月13日，改称呼和浩特警备区；

1983 年 12 月 23 日，又恢复军分区称谓。呼和浩特军分区（警备区）先后辖有土默特旗、新城区、玉泉区、回民区、郊区、托克托县、土默特左旗、和林格尔县、武川县、清水河县等人民武装部及军区独立团。1998 年 8 月，撤销呼和浩特军分区，设立呼和浩特市工作组，保留军分区名称。

包头军分区 1960 年 3 月 21 日，由包头市人民武装部扩编而成，军分区机关驻包头市。先后辖有武川县、萨拉齐县（今土默特右旗）、包头县、固阳县、达尔罕茂明安联合旗、昆都仑区、青山区、东河区、郊区、石拐矿区、白云矿区、乌拉特前旗（1963 年 5 月划归巴彦淖尔盟）、乌素图等人民武装部和步兵第 4 团。

乌海军分区 1985 年 7 月 11 日，由乌海市人民武装部扩编而成，军分区机关驻乌海市，辖有海勃湾区、海南区、乌达区人民武装部。

巴彦淖尔军分区 1956 年 4 月，以巴彦淖尔盟人民武装部为基础组建而成，军分区机关驻巴彦浩特（后迁至临河）。1958 年 8 月 12 日，撤销河套军分区，并将其所辖的 6 个人民武装部和公安内卫第 1 团划归巴彦淖尔军分区领导。巴彦淖尔军分区先后辖有阿拉善旗（1961 年分为阿拉善左旗、阿拉善右旗）、额济纳旗、安北县（1958 年 8 月，合并归于乌拉特前旗）、乌拉特前旗、乌拉特中旗（1951 年至 1980 年 10 月，上述 2 旗称乌拉特中后联合旗，1951 年至 1958 年 7 月，2 个旗人民武装部隶属于乌兰察布军分区）、乌拉特后旗（1971 年 3 月至 1980 年 10 月，称潮格旗）、米仓县（今杭锦后旗）、狼山县（1958 年 5 月，合并于杭锦后旗）、巴彦高勒市（1958 年改为镇，划归磴口县）、晏江县（1953 年至 1958 年 8 月，称达拉特后旗；1958 年 8 月，合并于五原县）、临河县（1985 年 3 月，改称临河市）等人民武装部和部分步兵、骑兵、边防部队。1969 年 7 月，阿拉善左旗、阿拉善右旗人民武装部被划归宁夏军区建制，额济纳旗人民武装部划归甘肃省军区建制。1980 年 5 月，这 3 个人民武装部划归新成立的阿拉善军分区建制。

阿拉善军分区 1980 年 5 月 15 日组建，军分区机关驻阿拉善左旗巴彦浩特镇。先后辖有阿拉善左旗、阿拉善右旗、额济纳旗人民武装部和部分边防部队。

已经被撤销的军分区有：

察哈尔军分区 军分区机关驻宝昌，1958 年 9 月 18 日撤销，所辖人民武装部划归锡林郭勒军分区建制。察哈尔军分区曾辖有多伦县、化德县、宝昌县、明太联合旗、正蓝旗、太仆寺旗、商都镶黄联合旗、正镶白旗人民武装部。

平地泉军分区　1954 年 3 月 25 日，集宁军分区改称平地泉军分区（驻平地泉镇），辖有 18 个旗、县人民武装部。1958 年 4 月 9 日，平地泉军分区与乌兰察布军分区合并，称乌兰察布军分区。集宁、平地泉军分区从组建到撤销，先后辖有丰镇、集宁、兴和、凉城、陶林（今察哈尔右翼中旗）、卓资、武川、清水河、萨拉齐、归绥（今呼和浩特）、包头、托克托、和林格尔、固阳、土默特（辖区与今土默特左旗辖区相同，一度包括土默特右旗）、镶蓝、镶红、察哈尔右翼前旗、察哈尔右翼中旗、察哈尔右翼后旗等人民武装部及骑兵第 13 团、公安内卫第 4 团。

河套军分区　1954 年 3 月，由陕坝军分区改称，机关驻陕坝。1958 年 8 月撤销后，其所辖五原、安北、临河、米仓、晏江、永安等县人民武装部和公安内卫第 1 团，划归巴彦淖尔军分区建制。[①]

（三）部队

现有部队为：

66106 部队　1998 年 8 月组建。

51155 部队　1964 年 10 月 26 日组建，归昭乌达军分区领导；1969 年 2 月，调归巴彦淖尔军分区管辖；1985 年 7 月，缩编为营建制。

1788 部队　1964 年 10 月组建；1969 年 3 月，调归锡林郭勒军分区管辖；1985 年 7 月，缩编为营建制。

66379 部队　该部队原系内蒙古公安总队所属阿拉坦额莫勒、阿木古朗工作总站；1963 年 10 月，移交内蒙古军区；1969 年 7 月，随呼伦贝尔军分区划归黑龙江省军区，并改变番号；1980 年 1 月，划归内蒙古军区。

66056 部队　1994 年 3 月组建。

66491 部队　1969 年 4 月组建。

66113 部队　1969 年 4 月组建。

66156 部队　1963 年 10 月组建。

---

① 参见《内蒙古自治区志·军事志》，内蒙古人民出版社 2002 年版，第 204—206 页。

66120部队　1963年10月组建。

66439部队　1983年1月组建。

66355部队　1980年1月，由黑龙江省军区转隶内蒙古军区建制。

66127部队　1963年10月组建。

66423部队　1963年8月组建。

66259部队　1992年9月，由北京军区转隶内蒙古军区建制。

66471部队　1961年5月组建。

66256部队　1966年11月组建。

内蒙古陆军预备役步兵第30师1983年9月，组建呼和浩特预备役步兵师；1999年1月1日，改称内蒙古陆军预备役步兵第30师。

已经被撤销、调离、改变建制的单位有：

骑兵第5师　1964年10月26日组建，下辖骑兵第13、14、15团；1969年6月，改编为守备部队。

内蒙古军区独立第2师　1966年7月1日，由内蒙古公安总队整编而成，下辖步兵第5、6、7、8团；1969年2月，调离内蒙古自治区。

内蒙古军区公安内卫第1团　1957年6月12日，公安内卫第81团和公安内卫骑兵营改编为内蒙古军区公安内卫第1团，归河套军分区建制；1959年1月1日，移交内蒙古自治区公安厅。

内蒙古军区公安内卫第2团　1955年6月23日，内蒙古公安部队领导机关与内蒙古军区机关合并，原公安内卫第2团改称公安军内卫第22团，归内蒙古军区直属；1957年6月12日，内卫第22团改称为内蒙古军区公安内卫第2团，仍归内蒙古军区直属；1958年5月12日，公安内卫第2、4团合并为内卫第2团；1959年1月1日，移交内蒙古自治区公安厅。

内蒙古军区公安内卫第3团　1955年6月23日，内蒙古公安内卫第3团改称为公安军内卫第23团，归内蒙古军区直属；1957年6月12日，内卫第23团改称为内蒙古军区公安内卫第3团，仍归内蒙古军区直属；1958年10月21日，内卫第3团改称为内蒙古军区步兵第3团，后改隶51131部队。

内蒙古军区公安内卫第4团　1957年6月12日，公安1师1团改编为内蒙古军区公安内卫第4团，归平地泉军分区领导；1958年5月12日，与公安内卫第2团合并为公安内卫第2团。

内蒙古军区公安内卫第5团　1955年6月23日，原公安内卫第1团改称为公安军内卫第21团，归内蒙古军区直属；1957年6月12日，公安内卫第21团改称为内蒙古军区公安内卫第5团，归呼伦贝尔军分区领导；1959年1月1日，内卫第5团移交内蒙古自治区公安厅。

内蒙古军区步兵第1、2、3、4团　1958年10月31日，公安内卫第3团改称为内蒙古军区步兵第3团，归内蒙古军区直属；1961年5月31日，以593团第1营、包头军分区步兵连为基础组建内蒙古军区步兵第4团，归包头军分区领导；1964年10月26日，由步兵第3团2个步兵连为基础组建内蒙古军区步兵第1团，另由内蒙古军区步兵第4团3个连为基础组建内蒙古军区步兵第2团；1968年7月，步兵第1、2、3、4团调归51131部队建制，同时改变番号。

内蒙古军区（呼伦贝尔军分区）骑兵第1团　1964年10月26日，由骑兵第13团2个连为基础组建，归乌兰察布军分区建制；1969年2月，调归呼伦贝尔军分区，同年7月，调归黑龙江省军区。

内蒙古军区独立第1团　1976年1月14日组建，归呼和浩特警备区建制；1980年1月，改称为内蒙古军区独立第1团，隶属关系不变；1982年9月22日，改为内蒙古武警部队。

内蒙古军区独立第2团　1980年1月，黑龙江省军区独立第31团移交给内蒙古军区，改称为内蒙古军区独立第2团，归呼伦贝尔军分区建制；1982年9月22日，改为内蒙古武警部队。

工程建筑第138团　1961年5月30日组建，始由内蒙古军区领导；1967年11月25日，调归北京军区第7军工区建制；1970年1月14日，复归内蒙古军区建制；1970年9月，调归武汉军区第8军工区建制。

北京军区独立坦克第2团　1968年8月，解放军第4坦克学校教练团调驻内蒙古自治区，业务领导属北京军区装甲兵部，行政和后勤工作归属内蒙古军区领导；1969年8月，教练团改称为北京军区独立坦克第2团，直属内蒙古军区领导；1976年1月，调离内蒙古自治区。

内蒙古军区测绘大队　1962年成立，1967年撤销。

内蒙古生产建设兵团　1966年组建，师级建制，兵团机关驻包尔套力盖，下辖2个团；1969年3月撤销。

51130 部队 1969 年 2 月 1 日，由山西省调防内蒙古自治区，驻呼和浩特市；1985 年 7 月撤销。

51131 部队 1968 年 7 月组建，驻呼和浩特市；1992 年 9 月撤销。

51132 部队 1969 年 6 月，以内蒙古军区骑兵第 5 师为基础组建，驻固阳；1985 年 7 月缩编为旅，后撤销。

51135 部队 1985 年 7 月组建，驻固阳；1992 年 9 月撤销。

51325 部队 1992 年 9 月，在呼和浩特市组建；1998 年 8 月撤销。①

（四）院校、仓库、医院、文艺单位

现有单位：

内蒙古军区教导大队 1970 年 6 月，组建内蒙古军区教导队；1981 年 2 月，改称为内蒙古军区教导大队。

内蒙古军区民兵装备仓库 1977 年 6 月组建。

66373 部队 1966 年 3 月组建。

51158 部队 1970 年 12 月组建，1986 年 1 月缩编。

66315 部队 1969 年 12 月组建。

51137 部队 1969 年 9 月组建。

第 253 医院 1955 年 5 月，解放军第 253 医院（驻呼和浩特市）由华北军区改归内蒙古军区后勤部建制；1964 年 12 月，改称为内蒙古军区总医院，后又改称为解放军第 253 医院。

第 291 医院 1964 年 12 月，以包头市第三人民医院为基础组建，归内蒙古军区后勤部建制。

内蒙古军区政治部文工团 1955 年，由内蒙古公安总队和内蒙古军区骑兵第 5 师文艺宣传队合并组建；1969 年撤销；1975 年 7 月，重新组建。

已经撤销和改变建制的单位：

内蒙古军区文化补习学校 1954 年 9 月，华北军区第 52 速成中学转隶内蒙古军区建制；1956 年 1 月 10 日，改称为内蒙古军区文化补习学校；1958 年 6 月 19 日撤销。

内蒙古军区步兵学校 1954 年 3 月，蒙绥军区军政干部学校改称为内蒙

① 参见《内蒙古自治区志·军事志》，内蒙古人民出版社 2002 年版，第 206—209 页。

古军区军政干部学校；1955 年 9 月 5 日，缩编为轮训队；1956 年 5 月，与公安军内蒙古军士教导营合并为内蒙古军区训练大队；1957 年 7 月，训练大队扩编为教导团；1960 年 5 月 11 日，改编为内蒙古军区干部学校（师级）；1962 年 9 月 17 日，改称为内蒙古军区步兵学校；1968 年 7 月 12 日撤销。

内蒙古军区复员轮训队　1954 年 5 月 7 日，内蒙古军区为训练转业返乡人员，组建转业建设大队；1957 年 6 月，改编为复员轮训队；1958 年 2 月撤销。

第 265 医院　原为国民党军队医院；1949 年，整编后归内蒙古军区后勤部建制；1957 年 3 月撤销。

第 279 医院　1968 年 8 月，在临河组建，归内蒙古军区后勤部建制；1980 年撤销。

第 280 医院　1968 年 12 月，在集宁市组建，归内蒙古军区后勤部建制；1969 年，改归总后勤部大同办事处领导，后被撤销。

第 290 医院　1963 年，在赤峰市组建，归昭乌达军分区建制；1969 年，移交辽宁省军区，1985 年撤销。

第 356 医院　1966 年 9 月 16 日，由内蒙古公安总医院改称，归内蒙古军区后勤部建制；1982 年 12 月，移交武警部队。

51145 部队　1971 年 5 月组建，1994 年撤销。①

（五）干休所

内蒙古军区呼和浩特第 1 干休所　1964 年组建。

内蒙古军区呼和浩特第 2 干休所　1979 年 6 月组建。

内蒙古军区呼和浩特第 3 干休所　1982 年 10 月组建。

内蒙古军区呼和浩特第 4 干休所　1982 年，内蒙古军区建立司政干休所；1989 年 7 月，改称内蒙古军区呼和浩特第 4 干休所。

内蒙古军区呼和浩特第 5 干休所　1983 年，建立呼和浩特军分区干休所；1998 年，转隶军区直属，改称内蒙古军区呼和浩特第 5 干休所。

内蒙古军区保定干休所　1982 年 10 月组建。

内蒙古军区太原干休所　1984 年组建。

---

① 参见《内蒙古自治区志·军事志》，内蒙古人民出版社 2002 年版，第 209—210 页。

以上干休所均归内蒙古军区政治部领导。1982 年至 1987 年间，内蒙古军区还陆续组建了通辽干休所、赤峰干休所、海拉尔干休所、军区后勤部干休所，分别归通辽、赤峰、呼伦贝尔军分区和内蒙古军区后勤部领导。①

第七节 内蒙古武装警察部队

武装警察部队是国家的武装力量之一，是执行革命政治任务的武装集团，担负着保卫国家和人民生命财产安全、维护国家主权和尊严、维护社会稳定的神圣使命。其特点是点多、线长、面广、驻地高度分散、执行任务经常、联系群众广泛、斗争形式多样，养兵千日，用兵千日，是一支天天战斗的部队。五十多年中，内蒙古自治区的武装警察部队在中国共产党的领导下，坚持以马列主义、毛泽东思想、邓小平理论和江泽民一系列重要指示为指针，牢记部队的性质和任务，自觉地实践全心全意为人民服务的宗旨，与人民同呼吸、共命运、心连心，前赴后继、英勇奋战，为保卫内蒙古新生的红色政权、保卫自治区各民族人民生命财产安全、维护社会稳定、促进经济繁荣、加强民族团结，谱写了光辉的历史篇章。无论是惊心动魄的战争年代，还是轰轰烈烈的和平建设时期，内蒙古武装警察部队始终不负众望，不辱使命，对敌人疾恶如仇，英勇战斗；对人民俯首如牛，甘于奉献。从东北大兴安岭林区到西北广袤无垠的巴丹吉林沙漠；从北部辽阔的锡林郭勒大草原到南部煤海宝地鄂尔多斯高原，处处留下了他们的身影。他们长年累月战斗在深山密林、荒漠大川、隧道桥头。城镇街头、农村、牧区、工厂、矿山留下了他们奋斗的足迹，在历次急、难、险、重的任务中，他们展现了英勇无畏的英姿。他们是人民心中的“北疆长城”、社会主义事业的“守护神”。

五十多年中，内蒙古武装警察部队始终注重加强自身建设，坚持坚定正确的政治方向，坚持党指挥枪的原则，不断加强各级党委班子建设和基层党支部建设，促进思想政治工作的开展，官兵的政治觉悟不断提高；坚持质量建军和科技强军的战略方针，加强军事技能和业务训练的力度，部队的执勤和处置突发事件的能力日益增强；不断加强后勤建设，提高部队的物质保障

① 参见《内蒙古自治区志 · 军事志》，内蒙古人民出版社 2002 年版，第 210 页。

能力，为圆满完成以执勤和处置突发事件为中心的各项战斗任务奠定了坚实的基础。

一、内蒙古公安总队

现中国人民武装警察部队内蒙古自治区总队的前身。1946 年 5 月，兴安省成立后，组建了兴安省内防总队，担负着清剿土匪、看押罪犯等重要任务。1947 年 5 月，内蒙古自治政府成立后，将兴安省内防总队、警卫队以及开通县蒙民自治科自卫队合编为内蒙古公安总队。1948 年底，各旗、县公安中队正式编入内蒙古公安总队，人员由初建时的 150 人扩大到 1 600 余人。1950 年 1 月至 5 月，内蒙古公安总队统一整编为中国人民公安部队内蒙古总队。1952 年 11 月 13 日，根据中央公安部和公安部队司令部的决定，内蒙古总队和 1949 年 9 月绥远省和平解放时组建的绥远省公安总队正式合并，统称为中国人民解放军蒙绥公安部队。1954 年 3 月，内蒙古自治区人民政府和绥远省人民政府合并以后，蒙绥公安部队亦奉命改称为中国人民解放军内蒙古公安部队。此后，内蒙古公安部队在体制上又有几次大的变动，相继改称为中国人民解放军内蒙古军区公安军、内蒙古公安武警总队等。

1966 年，“文化大革命”开始以后，撤销了内蒙古公安总队的建制，改编为中国人民解放军内蒙古军区独立 2 师；1969 年 3 月，又改为内蒙古军区独立师；1976 年 1 月，内蒙古军区将所辖的 50 个旗、县（市）中队，移交给了公安机关，改为人民警察，由内蒙古自治区公安厅武装民警处领导。①

1982 年 6 月 19 日，中共中央（1982）30 号文件批转国家公安部党组《关于人民武装警察部队管理体制问题的请示报告》，决定将人民解放军担负看押、守护、警卫任务的部队移交公安部门，同公安部门原来实行义务兵役制的武装、边防、消防民警统一组建为中国人民武装警察部队。同年 12 月，内蒙古自治区公安厅接收原内蒙古军区担负内卫任务的独立团、独立营、

---

① 参见《内蒙古大辞典》，内蒙古人民出版社 1991 年版，第 204 页；《内蒙古自治区志 · 武警志》，内蒙古人民出版社 2003 年版，第 5 页。

356 医院等，组建为中国人民武装警察部队内蒙古自治区总队（师级建制）。① 总队组建的同时，也正式组建了总队党委和各级党的组织，从而使部队始终置于中国共产党的绝对领导之下。

二、中国人民武装警察部队内蒙古自治区总队

简称武警内蒙古总队。组建于 1983 年 1 月。1982 年 6 月，中共中央批转了公安部党组《关于人民武装警察管理体制问题的请示报告》,决定将中国人民解放军担负的地方内卫任务及其执勤部队移交给公安部门，同公安部门原来的实行义务兵役制的武装、边防、消防 3 个警种统一组建成"中国人民武装警察部队"。根据这一决定，内蒙古自治区于 1983 年 1 月将武装、边防、消防 3 种警察和军区移交过来的内卫执勤部队分编组建成为中国人民武装警察部队内蒙古自治区总队。内蒙古自治区公安厅厅长伍彤兼任总队第一政治委员，尼玛任总队长。总队机关驻呼和浩特市爱民路。1983 年 1 月 24 日，中国人民武装警察部队内蒙古自治区总队在呼和浩特市召开成立大会。

新组建的武警内蒙古总队是公安部门的一个组成部分，在内蒙古自治区各级党委、政府和公安机关的领导下开展工作，并接收上级武装警察部队的领导。按照《兵役法》的有关规定，实行义务兵和志愿兵相结合的制度，执行解放军的条例、命令和供给标准，进行适合各专业特点的特殊训练。其任务是：维护国家的主权和尊严，维护社会治安，保护党政领导机关、重要目标和人民生命财产安全，保障社会主义现代化建设顺利进行。

三、武警内蒙古总队的组织体制

中国人民武装警察部队内蒙古自治区总队属于军队的师级单位，实行在武警总部和内蒙古党委、自治区人民政府、公安厅的双重领导下的"统一规划、分级管理、分级指挥"的领导原则。部队首长设总队长、政治委员、副总队长、副政治委员。总队机关下设司令部、政治部、后勤部、边防保卫局、消防处 5 个副师级部门。初建时，5 个部门均设若干科。1984 年 5 月，根据武警总部《关于内蒙古总队编制方案的批复》,内蒙古总队机关所社各

① 参见《内蒙古年鉴》(1998)，方志出版社 1998 年版，第 231 页。

科改为处。

总队下辖呼和浩特市支队、包头市支队、乌海市支队、满洲里边防检查站、二连浩特边防检查站等单位，以及直属支队和直属机动支队和旗、县（市、区）中队，还包括武警呼和浩特指挥学校、总队医院、警犬基地、后勤基地。总队担负着内蒙古自治区内卫勤务、边防保卫、消防执勤等任务。

1985 年 2 月 28 日，遵照国家公安部（1985）55 号文件内容要求以及内蒙古党委有关指示，内蒙古总队将隶属其建制的消防处和各盟市支队消防科（大队）、消防股、消防中队归属内蒙古自治区公安厅、盟市公安处（局）、旗（县）公安局领导。同年 6 月，按照内蒙古自治区政法委员会《关于改革边境管理有关问题的请示报告》和内蒙古党委的批复文件，内蒙古总队将隶属其建制的边防机构、边防检查站、边防派出所，分别划归地方公安部门管辖，内蒙古自治区公安厅同时恢复边防局建制。

1995 年 3 月 3 日，国务院、中央军委作出《关于调整中国人民武装警察部队领导管理体制的决定》，武警部队属于国务院编制序列，由国务院、中央军委双重领导，实行统一领导管理与分级指挥相结合的体制。①

四、武警内蒙古总队后勤保障体系

后勤保障体系是部队筹划和运用人力、物力、财力，从物资、技术、医疗、运输等方面，保障部队建设和执勤需要的各项专业勤务。根据部队点多、线长、面广，后勤供应不系统，供需矛盾突出，保障供应复杂、任务重的特点，在建立健全总队、支队 2 级财务、被装、给养、运输、营房、卫生勤务保障组织的基础上，总队完成了后勤基地建设，形成了仓储、运输、修理、训练、生产经营五位一体的综合保障能力，完善了支队军需、油料、卫生、军械车辆修理网点的技术设施建设，基层中队的业余生产得到巩固提高，物质文化生活明显改善。依靠国家和人民，自力更生、艰苦奋斗，坚持为执勤服务、为部队服务的新体系已经形成，对部队执勤、训练、行管等任

① 参见《内蒙古大辞典》，内蒙古人民出版社 1991 年版，第 204 页；《内蒙古年鉴》（1998），方志出版社 1998 年版，第 231 页。

务的完成，提供了有效的保障。①

五、城市武装巡逻

对大中城市或特定地区实行武装巡查警戒的一种内卫勤务。主要任务是：防范、打击犯罪分子的破坏活动，维护社会治安，保护人民生命财产的安全；维护首长（外宾）住地、首脑机关及其他重要目标周围的秩序，防止敌对分子的暗害、破坏活动；发现、处理非法携带、运输的武器弹药和易燃易爆等危险品及其人员、车辆；纠察警（军）容风纪。武警内蒙古总队组建后，于1983年开始担负呼和浩特、包头、赤峰、集宁等城市的武装巡逻勤务。总队认真贯彻积极预防与严厉打击相结合的原则，依巡逻区域的范围、地形、敌情、社情等情况，全面部署，加强重点，划区包干，积极争取当地公安机关的领导和各方面力量的密切协作，充分发挥了武装巡逻在打击和震慑犯罪、维护社会治安中的威力。②

六、武警内蒙古总队历任主要领导（1947.5—1982.12）

内蒙古公安总队

总　队　长　海宝龙（1947.5—1947.7）
　　　　　　那木斯来（1947.7—1948.11）
　　　　　　伍　彤（1948.11—1949.9兼）
副总队长　赛音巴雅尔（1947.5—1947.7）
　　　　　　谷献瑞（1948.11—1949.9）
　　　　　　丁郁民（1949.9—1949.10）

中国人民公安部队内蒙古总队

总　队　长　伍　彤（1949.10—1950.10）
副总队长　丁郁民（1949.10—1950.10）
副政治委员　华　民（1949.10—1950.10）

内蒙古公安部边防处、武装处

① 参见《内蒙古大辞典》，内蒙古人民出版社1991年版，第204页。
② 参见《内蒙古大辞典》，内蒙古人民出版社1991年版，第204—205页。

处　　　　长　谷献瑞（1951.11—1952.5）

绥远省公安厅武装处

处　　　　长　杨德松（1951.5—1952.4）

中国人民解放军公安部队绥远省总队

政 治 委 员　张如岗（1952.4—1952.10）

第一副总队长　杨德松（1952.4—1952.10）

第二副总队长　李仲玉（1952.4—1952.10）

副政治委员　罗重群（1952.4—1952.10）

中国人民解放军公安部队内蒙古总队

总　队　长　王海山（1952.6—1952.10）

政 治 委 员　王再天（1952.6—1952.10兼）

副政治委员　孟　琦（1952.6—1952.10）

参　谋　长　谷献瑞（1952.6—1952.10）

中国人民解放军蒙绥、内蒙古公安部队

司令员兼政委　王再天（1952.11—1955.8兼）

第一副司令员　王海山（1952.11—1955.7）

第二副司令员　杨德松（1952.11—离任时间不详）

副 司 令 员　李仲玉（1952.11—1953.5）

　　　　　　　朱孜竟（1953.5—离任时间不详）

第一副政治委员　孟　琦（1952.11—离任时间不详）

第二副政治委员　罗重群（1952.11—离任时间不详）

副政治委员　张如岗（1952.11—离任时间不详，兼）

　　　　　　　伍　彤（1952.11—离任时间不详，兼）

参　谋　长　谷献瑞（1952.11—离任时间不详）

中国人民解放军内蒙古军区公安军、公安部队

司令员兼政委　乌兰夫（1955.7—1957.6）

内蒙古自治区公安厅武装民警管理处

处　　　　长　陈帮荣（1955.8—离任时间不详）

第一副处长　朱帮仁（1955.11—离任时间不详）

第二副处长　拉希扎木苏（1955.11—离任时间不详）

内蒙古自治区公安厅人民武装警察总队

总队长兼政委　毕力格巴图尔（1958.12—1962.1兼）

副 总 队 长　杨德松（1958.12—1962.1）

　　　　　　李自勉（1958.12—1962.1）

　　　　　　倪兴田（1960.9—1962.1）

副政治委员　任　广（1958.12—1962.1）

　　　　　　陈帮荣（1958.12—离任时间不详）

　　　　　　华　民（1960.9—1962.1）

参 谋 长　尤亚民（1959.7—1962.1）

中国人民武装警察部队内蒙古总队

总 队 长　毕力格巴图尔（1962.2—1962.5兼）

　　　　　　杨德松（1962.6—1963.2）

第一政治委员　毕力格巴图尔（1962.6—1963.2兼）

第二政治委员　孟　琦（1962.12—1963.2）

副 总 队 长　杨德松（1962.2—1962.6）

　　　　　　李自勉（1962.2—1963.2）

　　　　　　倪兴田（1962.2—1963.2）

副政治委员　任　广（1962.2—1963.2）

　　　　　　华　民（1962.2—1963.2）

　　　　　　付力戈（1962.5—1963.2）

参 谋 长　尤亚民（1962.2—1963.2）

中国人民公安部队内蒙古总队

总 队 长　杨德松（1963.2—1966.6）

政治委员　毕力格巴图尔（1963.2—1966.6）

第二政治委员　孟　琦（1963.2—1964.5）

　　　　　　付力戈（1964.5—1966.6）

副 总 队 长　李自勉（1963.2—1966.6）

　　　　　　倪兴田（1963.2—1964.3）

　　　　　　尤亚民（1964.11—1966.6）

副政治委员　任　广（1963.2—1964.6）

　　　　　　　　华　民（1963. 2—1966. 6）
　　　　　　　　付力戈（1963. 2—1964. 5）
参　谋　长　尤亚民（1963. 2—1964. 11）
　　　　　　　　王开山（1964. 11—1966. 6）

中国人民解放军内蒙古军区独立第2师

师　　　长　杨德松（1966. 7—1969. 2）
政 治 委 员　付力戈（1966. 7—1969. 2）
副　师　长　李自勉（1966. 7—1969. 2）
　　　　　　　　尤亚民（1966. 7—1969. 2）
　　　　　　　　宋桂林（1966. 11—1969. 2）
副政治委员　华　民（1966. 7—1969. 2）
参　谋　长　王开山（1966. 7—1969. 2）

中国人民解放军内蒙古军区独立师

师　　　长　王俊保（1969. 3—1970. 8）
　　　　　　　　秦志邦（1970. 8—1976. 10）
政 治 委 员　崔建光（1969. 3—1970. 8）
　　　　　　　　苏德顺（1970. 8—1976. 10）
副　师　长　李根则（1969. 3—1976. 10）
　　　　　　　　于东明（1970. 9—1972. 9）
　　　　　　　　赵文峰（1970. 9—1976. 5）
　　　　　　　　秦汉英（1971. 9—1976. 5）
　　　　　　　　杨克俭（1973. 11—1976. 10）
　　　　　　　　杨勤生（1973. 11—1976. 10）
副政治委员　吴仲帜（1969. 3—1970. 1）
　　　　　　　　张玉文（1970. 1—1976. 10）
　　　　　　　　杨玉亭（1970. 8—1976. 10）
　　　　　　　　赵　远（1971. 6—1976. 10）
　　　　　　　　白　英（1974. 12—1976. 10）
参　谋　长　刘剑秋（1969. 3—1970. 1）
　　　　　　　　程　森（1970. 1—1975. 5）

王天义（1975. 5—1976. 10）

内蒙古自治区公安局（厅）武装民警处

副　处　长　苏　克（1976. 10—1982. 12）

刘士勤（1976. 10—1979. 2）

苏　鲁（1979. 4—1982. 12）[①]

中国人民武装警察部队内蒙古自治区总队

总　队　长　尼　玛（蒙古族，1983. 1—1987. 10）

第一政委　伍　彤（1983. 1—1983. 9）

何　耀（1984. 10—1986. 5）

石占宽（1986. 5—1987. 10）

政　　委　全宝山（蒙古族，1983. 1—1987. 10）

副总队长　白宝玉（蒙古族，1983. 1—1984. 8）

汤世忠（1983. 1—1987. 10）

张温树（1984. 12—1987. 10）

王世荣（1984. 12—1987. 10）

副　政　委　布音巴图（蒙古族，1984. 12—1987. 10）

① 参见《内蒙古自治区志·武警志》，内蒙古人民出版社 2003 年版，第 649—655 页。

第 十 四 章

民族与宗教

第一节　民　族

一、民族构成

内蒙古自治区是个多民族聚居的地区。根据2000年全国第五次人口普查统计数字显示，全国56个民族中除珞巴族外，有55个民族的成员居住和生活在内蒙古自治区这块土地上。这些民族中，人口在100万以上的有汉族、蒙古族；人口在10万以上的有回族、满族；人口在1万以上的有朝鲜族、达斡尔族、鄂温克族；人口在1 000以上的有壮族、锡伯族、俄罗斯族、鄂伦春族、彝族、苗族、维吾尔族、土家族、藏族；人口在1 000以下的有布依族、侗族、瑶族、白族、哈尼族、哈萨克族、傣族、黎族、傈僳族、佤族、畲族、高山族、拉祜族、水族、东乡族、纳西族、景颇族、柯尔克孜族、土族、仫佬族、羌族、布朗族、撒拉族、毛南族、仡佬族、阿昌族、普米族、塔吉克族、塔塔尔族、京族、怒族、乌孜别克族、德昂族、保安族、裕固族、独龙族、赫哲族、门巴族、基诺族。其中，蒙古族、汉族、达斡尔族、鄂温克族、鄂伦春族、回族、满族、朝鲜族，长期以来为内蒙古自治区的主要民族构成。①

① 参见《内蒙古大辞典》，内蒙古人民出版社1991年版，第42页。

蒙古族 内蒙古自治区实行区域自治的民族。分布在内蒙古各地，大多数居住在农村、牧区和半农半牧区，部分散居在城镇。蒙古族发源于额尔古纳河流域。“蒙古”的汉文译写始见于唐代文献的“蒙兀”，元代文献中才开始汉译为“蒙古”。历史上，畜牧业生产是蒙古族人民一向赖以生存和发展的主要经济。如今仍有相当数量的蒙古族人口从事畜牧业生产。蒙古族有自己的语言和文字。蒙古语属于阿尔泰语系蒙古语族，分为蒙古、卫拉特、巴尔虎布利亚特3种方言。古代的蒙古族信仰萨满教；从13世纪的元朝开始，蒙古族统治者改信喇嘛教；16世纪以后，广大的蒙古族群众也逐渐接受并改信了喇嘛教。蒙古族的婚姻为一夫一妻制，实行同姓不婚的习俗。蒙古族的丧葬一般为土葬、火葬和野葬。蒙古族是一个能歌善舞、热情好客、勤劳勇敢的民族。蒙古族的衣食住行都很有自己的特点，尤其是生活在聚居区的蒙古族大多保留了传统的风俗习惯，如男女都穿着身宽袖长的长袍，束以腰带，脚穿高至膝盖的长筒皮靴。男子多戴深色礼帽，女子则以红、蓝色布缠头，盛装时会戴着用大量金银珠宝镶嵌的头饰。饮食多以牛羊肉和奶制品为主，粮食、蔬菜为辅，喜欢饮用奶茶。过去以游牧为主，所以居住在蒙古包，现在大多数已经定居，改住砖木或土木结构的房子。蒙古族除了春节等节日外，历史上在每年的7、8月间，都会隆重地举行祭敖包和那达慕活动，即祭祀山神、路神和娱乐活动；如今这种活动已经演变为草原各民族庆丰收、物资交流、文体活动的群众性集会。

汉族 内蒙古自治区人口最多的民族。分布于内蒙古各地。从先秦文献记载和传说与夏、商、周立都范围来看，汉族发源于黄河中下游地区。历史上，汉族人口有过几次大规模的自黄河流域和淮河以北向长江、珠江流域南移。同时，自秦汉到清朝，历代都有不少汉族人民通过屯垦、移民、自然流入等方式移居边疆地区，与边疆少数民族交往相处，共同开发边疆。到1947年5月内蒙古自治政府成立时，内蒙古地区的汉族人口已达一定规模。内蒙古地区的汉族在经济、文化、风俗习惯方面，除具有同全国各地汉族的共同点以外，由于长期同少数民族生活在一起，相当一部分人或多或少地吸收了少数民族文化中的优秀成分，丰富了汉民族的文化。内蒙古地区的汉族没有全民族的宗教，自汉代以来多种外来的宗教，如佛教、天主教、基督教等，都有一部分人信奉。中华人民共和国成立以后，内蒙古地区的汉族同蒙古族以及其他少数民族一样，经济、文化、教育事业得到了很大发展；同时，和兄弟民族建立起了平等、团结、互助的社会主义新型民族关系。

达斡尔族　达斡尔族是实现了民族区域自治的民族。主要分布在内蒙古东部的呼伦贝尔盟，莫力达瓦达斡尔族自治旗是其主要聚居区，也是达斡尔族实行民族区域自治的地区。“达斡尔”是达斡尔族的自称，由于音译的缘故，曾有过“达呼尔”、“达胡尔”、“达古尔”等不同的写法。达斡尔族有自己的语言，但是没有本民族的文字。达斡尔族的语言属于阿尔泰语系蒙古语族。在清代，达斡尔族多使用满文，少数人兼用蒙古文和哈萨克文。1911年以后至今，普遍使用汉文。达斡尔族主要信仰萨满教，少数人信仰喇嘛教。达斡尔族的婚姻制度是一夫一妻制，同姓内禁止通婚。达斡尔族人死后，通常实行棺殓土葬。达斡尔族人民具有敬老互助和好客的传统。达斡尔族的主要节日是春节。

鄂温克族　鄂温克族是实现了民族区域自治的民族。主要分布在内蒙古东部的呼伦贝尔盟，鄂温克族自治旗是其主要聚居区，也是鄂温克族实行民族区域自治的地区。鄂温克族发源于贝加尔湖流域，早在公元前2000年，即夏、商时期，鄂温克族人的祖先就居住在外贝加尔湖和贝加尔湖沿岸地区。“鄂温克”的词义是：住在大山林的人们。鄂温克族由于历史上迁徙而造成聚居分散和经济发展上的差异性。聚居在鄂温克族自治旗和陈巴尔虎旗的鄂温克族占鄂温克人口的一半以上，主要从事畜牧业；居住在扎兰屯市(原布特哈旗)、阿荣旗、莫力达瓦达斡尔族自治旗等地的鄂温克族，从事半农半猎；额尔古纳左旗的少数鄂温克族则从事狩猎业。鄂温克族有自己的语言，属于阿尔泰语系—通古斯语族北语支，但没有文字。中华人民共和国成立以前，鄂温克民族中的知识分子多通晓满文、汉文和蒙古文；如今，生活在牧区的鄂温克族通用蒙古文和汉文，生活在农区和靠山区的鄂温克族通用汉文。鄂温克族一般信奉萨满教，生活在牧区的鄂温克族同时也信奉喇嘛教；居住在陈巴尔虎旗等地区的鄂温克族中，也有个别人信奉东正教。鄂温克族的婚姻基本上实行一夫一妻制，但与其他民族不同的是，存在有氏族外婚和姑舅表婚优先现象。鄂温克族的丧葬以土葬为主，也有放置殉葬物的传统习惯；1949年10月以后，火葬开始实行和推广，鄂温克族中相当一部分人接受了火葬的方式。鄂温克族的节庆日除了春节、清明节外，还有敖包会。鄂温克族有很多禁忌的事项，如马鞍子、套马杆子属于不可侵犯之物，绝对不允许任何人踩踏和从上面跨过去；骟马被视为是神仙骑乘的专马，不能出售、宰杀；骑马人进门前，马鞍子必须放置在门外，否则将会被视为强盗等。鄂温克民族对于这些禁忌至今奉守不变。

鄂伦春族 鄂伦春族是实现了民族区域自治的民族。主要分布在内蒙古东部的呼伦贝尔盟，鄂伦春自治旗是其主要聚居区，也是鄂伦春族实行民族区域自治的地区。鄂伦春族发源于黑龙江流域。“鄂伦春”的词义通常有两种解释：使用驯鹿的人们；山岭上的人们。鄂伦春族族名的诠释，充分反映了这一民族长期以来所从事的生产和生活的状况。历史上，鄂伦春族的经济以狩猎为主，采集和捕鱼为辅；中华人民共和国成立以后，鄂伦春族从原始社会直接进入了社会主义社会，经济得到了很大发展，已由单一的狩猎经济发展为农、猎、牧并举的多种经营经济体制。鄂伦春族有自己的语言，属于阿尔泰语系—通古斯语族通古斯语支，没有文字。鄂伦春族除了使用本民族语言外，一般通用汉语文。鄂伦春族信奉萨满教。鄂伦春族的婚姻实行一夫一妻制和禁止同一氏族通婚的原则。鄂伦春族的丧葬主要是天葬，又称风葬，即把尸体放置在树木之上，也有土葬或火葬的，实行火葬者多是得急病而死的人。鄂伦春族是个尊老好客的民族。鄂伦春族的节庆日，因受周围其他民族特别是汉族的影响，主要过春节，近几十年也过端午节、中秋节等。鄂伦春族有许多禁忌，如对猛兽不能直呼名字，而是称虎为“宝如坎”（即神），称熊为“阿玛哈”（即大爷）；外出打猎不能做计划，因为他们相信野兽的肩胛骨有预知的本领。

回族 居住在内蒙古自治区的少数民族之一。散居内蒙古各地，但又形成了大小不等的聚居区，如呼和浩特市的回民区、赤峰市元宝山区的小五家回族乡等。回族是回回民族的简称。回族是以13世纪初叶开始东来的中亚细亚人、波斯人、阿拉伯人为主，并吸收一部分汉族人、蒙古族人、维吾尔族人等融合、发展而形成的一个民族。回族最初使用的语言较多，曾同时使用过蒙古语、汉语、波斯语、阿拉伯语。明代后期汉语成为回族的共同语言，同时在回族人民日常交往中，保留了一些阿拉伯语和波斯语的词汇。回族人主要信仰伊斯兰教，在内蒙古自治区居住的回族群众，也有少数人信仰喇嘛教。伊斯兰教的传入及其在中国的发展，对于回族的形成起到了重要的纽带作用。回族人的生、死、婚、葬、饮食、服饰等生活习惯，无不受到伊斯兰教的影响。例如：忌吃猪肉，不吃一切动物的血和自死动物，不饮酒，死后不用棺材，而是以白布包身土葬等，都是《古兰经》中的规定。

满族 居住在内蒙古自治区的少数民族之一。分布在内蒙古各地，其中呼伦贝尔盟、赤峰市、兴安盟、通辽市偏多，而且形成了相对的聚居区。例如，赤峰市郊区关家营的满族乡、喀喇沁旗的十家满族乡、兴安盟科尔沁右翼前旗的满族屯满族乡等。满族发源于长白山以北，黑龙江和乌苏里江流域。满族是“诸申”（女真）改为满洲后的简称。满族80%以上的人口从事农业。满族有自己的语言和文字。满族语属于阿尔泰语系—通古斯语族满语支。满文是16世纪末借用蒙古文字的字母创造而成的。17世纪40年代以后，大量满人入关，受环境的影响，普遍习用汉语；大批汉人移居关外，东北地区的满族人也逐渐习用汉语。如今内蒙古除东部区一些边远乡村的极个别老年人会讲满语外，绝大多数满族人一般通用汉语汉文。满族信仰萨满教，所不同的是，满族的萨满多为职业萨满。满族的婚姻制度是一夫一妻制。满族的丧葬一般为土葬。清代以来，满、汉长期杂居共处，相互学习吸收，只是在关外满族聚居的一些偏僻乡村中，仍较多地保持着满族固有的习俗。

朝鲜族 居住在内蒙古自治区的少数民族之一。分布在内蒙古各地，但是内蒙古东北地区的呼伦贝尔盟、赤峰市、兴安盟、通辽市偏多。在朝鲜族聚居的地区，建立了朝鲜族民族乡。朝鲜族的先民是19世纪中叶从朝鲜半岛迁入中国东北的，他们定居后逐渐发展成为当代中国的一个民族。朝鲜族大多生活在农村，从事农业生产，尤其擅长种植水稻；散居在城市的朝鲜族从事各行各业的工作。朝鲜族有自己的语言和文字，聚居区的朝鲜族使用朝鲜语和朝鲜文，杂散居地区的朝鲜族通用汉语文。朝鲜族信仰宗教的人数较少，在信教群众中的相当一部分人信仰基督教或天主教，也有少数人信仰佛教。朝鲜族的婚姻制度为一夫一妻制，按照传统习惯，近亲、同宗、同姓不婚。朝鲜族多数居民实行土葬，散居在城市的则实行火葬。朝鲜族不分男女老少均能歌善舞。男子喜欢摔跤和踢足球，各村、各学校一般都有足球队，经常组织比赛。朝鲜族的衣着一般喜欢素白色，显示出喜爱洁净朴素的特性。朝鲜族喜欢吃泡菜、打糕、冷面和狗肉。朝鲜族的节庆日，除了要过春节、清明节、中秋节以外，还有回甲节（即诞生60周年的纪念日）、回婚节（即结婚60周年纪念日），每逢这两个节日，所有儿女、亲友、邻里都会向老人们表示祝贺。①

二、区域自治民族和汉族人口状况

内蒙古自治区是以蒙古族为主体民族，汉族占多数人口的少数民族区域自治地区。在内蒙古自治区内包括3个少数民族自治旗，即鄂温克族自治旗、莫力达瓦达斡尔族自治旗和鄂伦春自治旗。根据2000年全国“第五次人口普查”（以下简称“五普”）数据显示，内蒙古自治区总人口为2 332.3347万人，其中蒙古族人口为399.5349万人，占全区总人口的17.13%；汉族人口为1 846.5586万人，占全区总人口的79.17%；达斡尔族人口为7.7188万人，占全区总人口的0.33%；鄂温克族人口为2.6201万人，占全区总人口的0.11%；鄂伦春族人口为0.3573万人，占全区总人口的0.015%。从1990年全国“第四次人口普查”（以下简称“四普”）至“五普”的10年中，蒙古族人口增加了71.0349万人，增长率为21.62%，年平均增速为2.16%。与1977年（当年193.1万人）至1990年（当年328.5万人）的13年时间的年均增长率相比，下降了3.23个百分点（1977年至1990年，内蒙古自治区的蒙古族人口增加了135.4万人，增长率高达70.12%，年平均增速为5.39%），增速明显放缓。从“四普”至“五普”汉族人口增加了97.4586万人，增长率为5.57%，年平均增速为0.56%。②

人口年龄结构 国际上通常按少年儿童人口系数、老年人口系数、老少比和年龄中位数的一定值，将人口年龄结构划分为年轻型、成年型和老年型3种。根据2000年全国“五普”数据资料和国际通用标准进行比较，将内蒙古自治区的蒙古族、汉族及达斡尔族、鄂温克族、鄂伦春族3个自治民族的人口年龄结构状况列表如下：

① 参见《内蒙古大辞典》，内蒙古人民出版社1991年版，第42—44页。

② 内蒙古自治区统计局：《辉煌的内蒙古》和国家统计局人口和社会科技统计司、国家民族事务委员会经济发展司编：《2000年人口普查中国民族人口资料》综合计算。

表 2－1

项　目	国际通用人口年龄结构标准			蒙古族	汉　族	达斡尔族	鄂温克族	鄂伦春族
	年轻型	成年型	老年型					
少年儿童系数（%）	40 岁以上	30—40 岁	30 岁以下	28.17	19.45	28.41	33.16	35.94
老年人口系数（%）	5 岁以下	5—10 岁	10 岁以上	3.43	6.03	3.13	2.10	1.37
老少比（%）	15 岁以下	15—30 岁	30 岁以上	12.19	30.98	11.01	6.34	3.82
年龄中位数（岁）	20 岁以下	20—30 岁	30 岁以上	25.64	31.99	25.87	22.90	20.18

资料来源：根据 2000 年全国第五次人口普查资料计算。

以全国“五普”数据分析：蒙古族人口中少年儿童（14 岁以下）系数为 28.17%，比“四普”的 37.92% 下降了 9.75 个百分点；老年人口系数为 3.43%，比“四普”的 2.88% 上涨了 0.55 个百分点；老少比是 12.19%，比“四普”的 7.71% 上涨了 4.48 个百分点；年龄中位数为 25.64 岁，比“四普”的 20.41 岁增加了 5.23 岁。2000 年，蒙古族人口年龄结构的 4 个指标中，少年儿童系数属老年型，年龄中位数属成年型，老年人口系数和老少比属年轻型，并且与“四普”比较，老年人口系数和老少比都有所上升，向成年型靠近了一步。综合起来考虑内蒙古自治区的蒙古族人口年龄结构类型，正处在年轻型中后期发展阶段，并逐步迈向成年型。

汉族人口的 4 个指标分别是，少年儿童系数为 19.45%，老年人口系数为 6.03%，老少比为 30.98%，年龄中位数为 31.99 岁，除老年人口系数属成年型外，其余 3 项指标均属老年型。因此，内蒙古自治区的汉族人口年龄结构类型，即将步入老年型阶段。

达斡尔族人口中少年儿童系数为 28.41%，比“四普”的 36.48% 下降了 8.07 个百分点；老年人口系数为 3.13%，比“四普”的 2.60% 上升了 0.53 个百分点；老少比为 11.01%，比“四普”的 14.03% 下降了 3.0 个百分点；年龄中位数为 25.87 岁，比“四普”的 19.72 岁增加了 6.15 岁。达斡尔族人口的少年儿童系数属老年型，老年人口系数和老少比属年轻型，年龄中位数属成年型，综合起来考虑正从年轻型向成年型转变。但是，与蒙古族人口的年龄结构类型相比略显年轻。

鄂温克族人口中少年儿童系数为 33.16%，老年人口系数为 2.10%，老少比为 6.34%，年龄中位数为 22.90 岁，老年人口系数和老少比属年轻型，少年儿童系数和年龄中位数属成年型，但还处于初级阶段。因此，内蒙古自治区的鄂温克族人口年龄结构类型处于年轻型。

鄂伦春族人口中少年儿童系数为35.94%，老年人口系数为1.37%，老少比为3.82%，年龄中位数为20.18岁，老少比和老年人口系数属年轻型，少年人口系数和年龄中位数属成年型，但年龄中位数是刚刚步入成年型。因此，内蒙古自治区的鄂伦春族人口年龄结构类型处在年轻型阶段。而较之鄂温克族人口年龄结构类型更为年轻。

人口年龄结构的发展变化　“五普”时，内蒙古自治区蒙古族人口中0—14岁人口为112.5374万人，占全区蒙古族人口总数的28.16%，比“四普”的37.32%减少了9.16个百分点，接近人口年龄结构的稳定型。反映出在这10年当中蒙古族少年人口发生了巨大的变化，表明蒙古族出生人口逐年减少，人口自然增长率正在下降。15—49岁年龄组人口占其总人口的60.57%，比“四普”的52.49%增加了8.08个百分点。这一组人口比例增加的主要原因是，蒙古族人口的“两个生育高峰期的循环期”（1977—1990年之间）① 中出生的人口到2000年时进入15—49岁年龄组。50岁以上年龄组人口占其总人口的11.26%，比“四普”的10.18%增加了1.08个百分点，向稳定型迈进了一步。并且蒙古族人口的第一（1947—1960年期间）和第二（1961—1973年期间）生育高峰期②中出生的人口，将逐步进入50岁以上的行列，必将壮大其规模。据此，内蒙古自治区蒙古族人口年龄结构还处在增长型阶段。但是与“四普”比较，0—14岁年龄组人口下降幅度较大，已经改变了内蒙古自治区蒙古族人口的年龄结构，并且这一变化是根本性的变化，必将进一步改变内蒙古自治区蒙古族人口的年龄结构，促使其年龄结构从增长型向稳定型转变。

“五普”时，内蒙古自治区汉族人口的0—14岁年龄组人口比例为19.45%，属减少型；15—49岁年龄组人口比例为62.37%，较之蒙古族和其他3个自治少数民族要高一些；50岁以上人口比例为18.17%，处在从增长型向稳定型过渡的中后期。总体上看，内蒙古自治区汉族人口的自然增长

① 王镇、沈斌华、陈华：《中国蒙古族人口》，内蒙古大学出版社1997年版，第89页。

② 王镇、沈斌华、陈华：《中国蒙古族人口》，内蒙古大学出版社1997年版，第84—87页。

率明显下降，与蒙古族相比将会提前进入稳定性阶段。

表 2－2

项　目	桑德巴儿的划分标准			全区平均水平	汉　族	蒙古族	达斡尔族	鄂温克族	鄂伦春族
	增加型	稳定型	减少型						
0—14（%）	40	26.5	20	21.23	19.45	28.16	28.41	33.16	35.93
15—49（%）	50	50.5	50	62.00	62.37	60.57	60.80	59.04	57.77
50 以上（%）	10	23.0	30	16.77	18.17	11.26	10.79	7.79	6.30

资料来源：根据 2000 年第五次人口普查资料计算。

从表 2 可以看出，内蒙古的 3 个自治少数民族的少年组人口比例分别是，达斡尔族 28.41%、鄂温克族 33.16%、鄂伦春族 35.93%，处在增长型和稳定性之间；50 岁以上年龄组人口分别是，达斡尔族 10.79%、鄂温克族 7.79%、鄂伦春族 6.30%，属于增加型。

内蒙古自治区的蒙古族人口年龄结构处在年轻型中后期，正在向成年型变化。内蒙古的蒙古族、汉族和 3 个自治少数民族相比较，蒙古族人口比汉族人口年轻，3 个自治少数民族人口比蒙古族人口年轻。其年龄结构的发展，蒙古族虽然仍处在增长型阶段，但其年龄结构内部的巨大变化，即 0—14 岁年龄组人口比例的下降，已经促使其年龄结构向稳定型发展。

人口的性别结构　人口的性别结构是指一定时点、一定地区男女两性在全体人口中的比重，通常用百分比来表示。性别结构是最基本的人口结构，是社会构成的一部分。人口性别结构的社会意义十分深远，社会生活中性别结构的变化可能成为一种社会变迁的力量。

“五普”时，内蒙古蒙古族总人口为 399.5349 人，其中男性人口为 199.4916 万人，占其总人口的 49.93%，女性人口为 200.0433 万人，占其总人口的 50.07%，性别比是 99.72。汉族总人口为 1846.5586 万人，其中男性人口为 963.0944 万人，占其总人口的 52.16%，女性人口为 883.4642 万人，占其总人口的 47.84%，性别比是 109.01，已接近 110 的警戒线。其他 3 个自治少数民族中达斡尔族性别比为 99.69，较正常，鄂温克族和鄂伦春族男性人口少于女性人口，性别比偏低，仅为 96.26 和 90.97。

人口的空间结构和城市化　截至 2000 年底，内蒙古自治区的行政建制为5个市、7个盟，下辖52个旗、17个县、15个市、17个区。以经营方式的不同可以把内蒙古自治区的农村、牧区分为牧区、半农半牧区、农区3种生产经营区域。蒙古族人口主要分布在牧业旗、市（全区共有33个牧业旗、市）和半农半牧旗、县、市（全区共有21个半农半牧旗、县、市）。

1987年，在全国牧区工作会议上，由农业部会同国家民委、国家统计局专门制定了牧区、半牧区的具体标准。根据这一标准确定了内蒙古自治区的33个牧业旗、市为：鄂温克族自治旗、陈巴尔虎旗、新巴尔虎左旗、新巴尔虎右旗、锡林浩特市、阿巴嘎旗、苏尼特左旗、苏尼特右旗、东乌珠穆沁旗、西乌珠穆沁旗、镶黄旗、正镶白旗、正蓝旗、达尔罕茂明安联合旗、鄂托克前旗、鄂托克旗、杭锦旗、乌审旗、乌拉特中旗、乌拉特后旗、阿拉善左旗、阿拉善右旗、额济纳旗、科尔沁右翼中旗、科尔沁左翼中旗、科尔沁左翼后旗、扎鲁特旗、阿鲁科尔沁旗、巴林左旗、巴林右旗、克什克腾旗、翁牛特旗、四子王旗。“五普”时，全区33个牧业旗、市的总人口为494.0601万人，占总人口的21.18%。其中，蒙古族人口为199.7569万人，占全区蒙古族人口总数的50%；汉族人口为281.0286万人，占全区汉族人口总数的15.22%。在牧业旗、市人口中蒙古族人口占其总人口的40.43%，汉族人口占其总人口的56.88%。在牧业旗、市中，科尔沁左翼中旗的蒙古族人口最多，共有37.2966万人（占全旗总人口的72.96%），蒙古族人口比例最高的是科尔沁右翼中旗，占全旗总人口的83.24%（蒙古族人口为20.5624万人）。在33个旗、市中，蒙古族人口占其总人口半数以上的旗有9个，除科尔沁右翼中旗和科尔沁左翼中旗外，新巴尔虎左旗71.27%、新巴尔虎右旗78.94%、苏尼特左旗56.09%、东乌珠穆沁旗57.84%、西乌珠穆沁旗65.30%、镶黄旗60.63%、科尔沁左翼后旗72.84%。蒙古族人口不足万人的2个旗是：阿拉善右旗（7571人，占总人口的29.95%）和额济纳旗（5069人，占总人口的22.7%）。

汉族人口占其总人口的半数以上的旗、市有22个。其中，四子王旗的汉族占其总人口的90.14%；占其总人口80%—90%之间的有5个旗：达尔罕茂明安联合旗84%、克什克腾旗86.29%、翁牛特旗84.41%、杭锦旗81.14%、乌拉特中旗81.80%；占其总人口70%—80%之间的有6个旗、市：锡林浩特市70.62%、鄂托克旗75.69%、乌审旗70.11%、乌拉特后旗

70.74%、阿拉善左旗71.68%、额济纳旗75.72%；占其总人口60%—70%之间的有6个旗：鄂温克族自治旗61.15%、苏尼特右旗67.93%、正镶白旗69.07%、巴林左旗62.29%、鄂托克前旗68.37%、阿拉善右旗68.96%；占其总人口50%—60%之间的有4个旗：陈巴儿虎旗51.51%、正蓝旗55.66%、阿鲁克尔沁旗58.54%、巴林右旗52.02%。

在鄂伦春等3个少数民族自治旗中属牧业旗的是鄂温克族自治旗，该旗总人口为14.6808万人。其中，鄂温克族人口为9 733人，占其总人口的6.63%。该旗鄂温克族人口占全区鄂温克族人口总数的37.15%。

表2-3

牧业旗	总人口	蒙古族		汉　族	
		人口数	占　比	人口数	占　比
合计	4940601	1997569	40.43	2810286	56.88
鄂温克族自治旗	146808	27517	18.74	89780	61.15
陈巴尔虎旗	67882	27224	40.10	34964	51.51
新巴尔虎左旗	41647	29682	71.27	10854	26.06
新巴尔虎右旗	36764	29023	78.94	6894	18.75
锡林浩特市	173796	43271	24.90	122729	70.62
阿巴嘎旗	46975	23114	49.20	23087	49.15
苏尼特左旗	37612	21097	56.09	16310	43.36
苏尼特右旗	76880	23796	30.95	52222	67.93
东乌珠穆沁旗	85909	49688	57.84	35003	40.74
西乌珠穆沁旗	72163	47125	65.30	24047	33.32
镶黄旗	26843	16275	60.63	10458	38.96
正镶白旗	63639	18980	29.82	43953	69.07
正蓝旗	71186	26661	37.45	39622	55.66
达尔罕茂明安联合旗	98325	15071	15.33	82595	84.00
阿鲁克尔沁旗	297090	115453	38.86	173922	58.54
巴林左旗	332550	113977	34.27	207145	62.29
巴林右旗	174275	80546	46.22	90653	52.02
克什克腾旗	242957	27581	11.35	209652	86.29

（续表）

牧业旗	总人口	蒙古族		汉　族	
		人口数	占　比	人口数	占　比
翁牛特旗	464211	65100	14.02	391840	84.41
科尔沁左翼中旗	511196	372966	72.96	130584	25.54
科尔沁左翼后旗	387577	282304	72.84	98440	25.40
扎鲁特旗	292484	141122	48.25	142845	48.84
科尔沁右翼中旗	247031	205624	83.24	36981	14.97
四子王旗	180568	16196	8.97	162770	90.14
鄂托克旗	100072	23788	23.77	75742	75.69
鄂托克前旗	66866	21021	31.44	45717	68.37
杭锦旗	122744	22879	18.64	99597	81.14
乌审旗	96873	28858	29.79	67919	70.11
乌拉特中旗	133309	23182	17.39	109044	81.80
乌拉特后旗	48090	13818	28.73	34017	70.74
阿拉善左旗	148672	31990	21.52	106561	71.68
阿拉善右旗	25281	7571	29.95	17434	68.96
额济纳旗	22326	5069	22.70	16905	75.72

资料来源：据2000年的全国第五次人口普查资料计算。

内蒙古自治区有21个半农半牧区的旗、县、市。分别为：扎兰屯市、阿荣旗、莫力达瓦达斡尔族自治旗、林西县、敖汉旗、科尔沁区、开鲁县、库伦旗、奈曼旗、科尔沁右翼前旗、扎赖特旗、突泉县、太仆寺旗、察哈尔右翼中旗、察哈尔右翼后旗、东胜市、达拉特旗、准格尔旗、伊金霍洛旗、磴口县、乌拉特前旗。“五普”时，内蒙古自治区的21个半农半牧区的旗、县、市总人口为654.4765万人，占全区总人口的28.06%。其中，蒙古族人口为109.0590万人，占全区蒙古族人口总数的27.3%；汉族人口为516.2476万人，占全区汉族人口总数的27.96%。在半农半牧区的旗、县、市人口中，蒙古族人口占其总人口的16.66%，汉族人口占其总人口的78.88%。在半农半牧区的旗、县、市中，科尔沁区蒙古族人口最多，共有25.0484万人（占其总人口的31.55%）。蒙古族人口在总人口中的比例最高的是库伦旗58.60%（蒙古族人口为10.1040万人），也是唯一的蒙古族人口占其总人口的半数以上的旗。蒙古族人口不足万人的旗、县有8个，分别是：阿荣旗（7828人，占其总人口的2.57%）、莫力达瓦达斡尔族自治旗（7919人，占其总人口的2.69%）、林西县（7 913 人，占旗总人口的2.35%）、太仆寺旗（5084人，占其总人口的2.99%）、察哈尔右翼中旗（8614人，占其总人口的1.96%）、察哈尔右翼后旗（8614人，占其总人口的5.22%）、伊金霍洛旗（9459人，占其总人口的6.40%）、磴口县（4342人，占其总人口的3.69%）。

在半农半牧地区除库伦旗和科尔沁右翼前旗外，汉族人口都占其总人口的一半以上。其中，占总人口90%以上的有11个旗、县、区，分别是：林西县94.67%、敖汉旗93.55%、太仆寺旗93.3%、察哈尔右翼中旗97.24%、察哈尔右翼后旗94.58%、东胜区92.29%、达拉特旗96.23%、准格尔旗91.52%、伊金霍洛旗93.25%、磴口县91.65%、乌拉特前旗95.59%；占其总人口80%—90%之间的有3个旗、市，分别是：扎兰屯市85.46%、阿荣旗89.13%、开鲁县84.70%；占总人口70%—80%之间的有2个旗、县，分别是：莫力达瓦达斡尔族自治旗78.44%、突泉县72.42%；占总人口60%—70%之间的有2旗、区，分别是：科尔沁区61.32%、奈曼旗61.85%；占其总人口50%—60%之间的旗是扎赉特旗56.5%。

3个少数民族自治旗中，属半农半牧地区的是莫力达瓦达斡尔族自治旗，总人口为29.4501万人。其中，达斡尔族人口为2.9014万人，占其总人口的9.85%。

表2-4

半农半牧区	总人口	蒙古族		汉　族	
		人口数	占　比	人口数	占　比
合计	6544765	1090590	16.66	5162476	78.88
扎兰屯市	409051	20375	4.98	349567	85.46
阿荣旗	304210	7828	2.57	271128	89.13
莫力达瓦达斡尔族自治旗	294501	7919	2.69	230995	78.44
林西县	235947	7913	3.35	223381	94.67

（续表）

半农半牧区	总人口	蒙古族		汉族	
		人口数	占比	人口数	占比
敖汉旗	580842	28744	4.95	543371	93.55
科尔沁区	793913	250484	31.55	486804	61.32
开鲁县	382836	48203	12.59	324269	84.70
库伦旗	172419	101040	58.60	65538	38.01
奈曼旗	421049	153913	36.55	260429	61.85
科尔沁右翼前旗	341574	158298	46.34	163380	47.83
扎赉特旗	392979	161046	40.98	222031	56.50
突泉县	292852	52622	17.97	212094	72.42
太仆寺旗	170261	5084	2.99	158845	93.30
察哈尔右翼中旗	167203	3284	1.96	162582	97.24
察哈尔右翼后旗	164980	8614	5.22	156040	94.58
东胜区	252566	17431	6.90	233090	92.29
达拉特旗	311608	10691	3.43	299863	96.23
准格尔旗	271298	21718	8.00	248281	91.52
伊金霍洛旗	147739	9459	6.40	137762	93.25
磴口县	117561	4342	3.69	107744	91.65
乌拉特前旗	319376	11582	3.63	305282	95.59

资料来源：据2000年全国第五次人口普查资料计算。

截至2000年底，内蒙古自治区共有5个地级市（分17个区）和15个旗、县级市。“五普”时，内蒙古自治区城镇总人口为995.8833万人，城市化水平为42.7%，比全国城市化水平36.09%高6.61个百分点。其中，蒙古族人口为128.2468万人，占城镇总人口的12.88%；汉族人口为817.1217万人，占城镇总人口的82.05%。内蒙古自治区蒙古族人口的城市化水平为32.1%，比总人口的城市化水平低10.6个百分点，比汉族人口的城市化水平44.25%低12.15个百分点。

内蒙古自治区5个市7个盟中，蒙古族城镇人口最多的是通辽市，占全区蒙古族城镇人口总数的24.07%；其次是赤峰市，占全区蒙古族城镇人口总数的 17.53%。通辽市蒙古族城镇人口为 30.8675 万人，占通辽市城镇人口总数的 35.84%；在通辽市 1 市 1 区 6 个旗县中，蒙古族人口最多的是科尔沁区，其蒙古族人口为 11.1859 万人，占通辽市蒙古族城镇人口总数的 36.24%。赤峰市蒙古族城镇人口为 22.4818 万人，占赤峰市城镇人口总数的 18.85%。在赤峰市 3 个区 9 个旗、县中，蒙古族城镇人口最多的是红山区、元宝山区和松山区，分别为 4.8877 万人、2.7358 万人、3.6330 万人，其总数占全市蒙古族城镇人口总数的 50.07%。但是，这 2 个市蒙古族人口的城市化水平均不高，通辽市蒙古族人口城市化水平为 22.47%，赤峰市蒙古族人口城市化水平为 27.07%，比全区蒙古族人口城市化水平分别低 9.63 个百分点和 5.03 个百分点。内蒙古自治区蒙古族人口城市化水平最高的是乌海市 96.99%，全市共有蒙古族 1.3904 万人，其中 1.3485 万人属城镇人口。除此之外蒙古族人口城市化水平较高的盟、市是呼和浩特市、包头市、呼伦贝尔盟，分别为 68.89%、68.89%、63.12%。蒙古族人口城市化水平较低的盟、市，除通辽市和赤峰市之外，还有兴安盟。兴安盟蒙古族人口城市化水平为 23.02%，比全区蒙古族城市化水平低 9.08 个百分点。

内蒙古自治区蒙古族人口的城市化水平在各盟、市之间存在差异的原因是：1. 由于行政区划的差异。如在乌海市行政范围内有 3 个市辖区，无农牧业旗、县，因此乌海市整体城市化水平就较高，达到 93.02%；2. 由于蒙古族人口的分布不均衡。蒙古族人口主要分布在东部的通辽市、赤峰市和兴安盟。在通辽市有蒙古族人口 137.3470 万人，占全区蒙古族人口的 34.38%，在赤峰市和兴安盟分别有蒙古族人口 85.0357 万人和 65.2385 万人，3 个盟、市共计有蒙古族人口 287.6212 万人，占全区蒙古族人口总数的 71.99%。相反，乌海市蒙古族人口仅为 1.3904 万人，占本市总人口的 3.25%，仅占全区蒙古族人口总数的 0.35%。

内蒙古自治区蒙古族近年来城市化的主要特征是：1. 以高等院校毕业生就业为特征的城市化仍是蒙古族城市化的一个主要途径。每年有近 3 000 多名蒙古族毕业生，其中大多数人选择在城镇就业。2. 生态移民，这是近年来在政府的“禁牧”政策之下，形成的人口城市化的又一种形式，如被安置在呼和浩特市郊区的锡林郭勒盟正蓝旗的牧民。3. 第三产业的发展成为蒙古族人口城市化的一个增长点。随着内蒙古自治区文化大区的建设和旅游业的发展，一批具有民族特色的餐饮业、民族特色的服装及饰品业、文化娱乐业等得到了一定的发展，依托这些行业一些蒙古族人口正在走向城市。近年来在呼和浩特市具有蒙餐特色的饭店相继出现，其中具有一定影响的有蒙古大营、达尔汗大营、乌兰饭店、巴音浩日娲、仁钦饭店等。除此之外还有一些具有民族特色的夜总会、酒吧等。4. 地区间经济收入的差距，也促使一些蒙古族人口走向城市化。近年来由于一些农村、牧区因自然环境的恶化或连年干旱，农、牧民的收入水平下降，这些原因促使一些人向城市流动，成为城市的自由职业者。

人口职业结构 “五普”中对职业分为7大类，分别是：国家机关、党群组织、企业、事业单位负责人；办事人员和有关人员；专业技术人员；商业、服务业人员；农林牧渔水利生产人员；生产、运输设备操作人员及有关人员；不便分类的其他劳动者。对内蒙古自治区的蒙古族、汉族和其他3个自治少数民族，在“四普”和“五普”时职业结构的比较结果如下：

（1）“五普”时，蒙古族农、林、牧、渔、水利生产人员和生产、运输设备操作人员及有关人员的比重是79.36%，在5个民族中属比例最高的民族；其次是汉族76.6%；其他3个自治少数民族依次是，鄂温克族64.45%，达斡尔族55.94%，鄂伦春族44.63%。与“四普”相比，除汉族的比重下降了4.8个百分点外，其余4个民族的比重都有所上升。其升幅分别为，蒙古族0.43个百分点、达斡尔族4.09个百分点、鄂温克族2.15个百分点、鄂伦春族2.6个百分点。这两个职业大类从业人员，在5个民族的从业人员中的比例都相当高，说明5个民族的劳动力技术构成都相对较低，并且“四普”和“五普”相比较，除汉族外，其余4个民族都有所加重。

（2）“五普”时，蒙古族专业技术人员比重是8.18%，高于汉族的6.63%，低于达斡尔族的15.5%、鄂温克族的8.98%和鄂伦春族的25.62%。与“四普”相比较5个民族的比重都有所下降，其中鄂伦春族的下降幅度最高，下降了9.37个百分点，其次达斡尔族下降了5.73个百分点，蒙古族和鄂温克族分别下降了1.67个百分点和4.69个百分点，汉族的下降幅度最低，下降了0.27个百分点。

（3）“五普”时，蒙古族国家机关、党群组织、企业、事业单位负责人的比重是2.35%，高于汉族的2.14%，低于达斡尔族的4.63%、鄂温克族的 3. 93% 和鄂伦春族的 8. 26% 。但是，与“四普”相比较，除汉族外其余 4 个民族这一职业从业人员的比重都有所下降。其中，汉族上涨了 0. 09 个百分点，蒙古族、达斡尔族、鄂温克族和鄂伦春族分别下降了 0. 52 个百分点、1. 57 个百分点、1. 1 个百分点和 0. 89 个百分点。

（4）“五普”时，蒙古族办事人员和有关人员的比重是 3. 66% ，低于达斡尔族的 10. 91% 、鄂温克族的 8. 98% 和鄂伦春族的 25. 62% ，和汉族持平。与“四普”相比较，蒙古族办事人员和有关人员的比重上涨了 0. 51 个百分点，在 5 个民族中属涨幅最低的民族，其中，涨幅最高的是鄂伦春族，上涨了 13. 08 个百分点，汉族、达斡尔族、鄂温克族分别上涨了 1. 11 个百分点、1. 99 个百分点和 1. 76 个百分点。

（5）“五普”时，蒙古族商业、服务业人员比重是 6. 40% ，分别低于汉族的 10. 79% 、达斡尔族的 12. 92% 、鄂温克族的 9. 92% 和鄂伦春族的 6. 61% 。“四普”和“五普”相比较，蒙古族商业、服务业人员比重有所上升，上升幅度为 1. 3 个百分点，低于汉族的上升幅度 3. 92 个百分点、达斡尔族的上升幅度 1. 59 个百分点和鄂温克族的上升幅度 2. 56 个百分点，鄂伦春族的商业、服务业人员的比重下降了 5. 1 个百分点。

表 2－5

	蒙古族		汉　族		达斡尔族		鄂温克族		鄂伦春族	
年　　份	1990	2000	1990	2000	1990	2000	1990	2000	1990	2000
合　　计	100	100	100	100	100	100	100	100	100	100
国家机关、党群组织、企业、事业单位负责人	2. 87	2. 35	2. 14	2. 23	6. 2	4. 63	5. 03	3. 93	9. 15	8. 26
办事人员和有关人员	3. 15	3. 66	2. 55	3. 66	8. 92	10. 91	7. 22	8. 98	12. 54	25. 62
专业技术人员	9. 85	8. 18	6. 90	6. 63	21. 23	15. 50	17. 23	12. 54	24. 25	14. 88
商业、服务业人员	5. 10	6. 40	6. 87	10. 79	11. 33	12. 92	7. 66	9. 92	11. 71	6. 61
农、林、牧、渔、水利生产人员	70. 01	72. 08	63. 63	60. 02	34. 16	42. 92	52. 96	58. 28	30. 11	38. 84
生产、运输设备操作人员及有关人员	8. 92	7. 28	17. 77	16. 58	17. 69	13. 02	9. 34	6. 17	11. 92	5. 79
不便分类的其他劳动者	0. 01	0. 05	0. 14	0. 09	0. 05	0. 01	0. 56	0. 18	0. 32	——

资料来源：内蒙古自治区 1990 年人口普查“百分之百机器汇总材料”，内蒙古自治区 2000 年“长表数据”资料。

综合上述关于内蒙古自治区5个民族的人口状况，可以得出以下几点结论：

（1）从年龄结构类型看，内蒙古自治区的蒙古族人口处在年轻型中后期，正向成年型迈进。蒙古族、汉族和其他3个自治少数民族相比较的话，蒙古族比汉族年轻，其他3个自治少数民族比蒙古族年轻。从年龄结构的发展来看蒙古族虽然仍处在增长型阶段，但其年龄结构内部的巨大变化，即0—14岁年龄组人口比例的下降，已经促使其年龄结构向稳定型发展。今后，蒙古族少年儿童人口将不断下降，老年人口将会不断增加，人口老龄化、学龄儿童人数下降、民族学校生源减少的问题将不断加剧。尤其是农村、牧区蒙古族老龄人口的赡养问题和蒙古族人口基数小、人口密度低的一些地区的民族语言教育问题将面临较大困难。

（2）从内蒙古自治区的蒙古族、汉族和3个自治少数民族人口的性别比的比较来看，蒙古族和达斡尔族人口的性别比较正常；汉族人口的性别比较高，尤其是一些年龄组的性别比已超过110的警戒线；鄂温克族、鄂伦春族的性别比偏低。人口性别比的失调会引起"婚姻挤压"现象，即适婚年龄的男女两性同期群中出现的数量不均衡现象。从上述分析可以看出内蒙古的汉族人口性别失调现象较严重，这种男性人口过剩的问题，必将引起汉族内部的男性婚姻挤压现象。这将会导致两种后果：1. 随着男性婚姻挤压矛盾的长期存在和日益严重，婚娶中的彩礼习俗将会越来越严重，尤其是农村牧区。2. 随着汉族人口中男性婚姻挤压问题的越来越严重，择偶的范围会扩大，将会越来越多的人突破通婚圈——民族界限，一部分矛盾将转移到其他民族中，造成其他民族的婚姻挤压，另一方面将会出现越来越多的族际通婚现象。

（3）通过对蒙古族人口较集中的牧区和半农半牧区的民族人口结构的分析，在33个牧区旗、县、市和21个半农半牧区旗、县、市中，部分旗、县、市存在蒙古族人口基数低、比例小的情况。其中，蒙古族人口不足万人的牧区旗有2个，半农半牧区旗、县有9个，比例不足10%的牧业旗有1个，半农半牧区旗、县、区有11个。在这些蒙古族人口基数低、比例小的旗、县、市中，民族语言教育和民族语言的保持必将面临严重的问题。

还有在内蒙古自治区的农村、牧区，开垦与反开垦历来是蒙民和汉民之间的主要矛盾。从2000年至今的牧业地区的行业结构来看，农业从业人员的比例开始下降，这是近年来国家实行“退耕还林，退耕还草”政策的结果，有利于矛盾的解决。

（4）城市化与少数民族文化保护之间的关系问题，一直以来是学者们关注的问题之一。在内蒙古自治区的城市中，少数民族文化的保护也面临着严重的挑战，其中最突出的是语言保护问题。以呼和浩特市的城市化为例，其城市化的第一阶段是作为原住民的土默特部入住和创建呼和浩特市，这一期间入住呼和浩特市的土默特部现已经完全失去其母语，完成了母语的转换过程，其民族文化符号特征已不太明显。第二阶段，即自治区首府从乌兰浩特市迁到呼和浩特市之际一部分蒙古族人口跟随政府迁入呼和浩特市，这些人的后代现在已经延续到了第二代、第三代和第四代，这些人的大部分也已经完成了母语的替换，其生活习惯、饮食习惯等也都已经完全汉化了。第三阶段是，改革开放以来自治区经济持续发展，尤其是城市经济发展迅速，吸引了大量的蒙古族人口。随着蒙古族人口城市化的第三阶段的来临，人们开始关注这部分人口的民族文化的保持问题。

（5）内蒙古自治区劳动力的技术构成较低，农林牧渔水利生产人员和生产、运输操作人员及有关人员在从业人员中的比例相当高，并且“四普”和“五普”相比较，除汉族外蒙古族、达斡尔族、鄂温克族、鄂伦春族的比例都有所上升。

（6）在职业构成中专业技术人员、国家机关和企业事业单位负责人和办事人员是属脑力劳动者，从比较结果来看，其比重相对较低。并且从“四普”到“五普”的10年时间里，除办事人员的比重有普遍上升外，其余指标均有所下降。脑力劳动者的比重下降或涨幅慢对经济的发展是不利的。其中，国家机关和企业事业单位负责人的比重是权利分配的体现，保持主体民族、多数民族和少数民族之间的平衡将对安定团结起到推动作用。

（7）从“四普”到“五普”除鄂伦春族的商业、服务业人员的比重有所下降外，蒙古族、汉族、达斡尔族、鄂温克族都有所上升，其中，蒙古族的上升幅度低于汉族、达斡尔族和鄂温克族的上升幅度。近年来，内蒙古自治区的第三产业从业人员逐年上升，但是，作为主体民族的蒙古族的涨幅却相对较低，还有鄂伦春族的商业和服务业人员也呈下降态势。

三、3个少数民族自治旗

中华人民共和国成立后，根据中国共产党的民族区域自治政策和《中国人民政治协商会议共同纲领》的有关规定，内蒙古自治区把对自治区内具备自治条件的其他少数民族实行自治，作为进一步推行民族区域自治的重要内容，并相继分别在鄂伦春族、鄂温克族、达斡尔族3个少数民族聚居的地方，建立了实行民族区域自治的行政区域。这3个民族区域自治旗都是县一级民族自治地方，是内蒙古自治区所辖的行政区域。

鄂伦春自治旗 鄂伦春自治旗总面积59 880平方公里，耕地面积154万亩，辖9镇3乡89个村民委员会，是我国最早成立的县级建制的少数民族自治地方。1951年10月1日，鄂伦春旗成立；1952年6月，鄂伦春旗改称为鄂伦春自治旗，归呼伦贝尔纳文慕仁盟管辖；1954年，兴安盟并入呼伦贝尔纳文慕仁盟，称呼伦贝尔盟，鄂伦春自治旗归呼伦贝尔盟管辖；1969年8月1日，鄂伦春自治旗被划归黑龙江省大兴安岭地区管辖；1979年7月1日，鄂伦春自治旗重新划归内蒙古自治区呼伦贝尔盟管辖。

鄂伦春自治旗位于呼伦贝尔盟东北部，嫩江西岸，大兴安岭东南坡的深山密林之中。自古以来鄂伦春人就聚居在这里。鄂伦春族是自治区人数最少的一个自治少数民族。在1949年10月以前，深受中国历代王朝和政府的压迫及日本侵略者的奴役，灾患频仍、贫困交加，人口不到1 000人，一度濒于民族灭绝的境地。鄂伦春人居住在兴安岭的大森林中，善骑射，以狩猎为生，过着漂泊不定的游猎生活，生产力极其低下，保持着原始公社的残余，实行共同劳动，平均分配的制度。中华人民共和国成立以后，特别是建立了民族区域自治以后，中国共产党和人民政府十分关注鄂伦春族人民的生产、生活的改善和提高，帮助他们改变过去漂泊不定的游猎生活，转向定居的生活。并逐步由单一的狩猎生产向兼营种植业、养殖业的猎农生产过渡。

1958年，鄂伦春族人民全部实现了定居，生产和生活条件得到很大的改善。国家还对整个鄂伦春民族人口实行免费医疗，鄂伦春民族人口得以迅速发展。1953年全国第一次人口普查时，呼伦贝尔盟鄂伦春族人口951人，鄂伦春旗仅797人；1990年第四次人口普查时呼盟鄂伦春族人口猛增到2 753人，鄂伦春自治旗也发展到1 858人。40年间人口总数增长了3倍多。

新中国成立以前，基本上处于文化赤字状态的鄂伦春族猎民，如今实现了中、小学遍布城区和猎乡，全旗学龄儿童全部入学，青少年已普及初中教育。国家对鄂伦春族中、小学生全部实行助学金制度，培养出近百名大专院校毕业生，产生了本民族的教师、作家、工程师、医生、艺术家、优秀运动员等各行各业人才。在改革开放的新时期，新一代的鄂伦春人发展多种经营，建立起30多个集体和个体农场，农田面积扩大到3万多亩，每年除自给外，向国家交售商品粮250万公斤。1996年初，鄂伦春自治旗响应国家的号召，全部实行了“禁猎”。猎民们彻底告别了狩猎业，开始学习和掌握多种生产科学技术，涌现出一批猎民种粮大户和各种专业户。1996年，猎民的人均收入达到1 736元，比禁猎前的1995年增加近600元。自治旗的4个猎民乡都通电，安装了程控电话，有了电视转播台。电视机、电冰箱、洗衣机等耐用消费品，也进入寻常猎民家，猎民们开始了现代化的新生活。

如今，鄂伦春自治旗人民政府所在地阿里河已形成该旗的中心城镇。同时还有大杨树、甘河、克一河、加格达奇、吉文等森林工业城镇，成为重要的森林工业基地之一。铁路和公路四通八达，大量的木材源源不断地从这里运往祖国各地。鄂伦春族人已经彻底摆脱了贫困落后，结束了原始封闭状态，利用短短的半个世纪的时间跨越了几个历史时代，从容地走向全区，走向全国，走向了全世界。①

鄂温克自治旗　1956年，为进一步落实党的民族政策，内蒙古党委通过调查研究，根据原来的索伦、通古斯、雅库特民族的意愿，决定统一民族称谓为鄂温克族。

鄂温克族自治旗位于大兴安岭西麓、呼伦贝尔大草原的东南端，全境东西宽173.25公里，南北长187.75公里，总面积18 726.85平方公里，占呼伦贝尔盟总面积的7.6%；其中，林地面积4 818.55平方公里，草场面积12 894.38平方公里，耕地面积225.21平方公里，居民点及工矿用地90.62平方公里，水域面积600.84平方公里，交通用地34.34平方公里。

1933年7月，内蒙古境内索伦左翼、索伦右翼、额鲁特、布里亚特4旗

① 参见《内蒙古大辞典》，内蒙古人民出版社1991年版，第143页；《内蒙古年鉴》(1998)，方志出版社1998年版，第686页。

合并为索伦旗。1945 年底，重新组建由旧政府人员组成的旗公署，隶属于呼伦贝尔地方自治政府。1948 年 1 月，呼伦贝尔地方取消自治，改称为呼伦贝尔盟，归内蒙古自治政府领导，索伦旗隶属于呼伦贝尔盟。1958 年 5 月 29 日，经国务院全体会议第 77 次会议决定，撤销索伦旗，并在原索伦旗的行政区域设立鄂温克族自治旗。8 月 1 日，鄂温克族自治旗正式宣布成立。1968 年 2 月，鄂温克族自治旗革命委员会成立。1969 年 8 月 1 日，鄂温克族自治旗随呼伦贝尔盟划归黑龙江省管辖。1979 年 7 月 1 日，重新划归内蒙古自治区，隶属于呼伦贝尔盟。1980 年 12 月，撤销鄂温克族自治旗革命委员会，恢复旗人民政府建制。截至 1997 年底，鄂温克族自治旗共辖 7 个苏木、1 个民族乡、1 个矿区、3 个镇，共 12 个基层政权单位。

1949 年 10 月以前，鄂温克民族主要从事游猎畜牧业。总人口不到 5 000 人。中华人民共和国成立以后，鄂温克族人民充分行使当家作主的民族自治权利。自治旗的主要领导均由鄂温克族人担任。鄂温克族自治旗确定了"以牧为主，农牧结合，多种经营"的生产建设方针，牧业生产稳步上升，工业也有很大发展，人民生活显著改善，人口兴旺。鄂温克族自治旗人民政府所在地巴彦托海镇，以及红花尔基、伊敏河镇现在已经发展成为草原上的新兴城镇。民族人口 1990 年已经达到 22 821 人，比 1949 年 10 月以前增长了近 4 倍多；大学本专科生有 385 人，中专生有 627 人，有各类专业技术职称的 1 336 人，在国家机关、企事业单位担任领导职务的有 401 人。

改革开放以来，鄂温克族自治旗发挥资源优势，根据实际情况，把全旗划分为奶牛、乳肉兼用牛、牛羊并举 3 个专业区，向专业化、区域化发展，成为内蒙古自治区第一个突破提供万吨商品奶的旗。1998 年，全旗国内生产总值达 11.4 亿元，财政收入达到 1.33 亿元，实现自给有余；牧民年人均收入达到 2 916 元。全旗牲畜头数达到 52.5 万头（只），牛的总头数达 12.2 万头，牛奶产量 4.35 万吨，位居内蒙古自治区的旗、县之首。全旗已实现机械化、半机械化生产，牧草还远销到日本。鄂温克族自治旗除地方工业外，还有国家兴建的现代化的大雁煤矿和伊敏河大型露天煤矿。①

---

① 参见《内蒙古大辞典》，内蒙古人民出版社 1991 年版，第 143 页；《内蒙古年鉴》（1998），方志出版社 1998 年版，第 687—688 页。

莫力达瓦达斡尔族自治旗　1958 年 8 月 15 日，莫力达瓦达斡尔族自治旗正式成立。达斡尔族是一个具有悠久历史，主要从事农业的民族。莫力达瓦达斡尔族自治旗位于大兴安岭南麓、嫩江左岸。总面积为 10 432.1 平方公里，其中，耕地面积（旗属）253 千公顷，林地面积 409 千公顷，草场面积 275 千公顷。全旗共有大小河流 56 条，其中，流域面积 2 000 平方公里的较大河流有 3 条。南部是平原和水草丰茂的草原，北部为资源富饶的山区。尼尔基是莫力达瓦达斡尔族自治旗人民政府的所在地，达斡尔语是“繁荣”之意。

解放前，达斡尔族曾译称为达呼尔、达古里、达呼里、达古儿、达乌儿等。民国时期称达斡尔蒙古，被视为蒙古族。1956 年 4 月，国家正式确认达斡尔族的族称。达斡尔族主要聚居在内蒙古呼伦贝尔盟和黑龙江、新疆等省区。1953 年，达斡尔族人口为 48 000 人，呼伦贝尔盟有 19 044 人。1990 年全国有 121 357 人，呼伦贝尔盟有 65 378 人，占全国达斡尔族人口的 53.87%；其中，莫力达瓦达斡尔族自治旗为 26 289 人，其余分布在海拉尔市、扎兰屯市、牙克石市、鄂温克族自治旗、鄂伦春自治旗、陈巴尔虎旗、额尔古纳旗等十多个市旗。人丁兴旺是解放后达斡尔民族发展繁荣的重要标志。

1946 年 1 月 15 日，成立布特哈西旗政府，隶属于嫩江省二行署。3 月 27 日，纳文慕仁省成立，布特哈西旗归其管辖，同时改称为莫力达瓦旗。1949 年 4 月，莫力达瓦旗与巴彦旗合并，仍称莫力达瓦旗。1958 年 8 月 15 日，成立莫力达瓦达斡尔族自治旗。1968 年 1 月 28 日，成立莫力达瓦达斡尔族自治旗革命委员会。1969 年 4 月 1 日，莫力达瓦达斡尔族自治旗划归黑龙江省大兴安岭地区。1979 年 7 月 1 日，重新划归内蒙古自治区，仍属呼伦贝尔盟。1981 年 10 月，撤销莫力达瓦达斡尔族自治旗革命委员会，成立莫力达瓦达斡尔族自治旗人民政府。截至 1997 年底，莫力达瓦达斡尔族自治旗人民政府共辖有 22 个乡（镇），其中，镇 8 个，鄂温克民族乡 2 个，行政村（村民委员会）300 个，村民小组 986 个，居民委员会 26 个，居民小组 211 个；总户数 74 525 户，总人口 287 495 人，其中达斡尔族 27 781 人。

莫力达瓦达斡尔族自治旗成立以后，工农牧业发展迅速，人民生活水平不断提高，经济、文化蓬勃发展，人口兴旺。特别是改革开放以来，自治旗重新确立了“农牧结合，多种经营，全面发展”的生产建设方针。根据自然条件，把全旗划分为5种经济类区，充分发挥优势，以农业高产稳产闻名遐迩，成为全国商品粮基地县（旗）和国家100个售粮先进县（旗）之一，1990年被国务院批准为对外开放县（旗）。尼尔基、红彦、汉古尔河、哈达阳、宝山等发展为该旗繁荣的城镇。1997年全旗实现国内生产总值9.64亿元，财政收入1.08亿元，工业总产值实现1.48亿元，粮食总产量达5.25亿斤，跻身全国粮食生产百强县（旗）行列，城乡人民生活得到显著改善，城镇居民年人均可支配收入达3 473元，农民年人均收入2 389元。①

四、民族乡

内蒙古自治区在加强自治机关工作的同时，还在自治区内的其他少数民族聚居的地方建立了相当于乡（苏木）一级的国家基层政权——民族乡（苏木）。民族乡（苏木）是中国在不具备实行民族区域自治条件的较小的少数民族聚居地方，建立的由少数民族自主管理本地与本民族内部事务的乡级基层政权，是中国解决国内民族问题的一种政治形式，是一种区别于民族区域自治制度的解决国内民族问题的政治制度，是一种特殊的基层政权形式。民族乡（苏木）不同于一般的乡、镇，它的人民代表大会可以依照法律规定，结合本地区具体情况，采取适合民族特点的具体措施，因地制宜地发展经济、文化、教育和卫生等事业。乡（苏木）长应由少数民族干部担任，其管理委员会应以少数民族人员为主要成分组成。“文化大革命”以前共建立了8个民族（苏木）乡，一度改为人民公社。

杜拉尔鄂温克族乡 呼伦贝尔盟莫力达瓦达斡尔族自治旗境内鄂温克族聚居的地方。乡镇一级的行政区域。1956年12月建乡。乡政府所在地查哈阳屯。全乡设11个村民委员会，41个村民小组。总面积240平方公里，其中耕地面积23 497亩。生产以农业为主。

巴彦鄂温克族乡 呼伦贝尔盟莫力达瓦达斡尔族自治旗境内鄂温克族聚

① 参见《内蒙古大辞典》，内蒙古人民出版社1991年版，第143—144页；《内蒙古年鉴》（1998），方志出版社1998年版，第684页。

居的地方。乡镇一级的行政区域。1958 年 10 月建乡。乡政府所在地满都胡浅屯。全乡设 19 个村民委员会，70 个村民小组。总面积 225 平方公里，其中耕地面积 72 646 亩。生产以农业为主。

敖鲁古雅鄂温克族乡 呼伦贝尔盟额尔古纳左旗境内鄂温克族聚居的地方。乡镇一级的行政区域。1965 年 9 月建乡。乡政府所在地敖鲁古雅村，设 1 个居民委员会、2 个居民小组。全乡总面积为 1 086 平方公里。生产以狩猎和林牧业为主。

鄂温克族苏木 呼伦贝尔盟陈巴尔虎旗境内鄂温克族聚居的地方。乡镇一级的行政区域。1954 年建苏木。苏木人民政府所在地阿达善屯。全苏木有 9 个嘎查，总面积 7552 平方公里。生产以农牧业为主。

查巴奇鄂温克族乡 呼伦贝尔盟阿荣旗境内鄂温克族聚居的地方。乡镇一级的行政区域。1956 年 9 月建乡。乡政府所在地查巴奇屯。全乡设 9 个村民委员会，27 个村民小组。总面积 703 平方公里，其中耕地面积 34 098 亩。全乡生产以农业为主。

德力其尔鄂温克族乡 呼伦贝尔盟阿荣旗境内鄂温克族聚居的地方。乡镇一级的行政区域。乡政府所在地忠诚堡屯。1956 年 12 月建乡，1958 年 12 月并于格尼人民公社，1987 年 6 月恢复乡建制。全乡设 11 个村民委员会，56 个村民小组。全乡总面积 340 平方公里，其中耕地面积 58 643 亩。生产以农牧业为主。

南木鄂伦春族乡 呼伦贝尔盟扎兰屯市境内鄂伦春族聚居的地方。乡镇一级的行政区域。1953 年建乡。乡政府所在地南木屯。全乡设 3 个村民委员会，4 个村民小组。全乡总面积 1 588 平方公里，其中耕地面积 6 355 亩。生产是农牧猎生产多种经营。

达斡尔族乡 呼伦贝尔盟扎兰屯市境内达斡尔族聚居的地方。乡镇一级的行政区域。1956 年 9 月建乡。乡政府设在二村。全乡设 9 个村民委员会、48 个村民小组。总面积 410 平方公里，其中耕地面积 5 034 亩。生产以农业为主。

党的十一届三中全会以后至 2000 年，根据中共中央、国务院 1979 年 10 月批转的国家民委《关于做好杂居、散居少数民族工作的报告》，以及《中华人民共和国宪法》《中华人民共和国民族区域自治法》的有关规定，1983

年撤销了人民公社化制度，恢复了民族乡（苏木）的名称。1984 年开始恢复建立民族乡（苏木）的工作，新建的民族乡（苏木）有：

巴彦塔拉达斡尔族苏木 呼伦贝尔盟鄂温克族自治旗境内达斡尔族聚居的地方。乡镇一级的行政区域。1984 年 10 月建苏木。乡政府所在地巴彦塔拉镇。建立之初，全乡设有 6 个嘎查委员会，有 516 户、2 196 人，其中达斡尔族 1 372 人，占全乡总人口数的 62.48%。全苏木面积 567 900 亩，基本是草场，草场面积达 562 139 亩。生产以牧为主。

音河达斡尔鄂温克族乡 呼伦贝尔盟阿荣旗境内达斡尔族、鄂温克族聚居的地方。乡镇一级的行政区域。乡政府所在地旧三站屯。1986 年 8 月建立。辖 13 个村民委员会、43 个自然屯、55 个村民小组。居住着 8 个民族，有 2 827 户，12 542 人；其中，达斡尔族 129 户，746 人，占全乡人口总数的 5.95%；鄂温克族 32 户，264 人，占全乡人口总数的 2.1%。全乡总面积 585 平方公里，耕地面积 53 000 亩。生产以农业为主。

新发朝鲜族乡 呼伦贝尔盟阿荣旗境内朝鲜族聚居的地方。乡镇一级的行政区域。乡政府所在地那吉屯。1983 年 9 月建乡。当时有 8 个村民委员会、28 个自然屯、37 个村民小组。全乡有 7 个民族，2 253 户，11 784 人口；其中朝鲜族有 243 户，1 021 人口，占全乡人口总数的 8.66%；汉族为多数，有 1 890 户，9 967 人口，占全乡人口总数的 84.58%。全乡面积为 148 平方公里，耕地面积为 69 134 亩。生产以农业为主。

萨马街鄂温克族乡 呼伦贝尔盟扎兰屯市境内鄂温克民族聚居的地方。乡镇一级的行政区域。1984 年 9 月建乡。乡政府所在地团结村。当时设有 6 个村民委员会，36 个自然屯，42 个村民小组。全乡居住有 10 个民族，1 954 户，8 749 人口；其中鄂温克族 84 户，320 人口，占全乡人口总数的 3.66%；汉族人口居多数，达七千余人。面积为 2 596 平方公里，耕地面积为 55 000 亩。生产以农、牧业为主。

小五家回族乡 赤峰市元宝山区境内回族聚居的地方。乡镇一级的行政区域。乡政府所在地小五家屯。1987 年 7 月 15 日建乡。当时设有 6 个村民委员会、36 个自然屯、46 个村民小组。居住着回、汉、蒙古、满等 4 个民族，1 475 户，6 219 人口。其中，回族 262 户，1 086 人口，占全乡人口总数的 17.46%；汉族人口居多数，有 1 118 户，4 645 人口，占全乡人口总数的74.69%。面积有141.3平方公里，农田耕地面积为34 820亩。生产以农业为主。

关家营满族乡 赤峰市郊区境内满族聚居的地方。乡镇一级的行政区域。乡政府所在地为关家营子村。1987年10月建乡。当时设有9个村民委员会，29个自然屯，42个村民小组。居住着满、蒙古、汉3个民族，2 210户，10 872人口。其中，满族707户，3 223人口，占全乡人口总数的29.64%；蒙古族464户，2 141人口，占全乡人口总数的19.69%；汉族1 039户，5 508人口，占全乡人口总数的50.66%。全乡面积为150.3平方公里，耕地面积为48 244亩。生产以农业为主。

十家满族乡 赤峰市喀喇沁旗境内满族聚居的地方。乡镇一级的行政区域。乡政府所在地为头道营子村。1986年7月建乡。当时设有6个村民委员会，60个自然屯，53个村民小组。居住着满、蒙古、汉3个民族，2 046户，9 502人口；其中，满族897户，3 846人口，占全乡人口总数的40.48%；蒙古族697户，2 997人口，占全乡人口总数的31.54%；汉族452户，2 659人口，占全乡人口总数的27.98%。全乡面积为157平方公里，耕地面积为1 963亩。生产以农业为主。

满族屯满族乡 兴安盟科尔沁右翼前旗境内满族聚居的地方。乡镇一级的行政区域。乡政府所在地为满族屯。1984年6月建乡。居住着4个满族，631户，3 850人口；其中，满族189户，1 155人口，占全乡人口总数的30%。全乡面积为3 300平方公里。生产以牧业为主。

曹碾满族乡 乌兰察布盟凉城县境内满族聚居的地方。乡镇一级的行政区域。乡政府所在地为曹碾屯。1984年建乡。当时设有9个行政村，28个自然村。居住了满、汉、蒙古、回、藏、水6个满族，963户，4 180人口；其中，满族1 882人口，占全乡人口总数的45%；汉族居多数，2 284人口，占全乡人口总数的54.6%；回、蒙古等其他少数民族14人。全乡面积为118平方公里。生产以农牧结合为主。①

① 参见《内蒙古大辞典》，内蒙古人民出版社1991年版，第146—148页。

五、民族事务工作机构

内蒙古自治区民族事务委员会 内蒙古自治区人民政府的组成部门。简称内蒙古民委。主要任务是：管理民族事务，参与制定内蒙古自治区发展少数民族经济、教育、科技、文化等事业的方针、政策和规划；参与管理少数民族地区各项补助专款、资金的分配和使用；负责民族统计工作；检查管理民族识别和民族成分的鉴定工作；参与管理有关民族区域自治制度的建设和贯彻实施《中华人民共和国民族区域自治法》事宜，保障少数民族的平等权利和民族区域自治权利；调整民族关系，维护国家统一，发展平等、团结、互助的社会主义民族关系；研究民族理论和民族政策，参与拟定有关民族问题的政策和法规；会同有关部门进行民族政策、法律的宣传教育工作并检查民族政策、法律的实施情况；做好少数民族干部的培养和使用工作。

内蒙古自治区民族事务委员会成立于1954年3月。1958年3月，与内蒙古自治区宗教事务管理局合并组成内蒙古自治区民族宗教事务委员会。1964年12月，又分为两个机构，合署办公。“文化大革命”开始以后，工作逐步瘫痪，机构被撤销。1976年初，成立了内蒙古自治区革命委员会民族事务局。1978年5月，恢复内蒙古自治区民族事务委员会名称。

内蒙古自治区蒙古语文工作委员会 内蒙古自治区人民政府的组成部门。简称内蒙古语委。成立于1953年7月，时称内蒙古自治区蒙古语文研究会。1955年7月，改为内蒙古自治区蒙古文字改革委员会。1958年3月，改称内蒙古自治区蒙古语文工作委员会。60年代初期，又先后改名为内蒙古自治区语文工作委员会和民族语文工作委员会。“文化大革命”开始以后，工作和机构逐步瘫痪。1972年6月，成立内蒙古自治区革命委员会蒙古语文编译工作领导小组；9月，改称内蒙古自治区革命委员会蒙古语文工作领导小组。1979年，恢复内蒙古自治区蒙古语文工作委员会的名称。主要职责是：宣传贯彻党的民族政策和民族语文政策，督促检查内蒙古自治区各部门、各行各业贯彻党的民族语文政策情况，了解掌握内蒙古自治区蒙古语文工作，为内蒙古党委、政府决策民族语文工作重大问题提供依据；组织协调蒙古语文科学研究工作，促进蒙古语言文字的规范化；协助文化教育部门，促进民族文化教育事业的发展，使蒙古语文工作为开发民族智力、增强各民族团结、促进民族地区经济建设服务。内部设有语文政策处、科研管理处、协作处、《蒙古语文》杂志社、少数民族古籍整理办公室、“格斯尔”工作领导小组办公室等工作机构。

第二节　宗　教

一、内蒙古自治区成立至“文化大革命”前的喇嘛教

关于喇嘛教的基本方针与政策　内蒙古地区的蒙古族主要信奉喇嘛教。正确对待喇嘛教，不仅是宗教问题，而且关系到民族问题。内蒙古自治区建立后，全面贯彻执行中国共产党关于宗教信仰自由政策，对喇嘛教采取了更多的特殊政策。在1947年4月27日公布的《内蒙古自治政府施政纲领》中明确规定：“内蒙古自治政府确保人民享有身体、思想、宗教、信仰、言论、出版、集会、结社、居住、迁移、通信之自由”；“实行信教自由与政教分立，保护庙产，提倡喇嘛自愿投资经营农、工、商业与各种合作事业，奖励喇嘛自愿入学，参加劳动与行医”①。在5月31日发布的《内蒙古自治政府布告（第2号）》中再次强调：“实行宗教信仰自由，保护喇嘛庙产，提倡喇嘛经营农、工、商业，并奖励其自愿入学”；“凡是地方公正士绅、喇嘛、热心公益人士，真诚赞助我政府政策者，政府予以重视和爱护”②。内蒙古自治政府由于正确地贯彻和执行了中国共产党的宗教信仰自由政策，稳定了喇嘛教界的人心，从而，对于解决和处理好民族问题，稳定当时内蒙古地区的局势，起到了重要作用。

为了正确处理喇嘛教问题，对喇嘛教界人士采取了团结、合作的统一战线政策，尤其更加注重团结、合作喇嘛教界上层人物，例如呼图克图、葛根、呼毕勒干、锡勒图喇嘛、达喇嘛等。他们是喇嘛中的领导人物和实权人物。特别是呼图克图、葛根又是喇嘛和信教群众的信仰偶像，团结争取了这些上层人物，等于争取团结了绝大多数喇嘛和信教群众。因此，当时对这些

---

① 《中国第一个民族自治区诞生档案史料选编》，远方出版社1997年版，第52页。

② 《中国第一个民族自治区诞生档案史料选编》，远方出版社1997年版，第74页。

上层人物，除少数坚决与人民为敌的反动分子外，一律采取团结、合作的统一战线政策。政治上作适当安排，允许他们参政议政，充分发挥其影响和作用。为了贯彻落实好统一战线政策，在内蒙古自治区人民政府及各盟、旗人民政府，以及各级人民代表会议中，都安排了许多喇嘛教界人士。

新中国成立初期，内蒙古喇嘛人数大约有六万多人，约占蒙古族人口的8%左右，而在喇嘛较集中的盟旗又占当地蒙古族人口的10%—20%，约占男性人口的20%—30%。这是蒙古族社会的重要问题，对民族经济、文化的发展影响较大。因此，一方面提倡喇嘛参加生产劳动，使他们能够自食其力；一方面教育他们在自愿的原则下学习文化知识，成为促进内蒙古社会、经济、文化发展的力量。

1951年1月24日，乌兰夫在《关于生产、统战和民族工作》的报告中指出："喇嘛教是在封建制度里产生的。对其政治上的封建性是要取消封建特权，对其经济上的封建性是要实行放牧自由，对其思想上的封建性则是要提倡信教自由，这都是针对群众提的。解决思想问题不能用强迫命令，而是要有步骤有阶段地提高群众觉悟，提高其文化知识、科学知识。我们也提倡喇嘛念书，生产自给"；"我们的政策仍然是信教自由，在爱国主义的旗帜下，对喇嘛实行团结、争取的政策。"①

由于对喇嘛教采取了以上特殊政策，保护了喇嘛教寺庙的正当宗教活动，保护了喇嘛和信教群众的宗教信仰自由，保护了寺庙和喇嘛的财产，废除了寺庙和上层喇嘛的封建特权制度，解放了阿勒巴特（属民）。各寺庙有很多青壮年喇嘛响应号召，积极参加农村、牧区和寺庙的各种生产劳动，有的还俗成家立业，大部分青少年喇嘛入学学习文化知识，还有一些青年喇嘛参军入伍或参加地方工作。这些活动，对当时内蒙古地区的政治、经济、文化事业的发展和改善喇嘛生活，都起到了重要作用。通过这些政策措施的实施，团结了绝大多数喇嘛教界人士，特别是团结了上层人物，从而稳定了喇嘛教界的人心，使他们拥护中国共产党的领导，拥护人民政府的各项政策。这对于稳定内蒙古地区的局势，促进经济建设和文化事业的发展具有重要意义。

---

① 《乌兰夫文选》（上），中央文献出版社1999年版，第167页。

西部区民主改革中的喇嘛教　历史上，喇嘛教寺庙与上层喇嘛都有一定的封建特权，少数上层喇嘛也是封建领主。由于他们占有大量的牲畜、土地、矿产以及阿勒巴特，并进行封建剥削和统治。因此，内蒙古自治区成立后，明令宣布：实行信教自由与政治分立；废除一切封建阶级及寺院占有的土地所有权；蒙古人有信教自由，喇嘛不允许有公民以外的特权；废除奴隶制度，一切奴隶均宣告解放，永远脱离与奴隶主的一切关系，享有完全平等的公民权。

内蒙古西部地区（原绥远省）的民主改革，是在1951年到1952年进行的。这里民主改革借鉴了内蒙古东部地区民主改革的经验教训，从当地的民族特点和地区特点出发，采取了慎重的方针，宁慢勿乱。其落脚点是稳定局势，加强民族团结，改善人民生活，发展生产建设。

根据中央人民政府1950年颁布的《中华人民共和国土地改革法》，绥远省于1951年12月制定了《绥远省蒙旗土地改革实施办法》和《关于蒙民划分阶级成分的补充办法》，提出了许多符合当地民族特点和地区特点的政策，其中包括如何处理好喇嘛教寺庙的土地问题。《绥远省蒙旗土地改革实施办法》第10条规定："蒙古脑包、陵墓之土地予以保留不动。喇嘛庙所属的土地，在当地蒙民要求下，得酌量征收其一部分，并须经旗人民政府批准。"第14条规定："分配土地时，应分给无地少地的蒙古族农民一份至两份之土地与生产资料。喇嘛亦分得一份至两份之土地与生产资料。"①

在各项社会改革运动中，对宗教界贯彻信仰自由政策和团结教育方针，通过各种形式向宗教界进行爱国主义教育、政策教育、科学文化教育，并鼓励其参加生产劳动。由于正确贯彻执行中国共产党的民族政策、宗教政策和统一战线政策，在具体问题的处理过程中又采取了慎重的态度，照顾了喇嘛教寺庙和喇嘛的特殊情况，使这里的喇嘛寺庙没有受到冲击和破坏。这样既稳定了局势，又团结了喇嘛，保证了民主改革的顺利进行。

改革喇嘛教制度　历史上，脱离生产劳动是喇嘛教的重要社会特征。1951年，内蒙古自治区第一届喇嘛界代表会议上正式提出喇嘛参加生产劳动的问题，并作为《喇嘛爱国公约》的一条内容确定下来。在新中国建立

① 《绥远行政周报》第79期，1951年。

后的社会变革运动过程中，人民政府在喇嘛中普遍进行劳动光荣的思想教育，大力号召喇嘛参加生产劳动，以劳动改善自己的经济生活，改变以往的寄生生活，使其转变为自食其力的劳动者，这些政策得到喇嘛的广泛响应。全区当时尚有二万一千多名喇嘛从事宗教活动，但比新中国成立初期减少约2/3；到1958年，全区有劳动能力的喇嘛70%—80%参加了不同程度的生产劳动。青壮年喇嘛中有98%的人，参加农村、牧区人民公社与厂矿企业及其他方面的生产劳动。到1960年上半年，全区有95%以上的喇嘛参加集体生产劳动，有不少喇嘛当了医生、教师。喇嘛通过生产劳动和工作实践，学会了各种劳动技能，获得了劳动收入，改善了生活，由寄生阶层转化为自食其力的劳动者。如包头五当召1959年有喇嘛137名，其中青壮年喇嘛71人到石拐煤矿当工人，经过一年多的学习与劳动，大多数人学会了劳动技术，能够独立操作，评级达到二至四级工，月工资52元，接近当时国家干部22级或大学本科毕业生工资标准；其中83%的人在劳动竞赛中获奖。

据1961年对13 000余名喇嘛的调查统计（实际当时全区喇嘛总数为17 000多人），当时参加各种劳动的有11 594人，其中参加国营工矿企业生产的有354人；参加农业生产的有2 330人；参加畜牧业生产的有6 400人；当医生的有1 200人；参加其他生产劳动的有1 300人。喇嘛参加生产劳动，对农村、牧区的生产发展，起到了较好的促进作用。

喇嘛召庙带有封建性的不合理制度得到了改造，许多召庙实行民主管理，宗教活动的规模逐步压缩，挥霍浪费现象逐年减少，这些是喇嘛教社会进步的表现。以往大型喇嘛召庙一年的经会累计要占用两三天，耗费钱财近10万元。经过改革，每年的经会减少到二三十天，钱财开支也就是数百元。上层喇嘛打骂小喇嘛、限制喇嘛还俗结婚等陈规陋习，也在改革中废除，信教自由政策在喇嘛中也得到体现。

对喇嘛教进行社会主义改造 在农牧业社会主义改造运动中，喇嘛教庙仓经济、喇嘛个人的生产资料已经开始改造。1958年6月20日召开的全区第七次牧区工作会议确定结合畜牧业社会主义改造，对喇嘛教也进行社会主义改造，包括对喇嘛本人的改造与庙仓经济的改造。7月10日，乌兰夫在锡盟喇嘛代表人物座谈会上指出：宗教信仰自由政策不变，对喇嘛教的社会主义改造包括对喇嘛本人的改造和庙仓经济的改造，对喇嘛的改造主要是学习政治，参加生产劳动，改造思想，转变立场；对庙仓经济和喇嘛个人生产资料的改造，一是参加合作化，一是参加公私合营牧场。

7月31日，内蒙古党委作出《关于在牧区社会主义中对喇嘛问题的处理意见》,决定对喇嘛和庙仓经济的社会主义改造采取积极而慎重的方针，达到既改造喇嘛，又团结人民，又发展生产的目的。庙仓、葛根仓的牲畜，凡是由召庙经营的一般举办公私合营牧场；庙仓租放给牧民的牲畜一律改为作价定息转归合作社经营；葛根和喇嘛私有牲畜，本人愿意带畜入社的，按合作社章程办理，本人不愿带牲畜入社的，可以采取作价定息的办法；凡是有劳动能力的喇嘛都要参加各种劳动，逐步变为自食其力的劳动者。喇嘛可以从事牧业劳动，也可以从事手工业，当教员、医生等；少数上层喇嘛和年老体衰而丧失劳动能力者，由社会安排或由政府救济。坚持宗教信仰自由政策，允许喇嘛的正当宗教活动，对其生活、劳动和正当的宗教活动给予适当照顾。确定入社牲畜款定息时，要考虑部分上层和老年喇嘛的生活费用，以及举行宗教仪式的开支；喇嘛参加劳动，劳动强度、工种等，开始时根据其特点安排。

从1958年开始到1960年，对喇嘛教庙仓经济和喇嘛个人的生产资料进行了社会主义改造，废除了召庙的土地剥削制度，对其土地、牲畜用赎买的方式纳入人民公社和公私合营牧场，除允许喇嘛收取一定的定息外，基本上消灭了召庙和上层喇嘛对农牧民的剥削；废除了庙仓的地租、矿租，动员寺庙用多余的资金兴办工厂或工业、农牧业生产基本建设；对于上层喇嘛个人的生产资料，也动员其加入人民公社和公私合营牧场。

于是，不仅有大批喇嘛参加生产劳动，而且在许多寺庙，喇嘛们都组织了生产劳动组织。如农业生产合作社、牧业生产合作社、人民公社牧业生产队、公私合营牧场。有些喇嘛还担任了农牧业生产合作社主任、副主任、生产队长、公私合营牧场场长、副场长等职务。

伊克昭盟伊金霍洛旗套海召的阿旺劳荣达喇嘛，于1952年即组织成立农业生产合作社，并任主任。该庙喇嘛参加各种农业生产劳动，如兴修水库、植树造林、防风固沙、办电站等，从而改善了生活，发展了生产，有的人还成为旗和盟的劳动模范。锡林郭勒盟西乌珠穆沁旗好勒图庙劳布僧葛根，于1956年冬，在该庙组织了一个牧业生产合作社，并任社主任，将该召庙100多名喇嘛全部吸收为社员，成为喇嘛教寺庙合作化的一面“旗帜”。

1958年以后，全区喇嘛教寺庙出现了更多的先进的农牧业生产合作社、生产队。阿拉善盟的延福寺、南寺、北寺；伊克昭盟的准格尔召、乌审召；巴彦淖尔盟的淖力根庙；乌兰察布盟的锡拉木伦庙、巴达木图庙；昭乌达盟的根丕庙、善福寺；兴安盟的乾达牟尼庙、王爷庙、葛根庙、哈达图庙；哲里木盟的莫力庙；包头市的五当召等大寺庙，均组建了从事农牧业生产的合作社和园林、果园以及小型工厂、企业等生产组织。

1958年对召庙牲畜进行社会主义改造时，内蒙古地区的喇嘛召庙约有牲畜60万头（只），全部参加了合作社、人民公社、公私合营农牧场。当时组建公私合营农牧场的寺庙有乌兰察布盟的锡拉木伦庙、贝勒庙（百灵庙）；锡林郭勒盟的喇嘛库伦庙、乌兰哈拉嘎庙、贝子庙；阿拉善盟的北寺；伊克昭盟的乌审召、希拉召、新召；呼伦贝尔盟的甘珠尔庙等16个大寺庙，这些庙的主持喇嘛都当了公私合营牧场的场长或副场长，原来参加经营畜群的喇嘛，都成为牧场的工人。

与此同时，许多寺庙办起了小型工业企业。有木工厂、铁工厂、工艺品厂、制药厂、造纸厂、皮革厂、制毡厂、制毯厂、缝纫社等。如察哈尔盟镶黄旗11个寺庙就兴办了40家小型工厂，寺庙喇嘛在工厂当工人的有361人；呼和浩特市寺庙投资6万元，办起了一家烟草厂，40多名喇嘛当工人；乌兰察布盟四子王旗锡拉木伦庙的喇嘛，自办了一家小型火力发电厂，供给本庙工业生产和喇嘛日用电；包头市五当召78名喇嘛，到石拐沟矿区当煤矿工人；锡林郭勒盟贝子庙办起了地毯厂，60名喇嘛当了工人。

在“大跃进”和人民公社化运动中，由于受“左”倾错误的影响，出现了歧视喇嘛、干涉宗教活动、随意占用或拆毁召庙的问题。1960年，伊克昭盟伊金霍络旗拆毁召庙14座、大小殿房27栋共348间，未拆毁的庙宇也被占用。在刮“共产”风时有的地区平调了部分召庙财产，甚至喇嘛个人的生活资料；喇嘛参加劳动生产没有坚持自愿原则，劳动时间过长，影响宗教活动。有的地区用行政命令制定指标，要求三四个月内采取“逮捕一批，集训一批，劳动改造一批，动员还俗一批，入学一批”的办法，达到消灭宗教的目的。这对喇嘛教的社会主义改造产生了极大的负面影响。

1961 年 1 月 23 日，内蒙古党委统战部提出《关于纠正若干政策问题的具体意见》,清理退赔平调的召庙财产和宗教职业者的生活资料，有原物退原物，原物损失的适当补偿；寺庙院内的树木，归寺庙集体所有；不准占用全区文物保护单位的寺庙，已占用的一律退还；对住有宗教职业者，宗教活动未中断寺庙，一般不再占用；对拟合并或拆除的召庙，由盟、市提出意见，报内蒙古党委审批；对宗教职业者参加生产劳动，必须贯彻“自愿量力，区别对待，形式多样，适当安排”的原则；对宗教上层和老弱病残者，不要求参加劳动。这些意见对喇嘛教改造中的“左”倾做法有一定的抑制作用。

1962 年 7 月 7 日，内蒙古党委统战部根据中央民族工作会议的精神，进一步提出《关于民族和宗教工作方面当前存在的问题及处理意见》：任何人不得干涉和歧视宗教职业者和群众的宗教生活，坚决纠正干涉宗教正常活动的错误；保护寺庙，严禁破坏寺庙、佛像、经典、法器，寺庙的房屋所有权属于宗教团体，任何人不得擅自拆除、变卖、转让；政府帮助或出资解决寺庙的修缮；政府要妥善解决宗教职业者的宗教活动场所；尽量照顾宗教活动所需物资的供应；安排好年老体弱的喇嘛和宗教上层人物的生活；喇嘛参加劳动要继续贯彻自愿、区别对待、形式多样的原则；重点寺庙可以请“活佛”及吸收小喇嘛；1958 年以后平调的寺庙和喇嘛个人财产，一律要按政策退赔；喇嘛较多的寺庙成立寺庙管理委员会等。这是贯彻中央调整方针，正确执行宗教政策的重要措施。

由于是年 1 月中央工作会议（即七千人大会）和 4 月中央民族工作会议纠正“左”倾错误精神，未能全面贯彻，特别是 9 月党的八届十中全会又提出以“阶级斗争为纲”的思想，强化了宗教问题上的阶级斗争理念，上述政策措施不能全面落实。1963 年 8 月，在中国佛教协会内蒙古分会第二届代表会议上，提出了《喇嘛教制度改革意见 17 条》,其要点：不允许不满 18 岁的少年儿童当喇嘛；废除活佛转世等制度；反对以朝拜为名，到处流窜等。显然，这是对上述政策和措施试图矫正。“左”倾思想对宗教政策仍然影响较大。

二、天主教、基督教

近代以来，内蒙古的汉族群众的宗教信仰主要是天主教、基督教，信教者甚多，分布很广。中华人民共和国成立以后，在历次政治运动中，或多或少都会涉及这两个宗教的问题。1957 年，内蒙古党委统战部根据中央在汉族信奉的各种宗教内部进行社会主义教育的精神，决定在自治区的天主教、基督教界开展社会主义教育运动。在广大信教群众自我教育的同时，通过大鸣、大放、大辩论、大字报的形式，发动教徒开展反右派斗争，揭露和批判那些反对在天主教中开展反帝爱国运动，攻击党的肃反政策、宗教政策和社会主义制度的神职人员。

1957 年 10 月 21 日到 12 月 21 日，内蒙古宗教事务局在呼和浩特召开了全区天主教徒代表会议，来自呼和浩特、集宁、陕坝、赤峰等 4 个教区的总主教、主教、代主教、神甫及教徒、修女、修士、贞女等代表 115 人参加。会议传达学习了《中国天主教教友爱国会决议》等文件，与会代表对中国天主教必须实行独立自主自办教会，和梵蒂冈割断政治、经济上的一切联系，削弱和打击教会中的反动势力等问题有了进一步的认识，明确了爱国就是要热爱中国共产党领导下的新中国，真爱国就要衷心拥护党的领导。绝大多数代表认清了梵蒂冈的反动面目，拥护党的领导，拥护中国天主教爱国会的一切决议。会后，各教区逐步改革了天主教内部的封建制度，废除了干涉教徒妇女婚姻自由的陋规，丈夫去世允许其妻子改嫁；不允许强迫儿童念经、向少年儿童灌输唯心主义；减轻教徒沉重的宗教负担和思想禁锢；允许教徒看电影、阅读进步书刊、唱革命歌曲；减少宗教活动对劳动时间的挤占等。天主教进行了教区合并，把陕坝教区并入呼和浩特教区。

1958 年，呼和浩特基督教区对修道院进行了整顿，对宗教压迫制度进行了改革，实行半工半读，树立了进步力量在“三自”爱国会中的领导优势，在各地建立了“三自”爱国会。6 月，召开自治区基督教代表会议，通过了《爱国公约》,成立了内蒙古基督教“三自”爱国委员会。

自治区天主教、基督教界开展的爱国运动，成绩是主要的，通过爱国运动彻底割断了同罗马教廷的种种联系，摆脱了帝国主义势力对教会的控制，使天主教、基督教走上了独立自主、自办教会的道路，清除了帝国主义反动势力的影响。但在对天主教、基督教进行社会主义教育运动中，也开展了反右派斗争。据统计，当时在天主教内影响较大的神甫主教中，有 28% 的人被划为右派分子，造成了反右派斗争扩大化的错误。在天主教、基督教中被错划的右派分子，大部分是宗教上层人士，他们在教徒中有较大的影响。对他们错误的批判与斗争，在教徒中引起了对党的宗教政策的怀疑，产生了不良影响。1958 年，在“大跃进”和“人民公社化”运动中，教会的房屋及其他财产被“平调”，同时还开展了交心运动，再次批判了一些神职人员。统战部门还用行政命令干涉正当的宗教活动，使教徒加深了对党的宗教政策的疑虑，公开的宗教活动基本停止，转为分散隐蔽的活动。这是宗教工作上的重大失误。

1959 年下半年，自治区统战部门根据中央为纠正“左”倾错误而提的“贯彻政策，调整关系，调动服务，继续改造”的统一战线工作方针，对天主教、基督教工作中出现的失误进行了一定的纠正和调整。1960 年，在自治区统战系统各界采用“神仙会”的形式，在不抓辫子，不打棍子，不扣帽子的宽松气氛下进行学习、讨论，开展和风细雨的自我教育运动。自治区宗教事务局还举办了全区天主教、基督教社会主义教育展览，展出了帝国主义利用宗教进行侵略活动的图片和资料以及中国天主教、基督教独立自主自办教会为社会主义建设服务的成绩等图片资料。7 月，自治区民族事务委员会党组发出《关于当前汉族宗教工作中几个问题的处理意见》，允许在不影响生产的原则下，进行正常的宗教活动；对平调的教堂房屋和财产要退赔；对宗教职业者的生活分别情况予以安排。这些政策使宗教活动开始趋于正常。

1962 年 9 月，中共中央八届十中全会强调以“阶级斗争为纲”。“左”的错误又一次抬头，把落实政策批判为“投降主义”，于是，对天主教、基督教落实政策的工作再次受到干扰。1963 年 2 月 25 日至 3 月 9 日，内蒙古党委统战部召开会议，贯彻全国第 7 次宗教会议精神，会议认为在过去两年中虽然以“贯彻政策，调整关系”为中心，落实了宗教政策，宗教工作取得了很大成绩，但在一些地方和干部中，存在着对宗教活动放任自流的现象，以致在宗教界出现了利用宗教进行破坏活动和非法违禁活动，宗教界的阶级斗争相当激烈，所以要加强对宗教活动的管理，继续贯彻政策，解决遗留问题。会议错误地强调宗教工作就是搞阶级斗争，要发动教徒群众，打退反动分子的进攻，扩大左派队伍，限制宗教发展，对宗教界的情况作了过于严重的估计。

11 月 12 日至 12 月 20 日，自治区民族宗教事务委员会党组在呼和浩特主持召开了全区天主教代表会议，有主教、神甫、修女、贞女和教徒代表 130 人出席。会议的主要内容是反帝、爱国、守法。会议进行了爱国主义、国际主义和社会主义教育，坚定了与会代表反帝爱国的决心；批判了天主教第二届梵蒂冈大公会议对中国天主教的干涉，批判了教内极少数反动分子利用宗教制造“圣迹”、散布“教难”“变天”等言行，揭露了帝国主义企图利用罗马教皇控制我国天主教的阴谋；决定在政治上与帝国主义、反动分子划清界限。会议讨论通过了《内蒙古自治区天主教爱国会章程》《内蒙古天主教神职人员爱国公约》，选举产生了内蒙古天主教爱国委员会，正式成立了内蒙古自治区天主教反帝爱国组织。自治区天主教爱国会的章程明确规定，本会是由神长、教友组成的反帝爱国爱教的群众团体。其宗旨是在内蒙古党委和政府领导下，团结全区神长、教友，发扬爱国主义精神，遵守国家政策法令，积极参加祖国的社会主义建设和反对帝国主义、保卫世界和平运动，摆脱罗马教皇的一切控制，实现天主教独立自主、自办教会的任务。会议还发表了《内蒙古自治区天主教爱国会告全区教友书》，号召教友积极参加社会主义教育，坚定不移地跟中国共产党走社会主义道路，自觉服从政府对宗教事务的管理，彻底摆脱罗马教皇的一切控制，坚持独立自主自办教会。

内蒙古自治区成立到“文化大革命”前的 19 年间，一直在宗教自由政策的前提下，根据不同宗教的特点，制定了一系列宗教事务具体政策与管理制度，对各类宗教有区别地从政治上、思想上、组织上进行了社会主义改造，清除了宗教界的反动势力，争取、团结了绝大多数宗教上层、宗教职业者和广大信教者，使他们接受中国共产党的领导，拥护社会主义制度，坚持爱国主义，进行合法的宗教活动。同时，在不同时期的社会变革中，有违反宗教政策的问题，特别是“左”倾错误发展的时期，宗教政策受到破坏，有些爱国宗教上层人士受到打击，宗教信仰受到歧视，宗教活动受到限制，甚至宗教财产受到侵犯，这是值得吸取的教训。虽然在各个时期一经发现即采取措施纠正，但造成的负面影响是不容忽视的。

“文化大革命”开始以后，1966 年 9 月，在全区范围内形成了捣毁寺庙，砸坏佛像、文物、法器，焚烧经卷，查抄没收寺庙财物的高潮，致使内蒙古地区绝大部分寺庙遭到严重破坏。在这次运动中，一些历史悠久、文物价值很高、闻名于国内外的大寺庙也遭到不同程度的破坏。

在“破四旧”运动中，除直接捣毁寺庙建筑、殿堂以及查抄没收寺庙珍藏多年的古物、金银佛像、珠宝、绘画、工艺、珍品外，还焚烧了无数经卷、历史档案，没收了寺庙的土地、牲畜、生产生活资料，并宣布宗教活动为非法，禁止群众信仰宗教。喇嘛教、天主教、基督教及其他宗教无一幸免。宗教供物和宗教活动用品被洗劫，宗教活动被迫停止，宗教界遭受到“文化大革命”的重创。

三、落实中国共产党的宗教政策

内蒙古自治区历来是多宗教的少数民族地区，有佛教（藏传佛教、汉传佛教）、道教、伊斯兰教、天主教、基督教、东正教 6 种宗教，拥有一批宗教界人士和众多信教群众，是全国重点宗教工作地区之一。

在“文化大革命”中受“铲除宗教”的极“左”错误干扰，宗教界人士和信教群众被迫放弃宗教信仰，宗教界人士、信教群众和从事宗教工作的干部遭到迫害，出现了大量冤假错案，破坏了中国共产党的宗教信仰自由政策，严重地影响了自治区的民族团结和社会稳定。随着“四人帮”的倒台以及中共中央十一届三中全会的召开，内蒙古自治区面临的宗教问题，是尽快落实党的宗教政策，健全自治区各级宗教工作机构，恢复各宗教团体和爱国组织，保证宗教界人士和信教群众正常的宗教活动。内蒙古党委、人民政府以“特别慎重”、“十分严谨”、“周密考虑”的态度对待宗教工作中的拨乱反正问题。在 1979 年 7 月、11 月先后召开的全区民族宗教工作会议、统战工作会议上，传达了国家民委第一次全委（扩大）会议和第十四次全国统战会议精神，强调指出，宗教是随着社会历史的发展而形成的，是历史的产物。它的消灭需要一个长期的过程，不能采取行政命令的办法，更不能似“文化大革命”采取高压手段，只能从加强思想政治工作、大力发展生产力、普及科学文化知识入手，逐步削弱宗教的影响。在新的历史时期，宗教信仰自由政策，仍然是我们党正确处理群众宗教信仰的一项根本政策，必须克服各种困难，全面、坚定地贯彻执行。并确定了当前和今后一个时期的宗教工作方针：抓紧解决平反冤假错案，恢复宗教团体和爱国组织的活动，保证信教群众的正常宗教生活等问题，从而发展安定团结的政治局面。

为了进一步指导和规范各地宗教工作，1980 年 3 月内蒙古党委批转了统战部《关于认真贯彻执行中央有关宗教工作两个意见的报告》,报告根据中共中央转发的中央统战部《关于当前宗教工作中急需解决的两个政策性问题的请示报告》和《第八次全国宗教工作会议纪要》精神，就有关开放宗教活动场所、加强对宗教活动的管理、落实对宗教界人士的各项政策、宗教工作机构的设置、加强党对宗教工作的领导等问题提出了具体意见。

1981 年 11 月，内蒙古自治区召开宗教工作会议，分析、研究了自治区当前宗教工作的形势，根据宗教工作拨乱反正的具体情况，提出在坚持四项基本原则的基础上，做好宗教工作的几项基本任务：1. 要正确认识宗教问题的重要性，提高做好宗教工作的自觉性；2. 各级干部要继续肃清和克服“左”的思想影响，更好地宣传、贯彻、落实党的宗教信仰自由政策；3. 积极做好信教群众和宗教界人士的工作，不断提高他们的政治思想觉悟和生活水平；4. 进一步做好落实政策工作，尊重和保护正当的宗教活动，但不准利用宗教进行非法、违法活动，宗教不得干预政治和教育。会后，内蒙古党委转发了统战部制定的《关于进一步贯彻执行党的宗教政策的几项具体规定》。

1982 年，中共中央制定的《关于我国社会主义时期宗教问题的基本观点和基本政策》,强调在社会主义现代化建设的新时期，宗教问题上的矛盾已经主要是属于人民内部的矛盾，但宗教问题仍将在一定范围内长期存在；共产党员不得信仰宗教，绝不允许宗教干预国家事务；要妥善安排宗教活动场所，充分发挥爱国宗教组织的作用。宗教工作的基本政策是：坚决贯彻宗教信仰自由的方针，巩固和扩大各民族宗教界的爱国联盟，调动积极因素，为建设“四化”、统一祖国、维护和平而奋斗。这是指导新时期宗教工作的基本政策，对于进一步指导和规范内蒙古自治区的宗教工作起到了关键作用。

在内蒙古党委、人民政府的重视和支持下，全区落实党的宗教政策工作截至1983年基本完成。可概括为以下几点：（1）使宗教活动恢复到公开的、有领导的正常状态。全区共开放清真寺76所、喇嘛召庙3所，开放了天主教堂、基督教堂、佛教寺庙16所，建立宗教活动点128处，成立了各宗教协会和“三自”爱国运动委员会。（2）平反了大量冤假错案，团结、争取了宗教界人士和信教群众。对“文化大革命”中的案件全部予以平反，对肃反、反右运动中的案件也做了细致的甄别处理，对平反对象在政治上恢复名誉、经济上落实相关政策。（3）全面贯彻落实党的宗教信仰自由政策，根据“保护合法，制止非法”的原则，一方面尊重和保护了宗教界人士和信教群众的合法宗教活动，另一方面对非法宗教活动进行了坚决斗争和必要的打击。（4）积极开展宗教界人士和信教群众的工作，对他们进行党的宗教政策和爱国主义、社会主义思想教育，同时在旗县以上各级人民代表、政协委员、群众团体代表中，安排了部分宗教界人士，以密切党和政府与宗教界爱国人士、信教群众的联系。通过落实党的宗教政策的工作，扭转了十年动乱造成的混乱局面，使自治区的宗教活动逐步纳入了党和国家的政策、法律所允许的正常轨道。

据2002年度年检统计，内蒙古自治区有依法正式登记的宗教活动场所共805处。有信教群众九十余万人，占全区总人口的3.7%；有教职人员4 945人。自治区级爱国宗教团体有6个，即内蒙古自治区佛教协会、伊斯兰教协会、天主教爱国会、天主教教务委员会、基督教“三自”爱国运动委员会、基督教协会。盟市、旗县有宗教团体50多个。自治区级宗教院校（班）有3所，即内蒙古自治区佛教学校、天主教神哲学院、基督教义工培训班。自治区宗教界爱国人士中有全国政协委员2人；自治区政协委员10人，其中政协副主席1人、常委3人；自治区人大常委1人、代表2人。盟市、旗县（区）的人大代表和政协委员共有400多人。①

四、新时期的宗教状况

在社会主义现代化建设的新时期，内蒙古自治区各派宗教爱国组织在中国共产党的领导下，在各民族人民团结、建设的良好氛围中，坚持独立自

① 参见《内蒙古区情》，内蒙古人民出版社2006年版，第99页。

主、自办教会的方针，反对任何外来势力对自治区教会的干涉和渗透，制止极少数人借宗教名义进行非法、违法活动；协助党和政府贯彻执行宗教信仰自由政策，向信教群众和宗教界人士进行爱国守法教育，帮助他们不断提高爱国主义、社会主义觉悟；代表宗教界的合法权益，组织正常的宗教活动，努力办好自治区的各级教务，团结宗教界人士和信教群众积极投身于祖国的改革开放和社会主义现代化建设事业。不仅使自治区在这一时期的宗教问题得到妥善解决，而且使各派宗教活动步入了健康、正常的轨道。

内蒙古自治区是一个多宗教并存的地区，主要有佛教、道教、伊斯兰教、天主教、基督教、东正教 6 种宗教，宗教活动场所有 805 处，信教群众约九十余万人，约占全区总人口的 3.7%，有教职人员 4 945 人。

1. 佛教——藏传佛教、汉传佛教

藏传佛教，俗称喇嘛教，在内蒙古主要信仰者是蒙古族，也有在内蒙古定居的藏族。自治区有喇嘛教召庙和宗教活动场所 116 座，有喇嘛 3 370 人（其中活佛 15 人），信教群众 32 万多人。①

喇嘛寺庙绝大多数属于格鲁派（俗称黄教），只有巴彦淖尔盟阿贵庙属于宁玛派（俗称红教）。自治区绝大多数寺庙用藏文诵经，只有包头市梅力更庙用蒙古文诵经。1996 年 11 月 20 日，包头市五当召被列为全国重点文物保护单位，另有 22 座寺庙被列为自治区重点文物保护单位。1987 年 6 月，包头市五当召成立了内蒙古喇嘛培训班，1990 年迁至呼和浩特市乌素图召，1992 年经自治区人民政府批准，改名为内蒙古自治区佛教学校，已毕业学员 108 名。

汉传佛教，传入内蒙古地区的历史久远，主要在汉族中传播。内蒙古自治区正式登记的汉传佛教活动场所 45 处，比丘 98 名、比丘尼 45 名，信徒有 12 万人。主要的汉传佛教寺庙有：呼和浩特观音寺、包头妙法寺、呼伦贝尔金刚寺、巴彦淖尔甘露寺、阿拉善延寿寺等。②

1983 年 9 月 1 日，中国佛教协会内蒙古自治区分会，在呼和浩特举行

① 参见内蒙古自治区民族事务委员会：《内蒙古现有藏传佛教寺庙情况》，内蒙古自治区民族宗教网 2004—02—20；德勒格：《内蒙古喇嘛教史》，内蒙古人民出版社 1998 年版，第 778 页。

② 内蒙古自治区民族事务委员会：《内蒙古汉传佛教》，内蒙古自治区民族宗教网 2004—02—20。

了第三届代表会议，参加会议的佛教界代表80人，其中葛根20名、呼毕勒干12名、达喇嘛5名、其他喇嘛43名。会议选出第三届理事会理事61名，常务理事26名。选举乌兰葛根为会长，那日松葛根、老布僧葛根为副会长，隆德格达喇嘛为秘书长。会议期间，内蒙古自治区人民政府主席布赫等自治区领导人接见了与会代表。

1989年9月14日，中国佛教协会内蒙古自治区分会第四届代表会议在呼和浩特举行，参加会议代表76人。会议选举乌兰葛根为会长，那日松葛根、老布僧葛根、扎木苏葛根、罗扎木苏达喇嘛为副会长，吉格米德葛根为秘书长。会议期间，内蒙古自治区主席布赫等领导人接见会议代表。

1994年6月15日，内蒙古自治区佛教协会第五届代表会议在呼和浩特举行，参加会议代表84人。会议选举产生了内蒙古自治区佛教协会第五届理事会理事64名，常务理事27名。选举乌兰葛根为会长，那日松葛根、扎木苏葛根、吉格米德葛根、罗扎木苏达喇嘛、嘎拉藏图布登葛根、老布僧希日布葛根为副会长，德勒格为顾问。会议期间，政协内蒙古自治区委员会主席千奋勇等领导人接见全体代表。①

1981年，内蒙古自治区党委、人民政府决定，对全区3 800多名年老体弱、无依无靠、失去劳动能力的喇嘛实施国家供养，发给每人每月一定数额的生活费。自治区、盟市、旗县财政每年下拨专项资金，专门用于老喇嘛的生活补助。

2. 道教

在中国的五大宗教中，道教是唯一发源于中国、由中国人创立的宗教，所以许多人称其为“本土宗教”。1949年以后，道教的宗教活动和信仰群众逐渐减少。截至2003年，内蒙古自治区只有建于1931年的呼和浩特市的太清宫和慧云观两处道教活动场所，有道士5人，信教群众830多人，主要为汉族。②

3. 伊斯兰教

内蒙古自治区属穆斯林散居区。信仰伊斯兰教的主要是回族；阿拉善盟

---

① 参见内蒙古自治区民族事务委员会编：“内蒙古自治区佛教协会第三、四、五次代表会议”资料，内蒙古自治区民族宗教网2004—02—20。

② 参见《内蒙古区情》，内蒙古人民出版社2006年版，第100页。

的阿左旗有千余名蒙古族群众信仰伊斯兰教。截至2002年，全区有正式登记的清真寺177座，阿訇366名。1982年12月，召开内蒙古自治区伊斯兰教第一次代表会议，成立了伊斯兰教协会，选举金德海为会长，曹梦麟、李文选、海明、白凤鸣为副会长，白凤鸣兼秘书长。1986年6月，第二次代表会议选举金德海为会长，曹梦麟、白凤鸣、海明、李宝亭为副会长，刘世业为秘书长。1994年9月第三次代表会议选举曹梦麟为会长，白凤鸣、刘世业、白子美、李喜明、李宝亭、景锡恩为副会长，刘世业兼秘书长。2000年9月，第四次代表会议选举景锡恩为会长，满贵、白凤鸣、王瑞森、石明灯、马子瑞、白志光、张顺为副会长，满贵兼秘书长。此外，在呼和浩特市、包头市、赤峰市、呼伦贝尔市、乌兰察布盟、巴彦淖尔盟，以及其他6个旗县成立了伊斯兰教协会。

4. 天主教

天主教在内蒙古自治区的5个教区中，共有主教4人（呼和浩特教区王希贤主教、巴彦淖尔郭正基主教、乌兰察布刘世功主教、赤峰朱问渔主教），教区长1人（包头范路易教区长），副主教2人，神甫107人，修女109人。正式登记教堂、活动点共159个，信教群众17.8万人。自治区设有天主教爱国会、天主教教务委员会机构。1985年5月28日，经内蒙古自治区人民政府批准，内蒙古自治区天主教神哲学院恢复招生、培训工作。截至2003年6月，共入学员203人，晋铎92人。①

从1980年8月至2000年12月，内蒙古自治区天主教爱国会先后召开了5次代表大会。1980年8月22日，内蒙古自治区天主教爱国会第二届代表大会在呼和浩特市召开，参加会议代表36人。会议宣布成立内蒙古自治区天主教教务委员会，选举王学明为第二届爱国会和第一届教务委员会主任。1985年5月15日，内蒙古自治区天主教第三届爱国会、第二届教务委员会代表大会在呼和浩特市召开，参加会议代表55人，选举王学明为“两会”主任。1990年10月25日，内蒙古自治区天主教第四届爱国会、第三届教务委员会代表大会在呼和浩特市召开，参加会议代表65人，选举王学明为“两会”主任。1995年10月11日，内蒙古自治区天主教第五届爱国

① 参见《内蒙古区情》，内蒙古人民出版社2006年版，第101页。

会、第四届教务委员会代表大会在呼和浩特市召开，参加会议代表 65 人，选举王学明为“两会”主任。2000 年 12 月 19 日，内蒙古自治区天主教第六次爱国会、第五次教务委员会代表大会在呼和浩特市召开，参加会议代表 74 人，选举王希贤为“两会”主任。

5. 基督教

内蒙古的基督教信仰者分布在 10 多个地区。20 世纪 80 年代，内蒙古自治区成立了基督教“三自”爱国运动委员会和基督教协会。截至 2002 年，全区有基督教信徒 14.37 万人，慕道友 1.87 万人，牧师 11 人，副牧师 23 人，长老 97 人，传道员 403 人，正式登记教堂、活动点 306 个。1987 年 9 月经内蒙古自治区人民政府宗教局批准，成立了自治区基督教“两会”义工培训班，培训期为半年制，1990 年改为一年制，1995 年改为两年制；到 2002 年共举办 14 期，招生 538 人。

从 1982 年 12 月至 1999 年 6 月，内蒙古自治区基督教先后召开了 4 次代表会议。1982 年 12 月，内蒙古自治区基督教第一次代表会议在呼和浩特市召开，参加会议代表 53 人。会议选举曹维屏为基督教“三自”爱国运动委员会主任、刘秉忠为基督教协会会长，并成立了内蒙古自治区基督教“三自”爱国运动委员会和基督教协会。1988 年 12 月，内蒙古自治区基督教第二次（一届）代表会议在呼和浩特市召开，参加会议代表 52 人、选举刘秉忠为“两会”主任、会长。1993 年 6 月 15 日，柠檬黄自治旗基督教第三次（二届）代表会议在呼和浩特市召开，参加会议代表 51 人，选举刘秉忠为“两会”主任、会长。1999 年 6 月 10 日，内蒙古自治区基督教第四次（三届）代表会议在呼和浩特市召开，参加会议代表 42 人，选举范承祖为“两会”主任、会长。

6. 东正教

内蒙古自治区信仰东正教的群众全部集中在呼伦贝尔市的俄罗斯民族之中。据原统计，呼伦贝尔市俄罗斯民族东正教信教群众 2 400 人（占全国东正教人数的 88.8%），除零散分布在个别旗、市外，主要集中在额尔古纳市。据额尔古纳市 2002 年 2 月的最新统计，该市俄罗斯民族人口 3 245 人，信仰东正教群众 1 970 人，有逐年减少的趋势。信教者主要分布在黑山头镇、室韦俄罗斯族民族乡、三河回族乡和新城街道办事处。有一处暂缓登记的东正教堂

（始建于1992年，至今未投入使用），无神职人员，信教群众的宗教活动主要是以家庭聚会形式进行，宗教节日有“圣诞节”、“巴斯克节”等。[①]

① 参见内蒙古自治区民委政法处编：《民族宗教工作法律法规汇编》，2002年。

第 十 五 章

民主党派与人民团体

第一节　民主党派

在新民主主义革命时期，反对帝国主义、封建主义和官僚资本主义，拥护建立一个独立、和平、统一而富强的新中国，代表民族资产阶级、城市小资产阶级以及同这些阶级相联系的知识分子和其他爱国分子，参加中国共产党领导的统一战线的政党，被称为民主党派。民主党派是中国共产党领导的爱国统一战线中的不可缺少的重要力量。民主革命时期，他们同中国共产党风雨同舟，并肩战斗。社会主义建设时期，他们同中国共产党长期共存，互相监督，肝胆相照，荣辱与共。中国共产党领导的多党派合作和政治协商制度是中华人民共和国的基本政治制度，民主党派开展参政议政、民主监督工作是这一基本政治制度的重要内容，也是参政党的重要工作职责。这既是中国无产阶级革命运动的一大特色，也是中国社会主义政治制度的一个重要特点。

内蒙古自治区共有 6 个民主党派，他们是：中国国民党、中国民主同盟、中国民主建国会、中国民主促进会、中国农工民主党、九三学社。“文化大革命”以前，根据中共中央和各民主党派中央达成的“在少数民族地区暂不发展民主党派组织”的协议，内蒙古自治区没有建立各民主党派的地方组织，只有 80 个各民主党派的成员，他们大多数是 20 世纪五六十年代从内地支援边疆来到内蒙古自治区的高、中级知识分子。

中共十一届三中全会以后，根据新时期总任务的要求，中共中央同各民主党派中央再次协商并达成协议：各民主党派在国内少数民族地区可以发展地方组织。由此，在中共内蒙古自治区委员会的领导和协助下，内蒙古自治区的各民主党派党务活动趋于活跃，组织建设得到快速发展。1982 年 7 月开始，先后有中国国民党、中国民主同盟、九三学社、中国民主促进会、中国农工民主党等 5 个民主党派在内蒙古自治区分别建立了筹备委员会。1984 年以后，陆续召开了各民主党派第一次代表大会，相继成立了内蒙古自治区级委员会。1990 年中国民主建国会也召开了第一次代表大会，建立了区级委员会。随着组织的建立和健全，各民主党派成员人数不断增加。1983 年发展到 600 多人；1990 年内蒙古自治区民主党派成员已达到 3 000 多人；①2000 年底，内蒙古自治区 6 个民主党派成员已经分布在全区 12 个盟市。在全区各民主党派成员中，文化教育界、科学技术界和医药卫生界人士居多数。

各民主党派在内蒙古自治区的地方组织从建立之日起，即明确了在祖国社会主义现代化建设的新时期各自的性质、地位和作用，以经济建设为中心，认真履行参政议政、民主监督职能，为建设中国特色社会主义事业而努力。长期以来，内蒙古自治区各民主党派弘扬民主与科学精神，形成了坚持爱国主义、社会主义，坚持接受中国共产党领导、同中国共产党亲密合作，坚持加强自身建设、不断进步的优良传统。为内蒙古自治区的政治进步、经济繁荣、科学发展、社会文明作出了重要贡献。

一、中国国民党革命委员会内蒙古自治区委员会（简称民革内蒙古区委或民革）

中国共产党领导的多党合作和政治协商制度中的参政党之一，中国国民党革命委员会在内蒙古自治区的地方组织，是一部分社会主义劳动者和拥护社会主义的爱国者的政治联盟。成员主要由国民党中、上层爱国民主人士组成。致力于建设社会主义和祖国统一事业，在协助执政党和人民政府落实国民党回归大陆人员和去台人员家属政策等方面的工作中发挥着重要作用。

① 参见《内蒙古大辞典》，内蒙古人民出版社 1991 年版，第 118 页。

中国国民党革命委员会内蒙古自治区委员会源于1954年建立的中国国民党革命委员会直属呼和浩特学习小组，“文化大革命”期间停止活动，全区仅有党员13人，其中大部分党员是响应祖国号召来内蒙古自治区参加边疆建设者。1979年10月，在民革中央和内蒙古党委统战部的关怀下恢复活动。1981年6月，经民革中央批准，在内蒙古自治区建立了中国国民党革命委员会直属呼和浩特支部。1983年7月，在直属支部的基础上建立了中国国民党革命委员会内蒙古自治区筹备委员会，内蒙古政协副主席杨令德担任筹委会主任委员。1984年9月，中国国民党革命委员会内蒙古自治区委员会正式成立。

截至2000年底，全区共有民革党员656人，平均年龄54.2岁，年增长率为5%。[①] 民革内蒙古区委辖有呼和浩特市、包头市、乌海市3个市级委员会，集宁地区1个县级委员会，35个基层支部。民革内蒙古区委机关下设办公室、组织部、宣传部、社会服务部4个职能处室，以及参政议政工作、祖国统一工作、经济社会服务工作、妇女工作、老龄工作、直属支部工作6个委员会。机关在职人员编制16人。

中国国民党革命委员会内蒙古自治区第一次代表大会　1984年9月24日至27日在呼和浩特市召开。出席大会正式代表66人，列席代表64人。民革中央副主席李赣骝专程到会并讲话，他号召民革同志：作为中国共产党领导下的一个民主党派成员，一定要同全国各族人民一道，积极参加改革和创新活动，为实现中共十二大规定的任务、总目标，为内蒙古自治区的建设贡献自己的知识才能，作出新的更大成绩。会议听取、审议和通过了赵善铨代表中国国民党革命委员会内蒙古自治区筹备委员会作的《团结奋进，锐意图新，为实现新时期总任务而共同奋斗》的工作报告。会议选举产生了由委员11人、候补委员2人组成的中国国民党革命委员会内蒙古自治区第一届委员会，9月27日举行了民革内蒙古一届一次全体委员会议，选举产生了由8人组成的常务委员会以及主任委员、副主任委员。

中国国民党革命委员会内蒙古自治区第一届委员会（1984.9—1988.8）：

主 任 委 员　杨令德（1984.9—1986.1）

① 参见《内蒙古年鉴》（2001），方志出版社2001年版，第122页。

代主任委员 崔维岳（1986.1—1988.8）

副主任委员 赵善铨（1984.9—1988.8）

孙英年（1984.9—1988.8）

中国国民党革命委员会内蒙古自治区第二次代表大会 1988年8月10日至13日在呼和浩特市召开。出席大会代表90人，代表全区民革党员298人。中国共产党内蒙古自治区委员会副书记、自治区人大常委会主任巴图巴根代表内蒙古党委向大会致辞，并真诚地期望民革全体同志和全区各民族人民一起，认真学习、深入领会、坚决贯彻中共十三大精神，关于社会主义初级阶段的理论和基本路线，统一思想、统一步调、风雨同舟、共渡难关，为建立社会主义商品经济新秩序再立新功。会议听取、审议和通过了崔维岳代表中国国民党革命委员会内蒙古自治区第一届委员会作的《振奋精神，加强自身建设，为实现民革工作布局而团结前进》的工作报告。会议选举产生了由14人组成的中国国民党革命委员会内蒙古自治区第二届委员会。8月13日举行了民革内蒙古二届一次全体委员会议，选举产生了由5人组成的常务委员会以及主任委员、副主任委员。

中国国民党革命委员会内蒙古自治区第二届委员会（1988.8—1992.9）：

主 任 委 员 崔维岳（1988.8—1992.9）

副主任委员 孙英年（1988.8—1992.9）

张及钧（1988.8—1992.9）

中国国民党革命委员会内蒙古自治区第三次代表大会 1992年9月8日至10日在呼和浩特市召开。全区共有民革党员398人。内蒙古党委副书记千奋勇代表中国共产党内蒙古自治区委员会向大会致辞：民革内蒙古区委自成立以来，在中共十一届三中全会的路线指引下，不断加强自身建设，在参与政治协商和民主监督方面发挥了重要作用；在开展同港澳同胞、台湾同胞和海外侨胞的联谊活动，推动祖国统一方面做了大量工作；在参加自治旗经济建设和改革开放，维护安定团结的政治局面，参与民主与法制建设，开展调查研究、扶贫咨询、培训人才、引进资金等方面都作出了一定贡献。会议听取、审议和通过了中国国民党革命委员会内蒙古自治区第二届委员会工作报告。会议选举产生了由17人组成的中国国民党革命委员会内蒙古自治区第三届委员会。9月10日，举行了民革内蒙古三届一次全体委员会议，选举产生了由 7 人组成的常务委员会以及主任委员、副主任委员。

中国国民党革命委员会内蒙古自治区第三届委员会（1992. 9—1997. 7）：

主 任 委 员　崔维岳（1992. 9—1997. 7）

副主任委员　杨性恺（1992. 9—1997. 7）

沈光弘（1992. 9—1997. 7）

孙本一（1992. 9—1997. 7）

陈志亭（1992. 9—1997. 7）

中国国民党革命委员会内蒙古自治区第四次代表大会　1997 年 7 月 8 日至 10 日，在呼和浩特市召开。全区共有民革党员 566 人。内蒙古党委副书记云布龙代表中国共产党内蒙古自治区委员会向大会致辞：希望新一届民革内蒙古区委继续发扬民革的光荣传统，发挥自身优势，认真履行参政党的职责，提高认识，统一思想，团结和带领全体党员积极投身到改革开放和社会主义现代化建设的伟大实践中来。会议听取、审议和通过了中国国民党革命委员会内蒙古自治区第三届委员会工作报告。会议选举产生了由 25 人组成的中国国民党革命委员会内蒙古自治区第四届委员会。7 月 10 日，举行了民革内蒙古四届一次全体委员会议，选举产生了由 9 人组成的常务委员会以及主任委员、副主任委员。会议选举崔维岳为名誉主任委员，孙本一、沈光弘、刘森杰为顾问。

中国国民党革命委员会内蒙古自治区第四届委员会（1997. 7—2000. 12）：

主 任 委 员　奇英成（蒙古族，1997. 7—2000. 12）

副主任委员　杨性恺（1997. 7—2000. 12）

陈志亭（蒙古族，1997. 7—2000. 12）

张元凯（1997. 7—2000. 12）

肖黎声（1997. 7—2000. 12）①

二、中国民主同盟内蒙古自治区委员会（简称民盟内蒙古区委或民盟）

中国共产党领导的多党合作和政治协商制度中的参政党派之一，中国民

① 参见《内蒙古年鉴》（1998），方志出版社 1998 年版，第 173 页。

主同盟中央委员会在内蒙古自治区的地方组织，是以从事文化教育方面工作的知识分子为主的社会主义劳动者和拥护社会主义的爱国者的政治同盟，在自治区文化教育以及学术活动方面发挥了重要作用。

20 世纪 50 年代初，60 多位民盟成员响应祖国建设边疆的号召来到内蒙古自治区，组织关系转到民盟北京市委（后转至民盟中央），以个别联系盟员身份和以通信方式继续与民盟组织保持联系。1962 年 9 月，民盟中央派组织部长李文宜到内蒙古建立民盟呼和浩特市学习小组，组长李树元，当时不发展组织，由民盟中央直接领导。“文化大革命”期间停止活动。1980 年民盟呼和浩特市学习小组改称为民盟呼和浩特市学习委员会。1982 年 4 月，民盟中央决定在内蒙古自治区建立区一级组织，并得到内蒙古党委的支持；7 月，民盟中央副主席费孝通、钱伟长赴呼和浩特指导工作，召开民盟内蒙古自治区盟员大会，成立了中国民主同盟内蒙古自治区筹备委员会，同时调入专职干部组成办事机构。当时全区仅有盟员 36 人，设 4 个支部。文教界中、上层知识分子分别占盟员总数的 64%、75%。1983 年开始发展第一批盟员。1984 年 7 月民盟内蒙古区委正式成立。民盟盟员绝大多数分布在呼和浩特市、包头市和各盟市所在地。

截至 1997 年底，民盟的地方组织和基层组织已经在包头、呼和浩特、赤峰、乌海建立了 4 个市级委员会，直属总支委员会 4 个，直属支部 16 个，直属小组 1 个。盟员总人数为 1111 人，其中男盟员 778 人，女盟员 333 人，分别占 70%、30%；中上层人士 931 人，占 83.8%；教育界 559 人，科技界 116 人，医卫界 140 人，分别占 50.32%、10.44%、12.60%。盟员中全国政协委员 3 人（其中 1 人为全国政协常委），自治区人大代表 6 人（其中人大常委 2 人），自治区政协委员 19 人（其中政协常委 3 人、副主席 1 人），民盟中央委员 3 人（其中 1 人为民盟中央常委），自治区人民政府参事 3 人，自治区人事厅特约监督巡视员、自治区国税局特约监督员、自治区检察院特约检查员、自治区审计厅特约审计员各 1 人。①

民盟内蒙古区委机关下设组织部、宣传部、社会服务部和办公室等办事机构，以及教育文化委员会、科技经济委员会、妇女委员会、老年委员会。

① 参见《内蒙古年鉴》（1998），方志出版社 1998 年版，第 174—175 页。

中国民主同盟内蒙古自治区第一次代表大会　1984年7月2日至6日在呼和浩特市召开，出席大会的代表共109人。全区盟员190人，分属8个支部。会议听取、审议和通过了李树元代表中国民主同盟内蒙古自治区筹备委员会作的《团结奋斗，勇于改革，开创内蒙古民盟工作新局面，为两个文明建设作出新贡献》的工作报告，通过了《中国民主同盟内蒙古自治区第一次代表大会决议》。会议选举产生了由委员11人、候补委员3人组成的中国民主同盟内蒙古自治区第一届委员会。7月7日举行了民盟内蒙古一届一次全体委员会议，选举产生了主任委员、副主任委员。

中国民主同盟内蒙古自治区第一届委员会（1984.7—1988.3）：

主 任 委 员　李树元（1984.7—1988.3）

副主任委员　胡钟达（1984.7—1988.3）

　　　　　　田慕潜（1984.7—1988.3）

中国民主同盟内蒙古自治区第二次代表大会　1988年3月15日至18日在呼和浩特市召开，出席会议代表共80人。全区盟员491人，地方组织有市委会1个、直属基层组织22个。会议听取、审议和通过了李树元代表民盟内蒙古第一届委员会作的《进一步开创我区民盟工作新局面，为建设有中国特色的社会主义作出新贡献》的工作报告，通过了《中国民主同盟内蒙古自治区第二次代表大会决议》。会议选举产生了由19人组成的中国民主同盟内蒙古自治区第二届委员会。3月19日举行了民盟内蒙古二届一次全体委员会议，选举产生了由6人组成的常务委员会以及主任委员、副主任委员。

中国民主同盟内蒙古自治区第二届委员会（1988.3—1992.9）：

主 任 委 员　李树元（1988.3—1992.9）

副主任委员　林　干（1988.3—1992.9）

　　　　　　田慕潜（1988.3—1992.9）

中国民主同盟内蒙古自治区第三次代表大会　1992年9月在呼和浩特市召开。全区盟员784人，地方组织有市委会2个、市常委会2个、直属总支2个、支部15个、小组1个。会议选举产生了由25人组成的中国民主同盟内蒙古自治区第三届委员会。民盟内蒙古三届一次全体委员会议，选举产生了民盟内蒙古第三届常务委员会主任委员、副主任委员。

中国民主同盟内蒙古自治区第三届委员会（1992.9—1997.6）

中国民主同盟内蒙古自治区第四次代表大会 1997年6月在呼和浩特市召开。会议选举产生了由29人组成的中国民主同盟内蒙古自治区第四届委员会。民盟内蒙古四届一次全体委员会议，选举产生了由12人组成的第四届常务委员会以及主任委员、副主任委员。

中国民主同盟内蒙古自治区第四届委员会（1997.6—2000.12）：

主任委员 许柏年（1997.6—2000.12）

副主任委员 萨希荣（达斡尔族，1997.6—2000.12）

费松林（1997.6—2000.12）

董恒宇（1997.6—2000.12）①

三、中国民主促进会内蒙古自治区委员会（简称民进内蒙古区委或民进）

中国共产党领导的多党合作和政治协商制度中的参政党派之一，是中国民主促进会中央委员会在内蒙古自治区的地方组织，是以从事教育工作的知识分子为主的社会主义劳动者和拥护社会主义的爱国者的政治同盟，在内蒙古自治区文教、出版工作方面发挥着重要作用。

1979年以前全区仅有会员5人。中共中央十一届三中全会以后，民进内蒙古区委的会务活动趋于活跃。1981年1月中国民主促进会中央委员会直属内蒙古自治区支部在呼和浩特市成立，支部主任刘及时。1983年8月成立了中国民主促进会内蒙古自治区筹备委员会，1985年6月民进内蒙古区委正式成立。

截至2000年底，民进内蒙古区委下属有呼和浩特、包头2个市级委员会，直属乌海市、赤峰市、通辽市、海拉尔市4个支部。共有总支8个、支部52个、小组3个。共有会员666人，会员任各级人大代表17人，政协委员63人。政府实职安排2人，特约人员10人。② 民进内蒙古区委机关下设组织部、宣传部、文教咨询服务部和办公室等办事机构和工作部门。

① 参见《内蒙古年鉴》（1998），方志出版社1998年版，第174页。

② 参见《内蒙古年鉴》（2001），方志出版社2001年版，第125页。

中国民主促进会内蒙古自治区第一次代表大会　1985年6月27日至29日在呼和浩特市召开。出席会议代表共104人，代表全区会员154人。会议听取、审议和通过了刘及时代表中国民主促进会内蒙古自治区筹备委员会作的《总结经验，团结战斗，为迎接新的任务而继续奋勇前进》的工作报告。会议选举产生了由9人组成的中国民主促进会内蒙古自治区第一届委员会。6月29日举行的民进内蒙古一届一次全体委员会议，选举产生了主任委员、副主任委员。

中国民主促进会内蒙古自治区第一届委员会（1985. 6—1990. 10）：

主 任 委 员　刘及时（1985. 6—1990. 10）

副主任委员　德继民（蒙古族，1985. 6—1990. 10）

中国民主促进会内蒙古自治区第二次代表大会　1990年10月26日至28日在呼和浩特市召开。出席会议代表共66人，代表全区会员430人。会议听取、审议和通过了刘及时代表中国民主促进会内蒙古自治区第一届委员会作的《坚定不移地接受党的领导，认真切实地加强自身建设》的工作报告。会议选举产生了由18人组成的中国民主促进会内蒙古自治区第二届委员会。10月28日举行的民进内蒙古二届一次全体委员会议，选举产生了由6人组成的常务委员会以及主任委员、副主任委员。

中国民主促进会内蒙古自治区第二届委员会（1990. 10—1996. 9）：

主 任 委 员　杨秉祺（1990. 10—1996. 9）

副主任委员　德继民（蒙古族，1990. 10—1996. 9）

盖山林（满族，1990. 10—1996. 9）

中国民主促进会内蒙古自治区第三次代表大会　1996年9月26日至28日在呼和浩特市召开。会议听取、审议和通过了《中国民主促进会内蒙古自治区第二届委员会工作报告》。会议选举产生了中国民主促进会内蒙古自治区第三届委员会。9月28日举行的民进内蒙古三届一次全体委员会议，选举产生了常务委员会以及主任委员、副主任委员。

中国民主促进会内蒙古自治区第三届委员会（1996. 9—2000. 12）：

主 任 委 员　盖山林（满族，1996. 9—2000. 12）

副主任委员　德继民（蒙古族，1996. 9—2000. 12）

邱荣庆（1996. 9—2000. 12）

陈其俊（女，1996. 9—2000. 12）
平子良（1996. 9—2000. 12）
邢洁晨（1996. 9—2000. 12）

四、中国民主建国会内蒙古自治区委员会（简称民建内蒙古区委或民建）

中国共产党领导的多党合作和政治协商制度中的参政党派之一，中国民主建国会中央委员会在内蒙古自治区的地方组织，是以原工商业者为主的社会主义劳动者和拥护社会主义的爱国者的政治同盟。成员主要是工商金融界的爱国知名人士和一部分与之有联系的知识分子，他们在内蒙古自治区工商企业经营管理、对外技术交流和联络等方面发挥着重要作用。

1979 年以前全区仅有会员 10 人。中共中央十一届三中全会以后，民建内蒙古区委的会务活动趋于活跃。1986 年成立呼和浩特、包头 2 市地方组织，并由其分别代管内蒙古东、西部地区民建基层组织。1989 年 8 月经民建中央批准，成立了中国民主建国会内蒙古自治区委员会筹备组，组长陈又遵。1990 年 2 月，成立了中国民主建国会内蒙古自治区筹备委员会；同年 11 月，民建内蒙古区委正式成立。

截至 1997 年底，全区 8 个盟、市成立民建组织，呼和浩特、包头和集宁市建立 3 个地方组织委员会，此外还有直属民建内蒙古区委的机关工委、赤峰市总支和乌海、通辽、乌兰浩特、牙克石、海拉尔市支部。全区共有 32 个基层支部，总人数达到 617 人。会员平均年龄 51. 75 岁，大、中城市会员占 84. 1%，经济界人士占 58%。会员担任各级人大代表 13 人次，各级政协委员 86 人次，占会员总数的 16%。[①] 民建内蒙古区委机关下设组织部、宣传部、咨询培训部和办公室等办事机构和工作部门。

中国民主建国会内蒙古自治区第一次代表大会　1990 年 11 月 3 日至 5 日在呼和浩特市召开。出席会议代表共 66 人，代表全区会员 350 人。会议听取、审议和通过了陈又遵代表中国民主建国会内蒙古自治区筹备委员会作的《总结经验，团结奋进，为开创我区民建工作新局面而奋斗》的工作报

① 参见《内蒙古年鉴》(1998)，方志出版社 1998 年版，第 181 页。

告。会议选举产生了由 19 人组成的中国民主建国会内蒙古自治区第一届委员会。11 月 5 日举行的民建内蒙古一届一次全体委员会议，选举产生了由 7 人组成的常务委员会以及主任委员、副主任委员。

中国民主建国会内蒙古自治区第一届委员会（1990. 11—1996. 11）：

主 任 委 员　陈又遵（1990. 11—1996. 11）

副主任委员　周肇漳（1990. 11—1996. 11）

冯　笠（1990. 11—1996. 11）

中国民主建国会内蒙古自治区第二次代表大会　1996 年 11 月 21 日至 23 日在呼和浩特市召开。会议听取、审议和通过了《中国民主建国会内蒙古自治区第一届委员会工作报告》。会议选举产生了由 24 人组成的中国民主建国会内蒙古自治区第二届委员会。11 月 23 日举行的民进内蒙古二届一次全体委员会议，选举产生了由 10 人组成的常务委员会以及主任委员、副主任委员。

中国民主建国会内蒙古自治区第二届委员会（1996. 11—2000. 12）：

主 任 委 员　郝益东（1996. 11—2000. 12）

副主任委员　冯　笠（1996. 11—2000. 12）

杨仁选（1996. 11—2000. 12）

李荣禧（1996. 11—2000. 12）①

五、中国农工民主党内蒙古自治区委员会（简称农工内蒙古区委或农工）

中国共产党领导的多党合作和政治协商制度中的参政党派之一，中国农工民主党中央委员会在内蒙古自治区的地方组织，是以从事医药卫生界知识分子为主要成分的社会主义劳动者和拥护社会主义的爱国者的政治同盟。

1982 年以前全区仅有 4 名 20 世纪 50 年代加入农工民主党的党员，分布在呼和浩特市、包头市。中共十一届三中全会以后，农工民主党内蒙古区委在内蒙古党委的支持和帮助下，开始在内蒙古自治区发展农工民主党党员，并在自治区的医疗卫生事业中发挥了重要作用。1983 年上半年农工民主党

① 参见《内蒙古年鉴》（1998），方志出版社 1998 年版，第 181 页。

中央副主席沈其震赴呼和浩特市，与内蒙古党委统战部商讨组织建设问题；下半年农工民主党中央指定蓝乾福、张长负责组织工作。1984 年 3 月成立了中国农工民主党内蒙古自治区筹备组，组长蓝乾福。1985 年 10 月正式成立了农工内蒙古区委。截至 2000 年底，全区共有农工民主党党员 1 004 人，其中高级职称 237 人，占 23. 6%；中级职称 597 人，占 59. 46%；医药卫生界 606 人，占 60. 36%；大中城市 669 人，占 66. 63%；农工民主党女性党员 408 人，占 40. 64%。农工内蒙古区委下辖 23 个地方、基层组织，其中市级委员会 3 个、盟级委员会 1 个、总支部委员会 5 个、支部委员会 12 个、支部 2 个。[①] 农工内蒙古区委机关下设组织部、宣传部、咨询服务部和办公室等办事机构，以及参政议政工作、医药卫生工作、教育科学文化工作、联络工作、妇女工作、老年工作等 6 个委员会，机关工作人员 14 人。

中国农工民主党内蒙古自治区第一次代表大会　1985 年 10 月 21 日至 23 日在呼和浩特市召开。出席会议代表 45 人，列席代表 35 人，代表全区农工民主党党员 108 人。会议听取、审议和通过了兰乾福代表中国农工民主党内蒙古自治区筹备委员会作的《锐意改革，团结奋斗，发挥我党优势，为四化建设做出新贡献》的工作报告，通过了《农工内蒙古区委第一次代表大会关于筹备工作报告的决议》《农工内蒙古区委第一次代表大会决议》。会议选举产生了由委员 8 人、候补委员 2 人组成的中国农工民主党内蒙古自治区第一届委员会。10 月 24 日举行了农工内蒙古一届一次全体委员会议，选举产生了主任委员、副主任委员。

中国农工民主党内蒙古自治区第一届委员会（1985. 10—1990. 10）：

主 任 委 员　蓝乾福（1985. 10—1990. 10）

副主任委员　李希贤（1985. 10—1990. 10）

中国农工民主党内蒙古自治区第二次代表大会　1990 年 10 月 29 日至 31 日在呼和浩特市召开。出席会议代表 62 人，代表全区农工民主党党员 518 人。会议听取、审议和通过了蓝乾福代表中国农工民主党内蒙古自治区第一届委员会作的《团结奋斗，开拓前进，为开创我党工作新局面，振兴内蒙古自治区而奋斗》的工作报告，通过了《农工内蒙古区委第二次代表

① 《内蒙古年鉴》（2001），方志出版社 2001 年版，第 127 页。

大会决议》。会议选举产生了由17人组成的中国农工民主党内蒙古自治区第二届委员会。10月31日举行了农工内蒙古二届一次全体委员会议，选举产生了由6人组成的常务委员会以及主任委员和副主任委员。

中国农工民主党内蒙古自治区第二届委员会（1990.10—1996.12）：

主任委员 蓝乾福（1990.10—1996.12）

副主任委员 张清德（1990.10—1996.12）

陶作义（1990.10—1996.12）

中国农工民主党内蒙古自治区第三次代表大会 1996年12月18日至20日在呼和浩特市召开。出席会议代表80人，其中选举产生代表50人，当然代表23人，特邀代表7人；代表全区农工民主党党员818人。会议选举产生了由23人组成的中国农工民主党内蒙古自治区第三届委员会。12月20日举行了农工内蒙古三届一次全体委员会议，选举产生了由9人组成的常务委员会以及主任委员和副主任委员。会议推举蓝乾福为名誉主任委员。

中国农工民主党内蒙古自治区第三届委员会（1996.12—2000.12）：

主任委员 陈瑞清（1996.12—2000.12）

副主任委员 陶作义（1996.12—2000.12）

赵素琴（女，1996.12—2000.12）

王绍贞（女，1996.12—2000.12）①

六、九三学社内蒙古自治区委员会（简称“九三内蒙古区委”或“九三学社”）

中国共产党领导的多党合作和政治协商制度中的参政党派之一，是九三学社中央委员会在内蒙古自治区的地方组织，以科学技术界高、中级知识分子为主要成分的政治联盟。在内蒙古自治区的科学技术、文化教育和落实知识分子政策等方面发挥着重要作用。

20世纪50年代中期，17名九三学社社员为了支援边疆建设，陆续由内地来到内蒙古自治区，主要从事教育、科技工作。这批高、中级知识分子主要集中在呼和浩特市、包头市。1959年4月，根据九三学社中央委员会的

① 参见《内蒙古年鉴》（1998），方志出版社1998年版，第177页。

指示，成立了九三学社呼和浩特学习小组，张清常任组长，陈杰任副组长。学习小组直属九三学社中央领导，不对外活动，不发展组织及社员；当时的主要任务是配合中国共产党在各个时期的中心任务，组织社员学习，提高认识，改造思想，结合工作岗位，做好本职工作。“文化大革命”期间，学习小组活动被迫停止，其多数社员受到迫害，有的被迫害致死。

1981 年 3 月，经九三学社中央组织部决定，恢复学习小组活动，同时改建为九三学社呼和浩特直属小组，由九三学社中央直属领导，当时有社员 13 人，负责人陈杰、钱君伟。1982 年 11 月，在呼和浩特地区发展首批社员，工作范围得到延伸，主要围绕自治区经济建设这一中心，开展智力支边活动，区外一批专家先后来到内蒙古讲学、培训人才。1983 年 4 月经九三学社中央批准，九三学社呼和浩特直属小组正式更名为九三学社内蒙古直属小组，组长陈杰，副组长钱君伟、涂友仁。同年 9 月，九三学社内蒙古自治区委员会筹备委员会成立，主任委员陈杰，副主任委员钱君伟、涂友仁。1984 年 9 月，九三学社内蒙古自治区委员会正式成立。截至 2000 年底，九三学社内蒙古自治区委员会共召开 4 次社员代表大会，全区共有社员 1034 人。[①] 先后在包头、赤峰、呼和浩特、乌海建立了 4 个地方组织，在锡林郭勒盟、乌兰察布盟分别建立了锡林浩特、集宁 2 个委员会。九三内蒙古区委机关常设机构有办公室、组织部、宣传部、科技部，非常设机构有海外联谊工作委员会、教育工作委员会、妇女工作委员会、老龄工作委员会、科技咨询服务中心、专门委员会办公室、参政议政委员会。

九三学社内蒙古自治区第一次代表大会 1984 年 9 月 3 日至 6 日在呼和浩特市召开。出席会议的代表 65 人，代表全区 70 名社员。会议听取、审议和通过了涂友仁代表九三学社内蒙古自治区筹备委员会作的《群策群力，再接再厉，开创我区社务工作的新局面》的工作报告。选举产生了由 9 人组成的九三学社内蒙古自治区第一届委员会。9 月 6 日举行了九三学社内蒙古一届一次全体委员会议，选举产生了主任委员、副主任委员。

九三学社内蒙古自治区第一届委员会（1984. 9—1988. 9）：

主 任 委 员　陈　杰（1984. 9—1988. 9）

---

① 参见《内蒙古年鉴》（2001），方志出版社 2001 年版，第 131 页。

副主任委员　钱君伟（1984. 9—1988. 9）

　　　　　　涂友仁（1984. 9—1988. 9）

九三学社内蒙古自治区第二次代表大会　1988 年 9 月 3 日至 7 日在呼和浩特市召开。出席会议的代表 104 人，代表全区 411 名社员。会议听取、审议和通过了陈杰代表九三学社内蒙古自治区第一届委员会作的工作报告。会议选举产生了由 17 人组成的九三学社内蒙古自治区第二届委员会。9 月 7 日举行的九三学社内蒙古二届一次会议，选举产生了由 6 人组成的常务委员会以及主任委员、副主任委员。

九三学社内蒙古自治区第二届委员会（1988. 9—1992. 6）：

主 任 委 员　陈　杰（1988. 9—1992. 6）

副主任委员　涂友仁（1988. 9—1992. 6）

　　　　　　王桂铮（女，1988. 9—1992. 6）

　　　　　　赵　华（1988. 9—1992. 6）

九三学社内蒙古自治区第三次代表大会　1992 年 6 月 26 日至 29 日在呼和浩特市召开。出席会议的代表 68 人，代表全区 586 名社员。会议听取、审议和通过了《九三学社内蒙古自治区第二届委员会工作报告》。会议选举产生了由 23 人组成的九三学社内蒙古自治区第三届委员会。6 月 29 日举行的九三学社内蒙古三届一次全体委员会议，选举产生了由 9 人组成的常务委员会以及主任委员、副主任委员。会议聘任钱君伟为名誉主任委员、吕季澜为顾问。

九三学社内蒙古自治区第三届委员会（1992. 6—1997. 5）：

主 任 委 员　陈　杰（1992. 6—1997. 5）

副主任委员　涂友仁（1992. 6—1997. 5）

　　　　　　王桂铮（女，1992. 6—1994. 6）

　　　　　　赵　华（1992. 6—1997. 5）

　　　　　　阙求豪（1992. 6—1997. 5）

九三学社内蒙古自治区第四次代表大会　1997 年 5 月 27 日至 29 日在呼和浩特市召开。出席会议的代表 83 人，代表全区 830 名社员。会议听取、审议和通过了《九三学社内蒙古自治区第三届委员会工作报告》。选举产生了由 23 人组成的九三学社内蒙古自治区第四届委员会。5 月 29 日举行的九三学社内蒙古四届一次全体委员会议，选举产生了由 10 人组成的常务委员会以及主任委员、副主任委员。会议聘任陈杰、钱君伟为名誉主任委员，阙求豪、吕季澜为顾问。

九三学社内蒙古自治区第四届委员会（1997. 5—2000. 12）：

主 任 委 员　罗锡恩（1997. 5—2000. 12）

副主任委员　赵　华（1997. 5—2000. 12）

　　　　　　黄雅琴（女，1997. 5—2000. 12）①

第二节　群众团体

内蒙古自治区社会各族各界、各方面有着共同目的、共同志趣的人民群众组织起来的集体，代表着全区各民族人民群众的利益，是中国共产党联系各族、各界人民群众的纽带和桥梁。内蒙古自治区群众团体包括工会、共青团、妇女联合会、工商业联合会等团体组织。各群众团体组织承担着维护中国共产党的领导，坚持社会主义道路，联系各族各界人民群众，维护他们的合法权益，反映他们的愿望和呼声，组织他们积极参加社会主义现代化建设事业的责任。

内蒙古自治区的各群众团体是在中国共产党领导下逐步发展壮大起来的。中国共产党历来重视各群众团体的作用，早在内蒙古地区革命兴起时，中国共产党即着手发展群众团体组织的工作。随着历史的发展和社会的需要，内蒙古自治区各群众团体在成长中不断壮大，截至 2000 年底，已经形成了比较完善、比较系统的群众组织网络。各群众团体组织在内蒙古地区建设和发展的各个时期，都充分发挥了各自的重要作用，特别是在社会主义现代化建设中，为内蒙古自治区的改革发展、精神文明建设等方面作出了重大贡献。

一、内蒙古自治区总工会

内蒙古自治区各级工会组织的领导机关，简称内蒙古工会。工会是中国

---

① 参见《内蒙古年鉴》（1998），方志出版社 1998 年版，第 179 页。

共产党领导下的工人阶级的群众组织，是中国共产党联系工人群众的纽带。工会组织的作用是联系和组织各民族工人群众，维护各民族工人群众的利益，培养和提高各民族工人群众的思想政治素质和科学文化水平，引导和组织各民族工人群众积极参与国家的建设和管理，为实现中国共产党在各个时期的总任务而努力工作。内蒙古自治区总工会在中国共产党的领导下，认真履行职工利益代表者和维护者的神圣职责，发挥共产党联系各民族职工群众的桥梁和纽带作用，团结和动员全区各民族职工群众，为完成中国共产党在各个时期的中心任务，在自治区的政治、经济和社会生活中发挥着积极作用。

1949 年 5 月内蒙古自治区工会联合会筹备委员会成立；1954 年 3 月绥远省建制撤销后，绥远省工会联合会并入内蒙古自治区工会联合会筹备委员会；历经 6 年多的努力，1955 年 7 月召开了内蒙古自治区工会第一次代表大会，正式建立了内蒙古自治区工会联合会；1958 年 12 月根据中共中央成都会议决定，更名为内蒙古自治区总工会；“文化大革命”开始后，内蒙古自治区总工会工作和机构逐步陷于瘫痪；内蒙古自治区革命委员会成立后，工会工作和机构被革命委员会政治部群众工作组取代；1973 年初经内蒙古党委批准，内蒙古自治区工会组织逐步恢复，步入正轨。截至 2000 年底，在内蒙古党委领导下，内蒙古自治区总工会共召开了 7 次代表大会，确定了不同时期的工会工作任务；内蒙古自治区总工会下辖 5 个直辖市工会、7 个盟工会，各盟、市下辖 88 个旗、县、市（县级）、区工会；全区有职工 407.6 万人，有会员 268 万人，入会率 65.75%，其中新增新建企业工会 3 039 家。①

内蒙古自治区工会联合会筹备委员会（1949.3—1955.7）　1949 年 3 月经中国共产党内蒙古工作委员会决定，组成了内蒙古职工会总会筹备小组，时任内蒙古工委秘书长方知达兼任组长，内蒙古自治政府工商部部长赵云驶兼任副组长。5 月 1 日在乌兰浩特成立了由 14 人组成的内蒙古总工会筹备委员会，主任方知达，副主任赵云驶，总干事张权庆。

同年 12 月 2 日，中央人民政府任命乌兰夫为内蒙古自治区人民政府主

① 参见《内蒙古年鉴》（2001），方志出版社 2001 年版，第 133 页。

席，内蒙古自治区这一名称就此被正式启用。内蒙古总工会筹备委员会随之改称为内蒙古自治区总工会筹备委员会。1952 年 6 月，中共中央内蒙古分局调整了内蒙古自治区总工会筹备委员会领导人，并将主任、副主任改称为主席、副主席。由时任中共中央内蒙古分局秘书长王铎兼任主席，副主席杨珍本。1953 年 1 月，中共中央蒙绥分局对内蒙古自治区总工会筹备委员会领导人作了再次调整，杨珍本任主席，副主席李子富。1953 年 8 月，根据中国工会第七次全国代表大会通过的工会章程的有关规定，将内蒙古自治区总工会筹备委员会改称为内蒙古自治区工会联合会筹备委员会，各市、旗、县总工会均改称为工会联合会。

1953 年 10 月，根据中共中央蒙绥分局指示，内蒙古自治区工会联合会筹备委员会与绥远省工会联合会在归绥市合署办公后，内蒙古自治区工会联合会筹备委员会的领导成员为：第一主席杨珍本，第二主席宋瑜；第一副主席李子富，第二副主席王志远，第三副主席武政展；1954 年 9 月，中共中央内蒙古分局决定，蒋毅任内蒙古自治区工会联合会筹备委员会副主席。1955 年 7 月，内蒙古自治区工会第一次代表大会召开，内蒙古自治区工会联合会筹备委员会完成了六年多的历史使命。

内蒙古自治区工会联合会筹备委员会成立初期，下设机构为：组织部、宣传部、福利事业部（劳动保护部）、生产部。1950 年以后相继增设青工部、女工部、财务部（处）、办公室。1953 年 10 月，蒙、绥工会合署办公后，撤销了青工部、生产部，在办公室设生产科；取消福利事业部，统称劳动保护部；增设了私营企业部。截至 1952 年底，所辖旗、县、市工会 14 个，以及邮电、林业、店员、建筑、教育 5 个产业工会。①

内蒙古自治区工会联合会筹备委员会东部区工作委员会（1952. 11—1954. 5）　为了实现内蒙古统一的民族区域自治，1949 年 12 月，内蒙古自治区党政军机关由乌兰浩特市迁往张家口市，1952 年 6 月，开始陆续由张家口市迁至归绥市；9 月，内蒙古自治区总工会筹备委员会分 3 批直接由乌兰浩特市迁往归绥市。11 月，经中国共产党内蒙古东部区委员会决定，在乌兰浩特市召开了内蒙古自治区东部区工会代表大会，选举产生了内蒙古自

① 参见《内蒙古自治区志 · 工会志》，内蒙古人民出版社 2001 年版，第 120—121 页。

治区东部区总工会，主席王炳文，秘书长乌恩（蒙古族）。下设组织部、生产部、劳动保护部、文化教育部、办公室、财务科。原属内蒙古自治区总工会筹备委员会领导的林业工会、店员工会、教育工会、工人日报划归内蒙古自治区东部区总工会管理；文艺宣传队划归林业工会管理。内蒙古自治区东部区总工会受东北大行政区总工会、内蒙古自治区总工会筹备委员会双重领导。

1953 年 8 月，内蒙古自治区东部区总工会改建为内蒙古自治区工会联合会筹备委员会东部区工作委员会。

1954 年 5 月，根据中央人民政府政务院关于撤销内蒙古东部区行政公署的决定，撤销了内蒙古自治区工会联合会筹备委员会东部区工作委员会。7 月，其所属的呼伦贝尔盟（兴安盟并入呼伦贝尔盟）、哲里木盟、昭乌达盟工会办事处，改由内蒙古自治区工会联合会筹备委员会直接领导，同时改称“盟工会联合会”。①

绥远省工会联合会（1949. 10—1954. 3）　1949 年 10 月，首届绥远省工人代表大会在丰镇召开，出席代表 94 人。会议选举产生了由 19 人组成的绥远省总工会筹备委员会，常务委员 7 人，中共绥远省委副书记苏谦益兼任主席，秘书长宋瑜。常委会下设组织部、宣传部、生产部、劳动保护部、财务部、办公室。当时绥远省工会筹备委员会的工作仅限于绥东解放区的丰镇、集宁、武东、龙胜、兴和、陶林 6 个县，共有工人 5 667 人，其中参加工会 4 000 人左右。12 月，绥远省总工会筹备委员会随同绥远省党政军机关由丰镇迁驻归绥市。当时绥远省、归绥市工会是内部 1 套机构，对外 2 个名称；1950 年 2 月，省、市工会正式分开办公。

1951 年 2 月 21 至 25 日，绥远省工会第一次代表大会在归绥市召开，出席代表 99 人，列席代表 19 人。当时绥远省共有工人 8. 3 万余人。会议通过了《关于彻底实现工会法、劳动保护条例的决议》等 6 项决议；会议选举产生了由 25 人组成的绥远省总工会第一届执行委员会和由 5 人组成的经费审查委员会。26 日，绥远省总工会第一届执行委员会、经费审查委员会分别召开会议，选举产生了由 7 人组成的绥远省总工会常务委员会，时任中共

① 参见《内蒙古自治区志 · 工会志》，内蒙古人民出版社 2001 年版，第 122 页。

绥远省委秘书长李质兼任主席，中共归绥市委组织部长兼任第一副主席，第二副主席宋瑜；邢家瑞为经费审查委员会主席。1953 年 2 月，中共中央蒙绥分局决定，宋瑜代理绥远省总工会主席，副主席王志远、武政展。绥远省总工会机关下设组织部、文化教育部、劳动保护部、生产部、生产工资部、女工部、青年工作部、财务部、私企部、办公室以及工会干部训练班、电影宣传教育队。

1953 年 8 月，绥远省总工会改称为绥远省工会联合会。

1953 年 9 月 1 日至 5 日，绥远省工会联合会第二次代表大会在归绥市召开，出席代表 183 人，列席代表 27 人。宋瑜代表绥远省工会联合会作了《团结全省工人阶级，保证完成国家生产计划和建设计划》的工作报告。会议选举产生了由 31 人组成的绥远省工会联合会第二届执行委员会、7 人组成的经费审查委员会。全体执行委员举行二届一次会议推举出常务委员 9 人，主席宋瑜，副主席王志远、武政展，秘书长张汾。绥远省工会联合会机关下设办公室、组织部、文化教育部、劳动保护部、工资部、女工部、财务部以及工会干部训练班。

同年 10 月根据中共中央蒙绥分局指示，内蒙古自治区工会联合会筹备委员会与绥远省工会联合会在归绥市合署办公。1954 年 3 月 6 日，内蒙古自治区工会联合会筹备委员会与绥远省工会联合会召开的第 16 次联合常委会议并作出决议：绥远省工会联合会与内蒙古自治区工会联合会筹备委员会正式合并，即日撤销绥远省工会联合会建制；原绥远省工会联合会委员合并为内蒙古自治区工会联合会筹备委员会委员；原绥远省工会联合会所属各级工会组织，划归内蒙古自治区工会联合会筹备委员会统一领导；建议撤销原绥远省省级产业工会组织建制，合并于内蒙古自治区区级产业工会组织。

内蒙古自治区工会第一次代表大会（1955. 7—1960. 4） 1955 年 7 月 7 日至 14 日，在呼和浩特市召开。大会名称为中华全国总工会所定。出席大会的正式代表 201 人，列席代表 35 人，代表全区 30 万名职工。代表中蒙古族 20 人，回族 6 人，满族 1 人，妇女 22 人，劳动模范及模范工作者 65 人，工程技术人员 5 人，企业管理人员 21 人，工会工作者 78 人。

大会由蒋毅致开幕词，内蒙古党委副书记杨植霖致祝词，内蒙古自治区政府副主席哈丰阿、内蒙古军区副司令员刘华香分别讲话。杨珍本作了

《全区工人阶级紧密团结起来，深入开展劳动竞赛，为实现国家第一个五年计划，进一步建设内蒙古自治区而奋斗》的工作报告，报告总结了内蒙古自治区工会联合会筹备委员会成立以来的工作，提出自治区工会工作今后的基本任务：在中国共产党领导下，继续贯彻中国工会第七次全国代表大会的决议，提高自觉程度和组织程度，巩固工农联盟，团结各族人民，为实现国家第一个五年计划，进一步建设内蒙古而奋斗；在发展生产和不断提高劳动生产率的基础上，逐步改善工人阶级和各族劳动人民的生活。报告要求各产业工会、各级工会，加强劳动竞赛的组织工作，提高劳动竞赛的领导水平；加强职工的共产主义教育；热心地关心工人生活；进一步加强工会的思想建设、组织建设，充分发挥工会的组织作用。乌恩作了财务工作报告，会议就两个报告通过了相应决议。

内蒙古自治区工会联合会正式成立。会议选举产生了由委员 43 人、候补委员 9 人组成的内蒙古自治区工会联合会第一届执行委员会和由 9 人组成的内蒙古自治区工会联合会经费审查委员会。

7 月 13 日举行的内蒙古自治区工会联合会第一届执行委员会第一次全体会议，选举产生了由 13 人组成的常务委员会以及主席、副主席。

这一时期内蒙古自治区工会联合会机关各部室、事业单位有：办公室、组织部、宣传部、职工教育部、劳保部、生产工资部、工资部、生产部、工业部、重工业部、轻工业部、女工部、财务部、劳动保险生活居住部、生活部、财贸部、私企部、农牧部、交通邮电部、内蒙古工会干部学校、内蒙古工人杂志社、内蒙古工人第一疗养院、内蒙古工人第二疗养院、内蒙古工人养老院、电影宣传教育总队。

1958 年 11 月，受“工会消亡”风的影响，内蒙古自治区工会联合会撤销了所属的绝大多数产业工会。

内蒙古自治区工会联合会第一届执行委员会常务委员会：

主　　席　赵云驶（1955. 7—1960. 4）

副 主 席　杨珍本（1955. 7—1960. 4）

　　　　　蒋　毅（1955. 7—1960. 4）

　　　　　宋　瑜（1955. 7—1960. 4）

　　　　　王志远（1955. 7—1960. 4）

官布扎布（蒙古族，1957. 12—1960. 4）

秘 书 长 乌 恩（蒙古族，1955. 10—1960. 4）①

内蒙古自治区工会第二次代表大会（1960. 4—1973. 6） 1960 年 4 月 23 日至 29 日在呼和浩特市召开。出席大会的代表有蒙古、汉、回、满、达斡尔、朝鲜等民族共 613 人，代表全区 100 万名职工。代表中大多数为社会主义生产与建设的劳动模范、红旗手，参加会议的还有内蒙古党委、人民政府有关部门、共青团、工会工作者、职工家属的代表。

会议的主要任务是：在总结过去工作经验的基础上，进一步提高思想，在内蒙古党委和全国总工会的领导下，组织和动员全区职工，团结各族人民，更高地举起毛泽东思想红旗，深入开展学习和宣传毛泽东思想运动；树雄心、立大志，以不断革命的精神，继续开展技术革新和技术革命运动，使其沿着正确的、科学的、全面的轨道前进，提前超额完成 1960 年的国民经济计划，给整个 60 年代的持续跃进奠定基础；积极支援农牧业的技术改造，提前 2 年或 3 年实现农业发展纲要；深入进行文化革命，迅速提高文化科学技术水平，为加速社会主义建设而奋斗。

乌兰夫到会作了重要讲话。会议听取、审议和通过了蒋毅代表内蒙古自治区工会联合会第一届执委会作的工作报告和财务工作报告。会议选举产生了由委员 97 人、候补委员 20 人组成的内蒙古自治区总工会第二届执行委员会和由 15 人组成的经费审查委员会。4 月 30 日举行的内蒙古自治区总工会第二届执委会第一次全体会议选举产生了由 25 人组成的常务委员会以及主席、副主席。

这一时期内蒙古自治区总工会机关各部室、事业单位有：办公室、组织部、宣传部、体育部、宣传体育部、职工教育部、宣教委员会、劳动保险保护部、重工业部、轻工业部、工业工作委员会、基建地质部、生产部、基建部、地质部、生活部、生活女工部、财贸部、农牧部、交通邮电部、内蒙古工会干部学校、内蒙古工人第一疗养院、内蒙古工人第三疗养院、内蒙古工人养老院。

1962 年 4 月，内蒙古自治区恢复了财贸、煤矿等 7 个产业工会。1966

① 参见《内蒙古区情》，内蒙古人民出版社 2006 年版，第 262、263 页。

年5月"文化大革命"开始，内蒙古自治区总工会的各部室、各产业工会、院校工会被迫停止工作，有的产业工会被"工代会"取代，其余产业工会被迫停止工作。

内蒙古自治区总工会第二届执行委员会常务委员会：

主　　席　蒋　毅（1960. 4—1973. 6）

副 主 席　官布扎布（蒙古族，1960. 4—1973. 6）

王志远（1960. 4—1973. 6）

朱　鸣（1960. 4—1973. 6）

方炎军（女，1960. 4—1973. 6）

施月琴（女，1960. 4—1973. 6）

乌　恩（蒙古族，1960. 4—1973. 6）

博　彦（蒙古族，1962. 4—1973. 6）①

内蒙古自治区工会第三次代表大会（1973. 6—1985. 1）　1973年初经内蒙古党委批准，恢复内蒙古自治区工会组织。6月27日至7月3日内蒙古自治区工会第三次代表大会在呼和浩特市召开。出席大会的代表621人，特邀代表100人，代表全区136万职工。代表中产业工人380人，妇女174人，少数民族167人，中共党员497人，共青团员50人，党政、企业领导干部55人，工程技术人员26人，工会专职干部130人，劳动模范60人，青年203人，中年263人，老年155人。会议邀请了退休老工人、贫下中农（牧）、人民解放军、生产建设兵团、文化教育、职工家属、"五七"工厂等各方面的代表100人出席。②

会议学习了《中共中央转发〈北京市委、上海市委关于召开工会代表大会的请示报告〉的批示》等文件。内蒙古党委第一书记尤太忠作了报告，乌恩代表内蒙古自治区总工会第二届执委会，作了《团结起来，为巩固无产阶级专政，加速社会主义建设而奋斗》的工作报告。会议通过了《全区各族工人团结起来，争取社会主义革命和建设事业的更大胜利》的决议，选举产生了由委员105人、候补委员20人组成的内蒙古自治区总工会第三

① 参见《内蒙古区情》，内蒙古人民出版社2006年版，第263页。

② 参见《内蒙古自治区志·工会志》，内蒙古人民出版社2001年版，第139—142页。

届执行委员会。7 月 3 日举行的内蒙古自治区总工会第三届执委会第一次全体会议，选举产生了由 19 人组成的常务委员会以及主任、副主任。内蒙古自治区总工会第三次代表大会期间，尚未恢复对经费的管理，故未选举经费审查委员会。

这一时期内蒙古自治区总工会机关各部室、事业单位有：办公室、组织部、宣传部、生产部、劳保生活部、生活女工部、生活保险部、女工部、职工教育部、劳动保护部、财务部、调研室、法律咨询处、机关党委、内蒙古工会干部学校、技协办公室、《内蒙古工人》杂志社、内蒙古工人包头疗养院、内蒙古工人阿尔山疗养院、内蒙古工人呼和浩特疗养院、内蒙古工人养老院。

1973 年以后，随着内蒙古自治区总工会工作的恢复，自治区各级产业工会陆续恢复和建立。

内蒙古自治区总工会第三届执行委员会常务委员会：

主　　任　乌　恩（蒙古族，1973.7—1983.5）
主　　席　云　峰（蒙古族，1983.5—1984.11）
　　　　　尤　仁（蒙古族，1984.11—1985.1）
副 主 任　王光临（1973.7—1985.1）
　　　　　孙鼎臣（1973.7—1985.1）
　　　　　乌云娜（蒙古族，女，1973.7—1985.1）
　　　　　金　山（蒙古族，1973.7—1985.1）
　　　　　宝力昭（蒙古族，1973.7—1985.1）
　　　　　傅宽小（1973.7—1985.1）
　　　　　阿迪亚（蒙古族，1975.3—1985.1）
　　　　　王席娥（女，1978.12—1985.1）
　　　　　乌希利塔（蒙古族，1979.3—1985.1）
副 主 席　安雪岩（达斡尔族，女，1983.5—1985.1）
　　　　　程玉才（1983.5—1985.1）
　　　　　王玉田（1984.11—1985.1）
　　　　　包文风（蒙古族，1984.11—1985.1）[①]

① 参见《内蒙古区情》，内蒙古人民出版社 2006 年版，第 263 页。

内蒙古自治区总工会第四次代表大会（1985. 1—1990. 2）　1985 年 1 月 23 日至 29 日在呼和浩特市召开。出席大会代表 520 人，特邀代表 71 人，代表全区 160 万工会会员和 300 万职工。代表中工会工作者 259 人，先进模范 89 人，工会积极分子 57 人，科学技术人员 94 人，改革积极分子 15 人，个体户 6 人，少数民族 176 人（其中蒙古族 125 人），女职工 174 人；民主党派 2 人，非党代表 200 人；35 岁以下青年 179 人；大专以上文化程度 106 人，高中（中专）文化程度 189 人。会议还邀请了热心支持工会工作的党政干部、退休老模范、归侨、台胞、职工家属的代表以及部分退休和调离工会岗位的工会工作者。①

会议听取、审议和通过了尤仁代表内蒙古自治区总工会第三届执行委员会作的《发扬工人阶级的主人翁精神，为建设团结、富裕、文明的内蒙古，锐意改革，开拓进取》的工作报告和程玉才作的《财务工作报告》,通过了上述 2 个报告的决议。会议向全区职工发出了《高举团结、建设的旗帜，发扬工人阶级的光荣传统，在城市改革中发挥主力军的作用》的倡议书。会议表彰了 113 个先进基层工会、135 名优秀工会工作者和 145 名优秀工会积极分子。

会议选举产生了由委员 78 人、候补委员 10 人组成的内蒙古自治区总工会第四届委员会和由 7 人组成的经费审查委员会。1 月 30 日举行的内蒙古自治区总工会第四届委员会第一次全体会议选举产生了由 12 人组成的常务委员会以及主席、副主席。

这一时期内蒙古自治区总工会机关各部室、事业单位有：办公室、组织部、宣传部、生产部、生活保险部、女工部、劳动保护部、财务部、调研室、法律顾问处、机关党委、内蒙古工会干部学校、《内蒙古工人》杂志社、技协办公室、内蒙古工人包头疗养院、内蒙古工人阿尔山疗养院、内蒙古工人呼和浩特疗养院。

内蒙古自治区总工会第四届委员会常务委员会：

主　　席　尤　仁（蒙古族，1985. 1—1990. 2）

副 主 席　王玉田（1985. 1—1990. 2）

---

① 参见《内蒙古自治区志 · 工会志》,内蒙古人民出版社 2001 年版，第 142—145 页。

安雪岩（达斡尔族，女，1985.1—1990.2）

程玉才（1985.1—1990.2）

包文风（蒙古族，1985.1—1990.2）

葛根塔娜（蒙古族，女，1987.7—1990.2）①

内蒙古自治区总工会第五次代表大会（1990.2—1995.1）　1990年2月20日至25日在呼和浩特市召开。出席大会代表450人，特邀代表7人，代表全区200多万工会会员和350万职工。代表中基层工会专职干部135人，基层以上工会专职干部198人，优秀工会积极分子26人，先进模范40人，科技工作者12人，其他24人；少数民族151人，妇女108人；大专以上文化程度占37.8%，高中（中专）文化程度占39.8%，初中文化程度占20.9%，小学文化程度占1.5%。②

尤仁代表内蒙古自治区总工会第四届委员会作了《动员各族职工，发扬主人翁精神，努力实现三项近期目标，为建设团结、富裕、文明的内蒙古而奋斗》的工作报告，葛根塔娜作了《财务工作报告》，韩有训作了《经费审查委员会工作报告》；会议通过了上述3个报告的决议。会议号召全区各族职工、各级工会组织和工会工作者，深入贯彻中共十三届四中全会、五中全会和《中共中央关于加强和改善党对工会、共青团、妇联工作领导的通知》文件，认真落实自治区第五次党代会和中国工会十一大提出的各项任务，高举“团结建设、改革开放”的旗帜，以主人翁的姿态和卓有成效的工作，为完成自治区治理整顿，深化改革，实现三项近期目标，建设团结、富裕、文明的内蒙古而努力奋斗。会议表彰了131个工会工作先进集体和369名先进个人。

会议选举产生了由委员59人组成的内蒙古自治区总工会第五届委员会和由15人组成的经费审查委员会。25日举行的内蒙古自治区总工会第五届委员会第一次全体会议选举产生了由14人组成的常务委员会，以及主席、副主席。

这一时期内蒙古自治区总工会机关各部室、事业单位有：办公室、组织

① 参见《内蒙古区情》，内蒙古人民出版社2006年版，第263页。

② 参见《内蒙古自治区志·工会志》，内蒙古人民出版社2001年版，第145—147页。

部、宣传部、生产部、生活保险部、女工部、劳动保护部、财务部、调研室、法律顾问处、经审办公室、机关党委、纪律检查组、内蒙古工会干部学校、《五月风》杂志社、技协办公室、内蒙古工人包头疗养院、内蒙古工人阿尔山疗养院、内蒙古工人呼和浩特疗养院。

内蒙古自治区总工会第五届委员会常务委员会：

主　　席　尤　仁（蒙古族，1990. 2—1995. 1）

副 主 席　刘玉槐（1990. 2—1995. 1）

葛根塔娜（蒙古族，女，1990. 2—1995. 1）

李　玉（1990. 2—1995. 1）

殷殿明（1993. 10—1995. 1）

韩毅顺（1993. 10—1995. 1）①

内蒙古自治区总工会第六次代表大会（1995. 1—1999. 10）　1995 年 1 月 6 日至 9 日在呼和浩特市召开。出席大会代表 460 人，代表着全区 390 万职工和近 300 万工会会员。代表中工会工作者 387 人，占 84. 13%；少数民族 130 人，占 28. 26%；妇女 99 人，占 21. 52%；优秀工会积极分子 20 人，占 4. 35%；先进模范人物 16 人，占 3. 48%；科研、技术、教育、卫生人员 28 人，占 6. 09%；其他代表 6 人，占 1. 30%。代表中大专以上文化程度 255 人，占 55. 43%；高中（中专）文化程度 152 人，占 33. 04%；初中以下文化程度 53 人，占 11. 52%。代表中 35 岁以下 26 人，占 5. 65%；36 岁至 55 岁 370 人，占 80. 43%；56 岁以上 64 人，占 13. 91%。②

尤仁代表内蒙古自治区总工会第五届委员会作了《充分发挥工人阶级主力军作用，为实现内蒙古第二步战略目标立新功》的工作报告，葛根塔娜作了《财务工作报告》，韩有训作了《经费审查委员会工作报告》，会议通过了上述 3 个报告的决议。

会议要求全区职工深入贯彻中共十四届三中全会、四中全会精神，认真落实自治区第六次党代会和中国工会十二大提出的各项任务，总结过去 5 年全区工会工作，确定今后 5 年工会工作方针和任务，动员全区各族职工，发

① 参见《内蒙古区情》，内蒙古人民出版社 2006 年版，第 263 页。

② 参见《内蒙古自治区志 · 工会志》，内蒙古人民出版社 2001 年版，第 147—149 页。

挥工人阶级主力军作用，为实现内蒙古自治区20世纪末的奋斗目标建功立业；号召全区各族职工在邓小平建设有中国特色社会主义理论和党的基本路线指引下，更加紧密地团结起来，同心同德，开拓进取，充分发挥工人阶级主力军作用，为实现自治区第二步战略目标，为到20世纪末实现小康和建立社会主义市场经济体制的历史任务而努力奋斗。会议表彰了全区工会工作先进集体132个，优秀工会工作者199人，优秀工会积极分子148人，荣誉工会积极分子49人。

会议选举产生了由委员69人组成的内蒙古自治区总工会第六届委员会以及由15人组成的内蒙古自治区总工会第六届经费审查委员会。内蒙古自治区总工会第六届委员会第一次全体会议选举产生了由13人组成的常务委员会以及主席、副主席。

这一时期内蒙古自治区总工会机关各部室、事业单位有：办公室、组织部、宣传部、经济部、保障部、女工部、劳保部、财务部、法工部、经审办公室、机关党委、老干部处、工运研究所、企事业指导中心、职工对外交流中心、机关事务服务中心、技协办公室、《五月风》杂志社、内蒙古自治区职工教育文化馆、内蒙古工会干部学校、内蒙古工人呼和浩特疗养院。

内蒙古自治区总工会第六届委员会常务委员会：

主　　席　尤　仁（蒙古族，1995.1—1999.10）

副 主 席　殷殿明（1995.1—1999.10）

韩毅顺（1995.1—1999.10）

张振玺（1995.1—1999.10）

白玉贞（蒙古族，女，1995.1—1999.10）①

内蒙古自治区总工会第七次代表大会（1999.10—2000.12） 1999年10月26日至29日在呼和浩特市召开。出席大会代表460人，代表全区各行各业337万名职工和218万名工会会员参加会议。代表中工会工作者376人，占81.74%；工会积极分子28人，占6.09%；先进模范15人，占3.26%；科技人员22人，占4.78%；一线工人12人，占2.61%；其他7人，占1.52%。代表中少数民族147人，占31.96%；妇女127人，占

① 参见《内蒙古区情》，内蒙古人民出版社2006年版，第263页。

27.61%；年龄在55岁以下418人，占90.87%；大专以上文化程度343人，占74.57%；非中共党员57人，占12.39%。①

尤仁代表内蒙古自治区总工会第六届委员会作了《高举邓小平理论伟大旗帜，团结和动员各族职工为实现我区跨世纪宏伟目标建功立业》的工作报告。报告从自治区改革开放和现代化建设面临的形势和任务出发，阐述了今后五年全区工会工作的指导思想是：高举邓小平理论伟大旗帜，坚持党的基本路线和基本纲领，以党的十五大和十五届四中全会精神为指导，坚定不移地推进全心全意依靠工人阶级指导方针的落实，贯彻内蒙古党委六届九次全委会议和中国工会十三大精神，进一步突出维护职能，实现工会工作的“五突破一加强”（五突破：1. 积极协助党政做好国有企业减员增效、下岗职工基本生活保障和再就业工作，深入实施送温暖工程，对特困职工承担“第一责任人”职责的工作要有新的突破；2. 坚决维护职工的经济利益，进一步理顺劳动关系，推行平等协商和集体合同制度的工作要有新的突破；3. 切实保障职工的民主权利，坚持和完善以职工代表大会为基本形式的企业民主管理制度，实行厂务公开和民主评议企业领导人的工作要有新的突破；4. 推动国有独资和国有控股公司的董事会、监事会中都要有职工代表参加的工作要有新的突破；5. 加快新经济组织和改制企业工会组建步伐，最大限度地把职工组织到工会中来的工作要有新的突破。一加强：必须以改革的精神加强工会自身建设，主要是认真解决工会领导机关的体制、机制、管理、作风、方法和人员素质等方面不适应形势任务要求的突出问题），团结和动员各族职工，为实现内蒙古自治区跨世纪的宏伟目标建功立业。同时，报告还提出了今后五年全区工会工作的7项主要任务。

会议表决通过了《关于内蒙古自治区总工会第六届委员会工作报告决议》《关于内蒙古自治区总工会第六届委员会财务工作报告决议》《关于内蒙古自治区总工会第六届经费审查委员会工作报告决议》；表彰了47个全区工会工作先进集体，98个全区模范职工之家，145个全区模范职工小家，200名全区优秀工会工作者，56名全区优秀工会积极分子，39名全区荣誉工会积极分子。

---

① 参见《内蒙古自治区志·工会志》，内蒙古人民出版社2001年版，第150—151页。

会议选举产生了由委员84人组成的内蒙古自治区总工会第七届委员会、由15人组成的内蒙古自治区总工会第七届经费审查委员会。内蒙古自治区总工会第七届委员会第一次全体会议，选举产生了由16人组成的常务委员会以及主席、副主席。

这一时期内蒙古自治区总工会机关各部室、事业单位有：办公室、组织部、宣传部、经济部、保障部、女工部、劳保部、财务部、法工部、经审办公室、机关党委、老干部处、工运研究所、企事业指导中心、职工对外交流中心、机关事务服务中心、技协办公室、《五月风》杂志社、内蒙古自治区职工教育文化馆、内蒙古工会干部学校、内蒙古工人呼和浩特疗养院。

内蒙古自治区总工会第七届委员会常务委员会：

主　　席　尤　仁（蒙古族，1999.10—）

副 主 席　韩毅顺（1999.10—）

　　　　　呼尔查（蒙古族，1999.10—）

　　　　　崔明龙（1999.10—）

　　　　　徐宝田（1999.10—）

　　　　　金　华（蒙古族，女，1999.10—）①

截至1998年底，内蒙古自治区共建立有14个产业工会：邮电工会、林业工会、财贸工会、教育工会、建筑工会、金融工会、煤矿工会、地质工会、呼和浩特铁路局工会、国防机械工业工会、测绘工会、民航工会、电力工会、内蒙古自治区直属机关工会工委。此外，还有内蒙古自治区总工会的4个直属基层工会：职工国际航空公司内蒙古分公司工会、内蒙古自治区国家税务局系统工会、内蒙古化肥厂工会、集通铁路有限责任公司工会。

二、中国共产主义青年团内蒙古自治区委员会

中国共产党领导的先进青年的群众组织，是中国共产党的助手和后备军，中国共产主义青年团中央委员会在内蒙古自治区的地方组织，简称内蒙古团委。原称中国新民主主义青年团内蒙古委员会，成立于1949年3月；同年9月，中国新民主主义青年团绥远省工作委员会正式成立，首任书记王

① 参见《内蒙古区情》，内蒙古人民出版社2006年版，第263页。

文廷。1953 年，中国新民主主义青年团内蒙古自治区委员会同新民主主义青年团绥远省工作委员会合并，统称为中国新民主主义青年团内蒙古自治区委员会。1957 年 5 月，改为现称。“文化大革命”中内蒙古团委受到冲击，工作和机构逐步陷于瘫痪；内蒙古自治区革命委员会成立后，自治区共青团的工作和机构被革命委员会下设的政治部群工组取代；1972 年开始逐渐恢复共青团的组织和工作，1973 年 5 月，正式恢复中国共产主义青年团内蒙古自治区委员会机构名称。

内蒙古团委的主要工作任务是：以共产主义精神教育全区青年，帮助全区各民族青年用马克思主义、毛泽东思想和现代科学文化知识武装自己；引导广大青年在社会主义现代化建设的实践中，锻炼成为有理想、有道德、有文化、有纪律的共产主义事业接班人；同时围绕中国共产党的中心工作，开展适合青年特点的独立活动，关心青年的全面成长，帮助青年做到身体好、学习好、工作好。具体负责全区青少年思想教育、劳动创造、维护权益工作，同时负责盟市团委、旗县团委的业务指导以及协管工作。

截至 2000 年底，全区 5 个市、7 个盟、88 个旗、县、市（县级）、区均设有共青团组织的工作机构。内蒙古团委机关设有：组织部、宣传部、统战联络部、权益部、青工农牧部、学校部、少年部、办公室等工作部门和办事机构，下属有内蒙古团校、内蒙古青年旅行社、内蒙古民族青少年杂志社、青年基金会、青年报刊社等事业单位，出版发行的刊物有：（汉文）《这一代》，（蒙古文）《内蒙古青年》《花蕾》。①

中国新民主主义青年团内蒙古第一次代表大会（1949. 3—1955. 6） 1949 年 3 月 25 日至 30 日，内蒙古人民革命青年团在乌兰浩特市召开代表大会，出席会议代表 126 人，代表全区青年团员 9 875 人。会议决定：1. 内蒙古人民革命青年团转为中国新民主主义青年团，接受中国新民主主义青年团的纲领和章程；2. 合并内蒙古地区的蒙、汉族青年组织为统一的青年团组织；3. 建立中国新民主主义青年团内蒙古委员会，确定今后的工作方针；4. 选举了出席全国青年代表大会的代表。会议选举产生了由 9 人组成的中国新民主主义青年团内蒙古第一届委员会；会后举行的一届一次全体委员会

① 参见《内蒙古区情》，内蒙古人民出版社 2006 年版，第 264 页。

议，选举产生了常务委员会和书记，同时举行了转团仪式。

中国新民主主义青年团内蒙古第一届委员会：

书　　记　克力更（蒙古族，1949. 3—1955. 6）

1949 年 9 月绥远省和平解放后，在中共绥远省委的提议和领导下，成立了中国新民主主义青年团绥远省工作委员会，负责绥远地区的青年工作。因此，在建团初期，内蒙古东、西部地区同时存在 2 个青年团组织，即中国新民主主义青年团内蒙古委员会和中国新民主主义青年团绥远省工作委员会。1953 年 10 月，经华北地区中国新民主主义青年团工作委员会的提议，内蒙古东、西部 2 个青年团组织正式合并，成为中国新民主主义青年团内蒙古自治区委员会，并于 1954 年 1 月 28 日经共青团中央正式批准。①

中国新民主主义青年团内蒙古自治区第二次代表大会（1955. 6—1959. 2）　1955 年 6 月 25 日至 7 月 2 日在呼和浩特市召开。出席会议代表 315 人，列席代表 40 人。正式代表中少数民族 111 人，妇女 66 人，代表全区 18 万共青团员。大会听取、审议和通过了乌力吉那仁代表内蒙古团委第一届常务委员会作的《继续加强对团员和各族青年的共产主义教育，为进一步建设内蒙古自治区而奋斗》的工作报告；会议听取、审议和通过了范俊德代表内蒙古团委第一届常务委员会作的《为培养社会主义的新人，切实加强少年先锋队工作的领导》的报告。会议通过了上述两个报告的决议，以及《关于召开内蒙古自治区青年社会主义建设积极分子大会的决议》和《关于奖励青年先进集体，优秀团员的决议》。会议确定的工作方针和任务是：1. 加强对青年的共产主义品质教育，抵制资产阶级思想的侵蚀，教育青年向坏人坏事作斗争；2. 进一步组织广大团员青年参加祖国的各项建设事业和自治区各项建设事业；3. 全面地关心青年，有步骤地满足青年的特殊要求；4. 发展和巩固团的组织，加强团的组织建设。会议选举产生了由委员 37 人、候补委员 11 人组成的中国新民主主义青年团内蒙古自治区第二届委员会。7 月 3 日，举行了内蒙古团委二届一次全体委员会议，选举产生了由 13 人组成的常务委员会、书记、副书记。

中国新民主主义青年团内蒙古自治区第二届委员会：

---

① 参见《内蒙古大辞典》，内蒙古人民出版社 1991 年版，第 123 页。

书　　记　乌力吉那仁（蒙古族，1955.6—1959.2）

副 书 记　范俊德（1955.6—1959.2）

　　　　　阿拉坦敖其尔（蒙古族，1955.6—1959.2）

1955年9月18日，在青年团中央第三次全体会议上，中国新民主主义青年团更名为中国共产主义青年团；中国新民主主义青年团内蒙古自治区委员会也随之更名为中国共产主义青年团内蒙古自治区委员会。①

中国共产主义青年团内蒙古自治区第三次代表大会（1959.2—1963.8） 1959年2月2日至6日在呼和浩特市举行。出席会议代表399人，代表全区35.6万共青团员。会议听取、审议和通过了阿拉坦敖其尔代表内蒙古团委第二届委员会作的《当好党的最忠实的助手，做社会主义的突击队》的工作报告，苏平代表内蒙古团委作的《全面关心少年儿童的成长，更加蓬勃地开展共产主义少年儿童运动》的报告，并通过了上述两个报告的决议。会议着重解决了保证党对共青团组织的绝对领导和进一步鼓足革命干劲两个问题；同时确定了全区共青团组织的工作任务，即在中国共产党的领导下，在加速社会主义建设中，团结教育各民族青年成为又红又专、能文能武、亦工亦农，脑力劳动和体力劳动全面发展的共产主义新人。会议选举产生了由委员45人、候补委员10人组成的中国共产主义青年团内蒙古自治区第三届委员会。7日举行了内蒙古团委三届一次全体委员会议，选举产生了由11人组成的常务委员会以及书记、副书记。

中国共产主义青年团内蒙古自治区第三届委员会：

书　　记　阿拉坦敖其尔（蒙古族，1959.2—1963.8）

副 书 记　苏　平（1959.2—1963.8）

　　　　　沙　梯（蒙古族，1959.2—1963.8）

　　　　　徐进林（1959.2—1963.8）②

中国共产主义青年团内蒙古自治区第四次代表大会（1963.8—1973.5） 1963年8月12日至24日在呼和浩特市举行。出席大会的正式代表369人，列席代表39人，代表自治区37.4万团员。会议听取、审议和通过了沙梯代

① 参见《内蒙古大辞典》，内蒙古人民出版社1991年版，第123页。

② 参见《内蒙古大辞典》，内蒙古人民出版社1991年版，第123页。

表内蒙古团委第三届委员会作的《高举毛泽东思想的旗帜，培养共产主义的接班人》的工作报告。会议提出的任务是：在共产党的领导下，高举毛泽东思想旗帜，带领各民族青年积极参加阶级斗争、生产斗争和科学实验三大革命运动，为培养青年一代成为共产主义接班人而奋斗。会议选举产生了由委员 49 人、候补委员 10 人组成的中国共产主义青年团内蒙古自治区第四届委员会。24 日举行了内蒙古团委四届一次全体委员会议，选举产生了由 12 人组成的常务委员会以及书记、副书记。

中国共产主义青年团内蒙古自治区第四届委员会：

书　　记　张德华（1963.8—1973.5）

副 书 记　苏　平（1963.8—1973.5）

　　　　　沙　梯（1963.8—1973.5）

　　　　　许维俊（1963.8—1973.5）①

1966 年“文化大革命”运动开始，1967 年内蒙古团委的领导机构遭到冲击，工作被迫中断，1973 年才得以恢复。

中国共产主义青年团内蒙古自治区第五次代表大会（1973.5—1979.10） 1973 年5 月 12 日至20 日，在呼和浩特市举行。出席大会的正式代表636 人，列席代表30 人。正式代表中少数民族代表212 人，妇女代表279 人，代表全区36.4 万团员。会议听取、审议和通过了薛金莲代表内蒙古团委第四届委员会作的《团结各族青年，为社会主义的伟大事业而奋斗》的工作报告，并通过了关于工作报告的决议。会议选举产生了由委员 67 人、候补委员 10 人组成的中国共产主义青年团内蒙古自治区第五届委员会。20 日举行了内蒙古团委五届一次全体委员会议，选举产生了由 17 人组成的常务委员会以及书记、副书记。

中国共产主义青年团内蒙古自治区第五届委员会：

书　　记　薛金莲（女，1973.5—1979.10）

　　　　　苏布德达莱（蒙古族，1973.5—1979.10）

　　　　　巴达拉呼（蒙古族，1973.5—1979.10）

副 书 记　杨登亮（1973.5—1979.10）

---

① 参见《内蒙古大辞典》，内蒙古人民出版社 1991 年版，第 123—124 页。

张晓芳（女，1973. 5—1979. 10）

阿迪亚（蒙古族，1973. 5—1979. 10）①

中国共产主义青年团内蒙古自治区第六次代表大会（1979. 10—1982. 10） 1979年10月22日至28日在呼和浩特市举行。大会正式代表844人，其中少数民族代表274人，妇女代表242人，代表着全区94万共青团员。会议听取、审议和通过了巴达拉呼代表内蒙古团委第五届委员会作的《团结各族青年，为建设繁荣昌盛的社会主义边疆而奋斗》的工作报告。会议通过了关于工作报告的决议和《关于发扬全团带队的光荣传统，为培养朝气蓬勃的四化建设预备队而努力》的决议。会议以党的十一届三中全会精神为指南，确立了进一步加强思想政治工作，动员各级团组织，继续深入开展以四化建设为中心的争当新长征突击手的活动，搞好团的基层建设，引导各族青年团结起来，打好四化的第一战役，为建设繁荣昌盛的祖国北疆内蒙古而奋斗的工作任务。会议选举产生了由委员83人、候补委员11人组成的中国共产主义青年团内蒙古自治区第六届委员会。29日举行了内蒙古团委六届一次全体委员会议，选举产生了由17人组成的常务委员会以及书记、副书记。

中国共产主义青年团内蒙古自治区第六届委员会：

书　记 巴达拉呼（蒙古族，1979. 10—1982. 10）

副书记 朱福奎（1979. 10—1982. 10）

赵仁钦（1979. 10—1982. 10）

杜　光（蒙古族，1979. 10—1982. 10）

朝　革（蒙古族，1979. 10—1982. 10）②

中国共产主义青年团内蒙古自治区第七次代表大会（1982. 10—1987. 6） 1982年10月25日至30日在呼和浩特市举行。会议正式代表511人，列席代表48人；正式代表中少数民族代表200人，妇女代表40人，代表全区88. 2万团员。会议听取、审议和通过了尤仁代表内蒙古团委第六届委员会作的《高举共产主义旗帜，为建设团结富裕文明的内蒙古贡献青

① 参见《内蒙古大辞典》，内蒙古人民出版社1991年版，第124页。

② 参见《内蒙古大辞典》，内蒙古人民出版社1991年版，第124页。

春》的工作报告。这次会议进一步明确了“以四化建设为中心，全面活跃团的工作”的指导思想，确立了积极投身于社会主义现代化建设的伟大斗争，做振兴国民经济的突击队，做建设社会主义精神文明的先锋的工作任务。会议选举产生了由委员 68 人、候补委员 15 人组成的中国共产主义青年团内蒙古自治区第七届委员会；通过了关于工作报告的决议。31 日举行了内蒙古团委七届一次全体委员会议，选举产生了由 13 人组成的常务委员会以及书记、副书记。

中国共产主义青年团内蒙古自治区第七届委员会：

书　　记　尤　仁（蒙古族，1982.10—1987.6）

副 书 记　刘云山（1982.10—1987.6）

扎木苏（蒙古族，1982.10—1987.6）

郭金广（1982.10—1987.6）①

中国共产主义青年团内蒙古自治区第八次代表大会（1987.6—1992.5） 1987 年 6 月 19 日至 23 日在呼和浩特市举行。出席大会代表 499 人，少数民族代表 208 人，妇女代表 148 人，代表全区 106 万团员。会议听取、审议和通过了巴特尔代表内蒙古团委第七届委员会作的《团结奋斗，艰苦创业，为振兴内蒙古贡献青春》的工作报告。这次会议提出：全区团的工作要从内蒙古改革和建设的实际出发，坚持“以四化为中心，全面活跃团的工作”的指导思想，以注重各项任务的落实，增强团组织的整体活力为重点，把全区共青团工作不断推向前进。会议选举产生了由委员 70 人、候补委员 15 人组成的中国共产主义青年团内蒙古自治区第八届委员会。会议通过了关于工作报告的决议。24 日举行了内蒙古团委八届一次全体委员会议，选举产生了由 12 人组成的常务委员会以及书记、副书记。

中国共产主义青年团内蒙古自治区第八届委员会：

书　　记　巴特尔（蒙古族，1987.6—1992.5）

副 书 记　丁翔文（1987.6—1992.5）

孙寿山（1987.6—1992.5）

任亚平（1987.6—1992.5）

---

① 参见《内蒙古大辞典》，内蒙古人民出版社 1991 年版，第 124 页。

乌　兰（女，蒙古族，1987.6—1992.5）[①]

中国共产主义青年团内蒙古自治区第九次代表大会（1992.5—1997.5） 1992年5月，中国共产主义青年团内蒙古自治区第九次代表大会在呼和浩特市召开。正式代表500名，其中专职团干部占65%左右，先进模范人物和先进集体代表占35%左右，少数民族代表占35%左右，妇女代表占25%。大会选举产生了由巴音朝鲁、乌兰、佟野黎、景建华等70人组成的共青团内蒙古自治区第九届委员会及候补委员15人。

中国共产主义青年团内蒙古自治区第九届委员会：

书　　记　巴音朝鲁（蒙古族，1992.5—1997.5）

副 书 记　乌　兰（女，蒙古族，1992.5—1997.5）

佟野黎（1992.5—1997.5）

景建华（1992.5—1997.5）[②]

中国共产主义青年团内蒙古自治区第十次代表大会（1997.5—2000.12） 1997年5月4日，中国共产主义青年团第十次代表大会在呼和浩特市召开。会议总结了1992年以来内蒙古自治区的共青团的工作和青年工作成绩，分析了当前的形势，部署了今后5年自治区共青团的工作任务和跨世纪发展规划。来自全区各地的500多名共青团员代表参加会议，代表着内蒙古自治区122万各民族团员青年。乌兰代表共青团内蒙古自治区第九届委员会作了《抓住机遇，拼搏进取，为实现自治区跨世纪的宏伟目标贡献青春》的工作报告，会议选举产生了由乌兰、景建华、白向群、张国华等60人组成的共青团内蒙古自治区第十届委员会委员、候补委员25人，共青团内蒙古自治区委员会常务委员15人。

中国共产主义青年团内蒙古自治区第十届委员会：

书　　记　乌　兰（女，蒙古族，1997.5—2000.12）

副 书 记　景建华（1997.5—2000.12）

白向群（蒙古族，1997.5—2000.12）

---

① 参见《内蒙古大辞典》，内蒙古人民出版社1991年版，第124页。

② 参见《内蒙古区情》，内蒙古人民出版社2006年版，第265页；《内蒙古年鉴》（1998），方志出版社1998年版，第186页。

张国华（1997.5—2000.12）①

三、内蒙古自治区妇女联合会

中国共产党领导下的团结各族各界妇女为实现男女平等、促进妇女发展（争取进一步解放）而联合起来的社会群众团体，具有广泛的代表性、群众性和社会性，是中国共产党和政府联系妇女群众的桥梁和纽带，是国家政权的重要社会支柱之一，是全国妇联系统的省级地方组织，业务上接受全国妇联的指导，简称内蒙古妇联。1949 年 1 月，在乌兰浩特市正式成立，时称内蒙古民主妇女联合会；1952 年 6 月，随内蒙古自治政府党政机关迁往归绥市（今呼和浩特市）；同年 12 月，随着内蒙古自治政府改称为内蒙古自治区人民政府，即改称为内蒙古自治区民主妇女联合会；1953 年 10 月，绥远省民主妇女联合会与内蒙古自治区民主妇女联合会合并，统称“内蒙古自治区民主妇女联合会”；1957 年 9 月，根据中华全国妇女联合会的要求，将内蒙古自治区民主妇女联合会改为现称；“文化大革命”初，内蒙古妇联受到严重冲击，工作和机构逐步陷于瘫痪；内蒙古自治区革命委员会成立以后，妇联工作由革命委员会政治部群工组取代；1972 年 9 月，为恢复妇联组织，成立了内蒙古自治区妇女代表大会筹备小组，为第四次代表大会作准备；1973 年 9 月，正式恢复了内蒙古妇联。

内蒙古妇联的主要工作任务是：团结教育全区妇女热爱祖国和社会主义制度，鼓励全区各族妇女学习科学技术和文化知识，组织广大妇女积极参加社会主义建设，保护妇女儿童的合法权益，发展同全国各省、市、自治区妇女组织的友谊与合作。

截至 2000 年底，全区 5 市、7 盟、88 个旗、县、市（县级）、所有乡镇苏木均设有妇女联合会的工作机构。截至 2004 年底，全区苏木乡镇以上从事妇女工作的专职干部共 1 904 人。截至 2003 年底，全区行政村、嘎查妇代会主任（兼职）共有 12 369 人。②

---

① 《内蒙古区情》，内蒙古人民出版社 2006 年版，第 265 页；《内蒙古年鉴》（1998），第 186、187 页。

② 参见《内蒙古区情》，内蒙古人民出版社 2006 年版，第 265 页。

内蒙古妇联机关内设有7个机构，分别为办公室、组织联络部、宣传教育部、妇女发展部、维护妇女儿童合法权益部、儿童工作部、机关党委部。内蒙古自治区人民政府妇女儿童工作委员会办公室设在内蒙古妇联。所属二级单位有《内蒙古妇女》（蒙古文版）、《中外妇女文摘》（汉文版）、《中外儿童画刊》3个杂志社，内蒙古自治区妇女干部学校，内蒙古自治区妇女儿童中心，内蒙古自治区儿童基金会和机关事务中心。

内蒙古民主妇女联合会第一次代表大会（1949.1—1955.5）　1949年1月12日至16日在乌兰浩特市举行。会议通过了《内蒙古民主妇女联合会章程》。

这次会议确定的工作任务是：把内蒙古各族妇女组织到生产战线上，支援前线；以最大的力量培养妇女干部，开展妇女工作，解决妇女的卫生问题；使妇女从经济上求得解放，政治思想上得到提高；动员各族妇女团结起来，共同建设内蒙古。

会议选举产生了由委员17人、候补委员2人组成的内蒙古民主妇女联合会第一届执行委员会。在一届一次执委会全体会议上，选举产生了由7人组成的常务委员会以及主任委员、副主任委员。

内蒙古民主妇女联合会第一届执行委员会：

主任委员　乌　兰（蒙古族，1949.1—1953.10）

副主任委员　李　菊（1949.1—1953.10）

云曙碧（蒙古族，1949.1—1953.10）

1953年10月，内蒙古自治区民主妇女联合会与绥远省民主妇女联合会合并；15日，内蒙古自治区民主妇女联合会召开第一次党组会议，乌兰当选为书记，陈介平当选为副书记。①

内蒙古自治区民主妇女联合会第二次代表大会（1955.5—1960.2）
1955年5月5日至11日在呼和浩特市召开。出席大会的正式代表350人，列席代表27人。会议听取、审议和通过了乌兰代表内蒙古自治区民主妇女联合会第一届执行委员会作的《关于七年来内蒙古自治区妇女工作和今后

① 参见《内蒙古大辞典》，内蒙古人民出版社1991年版，第127页；《内蒙古区情》，内蒙古人民出版社2006年版，第265页。

任务》的工作报告，并通过了上述报告的决议；通过了《内蒙古自治区民主妇女联合会组织章程》。乌兰夫到会作了《关于妇女工作的报告》。

这次会议提出今后内蒙古自治区妇女工作的基本任务是：进一步教育和组织各族妇女坚决贯彻党在过渡时期的总路线，积极参加社会主义改造和社会主义建设事业；动员和组织各族妇女，激发其高度的劳动热情，正确引导广大农村、牧区妇女走合作化道路。

会议选举产生了由68人组成的内蒙古自治区民主妇女联合会第二届执行委员会；12日举行了二届一次执委会全体会议，选举产生了由13人组成的常务委员会以及主任、副主任。

内蒙古自治区民主妇女联合会第二届执行委员会：

主　　任　乌　兰（蒙古族，1955.5—1960.2）

副 主 任　陈介平（1955.5—1960.2）

云秀桐（蒙古族，1955.5—1960.2）

亚　林（1955.5—1960.2）

内蒙古自治区妇女联合会第三次代表大会（1960.2—1973.9） 1960年2月10日至16日在呼和浩特市召开，出席会议的代表共372人。会议听取、审议和通过了乌兰代表内蒙古妇联第二届执行委员会作的《关于第二届妇女代表大会以来内蒙古自治区妇女工作和今后任务》的工作报告；通过了上述报告的决议和大会全体代表向全区各族妇女的倡议书。

会议决定在全区树立十大妇女标兵。这次大会提出的主要任务是：妇女工作继续以搞好生产为中心，抓生活、抓学习，在各项生产运动中突出地抓好技术革新、技术革命和集体生活福利工作；认真贯彻执行勤俭建国，勤俭持家，勤俭办一切事业的方针。

会议选举产生了由委员79人组成的内蒙古自治区妇女联合会第三届执行委员会。在三届一次执委会全体会议上，选举产生了由19人组成的常务委员会以及主任、副主任。

内蒙古自治区妇女联合会第三届执行委员会：

主　　任　乌　兰（蒙古族，1960.2—1973.9）

副 主 任　陈介平（1960.2—1973.9）

云　清（蒙古族，1960.2—1973.9）

金允诚（满族，1960.2—1973.9）

云曙芬（蒙古族，1960.2—1973.9）

乌云必力格（达斡尔族，1960.2—1973.9）①

内蒙古自治区妇女联合会第四次代表大会（1973.9—1985.10）　1973年9月21日至26日在呼和浩特市召开，出席会议的正式代表709人，特邀代表43人。会议听取、审议和通过了秦淑珍代表内蒙古自治区妇女联合会（恢复）筹备小组作的《全区各族妇女团结起来，为巩固无产阶级专政，建设社会主义而奋斗》的工作报告，会议通过了上述报告的决议。会议选举产生了由委员85人组成的内蒙古自治区妇女联合会第四届执行委员会；26日举行的四届一次执委会全体会议，选举产生了由15人组成的常务委员会以及书记、副书记。

内蒙古自治区妇女联合会第四届执行委员会：

书　　记　秦淑珍（1973.9—1985.10）

副 书 记　满都呼（蒙古族，1973.9—1985.10）

刘兰雪（1973.9—1985.10）

訾秀玲（1973.9—1985.10）

王翠莲（1973.9—1985.10）

苏木雅（蒙古族，1973.9—1985.10）②

内蒙古自治区第四次妇女代表大会是在“文化大革命”的特殊历史时期召开的，可以说没有反映出内蒙古自治区各民族妇女的愿望和利益。中共十一届三中全会以后，为了使内蒙古各族妇女在以经济建设为中心的社会主义现代化建设中更好地发挥作用，内蒙古妇联工作在拨乱反正中进行了调整。内蒙古党委重新安排了内蒙古妇联的领导班子，先后调乌兰、云曙芬担任内蒙古妇联主任。

内蒙古自治区妇女联合会第五次代表大会（1985.10—1990.10）　1985年10月7日至11日在呼和浩特市召开。出席会议的正式代表549人，特邀代表41人，列席代表19人。会议听取、审议和通过了乌云其木格代表内蒙

① 参见《内蒙古大辞典》，内蒙古人民出版社1991年版，第127页。

② 参见《内蒙古大辞典》，内蒙古人民出版社1991年版，第127页。

古妇联第四届执委会作的《高举团结建设的旗帜，锐意改革，开创我区妇女运动的新局面》的工作报告，会议通过了上述报告的决议和五届执委会《关于加强领导班子自身建设的决议》；会议还通过了《表彰全区“三八”红旗手和“五好”家庭、优秀妇女干部和先进妇联集体的决定》《追认尚美珍为自治区“三八”红旗手和向尚美珍学习的决定》；会议还向全区妇女姐妹发出了倡议书。

这次会议提出的中心任务是：高举团结、建设的旗帜，紧紧围绕全国党代会提出的指导方针和奋斗目标，励精图治，奋发自强，提高素质，开拓前进，坚决维护妇女儿童合法权益，精心培育儿童少年，在两个文明建设中充分发挥主动性，为推进经济体制改革和四化建设，为妇女解放事业作出新的贡献。

会议选举产生了由委员 45 人、候补委员 4 人组成的内蒙古自治区妇女联合会第五届执行委员会。11 日，举行了五届一次执行委员会全体会议，选举产生了由 7 人组成的常务委员会以及主任、副主任。

内蒙古自治区妇女联合会第五届执行委员会：

主　　任　乌云其木格（蒙古族，1985. 10—1990. 10）

副 主 任　王秀梅（蒙古族，1985. 10—1990. 10）

　　　　　陈耀荣（1985. 10—1990. 10）

　　　　　夏秀英（1985. 10—1990. 10）①

内蒙古自治区妇女联合会第六次代表大会（1990. 10—1995. 12） 1990 年 10 月 7 日至 10 日在呼和浩特市召开。出席大会的正式代表 527 人，特邀代表 22 人，列席代表 12 人。会议听取、审议和通过了王秀梅代表内蒙古妇联第五届执行委员会作的《自尊、自信、自立、自强，为振兴内蒙古团结奋进》的工作报告；通过了《关于工作报告的决议》《给全区各族各界妇女的倡议书》《内蒙古自治区妇女联合会第六届执行委员会关于加强自身建设的决议》。

这次会议提出内蒙古自治区妇女运动的主要任务是：在内蒙古党委、全国妇联的领导下，在中国共产党的基本路线指引下，各族各界妇女团结一

① 参见《内蒙古大辞典》，内蒙古人民出版社 1991 年版，第 127 页。

致，自尊、自信、自立、自强，全面提高自身素质，积极投身改革和建设，主动参与民主政治建设，为维护内蒙古自治区政治稳定和国民经济持续、稳定、协调发展，完成内蒙古自治区第五次党代会提出的各项任务，为妇女进一步解放贡献力量。

会议选举产生了由54人组成的内蒙古自治区妇女联合会第六届执行委员会；11日举行了第六届执行委员会第一次全体会议，选举产生了由7人组成的常务委员会以及主任、副主任。

内蒙古自治区妇女联合会第六届执行委员会：

主　　任　王秀梅（蒙古族，1990.10—1995.12）

副 主 任　陈耀荣（1990.10—1995.12）

　　　　　夏秀英（1990.10—1995.12）

　　　　　冯必嘉（1990.10—1995.12）[①]

内蒙古自治区妇女联合会第七次代表大会（1995.12—2000.11） 1995年12月10日至13日在呼和浩特市召开。出席会议的正式代表541人。林瑞代表六届执行委员会向大会作了《全区各族妇女团结起来，为实现自治区两大历史性任务再立新功》的工作报告。会议全面总结了5年来内蒙古自治区各民族妇女为自治区改革开放和两个文明建设所作的贡献，提出了今后5年全区妇女运动发展的目标和任务。会议选举产生了由53人组成的内蒙古自治区妇女联合会第七届执行委员会。在七届一次执委会上，13人当选为内蒙古妇联第七届常委，会议通过了《关于加强自身建设的决定》。

内蒙古自治区妇女联合会第七届执行委员会：

主　　席　林　瑞（蒙古族，1995.12—2000.11）

副 主 席　陈耀荣（1995.12—2000.11）

　　　　　刘晚霞（蒙古族，1995.12—2000.11）

　　　　　吴秉先（1995.12—2000.11）

　　　　　格根其其格（蒙古族，1995.12—2000.11）[②]

内蒙古自治区妇女联合会第八次代表大会（2000.11—2000.12） 2000

① 参见《内蒙古大辞典》，内蒙古人民出版社1991年版，第127页。

② 参见《内蒙古区情》，内蒙古人民出版社2006年版，第266页。

年11月3日至5日，内蒙古自治区妇女联合会第八次代表大会在呼和浩特市召开。大会正式代表543人，特邀代表37人，列席代表12人。大会审议了林瑞作的《面向新世纪，迎接新挑战，团结动员全区各族妇女为实现自治区发展的宏伟目标而奋斗》的工作报告。选举产生了由56人组成的内蒙古自治区妇女联合会第八届执委会。八届一次执委会选举产生了由12人组成的八届常务委员会，通过了《关于加强自身建设的决定》。

内蒙古自治区妇女联合会第八届执行委员会：

主　　席　林　瑞（蒙古族，2000.11—2000.12）

副 主 席　刘晚霞（蒙古族，2000年11月离任）

张秀梅（2000.11—2000.12）

宝笑平（蒙古族，2000.11—2000.12）

郑祖敏（2000.11—2000.12）

格根其其格（蒙古族，2000年11月调离）①

四、内蒙古自治区工商业联合会（或称“内蒙古总商会”）

内蒙古自治区工商业者联合组成的人民团体，中国人民政治协商会议内蒙古自治区委员会参加单位之一，是统一战线的组成部分，是中国共产党和人民政府联系非公有制经济人士的桥梁和纽带，是人民政府管理非公有制经济的助手。简称内蒙古工商联。1954年3月，内蒙古自治区与绥远省合并后，在原绥远省工商联的基础上，经过一段时间的筹备，于1955年6月召开的内蒙古自治区工商联首届代表大会上，正式成立了内蒙古自治区工商业联合会。“文化大革命”中，内蒙古自治区工商业联合会机构被撤销。1978年5月经中国共产党内蒙古自治区委员会决定，恢复内蒙古自治区工商业联合会组织机构。

内蒙古自治区工商业联合会的宗旨是：坚持中国共产党在社会主义初级阶段的基本路线和纲领，坚持公有制为主体、多种所有制经济共同发展的基本经济制度，坚持对广大会员进行团结、帮助、引导、教育，促进内蒙古自

① 参见《内蒙古年鉴》（2001），方志出版社2001年版，第137页；《内蒙古区情》，内蒙古人民出版社2006年版，第266页。

治区非公有制经济健康发展，为社会主义物质文明和精神文明建设，为改革开放贡献力量。主要职责是：参与社会经济重大决策的协商，发挥民主监督作用；对有关法律、法规、政策的制定提出意见和建议，并协助贯彻执行；发扬自我教育的优良传统，宣传国家的方针政策，加强和改善思想政治工作，提倡爱国、敬业、诚信、守法，提高会员素质，培养非公有制经济代表人士积极分子队伍；代表并维护会员合法权益，反映会员的意见、要求和建议；引导会员弘扬中华民族传统美德，投身先富帮后富，走共同富裕道路的光彩事业，热心社会公益事业；为会员提供信息、科技、管理、法律、会计、审计、融资、咨询等服务；开展工商专业培训，帮助会员改善经济管理，提高生产技术和产品质量；组织会员举办和参加各种对内对外展销会、招商会、交易会，组织会员出国、出境考察访问，帮助会员开拓国内、国际市场；增进与港澳地区和世界各国工商社团及工商经济界人士的联系和友谊，促进经济、技术和贸易合作的发展，协助引进资金、技术、人才；为会员提供必要证明，协调关系，为会员企业调解经济纠纷；组织指导所属同业公会、行业商会及专业组织，开展会务活动；办好会办事业。截至2003年底，内蒙古自治区工商业联合会在全区12个盟市101个旗县（市、区）均建立和派出了工作机构，乡镇分会257个，同业公会、行业商会83个。全区共有会员20 118个。内蒙古工商联机关设有办公室、组织宣传处、咨询培训处、企业工作办公室、会员部、经济部等工作部门。①

内蒙古自治区工商业联合会首届会员代表大会　1955年6月6日至10日在呼和浩特市召开。出席会议的代表180人。会议听取了《内蒙古自治区工商业联合会筹备委员会工作报告》，听取、审议和通过了工商部长刘景平作的《关于当前对私营工商业改造政策问题的报告》，通过了《关于筹备委员会工作报告的决议》《关于拥护政府的方针政策，走国家资本主义道路，接受国家安排改造的决议》《内蒙古自治区工商业联合会章程》。会议选举产生了由55人组成的内蒙古自治区工商业联合会第一届执行委员会。

内蒙古工商联成立后，在内蒙古党委的领导下，积极团结工商界人士，推动自治区私营工商业恢复、发展，开展城乡物资交流，支援抗美援朝，协

① 参见《内蒙古区情》，内蒙古人民出版社2006年版，第267页。

助自治区人民政府繁荣市场、稳定物价，宣传贯彻共产党对私营工商业改造的方针政策，帮助工商业者进行自我教育、自我改造。

内蒙古自治区工商业联合会第一届执行委员会（1955.6—1957.5）：

主任委员　覃锡树（1955.6—1957.5）

副主任委员　刘景平（1955.6—1957.5）

燕金利（1955.6—1957.5）

张庆忠（1955.6—1957.5）

于家田（1955.6—1957.5）

朱士俊（1955.6—1957.5）

张凤桐（1955.6—1957.5）①

内蒙古自治区工商业联合会第二届会员代表大会　1957年5月27日至6月6日在呼和浩特市召开。出席会议代表217人。会议听取了《内蒙古自治区工商业联合会第一届执行委员会2年工作报告》，通过了《切实贯彻执行全国工商联代表大会提出的工商界共同遵守的五项基本准则的决议》《工商界生活互助金实施方案》《内蒙古自治区工商联组织简则》《关于内蒙古自治区工商业联合会第一届执委会工作报告的决议》等报告。会议选举产生了由60人组成的内蒙古自治区工商业联合会第二届执行委员会。

内蒙古自治区工商业联合会第二届执行委员会（1957.5—1960.4）：

主任委员　覃锡树（1957.5—1960.4）

副主任委员　郑廷烈（1957.5—1960.4）

燕金利（1957.5—1960.4）

于振河（1957.5—1960.4）

宋建民（1957.5—1960.4）

于家田（1957.5—1960.4）

朱士俊（1957.5—1960.4）

张凤桐（1957.5—1960.4）

吴鸿勋（1957.5—1960.4）

① 参见《内蒙古大辞典》，内蒙古人民出版社1991年版，第128页。

赵丹亭（1957.5—1960.4）①

内蒙古自治区工商业联合会第三届会员代表大会　1960年4月13日至20日在呼和浩特市召开。出席大会的代表260人。会议听取了《内蒙古自治区工商联合会第二届执委会3年工作报告》，以及内蒙古党委书记处书记王再天作的报告。会议通过了《下定决心“顾一头”“一边倒”，积极服务，加强改造的决议》《关于内蒙古工商联第二届执委会3年工作报告的决议》《关于内蒙古工商联财务工作报告的决议》《内蒙古自治区工商联合会简则》。会议选举产生了内蒙古自治区工商业联合会第三届执行委员会。

内蒙古自治区工商业联合会第三届执行委员会（1960.4—1966.5）：

主任委员　覃锡树（1960.4—1964.1逝世）

副主任委员　樊家扬（1960.4—1966.5）

燕金利（1960.4—1966.5）

于振河（1960.4—1966.5）

王　琳（1960.4—1966.5）

于家田（1960.4—1966.5）

朱士俊（1960.4—1966.5）

张凤桐（1960.4—1966.5）

刘兰雪（女，1960.4—1966.5）

赵丹亭（1960.4—1966.5）

郭万富（1960.4—1966.5）②

“文化大革命”中，内蒙古工商联机构被迫撤销。1977年8月，中国共产党第十一次代表大会重申了党的统一战线政策；1978年1月，中共中央统战部部长乌兰夫宣布了落实党对民族资产阶级的八项政策；同年5月，内蒙古党委决定恢复内蒙古自治区工商业联合会。1979年6月，全国人大五届二次会议明确宣布：作为阶级的资本家阶级已经不存在，原工商业者已经改造成为社会主义社会中自食其力的劳动者。1980年3月，内蒙古工商联召开第四届代表大会，正式恢复了机构和工作。

① 参见《内蒙古大辞典》，内蒙古人民出版社1991年版，第128页。

② 参见《内蒙古大辞典》，内蒙古人民出版社1991年版，第128页。

内蒙古自治区工商业联合会第四届会员代表大会 1980 年 3 月 27 日至 4 月 3 日在呼和浩特市召开。出席会议的正式代表、特邀代表、列席代表共 143 人。会议听取了内蒙古自治区工商业联合会第三届执委会作的《紧紧依靠党的领导，同心同德献身四化》的工作报告，讨论确定了今后的工作任务，通过了《关于内蒙古工商联第三届执委会工作报告的决议》。会议选举产生了内蒙古自治区工商业联合会第四届执行委员会。

内蒙古自治区工商业联合会第四届执行委员会（1980. 3—1984. 11）：

主任委员 于家田（1980. 3—1984. 11）

副主任委员 李 岗（1980. 3—1984. 11）

成 义（1980. 3—1984. 11）

常国祯（1980. 3—1984. 11）

贾广贵（1980. 3—1984. 11）①

内蒙古自治区工商业联合会第五届会员代表大会 1984 年 11 月 19 日至 25 日在呼和浩特召开。出席大会的代表 162 人。会议听取、审议和通过了内蒙古工商联第四届执委会作的《高举爱国旗帜，服务四化建设，为开创自治区工商联的新局面而团结奋斗》的工作报告，通过了《关于内蒙古工商联第四届执委会工作报告的决议》，选举产生了内蒙古自治区工商业联合会第五届执行委员会。

内蒙古自治区工商业联合会第五届执行委员会（1984. 11—1990. 7）：

主任委员 于家田（1984. 11—1990. 7）

副主任委员 贾广贵（1984. 11—1990. 7）

常国祯（1984. 11—1990. 7）

刘毓东（1984. 11—1990. 7）②

内蒙古自治区工商业联合会第六届会员代表大会 1990 年 7 月 10 日至 12 日在呼和浩特市召开。出席大会的正式代表和特邀代表共 218 人。会议听取、审议和通过了第五届执行委员会作的《充分发挥新时期工商联的作用，扎扎实实地为社会主义经济建设服务》的工作报告，通过了《内蒙古

① 参见《内蒙古大辞典》，内蒙古人民出版社 1991 年版，第 128 页。

② 参见《内蒙古大辞典》，内蒙古人民出版社 1991 年版，第 128 页。

自治区工商业联合会第六届会员代表大会政治决议》，选举产生了内蒙古自治区工商业联合会第六届执行委员会。

内蒙古自治区工商业联合会第六届执行委员会：

主 任 委 员　旺希嘎

副主任委员　刘毓东

康　澍

邱坚中

程福明

卢振远

田来春

吴丽新

王石彤①

五、内蒙古自治区科学技术协会

简称内蒙古科协，是全区性的科学技术工作者的联合组织，是中国科协的地方组织、内蒙古政协组成单位。其前身分别为1956年7月成立的内蒙古自治区科学技术普及协会和1958年6月筹备成立的中华全国自然科学专门学会联合会内蒙古自治区分会。1958年11月，内蒙古自治区科联和内蒙古自治区科普两大群众团体合并，正式成立了内蒙古自治区科学技术协会。1966年，“文化大革命”开始以后，内蒙古科协各项活动停止，机构解散。1978年2月，经内蒙古党委决定恢复内蒙古科协的组织机构。

内蒙古科协的宗旨是：促进全区科学技术的发展、繁荣、普及和推广，为提高全区各民族的科学文化水平，尽快把中国建设成为社会主义现代化国家作出贡献。任务是：组织和支持会员开展学术交流活动，编辑、出版学术书刊，普及科学知识，开展省、市、区间的学术活动等。内蒙古科协的职能可以概括为：“三主一家”即科学普及工作的主要社会力量、学术交流的主要渠道、国际民间科学技术交流的主要代表和“科技工作者之家”。

---

① 参见《内蒙古大辞典》，内蒙古人民出版社1991年版，第128页。

内蒙古科协下设有：办公室、学会工作部、普及工作部、组宣部、国际合作部、机关党委、老干部办公室等工作部门和办事机构。下属有内蒙古科技馆、内蒙古科技咨询服务中心、内蒙古科技报刊社、内蒙古青少年科技活动中心、内蒙古科技进修学院、内蒙古科龙经济技术开发总公司和机关事务服务中心等企事业单位。①

截至 2000 年底，内蒙古科协共召开了 4 次代表大会。

内蒙古自治区科学技术协会第一次代表大会　1959 年 10 月 20 日至 22 日在呼和浩特市召开。出席大会代表 322 人，列席代表 18 人。会议听取、审议和通过了胡尔钦作的《关于内蒙古科协工作报告》，通过了上述报告的决议和《关于内蒙古自治区科学技术协会试行章程（草案）的决议》，选举产生了内蒙古自治区科学技术协会第一届委员会。

主　　席　武达平

副 主 席　于北辰

刘力子

克力更

佟树蕃

周　钧

胡尔钦

曼　丘

张立范②

内蒙古自治区科学技术协会第二次代表大会　1987 年 1 月 8 日至 12 日在呼和浩特市召开。出席大会的正式代表 416 人，特邀代表 69 人。会议听取、审议和通过了许令妊代表内蒙古科协第一届委员会作的《全区各族科技工作者高举团结建设的旗帜，为实现七五计划而奋斗》的工作报告，通过了关于上述报告的决议和《内蒙古自治区科学技术协会章程》，选举产生了由 109 人组成的内蒙古自治区科学技术协会第二届委员会。会后举行了内蒙古科协二届一次全体委员会，选举产生了由 21 人组成的常务委

① 参见《内蒙古年鉴》（2001），方志出版社 2001 年版，第 138 页。

② 参见《内蒙古大辞典》，内蒙古人民出版社 1991 年版，第 127、128 页。

员会。

主　　席 许令妊

副 主 席 张应琦

刘钟令

巴拉卓日

刘金铸

乌　尼

贾振英①

内蒙古自治区科学技术协会第三次代表大会 1992 年 3 月在呼和浩特市召开。会议听取、审议和通过了内蒙古科协第二届委员会工作报告，选举产生了内蒙古自治区科学技术协会第三届委员会及其常务委员会。②

内蒙古自治区科学技术协会第四次代表大会 1997 年 4 月在呼和浩特市召开。会议听取、审议和通过了内蒙古科协第三届委员会工作报告，选举产生了内蒙古自治区科学技术协会第四届委员会及其常务委员会。

主　　席 朝伦巴根（蒙古族）

副 主 席 林川令

陈天保③

截至 2000 年底，内蒙古科协已经拥有盟、市级科学技术协会 12 个，旗、县（市、区）级科学技术协会 101 个，企业科学技术协会一百六十多个，自治区、盟、市、旗、县 3 级科学技术协会一千六百多个，农村、牧区专业技术协会两千多个。其中，拥有理、工、农、医以及自然科学与社会科学交叉性直属各学术团体 79 个，会员达三万五千多人。形成了覆盖理、工、农、医和综合学科领域的多层次的科学技术群众网络。④

① 参见《内蒙古大辞典》，内蒙古人民出版社 1991 年版，第 128 页。

② 参见《内蒙古区情》，内蒙古人民出版社 2006 年版，第 267 页。

③ 参见《内蒙古年鉴》（1998），方志出版社 1998 年版，第 484 页。

④ 参见《内蒙古年鉴》（2001），方志出版社 2001 年版，第 138 页。

第三节 社会团体

一、内蒙古自治区哲学社会科学学会联合会

简称内蒙古社科联，中国共产党内蒙古自治区委员会领导下的哲学社会科学群众性学术团体的联合组织。1959 年成立。下属有内蒙古哲学学会、内蒙古经济学会、内蒙古教育学会、内蒙古历史学会。“文化大革命”期间停止工作。1979 年 5 月，经内蒙古党委批准，恢复了内蒙古自治区哲学社会科学学会联合会；1980 年 6 月，开始恢复活动；1983 年，实行机构改革以后归并到内蒙古自治区社会科学院；1989 年，经内蒙古党委批准升格为厅局级社会团体。截至 2003 年底，内蒙古自治区哲学社会科学学会联合会拥有团体学会 105 个，7 个盟、市社会科学联合会，近四万名个人会员。内蒙古社科联创办有《内蒙古社科联》（学术月刊）。

内蒙古社科联的主要职责是：贯彻执行中共中央及内蒙古党委和人民政府有关社会科学工作的方针、政策、法规；指导与协调自治区社会科学界各学会、协会、研究会和盟市社科联的工作；组织开展各种群众性学术活动，促进社会科学学术团体之间、理论工作部门与实际工作部门之间、社会科学界与自然科学界之间的联系、交流和协作；组织重大科研项目的联合攻关，协调促进社会科学研究成果的转化和利用；开展社会科学知识的普及和信息咨询、智力开发等服务工作；开展和促进国内外学者、学术团体之间的学术交流和友好往来；组织全区社会科学优秀成果的评奖和表彰工作，编辑出版有关学术信息资料；维护宪法和法律赋予本会团体会员及社会科学工作者的合法权益，加强社会科学界的队伍建设；对内蒙古自治区社会科学学术性团体的成立、变更、注销提出审查意见。内蒙古社科联内设机构：办公室、学会工作部、信息咨询服务部、内蒙古社科联学刊杂志社、机关事务服务中心。截至 2000 年底，内蒙古自治区社会科学联合会共召开代表大会 3 次。

内蒙古自治区社会科学联合会第一次代表大会 1980 年 6 月 19 日至 20 日在呼和浩特市召开。参加大会代表一百五十多人，代表着内蒙古自治区 16 个团体会员学会的二千多名会员。会议听取、审议和通过了王铎代表哲

学社会科学联合会作的《发展和繁荣哲学社会科学为四化建设作出新贡献》的工作报告，大会审议并通过了《内蒙古自治区哲学社会科学联合会章程》，选举了内蒙古社科联领导机构，选举产生了由37名委员组成的内蒙古社科联委员会。

主　　席　王　铎

副 主 席　潮洛蒙

齐永存

于北辰

戈　瓦

秘 书 长　克尔伦[1]

内蒙古自治区社会科学联合会第二次代表大会　1991年5月召开。参加大会代表157名，代表着内蒙古自治区64个团体会员学会的二万六千余名会员。会议修改了《内蒙古自治区社会科学联合会章程》，选举产生了42名委员和领导机构。

主　　席　乌　恩

副 主 席　俞祺德

周大鹏

刘世海

确精扎布（兼职）

吴秉先（兼职）[2]

内蒙古自治区社会科学联合会第三次代表大会　1997年10月召开。参加大会代表254人，代表着内蒙古自治区728个团体会员学会的近四万余名会员。会议修改了《内蒙古自治区社会科学联合会章程》，选举产生了67名委员和领导机构。

主　　席　刘贵谦

副 主 席　郭希哲

---

① 参见《内蒙古大辞典》，内蒙古人民出版社1991年版，第129、130页；《内蒙古区情》，内蒙古人民出版社2006年版，第268页。

② 参见《内蒙古区情》，内蒙古人民出版社2006年版，第268页。

刘 高
郭志意
包 祥（兼职）
秘书长 李 风①

二、内蒙古自治区文学艺术界联合会

简称内蒙古文联。内蒙古自治区各文学艺术家协会和各盟、市文联、各产业文联组成的人民团体，是中国共产党和人民政府联系全区各民族文艺家的桥梁和纽带。

1951 年，内蒙古文学艺术界联合会筹备委员会成立，1953 年，与绥远省文学艺术界联合会筹备委员会合并，称为内蒙古自治区文学艺术界联合会筹备委员会，1954 年 10 月，正式成立内蒙古自治区文学艺术界联合会。“文化大革命”开始以后，内蒙古文联的各项工作逐步陷于瘫痪状态，并被迫停止活动。1978 年恢复工作。内蒙古文联自成立至 2000 年底，分别于 1954 年10 月、1960 年12 月、1980 年7 月、1988 年12 月、1999 年5 月，召开了 5 次代表大会。全区 12 个盟、市均已先后成立了文联机构。各盟、市文联均设有编制、机构、经费、工作人员，且有数目不等的文艺家协会。全区 101 个旗、县（市、区）中有 70 多个旗、县（市、区）成立了文联。内蒙古文联实行团体会员制。自治区各文学艺术家协会和各盟、市文联为联合会团体会员，全区性的产业文联（协）在提出申请并经本会主席团批准后，可成为本会团体会员。

内蒙古文联的主要职能为：团结和动员全区各族文学艺术工作者努力创作和学习，积极服务于社会，丰富内蒙古自治区各民族人民的文化生活；对各团体会员开展联络、协调、服务等工作，通过文艺创作、理论研究、学术交流、文艺评奖等工作，对团体会员进行业务指导。内蒙古文联致力于繁荣和发展自治区文学艺术事业，团结文艺界；组织、推动文艺界积极开展文艺创作和理论批评活动；组织和扩大文艺队伍，重视作家和艺术家的培养；促

① 参见《内蒙古区情》，内蒙古人民出版社 2006 年版，第 268 页；内蒙古自治区社会科学联合会编：《内蒙古社科联概览》，2005 年版，第 19 页。

进各民族文学艺术的发展，尤其注重自治区内少数民族文学艺术的发展。同时，内蒙古文联积极加强文艺同党政、社会各界之间的联系；密切与政府文化艺术主管部门的合作；加强各民族艺术家之间的团结；加强同兄弟省（市）区及国际间的文化交流，增进自治区文艺工作者同国外作家、艺术家的联系和友好往来。

内蒙古文联所属有：内蒙古作家协会、内蒙古戏剧家协会、内蒙古美术家协会、内蒙古音乐家协会、内蒙古舞蹈家协会、内蒙古民间文艺家协会、内蒙古摄影家协会、内蒙古电影家协会、内蒙古书法家协会、内蒙古曲艺家协会、内蒙古杂技家协会、内蒙古电视艺术家协会等 12 个协会及文艺理论研究室、《草原》编辑部、《花的原野》编辑部、美术馆等业务部门；内设办公室、人事部、组织联络部、老干部办公室和机关事务后勤服务中心等办事机构。①

内蒙古文联创办有：文学月刊《草原》（汉文）、《花的原野》（蒙古文），音乐期刊《草原歌声》,蒙古文文学翻译刊物《世界文学译丛》,蒙古文文艺理论刊物《金钥匙》等杂志；同时，出版有内部刊物《内蒙古文艺界》《内蒙古文联通讯》等。除此之外，各盟、市文联出版有公开发行或内部发行的文艺刊物，大多数盟、市文联同时出版蒙古文文艺期刊。截至 2003 年底，内蒙古自治区正式出版的文艺期刊达 21 种。

至 2003 年底，内蒙古文联机关在职人数 126 人，其中厅级 6 人，正处级 4 人，副处级 4 人，正高级职称 15 人，副高级职称 20 人。全区文联各艺术门类会员 13 930 名，其中全国会员 1 338 名，这些会员全部活跃在内蒙古自治区各条战线上。②

内蒙古自治区文学艺术工作者第一次代表大会　1954 年 10 月 20 日至 27 日在呼和浩特市召开。参加大会的代表共 97 人，他们来自自治区各城市、农村和各文学艺术团体，广泛代表着自治区文学、戏剧、音乐、美术、舞蹈、曲艺、民间艺术等各方面的艺术工作者。会议听取、审议和通过了陈清漳代表内蒙古自治区文学艺术界联合会筹备委员会作的工作报告，听取了

① 参见《内蒙古年鉴》（2001），方志出版社 2001 年版，第 140 页。

② 参见《内蒙古区情》,内蒙古人民出版社 2006 年版，第 269 页。

中国文学艺术界联合会代表王玉堂的讲话，通过了《内蒙古自治区文学艺术界联合会章程》。会议选举产生了由39人组成的内蒙古自治区文学艺术工作者第一届联合会。

主　　任　勇　夫

副 主 任　尹瘦石

陈清漳①

内蒙古自治区文学艺术工作者第二次代表大会　1960年12月10日至17日在呼和浩特市召开。参加大会代表205人，代表了内蒙古自治区文学、戏剧、音乐、美术、舞蹈、曲艺、民间艺术等各方面的艺术工作者。会议听取了王铎代表内蒙古党委、人民委员会的祝词，听取、审议和通过了布赫代表内蒙古自治区文学艺术工作者第一届联合会作的《学习毛泽东思想树立无产阶级世界观，更好地为社会主义事业服务》的工作报告，通过了《文学艺术为大办农业、大办粮食服务的决议》《内蒙古自治区文学艺术界联合会章程》,选举产生了由38人组成的内蒙古自治区文学艺术工作者第二届联合会。

主　　任　布　赫

副 主 任　金起先

韩燕如

色拉西

牧　人

纳·赛音朝克图

张继棠②

内蒙古自治区文学艺术工作者第三次代表大会　1980年7月15日至24日在呼和浩特市召开。参加大会的代表共556人，他们代表着自治区各民族的作家、美术家、音乐家、戏剧家、电影家、杂技家、摄影家、舞蹈家、民间文学家等9个协会。大会听取、审议和通过了云照光代表内蒙古自治区文学艺术工作者第二届联合会作的《团结起来为繁荣社会主义文艺而努力》

① 参见《内蒙古大辞典》,内蒙古人民出版社1991年版，第129页。

② 参见《内蒙古大辞典》,内蒙古人民出版社1991年版，第129页。

的工作报告；听取了廷懋代表内蒙古党委、人大常委会、人民政府和内蒙古军区向大会的祝辞；会议传达了全国第四次文代会内容和邓小平的祝词；会议通过了新的《内蒙古自治区文学艺术界联合会章程》《内蒙古自治区文学艺术工作者第三次代表大会决议》；大会选举产生了由185人组成的内蒙古自治区第三届文学艺术界联合会。7月24日举行了内蒙古文联三届一次全体委员会议，选举产生了内蒙古自治区文学艺术界联合会第三届委员会主席、副主席。

主　　席　云照光

副 主 席　敖德斯尔

玛拉沁夫

俄尼斯

伊德新

周　戈

葛尔乐朝克图

韩燕如

陈清漳

贾作光

珠岚其其格

文　浩

牧　人

杨　啸

额尔敦朝鲁①

内蒙古自治区文学艺术界联合会第四次代表大会　1888年12月24日至27日在呼和浩特市召开。参加大会的代表和特邀代表共358人，其中少数民族代表占57%，他们分别代表了文学、美术、戏剧、音乐、民研、电影、舞蹈、摄影、书法、曲艺、电视、杂技等12个协会。大会听取、审议和通过了云照光代表内蒙古自治区文学艺术界联合会第三届委员会作的《总结经验，开拓进取，在改革开放中繁荣发展社会主义文化事业》的会务

① 参见《内蒙古大辞典》，内蒙古人民出版社1991年版，第129页。

工作报告，听取了布赫同志代表内蒙古党委和人民政府向大会的祝词，传达了全国第五次文代会的内容要点，通过了新的《内蒙古自治区文学艺术界联合会章程》《内蒙古自治区文学艺术界联合会第三次代表大会决议》。会议选举产生了由78人组成的内蒙古自治区文学艺术界联合会第四届委员会。12月27日举行了四届一次全体委员会议，选举产生了名誉主席、56位名誉委员、主席和副主席。

名誉主席 周 戈
云照光
敖德斯尔
主 席（暂缺）
副主席 乌热尔图
白朝蓉
包明德
李小春
妥木斯
张志彤
杨 啸
哈斯乌拉
斯琴塔日哈①

内蒙古自治区文学艺术界联合会第五次代表大会 1999年5月在呼和浩特市召开。内蒙古自治区文学、美术、戏剧、音乐、民研、电影、舞蹈、摄影、书法、曲艺、电视、杂技等12个协会的代表出席了大会。会议听取、审议和通过了内蒙古文联第四届委员会的会务工作报告，通过了新的《内蒙古自治区文学艺术界联合会章程》,选举产生了内蒙古自治区文学艺术界联合会第五届委员会。在内蒙古文联五届一次全体委员会议上选举产生了内蒙古自治区文学艺术界联合会第五届委员会主席、副主席。

主 席 阿云嘎
副主席 哈斯乌拉

① 参见《内蒙古大辞典》,内蒙古人民出版社1991年版，第129页。

康　庄
斯琴塔日哈
妥木斯
杨　啸
乌热尔图
赵纪鑫
阿尔泰
刘　成①

三、内蒙古自治区红十字会

简称内蒙古红十字会。全区性的社会团体。1995 年 5 月，机构单设，同时理顺了管理体制，成为全国除北京、天津之外的第一个理顺管理体制的省、市、区级红十字会。业务主管部门为内蒙古自治区卫生厅。截至 2003 年底，全区 12 个盟、市基本上理顺了管理体制，101 个旗、县（市、区）中，已经有 71 个完成了机构单列、人员列编、经费列支。通过落实以上“三列”和理顺管理体制，内蒙古红十字会基本形成了自上而下、独立自主开展工作的组织体系。内蒙古红十字会已发展会员单位 1 827 个，拥有会员 35 万多人。

内蒙古红十字会的业务范围：宣传、实施《中华人民共和国红十字会法》及国际人道主义法，备灾、救灾、卫生救护，组织红十字青少年，进行社区服务，兴办实体，开展国际友好往来和国际援助等工作。②

四、内蒙古自治区学生联合会

简称内蒙古学联。中国共产党领导下的全区高等和中等学校学生的联合组织。1965 年 7 月 1 日在呼和浩特市成立。

工作宗旨为：开展各种思想教育，提高学生的思想道德素质；开展各种文化、体育、实践活动，为学生全面发展、努力成才提供服务；做中国共产

① 参见《内蒙古年鉴》(2001)，方志出版社 2001 年版，第 140 页。
② 参见《内蒙古区情》,内蒙古人民出版社 2006 年版，第 269 页。

党和人民政府联系广大学生的桥梁和纽带，代表和维护学生们的具体利益；协助全区大中学校学生会的工作，并做好指导工作。内蒙古学联由每届选出委员单位组成，内蒙古学联常设办事机构为办公室，办公室设在内蒙古团委。①

① 参见《内蒙古区情》，内蒙古人民出版社2006年版，第269、270页。

教育部人文社会科学百所重点研究基地
内蒙古大学蒙古学研究中心学术著作系列
TOMUS 23

国家社科基金成果文库

SELECTED WORKS OF THE CHINA NATIONAL FUND FOR SOCIAL SCIENCES

内蒙古通史 第七卷

中华人民共和国时期的内蒙古自治区（三）

总 主 编　郝维民　齐木德道尔吉

本卷主编　郝维民

人民出版社

第十六章
经　济

第一节　畜牧业

一、恢复国民经济时期的畜牧业

内蒙古草原辽阔广袤，东起大兴安岭，西至居延海，绵延 4 000 多公里。草原总面积达 87 万多平方公里，占全国草原面积的 1/4，占自治区土地总面积的 2/3 以上，居全国五大草原之首。草原上牧草种类极为丰富，品质优良的饲草植物达 900 多种，总覆盖度在 60% 以上，适合各种家畜的发展繁殖，为发展畜牧业提供了良好的物质条件。内蒙古的畜牧业有着悠久的历史，早在新石器时代，人们就在这里从事狩猎和游牧等生产活动。近千年来，勤劳智慧的蒙古族人民在建设草原、饲养放牧、繁衍牲畜、与自然灾害斗争等活动中，进一步发展了畜牧业经济，积累了放养各种牲畜的丰富经验。畜牧业是内蒙古的优势产业，在社会经济中占有特殊重要的地位。

1947 年，内蒙古自治政府成立之后，东部区进行了牧区民主改革，解放了牧区生产力，畜牧业得到了相当的恢复与发展。中华人民共和国成立后，西部绥远省和阿拉善旗、额济纳旗也进行了牧区和半农半牧区的民主改革。西部牧区形成的时代和历史背景以及社会经济状况与内蒙古中东部地区大致相似，略有差异。从总体上讲，这里同样是一个阶级社会，存在着阶级、阶级压迫和阶级剥削，封建所有制的生产关系同样严重束缚着社会生产力的发展，阻碍了蒙古民族的进步。因此，内蒙古西部牧区的民主改革势在必行。

1951 年冬季，中共绥远省委和省人民政府在进行农村土地改革的同时，在牧区开始了民主改革。绥远省牧区的民主改革根据内蒙古自治区牧区民主改革的经验，执行“依靠劳动牧民，团结一切可以团结的力量，从上而下地进行和平改造和从下而上地放手发动群众，废除封建特权，发展包括牧主经济在内的畜牧业生产”的总方针，在“自由放牧、增畜保畜”的原则下，实行“不斗、不分、不划阶级”，“牧工、牧主两利”的政策，坚决防止搬套农村土地改革的做法，严格区别农村、牧区的特点，结合民主建政，废除封建特权，稳妥而顺利地进行了民主改革，使广大牧民从封建特权统治下获得了解放，成为牧区社会的主人。还通过发展包括牧主经济在内的畜牧业生产，促进了牧区经济的发展。与此同时，阿拉善旗和额济纳旗也顺利地完成了牧区的民主改革，在民主改革中所实行的方针政策与绥远省基本相同。

在半农半牧区的民主改革中，中共绥远省委和省人民政府，根据这一地区农牧矛盾较为突出的实际情况，决定在这里不进行土地改革，只是根据当地蒙汉农牧民群众的要求，调整牧场，适当调剂大地主的土地。在农业占优势的地方，大、中地主的固定的大垄土地、耕畜平均分给贫苦农民，小地主与富农的土地不动；牧业占优势的地方，大牧主的役畜可分给贫苦农民，但畜群不分；家在牧业区而在农业区出租土地的蒙民如属大、中地主，其土地依法没收，如愿迁到农业区耕种土地，分给与当地农民同样的一份土地与生产资料；对于个别蒙奸和恶霸的土地、耕畜、财产，经政府批准可以分给农牧民。在民主改革中，按照农牧并重的方针，坚决保护和禁止开垦牧场，保护畜牧业，照顾畜牧业的发展，适当调整和划分了牧场，并封闭了 1949 年后农民私垦的牧地。经过一年多的努力，全省共划出牧场 8 万多公顷，占全省农区和半农半牧区天然牧场的 1/7，还通过协商的办法划定了牧场和耕地的界限。这样既保护了畜牧业生产，又调整了农牧关系。基本上解决了历史上遗留下来的农牧矛盾问题，农牧业生产得到恢复和发展，大大改善了农牧民生活。半农半牧区民主改革的顺利进行，逐步废除了封建制度。内蒙古西部牧业区和半农半牧区民主改革的逐步完成，解放了牧业生产力，并且合理地调整了农牧关系和民族关系，增强了民族团结，初步解决了农牧纠纷，使农牧业走上了互相促进，共同发展的道路。

在西部牧区和半农半牧区完成民主改革的基础上，党和政府在内蒙古全区全面开展了恢复与发展畜牧业生产的工作。在国民经济恢复时期，恢复与发展畜牧业生产，是内蒙古经济工作的重要任务之一，是关系到落实党的民族政策，切实抓紧发展蒙古族及其他少数民族牧民的经济事业，提高他们的生活水平，改变牧区落后面貌的重要环节。为此，党和政府制定了发展畜牧业生产方针和若干政策。在牧区民主改革的总方针中规定，发展包括牧主经济在内的畜牧业生产，并实行"牧工牧主两利"的政策。这是促进畜牧业经济发展的重要的方针和政策。牧主经济在整个畜牧业经济中占有很大比重，是其重要的组成部分，发展牧主经济对于发展畜牧业生产是必不可少的。由于实行"牧工牧主两利"政策，发展牧主经济是完全可能的，同时也能调动牧民的生产积极性。这两方面积极性的发挥，可以最大限度地促进牧区社会生产力的发展。在半农半牧区，党和政府又根据这里的经济特点，自然条件和民族关系的特点，实行了"以牧为主，照顾农业，保护牧场，禁止开荒，有计划有步骤地发展生产"的方针。这不仅解决了半农半牧区发展生产的方向问题，克服了农牧矛盾，协调了农牧业生产，而且成功地缓解或基本上解决了历史上遗留下来的蒙汉族在发展生产上的矛盾和纠纷，增强了民族团结。此外，还大力提倡农牧业互相支援，农业向牧业提供粮食和饲料，增强畜牧业的抗灾能力，减少牲畜死亡；牧业向农业输送耕畜、肉畜和其他畜产品，促进农业的发展，从而使农牧业得到共同发展。

民主改革后，废除了封建特权，实行牧工牧主两利政策，为贫苦牧民创造了发展生产的条件，但仍有一部分牧民缺乏生产资料，主要是牲畜过少，繁殖缓慢，影响了畜牧业的发展。为此，党和政府采取了贷放母畜、防灾保畜、照顾生活的措施，发放了大量贷款。在贷款的比重上，母畜贷款占贷款总额的 50%，种畜贷款占 5%，防灾保畜贷款占 35%，生活贷款占 10%。在政府贷款的帮助下，贫苦牧民逐步改变了无畜少畜的状况，打下了发展生产的基础，生活也得到了改善和提高。1950 年政府贷给呼伦贝尔盟陈巴尔虎旗贫苦牧民 7 000 只绵羊，9 个月后平均增值 44.9%。牧民贷款后的生活普遍得到了改善和保障。昭乌达盟牧区很多牧民买不起种畜，政府在 1950 年用贷款解决了种畜不足的困难。1949 年至 1952 年，内蒙古自治区共发放牧业贷款 274 万元，绥远省发放 144 万元。① 由于政府贷款的扶助，大部分无畜或少畜的牧民有了牲畜或增加了牲畜以及生产工具，解决了生产和生活上的困难，推动了牧业生产的发展。

为了促进畜牧业生产的发展和牧民生活的改善，党和政府对畜牧业实行了轻税政策和提高畜产品收购价格、缩小工农业产品剪刀差的政策。在税收方面，根据《中国人民政治协商会议共同纲领》中有关税收政策的原则，制定了十级累进税，累进率仅为 0.5%—5%，并规定了受灾免征的办法（受灾 1/2 以上者全部免征，受灾 1/5 以上者免征一半）。为了加快半农半牧区畜牧业的发展，规定在半农半牧区，以农业为主者免征牧业税；以牧业为主农业为辅者，征收牧业税并兼征农业税；农牧兼营其收入比重相等者免征牧业税。到 1952 年，内蒙古的畜牧业已有了巨大增长，但税率仅增为 1%—10%。从而大大促进了畜牧业生产的发展。政府还大力发展牧区的商业贸易，取缔不法旅蒙商不等价交换的高利盘剥，实行合理的价格政策，缩小工农牧产品价格的剪刀差。1946 年，牧民的一只绵羊仅能换一块砖茶，一头大牛只能换一匹白布。到 1952 年，一只绵羊可换 6 块砖茶，一头大牛能换 5 匹白布，其他畜产品的价格，在几年内都提高了数倍。畜产品价格的提高，促使牧民精心饲养爱护牲畜，想尽一切办法保护各种牲畜，使之迅速发展。

牧区地广人稀，劳动力缺乏，个体牧民抵御自然灾害的能力薄弱。解放前，畜牧业生产遭受了极大破坏，广大牧民在生活上十分贫困，在生产上也存在着许多困难。因此，党和政府在民主改革胜利完成的基础上，在牧区提倡互助合作，积极引导牧民群众组织起来发展生产。从牧民的实际情况出发，在自愿互利的前提下，结合牧区在历史上就有的互助习惯，广泛组织了季节性的防灾、接羔、合群放牧、打草、打狼、剪毛、搭盖棚圈等互助组，同时还组织了有一定分工和生产计划的常年互助组。如呼伦贝尔盟的胡和勒泰互助组、昭乌达盟的德热申爱里互助组、兴安盟的额尔敦敖其尔互助组等，不仅兴办的时间较长，而且在生产发展的基础上积累了少量的公共财产和少量的基本建设，带有一定的生产合作社性质。到 1952 年参加各种互助

① 内蒙古自治区畜牧厅修志编史委员会编著：《内蒙古畜牧业发展史》，内蒙古人民出版社 2000 年版，第 83 页。

组的牧民达 4 628 户，占全部牧业户的 6.61%。[①] 牧民实行互助合作，对于畜牧业生产的恢复与发展起了积极作用。

内蒙古的畜牧业长期遭受牲畜疫病、狼患和自然灾害的破坏。为了消除这些灾害对畜牧业生产的威胁，党和人民政府积极进行了防治兽疫、扑灭狼患和抵抗自然灾害等方面的工作。在防治兽疫方面，训练了一批兽疫技术人员，逐步建立起防疫机构和防疫队伍。1950 年，内蒙古自治区在各盟先后建立了防疫所，1951 年成立了机动防疫队，1952 年各盟和旗、县、市建立了畜牧兽医工作站 52 处，并在疫情严重的地区普遍组织了群众性的基层防疫组织。大力防治了牛瘟、炭疽、口蹄疫、疥癣等主要疫病，进行了全面性预防注射。使以前长期危害牲畜的疾病得到了初步防治。绥远省到 1952 年已训练兽医人员 1 千多人，培养了有牧业生产经验的牧民防疫积极分子 450 余名，建立了群众性的防疫组织，完成了对 193 万余头牲畜的疫病预防，治疗病畜 194 万余头，基本上扑灭了对牲畜危害最大的口蹄疫等传染病。为了扑灭狼患，人民政府大力组织群众性的打狼运动，并制定了奖励办法。从 1948 年到 1952 年，内蒙古各地共打狼 52 000 余只，使狼害大为减少。为了抵御暴风雨和干旱等自然灾害，人民政府在自由放牧的前提下，统一调剂了牧场，合理使用草场，并积极组织牧民搭盖棚圈，号召牧民抓好牲畜的秋膘和加强过冬越春的措施。1952 年全区共搭盖棚圈 240 多万平方米，其中牧区 60 万平方米。各地普遍开展了打草储草以及青储饲料的工作，1952 年牧区共打草 23 亿多斤。为了保护和改良牧场，解决牲畜饮水困难，人民政府号召牧民大量打井，派出打井钻探队，帮助牧民打井和推广水车，以扩大草场利用面积。1951 年牧区共打井 2 250 眼，修复旧井 2 270 眼。1952 年，牧区打井 5 500 余眼，东部牧区重点推广了 72 台水车。这些措施，增强了畜牧业抵抗自然灾害的能力。与此同时，全区各地先后建立了 17 处国营牧场、37 处种畜站[②]，在改良牲畜品种、改进饲养管理等方面，为广大牧民提供帮助和经验。

---

① 内蒙古自治区畜牧厅修志编史委员会编：《内蒙古自治区志·畜牧志》，内蒙古人民出版社 1999 年版，第 66 页。

② 内蒙古自治区畜牧厅修志编史委员会编著：《内蒙古畜牧业发展史》，内蒙古人民出版社 2000 年版，第 93—95 页。

党和政府关于发展畜牧业的正确方针和政策以及各种有效措施，充分调动了广大牧民发展生产的积极性。经过3年的努力，内蒙古的畜牧业生产得到了恢复和发展。1952年牲畜总头数达到1 776.18万头，比1949年增长58.83%，年递增16.68%。1949年到1952年，畜牧业产值从6.97亿元增加到10.71亿元，增长53.66%，平均年递增15.4%。1950年到1952年，向国家提供各类牲畜69万头，毛绒1.41万吨，各类皮张173.3万张，支援了国家的经济建设。[①] 牲畜的繁殖率、成活率大为提高，死亡率大幅度下降，广大牧民群众的生活水平有了相应提高，平均购买力提高约16%，广阔的草原上，开始呈现出欣欣向荣的景象。

二、社会主义改造时期的畜牧业

随着国民经济恢复时期的结束，内蒙古同全国一样进入了有计划的经济建设和社会主义改造时期。1952年底，中共中央提出了过渡时期的总路线；与此同时，制订了国家发展国民经济的第一个五年计划。内蒙古党委和人民政府根据党在过渡时期的总路线和国家第一个五年计划的要求，结合内蒙古的实际情况，制订了自治区发展国民经济的第一个五年计划，开始领导内蒙古各族人民进行有计划、大规模的经济建设。

畜牧业经济在内蒙古自治区的国民经济中占有特殊重要的地位。自治区发展国民经济的第一个五年计划，规定了畜牧业发展的基本任务：继续贯彻各项社会政策，加强对国营和合作经济的领导，以发展互助合作组织、改进生产技术、防灾保畜为中心，大力发展畜牧业生产。[②] 这个基本任务，体现了党在过渡时期总路线的要求，是牧区和畜牧业战线实现过渡时期总路线的重大步骤。畜牧业经济的发展，对于支援国家的社会主义建设，改善人民的物质生活，特别是对于改善蒙古族及其他从事畜牧业的少数民族的经济状况，具有重要意义。内蒙古自治区党委和人民政府非常重视自治区畜牧业生

① 内蒙古自治区畜牧厅修志编史委员会编：《内蒙古自治区志·畜牧志》，内蒙古人民出版社1999年版，第97页。

② 内蒙古自治区畜牧厅修志编史委员会编著：《内蒙古畜牧业发展史》，内蒙古人民出版社2000年版，第163页。

产的发展。第一个五年计划期间，在稳步进行畜牧业社会主义改造的同时，采取了大力发展畜牧业生产的一系列独特的政策和有力的措施。

建立全民所有制的国营牧场，加强国营牧场的建设和管理，取得成绩和经验，并加以推广。1953 年 12 月，中共中央绥蒙分局第一次牧区工作会议指出："社会主义性质的经济是牧区的领导成分，必须大力发展，首先是发展国营牧场。"第一个五年计划时期，随着社会主义改造高潮的到来，全民所有制的国营牧场得到很大发展。1954 年，由于呼伦贝尔盟有大批苏联侨民回国，因而在大量接收苏联侨民牲畜的基础上，先后组建了 8 个国营牧场。其他盟市在这一时期也相继发展了一批国营牧场。到 1957 年，全区建立国营牧场 38 个，其中 5 个牧场拥有现代化的机械设备，放牧草原面积达 1 700 多万亩，有 11 万多头（只）牲畜，198 台标准拖拉机，还建立了一处草原拖拉机站。① 这些国营牧场，在吸取牧民经营管理牲畜经验的基础上，逐步采取科学的方法改良牲畜品种，改善饲养管理方法，提高牲畜繁殖率与成活率。在生产中还不断推广先进的生产方法和科学的畜牧兽医技术。国营牧场在自治区的畜牧业生产上所发挥的示范作用有力地促进了畜牧业生产的发展。

开辟水源是提高草场质量、抗御自然灾害的重要措施，它不仅可以有效地解决人畜供水问题，也是扩大草场利用率的有效办法。5 年中，自治区人民政府广泛地发动群众兴修水利，同时派出水利工作队，在牧区勘测水源，帮助牧民打井。到 1956 年，牧区水井已达到 21 000 多眼，并兴修了许多水库、塘坝和水渠，使不少荒滩变成了水草丰美的草原。1954 年 8 月，自治区人民政府在呼伦贝尔盟领导当地牧民修建了一条长 2 700 米、底宽 4 米、平均深度 1 米的牧业排水渠，使多年来因积水而不能利用的地区变成了水草丰美的牧场，解决了 10 万多头牲畜的放牧问题。② 1956 年，又在锡林郭勒草原的阿巴嘎旗兴建牧区第一座机械供水站，满足了附近干旱草原的需要。

为了杜绝草原上滥牧与抢牧的现象，自治区人民政府在有条件的地区提

---

① 郝维民主编：《内蒙古自治区史》，内蒙古大学出版社 1991 年版，第 146 页。

② 内蒙古自治区畜牧厅修志编史委员会编：《内蒙古畜牧业发展史》，内蒙古人民出版社 2000 年版，第 138 页。

倡实行了划区移场放牧。根据草原的地理与自然情况，普遍将牧场划分四季牧场和打草牧场，牧民将牲畜按不同季节在所划定的牧场上放牧，并在划定的打草场上打草，以合理使用草场，提高草原的利用率。同时，为了保证充足的饲料储备，建立了人工饲料基地，种植牧草和饲料，逐步改变完全依赖自然草原的状况。

内蒙古牧区冬春季节寒冷而漫长，风雪灾害严重。为了有效地防止自然灾害，党和政府大力提倡打草、储备饲料和搭盖棚圈等，以保证牲畜安全度过冬春。五年中，全区共打饲草150亿斤，建起棚圈40多万座。① 为了提高放牧与饲养技术，政府还大力提倡了"跟群放牧"、"合理分群"、"适时饮水"、"适当喂盐"、"贴喂草料"以及"春放阳坡、夏放岗、秋放平川、冬放阳"等一系列科学的饲养和放牧方法，增强了牲畜的体质，提高了繁殖率和成活率。

为了有效地提高牲畜的质量，内蒙古各地还开展了群众性的改良品种的工作，重点发展细毛羊和耕畜、役畜等大牲畜。主要采取选育本地良种，推广外来良种与杂交改良相结合的办法，逐渐改良品种。为了大力开展牲畜的改良工作，全区各地均建立了配种站。到1957年，全区共建立起牛配种站17处、马配种站60处、羊配种站37处。引进了国外良种和新疆细毛羊，并培育了三河马、三河牛等良种。到1957年，全区拥有优良种畜2 300头，各种改良牲畜15万多头。在防止牲畜疫病方面，认真贯彻防重于治的工作方针，大力开展群众性的防疫工作，加强饲养管理，改善环境卫生，用增强体质和加强兽医防治相结合的方法，防止疫病。为加强兽医防治工作，自治区逐步建立和健全了兽医机构，从1953年开始，逐步组建、充实各级兽医工作站和兽医诊断室。到1955年，盟和旗一级均建立畜牧兽医工作站。到1956年底，全区已有盟市站10处，旗县站85处。全区兽医技术人员从1952年的300多人增加到2 145人。同时，还在疫情复杂、交通不便的重点地区，建立281处苏木（乡）级站。全区性的畜牧兽医防治网已经基本形成。自治区畜牧兽医学院和畜牧兽医研究所，成为全区科学发展畜牧业的基地和培养人才的摇篮。5年内全区进行各种牲畜疫病防治的牲畜达5 000多

---

① 郝维民主编：《内蒙古自治区史》，内蒙古大学出版社1991年版，第147页。

万头次，大大减少了牲畜的死亡。[①] 此外，还继续发动组织群众开展打狼运动，5 年中共打狼 4 万多只，遭受狼害损失的牲畜从 1952 年的 0.3% 下降到 0.19%。

国家对畜牧业实行合理负担的税收政策，并增拨了贷款和投资。5 年中，国家发放牧业贷款 1 480 万元，解决了牧民生产和生活上的困难。国家对牧区的建设投资，据 21 个牧业旗统计，从 1953 年到 1956 年的 4 年中共约 1 850 万元，新建和扩建了 9 个大型工业企业，新建了 32 个牧场、5 个种畜繁殖场、9 个草原工作站，建立了 19 个气象台（站），4 个牧区水利工作队和 1 个牧区供水站。这对发展牧业生产，改善牧区经济面貌，起了积极作用。从 1956 年起，国家又相应地调整了牧业税制，对牧业生产合作社的公有牲畜实行比例税制，税率占应征税畜的 1%，公私合营牧场为 2%；对于个体牧户及私有牲畜仍实行累进税制，并将每级税率由 0.5%—5% 提高到 0.7%—7%。[②] 采取这种合理负担税收政策的结果，不仅刺激了生产的发展，而且对完成畜牧业的社会主义改造也起了积极促进作用。

由于内蒙古自治区党委和人民政府创造性地实行了促进畜牧业生产发展的各项政策和有效措施，以及广大牧民群众和经营畜牧业的农民共同努力，内蒙古自治区的畜牧业有了迅猛发展。1953 年至 1957 年，除 1957 年因灾害严重有所减产外，其他各年度的牲畜数量都是逐年上升的。5 年间总增牲畜 3 060.4 万头，平均每年总增 612.1 万头，平均总增率为 30%。至 1957 年牧业年度，全区牲畜总头数发展到 2 415.10 万头，比 1952 年同期增长 35.97%，平均每年递增 6.34%。其中大牲畜发展到 550.42 万头，羊发展到 1697.36 万只，生猪发展到 167.32 万口，分别比 1952 年增长 103.11%、197.37%、108.9%。1957 年，全区畜牧业产值达到 15.40 亿元，比 1952 年增长 43.97%，平均递增 7.5%。畜牧业产值在农业总产值中的比重达到 25.9%，比 1952 年增加了 5 个百分点。[③]

畜牧业生产的迅猛发展，使广大牧民的生活有了明显改善。牧区人均牲

---

① 郝维民主编：《内蒙古自治区史》，内蒙古大学出版社 1991 年版，第 147 页。

② 郝维民主编：《内蒙古自治区史》，内蒙古大学出版社 1991 年版，第 148 页。

③ 内蒙古自治区畜牧厅修志编史委员会编：《内蒙古自治区志・畜牧志》，内蒙古人民出版社 1999 年版，第 97 页。

畜从1952年的25.9头上升为1956年的34.7头。牧民群众的收入显著增加。据1956年对10个牧业旗100户牧民的典型调查，每户年平均收入达1506元，人均年收入386元；生活消费每户平均达到1 245元，每人平均消费粮食130公斤，奶食品100公斤，肉类66.5公斤，棉布17.70米。锡林郭勒盟牧民年平均购买力，1952年是46元，1956年提高到215元。呼伦贝尔盟陈巴尔虎旗胡和诺尔生产合作社原来的贫困户都提高到中等牧户的水平，1956年户均收入达到1 200元。畜牧业生产的发展，支援了国家和自治区的社会主义建设。1953年至1957年，全区向国家提供商品牲畜1 097.59万头，毛绒5.04万吨，各类皮张913.55万张，外贸出口冻肉3.09万吨。[①] 还出口了一定数量的绒毛、皮革、奶油、奶粉、干酪素、乳糖等畜产品。

三、全面建设社会主义时期的畜牧业

第一个五年计划建设时期，内蒙古自治区的畜牧业生产有了较快发展，取得了良好的成绩。与此同时，畜牧业的社会主义改造也在稳步进行。这一切为开始全面建设社会主义的畜牧业，奠定了良好的基础。

1958年5月，中国共产党第八届第二次会议通过了“鼓足干劲，力争上游，多快好省地建设社会主义”的总路线。内蒙古自治区迅速开展了规模空前的学习宣传活动。它成为以农业“大跃进”为先导的各项社会主义建设事业“大跃进”的一次全面发动。同年召开的中国共产党内蒙古自治区第一届代表大会第二次会议，在制订自治区工农牧业生产计划时，开始出现“左”的倾向。要求农牧业生产争取在八年、七年或更短的时间内，全面完成十年规划的任务。牧业方面的目标是：三年实现合作化，五年基本解决人畜用水，消灭无水草原，基本实现定居放牧。在十年内全区牲畜总头数达到5 000万头到6 000万头，平均每年递增10%—20%。4月16日至27日，内蒙古自治区党委召开了第一届六次全委（扩大）会议。会议中心议题是“破除迷信，解放思想，批判教条主义、经验主义和右倾保守思想；

---

① 内蒙古自治区畜牧厅修志编史委员会编著：《内蒙古畜牧业发展史》，内蒙古人民出版社2000年版，第139页；内蒙古自治区畜牧厅修志编史委员会编：《内蒙古自治区志·畜牧志》，内蒙古人民出版社1999年版，第97页。

进一步把畜牧业方面的指标定为5年内全区牲畜总头数达到4 000万头（只）”。5月29日至6月4日，内蒙古党委召开第一届七次全委（扩大）会议，贯彻中共中央八届二次会议精神，号召全区各族人民掀起生产建设高潮，实现“跃进、再跃进、大跃进”，全区“大跃进”的调子逐渐升温。紧接着，7月举行的内蒙古自治区第七次牧区工作会议，提出“十年计划五年完成”的口号，即到1962年牲畜总头数要达到5 000万头（只）—6 000万头（只），每年递增20%—25%。①

各盟市紧跟自治区的部署，畜牧业指标也不断拔高。1958年11月14日，中共锡林郭勒盟第一次全委扩大会议提出：1959年大牲畜和羊的总头数要比1958年纯增33%，并提出“苦战三年从根本上改变全盟面貌”、“高射卫星炮，坚决插红旗”等口号。1958年3月，中共察哈尔盟盟委制订了“大跃进”计划，到1960年，把全盟大牲畜和羊发展到190万头（只），平均每年增长25%。②

在畜牧业“大跃进”的指标逐渐加高的同时，内蒙古组织批判了“草场饱和论”等观点，对其中的一些合理意见没有给予充分的重视和吸收，而是在“以粮为纲”和农业“大跃进”的影响下，开始在牧区盲目开垦草原，因而打破了一贯坚持的牧区“禁止开荒、保护牧场”的政策。1958年3月，自治区党委第六次牧区工作会议提出：争取三至五年内牧区粮食、饲料自给。当年7月，自治区党委在《关于高速度发展畜牧业的指示》中，又提出了在两年内解决粮食饲料自给问题，对牧区所生产的粮食、饲料，采取不计征、不计购的政策，从而引发了牧区垦殖草原的热潮。当年，牧区饲料基地面积达到8.7万公顷，人均0.21公顷；1960年，牧区耕地由1957年的1万公顷发展到52.67万公顷，人均1公顷以上。1960年3月，自治区党委批准伊克昭盟可开垦荒地6.67万公顷，实际开了19.73万公顷，其中牧区10.33万公顷。同时，呼伦贝尔盟的牧业四旗的国营牧场开垦草原15.87

---

① 内蒙古党史研究室编：《六十年代国民经济调整·内蒙古卷》，中共党史出版社2001年版，第77—78页。

② 内蒙古自治区畜牧厅修志编史委员会编著：《内蒙古畜牧业发展史》，内蒙古人民出版社2000年版，第155页。

万公顷。盲目开垦草原的问题，明显暴露出来。一是已开垦的草原中大约30%是不宜开垦的草场，破坏了牧场，造成了既不能种植农作物，也不能放牧的结果；二是挤掉了一部分畜牧业生产上的劳动力；三是牧区农业人口及其他人口大量增加，1960 年与 1957 年相比，牧区人口增长率高达 55. 22%，反而加重了牧区粮食供应的负担；四是在大办农业中平调了牧民的生产和生活资料，加之农业队和牧业队统一分配，减少了牧民收入，造成了平均主义；五是粮食产量极低，1960 年牧区 52. 67 万公顷耕地仅产粮 1. 73 亿公斤，每公顷仅产 329 公斤，农业队自身所需粮食也难以自给，更起不到支援畜牧业生产的作用。[①] 大面积开垦草原，严重破坏了发展畜牧业的基础，也带来了一系列严重的生态问题和社会问题。

在“大跃进”的热潮中，1958 年 8 月，中共中央政治局（扩大）会议作出《关于在农村建立人民公社问题的决议》。同年 9 月，内蒙古自治区党委第八次全委扩大会议通过了《关于实现人民公社化的初步规划的决议》，决议根据牧区的实际情况，建议牧区在 1958 年暂缓举办人民公社，要求各牧业旗全面规划，以苏木为中心，按照有利于生产的原则，建立一个或几个联社。但是，在农村人民公社运动的影响下，牧区合作化和人民公社化运动也迅速发展起来。从 5 月到 10 月，仅 5 个月左右的时间，牧民加入合作社、加入公私合营牧场的牧户从原来占牧户总数的 25% 一跃发展到 90% 以上，到 10 月中旬牧区已基本上实现了合作化，建成 2 285 个牧业生产合作社和 93 个公私合营牧场。紧接着，牧区也开始组建人民公社，到 11 月上旬，全区已有 3 900 户牧民加入 93 个牧区人民公社，占全区总牧户的 46. 6%，还有 172 个牧业合作社已建立起联社，准备转为人民公社。12 月，锡林郭勒盟将 616 个牧业合作社、24 个公私合营牧场合并为 36 个人民公社。到 1959 年 1 月 19 日，牧区已基本实现人民公社化，居住在草原上的 81 348 户蒙古族、鄂温克族牧民在原来 2 000 多个牧业合作社的基础上建立了 152 个牧区人民公社，入社牧户 76 459 户，占牧户总数的 94%。到 2 月下旬，牧区人

① 内蒙古自治区畜牧厅修志编史委员会编著：《内蒙古畜牧业发展史》，内蒙古人民出版社 2000 年版，第 155 页。

民公社发展到163个，入社牧户达到97.9%，入社牲畜占牲畜总头数的90%。[①] 内蒙古牧区地域辽阔，居住分散，而且正处在发展合作化的过程中，在当时的政治气氛下，刚刚建成合作社又马上转成人民公社，显然是仓促上马，缺乏群众基础和思想基础，超越了牧区生产力发展水平和群众觉悟水平。同时，人民公社的组织形式，也不符合牧区的实际情况，给牧民的生产和生活带来许多不便。

在牧区人民公社化的过程中，也曾受到“共产风”的冲击，约有30%的牧区人民公社取消畜股报酬，盲目扩大供给制范围。有的甚至把勒勒车、马鞍、挤奶用具作价入社，有的对自留畜和肉食控制过严，挫伤了牧民的积极性。针对牧区“大跃进”和人民公社化运动中出现的问题，中共内蒙古自治区委员会在1958年12月27日至1959年1月9日召开的一届九次全委扩大会议上，专门发出了《关于牧区人民公社若干问题的指示》，及时纠正了牧区在所有制、分配关系以及生产、生活上的一些混乱现象，规定牧区暂不举办公共食堂和集体福利事业；牲畜入社要根据有利于发展牧业生产、方便牧民生活和自愿原则，采取慎重态度和多种形式；分配仍以常年包工、季节包工、以产定工、死分活评等计酬方法为主，实行按劳分配，工资制和供给制结合的分配制度只作试点；牧区人民公社一般实行社、队两级管理，生产队是一级核算单位，强调牧区以牧为主，农牧林结合，多种经营；明确指出发展畜牧业是牧区人民公社的首要任务。在1959年7月召开的内蒙古自治区第8次牧区工作会议上，进一步规定牧区实行基本队有制和“三包一奖”或“以产计工”的分配制度，保证90%以上的社员增加收入。以后，自治区又对发展农牧区、半农半牧区畜牧业采取了相应的调整政策。通过上述努力，有效地抵制了人民公社“一大二公”和以供给制为标志的“共产风”的冲击，减轻了人民公社化运动给牧区经济和畜牧业生产造成的损失，保证了“大跃进”时期的畜牧业仍然取得了稳定的发展。从1957年到1962年，全区牲畜总头数都有上升。全区牧业年度牲畜总头数1957年为2 415.1万头，1958年为2 664万头，1959年为3 070.63万头，1960年为3 309.76

---

① 内蒙古党委党史研究室编：《六十年代国民经济调整·内蒙古卷》，中共党史出版社2001年版，第79—80页。

万头，1961 年为 3 302.95 万头，1962 年达到 3 510.21 万头。①

1960 年冬，中共中央为了克服“左”倾错误给经济工作造成的困难，适时地提出了调整国民经济的方针。1961 年初，中共八届九中全会通过了对整个国民经济实行“调整、巩固、充实、提高”的八字方针。内蒙古自治区根据中央会议精神，对经济工作中农牧业关系和农牧业政策等方面进行了调整。农牧业关系方面的调整主要是针对“大跃进”中牧区开垦草场，大办农业，而造成劳民伤财、得不偿失的后果进行调整；畜牧业政策的调整，则是根据人民公社化中出现的“一平二调”、“共产风”等挫伤群众积极性，阻碍生产发展的做法进行纠正。

1960 年 9 月至 10 月，乌兰夫在深入呼伦贝尔盟牧区、林区调查的基础上，针对“大跃进”期间开垦草原、发展农业的问题，指出：牧区应坚定地执行中共内蒙古自治区委员会制定的“以牧为主、农牧结合、多种经营”的方针，并强调说：自治区是祖国的一个重要的畜牧业基地，现在是，将来是，并且将永远是祖国一个强大的畜牧业基地。无论将来工业怎样发展，农业怎样发展，畜牧业都必须大力地、高速度地向前发展。不仅牧区如此，农业区在发展农业的同时，也必须更好地发展畜牧业。在自治区的农村和牧区，尤其是在牧区，任何时候忽视畜牧业都是极端错误的。② 1960 年 12 月召开的内蒙古党委第十二次全委扩大会议采纳了乌兰夫的建议，作出决定：开垦草原必须为发展畜牧业服务。要全面规划，统一安排打草地、放牧地，不能妨碍牧业生产，只能在有水利或有保墒条件地方开垦。绝对禁止开垦沙地、陡坡地，以免造成沙化和水土流失。在调整期间，坚决制止了岭北开荒，并将那些宜牧不宜农的地方开垦土地全部退耕还牧。

内蒙古党委第十二次全委扩大会议还根据中共中央《关于农村人民公社当前政策问题的紧急指示信》的精神，制定了《关于牧区人民公社当前政策问题的若干规定》。1960 年底，自治区党委组织牧区整风整社试点工作组，选派干部带队，赴锡林郭勒盟西乌珠穆沁旗开展工作。主要是根据

---

① 内蒙古自治区畜牧厅修志编史委员会编：《内蒙古自治区志・畜牧志》，内蒙古人民出版社 1999 年版，第 100 页。

② 内蒙古党委党史研究室编：《六十年代国民经济调整・内蒙古卷》，中共党史出版社 2001 年版，第 81—82 页。

《关于牧区人民公社当前政策问题的若干规定》的精神，贯彻“三级所有，队为基础”的制度，纠正“一平二调”的错误并组织退赔，落实社员经营少量的自留畜、自留地和零星的家庭副业的政策。从分配上坚持“各尽所能，按劳分配”的原则，从各方面调人和节约劳动力，加强畜牧业和农业生产第一线；并组织恢复牧区“那达慕”大会，活跃牧区经济。

1961 年 2 月 9 日，内蒙古自治区党委第十三次全委扩大会议，讨论深入开展农村牧区整风整社问题，决定当时牧区整风整社应着重解决的主要问题是：必须与当前生产紧密结合，同牲畜过冬度春，接羔和抗灾保畜相结合；必须坚决贯彻缩短战线，集中力量打歼灭战的方针，重点抓好问题较多、灾害严重、抗灾保畜任务重的社队；必须解决社队群众迫切要求解决的问题，如领导权和生产管理问题；必须以牧业队为重点；必须坚决搞好退赔；必须正确处理好自留地问题。同年 2 月 25 日，自治区党委又针对哲里木盟盟委的请示作出《关于自留畜几个问题的批示》，着重对自留畜的政策作出了具体规定。4 月，内蒙古自治区党委提出牧区人民公社规模和体制调整方案。方案规定公社一般以原苏木的范围为单位，苏木小的一个苏木一个社，苏木大的一个苏木数个社，将当时 152 个牧区人民公社划为 400 个左右。大队以原高级社为基础，一般 50 户左右，生产队以浩特为基础，一般十几户、二十几户。规定公社一般实行三级管理，大队规模较小的，也可实行公社和大队两级管理。7 月 27 日，内蒙古自治区党委发布《内蒙古自治区牧区人民公社工作条例（修正草案）》，对牧区人民公社的性质、任务、组织和规模，人民公社的社员代表大会或社员大会，公社管理委员会、生产大队管理委员会、生产队管理委员会的性质和职权，社员的条件、义务和社员家庭副业，人民公社的生产经营、财务管理、劳动报酬和收益分配等作了具体规定，全面总结牧区人民公社化的经验教训，规范牧区人民公社的生产管理。

1963 年 4 月 25 日至 5 月 4 日，国家农业部和国家民委在呼和浩特召开全国牧区工作会议，中心议题是贯彻中共中央批转的《关于少数民族牧业区工作和牧业区人民公社若干政策的规定（草案）》，即《牧区四十条》。该四十条进一步明确了社会主义革命和社会主义建设时期牧区工作的方针任务，提出办好人民公社的基本原则，即稳定所有制，以生产队为基本核算单位，至少30年不变。生产队实行按劳分配原则，公社干部不参加分配，由国家发给工资；实行“以牧为主”的方针，大力发展畜牧业生产。会后，内蒙古自治区党委批转了《牧区人民公社基本核算单位向畜群生产组推行定产定工，超产奖励制度实行办法（草案）》，使得这一责任制形式在牧区工作中得到坚持和推广，从而调动了广大牧民生产和抗灾保畜的积极性，极大地推动了畜牧业生产的发展。

调整期间，内蒙古牧区一手抓草原建设，一手抓牲畜改良，取得了显著成效。为了抗御牧区经常发生的旱灾，开凿和改造牧业用井6 000多眼。在“保护牧场，禁止开荒”的基础上，大力提倡牧民定居、建棚圈、贮草料、建设草库伦、改良草场，逐步改变靠天养畜的落后状况。同时，机牵割草机、畜力割草机、搂草机、捆草机、垛草机等牧草收获机械开始推广，有力地促进了牧业生产的发展。内蒙古自治区党委还根据草原建设的实际情况，提出了“全面规划，加强保护，合理利用，以草为纲，水草林机结合，大力进行草原建设”的方针。这一方针突出的特点是把草原的建设、改造、保护、利用有机地结合在一起，对草原建设和畜牧业发展起到了积极的作用。在草原建设中，全区还涌现出一批艰苦奋斗，改造自然环境，发展牧业生产的先进人物。牲畜改良工作也取得新的进展。牲畜良种的引进和培育是从20世纪50年代开始的。到1962年，全区良种及改良牲畜发展到218.2万头（只），其中大牲畜23万头，羊195.2万只。到1965年6月末，良种及改良种牲畜发展到302.7万头（只），3年增长了38.7%。[①] 1960年初，海拉尔谢尔塔拉种牛场与陈巴尔虎旗巴克西乳牛场合并，建成国营谢尔塔拉牧场，精心繁育出体大肉多、产乳量高的优良品种“三河牛”，逐步成为国家农业部定点的“三河牛”生产基地。

调整期间，内蒙古牧区坚持了内蒙古自治区党委提出的“以牧为主”的方针，牧业生产稳步发展。“二五”时期，全区牲畜平均递增率为7.6%，三年调整时期，全区牲畜平均递增率提高到8.4%，1965年牧业年度，全区牲畜总头数发展到4 487.57万头，同1957年相比，增长85.81%。其中大

---

① 内蒙古党委党史研究室编：《六十年代国民经济调整·内蒙古卷》，中共党史出版社2001年版，第86页。

牲畜达到788.02万头，羊达到3 388.08万只，生猪达到311.27万口，平均年递增率分别为：4.11%、8.0%、7.14%。全区牲畜超过百万头的旗有鄂托克旗、杭锦旗、东乌旗、西乌旗、阿左旗、乌拉特中后联合旗、阿鲁科尔沁旗、阿巴嘎旗共9个旗。其中鄂托克旗达到227万头（只）。1965年，全区畜牧业产值达到24.92亿元，比1957年增长61.8%，平均每年递增6.2%。畜牧业产值在农业总产值中的比重达到31.6%，比1957年增加5.7个百分点。1958年至1965年，全区向国家提供各类商品牲畜1 760.48万头，肉猪313.91万口，耕畜115.49万头，毛绒13.0万吨，各类皮张4 458.11万张。[①] 在国家处于暂时困难和调整恢复时期，内蒙古畜牧业的稳定发展有力地支援了国家建设。

四、"文化大革命"时期的畜牧业

1966年，正当内蒙古自治区各族人民与全国人民一道，在胜利完成国民经济调整的任务，开始执行国民经济第三个五年计划的时候，一场名为"无产阶级文化大革命"的大动乱在中国大地上发生了。"文化大革命"对内蒙古自治区的畜牧业和牧区工作的破坏极其严重。尤其是运动前期1966年5月至1969年，随着政治动乱的逐步升级，无政府主义泛滥，打乱了正常的社会秩序、生产秩序和生活秩序，形势急剧恶化，牧区和畜牧业战线陷入严重混乱。

"文化大革命"开始后，大批领导干部被打倒或"靠边站"。畜牧系统从自治区畜牧厅到各级畜牧局（处）被诬陷为"修正主义黑窝"、"叛国投修的据点"，主要领导被罢官、夺权、揪斗、致使畜牧部门不能行使职能、管理失控。1967年11月1日，自治区革命委员会成立。1968年9月，自治区革命委员会设生产建设指挥部，取代了包括畜牧厅在内的各业务厅局的职权。全区各盟市、旗县成立了革命委员会后，各级畜牧局（处）也随之撤销。自治区成立19年所形成的对畜牧业的专职领导、专门机构、专业队伍、专业会议的"四专"制度，在混乱之中毁于一旦，使畜牧业生产建设失去

① 内蒙古自治区畜牧厅修志编史委员会编：《内蒙古自治区志·畜牧志》，内蒙古人民出版社1999年版，第98页。

了指挥系统，经济运行陷入失控状态。在打倒所谓“资产阶级反动权威”和“知识越多越反动”的口号下，畜牧高等院校、中等专业学校和畜牧业系统的科研、技术推广机构的一大批专家学者和领导干部遭到批判，知识分子被诬蔑为“臭老九”，大部分遭到迫害，科研和技术工作陷于瘫痪和半瘫痪状态。内蒙古农牧科学院被撤销，科研人员下放，科研工作停顿。畜牧系统技术推广机构，先是自治区草原站、改良站、兽医站瘫痪，1969 年合而为一。随后各盟市、旗县草原、畜牧、兽医站或瘫痪或被撤销，致使生产无人过问，科研技术无人负责。1966 年冬，“文化大革命”由城市扩展到基层。至此，自治区、盟市、旗县、人民公社乃至生产大队组织和各级业务技术部门，普遍受到冲击，农村牧区各级干部普遍受到批判、揪斗，整个畜牧生产指挥系统失灵。

“文化大革命”全盘否定了自治区成立 19 年牧区工作和畜牧业发展的历史。乌兰夫主持制定的许多正确的方针政策和牧区工作理论，都被作为“修正主义”予以批判，肆意废弛。从而混淆了是非界限，搞乱了基层干部和农牧民的思想，人人无心于生产建设。“文化大革命”期间，林彪、江青反革命集团在内蒙古制造了骇人听闻的“新内人党”冤案。当时提出的口号是一直挖到畜群点、挖到蒙古包。致使数以万计的基层干部和牧民群众被打成“新内人党”分子，大批受害人致残、致死，严重影响了牧区经济的发展。另外，林彪提出建设所谓政治边防，将大批边境蒙古族牧民向内迁徙，在内蒙古牧区进行了划阶级，造成了极大的混乱。

1966 年到 1969 年，连续 4 年的政治大动乱使畜牧业生产和牧区工作遭到严重破坏，生产形势急剧恶化。1966 年虽有自然灾害影响，但牲畜下降幅度之大是少有的，12 月末，全区牲畜总头数比 1965 年 12 月末减少 298.66 万头，下降 8.33%，是自治区成立 19 年间牲畜发展状况最坏的一年。同期，畜牧业产值（1980 年不变价格）下降 2.61%。1969 年 12 月末，全区牲畜总头数比 1965 年 12 月末减少 348.71 万头（只），下降 9.73%；同期畜牧业产值下降 0.53%。①

---

① 内蒙古自治区畜牧厅修志编史委员会编著：《内蒙古畜牧业发展史》，内蒙古人民出版社 2000 年版，第 206 页。

1969 年 12 月 19 日，中共中央作出《关于内蒙古实行全面军管的决定》，责成北京军区对内蒙古自治区实行分区全面军管，统一领导内蒙古的工作，使内蒙古的政治局势出现相对稳定的局面。1971 年 5 月，中共内蒙古自治区第三次代表大会在呼和浩特召开，选举产生了中国共产党内蒙古自治区第三届委员会。内蒙古各地陆续成立了中国共产党盟市旗县区委员会，逐步恢复了中共基层党组织，对稳定人心，促进正常的社会秩序、生产秩序和生活秩序的恢复，对于政治局势的稳定起到了重要作用。

为了解决"文化大革命"初期各级畜牧业机构瘫痪问题，加强对畜牧业生产的管理，1970 年 6 月，自治区革命委员会重新组建内蒙古自治区畜牧局，并设局属畜牧工作站、畜牧兽医科学研究所。接着，各盟市旗县陆续重新组建了畜牧局（处）科，并相应地恢复了各级草原、改良、兽医站。1972 年 1 月，又恢复了牧区各级人民公社经营管理工作站。畜牧业开始摆脱无领导、无组织、无计划的混乱状态。1971 年 9 月，自治区党委召开全区农村、牧区政策座谈会，根据周恩来总理关于进行整顿的精神，开始清除"文化大革命"中极"左"思潮对人民公社经营制度和经济政策的影响，作出了《关于当前农村牧区若干政策问题的规定》，并于 10 月 18 日由自治区党委正式下达。《规定》在牧区工作和畜牧业生产建设方面，强调 1962 年 8 月，党的八届十中全会通过的中共中央关于《农村人民公社工作条例修正草案》的基本政策在今后相当长的时间里仍然是适用的，必须继续贯彻执行；重申坚持人民公社"三级所有，队为基础"（牧区大部分实行"两级所有，队为基础"）的制度；重申牧区要坚持"以牧为主，农牧结合，因地制宜，全面发展"的方针，发展牲畜要数量质量兼顾，以提高质量为主；重申允许社员饲养少量自留畜的政策；重申积极发展集体养猪，继续鼓励农户（包括定居的牧户）养猪的政策；重申坚决反对平调，严格控制非生产性开支，搞好劳动计酬，克服平均主义，正确处理积累和分配的关系。这个《规定》对于缓解"文化大革命"初期没收自留畜、砍掉家庭副业、搞"一平二调"等"左"的倾向起到了限制作用，对于调动广大牧民群众的生产积极性、稳定牧区经济、恢复发展畜牧业生产起到了积极作用。

1972 年 9 月 24 日，自治区党委发出《关于当前落实党的民族政策中几个问题的指示》，要求各级党委认真贯彻执行牧区"以牧为主，农林牧结合，因地制宜、全面发展”的方针；认真贯彻执行在牧区“禁止开荒，保护牧场”的政策，各级党政机关、企事业单位、学校、部队和农区社队都不准任意到牧区开荒，已经开垦的，凡影响放牧、有导致沙化危险的，要坚决封闭；认真贯彻执行现阶段党在牧区的各项经济政策。并强调大力加强牧区的生产建设，发展畜牧业生产，改善人民生活，是具有重要战略意义的事情。

随着全区政治形势的相对稳定，在一定程度上促进了畜牧业生产的发展。1970 年，全区牲畜总头数摆脱了连年下降的状况，开始回升。当年牲畜总头数达到 3 325. 79 万头，比 1969 年的 3 238. 51 万头增长 2. 69% 。这是“文化大革命”以来，全区牲畜总头数的第一次增长。1973 年，全区畜牧业生产继续取得好成绩，各项经济计划指标都完成或超额完成。畜牧业产值达到 10. 44 亿元，比 1969 年增长 11. 78% ，比 1972 年增长 13. 7% 。1973 年 12 月末，牲畜总头数达到 3 644. 9 万头，比 1969 年增长 12. 55% ，比 1972 年增长 4. 55% 。[①] 在当时“左”倾干扰还在继续的情况下，能够取得这样的成绩实属不易。

1974 年初，全国开展了“批林批孔”运动，把矛头指向了周恩来总理。内蒙古的一些帮派头目秉承“四人帮”的旨意，又乘机串联，策划搞乱内蒙古的局势，密谋篡党夺权，在内蒙古制造了一场规模不小的混乱，使生产建设事业又遭到了严重破坏。由于“批林批孔”运动的干扰，使刚刚走出低谷的畜牧业生产再度回落。1974 年的畜牧业经济指标不仅大部分未能完成，而且比上年实际水平有所下降。1974 年底，全区牲畜总头数仅比 1973 年底增加 60. 8 万头，增长率仅为 1. 66% 。[②] 农区和半农半牧区牲畜总头数均呈下降趋势。

1975 年 1 月，第四届全国人民代表大会之后，在毛泽东支持下邓小平主持中央日常工作。邓小平根据毛泽东提出的安定团结、把国民经济搞上去的指示，开始对工业、农业、科技、交通、军事等各条战线进行全面整顿。

---

① 内蒙古自治区畜牧厅修志编史委员会编著：《内蒙古畜牧业发展史》，内蒙古人民出版社 2000 年版，第 210 页。

② 内蒙古自治区畜牧厅修志编史委员会编著：《内蒙古畜牧业发展史》，内蒙古人民出版社 2000 年版，第 210 页。

自治区党委、自治区革命委员会根据邓小平全面整顿的精神，对畜牧业和牧区工作开始进行整顿。1月26日至2月1日，自治区召开全区农牧业学大寨先进集体、先进生产者代表大会，提出学大寨的措施，决定开展农田水利建设和草原建设。9月15日至10月19日，国务院召开全国农业学大寨会议。10月29日，自治区党委召开直属机关党员干部大会，传达贯彻全国农业学大寨会议精神，动员为普及大寨县而奋斗。会后，自治区直属机关及各盟市、旗县、公社派出36 000多名干部，组成农牧业学大寨宣传队、工作队，深入农村牧区开展学大寨运动，掀起了大抓农牧业的高潮。9月下旬，国务院召开全国牧区工作座谈会。会后，自治区参加会议的代表，就牧区方针问题，解决清理阶级队伍、划阶级、边民内迁等遗留问题，解决各级领导对畜牧业的认识问题，制止开垦草原问题进行了座谈，并提出了具体解决意见，上报自治区党委和自治区革命委员会。10月10日至17日，自治区党委召开了农区旗县委书记、农牧和商业部门负责同志参加的养猪工作会议，贯彻中共中央《关于大力发展养猪业的通知》和国务院召开的全国养猪生产座谈会精神。进一步重申积极发展集体养猪、继续鼓励社员家庭养猪的方针，强调不允许限制社员家庭养猪，不能把社员正当的家庭副业当做资本主义倾向去批判。由于自治区党委和自治区革命委员会认真贯彻邓小平提出的全面整顿的精神，采取了一系列有力的措施，从而极大地调动了广大农牧民发展畜牧业生产的积极性，使畜牧业经济摆脱了因“批林批孔”运动而停滞倒退的局面，又开始走向恢复和发展。1975年底同1974年底相比，全区牲畜总头数增长4.54%，畜牧业产值增长6.62%，良种和改良牲畜增长14.21%，整个农村牧区出现了安定团结的局面。①

邓小平主持中央工作期间，由于狠抓各条战线的整顿，纠正“文化大革命”中所实行的许多错误政策，引起了“四人帮”的不满与恐慌，于是“四人帮”在1976年2月发动了所谓“批邓、反击右倾翻案风”运动，邓小平同志再次被打倒，各条战线的整顿被迫停止，政治局势又陷入混乱。内蒙古的国民经济受到严重的冲击，畜牧业生产遭到极大破坏。1976年，全

① 内蒙古自治区畜牧厅修志编史委员会编著：《内蒙古畜牧业发展史》，内蒙古人民出版社2000年版，第212页。

区牧业年度牲畜总头数为 4 409.07 万头，比 1965 年下降 1.75%，其中羊下降 9.6%；畜牧业产值在农业总产值的比重，从 1965 年的 31.6% 下降到 27.4%，减少 4.2 个百分点。① 畜牧业各项建设停滞不前，甚至倒退。总之，十年“文化大革命”给内蒙古自治区的畜牧业经济造成了严重破坏。

五、社会主义现代化建设时期的畜牧业

1976 年 10 月，中国共产党领导全国各族人民，一举粉碎了“四人帮”反革命集团，结束了长达 10 年之久的“文化大革命”这场灾难性的内乱。中共十一届三中全会后，随着全党工作重点转移到经济建设上来，内蒙古自治区的畜牧业进入了一个新的历史时期。然而，1977 年冬季的一场特大雪灾，导致全区牲畜死亡过半，牧业面临极其困难的局面。

1979 年 1 月，内蒙古自治区党委召开盟旗二级领导会议，讨论研究了工作重点转移，落实政策，加强领导班子建设，巩固和发展安定团结的政治局面，以及尽快把农牧业生产搞上去等重大问题。会议强调要用两三年的时间“落实政策，调整恢复，休养生息，发展生产，增加收入，改善农牧民生活”，为发展农牧业生产打好基础。同年 11 月，自治区党委和政府又召开全区畜牧业工作会议，制定恢复生产的相应政策。这两次会议出台的关于畜牧业的主要政策有：人民公社、生产队的所有权和自主权必须受到国家法律保护，社队有权因地制宜进行管理，有权决定生产措施，有权分配产品和现金；严禁“一平二调”，减轻牧民负担，对灾情重、困难大、贷款多的生产队，经自治区批准，酌情减、免、缓；克服平均主义，实行多劳多得的社会主义分配原则，牧区实行社、队两级核算，生产队作为基本核算单位，有权对畜群、劳力、设备和牧场实行“四固定”，认真推行“三定一奖”（定产、定工、定生产费用、超产奖励）分配制度；对牧民继续实行粮食供应政策，放宽自留畜比例，不仅可养羊，还可以养奶牛、役畜，农区、半农半牧区养自留畜数量不限，并可上集市贸易；保护牧场，严禁开荒，牧场所有权受到保护，不准随意侵犯，严禁滥砍、滥伐、滥牧；调整牧区收购政策，收购指

① 内蒙古自治区修志编史委员会编：《内蒙古自治区志・畜牧志》，内蒙古人民出版社 1999 年版，第 99 页。

标按集体牲畜总头数确定，坚决改变肉畜按群估计办法、做到过秤收购、买卖公平。

1981 年，自治区党委总结过去“以粮为纲”“开荒种粮”“毁林开荒”、单一经营，不顾自然条件、民族特点，违背自然规律、经济规律，结果造成草原退化、农田沙化、森林资源逐年减少，生态平衡被破坏，不仅粮食生产没有搞上去，而且牧业、林业生产也受到严重影响的沉痛教训的基础上，经中央同意确定了“林牧为主，多种经营”的生产建设方针，并且按照这一方针，根据地区特点把全区划为牧区、半农半牧区、林区、农区、水土保持区五个不同的经济类型区，强调不论哪个经济类型区都要把种树种草、搞好植被建设作为基本建设的主攻方向和战略任务抓紧抓好，逐步走出一条“林茂、草旺、畜多、粮丰”的路子来。

这些措施，使广大农牧民群众有了一个喘息的机会，调动了广大农牧民群众发展生产的积极性，为深化畜牧业改革打下了坚实的思想和物质基础。据统计，三年调整恢复时期，全区 106 个公社由农转牧、转林，退耕还林还牧 4 000 多万亩，种树 300 多万亩，种草 500 多万亩，牲畜总头数达到 4 030 万头（只），比 1978 年增长 13. 3%，自留畜达到 300 万头（只），比 1978 年增长一倍多，接近历史最好水平。①

内蒙古党委和自治区人民政府在恢复和发展畜牧业生产的同时，十分重视牧区经营管理体制的改革。在农村推行农业生产责任制的同时，在牧区也逐步实行了牧业生产责任制。最初的牧业生产责任制的主要形式是“两定一奖”和“三定一奖”，即坚持牲畜和草场集体所有的前提下，一方面实行生产队“统一计划，统一核算，统一调配，统一记工”，一方面把畜群包到户、包到劳动力，“定产、定工、超奖减赔”，或“定产、定工、定生产费用，超奖减赔”。这种责任制克服了过去劳动“大帮轰”、分配“一拉平”的弊端，使经营权利同责任、利益挂起钩来。但是，这种形式的责任制的生产管理权仍然掌握在集体领导手中，牧民的经营活动缺乏自主权，分配上奖赔比例小，牧民的生产积极性仍未充分调动起来。

---

① 内蒙古党委党史研究室、内蒙古民族事务委员会编：《内蒙古改革开放二十年》，内蒙古人民出版社 1999 年版，第 55—56 页。

在农业区推行专业承包联产计酬和“包产到户”等责任制的影响下，牧区干部群众在生产实践中，也不断创造出一些新的责任制形式，主要有：季节包工、以产计工、新苏鲁克（把畜群包给社员，生产队不计工，不投入生产费用，成畜保本，仔畜按比例分成）、队有户养和专业承包等。这些责任制形式，在扩大经营自主权方面有了改进，较好地解决了分配上的平均主义。但是，多是照搬农区“大包干”的做法，以实物（牲畜）兑现，没有注意到牧区畜牧业经济的特点，即牲畜既是生产资料又是生活资料和草原畜牧业既经营牲畜又经营草原的生产特点，存在着承包畜同自留畜经营管理上的矛盾。而且，这些责任制手续繁杂、不便计算，加上牧区经营分散，基础落后，难以掌握，致使牧民群众仍有意见。1981 年 5 月，内蒙古自治区党委和自治区人民政府针对在推行责任制过程中出现的问题，召开了牧区经营管理座谈会，专门研究了牧区畜牧业责任制问题。会议强调“牧区的生产责任制必须从当地牧区（半农半牧区）的特点、畜牧业生产的特点和生产力发展水平、干部管理水平的实际出发，坚持因地制宜、分类指导的方针，充分尊重生产队的自主权和群众的意愿”，不论实行哪种形式的牧业生产责任制，都应当使“责任制的形式同群众的利益越直接越好，承包者的责任越明确越好，计酬结算方法越简便越好”。在集体责任制和个人责任制中，“以个人责任制为主”；在阶段责任制和常年责任制中，“以常年责任制为主”；在作业责任制和产量责任制中，“以产量责任制为主”；在超产奖励和超产归己两种办法上，“以超产归己为主”。会后，根据牧区实际，肯定了哲里木盟科左后旗伊胡塔公社实行的“牲畜作价归户，联产承包”的责任制形式，坚决地把过去依靠行政办法建立起来的责任制过渡到以家庭经营为主要形式的责任制，即牲畜“作价归户，分期偿还，私有私养”。这种责任制，突破了牲畜集体所有的框框，从根本上解决了集体畜同自留畜管理上的矛盾，使牧民最大限度地获得了经营自主权，从根本上消除了“大锅饭”的遗疾，充分调动了群众的积极性。同时，也保留了集体经济的某些职能，较好地解决了牧民一家一户难以解决的草原建设、商品流通和畜疫防治等困难，发挥了集体同个人双方的积极性，因而很受群众欢迎。从此，牧区生产责任制形式发生了根本性的变化。“牲畜作价归户”是畜牧业生产责任制形式的新发展，是牧区生产关系的重大变革。到 1983 年，全区 6 672 个生产队 95% 的牲畜都作价归了户。①

通过上述改革，使牲畜的饲养经营效益与牧民的物质利益结合起来，调动了牧民经营饲养牲畜的积极性。但是，草原建设问题又成为牧区发展生产的突出问题。在实行生产责任制的过程中，起初只承包牲畜，不承包草场。因此，草场缺乏保护和建设，利用也不尽合理，出现了争牧、抢牧、滥牧的现象，使草原沙化，退化日趋严重，产草量不断下降，直接影响着畜牧业的发展。为了解决这个问题，1982 年自治区在哲里木盟科左中旗白彦花公社试点，把草场的使用、管理、开发、建设也纳入责任制范围，实施承包。1983 年为了进一步推广草场承包制，自治区又颁布了《草原管理条例》,明确要求各地在草原所有权和使用权分离的原则下，按照牲畜品种、数量以及今后的发展需要，尽快把草场划片承包，发放使用证，长期固定给承包户使用。这样，经过四年改革，一种既能充分调动广大牧民群众的生产积极性，又适合内蒙古牧区生产力发展水平的生产责任制——以“牲畜作价归户，草原承包经营”为主要内容的草畜统一经营责任制便形成了。到 1985 年 8 月，全区落实草场所有权面积 5 036.47 万公顷，占可利用草场面积的 75.6%；划定草场使用权面积 3 835.2 万公顷，占可利用草场面积的 57.6%。② 之后，为了解决草原只利用少建设、草原建设投入不足的问题，自治区在总结群众经验的基础上，又推行了“草原有偿承包”制度，通过征收使用者管理费的措施，促进草原的持续利用，进一步调动广大群众建设草原的积极性，使之更加适应社会主义市场经济发展的需要。

草畜统一经营责任制，是畜牧业管理体制上具有重大意义的变革，也是自治区牧区经济体制改革的一项创举。它从根本上改变了束缚生产力发展旧体制，走出了一条具有自治区特色的建设社会主义新牧区的路子。草畜统一经营责任制，在实践中显示出极大的优越性。牲畜作价归户、草场固定使用，从根本上解决了牲畜所有权和草场使用权的归属问题，结束了长期存在

① 内蒙古党委党史研究室、内蒙古民族事务委员会编：《内蒙古改革开放二十年》,内蒙古人民出版社 1999 年版，第 57 页。

② 内蒙古党委党史研究室、内蒙古民族事务委员会编：《内蒙古改革开放二十年》,内蒙古人民出版社 1999 年版，第 58 页。

的牧民共同吃牲畜的“大锅饭”、牲畜吃草场的“大锅饭”的局面。由于把草原和牲畜两个方面的责、权、利归于牧民一身，从而使第一性生产和第二性生产紧密结合，使人、草、畜也协调统一起来，牧民有了草畜两个方面的经营自主权和受益权，有效地调动了牧民养畜和保护、建设草原的“两个积极性”。全区从 1983 年实行草畜统一经营责任制以来，1984 年、1985 年两年人工种草 1 300 万亩，围建草库伦 1 100 多万亩。围建的草库伦质量比过去提高，由围封为主向草、水、林、料、棚综合配套方向发展。1984 年全区用于草原建设的农牧民自筹资金近 1 亿多元，大约是国家当年投资的 3 倍多。① 充分显示了草畜统一经营责任制的强大生命力。

此外，在牧区经营体制改革的同时，国营牧场也进行了改革，先后经过“工资加奖励”“纯收入分配”“产量工资”“大包干”几个阶段，最后发展为家庭牧场，实现了双层经营，使国营牧场结束了长年亏损、收不抵支、职工生活困难的局面，走上了建设具有中国特色的国营牧场的新路子。

从 1985 年开始，畜牧业进行了以改革畜产品统购统销制度，合理调整产业结构，发展社会服务体系，推动科技兴牧，增加畜牧业投入为主要内容的第二步改革。改革前，畜产品实行统购统销。由于统得过死，从而影响了牧区商品经济的发展，挫伤了牧民发展生产的积极性。牧区草畜统一经营责任制的实行，为打破旧的流通体制创造了条件。1984 年后，自治区在 1978 年和 1979 年两次提高畜产品价格的基础上，决定放开“菜牛、菜羊、鲜蛋等畜产品”市场，“由二类经营改按三类管理”、不限数量、不限品种，允许多渠道经营，允许山区随行就市；对粮食、羊毛、绒毛、皮张等农畜产品全部退出统购，改为合同收购，合同内按定价收购，合同外按市场议价定购，牧民在完成定购任务后，可将农畜产品自由上市，自由经营。这些措施，使牧民不仅成为生产的主人，而且也成为经营的主人，真正取得了市场经济的自主权。与此同时，牧区供销社也进行了改革，从过去单一购销经商转变为开发、生产、经营、服务、信息一齐抓，拓宽了领域，增强了活力，发挥了牧区商品流通主渠道的作用。

调整产业结构包括调整畜牧业区域布局、畜牧业内部结构和牧区产业结

① 郝维民主编：《内蒙古自治区史》，内蒙古大学出版社 1991 年版，第 401 页。

构三个方面。调整畜牧业区域布局就是按照市场需求和不同地区资源类型差异，经营发展不同类型的畜种、品种，形成布局合理、结构科学的畜群结构，以充分地合理地利用草场资源，发挥地区优势。经过调整，全区基本形成了东部草甸草原以牛、马大畜为主，重点发展奶牛、肉牛，兼养肉羊、细毛羊；中部典型草原以绵羊为主，重点发展细毛羊、肉羊、兼养奶牛、肉牛；西部半荒漠草原和荒漠草原以山羊、骆驼为主，重点发展绒山羊和骆驼，兼养细毛羊的区域布局。为促进区域布局调整，形成各自的优势畜种和产品，提高个体生产水平，自治区从1986年起，先后投资2 632万元，在上述不同类型草原的22个旗县建立细毛羊基地13个、半细毛羊基地3个，绒山羊基地4个、商品牛基地2个。①

调整畜牧业内部结构就是调整畜牧业的畜群结构和畜草结构。畜群结构是指同一畜种不同性别、年龄、用途家畜的构成，是畜牧业生产周转的载体，决定着畜牧产品的产量和再生产的水平。建立合理的畜群结构是畜牧业取得良好经济效益的重要手段。过去，自治区受传统畜牧业经营方式的影响，重头数、重畜群繁殖扩大，轻出栏、轻周转，导致畜群结构不合理，母畜比重低，老龄畜多，出栏少，周转慢，效益差。进入20世纪80年代，自治区通过扩大牛羊育肥、接冬羔当年羔育肥出栏、加快周转、提高母畜比重、降低老龄畜以及降低畜群中非生产牲畜的比重等措施，加快了畜群结构的调整，建立起科学的高效益的结构比例，形成了提高母畜比重—加快繁殖—扩大出栏—加快周转—增加效益的生产模式。经过调整，畜群结构有了明显的改善，1998年牧业年度良种及改良种畜的比重提高到67%，牲畜（不包括猪）出栏率达到53%，大牲畜和羊的商品率达到94.7%，母畜率比例达到46.4%。调整畜草结构，主要是加快草原建设，缓解畜草矛盾。“八五”以来，由于落实了草场使用权，草原建设速度大大加快，每年以人工种草1 000万亩、改良草场500万亩、围栏近1 000万亩的速度推进。② 从1987年开始，

① 内蒙古党委党史研究室、内蒙古民族事务委员会编：《内蒙古改革开放二十年》，内蒙古人民出版社1999年版，第60页。

② 内蒙古党委党史研究室、内蒙古民族事务委员会编：《内蒙古改革开放二十年》，内蒙古人民出版社1999年版，第61页。

自治区又在38个易灾旗县进行了以草原建设为重点的防灾基地建设，取得了很好的效果。1996年自治区又制定了"双增双提"（增草增畜，提高效益，提高质量）发展战略，为解决多年来困扰畜牧业生产的畜草矛盾找到了正确的途径，为畜牧业的发展开拓了广阔的前景。

调整牧区产业结构就是牧区坚持以畜牧业为主，大力发展二、三产业，形成了一、二、三产业协调发展的产业结构，从根本上解决牧区长期以来产业结构单一的问题。在发展二、三产业时，自治区重点抓了畜产品加工业和饲料工业，建立了一批规模大、效益好的绒毛、肉食品、皮革、乳制品加工企业，形成了年加工绒5 000吨、乳70万吨、饲料近2 000万吨的生产能力。① 同时，各地根据资源优势，因地制宜发展采矿、建材、牧机修造、民族用品等工业，推动了牧业的繁荣和社会进步。

发展社会服务体系是改变原集体经济组织服务功能薄弱的状况，拓展资金、技术、信息、加工、贮运、销售等市场环节的重要措施。在牧区，主要是强化苏木综合服务站的建立和完善，并以此为中心，向上延伸到旗县，向下联系到嘎查、艾里，形成旗县、苏木、嘎查、艾里四级联动的服务网络。在体制上，把苏木兽医、改良、草原、经营管理四站合一，发挥整体效能；在职能上，由单纯技术服务向技术、信息、经营等综合领域发展，做到了生产上联动，流通上联网，不断提高服务水平。通过发展，到1998年，全区建立旗县服务中心45个，苏木乡镇畜牧兽医技术推广机构1 588个，职工和网络总人数达到9 000多人。② 这些机构在良种繁育、生产资料供给、科技推广、疫病防治、畜产品加工、销售等产前、产中、产后各环节为牧民开展全方位服务，改变了科技、生产脱节的状况，增强了畜牧业发展的后劲。

科学技术是提高畜牧业经济效益的决定因素。中共十一届三中全会后，自治区党委、政府不断加强对科技兴牧的领导。1991年，自治区政府确定了"科技兴牧"的发展战略，相继制定了科技兴牧的措施，促进畜牧业向

---

① 内蒙古党委党史研究室、内蒙古民族事务委员会编：《内蒙古改革开放二十年》，内蒙古人民出版社1999年版，第61页。

② 内蒙古党委党史研究室、内蒙古民族事务委员会编：《内蒙古改革开放二十年》，内蒙古人民出版社1999年版，第62页。

“两高一优”发展。一是加强基础科学研究。1981 年到 1992 年，自治区组织广大科技工作者深入牧区，分期分批地开展了大规模的草牧场资源、畜种资源、草畜病虫害情况的调查。通过应用现代卫星遥感技术，基本上查清了自治区草原面积（11.8 亿亩）、可利用草原面积（9.5 亿亩）、草种数量、各类草原平均产草量、载畜量和退化草原面积、发展情况。同时选择 86 处观测点开展了草场生产力定位观测研究。通过调查，查清了全区各类家畜品种、数量，查清了全区草畜病虫害和草原鼠害的种类、分布规律和危害程度，为科学养畜奠定了坚实的基础。二是搞好适用技术研究。在草原建设方面，主要是筛选和驯化选育优良牧草，研究推广各类草场改良措施。这一时期培育了适合不同草场的 35 个优良草种，研究出浅耕翻耙改良天然草场措施，取得了草原飞播牧草的种类、季节和大粒化、接种根瘤等研究成果。在育种方面，主要是通过成功地使用冷配技术，培育出了试管羊、牛，培育了 23 个家畜新品种，并且研制成功了应用泌乳技术、膨化人工乳技术工艺流程设计、饲料热膨技术等。此外，研究成功了一批新型兽药和疫苗，继消灭牛瘟、牛肺疫之后，又基本消灭了马鼻疽，稳定控制了马传贫、羊痘、布氏杆菌、猪瘟、鸡新城疫及疥癣等疾病，使兽医工作达到了“三无”（无烈性传染、无大疫情、无大疫区）要求，成为历史上防治疫病最好的时期。三是大力推广适用技术。全区 1987 年筛选了青贮和三糖四化、浅耕松耙、飞播牧草、灌丛草场、塑料暖棚、粮食轮作、牛羊育肥、提高母牛繁殖成活率、早春驱虫、牛皮蝇防治等 10 项技术措施，并组织力量，大力推广，效益显著。1994 年又组装配套了肉牛育肥、肉羊育肥、奶牛饲养、猪育肥、蛋禽饲养和小草库伦建设 6 项模式化增产技术，通过大力推广应用，对改善畜群结构、促进畜牧业基础建设、加强畜禽疫病防治起到十分重要的作用。截至 1998 年，全区良种和改良种畜已达 4 929 万头（只），占牲畜总头数的 67%；牧区 90% 以上的畜群实现了棚舍化，主要疫病防治密度达到 90% 以上；① 畜牧业科技含量和成果转化率大大提高。

在畜牧业投入方面，改变了过去国家单一投资、效益不高的状况，建立

① 内蒙古党委党史研究室、内蒙古民族事务委员会编：《内蒙古改革开放二十年》，内蒙古人民出版社 1999 年版，第 63 页。

了国家、地方、集体和个人多元化投资的新体制，逐步增加畜牧业投入。一是从1987年开始，自治区、盟市、旗县三级政府逐年增加畜牧业基本建设额度，农牧业事业费和支农支牧生产支出比重也有所增加；自治区政府组织国家预算调节基金地方留成部分、耕地占用税留成部分、乡镇企业和私营企业征税增加部分以及农林特产税部分共同组成旗县农牧业发展基金，增加畜牧业投入；银行和地方财政增加牧业贷款。二是集体经济实行以工补牧、以工促牧，把集体积累主要用于发展畜牧业生产。三是引导农牧民把增加收入部分用于扩大再生产。牧民投入仅1997年就达3.79亿元，占总投入的70%以上，成为畜牧业的投资主体。四是改变过去农牧业资金无偿投入办法，实行有偿无偿相结合、投入产出相挂钩的办法，努力提高资金使用效益，全区仅1997年用于畜牧业资金投入就达5.2亿元，主要用于牧区开发示范项目、牲畜良种繁育体系建设、草牧场基本建设。

通过改革流通体制、调整产业结构、发展社会服务体系、推动科技兴牧、增加畜牧业投入，推动了畜牧业改革的深化和畜牧业经济的进步。全区在1989年牲畜总头数第一次突破5 000万头（只）的基础上，连续10年增产，1998年达到7 387.3万头（只），牧民年均收入达到2 516元，分别比1978年增长78%和13.4倍。[①]

随着牧区畜牧业市场经济体系的建立和完善，畜牧业商品经济有了很大发展，牧民生活明显改善。可是一家一户小生产同大市场之间的矛盾、收入与产量难以实现同步增长等问题日渐突出。因此，进一步打破“小而全”、“小而散”的经营方式，实现规模生产，使畜产品上规模、上档次、上市场，建立更加适应生产力发展水平的新的经营方式，逐步推进产业化进程，就成为深化牧区改革的一项重要任务。

1993年秋，自治区党委召开常委扩大会议，在总结了15年农村牧区改革经验的基础上，制定了进一步改革的指导思想、发展战略和改革重点，提出发展“龙型经济”，实现产业化的发展目标。在发展“龙型经济”中，自治区主要抓了四个环节：一是培养龙头企业，按照“小规模”、“大群体”

---

① 内蒙古党委党史研究室、内蒙古民族事务委员会编：《内蒙古改革开放二十年》，内蒙古人民出版社1999年版，第64页。

的原则，巩固壮大现有主导产业，组织一批中小企业向其靠拢。形成规模生产，或者在农畜产品集中地建立一批高起点、新技术、大规模、外向型的龙头企业，以此带动发展，形成区域性的生长点；二是加快产品基地建设，组织农牧民实现专业化生产，提供量多质高的农畜原材料产品；三是建立了一批贯通城乡、辐射面广、吸纳力强的集贸、信息和专业化市场；四是建立合理的利益分配机制，理顺产加销、贸工牧（农）乡多个环节的利益关系，龙头、基地、牧（农）户利益共担、风险同沾，形成“市场牵龙头，龙头带基地，基地连牧（农）户”的新的经营体制。实践证明，这种经营体制通过企业带动，把一家一户分散的小规模的经营单位组织起来，既保持了家庭经营的主体地位，又形成了大规模的产业链、产业群，实现了农畜产品的深度开发和增值，从根本上改善了畜牧业生产只生产初级产品的局面，增强了自我发展的能力，实现了畜牧业生产的又一次飞跃。

总之，改革开放22年，内蒙古自治区畜牧业取得了长足的发展，实现了由粗放经营到集约经营、由落后到文明的跨越。从1984年开始，内蒙古的畜牧业连续多年获得丰收。2000年牧业年度牲畜头数达到7 300.47万头（只），牲畜总增头数达到2 563万头（只），总增率34.5%；良种及改良种牲畜头数5 402.87万头（只），比上年同期增长2.6%，比重为74%；全年畜牧业总产值达到112.37亿元（1990年不变价格），比上年提高4.1%；肉类总产量达到150万吨，比上年增长6.7%；牧民人均纯收入达到3 354.7元，比上年增长24.3%，[①] 农民人均纯收入中来自畜牧业的部分也有较大幅度的提高。草原建设、科技研究和推广也取得了突破性进展，畜牧业经济开始从传统畜牧业向现代畜牧业转变，从自给半自给畜牧业向商品畜牧业转变，有力地支援了国家和自治区的社会主义建设，对繁荣农村牧区经济、提高人民生活水平作出了重大贡献。

① 内蒙古年鉴编纂委员会编：《内蒙古年鉴》（2001），方志出版社2001年版，第259页。

第二节 农 业

一、国民经济恢复时期的农业

农业经济是内蒙古地区国民经济的重要组成部分。全区大部分人口生活在农业区。内蒙古自治政府成立后，内蒙古东部地区进行了土地改革，农业经济得到了一定的恢复和发展。中华人民共和国成立后，在西部的绥远省也进行了农村的土地改革。西部农村的社会经济状况同内蒙古东部农村基本相似。解放前，绥远省农村是封建土地所有制，土地主要被地主占有，大批农民没有土地或只有很少的土地，地主对农民的封建剥削比较严重，农业生产极其落后，人民生活非常贫困。新中国成立后，土地改革势在必行。绥远省的农业区又是蒙汉杂居地区，而且旗县并存、蒙汉分治，土地关系复杂，农牧矛盾尖锐，民族关系不和。20 世纪以来，土地问题和民族问题错综复杂地交织在一起，一方面存在着蒙汉族农民与蒙汉族地主之间的阶级矛盾，一方面又存在着历史上形成的民族矛盾和民族隔阂。这是土地改革中必须注意的民族特点和地区特点。

绥远省的土地改革运动于 1951 年冬全面展开。中共绥远省委和绥远省人民政府根据《中华人民共和国土地改革法》的精神，参照内蒙古东部地区土地改革的经验，结合绥远省的实际情况，制定了《绥远省土地改革实施办法》《绥远省蒙旗土地改革实施办法》和《绥远省关于蒙民划分阶级成分的补充办法》,实行从民族特点、地区特点出发的土地改革政策，有步骤有区别地消灭地主阶级，解放被剥削的各族农民，调整民族关系，加强蒙汉各民族的团结。由于蒙古族经营农业时间较晚，土地占有来源特殊，农耕技术粗放，地主对农民的剥削普遍轻微。因此，在划分蒙古族农民的阶级成分、分配土地和其他生产资料方面，对地主采取更为宽松的实际政策。蒙古族地主按大、中、小 3 个等级划分，并采取区别对待的政策。在旗县并存蒙汉杂居的地区进行土地改革，均组织蒙汉联合土地改革委员会与土地改革工作团，互相配合，协调工作，并适当配备了蒙古族干部，认真宣传党的民族政策，合理地处理民族纠纷。在发动蒙汉群众的方法上，采取共同号召、分别发动、联合斗争、先斗汉族地主、后斗蒙古族地主，在斗争蒙古族地主时以蒙古族农民为主、汉族农民协助的方法。在分配土地改革果实时，无地少地的蒙古族农民多分一份至二份的土地和其他生产资料。从而保证了土地改革运动的健康发展，达到了预期的目的，如期完成了土地改革。据对居住150万人口的农业区统计，有136万蒙汉农民共分得75.47万公顷土地，6.58万头耕畜。[①] 蒙汉各族农民从地主阶级的剥削压迫下解放了出来，土地改革运动增强了民族团结，为发展农业生产创造了有利条件。

在完成土地改革的基础上，党和政府在内蒙古全面开展了以互助合作为中心的农业生产运动，把广大农民群众在土地改革以后发展生产的积极性，引导到互助合作发展农业生产方面上来。早在1948年内蒙古东部地区完成土地改革后，就开始了互助合作运动，到1952年已经组织了近7万个各种类型的互助组。西部的绥远省在解放后进行土地改革的同时，也大力贯彻执行了“组织起来，发展生产”的方针，到1952年已组织起各种类型的互助组6万多个。到1952年底，整个内蒙古地区已组织起各种类型的互助组13万多个，其中常年互助组占1/3，参加各种类型互助组的农户有68万余户，占总农户的1/2。与此同时，还试办了28个初级农业生产合作社，入社的农户有400多户。[②] 根据内蒙古地区蒙汉族杂居的特点，在民族团结、互助合作的基础上，各地普遍建立了由蒙汉族农牧民联合组成的农牧业生产互助组，使蒙汉族人民在农牧业生产上向着共同发展的道路前进。互助组和初级农业生产合作社较好地解决了土地改革后很多农民群众生产资料不足的困难，促进了农业生产的发展。

内蒙古是“十年九旱”的地区，与旱灾作斗争成为农业生产的重要任务。新中国成立后，党和政府领导广大农民以防旱抗旱为中心，大力开展了兴修水利的工作。在内蒙古各地广泛开展了群众性的兴修小型水利的运动，同时推行了各种抗旱保墒的耕作方法，以战胜旱灾。为了防止水患，1950年内蒙古自治区人民政府在东部地区动员辽河两岸的人民修筑了长达2 047华里的辽河堤防，基本上战胜了洪水灾害，使受灾耕地由1949年的200余

① 郝维民主编:《内蒙古自治区史》,内蒙古大学出版社1991年版，第91页。
② 郝维民主编:《内蒙古自治区史》,内蒙古大学出版社1991年版，第97—98页。

万亩减少到1950年的6万余亩。在西部地区，绥远省人民政府发动广大农民修筑了河套黄河左岸防洪堤坝530余华里，保护了耕地45万至60万亩；1952年又完成了黄杨闸水利工程。这一工程的完成，一共可以引黄河水灌溉280万亩农田，使百万亩碱地和荒地变成了良田。到1952年，全内蒙古的水浇地面积，已由1949年的481万亩扩大到794万亩。防止旱灾的斗争取得了可喜的成绩。①

为了扶植农业生产，帮助农民克服困难，人民政府制定了各项支持、奖励农业生产的政策。一是发放低息贷款。内蒙古自治区从1950年到1952年，共发放低息贷款3 097万元，农民群众用这些贷款购买耕畜近2万头，大小农具13万件，粮食种子2 000多万公斤。绥远省在这期间发放的农业贷款和水利投资共达1 600万元，农民拿贷款购买了近万头耕畜、10万件农具、近1 500万公斤粮食种子，还修了3 000多条大、中、小渠道，打了4.6万眼水井，对恢复和发展农业生产起了很大作用。② 二是实行合理的价格政策，农业税政策和丰收奖励政策，保证农民出售农产品有合理的收益，鼓励农民的生产积极性。

内蒙古地区的农业，直到新中国成立初期生产方法还很落后，耕作粗放，很少进行施肥、选种和防治病虫害等。为了提高农业生产技术和改变耕作粗放等状况，党和人民政府采取了推广良种、防治病虫害、推广新式农具、精耕细作和增施肥料等措施。1952年内蒙古农业区施肥面积达到2 278万亩，占播种面积的31.6%，过去从无施肥习惯的地区也进行了施肥追肥。原来没有秋耕习惯的东部地区，亦从1951年开始推行秋耕翻地。1952年农业区共推广各种新式农具1万多件，深受农民欢迎。大力推广农作物的品种改良，大部分地区的农民进行了选种，有些地方还种了小块种子地。人民政府曾经以46个农场和农业试验场培育良种，给农民提供了大量的优良品种。据18个农场的统计，3年内推广的优良品种共达482万多斤。在防治农作物病虫害方面也取得了较好的成绩。1952年西部地区药剂拌种共5 300余万斤，可防治病虫害560多万亩，占小麦、莜麦总面积的55%以上，施用农

① 郝维民主编：《内蒙古自治区史》，内蒙古大学出版社1991年版，第97—98页。

② 刘景平、郑广智主编：《内蒙古自治区经济发展概论》，内蒙古人民出版社1979年版，第181页。

药防治病虫害面积达200万亩以上。[1] 由于采取了一系列行之有效的措施，生产技术有了很大的提高，开始改变着农业生产的落后面貌。

经过3年的努力，到1952年底，内蒙古地区的农业生产开始发生了重大变化。1952年和1949年相比，播种面积由5 848万亩扩大到7 424万亩，三年内扩大了1 500余万亩。粮食总产量由1949年的42.5亿斤增加到69.7亿斤，增长64.1%。单位面积的产量，一般都增长了20%—30%。1952年人均粮食拥有量比1949年增长39.3%。[2] 随着农业生产的发展，农村的经济生活也发生了一系列变化。各族农民不但在政治上翻了身，而且在经济生活上得到了初步改善。在生产迅速增长的基础上，农业生产资料也随之有所增加，生产力水平逐渐提高，为农业生产的进一步发展创造了有利条件。

二、社会主义改造时期的农业

1953年，我国开始实行发展国民经济的第一个五年计划。内蒙古自治区同全国一样进入了有计划的经济建设和社会主义改造时期。根据国家第一个五年计划的要求，结合内蒙古的实际情况，内蒙古自治区也制订了发展国民经济的第一个五年计划。大力发展农业生产，是内蒙古自治区第一个五个计划时期经济建设的重要任务之一。内蒙古适宜农业的地区有着发展农业生产的良好条件，这些地区的土地比较肥沃，大部分是黑钙土和栗钙土。河套平原、土默川盆地、嫩江流域和辽河平原都是沃野千里的著名产粮区。当时内蒙古近900万人口中，农村人口占700多万，他们主要从事农业生产。农业经济在内蒙古自治区的国民经济中占有极其重要的地位。内蒙古自治区党委和自治区人民政府非常重视农业生产。第一个五年计划期间，在稳步进行农业社会主义改造的同时，采取了一系列发展农业生产的政策和措施。

为扶持农业生产的发展，国家在发放信贷、农产品价格以及税收等方面，均以鼓励和促进农业生产为原则。从1949年到1956年累计，国家共在农业区、半农半牧区发放了各种贷款一亿五千万元，有效地帮助农民解决了

① 郝维民主编：《内蒙古自治区史》，内蒙古大学出版社1991年版，第98页。
② 郝维民主编：《内蒙古自治区史》，内蒙古大学出版社1991年版，第98页。

生产资料不足的困难。[①] 同时根据合理负担、鼓励增产的原则，执行了以常年应产量依率计征、依法减免、增产不增税的农业政策，大大地鼓舞了农民的生产情绪。在农畜土特产品的比价方面，执行了中央规定的合理价格政策，采取了分等论价和调整比价的办法，彻底清除了历史上遗留下来的不合理现象，逐年缩小了工农业产品价格的剪刀差，保证了农民的劳动所得和切身利益。对农牧民所需要的生产资料，除大力组织生产和供应外，还采取了低价政策。1955 年推广的 13 种新式农具在原售价的基础上降低了 25%—30%，生产和销售的亏损统一由国家拨款补贴。为了鼓励种植经济作物，先后提高了甜菜、线麻、油料、大豆等农产品的收购价格。从而，进一步调动了农民发展生产的积极性，扩大了农业再生产的投资，促进了农业生产的不断发展。

内蒙古地区属大陆性气候，气候干燥、雨量较少，全年降雨集中在六月至九月。这几个月的降雨量为全年降雨量的 80% 左右，再加上风力大、蒸发快，常常造成全区性的春旱秋涝，山地丘陵地水土流失，洪水暴发，对农业生产有很大影响。为了发展农业生产，党和政府发动群众大力开展水利建设，扩大灌溉面积，进行水土保持，营造农田防护林带，与自然灾害进行顽强的斗争。在植树造林方面，掀起群众性的绿化高潮，绿化荒山荒地并有重点地推行国营造林与封山育林。到 1957 年全区共造林 480 多万亩，其中东部防护林带就占 236 万亩。在农田水利建设方面，兴修和开辟了不少河流灌溉工程及地下水源，到 1957 年全区兴修的各种大小渠道达 7 500 多条，水库塘坝 105 座，打水井 9 000 多眼，推广水车 21 000 多部；扩大了原河套灌溉区面积，修建了解放、胜利、民族等 5 大灌区，在西辽河流域建筑了防洪堤、分洪坝、滞洪区和灌区。通过这些措施，使全区农田有效灌溉面积达到 910 多万亩，比 1952 年增加 300 多万亩，增长 50% 以上。[②] 经过 5 年的艰苦努力，极大地增强了自治区农业抵御自然灾害的能力。

为了改变耕作粗放、广种薄收的状况，党和政府因地制宜采取了深耕细

---

① 郝维民主编：《内蒙古自治区史》，内蒙古大学出版社 1991 年版，第 143 页。

② 刘景平、郑广智主编：《内蒙古自治区经济发展概论》，内蒙古人民出版社 1979 年版，第 250—251 页。

作，增施肥料，改良土壤，推广新式农具、选育推广良种、合理密植，防治病虫害等一系列技术措施。推行秋耕和深耕，是内蒙古地区耕作方法上的一个重大改进。在西部地区虽有秋耕的习惯，但秋耕的质量较差，而在东部地区则无秋耕之说。因而在西部地区着重提高耕作质量，逐步加深耕层。在东部地区，则由点到面大力推广秋耕。到1956年，东部地区26%的耕地进行了秋耕。实行普遍施肥，也是内蒙古农业耕作技术上的进步。1957年全区积肥量达到530多亿斤，施肥面积由1952年占总播种面积的30.3%提高到42.8%。同时，在5年内共施用过磷酸钙、硫酸铵等化肥600多万斤。大力培育和推广良种是提高农作物产量的重要措施。几年来自治区先后引进和培育优良品种30多种。1957年良种面积扩大到2 230万亩，占总播种面积的29%。在推广良种的同时，积极提倡和推广农作物的合理密植。过去，各地在播种方法上大多是宽行大垄，种得很稀，影响单位面积产量的提高。从1953年起，在西部地区重点推广了小麦等主要作物的匀播密植，在东部地区推行了缩垄增行，全区农作物密植面积已由1952年的340余万亩扩大到1957年的2 170多万亩。在防治病虫害方面，5年内推广各种农药746万多斤，防治面积累计达到8 500多万亩，从而减轻了病虫害的危害程度。制造和推广新式农具，是改进农业生产手段的重要措施，从1953年到1957年，共推广步犁、双轮双铧犁、铲蹚机、播种机、收割机等新式畜力农具23万多台，使新式农具所占比重逐渐提高。由于上述各种措施的积极推行，提高了农业生产效率，并出现了不少丰产田。为了改进农业技术，推广科学种田，自治区建立了农业科学研究所专门进行农业科学技术的研究，并建立了实验站3处，基层农业技术推广站413处，种子繁育场27处。这些机构的成立，对农业生产技术的提高起到一定的作用。到1957年，全区已建立起国营农场42处，其中农业系统的19处，其耕地面积达105万亩；拖拉机站5处，服务面积达到30万亩。① 国营农场和拖拉机站的建立，在促进农业生产方面起到了一定的作用。

内蒙古自治区在发展农业生产的过程中，始终坚持因地制宜、农牧结合

① 刘景平、郑广智主编：《内蒙古自治区经济发展概论》，内蒙古人民出版社1979年版，第250—251页。

的方针。农业是自治区各族人民共同从事的生产。在农业区和半农半牧区基本是蒙汉族杂居，具有实行农牧结合、多种经营的有利条件。这里有大量的土地和牲畜，有许多荒山和牧场，还有不少河流和湖泊。各族农民向来有多种经营的习惯。农业区和半农半牧区拥有的牲畜头数占全区牲畜总头数的一半左右，全区大多数的耕牛和役畜分布在这里。根据民族特点，并随着国民经济发展的需要，内蒙古党委具体规定了农业区发展生产的方针是“努力增产粮食的同时，大力发展畜牧业及其他副业生产”；半农半牧区的方针是“全面规划，农牧结合，多种经营，有计划地发展农牧业生产”。这就为农牧业生产的发展指出了明确的方向。为了实现农牧结合，内蒙古党委和人民政府采取了一系列措施，如：在粮食统购中，给耕畜、孕畜、幼畜和部分散放牲畜留有一定数量的饲料，农业区的畜牧业免征牧业税，进行品种改良，发展防疫工作，团结民间中兽医，实行合理的价格政策。这些措施的执行，使农业区的畜牧业也得到了迅速发展，为农业生产提供了大量的役畜和农家肥，给农民提供了大量的肉食和皮毛等生活用品。同时，农业又为畜牧业提供了大量的农副产品，帮助了畜牧业的发展。农业和牧业相互结合，相互促进，得到了共同发展。

由于发展农业生产的政策合理和措施得力以及蒙汉族农民的积极努力，内蒙古自治区的农业生产在短短几年中有了较快的发展。各种农产品除油料作物外，到1956年都提前一年完成了第一个五年计划规定的指标。粮食总产量达到93.1亿斤，比1952年增长了33.6%。每个农业人口提供的原粮达到1350斤。农业的发展，支援了国家的经济建设，从1953年到1957年，内蒙古自治区上调给国家的粮食达到347.2万吨，大豆3亿多斤，还有大量的油料、麻类、甜菜等经济作物。农业生产的发展，还改善了农民群众的生活。根据1956年对36个乡的调查，每个农民的平均收入达到111元，其中最高的达到222元。又根据1954年到1956年间对1 277户农民家庭收入的调查，人均购买力，1947年为14元，1956年达到61元；农民人均粮食消耗量，1954年为428斤，1956年达到539斤。① 农业的发展，改善了人民生活，支援了国家的社会主义建设，巩固了工农联盟。

① 郝维民主编：《内蒙古自治区史》，内蒙古人民出版社1991年版，第145—146页。

三、全面建设社会主义时期的农业

经过各族农民群众的共同努力，在第一个五年计划期间内蒙古自治区的农业生产得到了较快的发展。1956 年，绝大多数农产品都提前一年完成了第一个五年计划规定的指标。与此同时，基本完成了农业的社会主义改造，在广大农村基本上确立了社会主义的经济制度，从而为内蒙古自治区农业的进一步发展创造了良好的条件。

1958 年，党的八大二次会议通过了“鼓足干劲，力争上游，多快好省地建设社会主义”的总路线。反映了广大人民群众迫切要求改变我国经济文化落后状况的普遍愿望，激励全国各族人民在生产建设中发挥了高度的社会主义积极性和创造精神，并取得了一定的成果。可是，由于对社会主义建设经验不足，对经济发展规律和我国经济基本情况认识不足，忽视了客观经济规律。从中央到地方，很多同志在胜利面前滋长了骄傲自满情绪，急于求成，夸大了主观意识的能动性，在总路线提出后，又轻率地提出了开展“大跃进”运动。1958 年 8 月，在北戴河召开的中央政治局扩大会议后，把“大跃进”运动推向了高潮。

随着全国“大跃进”运动的兴起，内蒙古自治区也提出了一些不切实际的高指标，一步一步地出现了“大跃进”的局面。在中国共产党内蒙古自治区第一届代表大会第二次会议上提出，自治区的农牧业生产争取在 8 年、7 年或更短的时间内，全面完成 10 年规划的任务；全区粮食产量在 8 年内平均亩产达到 200 公斤，四个灌区在 5 年内达到 10 年规划指标；5 年完成 10 年水利建设指标，达到人均 6 亩水地，基本实现水利化，水土保持 6 年完成 10 年的任务。这次会议结束不久，内蒙古自治区党委又召开了一届六次全委扩大会议。会议要求农业在 3 年内基本实现水利化，3 至 5 年内基本实现机械化，5 年内粮食亩产平均达到 200 公斤，5 年内全区牲畜总头数要达到 4 000 万头（只）。各盟、市根据自治区提出高速度、高指标，也制定了更高的跃进指标，河套地区提出当年实现粮食平均亩产 200 公斤，2 年实现机械化半机械化，3 年实现粮食亩产过长江（400 公斤），5 年达到 500 公斤。其他各盟都提出 3 至 5 年实现粮食亩产 200 公斤。这种不切实际的指标导致了农业生产中浮夸风的泛滥，各种“奇迹”不断出现。一批批高产田、“卫星田”在各级干部的主持下接连涌现，产量超过当地平均产量几倍以至几十倍。百母百仔的丰产畜群也接连出现。到1958年底，自治区公布的统计数字中，农业总产值达到18.4亿元，比上年增长55%以上，粮食总产量达到590万吨，比上年增长1倍。实际上这些数字有很大的虚假成分。后来经过核实，农业总产值只有15.6亿元，虚假成分达17.9%；粮食总产量只有482.5万吨，浮报了22.2%。[①] 这种浮夸风，给经济工作造成了很大困难。例如高征购给人民生活带来了困难，甚至连种子也受到影响，并造成粮食的惊人浪费，更主要的是，虚假信息给国家的经济工作的决策造成更大失误。

随着“大跃进”运动的逐步兴起，农业合作化运动也偏离了正常发展的方向，走向“左”的极端，进而兴起了人民公社化运动。1957年底到1958年春，全国农村大搞农田水利建设，出现了跨社、跨乡甚至跨县进行协作的情况，不少地方还出现了自发并社的行动。1958年8月，中共中央政治局在北戴河举行扩大会议，作出了《中共中央关于在农村建立人民公社问题的决议》,立即在全国掀起了人民公社化运动。至1958年9月底，全国农村基本上实现了人民公社化。

内蒙古自治区的人民公社化运动发展情况和全国的进程大致相同。1958的8月中、下旬，内蒙古党委在通辽和呼和浩特分别召开东西部地区盟市委书记会议时，曾研究了并大社、办公社的问题。中央北戴河会议后，8月31日，内蒙古党委召开了盟市委第一书记会议，要求积极地、有秩序地领导人民公社化运动。这时，全区已经办起了50多个人民公社。9月9日和10日，内蒙古党委召开盟市委书记电话会议，就办人民公社问题作了进一步的动员和布置。这时全区农村人民公社已发展到465个。10日至21日，内蒙古党委召开第一届第八次全委扩大会议，传达了北戴河会议的精神，研究了自治区大办人民公社的问题。会议通过了《内蒙古党委关于实现人民公社化的初步规划的决议》,对自治区人民公社的组织规模、建社步骤和做法、人民公社的各项经济政策问题、民族关系、领导问题以及牧区公社化问题作了决

① 内蒙古党委党史研究室编：《六十年代国民经济调整·内蒙古卷》,中共党史出版社2001年版，第6、62、77页。

定。决议认为，中共中央关于在农村中建立人民公社问题的决议，完全适合内蒙古自治区的情况。公社的规模，一般一乡一社，每社 2 000 户左右为宜，政社合一，乡党委就是社党委，乡人民委员会就是社管理委员会。建好人民公社的标准是：生产大丰收，工作全面大跃进；思想大丰收，社会主义觉悟、共产主义觉悟大大提高；各民族大团结不断增强；在生产丰收、思想丰收、民族大团结的基础上，顺利而正确地解决人民公社的若干政策问题。会后，人民公社化运动在自治区一哄而起，至 9 月末全区由 11 049 个农业合作社合并为 682 个人民公社，参加农户 172 万户，占总农户的 99% 以上，全区农村实现了人民公社化。①

人民公社实行"一大二公"，即公社规模大，小者 200 户，大者 13 000 户，平均为 2 360 户；生产资料归公社所有，实行"政社合一"，"工农商学兵一体"的体制。在分配制度上，实行工资制与供给制相结合的制度；而且不切实际地大办公共食堂、托儿所、幼儿园、缝纫组、幸福院等集体福利事业。实际上完全脱离了当时的物质基础和群众的生活习惯。紧跟着人民公社化，农村刮起一股"过渡风"和"共产风"，造成农村经济灾难性的破坏，并且波及整个国民经济。由于公社把主要劳动力用到大炼钢铁中去，使农业丰产不能丰收，加上大办公共食堂，造成粮食和木柴的惊人浪费；大办文化事业和集体福利事业，降低了社员收入水平和生活水平；平均主义的分配方式，挫伤了社员的积极性；政社合一的管理体制，助长了农村工作的强迫命令和瞎指挥。结果导致了农业生产连续下降的局面。1958 年至 1960 年，三年粮食产量分别为 96. 5 亿斤、86. 8 亿斤和 71. 8 亿斤，呈直线下降局势；三年农业总产值为 14. 78 亿元、16. 46 亿元、14. 64 亿元，呈起伏徘徊状态。1960 年粮食产量较 1958 年减少 24. 7 亿斤，油料作物产量由 2. 7 亿斤减少到 1. 3 亿斤。但同期全区人口增长 205 万人，城市人口净增 142. 9 万人。人均农业总产值由 150 元降到 123 元；人均油料由 27. 4 斤降到 10. 9 斤。在农村征购粮油工作中，出现了高征购的偏向，导致农民自留粮减少，加剧了农业生产和农民生活的困难程度，城镇居民的口粮供应也降低了标准。人民生活水平明显下降，尤其是人民群众的吃饭穿衣问题出现了严重困

① 本志编纂委员会编：《内蒙古自治区志 · 农业志》，内蒙古人民出版社 2000 年版，第 125 页。

难。1958 年至 1960 年人均粮食产量由 978.6 斤下降到 608.2 斤，下降 37.85%。1961 年全区养猪头数比 1960 年减少 30% 以上；生猪收购量由前三年的 40 万—41 万头猛减到 8 万头，减少 80% 以上。鲜蛋收购量减少了 70% 左右。口粮、肉食、棉布等供应出现了极其严重的困难。1959 年到 1961 年，我国国民经济出现了严重困难。①

面对严峻的形势，1960 年 9 月，中共中央批准了国家计委提出的国民经济“调整、巩固、充实、提高”的方针。紧接着在 1961 年 1 月召开的党的八届九中全会上，正式决定对国民经济实行“调整、巩固、充实、提高”的八字方针。八届九中全会通过的“八字方针”，标志着国民经济的指导方针逐步转向调整。八届九中全会后，我国国民经济由“大跃进”转入全面调整。

1962 年 1 月 11 日至 2 月 7 日，中共中央在北京召开中央工作会议。会议初步总结了“大跃进”以来的经验教训，开展了批评和自我批评，使党对“左”倾错误的危害有了进一步的认识。在此前后，党中央在深入调查研究的基础上，陆续制定和执行了一系列正确的方针和政策，采取果断措施，在经济、政治和科学、教育、文化等各个领域，大力纠正“左”的错误，调整国民经济。

农业是国民经济的基础，农业生产的大幅度下降，影响到整个国民经济的发展，所以，国民经济的调整工作首先从农业着手进行。1960 年 11 月开始，内蒙古自治区党委根据党中央调整农业的有关政策，相应地制定了《关于农村人民公社当前政策问题的补充规定》《关于农村人民公社工作条例的补充规定》《狠抓精简职工和城镇人口，支援农牧业生产的紧急通知》等一系列文件，对农业和农村政策进行调整。

1960 年 11 月，内蒙古自治区根据中共中央《关于农村人民公社当前政策问题的紧急指示信》的精神，结合自治区的实际，坚决调整了农村人民公社的所有制与分配关系。调整后的农村人民公社实行以生产大队为基本核算单位和生产队的部分所有制。把劳动力、土地、耕畜、农具等生产资料固定给生产队使用；规定公社和生产大队两级占有的劳动力，不能超过农村总

---

① 内蒙古党委党史研究室编：《六十年代国民经济调整 · 内蒙古卷》，中共党史出版社 2001 年版，第 63—64 页。

劳动力的5%；95%的劳动力归生产队支配；坚决反对和纠正“一平二调”的错误，凡属平调的物资、劳动力一律退回，允许社员经营少量的自留地和小规模的家庭副业；少扣多分，尽量做到90%的社员增加收入；所有生产队都应对生产小队实行三包一奖制（即包工、包产、包财务、超产奖励），并确定小队包产指标和超产奖励的具体办法；核减与调整1959年公社提取的公积金；规定公社向生产队提取公积金的比例为15%—20%；坚持评工制度；安排好社员生活；有领导有计划地恢复农村集市，活跃农村经济；注意劳逸结合。

1961年5月，中共中央发布《农村人民公社工作条例（草案）》（即《六十条》），6月至7月，自治区召开三级干部会议，根据中央精神，检查总结了人民公社的经验教训，制定了《关于农村人民公社工作条例的补充规定》,进一步调整农村人民公社的管理体制，主要内容是：逐步实行“三级所有，队为基础”，即实行公社、大队、生产队三级所有制，以相当于初级社规模的生产队为基本核算单位，发挥生产队的自主权，纠正生产队间的平均主义；发展灵活多样的经营方式，实行“三包一奖”，建立生产责任制；取消公共食堂，取消过去实行的部分供给制，实行定额记分或评工记分，体现按劳分配原则；恢复自留地、自留畜、家庭副业和集市贸易。自留地和开荒所产的粮食不征农业税，不计统购粮，不算入口粮分配指标。在调整人民公社管理体制的同时，缩小了人民公社的规模，把全区690个农村人民公社调整划分为995个，2.7万个生产队划分为5.4万个。社队规模缩小1/3，大多数生产队的规模大体上相当于初级合作社。① 社员劳动好坏与生产队这个小集体挂上钩，劳动积极性比在“一大二公”的人民公社大集体有很大提高。

1961年1月，内蒙古党委召开第一届第十三次全委扩大会议，决定用集中兵力打歼灭战的方针，整顿三类队；以纠正“共产风”为中心，大力纠正浮夸风、瞎指挥风、特殊化作风和强迫命令风；对刮“五风”时平调的耕地物资等，要求必须坚决算清，彻底退赔，取信于民。9月15日，内

---

① 内蒙古党委党史研究室编：《六十年代国民经济调整·内蒙古卷》,中共党史出版社2001年版，第67—68页。

蒙古党委决定从国营牧场和商业牧场的收购数中，调出 10 万头（只）牲畜，拨给农区，作为落实中央关于彻底退赔兑现的物资，小畜退给社员，大畜退给生产队。在退赔平调社员物资的同时，减少粮食征购、降低农业税率，减轻农民负担。1961 年粮食征购量比 1960 年减少 3.14 亿斤，占当年粮食产量的比重由 1960 年的 36.5% 下降到 33.5%。农业税率也明确规定全区平均不超过 10%，地方附加农业税，由过去的 15% 降为 7%，恢复到 1956 年前的比例。①

为了支援农业生产，自治区采取了节约劳动力和精简职工，加强和支援农业生产第一线的措施。在农业生产第一线的劳动力，农忙时必须保证达到 80%（牲畜多的地方也要达到 75%），其余 20% 的劳动力，参加社办工业、短途运输的有 3%，牧林副渔占 8%，生活福利、文教卫生占 9%；社队必须举办的基本建设，应尽量利用农闲时间举办，不得影响农业生产；农村各项服务和福利事业要压缩调整，挤出劳动力充实农业第一线；狠抓精简职工和城镇人口，支援农牧业生产。各级机关、厂矿企业普遍核定人员，凡能精简的人员一律精简，并动员有劳动能力的城镇闲散人员参加农业生产。因原材料不足，停工和半停工的企业和基建单位，要组织工人到农牧场或公社参加短期劳动。并计划在 1961 年 5 月 1 日前精简 50 万城镇人口，充实农牧业生产第一线。通过党政机关和企事业单位大力精简职工，1962 年末，自治区全民所有制职工人数由 1960 年的 136.8 万人减少到 80.8 万人。精简的职工连同家属回乡，给农业生产增加了劳动力。由于措施得力，很快扭转了从 1958 年开始的农业劳动力一再下降的趋势。农业劳动力由 1959 年的 282.1 万，1960 年的 278.8 万增加到 1963 年的 343.4 万，1964 年的 356.4 万。②

自治区还动员各行各业支援农业，特别是加大工业对农业的支援。广泛调动工业、交通、基建、财贸、政法、科学、文教、卫生等各行各业的主动性、积极性，支援农牧业生产。在各行各业的支援下，农牧业机械拥有量

① 内蒙古党委党史研究室编：《六十年代国民经济调整·内蒙古卷》，中共党史出版社 2001 年版，第 67—68 页。

② 内蒙古党委党史研究室编：《六十年代国民经济调整·内蒙古卷》，中共党史出版社 2001 年版，第 67—68 页。

1965 年与 1960 年相比，农用拖拉机台数增长 72%，动力脱粒机台数增长 4.2 倍，排灌动力机械总马力增长 1.16 倍，机引农具台数增长 1.18 倍，农牧用水泵台数增长 2 倍多，载重汽车增长 2 倍多，胶轮大车增长 3.5 倍。[①]此后，支援农牧业的方针贯穿整个国民经济的调整时期。

另外，为促进农牧业生产的发展，自治区调整了购销政策，提高了农牧副产品的收购价格，开展农牧业机具的创造与改革运动，实行积极发展牲畜与提高质量并举的方针；开展增产节约和生产竞赛运动。

通过调整，内蒙古自治区的农业生产迅速恢复发展，扭转了从 1959 年开始的粮食产量连续 4 年下降的被动局面。粮食总产量 1962 年为 32.5 亿公斤，1963 年增至 33.8 亿公斤，1964 年增至 43 亿公斤，1965 年因灾减产，也有 38.2 亿公斤。1965 年比 1962 年提高 17.54%。平均亩产量 1962 年 45 公斤，1963 年 48 公斤，1964 年 60 公斤，1965 年 54 公斤，1965 年比 1962 年提高 20%。作为工业原料的经济作物都有明显的增长。其中油料总产量 1962 年 0.55 亿公斤，1963 年 0.635 亿公斤，1964 年 1.12 亿公斤，1965 年 0.89 亿公斤。1965 年比 1962 年增长 61.82%。甜菜 1962 年 0.255 亿公斤，1963 年 0.84 亿公斤，1964 年 2.25 亿公斤，1965 年 2.085 亿公斤。1965 年比 1962 年增长了 7 倍多。麻类增长幅度较小，也由 1962 年的 690 万斤，增至 1963 年的 880 万斤，1964 年的 1034 万斤，1965 年的 918 万斤，1965 年比 1962 年增长了 33.04%。养猪从 1962 年的开始回升，年终头数分别为 1962 年 233 万头，1963 年 276.5 万头，1964 年 290.3 万头，1965 年 312.2 万头，三年增长了 33.9%。[②] 由于农业生产的恢复和发展，城乡主副食品供应渐趋缓和。到 1963 年，城市肉、蛋等主要副食品全部取消了票证，做到敞开销售。市场物价稳定，人民生活得到了很大改善和提高。内蒙古自治区国民经济走上了健康发展的轨道。

---

① 内蒙古党委党史研究室编：《六十年代国民经济调整 · 内蒙古卷》，中共党史出版社 2001 年版，第 67—68 页。

② 内蒙古党委党史研究室编：《六十年代国民经济调整 · 内蒙古卷》，中共党史出版社 2001 年版，第 71—72 页。

四、“文化大革命”时期的农业

经过五年的全面调整，内蒙古的农业生产从1963年至1965年得到了全面的恢复和发展。粮食产量逐年增长，城乡人民主副食品供应紧张的局面开始趋向缓和。然而，1966年“文化大革命”运动的爆发，对自治区的农业经济又造成严重破坏。1966年5月，“文化大革命”开始后，大批领导干部被打倒或“靠边站”，各级党委和政府遭到冲击，社会上出现了动乱的局面；各级农业主管部门也逐渐陷于瘫痪状态，因而不能行使职能、管理农业。12月，中共中央发出《关于农村无产阶级文化大革命的指示（草案)》,决定在农村开展“文化大革命”运动。不久，“文化大革命”运动便在内蒙古广大的农村开展起来。

农村开展“文化大革命”以后，“三级所有、队为基础”的人民公社组织体制受到了冲击，各地盲目追求“一大二公”，搞穷过渡，基本核算单位急于向生产大队过渡；取消或限制社员自留地、家庭副业、集市贸易；同时大力推行平均主义的分配制度，否定人民公社调整过程中建立起来的生产管理制度和分配制度。这样做的结果导致了生产上的“大帮轰”和分配上的“大锅饭”。生产队集中经营，社员每天到生产队集中，听候队长派活，大家一起下田劳动，经营上的决策权由少数干部掌握，社员不能根据实际情况采取独立的措施，他们的经营才干和主动精神得不到发挥，特别是在干部经营管理水平不高的情况下，往往产生瞎指挥。这种现象就叫做“大帮轰”。在分配形式上，当时全区农村生产队评工记分办法有三种：一种是固定工分，也就是按劳动力的强弱“站队”，分男女整、半劳力，一次定死，实行的结果是男十分，女八分，知识青年老七分。一种是自报公议，死分活评，评来评去，把人们的积极性都评掉了。一种是定额工分，由于农业劳动条件复杂多变，定额很难搞得合理，同时干得好与差，难以检验。实行工分制，分值多少只有到年终算账。经营上的浪费，一些干部的多吃多占，七扣八除，分值就没有多少了。工分制实行的结果，多劳不能多得，少劳也不少得，这样的平均主义叫做“大锅饭”。这样的生产经营方式和分配办法，完全窒息了广大农民的劳动积极性，严重破坏了生产力的发展。全区农业生产跌至低谷。1969年，全区粮食购销状况发生了根本性的逆转，由余粮调出变缺粮调入。1969 年粮食产量 351.5 万吨，比 1965 年下降了 7.94%，当年调入粮食 61.4 万吨。粮食减产不仅使城市供应紧张，而且农村社员口粮也普遍减少。1969 年农业总产值 13.8 亿元，比 1965 年下降了 5%。[①] 农业总产值的下降，直接制约了农民生活水平的提高。

1969 年 12 月 19 日，中共中央作出《关于内蒙古实行全面军管的决定》,责成北京军区对内蒙古自治区实行分区全面军管，全面统一领导内蒙古自治区的工作，使内蒙古自治区的政治局势出现了相对稳定的局面。因而在一定程度上促进了生产的恢复，使自治区的国民经济从 1970 年开始逐步恢复。1970 年自治区农业总产值达到 16.64 亿元，比 1969 年增长 20.49%。[②]

1971 年 5 月，中共内蒙古自治区第三次代表大会在呼和浩特召开，选举产生了中共内蒙古自治区第三届委员会。内蒙古各地也陆续成立了中国共产党盟市旗县区委员会，逐步恢复了中共基层党组织，对于政治局势的稳定和社会秩序、生产秩序和生活秩序的恢复起到了重要作用。

1971 年 9 月，自治区党委召开全区农村、牧区政策座谈会，根据周恩来总理关于进行整顿的精神，开始清除“文化大革命”中极“左”思潮对人民公社经营制度经营政策的影响，作出了《关于当前农村牧区若干政策问题的规定》（以下简称《决定》），并于 10 月 18 日由自治区党委正式下达。《规定》强调 1962 年 8 月党的八届十中全会上通过的中共中央关于《农村人民公社工作条例修正草案》的基本政策在今后相当长的时间内仍然是适用的，必须继续贯彻执行；重申要继续坚持人民公社“三级所有，队为基础”的制度，坚决反对平调，严格控制非生产性开支，搞好劳动计酬，克服平均主义，正确处理积累和分配的关系，积极发展集体养猪，继续鼓励农户养猪的政策。这个《规定》对于缓解“文化大革命”初期没收自留地、砍掉家庭副业、搞“一平二调”以及平均主义的分配方式等“左”的倾向起到了限制作用，对于调动广大农民群众的生产积极性，稳定农村经济、恢

① 内蒙古党委党史研究室编：《中国新时期农村的改革·内蒙古卷》,中共党史出版社 1999 年版，第 105 页。

② 郝维民主编：《内蒙古自治区史》,内蒙古大学出版社 1991 年版，第 243 页。

复与发展农业生产起到了积极作用。经过1973年的艰苦努力，农业生产稳步回升。1973年自治区农业总产值达到26.97亿元，比1972年增长30.23%。[①]

1974年初，全国开展了“批林批孔”运动。“四人帮”把矛头指向了周恩来总理，再次在全国搞乱了刚刚得到整顿的秩序。内蒙古也出现了一场不大不小的动乱。但是，由于广大农民群众没有参加“批林批孔”运动而使农业生产受影响较小。1974年，全区农业总产值27.55亿元，比上一年增长2.15%。[②]

1975年1月，第四届全国人民代表大会后，在毛泽东的支持下邓小平主持中央日常工作。邓小平根据毛泽东提出的安定团结、把国民经济搞上去的指示，对工业、农业、科技、交通、军事等各条战线进行全面整顿。内蒙古自治区贯彻中共中央对农业整顿的要求，在全区开展了农牧业学大寨运动。并在全区农牧业学大寨先进集体、先进生产者代表会议上提出奋战1975年，摘掉缺粮帽，作出新贡献的号召。大会提出了一些学大寨的措施，决定开展农田水利建设。同年9月，全国召开了农业学大寨会议，会议强调发展农业的重要性，并提出要在全国普及大寨县。10月，内蒙古自治区召开直属机关党员干部万人大会，贯彻全国农业学大寨会议精神，动员全区为普及大寨县而奋斗。会后，自治区机关及各盟市、旗县、公社派出36 000多名干部，组成农业学大寨宣传队、工作队，深入农村牧区开展学大寨运动。这对当时恢复发展农业生产和提高广大农民群众的生产积极性起到了一定的作用。1975年全区农业总产值完成28.22亿元，比1974年增长2.46%；全区粮食产量为519.5万吨，比1974年的502.5万吨增加了17万吨，增长3.38%。[③] 广大的农村牧区出现了安定团结的局面。

邓小平主持中央工作期间，狠抓各条战线的整顿，纠正“文化大革命”中所实行的许多错误政策，引起了“四人帮”的不满与恐慌，于是“四人帮”在1976年2月发动了所谓“批邓、反击右倾翻案风”运动，邓小平同

① 郝维民主编：《内蒙古自治区史》，内蒙古大学出版社1991年版，第344—345页。

② 郝维民主编：《内蒙古自治区史》，内蒙古大学出版社1991年版，第344—345页。

③ 《当代中国》丛书编委会编：《当代中国的内蒙古》，当代中国出版社1992年版，第118页。

志再次被打倒，各条战线的整顿被迫停止，政治局势又陷入混乱。内蒙古的国民经济受到严重冲击。1976 年全区农业总产值为 28.60 亿元，比 1975 年仅增长 1.31%。[①]

总之，1966 年至 1976 年的“文化大革命”，使内蒙古自治区的农业经济遭到了严重破坏。由于全局性“左”倾错误的严重影响，打乱了自治区国民经济恢复、发展的正常进程，农业经济的发展几起几落、历经艰难，与调整时期相比，农业生产的发展速度明显下降。农业总产值、农副产品产量虽有所增长，但总的来说增长较慢，相对来说处于徘徊状态。1976 年与 1965 年相比，农业总产值增长了 36.1%，年平均增长 2.8%，比调整时期降低了 4.3 个百分点；粮食产量增长 33.9%，油料增长 66.7%，甜菜增长 114.1%，麻类减产 2.2%。自治区粮食产量 10 年内比上年减产的就有 5 个年份。10 年累计生产粮食 4 453 万吨，年平均生产粮食仅比 1966 年增长 4.4%；同时由于人口增长超过了粮食的增长，人均占有粮食由 1966 年的 642 斤下降到 1976 年的 578 斤，人均占有量减少了 64 斤，下降 9.97%。全区约有 1/3 的生产队“吃粮靠返销，花钱靠救济，生产靠贷款”，被称为“三靠队”。[②] 广大农民群众的生活长期没有得到改善。

五、社会主义现代化建设时期的农业

农业合作化以后，在农村集体经济的基础上，农村生产力有了一定提高。但是，农业生产合作社的模式，特别是“政社合一”的人民公社，经营管理过于集中，分配上存在严重的平均主义，在相当长的时期内把集中劳动与平均分配当作集体经济的优越性来提倡，“大帮轰”的劳动加上“吃大锅饭”的分配，把农民的生产积极性都扼杀了，严重束缚了农业生产力的发展，延缓了农民生活的改善。1978 年以前，全区约有 1/3 的生产队吃粮靠返销，生活靠救济，花钱靠贷款。部分生产队的一个劳动日才值 0.1 元左

---

① 郝维民主编：《内蒙古自治区史》，内蒙古大学出版社 1991 年版，第 344—345 页。

② 《当代中国》丛书编委会编：《当代中国的内蒙古》，当代中国出版社 1992 年版，第 118 页；本志编委会编：《内蒙古自治区志 · 农业志》，内蒙古人民出版社 2000 年版，第 149 页；中共内蒙古自治区党委党史研究室编：《中国新时期农村的变革 · 内蒙古卷》，中共党史出版社 1999 年版，第 105 页。

右，有些生产队社员辛苦一年，扣去口粮钱还要倒欠，被称作“倒分红”。

“文化大革命”结束以后，自治区一些农村社队开始探索摆脱贫困的途径，如伊克昭盟大部分旗县、巴彦淖尔盟五原县、乌兰察布盟卓资县等地，最初实行的是定额管理、小段包工责任制。这两种承包形式都是在生产队统一管理下，对农业生产中的部分环节实行承包责任制，对调动劳动者的积极性，起了一定作用。此后农民群众在实践中又创造出一种新的生产责任制形式，即包产到组，联产计酬。这种形式便于把生产作业组的共同利益和产量直接联系起来。但是，由一户几个劳动力或兄弟、亲戚几户组成的“合心组”效果更好；而相当一部分作业组是由生产队统一分配组合而成，称之为“合组不合心”，分配上由“大锅饭”变成“二锅饭”，这种组合形式收效欠佳。

1978 年 12 月召开的中共十一届三中全会，通过了《关于加快农业发展若干问题和决定（草案）》（以下简称《决定》）。其中对关于建立农业生产责任制的问题指出：可以实行“包工到作业组，联系产量计算劳动报酬”的办法。1979 年 2 月，内蒙古自治区党委和自治区革命委员会发布了《关于农村牧区若干政策问题的决定》。对于农村建立生产责任制问题，《决定》明确指出：“要在加强定额管理的基础上，全面建立生产责任制，计酬形式可以按定额记工分，可以按时记工加评议，也可以在生产队统一核算和分配的前提下，包工到作业组，联系产量计算劳动报酬，实行超产奖励。”在中央和自治区关于加快发展农业的《决定》精神鼓舞下，伊克昭盟和其他一些盟市的贫困队，率先实行“包产到户”责任制。这种以农民家庭为单位的联产承包责任制，把劳动成果与家庭收入紧密地结合在一起，收到了意想不到的效果。农民起早贪黑，干劲十足，普遍反映包产到户“责任最明确，利益最直接，方法最简便，效果最明显”。哲里木盟奈曼旗白音昌公社，连续十三年吃返销粮，实行“包产到户”一年，不仅摘掉了“老返销”的帽子，还向国家卖了 35 万斤余粮。昭乌达盟巴林左旗浩吐尔公社的一个生产队，连续七年吃“返销粮”，欠国家贷款 3 000 余元，“包产到户”一年，由缺粮队变成余粮队，还清了国家贷款。① 这些变化，在全区各地引起了极

① 郝维民主编：《内蒙古自治区史》，内蒙古大学出版社 1991 年版，第 391 页。

大反响。广大农民群众纷纷要求实行“包产到户”生产责任制。

内蒙古自治区党委和自治区人民政府，对“包产到户”生产责任制给予了坚决支持。1980年，中共中央下达了《关于进一步加强和完善农业生产责任制的几个问题》的通知，允许边远贫困地区实行“包产到户”责任制。内蒙古自治区党委和自治区人民政府，遵照中央文件的精神，结合自治区实际，经过具体分析，认为“包产到户”适合自治区目前的生产力水平，顺乎民心，合乎民意。1980年8月，内蒙古自治区党委召开扩大会议，在认真总结全区30年经济建设经验的基础上，强调放宽分配政策，在农村要允许“包产到户”、“包产到劳力”等一切可以增产增收的生产责任制形式并存，由社员根据他们的实际情况自行决定，不能用行政命令硬性规定实行某种责任制的比例。同年，内蒙古自治区党委召开盟市委书记会议，强调要从自治区的实际情况出发，认真贯彻中共中央关于进一步加强和完善生产责任制的精神，进一步加强和完善自治区农牧业生产责任制。会议充分肯定了实行“包产到户”责任制，对发展农业生产的巨大促进作用。内蒙古自治区党委多次指出，凡是群众要求搞“包产到户”的都应该支持，而不应该与群众“顶牛”；各盟市、旗县要从实际情况出发，按照群众的意愿允许有多种管理形式、多种劳动组织形式和多种报酬办法同时存在，而不可拘泥于一种形式，搞一刀切。更不能违背群众的意愿，限制改革的进行。由于“包产到户”责任制把按劳分配的原则真正落到了实处，把自主权真正交给了农民，把社员的劳动责任、劳动成果和劳动报酬直接联系起来，把社会主义制度的优越性和广大农民的积极性、创造性紧密地结合在一起。因此，它的建立和发展，显示出了巨大的优越性和吸引力。1979年，全区实行“包产到户”的只占5%；1980年达20%。1981年春季，“包产到户”已经成为势不可挡的潮流，在内蒙古各地迅猛兴起。到1981年9月，自治区98%以上的社队实行了各种形式的生产责任制，其中实行“包产到户”的已占65%左右。“包产到户”成为全区农民的普遍要求。1980年，在遭受特大旱灾的情况下，全区仍有7 000多个“三靠队”摘掉了“吃粮靠返销”的帽子，占“三靠队”的1/3；甜菜、油料产量分别比上年猛增70%、20%以上，创历史最高水平；农牧民人均收入比上年猛增16.3%。1980年到1981年4月底，全区销售的返销粮只占原计划销售的32.4%。随着“包产到户”

责任制在全区的逐步推广以及在实践中进一步发展和完善，到1982年全区绝大多数社队除了承包土地之外，其他生产资料也全部作价归户，取消社队统一核算，由“包产到户”发展为“包干到户”，即“大包干”，统称为“家庭联产承包责任制”。1982年6月，全区包产到户和包干到户的生产队，占84.26%，其中包干到户已达到83%。①

1983年，中共中央发出《当前农村经济政策的若干问题》的通知后，内蒙古自治区以“大包干”为主的各种形式的生产责任制，在进一步稳定完善中又有了新的发展。到1983年，全区农村基本核算单位中实行“大包干”的比例已由1982年的83%上升到99%。大包干责任制已扩展到公共水利建设、农业机械、农业育种、科学技术推广等农业生产的各个部门、各个环节，开发性承包有了新的发展，承包合同也更加完备。个体造林在林业生产中居首位，许多可以划拨个体经营的荒山、荒坡、荒沙地等都划给农民造林；有82%的集体林已承包到户；全区共有45 000多个生产队建立了各种形式的林业生产责任制。绝大多数的蔬菜生产队实行了以“大包干”为主的家庭联产承包责任制。水利管理和渔业生产也实行了各种切实可行的承包责任制。

从1980年起，全区国营农牧场系统开始推行生产责任制。以巴彦淖尔盟国营农场和哲里木盟珠日河牧场搞家庭承包为开端，先后经历了基本工资加奖励—纯收益分配—产量工资—大包干—家庭农牧场等几个发展阶段。1983年，全区国营农牧场终于摘掉了长达16年亏损的帽子，取得了纯盈利500万元的好成绩。至1985年，全区国营农牧场已办家庭农牧场5.4万多个。②

家庭联产承包责任制的全面推行，使原来“政社合一”的体制越来越不适应经济发展的要求。中共中央于1983年1月1日发出的《当前农村经济政策的若干问题》中指出：“要对人民公社体制进行改革。”同年10月12日，中共中央和国务院发出了《关于实行政社分开建立乡政府的通知》。内蒙古自治区党委和自治区人民政府，从同年3月开始陆续进行政社分开的试

① 郝维民主编：《内蒙古自治区史》，内蒙古大学出版社1991年版，第392—394页。
② 郝维民主编：《内蒙古自治区史》，内蒙古大学出版社1991年版，第392—394页。

点工作，并在试点工作的基础上对农村牧区人民公社政社合一体制进行改革，建立乡、苏木政府。到1984年底，全区建立乡人民政府897个，苏木人民政府431个，民族乡人民政府13个，镇人民政府202个。① 乡、苏木人民政府按照《中华人民共和国地方各级人民代表大会和地方各级人民政府组织法》的规定行使职权，领导本乡、苏木的经济、文化和各项社会建设，开展公安、民政、司法、文教卫生、计划生育等工作。同时，取消了生产大队和生产队，改设行政村和自然村或嘎查建制，建立嘎查、村民委员会、组织生产合作社或经济实体。

1985年初，党中央提出农村实行第二步改革的任务，要求大力发展商品经济，积极稳步地调整产业结构，使农牧民尽快富裕起来，为整个国民经济的振兴奠定了坚实的基础。内蒙古自治区坚持把中央的精神与内蒙古地区的实际相结合，采取了积极稳妥的方针。在调整产业结构时，按照“林牧为主、多种经营”的生产建设方针和“绝不放松粮食生产”的原则，调整各种关系，以促进农、林、牧、副、渔的全面发展。首先是种植业内部结构有较大幅度的调整。在总播种面积中，粮食作物的比重第一次降到80%以下，经济作物的比重达20.1%。其次是农、林、牧、副、渔各产业的产值都有较大幅度的增长。据统计，1985年，全区林、牧、副、渔及乡镇企业的产值在农业总产值中所占的比重第一次超过50%。产业结构的调整，有效地促进了农牧区商品生产的发展，“专业户”、“重点户”不断涌现出来，家庭农场、家庭林场和家庭企业也相继出现。1984年底，全区“两户”已发展到39.8万多户，占农牧户总数的13%。1989年，呼伦贝尔盟已办起家庭农场3 401个，承包土地95.627万亩，粮食总产量达9 176.5万公斤，上缴商品粮7 064.5万公斤。②“专业户”、“重点户”的发展，标志着内蒙古农村、牧区生产正在摆脱封闭式的自给自足的小农经济的束缚，向专业化、商品化、社会化的现代农业发展。

在农村经济体制改革中，通过实行家庭联产承包责任制，逐步确立了既有统一经营，又有分散经营，统一经营与分散经营相结合的双层经营体制。

---

① 郝维民主编：《内蒙古自治区史》，内蒙古大学出版社1991年版，第392—394页。

② 本志编纂委员会编：《内蒙古自治区志·农业志》，内蒙古人民出版社2000年版，第134页。

其基本特征是：集体经营与家庭经营都是相对独立的经营实体。原来的集体经济的生产经营，通过承包，改变了统一经营、统一劳动、统一核算和统一分配的集中经营体制，使其经营管理职能一分为二，基本部分由家庭承担，另一部分由集体承担。家庭经营中，一般又包括承包和自营两部分，而且在实际经营中又是统一为一体的，从而使家庭成为相对独立的生产单位，实行独立核算，自负盈亏。集体经营部分，一般又有发包经营与直接经营两部分，经营中，运用组织机制，通过计划、协调和生产经营服务，把直接经营与发包经营密切结合起来，并独立核算发包经营、直接经营和生产服务收支，进行集体层次的收益分配，从而形成集体经营实体。

集体经营与家庭经营又是在集体经济组织内部，在共同经营内容和目标下的两个层次分工负责的经营形式。例如，种植业生产中，除由家庭经营自己完成的作业外，都有一些是由集体完成的，如植保、农机、排灌等，还有良种、化肥、农药和资金等供应服务，以及农产品的加工、销售服务等。到1990年全区农村有一定统一服务功能的村达到2 533个，占总村数的23.9%。呼和浩特市土默特左旗察素齐镇瓦窑村统一搞农田水利建设，全村筹集资金打机电井2眼，扩大水浇地400多亩，1990年全村生产粮食达到25.5万公斤，比上年增长64%；又多方筹集资金45万元，建砖窑一座，年创收10多万元，农民人均年收入达到1 100元。[①] 双层经营体制为集体经济找到了适应生产力水平和发展要求的新的经营形式，是集体经济的自我完备和发展，在农村中具有广泛的适应性和旺盛的生命力。

内蒙古自治区在进行农村经济体制改革的同时，还采取了一系列行之有效的措施，促进农业生产的发展。内蒙古自治区十年九旱。据近半个世纪的资料分析，全区干旱和重干旱年份频率为67.5%，正常雨水和轻干旱年份为32.5%；全区近亿亩耕地，80%以上属于旱田，且多丘陵山地；水土流失面积达70%，面积有48.64万平方公里；耕地盐渍化面积46万公顷，占灌溉面积的40%；同时存在土地贫瘠、施肥面积小、施肥量少等等不良因素。虽然多年来进行了治理，但一些地方仍处于一面建设、治理，一面仍在破坏的状态。环境、资源破坏不能遏制，农业生产就难以得到发展。为此，

① 本志编纂委员会编：《内蒙古自治区志·农业志》，内蒙古人民出版社2000年版，第133页。

农村经济体制改革以来，自治区采取了一些有力措施以加强农田基本建设，改善生态环境，提高粮食生产水平。（一）从不同的资源条件出发，充分利用地表水，大力开发地下水，积极蓄积雨水，挖潜改造，扩大和增加有效灌溉面积。对河套黄河灌区，增加投入，完善配套排水工程体系，降低水位，改造盐碱地，结合农业增产措施，提高地力；对土默特灌区，通过兴修万家沟水库，逐步形成河水、洪水、井水并灌体系，扩大灌溉面积；对辽河灌区，重点配套洪水引、蓄水工程，发展地面灌溉，以减少洪涝灾害和补充地下水资源；对大兴安岭南侧灌区，实行地表水、地下水并举，发展常年灌溉，充分利用现有水利资源；对乌兰察布盟旱作地区，实行两条腿走路，一手抓旱作，一手抓灌溉，不断提高水浇地比重，充分利用 260 处、近 30 万公顷的滩川地，多打机电井，发展井灌区；对乌兰察布、伊克昭两盟黄河沿岸黄土丘陵区，大力兴修沟坝地、梯田、旱井等蓄水工程，充分利用雨水，发展节水灌溉农业。经过对不同地区开展的农田基本建设，到 1998 年，全区已拥有机电井 24.64 万眼，有效灌溉面积达到 206.79 万公顷，分别比 1990 年增加 90% 和 70%，平均每年新增灌溉面积 11.2 万公顷。（二）选择水土资源好、农业开发增产潜力大、商品率高的旗县、乡镇，有计划、有步骤地集中一定财、物、技术、人力，下工夫进行商品粮基地建设和农业综合开发。1983 年 2 月，自治区决定选择 15 个宜农旗县、50 个产粮乡镇（以后发展到 80 个）以及大杨树垦区共约 200 多万公顷耕地建设商品粮基地。从 1983 年到 1991 年，国家、集体、个人集中投资 1.1 亿元，使这些地区粮食生产水平不断提高，产量占全区总产量的 70%，商品量占全区总量的 80%，真正发挥了基地的作用。以后，自治区又在中央计划安排下，从 1985 年到 1995 年，在东部 4 个盟市、西部黄河南岸 20 个旗县、2 个农牧场管理局进行农业重点综合开发，对 220 万公顷耕地（其中 130 万公顷中低产田）、1 000 多万公顷草地、660 万公顷林地、100 万公顷宜农荒原，分两批进行综合治理。[①] 通过实施现代科学技术，进一步改变生产条件、生产技术、生产方式，提高经营管理水平。实践证明，通过集中力量建设商品粮基地和实施

① 内蒙古党委党史研究室、内蒙古民族事务委员会编：《内蒙古改革开放二十年》，内蒙古人民出版社 1999 年版，第 73 页。

农业综合开发，不仅把自治区建设成了面积较大的全国粮、油、糖生产基地，而且使这些地区成为应用推广新的生产技术、实现农、牧、林、副、渔全面发展的示范基地，为自治区粮食生产再跨新台阶作出了贡献。（三）坚持“水旱并举”的方针，积极开展以“保水、保土、培肥地力”为中心的旱作农田基本建设。对广大旱作农业区，自治区主要抓了三个方面的工作：第一，从1991年开始，用3年至5年时间，通过旱改水、坡改梯、建沟坝地等有效措施，使每个农业人口拥有3亩基本田；第二，对旱平地、坡梁地、沙地，通过深耕保墒、耙耪磙地、增施肥料，改进播种技术、地膜覆盖等措施、培肥地力，提高产量；第三，种草种树，搞好植被建设，积极推广以户为单位承包治理小流域，改善生态环境。

随着生产的发展，应用科学技术越来越成为发展农业增产粮食的主要动力。为了提高粮食产量，内蒙古各地积极开展了技术推广工作，从传统技术到现代科技、从单项技术到组装配套技术，推广项目逐年增加，应用面积越来越大，推广形式越来越多样化，效果也越来越显著。1985年自治区以实施“丰收计划”为龙头，大力推行“1122”工程、温饱致富工程、旱作农业工程、农业基本增效工程，重点推广了优良种子选育、种子包衣、模式化栽培、立体种植、地膜覆盖、配方施肥、旱地综合栽培、病虫害防治等258项技术措施，推广面积达1亿亩，小麦、玉米良种应用面积分别达25%、90%，科技贡献率从过去20%提高到30%。一些科学技术措施在某些地区展现了十分显著的增产效果。如巴彦淖尔盟以粮草轮作为主要内容的立体种植技术和哲里木盟通过组装配套的模式化栽培技术，都创造了大面积亩产双千斤的高产纪录。为自治区从粗放经营过渡到集约经营积累了经验。

根据自治区的实践经验，科技要转化为生产力，关键是从家庭联产承包经营的特点出发，把科技成果传播到千家万户，应用到多个环节，扩大科技成果的普及率和应用率。对此，自治区首先加强和完善科技服务体系建设，逐步形成以盟市农技服务中心为龙头，以旗县和乡镇综合服务站为骨干，以科技示范村、组、户为基础的四级技术推广服务网络，并实行对农技、对基层的倾斜政策，充分调动广大基层科技工作者的积极性，强化服务手段，拓宽服务领域，在物资、技术、信息、流通等方面，开展全方位服务。其次，通过技术培训、广播电视宣传、典型示范等群众喜闻乐见的形式，普及科技知识，提高广大农民的科技、文化素质，增强吸收、应用、创新能力，到1998年基本达到了每个农户有一个懂技术、会管理、善经营的“土专家”，科学种田水平明显提高。

粮食产量的大幅度增加，为种植业结构调整创造了条件。同时，种植结构的调整也为粮食产量的稳定增长提供了保证，形成了良性循环。特别是自治区丰富的土地资源和差异较大的气候条件，以及市场需求的拉动和农民不断增加收入的要求，促使自治区在改革开放以来种植业结构不断处于调整之中，同时粮食产量在调整中继续增长。一是在稳定粮食总产的前提下，有计划地扩大市场需求旺盛的细粮种植比重。1998年，小麦播种面积达到120万公顷，水稻为14万公顷，玉米为120万公顷，三项占总播种面积的60%。二是以增加农民收入和满足地方加工业需求为出发点，稳定增加油料、甜菜等经济作物种植面积。1990年以来油料种植一般都在50万公顷左右，甜菜稳定在12万公顷左右，两项占总播种面积的14%。三是以市场为导向，立足地区优势，大力发展各种名、优、特、稀和创汇产品、绿色食品，形成地区优势和规模经营，提高市场所占份额。1990年以来，自治区主要抓了巴彦淖尔盟的白瓜籽、食用葵花籽、黑瓜籽，乌兰察布盟、哲里木盟的荞麦，呼伦贝尔盟、兴安盟的大豆和乌兰察布盟的马铃薯等特色产品，并形成了一定的规模。如乌兰察布盟的马铃薯1998年种植面积达29万公顷，比1994年增加2倍，产量达到80亿公斤，增长4倍，形成了一定的规模和产品优势，远销区内外，并带动了全盟一大批相关产业，综合收入达到14.5亿元，[①] 成为乌兰察布盟地区的拳头产品、名牌产品。

总之，改革开放20年来内蒙古自治区的农业生产取得了长足的发展。1998年，全区粮食总产量达1 575.4万吨，比1978年增长了2.2倍，平均每年增长5.9%，摆脱了自治区多年来粮食不能自给的困扰，并具备了每年调出100万吨粮食的能力，人均粮食占有量在500公斤以上，名列全国前茅；油料产量达90.3万吨，比1978年增长了6.2倍，年均递增10.4%，不仅满足全区城乡人民的需求，还大量调往区外；甜菜总产量达259.2万吨，

① 内蒙古党委党史研究室、内蒙古民族事务委员会编：《内蒙古改革开放二十年》，内蒙古人民出版社1999年版，第76页。

比1978年增长了5倍，年均增长9.4%，使自治区成为重要的甜菜和食糖生产基地。1979年到1998年，农业总产值的平均递增速度达7.0%，超过了以往任何时候的增长速度。2000年，全区粮食产量达到124亿公斤，油料、蔬菜、瓜类等经济作物分别增长15.4%、27.7%和32.8%，经济作物在种植业的比重比上年提高5.5个百分点，优质专用小麦、玉米、马铃薯等适销对路的高效产品比重明显提高。[①] 内蒙古的广大农村呈现出了欣欣向荣的景象。

第三节 工 业

一、国民经济恢复时期的工业

旧中国的工业十分落后，地处边疆的内蒙古地区工业更加落后。1946年，内蒙古的工业企业仅有9个低温的小型发电厂、1个半机械化的小型毛纺厂、4个半机械化的小型煤矿、8个半机械化的小型面粉厂，还有几十个畜产品加工和生产食品、酒、砖瓦、小农具的手工业工场，有职工8 000多人，工业总产值1 760多万元。内蒙古自治区成立后，党和政府采取了没收官僚资本和经营地主开设的工厂、矿山、森林收归国有，建立全民所有制的国营工业企业，试办劳动者集体所有制的手工业生产合作社和鼓励帮助私营工业的恢复发展等措施，促进了工业的恢复和发展。到1949年，各种所有制形式的工业企业上升到765个，工业总产值上升到6 897万元。[②] 从而有力地支援了人民解放战争和刚刚获得解放的农牧民的生产。

中华人民共和国成立之后，从1950年至1952年，是国家三年经济恢复时期。内蒙古认真贯彻中央关于争取财政经济状况根本好转的指示，大力发展国营工业，积极发展手工业，在实行利用、限制、改造方针的前提下，扶植私营工业。经过几年的建设，建起了森林、电力、煤炭、乳品、皮毛、砖瓦、纺织、被服、印刷、粮油加工等工业企业，新的工业生产已开始发展起

---

① 郝维民主编：《百年风云内蒙古》，内蒙古教育出版社2000年版，第264页。

② 李德：《内蒙古工业简史》，内蒙古人民出版社1989年版，第21页。

来。1952 年，工业企业数增加到 1 353 个，工业总产值上升到 16 116 万元，比 1949 年增长 1.34 倍，其中重工业产值 5 677 万元，轻工业产值 10 439 万元。工业产品的产量和品种都有了很大增加，产品种类由 1947 年的 44 种增加到 92 种，已能生产焦炭、耐火砖、烧碱、云母、石棉、毛织品、毛毡、乳制品等数十种新产品。1952 年主要产品的年产量是：原煤 74.8 万吨，比 1949 年增长 63%；发电量 1 523 万度，增长 25%；木材 42.71 万立方米，增长 144%；原盐 11.91 万吨，增长 83%。① 此外，皮毛、砖瓦、粮油加工、农具等产品的产量也有较大增长。

在各种工业生产中，发展较为迅速的是乳品工业和皮毛工业。为了促进畜牧业生产，改善牧民生活，大力发展了畜产品加工工业，初步扭转了拥有大量畜产品原料却不能加工、皮毛制品得依靠外地供应的不正常局面。1952 年仅毛纺、皮革两项畜产品加工产值就达到 990 余万元。并能生产重革、轻革、地毯、毛织品、乳制品等十多种重要产品。乳品工业生产的乳糖、酪胶、奶油和乳粉都是工业建设和人民生活上需要的原料和营养丰富的食品，供应全国各地。内蒙古各地新建和扩建了十多处中小型皮毛加工厂，其中海拉尔和包头制革厂都具有现代化的设备。畜产品加工工业的发展，增加了牧民的收入，为畜牧业的进一步发展提供了资金，同时也支援了区内外的需要。

内蒙古有着丰富的林业资源，大兴安岭林区的原始森林约占全国森林面积的 1/5，木材蓄积量约有 8 亿立方公尺，森林总面积达 1 200 万公顷。这片浩瀚的林海，对于森林工业的发展有着得天独厚的条件。过去由于受俄、日两个帝国主义掠夺性采伐，破坏严重。1947 年，内蒙古自治区成立后，根据资源情况和人力、物力等条件，重点发展了森林工业，把林业生产列在工业生产的重要地位。1949 年内蒙古林务局成立后，自治区政府转发了《东北解放区森林暂行保护条例》，规定森林归国家所有，禁止私人采伐，凡采伐国有森林要办理批准手续，对破坏森林的行为要严加处理。随后，人民政府接管了大兴安岭私人森林采伐企业，在扎兰屯、牙克石、阿尔山、巴彦建立了 4 个国营森林采伐企业。从此，结束了大兴安岭林区私人采伐森林的

① 刘景平、郑广智主编：《内蒙古自治区经济发展概论》，内蒙古人民出版社 1979 年版，第 143 页。

历史，开始了有计划的森林工业建设。为了保护森林资源，党和政府制定了“护林为主，采伐为辅”的方针，推广了合理采伐、合理造林的先进经验。1951 年至 1952 年，仅降低伐根和利用梢头木就给国家节省了 16.7 万多立方米木材。全员劳动生产率达到 3 416 元/人。1952 年，成立了内蒙古森林工业管理局，下设阿尔山、博克图、牙克石、图里河 4 个森林工业局和嫩江贮木场，经营的范围是扎兰屯、巴林、乌奴尔、南木、博克图、绰尔、免渡河、乌尔其汉、库都尔、嫩江、阿尔山、白狼、五岔沟。1950 年至 1952 年生产的木材，累计达到 120.76 万立方米，[①] 运出大量的枕木、坑木、电线杆、桥梁木支援了国家的经济建设。同时，大力开展了群众性的护林防火工作。新中国成立前极端恶劣的林业生产条件得到了改善，工人的生活有了一定提高，大兴安岭林区开始出现了新兴的集镇。

1950 年 5 月，国家派地质调查队来到包头白云鄂博，对主矿进行普查。1952 年，国家根据当时所掌握的资源情况和内蒙古的战略地位，确定包头为重点建设地区。随着工业建设的发展，壮大了内蒙古地区的工人阶级队伍，尤其是蒙古族的工人阶级队伍。1952 年，内蒙古的工人已发展到 47 200 人，比 1947 年增长近 4 倍；其中蒙古族和其他少数民族的工人已发展到 2 590 多人，比 1947 年增长了 4 倍。[②] 在工矿企业中有许多少数民族工人是技术工，还有的是工程师，他们同汉族工人团结在一起，在生产技术方面有不少的创造发明，对自治区的建设作出了很大贡献。

二、社会主义改造时期的工业

1953 年至 1957 年，是国家发展国民经济的第一个五年计划时期。内蒙古按照国家计划转入了有计划的工业建设，这是内蒙古自治区从落后的农牧业经济进入现代工业的历史转折点。国家在制订第一个五年计划的时候，根据当时所掌握的资源情况和内蒙古自治区所处的战略地位以及开发条件，确定内蒙古自治区为重点建设地区之一。全国 156 项工业重点建设项目，有 5 项在内蒙古；964 个限额以上工程中，内蒙古自治区也占相当的比例。1954

① 王铎主编：《当代内蒙古简史》，当代中国出版社 1998 年版，第 95 页。

② 郝维民主编：《内蒙古自治区史》，内蒙古大学出版社 1991 年版，第 102 页。

年1月，乌兰夫在中共蒙绥分局第3次工业汇报会议上所作的《加强工业领导，发展内蒙古自治区经济建设》的讲话中提出，内蒙古自治区工业建设总的任务和方针是：紧密结合国家和自治区经济建设计划，从促进农、牧业生产的发展与改造出发，除加强对现有厂矿的领导并改变其生产经营外，应着重有步骤地、有计划地发展足以改变自治区面貌的工业（如屠宰、皮革、牛乳等联合工厂、农具制造厂、盐碱化学工厂等），使自治区落后的经济状况得以逐步改观。在第一个五年计划期间，根据上述工业建设总的任务和方针，从内蒙古的自然资源和开发条件出发，发展以包头钢铁工业基地和大兴安岭森林工业基地为中心的现代化工业建设，并根据自治区极其丰富的畜牧业资源，发展畜产品和食品加工工业，发展直接服务于农牧业生产的工业建设，以促进自治区经济建设的发展。

在包头建设以钢铁工业为中心的工业基地，是国家第一个五年计划开始的重点建设项目。包头具有发展重工业的巨大优势，附近有白云鄂博铁矿和石拐沟等煤矿，资源十分丰富，南临黄河，水源充足，地势平坦，便于开发。国家决定在这里建立大型钢铁联合企业——包头钢铁公司，同时新建两座大型机械厂、两座大型发电厂，这5项均属于国家重点建设项目。包头工业基地建设的筹备工作是从1953年开始的，1955年正式开始工业区的建设，到1957年完成的建筑面积共达200多万平方米。包头钢铁公司1953年在苏联专家的帮助下开始筹建，1955年建设工业区。为了建设包钢，国家派来许多专家和工程技术人员以及数以万计的建筑工人队伍，并且动员了全国各地的力量来大力支援。到1957年，包钢基本完成了技术设计及建筑基地的建设，并开始附属厂矿和部分厂区工程建设。一个崭新的现代化钢铁联合企业雏形矗立在黄河之滨、昆都仑河两岸。建设包头钢铁工业基地也带动了包头工业的发展。第一个五年计划期间，包头建成砖瓦厂、砂石厂、耐火材料厂、机械厂、氧化厂、汽车修理厂、水泥管道厂、木器厂、食品加工厂、被服厂等30多个工厂。仅1953年到1956年四年中，就生产砖5.2亿多万块，耐火材料2 000多吨，铸钢管1 500多吨，水泥管13万多公尺，以及其他大量建筑器材和职工生活的必需品，① 大力支援了以包钢为中心的包

① 刘景平、郑广智主编：《内蒙古自治区经济发展概论》，内蒙古人民出版社1979年版，第268页。

头工业基地的建设，并保证了地方建设的需要。

第一个五年计划期间，国家在内蒙古自治区重点进行了森林工业的建设。大兴安岭林区的建设从1953年就列入国家建设计划，当年组建了森林铁路工程公司，后来发展成为牙克石林业建筑工程局，承担整个林区的运材公路、森林铁路、房屋建筑和林场建设任务。铁路建设部门在完成144公里的牙林线改造任务后，为配合林业职工向大兴安岭原始森林腹地进军，1953年将牙林线修到图里河，1954年又延伸到根河，1957年又由根河修到金林。横贯大兴安岭原始森林腹地的伊里图河至加格达奇的铁路于1954年动工，1955年修到银河，1957年修到克一河。这就为大兴安岭林区的开发，创造了条件。到1957年末，在大兴安岭森林工业基地，新建和扩建了图里河、根河、库都尔、伊里图河、西尼气、甘河、阿尔山等7个采伐基地和6个制材厂和相应的森林铁路及运材公路。从而使得森林工业由季节性生产变为全年生产，机械采伐代替了人工采伐，拖拉机和火车代替了水道运材和河水流送。木材的生产能力大幅度增长，1957年木材产量达到186万立方米，比1952年增加了3.4倍。5年中运出各种木材724万立方米，[①] 有力地支援了自治区和国家的社会主义建设。

第一个五年计划期间，内蒙古的煤炭、电力、农牧业机械制造等工业也得到了较快发展。煤炭工业在充分挖掘原有矿井潜力的同时，大力新建了新的煤矿。5年内新增生产能力55.4万吨，全区大小煤矿达到80多处。1957年原煤产量达217万吨，比1952年增长近2倍；焦炭2.43万吨，比1952年增长4倍以上。煤炭工业的不断发展，基本上保证了全区工业用煤和民用煤的需求。电力工业5年内新建了乌兰浩特、扎兰屯、集宁、锡林浩特、东胜等电厂，扩建了牙克石、赤峰、通辽、巴音浩特、呼和浩特等电厂，新增发电机装机容量1.5万千瓦。1957年全区发电量达到9 186万度，比1952年增长5倍，基本上满足了自治区经济建设的需求。农牧业机械制造与修配工业方面，集中力量新建和扩建了呼和浩特、包头、通辽、海拉尔、扎兰屯、赤峰、乌兰浩特、集宁、五原、陕坝等农牧业机械厂，共投资1 000万元以上。各地农牧业机械厂5年内制造出双轮双铧犁、马拉割草机、十行播种

① 郝维民主编：《内蒙古自治区史》，内蒙古大学出版社1979年版，第141页。

机、综合铲蹚机、锅驼机、解放式水车、打草机、搂草机等农牧水利机械20多万件，产品中包括从春耕、中耕到秋收的各种农业机械和割、搂、切、铡等各种牧业机械，还有破雪工具、剪毛机、乳品分离器、牲畜自动饮水器等受牧区人民欢迎的生产工具。同时分布全区的300多个机械修配站，从事各种修配任务。机械工业的发展，为全面支援农牧水利的大发展打下了物质基础。

为了充分利用畜牧业提供的畜产品原料，在第一个五年计划期间，国家在内蒙古自治区建起了一批畜产品加工企业。1956年建成投产的海拉尔肉类联合加工厂，设计生产能力日宰牛180头或羊1 200只，具有现代化的机械设备，生产过程大部分是机械化，厂内有专用铁路，陆续建成加工罐头、制药、肥皂、骨胶等主要生产车间，成为内蒙古第一座肉类联合加工厂。1956年就生产105万吨冻肉和40多万斤油脂及肠衣等产品，供应出口和国家需要。1957年又在集宁建成一座冷库容量比海拉尔冷库大一倍，生产能力也较大的肉类联合加工厂。这座工厂有职工1 800多人，厂内有屠宰、冷藏、血粉和骨胶等车间；工厂每八小时可加工牛275头、羊1 650只。在牛奶资源丰富的呼伦贝尔盟，1957年建成了日处理鲜奶30吨，年产奶粉1 200吨的机械化乳品厂——牙克石乳品厂；同年9月，又建成了日处理鲜奶100吨、年产奶油490吨、乳糖440吨、酪胶330吨的大型乳品厂——海拉尔乳品厂。这两座现代化乳品厂的建成，为自治区乳品工业的大发展迈出了成功的第一步。全区散布在各地的乳品工业企业，到1957年末已发展到42个，日处理牛奶280吨，约为1952年的7倍；年产量2 280多吨，比1952年增加3.8倍。产品品种有奶粉、酪胶、奶油、乳糖、牛酪、乳制酱油等。1957年11月，拥有5 000毛纺锭的年产精纱毛线1 200吨、长毛线30万米的内蒙古第一毛纺厂建成。这座毛纺厂除选毛工序外，梳毛、理条、纺纱、整理等工序都是机械化，每年可加工羊毛620多万公斤。原呼和浩特市毛纺厂扩建后，规模达到3 600纱锭，技术装备先进，能生产制服呢、海军呢、提花毛毯等产品。1957年全区共产出：毛织品16 000米，毛毯29 000多条，地毯25 000多平方米，毛线180吨。在第一个五年计划期间，自治区的皮革和皮毛加工业都有了一定的发展。包头、海拉尔两个基础较好的皮革厂都进行了扩建，并在锡林浩特新建了一座皮革厂。全区公私合营以及手工业等小型皮革工厂达354个。这些工厂生产出大量的皮鞋、皮靴、耕套、马鞍装具、皮件等皮革制品，供应广大人民群众生产生活方面的需要。1957年，全区共生产皮鞋24万余双，重革840吨，轻革28万多平方米。①

内蒙古地区日照时间长，昼夜温差大，适宜种植甜菜，甜菜的产量也较丰富。因此，国家于1955年12月建成了日处理甜菜1万吨、年产糖2万吨的大型糖厂——包头糖厂。这座糖厂的建设，为国家和内蒙古自治区发展甜菜制糖工业培养了技术力量。制药、制油、制酒、面粉、蛋品、食品等农牧产品加工业和人民所需要的缝纫、木器、印刷等工业也有很大发展。其中有一些产品还可以出口换取外汇。生产麻黄素的赤峰制药厂，伊克昭盟的制碱厂和硫磺厂，昭乌达盟的萤石矿和分布乌兰察布盟的云母、石棉工业等，每年都有大量产品出口。

第一个五年计划期间，国家在内蒙古自治区的重点建设和自治区地方工业的发展，大大改变了自治区的经济面貌，使几乎没有现代工业的内蒙古发生了历史性的变化。新建扩建工业企业209个，连同原来的工业企业，到1957年底，共有大小工厂2 110个，并且有了许多机械化和自动化程度较高的企业。1957年工业总产值达到6.33亿元，比1952年增长2.93倍，平均每年递增31.5%。其中现代工业的产值比1952年增长8倍。工业产值在工农业总产值中的比重，由1952年的14.1%提高到1957年的36.2%。五年中，工业产品产量和品种都有了大幅度的增加。产品由1952年的92种增加到1957年的1 000多种。不仅工业产值和产量有了飞快的增长，而且工业技术水平和质量指标也有了很大的提高。劳动生产率1957年比1952年提高了45.2%，成本降低25.4%。随着工业建设的飞速发展，壮大了工人阶级队伍。1957年底全区工人总数达到14万人，比1952年增加1.9倍，蒙古族和其他少数民族工人达到8 000多人。② 蒙古族工人分布在自治区各厂矿，他们都已掌握了生产技术，有许多人已经担任了各项领导工作。这都是史无前例的发展。

---

① 林蔚然、郑广智主编：《内蒙古自治区经济发展史》，内蒙古人民出版社1990年版，第59页。

② 王铎主编：《当代内蒙古简史》，当代中国出版社1998年版，第128—130页。

三、全面建设社会主义时期的工业

在党中央提出的过渡时期总路线的指导下，经过各族人民团结建设，内蒙古自治区同全国其他地区一样在“一五”期间，比较顺利地完成了对农业、手工业和资本主义工商业的社会主义改造，各项经济建设取得了辉煌成就。1957 年，是内蒙古超额完成自治区第一个五年计划的一年，也是自治区经济文化等事业蓬勃发展的一年，重要经济部门之间的比例关系发展协调，市场繁荣，物价稳定，人民生活显著改善，工业生产形势一片大好。

1958 年 5 月，中共八届二次会议根据毛泽东的倡议正式提出“鼓足干劲，力争上游，多快好省地建设社会主义”的总路线，号召全党和全国人民争取在 15 年或者更短的时间内，在主要工业产品产量方面赶上和超过英国，并强调破除迷信、解放思想，发扬敢想、敢说、敢做的创造精神。八大二次会议通过的第二个五年计划指标，比八大一次会议建议的指标，工业方面普遍提高了一倍。随后，内蒙古自治区迅速开展了规模空前的学习和宣传总路线的活动。它成为以农业“大跃进”为先导的各项社会主义建设事业“大跃进”的一次全面发动。1958 年 8 月，中央政治局在北戴河举行扩大会议。这次会议通过的第二个五年计划指标，比 3 个月前八大二次会议通过的指标，又普遍翻了一番，从而把“大跃进”运动推向高潮。

“大跃进”运动在全国兴起以后，内蒙古自治区也提出了一些不切实际的高指标，逐步出现了“大跃进”的局面。中共内蒙古自治区第一次代表大会第二次会议明确提出了工农牧业“大跃进”的口号。会议确定，在发展国民经济第二个五年计划期间，地方工业的产值要增长 3 倍至 5 倍左右，要求各旗县都要办自己的工业。接着，内蒙古党委召开了一届六次全委扩大会议，贯彻全党办工业、各级办工业的方针，号召大办地方工业。工业基础十分薄弱的内蒙古自治区就这样被推上了大办工业的轨道，掀起了全民大办地方工业的跃进高潮。全党全民大炼钢铁，是工业“大跃进”的核心，当时叫做“以钢为纲”。地处祖国北部边疆的内蒙古自治区，一向以“手无寸铁”形容钢铁工业的空白。在“大跃进”的年代里，呼和浩特新生铁工厂 6. 25 吨的小高炉投产，内蒙古第一机械厂炼出第一炉钢，全区从城市到农村，从机关到学校，很快掀起大炼钢铁的高潮。卓资县建土高炉的经验，迅速普及全区，参加大炼钢铁的人数超过70万，占全区总人口的7%。呼和浩特新城北面的城墙，也成为红光高照的群众炼铁场所。各盟、市建起的钢铁厂猛增到75个，场院里各式各样的土高炉，更是不计其数。有的地方把铁锅、铁炉砸碎当原料，不管炼出来的是铁还是硬疙瘩，人们废寝忘食地、一股劲地蛮干。1958年8月，内蒙古党委连续两次召开电话会议，向各盟、市发出紧急动员令，要求全党全民紧急动员起来，苦战35天，生产4万吨钢铁，向国庆献礼。10月3日，内蒙古党委紧急召开盟、市委书记电话会议，决定10月份组织4次钢铁生产战役，要求日产钢铁突破千吨大关，各地再建数万个土高炉，要使生铁产量翻几番。为此，又从机关、学校、团体、部队抽调大量人员直接参加大炼钢铁，建起数万座小高炉。到12月27日，全区累计产钢1.38万吨、产铁8.83万吨。后来经过核实，钢只有0.7万吨，铁只有5万吨，浮报产量的比例分别达到49%和43%。①

当时一大批土法上马的冶金“企业”，包括地方国营钢铁厂，绝大多数是在资源不清，技术力量短缺，甚至连最起码的生产条件都不具备的情况下，一哄而起，仓促上马的，好多都是无米之炊，白白浪费了人力、物力、财力。曾经列为全国30个地方国营中型钢铁厂的呼和浩特钢铁厂，就是在矿山还没有确定的情况下，便匆匆忙忙建起了厂房和4座55立方米的小高炉，配备了1台300毫米轧钢机和1台500毫米轧钢机，相应的辅助设备也建成了，职工达1.2万人。在全民大炼钢铁的同时，全区有色金属厂矿也一下子发展到78个，也是绝大多数不具备生产条件，像小高炉、土高炉一样造成了巨大的浪费。内蒙古自治区从1958年底开始着手整顿，绝大多数炼钢炼铁和有色金属矿点宣布撤销。仅据西部地区不完全统计，中小冶金企业浪费投资就达4亿多元。②

在“大跃进”运动中，由于从上到下不切实际地打破办工业的“神秘观点”和各种规章制度，在全党全民办工业的方针指导下，各地都采取“先土后洋，土洋结合”、“先小后大、大中小结合”、“边建厂、边生产”等办法，到处建新厂。1958年6月，内蒙古自治区二届人大一次会议提出，“二五”时

① 林蔚然、郑广智主编：《内蒙古自治区经济发展史》，内蒙古人民出版社1990年版，第82页。
② 王铎主编：《当代内蒙古简史》，当代中国出版社1998年版，第155页。

期地方工业要遍地开花，全区工业总产值达到90亿—100亿元，超过农业总产值。当时与钢铁工业并重，被称为“元帅”行业的是机械行业。自治区按照国家计划兴建呼和浩特综合电机厂、机床厂等中型民用机械厂的同时，各盟、市、旗、县都把在手工业和资本主义工商业社会主义改造中成立的铁业生产合作社和公私合营铁工厂，升级为地方国营机械厂，有的名为农业机械厂，有的名为通用机械厂，实际上设备非常简陋，最多只有几台皮带车床，还有全靠手拉风箱抡大锤生产的。大多数机械厂只能生产锹、镐、锄、镰、耧、铲一类铁木农具和火炉、炉筒、火铲一类的日用品。制造出来的金属切削机床、动力设备、运输车辆、电气设备、矿山设备和机械化半机械化农具，许多达不到质量要求，大量积压在仓库；成批销售出去的，又被成批退回。

在钢铁、机械两个“元帅”的带动下，其他工业一齐上马。各旗、县大办“五小工业”，事事“放卫星”，处处“鸡窝里出凤凰”“鸡毛飞上天”，只要当地有石头，就建小水泥厂，有几个修钟表的，就建钟表厂，争先恐后地建成“百厂旗”“百厂县”。一哄而起的小水泥厂，多数都因产品质次价高而停办。一些跟群众生活密切相关的手工业合作社、组，一窝蜂地合并转厂，既丢掉了服务行业的特点，又生产不出合格的产品，给群众造成极大的不便，工人收入也得不到保证。一些“百厂旗（县）”的工厂，大部分昙花一现。昭乌达盟巴林左旗是当时“日建百厂”，一下建起2 300个工厂的“双千厂旗”，后来还是只剩下原有十几个小厂。“大跃进”运动也使国家的重点工业项目受到冲击。如自治区投资最多、规模最大、国家“一五”期间156个重点投资项目之一的特大型工程——包头钢铁公司，由于“大跃进”的冲击，打乱了原定的建设程序，减少了预定的投资，降低了工程质量和设计标准，使该工程受到严重影响。

第二个五年计划期间，内蒙古的工业建设，一方面受到“大跃进”的冲击，违背了客观经济规律，打破了基本建设程序，不少工程事倍功半，浪费了国家投资，留下了严重的后遗症。另一方面，由于主观上的急于求成，出发点是尽快把工业搞上去，实现工业化，摆脱经济落后面貌，调动了各族人民的社会主义积极性和主观能动性，仍然取得了不小的成就。“二五”期间，内蒙古自治区完成基本建设投资总额达40.27亿元，比“一五”期间增长2.5倍。尤其是1959年、1960年两年，完成投资都在12亿以上，都超过了

“一五”期间甚至是前8年完成投资的总额。① 由于投资增长过猛，战线拉得太长，造成了一些盲目建设和半拉子工程。但是，也建成了一些重点建设项目。“二五”期间工业部门新增生产能力较大，而且有一些新的工业部门和新的城市异军突起，工农业总产值的比重和国民经济结构发生了重大变化。

全区最大的基本建设项目、全区最大的工业企业、列入国家156项重点建设项目的包头钢铁公司，“二五”期间完成基本建设投资9.28亿元，占全区总投资的23%。1959年9月26日出铁，1960年5月1日出钢。周恩来总理在1959年10月15日专程来参加包钢一号高炉投产剪彩。在包钢投产的同年，一座大型有色金属冶炼厂——包头铝厂第一期工程竣工投产。呼和浩特焦化厂、乌兰浩特钢铁厂、岗德尔铝矿、红花沟金矿等一批中小厂矿因陋就简，在1958年开始生产。机械工业1954年兴建的列入国家重点建设项目、全区规模最大的两座大型机械厂——内蒙古第一、第二机械厂，都在1958年建成部分厂房，试制出一台产品，1959年完成了2台产品的试生产任务，1960年基本建成，全面投产。还有1958年兴建的呼和浩特机床厂、内蒙古综合电机厂、呼和浩特汽车修配厂等中型机械厂在1959年竣工。集宁轴承厂、内蒙古无线电厂、海拉尔牧业机械厂、兴和县机械厂等一批小厂在1958—1960年内新建、改建完成。煤炭工业在“二五”期间形成新增生产能力的有年产40万吨的包头长汉沟矿，总产量达到120万吨的乌达苏和图1号、2号、3号井，年产15万吨的海勃湾旧洞沟，年产45万吨的平庄元宝山2号竖井和年产30万吨的3号斜井，新增生产能力共达250万吨。内蒙古第一座林产化工厂——年产栲胶5 000吨的牙克石栲胶厂，年产硫酸2万吨的包头第一化工厂，包头第一、第二热电厂，包头棉纺织厂，内蒙古第二毛纺织厂、塑料厂、火柴厂、灯泡厂、电池厂建成投产。西卓子山和呼和浩特两座水泥厂，都是1958年兴建的，后者在1960年投产。这些工厂，有不少填补了内蒙古工业生产的空白。

“二五”期间，虽然工业基本建设取得了很大成就，工业生产大幅度增长，工业总产值在工农业总产值中所占的比例，1957年是36.1%，到1959年上升到55.2%，超过了农业总产值，1960年又上升到65.1%。但是，由

① 郝维民主编：《内蒙古自治区史》，内蒙古大学出版社1991年版，第207页。

于增长速度过快，脱离了实际可能，违背了客观规律，造成工农业比例失调，重工业发展畸形。从1957年到1960年，重工业增长2.3倍，而农业却下降22.8%。其次是工业内部各部门比例失调，钢铁生产挤占大量能源、原材料和交通运输，使其他部门无法正常生产。由于基本建设规模过大，增加大量职工和投资，造成财政收支不平衡，以及社会购买力和可供商品的比例严重失调，导致了严重的经济困难。在此期间，自治区的工业生产虽然取得了一些成就，但是，“大跃进”运动中的共产风、浮夸风、瞎指挥风，职工人数的盲目增长，以及动员空前规模的人力、资金、设备、物资进行违背经济规律的生产活动，所造成的惊人浪费，使自治区同全国一样，国民经济处在严重的困难之中，生产受到重大影响。

1960年冬，中共中央为了扭转国民经济的困难局面，适时地提出了对国民经济实行“调整、巩固、充实、提高”的八字方针。内蒙古自治区在制订1961年国民经济计划时，根据中共中央提出的八字方针和自治区的实际情况，提出了调整国民经济主要比例的具体意见：（一）工业和农业的比例。按当时农牧业实际达到的劳动生产率水平，使农业和工业的发展速度大体保持在1∶1.2；工农业之间的比例关系调整为5.5∶4.5。保证农业提供的商品粮和农牧业提供的工业原料能基本满足工业和城市的需要。（二）重工业和轻工业的发展速度大体保持在1.25∶1，重工业和轻工业的比例关系调整为6∶4，大力压缩重工业的建设规模和发展速度，为建立正常的比例关系创造条件。（三）大力精简职工，压缩城镇供应人口，使农业人口和非农业人口的比例基本上恢复到1957年的3∶1的水平。（四）粮食征购幅度控制在30%—35%，同时要清除造成高征购的高估产、浮夸风的错误。（五）重工业的内部比例，针对冶金、机械工业发展速度过快的情况，除加快发展支农工业产品外，提高能源工业水平，改善交通运输条件，注意综合平衡。

根据上述意见，自治区采取了一系列行之有效的措施，调整国民经济。工业的调整是国民经济调整的一个极其重要的组成部分。为此，自治区主要采取了以下措施，对工业进行调整。

（一）压缩基本建设规模，精简职工和控制城镇人口。“大跃进”开始后，基本建设规模膨胀，远远超过了当时的物力和财力，打乱了基本建设程序，降低了投资效益。为了压缩基本建设规模，自治区成立了内蒙古基本建设指挥部，加强对基本建设的统一领导和集中管理，明确规定压缩基本建设规模的重点是投资比例大的冶金、机械、化工、建材等过于突出的重工业行业以及非生产性建设。收紧了基本建设的审批权限，规定一切基本建设都要按审批权限报请批准，严格按照基本建设程序办事。由于采取以上措施，有力地压缩了基本建设规模，使总体建设规模和国情区情达到基本相适应的程度。1961 年的基本建设投资总额为 3.78 亿元，比 1960 年削减 70%。1962 年自治区党委决定再次对基本建设战线 432 个企业进行压缩，其中关闭 5 个，合并 7 个，缩小规模 25 个，保留 6 个。1962 年基本建设总投资 2.24 亿元，比 1961 年又减少了 40.8%。其中工业投资由 8.4 亿元压到 1.5 亿元，减少 82.1%。实行这些措施以后，1962 年工农业产值的比例达到 1∶1。在精简职工和压缩城镇人口方面，自治区采取多种措施，大力精简党政机关和企事业单位职工，压缩城镇非农业人口，使部分城镇人口和职工、家属返回农村，增加农村劳动力，减少农畜产品供应，减少非生产性支出。据统计，1962 年全区职工总数从 1960 年的 136.8 万人减少到 80.8 万人，减少了 40.9%；迁出区外人口 68.6 万人，吃供应粮的人口由 437.4 万人减少到 289 万人，减少了 1/3；农村劳动力由 1960 年的 278.8 万人增加到 1963 年的 343.4 万人，增加了 23.2%。① 这些措施不仅扭转了农村牧区劳动力下降的局面，而且也减缓了城镇市场的供应压力。

（二）企业关停并转，缩短重工业战线。在“大跃进”时期，自治区一哄而起兴建了一批以钢铁机械为主的重工业。这些工厂和矿山，绝大多数设备简陋，技术水平低劣，产品质量不高，原料供应困难，生产效益很差，不仅造成资源、资金和劳动力的巨大浪费，而且严重影响了国民经济的全面发展。因此，自治区对重工业进行了较大规模的调整。

调整结构，缩短战线。1960 年，全区仅钢铁、森工和建材工业总产值就达到 9.6 亿元，占全部重工业产值的 52.1%；职工总人数 23.2 万人，占重工业总人数的 54.7%。重工业内部比例严重失调，必须进行调整。自治区决定，钢铁工业除保留国家重点企业和包头钢铁公司外，其他地方的小企

① 内蒙古党委党史研究室编：《六十年代国民经济调整·内蒙古卷》，中共党史出版社 2001 年版，第 41 页；王铎主编：《当代中国的内蒙古》，当代中国出版社 1992 年版，第 104—105 页；刘景平、郑广智主编：《内蒙古自治区经济发展概论》，内蒙古人民出版社 1979 年版，第 391 页。

业，只保留个别有条件、有原料、有销路的自产自销的炼铁点，其余钢铁厂、炼铁厂全部缓建和停办。森工企业主要是压缩采伐工业，在合理采伐的前提下，大力精简职工，就地办农业。根据压缩基本建设规模的情况，建材工业只保留机械化、半机械化生产的企业。机械工业主要是调整生产方向和服务方向，要用70%—80%的生产能力搞好农牧业机械制造和维修。通过上述措施，从1961年到1963年，自治区工业部门“关停并转”企业600多个，精简职工51万多人。1962年重工业产值降至6.56亿元，当年重工业和轻工业产值的比例调整为5.3∶4.7。①

协调内部关系，提高企业综合生产能力。自治区在调整工业结构的同时，加强了对企业内部关系的调整。一是对现有企业进行填平补齐，达到成龙配套，尽快发挥现有企业的综合生产能力；二是对矿山采掘企业积极调整内部采掘关系；三是按照《国营工业企业工作条例（草案）》（即工业七十条）要求，按行业依据统筹安排、合理分工的原则，确定企业规模，组织专业化生产；四是对直接为农牧业服务的工业企业，在原料、设备、配件上实行优先供应；五是调整管理体制，加强专业领导；六是调整职工队伍，加强、补充短线和断线工种人员，提高产品生产质量。经过调整，重工业内部关系逐渐趋于协调，布局逐步合理，支援农牧业生产、民族用品、日用品生产的企业都得到充实和改善，重工业生产在调整中逐步提高。

加强经济核算，整顿企业秩序。工业整顿，一方面是“关停并转”，缩短战线；另一方面就是对保留下来的企业进行整顿。根据中央颁布的《国营工业企业工作条例（草案）》，一是对企业实行“五定”（定产品方案和生产规模、定固定资产和流动资金、定人员机构、定主要原料消耗定额和供应来源、定协作关系），企业对国家实行“五保”（保证产品品种质量数量、保证不超过工资总额、保证完成国家成品计划、保证完成上缴利润、保证主要设备使用期限）的制度，认真搞好企业管理，使企业有章可循，搞好经济核算。二是整顿经济秩序，各企业都要以车间、班组为单位建立健全交接班制度、考勤制度、设备使用制度、工具管理制度。三是加强技术管理，提高产品质量，

---

① 内蒙古党委党史研究室编：《六十年代国民经济调整·内蒙古卷》，中共党史出版社2001年版，第14页。

进行技术整顿，充实技术力量，加强设备维修。四是大力开展以提高管理水平和效益为中心的比学赶帮活动，促进企业各项经济指标的全面好转。

（三）加强轻工业，恢复和发展手工业。1961 年 1 月，内蒙古自治区党委发出《关于扭转当前市场紧张情况的批示》，强调要确保安排好人民生活，要切实安排好小商品生产，大力开展修理服务业务，积极地、有领导有计划地开放初级市场，活跃城乡经济生活。要求商业部门克服惜售思想，改进商品分配和供应办法。1962 年初还专门发出通知，要求检查边境地区人民生活供应状况，努力改善供应工作，要求尽快恢复和发展日用小商品和民族用品生产。

在活跃城乡经济、满足人民生活方面，自治区认真贯彻执行了中共中央《关于城乡手工业若干政策问题的规定（试行草案）》（简称手工业三十五条）、《关于商业工作的若干规定》（简称商业四十条）等管理条例，致力于恢复手工业合作社及其集体所有制性质，允许个体手工业、服务业的发展。对于合并不当的规模过大，行业混杂的手工业企业，实行按行业分开经营，提倡灵活多样的经营方式：可以集中生产，也可以分散生产；可以固定设点，也可以流动服务：可以在本地走街串巷，也可以外出流动服务；可以兼营生产和流通，前店后厂等。对手工业生产的计划安排、原材料供应和产品销售，都规定了灵活的政策，从而使手工业生产的各种传统企业、传统产品、传统产区、传统市场和民族用品的生产得到了比较迅速的恢复和发展。1961 年手工业和民族用品工业的产值比上年增长了 50.1%。全区农牧业生产和人民生活所需要的原木、化肥、农药、毛线、呢绒、卷烟、食糖等主要轻工业产品有了较大发展。

此外，在调整中，国家为了支援少数民族地区经济的发展，还先后从工业技术水平较高的天津、烟台、上海等地搬迁了一批工厂来内蒙古安家落户。其中有从天津迁来的内蒙古动力机厂，呼和浩特电动工具厂、呼和浩特塑料厂、集宁电焊条厂、包头直流电机厂、包头绝缘材料厂、巴彦淖尔盟面粉机械厂、伊克昭盟医疗器械厂、察哈尔右翼前旗卫生材料厂；从烟台迁来的呼和浩特机床附件厂；还有从天津迁来的呼和浩特机床厂金工车间、总装车间，无线电厂的电镀车间，钢铁厂的线材车间，以及电子设备厂、卷烟厂的主要生产车间等。这些企业迁来以后，不仅填补了自治区工业生产的空白，而且给自治区“带来了设备，带来了技术，带来了工人，带来了产品”，形成了一批起点高、技术含量高、市场效益好的骨干企业，健全了自治区的工业体系，推动了自治区的经济发展。

总之，自治区在国民经济的调整中，通过调整工农业发展比例、调整工业内部结构完善企业内部管理制度，1965 年全区工业企业数量虽然较 1960 年减少了 2/3，减少到 2 490 个，但企业实有职工仍然达到 86.5 万人，比 1962 年略有增加，而且在投资、设备、技术、产品数量和质量、工业产值等方面，都有明显增长，实现了在调整中稳步前进。

在调整期间，自治区在国家的大力支援下，先后建成了包括钢铁、有色金属、煤炭、电力、化工、森工、机械、水泥、玻璃、陶瓷、轴承、焊条、毛纺、棉纺、丝绸、造纸、电子、皮件、面粉机械等一批起点高、设备先进、产品质量好的企业。这些企业的建立和发展，既充分利用了自治区的资源优势，又填补了自治区工业生产的空白，满足了国民经济的发展和人民的需要，使自治区基本形成布局合理、门类齐全的工业基础体系，形成了经济协调发展的新增长点。调整期间，自治区各工业企业深入广泛地开展了比、学、赶、帮的竞赛活动，通过抓管理、找差距、促效益，企业扭亏增盈取得了显著成效。赤峰造纸厂，调整前连续 3 年亏损，企业陷入困境。1963 年，发动群众找差距、查原因、堵漏洞、定措施、抓落实，广泛深入地开展增产节约运动，企业产品成本逐月下降，1963 年上半年总成本降低了 14%，由原计划亏损 17 万元转为盈利 3.3 万元。呼和浩特火柴厂，自 1960 年建厂后，由于产品质量低劣，企业连年亏损。1965 年，通过邀请华北地区几家老火柴厂的技术人员帮助攻关，提高产品质量，使该厂生产稳定增长，扭亏为盈。包头钢铁厂，由于 1963 年加强技术管理，34 项主要技术指标创造了该厂历史最好水平，其中 7 项达到全国先进水平；钢和铁的合格率比国家规定指标提高了 2.8%。全区企业成本逐年下降，据统计，1963 年比 1962 年下降了 13.9%，1965 年又比 1964 年降低了 8.2%，达到全国先进水平；钢和铁的合格率比国家规定的指标提高了 8.2%；企业收入，1965 年比 1962 年增加了 18.2%。①

---

① 内蒙古党委党史研究室编：《六十年代国民经济调整·内蒙古卷》，中共党史出版社 2001 年版，第 23—24 页。

据统计，1965 年全区 17 种主要产品大多提前完成了国家计划，同 1964 年相比，90% 以上的产品产量都有较大增长，70% 以上的产品质量比上年均有新的提高，其中：耘锄、奶粉、甘草膏、硫化碱、麻黄素、布鞋等 20 多个品种进入全国先进行列，还有一些产品如集宁皮件厂生产的皮衣，还成为国内外畅销产品。1965 年同 1962 年相比，全区钢产量增长了 3. 1 倍，生铁增长了 56. 4%，原煤增长了 16. 2%，烧碱增长了 46. 2%，原木增长了 60. 11%，水泥增长了 2 倍，呢绒增长了 1. 9 倍，食糖增长了 25 倍。1965 年，自治区工业企业全员劳动生产率达到 7 272 元/人，比 1957 年提高了 43. 9%，比 1962 年增长了 106. 2%。全区 1965 年工业总产值达到 19. 02 亿元，比 1957 年增长了 2 倍，比 1962 年增长了 561. 3%。1965 年轻工业总产值达到 6. 82 亿元，重工业总产值达到 12. 2 亿元，轻重工业比例趋于协调。[①] 工业的调整取得了显著的成效，从而有力地促进了自治区国民经济的发展。

四、"文化大革命" 时期的工业

内蒙古自治区的工业经济在 1966 年以前，经过五年的全面调整，从 1963 年到 1965 年有了全面的恢复与发展。1966 年 5 月 "文化大革命" 开始后，中共中央对工交战线和农村的 "文化大革命" 采取了某些限制措施，直到年底还没有全面影响到经济领域。因此，1966 年自治区的国民经济特别是工业经济继续保持着全面发展的势头。1966 年，全区工农业总产值为 39. 55 亿元，比 1962 年的 23. 63 亿元增加了 15. 92 亿元，增长了 63. 37%。其中工业总产值为 23. 87 亿元，比 1962 年的 11. 79 亿元增加了 12. 08 亿元，增长了 102. 46%。[②]

1966 年 12 月，中共中央发出了《关于抓革命，促生产的十条规定（草案)》,主张工人群众有建立 "革命组织"、进行 "串联" 的权利。此后，"文化大革命" 运动开始在内蒙古的各个厂矿企业中大规模地开展起来。随着各级党委和政府遭到冲击，大批厂矿企业和工业主管部门的领导干部被打

---

① 内蒙古党委党史研究室编：《六十年代国民经济调整 · 内蒙古卷》,中共党史出版社 2001 年版，第 23—24 页。

② 郝维民主编：《内蒙古自治区史》,内蒙古大学出版社 1991 年版，第 340 页。

倒或“靠边站”，各项方针政策和规章制度或被批判，或遭废弃。各级工业主管部门也逐渐陷于瘫痪状态，因而不能行使职能，管理工业。自治区的工业战线出现了严重的混乱局面。

在“文化大革命”中，林彪、江青反革命集团为了篡党夺权的需要，同时把手伸向了经济领域。他们炮制“政治可以冲击一切”的口号，煽动“停产闹革命”；他们在经济理论方面，批判社会主义的商品生产、商品交换和按劳分配原则，把坚持社会主义物质生产，诬为“唯生产力论”而加以批判；他们把重视价值规律的作用，用经济方法管理经济，改善经济管理，增加企业盈利，诬为“资产阶级自由化”、“利润挂帅”而加以批判；他们把社会主义按劳分配原则，诬为“物质刺激”、“资金挂帅”，推行分配上的平均主义、吃“大锅饭”；他们把企业内部严格的岗位责任制，建立健全各项规章制度，诬为“修正主义的管、卡、压”，煽动无政府主义；他们把在自力更生的基础上，学习外国的先进技术，诬为“洋奴哲学”、“爬行主义”等等。从而扰乱了正常的生产秩序和我国社会主义的基本经济制度，违反了经济本身所固有的客观发展规律，在内蒙古的工业企业中，造成了企业管理混乱，经营水平下降，使生产常常处于停产或半停产状态。从1967年到1969年的3年中，自治区工业总产值及工业产品产量、质量、劳动生产率全面下降，生产成本提高，经济效益很差，企业普遍出现亏损。1969年自治区工业总产值为20.98亿元，比1966年下降了12.1%。当年主要工业品的产量为：钢34万吨，下降50.7%；生铁60万吨，下降34.8%；原煤756万吨，下降22.1%；发电量16.67亿千瓦时，下降6.5%；木材299.8万立方米，下降31.2%；化肥18 374吨，下降12.7%；呢绒93万米，下降55.1%；毛线448吨，下降61.4%；乳制品1 043吨，下降65.6%。基本建设投资额为34 499万元，下降40.5%；新增固定资产的比例只达59.6%，降低32.8%。地方财政收入仅27 680万元，下降42.9%，退到了1955年的水平，其中企业收入仅1 509万元，下降90%。企业收入中工业企业收入为负909万元。[①] 自治区的国民经济特别是工业经济遭到了极其严重的破坏。

---

① 林蔚然、郑广智主编：《内蒙古自治区经济发展史》，内蒙古人民出版社1990年版，第116页。

1969 年 12 月 19 日，中共中央作出《关于内蒙古实行全面军管的决定》,责成北京军区对内蒙古自治区实行分区全面军管，全面统一领导内蒙古自治区的工作，使内蒙古自治区的政治局势出现相对稳定的局面，因而在一定程度上促进了生产的恢复。当时自治区花费较大力气组织工农牧业生产，广大工人、农民、牧民和其他劳动者自觉坚守生产岗位，经过艰苦努力，使内蒙古的国民经济从 1970 年开始逐步恢复。1970 年自治区工业总产值达到 30. 55 亿元，比 1969 年增长 45. 61% 。①

1971 年 5 月，中共内蒙古自治区第三次代表大会在呼和浩特召开，选举产生了中共内蒙古自治区第三届委员会。内蒙古各地也陆续召开了党的代表大会，成立了中国共产党盟市旗县区委员会，逐步恢复了党的基层组织，使社会秩序、生产秩序、工作秩序逐步好转。全区各级领导机构能够以较大的精力抓生产建设。促使自治区的国民经济在艰难曲折中逐步得到恢复和发展。1971 年，自治区工农业总产值为 52. 04 亿元，比上一年增长 10. 28% ；工业总产值为 35. 66 亿元，比上一年增长 16. 73% 。②

1972 年以后，周恩来总理在主持中央日常工作期间，为纠正经济领域中的“左”倾错误而采取了许多措施，进行了巨大的努力。在工业方面采取的主要措施是：对企业进行整顿，恢复和健全岗位责任制等七项制度，加强企业管理，提高产品质量，进行经济核算，扭转企业亏损，加强劳动纪律。内蒙古党委也采取整顿工矿企业的措施，推动了工业生产。1973 年自治区工业总产值达到 32. 35 亿元，比 1972 年增长 3. 92% 。从 1970 年到 1973 年间，自治区还投资兴建了钢铁、煤炭、电力、森林、建材、化工、造纸、毛纺、制糖等企业，使这些具有资源优势的工业得到了充实。这一时期，自治区的化肥和农药工业投资达 9 000 万元，比第三个五年计划时期的总和还多 2. 63 倍。1973 年自治区的化肥产量达到 5. 83 万吨，比 1969 年增长了 2. 17 倍。③ 为了促进农牧业机械化，支援农牧业生产，自治区和各盟市注意

---

① 郝维民主编：《内蒙古自治区史》,内蒙古大学出版社 1991 年版，第 243 页。

② 郝维民主编：《内蒙古自治区史》,内蒙古大学出版社 1991 年版，第 243 页。

③ 郝维民主编：《内蒙古自治区史》,内蒙古大学出版社 1991 年版，第 244 页；王铎主编：《当代中国的内蒙古》,当代中国出版社 1992 年版，第 116—117 页。

发展小农机、小钢铁、小煤炭、小化肥、小水泥等“五小”企业和社队企业。各盟市、旗县普遍建立了农机厂或农机修配厂。其他小机械、小水泥、小煤窑等小型工业都有了较快发展。

1974年初，全国开展了“批林批孔”运动。“四人帮”把矛头指向周恩来总理，再次在全国搞乱了刚刚得到整顿的秩序。内蒙古自治区也出现了动乱的局面，生产建设工作遭到干扰和破坏，其中工业生产遭受的损失最为严重。1974年自治区工业总产值只完成29.4亿元，比上年减少9.1%，倒退了三年多。主要产品产量都有大幅度下降，其中钢下降38.6%，生铁下降20.4%，原煤下降2.4%，发电量下降3.5%，水泥下降25.5%，化肥下降24.1%，呢绒下降60.3%。全民所有制工业企业全员劳动生产率下降15.2%，工业企业亏损面进一步扩大。①

1975年1月，第四届全国人民代表大会第一次会议隆重召开，周恩来总理在政府工作报告中重申了本世纪末在中国实现农业、工业、国防和科学技术现代化的宏伟目标。四届人大后，邓小平主持中央的党政日常工作。邓小平果断地对各条战线进行全面整顿，尤其是对工交战线进行了大刀阔斧的整顿。自治区的全面整顿工作是从整顿铁路运输开始的，经过整顿，铁路运输情况迅速好转。紧接着整顿了钢铁工业，从解决钢铁企业领导班子的“软、懒、散”问题入手，逐级建立起强有力的领导班子，发动群众同资产阶级派性作斗争，从政策上调动老工人、老劳模和技术骨干的积极性，并建立必要的规章制度和有力的生产指挥系统。自治区的钢铁生产从5月份开始回升，钢、生铁和钢材生产扭转了连年下降的局面，其产量分别比上年增长81.5%、28.2%、22.3%，经济效益也有提高。自治区其他工业领域也都从加强领导班子，建立健全管理制度，全面考核各项技术经济指标，坚持按劳分配原则等方面，进行了整顿，使工业生产有了大幅度提高。1975年全区工业总产值达到36.54亿元，比上年增长24.3%；在钢铁工业生产迅速恢复的同时，原煤增长21.5%，发电量增长12.5%，木材增长20.8%，水泥增长46.6%，化肥增长85.1%，呢绒增长96%。全民所有制工业企业的全员

① 王铎主编：《当代中国的内蒙古》，当代中国出版社1992年版，第116—117页。

劳动生产率提高 22.9%。[①]

1976 年 2 月，“四人帮”在全国发动了“批邓、反击右倾翻案风”运动，各条战线的整顿被迫停止。自治区安定团结的政治局面又一次被破坏，国民经济尤其是工业经济受到严重冲击。包头铁路分局等运输枢纽首先受到冲击，铁路运输严重受阻。原材料、燃料和设备供应再度短缺，基本建设和生产出现严重困难，企业的经济效益进一步恶化。1976 年，全区基本建设投资的固定资产交付使用率只有 58.6%，降到了历史的最低点；全区工业总产值为 37.33 亿元，比 1975 年仅增长 2.16%。[②]

10 年“文化大革命”正值我国国民经济建设的“三五”和“四五”时期。由于全局性“左”倾错误的严重影响，打乱了自治区国民经济恢复、发展的正常进程，内蒙古的工业经济遭到了严重的干扰和破坏，并造成了很大的经济损失。但是，由于广大干部、职工自觉抵制“左”倾错误，坚持生产和工作，工业经济还是取得了许多新的进展和建设成就。

在“三五”和“四五”时期，内蒙古工业基本建设投资额为 35.3129 亿元，占全区基本建设投资总额的比重，“三五”时期为 67.5%，“四五”时期为 54.1%。到 1975 年，全区建成工业企业 5 373 个，比 1965 年增加 2 883 个。一些新的工业部门、行业、企业建设起来，特别是用现代技术装备的电子工业发展较快，能够生产电子设备、半导体收音机、电视机等产品。1975 年与 1965 年比较，新增生产能力主要有：钢 70.5 万吨，钢材 109.8 万吨，发电设备装机容量 20.7 万千瓦，原煤 284.1 万吨，棉纱 5.96 万件，甜菜 1 520 吨（日处理），原盐 7.7 万吨。国营企业的职工人数达到 54 万多人，比 1965 年增长 1.2 倍；集体所有制企业的职工人数达到 19.2 万多人，比 1965 年增长 2.53 倍。[③]

1976 年，全区工业总产值比 1965 年增长 129%，年平均增长 7.8%。主要产品产量中，钢增长 29.4%，原煤增长 1.18 倍，发电量增长 1.4 倍，水泥增长 17.8 倍，化肥增长 9.37 倍，棉纱增长 14.32 倍，呢绒增长 18.8%，

① 王铎主编：《当代中国的内蒙古》，当代中国出版社 1992 年版，第 119 页。

② 郝维民主编：《内蒙古自治区史》，内蒙古大学出版社 1991 年版，第 345 页。

③ 李德：《内蒙古工业简史》，内蒙古人民出版社 1989 年版，第 35 页；王铎主编：《当代中国的内蒙古》，当代中国出版社 1992 年版，第 120 页。

乳制品增长4.1%，木材减产4.8%，糖减产17%。[①] 十年中，能源、钢铁、机械、化工等重工业的生产能力有较大增长。全区工业布局有所改进，以小农机、小钢铁、小煤炭、小化肥、小水泥等“五小”工业为主体的旗县工业、社队工业，以制糖、毛纺为重点的农畜产品加工工业有较大发展。

“文化大革命”期间，内蒙古的工业虽然有一定的发展，但是它与自治区各族职工群众付出的代价相比，是很不相称的。工业建设受到的破坏是全局性的、极其严重的。首先，生产和建设的关系严重失调。这一时期，基本建设投资规模相对说仍然过大，按“战备”的要求建设，有相当多的项目是按照“靠山、分散、进洞”的原则布点，因而极大地影响了投资效果。固定资产交付使用率，由“二五”时期的77.9%降低到66.4%。还有部分新建项目新增生产能力不能发挥作用，甚至原有生产能力都得不到发挥。第二，工业内部结构进一步畸形化，在“备战”方针指引下，重工业仍然是自治区工业建设的重点。在工业基本建设中，重工业占88.1%，轻重工业的投资比例为1∶7.4。这不仅使轻工业长期处于落后状态，而且重工业多是原料工业，投资效益很低，自治区工业进一步陷入“输血型”的困境。第三，出现了经济效益大幅度下降，亏损面大幅度增加和亏损额大幅度增长的严重局面。全民所有制独立核算工业企业，每百元固定资产实现的总产值，1965年为56元，1975年下降为50元；每百元工业总产值实现的利润，1965年为11.5元，1975年逆转为亏损5.6元（盈亏相抵后数字）。全员劳动生产率，1965年为6 177元/人，1975年下降为5 415元/人。全民所有制独立核算工业企业1965年盈利7 271万元，1975年则净亏损1.1082亿元，亏损面高达50%多。不仅给工业生产造成很大损失，还给内蒙古的财政造成严重的困难局面。另外，1976年和1975年比较，全民所有制企业职工的年平均工资下降了49元。[②] 广大职工的生活长期没有得到改善。

五、社会主义现代化建设时期的工业

1976年10月，粉碎“四人帮”反革命集团的胜利，结束了长达十年的

① 王铎主编:《当代中国的内蒙古》,当代中国出版社1992年版，第120页。

② 王铎主编:《当代中国的内蒙古》,当代中国出版社1992年版，第122—123页；李德:《内蒙古工业简史》,内蒙古人民出版社1989年版，第33—34页。

社会动乱，使我国进入新的历史时期。内蒙古的工业生产也开始恢复和发展。1978 年，国营工业盈亏相抵后实现了扭亏为盈，扭转了“文化大革命”造成的亏损局面。但是，由于长期受“左”的思想的影响和束缚，没有从根本上纠正过去的错误，在形势稍有好转后，又急于求成，盲目建设，盲目引进，使原已存在的比例失调进一步加剧，出现了农产品、畜产品和轻工业产品供求十分紧张，重工业产品大量积压的状况，不能适应人民物质文化生活日益增长的需要。同时，工业基本建设投资额急剧上升，而且大部分投向了重工业，超过了财政的负担能力，也超过了农业的负担能力。因此，经济建设再一次面临着调整的局面。

1978 年 12 月，中共中央召开了具有深远意义的十一届三中全会。这次会议作出了把全党工作的重点转移到社会主义现代化建设上来的战略决策，提出了注意解决好国民经济重大比例关系严重失调的要求。1979 年 4 月召开的党的中央工作会议，提出了对国民经济实行“调整、改革、整顿、提高”的方针，坚决纠正前两年经济工作中的失误。内蒙古自治区党委和自治区人民政府根据中央的部署，结合内蒙古工业的实际，开展了对工业经济的调整工作。首先，对基本建设规模进行压缩。自治区成立了清理在建项目办公室，普查在建项目，了解投资效果，提出压缩意见，处理停建、缓建项目的善后工作。经过努力，全区共停建、缓建项目 273 个，压缩投资 3.55 亿元。接着，对工业企业进行调整。在调整中，对那些原料无保证、产品无销路、长期亏损的企业实行关、停、并、转。1979 年和 1980 年全区关、停、并、转了 242 个旗县以上的企业，1981 年又对 280 多个长期亏损的企业实施关、停、并、转。重工业的调整重点是改变服务方向，扩大服务领域，调整产品结构，为轻纺工业发展提供原材料和技术装备，并部分地转向直接生产日用消费品。由于对一些企业进行了调整，使工业在布局、生产结构和经济效益上都有所改善。不少企业面向市场，广开生产门路，增产适销产品，改变了部分企业停产半停产的状况。同时，进行扩大企业自主权的试点工作和改革经济管理体制的工作，调动了企业和职工的积极性，提高了经营管理水平。

在对工业企业调整的基础上，积极发挥内蒙古的优势，加快轻纺工业的发展。根据当时人民生活需要和对市场的预测，自治区着重发展了条件好、赚钱多、见效快的毛纺、皮革、制糖、卷烟、酿酒等生产以及上缴利润多、与人民生活关系密切、劳动密集型的行业。经过对工业企业的调整，到1981年底工业生产就取得了明显的效果。1981年全区工业总产值完成59.68亿元（按1980年不变价格计算），创历史最高水平，比1978年增长11.8%。轻纺工业得到迅速发展，1981年和1978年相比，轻纺工业产值增长26%，产品增加，质量提高。轻工业产值的比重由1980年的42.5%上升到1981年的46.8%，轻重工业比例渐趋合理。① 重工业经过调整以后，内部产品结构也趋于合理。整个工业经济变被动为主动，开始走上以提高经济效益为中心的发展轨道。

1982年9月，中共第12次代表大会进一步要求加快城市经济体制改革的步伐，内蒙古国有企业的改革摆上议事日程。从1983年起，全区各类企业普遍推行多层次的承包经营责任制，在一定程度上提高了企业的管理水平和经济效益。同时，各地区进一步扩大企业自主权，从外部给企业创造宽松的环境，逐步调整国家与企业的关系。通过实行利改税，落实企业自主权，并在国营企业中试行厂长（经理）负责制。在党的十二届三中全会后，按照《中共中央关于经济体制改革的决定》，内蒙古党委和自治区人民政府确定全区经济发展的战略思想是：在坚持改革、对内搞活、对外开放中，充分发挥资源优势，进行综合开发；要继续做好简政、放权、承包工作，增强企业活力；要积极推进技术进步，加快企业技术改造；要加强与国内外、区内外的经济联系，努力抓好资源开发和关系全局的骨干项目。到1985年底，围绕增强企业活力这个中心环节进行的工业管理体制的改革取得了明显的进展。自治区直属企业除包钢、包铝、呼包电网等少数企业外，大部分下放给所在盟市管理。全区90%以上的企业实行了多种形式的承包经营责任制。企业活力大大增强，效益明显好转。1985年，全区工业总产值达112.9亿元，比1980年增长59.4%，年均增长9.8%，主要产品产量也大幅度增长。② 从1986年至1990年（“七五”期间），全区各地在企业中普遍推行了

① 王铎主编：《当代中国的内蒙古》，当代中国出版社1992年版，第139页。

② 内蒙古自治区统计局编：《辉煌的内蒙古》（1947—1999），中国统计出版社1999年版，第69页。

承包经营责任制和厂长（经理）负责制。在生产、销售、核算、分配等环节逐步建立健全了企业内部管理责任制。这些政策和措施的实行调动了企业管理者和生产者的积极性，大大增强了企业的活力。在1989年和1990年的治理整顿中，进行了大力压缩社会需求，狠抓控制物价，整顿流通秩序等工作，强化了工商企业管理、审计、监察机制，理顺了企业的外部关系，使经济秩序明显好转，为工业经济的发展创造了良好的环境。针对自治区经济结构失衡的现实，自治区有关部门制定了对不同产业和企业实行区别对待的重点倾斜政策，运用金融、税收、价格等经济杠杆，促进产业结构和产品结构的调整，使全区工业经济保持了健康发展的势头。

“七五”时期，自治区工业生产增长转快，尤其是能源、原材料工业得到长足的发展。全区工业总产值年平均增长10.5%，是自治区历史上增长最快的时期。1990年全区工业总产值达263.3亿元，比1985年增长133.3%。5年间全区轻重工业同步发展。1990年，全区轻工业产值达108.51亿元，比1985年增长72.89%，年均增长11.65%。重工业产值154.82亿元，比1985年增长67.87%，年均增长10.9%。重点工业产品的生产能力显著扩大。5年内全民所有制单位固定资产投资用于生产性建设的投资累计达到139.9亿元，占总投资的86.8%，比“六五”时期增加65.8亿元。全民所有制工业企业更新改造投资累计完成67.4亿元，是“六五”时期的2.47倍。特别加大了对能源、原材料和交通运输、邮电通信方面的投资力度，5年累计完成投资146亿元，占全民所有投资总额的62%，比“六五”期间增加95亿元。强有力的投资既增强了全区工业的发展后劲，又为经济持续发展创造了良好的外部环境。5年内全区共安排了5个大中型重点建设项目，其中建成投产的22个，主要是年产100万吨原油的二连油田、丰镇电厂2台40万千瓦的发电机组、乌拉山电厂103万千瓦的发电机组，通辽电厂二期扩建40万千瓦的发电机组和包头二电厂22.5万千瓦的发电机组等。[①] 工业经济持续增长，促进了城乡市场的繁荣、人民生活的改善和各项事业的全面发展。

---

① 内蒙古自治区统计局编：《辉煌的内蒙古》（1947—1999），中国统计出版社1999年版，第79—80页。

从1991年到1995年（“八五”时期）的5年里，自治区工业经历了改革、发展、调整、提高的重要历史变革，发生了深刻的变化。抓住机遇、深化改革、加快发展是这一时期工业经济的主题。1991年，以治理整顿、深化改革为主题，以实现“八五”计划为目标，积极贯彻落实自治区党委提出的实现近期奋斗目标的要求，扎扎实实地开展“质量、品种、效益年活动”，顺利完成了国家治理整顿的各项任务，全区的经济秩序明显好转。此后，以邓小平南巡讲话为契机的全区改革开放和现代化建设进入一个崭新的历史时期。3年的治理整顿取得了明显的成效，工业经济快速发展。自治区工业经济的重心开始转移到调整结构、加快技术进步、转换经营机制、提高经济效益的轨道上来。1994年后，以中共十四届三中全会的召开为标志的社会主义市场经济体制的确立，为工业经济的健康发展注入了活力。随着国家一系列改革措施的相继出台，全区国有工业企业进一步深化企业改革，转换企业经营机制，优化工业经济结构，提高整体素质，在提高工业经济的质量和效益上做文章，从而保证了工业经济的持续稳定的发展。全区工业总产值由1990年的263.3亿元增加到1995年的781.72亿元，增长了1.97倍。其中，轻工业总产值比1990年增长68.7%，重工业总产值增长82.3%。1995年工业增加值达到254.88亿元，比1990年增加73.98%。1995年，全区独立核算工业企业销售收入达到526亿元，比1990年增长135%，年均递增18.6%。1991年至1995年，全区工业上缴财政利税以每年18.54%的速度递增。5年全部工业上缴财政利税168亿元，占全区财政收入的60%以上，① 为自治区国民经济发展作出了重要贡献。

“九五”时期（1996年至2000年），是计划经济向市场经济快速转变的时期。工业经济在计划经济条件下多年积累的各种深层次矛盾充分暴露出来。国有企业改革进入攻坚阶段和关键时期。面对这样的形势，内蒙古党委和人民政府加大对工业经济运行和发展的领导力度，提出了“全党抓经济、重点抓工业、突出抓效益”的指导方针。全区各级经济管理部门加大对经济的宏观调控和综合协调。与此同时，自治区国有企业开始了以建立现代企

① 参见内蒙古自治区统计局编：《辉煌的内蒙古》（1947—1999），中国统计出版社1999年版，第79—80页。

业制度为方向的改革，按照“产权清晰、权责明确、政企分开、管理科学”的要求，国有大中型工业企业实行规范的公司制改革，使企业成为适应市场的法人实体和竞争主体。把国有企业改革同改组、改造、加强管理结合起来，抓好大的，放活小的，对国有企业实行战略性改组。以资本为纽带、以市场为导向形成具有较强竞争力的大企业集团。同时，积极推进企业技术进步，加强科学管理，使全区工业经济保持快速、健康的发展。2000 年，全区工业总产值达到 1266. 11 亿元，增长速度超过预定目标；工业增加值达到 450 亿元，比“八五”期末增长 79. 1%，年平均递增 12. 4%。[①] 其中集体工业、城乡个体工业和其他经济类型工业发展迅猛，产值成倍增长，在全部工业中所占份额明显提高。随着工业经济的迅速发展，自治区工业产品品种日益丰富，高新技术产品层出不穷，部分名牌产品享誉全国，甚至打入国际市场。原煤、钢铁、电力、乳制品等产品在全国同类产品中占有相当大的市场份额，为整个自治区的经济建设作出了重大贡献。

第四节 林 业

内蒙古自治区在历史上是森林茂密的地区。据历史记载，内蒙古东部地区林茂草丰，从赤峰到林西一带曾是“平地松林八百里”。横贯内蒙古中西部的大青山、乌拉山、蛮汉山一带，也曾是“东西千余里，草木茂盛，多禽兽”的林区。但由于历代封建王朝不合理地开发利用，群众乱砍滥伐和帝国主义疯狂掠夺，使内蒙古的森林资源遭遇到严重破坏。中华人民共和国成立时，全区有林地面积仅有 913. 3 万公顷，其中人工林 4. 5 万公顷，森林覆盖率只有 7. 7%，而且森林资源分布不均匀，83% 的森林面积和 94% 的活立木蓄积集中分布在大兴安岭林区。全区大部分地区植被稀疏，缺林少木，自然条件恶劣，荒漠化土地面积大，分布广，生态环境脆弱，风沙干旱等自然灾害频繁，不仅制约着工农牧业生产的发展，而且直接威胁着山区、沙区群众的生产、生活乃至生存。中华人民共和国成立后，党和政府十分重视林区建设。1950 年第一次全国林业会议确定了“普遍护林、重点造林”的方

---

① 内蒙古自治区统计局编：《内蒙古统计年鉴》（2001），中国统计出版社 2001 年版，第 72 页。

针。在国民经济恢复时期，自治区主要力量放在发动群众做好护林工作，防止森林资源遭到更大的破坏；在营林建设上，则主要在风沙严重、急需造林而又易于治理的地区，组织群众营造了一部分人工林。1953 年以后，随着农牧业合作化运动的发展，营林建设贯彻了“普遍护林，大力造林”的方针，逐步在平川地区展开造林工作。

内蒙古自治区成立后，根据解放战争和国家建设的需要，重视发展大兴安岭森林工业。人民政府没收了帝国主义和官僚资本，颁发了封山育林、护林防火等政策法令。在扎兰屯、牙克石、阿尔山、巴彦 4 个林区，建立了森林工业企业，逐渐开展了森林工业建设。1950 年以后，自治区又新建和扩建了图里河、根河、库都尔、伊里图河、西尼气、甘河、阿尔山等 7 个采伐基地和 6 个制材厂，并用机械伐木代替了手工伐木，新建了森林铁路 610 公里，使木材生产由季节性生产变为全年生产。为以后大规模的森林工业生产建设打下了良好的基础。1958 年，自治区农村牧区实现了农牧业合作化，林业建设被列入重要议事日程。第二个五年计划（1958—1962 年）时期，自治区林业建设在造林、护林、木材生产等方面都有较大发展。全区建立起一批国营林场和国营苗圃。营林建设开始由平川地区向荒坡发展，并在有条件的地区实行农林牧结合，营造农田防护林和治理沙漠。在东部的昭乌达、哲里木两盟规划营造防护林带；西部开始治理沙漠，营造防风固沙林，从巴彦淖尔盟的磴口县到杭锦后旗营造了 300 多公里的乌兰布和防沙林带；全区普遍开展了封山育林，年造林任务最高达 555 万亩。从 1958 年到 1965 年的 8 年的时间里全区营造人工林 161. 4 万公顷，年均造林进度为 302. 6 万亩，比新中国成立初期的造林进度提高了 5 倍。各地涌现出了许多造林的先进地区和集体。巴彦淖尔盟的磴口县，乌兰察布盟的凉城县小窑沟乡，赤峰市郊区当铺地村等，都在造林绿化方面取得了突出成绩。但这一时期的林业建设，也经历了一段曲折的过程。在人民公社化运动中，由于“左”的思想影响，把公社社员房前屋后以及其他一些自留树作价归社，严重挫伤了广大社员的造林积极性，使林业建设出现了马鞍形。1958 年到 1960 年间全区年均造林 36 万顷，而 1961 年至 1963 年 3 年年均造林只有 5. 35 公顷。①

① 王铎主编：《当代中国的内蒙古》，当代中国出版社 1992 年版，第 283—284 页。

随着自治区工业和林业建设的发展，大兴安岭森林工业基地建设规模进一步扩大。林区基本实现了机械化采伐，森林采伐效率大为提高。1962 年与 1957 年相比，木材产量增加了 123.69%，木材产量增长 105.35%。到 1965 年木材产量增长到 391.4 万立方米。[①] 森林工业先后建立了 15 个林业区，1 个栲胶厂，2 个机械厂。

在“文化大革命”时期，自治区林业管理机构受到严重打击，并在相当长的时间里处于瘫痪状态。正确的林业方针政策被废弃，人民公社社员的自留树被当作“资本主义”的尾巴割掉，严重挫伤了广大社员植树造林的积极性。这一时期国家和集体仍投入了大量的人力、财力、物力，十年造林 186 万公顷，林业建设取得了一定的成绩。但在“以粮为纲”的“左”的错误思想指导下，大片林地被开垦，原来成林的国营、集体林木也遭到盗伐、破坏。仅 1971 年到 1974 年间，全区乱砍滥伐毁林开荒达 353 公顷，放牧毁林达 5 000 公顷，开矿毁林达 400 公顷。[②] 林业资源遭到巨大损失。大兴安岭森林工业管理在“文化大革命”中也一度陷于混乱。各森工企业乱采滥伐，使采育比例严重失调，造成一些主伐局无可采资源，陷于停顿状态。1971 年以后，森林工业逐步恢复了正常的生产秩序，使木材生产保持着一定的发展速度。

1976 年 10 月，党中央粉碎了“四人帮”反党集团，从而结束了“文化大革命”运动。内蒙古自治区的林业建设也逐步得到了恢复和发展。全区植树造林注重了适地植树、因害设防和良种壮苗。在农业区开展了县、社、乡、队办林场、苗圃活动。造林以营造带网片相结合、多林种相结合的防护林为主，同时进行了平原绿化。到 1978 年，全区有林地面积发展到 1.76 亿亩，活立木蓄积达到 8.19 亿立方米，人工造林保存面积累计 1 353 万亩，森林覆盖率上升到 9.9%。[③]

中共十一届三中全会以后，内蒙古林业建设与其他各项事业一样，进入

---

① 王铎主编：《当代中国的内蒙古》，当代中国出版社 1992 年版，第 283—284 页。

② 内蒙古党委党史研究室、内蒙古民族事务委员会编：《内蒙古改革开放二十年》，内蒙古人民出版社 1999 年版，第 79 页。

③ 内蒙古党委党史研究室、内蒙古民族事务委员会编：《内蒙古改革开放二十年》，内蒙古人民出版社 1999 年版，第 79 页。

了一个新的历史发展时期，为了发动广大群众积极造林、育林，大力推进林业建设，在改革开放总方针的指导下，自治区积极开展林业改革，对林业政策进行了较大的调整。将原来以集体造林为主的方针，调整为“个体、集体、国家一齐上，以家庭经营为主”的造林方针，同时明确规定了“个体造林不限数量，谁造谁有，长期不变，允许继承”的政策。1981 年后根据内蒙古自治区的特点，为加快植被建设的步伐，全区造林实行“以灌木为主，乔灌草结合”的方针。1984 年后又根据农村牧区改革的新情况执行了“发展家庭经营与集体统一经营相结合”的双层经营林业的责任制。对适宜家庭经营的小片经济林、用材林、薪炭林和村屯附近的小片荒山、荒滩、荒河、荒地，放手让群众经营。发展林业专业户、重点户，兴办家庭小林场、小果园、小苗圃。对大型工程造林、远山、沙漠的绿化治理，在国家扶持下，实行专业队伍与群众相结合，集体统一经营与家庭经营相结合的办法。积极发展集体造林、合作造林。发展各种不同形式的造林联合体。执行了“分股不分山、分利不分林”的折股联营的形式。在国营林业企事业单位全面执行了承包责任制。

1990 年以后，全区在总结经验的基础上，推行了 4 项林业改革措施。一是在农村牧区普遍推进了林业经营机制改革，不断完善、稳定家庭承包为主的统分结合的双层经营体制、实施了联合、股份合作、租赁、拍卖、转让等多种林业经营形式，实行了“谁造谁有、合造共有、群众造林归个人所有”的政策，集体造林、联合造林、个体造林和股份合作制造林共同发展。二是拍卖宜林“三荒”使用权工作逐步推开，实行“谁购买、谁治理、谁开发、谁受益”的政策，调动了广大群众治理“三荒”的积极性，仅 1996 年全区就拍卖宜林“三荒”使用权 13.7 万公顷，治理 5.93 万公顷，收回拍卖资金 699 万元。三是逐步调整了林业的种植结构和林种、树种结构，使林业建设由单一的生态型逐步向生态经济型转变。在林种、树种结构调整上，一方面选择生态效益好、经济价值大的树种造林，注重发展适合当地自然条件的名优特新品种（树种）；另一方面积极发展防风固沙、水土保持、水源涵养和用材兼顾的多功能林种，经济林建设也有了较大的发展。1995 年以来，每年营造经济林百万亩以上，约占当年全区造林总面积的 20%。至 1998 年全区经济林总面积达到 66.67 万公顷以上，年产干鲜果3亿多公斤。[①] 在种植结构调整上，因地制宜地发展林农、林牧、林果、林药、林经等立体种植复合经营模式，以短养长，长短结合。1996年，全区各种林业复合经营面积达到21.13万公顷，生产粮油3亿多公斤。四是对国有林场、苗圃简政放权，扩大生产经营自主权，不断深化人事、用工、分配及生产经营管理改革，逐步转换经营机制，调整生产结构，强化内部管理，实行以场自立、以户自立，多种经济成分、多种经营形式并存，增强了场圃活力，场圃经济得到了较快发展。

1978年以后，“三北”防护林体系、平原绿化、防沙治沙等国家重点林业建设工程相继上马，内蒙古自治区紧紧抓住这一契机，大力开展植树造林、治山治沙，林业建设步伐明显加快，防沙治沙、造林绿化进入持续、快速、健康发展时期。在“三北”防护林体系工程建设中，内蒙古自治区承担着近1/3的任务，全区90个农牧业旗县（市、区），有86个处于工程建设范围内。1978年冬至1985年的“三北”防护林一期工程，全区造林保存面积181.69万公顷，是工程建设前30年人工造林保存面积的2倍，超额2.4%完成任务。1986年至1995年的“三北”防护林二期工程，全区完成人工造林202.36万公顷，飞播造林9.05万公顷，封山（沙）育林63.87万公顷，分别超额22.5%、126.26%和59.4%完成任务。1996年开始的“三北”防护林三期工程，到1998年底，已完成人工造林70.3万公顷、飞播造林16.4万公顷，封山（沙）育林19.7万公顷。1978—2000年23年中，自治区在“三北”防护林建设上共完成人工造林8 866万亩，飞播造林678万亩，封山（沙）育林4 616万亩。1986年开始的平原绿化工程，全区20个平原或半平原旗县承担了建设任务，经过十多年的建设，农田林网化程度已达到65%以上，林木覆盖率由1985年的5.5%提高到23.1%，已有10个旗县达到国家平原绿化标准。1991年启动的全国10年防沙治沙工程，自治区承担着269.67万公顷的建设任务，占总工程量的40%多，到1999年已完成治理开发面积246.5万公顷，超额完成规划任务的91.4%，4个治沙重点旗县和5个试验示范基地的建设已初见成效，显现明显的生态、社会和经济效益。1996年实施的黄河中游防护林工程和辽河流域防护林工程，都已提前

① 参见内蒙古自治区统计局编：《辉煌的五十年》，中国统计出版社1997年版，第43页。

两年完成建设任务。1998年国家又启动了生态建设重点县工程、天然林保护工程，全区都被列为重点建设地区。在建设好国家重点林业生态工程的同时，根据内蒙古自治区的实际情况，自治区先后启动了大青山林业生态工程，京包—包兰铁路及110国道绿色通道工程、村屯绿化工程、自治区级生态建设重点县工程、林木种苗工程等。在重点工程的辐射和带动下，全区造林绿化事业蓬勃发展，以每年人工造林40万公顷，飞播造林10万公顷、封山（沙）育林10万公顷的速度推进，[①] 造林绿化的步伐位居全国前列。

大兴安岭林区在中共十一届三中全会以来，积极实行改革、开放、搞活的方针，林业生产建设迈出了更大的步伐。1998年统计，林区更新造林能力达80万亩，森林抚育150万亩，育苗5 600亩，累计更新造林1 036万亩，森林覆盖率由1952年的52%提高到75.5%。新造林当年平均成活率93.2%，更新造林三年保存率为98.8%，当年迹地更新率达100%，实现了更新跟上采伐的要求。从新中国成立初期到1998年，大兴安岭林区共为国家提供商品材15.1亿立方米，上缴所得税29亿元。[②] 有力地支援了国家的社会主义建设。

新中国成立以来，内蒙古的林业科研事业迅速发展。自治区和各盟市建立了林业科研机构，一些旗县和一些国营林业生产单位也建立了林业科研组织。林业科研人员结合林业生产开展了农田防护林、沙漠治理、草原造林、山地造林、培育速生丰产林、木材运输、迹地更新、林业机械、病虫害防治等方面的研究。到1998年，全区共有169项林业科研成果和适用技术推广项目获国家、林业部和自治区的奖励。1990年以来，逐步推行了林业科技、生产、计划、财务四位一体促科技成果转化的运行机制，重点推广了抗旱造林技术等9项林业适用技术和生态经营沟、生物经济圈、复合经营及“五小”林业等发展规式，其中适用技术年推广面积达300万亩。全区林业科技贡献率达到31%，科技成果转化率达到40%。[③]

① 参见内蒙古自治区统计局编：《辉煌的内蒙古》（1947—1999），中国统计出版社1999年版，第50页；内蒙古年鉴编纂委员会编：《内蒙古年鉴》（2001），方志出版社2001年版，第264页。

② 参见内蒙古自治区统计局编：《辉煌的内蒙古》（1947—1999），中国统计出版社1999年版，第86—87页。

③ 参见内蒙古自治区统计局编：《辉煌的内蒙古》（1947—1999），中国统计出版社1999年版，第52页。

多年来，内蒙古自治区认真贯彻执行了《中华人民共和国森林法》《自治区森林管理条例》等林业法规，并制定实施了《内蒙古自治区实施〈中华人民共和国野生动物保护法〉办法》《内蒙古自治区全民义务植树实施细则》《内蒙古自治区森林草原防火办法》《自治区人民政府关于深化改革加快造林绿化步伐的决定》以及《地方煤矿造林费用提取使用管理办法》等地方性法规和规范性文件。加强了对林业执法队伍的培训和建设，完成了国家“二五”普法教育，加大了林业执法水平和能力。

经过50多年的艰苦努力，内蒙古自治区的林业建设取得了巨大成就。到1998年底，全区林业用地面积3 200万公顷，居全国第1位；全区新增森林面积952.8万公顷，超过新中国成立初期全区的有林面积，森林面积达到1 866.67万公顷，居全国第1位（如不含灌木森林面积为1 406.6万公顷，居全国第2位），人均0.18公顷，居全国第二位；人工造林保存成活面积533万公顷，居全国第二位，人均居全国第1位；活立木蓄积量达11.7亿立方米；森林覆盖率达到14.82%。森林采伐自1987年实行采伐限额以来，采伐量始终保持在限额以内，且每年均有节余。2000年全区森林采伐消耗量为696万立方米，占相应限额1 386万立方米的50.2%。自1988年以来一直保持森林生长量大于消耗量，总体上步入了森林面积蓄积双增长的良性循环。2000年，全区生产木材327.8万立方米，锯材23.8万立方米，人造板20.6万立方米，林业总产值达到55.8亿元。①

林业建设的发展，发挥了显著的生态、社会和经济效益，对改变自治区自然面貌和经济环境，改善人民群众的生产生活条件，提高农牧业综合生产能力，促进国民经济发展和社会进步，发挥了重要作用。1999年，全区平原农区有近70%的农田初步实现了林网化，近200万公顷农田得到绿荫庇护；在牧区，改变了“草原不长树，牧民不造林”的传统观念，结合草牧场建设营造牧护林，200多万公顷基本草牧场有了林木保护，抗灾能力大大提高；在山地丘陵水土流失区，营造了330多万公顷的水土保持林和水源涵养林、生物措施和工程措施相结合，治理水土流失面积580多万公顷，占水

① 参见内蒙古自治区统计局编：《辉煌的内蒙古》（1947—1999），中国统计出版社1999年版，第50页；内蒙古年鉴编纂委员会编：《内蒙古年鉴》（2001），方志出版社2001年版，第262—263页。

土流失面积的26.8%；在沙区，积极开展防沙治沙、种树种草，林地面积达到300多万公顷，全区已有20%的风沙危害面积得到初步治理，不少地方初步形成了乔灌草、带网片相结合的区域性防护林体系，基本遏制了沙化的扩展，重点治理的科尔沁沙地和毛乌素沙地，林木覆盖率分别达到20%和15%以上，一些昔日沙进人退的地方，如今已呈现出林茂、粮丰、草多、畜旺的喜人景象。生态环境的改善，极大地改善了农牧业生产条件，综合生产能力显著提高，粮食稳步生产，畜牧业连年丰收。与此同时，林业的直接经济效益也非常显著，早期营造的林木已开始采伐利用，农村牧区年木材产量100万立方米；大面积的灌木薪炭林、饲料林，为群众提供了大量的燃料和饲草饲料；以干鲜果为主的经济林，年产果品3亿多公斤，创产值3亿多元，① 为群众增加了收入。

第五节　水　利

内蒙古自治区地域辽阔，土地总面积118.3万平方公里，占全国总面积的12.3%，在全国各省、市、自治区中名列第三位。全区地势较高，平均海拔高度1 000米左右，基本上是一个高原型的地貌区。全区有大小河流近千条，其中流域面积在1 000平方公里以上的有107条。外流水系的水域面积61.37万平方公里，占全区总面积的52.5%。主要有黄河、西辽河、嫩江、额尔古纳河四大水系。内陆河水系流域面积11.66万平方公里，占全区总面积的9.9%。大小湖泊一千多个，水面面积大于100平方公里的有呼伦湖、贝尔湖、达里诺尔、乌梁素海、岱海、黄旗海、查干诺尔、居延海8个。全区水能资源较丰富，境内水能理论蕴藏量大于1万千瓦的河流56条，水能理论蕴藏量500千瓦以上的河流95条。②

水利是农业和工业的命脉，是国民经济和社会发展的基础设施和基础行

① 参见内蒙古自治区统计局编：《辉煌的内蒙古》（1947—1999），中国统计出版社1999年版，第50—51页。

② 参见内蒙古自治区统计局编：《辉煌的内蒙古》（1947—1999），中国统计出版社1999年版，第44页；郝维民主编：《百年风云内蒙古》，内蒙古教育出版社2000年版，第279页。

业。内蒙古地区降水量较少，而且时空分布不均；十年九旱，年年春旱，水旱灾害频繁。中华人民共和国成立前，内蒙古境内上千条河流基本上没有治理，水资源开发利用十分有限。全区除一些柴桩土坝、自流引水、漫灌外，几乎没有水利工程。粗放农田灌溉仅为427万亩，且主要分布在河套地区。广阔的草原上仅有简陋的辘轳井5 000余眼，牧区水利建设基本上是空白。① 农民靠天吃饭，牧民逐水草而游牧，每遇洪水即漫溢成灾，给人民生命财产造成严重危害。1938年西辽河发大水，1943年和1946年黄河发大水，沿河大部分土地被淹没，颗粒无收，贫苦人民背井离乡。

中华人民共和国成立后，党和政府十分重视水利事业的发展，领导全区各族人民开展了大规模的水利建设。新中国成立初期，全区水利建设处于防洪除涝阶段。因此，首先进行了主要江河堤防和自流灌溉建设，集中力量恢复和建设黄河、西辽河、嫩江等主要江河堤防和自流灌区。黄河干流从1950—1954年，连续修堤，累计完成土方1 126万立方米，堤长620公里，防洪标准提高到500立方米/秒。西辽河堤防工程修建于1948年，经过几年的大规模施工，至1957年已经投工520万个，建成干支流堤防1 060公里。② 同时，嫩江各支流及其他河流重要段落也进行了大规模的堤防和滞洪区建设，一举扭转了旧中国洪水经常泛滥成灾的历史，为农牧业的发展提供了重要保障。

在防洪除涝的同时，为发展农田灌溉，自流灌区的恢复和重建开始起步。1950—1952年建成黄杨闸（现为河套灌区的解放闸），可控灌溉面积280万亩。1950—1956年，修复民生渠灌区。1951年西辽河平原首先建设旱田灌区，即西安村、余粮堡、三盒堂、灌溉面积25.5万亩。至1957年旱田灌溉面积达100多万亩。全区有效灌溉面积达到1 203万亩，为新中国成立前的2.8倍。③

1958年以后，在“以蓄为主，小型为主，群众自办为主”的“三主”方针指导下，全区兴建了一批大中型水库及水利枢纽工程。在黄河干流上修

① 郝维民主编：《百年风云内蒙古》，内蒙古教育出版社2000年版，第279页。
② 韩茂华主编：《翻天覆地五十年》（1947—1997），内蒙古大学出版社1997年版，第105页。
③ 韩茂华主编：《翻天覆地五十年》（1947—1997），内蒙古大学出版社1997年版，第105页。

建的三盛公水利枢纽不仅为古老的河套灌区提供了灌溉保障，而且使灌区面积扩大了近3倍，达到50万公顷，成为全国最大的一个自流引水灌区、自治区重要的粮、糖、油生产基地。坐落在老哈河上游的红山水库是全区最大的防洪水库，设计库容25.6亿立方米，为下游11座城镇、200多万人口、5条铁路干线和40多万公顷土地提供了可靠的安全保障。此外，莫力庙、舍力虎、他位干、吐乌基山等大型平原水库，各中小河流修建的46座中型水库以及伊盟南总干渠、蟠龙山、英金河安庆沟、五道河子等规模较大的灌区，为防洪抗旱、城镇供水发挥了显著作用。从1958年到1965年，全区掀起了牧区水利建设高潮，打成供水基本井102眼，开辟缺水草场8 149平方公里，[①]同时建成一批牧区大中型地表水灌溉工程及中型水库。

从1971年开始，自治区水利建设转向大规模开发利用地下水和加强配套建设阶段。20世纪60年代井灌面积仅占全区灌溉面积的5.5%。20世纪70年代初，在国家的大力支持下，全区掀起了机电井建设高潮，在地下水开发利用方面取得突破性进展。到1980年，全区共打机电井12.4万眼，井灌面积达到949万亩，占全区有效灌溉面积的42%。[②]井灌区的发展为农田草牧场的适时灌溉提供了重要保障。在此期间，河套灌区、土默川磴口扬水灌区亦有所发展。1975年河套总排干沟扩建工程及其他排水干沟开工建设，同期兴建红圪卜扬水站，磴口扬水站扩建和哈素海扬水站扩建，新建了麻地壕扬水站。

牧区水利也建成较大的地表水工程，海日功引水枢纽、翰嘎利水库、乌拉盖水库、巴图湾水库、腰坝滩井灌区等相继建成，并在全区范围内组建了牧区机械化打井队，装备钻机267台，汽车322辆，空压机84台，完成机电井15 000多眼，其中供水基本井3 723眼，另有筒井37 900眼，开辟缺水草场10多万平方公里。至1979年完成饮水工程940项，解决了24.85万人、67万头（只）牲畜的饮水困难问题。中共十一届三中全会以后，自治区的水利事业进入了一个新发展时期。江河治理、防洪减灾工作得到进一步加强。20世纪80年代，对黄河、辽河、嫩江干流及其主要支流堤坝进行了

---

① 韩茂华主编：《翻天覆地五十年》（1947—1997），内蒙古大学出版社1997年版，第105页。

② 韩茂华主编：《翻天覆地五十年》（1947—1997），内蒙古大学出版社1997年版，第105页。

大规模的修巩和加固。20 世纪 90 年代还先后完成了孪井滩扬水灌溉工程、黄河中上游内蒙古段沟骨干工程、黄河内蒙古段治理工程、内蒙古河套灌区配套工程、全国七大流域水土保持综合治理第二期工程等一系列工程。到 1999 年，在黄河、嫩江、西辽河流域等主要江河及其重要支流筑堤防 5 019 公里，保护耕地 1 327.45 万公顷，保护人口 764.84 万人，建成大中小型水库 458 座。2000 年，黄河加固堤防 984 公里，治理险工的控导工程 26 处；辽河干流及重要支流加巩堤防 986 公里，治理险工 14 处；嫩江干流及支流加固堤防 1 042 公里，江河防洪能力显著提高。① 黄河、西辽河的防洪设施战胜了多次特大洪水，特别是在抗御 1998 年的特大洪水中，发挥了巨大作用。嫩江主要支流绰尔河下游防洪堤，均达到 20—50 年一遇的防洪标准。

随着水利改革的不断深入，农田水利建设由国家投入为主逐步转变为群众投入为主。各地坚持“谁投资，谁建设，谁受益”的原则，国家、地方、集体、个人一起上，多渠道、多层次增加水利投入。截至 1999 年，全区农田灌溉面积发展到 206.79 万公顷，是新中国成立初期的 7 倍多。配套机电井 23.96 万眼，万亩以上灌区 198 处。2000 年，全区新打各类井 53 096 眼，配套维修电井 50 532 眼，新增有效灌溉面积 290.35 万亩，改善有效灌溉面积 138.38 万亩。② 全区农田水利基本建设保持强劲发展势头，有力地促进了全区农业生产的发展。占全区总耕地面积 1/3 的水浇地，生产的粮食产量却占全区粮食总产量的 2/3，农田灌溉工程在其中发挥了巨大作用。

牧区实行“草畜双承包”责任制后，广大牧民群众发展畜牧业和兴修水利的积极性空前高涨，牧区水利进入改革发展的新时期。“家庭灌溉草库伦”模式得到推广，并迅速发展。随着水利科技的进步，节水灌溉技术在草库伦建设中得以推行，草库伦向水、草、林、料五配套的集约化、规模化发展，成为广阔草原上的一道独特风景线。到 1998 年全区建成家庭灌溉草库伦 10 万多处。2000 年，牧区新建家庭灌溉草库伦 9 857 处，发展饲料灌

---

① 韩茂华主编：《翻天覆地五十年》（1947—1997），内蒙古大学出版社 1997 年版，第 106 页；内蒙古自治区统计局编：《辉煌的内蒙古》，中国统计出版社 1999 年版，第 58—59 页。

② 内蒙古年鉴编纂委员会编：《内蒙古年鉴》（2001），方志出版社 2001 年版，第 266—267 页。

溉面积 24.6 万亩，新打机电井 14 140 眼，筒井 2 494 眼。[①] 进一步改善了牧区生产和生活条件，为畜牧业的稳定发展创造了条件。

全区水土流失严重。据统计，土壤侵蚀面积达 95 万平方公里，占全区总面积的 80.57%，其中水侵蚀面积达 18.6 万平方公里，占总面积的 15.3%。水土流失区主要分布在黄河、辽河流域，其次是海滦河、内陆河及嫩江右岸，全区 2/3 的旗县是水土流失区。黄河、辽河重点水土流失区土壤侵蚀模数每平方公里达 1 万吨左右，最高达 2.2 万吨，每年向黄河、辽河输沙 2.8 万吨。严重的水土流失不仅给农牧民的生产和生活带来很大困难，也严重制约了自治区经济和社会可持续发展。全区从 20 世纪 50 年代中期开始建立水土保持机构，组织发动群众开展水土流失治理。1956 年到 1978 年间，由于治理措施比较单一，治理地点分散，到 1978 年，治理面积仅有 8 772 平方公里。1980 年以后，全区水土保持工作进入开发性综合治理新阶段。坚持预防为主，开展重点治理，以小流域为单位实行综合治理，大力发展小流域经济。1982 年第四次全国水土保持工作会议确定了 8 大重点治理区，内蒙古皇甫川、无定河、永定河、柳河、滦河上游 200 多条小流域被列为国家重点治理区，实行集中治理，规模开发，措施一步到位。1990 年以后，全区水土保持每年以 500 万亩的治理速度发展。黄河流域治理骨干工程防护开发体系初步形成。世界银行贷款治理黄土高原水土流失基建项目进展顺利。截至 1996 年全区共完成水土流失综合治理面积 5.16 万平方公里，占水土流失面积的 28%。随后每年以 650 万亩的治理速度发展。2000 年全区共完成水土流失治理面积 6 048.87 平方公里，完成年度计划的 140%。[②] 全区许多地区通过治山治水，生态环境发生了显著变化，农牧业生产条件得到明显改善，粮食产量大幅度增加，广大丘陵地区群众走上脱贫致富之路。随着《中华人民共和国水土保持法》和《内蒙古自治区实施〈中华人民共和国水土保持法〉办法》等法规的颁布实施，水土保持工作逐步走上法制化、规范化轨道。全区已建立水保执法监督机构 80 个，配备专职执法人员 1 960 名，预防、监督、保护工作已见成效，水土保持工作正向更高的目标迈进。

---

① 内蒙古年鉴编纂委员会编：《内蒙古年鉴》（2001），方志出版社 2001 年版，第 266—267 页。

② 内蒙古年鉴编纂委员会编：《内蒙古年鉴》（2001），方志出版社 2001 年版，第 268 页。

内蒙古境内水能资源丰富，发展水电事业大有可为。1955 年自治区建成第一座小水电站。1980 年以后，结合农村牧区水利建设，小水电事业有了较大的发展。克什克腾旗、乌审旗、多伦县、翁牛特旗、扎赉特旗先后被国家列入农村初级电气化建设试点县，使小水电建设步伐不断加快。进入 20 世纪 90 年代，随着社会主义市场经济体制的逐步建立，在改革大潮的推动下，地方和群众兴办小水电的积极性更加高涨，并采取多渠道、多层次集资办电的方法，伊克昭盟、锡林郭勒盟、赤峰市等盟市相继建成了一批新的小水电站。2000 年，全区已建成小水电站 32 处，装机 80 台，装机容量达到 4. 8352 万千瓦。① 小水电站建设不仅成为水利进入市场和实现产业化的新的经济增长点，而且对发展地方经济，促进老少边穷地区脱贫致富发挥了重大作用。

由于特殊的自然地理条件和历史原因，内蒙古有相当一部分山丘区和牧区的人畜饮水十分困难，这是影响广大农村牧区经济社会发展和人民群众生活水平提高的主要因素之一。中华人民共和国成立后，党和政府非常重视解决农村牧区人畜饮水困难问题，各地结合水利建设每年安排专款建设人畜饮水和防氟改水工程。尤其是在“九五”（1995 年至 2000 年）期间，在内蒙古党委和自治区人民政府的领导和重视下，在国家的大力支持下，自治区实施了“380”人畜饮水工程，即到 2000 年，全区要解决 380 万人，1 020 万头（只）牲畜的饮水问题。工程实施几年来，全区上下高度重视，加强领导，各有关部门密切配合，通力协作，缺水地区的群众积极投工投劳，工程进展顺利。到 1998 年底，全区已解决 449. 91 万人、1 388. 15 万头（只）牲畜的饮水困难，建成防氟改水工程 2 242 处，使 147. 37 万人摆脱了氟病的困扰。②

经过试验、示范和推广，自治区于 1990 年开展了“112 集雨节水灌溉工程”。该工程是指 1 户人家建 1 眼 30—40 立方米的旱井，采用滴灌等先进技术发展 2 亩抗旱保收田。工程被作为“九五”（1995—2000 年）期间水利

① 内蒙古年鉴编纂委员会编：《内蒙古年鉴》（2001），方志出版社 2001 年版，第 269 页。

② 参见内蒙古自治区统计局编：《辉煌的内蒙古》（1947—1999），中国统计出版社 1999 年版，第 59 页。

重点工程项目，计划在 8 个盟（市）、43 个旗县大面积推广，建集雨工程 19.7 万处，发展节水灌溉田 50 万亩，为全区 250 万贫困人口铺设脱贫道路。工程实施后取得了显著成效。尤其是 1997 年以后，全区节水灌溉面积每年以 13.33 万公顷的速度发展。到 2000 年底，全区累计发展节水灌溉面积 73.33 万公顷，占有效灌溉面积的 1/4。①

50 多年来，尤其是我国实行改革开放政策以来，内蒙古自治区的水利科研和教育工作取得了很大成绩。内蒙古农业大学、内蒙古水利职工大学、内蒙古水利学校等水利院校面向社会和水利建设主战场，为自治区培养和输送了大批合格的水利专业技术人才，成为全区水利战线上的骨干和主力军。内蒙古水利科学研究院、内蒙古水利勘测设计院等科研、设计、教学单位，根据自治区水利建设需求，积极开展水资源利用，节水灌溉、水土保持、牧区水利、盐碱化防治、用水管理等水利科研和推广普及工作，取得了一大批科研成果，为自治区的经济建设，特别是农牧业生产作出了重要贡献。到 1999 年，共开展水利科研项目 300 多项，曾获国家二等奖、三等奖、推广奖、科学大会奖各 1 项；获国家计委、科委、财政部纪念奖各 1 项；获自治区科技进步一等奖 4 项、二等奖 21 项、三等奖 50 多项。②

勘测设计是水利建设中的一项十分重要的前期工作。50 多年来，全区各级水利勘测设计人员跋山涉水，艰苦创业，为自治区水利事业作出了突出的贡献。内蒙古水利水电勘测设计院是自治区唯一的甲级水利设计院，先后完成了 1 244 项勘测设计项目，其中有 44 项获国家和自治区科技成果奖。水文工作是水利建设、防凌防汛的基础，也是国家经济建设的基础性工作。新中国成立以来，自治区的水文事业克服重重困难，从小到大，不断发展。全区建立水文站 136 处，雨量站 529 处，水文监测站 45 处，地下水文观测站 947 处；每年收集测报 500 多万个数据，整编的防汛水情手册；冰凌、洪水、枯水预报方案在防洪、抗旱斗争中发挥了重要作用，产生了巨大的经济效益。

① 内蒙古年鉴编纂委员会编：《内蒙古年鉴》（2001），方志出版社 2001 年版，第 266 页。

② 内蒙古自治区统计局编：《辉煌的内蒙古》（1947—1999），中国统计出版社 1999 年版，第 61 页。

1988年《中华人民共和国水法》的颁布实施，标志着我国水利工作进入依法管理的轨道。《水法》颁布以后，全区各级水利行政主管部门，以《水法》宣传教育为先导，狠抓以建立水法规、水管理、水执法体系为重点的水利法制建设，并取得了突破性进展。自治区先后制定颁布了《内蒙古自治区实施〈中华人民共和国水法〉办法》《内蒙古自治区水工程管理保护办法》《内蒙古自治区实施〈中华人民共和国水土保持法〉办法》《内蒙古自治区水利发展基金管理办法》《内蒙古自治区水土流失防治费征收使用管理办法》等多项地方性法规、规章，各盟市、旗县也先后制定出台了600多件水管理规范性文件，有力地促进了水资源的统一管理，合理开发利用和保护，依法管水、依法治水的局面初步形成。各级水利部门建立健全了水政与水资源管理机构，建立健全了水行政执法队伍，实行了取水许可制度。各种水事活动逐步纳入了法制管理的轨道。经过50多年的艰苦努力，内蒙古自治区的水利事业得到空前发展，到2000年已初步形成集防洪、排涝、发电、水土保持为一体的水利基础设施体系。50多年来，水利事业在自治区经济建设和社会发展中发挥了不可替代的重要作用。

第六节　交　通

中华人民共和国成立以前，内蒙古地区的交通十分闭塞，运输状况非常落后，一直沿用着勒勒车、畜力车、驮畜等传统的运输工具。1947年内蒙古自治政府成立时，全区能勉强通车的公路仅有10多条，全长1 974公里，且大多数是在驿路和草原自然路的基础上，或是由敌伪、旧政权为军事目的修筑而成，质量低劣，没有硬化路面，缺桥少涵，历经战事沧桑，失修失养。中华人民共和国成立后，内蒙古自治区开始大力恢复和发展交通运输事业。自治区人民政府本着“首先恢复，尽早通车”的原则，保证工农业生产，支援抗美援朝的公路建设方针，重点对干线公路的路基、桥梁和涵洞进行了整修，同时新建了一批桥梁和涵洞，使各干线公路维持通车。经过3年多的努力，共整修了20多条公路干线。到1952年底，全区公路通车里程达4 821公里，比1947年增长1.4倍。与此同时，还普遍进行了公路的养护工作，使公路的状况有了较大的改观，汽车运输也得到快速发展。1947年全区只有各种汽车 86 辆，从业人员不足 200 人，汽车营运里程只有 1 021 公里，其中客运线路只有 256 公里。到 1952 年全区已有汽车 453 辆，其中国营管运汽车发展到 156 辆。① 1952 年开辟了锡林浩特至张家口的公路运输，使锡林郭勒和察哈尔两盟牧民多年积压的 40 多万斤羊毛和 10 余万斤羊绒能够及时运出。交通运输业的迅速发展，促进了城乡物资交流，非常有利于处在边远地区的蒙古族人民经济文化的繁荣发展。

在第一个 5 年计划时期（1953—1957 年），随着自治区工农牧业的蓬勃发展和区内外物资交流的不断增加，内蒙古的交通运输业也有了巨大发展。在公路建设上，自治区贯彻“依靠地方、依靠群众、就地取材、因地制宜、经济适用”的方针和“以养好路面为中心，采取分期改善，逐步提高”的办法。在工农牧业生产的高潮中，自治区掀起了一个规模壮阔的全区性的群众筑路运动，建成很多简易公路，使自治区所有的盟市及旗县所在地都通了公路。其中有不少简易公路通往山区和牧区，加速了这些地区的交通建设工作。在修筑公路工作中，自治区特别注意少数民族聚居地的公路建设，5 年中恢复与新建公路和简易公路达 8 200 公里，等于国民经济恢复时期的 3 倍以上。新建桥梁 237 座，全长 4 371 米，各类涵管、涵洞 230 道，并对通车线路进行了认真养护，提高了公路的质量和行车时数。到 1957 年，全区公路通车总里程达到 13 000 多公里，比 1952 年增长了 1.7 倍。交通工具也有了很大发展。1957 年，地方国营公路营运汽车已发展到 1 100 多辆，比 1952 年增加了 5.8 倍；兽力车达到 25 800 多辆，比 1952 年增长约 50%。1957 年公路货运量总计 1 479 万吨，是 1952 年的 53 倍；货运周转量总计 20 270 万吨公里，是 1952 年的 9 倍。超额完成 5 年的运输计划，基本上适应了自治区各项生产发展的需要。随着公路交通事业的发展，全区建立了 9 个运输公司，100 多个运输站和营业所，从业人员达到 14 800 多人。②

铁路运输量大、运价低，是交通运输业的主体。第一个五年计划期间，自治区新建铁路里程达 1 589 公里，相当于解放前原有铁路里程的 85.4%。联结北京、乌兰巴托、莫斯科，沟通中、蒙、苏三国心脏的一条大动脉——

① 林蔚然、郑广智主编：《内蒙古自治区经济发展史》，内蒙古人民出版社 1990 年版，第 45 页。
② 郝维民主编：《内蒙古自治区史》，内蒙古大学出版社 1991 年版，第 149—150 页。

集二铁路（集宁至二连浩特），于1954年12月全线通车。这样，从北京经集宁、乌兰巴托到莫斯科，比从北京经满洲里到莫斯科缩短里程1 140公里，不仅为国家减少了运行的时间和运输的费用，对自治区经济的繁荣及对外交流也起到了重大作用。在铁路修建前，锡林郭勒盟的货物运入运出都要经740公里的公路里程，铁路通车后缩短了335公里的公路运输里程。为了支援包头重工业基地的建设，第一个五年计划期间的包白、包石铁路已全线通车。包白铁路联结了包钢生产基地与白云鄂博矿山，全长147公里。包头枢纽站已经施工，在内蒙古西部地区将以它为中心，构成一个四通八达的铁路网。为适应大规模建设森林工业基地的需要，国家修筑了深入大兴安岭原始森林区的铁路有：牙林线、伊大线、好冷线、根萨线等9条，总长611公里。此外，联结我国华北和西北的两大工业基地包头至兰州的铁路，到1957年底内蒙古地区的一段已铺轨300多公里。这样，到1957年12月，全区新建和原有铁路总长度达到3 445公里，占全国铁路总里程的8.1%。[①]

在内河航运方面，1957年通航里程达829公里，运输工具有内河拖轮2艘，驳船9艘，木制帆船400多只，成为交通运输方面的一支重要力量。1957年的货运量达到11万多吨，是1952年的207.4%，[②] 基本上承担了自治区黄河沿岸的粮食、煤炭、食盐的运输，有力地支援了包头的工业建设。

1958年至1962年是我国第二个五年计划建设时期。这一时期，自治区在公路建设上贯彻执行“依靠地方，依靠群众，普及与提高相结合，以普及为主”的“全党全民办交通”的方针，掀起群众性修路高潮。1958年，公路通车里程增加5 000公里。到1958年底，全区公路通车里程猛增到1.8万多公里，比1957年增加了38.4%。在公路建设中，建筑材料短缺，施工条件很差。公路建设部门专业工程技术人员与筑路职工紧密配合，同心协力，克服困难，因地制宜，就地取材，创造了优异的成就。巴彦淖尔盟河套平原是个无沙石地区。1958年为了解决行车密度最大的陕临公路（陕坝到临河）晴雨通车问题，利用当地黏土多和当时煤炭供应足的条件，在沿线筑窑，烧陶粒做磨耗层。到1960年修成了一条31公里陶粒公路，受到国家

① 刘景平、郑广智主编：《内蒙古自治区经济发展概论》，内蒙古人民出版社1979年版，第272页。

② 郝维民主编：《内蒙古自治区史》，内蒙古大学出版社1991年版，第150页。

交通部的表扬。1959 年改建通辽至开鲁的公路时，采用石灰土基础，为解决无沙石地区修建公路问题走出了一条新路子。1960 年修建的蜘蛛山大桥，是沟通哲里木、昭乌达、锡林郭勒 3 盟的主要运输线——通（辽）林（西）公路上的一座大桥，东到通辽，南距赤峰，都有 300 多公里，当时建筑材料供应非常紧张，建设者们因地制宜，采取了我国传统的建桥形式——建石拱桥。他们就地取材，仅用 7 个月，建成了一座长 143.6 米、宽 7 米、每孔跨径 30 米的千孔联拱桥。在这座当时全区最大的石拱桥建设中，还首次采用了沉井基础。1962 年，全区公路通车里程达到 22 800 多公里，比 1957 年增长 75.2%。[①] 新开辟的公路中，大部分是由中小城镇通向农村牧区的，其中有许多是通向农牧业产品主要产区的线路。仅 1962 年一年的时间，就在哲里木、乌兰察布、巴彦淖尔等地开辟了 8 条通向农村牧区的客货混合班车路线。到 1962 年底，全区所有的旗县都通了汽车，全区一半左右的人民公社已通了定期或不定期的客货运汽车。

1962 年，全区铁路通车里程达 4 601 公里，比 1957 年增长 33.5%。[②] 同时还对原有的线路做了技术改造。1958 年，包兰铁路（包头至兰州）建成通车。包兰线全长 999 公里，内蒙古境内 423 公里，是首都北京和大西北之间的一条大动脉。这条铁路的两条支线，海勃湾至拉僧庙支线，乌达至吉兰泰支线也同时开工建设，使海勃湾的煤炭、化工、建材、有色金属等多种资源和卡布其石灰石矿得到开发利用，为吉兰泰池盐的大量开发利用创造了有利条件。在自治区东部由大兴安岭林区加格达奇通向齐齐哈尔的嫩林线，由通辽通往大庆的通让线，分别于 1958 年和 1960 年动工兴建，横穿大兴安岭林区的伊加线（伊里图河至加格达奇）正在向西伸延。京包铁路复线工程，也在 1958 年开工修建。此外，在大兴安岭林区和包头工业基地，还建设了部分森林铁路和厂矿铁路专用线。随着客货运量的发展，为了缩短列车停车时间，加速车辆周转，自治区大力发展与组织了装卸力量，并且通过技

① 刘景平、郑广智主编：《内蒙古自治区经济发展概论》，内蒙古人民出版社 1979 年版，第 340、342 页。

② 刘景平、郑广智主编：《内蒙古自治区经济发展概论》，内蒙古人民出版社 1979 年版，第 340、342 页。

术革新运动，大力推广了装卸工作的半机械化和机械化，减轻了繁重的体力劳动，缩短了列车停车时间，加速了车辆周转。

1958 年以来内河航运事业也有了发展，到 1962 年新增水运航线达 952 公里。[①] 由于广泛地整修航道，清除险滩，设置航标，从 1958 年起已开始在区内黄河航道用机动拖轮带动驳船运货，1962 年又开始在包头至喇嘛湾之间办理客运。民用航线也在逐渐开辟，在此期间开辟了呼和浩特—锡林浩特—海拉尔，呼和浩特—北京—赤峰—通辽等民用航线，在每年凌汛期间，还增辟了包头—东胜航线。

1961 年，中共中央提出“调整、巩固、充实、提高”的方针，全面调整国民经济。通过调整，在自治区工农牧业生产稳步上升的情况下，交通运输事业也有了较快发展。铁路货运量，由 1962 年的 1 754 万吨增长到 1966 年的 2 425 万吨，增长 38. 2%。公路通车里程由 1962 年的 22 800 公里增长到 1966 年的 25 180 公里，增长 10. 42%。公路货运量由 1962 年的 975 万吨增长到 1966 年的 1 735 万吨，增长 77. 95%；客运量由 1962 年 284 万人增长到 1966 年的 618 万人，增长 1. 18 倍。[②] 1966 年竣工的通辽—开鲁公路，是内蒙古自治区首次大面积利用石灰土做路面基层，首次大规模铺筑渣油表面处治路面，也是自治区第一条完全按国家交通部部颁标准修建的公路。与此同时，民用航空事业也有了较大发展。

1966 年，“文化大革命”爆发后，内蒙古自治区的交通运输事业受到严重冲击。公路建设的正常规划、投资和施工秩序被打乱，面对日益繁重的运输压力，自治区交通部门从养路费中拿出约 20% 的资金用于公路的维护和部分公路的新建，由中央有计划投资的公路建设项目仅限于国防和边防公路的修建。在“备战、备荒、为人民”的方针指导下，自治区公路建设仍有发展。1972 年 5 月，内蒙古自治区交通工作会议提出了公路建设的“四化一通”方针，即路线标准化、路面黑色化、桥梁永久化、绿化和社（人民公社）社通公路。在此方针的指导下，全区新建和改建了一大批等级较高

① 刘景平、郑广智主编：《内蒙古自治区经济发展概论》，内蒙古人民出版社 1979 年版，第 340、342 页。

② 王铎主编：《当代内蒙古简史》，当代中国出版社 1998 年版，第 204 页。

的渣油路，同时修建了一批重要桥梁，呼和浩特—包头、呼和浩特—集宁的渣油路，下城湾七〇黄河大桥，均是在此期间建设完成的。到1976年，自治区公路通车里程已达到33 414公里。“文化大革命”期间，自治区铁路建设的速度放慢。1976年，全区铁路通车里程仅比1965年增长4.41%，铁路货运量比1965年增长51.17%，客运量比1965年增长152%。[①] 经过广大铁路职工的艰苦努力，这一时期建成开通了若干条铁路线。乌吉线（乌达至吉兰泰）全长130公里，1960年5月动工兴建，1967年1月建成投产，对阿拉善盟和乌海市煤炭、食盐等资源开发和利用及内蒙古西部经济发展起着重要作用。通让线（通辽至让湖路）全长421公里，内蒙古境内120公里，1964年7月动工兴建，1966年12月交付营运。该线起自哲里木盟通辽市经太平川至滨洲线的让湖路站，北接平齐线，南连京通线，是内蒙古东部地区铁路网建设的重要组成部分。平汝线（平罗至汝箕沟）1971年建成，全长81公里。郭查线（郭尔奔敖包至查干诺尔）全长45公里，1971年动工，1972年7月验收投产。嫩林线（嫩江至古莲）全长679公里，内蒙古境内320公里，1974年8月通车至古莲。这条铁路行经大兴安岭林区，终至我国最北部边疆地带，它的建成不仅对开发沿线森林资源具有重要作用，同时对我国北部边疆建设具有重要的意义。“文化大革命”的十年期间，由于“左”的路线的干扰，自治区的民航事业发展缓慢，几乎处于停滞状态。1969年，内蒙古东部的哲里木盟、呼伦贝尔盟、昭乌达盟分别划归吉林、黑龙江和辽宁省，呼和浩特—锡林浩特—海拉尔航线，呼和浩特—北京—赤峰—通辽航线停航。

中共十一届三中全会以后，内蒙古的交通运输得到了飞速的发展。为了解决公路等级低、通过能力不足等问题，内蒙古着力改造公路干线，提高公路桥梁质量，扩大路桥的通过能力，重点建设了锡宝张公路、呼喇公路、牙满公路、乌兰花至赛汉塔拉公路、109、110国道技术改造以及黄河上的3座公路大桥等一大批重点工程。北京至拉萨的109国道和北京至银川的110国道，穿行于内蒙古自治区的中西部，担负着内蒙古、宁夏、西藏及西北其他省市之间与首都北京及华北地区的交通运输任务；在内蒙古境内分别为

① 林蔚然、郑广智主编：《内蒙古自治区经济发展史》，内蒙古人民出版社1990年版，第311页。

603.35 公里和 878.01 公里，呈东西走向，两条平行的公路构成了内蒙古中部路网横向的主骨架。为了适应新的形势，自治区分期对 109、110 国道进行了大规模的技术改造，到 1990 年，109 国道已建成三级路 181.33 公里，四级路 343.08 公里，永久性桥梁 19 座；110 国道建成二级路 287.58 公里，四级路 110.91 公里，永久性桥梁 292 座。1996 年，内蒙古第一条高速公路——呼包高速公路建成运营，标志着内蒙古的公路建设开始跨进了现代化的新阶段。1998 年，按照中央 3 号文件精神，全区交通系统广大干部职工在战胜了历史上罕见的洪涝灾害的基础上，发扬抗洪精神，加快公路建设步伐，全年共完成公路建设投资 30.97 亿元，超计划 2.2 倍多。与此同时，全区各地加快了旗县通沥青油路的步伐，1998 年就有 7 个旗县通了沥青油路。

1996 年以来，全区交通系统加大引资和融资力度，利用世界银行贷款改造的 210 国道包头至东胜段和 208 国道白音查干至丰镇段公路项目，施工进展顺利，实现了自治区公路建设利用外资零的突破。利用亚行紧急贷款建设 111 线乌兰浩特至尼尔基段、新林北至扎兰屯段、304 线珠日河（舍伯吐）至霍林郭勒段和省道 101 线阿尔善至霍林郭勒段等 4 条公路，也在紧张施工之中。① 引入 BOT 方式建设的自治区重要的资源开发通道也取得了良好的开段，包府公路东胜至杨家波段已完成一期改造工程，包头南绕城公路等一批公路项目也按照 BOT 方式开始全面建设。与此同时，自治区全面实现了公路建设由部门行为向政府行为、行业行为向社会行为的“两个转变”，通过以工代赈、民工建勤、公办民助、民办公助等多种形式，调动各级政府的积极性，发动和组织广大农牧民投工投劳，掀起了声势浩大的群众性筑路运动。从 1996—1998 年的 3 年中，全区新建县乡公路里程达 21 000 公里，人民群众投工投劳合人民币 14 亿元。到 2000 年全区公路里程达 67 346 公里。其中，二级以上公路 4 005 公里，高级、次高级路面 14 418 公里。② 公路建设无论在建设规模、建设标准、建设速度、建设质量等方面都达到了历史最好水平。

改革开放以来，内蒙古自治区加快了铁路建设的步伐。1981 年由北京

① 内蒙古年鉴编纂委员会编：《内蒙古年鉴》（2001），方志出版社 2001 年版，第 242 页。
② 内蒙古年鉴编纂委员会编：《内蒙古年鉴》（2001），方志出版社 2001 年版，第 237 页。

至通辽的京通铁路全线通车运营。这是内蒙古东南部地区重要的纵向运输干线，也是我国东北地区和关内联系的第二条重要通道。同年增开了呼和浩特至海拉尔的直达快车，称“草原列车”，途经赤峰、通辽等地，全程 2 475 公里，连续运行 50 多个小时，是全国独一无二的跨省区直达车。

为了开发伊敏河和霍林河的煤炭资源，1977 年 12 月动工修建的海伊线和通霍线，分别于 1979 年 10 月和 1984 年 9 月投产运营。至此，内蒙古东部地区形成了以滨洲线、通让线、京通线为骨架，以牙林线、嫩林线、伊加线、潮乌线、通霍线、海伊线为网络的东部铁路网。

为解决内蒙古西部地区煤炭外运，自治区在国家的扶持下从 20 世纪 80 年代开始集资修建集宁至通辽、包头至神木、大同至准格尔的地方铁路。至 2000 年共修筑地方铁路 5 条，全长 1 422 公里。其中 1994 年通车运营的集通线（集宁至通辽）途经 12 个旗县，全长 942 公里，是全国最长的一条地方铁路，对开发地区资源、改善路网布局具有重要意义。到 1998 年，内蒙古自治区共建成铁路线 28 条，其中干线 16 条，支线 12 条，地方铁路 5 条。铁路正线延长里程 7 083 公里，营业里程 5 984 公里。2000 年，全区铁路客运量达 3 378 万人，旅客周转量为 92.3 亿人公里，铁路货运量为 9 648 万吨。①

为改善内蒙古的投资环境，加速改革开放，推动自治区的经济发展，内蒙古自治区和国家民航总局共同努力，从 1985 年投资扩建呼和浩特机场起，至 1994 年 10 月间，对呼和浩特、海拉尔、包头、赤峰、锡林浩特、通辽、乌兰浩特 7 个机场进行了扩建、改建、迁建，机场路道改建为水泥混凝土结构，结束了内蒙古民用机场使用土跑道的历史，同时新建了呼和浩特、包头、赤峰、锡林浩特、乌兰浩特候机楼和通辽、赤峰、乌兰浩特售票处业务楼。各机场助航灯光及国界封闭工程也大部分完善。改造后的呼和浩特、海拉尔、包头机场达到 4C 级机场标准，其余机场达到 3C 级标准。呼和浩特和海拉尔机场被国务院批准为口岸机场，成为我国对蒙古、俄罗斯的前沿宣传品。呼和浩特机场于 1993 年 3 月开通了至蒙古国首都乌兰巴托的航线，成为我国可起降国际定期航班的机场之一。

---

① 内蒙古自治区统计局编：《内蒙古统计年鉴》，中国统计出版社 2001 年版，第 425 页。

在加速机场建设的同时，内蒙古境内的航路建设也进入一个大发展的时期。内蒙古疆域辽阔，东西相隔 2 400 多公里，南北相距 1 700 余公里。在这片辽阔的空域内，有三条国际航线通过，改革开放后，空中航班流量日益增多。过去由于通信、导航设备落后，在内蒙古空域地空联络不畅、导航设备落后，为过往飞机提供可靠的通信导航保障带来很大困难。因此，1993 年 5 月 27 日，国家民航总局批准成立呼和浩特高空管制区，接管了东起多伦、西至磴口、北至国境线、南及平朔这一辽阔空域的高空指挥权。1995 年 1 月 5 日，又成立了海拉尔高空指挥区。为提高航路保障能力，在民航总局的统一安排下，内蒙古区局进行了大规模的航路建设，包括呼和浩特、包头、海拉尔、乌兰浩特、通辽 5 个机场及二连浩特、土牧尔台、磴口 3 个导航区的全向信标/测距仪，海拉尔机场盲降设备，呼和浩特机场二次雷达，料木山甚高频转播台及卫星通信工程的建设。这样，内蒙古民航不仅实现了管制指挥由低空向高空的扩展，而且解决了东、北、西三条国际航路在内蒙古空域通信联络不畅的问题，从而使内蒙古民航的飞行保障能力有了一个质的飞跃。

机场设施的改善，航路保障能力的提高，为内蒙古民航航线网络建设提供了客观的基础。1997 年形成了以内蒙古自治区首府呼和浩特为中心，通达区内 7 个机场及北京、武汉、广州、上海、深圳、香港等国内 21 个大中城市、和蒙古国首都乌兰巴托、俄罗斯赤塔的航线网络，通航里程在 10 年间增加了 15 倍。航空业务范围也得到大幅度的拓展，全区 7 个机场相继实现了全区微机联网售票，开办了特快专递业务。内蒙古区局还与东方航空集团签订了国际、国内客货运输在内蒙古地区的代理协议。航线的增多，业务范围的拓展，使内蒙古民航客货发运量成倍增长。2000 年全区各机场客运量达 1 104 693 人，同比增长 12.5%，货运量 6 328.4 吨，同比增长 0.1%。民用航空事业的快速发展，促进了内蒙古自治区的经济建设和社会发展。

第七节 邮 电

中华人民共和国成立前，内蒙古的邮电通信事业非常落后。1947 年内蒙古自治区政府成立后，只有 3 个沿铁路线的盟所辖地区设有 23 处邮电局所，职工 146 人，邮路 1 160 公里，长途线路 1 400 公里。邮政通信靠人背肩扛，电话是磁石电话机，电报是莫尔斯人工报机。锡林郭勒盟仍沿用驿站的通信方式。全区邮电无统一领导机构，分散经营，分别归当地政府领导。为适应解放战争的需要和对全区邮电工作的统一领导，1949 年 5 月 1 日内蒙古邮电管理总局在乌兰浩特成立。行政上受内蒙古自治区政府交通部领导，业务上受东北邮电管理总局领导。从此，自治区邮电通信从分散经营、地区管理走上了全区统一集中管理的轨道。1949 年 8 月 1 日，热河省邮电管理局所辖的林东、林西、大板、经棚、天山 5 局移交内蒙古邮电管理总局领导。

中华人民共和国成立后，内蒙古的邮电通信事业步入了一个新的发展时期。新中国成立初期，内蒙古同全国一样处于经济恢复阶段。内蒙古的邮电实行“统一领导，整顿恢复”的方针。为使自治区的通信同全国一致，在通信组织和体制上实行“邮电合一”、“邮发合一”。自治区邮电管理总局于 1950 年 12 月在业务上接受邮电部的垂直领导，行政上受自治区政府的领导。1951 年 1 月 1 日自治区邮电管理总局，更名为内蒙古自治区邮电管理局。4 月 1 日，北京邮政管理局所辖的多伦、宝昌、化德等邮政局划归内蒙古自治区。

新中国成立初期，自治区首府在乌兰浩特。由于自治区刚刚成立，各盟虽建有一些通信线路，但互不连接，乌兰浩特至各盟市所在地不能直通电话。为了沟通乌兰浩特至各盟市的通信，新中国成立初期内蒙古自治政府大力开展了以乌兰浩特为中心的通信线路的恢复和建设工作。1950 年，首先在乌兰浩特和林东设置无线电台，随后沟通了乌兰浩特至昭乌达盟的无线电路。又专门组织工程队，承担昂昂溪至满洲里 700 多公里国际线路大修和加挂铜线线条任务。11 月 30 日开通北京—满洲里、哈尔滨—满洲里载波电话。根据国家邮电部的指示，完成了北京至莫斯科长途线路内蒙古段从齐齐哈尔到满洲里的修建工程，保证了毛泽东主席出访苏联的通信需要。1952 年开通林东至通辽实线电话，沟通了哲里木盟和昭乌达盟的通信。到 1952 年末，全区邮电局所恢复发展到 353 处，长途电信杆路达到 3 893 杆程公里，架空明线 3 183 线对公里，农村电话杆路达到 2 427 杆程公里，线路 1 787 线对公里，无线电台 48 处，邮路和农村投递路线长度达到 32 275 公里，市话交换机总容量为 5 586 门，实装 3 882 门。有 55 个旗县市可通长途电话，66 个旗县市可通电报，[①] 有力地促进了自治区各项事业的发展和各族人民的对外联系。

第一个 5 个计划时期（1953—1957 年），内蒙古的通信建设以呼和浩特市为中心，逐步沟通各盟市旗县的电路，全区邮电完成基本建设投资 1 931.7 万元。1954 年 3 月绥远省与内蒙古自治区合并，绥远省邮电管理局并入内蒙古自治区邮电管理局。为了适应蒙绥合并后自治区东西部通信的需要，从 1953 年到 1956 年修建了从乌兰察布盟的土木尔台经化德、宝昌、多伦到赤峰的长途通信线路，再通过通辽、乌兰浩特到海拉尔，联通从呼和浩特到海拉尔 2 433 公里的载波电话，架设呼和浩特经赛汗塔拉、锡林浩特到林西的长途线路。这条通信干线既是呼和浩特通往东部区的第二条通信线路，又解决了锡盟北部各旗的通信问题，借用集宁到二连浩特铁路杆线，加挂集宁至二连的通信线路，开通集宁到二连和北京至乌兰巴托（蒙古国首都）的电路线路，使 16 个旗县通了长途电话。1953 年乌兰浩特通过白城和齐齐哈尔的载波电路开通呼和浩特至海拉尔的直达电话。整修和架设乌兰浩特到通辽 300 多公里的长途线路，开通呼和浩特至哲里木盟和昭乌达盟的长途电话和电报。扩建呼和浩特、包头和集宁市内自动电话，新建锡林浩特、扎鲁特旗等 25 个城镇的市内电话。新增市话交换机 8 264 门。为了配合农业合作化运动，进行了农村牧区的通信建设，新建农话线路 3 007 杆程公里，7 236 线条公里，安装农话交换机 60 门，使 30 个农业合作社通了电话。这一时期，各盟和一些旗县局也架设和修复了一些长途和农用电话线路。1956 年 1 月 1 日，原热河省邮电管理局所辖赤峰、宁城、乌丹、喀喇沁旗、敖汉旗和翁牛特旗邮电局划归内蒙古自治区隶属昭乌达盟。4 月 1 日，内蒙古自治区邮电管理局接管甘肃省和宁夏所属的额济纳旗和磴口县邮电局。到 1957 年，全区设有邮电局、所 563 处，邮路达 7.6 万公里、长途线路 6 082 杆程公里、长话电路 156 条、电报电路 186 条，线路总长度 12 848 线对公里，市话交换机 13 355 门（自动电话 2 200 门），市内电话用户 9 458 户、设市内电话的旗县达 76 个，农话交换机容量达 3 040 门，农话线路 6 817 杆

① 韩茂华主编：《翻天覆地五十年》（1947—1997），内蒙古大学出版社 1997 年版，第 172 页。

程公里，线条总长度 6 993 线对公里，农村电话机总数达 1 421 部。实现了乡乡通邮路，90% 以上的旗县有了市内电话。邮电业务收入达 706.3 万元，邮电职工达 6 190 人，邮运汽车 12 辆，邮电业务总量 867.4 万元。①

1958 年，全国开展了“大跃进”运动。内蒙古邮电部门提出了“全党办邮电、工作大跃进”的口号，努力朝着“逐步建成一个以现代工具为主的四通八达的邮电通信网”的目标迈进，广泛发动群众，大搞技术革命和技术革新活动。积极响应国家邮电部“大办邮电工业，自己武装自己”的号召，全区掀起自办工厂的高潮，研制生产单路、铁三路载波机。遵照《全国农业生产发展纲要》的要求，设立机构，开辟邮路，到年底全区旗县内邮路增加到 81 072 公里。先后开辟了包兰铁路邮运干线，沟通了西北地区的邮政通信联系；开通了锡林郭勒盟、巴彦淖尔盟与呼和浩特市的直达电路，全区除额济纳旗、东乌珠穆沁旗和鄂伦春自治旗外，其他旗县都通了长途电话。到 1960 年，全区 96.1% 的人民公社设有邮电局、所，农村电话线路达到 42 211 杆程公里，农话交换机 24 613 门，98.8% 的人民公社和 65% 的生产大队通了电话。② 长途和市话的机线设备都有大幅度增加，邮电业务总量和邮电业务收入有了很大提高。

由于“大跃进”中“左”的错误，忽视客观经济规律，急于求成，出现高指标、瞎指挥和浮夸风，使全区邮电通信事业受到了一定的损失。1958 年末，变革了邮电企业领导体制，以地方政府领导为主，实行内蒙古自治区党委、自治区人民委员会和国家邮电部双重领导，邮电企业层层下放，统一有效的规章制度遭到破坏。随后，在内蒙古国民经济出现严重困难的情况下，邮电通信事业的发展也受到制约。

1961 年，党中央提出了“调整、巩固、充实、提高”的八字方针，对国民经济进行全面调整。自治区邮电部门认真贯彻八字方针，对全区邮电事业进行调整。调整的主要内容包括缩短基本建设规模，停建缓建了一些邮电

① 参见内蒙古自治区统计局编：《辉煌的内蒙古》(1947—1999)，中国统计出版社 1999 年版，第 114 页。

② 内蒙古自治区邮电志编纂委员会编：《内蒙古自治区志·邮电志》，内蒙古人民出版社 2000 年版，第 4 页。

基本建设项目；对设置不合理的70多处邮电局所进行调整，加强了经营管理；调整了业务范围和投递频次；整顿邮电工业，缩小了规模。邮电管理体制恢复到了以邮电部为主、地方政府为辅的双重领导体制。在调整的基础上认真贯彻《国营工业企业工作条例（草案）》,健全企业管理制度，加强企业管理基础工作，恢复正常的通信秩序，使邮电通信畅通有了保障。在调整期间，邮电职工试验成功蒙文电报，建成自治区第一条呼和浩特至集宁的24路微波线路。到1965年，全区邮电局所发展到961处，99.9%的人民公社和86.8%的生产大队通了邮路。邮路达到45 348公里，长途线路达到8 144杆程公里、21 261线对公里，市话交换总容量32 095门，实装31 185门，农话线路22 114杆程公里、13 058线对公里。①

“文化大革命”爆发后，邮电部门受到严重冲击。全区各级邮电局被造反派夺权，领导干部被打倒“靠边站”，工作陷于瘫痪，邮电通信受到严重干扰。1969年12月1日，内蒙古自治区邮电管理局撤销，邮电分设，分别成立自治区邮政局和自治区电信局，邮政局实行以地方政府管理为主的双重领导，电信局归各级军区（武装部）领导。12月19日起，全区邮政、电信全面实行军管。这次体制变动，又一次打乱邮电系统管理，削弱了邮电系统的集中统一领导，造成人、财、物的巨大浪费。1973年，邮政、电信又重新合并，恢复原来的邮电管理体制。“文化大革命”还造成邮电通信质量下降，企业经营亏损，给邮电事业带来巨大损失。“文化大革命”对于邮电工作的破坏极其严重，但由于客观上国家对邮电通信的要求比较严格，同时由于广大邮电职工努力工作，自觉坚守工作岗位，使损失程度受到一定控制，基本上保证了通信的畅通，邮电通信也得到了一定的发展。这一时期，由于加强了边境通信和战备通信建设，全区通信能力有了较大增强。建设的主要工程有酒泉至额济纳旗、临河至海勃湾长途线路工程，通辽经扎兰屯至海拉尔12路载波工程，呼和浩特至北京12路载波工程，锡林浩特市自动电话工程。建成呼和浩特电信局二站，开通呼和浩特至北京、山西和各盟市的迂回电路。邮政方面开办了呼和浩特经赛汉塔拉至锡林浩特、呼和浩特经和林格

① 参见内蒙古自治区统计局编：《辉煌的内蒙古》（1947—1999），中国统计出版社1999年版，第114页。

尔至清水河县、呼和浩特经武川县至达尔罕茂明安联合旗自办汽车邮路。

1976年，中共中央一举粉碎了“四人帮”反革命集团，结束了长达十年的社会动乱，全区邮电通信事业开始走上整顿发展的道路。因为长期受“左”的思想的影响和束缚，没有从根本上纠正过去的错误，在形势稍有好转之后，邮电系统又出现了急于求成的倾向。1977年，邮电部提出“大干快上”，三年内实现“旗县电话自动化、旗县至公社电话载波化、电报传真化、有条件的农村牧区投递摩托化”的跃进计划。这种超越客观条件、过高的奋斗目标是难以实现的。一些旗县的邮电部门还开展了大搞半电子自动电话的群众运动，结果造成人力、财力和物力的严重浪费。由于实现了安定团结的政治局面，纠正了“文化大革命”中造成的冤假错案，落实了党的政策，从而极大地调动了广大邮电职工的积极性，虽然出现了一些偏差，但邮电通信建设仍然取得了较好的成绩。1978年，全区邮电局所达到1 519处，邮路总长度1.73万公里，自办汽车邮路1.45万公里，电报电路393路，长话电话651路，市话交换机总容量51 850门，其中自动电话22 280门，自动电话已占42%。农话交换机71 541门，农话线路79 742线对公里。呼和浩特至各盟市长话电路平均达9.3路，盟市至旗县平均3.7路。乡镇（苏木）设有邮电服务机构的比率占85.7%，通邮乡镇达100%，通邮生产大队99.1%，通邮生产队79%，通话乡镇98%，通话生产大队83.4%，全区电话普及率0.53%，城市电话普及率1.7%。①

中共十一届三中全会以后，内蒙古的邮电通信事业进入持续、快速、稳定、协调发展时期。1980年1月1日内蒙古邮电系统实行新的管理体制，即以邮电部为主和自治区政府为辅的双重领导。1981年内蒙古邮电全面推进和进一步完善企业经营承包制，管理局、盟市局实行财务包干办法。1983年对延续27年不变的工资标准进行改革，实行8级工资制和干部职务工资制。1982年，中共第12次代表大会提出把邮电通信列为中国经济发展的战略重点。内蒙古自治区各级邮电部门在深化改革中，发扬“从严务实抓紧”的工作作风，贯彻“一稳二抓三开拓”的业务方针。在通信建设上，坚持

① 内蒙古自治区邮电志编纂委员会编：《内蒙古自治区志·邮电志》，内蒙古人民出版社2000年版，第5页。

“国家、集体、个人一齐上”的方针，多渠道、多层次加快邮电事业的发展；在邮电服务上，坚持“人民邮电为人民”的服务宗旨，提高通信质量，努力为社会提供优质高效的通信服务；在经营管理上，通过多种方式增强企业活力，从而有力地促进了自治区邮电事业的发展。内蒙古自治区先后建成呼和浩特、通辽、海拉尔、乌兰浩特卫星通信地面站。呼和浩特至北京300路小同轴电缆，呼和浩特长途自动拨号和电报自动转报，赤峰长途会接中心，乌海市、乌兰浩特市、乌兰察布盟邮电局引进C400纵横自动交换机20 160门，呼和浩特、包头引进西门子程控电话2.2万门，引进国外市话转移设备2.4万门。建成呼和浩特、包头电信枢纽工程以及海拉尔、通辽邮件转运中心等一批重点通信工程。到1990年，全区长途业务电路1 736条，市话交换机总容量19.88万门，农话交换机总容量2.5万门，长途交换机总容量1 560路端，有6个城市进入全国长话自动网，实现了同519个城市直拨电话。全区电话普及率为1.4%。有35个邮电局实现了电报自动转报，有6个城市开办了无线寻呼业务。[①] 邮电部门还不断开拓新业务和服务项目，如特快传递、邮政储蓄、邮政快件、有声信函、用户传真、礼仪电报、长话特快业务等，大大方便了用户。

伴随着社会主义市场经济的快速发展，社会对通信的需求不断增大。内蒙古邮电逐步形成并确立了以市场为导向、以满足社会需求为目标的发展思路。充分利用国家产业政策，依托当地经济、依靠各级政府的领导和支持，充分发挥各方面的积极性，不断加大投资力度，通信建设投入成倍增长，发展速度逐年加快。1990年至1998年共完成固定资产投资93.2亿元，相当于1952年至1990年总投资的24.5倍。形成了光纤光缆为主、数字微波和卫星通信为辅的大容量传输网络。国家一级干线京沈哈、京呼银兰光缆内蒙古段以及系列干线光缆、数字微波工程和14座卫星地面站新建扩建工程相继投产使用。到1998年，长途业务电路达3.06万条，长途交换机总容量为9.22万路端。全区公用通信网电话交换机总容量达188.97万门。建成移动通信交换机6个，基站419个，信道12 660个，移动通信网已覆盖全区所有盟市旗县，并进入全国漫游网。旗县以上城镇全部开通无线寻呼系统，并实现

① 郝维民主编：《百年风云内蒙古》，内蒙古教育出版社2000年版，第307页。

全区联网。中国公众多媒体通信网（169 网）在全区各盟市所在地全部开通。至此全区通信网形成了地下有光缆、地面有微波、天上有卫星的立体化、多元化的通信格局。邮政建设迅速发展，到 1998 年，全区有邮电局所 1 761 个，邮电汽车 1 031 辆，微机 1 700 台。开通国际快速汽车邮路 1 条，国内快速汽车干线邮路 5 条，新增邮政生产地 25.5 万平方米。[①] 呼和浩特邮政枢纽，包头、集宁邮件处理中心等工程相继投产使用，使邮政生产条件得到明显改善。

随着程控交换、光纤、数字微波、卫星通信等世界先进技术的普遍应用，使通信网络技术层次发生了质的飞跃。横跨内蒙古全境，长达 4 702 公里的 SDH 数字传输系统，是我国目前最长的 SDH 长途通信干线。全区长途业务电路数字化达 84%，市话交换程控化达 100%，农话交换自动化达 84.6%。光纤、一点多址、数字微波等先进技术在城乡通信网上得到应用。1995 年，内蒙古实现了旗县以上电话交换程控化和基本实现长途传输数字化，成为全国第 20 个实现“两化”的省区。计算机技术在邮政通信领域得到广泛应用。到 1995 年，盟市所在地和旗县主要营业、储蓄宣传品都实现了微机化。报刊发行要数计算机网、速递查询网、邮政储蓄网已覆盖盟市所在地和部分旗县。呼和浩特、包头等 4 个城市已实现包裹自动分拣。公用通信网不仅能够向社会提供信函、包裹、汇票、报刊发行及电话等基本通信业务，而且开办了传真、电子信息、会议电话、信息服务及“绿卡”等多种新业务，特别是多媒体通信网增加了为社会信息化提供多层次通信服务的手段。

全区邮电部门牢固树立面向市场、参与竞争的观念，全面发展邮电业务，努力开发、培养和占领市场，邮电经营工作逐步将以我为主改变为以用户为主，由坐等客户上门为主动登门服务。与此同时，还进一步调整完善了邮电企业经济核算办法和经营承包责任制，制定了许多激励政策，加大企业改革力度，逐步建立起了以发展建设、经营服务、运行维护 3 条线为主的管理体制，并成立了移动通信、数据通信和机动通信等专业局，迈开了专业化

① 参见内蒙古自治区统计局编：《辉煌的内蒙古》（1947—1999），中国统计出版社 1999 年版，第 115 页。

管理的第一步。在城市广泛推行了规模装机、现场放号，在农村大力发展电话村。对电话初装费实行不同时期的适度优惠，对移动电话实行即买即通，并允许用户自备手机入网。邮电事业的快速发展为社会提供的服务量明显加快。到2000年，全区邮电业务总量达到562 463万元；邮电局所达1 728个；邮路总长度为63 759公里；农村投递线路达106 539公里；电话用户2 069 000户；通电话的乡（镇）比率为100%；进入长话自动网的乡（镇）比率100%；长途业务线路达48 309路；邮电业务收入达到28.1亿元。① 改革开放后的22年，是内蒙古百年来现代邮电发展史上建设规模最大、发展速度最快、技术水平最高、综合通信能力增强最显著、业务发展最迅速的时期。

第八节 商 业

中华人民共和国成立前，内蒙古基本上处于以农牧业为主的自给自足的自然经济形态，商品经济极不发达，人民生活非常困苦，许多农牧业产品卖不出去，日用必需品购买不到，商品流通渠道极为不畅。中华人民共和国成立后，为迅速恢复和发展国民经济，党和政府着重抓了建立国营商业机构的工作。当时自治区人民政府对国营商业机构进行了大量的投资，并调配了许多干部从事商业工作。除此之外，国家银行大力扶助国营商业和供销合作社，不断地发放大量贷款，促进其发展。对国营商业的贷款数额，1952年比1949年增加了95倍。②

国营和供销合作社商业机构建立后，积极收购牲畜、皮毛、粮食等主要产品，大力供应布匹、棉花、茶叶等主要生活日用品，以满足人民群众最迫切的生产、生活的需求。在全区各主要城镇普遍建立与发展了国营商业网，并大力扶助了农村供销合作社，国营商业和供销合作社的社会商品零售额逐渐扩大，打破了私营商业垄断内蒙古商业的局面，特别是限制了旅蒙商在牧区的活动范围。由于国营商业和供销合作社，供货及时，价格合理，因而在

① 内蒙古自治区统计局编：《内蒙古统计年鉴》，中国统计出版社2001年版，第435—438页。

② 郝维民主编：《内蒙古自治区史》，内蒙古大学出版社1991年版，第104页。

蒙古族人民和其他少数民族人民中的信誉迅速提高。1950 年国营商业的零售总额较 1949 年扩大了 6.5 倍，收购农牧产品的总额扩大了 10 倍以上，收购了农村牧区应该收购的绝大部分农牧产品，并向牧区调剂了粮食，供应了布匹、砖茶等日用必需品。到 1951 年已基本上消除了历史上旅蒙商在牧区对蒙古族人民的高利盘剥，缩小了农牧业产品与工业品的剪刀差。1952 年国营商业和合作社的零售额达 16 700 万元，占社会商品零售总额的 59.8%，国营商业已占全部商业批发总额的 70.2%①，国营商业成为内蒙古地区市场的主导力量。

建国初期，由于国营商业刚刚建立，合作社尚未普遍发展，不法的私商仍在投机倒把、囤积居奇，市场物价极不稳定。1949 年 12 月，内蒙古东部地区物价指数比同年 1 月上升了 118.34%。为了有计划地稳定物价，改变历史上的不等价交换，人民政府制定了正确的商业政策。所有商品都进行公平合理的作价，取消各种非法交易，有力地打击了投机倒把活动，稳定了市场。为了保证物价稳定，使各种产品的价格趋于合理，人民政府在价格方面采取了不少措施。如有计划地提高农牧业产品的价格和降低工业品的价格，改变了历史上遗留下来的工、农、牧产品的不合理比价。如 1946 年与 1952 年相比，由原来 1 只绵羊只能换 1 块砖茶增加到 6 块；1 头牛由只能换 5 幅布 74 尺增加到 342 尺。1951 年羊毛价格比 1950 年提高 66.65%，1952 年比 1951 年提高 48%。为了保护畜牧业生产和牧民利益，人民政府规定畜牧业产品的价格以牛羊的价格为中心，牛羊价格的掌握又以增畜保畜为目的，并保持了与粮食、布匹的合理比价，防止受私营市场的影响，盲目地提价或降价。在品种上则实行分等论价，优质优价，以刺激畜牧业优良品种的增产和发展。

大力扶助农牧业生产是商业工作的重要任务。为此，内蒙古自治区人民政府在 1950 年公布了牲畜管理办法，规定不允许宰杀耕畜和贩运适龄母畜，管住了牧畜交易市场，取缔了投机行为。1952 年实行皮毛统购，完全停止了私商对皮毛的收购。实行运费补贴办法，改变了地区越远粮价越高的现象。针对内蒙古地区地域辽阔、集贸市场少、人民购销不方便的状况，商业

① 王铎主编：《当代内蒙古简史》，当代中国出版社 1998 年版，第 97 页。

部门在交通要道和人口密集地区，有计划地设立商业机构，开辟初级市场，有力地活跃了农牧业经济。1949 年至 1952 年 4 年中，全区收购粮食 20.8 亿公斤，菜牛 19 万头，菜羊 59 万只，除满足区内需要外，还向区外调出 7.5 亿公斤粮食和大量牛羊肉，支援了国家的经济建设。同时，商业部门组织了大量日用品供应城乡人民。1952 年商业系统纯销售额已达 2.5 亿元，为 1949 年的 5 倍。① 商业的恢复和发展，扩大了城乡物资交流，活跃了市场，繁荣了经济，改善了各族人民的生活，有力地促进了工农牧业生产的发展。

从 1953 年到 1957 年，是我国第一个五年计划建设时期。国家开始了有计划的大规模经济建设。通过对农业、手工业和资本主义工商业的社会主义改造，逐步建立起以国营经济为主体的社会主义计划经济体制。国营商业和合作社商业进一步发展壮大，逐步完成了由新中国成立初期多种经济成分并存的市场向社会主义统一市场的过渡。内蒙古自治区的商业也进行了重大变革。调整购销政策，国家掌握工农业产品的主要货源，加强国营商业和合作社商业对城乡市场的领导地位。从 1953 年 11 月份到 1955 年上半年，根据国家的统一部署和自治区人民政府的规定，先后对粮食、油料、食油、棉花、棉布实行了统购统销，对生猪实行了派购，对牛羊实行统一收购，对国营工业产品实行统购包销，对私营工业实行加工订货。

加强国营商业的自身建设。从 1953 年开始，核定国营商业企业资金，推行经济核算制，逐步建立健全了财务管理和商品流通计划，改变了新中国成立初期实行的统收统支、不计盈亏的贸易金库制度。对关系国计民生的重要商品，实行计划管理，由国家统一调拨分配，并根据合理组织商品流通和批发与零售分开的原则，自治区在商品集散中心的主要城市，按国营专业公司的经营范围，建立了专营批发业务的采购供应批发站（以下简称二级站）。1955 年前后，根据全国物价会议的规定，实行了统一领导、分级管理的物价管理体制，并调整统一了各类商品的进销、地区、城乡、批零等各项差价，逐步建立了按商品流向固定进货渠道、按经营范围固定供货对象、按企业经营性质（一、二、三级批发、零售商店）固定作价扣率的国营商业内部调拨分配商品的制度。

---

① 韩茂华主编：《翻天覆地五十年》（1947—1997），内蒙古大学出版社 1997 年版，第 183 页。

根据国家的统一规定，规范城乡市场管理，国营商业与合作社商业进行了三次分工。1953 年 12 月至 1954 年 8 月，按产品分工，国营商业负责对地方国营、公私合营工业产品的加工、订货、包销、收购与批发业务。1954 年 9 月至 1955 年 5 月，按市场分工，国营商业负责城市和工矿林区的批发和零售业务，以及对城市私营商业的改造工作，合作社商业负责农村牧区的批发和零售业务，以及对农村牧区私营小商贩的改造工作；1955 年 6 月以后，实行商品与市场相结合的分工，国营商业负责城市的供应和国家商业部管理商品的全部批发业务，合作社商业负责国家商业部管理以外的农副产品采购和农牧业生产资料的采购供应以及各类商品在农村牧区的零售业务。

对私营商业实行利用、限制和改造。逐步缩小地区差价，逐步代替私营批发商在地区和城乡间的贩运活动，割断城乡私营工商业之间的经济联系，国营商业掌握工业原料占领批发市场；对私营零售商实行经销、代销，维持其合理利润和正当经营，继续发挥点多面广、分散灵活的特点，做好对城市居民的日常供应；按行业性质、企业大小，分地区分别采取直接过渡到国营商业，实行公私合营，组成合作商店、合作小组等形式，实行全行业改造。到 1956 年底，全区私营商业直接过渡到国营商业的有 2 365 户，3 474 人；实行公私合营的有 7 891 户，16 657 人；参加合作商店的有 5 816 户，8 026 人；组织合作小组的有 8 287 户，9 845 人。全区商品流通范围和国营商业、合作社商业机构网点，不断发展壮大。到 1957 年，已建有百货、文化用品、纺织品、五金、食品、蔬菜副食、烟酒、水产、木材、煤炭、石油、医药和饮食服务等各行业的国营专业公司，全区国营商业机构发展到 2 495 个，比 1952 年增长 4.5 倍，① 国营商业已全部占领批发市场。

在第一个五年计划时期，商业工作积极支援工农牧业生产和方便群众生活，在自治区的建设事业中发挥了重要作用。随着国家在内蒙古自治区重点建设的发展，在包头钢铁工业基地、大兴安岭林区、集二和包兰铁路 1 号线许多新兴城市及工矿区，商业部门尽最大努力抽调人员，充实机构，积极组织货源，大力组织了工业品、副食品以及某些建筑材料的供应。很多当地不

① 内蒙古自治区商业志编纂委员会编：《内蒙古自治区志 · 商业志》，内蒙古人民出版社 1998 年版，第 26 页。

能生产或很少生产的商品，就组织异地运销，对某些副食品确定了优先供应工矿城市的办法，尽力支援工矿区的发展和新兴城市的建设。1956 年在包头钢铁基地增设了 70 多个商业机构，增加 3 000 余名商业职工。大兴安岭林区 1953 年只有 5 个消费合作社，到 1957 年增加到 21 个各类专业公司，商业职工增加到 2 800 余人。① 对于不断兴起的工业基地，保证了生产建设到哪里，商品供应就到哪里。随着建设事业的发展，社会主义商业也得到相应的发展，基本上满足了工业战线广大职工生产和生活上的需要。

为了支援农业生产，商业部门千方百计地组织农牧业生产资料的供应。合作化运动后，特别注意对农村新式农具、农药和肥料的供应工作。据统计，5 年中商业部门调剂供应耕畜 10 余万头，供应播种机、收割机、铲蹚机、步犁、双轮双铧犁等新式农具 23 万余件，化肥 6 万余担，农药 74 000 多担。为了刺激农牧业生产的发展，以适应城市和工业的需要，有计划地调整提高了农牧业及副业产品的采购价格。商业部门还大力组织了收购土副产品。1957 年收购品种就达到 1 000 种以上，农副产品采购总额达 3. 3 亿多元，比 1952 年增长 1. 4 倍。② 不仅增加了农民的收入，而且支援了工业生产，供应了市场的需要。

商业工作在支援牧区建设上具有特殊作用。牧业需要的饲料、兽药、工具、牧民需要的生活用品，牧业生产需要出售的产品，几乎全部依赖于商业的供应和收购。5 年内收购了大量畜产品，大力供应了粮食、布匹、棉花、砖茶、食糖等主要生活日用品。每当冬季来临，为了帮助牧区做好防灾过冬保膘保胎工作，就尽快地将牧区过冬过春所必需的一切生产资料和生活资料供应到牧民手中。在牧业区开展增畜保畜运动，提倡定居放牧，建立饲料基地，开展合作化运动等各项工作中，商业部门调给了大批粮食、饲料、打草机、猎枪、牧具、种子以及破雪工具等，大力支持这些工作的开展。在牧区处理老弱牲畜的时候，商业部门就大量收购，使牧场清理工作及早完成。商业部门还把收购来的幼畜和母畜有计划地饲养起来，既可以增加商品的储备

① 刘景平、郑广智主编：《内蒙古自治区经济发展概论》，内蒙古人民出版社 1979 年版，第 283 页。

② 刘景平、郑广智主编：《内蒙古自治区经济发展概论》，内蒙古人民出版社 1979 年版，第 281、282、284 页。

量，又发展了国营牧场，增加了牲畜的数量。1957 年全区商业部门就建立了 9 个这样的储备繁殖场，当年入场牲畜 3 万多头。①

为了更好地满足牧民生产和生活的需要，全区国营和合作社商业机构经常组织流动车跟随牧民流动，为牧民服务。随着畜牧业生产的发展、牧民收入的增加，牧区对生产和生活资料的需求也日益增加。商业部门就有计划地组织外地的手工业搬到牧区，发展手工业生产，组织就地加工、就地供应。不但增加了商品数量，及时满足了牧民对产品品种规格的需求，并且成为牧区固定的经常的交换场所。商业部门还在牧区开设了饭馆、旅店、理发、照相等服务行业。银行、邮政、学校、医院等随之建立起来，这样就很快形成一个牧区的经济中心点。这样的经济中心点到 1957 年全区已经有 30 多个。②

随着各项生产建设事业的发展，自治区的商业相应地获得了很大的发展。1957 年商品购进总值达到 8.6 亿元，比 1952 年增长 1.5 倍，销售总值达到 11.4 亿元，比 1952 年增长 1.7 倍。1957 年社会商品零售总额达到 8.63 亿元，比 1952 年增长 1.4 倍。到 1955 年全区国营商业的经营品种增加到 4.2 万余种，供销社系统经营品种增加到 6 千余种。1957 年全区商业网点发展到 22 397 个。到 1957 年底，已经形成一支 10 万人的商业队伍。5 年间，全区商业部门缴纳地方财政的利润达 1.15 亿元，占地方财政企业事业收入的 35.2%。③ 为了照顾民族特点，适应少数民族日益增长的物质文化生活的需要，在主要城市建立了专门的民族用品门市部或专业柜台，配备蒙古族售货员，并根据少数民族及其需要的变化情况，专门供应少数民族用品。社会主义商业与各族人民的生产和生活建立了密切的联系，有力地促进了自治区国民经济的发展。

第二个五年计划开始执行的 1958 年，在“左”的思想指导下，举国上

① 刘景平、郑广智主编：《内蒙古自治区经济发展概论》，内蒙古人民出版社 1979 年版，第 281、282、284 页。

② 刘景平、郑广智主编：《内蒙古自治区经济发展概论》，内蒙古人民出版社 1979 年版，第 281、282、284 页。

③ 刘景平、郑广智主编：《内蒙古自治区经济发展概论》，内蒙古人民出版社 1979 年版，第 281、282、284 页。

下兴起了规模空前的大跃进和人民公社化运动，全国各地普遍出现了瞎指挥、浮夸风和“共产风”，导致了国民经济发展比例严重失调。内蒙古的商业经济也受到重大损失。

在大跃进时期，内蒙古自治区实行了商业行政机构的统一。自治区供销总社、对外贸易局都合并到自治区商业厅。百货、纺织、五金、石油、医药等专业公司全部撤销，改为政企合一的专业局，行使行政管理和行业管理的双重职能。取消了原来专业公司按商品分工组织商品流通的系统，改为以行政区划为主组织商品流通，打乱了正常的商品流通渠道。按照商品的合理流向，有一些本来不需要建立二、三级批发站的地方，也先后自行建立了一些批发站。全区各盟、市、旗、县的商业部门也都实行了政企合一。

在农村、牧区人民公社化运动中，对供销社实行“二放、三统、一包”，即下放人员、下放资金、统一政策、统一计划、统一流动资金管理，包财政任务。在大炼钢铁、大办工业、大办教育、大办技术革新的浪潮中，全区商业部门抽调大批干部职工支援工业建设。自治区商业厅在呼和浩特市开办了五金厂、制锁厂，水泥厂等企业，各盟市商业部门开设了各种形式的红专学校和文化夜校。同时，商业网点也普遍地由个体升格为集体，由小集体合并为大集体，公私合营转为国营，由小变大，由分散变为集中，因而造成商业网点和从业人员大量减少。农村的集贸市场也被取消。这就形成了全民所有制商业独家经营的局面和经营渠道单一的呆板状况，给群众生活带来了极大的不便。据1958年统计，全区商业系统行政和企业管理机构减少了50%，人员减少60%。①

在“大跃进”中，根据国家商业部推广的辽宁省的经验，自治区商业部门还开展了大购大销活动。在“生产什么，收购什么；生产多少，收购多少”的口号下，不顾质量，不问销路，不讲效益，商业部门大包大揽，盲目收购了大量质量低劣甚至没有使用价值的产品，造成了极大的损失和浪费。据统计，在大购大销中，全区国营商业（含供销社）共计损失 12 888

---

① 内蒙古党委党史研究室编：《六十年代国民经济调整·内蒙古卷》，中共党史出版社 2001 年版，第 87 页。

万元。其中商品削价销售损失 6 647 万元，报废商品损失 5 485 万元，商品短缺损失 756 万元。① 这就给以后几年的商业工作带来了很大困难。

从 1959 年开始，全国农业连续 3 年遭受自然灾害，粮食大幅度减产。苏联政府撕毁合同，撤走专家。再加上大跃进的“左”倾错误，使国民经济出现严重困难，工农业生产下降，商品严重匮乏，市场供应极度紧张。据统计，1961 年全区工农业总产值由 1960 年的 45. 14 亿元减少到 32. 97 亿元，下降了 26. 96%；人均消费额由 1960 年的 131. 39 元减少到 104. 52 元，减少了 20. 45%；生猪年存栏由 1960 年的 234. 9 万口减少到 162. 3 万口，减少了 30%；棉布供应量由 1960 年的 10 647 万米，减少为 3 948 万米，减少了 62. 92%。②

为了扭转国民经济的困难局面，纠正经济工作中“左”的错误，根据中共中央八届九中全会决定，从 1961 年起在国民经济领域中实施“调整、巩固、充实、提高”的八字方针，对国民经济实行全面调整。

商业的调整，是国民经济调整的一个重要组成部分。1961 年和 1962 年，为纠正大跃进时期商业工作中“左”的错误，内蒙古自治区根据中央 1961 年 6 月作出的《关于改进商业工作的若干规定》和同年 12 月国家商业部制定的《商业工作条例》及 1962 年 9 月中共八届十中全会通过的《关于商业工作的决定》等文件，对自治区的商业进行了重大调整。在调整中恢复和建立了国营专业公司及合作社商业，退出过渡到国营的合作商店、合作小组，开放集贸市场，整顿疏通商品流通渠道。调整了农产品的收购政策，适当减少统购、派购任务，缩小派购的范围。强调兼顾国家、集体和个人三者的利益，在规定农牧产品收购任务时，要给农牧民留下必要的自用量。对粮食、油料、生猪、牛羊、鲜蛋、甜菜、大麻等主要农副产品实行以工业品换购和奖售、预购的办法。同时，大幅度提高农牧产品的收购价格。1962 年与 1960 年相比，全区农牧业产品收购价格平均提高了 21. 64%。其中，1961 年上半年国家就提高了农畜产品收购价格 17% 左右。提高农

① 内蒙古自治区商业志编纂委员会编：《内蒙古自治区志·商业志》，内蒙古人民出版社 1998 年版，第 27 页。

② 内蒙古自治区商业志编纂委员会编：《内蒙古自治区志·商业志》，内蒙古人民出版社 1998 年版，第 27 页。

牧产品的收购价格，极大地调动了广大农牧民群众生产和出售农牧产品的积极性。

在大跃进中，全区许多商业企业放松了经营管理工作，普遍出现了“经商不理财”等不正常现象。有些商业企业把一部分商业流动资金使用在与商品流通无关的方面，使商品资金比重不断下降，非商品资金不断上升，严重影响了商品流通。有些地区商业机构重叠，增加了商品流通环节，增大了不必要的开支。一些地区商业进货路线不合理，增加了运输成本。还有些商业企业只管商品的购销调存，不讲经济核算。其结果是有不少商业企业经营费用提高，资金周转缓慢；商品的损耗、损失增加，盈利减少，亏损增加，为国家提供的积累大大减少。因此，在调整时期自治区商业系统把改善经营管理、提高商业企业的经营管理水平作为商业调整的重要内容。通过采取节约使用商品流动资金，合理安排商品经营环节和流通路线，加强商业企业经济核算等一系列措施，最大限度地保证商品流动资金用于商品的购销和调存，降低了商品流通费用，减少了经营环节，调整了不合理的进货路线，加速了商业资金的周转，大大减少了浪费，全面提高了商业企业的经济效益。从 1964 年起，自治区贯彻执行国家商业部颁发的《国营商业企业经营管理条例》,逐步建立了国营商业企业管理制度。在全区商业部门全面开展“五好企业”“六好职工”的评比活动。许多商业、供销部门纷纷走出柜台，肩背人挑，推起货车，爬山越岭，深入农村牧区、田间地头，把大量生产资料和生活用品送到群众手中，把大量农牧土副产品从农牧民手中及时收购上来，使商业战线出现购销两旺的景象。

在大跃进中，由于片面追求制造、轻视修理，片面追求生产、轻视服务，因而出现了普遍撤并修理服务网点的现象，造成修理服务网点大幅度减少的状况，给人民群众的生活造成了很多困难。因此，在调整时期全区各级商业部门根据内蒙古自治区党委的指示，把加强服务行业，发展修理业务，便利人民生活，作为一项重要任务，并采取许多措施搞好这项工作。在一般城市，注意充分发挥原有网点的潜力，根据实际情况，提倡一店多业，综合经营。城市的百货商店一般都增设了缝补、修表、修鞋、修理收音机等服务组。在新的工矿和林区着重增设了服务网点。据统计，到 1961 年底，仅呼和浩特、包头、通辽、赤峰等城市的修理服务网点，就比 1959 年增加

82.1%，从业人员增加了72%。[①] 各地还组织了许多走街串巷上门服务的流动组、修理服务行业组。修理服务行业的加强，方便了广大人民群众，同时增加了就业机会，节约了社会财富。

为了改进和加强民族贸易工作，自治区根据1963年1月22日中共中央、国务院批转商业部、对外贸易局、国家民委党组《关于第5次民族贸易工作会议情况的报告》的精神，对边远山区、边远牧区的民族贸易企业，实行资金、利润和价格3项照顾政策。即：继续对一部分主要农牧土特产品实行最低保护价格，对一部分主要工业品实行最高限价，企业由此发生的亏损，由国家财政给予必要的补贴。对民族贸易企业，由中央商业部门拨给较多的自有资金。零售企业的自有资金占流动资金的80%（一般地区为60%）；批发企业的自有资金定为占流动资金的50%（一般地区为7%左右），其余部分由银行贷款解决；民族贸易企业的利润留成比例定为20%（一般地区为3%左右）。内蒙古自治区根据国家的规定，从本身的实际情况出发，对于蒙古族和其他少数民族聚居的15个旗的国营贸易公司和专业公司，实行了3项照顾政策。在少数民族聚居和边远的39个旗中，对20种主要商品，实行了150华里以外的"超程运杂费由国家补贴"的办法。这些措施的落实，对于加强内蒙古的民族贸易工作起了重要作用。

在商品严重匮乏的情况下，自治区采取了统筹兼顾、保证重点的方针，全面安排商品供应。在商品供应中，本着"城乡兼顾、相互支援"的精神，坚持执行在食品、副食品方面，农村牧区要支援城市、工矿、林区；在日用工业品方面，凡是农村牧区需要的商品要优先供应农村牧区，牧区特殊需要的商品要保证供应牧区；一般城乡都需要的商品，也要优先供应农村牧区的原则，以保证农村牧区各族人民生活的需要。同时，为照顾城市、工矿林区和牧区购买力较高的情况，高档商品主要在这些地区出售。对城镇和工矿林区职工居民生活必需的粮食、食用油、牛羊猪肉、鲜蛋、食糖、棉布、棉絮、棉线、汗衫、背心、毛巾等主要针棉织品以及火柴、肥皂等日用品，实行凭证凭票定量或限量供应。据呼和浩特市统计，1962年实行凭证、票、

① 内蒙古党委党史研究室编：《六十年代国民经济调整·内蒙古卷》，中共党史出版社2001年版，第94页。

券供应的商品多达116种。此外，对于从事高空、高温、井下、野外作业人员所需要的粮、油、肉、酒，产妇、婴儿所需要的鲜蛋、食糖，回族群众的丧葬用布；城镇居民的结婚生育用布，边境牧民用布，归国华侨需要的粮油烟酒以及高级知识分子、领导干部的粮油、肉食、鲜蛋、食糖、卷烟等商品，除一般定量外，还增加了特需供应。对于占职工生活开支60%左右的吃、穿用品和药品及房租、水电、交通、邮电、医疗、学费等18类商品价格和收费标准，实行冻结，不准涨价。与此同时，在保证定量平价供应的情况下，从1962年初开始，糖果、糕点、食糖、自行车、钟表、针织品、烟酒、茶叶、照相器材等商品，先后在旗县和盟市政府所在地，实行高价销售，敞开供应。这些措施，对于保障人民群众的最低需要和特殊需要以及回笼货币，平衡财政收支，起到了积极作用。

经过1961年至1965年整整5年的调整和整顿，内蒙古和全国一样，工农牧业生产得到迅速恢复和发展。商业的调整以及为战胜困难而采取的一系列措施也取得了巨大成效。在经济发展的基础上，城乡物资交流日益活跃，市场状况显著好转，商业出现了购销两旺的状况。国营商业和供销合作社商业，1965年与1962年相比，国内纯购进总值增长了32.8%，其中农畜土副产品区内采购总值增长了31.4%，区外调入商品总值增长40.1%，社会商品零售总额增长11.87%。3年中，国营商业收购大小牲畜852.4万头，绒毛13 648万斤，皮2 201万张。仅以1965年的收购量与1962年比较，增长幅度都在60%以上。生猪和鲜蛋的收购量，1965年比1962年分别增长218.1%和213.6%。随着区内农畜土副产品收购和区外商品调入的增加，区内商品销售也有大幅度增长。1965年与1962年相比，猪肉增长了361.7%，鲜蛋增长173.2%，卷烟增长77.9%，酒类增长35.8%，绸缎增长24.5%，手表增长115.1%，收音机增长30.1%，缝纫机增长217%，自行车增长59.8%。①

由于商品货源不断增加、市场好转，在经济暂时困难时期采取的凭票、凭证供应某些商品的方法，从1963年开始逐步缩减了品种，扩大了自由选购的品种，高价商品逐步恢复平价。民族用品的生产，已经能够基本满足各

① 内蒙古党委党史研究室编：《六十年代国民经济调整·内蒙古卷》，中共党史出版社2001年版，第95页。

族牧民群众的生产和生活的需要。随着自治区国民经济在调整中稳步发展，商品流通显著好转，市场逐渐繁荣，物价稳定，各族人民生活得到改善。此外，自治区商业系统从1958年到1965年，投资于商业网点、仓库、加工企业、宿舍的资金总额达1亿多元，建成了呼和浩特、包头、赤峰等地的肉类联合加工厂和冷库，还建了一批零售商店、旅店、饭店，为充实和扩大自治区商业的再生产能力打下了基础。

1966年5月，“文化大革命”运动在全国兴起，使刚刚恢复好转的国民经济又陷于一片混乱，自治区的商业工作受到严重冲击和破坏。商业部门的许多领导干部甚至基层商店的负责人被打成“走资本主义道路的当权派”，停止工作接受批判斗争，使各级商业部门的领导工作陷于瘫痪。各地的老店老厂老字号牌匾被砸掉，换上了“工农兵食堂”“向阳商店”“东方红旅店”等“革命”招牌；凡是带有“龙凤呈祥”“天女散花”“鸳鸯戏水”“长命百岁”“福寿喜庆”等商标图案的商品，以及口红、香水等化妆品，高跟鞋、礼帽和少数民族特需的哈达、鼻烟壶、服装、头饰、耳环等，都被视为“封、资、修”的代表，一律停产停售。国营商业实行经济核算，加强经营管理，为国家积累建设资金，被污蔑为“利润挂帅”，鼓吹“只要方向对，赔钱没关系”。多年行之有效、管理有序的财会、计划、劳资、人事等规章制度，也被污蔑为对职工的“管、卡、压”，煽动不要领导，不要管理的无政府主义。在所谓“清理阶级队伍”的斗争中，许多革命老干部和少数民族干部职工，被诬陷为“反党叛国”的“黑帮、黑线”，遭到残酷迫害。同时撤销了商业局和专业公司，大部分干部职工被编入“毛泽东思想大学校”，下放农村牧区组建“生产建设兵团”，离职参加“斗、批、改”，接受工农兵再教育。从而大大削弱了商业工作，影响了市场的正常供应。据统计，1969年全区工农业总产值，由1966年的39.55亿元下降为34.79亿元，下降12.04%；全区社会商品零售总额，按人均计算，由1966年118.14元下降为115.36元；生猪和牛、羊的收购量，分别由1966年60万口、24万头、283万只，减少为51万口、21万头和216万只。由于生产下降、收购减少，吃穿用商品又出现了供应紧张的局面。1970年，商业机构大精简、大合并，商业管理权限层层下放，自治区所属的30个二级批发企业和双重领导的3 500多个零售、饮食服务、肉类加工企业，全部下放。导致了商品迂回倒流，经营层次增多，商品库存增大，调剂调拨不便，损失浪费严重等不合理现象。从1965年到1975年，自治区人口增长31.5%，其中城镇人口增长41.4%，社会商品零售额增长1.1倍，而商业网点基本没有增加。商业企业每100元资金实现的利润由1965年的7.05元，下降到1975年的3.4元，下降了51.7%。① 特别是农村集市贸易的关闭，城镇个体商贩的取消，商业网点撤并，给人民群众造成了极大的不便。

1976年10月，党中央一举粉碎了“四人帮”反革命集团，结束了“文化大革命”的十年动乱。经过拨乱反正。治理经济、恢复生产、整顿流通秩序等一系列措施的实行，形势迅速好转。1978年，全区工农业总产值恢复到76.85亿元，比1971年的54.23亿元增长了41.71%；社会商品零售总额实现36.83亿元，比1971年的19.9亿元增长85%，人均消费由128元增加为202元，增长57.8%；农牧业产品采购价格总指数比1971年提高7.2%，零售物价总指数比1971年提高6.7%，年均上涨率仅为0.96%。② 物价稳定，生产发展，供应增加，国民经济恢复正常运行。

中共十一届三中全会以后，内蒙古自治区的商业工作进入了一个新的历史发展时期。随着改革开放、搞活方针政策的贯彻实施，自治区有计划有步骤地进行了商业流通领域的各项改革。由于国营商业独家经营和流通渠道单一的呆板状况，保证不了人民群众多种多样的需求，而且对于促进人民群众发展商品生产，疏通商品流通渠道都有不利影响。自治区人民政府根据我国和内蒙古自治区实际存在的多层次的生产力结构的要求，像在生产领域一样，打破了国营商业一统天下的局面，建立起了以国营商业为主导的多种商业成分、多条流通渠道、多种经营方式并存的流通体制，实行了多种商业成分合理配置和发展以及国家、集体、个人一起上的方针，各种经济类型的商业共同发展，商业结构随之发生了很大变化。到1987年，全区集体、个体商户的从业人员已达50多万人，国营商业的经营比重由1982年的82.9%下

① 内蒙古自治区商业志编纂委员会编：《内蒙古自治区志·商业志》，内蒙古人民出版社1998年版，第30—31页；林蔚然、郑广智主编：《内蒙古自治区经济发展史》，内蒙古人民出版社1990年版，第384—385页。

② 内蒙古自治区商业志编纂委员会编：《内蒙古自治区志·商业志》，内蒙古人民出版社1998年版，第31页。

降到48.8%，集体、个体商业比重由14%上升到46.1%。1997年，国营商业企业占商业网点的4.4%，各类集体商业占16.1%。个体企业占79.5%。[①] 外商资本开始进入商业领域，股份制流通企业相继出现，商业向多层次全方位的方向发展，增添了流通企业的活力，改善了商业服务，极大地丰富了人民群众的物质文化生活，促进了经济的发展。

供销合作社这一集体所有制商业组织，是农村牧区商品流通的主要环节。从1985年起，内蒙古供销合作社系统，从加强组织上的群众性、管理上的民主性和经营上的灵活性着手，疏通了农村牧区这条主要的商品流通渠道，适应了商品生产和人民生活的需要。从1984年起，又从农牧民入股、经营服务范围、劳动人事制度、分配方式、价格管理5个方面进行了改革。1985年，进一步按照民办企业的要求，加强综合服务，扩大横向联系，使供销合作社真正成为农牧民群众集体经营的商店，改变了“官商”作风，从而促进了购销业务的增长。1985年全区供销社系统商品纯购销总额达34亿元，比1984年增长19.8%。其中农副产品收购额达7亿多元，比1984年增加了2亿多元，增长部分相当于20世纪60年代每年农副产品收购总额。[②]

个体商户是国有商业的补充力量。尤其是小商品、瓜果蔬菜和鱼虾等鲜货，个体商户经营的灵活性、机动性，对满足人民群众多种多样的需要，有着不可替代的作用。在流通领域的改革中，全区各盟市个体商户发展很快。1985年与1979年相比，个体商户总数增长16.9倍，从业人员净增11.8万多名，其中经营服务行业的占18.5%，从而改变了自治区城乡从1958年以来的商业网点严重不足，群众买难、卖难、修理难的局面。在改革中，自治区还恢复了集市贸易。许多地方集市贸易的恢复，促进了生产，繁荣了市场，方便了群众，搞活了经济，还解决了部分就业。林区城市牙克石，改革开放前副食品全靠国营商店供应，品种少，数量少，有的还要按月限量供应，市民生活极为单调。恢复集市贸易以后，在繁华的农产品贸易市场上，

① 参见内蒙古自治区统计局编：《辉煌的内蒙古》（1947—1999），中国统计出版社1999年版，第118页。

② 王铎主编：《当代中国的内蒙古》，当代中国出版社1992年版，第418页。

各种食品丰富多彩，既促进了生产，又满足了市场的需要。1990 年全区城乡集贸市场的成交总额达 9.33 亿元，比 1978 年的 4 500 万元增长近 20 倍。①

1978 年以来，内蒙古自治区根据国家的统一规定，大幅度提高了农牧产品收购价格。粮食统购价格在 1979 年提高了 20%，超购部分在这个基础上再加价 50%；油料、生猪、活牛、活羊等农牧产品收购价格也依据各自的情况作了相应的提高；18 种主要农牧产品收购价格平均提高 24.8%。农牧土产品的价格指数，如以 1950 年为 100，则 1979 年为 243，提高了 1.4 倍。1979 年以后又逐步缩小了农副产品统购、派购品种，扩大议购议销范围。后来，连牛肉、羊肉、皮毛等畜产品，都实行了议购。同时，工业品也可以厂商直接挂钩，产销直接见面，前店后厂，代购代销。呼和浩特、包头等 8 个城市对原来实行统购包销的蔬菜，也放开经营，实行议购议销。由于购销政策的放宽，促进了经济的发展，城乡市场出现了日益繁荣的景象。

1984 年，根据国务院关于改革商业管理体制的要求，自治区在商业系统实行了扩大企业自主权，增强企业活力，打破“大锅饭”的改革；并根据发挥大中型城市作用的要求，将自治区所属的 29 个二级批发企业和两个肉类联合加工厂、3 个仓储运输企业、1 个饭店下放到所在盟市，实行以当地盟市领导为主、自治区领导为辅的管理体制。同时，在人事制度、劳动工资、物价管理和商品管理等方面也进行了多项改革。小型零售企业实行了以“改、租、转”为主要形式的租赁经营，或转为集体、个体所有经营。不论哪种经营方式，都实行“独立自主，自负盈亏，照常纳税”。到 1985 年底，全区小型企业实行“改、租、转”的达 56% 以上。②

1990 年以后，全区商业流通体制改革步伐逐步加快，开始了高度集中统一计划经济体制向社会主义市场经济体制的根本转变，改革紧紧围绕树立大流通、大市场的根本转变，以建立统一，开放、竞争、有序的商品市场体系为目标，在产权制度、优化企业组织结构，发展非国有经济、开拓国内外

---

① 王铎主编：《当代中国的内蒙古》，当代中国出版社 1992 年版，第 419 页；内蒙古自治区商业志编纂委员会编：《内蒙古自治区志 · 商业志》，内蒙古人民出版社 1998 年版，第 32 页。

② 王铎主编：《当代中国的内蒙古》，当代中国出版社 1992 年版，第 418 页。

市场，健全宏观调控体系等方面取得了较大突破。到 1997 年，全区商业、物资系统共有国有独立核算企业 1 243 户，已完成转制的 922 户，占 74%。其中转为股份制企业的 150 户，股份合作制 128 户，被兼并 24 户，租赁 38 户，承包经营 105 户，委托经营 2 户，破产 64 户，出售 12 户，其他形式的 238 户，分流人员 5 万人。① 以公有制为主导、多种经济成分协调发展的流通体制和多渠道、多种形式的流通网络已经形成。

改革开放以来，内蒙古的民族贸易迅速得到恢复，并获得了新的发展。1978—1985 年，国家共投资 635 万元，用于民族用品生产厂家的基础建设和技术改造。1989 年，全区建有专业或兼产民族用品的生产企业 163 个，职工近 2 万人。除生产传统的民族特需用品外，研究开发了 50 多种 200 多个花色的新产品，民族特需商品的自给率近 80%。为适应新的经济形势，从 1980 年起，民贸企业留成比例由 20% 提高到 50%（一般国营企业为 19.3%）。1983 年民贸企业自有资金拨款取消，改为银行贷款，利率低于一般企业。利改税实施后，1986 年民贸企业批发业所得税定为 45%（一般国营企业 55%），1987 年又减为 35%，民贸零售业按新 8 级累进税的应征税额减征 20%，税后利润全部留给企业。到 1987 年，全区享受 3 项照顾的民贸地区增加到 50 个旗县（市），占全区旗县总数的 60%②。

1980 年以后，为改善民贸地区的商品供应，除统一调拨的商品外，国家还增拨了对民贸地区的专供商品。1981—1990 年，国家共调拨黄金 226 公斤，白银 4 000 多公斤，专供自行车 7.4 万辆，手表 12 万块，缝纫机 5 万余架。1982 年至 1985 年，每年增供毛线 1 万公斤、毛毯 1 万条、呢绒 2 万米。③ 并将 18 个边境牧业旗县所需的肥皂、洗衣粉、铝壶、暖水瓶等列为必保商品。随着改革开放的深入和少数民族群众生活水平的提高，各种家用电器及摩托车、小四轮等交通工具逐渐进入普通牧民的家庭，牧民的生活开始向城市化、现代化迈进，民族贸易已经融入社会主义大的市场经济的环境

① 参见内蒙古自治区统计局编：《辉煌的内蒙古》（1947—1999），中国统计出版社 1999 年版，第 123 页。

② 郝维民主编：《百年风云内蒙古》，内蒙古教育出版社 2000 年版，第 289 页。

③ 郝维民主编：《百年风云内蒙古》，内蒙古教育出版社 2000 年版，第 289 页。

之中。社会主义民族贸易欣欣向荣，在内蒙古广阔的市场经济舞台上独展风采。

新中国成立以来，特别是党的十一届三中全会以来，随着自治区经济建设的不断发展，商业贸易日益繁荣活跃，取得了辉煌的成就。到1998年，国内商业购进、销售总额分别达到465亿元和487亿元，社会消费品零售总额达到401亿元；全区已建立商品交易市场1 761个，其中消费品市场1 652个，生产资料市场109个；全区商业网点达到33.5万个，从业人员达到98.6万人之多。①

改革开放以来，商业建设由国家单一投资转变为国家、集体、企业、单位、个人共同融资，投资方式的转变，大大加快了现代化商业的建设步伐。一座座大中型现代化豪华商厦拔地而起，一座座综合商场相继落成，在短短二十多年间，自治区共改建、扩建、新建现代化商厦四十多家，建筑风格各异，商厦内均设有电梯，装潢讲究，有的集购物、休闲、娱乐于一体，购物环境大大改善。商品陈列体现了服务与消费紧密相连的特点，拉近了服务与消费的距离，并且普遍建立起售后服务网络，有效地保护了消费者的合法权益。消费者在购物的同时，享受到了温暖周到的服务，消费者的地位在现代化商业发展中得到充分体现。经营方式发生了重大变革，各商业企业注重了市场的研究和信息的导向，建立集团公司，发展连锁店，逐步发挥了规模商业的效应。随着交通运输的发展，商业实现了流通手段的现代化，商业信息的电子化，城乡商品流通更加活跃，区内外市场联系更加紧密有力地促进了自治区的经济发展。经过五十多年的发展，以国有、集体、个体、私营、外商、股份制流通企业构成的多层次的社会主义商业体系已经形成，传统的商业正朝着现代化商业方向迈进，并在内蒙古社会主义市场经济建设中，发挥着越来越重要的作用。

---

① 参见内蒙古自治区统计局编：《辉煌的内蒙古》（1947—1999），中国统计出版社1999年版，第117、118、123页。

第九节　建筑业

建筑业是一个特殊的物质生产部门，建筑产品对社会扩大再生产、改善人民生活和美化环境等，具有重要作用。中华人民共和国成立前，内蒙古的建筑业十分落后，没有一支固定的建筑队伍，只是在几个较大的城镇有少数私营营造厂。它们既没有固定工人、也没有施工设备，全靠临时雇用一些自带简单工具的工匠，承包简单的砖木结构建筑，建筑业基本上是一张白纸。

中华人民共和国成立后，政府部门开始组建建筑队伍。1951 年一二月份期间，归绥市（今呼和浩特市）建设局和市工会筹建了人民建筑公司。1952 年 5 月市内三兴营造厂、绥新营造厂、新兴营造厂、新绥建筑公司以及 1950 年绥远省交通局筹建的中国建筑公司绥远省分公司等几个所有制不同的小型建筑企业，全部合并组成归绥市地方国营人民建筑公司。这是内蒙古第一个初具规模的建筑企业，能够承担勘察设计、土木建筑和水电安装等任务。1952 年 10 月成立的内蒙古自治区建筑工程局，同年 11 月更名为蒙绥联合工程局。到 1952 年底，全区建筑队伍已发展到近万人，完成施工产值 2 500 万元，竣工房屋面积 13 万平方米。①

1953 年，国家开始执行第一个五年计划（1953—1957 年）。根据当时所掌握的资源情况和内蒙古所处的战略地位，以东部大兴安岭林区和西部的包头钢铁工业基地为重点，国家安排了一批大中型建设项目。为了适应大规模经济建设的需要，内蒙古自治区于 1953 年成立了蒙绥联合建筑工程局，并组建了内蒙古第一建筑工程公司。1956 年热河省建制撤销时，将原热河省工程公司划归内蒙古自治区，改名为内蒙古第二建筑工程公司。同时由海拉尔、扎兰屯、乌兰浩特、通辽等盟市的建筑职工和来自北京、天津、鞍钢、大同煤矿及第一汽车制造厂和黄河、辽河等工程局、工程公司的支边队伍组成了内蒙古东部建筑工程局。包头、伊盟、巴盟等地的建筑施工队伍也不断扩大。与此同时，自治区的勘察设计机构也从无到有逐步建立起来。1953 年，内蒙古自治区成立了第一个独立的勘察设计机构——建工局直属设计公

① 内蒙古自治区统计局编：《奋进的内蒙古》，中国统计出版社 1989 年版，第 74 页。

司，从而使自治区的建筑业逐步完善及充实。为了扶植内蒙古建筑业的发展，第一个五年计划时期，国家共拨给内蒙古自治区全民所有制建筑企业基本建设投资近 1.1 亿元，占同期全区基本建设投资额的 9.5%，仅次于工业、运输邮电部门，新增固定资产 9.386 万元。到 1957 年底，全区建筑队伍已发展到 8 万多人，主要施工机械设备近 1 500 台，基本上保证了全区建设任务的顺利完成。第一个五年计划时期，全区建筑业累计完成施工产值 8.2 亿元，平均每年增长 66%，房屋施工面积 656 万平方米。① 建成了成吉思汗陵、乌兰恰特剧院和内蒙古博物馆等许多富有民族特色的建筑。

第二个五年计划时期（1958—1962 年），由于基本建设规模的扩大，全区建筑施工队伍猛增到 19 万人。全区勘察设计队伍也不断扩大。到 1958 年底，全区勘察设计机构达 16 个，职工人数为 3 300 人，其中工程技术人员占 50%。这个时期全区建筑业共完成施工产值 23.6 亿元，房屋竣工面积 1 480 万平方米，分别比第一个五年计划时期增长 1.9 倍和 1.3 倍。建成了包钢、包头一机厂和二机厂、包头铝厂、三盛公黄河水利枢纽等重点建设项目。由于 1958 年开始的“大跃进”运动，不切实际地“大办”一切，从而导致了国民经济比例的严重失调。后来，因为基建规模的大力压缩，到 1962 年全区建筑队伍又减为 10 万多人。②

从 1963 年开始，由于贯彻执行“调整、巩固、充实、提高”的八字方针，建筑业得到了休养生息和恢复发展，建筑工人队伍趋于稳定，职工技术水平不断提高。到 1965 年底，全区 70 个全民所有制施工单位职工人数达 18 万人，固定资产原值 3 亿多元，拥有各种机械设备 3 500 多台，总功率 24.3 万千瓦。3 年间，全区建筑业共完成施工产值 9.4 亿元，平均每年增长 39.2%。其中全民所有制施工企业共完成施工产值 8.2 亿元，占 87.2%，竣工产值 7 亿元。③

在“文化大革命”中，自治区建筑业受到严重冲击。当时有的国营建筑公司成为当地造反夺权的主力之一，使不少单位的领导班子陷入瘫痪状

① 内蒙古自治区统计局编：《奋进的内蒙古》，中国统计出版社 1989 年版，第 74 页。

② 内蒙古自治区统计局编：《奋进的内蒙古》，中国统计出版社 1989 年版，第 74 页。

③ 内蒙古自治区统计局编：《奋进的内蒙古》，中国统计出版社 1989 年版，第 74 页。

态。在分配上吃“大锅饭”的平均主义，使一些国营建筑公司被迫吃“经常费”，职工工资与管理费用向财政报销。地方国营建筑企业也是按月发工资，干多干少一个样，干好干坏一个样，干与不干一个样。这就造成许多建筑公司劳动生产率大幅度下降，建设工期拖长，企业亏损增加。1977 年以前，自治区所辖 4 盟 3 市，建筑业全行业亏损。亏损总额最高的 1974 年，共亏损 2 116.3 万元，成为自治区 4 大亏损户之一。其中建筑工程系统 13 个公司，全部职工平均人数 2.7 万人，1976 年的亏损额达到 1 025.3 万元。粉碎“四人帮”后，自治区的建筑业经过恢复、调整，迅速医治了十年内乱造成的创伤，建立了各种规章制度，加强了行业管理，推行了经济责任制，使整个建筑行业得到很大发展。从 20 世纪 70 年代中期开始，内蒙古建筑业向建筑工业化迈出了较大步伐，新材料、新结构、新工艺广泛应用；大模、大板、框架轻板三种工业化建筑体系逐渐形成。到 1979 年，全区城镇以上建筑业和自营单位达到 464 个，职工人数达 16 万人，拥有固定资产原值 3.5 亿元，机械设备 23 177 台，总功率达到 46.4 万千瓦。①

中共十一届三中全会以后，随着党和国家工作重点的转移，基本建设投资的增加，建筑业和基本建设管理体制的改革，招标承包制的实行，建筑市场开放和农村建筑队伍进城承包等，使自治区建筑队伍如雨后春笋般地发展壮大起来。到 1988 年底，全区共有各种建筑施工企业 10 806 个，其中农村集体、个体施工企业 10 147 个。建筑施工队伍达到 45.3 万人，比第一个五年计划时期增长了 4.7 倍，比第二个五年计划时期增长了 1.4 倍。基本上形成了以国营企业为骨干、城镇集体企业为依托、乡村企业为补充的建筑业新格局。随着建筑企业改革的不断深化，建筑企业普遍推行了各种类型的承包责任制和百元产值工资含量包干，增强了企业的责任感和经济观念。据统计，1988 年全区城镇以上施工企业共有 521 个实行了承包责任制，占 79.1%，承包的单位工程有 8 355 个，占当年施工单位工程的 78.3%；实行百元产值工资含量包干的建筑企业共 144 个，占全部建筑企业的 23.6%，其中国营建筑企业有 45 个实行了百元产值工资含量包干，占 56.3%。由于多种形式的承包责任制和百元产值工资含量包干的实行，调动了企业和职工

① 内蒙古自治区统计局、内蒙古人民政府调研室编：《光辉的四十年》（1947—1987），第 119 页。

的积极性，使企业的劳动生产率普遍提高。在庆祝内蒙古自治区成立40周年的建设项目中，内蒙古第三建筑公司承担的内蒙古民族商场施工任务1.6万平方米、千层框架结构，开工一年便交工营业。冶金部第二冶金建设公司承担的内蒙古展览馆1.77万平方米，开工15个月就交付使用。1988年国营建筑企业全员劳动生产率达到10 028元/人，比1952年提高了4.2倍，比1978年提高了1.5倍，全区有35个企业全员劳动生产率超万元，企业亏损面由1978年的20.8%下降为10.6%。①

随着建筑市场的开放和招标承包制的实行，每年都有数万人的外省建筑施工队伍来我区承揽施工任务。同时，自治区每年也有不少建筑企业走出区外到宁夏、山西、辽宁、吉林、北京、河北等省市承揽工程。据1988年统计，我区在外省完成的施工产值就达3.5亿元，占我区建筑业总产值的13.3%。乌海市建筑公司承担的宁夏重点工程之一的银川涤纶厂，不但工期短、质量好，而且还节约投资100多万元。内蒙古第一建筑公司从1985年进京承包工程，在4年的时间里已在北京建成24幢大楼（其中18层以上的16幢），交工面积21万平方米，完成产值近1亿元，② 为首都建设立下了功劳，受到北京市建委和城建开发总公司的称赞。施工企业不但打入外省、区，而且还打入国际建筑市场。内蒙古第一建筑公司为约旦建设的住宅工程，受到约旦住房工程部代表的好评，他们满意地说，这是第一流的工程，是塔非拉最好的建筑。内蒙古第一建筑公司、内蒙古建筑构建公司等建筑施工企业还打入俄罗斯建筑市场，为内蒙古的劳务输出开拓出一条新路。

勘察设计队在改革中也不断发展壮大。1988年底，全区共有勘察设计单位210个，职工人数1.4万人，其中技术人员占49.9%。全区已建成建工、城建、冶金、森工、水利、电力、轻工、煤炭、建材、农牧、公路等11个规模较大、设备齐全、技术力量雄厚的专业设计队伍。他们能够承担各种结构复杂的大中型工业与民用设计，有的设计项目被评为部级和自治区优秀设计。内蒙古自治区政府礼堂、呼和浩特少年宫、内蒙古妇幼保健医院、呼和浩特赛马场、内蒙古自治区人大常委会办公楼等项目的设计，既具

① 内蒙古自治区统计局编：《奋进的内蒙古》，中国统计出版社1989年版，第75页。

② 内蒙古自治区统计局编：《奋进的内蒙古》，中国统计出版社1989年版，第75页。

有时代特点，又具有民族风格，为自治区首府增添了光彩。在改革中勘察设计单位实行企业化管理，调动了广大工程设计人员的积极性和创造性。1988年，全区勘察设计单位共完成初步设计515个，施工图设计3 880个，施工图设计投资额34.3亿元，比1978年增长49.6%；完成工程地质勘探19万平方公里，水文地质勘探1.4万标准米，分别比1978年增长35.4%和7.7%；全年设计收入达5 768万元。① 他们除了完成大量区内设计任务外，还承担了拉萨、大连、昆明、北京、大同、桂林等地的工程设计。

在建筑技术科研上，开展了新材料、新技术、新工艺的研究和推广，如：地下室、住宅和学校采用太阳能取暖和热水供应；新型结构装配式蒙古包；太阳能接羔房的研究与设计；新型防水材料、内墙涂料等。有的已获得全国性建筑科研成果奖，并已推广应用。新技术、新工艺的应用，对提高施工效率、加快工程进度、提高工程质量起到了重要的作用。内蒙古第一建筑公司施工的内蒙古彩电中心工程，则是首次将液压滑模工艺应用于建筑施工中，主体结构工程只用了106天，而且施工质量优良，获得全国工程质量"鲁班奖"。大板建筑、框架轻板建筑、大模建筑已在我区大型工程建筑中广泛应用。

1990年以后，随着改革的不断深入和自治区经济的飞速发展，内蒙古的建筑业得到了更快的发展。从1991年到1995年，全区仅城镇以上建筑企业就完成总产值326.4亿元，增加值163.9亿元，利润3.4亿元。全区建筑业等级以上的企业已发展到1 145个。建成了集通铁路、内蒙古炼油厂、准格尔煤田一期工程、霍林河煤田、元宝山煤田、丰镇电厂、达拉特电厂等一大批重点建设项目。1996年全区建筑业总产值完成87亿元，比上年增长5.3%，建筑业增加值完成30.28亿元，比上年增长9.9%；利税总额达2.8亿元，占全区财政收入的3.9%，比上年增长8.6%，全员劳动生产率达到25 255元/人，比上年增长5.5%。许多企业的施工技术已达到国内先进水平，为推动自治区的经济发展作出了突出贡献。自工程质量实行政府监督以来，建设工程质量迅速提高。据国家对我区工程质量抽查，1982年合格率为41%，1991年达到72%，1996年提高到83.3%，工程质量进入了全国中

① 内蒙古自治区统计局编：《奋进的内蒙古》，中国统计出版社1989年版，第75页。

等水平行列。近 10 年中创国优工程鲁班奖 4 项，建设部优质样板工程 10 项，自治区优质样板工程 100 项。①

在建筑行业广大建设者的不断努力下，自治区建筑事业发展极为迅速，一年比一年快。1998 年，全区仅四级以上的施工企业就发展到 859 家，拥有职工 30. 33 万人，完成建筑业总增加值 25. 10 亿元，房屋竣工面积由解放初的 1 036 平方米增加到 1998 年的 754. 1 万平方米，拥有资产 123. 42 亿元。一些施工技术达到国内先进水平，部分企业还凭借自己的实力打入了东欧和西亚等国际建筑市场。2000 年，全区建筑企业完成总产值 164. 8 亿元，比上年增长 15%；完成增加值 48 亿元，比上年增长 36%；实现利润 2. 5 亿元，竣工面积 1 341. 28 万平方米。在全区施工安全大检查中，共抽查 114 家企业承建的 155 个施工现场，合格率为 59. 6%，比上年提高 9. 16%；其中优良率 16%，比上年提高 10. 87%。创建自治区级文明施工工地 77 个，比上年增加 25 个。全年工程质量优良率达 50. 5%。2000 年，全区勘察设计单位发展到 286 家，职工总人数 1. 5 万人，其中技术人员占 67%。全区微机装备总台数近 4 000 台，普及 CAD、计算机出图率 80%，人均完成勘察设计收入 2. 3 万元。②

中华人民共和国成立以来，内蒙古的建筑事业快速向前发展，建筑队伍不断壮大，技术装备不断加强。经过五十多年的艰苦努力，已逐步形成了房屋建筑、市政、给排水、电力、煤炭、冶金、交通、邮电等专业建筑队伍和抗震加固、教育科研等建筑体系，为国家重点建设项目、地区经济的发展、城市建设和改善人民物质文化生活条件等都作出了重大贡献。

第十节 城镇建设

中华人民共和国成立前，内蒙古地区的城镇建设非常落后。城市规模都很小，分布也不平衡。归绥（今呼和浩特）、包头、海拉尔、满洲里等 4 个

---

① 韩茂华主编：《翻天覆地五十年》（1947—1997），内蒙古大学出版社 1997 年版，第 221 页。

② 参见内蒙古自治区统计局编：《辉煌的内蒙古》（1947—1999），中国统计出版社 1999 年版，第 95 页；内蒙古年鉴编纂委员会编：《内蒙古年鉴》（2001），方志出版社 2001 年版，第 199—200 页。

建制市，1949 年总人口不到 30 万。规模最大的归绥市是绥远省省会，也只有 11. 8 万人。旗县所在地建镇的只有 36 个。全区城镇人口只有 75. 2 万人，在全区总人口中只占 12. 3%。绝大多数城市都在铁路沿线，北部、西部广大牧区，小城镇也极为稀少。经济的落后制约了城镇的发展，全区城镇基本上都是矮小的土砌房屋，街道狭窄、市政公用设施几乎是空白。全区唯一的包头自来水厂，日供水能力仅 4 200 吨。城市的排水也仅有少数城市有一些不连贯的明沟或盖板暗沟，入冬便冻，春暖才开，往往造成冬季地高路滑，开春街道成河。城市道路，只有归绥、包头两市有 5. 8 公里的水泥路面，其他绝大多数是狭窄的土路，起风灰沙蔽日，下雨满街泥泞。道路照明，只有归绥、包头等主要城市有 375 盏白炽路灯。市区树木也只有 2 万多株，其中包头市只有 63 株。[①] 市内交通，除归绥市有两辆破旧的公共汽车外，其他城镇都是“交通全靠小毛驴”。大多数城市的建设没有规划，处于一种任意建设、自由发展的状态。

中华人民共和国成立后，随着内蒙古社会经济的迅猛发展和国家的重点建设，城镇建设得到长足的发展，新兴城市不断涌现。1953 年，全区城镇已发展到 65 个，其中有归绥、包头、海拉尔、满洲里、通辽、乌兰浩特等 6 个市。内蒙古城市化水平从 1947 年的 12. 2% 提高到 1957 年的 18. 7%。第一个 5 年计划时期（1953—1957），由于一批国家重点建设项目在内蒙古开工，从外地集中调入大批人员，包头市人口成倍增长。1958 年至 1960 年的 3 年间，内蒙古城镇人口净增了 153. 5 万。市政基础设施投资力度也大大加强。此后，从 1961 年开始，随着国民经济的调整，内蒙古的城镇人口至 1964 年下降到 249. 1 万人，比 1960 年减少了 110. 7 万人。城市化水平仅为 19. 9%，比 1960 年降低了 10 个百分点。[②] 在十年“文化大革命”期间，内蒙古城镇的行政区划调整较大，城镇建设不仅没有多少发展，而且许多城市基础设施遭到破坏，极大地延缓了自治区的城镇化进程。全区城市化水平基本徘徊在 21%—22% 之间。

---

① 林蔚然、郑广智主编：《内蒙古自治区经济发展史》，内蒙古人民出版社 1990 年版，第 355—356 页。

② 郝维民主编：《百年风云内蒙古》，内蒙古教育出版社 2000 年版，第 322—323 页。

党的十一届三中全会以后，随着党和国家工作重点的转移和社会主义现代化建设带来的迅速发展，内蒙古的城镇建设进入快速发展时期。老城市旧貌换新颜，新兴城市不断涌现，一大批小城镇拔地而起，城市经济、社会各项事业日益繁荣。截至1997年底，城市基本建设的投资额166.99亿元，比1978年增长了11倍。2000年，全区共完成城市建设固定资产投资30多亿元，比上年增长36%。① 城市的基础设施日趋完善，城镇化体系的框架初步确立。

20世纪后五十年，内蒙古城市建设取得了巨大成就，城市数量增加，规模日益扩大，分布日趋合理。随着自治区经济的发展、资源的开发和交通能源建设的发展，全区城镇主要集中在铁路沿线的状况有了明显的改变。锡林郭勒、呼伦贝尔、阿拉善、鄂尔多斯等大草原以及大兴安岭林区，出现了不少新的城镇。到1998年，全区共有设市城市20个，建制镇271个。其中10万人口以上的城市12个，50万人口以上的2个，百万人口以上的城市1个。城市建成区面积613.17平方公里。城市化水平达到38.2%。全区20个城市总人口和占地面积分别占全区的24%和0.6%，完成的国民生产总值和财政收入分别占全区的54%和60%以上，② 城市对经济发展的带动作用日益增强。

城市建设投资的增加，大大促进了城市基础设施的建设。新中国成立初期，为适应包头市新兴工业城市、呼和浩特市西郊工业区和通辽东郊工业区的建设需要，相继建设了包头市、呼和浩特市、通辽市的集中供水设施。1970年以后，随着城市规模的逐步扩大和工业生产的发展，自治区加快了城市供水事业的步伐，先后新建、扩建了呼和浩特、包头、通辽、赤峰、集宁、二连、东胜、乌海、满洲里等城市的供水工程。如呼和浩特市南北两水厂、包头市磴口水厂等较大型水厂相继建成；地处荒漠的乌海市和东胜市也建成了自来水厂；特别是地处干旱草原的口岸城市二连浩特市，由于城区周

---

① 郝维民主编：《百年风云内蒙古》，内蒙古教育出版社2000年版，第322页；内蒙古年鉴编纂委员会编：《内蒙古年鉴》（2001），方志出版社2001年版，第200页。

② 参见内蒙古自治区统计局编：《辉煌的内蒙古》（1947—1999），中国统计出版社1999年版，第98页。

围缺乏地下水资源，而从77.56公里以外的苏尼特右旗齐哈日格图引水，为口岸城市各项事业的发展提供了基本保障，使全区供水事业的发展出现了第一次高潮。20世纪80年代，为解决旗县城镇居民饮水难的问题和高氟水的危害，自治区、盟市、旗县三级政府财政拨专项资金3亿元，使所有的旗县城镇都建设了集中供水工程，其中输水管线最长的阿拉善右旗达100多公里，旗县城镇居民全部用上了自来水。自治区乡镇供水工程建设也走在全国的前列。1987年夏季全区旗县基本上普及了供水，受到了国家的表扬，这一时期全区供水事业发展达到第二次高潮。1990年以后，由于城市经济建设各项事业迅猛发展，城市规模和人口大幅度增长，城市供水出来了新的缺口。为适应城市发展的需要，各级政府财政又投入了大量资金扩建供水工程，如包头市“画匠营供水工程”基本建成，新增日供水能力40万吨；呼和浩特市“引黄工程”已获国家批准立项，拟新增日供水能力40万吨。到1998年，全区城市共建成水厂111个，日供水能力234.38万立方米，供水管线总长4 053公里，供水量61 483万吨，用水普及率达到87.31%。2000年，供水量增加到61 757万吨，用水普及率提高到89.1%。①

新中国成立以后，特别是20世纪80年代以来，自治区城市市政工程建设得到了快速发展。城市道路不断开通和拓宽并形成网络，同时配套建设了路灯照明、排水管网和污水处理系统以及防洪排涝设施。呼和浩特、包头、乌海等城市先后修筑了大型桥梁工程、实现了立体交通，使城市的功能大大提高。到2000年，全区设市城市共铺装沥青和水泥混凝土道路长2 771公里，面积3168.53万平方米；修建各种永久性桥梁243座；安装路灯65 605盏，不少城市还安装了高杆灯，灯型和光源新颖多姿，不仅解决了道路照明，而且美化了城市；建成排水管道2 692.50公里，日处理污水能力38万吨，② 污水处理率大大提高。

第一个五年计划（1953—1957年）时期，包头市建设了第一座热电厂，开始向工厂、公共建筑和住宅供应生产、生活用热。1980年以后，自治区

① 参见内蒙古自治区统计局编：《辉煌的内蒙古》（1947—1999），中国统计出版社1999年版，第96页；内蒙古自治区统计局编：《内蒙古统计年鉴》（2001），中国统计出版社2001年版，第314页。

② 内蒙古自治区统计局编：《内蒙古统计年鉴》（2001），中国统计出版社2001年版，第317页。

把集中供热作为节约能源、保护环境、为民造福的大事来抓，城市集中供热发展很快。第六个五年计划（1981—1985 年）期间，赤峰、牙克石两市结合电厂改造，建成了规模为供热（水）63 百万大卡/时，供蒸汽 29 吨/时的工程，实现集中供热面积 95 万平方米。第七个五年计划（1986—1990 年）和第八个五年计划（1991—1995 年）期间，自治区城市集中供热发展出现了高潮，相继建成了呼和浩特集中供热一期工程，包头市集中供热一期工程，赤峰市集中供热一期、二期工程、海拉尔、满洲里市第一批集中供热工程。这些工程的建成，极大地方便了人民生活和生产，并使城市环境污染得到了一定治理，环境质量明显改善。如呼和浩特市 1985 年开始实施电厂改造供热工程，实现供热面积 250 万平方米，完成投资 5 974 万元，不仅改善了人民群众的采暖条件，而且取消锅炉房 123 座，节约标准煤 10. 4 万吨/年，节电 3 749. 2 万度/年，减少二氧化硫排放量 12 633 吨/年，减少粉尘 2 154 吨/年，使呼和浩特市的环境污染大为改善。截至 2000 年，自治区集中供热面积达到 5 215. 51 万平方米。①

内蒙古城市燃气事业虽然起步较晚，但发展较快。1975 年，赤峰市首先建设了液化石油气工程，此后便相继在自治区各城市和大多数旗县展开，到 1998 年全区各城市基本上都建成了液化石油气瓶装供应设施。焦炉煤气建成和发展始于 1982 年，由包头市首先建设并利用人工煤气。到 2000 年，全区用气普及率达到 58. 6%，煤气供应总量 7 485 万立方米；液化石油气供应量 59 425 吨。②

新中国成立初期，自治区仅呼和浩特和包头市有烧木炭为燃料的公共汽车 6 辆，运营路线长 17 公里。五十年来，城市公共客运交通事业取得了迅猛发展。到 2000 年，全区公共汽车 2 128 辆，客运总数达到 19 313 万人次。③ 包头曾荣获全国“十佳”公交城市称号。

新中国成立以后，内蒙古城市园林绿化事业蓬勃发展，尤其是党的十一

---

① 参见内蒙古自治区统计局编：《辉煌的内蒙古》（1947—1999），中国统计出版社 1999 年版，第 97 页；内蒙古年鉴编纂委员会编：《内蒙古年鉴》（2001），方志出版社 2001 年版，第 316 页。

② 内蒙古自治区统计局编：《内蒙古统计年鉴》，中国统计出版社 2001 年版，第 315 页。

③ 内蒙古自治区统计局编：《内蒙古统计年鉴》，中国统计出版社 2001 年版，第 318 页。

届三中全会以来，各级党委和人民政府高度重视城市园林绿化工作，把城市园林绿化与城市生态环境建设结合起来，广泛开展城市大环境绿化建设，园林绿化事业取得巨大成就，城市街道绿化建设突飞猛进，各城市根据气候条件和自然环境，在车行道、人行道、分车带、立交桥等采用不同形式配置了花草树木，修建一条路，绿化一条街，不少重点干道实现了三季有花、四季常绿。包头市的钢铁大街因其道路之宽广、绿化之美丽被誉为自治区的“长安街”。苗圃建设得到了大力加强，1998 年全区已有园林苗圃 33 个，面积 1 725.17 公顷，苗木自给率达到 75%。公共绿地、单位庭院和居住区绿化建设均得到较快的发展。到 2000 年，全区城市园林面积达到 15 392 公顷，公共绿地面积 2 781.07 公顷，城市公园 73 个，公园面积 2 052.46 公顷。[①] 包头市和通辽市先后被评为全国绿化先进城市。

新中国成立初期，内蒙古环境卫生事业非常落后，全区仅有环卫职工 185 人，畜力清运车 135 辆，公共厕所 25 座，环卫经费 11 万元。随着自治区各项建设事业的迅速发展，经济实力的不断增强，环境卫生事业得到较快发展。到 1978 年环卫职工增加到 1 900 余人，垃圾车 119 辆，畜力车 31 辆，公共厕所 515 座，环卫费达到 265 万元。党的十一届三中全会以后，环境卫生事业得到了更快的发展，城市环境卫生面貌发生了翻天覆地的变化，城市环境卫生设施作为发展经济的先导性、基础性设施得到各级政府的高度重视和大力支持，加大了投入，加快了建设速度。第六个五年计划（1981—1985 年）期末，用于垃圾粪便清运的畜力车辆全部被淘汰，被各种环卫机械车辆所取代，从而结束了靠牛马车清运垃圾粪便的历史。从第七个五年计划（1986—1990 年）至第八个五个计划（1991—1995 年），全区环境卫生事业发展迅速，1988 年环卫职工达到 6 727 人，当年用于环卫事业的经费达 2 293 万元，公共厕所发展到 4 383 座，各种环卫清运车辆 793 台。为实现国家提出的垃圾收集容器化、清运机械化、运输密闭化、处理无害化目标，全区环卫设施建设、设备更新改造加快了步伐。一座座造型美观、设备完善、方便卫生的公共厕所，封闭式垃圾转动站，一个个漂亮的款式各样的果

① 参见内蒙古自治区统计局编：《辉煌的内蒙古》（1947—1999），中国统计出版社 1999 年版，第 97 页。

皮箱展现在各个城市的大街小巷，极大地方便了群众的生活，美化净化了城市环境，提高了城市的环境质量。包头市、赤峰市、通辽市、呼和浩特市先后建成了垃圾粪便无害化处理设施。截至1998年，全区城市公共厕所达到3 686座，其中水冲公厕329座；建成垃圾转运站110座，拥有环卫机械1 209台；建成垃圾粪便无害处理厂（场）22座，处理能力4 738吨/日，垃圾粪便无害化处理率达到49.29%。①

建国以来，党和政府十分关心人民群众生活环境和居住条件的改善。从1950年到1988年，全区用于城镇住宅建设的投资达42亿元，占同期基本建设投资总额的11.9%，建成住宅3 377.7万平方米，解决了67.6万户左右的城市居民住房。进入20世纪90年代以后，自治区城市住宅建设得到更快发展。1996年全区城镇住宅建设投资35亿元，比1995年增长29.7%。城镇新建住宅465.7万平方米。城镇人均居住面积达7.7平方米。住房设计水平和住房质量有了明显提高。2000年全区城镇住宅投资达36.57亿元，建成住宅878万平方米。全区城镇实有住宅建筑面积1.3亿平方米，实有住宅居住面积6 898万平方米。城镇人均居住面积达18.4平方米。② 新建住宅的设施水平和质量也越来越好，住宅小区建设也得到了较快发展。

经过多年的建设和发展，特别是党的十一届三中全会以来城市化进程的不断加快，内蒙古自治区比较完整的城镇化体系已经基本完成，首府呼和浩特市是自治区历史上保留下来的建城最早的城市，是国家历史文化名城，也是自治区的政治、科教、文化中心。经过多年的建设，已形成了以毛纺、食品、电子、机械、建材为支柱，包括化工、冶金、电力、轻工等门类齐全的工业体系。新兴城市包头市是自治区最大的工业城市，也是国务院确定的全国较大城市之一，是国家重要的钢铁、机械工业基地和最大的稀土工业基地。在第一个五年计划（1953—1957年）期间，国家156个重点工程项目有5个安排在包头。包头兴建了大型钢铁联合企业、大型火力发电厂、国防

① 内蒙古自治区统计局编：《辉煌的内蒙古》（1947—1999），中国统计出版社1999年版，第97页。

② 内蒙古自治区统计局编：《奋进的内蒙古》，中国统计出版社1989年版，第78页；韩茂华主编：《翻天覆地五十年》（1947—1997），内蒙古大学出版社1997年版，第220页；内蒙古年鉴编委会编：《内蒙古年鉴》（2001），方志出版社2001年版，第200—201页。

机械企业以及铝厂和棉纺厂、化工厂等，形成了以冶金机械、轻工化工为主体的门类齐全的综合性工业城市，成为自治区的工业中心。地区性中心城市海拉尔、通辽、乌兰浩特、锡林浩特、集宁、临河、东胜等大多是新中国成立后至20世纪70年代、80年代才相继设市的，是各盟（市）所在地，是地区性政治中心，同时又是本地区的经济中心，在各盟（市）占有重要地位。这类城市由于政治中心与经济中心重合，同时作为连接本地旗县城镇的纽带，为带动区域的城镇体系和经济发展发挥了极大的作用。口岸城市满洲里、二连浩特凭借独有的地缘优势，在对外开放、内引外联中起着重要的作用，在进一步扩大对外开放的形势下，已形成了较为活跃的国际经济贸易城。素有煤海之城美誉的乌海市、霍林郭勒市以及薛家湾、伊敏河、大雁等城镇，随着其丰富的煤炭资源的采掘，已发展成为以煤炭工业为主的电力、化工、建材配套的能源化工城市。乌海市已达到中等城市规模，而且被国家建设部列为工矿区城市建设试点。林业城市牙克石、扎兰屯、根河、阿尔山等，是随着大兴安岭林业开采和森工工业而发展起来的。这类城市除拥有丰厚的森工基础外，还是少有的风景旅游和疗养胜地。除20个设市城市外，自治区尚有近68个旗县所在地城镇。这些城镇的规格虽不很大，但都是当地旗县的政治、经济、文化中心，对周围乡镇的发展有着较强的指导和带动作用。改革开放以来，这些城镇都得到了较快的发展。

中共十一届三中全会以来，内蒙古的小城镇建设加速发展，从1986年开始，自治区把村镇建设工作重点转移到小城镇上来，自上而下开展了小城镇建设试点，有力地推动了小城镇建设工作。尤其是1990年以来，随着经济的发展和乡镇企业的崛起，小城镇建设进入快车道。全区涌现出一大批各具特色的新型小城镇。以赤峰市元宝山区为突出代表的一批小城镇，在发展速度、建设规模、建设水平等方面都走到了自治区的前列。到1999年全区小城镇发展到1 508个，其中建制镇（不含旗县城关镇）245个，集镇1 263个。有100个小城镇向中心城镇发展，有400个小城镇初具规模。①

自治区小城镇的分布特点是：沿交通干线分布的小城镇比较多，远离交通干线的比较少；农业区小城镇比较稠密，牧区的小城镇相对较少；东部地

① 郝维民主编：《百年风云内蒙古》，内蒙古教育出版社2000年版，第325页。

区的小城镇规模相对较大，中西部地区的小城镇规模较小。1999 年，全区小城镇拥有人口 362.7 万人；住宅面积 5 896.6 万平方米，人均住宅建筑面积 16.3 平方米；有 617 个小城镇饮用自来水，占小城镇总数的 41%；小城镇全部通电；绿化覆盖率达到 3%，建制镇人均公共绿地 3.51 平方米，集镇人均公共绿地 3.08 平方米，比 1990 年增长近 9 倍。① 小城镇的投资环境、生态环境、生活环境和服务功能有了较大的改善和增强。一大批新兴的小城镇已成为当地经济和社会发展的重要载体和两个文明建设的窗口。

经过五十多年的建设，内蒙古自治区已形成了一大批不同类型的大中小城市，构成了布局均匀、结构合理的城镇体系。这些城市各具特点，有着不同的发展方向，对推动全区经济发展和社会的文明与进步发挥了极其重要的作用。

第十一节 财政金融

一、财政

内蒙古自治区的财政是中华人民共和国国家财政的组成部分，属于地方财政范围。自治区财政由自治区、盟市、旗县和苏木乡镇 4 级财政组成。新中国成立前，内蒙古自治政府的财政为巩固革命根据地和支援解放战争而筹集资金。财政收入主要来自农村和小镇的工商税收。1947 年财政收入仅 9 万元，支出为 39 万元。②

中华人民共和国成立后，自治区财政进入了一个新的历史时期。1950 年至 1952 年，是我国国民经济恢复时期，自治区财政由过去以战时供给为主转向以恢复工农牧业生产促进各项事业建设为主，严格执行国家统一财经工作的决定，建立健全各项财政和财务会计制度，合理调整负担，促进生产的恢复和发展；对国营企业进行清产核资，推行经济核算；贯彻厉行节约方针，严格执行财政纪律；制定各项经费开支标准，对一切可节省的开支和应

① 郝维民主编：《百年风云内蒙古》，内蒙古教育出版社 2000 年版，第 325 页。

② 林蔚然、郑广智主编：《内蒙古自治区经济发展史》，内蒙古人民出版社 1990 年版，第 441 页。

该缓办的事，一律节省和缓办，无预算不拨款；在大规模增产节约运动的形势下，实现了国民经济迅速恢复，财政收支平衡，财政经济状况根本好转。1952 年财政收入为 13 335 万元。3 年共完成财政收入 24 098 万元，支出 20 857 万元，收入大于支出 3 241 万元。在收支结构上也发生了变化；收入中农牧业税所占比重由 1950 年的 31. 4% 下降为 1952 年的 20. 1%；企业收入比重由 29. 3% 上升为 37. 7%；支出中，1950 年行政管理费比重占 34. 2%，1952 年降为 29. 4%；1952 年安排了基本建设投资 2 538 万元，扶助企业发展资金 1 294 万元，上缴中央财政 1 333 万元。① 自治区财政开始由供给型财政向建设型财政过渡。

1953 年至 1957 年是我国发展国民经济的第一个 5 年计划时期。国家在内蒙古开始进行以包钢为中心的重点建设。为了配合重点建设，自治区发展了建材、电力、煤炭等工业和农畜产品加工、农牧业机械制造等地方工业。自治区财政贯彻中央“增产、节约、多留后备力量，是巩固国家预算可靠的三道防线”的指示，适应国民经济计划发展的需要，促进增产增收，厉行节约，反对铺张浪费，努力积累建设资金，保证自治区建设的资金需要，同时在发展生产、提高劳动生产率和经济效益的基础上，适当提高人民的物质文化生活水平。5 年中，预算执行情况良好，保证了自治区国民经济第一个五年计划的完成。财政收入逐年有较大幅度的增长，收入结构进一步合理。财政支出中发展生产性支出比重逐年上升，文教卫生事业支出有适度增长，行政管理费比重进一步下降。1957 年，自治区财政收入完成 31 385 万元，比 1952 年增长 1. 35 倍；5 年财政收入共完成 107 232 万元，财政支出共为 105 334 万元，收大于支 1 898 万元。5 年财政收入中，农牧业税比重占 19. 9%，企业收入占 30. 7%，工商各税占 46. 3%；财政支出中，基本建设投资占 37. 8%，支农支工资金占 15. 7%，各项事业费占 22. 2%，行政管理费占 23. 3%。5 年中上缴中央财政近 6 000 万元。1957 年，自治区工农业总产值达到 17. 51 亿元，比 1952 年增长 53. 6%，② 各项事业均有较快发展。

1958 年，在“左”的思想影响下自治区同全国一样开展了以大炼钢铁

① 内蒙古自治区财政厅编印：《内蒙古自治区志・财政志》，1995 年，第 2 页。

② 内蒙古自治区财政厅编印：《内蒙古自治区志・财政志》，1995 年，第 3 页。

为先导的"大跃进"运动，违背客观经济规律，盲目追求高速度，提出了不切实际的高指标。自治区财政不断掀起收入和支出的"高潮"，连续3年执行了"多收入，多支出，多建设；更多地收入，更多地支出，更多地进行社会主义建设，促进生产建设事业高速度发展"的方针。收入方面，经济效益失真，潜在问题严重，财政收入大幅度虚假上升；支出方面，违背综合平衡的原则，严重脱离了实际，导致了各种比例关系失调。

1958年财政收入比1957年增长36.3%，1959年比1958年增长64.3%，1960年又比1959年增长28%，3年累计收入202 950万元，比第一个五年计划期间的五年收入还多89.2%。1958年财政支出比1957年增长1.4倍，1959年比1958年增长54.2%，1960年又比1959年增长23%，与1957年比较，3年增长了3.56倍。3年财政支出共为285 951万元，比第一个五年计划期间的五年支出多1.7倍。在支出中，基本建设投资达165 764万元，占58%，比第一个五年计划期间支出数多3.2倍，由于战线过长，项目过多，建筑材料及施工力量不足，设备不配套，致使完工率很低；科学教育文化卫生事业费占12.2%，比例偏小，① 但发展中也存在很多问题。

"大跃进"给自治区的财政收支造成了诸多隐患。（一）收入虚假，工业生产，商业收购，工业报喜，商品报优，仓库积压，财政虚收，造成商业处理的损失，仍需国家财政解决。某些企业夸大成绩，人为地加大利润或超额上交等。（二）大量的资金损失，需要财政弥补。如企业挪用银行贷款资金搞基本建设、各项费用和职工福利等财政性开支，企业隐藏着的盘亏、报废和价差损失，商业部门不能收回的预购定金、赊销商品和各行业的呆账及待清理归还的"平调"资金等，都成为遗留问题。（三）正常财政财务管理秩序被打乱。"大跃进"中，片面强调群众的主观能动性，把必要的规章制度看成是束缚群众手脚的条条框框，并强调"先破后立，破字当头"，很多合理的必要的规章制度被冲破、废除，有的地方甚至搞"以表代账"、"无账会计"，有些企业不讲经济核算，严重破坏了财政、财务管理的正常秩序。自治区财政收入开始下降。1961年全区财政

① 内蒙古自治区财政厅编印：《内蒙古自治区志·财政志》，1995年版，第3页。

收入较 1960 年下降 44.9%，其中企业收入比上年下降 54.2%，各项税收下降 31.4%。①

1961 年，针对国民经济发展中存在的严重问题，中央提出“调整、巩固、充实、提高”的八字方针，对国民经济进行全面调整。自治区财政部门认真贯彻八字方针和《关于严格控制财政管理的决定》以及国家和自治区的有关政策，并采取有力措施全力转向为调整经济、争取财政经济状况的全面好转服务。（一）贯彻“全国一盘棋”、“上下一本账”的原则，落实财政收支指标，坚持收支平衡略有结余，不打赤字预算。（二）整顿管理制度，克服管理上的混乱现象，加强财政管理，严格财政纪律。（三）维护国家财政收入，积极组织征收入库。（四）狠抓企业调整，扭亏增盈。一切国营企业，除国家特别批准的以外，都必须盈利，不赔钱。对长期亏损不能扭转的企业实行关停并转。（五）严格控制支出，严格控制追加预算，停止计划外基本建设并严格控制基本建设拨款；严格按调整后批准的编制、事业计划、开支标准和定员定额核拨经费，进一步压缩社会集团购买力。（六）改进财政体制，适当缩小盟市级财政权限，如基本建设投资、国家支援人民公社的投资和特大自然灾害的救济费等，改由自治区财政专案拨款解决，以及控制各级财政动用上年结余等。（七）严格划清财政、银行资金界限，制止拖欠贷款，继续冻解单位存款，加强预算外资金管理，认真清理退赔资金和各类遗留问题等。

调整国民经济时期，自治区在 1961 年关停企业 143 个，精简职工 8 万余人，社会集团购买力比上年下降 1.3 亿元，压缩 50% 以上。1962 年，自治区行政编制人员减少 13 600 多人，工交农牧等经济部门减少 4 500 余人，全区行政事业单位购置费比上年降低 80.8%，公务费降低 13.8%，② 节约开支取得了明显的成绩。

1963 年，内蒙古国民经济调整工作取得了重大进展，自治区财政也走出了低谷，开始逐年好转，收支结构比例趋于正常。1965 年全区财政收入达 4.6 亿元，比 1962 年增长 36.8%，其中企业收入占 26.8%，各项税收占

① 内蒙古自治区财政厅编印：《内蒙古自治区志·财政志》，1995 年版，第 4 页。

② 内蒙古自治区财政厅编印：《内蒙古自治区志·财政志》，1995 年版，第 4 页。

69.1%；财政支出达5.18亿元，比1962年增长31.6%，其中，基本建设支出占31.6%，支农支出占11%，科教文卫支出占20.4%，行政管理费占15.5%。经过3年调整，自治区国民经济基本比例关系已趋合理，实现了自治区财政经济状况的根本好转。到1965年，自治区财政自给率达88.6%，[①]为进一步发展创造了条件。

1966年开始的“文化大革命”打断了内蒙古自治区国民经济恢复发展的正常进程。“文化大革命”期间，内蒙古的社会经济秩序陷入混乱，各项事业遭到前所未有的破坏。与国民经济调整时期相比，工农业生产的发展速度连续下降，经济效益每况愈下，财政收入逐年大幅度减少。1967年自治区财政收入为4.02亿元，比1966年下降17%，1968年又比1967年下降3.4%，1969年又继续下降52.6%。1970年及1971年暂时好转。1972年至1974年，又连续滑坡，1974年的财政收入仅为1971年的41.9%。1976年，国民经济处于崩溃边缘，自治区财政收入亦跌至低谷，当年仅完成2.66亿元，只有1965年收入的57.83%，是1958年以来的最低点。从财政收入的构成来看，由于国民经济停滞不前、效益下降，财政来自企业的利润逐年减少，甚至成为负数，主要依靠强制征收的税收。第三个五年计划（1966—1970年）期间，自治区财政收入中企业收入占20.2%，比国民经济调整时期下降7.5个百分点，各项税收占78.3%，其中工商税收占70.5%。第四个五年计划（1971—1975年）时期，自治区财政收入中企业收入是负数，亏损补贴达5.41亿元，各项税收总额达20.69亿元，其中工商税收占82.5%，农业税占15.2%，牧业税仅占1.4%。财政收入连年下降的同时，财政支出则呈现逐年上升的趋势。尽管1966年至1968年随着收入连年下降，支出也只好连年压缩，1968年支出4.14亿元，比1966年下降69.9%。但1969年以后支出逐年增加，1970年比1966年增长32.7%，到1976年骤增至13.83亿元，又比1970年提高76%。“文化大革命”时期，由于内蒙古自治区国民经济发展处于停滞状态，财政支大于收的差额呈逐年扩大趋势，不得不依靠国家财政的巨额补助。1965年自治区财政自给率为88.6%，1969年降至42.3%，1974年又降至15.1%，1976年又降至12.4%；中央财

① 王铎主编：《当代中国的内蒙古》，当代中国出版社1992年版，第442页。

政对自治区财政的补助数额相应急剧增加，1966 年为 13 146 万元，1976 年为 91 600 万元，10 年间的补助增加近 6 倍。[①] 内蒙古财政经济严重缺乏自我积累功能，高度依赖中央财政补助过日子。由于地方财政困难逐年增加，因而每年的财政分配只能把大部分资金用于维持简单再生产的需要，使自治区各项事业的发展极为缓慢。

1976 年 10 月，党中央粉碎了“四人帮”，结束了“文化大革命”的十年内乱。自治区生产建设和各项工作开始步入正轨，各级财政机构逐步恢复充实，财政财务管理也随之加强，各项规章制度和企业经济核算、扭亏增盈工作列入重要日程；同时，加强了财政监督，认真维护财政纪律，自治区的财政经济状况逐渐好转。1977 年，自治区财政收入比 1976 年增长 11.9%，1978 年又比 1977 年增长了 2.3 倍。[②] 1977 年和 1978 年，自治区的财政支出也有适度增长，各类支出的比例初步得到调整。

中共十一届三中全会以后，党和国家工作的重点转移到了以经济建设为中心的轨道上来，通过一系列改革开放的政策和措施，促进了自治区国民经济的发展。自治区财政贯彻中央制定的国民经济“调整、改革、整顿、提高”八字方针，在支持经济改革的同时，自身也进行了多方面的改革。1979 年至 20 世纪 80 年代末，自治区财政改革的主要内容包括：（一）从理顺国家、企业及个人三者间的分配关系入手，调动起三者的积极性，增强企业自我发展和完善的能力。1979 年以后，自治区先后对企业实行了企业基金制度、利润留成制度和盈亏包干办法；1983 年至 1984 年又实行了第一步和第二步的利改税，进一步把企业与国家的分配关系，以过去的缴纳利润为主改为纳税为主。（二）进一步改革财政体制，调动起各地区、各部门当家理财的积极性。根据中央对内蒙古实行的“划分收支、分级包干、定额补助、一定 5 年”的体制，结合自治区的实际情况，对不同盟市采取了各自不同的体制。对收入大于支出的呼和浩特、包头、乌海 3 市实行定额上缴；对于支出大于收入的其他 9 个盟市，实行定额补助，并在改革中给下面放了更多的财权和财力。（三）改革行政事业经费的管理办法。1980 年以后，自治

① 内蒙古自治区财政厅编印：《内蒙古自治区志·财政志》，1995 年，第 4—5 页。

② 内蒙古自治区财政厅编印：《内蒙古自治区志·财政志》，1995 年，第 5—6 页。

区对行政事业单位普遍实行了按工作任务核算定额，按预算实行经费包干，年终结余留给单位用于发展事业的办法。同时，对花钱少、见效快的用款项目，实行事前论证、签订合同、有偿拨款的制度，到期收回继续使用。（四）改革税收制度，进一步发挥税收的经济杠杆作用。1983 年以后，结合第二步利改税改革。从不同侧面对国民经济进行调节和控制。同时，也改革了农村牧区税收制度，对农业税收实行起征点的办法，达不到起征点的不征税；对乡镇企业也采取了一系列减免工商税和所得税的办法，支持了农村牧区商品经济的发展。（五）大力支持旗县经济发展，增强旗县财政实力。通过完善财政体制，给旗县增加一部分财权财力，增加其自我发展的能力；对 7 个重点旗县采取提前拨付补助款的办法予以支持，同时增加旗县支农支牧周转金。

财政和经济体制的改革，促进了工农业生产的发展，也促进了自治区财政收入的增长和结构的变化。自治区财政在 1979 年至 1981 年期间比较稳定，1982 年开始大幅度连续增长，并不断跃上新的“台阶”，1985 年达到 13.39 亿元，首次突破 10 亿元大关，1987 年增加到 19.43 亿元。1979 年至 1987 年 9 年自治区财政收入共为 80.28 亿元，为自治区前 30 年累计财政收入总和的 90.5%。① 这充分说明我国实行改革开放政策以后，自治区财政发展最快效果最好。

1979 年以后，自治区财政支出，认真贯彻收支平衡、略有结余的方针，大力压缩基本建设投资，调整国民经济，增加支农和科学文教等事业的投入。1987 年与 1979 年比较，扶持企业资金由 20 493 万元增为 32 556 万元，增长 58.9%；支农资金由 39 042 万元增为 58 632 万元，增长 50.2%；科学文教卫生事业费由 34 134 万元增为 104 705 万元，增长 206.7%；行政支出因增长因素甚多，也有较大增长。② 自治区财政开始实现了良性循环的局面。

1990 年以后，随着社会主义市场经济体制的初步确立，为了进一步推动全区国民经济和各项社会事业的发展，立足改革发展，突破了过去高度集

---

① 内蒙古自治区财政厅编印：《内蒙古自治区志·财政志》，1995 年，第 5—6 页。

② 内蒙古自治区财政厅编印：《内蒙古自治区志·财政志》，1995 年，第 5—6 页。

中、统收统支的供给性管理模式，跨越了过渡性的财政包干制，初步建立起合理划分中央税、地方税、中央与地方共享税的以分税制为基础的分级财政体制，极大地调动了地方各级政府当家理财的积极性。

自治区财政积极调整国家与企业的分配关系，不断增强企业活力。第八个五年计划（1991—1995 年）期间，自治区对一些大型企业实行了大包干和全行业投入产出包干等管理办法，将这些企业每年应上缴财政的一部分所得税留给企业，用于企业的技术改造和生产发展。为了建立现代企业制度，合理调整、规范国家与企业的分配关系，促进企业经营机制的转换，实现公平竞争，自治区从 1994 年起全面实行了国有企业利润分配制度的改革，增强了企业自我发展和参与市场竞争的能力。在国有企业管理和利益分配上，突破了过去将国有企业作为行政机构附属物进行直接管理的模式，确立了企业在社会主义市场经济中的主体地位，逐步理顺了国家和企业的分配关系。围绕建立现代企业制度的需要，开展了国有企业股份制改造和企业国有资产授权经营试点，初步建立了国家资本金投入、保金、积累以及流动的管理制度，加强和促进了国有资产管理。

自治区还积极探索和改革财政预算管理办法，改变了过去多年上级政府代编下级政府预算的做法，确立了各级政府预算编制的自主权。还积极推行“零基预算”，实行公平、规范、科学的支出预算，增强预算的约束力。建立和完善行政事业单位经费支出管理办法，逐步净化财政供给范围，不断优化支出结构，加强重点支出和难点支出的管理，有效地保障了党政机关和事业单位的正常运转。同时，还不断加强对预算外资金的管理，完善了制度管理办法，使预算外资金管理逐步走上了规范化轨道。

自治区还下大力气抓旗县经济的发展，在生产发展的基础上壮大旗县财政实力。自治区财政相继采取了提前拨付财政补贴；调整财政体制、增加财政补贴；通过转移支付制度解决欠发工资；扶持旗县发展经济、壮大财政实力等多项措施，缓解了旗县财政困难局面。特别是实行“划分类型、统一规划、分步实施、集中力量、责任到人、严明奖惩”的扶持旗县发展经济实施办法，解决了以前扶持资金分散、使用效果不明显的问题。1995 年以来自治区财政共筹集 15 000 万元资金，集中扶持了 15 个旗县，取得了较好的效果。到 1998 年旗县级财政收入达到 68.04 亿元，占全区财政收入的

51.9%，其中亿元旗县达到24个。①

随着自治区各项改革措施的日益推进和社会主义经济建设的向前发展，自治区国民经济和财政也呈现出前所未有的大好局面。1990年，自治区财政收入突破30亿元，达到32.2亿元；1993年突破50亿元，达到56.1亿元，比上年增收17亿元，增长43.48%；1994年到1996年，平均每年以增收12亿左右、增长18.4%的速度突飞猛进，到1996年全区财政收入达93.2亿元。在1984—1996年的12年间，全区财政收入平均每年递增22%。1997年，自治区财政收入突破了百亿大关，达到111.27亿元；1998年达到131.2亿元。2000年，全区财政收入共完成155.58亿元，比上年增加11.89亿元，增长8.28%。在财政收入增长的同时，全区财政支出也逐年增加，支出规模不断扩大。1990年，全区财政支出为60亿元；1995年全区财政支出总额突破100亿元，达到102.2亿元。1991—1995年的5年间，全区财政支出累计达424.2亿元，相当于自1947年自治区成立以来40年财政收入和财政支出的总和。1998年，全区财政支出达到181.8亿元，2000年增加到256.4亿元。② 如此巨额财力，在自治区发展史上前所未有。

新中国成立以来，特别是改革开放二十多年以来，随着自治区国民经济的全面发展，财政收入的逐步增长和中央财政的有力扶持，自治区财政可用资金不断增加，有力地支持了全区经济建设和社会各项事业的发展。

自治区财政在经济建设中发挥了重要作用。1952年至1998年，自治区财政用于工业基本建设支出累计为71.33亿元。这些资金的注入，对于内蒙古这样一个经济基础薄弱的少数民族地区，在较短的时间内建成初具规模的国民经济体系起到了重要作用。1952年全区新建了以牙克石乳品厂、包头造纸厂为代表的7家大型工业企业；第一个五年计划（1953—1957年）、第二个五年计划（1958—1962年）期间建成了以内蒙古第一毛纺厂、西卓子山水泥厂、呼和浩特钢铁厂、乌兰浩特钢铁厂、平庄矿务局为代表的56家

① 参见内蒙古自治区统计局编：《辉煌的内蒙古》（1947—1999），中国统计出版社1999年版，第131—132页。

② 参见韩茂华主编：《翻天覆地五十年》（1947—1997），内蒙古大学出版社1997年版，第29页；内蒙古自治区统计局编：《辉煌的内蒙古》（1947—1999），中国统计出版社1999年版，第129页；内蒙古年鉴编纂委员会编：《内蒙古年鉴》（2001），方志出版社2001年版，第173页。

工业企业；“文化大革命”期间排除干扰，建成了以内蒙古电缆厂、内蒙古第三毛纺厂、千里山钢铁厂为代表的24家大型工业企业；党的十一届三中全会以后新建了以内蒙古毛条厂、伊克昭盟羊绒衫厂、赤峰第二毛织厂、丰镇发电厂为代表的一批大型工业企业。这些企业都已成为自治区国民经济的骨干力量。1990年以来，在财税政策的扶持下，涌现出了伊利、草原兴发、内蒙宏峰、富龙热力、华资等一大批新兴上市企业，为自治区经济快速、健康发展增添了新的活力。

1952年至1998年，自治区财政用于农牧林水基本建设支出及支持农业支出累计为108.01亿元。这些投入极大地改善了全区的农牧业基础设施，加强了农牧业基础地位，促进了农牧业经济全面、持续、健康发展。到1998年，全区实有耕地面积722.4万公顷，草原面积8 666.7万公顷，粮食产量1 575.4万吨，年末牲畜总头数5 206.3万头（只）。改革开放以来，自治区财政还加大了扶贫攻坚力度，取得了显著成效，1979—1998年全区支援不发达地区支出累计17.8亿元。全区农牧民人均纯收入从1978年的131元提高到2000年的2 050元。①

自治区财政的投入有效地促进了全区各项社会事业的全面进步。自治区财政对教育事业的投入逐年增加，教育事业得到优先发展。50年来，自治区教育事业共支出累计221.48亿元，在各部门事业费开支中居于首位。自治区教育事业在财政资金的投入和扶持下，得到了迅速发展，形成高、中、低不同层次的教育体系，极大地提高了全区各族人民的文化素质。到1998年，全区高等学校在校学生4.36万人，比1990年增长34.3%；中等专业学校在校生8.15万人，增长64%。基础教育得到加强，1998年，全区普通中学和小学在校生324.74万人，学龄儿童入学率已达99.5%，小学升学率达93.9%，② 均高于全国平均水平，初等义务教育已在全区101个旗县市区全部实施。

---

① 参见内蒙古自治区统计局编：《辉煌的内蒙古》（1947—1999），中国统计出版社1999年版，第130页。

② 参见内蒙古自治区统计局编：《辉煌的内蒙古》（1947—1999），中国统计出版社1999年版，第130页。

自治区财政积极支持科技事业进步。新中国成立以来，自治区科技事业费累计支出 9. 29 亿元。第八个五年计划（1991—1995 年）期间，全区共取得科技成果 2 480 项，比第七个五年计划（1986—1990 年）期间增加 1 128 项，① 科技对经济增长的贡献率明显增强。

卫生事业稳步发展，医疗条件明显改善。新中国成立以来，自治区卫生事业费累计支出 65. 06 亿元，使医疗卫生事业得到较大发展。到 1998 年，全区共有卫生机构 4 641 个，比 1978 年增加 641 个，平均每万人拥有病床由 25. 11 张增加到 29. 32 张。②

文化、广播、电视、电影事业也得到健康发展。新中国成立以来，自治区文化、广播电视、电影事业费累计支出 34. 66 亿元，使全区文化、广播电视电影事业取得了明显进步和健康发展。第八个五年计划（1991—1995 年）期间全区共制作电影故事片 17 部、蒙语译制片 131 部。到 1998 年底全区共有文化馆 102 个，博物馆 20 个，大型档案馆 137 个，广播混合覆盖率达 78%，电视台达 34 座，一千瓦以上电视发射台和转播台达 82 座，电视混合覆盖率达 78%。③

内蒙古是边疆少数民族自治区，因此自治区财政十分注意贯彻党的民族政策，积极支持少数民族聚居区的生产建设和文教卫生事业的发展，改变其落后面貌。在财政管理体制上对民族自治旗和牧业旗规定高于一般旗县的预备费和机动金以及超收结余的留用权；在资金分配安排上给予特殊照顾或补助；对民族贸易地区商业企业在价格、流动资金和利润留成上实行三项照顾政策；在防治和消灭严重危害少数民族人、畜的各种疫病实行医疗费减免照顾政策；制定了少数民族在各类学校中学生享受助学金的比例标准高于一般学生的政策，牧区中小学生实行“两主一公”（两主是寄宿生为主、助学金为主，一公是公办）的政策；对少数民族文化出版，牧区水、草、路、电

① 参见内蒙古自治区统计局编：《辉煌的内蒙古》（1947—1999），中国统计出版社 1999 年版，第 130 页。

② 参见内蒙古自治区统计局编：《辉煌的内蒙古》（1947—1999），中国统计出版社 1999 年版，第 130 页。

③ 参见内蒙古自治区统计局编：《辉煌的内蒙古》（1947—1999），中国统计出版社 1999 年版，第 130 页。

建设，牧民传统消费用品等实行财政补贴或减免税的政策。自治区财政的这些政策规定是党和国家民族政策的具体体现，对于改善少数民族地区生产条件、经济发展、提高物质文化生活水平起到了重大作用。

五十多年来，作为社会、经济综合反映的财政工作，在自治区党委和政府的正确领导下，经历了一个从无到有，从小到大，不断发展和完善的过程。通过筹集资金、供应资金和调整监督等职能的发挥，有效地促进了自治区经济社会的发展和人民生活的改善。

二、金融

1945 年 8 月抗日战争胜利，内蒙古东部地区获得解放。1946 年 1 月在王爷庙（今乌兰浩特）成立了地方性的东蒙银行，开始了人民金融事业。1947 年 5 月 1 日，内蒙古自治政府成立，东蒙银行改为内蒙古银行，1948 年 6 月 1 日又改为内蒙古人民银行，并开始发行地方货币，增设金融分支机构。中华人民共和国成立后，于 1951 年 3 月内蒙古人民银行改为中国人民银行内蒙古自治区分行，同时用人民币兑回了内蒙古地方流通的货币，统一了全国货币。1954 年 3 月，原绥远省建制撤销，原绥远省分行并入中国人民银行内蒙古自治区分行。至此，全区金融机构已完全统一起来。

新中国成立初期，中国人民银行内蒙古自治区分行大力整顿金融业，接收原绥远省银行及所属机构，改造各种名目的钱庄、银号，抑制全区通货膨胀，稳定物价，实行统一的货币管理、外汇牌价和外汇调度管理，建立统一的人民币市场。在国民经济恢复的过程中，社会主义信用制度也开始建立。1950 年 2 月，内蒙古自治区人民政府颁布了现金管理的命令，要求把所有分散在各国营企业、机关、部队的现金全部存入银行，各单位间的一切交易往来和款项收付，除零星小额使用现金外，一律通过国家银行进行转账结算。这不仅在很大程度上减少了市场上的现金流通量，更重要的是把各项资金活动置于银行的统一监督、管理之下，聚集了巨额社会资金，使银行的现金、信贷、结算三大中心地位得到进一步巩固。到 1952 年底，银行存款金额达到 9 033 万元。当时，内蒙古地区几乎没有什么工业，在国民经济恢复阶段主要是整顿商品流通市场，打击私商投机活动，建立和发展社会主义商业。从 1950 年起，银行向国营商业和供销合作社发放的贷款逐年增加，

1952 年的贷款数额达 5 000 万元，占当年贷款总额的 70% 以上。社会主义商业的发展，使资本主义工商业在社会商品流通总额中的比重从 1949 年的 80% 下降到 1952 年的 51% 。银行对国营商业和供销合作社的大力扶持，活跃了城乡物资交流。1952 年，国营商业和供销合作社收购农牧产品总值比 1950 年增加了 2 倍，生活资料和生产资料的供应比 1950 年增加了 2 倍多。由于沟通了城乡物资交流，解决了农牧产品积压的问题，工业品和畜产品之间的剪刀差逐渐缩小。为了解决农村部分地区生产、生活困难问题，把金融机构普遍下推一层，在重点地区分设了营业所，极大地便利了农民群众的借贷。为了恢复农业生产，从 1950 年至 1952 年共发放农业贷款 3 550 万元，解决了口粮、种子、小农具、耕畜、水利和副业生产等困难问题。在牧业生产方面，银行集中力量配合实行新“苏鲁克”制度发放母畜贷款。1950 年至 1952 年共发放牧业贷款 272 万元，其中约有 70% 是母畜贷款，帮助贫困牧民购买母畜达 20 万头（只），促进了牧业生产的恢复。随着农牧业生产的发展，作为农牧业集体所有制的金融组织的信用合作社也开始组建起来。1952 年，全区组建起来的农村牧区信用合作社共发展到 21 个，参加信用社的农牧民达 1. 1 万多人，缴纳股金 2. 8 万元，吸收各项存款 2. 4 万元，发放各项贷款 4. 6 万元。①

1953 年，国家开始实行发展国民经济的第一个五年计划，内蒙古自治区也进入了经济建设的新时期。银行重点支持农牧业和工业生产的发展。从 1953 年至 1957 年银行共发放农牧业贷款 1. 36 亿元。牧业贷款主要帮助牧区兴修水利、搭盖棚圈、建设饲料基地、购买优良种畜以及定居建设等。为了支持农业生产的发展和农业合作化运动的开展，银行发放的农业贷款的数额，有了较大的增长。平均每个农户得到的国家银行贷款由 1952 年的 16 元增加到 1956 年的 36 元。贷款对象从国民经济恢复时期对个体农户为主而转为以农业生产合作社为主，全部农业贷款偿还平均期限也从 1953 年的 11 个月延长到 1956 年的将近 2 年。随着农牧业生产的发展，农村牧区信用合作社也得到迅速发展。到 1957 年底，全区农牧区信用合作社发展到 3 500 个，

① 内蒙古金融志编纂委员会编：《内蒙古金融志》，内蒙古人民出版社 2007 年版，第 6 页；内蒙古统计局编：《奋进的内蒙古》，中国统计出版社 1989 年版，第 85 页。

分布在各个乡和苏木，吸收的股金和存款达3 400万元，累计发放农牧业贷款5 300多万元,① 对支持农牧业生产发展和解决农牧民生活困难起到了很大的作用。

内蒙古的工业基本建设从第一个五年计划开始，在国家的统筹安排下，优先发展了冶金、机械、煤炭、电力、森工、纺织、建材和食品加工等工业。当时全国确定的156项重点工程中，内蒙古就有包头钢铁公司，包头第一、第二机械制造厂，包头第一、第二热电厂等5项工程。这一时期，还建成了包头发电厂、锡林浩特发电厂、包头长征砖瓦厂、包头糖厂、当时全国最大的集宁和海拉尔肉类联合加工厂；扩建了乌达、元宝山、札赉诺尔煤矿和呼和浩特、乌兰浩特、通辽、赤峰、东胜、扎兰屯发电厂；新建了包头石拐矿区、内蒙古第一毛纺厂。工业基本建设投资累计为4.76亿元，其中属于中央各部委投资的为3.76亿元，为自治区工业的发展打下了基础。银行对这些投资进行了严格监督。银行还对工业生产和新建企业生产资金的需要，在信贷上给予积极支持。1957年对国营工业的贷款就达3 000万元,② 有力地支持了自治区的工业建设。

1958年，我国进入第二个五年计划建设时期。自治区同全国一样兴起了“大跃进”运动。在“左”倾思想影响下，银行贷款不看客观需要，不问实际效果，曾经提出过“工业哪里生产，商业哪里收购，银行哪里贷款”、“工业生产什么，商业收购什么”，“银行贷什么款”等错误口号，以致出现了敞开供应资金、盲目发放贷款的现象，使贷款发放和货币发行失去控制。据统计，1958年至1960年全区贷款达到17.7亿元，3年增加额相当于前12年增加额的3倍，同期，全区货币流量也增加了2倍。③ 国民经济计划受到严重冲击，出现了工业生产不景气、物资供应不足、物价上涨、金融不稳的局面，国民经济处于严重的困难之中。

1960年冬，中共中央为了扭转国民经济的困难局面，纠正“左”倾错

---

① 内蒙古金融志编纂委员会编：《内蒙古金融志》，内蒙古人民出版社2007年版，第6页；林蔚然、郑广智主编：《内蒙古经济发展史》，内蒙古人民出版社1990年版，第461页。

② 王铎主编：《当代中国的内蒙古》，当代中国出版社1992年版，第77、449页。

③ 林蔚然、郑广智主编：《内蒙古自治区经济发展史》，内蒙古人民出版社1990年版，第461页。

误给经济工作造成的困难，决定对国民经济实行“调整、巩固、充实、提高”的八字方针，并制定了一系列政策和果断措施，全面调整国民经济。我国经济建设进入三年调整时期。国务院于1962年发布了《关于切实加强银行工作集中统一，严格控制货币投放的决定》。在内蒙古党委和自治区人民政府的领导下，人民银行内蒙古自治区分行坚决贯彻了上述方针和决定的精神，对政府决定关、停、并、转的企业，坚持不增加新贷款，并清理收回旧贷款；对有发展前途一时仍有困难的企业给予必要支持；普遍进行企业经济活动分析，加强监督服务，对违反政策计划的问题及时处理，实行必要的信贷制裁；协助工商企业清理贷款拖欠和物资积压，建立健全经营管理制度，促使企业提高经营管理水平。与此同时，加强了对自治区农牧业生产资金的支持，并降低农业贷款的利率；发放了基础母畜和小型水利建设贷款，支持牧区进行草原和棚圈建设，增强畜牧业抗御自然灾害的能力；开办了灾区社员口粮无息贷款业务，稳定了农村牧区的人心。三年中，全区农牧业贷款余额比1960年末净增4 280万元，工业贷款减少了13 078万元。同期，市场货币流通量也减少了20%，使每元货币占有商品库存额由3.2元上升到5.4元。[①] 到1965年，自治区的国民经济已步入正轨，金融市场也恢复了稳定局面。

“文化大革命”期间，自治区的金融事业受到严重冲击，一直处于极不正常的发展阶段。虽然存、贷业务有一定的增加，但是，由于“左”的影响，金融系统一整套过去行之有效的规章制度和管理办法被搞得支离破碎，大批业务骨干被调离金融部门，一些基层银行、信用社被兼并到其他部门，金融部门基本上完全丧失了独立经营权，各项贷款也基本上由行政干预发放，造成大量信贷资金流散和无效益占用，致使相当数量的贷款形成呆账，无法收回，损失严重。

1979年之前的30年中，自治区的金融事业在艰难曲折的进程中取得了较大的发展成就。全区金融机构各项存款余额从1954年的1.2亿元发展到1978年的16.5亿元，各项贷款余额从1954年的3.4亿元发展到1978年的

---

① 参见内蒙古自治区统计局编：《辉煌的内蒙古》(1947—1999)，中国统计出版社1999年版，第136页；王铎主编：《当代中国的内蒙古》，当代中国出版社1992年版，第451页。

40.3 亿元。机构数量从自治区成立时的 8 个发展到 1978 年的 574 个，从业人员由最初的 54 人发展到 1978 年的 4 890 人。①

中共十一届三中全会以后，在改革开放的方针指引下，中国金融体制进行了一系列改革，自治区金融事业也随之进入了一个崭新的发展时期。1980 年以后，中国农业银行、中国银行、中国人民建设银行、中国工商银行和中国人民保险公司在内蒙古相继恢复。1983 年 9 月国务院决定，由中国人民银行专门行使中央银行职能，标志着中央银行体制得以确定。至此，中国人民银行作为中央银行专门行使国家金融管理机关的职能；国家专业银行作为经营货币的经济实体逐步向商业银行转化。1985 年到 1992 年，是金融组织机构迅速发展的时期，经济体制改革进入了以“建立有计划的商品经济新体制”为目标的新阶段，多种经济成分进一步发展。为了更好地为经济发展服务，必须打破国家专业银行对金融业的垄断，建立各种银行和非银行金融机构。为了适应地区多种经济成分发展的需要，各种非银行金融机构信托证券业、典当行、信用社、基金会也纷纷建立起来。金融机构的迅速发展，基本适应了区内不同经济成分、不同经济方式的融资需要，并初步形成了金融竞争的局面。随着社会主义市场经济体制改革目标的确立，金融体制改革进入实质性阶段。1994 年设立国家政策性银行，中国金融体制的演进开始了质的飞跃。从此，以中央银行为领导、政策性金融与商业性金融分离、国有商业银行为主体、多种金融机构并存的新金融体系的构架基本形成。

到 1997 年底，全区拥有各类金融机构 8 281 个，其中人民银行及其分支机构 122 个，4 家国有商业银行及分支机构 4 376 个，1 家政策性银行及分支机构 88 个，1 家股份制商业银行（交通银行），3 家保险公司及 299 个分支机构（包括平安保险公司内蒙古办事处 1 个），两家金融信托投资公司及分支机构 9 个，1 家证券公司及其分支机构 8 个，4 家典当行，14 家基金会，1 家融资中心及其分支机构 9 个，2 620 家农村信用社和 2 522 家城市信用社。全区金融机构从业人员已达到 78 161 人，比 1978 年增长 16 倍。② 这

① 参见内蒙古自治区统计局编：《辉煌的内蒙古》（1947—1999），中国统计出版社 1999 年版，第 137 页。

② 郝维民主编：《百年风云内蒙古》，内蒙古教育出版社 2000 年版，第 317 页。

些金融机构的职能、业务范围、业务种类、服务对象不同，但已基本形成了覆盖社会经济各个方面的网络。

金融业务从过去封闭式经营发展到与全国以及许多国家和地区的业务往来，金融部门已成为国民经济宏观调控的重要部门之一。它通过信用社形式，组织和通融资金，支持自治区的改革开放，为促进自治区国民经济的发展起着重要作用。据 1988 年末统计，全区金融部门组织的各项存款余额达 126 亿多元，其中，国家银行吸收的各项存款余额达 120 亿元，城乡信用社和信托投资机构吸收的各项存款余额 6.3 亿元；全区各项贷款余额达 188 亿元，其中，国家银行发放的贷款余额 180 亿元，城乡信用社和信托投资机构发放的贷款余额近 9 亿元。各项存、贷款余额分别比 1978 年底增加了 110 亿元和 148 亿元。10 年中存、贷款余额的增加额，分别为新中国成立后 29 年吸收存款、发放贷款累计余额的 6.68 倍和 3.67 倍。10 年中存款增加特别明显的是企业存款、城乡居民储蓄存款和农村存款，分别比 1978 年增加 33.4 亿元、48.3 亿元和 8.9 亿元，分别为前 29 年该项存款累计余额的 1.97 倍、1.0 倍和 2.97 倍。以上数据充分反映了自治区经济的发展和人民生活水平的提高。10 年中贷款增加突出的是工业、商业和农牧业贷款，其中工业贷款比 1978 年净增 42.6 亿元，商业贷款净增 57.3 亿元，农牧业贷款增加 5.95 亿元。它们分别为前 29 年该项贷款累计余额的 51.7 倍、23.2 倍和 14.3 倍。①

从 1983 年到 1993 年的 10 年间，金融体制的改革为人民银行转变职能创造了条件。中国人民银行内蒙古分行的工作内容，也逐步转向全面履行中央银行分支机构的有关职能。从 1980 年到 1994 年，人民银行运用再贷款和贷款限额控制货币供应量进行宏观调控，并办理政策贷款业务。1980 年 1 月，人民银行开始办理专项贷款，用于全民所有制和集体所有制的轻纺工业及工交企业耗能大的设备、工艺的挖潜、革新、改造和设备更新。1983 年，开办老少边穷地区发展经济专项贷款，这两项贷款截至 1996 年末，余额达 107 524 万元。这对于加快企业的技术进步，加快轻纺工业和基础工业的发展，缓和能源，交通和市场供应紧张状况，促进经济结构合理化，改变贫困

① 内蒙古自治区统计局编：《奋进的内蒙古》，中国统计出版社 1989 年版，第 101 页。

地区的落后面貌，产生了明显的效果。1994 年，政策性银行的分设，进一步明确了中国人民银行的主要职能：制定、实施货币政策，保持币值的稳定；对金融机构实行严格的监管，维护金融体系安全、有效地运行。人民银行的分支机构是总行的派出机构，其基本职责是：金融监督管理、调查统计分析、横向头寸调剂、经理国库、现金调拨、外汇管理和联行清算。人民银行的宏观调控逐步运用公开市场业务、再贴现、存款准备金、利率等经济手段调节货币供应量。1994 年 10 月，人民银行内蒙古分行对“五行业、四品种”和畜产品收购开办再贴现业务。在人民银行总行的大力支持下，业务得到较快的发展。截至 1996 年末，全区累计办理再贴现业务 2 849 笔，累计发放再贴现贷款 42. 34 亿元。① 再贴现业务的开展，不仅缓解了大中型企业和畜产品收购资金的紧张状况，提高了商业银行信贷资产的质量，而且为发挥中央银行宏观调控职能和建立自治区票据市场奠定了基础。1995 年，《中国人民银行法》《商业银行法》《保险法》等金融法规正式颁布实施，人民银行的职能才被明确地列入法律条款中，为人民银行对金融业的监督管理提供了法律保障，金融业的运行开始纳入法制的轨道。

改革开放以来，内蒙古经济发展迅速，货币需求量逐年增大。从 1980 年至 1996 年货币纯投入累计为 674. 2 亿元，保证了自治区经济高速发展中现金总量的供应和各种券别的需求，有力地支持了自治区的经济建设。为净化货币流通市场，提高货币整洁度，销毁损伤人民币 187 次，同时深入开展反假币管理工作，全区共处理假币案件 24 000 多起，涉及金额 500 多万元，抓获犯罪分子 230 多人，② 有效地维护了人民币的信誉。

随着经济体制改革的深化，财税体制也进行了相应的变革，人民银行的国库工作也发生了重大变化，国库的职能由原来的办理财政收支、汇总报表的核算型向监督管理型转变。从 1986 年到 1996 年，全区国库机构协助财政部门管好用好财政资金，10 年间共办理预算收入入库 493. 65 亿元，拨付财政资金 805. 44 亿元，国库机构协助财政部门堵住不合理拨款、退库 1 000

① 韩茂华主编：《翻天覆地的五十年》（1947—1997），内蒙古大学出版社 1997 年版，第 235 页。

② 参见内蒙古自治区统计局编：《辉煌的五十年》（1947—1999），中国统计出版社 1999 年版，第 33 页。

余万元，累计查出积压税款近2亿元，为自治区经济建设及时、准确地调拨财政资金，维护了国家税收政策的严肃性和财政收入的完整性，保证了税款解缴各环节的畅通。从1981年至1996年，国库部门组织发行国债57.9亿元，兑付国债本息23.5亿元，[①] 为国家财政迅速筹集资金起到了积极作用。

随着国家外汇体制的改革，外汇管理局内蒙古分局全面转换职能，建立健全了国际收支统计监测体系，不断完善经营项目管理，严格资本项目管理。同时，通过提供外汇金融服务、强化外汇金融管理，在规范外汇金融经营行为，防范外汇金融风险，促进外汇金融业稳健发展中，发挥了重要作用。截至1996年底，经外汇管理局批准，全区外汇指定银行已达37家，经营外汇业务的机构达394家，外汇存款余额12 856万美元，外汇贷款余额63 409万美元。外汇管理部门累计为企业办理外汇调剂和结、售汇达30亿美元。[②] 为促进自治区经济发展和对外开放，作出了积极的贡献。

建立一个适应社会主义市场经济需要的金融市场，是金融体制改革的一项重要内容。经过多年的改革，自治区的金融市场有了较大的发展。内蒙古融资中心于1988年成立并逐步规范，规模逐步扩大，融资总额从1988年的10亿元发展到1996年的400亿元。银行间的同业拆借市场已初步形成网络，仅1996年一年，交易量达98亿元，有效地解决了区内商业银行资金头寸、农副产品收购、春耕备耕、季节性先支后收资金、国营大中型企业资金未达、外资出口创汇结汇资金未达等短期资金需求，为自治区货币市场的进一步发展奠定了基础。内蒙古证券公司于1992年正式成立，标志着自治区证券市场的初步形成。经过5年的发展，证券公司的资产总额由1992年的6 929万元增长到1997年的19 685万元，增长1.8倍。截至1996年末，公司累计发行企业债券63 510万元，累计发行股票4.4亿元，累计完成证券交易量54.6亿元，其中代理买卖股票41.5亿元，债券13.1亿元，累计为区内股民开立沪、深两交易所股票账户102 646户；为区内12家股份公司办理内部股份登记托管服务，托管股份94 034万股，代理股份公司派发现

① 参见内蒙古自治区统计局编：《辉煌的五十年》（1947—1999），中国统计出版社1999年版，第33页。

② 韩茂华主编：《翻天覆地五十年》（1947—1997），内蒙古大学出版社1997年版，第236—237页。

金红利 7 234 万元，累计上缴税金 756 万元。[①] 不仅为现代企业集团发展筹集了大量的营运资金，而且为自治区资本市场的发展打下了坚实的基础。

资金清算现代化是金融体制改革的重要步骤。内蒙古金融系统在全区范围内实现了资金清算现代化，开发了金融管理信息系统，在全国率先实现了同城、区辖等全国电子联行清算“天地对接”，加速了自治区资金周转，有效地防止和避免了金融机构间占压资金及压票、压汇现象，提高了银行结算信誉，取得了巨大的经济效益和社会效益。

内蒙古的金融业，在改革开放的 20 多年中得到了长足发展。全区已经形成以中央银行为领导，以国有商业银行为主体，政策性金融机构与商业性金融机构相分离，保险、信托投资、证券、城乡信用合作机构等非银行金融机构并存的、比较健全的金融体系，成为民族地区经济发展的巨大推动力量。全区金融机构各项存款余额已从 1978 年的 16. 5 亿元发展到 2000 年的 1 270. 13 亿元，各项贷款余额总计已从 1978 年的 40. 3 亿元发展到 2000 年 1 340. 74 亿元，[②] 有力地支持了自治区的经济建设和社会发展。

中国人民保险公司内蒙古分公司于 1950 年开始筹建，并于 1951 年 5 月正式营业。此后，经过 8 年的发展，到 1958 年，内蒙古自治区的保险事业，在业务范围、服务领域、服务险种和营业网点等方面都有了相当规模。全区保险系统累计实现保费收入 1 379 万元，支付赔款 393 万元；分支机构发展到 28 个，服务险种 10 余个。[③] 1959 年 4 月，由于受极“左”思潮的影响，停办了国内保险，人民保险公司各分支机构全部撤销。1979 年 4 月，国务院批准恢复国内保险业务。1980 年中国人民保险公司内蒙古分公司正式恢复，当时，它只是人民银行的一个职能处室。经过 16 年的发展，到 1995 年已成为相对独立的保险机构，并在全区 12 个盟市、100 个旗县均设立了分支机构，形成了遍布全区，纵横交错的保险服务网络。保险业务范围扩大，服务领域进一步拓宽。1980 年到 1995 年，全区保险系统累计实现业务总收入 43. 52 亿元，承保各类财产保险金额达到 946. 63 亿元，为 17. 72 万辆机

---

① 韩茂华主编：《翻天覆地五十年》（1947—1997），内蒙古大学出版社 1997 年版，第 236—237 页。

② 内蒙古年鉴编纂委员会编：《内蒙古年鉴》（2001），方志出版社 2001 年版，第 282、283 页。

③ 郝维民主编：《百年风云内蒙古》，内蒙古教育出版社 2000 年版，第 318—319 页。

动车、54.04 万户家庭和 487.58 万人（次）承担了各类保险、保障责任；保险品种由恢复初期单一的企业财产保险发展到财产、人身、信用、责任 4 大类 170 多种；服务领域进一步从城镇延伸到广大乡村、牧区，覆盖了社会的方方面面，形成了种类齐全、管理严格、文明优质服务的网络体系。这一时期，全区保险系统累计处理各类赔案 110 多万件，向受灾保险支付赔款 14.86 亿元，向受灾企业和灾区人民捐款 2 000 多万元，有效地发挥了保险的经济补偿作用。

为了实现商业化、专业化经营，加快我国保险主体的多元化进程，使我国保险业尽快与国际惯例接轨，根据中国人民保险公司总公司的统一部署，内蒙古自治区人保公司于 1995 年 10 月开始进行机构体制改革。1996 年 7 月，内蒙古自治区保险系统实现机构分设。原中国人民保险公司内蒙古自治区分公司分设为中国人寿保险有限公司内蒙古自治区分公司和中保财产保险有限公司内蒙古自治区分公司。

中国人寿保险有限公司内蒙古自治区分公司，承接了原人保内蒙古自治区分公司经营的全部人身保险业务和人身保险责任，主要经营人寿保险、健康保险、人身意外伤害保险等业务，开办保险种类近百个。1997 年，全区系统实现保费收入 64 399.5 万元，累计给付各类赔款 10 356.9 万元，对促进内蒙古自治区经济发展，安定人民生活，维护社会稳定起着重要作用。中保财产保险有限责任公司内蒙古自治区分公司，是内蒙古自治区最大的专业性财产保险公司，承接了原人保内蒙古自治区分公司经营的除人寿险业务以外的一切保险业务，主要承办企事业单位财产保险、家庭财产保险、机动车辆保险、货物运输保险、出口信用保险、农业保险和各类责任保险等保险业务，保险品种近百个。1997 年，全区保险系统实现保险收入 80 094 万元，支付赔款 38 024.3 万元。1980 年至 2000 年，全区保险机构共收取保费 124.84 亿元，理赔 52.64 亿元，综合赔付率为 42.16%，① 有效地发挥了对自治区经济发展的补偿作用，促进了全区的社会稳定。

① 郝维民主编：《百年风云内蒙古》，内蒙古教育出版社 2000 年版，第 320 页；内蒙古金融志编纂委员会编：《内蒙古金融志》，内蒙古人民出版社 2007 年版，第 8 页。

第 十 七 章

教　　育

第一节　基础教育

一、小学教育

（一）学校设置

1949—1966 年期间　新中国成立以后，内蒙古自治政府把在农村、牧区普及小学教育作为工作重点。各级、各类小学的建设、整顿、裁并的主旨都是为了实现这一目标。自治区人民政府在东部的新老解放区恢复和兴建了一批学校，在和平解放的西部区，接收和开办了一批学校。同时，在城镇，对教会学校进行了有计划的改造；在农村，用新式初小取代了以“四书五经”为主要教学内容的私塾①。小学教育逐步走上了健康发展的道路。

1950 年 2 月，内蒙古自治区人民政府副主席兼教育部部长哈丰阿在全区第二届教育工作会议上强调，全区继续贯彻小学教育整顿与提高的方针。4 月，内蒙古自治区第二届文教会议召开，会上提出的小学教育总方针是：“以巩固提高为主，同时作调整和适当发展，并注意恢复和发展部分地区游牧小学，发展民办学校，加强领导，实行奖励，并启发农牧区群众自办学

---

①　中国教育年鉴编辑部编：《中国教育年鉴（地方教育）》（1949—1984），湖南教育出版社 1986 年版，第 208 页。

校。”有资料显示，1950 年上学期，自治区东部呼纳、兴安、哲里木、昭乌达 4 盟入学儿童已达 24 万多，较 1949 年增加 6 万多①。1950 年，绥远全省 26 个县市人口总数为 2 107 753 人，其中学龄儿童共 300 238 人，共设中心国民学校 386 所，师范附属小学 2 所，国民学校 580 所，教学班 1 941 个，入学儿童 77 867 人，国民学校教师 2 928 人；私立小学 41 所，入学儿童 57 890 人，教职工 2 001 人②。1950 年底，内蒙古自治区共有公私立小学 3 212 所，其中公立学校 373 所（新办鄂伦春小学 1 所），计 6 147 个班；学生总数 252 247 人，其中公立学校学生人数 65 510 人；全区小学教员 6 531 人，其中公立学校教员 1 939 人，地方学校教员 4 592 人③。

1952 年 8 月，绥远省人民政府发出《关于接办和整顿民办小学的指示（草案）》，要求对民办小学进行整顿调整和巩固，明确要逐年增设公立小学，并注意发展新的民办小学，以补助政府力量不足；颁布了《私立学校临时管理办法》，重新登记立案，加强对私立学校的管理，对办学成绩优良的学校给予奖励；对经费困难的私立小学给予补助，扶持其办学；鼓励各私立学校发扬爱国主义精神，办好学校，为新中国的教育事业服务。1953 年 8 月，绥远省教育厅召开全省初等教育会议，传达了第二次全国教育工作会议的精神，明确了在今后工作中必须进一步贯彻中央“整顿巩固、重点发展、保证质量、稳步前进”的总方针；讨论了整顿小学的第二步工作以及招生、教师配备、编制、经费等问题。

1954 年初，蒙绥合并，在内蒙古自治区各级党委和政府的直接领导下，参照中央政务院《关于整顿和改进小学教育的指标》，结合本区各地小学的实际情况，全区小学开始全面整顿。1956 年 4 月 11 日，内蒙古自治区教育厅根据内蒙古自治区第三次计划会议上的决定，在呼和浩特、包头、赤峰（今赤峰市红山区）、通辽（今通辽市科尔沁区）、满洲里、海拉尔、乌兰浩

① 内蒙古教育丛书编委会编：《内蒙古自治区教育大事记》（根据档案资料编辑，1987 年内部印行），第 42 页。

② 内蒙古教育丛书编委会编：《内蒙古自治区教育大事记》（根据档案资料编辑，1987 年内部印行），第 50 页。

③ 内蒙古教育丛书编委会编：《内蒙古自治区教育大事记》（根据档案资料编辑，1987 年内部印行），第 50 页。

特、集宁、陕坝普及四年制义务教育。此后，从城镇到农村、牧区，出现了前所未有的办学热潮，全区小学得到迅速发展，其中发展最快的是呼和浩特市和包头市。

在1958年“大跃进”运动中，全区小学教育在发展上一度出现了盲目性：全区有小学14 958所，在校学生1 216 086人，小学教师36 378人，各项指标都已超额完成计划。小学计划招生190 000人，实际完成420 520人，完成计划的221.3%。在校生达1 216 086人，是1957年873 418人的139.23%。民办小学的比重由1957年的4.4%提高到25.9%，学龄儿童入学率达79.3%，蒙古族儿童入学率76.6%①。由于其发展速度超越了当时经济力量所能提供的条件，因此一定程度上影响了教育质量的提高。

1960年，自治区贯彻“两种教育制度和两种劳动制度”的方针，在农村、牧区办起耕读小学和牧读小学16 071所，在教学内容上结合当地需要，增加了农业生产基础知识的教学和劳动实践②。

内蒙古自治区教育厅下发的《关于巩固和发展农村民办小学的意见(草案)》指出，1958年以来，随着工农牧业生产的发展与人民生活水平的不断提高，全区民办小学有了很大的发展。1960年，全区小学14 955所，其中民办小学6 208所，占小学总数的41.51%。民办小学的大发展，改变了全区小学教育工作的面貌，使许多边远地区和教育基础比较薄弱的地区办起了学校。农村的学校网络增大，使更多的少年儿童得到了学习机会，加速了普及小学教育的速度，从而使党的群众路线和“两条腿走路”的方针，在教育工作中得到了进一步的贯彻落实，调动了广大农民群众办学的积极性。为使居住分散的牧民子女便于受到小学教育，1962年9月，自治区教育厅提出在牧区试办巡回小学的意见。首先在地区偏僻、分散性较大、经济条件较差和不能到固定小学入学的儿童较多的牧区试点。巡回小学的教学经费和教师编制设在中心小学。

---

① 内蒙古教育丛书编委会编：《内蒙古自治区教育大事记》（根据档案资料编辑，1987年内部印行），第199页。

② 内蒙古自治区教育厅主编：《内蒙古教育大观·内蒙古教育年鉴》（上），内蒙古大学出版社2005年版，第35页。

1962 年 1 月，内蒙古自治区教育厅在《关于 1962 年度教育事业和基本建设计划安排意见的报告》中指出：根据招生指标，1962 年全区高小毕业生升学率为 33.04%，蒙古族学生为 38%，其他少数民族为 43%；学龄儿童入学率达到 80%，蒙古族学生达到 86%，其他少数民族达到 93%；小学教职工与学生的比例为 1∶31①。1962 年以后，根据中央“调整、巩固、充实、提高”的方针和“缩短战线、区别对待、合理布局、保证重点、提高质量”的精神，自治区教育厅调整了小学布局，控制了发展的规模，充实了重点小学的师资，并对小学的劳动、学习和各种活动时间做了具体的规定。小学教育的发展日渐与经济建设相协调。

边境教育事业也有了较大发展。到 1964 年 3 月，全区 17 个边境旗、市的 61 个边境公社原有小学 29 所，新建小学 10 所，扩建小学 7 所，共投资教育基建费 31.7 万元；边境学校的物资设备得到充实，边境学校的办学条件得以改善，放宽了边境学校的编制标准，边境牧区学校由原来的平均每班 3.1 人增加到 3.98 人；边境农区小学和城镇小学的人员编制，改按重点小学的标准配备，每班为 1.7 人；增拨设备专款 20 万元，烤火费 10 万元；改善了边境牧区学校的师生生活，适当解决学生的肉、奶制品和生活日用品的供应，克服学生流动，加强了教学工作。但是，也存在一些问题：学校布点少，还有 7 个公社没有学校；学龄儿童入学率较低，学生流动性大，近 30%左右；学校设备仍十分简陋，许多学校还没有桌凳（如当时的巴彦淖尔盟有 70%的学校没有自己的校舍而借用其他地方上课，满洲里市因校舍缺乏而导致小学二部制比例大等），文体设备图书资料更是十分缺乏②。因此，自治区教育厅党组提出，自治区对现有的边境民办小学另拨经费，其编制指标统一由国家接办，确保 1965 年全区所有公社“社社有小学”。

1965 年，全区城乡包括偏远、贫困地区，基本形成了以全日制小学为骨干的多层次、多形式的办学模式，为内蒙古普及小学教育奠定了基础。全

① 内蒙古教育丛书编委会编：《内蒙古自治区教育大事记》（根据档案资料编辑，1987 年内部印行），第 240 页。

② 内蒙古教育丛书编委会编：《内蒙古自治区教育大事记》（根据档案资料编辑，1987 年内部印行），第 298 页。

区有小学 34 477 所，学生 2 097 743 名，教师 85 995 人；全区有耕、牧读小学 21 190 所，学生 425 480 人，其中，牧读小学 761 所，学生 13 492 人；全区学龄儿童入学率由 1964 年初的 66% 上升到 83%；入学率达 90% 以上的旗县 24 个，占旗县市总数的 28.9%①。

1966 年 1 月 19 日，内蒙古自治区教育厅发出《关于 1966 年教育事业计划几点主要说明的通知》，要求“实行两条腿走路的办学方针，积极普及小学教育”。内蒙古自治区党委批转的自治区半工（农）半读教育领导小组《关于牧读小学教育现场会议的报告》也提出：“力争在三至五年内，实现牧区普及小学教育的任务”。2 月 4 日，内蒙古自治区教育厅发出《关于学习克什克腾旗经验发展巩固牧读小学，积极普及牧区小学教育的通知》，要求“从各地牧区实际情况和群众需要出发，因地制宜，灵活多样地继续大力发展和巩固牧读小学”。

1966.5—1976 年期间　1966 年 5 月，“文化大革命”开始，全区小学教师全部“停课闹革命”，学生弃学回家。1967 年“复课闹革命”后，内蒙古自治区革命委员会召开全区电话会议，要求各级革委会认真发动广大革命群众，积极参加公办小学下放到大队办的讨论。

1970 年，全国掀起教育大革命的热潮，口号是“书记动手，全党办学，全民办学”。为贫下中农服务，把学校办在贫下中农的家门口，要求做到“村村有小学，生产大队有初中，人民公社有高中，旗县有大学”。在极“左”路线的影响下，教育事业超越客观条件盲目发展。各年级学生学年终了一律升级，毕业生全部升入中学。中小学恶性膨胀，超量招收学生。

1972 年 1 月 17—29 日，全区教育工作座谈会在呼和浩特召开，会后形成的《全区中小学教育工作座谈会纪要》中记载：“加强领导，全面规划，发动群众，普及小学教育。1972 年全区适龄儿童入学率要求达到 85% 左右。”② 1973 年，自治区各级党组织认真落实党的民族政策，书记动手，全

① 内蒙古教育丛书编委会编：《内蒙古自治区教育大事记》（根据档案资料编辑，1987 年内部印行），第 321 页。

② 内蒙古教育丛书编委会编：《内蒙古自治区教育大事记》（根据档案资料编辑，1987 年内部印行），第 354 页。

党办学，广大牧区小学教育事业蓬勃发展。全区有 189 个牧区公社办起小学 1 200 多所、设立分片巡回教学点 1 620 个，牧区小学在校学生达 56 000 多人①。这一时期活跃在内蒙古大草原上的“马背小学”独具特色，影响广泛。

由于“四人帮”鼓吹大中城市普及高中教育，农村普及初中教育，盲目发展教育之风愈演愈烈。各盟市教育部门采取多种措施应对这一局势。呼和浩特市的小学教育被迫采取权宜措施：（1）小学附设初中班，即所谓小学“戴帽”。高小毕业生全部升入初中，而中学容量有限，不能全部接收。1969 年开始在部分小学附设初中班，至 1975 年全市附设初中班的小学达 372 所，教学班 486 个，有学生 20 129 名。小学的教室、师资和设备被挤占，小学教学质量严重下降。（2）办“抗大”式小学。由于小学普遍“戴帽”，教室被挤占，许多小学被迫实行上半天课的“二部制”。急剧增多的学龄儿童无法入学，于是发动街道办事处办民办公助的“抗大”式小学班。至 1974 年，城区有“抗大”小学 15 处，教学班 151 个，共有学生 5 706 人。“抗大”小学校舍设备简陋，有的一校分几处上课，加之担任教学任务的教师多为未受过专业训练、文化水平不高的家庭妇女或待业青年，因此教学质量很差。1972 年，市教育局拨款 25 万元，为“抗大”小学建简易教室，教学用房的紧张程度有所缓和。（3）发动厂矿企业办学。由于社会动乱，教育经费紧张，从 1966 年至 1973 年的七年中，呼和浩特市仅在城西工业区和旧城南市区新建小学 3 所。由于教育部门办的小学不能满足学生入学要求，于是发动厂矿企业事业单位办学。至 1976 年，城区厂办学校由 1963 年的 16 所增加到 50 所，496 个班，学生 18 668 人，为 1966 年的 3 倍，教职工 894 人②。

1975 年 4 月 20—30 日，自治区教育局在土默特右旗召开了全区中小学教育会议。会议将“加快普及农村牧区小学五年教育的步伐，提高牧区儿

① 内蒙古教育丛书编委会编：《内蒙古自治区教育大事记》（根据档案资料编辑，1987 年内部印行），第 360 页。

② 呼和浩特市教育志编辑委员会编：《呼和浩特市教育志》，内蒙古人民出版社 1990 年版，第 25 页。

童入学率”确定为全区当年中小学战线的主要任务之一。但是，由于受“读书无用论”的影响，加之教学不规范，教学内容以背诵《毛主席语录》为主，教学质量无从谈起，全区普及小学教育受到很大的影响。

1976年“文革”结束时，全区有小学23 102所，比“文革”前减少了11 375所；学生2 980 040名，比“文革”前增加了882 297人；教师117 993人，比“文革”前增加了31 998人①。调查表明，当时全区小学毕业生的合格率、在校学生的巩固率和适龄儿童的入学率的平均状况分别是30%、60%和90%，少数民族学生分别是20%、50%和90%，牧区分别是10%、40%和90%，教育质量严重下降②。

1977—1985年期间 党的十一届三中全会后，经过拨乱反正，全区小学迅速扭转了“文化大革命”所造成的混乱局面，重新走上健康发展的轨道。1977—1979年，全区小学教育以恢复整顿为重点。教师队伍得到整顿，大批被抽到中学的骨干教师重返小学任教，农村和牧区的民办教师比例分别下降为47%和29.3%。据统计，1979年全区适龄儿童231.2万人中已有217.9万人入学，入学率为92.4%③。

1979年后，由于全区农村、牧区逐步实行联产承包生产责任制，家属多为农村户口，一些公办教师既要教书、又要种地，加之其待遇不能及时兑现以及学校基建、维修、购置等经费紧缺等原因，学校教学工作受到影响，普及教育出现了入学率下降、流动率上升等问题。为掌握普及小学教育的情况，自治区教育局对全区适龄儿童入学情况和普及小学教育情况进行检查。

1980年，自治区人民政府根据《中共中央、国务院关于普及小学教育若干问题决定》精神，提出1985年全区实现普及小学五年教育的目标，而且指出实现这一目标的重点在农村和牧区。为此，自治区政府发出《关于切实加强农村、牧区普及小学五年教育工作的通知》，要求各地继续坚持

---

① 内蒙古教育丛书编委会编：《内蒙古自治区教育成就统计资料》（1947—1986），内蒙古教育出版社1990年版，第277—278页。

② 内蒙古自治区教育厅主编：《内蒙古教育大观·内蒙古教育年鉴》（上），内蒙古大学出版社2005年版，第27页。

③ 内蒙古教育丛书编委会编：《内蒙古自治区教育大事记》（根据档案资料编辑，1987年内部印行），第397页。

“两条腿走路”的办学方针，发挥国家办学和社队集体、厂矿企业办学的积极性，大力开展勤工俭学，努力改善办学条件。小学布局应以方便儿童就近入学为原则，农村可以数队一校、一队一校（或办几个教学点），牧区的纯游牧区主要集中办好公社寄宿制小学，定居游牧区除办好公社中心学校外，还要办好队办小学和教学点。在办好全日制小学的同时，还应办好半日制、隔日制等简易小学。

1982 年 2 月，自治区人民政府又发出通知，要求各地继续贯彻上述精神，同时就农村学校办学的其他有关问题做出明确规定。到 1983 年底，全区共有 3 694 所小学撤掉“戴帽初中”班，所有城镇“抗大”式低年级班归并到小学；办学条件有所改善，城镇二部制小学由 1979 年的 311 所 3 232 个班，减少为 95 所 928 个班①；全区小学入学率达到 92. 4%，双科合格率达到 57%，入学率达到 95% 以上的旗县市区有 40 个②。

1984 年 8 月，自治区教育厅重新修订的《内蒙古自治区普及初等教育规划》得到自治区人民政府批准并实行。根据各地经济条件、居住特点、教育基础等不同情况，本着实事求是、分类要求、分类指导的原则，《规划》将全区 100 个旗县市区划定为三个类别：一类地区 18 个旗县，二类地区 36 个旗县，三类地区 46 个旗县，并按地区类型分别制订了普及教育检查验收标准。同时确定，全区有 44 个旗县要在 1985 年以前实现普及教育，到 1987 年再增加 29 个旗县，到 1990 年全区所有的旗县都要实现“普及五年教育”③。

1985 年，内蒙古自治区政府和各盟（市）联合组成“普及初等教育验收团”，对全区进行检查验收。接受检查验收的 163 个乡镇、苏木的 550 所小学的入学率为 98. 6%、年巩固率为 99. 1%、毕业率为 89. 8%、普及率为 97. 8%，均达到和超过相应类别地区的验收标准。赤峰市郊区、锡林郭勒盟镶黄旗等 46 个旗县（市区）的入学率、年巩固率、毕业率和普及率均已达

---

① 中国教育年鉴编辑部编：《中国教育年鉴（地方教育）》（1949—1984），湖南教育出版社 1986 年版，第 208 页。

② 中国教育年鉴编辑部编：《中国教育年鉴（地方教育）》（1949—1984），湖南教育出版社 1986 年版，第 209 页。

③ 内蒙古自治区教育厅主编：《内蒙古教育大观·内蒙古教育年鉴》（上），内蒙古大学出版社 2005 年版，第 189 页。

到自治区普及初等教育规划地区类别验收标准。为此，自治区政府颁布嘉奖令，对完成普及初等教育任务的单位予以通报嘉奖，并发给《普及初等教育合格证书》,同时对在普及初等教育工作中做出显著成绩的先进集体和先进个人通报表扬。赤峰市12个旗县全部受到嘉奖，成为自治区第一个普及初等教育的盟市，获奖金46万元①。哲里木盟教育局推广库伦旗牛古图学校和科左中旗敖古木小学的经验，千方百计地解决学生中途流失的问题，个别地方入学年龄放宽到9岁，到1985年底，有5个旗（县、市）的小学教育普及率达到自治区的标准。

1986—2000年期间　1986年，全区有15 601所小学和9 699个教学点，在校生2 501 400人，教职工166 769人，其中专任教师146 427人②。2000年，全区有小学10 147所和教学点6 299个，在校生2 015 076人，教职工149 283人，其中专任教师129 242人③。

依法实施九年义务教育　1986年，在学习、宣传《中共中央关于教育体制改革的决定》和《中华人民共和国义务教育法》的过程中，自治区组织力量开展实施九年义务教育的调查研究，讨论制定实施规划和措施，在反复论证的基础上，初步确定了“分两步走，按三类地区积极地、有步骤地实施九年制义务教育”的全区普及九年制义务教育的总体设想。为了防止追求数量、忽视质量和不顾条件、盲目快上的倾向，自治区提出普及初中阶段教育的四个前提条件：扎扎实实完成普及小学的验收，并达到自治区提出的巩固提高标准；有足够的初中师资，其中80%的教师能够胜任教学，不允许再拨小学教师到初中任教；不在小学附设初中班、新建初中一律不搞二部制及多种形式，初中设校要适当集中；有稳定可靠的经费来源，具备相应的办学条件，不得挤占小学的校舍和办学经费。

1986年召开的全区教育工作会议明确提出，实施九年义务教育，一定

---

① 内蒙古教育丛书编委会编：《内蒙古自治区教育大事记》（根据档案资料编辑，1987年内部印行），第480页。

② 内蒙古教育丛书编委会编：《内蒙古自治区教育成就统计资料》（1947—1986），内蒙古教育出版社1990年版，第277—279页。

③ 内蒙古教育委员会发展规划处编印：《内蒙古自治区2000/2001学年初教育统计提要》,2001年5月内部印行，第44—45页。

要坚持从实际出发、实事求是的思想路线，既要有历史的紧迫感，动员全党、全社会力量尽最大努力组织实施义务教育，又要遵循客观规律办事，稳步地扎扎实实地从最基础的工作抓起。按照国家和自治区的有关规定，自治区人民政府和各盟市人民政府（行政公署）对普及初等教育工作进行了每年一次的严格的检查验收。经验收确认，全区100个旗县市区中已有66个旗县市区达到规划中相应地区类别的验收标准，基本普及了初等教育。这些地区的人口占全区总人口的60%以上。

1987年2月25日，自治区教育厅下发《内蒙古自治区普及初等教育巩固成果、提高水平若干问题的暂行规定》,对普教复查、"四率"、师资、基本办学条件、学校管理等提出具体要求和更高的检查标准。这对防止和克服松懈情绪，防止和克服盲目发展初中而冲击、削弱小学的偏向起到了积极的引导作用。自治区教育厅还下发了《关于进一步办好农牧区中心小学的意见》,明确提出：农村牧区中心小学要端正办学思想，坚持从实际出发因地制宜改革教育内容、教育形式和教育方法，充分注意农村牧区的特点，办出牧区学校的特色。各地要加大农村牧区小学教育的改革力度，以完善基础教育管理体制及学校内部管理制度为重点，充分调整农村牧区小学的规划布局。根据要求，全区农村牧区中心小学从实际出发带头搞好普及初等教育，进行教学领域的改革，重视加强小学劳动课教学；切实加强了中心小学的师资队伍建设，通过多种途径加强了对教师的培训工作，建立并完善了教师教学责任制和业务进修、队伍管理、思想及业务考试制度。

1988年9月15日，内蒙古自治区第七届人民代表大会常务委员会第二次会议通过了《内蒙古自治区实施〈中华人民共和国义务教育法〉办法》（本办法自发布之日起施行），从立法高度为初等教育的普及提供了保证。1988年，全区学龄儿童入学率达97.3%，在校生年巩固率达97.7%，毕业生毕业率为94.5%。到年底，有79个旗县市区、约占全区总人口85.7%的地区基本普及了小学教育，并通过了自治区政府的验收。全区小学专任教师的学历合格率达到62.63%，比1986年提高了8.13%①。

---

① 内蒙古自治区教育厅主编：《内蒙古教育大观·内蒙古教育年鉴》（上），内蒙古大学出版社2005年版，第323页。

1990 年初，全区大部分地区组建了由各级政府带头、教育部门和有关部门参加的规划领导班子。经过自上而下的部署和综合平衡，反复研讨论证，形成了从乡镇苏木到自治区层层衔接的义务教育规划。从秋季开始，呼和浩特、包头、乌海、赤峰等城市市区和部分大厂矿企业，约占全区 15% 人口的地区开始依法实施九年制（或八年制）义务教育，在约占全区 35% 人口的地区开始依法实施初等义务教育。为推动实施工作，自治区人民政府委托教育厅制定了《内蒙古自治区建立义务教育目标责任制若干问题的暂行规定》《内蒙古自治区依法实施义务教育申报及审批工作的暂行规定》等文件，逐步形成了一整套比较完善的义务教育工作制度。主要包括：义务教育目标责任制度、档案制度、入学通知制度和缓学免学审批制度、证书制度、办学条件检查验收制度、督导评估制度、流失生报告制度等。

1990 年，全区各盟市、旗县（市区）、乡镇（苏木）认真制订义务教育规划，相继成立了义务教育规划领导机构，制定了工作方案，并坚持了以下原则：(1) 从实际出发，以条件定发展，以发展促条件；(2) 先小学后中学，规划到乡，算账到校；(3) 分类指导，按地区、分步骤实施，不搞一刀切；(4) 自上而下宏观调控，自下而上归纳综合。

自治区教育厅先后拟定了《内蒙古自治区实施义务教育工作方案》《内蒙古自治区各级人民政府义务教育工作职责》《内蒙古自治区乡镇义务教育评估实施方案》《关于建立内蒙古自治区实施义务教育目标责任制的意见》《关于建立内蒙古自治区实施义务教育档案制度的意见》《关于建立内蒙古自治区义务教育辍学报告制度的意见》《关于内蒙古自治区开展义务教育“宣传月”活动的意见》《内蒙古自治区义务教育证书制度》等文件，进一步明确了实施义务教育的有关政策、措施，使义务教育工作有法可依，有章可循，建立了贯彻实施《义务教育法》的有效运行机制。

1991 年初，自治区人大常委会主任会议作出了关于贯彻全国人大常委会委员长会议关于检查《中华人民共和国义务教育法》贯彻实施情况的决定的决议。4 月下旬，组成了以自治区人大常委会副主任沙驼为团长、自治区政府副主席赵志宏等为副团长的《义务教育法》实施情况检查团。自治区人大常委会办公厅和自治区政府办公厅联合下发了《关于开展〈中华人民共和国义务教育法〉贯彻实施情况检查的通知》，并于 6 月初召开全区电话会议，部署检查工作。全区各地按照检查通知的精神及电话会议的要求，于6月份普遍开展了自查。7月初至8月初，自治区检查团分成5个检查组，分赴全区12个盟市，重点抽查了40个旗县（市区）、62个乡镇（苏木）、15个（场）矿企业实施义务教育的状况，查看了98所普通中学、144所小学和40所其他各类学校的办学情况。9月中下旬，全国人大常委会委员熊复为组长、国家教委副主任邹时炎为副组长的检查组到内蒙古，主要抽查了赤峰市、呼和浩特市、包头市和乌兰察布盟等地《义务教育法》的贯彻实施情况。

自治区和全国人大的检查，对指导和促进全区义务教育的发展，起到了积极的作用。到1991年底，自治区教育厅通过各种渠道和形式指导、督促全区大部分盟市100个旗县（市区）的1 600多个乡镇（苏木）完成了义务教育规划。自治区人民政府在各盟市规划的基础上，根据全区自然、地理、人口、经济状况和基础教育发展情况，经过反复测算、多方论证，制订出《内蒙古自治区实施九年制义务教育规划》。根据《规划》,全区有400个乡镇（苏木）依法宣布实施初等义务教育，人口覆盖率约占35%①。

随着《中华人民共和国义务教育法实施细则》的发布施行，自治区出台了《内蒙古自治区关于贯彻〈中华人民共和国义务教育法实施细则〉若干问题的意见》（1992年3月），还制定了《内蒙古各级人民政府有关部门实施义务教育工作职责暂行规定》和《内蒙古自治区实施义务教育工作方案》,进一步明确了实施义务教育的指导思想、步骤、目标、条件、程序和各级政府、各级教育主管部门的职责。

为了落实《内蒙古自治区实施义务教育工作方案》,切实保证义务教育的实施，自治区又制定了《内蒙古自治区实施义务教育奖惩办法》,决定从1993年开始每年奖励一批义务教育工作成绩卓著、确有贡献的先进集体和先进个人；旗县（市、区）如期完成初级中等义务教育目标任务的，经由盟市和自治区两级评估验收，由自治区人民政府授予“普及初级中等义务教育旗县（市、区）”称号。24日，内蒙古自治区教育厅、司法厅下发

① 内蒙古自治区教育厅主编：《内蒙古教育大观·内蒙古教育年鉴》（下），内蒙古大学出版社2005年版，第428页。

《关于在全区开展义务教育法“宣传月”活动的通知》（内蒙古教普字（1992）8号）：“自治区决定将每年的五月份作为全区义务教育宣传月，集中时间学习、宣传和教育，形成全社会学法、懂法、执法的局面，以保证《义务教育法》的全面贯彻落实。”随文还下发了《内蒙古自治区〈义务教育法〉宣传提纲》。义务教育开始步入有步骤、规范化实施的轨道。6月8日，内蒙古自治区教育厅下发《关于印发内蒙古自治区义务教育〈评估实施方案〉和三个〈制度〉的通知》（内蒙古教普字［1992］22号文件）。“评估实施方案”是指《内蒙古自治区苏木、乡、镇义务教育评估实施方案》。“三个制度”是指：（1）《内蒙古自治区义务教育档案制度》（确定了每学年档案整理完成的时限：嘎查（村）学校9月10日前，苏木（乡镇或办学单位）9月20日前，旗（县、区）10月10日前，盟（市）10月底）；（2）《内蒙古自治区初中、小学学生辍学报告制度》（1992年9月1日起实行）；（3）《内蒙古自治区义务教育证书制度》（1993年7月1日起实行）。

1993年8月，自治区人民政府印发了自治区教育厅关于《内蒙古自治区普及九（八）年义务教育规划进度实施意见》。自治区教育厅以实施义务教育为重点，进一步完善“地方负责，分级管理”的体制，依法实施义务教育取得新进展。1994年，全区又有5个市（区）基本普及九年义务教育，393个乡（镇）、苏木基本普及初等义务教育。学校布局进一步调整，办学相对集中，全区小学比上年减少261所，教学点9 087个，比上年减少151个，在校生比上年增加0.54万人；学龄儿童入学率达到98.5%，女童入学率达到98.2%，均比上年提高0.2个百分点；小学毕业生升学率为86.9%，比上年提高了0.8个百分点①。

1995年，全区7—11周岁学龄儿童的入学率达到98.9%，其中女童入学率达98.7%；小学在校学生的巩固率达到98.8%，初中在校学生的巩固率达到94.3%；小学毕业生的升学率达到88.4%。到1995年底，全区已有15个市（县级）、区（县级）普及了九年义务教育，其人口覆盖率占到全区的15%；有870个乡、镇、苏木普及了初等义务教育，占全区乡、镇、苏

① 内蒙古自治区教育厅主编：《内蒙古教育大观·内蒙古教育年鉴》（下），内蒙古大学出版社2005年版，第533—534页。

木总数的55.6%①。内蒙古自治区的普及九年义务教育工作又上了新的台阶。

1996年，自治区教育厅根据国家教委“三片地区普九工作汇报会”精神和自治区人民政府“全区教育工作汇报会”精神，进一步修订了义务教育规划，将“到本世纪末普九旗县人口覆盖率60%”的规划目标提高到“70%以上”，并分年度落实到旗县。为了完成这一艰巨任务，自治区将义务教育补助专款和中央下达的补助专款集中用于当年“普九”的旗县，增加师范专科招生计划，加强初中教师培训，提高初中教师学历合格率；修订、规范义务教育档案，为督导评估做好基础工作；开展多种形式的助学活动，提高入学率，降低辍学率；强化学校管理，提高办学水平；开展对普九旗县的检查指导和督导。

依据规划进度，自治区人民政府与各盟行政公署、市政府以及自治区教育厅签订了目标责任状，要求锡林浩特市、东乌珠穆沁旗、集宁市、额济纳旗、满洲里市、赤峰市红山区、额尔古纳市、霍林郭勒市、阿巴嘎旗和杭锦后旗等10个旗县（市区）于年内完成“普九”任务，全区“普九”的旗县（市区）累计达到25个，人口覆盖率累计达到18.4%。

1997年，在全区教育工作会议上，自治区教育厅厅长韩永久与有关盟市教育行政部门的领导签订了“普九”目标责任状。会后，自治区教育厅派出2个检查指导组分东西两片对上述10个旗县进行检查指导。为解决经费困难，自治区加大投入力度，将义务教育专款和中央下达的专款700万元集中用于“普九”的旗县，显著地改善了“普九”旗县的办学条件。通过学历补偿教育等途径，加大教师培训力度，提高了“普九”旗县的教师学历合格率。到年底，经自治区检查验收，又有6个旗县（市区）完成了“普九”任务。全区“普九”旗县累计达到35个，累计人口覆盖率达到27.7%。全区初等义务教育有了较大发展。

1997年，经自治区检查验收，莫力达瓦达斡尔族自治旗、林西县、敖汉旗、奈曼旗、开鲁县、察右前旗、正镶白旗、西乌珠穆沁旗、土默特右

① 内蒙古自治区教育厅主编：《内蒙古教育大观·内蒙古教育年鉴》（下），内蒙古大学出版社2005年版，第578页。

旗、固阳县、达拉特旗、伊金霍洛旗、东胜市、武川县等 14 个旗县（市区）基本普及了初等义务教育。全区普及初等义务教育以旗县为单位累计达到 55 个（含一步到位“普九”旗县），累计人口覆盖率达到 54%；全区绝大多数乡镇苏木普及了初等义务教育。另外，将义务教育的思路由“先达标，后实施”调整为“先实施，后达标”，将实施义务教育的目标由本世纪末基本普及初等义务教育调整为基本普及九年（或八年）义务教育。各地认真贯彻《义务教育法》，普遍建立了义务教育目标责任制，按照调整后的义务教育规划狠抓依法实施工作。年内，全区 90% 以上的乡镇、苏木依法宣布实施初等义务教育；全区有 8 个盟市已建成特教学校，有 4 个盟市正在筹建；全区已办起 97 个弱智特教班，有 1 600 多名残疾儿童接受不同程度的义务教育。

1998 年，按照自治区义务教育规划，有 13 个旗县市区实现“普九”，涉及人口 359. 75 万，加上年内提前实现“普九”的达茂旗、固阳县，人口覆盖率为 17. 16%。3 月 21 日—4 月 22 日，自治区派出考察指导组对规划年内实现“普九”达标的牙克石市、科右前旗、通辽市、开鲁县、宁城县、察右前旗、镶黄旗、苏尼特左旗、武川县、土默特右旗、东胜市、鄂托克前旗、阿拉善右旗以及提前达标的达茂旗、固阳县进行考察和指导，以促进 15 个旗县市的“普九”达标工作。自治区、有关盟市和 15 个旗县市积极采取措施，开拓进取，“普九”工作出现了真抓实干的局面。9 月初至 10 月下旬，15 个旗县（市区）全部通过了自治区的检查验收。年底，全区“两基”达标旗县市累计达 50 个，“普九”人口覆盖率累计达 44. 86%，中小学生辍学率控制在 3% 以内，学龄儿童入学率、小学毕业生升学率分别达到 99. 54%、93. 58%。

针对自治区中小学布点分散、规模偏小、办学效益低的实际，自治区继续坚持“分级负责、合理规划、适度集中、扩大规模、提高效益”的方针，对学校进行布局调整，实行撤校、并点，使中小学特别是边远的农村牧区中小学布局日趋合理。尤其是“国家贫困地区义务教育工程”全面启动后，抓住新建学校的机遇，自治区教委制定了《关于实施“国家贫困地区义务教育工程”进行中小学布局调整的意见》。要求凡进入“工程”项目的旗县，必须按以下要求调整学校布局：（1）人口较多、居住相对集中的农区或半农半牧区，原则上每个行政村设立1所完全小学，校均学生数不少于100人。（2）人口不足5 000人的农区、半农半牧区和牧区每乡（苏木）设立1所寄宿制中心小学。（3）居住较分散的农区和半农半牧区，交通不便的山区、老区可设立初级小学，校均学生数不少于40人。（4）人口较多的乡（苏木）或半农半牧区，原则上乡（苏木）设立1所初级中学；人口较少、居住分散的边远山区、老区，可几个乡联合举办1所地区初级中学，校均学生数不少于200人；牧区原则上只在旗所在地设立1所初级中学。达不到上述要求的，将取消项目学校资格，不予拨付项目资金。各地结合实际，采取切实可行的措施，在一年时间里，全区共撤并初中55所，小学613所，教学点516个，使农村牧区中小学办学水平和效益明显提高。

全区普及九年义务教育进入攻坚阶段，自治区狠抓“普九”巩固提高工作。1999年1月8日，自治区政府召开全区“两基”达标巩固提高工作电话会议，对“两基”达标旗县的巩固提高工作提出要求。会后，自治区政府印发《关于做好“两基”巩固提高工作的指示》，全区“两基”达标后巩固提高工作已步入正轨，达标旗县的义务教育工作正向更高目标迈进。3—4月，自治区教委组成3个工作组，对年内拟“普九”的16个旗县进行考察指导，并对有关旗县的干部进行了培训。自治区实施“国家贫困地区义务教育工程”进展顺利，中央专款9 000万元、自治区配套资金1.46亿元（自治区本级7 200万元，盟市、旗县、乡镇苏木7 400万元），全部按时足额到位，盟市、旗县配套资金到位率达到104%。全年新建、改建、扩建学校923所，完成建筑面积42.4万平方米；仪器设备、图书资料、课桌椅购置及人员培训等方面均超额完成规划任务，贫困地区中小学的办学条件得到明显改善。年内，结合义务教育工程的实施，调整中小学布局结构。全区小学由111 614所调整为10 849所，小学教学点由7 894个调整为7 114个。年底，经自治区政府验收，清水河县、林西县、巴林左旗、鄂温克旗、奈曼旗、西乌旗等14个旗县基本达到普及九年义务教育要求。至此，全区已有64个旗县（市区）实现“两基”达标，“普九”人口覆盖率累计达到全区总人口的58.31%。小学学龄儿童入学率、小学毕业生升学率分别为99.44%、94.5%。

2000年，全区继续坚持“‘两基’重中之重”的指导思想不动摇。年内，有7个旗县实现“两基”达标，4个旗市“普初”达标，“两基”达标旗县（市、区）累计达到71个，“普九”人口覆盖率达到65.68%。鄂温克、鄂伦春、达斡尔3个少数民族自治旗全部实现了“两基”达标。继乌海市和包头市之后，呼和浩特市、巴彦淖尔盟和阿拉善盟成为整体实现“两基”达标的盟市。

为了进一步推进“普九”达标后的巩固提高工作，自治区遵循“两基”达标与巩固提高并举并重的方针，积极开展达标旗县巩固提高的检查评估和争创全国“两基”先进旗县活动，对包头市昆区、赤峰市元宝山区、临河市（今巴彦淖尔市临河区）、乌海市海勃湾区和苏尼特右旗等5个旗县（市、区）开展“两基”达标后的巩固提高复查验收工作，这些地区均被评选为全国“两基”达标先进旗县（市、区）。

自治区教育厅继续重视实施“国家贫困地区义务教育工程”，努力落实配套资金，精心组织施工，完成了工程年度任务和三年规划目标。全区进入项目的51个旗县、3 164所中小学的办学条件得到显著改善。结合实施此项工程，合理调整中小学布局结构，实行撤点并校。全年共撤并办学点815个、小学702所、中学3所，使中小学特别是农村牧区中小学布局更趋合理，义务教育阶段办学规模和效益在整体上得到了新的提高。另外，为解决城市大中型企业举办的义务教育学校移交地方管理问题，自治区教育厅组织专门力量进行调查研究，拟订了《自治区国有企业办学移交地方工作规划方案》,并通过自治区政府审批。

积极开展素质教育　1997年，国家教委颁布《关于当前积极推进中小学实施素质教育的若干意见》,自治区教育厅成立了自治区实施素质教育领导小组，组织12个盟市教委（教育局）的同志赴湖南汨罗考察学习，并在调查研究的基础上，制订工作方案：提出了“全面展开、整体规划、区域推进、分类指导、重点突破、稳步提高”的推进素质教育工作方针；草拟了全区推进素质教育的意见。自治区党委、自治区政府发出通知，要求全区积极开展素质教育。全区各地积极宣传、推广区域推进素质教育的典型经验，建立和培育区域性实验区（含中学）；切实加强中小学德育、体育、艺术教育和劳动教育，确保每一所学校都能开齐课程、开足课时，以加强音、体、美、劳及活动课的建设。

1998 年，自治区在推进中小学实施素质教育方面进行了探索和实践：(1) 自治区教委本着“全面展开，整体规划，区域推进，分类指导，重点突破，抓点带面，稳步提高”的工作方针，成立了实施素质教育领导小组，设立了办公室，对实施素质教育进行统筹规划和宏观指导，重点围绕素质教育区域实验，开展启动性工作。(2) 出台了一系列配套文件。4 月 6 日，自治区政府印发《关于切实推进中小学实施素质教育的通知》。自治区教委先后颁发《普通中小学实施素质教育的评估指标体系（试行)》《中小学教材编写、审查和选用的规定》《关于素质教育区域实验工作的指导意见》和《关于改革义务教育阶段入学、考试和普通高中招生办法的意见（试行)》。(3) 召开素质教育研讨会和培训会，开展大学习、大讨论、大宣传活动。8 月，自治区教委组织承办了全国部分省市教委领导素质教育研讨会，邀请全国教育管理专业委员会的有关人士和学者，对全区 1 000 多名校长和教育行政干部进行了素质教育、学校管理理论和实践的专题培训；编印了大学习、大讨论、大宣传的《宣传提纲》和《推进中小学实施素质教育学习材料汇编》,为进一步统一认识奠定了基础。(4) 确定了素质教育实验区。5 月 13—15 日，自治区教委在山东省烟台市召开了内蒙古自治区推进素质教育现场学习观摩会议，通过现场学习烟台市实施素质教育的经验，重点研究布置了自治区素质教育区域实验工作。会后，各地根据会议精神，拟定了区域实验方案。

1999 年，自治区确定 12 个素质教育实验区，按照实验规划方案组织实施素质教育工作。1 月 23—25 日，自治区教委在呼和浩特召开全区素质教育区域实验工作座谈会，并印发《关于开展素质教育区域实验工作的意见》,对重点抓好区域实验工作、稳步推进全区中小学实施素质教育进行部署。自治区教委制定印发了《关于改革义务教育阶段入学、考试和普通高中招生办法的若干意见》,全区各地认真贯彻文件精神，改革招生办法。呼和浩特市推行了小学毕业生升初中划片免试电脑配位的招生办法。至此，全区基本实现小学毕业生免试升入初中学习的目标，为推进素质教育创造了条件。自治区政府办公厅还印发了《内蒙古自治区实施素质教育评估办法（试行)》（以下简称《评估办法》)，要求各级政府采取定性与定量相结合的办法开展素质教育评估工作。自治区对盟市 2—3 年评估一次，盟市对旗县（市区）1—2 年评估一次，旗县（市区）对乡镇苏木每年评估一次，评估结果将作为上级政府对下级政府考核教育工作实绩及表彰、奖励有关单位和人员的依据。各盟市、旗县（市区）依据“评估办法”中对学校的评价指标体系，制定了具体的实施细则，并对辖区内中小学实施素质教育的情况进行了评估。

2000 年，自治区先后在乌海和包头召开全区中小学素质教育现场会议和全区中小学德育工作会议，总结经验，找出差距，部署工作。自治区启动了“33211 工程”（三课：体育课、健康教育课、艺术课；三操：早操、课间操、眼保健操；二活动：体育锻炼活动、科技文体活动；一会：田径运动会；一节：艺术节），各级各类学校的体育、卫生、艺术和国防教育工作得到进一步发展。

（二）教学工作

1. 学制

1949—1966 年期间 新中国成立初期，按照国家的统一要求，全区小学学制逐步实行六年制，在农村和牧区多数实行四、二分段，即四年制初级小学和二年制高级小学。1950 年 7 月，绥远省人民政府文教厅颁布《有关小学教育中几个问题的指示》，规定小学学制为 6 年，实行春季始业，同时还规定了学期及假期起止时间。1951 年 10 月 10 日，内蒙古自治区人民政府根据中央人民政府政务院《关于学制改革的决定》制定了《内蒙古自治区推行新学制的过渡办法（草案）》。1952 年 6 月 11 日，绥远省人民政府颁发了绥远省文教厅根据中央政务院颁布的《关于改革学制的决定》制定的全省《关于小学推行五年一贯制的实施计划》，决定自 1952 年秋季开始，全省小学一年级一律实行五年一贯制。归绥市教育局暑假组织干部和教师学习教育部的指示，组织部分教师编制小学五年一贯制一年级体育、音乐、图画的教学计划、教材和教学要求。秋，一年级新生 2 960 人全部执行五年一贯制教学计划，其他年级仍按“四二”制教学。1953 年初，政务院发出“小学五年一贯制，由于师资、教材等条件准备不足，不宜继续推行”的指示。9 月 26 日，绥远省教育厅转发中央教育部制定的《试行小学“四二制”教学计划（草案）》，同时宣布废止此前转发的《五年一贯制小学教学计划》。

1953 年 2 月，内蒙古自治区文教部根据中央“小学实行秋季始业，现行春季始业的地区应逐步改行秋季始业”的精神，我区一般城市、农业区小学由 1953 年秋季起，初小采取留级，高小采取编级办法，一律改行秋季始业，并根据游牧区和纯蒙古族小学特点，制定了《内蒙古自治区游牧区及纯蒙古族小学改行秋季始业的过渡办法（草案）》。

1958 年 8 月 26 日，内蒙古自治区教育厅颁发《内蒙古自治区蒙古族中、小学学制改革方案》,以加强蒙、汉语文教学，提高各科教学质量。学制改革采取“逐步推行和新、旧学制并存”的逐步过渡办法。具体分两步推行；1958—1959 学年为试行和准备阶段，1959—1962 学年为小学新学制全面推行阶段，要求小学于 1962 年完成。

1960 年，中央公布了《关于试验改革学制的决定》,自治区教育厅组织各盟市教育局利用暑假在呼和浩特市城区、郊区和土默特旗组织了 5 个学习会，学习时间为 20—30 天。参加学习的小学教师共 3 033 人，主要学习教改方针政策、教学大纲和教材，研究教学方法。全区由点到面，开始进行小学五年制改革试验，之后逐步推行。同年 9 月，自治区教育厅发布《教学改革试点工作提纲》,提出教改试点学校要做好试验新学制、改革教学内容、改革教学方法、改革教学工具、适当参加劳动、改进各种教育措施和规章制度等六个方面的试验。自治区教育厅确定呼和浩特市新城区苏虎街小学为五年学制改革试点学校，并规定苏虎街小学与呼和浩特市第二中学对口衔接，呼和浩特市蒙古族学校与内蒙古师范学院附属中学对口衔接，共同开展中小学十年一贯制的试验。

1961 年，呼和浩特市教育局对学制改革试验工作作了调查研究，发现试验的范围过大（进行学制试验的小学 34 所，占全市完小的 21%），各年级的教学要求都在向新学制看齐，致使教学进度快，教学时数少，师生都感到负担过重，劳逸结合的原则不易贯彻，必要的劳动和社会活动也不好安排，于是决定收缩试验面。1963 年秋，呼和浩特市教育局再一次调整学制改革试验面，仅保留小学 4 所（苏虎街小学、东落凤街小学、梁山街小学和太平街小学）和中学 1 所（二中）；蒙古族中小学十一年制的试验全部停止。停止实验的班级的学制改为六年，继续使用十年制教材，放慢教学进度，六年完成。全市小学开始贯彻执行中央颁发的《全日制小学暂行工作条例（草案）》,改进学校各项工作。

1965年7月3日，内蒙古自治区教育厅批准确定第二批五年制试验小学65所。至此，全区累计确定五年制试验小学130所，其中在城市的29所（含二部制学校2所）、在县旗的51所、在农村的50所。呼和浩特市增加第二批五年制试验小学6所。改制试验均从一年级开始。这些试验班的学生学习期限虽然缩短了一年，但他们的成绩大抵相当于六年级毕业班的水平，因此这是一次比较成功的试验。

1966年2月9日，内蒙古自治区教育厅发出《关于迅速落实今秋小学学制改革学校和教改重点学校的通知》（以下简称《通知》）。《通知》指出：（1）小学五年制，今秋采取块块和梅花布点相结合的试验办法，要求达到8万人。具体意见是：呼和浩特市、包头市各一至两个市区和盟所在地所有小学一年级一律试推五年制；现有试验学校的一年级新生一律试推五年制；科右前旗、通辽县、林西县、商都县、临河县、丰镇县等地1/3或1/2或全部公社全面试推五年制。（2）教改重点学校是：赤峰二中、包头一中、呼和浩特二中（以上3所为五年制）、海拉尔一中、海拉尔二中、呼和浩特一中、呼和浩特十六中、包头九中（以上5所为六年制）等校可作为全区教改重点学校，小学教改重点学校由各盟、市在学制改革学校中选1—2所。根据自治区教育厅的部署，呼和浩特市教育局对学制改革试验作出了新的安排，市区试验小学增加到21所，占市区小学的30%。郊区试验小学增加到64所，占郊区小学的33%。

1966—1976年期间　1966年6月，各级学校陆续停课开展“文化大革命”，1968年开始使用自治区编辑的中小学十年制课本，1971年自治区中小学实行十年制，小学五年，中学五年（三、二分段）。

1969年开始，昭乌达盟、哲里木盟、呼伦贝尔盟分别被划归辽宁省、吉林省和黑龙江省管辖后，哲里木盟小学一律实行五年一贯制。

1976—2000年期间　1979年，自治区教育局发出通知，要求全区统一执行中小学十年一贯制教学计划。1983年，赤峰市红山区2所小学试行六年制，1984年又扩大试验学校3所，至1985年9月，市区内招收的小学一年级全部实行六年制，农村小学仍为五年制。经呼和浩特市政府批准，城区及旗、县、镇小学分期分批改为六年制，农村小学仍实行五年制，厂矿企业办的小学创造条件逐步改为六年制。市教研室为五年制向六年制的过渡编写了过渡教材。1983 年，兴安盟朝鲜族小学改为六年制，其他学校仍实行五年制。

1984 年，根据教育部《关于全日制六年制小学教学计划的安排意见》，全区大部分小学改为六年制。此后很长一段时间，在全区，小学五年制、六年制并存。仅以 1989 年的呼伦贝尔盟为例，有五年制小学 884 所，占小学总数的 58.85%；有六年制小学 618 所，占小学总数的 41.15%。在特定历史条件下出现的过渡形态的小学、读书班及延伸点，其学制各异，如牧业 4 旗的牧读小学（又称“敖特尔”小学、“马背”小学）的学制有全日制、半日制和识字班。

1986 年 7 月，《中华人民共和国义务教育法》颁布后，自治区教育厅根据自治区经济、文化发展状况，针对全区小学和初中现行学制多为“五三”制的实际，决定全区义务教育学制为“五四”制，小学实行五年制。2000 年，阿拉善盟蒙汉语授课小学一律实行五年制①。

2. 教学内容

1949.10—1966 年期间 1950 年秋，中小学开始使用教育部、出版总署规定的教科书，初步统一了教材。1951 年秋，中小学开始使用人民教育出版社新编和修订的十二年制中小学教科书。1952 年暑期，归绥市组织干部和教师学习教育部的指示，组织部分教师编制小学五年一贯制一年级体育、音乐、图画的教学计划、教材和教学要求。

1950 年 7—9 月，内蒙古自治区中小学教员研究会在乌兰浩特市兴安中学召开，参加中小学教员研究会的代表共 400 多人，教育部派专人亲临指导，研究会就中、小学各科教材进行了研究，提倡改革教学方法，提出课堂教学要运用启发式，废除注入式，侧重于以革命的立场、观点去挖掘教材的思想性，向学生进行无产阶级的立场、观点教育和爱国主义教育。

1954 年，呼和浩特市文教局组建教研室，加强对各校教学研究的组织和指导。中小学教师开始学习并依据语文、算术教学大纲（草案）确定教学的目的任务和具体要求，尚无大纲的学科，则利用假期，组织有经验的教师制订学期教学计划及每周教学要求，使各科教学都有基本统一的任务和

① 彭加杰编：《阿拉善盟志·教育志》，远方出版社 2004 年版，第 131 页。

目标。

1955 年，内蒙古自治区全境各小学按教育部颁发的《小学暂行规程(草案)》开设语文、算术、自然、历史、地理、体育、图画、音乐等课程。在教学内容上，除旧布新，逐步使用全国统编教材。1955 年秋，贯彻教育部颁布的《小学教学计划》。1956 年，为了实现教育的正规化，全区建立了各级教材教法研究室，以帮助教师执行全国统一的教学计划，同时推行《汉语拼音方案》和普通话教学。1957 年，有学校增设手工课、劳动课，组织学生制作教具、玩具，进行植物栽培、动物饲养等活动。为全面贯彻党的教育方针，小学又增设了周会课，农村小学高年级还增设农业常识课。为了推广普通话，1958 年暑假，呼和浩特市教育局举办了大型汉语拼音字母学习班，参加学习的小学语文教师 613 人，以汉语拼音字母为主，结合进行普通话语音训练，秋季开学后各年级都进行了拼音字母的补课。

1958 年，根据中央提出的“教育为无产阶级政治服务，与生产劳动相结合”精神，小学高年级教学内容中增加了生产基础知识的教学。在“大跃进”的影响下，民办小学大量增加，小学教育严重失控，教育质量显著下降。各地还掀起了大办工厂、农场小学，实行厂校挂钩的热潮，师生不仅在校劳动，还参加大炼钢铁和秋收、秋翻地等社会公益劳动。这些都大大削弱了课堂教学，打乱了正常的教学秩序。另外，由于错误地认为书本知识“九分陈旧，一分无用”和教学“少慢差费”，否定了基础知识的教学和基本技能的训练，不按教学规律办事，使教学无所适从，师生的积极性受到影响。

1960 年 9 月，呼和浩特市教育局正式安排自治区教改试点学校苏虎街小学、二中、三中、内蒙古师范学院附中进行中小学十年一贯制的试验。试验班用北京师范大学编写的九年制教材，低年级用华北协作区编的“五三二”制学校教材，高年级的使用人教版的统编教材。于是，一个以“适当缩短年限，适当控制学时、适当增加劳动、适当提高程度”为指导原则的教改试验普遍展开。

为贯彻中央提出的“两种教育制度和两种劳动制度”的方针，自治区在农村、牧区所办耕读小学和牧读小学，在教学内容上结合当地需要，增加了农业生产基础知识的教学和劳动实践。耕读小学课程设置语文、算术

（含珠算）、周会等课程，使用自治区教育厅编印的教材，生产与教学相结合，侧重农村应用文、珠算和毛笔字教学。有些耕读小学还增设《百家姓》《新三字经》《农村杂志》等教学内容。

小学的学制改革试验和教学改革经多年摸索、改进，取得了较好的成绩，在教学方法上总结出“集中识字”、“阅读与写作结合”、“口算、笔算、心算三结合”等成功的经验。呼和浩特市首批改制试验的苏虎街小学、东落凤街小学、梁山街小学等校，试验效果显著，试验班学生与普通班学生比较，前者基础知识学得扎实，基本技能熟练，思维能力强，学习积极性高，健康状况良好。两届试验班毕业学生的升学考试成绩，语文平均分别为89.6分和72.1分；算术平均分别为76.4分和74.2分，均不低于同期毕业的六年制学生的水平。

1964年9月7日，内蒙古自治区教育厅发出《关于调整汉族中、小学现行教学计划的通知》，指出调整教学计划的原则是适当减少课程门类，适当减少每周上课总时数，使学生有较多的课外时间，减轻中小学学生的课业负担，提高教育质量，使学生能够在德、智、体诸方面生动活泼地得到发展。

1967—1976年期间 1967年10月，中小学陆续“复课闹革命”，没有统一的教学计划和课程设置，没有教材。语文、政治合并上课，以《毛主席著作选读本》《毛主席诗词》《毛主席语录》及重要社论为教材，数学、物理、化学等科批判地使用原库存课本；外语课教材用外文版《毛主席语录》；历史、地理、音乐、美术等课停开。学生主要是搞“批斗”，教学有名无实。1968年，部分盟市开始使用自治区编辑的中小学十年制课本，生物课改为《农业基础知识》，物理、化学合并为《工业基础知识》。

1971年开始实行“开门办学”，虽规定了全年上课时间不少于7个月，学工、学农2个月，但实际上课时间不到7个月。1972年，中小学基本恢复了“文革”前教学计划设置的课程。实行开卷考试，按优、良、及格、不及格评定成绩，开始建立成绩考核、考勤、三好学生评比等制度，教学秩序开始恢复，有的学校还恢复了教改试验。

1977—1985年期间 1978年，全区开始使用全国统编的新教材和教学大纲。各盟市教研室组织骨干教师和教研员编写了小学语文、数学，中学语文、数学、物理教学参考资料和辅导材料。1979 年 7 月，自治区教育局发出《1979—1980 学年中小学教学计划的通知》,全区统一执行《全日制五年制教学计划》。1981 年 3 月，教育部颁发《全日制五年制教学计划（修订草案)》,自治区教育厅立即转发，并要求全区中小学当年执行新的教学计划。

3. 教学方法

1952 年 3 月，全国中小学开始学习苏联教学经验，学习苏联的教学方法。成绩考查采用苏联的五级记分法（即 1 分，无所知；2 分，不及格；3 分，及格；4 分，良好；5 分，优秀)。随着学习苏联教学经验的活动逐渐深化，全区教育战线从干部到全体教师都积极学习苏联专家的讲稿、凯洛夫《教育学》、冈察洛夫《心理学》;教学普遍运用凯洛夫的“五原则”（即直观性原则，自学性、积极性原则，系统性原则，量力性原则和巩固性原则）以及课堂教学的“五个环节”（即组织教学、复习旧课、讲授新课、巩固新课、布置作业)，改变了旧的传统教学方法，建立起新的教学程式。全区各盟市文教局多次组织学习班学习《凯洛夫教育学》,学习教学法原理和各科教学法。为了调动学生的学习积极性，适应“五级分”记分法，大部分学校使用“教师手册”，实行月考制度。对平时的课堂提问、作业进行打分，作为平时成绩记录在“教师手册”上，也以此作为激发学生学习积极性的手段和衡量学生学习成绩的依据。

1954 年，教学上强调贯彻理论与实际相一致的原则，要求教师在课堂教学中注意理论联系实际加强思想政治教育；动员教师自制教具，加强教学直观性。

1959 年，教育界开展了批判教学脱离政治、脱离生产劳动、脱离学生实际的“三脱离”倾向，贯彻教育与生产劳动相结合、与无产阶级政治相结合、与学生思想实际相结合的活动，要求加强基础知识教学和基本技能训练，组织教师编写乡土教材、农业基础知识讲授提纲和政治课教学参考资料，开展校际间的集体备课、互相听课、专题研究等教学研究活动，小学语文、算术教学方法的改革力度大力加强。

1963 年 6 月下旬，自治区小学语文教学座谈会在包头召开，其目的在于贯彻《全日制小学暂行工作条例（草案)》,提高小学语文教学质量。会上总结了近年小学语文教学的成绩：“把语文课讲成政治课和文学课的倾向有所克服，基础知识教学和基本技能训练正在逐步加强，学生的语文程度有所提高，教师们都摸到了不少经验”。同时对识字（“三、四年级的识字教学是一个薄弱环节”）、写字、讲读（如何结合教学要求和学生知识实际进行讲读，如何把握讲与练、讲与写的关系等）和作文进行了深入、细致的探讨。11 月 1 日，自治区教育厅就全区小学语文教学中存在的问题，提出改进意见：（1）进一步明确小学语文教学的目的、任务，继续纠正把语文课讲成“政治课”和“文学课”的偏向。（2）切实加强基础知识教学和基本技能训练，语文的基础知识的教学，主要是字、词、句、篇章结构知识的教学；语文的主要基本训练是识字、写字、阅读和写作等四个方面，基础知识和基本技能训练是一个问题的两个方面，二者是相辅相成的。（3）提高师资水平，加强教学研究，注意总结经验不断提高教学水平。教育行政部门和学校领导应该坚决贯彻条例要求，采取有效措施为语文教师提高教学质量创造有利的条件。

1964 年春季，自治区教育厅多次召开会议研究改革教学内容和方法，减轻学生过重的课业负担，提高质量的问题。要求各校适当地精简课程和教学内容；在教学方法上采取“精讲多练”“精讲精练”“一例多用”“一题多解”以及“知识归类”等措施，提高课堂教学效果，控制作业量，减少考试次数，对一些科目实行开卷考试，减轻学生的课业负担。呼和浩特首批改制试验的苏虎街小学、东落凤街小学、梁山街小学等校经多年摸索、改进，取得了较好的成绩，在教学方法上总结出“集中识字”“阅读与写作结合”“口算、笔算、心算三结合”等成功的经验。试验效果显著，试验班学生与普通班学生比较，前者基础知识学得扎实，基本技能熟练，思维能力强，学习积极性高，健康状况良好。

1965 年 12 月 22 日至 1966 年 1 月 6 日，内蒙古自治区全日制小学教学改革会议在呼和浩特召开，会议的主要任务是：进一步深入学习党中央毛主席关于教育工作的指示，全面贯彻落实毛主席“七・三”指示和“春节指示”精神，在此基础上检查全区全日制小学师生负担情况和健康状况，研究改进办法；总结交流教学改革的经验，肯定成绩，互相学习，取长补短，改进工作，使全日制小学的教学改革更健康地向前发展，从而促进学生在德、智、体诸方面生动活泼地、主动地得到发展。

1975 年，包头、呼和浩特等地许多学校开展了“三算”结合的数学教改实验。其他各科教学改革实验均在起步。11 月 15—19 日，自治区教育局在包头市举办了全区汉语拼音基本式教学现场观摩会，这次活动后自治区教育局提出了推广基本式教学的初步设想。

1979 年，由自治区、呼和浩特市和新城区三级教研室协同苏虎街小学组成教改试验小组，恢复了改革识字教学的试验。一年级两个试验班在全国统编教材的基础上改编了集中识字教材和阅读教材。统编教材一年级只要求识字 298 个，读课文 18 篇；改编的教材要求识字 450 个，读课文 40 篇。在教学过程中又补充生字 80 个，全学期识字总量达 526 个，超过统编教材识字量的 77%。期末全面考查，两个试验班的 85 名学生有 64 人全部认对 526 个生字，占 75%；平均每个学生默写率达 99%；拼音、组词等三项考查，成绩也较理想。1980 年，呼和浩特市教研室在新民街小学搞了全市性的语文、数学教学观摩和评议，研究“启发式”方法的应用和精讲多练的教学实践，市教育局召开了小学语文、数学第一届教改经验交流及小学语文、数学研究会成立大会。

1980 年，昭乌达盟（今赤峰市）召开全盟小学教育工作拉练会议，与会代表观看阿鲁科尔沁旗项廷坤老师的小学速算课改革示范课后反映强烈。项廷坤老师的小学速算教法不仅在赤峰市得到推广，而且成绩斐然：他带领两名小学速算试验班三年级学生赴北京为联合国教科文组织总干事姆博和来访的各国数学专家作快速计算表演，姆博当场授予学生银质纪念章，《人民日报》(海外版)、《解放军报》《北京晚报》都对此相继作了报道。林东第二小学提出语文、数学“三试法”，将语文考试内容分为基础知识、朗读、作文，将数学考试内容分为基础知识、速算、应用题；1983 年，又改革教学结构，语文采用三段式教学法，即自学课、教读课、练功课；数学采用六段式教学法，即复习练习、导入新课、讲授新课、尝试性训练、独立练习、小结。翁牛特旗在 21 个总校 50 个教学班（有学生 2 000 多名）中实行小学语文“整体教学”试验。赤峰市教育学院李敬尧的“导学式教学体系”在 5 个旗县区 20 多所学校 35 个班 1 458 名学生中试验，均取得较好的效果。

1982 年 4 月，自治区教育厅下发了教育厅教研室制订的《提高小学教学质量的方案》。各级教育部门加强了对教学工作的领导和研究，有计划地培养教改骨干力量。呼和浩特市教研室组织小学全市性大型观摩教学交流活动，组织优秀的试验课到土默特左旗、托克托县、呼和浩特市郊区巡回示范。自治区教育厅组织了 12 个盟市教师代表来呼和浩特听课。6 月至 10 月，呼和浩特市教育局先后邀请全国小学语文教学研究会副理事长袁微子，北京第一实验小学校长、特级教师霍懋征，北京市小学教学研究会理事、特级教师刘梦汀以及著名的语文教育专家张志公、于漪等来呼和浩特讲学。朱彦臣的数学教学经验被自治区教育厅推荐参加全国第一届数学年会，房鸿颐的《飞夺泸定桥》的教学录像被评为全国优秀录像课，张香梅的《狐假虎威》的教学录像获中央电教馆二等奖。

1983 年，自治区教育厅召开教学工作会议，贯彻全国普教会议精神和教育部《关于进一步纠正片面追求升学率倾向的十项规定》,要求抓好“二基”“二力”（发展智力、培养能力）教学。各校开展了一系列教学改革活动，呼和浩特市小召小学在一年级新生中进行三算（口算、笔算、心算）结合的教学实验，期末考查试验班学生的思维能力、计算能力均高于非试验班，及格率 100%。小学参加全国 1983 年、1984 年两个年度的加减算数比赛，录取人数和比赛成绩均列自治区第一，受到中央教育科学研究所的表扬。

呼和浩特市教育科学研究所提出了《呼市小学教育整体改革方案》,并在苏虎街小学开始进行试验。这个方案根据唯物辩证法和现代教育理论以及生理学、心理学的最新研究成果，提出了小学教育教学改革的一些重要原则（如整体性原则、主动性原则、实践性原则和集体性原则等），并提出要全面改革德、智、体、美和劳动教育的内容和方法，以促进儿童全面发展。1986 年在上海召开的全国普通教育整体改革研讨会上，这个方案受到重视，苏虎街小学因此被列为中央教育科学研究所整体改革实验的联系点。

自治区各盟市广大教师积极进行教学方法改革的同时，认真学习外省（市、区）先进的教学方法，如黑龙江省小学语文的“注音识字，提前读写”、北京马芯兰老师的“小学数学思维品质训练”法、江苏邱学华老师的“导学法”、湖北黎世法老师的“六课型单元教学法”等，均取得较好的教学效果。

（三）学校管理与改革

1. 学校内部管理

20世纪50年代初期，全区小学基本上实行校长负责制。此后，随着农业合作化和人民公社化，农村小学逐步形成乡（公社）学区管理制度，牧区则以苏木（公社）寄宿制小学为中心，领导嘎查（生产队）小学和浩特（游牧点）教学点。从60年代开始，按照国家的要求，全区小学实行了党支部领导下的校长负责制。由于小学党员人数少，许多地区划片组成小学联合党支部。

1965年之前，城镇小学均由国家办学，由市区和旗县教育局领导和管理。农村学区中心校以公办为主，由旗县教育局领导和管理。学区下属的村（生产队）小学及教学点以民办为主。牧区苏木中心学校均由国家办学。农村、牧区学校干部教师和职工的任用、调配，均由旗县以上教育局管理。

“文化大革命”中，一律实行党支部一元化领导，结果导致党政不分，以党代政。由于管理权限下放，农村、牧区实行贫下中农（牧）管理学校，造成学校管理混乱。

1978年以后，根据国务院的要求，大多数地区小学行政干部恢复由旗县教育行政部门管理，农村、牧区的学区、中心校长由旗县教育局任免。1980年开始，有学校试行校长负责制或教职工代表大会领导下的校长分工负责制。1983年，随着教育改革的不断深入，实行校长负责制和校长招聘任期制的学校逐渐增多。1984年以后，全区各地都选择了一些条件较好的中小学进行校长负责制的试点。

1988年3月初，自治区教育厅下发《关于中小学校长负责制的试行意见》,对实行校长负责制的形式、任职条件以及校长的职责、权限、利益作了明确规定，并对加强校长负责制的领导和管理提出了要求。全区有不少盟市、旗县依据该文件的精神，从各自的实际出发，试行了以“任命任期制”“委托承包制”和“招聘合同制”为主的多种形式的校长负责制，使学校内部管理体制发生了深刻的变化。

乌兰察布盟和呼和浩特市地区试点面广，改革步子较大，在推行校长负责制当中借鉴了北京市的经验，在部分中小学试行公开招聘校长，同时试行教职工聘任制、工资总额包干制，优化组合，扬长分流，进行大胆探索。乌兰察布盟在集宁市和察右前旗选定部分中小学，公开招聘校长、教师，改革劳动制度和分配制度，打破大锅饭，引入竞争机制，调动了教职工的积极性，同时也在一定程度上解决了城镇教职工严重超编、人浮于事的问题。

为了深化学校内部管理体制的改革，自治区教育厅还在调查研究的基础上拟定并下发了《自治区中小学内部管理体制改革试点方案》。全区的教育工作，围绕加强学校思想政治教育、调整教育结构、深化学校内部管理体制改革，积极试点，大胆实践，取得了一定成果。另外，自治区人民政府批转了自治区教育厅《关于加快和深化教育改革实施方案》，全区教育体制改革不断深入，各项教育事业又有了新的发展。

1990 年，全区在完善学校内部管理体制的改革和教学领域的改革方面又有了新的进展。中小学在继续实行和完善校长负责制的同时，在部分学校试行了党支部领导下的校长负责制，学校内部的人事制度和分配制度的改革有了新的突破。乌兰察布盟在其所辖的两个市旗大面积推行此项改革，引起了自治区政府的重视和兄弟盟市的关注。7 月初，由自治区政府主持，劳动、人事、文化、教育、卫生等部门参加的全区推广集宁文教卫生系统综合配套改革经验现场会在集宁市召开。

2. 重点学校的遴选与建设

1962 年 1 月 27 日，内蒙古自治区教育厅决定自 1962 年起，举办实验学校和重点学校，并初步确定第一批办好的学校 12 所，其中小学 6 所，分别是：音德二小（农区学校）、吉尔格朗小学（半农半牧学校）、保沙岱小学（牧区学校）、召河小学（定居牧区学校）、呼伦路小学（城市学校）、土默特小学（城市民族学校）①。2 月 4 日，内蒙古自治区教育厅确定呼和浩特市苏虎街小学为全国性重点小学，并报送中国教育部批准②。1963 年 2 月 8 日，内蒙古自治区教育厅在全区重点小学的基础上，重新确定了呼和浩特苏虎街小学、土默特旗小学等 109 所学校（占全区公立小学校数的 1.5%），

---

① 内蒙古教育丛书编委会编：《内蒙古自治区教育大事记》（根据档案资料编辑，1987 年内部印行），第 240 页。

② 内蒙古教育丛书编委会编：《内蒙古自治区教育大事记》（根据档案资料编辑，1987 年内部印行），第 241 页。

为自治区首先办好的一批小学校，其中民族小学45所：每旗县1—3所，各盟辖市3—5所，呼、包二市5—10所，企业、部门办3—10所①。

自治区教育厅在2月25日下发《关于有重点地办好一批全日制中小学校的意见（征求意见）》（以下简称《意见》），指出："为了切实贯彻执行两条腿走路的方针，在采取多种多样形式适当发展中小学教育事业的同时，应当努力办好作为中小学教育事业骨干的全日制中小学校。在全日制中小学校中，又必须首先集中力量切实办好一批基础较好的重点中小学校，以便尽可能快地提高教育质量，提高教学水平。这对于提高我们高等教育的质量和科学技术水平，对于总结和积累办好中小学教育的经验，以带动一般学校前进，都有重大的意义。"

《意见》中公布了确定办好的全日制重点中学学校名单和确定重点小学的分布原则：总数确定在200所左右，每个旗县1—3所，各盟辖市3—5所，呼和浩特、包头二市5—10所，企业部门办5—10所，并且还提出了办好重点中小学的具体措施：（1）合理安排和稳定学校规模。重点中小学的规模不宜过大，最多不要超过24个班。各中学每年招几个班学生，由教育厅决定；各小学每年招几个班学生，由盟市教育部门决定。每班学生的人数，高中以40人为宜，最多不要超过45人；初中和小学以45人为宜，最多不要超过50人。学校规模确定后，应当保持稳定。（2）加强领导力量和充实教师队伍。（3）充实教学所必须的物质条件。（4）适当扩大招生范围。重点中小学可以在较大的地区范围内择优录取德、智、体几方面较好的新生；小学的招生范围在学生能够走读的条件下，可以不受学区的限制；初中和有住宿条件的小学可以在旗县的范围内录取新生；高中和民族学校的初中可以在盟市的范围内录取新生；农村学生考入重点中学学习的，一律吃商品粮。

1962年6月1日，内蒙古自治区教育厅向教育部报送了《关于提高全日制中小学教育质量和重点办好一批中小学校的初步意见》，确定90所小学为内蒙古自治区重点办好的一批小学。同时，决定通过调整学校规模、加强

① 内蒙古教育丛书编委会编：《内蒙古自治区教育大事记》（根据档案资料编辑，1987年内部印行），第262页。

领导力量、调整教师队伍等措施，切实办好这批小学。6 月 30 日，自治区教育厅发出《关于办好全区性重点中小学的通知》,确定并公布了全区第一批重点小学名单。

1962 年 11 月，内蒙古自治区人委批转了自治区教育厅的《关于全区教育工作情况和今后意见的报告》,重新确定：（1）重点中学 18 所（其中民族中学 6 所、企业办中学 1 所），重点小学 109 所（其中民族小学 45 所）；（2）试行条例的中学有 84 所（包括完全中学 61 所，初中 23 所），小学有 216 所；（3）纳入“办好一批中、小学的‘小宝塔’规划”的，中学有 151 所（包括完全中学、旗县所在地初中，民族初中和部分条件较好的农村中学），小学有 1 566 所（占全区小学校总数半数以上）。

1978 年，自治区教育局根据国家统一要求，恢复实行办重点中小学的方针。8 月 21 日，自治区教育局研究决定，确定自治区第一批重点中小学 223 所，其中小学 111 所（民族小学 23 所、城镇小学 51 所、农村小学 26 所、厂矿企业小学 10 所）。呼和浩特市向阳区小学、卓资县旗下营小学、五原县塔尔呼小学、土默特右旗大脑包学校、乌达矿务局小学等属于第一批自治区重点小学。

1980 年，内蒙古自治区第一批重点小学有 162 所。1981 年 1 月，自治区人民政府批准全区首批办好的重点小学共 105 所，其中包括蒙古族小学 33 所、回族小学 4 所、厂矿企业办小学 5 所①。自治区人民政府批转教育厅《关于办好首批重点小学的报告》中明确提出：重点小学要办成模范小学，要成为全面贯彻党的教育方针的模范，严格按教育规律办学的模范，认真执行教学计划和上级有关规定、规章制度的模范，建立正常教学秩序，有良好校风和校貌的模范，普及小学教育的模范②。1981 年 4 月，自治区教育厅召开了全区重点小学工作会议，确定了办好重点小学的主要措施。

长久以来，全区重点小学成绩显著，对当地教育的发展产生了较大的影

① 中国教育年鉴编辑部编：《中国教育年鉴（地方教育）》（1949—1984）,湖南教育出版社 1986 年版，第 211 页。

② 中国教育年鉴编辑部编：《中国教育年鉴（地方教育）》（1949—1984）,湖南教育出版社 1986 年版，第 211 页。

响。但是，随着教育的不断发展，重点学校政策在教育公平的体现方面的负面影响也在加大，因此有许多人对此提出了质疑。

3. 试验学校、实验学校建设

1963年10月10日，内蒙古自治区教育厅向教育部报送的《教学改革试行方案和试验学校名单》，对全区教学改革试验学校进行调整，试验中学由原来的17所调整为3所，试验小学由原来的80所调整为62所。试验学校的学制年限：五年制小学试验班，要求达到现行六年制小学的程度；五年制中学试验班，要求达到现行六年制中学的程度。

1965年7月3日，内蒙古自治区教育厅批准确定第二批五年制试验小学65所。至此，全区共累计确定五年制试验小学130所，其中20所（含二部制学校2所）在城市、51所在县旗、50所在农村。

1985年9月26日，内蒙古自治区教育厅制定《关于办好实验小学的意见》。其主要内容有：（1）从内容出发，安排和调整实验小学的布局；（2）实验内容包括德智体美教育和教学的各个方面，同时提倡课内外教育相结合、校内外教育相结合；（3）不断改善实验小学的办学条件；（4）要特别重视抓好实验小学师资队伍的建设；（5）切实加强实验小学的基础工作；（6）改革小学升初中的招生制度；（7）建立实验追踪观察制度、信息网络；（8）充分发挥各级教研室在改革实验中的作用；（9）注意办好民族实验小学；（10）加强对实验小学的领导和管理。

4. 薄弱学校建设

2000年，全区改造中小学薄弱学校工程全面启动。自治区政府批转了区教委《关于加强全区薄弱学校建设办好义务教育阶段每一所学校意见的通知》（以下简称《通知》）。《通知》指出，全区薄弱学校建设的重点是一些城镇的薄弱中小学和农牧区的初中学校，特别是薄弱民族中小学。薄弱中小学当前需要解决的重点问题是加强领导班子和教师队伍建设，改善办学条件，调节生源。《通知》要求，各地区、各有关部门要把改变薄弱学校的面貌放在突出的位置，力争用3—7年时间，使城乡中小学办学条件相对均衡，教育教学质量得到明显提高，义务教育学段的择校问题基本得到解决。

具体时间安排是：自治区素质教育实验区和城市市区在2002年前，其他已实现“两基”的旗县在2004年前，1998年以后实现“两基”的旗县在

2008年前基本完成薄弱学校的改造任务，到2010年，全区基本完成所有薄弱学校的改造任务。按照上述要求，全区薄弱中小学改造和建设要达到的目标是：领导班子建设得到加强，校长及班子管理水平、文化程度和敬业精神得到明显提高；教师队伍学历合格率，小学达到95%以上，有一定数量的学科带头人，教师教书育人水平明显提高；多渠道经费投入明显增加，生均教育事业费、生均公用经费达到普及义务教育标准，按时足额发放教师工资；办学条件达到二类以上标准，城市市区达到高于二类以上标准；学生入学率达到义务教育普及标准以上，小学辍学率控制在1%以内。

二、中学教育

（一）学校设置

1949—1965年期间 1947年内蒙古自治区成立初期，全区仅有普通中学21所，其中高级中学和完全中学4所，初级中学17所；在校学生总数为4 300人，其中高中264人，初中4 036人；教职工总数为445人，其中高中专任教师15人，初中专任教师213人①。1949年，内蒙古东、西部地区中学教育进入合并、调整、组建阶段。经1949年至1952年的调整、合并，全区原来的31所普通中学合并为24所，高级中学和完全中学由6所增至8所，初级中学从25所减为16所。学校虽然减少，但教学班和在校生却有增加。1949年，全区普通中学有教学班153个，其中高中班14个，初中班139个；在校生总数7 025人，其中高中生575人，初中生6 450人。1950年，有教学班177个，其中高中班20个，初中班157个；在校生总数7 600人，其中高中生809人，初中生6 791人；教职工总数为765人。从1950年至1952年学校总数未增加，但高中班增至26个，初中班增至251个，在校生增至12 999人（其中高中生增至953人，初中生增至12 046人），教职工总数也增至1 285人②。

① 内蒙古教育丛书编委会编：《内蒙古自治区教育成就统计资料》（1947—1986），内蒙古教育出版社1990年版，第221—222页。

② 内蒙古教育丛书编委会编：《内蒙古自治区教育成就统计资料》（1947—1986），内蒙古教育出版社1990年版，第221—222页。

1953 年，全区有普通中学 32 所，其中高级中学和完全中学 10 所，初级中学 22 所；高中班 35 个，初中班 333 个，在校生总数达 18 343 人。1957 年，普通中学增至 105 所，其中高级中学和完全中学 32 所，初级中学 73 所；高中班增至 168 个，初中班增至 1 182 个，在校生达 70 929 人①。这一时期，普通中学的规模发展极为迅猛。

1958 年 3 月，教育部在全国教育行政会议上提出："大力举办农业中学、工业中学和手工业中学，把高中毕业生培养成有社会主义觉悟、有文化、又有一定生产技能的劳动者。"4 月 21 日，《人民日报》发表社论，号召大量发展民办农业中学。在这种形势下，普通中学迅速发展，而且掀起了群众办学的热潮，民办中学、公社办中学、厂矿、机关也纷纷办起了职工子弟学校。

1960 年，全区普通中学发展到 248 所，是 1957 年 105 所的 2. 36 倍，其中高级中学和完全中学增至 72 所，是 1957 年 32 所的 2. 25 倍；在校生数达 129 473 名，是 1957 年在校生 70 929 名的 1. 83 倍；其中高中在校生增至 17 627 名，是 1957 年在校生 8 424 的 2. 09 倍；初中在校生 111 846 名，是 1957 年 62 505 名的 1. 79 倍②。

1961 年，全区中学教育进入调整、巩固、提高阶段。内蒙古自治区教育工作贯彻中央对文教工作的"调整、巩固、充实、提高"的方针。9 月 12 日，自治区党委提出教育战线上要"缩短战线、巩固重点、集中力量、提高质量"的调整原则。自治区各盟市对教育事业进行了调整，做到了稳定公办中学招生指标和合理调整教育事业内部"宝塔形"的比例关系。

1962 年 1 月，在内蒙古自治区教育厅《关于 1962 年度教育事业和基本建设计划安排意见的报告》中指出：根据招生指标，1962 年高中升学率为 46. 4%，其中蒙古族学生升学率为 56. 5%，其他少数民族为 68%；初中毕业生升学率为 36. 31%，其中蒙古族学生升学率为 25%，其他少数民族为

① 内蒙古教育丛书编委会编：《内蒙古自治区教育成就统计资料》（1947—1986），内蒙古教育出版社 1990 年版，第 221—222 页。

② 内蒙古教育丛书编委会编：《内蒙古自治区教育成就统计资料》（1947—1986），内蒙古教育出版社 1990 年版，第 221—222 页。

29%；教职工与学生的比例，高中为1∶11；初中为1∶13。

1965年，全区普通中学发展到332所，有在校生178 070人。

1966—1976年期间 1966年，全区各中学陆续停课。1968年，各校“复课闹革命”。8月，自治区革委会在喀喇沁旗土城子公社土城子大队召开全区“教育革命”现场会，会议提出要在全区普及初中教育，要求公社办高中，生产队办初中，推广土城子大队的办学经验。全区开展了大办中学、普及初中教育的热潮，小学增设初中班名曰“戴帽子中学”。至1971年，全区中学增至1 235所，是1965年332所的3.71倍，增加率为272%；在校生526 965人，是1965年178 070人的2.96倍，增长率为195%。至1972年，其他部门办普通中学达152所，在校生达95 793人。

1971年4月，全区中小学陆续开学，学校教学秩序逐渐好转。1972年，全区中小学教育工作的任务是：继续深入进行思想和路线方面的教育，加强党的领导……按照毛主席的教育路线和政策，把全区教育战线的斗、批、改进行到底①。

1972年，在“上小学不出村，上初中不出队，上高中不出社，上大学不出县”、“十年普及高中”的口号声中，大办高中教育，城乡中学都办起了高中班，一律是三、二分段的完全中学，招生不考试，采用推荐的方式，实际上只要符合“留城条件”，即不满16岁，病残不能参加体力劳动，父母身边只有一个子女，就可以被批准升入高中学习，不必上山下乡当农民。呼和浩特市城区高中班从1971年的40个猛增至1972年的146个，高中班级剧增，造成师资、设备严重不足。为解决师资问题，从应届高中毕业生中选拔100人送师范学校学习，一年后派到中学任教；又招收两批工人和已下乡当农民的高中生，经短期培训后分配到中学当教师。校舍不足，就挤占小学教室，教学质量更是无法保证。仅以巴彦淖尔盟为例，1970年有中学59所，1975年猛增至154所。

1972年12月26日，自治区革委会教育局发出《关于大、中、小支援农牧业生产的通知》，要求寒假期间要组织学生（包括中学生）积极参加当

---

① 内蒙古教育丛书编委会王荣编：《内蒙古自治区教育大事记》（根据档案资料编辑，1987年内部印行），第353页。

地各项农牧业生产劳动，还提出要从 1973 年起农村牧区的中、小学要放农（牧）忙假。

1974 年，全区学习“朝农”经验，学校越办越大、越办越向下，并提出要把中学、大学办在贫下中农的家门口。

“文革”期间还批判了“两种教育制度”，把“两种教育制度”说成是资本主义国家的“人才教育”和“劳动者教育”的“双轨制”的翻版。于是中专、技工学校、职业学校、半工半读学校、农业中学等，全部改成普通中学，致使中等教育结构单一化。毕业生无一技之长，既不适应国家建设需要，也不利于就业。城乡大办普通中学，使中学教育虚肿膨胀，师资、校舍、设备出现严重困难，教师奇缺，依靠层层抽调、层层拔骨干，甚至用高小毕业的教师教初中，既降低了中学的教学水平，又影响了小学的教学质量，严重地破坏了基础教育。

1976 年，全区有中学 6 883 所，是 1965 年的 27. 3 倍，其中高级中学和完全中学 2 066 所、初级中学 4 817 所，分别是 1965 年的 25. 51 倍和 19. 19 倍；在校生 1 401 421 人，是 1965 年的 7. 87 倍，其中高中在校生 365 922 人，初中在校生 1 035 499 人，分别是 1965 年的 17. 09 倍和 6. 61 倍。

1977—1985 年期间　1977 年，中学招生恢复考试制度，全区中学教育进入调整、恢复、巩固时期。从 1978 年起，各学校不再动员中学毕业生上山下乡。1980 年，全区各盟市开始对“文革”中膨胀起来的高中和小学附设的初中进行了压缩。普通中学数量下降至 2 870 所，高级中学和完全中学压缩至 864 所，初级中学 2 006 所。在校生有 1 355 428 人，其中高中生有 242 603 人，初中生有 1 112 825 人。其他部门办中学 404 所，在校生 237 775 人。

根据国务院（80）252 号文件精神，自治区各盟市继续贯彻调整方针，克服虚肿现象，发展职业技术教育，改变中等教育结构单一的状况。1980 年，全区共有农牧业和职业中学 75 所，1986 年发展到 358 所。

1986—2000 年期间　1986 年，在学习、宣传《中共中央关于教育体制改革的决定》和《中华人民共和国义务教育法》的过程中，自治区组织力量开展了实施九年义务教育的调查研究，讨论制定了实施规划和措施，在反复论证的基础上，初步确定了“分两步走，按三类地区积极地、有步骤地实施九年制义务教育”的全区普及九年制义务教育的总体设想。到1990年，呼和浩特、包头、乌海、赤峰等城市的市区（人口约200万，占全区总人口的10%）基本普及初中阶段的教育。到1995年，盟市、旗县所在地城镇和部分条件较好的乡镇（苏木）基本普及初中阶段的教育。这类地区人口约700万，占全区总人口的35%。

为了防止追求数量、忽视质量和不顾条件、盲目快上的倾向，自治区提出普及初中阶段教育的四个前提条件：扎扎实实完成普及小学的验收，并达到自治区提出的巩固提高标准；有足够的初中师资，其中80%的教师能够胜任教学，不允许再选拔小学教师到初中任教；不在小学附设初中班、新建初中一律不搞二部制及多种形式，初中设校要适当集中；有稳定可靠的经费来源，具备相应的办学条件，不得挤占小学的校舍和办学经费。

1990年9月，呼和浩特、包头、乌海、赤峰等城市市区和部分大厂矿企业，约占全区15%人口的地区开始依法实施九年制（或八年制）义务教育。

自治区教育厅根据国家教委《关于大力办好普通高级中学的若干意见》《加强薄弱高级中学建设的十项措施（试行）》，结合自治区的实际，制定了《内蒙古自治区普通高中教育改革和发展的意见》（内蒙古教普发［1996］29号），明确提出了我区普通高中教育事业发展的思路，确定了这一阶段的具体目标：在保证普及九年义务教育的前提下，在继续调整中等教育结构的进程中，要控制普通高中规模，着力深化办学体制和模式的改革，着力改善办学条件，着力加强师资队伍建设，着力提高教育质量和办学效益；到本世纪末或下个世纪初，初步建立与各类教育协调发展，适应社会主义现代化建设和建立社会主义市场经济体制需要的面向21世纪的普通高中教育体制。

1998年，针对自治区中小学布点分散、规模偏小、办学效益低的实际，自治区继续坚持“分级负责、合理规划、适度集中、扩大规模、提高效益”的方针，实行撤校、并点，使中小学特别是边远的农村牧区中小学布局日趋合理。人口较多的乡（苏木）或半农半牧区，原则上每乡（苏木）设立1所初级中学；人口较少、居住分散的边远山区、老区，可几个乡联合举办1所地区初级中学，校均学生数不少于200人；牧区原则上只在旗所在地设立1所初级中学。达不到上述要求的，将取消项目学校资格，不予拨付项目资金。各地结合实际，采取切实可行的措施，全区在一年时间里共撤并初中55所。1999年，全区普通初中由1 397所调整为1 366所。2000年，仅巴彦淖尔盟就撤并农村牧区中学21所，这些措施使教育资源得到进一步优化。

（二）教学工作

1. 学制

1959年，内蒙古自治区教育厅提出了学制改革方案：试验新学制，中小学十年一贯制，中小学五、五分段，初高中三、二分段；中小学九年一贯制或五、四分段。试验学校教育一条龙，开展学校间大协作，组织学校教育的一条龙向一贯制过渡。

1960年，自治区部分盟市的试点工作大致如下：（1）包头市：一、二中为试点校，进行十年一贯制试验，试验教材是在原教材基础上重新编选的。（2）呼伦贝尔盟：11个中学39个班进行试点，进行十年一贯分段制（即五、三、二分段制）；与此同时，还存在着九年一贯制、八年一贯制、民族中学十一年一贯制（即六、三、二制）。（3）乌兰察布盟：除旗（县、市）自行确定试点校外，盟里又确定民族中学和集宁一、二、三中为改革重点学校，主要施行九年一贯制，民族中学施行十一年一贯制（即六、三、二制）。（4）呼和浩特市：二中、三中、内蒙古师范学院附中进行十年一贯制的试验。蒙古族学校试验九年制、十年制或十一年制。1961年停止九年制的试验，一律改为十年一贯制，1963年蒙古族学校十一年制试验停止。（5）哲里木盟：在9所中学11个教学班中推行三、二制教改试验，并于1961年提出分期分批推行三、二制的规划。

根据教育部关于高中逐步改为三年制的指示，自治区首批重点中学从1980年招收的新生起，高中学制改为三年。内蒙古自治区教育厅于1981年6月下发了《关于改革中小学学制问题的意见》。高中实行三、二年制并存。在1985年以前，普通高中学制改革在调整的基础上分批逐步进行，但在同一学校、同一年级不搞两种学制并存。

2. 教学计划与课程设置

1950年到1963年：中学课程设置、教学计划的调整改革阶段

1950年9月，自治区各中学执行教育部颁发的《中学暂行教学计划（草案）》，中学开设政治、语文、数学、自然（初中包括植物、动物、达尔文学说基础、生理卫生）、生物（高中）、化学、物理、历史、地理、外国语、体育、音乐、美术、制图（高中）等科目。外国语主要开设俄语。初中三年、高中三年的总学时为 7 200 学时。

1952 年 3 月 18 日，部颁《中学暂行规程草案》,规定中学开设语文、数学、物理、化学、生物、历史、地理、中国革命常识、社会科学常识、社会科学基础知识、共同纲领、时事政策、外国语、音乐、美术、体育、制图等课。

1953 年 7 月，部颁《中学教学计划（修订草案）》（以下简称《修订草案》）对 1952 年 3 月 18 日颁发的《中学教学计划（草案）》作了修订，要求从 8 月起执行。《修订草案》将地理分为自然地理、世界地理、中国地理、中国经济地理和外国经济地理；取消了高中的“解析几何”，增设了政治课；数学定为四科，增加了数学、物理的课时；取消了自然课，分设植物、动物、人体解剖、达尔文基础和卫生常识等。

1954 年，内蒙古文教部颁发了《内蒙古自治区中等学校暂行校历（草案）》,各中学开始执行统一校历。1955 年，高中一、二年级不再设置“社会科学基本知识”，高二设置“社会科学常识”课，高三的“政治常识”改为“宪法”，初三的“中国革命常识”改为“政治常识”。

1956 年 3 月，教育部发出《关于制发 1956—1957 学年中学授课时数的通知》（以下简称《通知》），规定在中学教学计划中增设实习课（初中进行教学工厂和实验园地两种实习，高中进行农业实习、机器实习和电工实习）；初三增设工农业基础知识课（每周 2 课时）；高三“宪法”由每周 2 小时改为 1 小时，将语文课分为汉语、文学两门。7 月，教育部通知，从 1956 年秋季起，凡英语师资较好的地区，从高一起增设英语课，同俄语的比例暂定为 1∶1。

1957 年，自治区根据教育部通知精神，对历史、地理、物理、生物等科的内容作了适当的精简。在初高中各年级增设政治课，初中一、二年级设“青年修养”，初三设“政治常识”，高中一、二年级设“社会科学常识”，高三设“社会主义建设”。授课时数：初中二年级每周 1 课时，其余年级每周 2 课时。在初、高中三年级增设农业基础知识课，每周 2 课时。同年，为了保证高中毕业生的质量并为专业学习做好准备，根据自治区教育厅通知精神，呼和浩特市高中三年级最后一学期分：理工、农医、文史三类授课，其比例为4∶3.5∶2.5。各类课程设置和每周授课时数都有侧重。11月，自治区教育厅转发教育部通知，调整本学期文学课本里的篇目，推荐全国中学课的反右斗争和劳动教育补充教材。从11月份起，初中课本第一册保留4篇，第三册保留4篇，第五册保留3篇；高中课本第三册保留4篇。补充教材篇目：初一上学期5篇，初二上学期5篇，初三上学期6篇，高一上学期4篇，高二上学期4篇，高三上学期3篇。补充篇目多为《人民日报》社论和文章、毛主席著作、《中国青年报》刊登的文章等。《通知》要求各校参照办理，可自行变通，每篇文章的教学时数可自行决定。

1958年3月，教育部颁发《1958—1959学年度中学教学计划》,并在说明中指出：此次调整教学计划是为了贯彻教育方针，加强劳动教育，以利逐步实行勤工俭学、半工半读的教育制度。调整的主要内容：（1）加强劳动教育，学生参加体力劳动的时间为每学年14—28天，初高中各年级增设生产劳动课，每周2小时；（2）在大中城市有条件的初中开设外国语；（3）对语文、历史、地理、生物、物理、化学等课的安排和教学时数作了调整，初中算术课增加珠算和簿记的教学，语文、中国历史、中国地理分别增加乡土教材，政治课改为社会主义教育，文学汉语不再分科仍称语文，三角、几何、代数合并为数学。

1959年3月，教育部发出在中学开设外国语的通知，提出全日制中学拟分甲乙两类：甲类教学计划要求较高，设置最高限度的科目；乙类教学计划要求较低，设置最低限度科目。甲类初中开设外国语，乙类初中不开设。自治区教育厅根据教育部通知精神，在重点中学初中开设了外语课，并印发了教育部制订的甲、乙两类教学计划各一套。

1959年5月，国务院发出通知，规定普通中学每年教学时数为37周至40周，中学生每周劳动时间：初中6—8小时，高中8—10小时。6月，教育部发出通知，确定语文、外语、数学、物理、化学为中学的重要课程。7月，教育部颁发《政治课教学大纲》,对各年级课程的设置作出规定：初中设政治常识课，包括共产主义道德、社会发展简史、社会主义革命和建设、思想方法等方面的常识。高中设政治常识课、经济常识课、辩证唯物主义常识课。初三、高中还另设时事政策课。11月，教育部召开中小学数学座谈会，会议提出：将初中算术下放到小学，初中要学完平面几何、代数、二次方程。高中增设解析几何、高中代数增加导数、行列式、近似计算等。这项改动原则上从1962年秋季开始。

由于高中经济地理中有许多内容与初中地理和政治课重复，自治区教育厅于1959年5月发出通知，除其中一部分必要内容与初中地理合并外，不再作为一门课程单独开设，所余课时用于语文、外语或数理课的教学。为了更好地分配语文、数学课时，内蒙古自治区教育厅印发了《1959—1960学年度第二学期初、高中语文教学课时分配表》。

1959年11月，自治区教育厅就全区全日制中学外语开设作出规定：自治区全日制中学中，蒙族中学和蒙汉合校的蒙生班加授蒙语文和汉语文，暂不学外文；其他全日制中学在高中开设外国语，有条件的初中也可开设。限于条件，外国语只开俄文，暂不开英文。同时，还就外语开设情况进行通告：全区45所全日制完全中学从高中开设了俄语，其中有21所完全中学在初中一、二年级开设了俄语，个别学校在三年级开设了俄语课；全区开设俄语的教学班，初一99个、初二30个、初三5个，高一115个、高二89个、高三48个；有7所单设全日制初级中学开设了俄语，其中初一33个班、初二9个班；开设俄语的高中班级每周时数均按中央统一规定执行，初中班级每周教学时数各校不一致，分为2节课或3节课。

为了解决上述现象，自治区教育厅进行相应的调整：（1）按照高中与附近的初中配套，初、高中在语种方面也要有配套的精神，重新安排哪些高中是在初中的基础上开设外国语；哪些高中是开始学；哪些初中与高中配套；哪些初中暂不开设，升入高中后再学外国语。（2）开设外国语的学校，按下述顺序重新安排：汉族完全中学的高中；城市的汉族初中；民族中学的高中（选修课）；需要与高中配套的完全初中部和九三制农村汉族初中。（3）语种安排上：呼、包二市的中学先开设英语，英语与俄语之比以2∶1至3∶1为宜，各盟如有英语师资，可集中使用在个别学校先开设英语。（4）经过调整，不开设外国语的初中各年级每周开设2课时的农业生产知识课。内容：初一农业和林业，初二牧业，初三按原计划讲授。

1963年1月，自治区教育厅根据部分学科教学进度较紧的情况，对“九三制”中学部分学科的第二学期的周学时作出调整：初中二年级的平面几何每周改为3课时；初中三年级的数学增加一课时，代数讲完第三册第三章，把初中平面几何（暂用本）第二册讲完；高中一年级的代数、物理各增一课时，生物课讲完第三册后停讲；高中三年级的物理、化学各增加一课时；高中三年级开设的生物、历史两门选修课，每周各为2课时。

自治区教育厅于1963年下发19号文件，对1963—1964学年度普通中学的教学计划作出安排：（1）十年制学校，“九三制”中学。全年教学时间9个月，共39周，其中上课34周、复习考试3周、节假日和教学机动时间2周。毕业班上课31周、学期和毕业复习考试5周、高中毕业班分类复习补课2周（初中毕业生升学复习2周）、节假日和教学机动时间1周。全年劳动时间为1个月，上、下学期各为2周。劳动时间如果分散地安排在上课周数以内，要相应增加上课周数和减少每周上课时数，以保证各科的教学时间。在规定的劳动时间里，各科可开设生产劳动课，讲授农业八字宪法和牧业的增产措施；在规定的劳动时间里应安排1周左右的社会公益劳动（包括校内卫生等劳动）。寒暑假全年约为2个月，其中暑假3周，寒假6周。（2）“八四制”初中。教学时间35周，其中上课30周，复习考试3周，节假日和教学机动时间2周。全年的劳动时间和假期为4个月，其中寒假5周，校内劳动2周，其余时间和假期改放农忙假。每年农忙、寒暑假不得超过3次。（3）“七五制”初中。全年教学时间为7个月，共30周，其中上课26周，复习考试3周，节假日和教学机动时间1周。全年劳动时间为5个月，其中寒假1个月，校内劳动半个月，其余时间为暑假和农忙假。寒假和农忙假每年不超过3次。（4）各类教学计划的适用范围：十年制教学计划，只在呼和浩特二中、包头一中继续试行，其余原试验学校从新生班开始停止试验，旧一年级转为十二年制，旧二年级（秋后的三年级）可继续试验一年，到初中毕业为止。十二年制中学新教学计划，只在呼和浩特二中、包头一中除外的重点中学及这些学校附近的条件较好的一、两所初中的一年级开始执行。（5）关于增加周学时的问题：各类教学计划中的主要学科，一般都增加了教学时间，各种增加的教学时间里包括了一部分课堂练习和作业时间，其目的是让学生在教师的指导下多作练习和作业，中学的物理、化学增加时间也是为了增加实验和课堂练习。

1963年7月，教育部下发的《实行全日制十二年制中学新教学计划

（草案）》指出：新教学计划适用于全年有 9 个月以上教学时间的全日制中学。教学计划规定，中学政治课按年级分别设置道德品质教育、社会发展简史、中国革命和建设、政治常识、辩证唯物主义常识和时事政策教育；初二开设生产常识、高三开设农业科学技术和选修课；提高语文、外语、数学课程的教学要求，增加其课时；物理、化学课时也有所增加，以加强实验和课堂练习。1964 年 8 月，自治区教育厅下发了关于调整中学外国语的通知，提出要尽快解决外国语教学的不合理现象：师资不足，开设的年级不稳定，有师资则开，无师资不开；初中和高中不配套，学生入高中后程度不齐；语种方面俄语比重太大，英语比重太小。同时，自治区教育厅转发了教育部《关于调整和精简中小学课程的通知》，自治区教育厅又于 1964 年 9 月下发《关于调整中小学十年制教学计划的通知》，对 1964 年拟定的《五年制中学教学计划（试行草案）》进行调整，决定 1964—1965 学年度的初中三年级和高中一、二年级仍使用十年制课本。

1967—1976 年：全区没有统一的教学计划和课程设置

1967 年 10 月，各校陆续"复课闹革命"。当时，全区没有统一的教学计划和课程设置，语文、政治合并上课，历史、地理、美术等课停开。

1968 年，区内开始使用自治区编辑出版的中小学十年制课本。这一时期的生物课改为"农业基础知识"，物理、化学合并为"工业基础知识"，强调以实践为主，有的中学以生产为中心安排教学内容。

1970 年，全区实行开门办学，规定全年上课时间不少于 7 个月（也有部分中学实际上课时间不足 7 个月），学农 2 个月，中小学实行十年制，中学五年（三、二分段）。这一时期，有的学校用"三机一泵"代替理化教材，把阶级斗争作为主课，用三算教学代替数学课教学。

1972 年，基本恢复了"文革"前教学计划设置的课程。2 月 12 日，内蒙古教育局出台《内蒙古自治区中小学教学计划（试行）》，对 1972 年以前的教学计划进行了修改，对开设的课程以及授课时间等做了明确的规定：（1）中学全年上文化课 35 周，学工、学农 8 周，机动时间 1 周，寒暑假 8 周。（2）1972 年的政治、历史、地理、卫生常识等课由各地（校）自行编写讲授提纲。（3）呼、包二市和盟所在地中学以及有条件的农村、牧区中学开设外语。（4）除政治课外，每周要安排 2—4 课时的政治学习。

1973年，自治区教育局下发92号文件《关于中小学教学计划的通知》，对1972年的教学计划作了调整和补充：外语课根据师资条件开设英语或俄语，课外体育活动每周不少于4课时。改革旧的教学方法和考试方法：政治、史地、农基、音、美、体、卫生常识等课程可以不考；其他学科也不搞地区性统考；卫生常识改为讲座，总时数不超过平均每周1课时。

1973年起，全区中学实行秋季始业（即秋季入学）。1973年下半年后，根据“以学为主，兼学别样”的指示，课程设置和教学计划进行了变动。各校增设专业课、专业班，有的中学增设农业机械、工业交通、会计、赤脚医生、林技、兽医等专业；有的中学开设四门课，必修课（阶级斗争主课）、文化课（语文、数学）、专业课和劳动课。

1977年以后：教学秩序逐步走向正规化

1977年7月，自治区教育局下发《关于自治区中小学教学计划的通知》,规定：中学全年上课34周、兼学8周、假期8周、机动2周；中学生每天在校活动总量不超过8小时，不搞统考；中学高年级开设专业课的班级，要在加强基础，保证政治、语文、数学、体育等课程的基础上，适量安排专业课时间。全区各校开始执行通知中的规定，教学常规管理开始走向正规。

1978年1月25日，自治区教育局转发了部颁《全日制十年制中小学教学计划试行草案》（以下简称《试行草案》），并指出自治区将于1978年秋开学后，在初一年级试行全国统一的教学计划、教学大纲和教材。《试行草案》规定：全日制中学学制为五年，三、二分段。主学和兼学的安排：全年52周，政治课和文化课（包括复习、考试），初中36周，高中34周；“兼学”，初中6周、高中8周；寒暑假8周；机动时间2周。“兼学”时间内，1周时间学军、学工、学农，每天劳动时间不超过6小时。《试行草案》还对中学的任务、制订教学计划的原则、课程设置等作了具体的规定和说明。

1979年7月，自治区教育厅下发《1979—1980学年度中小学教学计划》,要求统一执行部颁《试行草案》。在高中增设选修课，并于1979年起使用全国统编教材，各科按新大纲要求组织教学。

1980年5月，教育部通知，从暑假后新学期起，“晚婚和计划生育讲座”改为“人口讲座”。7 月，内蒙古教育局 38 号文件规定：自治区首批重点中学从 1980 年秋始业的高中的学制一律定为三年。1980 年 7 月 12 日，自治区教育厅下发《关于统一全区全日制中小学校历的通知》,规定了全日制中学校历：9 个月教学、1 个月劳动、2 个月假期，农村、牧区全日制中学可放农忙假。每学年始业时间为 9 月 1 日，全日制中学不得任意停课，停课必须经教育行政主管部门批准。同年，自治区教育厅还下达了部分全区首批重点中学外语课程设置规划。

1981 年秋，自治区中学执行 1981 年 7 月由自治区教育厅颁发的《自治区全日制六年制中学教学计划（试行草案）和自治区全日制五年制中学教学计划（试行草案)》。全区各校积极贯彻自治区教育厅《关于按教育规律办事，建立和保持中学正常教学秩序，减轻学生课业负担的若干规定》,进一步整顿教学秩序，严格执行教学计划，按大纲和教科书要求教学，逐渐纠正丢开教科书另搞一套的做法。

根据教育部决定，自治区从 1981—1982 学年度开始，在中学普遍开设了法律常识课。1981 年 7 月，自治区教育厅根据自治区党委决定，拟将“党的民族政策和自治区建设”课暂时列入初中教学计划，每周 2 课时，共 8 周。1982 年秋开始，自治区各中学的高中开设地理课，讲授人类和地理环境的基础知识。1983 年 1 月 24 日，自治区教育厅发出通知，要求自治区所有初、高中均应开设劳动技术教育课，各校可在 1983 年春季或秋季正式开课。劳技课内容：工农业生产、服务性劳动及公益劳动。城市中学各年级可结合有关课程教学，开设植物栽培、动物饲养、木工、钳工、电工、无线电技术、烹饪、缝纫、编织等劳动项目。农村中学以农业生产技术教育为主。时间：初中每学年 2 周，每天 4 课时，三年共 144 课时；高中每学年 4 周，每天 6 课时，三年共 432 课时；二年制高中共 288 课时。成绩考核：分优、良、及格、不及格四等记入学生成绩册。建立考勤、考核制度。1984 年 6 月 7 日，自治区教育厅发出通知：今后中学要逐步开设电子计算机选修课或必修课，并决定于 1984 年在内蒙古师范大学附中、呼和浩特市三中、包头九中、锡林郭勒盟蒙中、通辽一中开展试点工作。教学计划按教育部初拟的《中学计算机教学大纲的建议》草案试行。

1987 年 5 月 29 日，自治区教育厅内教中（87）12 号文件中就俄语、日语开设问题提出意见：全区继续执行1982年原教育部规定的“以英语为主，俄语应占一定比例，适当开设日语”的外语教学计划。

1990年8月2日，自治区教育厅下发8号文件，转发国家教委《印发〈现行普通高中教学计划的调整意见〉的通知》。自治区还决定从1991年秋季招收的高一年级起组织实施。调整后的时间安排：全年52周，教学时间40周（高一、高二年级每学年上课34周，复习、考试2周；高三年级上课24周，复习、考试12周。劳技教育各年级均为4周），假期10—11周（包括寒暑假、农忙假、节日假），机动时间1—2周。每周活动总量36—38课时，高三年级结束新课时间不得早于3月底。调整后的课程设置情况是：课程结构由学科课程和活动两部分组成。学科课程分为必修课和选修课。活动包括课外活动和社会实践活动。必修课程：政治、语文、数学、外语、物理、化学、生物、历史、地理、体育、劳技，共11种。选修课程分两种：单科性选修，在高一、高二年级开设；分科性选修，分文科、理科、外语、艺术、体育、职业技术六类课程，在高三开设。政治、语文、数学、体育、劳技五科在高中三个年级均为必修课。外语、物理、化学、生物、历史、地理等课在高一、高二年级为必修课，历史课增加中国近代史、现代史的内容。其他必修课的内容依据适当控制深度的原则作必要的调整，时事教育每周1课时；劳技课每学年4周，每天6课时；人口教育是必修的内容，总时数不少于16课时。单科性的选修课在高一年级每周3课时，高二年级每周4课时；分科性选修课在高三开设。各类选修课控制在以下范围内：物理每周4—6课时，化学每周3—5课时，生物每周2—4课时，历史每周4—6课时，艺术每周2—3课时，地理每周4—6课时，外语每周3—5课时，体育每周2—3课时，职业技术教育每周4—6课时。课外活动包括：体育锻炼、知识讲座、科技活动、校会、班会等，社会实践活动每学年2周。国防教育、环保教育等安排在选修课和课外活动中进行。计算机课的开设根据各地条件决定。

1991年，自治区教育厅下发实施《现行普通高中教学计划调整意见》，要求全区普通高中开设必修课、选修课，增设劳技课和社会实践活动。

1992年，全区中小学普遍开设了劳动课或劳动技术课，基本上做到了师资、教材、基地三落实。

1993年，自治区教育厅在贯彻执行新的课程方案方面主要抓了学习、宣传、培训、教材建设等工作。自治区将课程方案的执行情况列入义务教育评估检查的重要内容，要求凡是宣布实施初级中等义务教育的地方，都必须严格执行新的课程方案，条件较差的农村牧区初中要积极创造条件，保证1995年秋季开始严格执行新的课程方案。从秋季开学起，初中起始年级开始执行新的课程方案，全区汉语授课初中的起始年级使用九年义务教育“六三”制新教材；使用蒙古语言文字授课的初中使用“五四”制教材。全区顺利实施新的课程方案。

3. 教学改革

1951年7月，绥远省人民政府下发《关于着手改进普通中学教学内容和教学方法的决定》,提出了改进教学方法的建议：（1）做到教师充分掌握教材，改变无准备、自己也不懂、照本宣读的现象。（2）应有计划、有目的、有办法地进行教学，要有年度、学期的教学计划。每课每单元有书面的教案，计划和教案应在掌握教材和学生学习情况后制定。反对漫无目标、教者不知为什么教、学者不知有无收获的教学方法。（3）引导学生独立思考。（4）课堂教学为主，课外作业为辅，课外作业应与课堂教学相结合。（5）通过随堂提问、课外作业考试、个别谈话和小型座谈会，启发学生思考问题，检查教学效果，不能只问耕种、不管收获。（6）各科之间互相配合，结成整体。

1949—1956年为学习苏联教育思想的阶段。从1949年开始，自治区多次组织参观团到哈尔滨、沈阳等地学习苏联经验。东部各盟使用的教学计划是东北参照苏联中学教学计划制订的。教学方法中有的中学开始采用了五级记分法，进行直观教学；1951年4月，组织中学教师学习《苏联学生的思想品德教育》一文，7月发布《关于着手改进普通中学教学内容和教学方法的决定》,制订了校长责任制和教师责任制，确定了“智、德、体、美全面发展”的教育方针。同年，指示各地中学教师阅读凯洛夫所著《教育学》。1952年1月，在乌兰浩特组织部分中学教师学习，系统地学习凯洛夫教育学。1953年，学习苏联教学经验逐步深化，教学中深刻运用“五个原则”（直观性原则、自觉积极性原则、系统性原则、量力性原则和巩固性原则）和“五个环节”（组织教学、复习旧课、讲授新课、巩固新课、布置作业）

进行教学，动员教师自制教具，加强教学的直观性。还把教育理论水平看作考查教师水平的重要内容，要求教师必须把理论运用到实际工作中去。中学普遍实行“五级记分制”。这一阶段从学习具体经验转到系统学习理论，从少数学校到全部学校，从领导干部和部分教师到全体教育工作者，从一般的指导作用到主导作用，学习和推行凯洛夫教育思想已进入高潮阶段。

1957 至 1958 年，对凯洛夫教育学有组织的传播虽然停止，但它在实际教学中仍然起着比较重要的作用。

1958 年，在教学上贯彻理论与实际相结合的方针，反对“黑板上种田”。数学、理化加强实地测量，演示实验和各种技术小组（电工、教具制作、木工、化工等）紧密结合。动植物、农业知识课和实习园地、大田作物、使用农具、饲养动物相结合。有一些农业课，如施肥、播种等直接到田间、园地上课，教材也根据农业季节调换了顺序。

1959 年，学校恢复了正常的教学秩序，有关部门要求学校“精雕细刻”地贯彻党的教育方针，改革教学内容和方法，批判“三脱离”，贯彻“三结合”。呼和浩特市还进行了校际间的集体备课、互相听课、专题研究等活动。自治区各地还组织召开教学现场会活动。

1960 年 2 月，自治区教育厅召开全区中学教育现场会，介绍教学经验，赤峰二中介绍了狠抓基础知识训练和基本技能培养方面的经验。

1960 年 3 月，中央提出教育改革的方针，自治区开始了大规模的教学改革。主要从学制、教学计划、教学内容、教学方法、教具等方面进行改革。各盟市教改试点工作，呼和浩特市开展较早，于三月中下旬开始，其他各盟市大多数于五月上旬开始。1960 年上半年全区试点学校中小学共 334 所 965 个班，其中五三二制中学 60 所 213 班，六三二制中学 9 所 15 个班，九年一贯制中学 6 所 27 个班。

1960 年，自治区教育厅召开中学生物教学改革会议，明确提出要从三个方面着手改革：（1）教师必须改造提高自己，通过本身的业务联系生产实际，在劳动中改造和提高。教师深入合作社，拜农民为师，树立与劳动人民的感情和劳动观点。（2）改革教学内容，删减与生产无关的教材，增加与生产有关的内容。特别是乡土教材，尽量使教学内容与生产季节适合，使教学面向自治区的生产实际。（3）改革教学方法，从教室走出来，面向生产实际，大搞园地生产和试验田，增加学生的实地操作。教学形式多样化，请有经验的农民、技术人员上报告课，在园地上现场课或组织讨论课。会议初步拟定了两个生物、教学改革方案（草案）。两个方案都主张把初中的植物学、动物学和农业基础知识三门课程合并起来讲授，暂定名为农业基础知识课。

1961 年，内蒙古教育厅下发了《全日制中小学继续进行教学改革的意见》，总结了一年来的教改工作，阐明了教改工作中的问题，如新学制推行面偏宽、试验学制年限偏短、教学要求偏高、教学计划偏紧、教材和教学进度乱、教师工作跟不上需要等，并针对这些情况提出了改进意见。（1）学制改革。分期分批推行中小学十年制，总的目标是用十至二十年的时间。以五年为一期，分五批，逐步实行十年制。前十年完成完全中学的学制改革，后十年完成初中的学制改革。（2）教学计划改革。全日制中学主要采用教育部统一制定的教学计划。城市中学：全年授课 34 周，复习考试 5 周，机动时间 1 周，节假日 1 周；集中劳动：高中 5 周，初中 4 周，校内外劳动各一半，平时每周劳动 4 小时。农村中学：全年授课 32 周，机动时间 1 周，节日假 1—2 周；集中劳动 7 周，校外 4 周，校内 3 周，按农事的闲忙安排，平时每周劳动 4 小时。俄文课的设置：十年制学校和重点中学从初中开设，一般中学从高中开设。增设农业政策和农业生产知识课，每周 2 节，试点校和重点中学在初中开设，一般中学初、高中均开设。（3）教材的选用。试行十年制的教材由中央供应，教材的深度保持原十二年毕业的程度。十二年制的采用人民教育出版社教材。（4）招生改革。停止春季招生，1960 年春季始业班一般退半年转为秋季始业，学生的知识水平可以赶上二年级的，可升半年转为秋季始业。过渡年级学制一律不变，按十二年教学计划学习。1963 年，自治区教育厅下发 50 号、140 号文件，调整试验面，只保留呼和浩特市二中、包头一中、赤峰二中 3 所学校继续试验五年三二制；停止试验的中学，从 1963 年秋的初一实行新的十二年制教学计划，原有的试验班级升入二年级时改为十二年制。

1961 年暑期，呼和浩特市教育局邀请部分语文、数学讲师座谈，会议提出了两个座谈会的《纪要》。11 月，教育厅将两个纪要发给各盟市教育局和中学。

1963年2月，自治区召开中学语文教学座谈会，主要内容有：(1) 继续克服把语文课讲成“政治课”或“文学课”的偏向；(2) 要求切实加强基础知识的教学和基本技能的训练；(3) 总结了1959年以来自治区中学语文教学取得的成绩和存在的问题，并提出教改意见。

1963年8月，自治区教育厅制定了《中学数学教学改进意见（初稿）》，提出中学数学教学应当使学生牢固地掌握代数、平面几何、立体几何、三角和平面解析几何的基础知识，培养学生正确而迅速的计算能力、逻辑推理能力和空间想象能力。扎扎实实教好基础知识，继续加强基本技能的训练。

自治区教育厅于1963年下发教普字10号文件中规定，从1963年秋季开学起，全部完全中学和少数条件较好的初中，试行全日制中学暂行工作条例，试行十二年制新教学计划。1963—1964学年，全区有61所完全中学和23所初级中学开始正式试行条例，其余全日制中学则根据条例精神，改进学校工作，试行部分条文，严格执行教学计划，妥善安排教学、劳动、放假和社会活动的时间。“九三制”全日制中学执行统一的校历和教学计划，“八四制”“七五制”中学执行原规定。

1964年春季，毛主席关于教育工作的春季指示传达以后，各校适当精简了课程和教学内容。在教学方法上采用“精讲精练”“一例多用”“一题多解”以及知识归类等措施。

1968年9月，自治区在昭乌达盟召开现场会，推行“九年一贯制”经验。

1971年，呼和浩特市一中语文教师吴学恒用“启发式”的方法引导学生在自学的基础上提出问题共同讨论。他的《从旧的教学方法中解放出来》的文章发表在2月14日的《光明日报》上，并转载于4月14日的《人民日报》。

1974年3月，全区教育革命座谈会报告中提出按照毛主席的教育方针和《“五七”指示》改造学校，出现了开门办学、改革教学方法和考试制度等。

1977年，中学招生恢复考试制度，全区各校开办了常规教学。呼和浩特市各中学制定了备课、讲课、批改作业、辅导“四认真”的教学要求，并强调“二基”教学。赤峰市提出要开发学生智力、培养学生能力；备课要备知识、备方法、备学生。

1978 年，自治区教育局召开全区各盟市教研室主任座谈会，讨论研究中小学教材教法，为试行全国中小学教学计划作准备；各盟市重点中学开始配备幻灯、投影仪、闭路电视等现代化电化教具。

1979 年，现代教育理论和教学思想开始在自治区传播。各校在抓好“二基”的基础上，强调发展学生智力、培养学生能力。

赤峰市（原昭乌达盟）通过总结 1979 年的工作，概括出“面向全体、各科齐进、狠抓基础、培养能力、因材施教”二十字经验，并将之作为教学工作的纲要；通过全盟语文教学现场会，总结出“狠抓双基，精讲多练”的经验（精讲，即抓住基础知识和重点、难点讲解，注意知识的系统性、规律性；多练，即注意不同形式的练习）。1982 年，赤峰市教研室引进了中科院心理研究所卢仲衡的启发学生思维、发挥学生自觉性积极性、培养学生能力的教学方法和湖北师院黎世法的自觉发现法等教学方法。教师们在教学实践中探索、总结出五步法、六步法、七步法、导学法等教学方法。这些教学法在部分学校实验，取得了较好的效果。

呼和浩特市教研室于 1981 年召开教改研究会，提出要在教学中正确处理传授知识与培养智能、传授知识与思想教育、教师主导与学生主体、统一要求与因材施教等四个关系，还提出了数学教学岗位责任制。1983 年，呼和浩特市教育局召开中小学教学会议，要求抓好“二基”“二力”（发展智力、培养能力）教学，各中学在教学上狠抓三个基础：基础年级、基础学科和“二基”“二力”，努力改进教学方法，在“准、牢、活、快”（掌握知识准确、基础知识牢固、知识学得灵活、表达运用快速）上下工夫。1984 年，呼和浩特市中学各年级各学科都成立了校际中心教研组，主要任务是分析教材，制定单元教学计划，在每个单元讲授之前，由中心组主讲教师向任课教师进行分析辅导，使教师充分熟悉教材，掌握教材重点、难点、提高驾驭教材的能力。市教研室还对基础学科、起始学科和易分化学科进行了全市性统一抽测，测后进行分析，提出了教学上存在的问题和改进意见。市教育局执行部颁高中数、理、化三科两种要求，按甲种本教材、乙种本教材两种教学纲要教学。

1990 年，在深化教学领域的改革方面，主要是根据加强德育的要求，对语文、政治、地理等课程的教材、教学法进行改革。如呼和浩特市十九中提出：讲历史首先讲爱国主义思想，培养学生献身祖国、献身内蒙古的思想；讲数学要培养学生缜密的思维、严谨的作风，养成向真、向上、向美的品德和实事求是的科学态度；讲政治要教育学生养成理论学习与实际表现相统一的思想作风。各校还普遍加强了劳动（技术）教育和社会实践教育。

（三）学校管理与改革

1. 对学校的管理

1949—1952 年，中学由自治区和盟市两级政府双重领导和管理。中学校长由盟市报自治区任命，副校长由盟政府任命，其他干部的任免、教师配备、校舍建设、经费等均由盟市教育处（局）负责。1953 年，各盟市正职校长已不再由自治区政府任命，由盟市政府直接委任。

1954 年，自治区教育厅直接领导的中学都改为各盟市领导。由盟公署直接领导和管理。初级中学一般由盟和旗县双重领导和管理：正职校长由盟文教处提名、盟公署任命，副职校长由旗县提名、盟文教处任命，学校的中层干部任免，教师配备、调动、基建和经费等，均由旗县直接领导。

1954 年 3 月，自治区人民政府下发了《关于中学领导关系的暂行规定》,对全区中学的领导关系作了具体的规定。

1962 年，自治区教育厅在《关于办好全区性重点中学的意见》中，对重点中学的行政管理作出规定：（1）全区性重点中学原则上归盟（市）文教办公室（教育局）直接领导。（2）重点中学校长的任免报请内蒙古人委批准；教导主任、总务主任由盟市任免；教职员的调动、提拔、任免、奖惩等事宜由盟市掌握，报厅备案。（3）学制、规模、教学计划、编制由教育厅统一规定。每学年的工作计划和总结以及重大问题的处理，在报盟市教育局的同时，应报教育厅。（4）校历的安排，由盟市教育局根据中央和内蒙古有关规定作出决定，如停课必须报教育厅批准。（5）重点中学所在地的旗县（区）教育行政部门的领导职责：依据上级的指示和规定进行督促和检查，协助盟市教育局处理和解决日常请示报告的问题，向上级提出改进重点中学工作的意见，协助学校安排好师生生活。

1966 年“文化大革命”开始。1968 年，工宣队、军宣队进驻城镇中学。1969 年，呼和浩特市实行军管，军管会代表进驻呼和浩特市各中学，指导革委会工作。同年，呼和浩特市中学实行厂校挂钩，第一批工宣队和军管代表相继撤出学校，由挂钩厂派出工宣队进驻学校，由工宣队长任学校革委会主任兼党支部书记。自治区其他盟市旗县中学也从1968年开始由厂矿企业或社队管理。

从1972年开始，盟市、旗县政府开始陆续收回公办中学，呼和浩特市地区于1973年中学革委会主任改由学校干部担任，1977年工宣队撤出学校。

1978年，内蒙古教育局革教普字（78）4号文件对重点中学的行政管理作出规定：自治区的重点中学应列为盟市、旗县（区）的重点，盟市的重点校也应列为旗县区的重点，分别由学校所属的盟市、旗县（区）为主领导和管理。内蒙古师范学院附中由内蒙古教育局和内蒙古师范学院双重领导。以盟市、旗县区为主领导和管理的自治区重点学校和以旗县（区）为主领导和管理的盟市重点学校，分别由内蒙古教育局和盟市教育局负责管理以下几项工作：（1）检查督促学校贯彻执行党的教育方针、政策和党中央、国务院关于教育工作的指示、决定、条例、规定的情况。（2）审批长远规划、学校规模、班级定额、教职工编制、经费开支标准、教学计划的变更和重大教学、教育改革实验。（3）装备主要的仪器设备。（4）根据学校需要选派大学毕业生教师和进行师资培训。（5）基建、维修项目每年由自治区、盟市两级教育局商定，由盟市教育局安排。（6）盟市以上重点中学的第一把手应配备县团级干部，第一、二、三把手的配备由盟市教育局提名，按干部管理权限办理审批任免手续。配备自治区级重点学校的主要领导干部，必须征得自治区教育局的同意。旗县（区）重点中学的第一把手应配备科级以上干部，由主管教育的行政部门提名，经盟市、旗县（区）党委、革委会批准任免，民族学校要配备少数民族干部担任主要领导工作。1978年，全区开始按有关规定建设重点中学。

1982年，自治区人民政府规定：自治区高级中学（含完全中学）的设立、变更均由盟市教育局汇总上报自治区教育厅核批。自治区教育厅将根据党的有关方针、政策，本着统一领导、分级管理的原则，制定高级中学的管理办法。1984年，哲里木盟实行县、乡、村三级办学，“三级管理”的教育体制，实行旗县办完全中学和高级中学，乡镇、苏木办初级中学，部分重点中学仍由哲里木盟公署直接领导和管理。

1988 年 9 月，国家教委发出通知，要求县以上人民政府，应在其教育行政部门内部建立教育督导机构。1989 年下半年，按国家教委《关于对中小学教育工作开展五项督导、检查的通知》精神，全区开展了对中学的“五查”工作。自治区还成立了领导小组。全区“五查”工作分两步进行，9 月至 11 月盟市自查，11 月至年底自治区政府组织全面抽查。

《中共中央关于教育体制改革的决定》公布以后，全区实行“地方负责、分级管理”的新体制。1988 年，自治区政府批转下达了教育厅《关于基础教育管理体制改革若干问题的意见》,进一步明确了各级地方政府管理基础教育的职责权限。建立和完善“三教统筹”的管理体制。自治区政府确定在赤峰市郊区、镶黄旗、奈曼旗、丰镇县和达拉特旗进行“三教统筹”试点。

1989 年 5 月，国家教委批准镶黄旗、奈曼旗和敖汉旗为自治区农村教育综合改革试点县。同年，自治区政府组织有关职能部门以建立和完善“三教统筹”和农（牧）科、教统筹的管理体制为重点，加强了对实验区的指导工作。一是赋予旗县政府更多的统筹权和决策权。在强化基础教育“地方负责、分级管理”的同时，把基础教育、职业技术教育、成人教育纳入当地经济、社会发展战略计划，实行人财物由县乡政府统筹、业务由教育部门主管的新体制。二是建立任期目标管理责任制。制定自治区、盟市、旗县、乡苏木四级政府对“三教统筹”和农（牧）、科、教统筹的任期目标管理责任制。三是加强旗县政府的宏观管理职能。旗县政府要负责制订“三教统筹”和农（牧）科教育统筹发展规划，负责协调有关部门抓好机构、经费和人才使用等措施的落实。自治区各盟市也分别选定 1—2 个旗县进行“三教统筹”和农、科、教统筹的试点。

1989 年上半年，自治区政府在巴彦淖尔盟临河市（今巴彦淖尔市临河区）召开现场经验交流会，向全区推广巴盟地区试办“3+1”学校的经验。到 1989 年，全盟农职业高中和“3+1”初级农职业中学已分别发展到 18 所和 34 所。1989 年底，全区 12 个盟市全部开展了“3+1”教育，共改办和兴办“3+1”学校 374 所。“3+1”班在校学生 35 601 人。赤峰市当年就办起“3+1”学校 100 所。1991 年，自治区下发《关于高中教育若干问题的意见》,规定普通高中教育属于基础教育范畴，高中实行“地方负责，分级管理”的原则。自治区教育厅实行宏观指导和管理，根据中央精神制定我区高中教育的政策、制度、计划和指导学校管理。检查评估办学思想、办学效益以及统筹全区高中的设校布点、高中教学计划的调整、高中改制等。自治区重点中学由盟（市）直管，直管确有困难的可交旗（县）直管。

2. 重点中学建设

1953 年，自治区根据教育部第二次全国教育工作会议精神，经中央教育部批准确定办重点中学 2 所。

1959 年，中央教育工作会议要求各地在全日制中学中选定一批重点中学。是年，自治区各盟市确定重点中学 21 所（完全中学 17 所、初级中学 4 所，其中蒙古族中学 8 所）。

1962 年，自治区教育厅总结各盟市试办重点中学工作，指出重点中学存在的问题，下发了《办好全区性重点中学的意见》（以下简称《意见》）。《意见》要求：全区性重点中学要试行全日制中学工作暂行条例。蒙古族中小学要贯彻《全日制蒙古族中小学暂行工作条例》。此外，还对全区性重点中学提出了具体要求和规定。根据相关条件，初步选定呼和浩特市一中（汉）、呼和浩特市二中（汉、蒙）、土默特民族中学（蒙、汉）、内蒙古师范学院附中（蒙、汉）、海拉尔一中（蒙）、乌兰浩特一中（汉）、通辽一中（汉）、赤峰一中（蒙、汉）、赤峰二中（汉）、集宁一中（汉）、包头一中（汉）等 11 所中学为全区性的第一批重点中学；初步确定伊克昭盟一中、锡林浩特中学（蒙、汉）、丰镇中学、包头九中、通辽二中（蒙、汉）、杭锦后旗中学、海拉尔二中、甘旗卡中学（蒙、汉）等学校为全区性重点中学的预备学校。《意见》还指出，各盟在办好这些学校的前提下，还可选择少数条件较好的中学作为盟市和旗县的重点中学，并报教育厅备案。

1963 年 2 月，自治区教育厅在原定重点中学的基础上，重新选定呼和浩特市一中、二中、土默特中学、内蒙古师范学院附中；包头一中、九中；集宁一中；赤峰一中、二中；通辽一中、二中；海拉尔一中、二中；乌兰浩特一中等 14 所中学为首批办好的一批中学。

1963 年 6 月，自治区教育厅下发《关于提高全日制中小学教育质量和重点办好一批中小学的初步意见》,将重点中学增至 18 所（城市 14 所、县镇

4 所，有初中 243 班、高中 171 班），这些重点中学占全区公立学校数的 71%，其学生总数占全区公立中学学生总数的 16.3%。

“文化大革命”期间，重点中学一律改为一般中学。

1978 年，内蒙古教育局下发《关于自治区第一批重点中小学情况的报告》,提出了自治区教育局抓的第一批重点学校 17 所，其中城市中学 5 所，具体是内蒙古师范学院附中，呼和浩特市一中、二中，包头一中、九中。各盟市和厂矿企业第一批重点中学 77 所，其中城镇中学 54 所，本村中学 23 所。8 月，内蒙古教育局发出《关于第一批自治区重点中小学的通知》,确定内蒙古师范学院附中等 18 所学校为第一批自治区重点中学。至 1980 年，全区共有重点中学 46 所，其中首批重点中学 34 所。

3. 普通高中管理先进校的评选

内蒙古自治区教育厅为提升普通高中办学水平，从 1993 年起对各地申报的“普通高中管理先进学校”进行验收。

1997 年，结合自治区“教育管理年”活动的深入开展，各地继续完善学校管理制度，学校内部管理特别是农村牧区中小学的管理水平有了明显提高。全区中小学教育教学行为逐步得到规范，教育教学常规管理得到加强。自治区教育厅进一步规范了中小学管理评估制度，制订了义务教育示范学校、义务教育实验学校、普通高中和示范性普通高中的综合评估指标体系，全区中小学管理和评估向科学化、规范化迈进。9 月，自治区教育厅以上述评估体系为标准，开展了第五次学校管理评估，又认定义务教育示范学校 71 所、义务教育实验学校 17 所、普通高中管理先进学校 7 所。到 1997 年底，全区累计有义务教育示范学校 265 所、义务实验学校 28 所、普通高中管理先进学校 43 所。这些举措带动了一大批中小学向管理高标准迈进，形成了讲管理、抓管理、要质量、要效益的氛围，涌现出一批管理有特点、办学有特色的先进学校。

4. 学校内部管理体制及改革

1951 年 7 月 18 日，绥远省人民政府下发《关于着手改进普通中学教学内容和教学方法的决定》,要求各地根据第一次全国中等教育会议的精神及《中学暂行规程（草案）》,认真贯彻校长负责及教师全面负责制；确定校长、教导主任的主要责任是领导教学，要求他们必须分工参加、主持各科及全校教学大纲、教学计划、教学方法的研究、制定、审查并负责批准执行，检查教学情况，适时提出改进意见。

1952 年，自治区各地中学根据《中学暂行规程（草案）》的规定，实行校长负责制。学校设校长（有的设副校长）、教导处、总务处，教学班设班主任。各校还建立共青团、教育工会，有的中学还建立了团委，并设有干部 1 人，负责共青团和少先队工作。各中学还设立了校务委员会，由校长，教导主任，总务主任，工会、共青团、学生会负责人，各科教研组长、教师代表组成。

1952 年，中学开始成立党支部或联合党支部，党支部负责人多由学校校长兼任。学校党支部的主要任务：贯彻执行上级党委的决议，保证实现上级教育行政部门的指示，领导学校的思想政治工作，做好党建工作，领导共青团、工会、学生会和其他群众组织的工作。教育党员团结群众，正确执行党的方针政策。

1957 年自反右斗争以后，学校实行党支部领导下的校长负责制。

1958 年，自治区中学实行校党委领导下的校务委员会负责制。校务委员会在学校党组织的直接领导下进行工作。校长对校委会负责，并按照党委会决议，从事日常的教学和行政工作。1959 年，有些中学设生产处负责组织学生劳动，管理校办工厂和勤工俭学；1962 年，校办工厂停办，生产处撤销工作归总务处。

1961 年，在部分中学试行教、导分开，设教务处、政教处。1963 年，撤销政教处，恢复教导处。

1963 年，全面贯彻《全日制中学暂行条例（草案）》，党支部对学校行政工作负有保证和监督的作用，校长是学校的行政负责人，负责领导全校工作，实行校长负责制。当时多数学校的党支部书记由校长兼任，配备一名专职干部搞党务、人事工作。

1966 年，“文化大革命”初期，各校均由群众推选的“文革小组”领导。1967 年，群众组织控制管理学校。1968 年，军宣队、工宣队进驻学校领导“斗、批、改”。农村中学则实行贫下中农管理学校。各中学先后成立了“革命委员会”。革委会由军、工宣传队或贫宣队，革命干部、革命群众代表组成，名曰“三结合”。革委会设主任、副主任、委员等职务。主任职务一般由军、工宣传队或贫宣队负责人担任。有的学校革委会主任职务由“解放”了的原学校干部担任，副主任由群众代表担任。撤销学校原有机构，改设政工组、教育革命组、后勤组或总务组，有的学校改为政工、教学、生产等组。各组设组长分管学校思想政治教育、教学革命及后勤、生产工作。多数学校的教研组和教学班改为连排编制。连（年级组）设连长、指导员，排（教学班）设辅导员（班主任）。

1969 年 12 月，呼和浩特市对学校实行军事管制，中学进驻军管代表，指导革委会工作。1969 年至 1970 年，中学开始由厂矿企业或社队管理，实行厂校挂钩，由挂钩厂派出工人毛泽东思想宣传队进驻学校，并由工宣队长任学校革委会主任兼党支部书记，实行党的一元化领导。很多学校还改了名称，如改为“五七中学”“韶山中学”等。

1972 年，学校取消连排建制，恢复年级组和班主任。1973 年，中学革委会主任改由学校干部担任。1977 年，工人毛泽东思想宣传队、解放军毛泽东思想宣传队和贫下中农毛泽东思想宣传队先后撤出学校。

1978 年，教育部颁发《全日制中学暂行工作条例（试行草案）》。各中学实行党支部领导下的校长分工负责制。取消革委会，恢复学校原来名称，改政工组、教革组、后勤组为办公室、教导处、总务处。各学科教研组恢复。学校的一切重大问题必须经过党支部讨论决定，但由于很多中学的党支部书记仍兼任校长，无法分工。

1985 年颁布的《中共中央关于教育体制改革的决定》规定：学校必须逐步实行校长负责制。各盟市也都选择部分学校开始进行校长负责制的试点。赤峰地区试点校实行党政分开，校长不兼党支部书记。学校行政工作实行校长负责的管理体制。1985 年 12 月，呼和浩特市人民政府进一步强调学校必须要实行校长负责制，有条件的学校要设立由校长主持的校务委员会，并要求建立健全教职工代表大会制度。

1988 年 3 月，自治区教育厅下发《关于中小学校长负责制的试行意见》,对实行校长负责制的形式和任职条件以及校长的职责、权限、利益等作了明确规定。全区有不少盟市、旗县从各自的实际出发，试行以“任命任期制”“委托承包制”和“招聘合同制”为主的多种形式的校长负责制。乌兰察布盟和呼和浩特市在部分中学试行公开招聘校长，同时试行教职工聘任制、工资总额包干制，进行了大胆探索。自治区教育厅在调查研究的基础上草拟了《自治区中小学内部管理体制改革试点方案》。

1989 年 1 月，自治区教育厅提出了学校内部管理体制改革的四项措施：(1) 扩大学校自主权，实行校长负责制。校长实行任期目标责任制，在任期内对学校内的人财物有充分的支配和决定权。(2) 实行教职工全员聘任制，以责定岗，以岗定员。对超编和落聘人员合理安置，自我消化。(3) 实行学校经费总额包干制，包括工资总额包干和公用经费总额包干。(4) 打破平均主义分配制度，实行校内结构效益工资制（由基础工资、岗位和课时工资、奖励工资等几部分组成），使教职工的收入与其工作态度、工作效益和实际贡献紧紧挂起钩来。自治区、盟市、旗县三级分别进行试点。乌兰察布盟、赤峰、包头、呼和浩特市等地实验范围较大。乌兰察盟察右前旗是自治区综合改革试验点，该旗中学全部实行了校长负责制和教师聘任制。

1990 年，全区在完善学校内部管理体制的改革方面又有了新的进展，中学在继续实行和完善校长负责制的同时，在部分学校试行了党支部领导下的校长负责制。

1991 年，内蒙古自治区教育厅 11 号文件规定：普通高中可继续实行校长负责制。有关校长负责制的形式、任职条件、校长的职责权限和教育主管部门对校长负责制的领导管理等问题要继续执行自治区教育厅（88）16 号文件精神。没有实行校长负责制的学校也可以实行党支部（总支）领导下的校长负责制。

三、中小学思想政治与道德教育

（一）教育内容

五爱教育和国际主义教育 新中国成立初期，全区各地小学依据新民主主义教育方针，对小学生进行爱祖国、爱人民、爱劳动、爱科学、爱护公共财物的国民公德教育。

1951 年，对学生进行“抗美援朝，保家卫国”教育。5 月 10 日—14 日，绥远省教育厅召开全省初等教育工作会议，会上明确提出要保证初等教育工作中爱国主义教育的经常性。在“抗美援朝，保家卫国”运动中，各校用生动、具体的材料，揭露美帝国主义侵略中国的历史、在朝鲜的罪恶和外强中干的“纸老虎”本质，肃清崇美、亲美、恐美思想，使学生从思想感情上仇视、鄙视、蔑视美帝国主义。广泛开展学习志愿军英雄事迹和慰问志愿军的活动，组织动员呼和浩特市中小学师生给志愿军写慰问信 4 945 封，制作慰问袋 755 个，捐献人民币 2 735. 1 万元（当时的币值），捐献书籍 7 512 册。这些活动使学生受到了爱国主义和革命英雄主义的教育，各中小学中有 500 多人报名参加志愿军，1 000 多人报考军事学校。华北军区来呼和浩特市动员 17—22 岁的中小学生参加护理工作，有 1 502 人报名。赤峰市中学在两星期内就有 1 200 多名学生报名参加志愿军，最后卓索图盟中学和赤峰中学有 45 名学生被批准光荣入伍。

1954 年，内蒙古自治区和绥远省合并，自治区各中学组织师生学习党的民族区域自治政策，以民族团结和热爱内蒙古、建设内蒙古的思想教育为中心，开展政治教育工作，并进行学习、讨论和宣传中华人民共和国宪法草案的活动。自治区教育部召开了全区中等教育会议，传达了全国中学教育会议精神，并结合区内具体情况讨论确定了思想政治教育的主要内容，即坚持社会主义的政治方向，树立辩证唯物主义的世界观，培养共产主义的道德；要加强爱国主义教育、劳动教育、集体主义教育和纪律教育。

1960 年，中学思想政治工作主要是以农业为基础的方针政策教育和“学习刘文学，做毛主席的好孩子”的阶级斗争教育，同时还开展了讲毛主席的革命故事、学习毛主席著作的活动。

1963 年 3 月，全区掀起了学雷锋、争当“四好”（思想好、学习好、身体好、劳动好）学生的热潮，出现了许多在校内外助人为乐、拾金不昧、尊老爱幼、勤奋学习等动人事迹。

1963—1964 年，全区各校加强阶级和阶级斗争的教育，反对和防止资产阶级思想和其他各种反动思想的侵蚀；开展向雷锋学习的活动；对学生进行社会主义的教育；加强时事政治教育，使学生了解国内外形势；继续进行国民经济以农业为基础的教育，进行三面红旗的教育；加强民族政策和民族团结教育；加强品德纪律教育。

1964 年 1 月 25 日，教育部召开全国教育厅、局长会议，传达贯彻中央和毛主席对教育工作的指示，提出要加强中学的思想政治工作。6 月 23 日，教育部、文化部联合发出通知，采用毛泽东著作为高中政治课代用教材。10

月，呼和浩特市市委宣传部召开“学校政治工作会议”，通过了《中等学校政治工作条例》,强调以阶级斗争为纲，坚持无产阶级的办学方向，培养学生对贫下中农的感情。教育学生积极参加三大革命运动（阶级斗争、生产斗争、科学实验），抵制反动阶级通过“和平演变”的方式复辟资本主义的企图。

1965—1966年，从强调突出政治，学习雷锋、王杰的群众性活动，进一步发展为向解放军学习，把活学活用毛泽东思想放在首位。学生中普遍成立了学习“毛主席著作”小组，用毛泽东同志关于培养无产阶级革命接班人的五条标准要求自己。

1967年，中小学“复课闹革命”以后，学校里“战斗队”林立、无政府主义泛滥。期间的思想政治教育主要是学习毛主席提出的无产阶级专政下继续革命的理论；以阶级斗争为纲、进行革命的大批判，也是当时的主课。1968年工宣队进驻我区城镇中学，领导学校的斗、批、改（即斗争“走资派”、批判资产阶级、改造旧教育），学工、学农、学军，进行战备劳动。1973年秋至1974年夏，“四人帮”制造了马振扶中学事件、一个小学生日记事件、白卷英雄事件、永红小学事件等，掀起了“反回潮”“反复辟”，大批“智育第一”“师道尊严”的恶浪，大搞揭发追查所谓迫害学生的问题，培养学生“不做温顺的小绵羊，争当头上长角、身上长刺”的反潮流“英雄”。通过反击右倾翻案风，加强对学生进行“无产阶级专政下继续革命的理论”的教育。

1979年，全区小学围绕“四项基本原则”，对学生进行了广泛深入的学习目的、遵纪守法、热爱集体、文明礼貌等方面的教育，开展了以“学雷锋，树新风，创三好”和“五讲、四美、三热爱”为主要内容的多种形式的教育活动。

1981年4月，自治区党委召开了全区学校思想政治工作会议。会后，自治区党委宣传部批转了教育厅、团委《关于改进和加强小学思想品德教育的意见》。该文件指出：小学思想品德教育的基本任务是教育学生好好学习，天天向上，使学生具有爱祖国、爱人民、爱劳动、爱科学、爱护公共财物，讲究文明礼貌的良好品德。小学思想品德教育的基本方针是坚持四项基本原则，坚持共产主义方向，从小学生的特点和实际出发。基本方式是正面引导、耐心说服、严格要求和爱护学生相结合，集体教育和个别教育相结合，学校教育和家庭教育、社会教育相结合。教育活动要贯穿思想性、趣味性、知识性。

1981 年 5 月，开展“学雷锋”“五讲四美”“小红花”“为祖国添光彩”等活动，加强对儿童的思想教育。

1982 年，全区小学积极响应党中央关于开展“五讲四美三热爱”活动的号召，组织了丰富多彩的教育活动。同时结合自治区的特点，积极开展了民族团结教育和爱国主义教育。

1983 年，全区各校贯彻教育部《关于加强爱国主义教育的意见》，进行以爱国主义为中心，以“五讲、四美、三热爱”为基本内容，以中学生守则为准则的思想政治教育。坚持四项基本原则反对资产阶级自由化，抵制精神污染的教育。同年自治区教育厅发出通知，要求每个中学生按教育部、团中央的通知精神，在假期阅读《可爱的中国》《大地的儿子——周恩来的故事》和《高山下的花环》，并写心得体会。

1983 年 2 月 21 日，自治区教育厅发出《关于转发中宣部〈关于在人民群众特别是青少年中进行国旗、国歌教育的通知〉的通知》，要求各中学通过课堂教学和课外活动，采取多种形式对师生进行国旗、国歌教育，使全体师生都了解国旗、国歌的重要意义和作用，人人都会唱国歌，学校的大型集会要唱国歌，城乡各校都要组织升旗仪式活动。

1984 年，各中学进行以爱国主义、民族团结以及热爱内蒙古、建设内蒙古、献身内蒙古为主要内容的思想教育。赤峰市各中学还开展了“热爱家乡、热爱赤峰、热爱内蒙古、振兴中华”为主题的报告会、讲演会和主题班会等课外教育活动。如巴林右旗各中学开展了“热爱巴林右旗，建设巴林右旗，全心全意为人民服务”的大讨论。1988 年，赤峰市教育局拨专款 40 万元，为全市 2 600 多所农牧区学校配备了钢制旗杆，恢复了升国旗、唱国歌的制度。

1986 年，依据国家正式公布的《全日制小学思想品德课教学大纲》，各小学对学生进行爱国主义教育、革命传统教育、集体主义教育、劳动教育和共产主义理想教育。

1988 年，全区各小学贯彻《小学德育纲要》（试行草案）、《小学班主任暂行规定》（试行草案）和《中共中央关于改革和加强中小学德育工作的通知》,成立德育领导小组，制订实施方案和措施。一些学校制定道德行为评定表，举办演讲会、品德知识竞赛活动。

针对1989年春夏在全国出现的政治风波，1990年9月，自治区教育厅根据国家教委教育司（1990）037号文件精神，要求全区各校利用时事教育课对初三、高三学生进行较为系统的国情教育，时间不得少于10课时；利用团会、班会及其他活动时间对其他年级安排国情教育。全区统一使用北京市教育局编写的《国情教育读本》（以下简称《读本》）。9月20日，自治区教育厅又发出《关于在中学开展国情教育的补充通知》,提出了国情教育的目的和原则、方法、时间安排、采用的书籍和组织领导等。目的是通过教育使中学生“知我中华、爱我神州”，培养“没有中国共产党，就没有新中国，只有社会主义才能发展中国”等观点，树立振兴中华、建设“四化”的志向和艰苦奋斗的精神，并逐步学会全面地、历史地、辩证地认识问题。开展国情教育，高中学生以自学《读本》为主，在自学的基础上讨论；初中由班主任、政治课教师等给学生串讲《读本》。各教育部门把国情教育摆到议事日程，把开展情况作为评估学校德育工作的一项内容，分管德育的校长亲自抓这项工作。

9月中旬至10月，我区各级各类学校以“亚运为国增荣誉，我为亚运增光彩”为主题，开展亚运会宣传，进行爱国主义教育活动。

9月28日，自治区教育厅转发了国家教委教基（1990）019号《关于施行〈中华人民共和国国旗法〉严格中小学升降国旗制度的通知》（以下简称《通知》）。《通知》要求：升旗仪式在每周一早晨举行（假期除外），重大节日或纪念日举行升旗仪式。1990年秋开学初，开展宣传《国旗法》、学习《国旗法》的活动，使师生充分认识到制定和执行《国旗法》的重要意义，对学生进行具体生动的爱国主义教育，这也是学校德育工作不可缺少的内容。

1991年10月4日，自治区教育厅又下发《关于强调进一步施行〈中华人民共和国国旗法〉严格中小学升降国旗制度的通知》,明确提出：“实行升降国旗制度，是学校德育工作的一项重要内容。今后，要把这项制度的实施情况列为各级教育部门考核、评估学校的内容之一。”全区普通中小学普遍开展升降国旗的活动并逐渐制度化。

《学生守则》和行为规范教育　1955 年，全区小学开始贯彻《小学生守则》。1955—1966 年上半年，各地贯彻执行教育部先后颁发的《小学生守则》（20 条）、《小学生工作条例》和重新制定的《小学生守则（草案）》（8 条）。

1963 年以后，教育部重新修订《中学生守则》，要求把贯彻守则与学习雷锋、进行学习结合起来。

“十年动乱”给青少年心灵上所造成的创伤及其后果是极其严重的。学生普遍不明是非，没有法制观念，抱团结伙，讲“哥儿们义气”，不少学生因此走上犯罪道路。为迅速改变这种状况，各学校结合贯彻《学生守则》，进行法制宣传，坚持正面教育，抓后进生的转化工作，开展“三好评比”，表扬“三好”学生。

1979 年，依据教育部重新颁布的《小学生守则（试行草案）》（10 条），对小学生进行守纪律、文明礼貌和社会公德教育。呼伦贝尔盟教育行政会议制发《关于加强学生思想政治工作的几点意见》，并于 1980 年在满洲里市召开全盟学校思想政治工作现场会，总结和交流经验。

1980 年 6 月，内蒙古自治区教育局分别在包头、集宁召开“重点小学贯彻‘小学生守则’和‘体育、卫生两个暂行规定’现场教育交流会”。1981 年，各小学依据教育部《全日制五年制小学教学计划（修订草案）》，将政治课改为思想品德课，并按正式颁布的《小学生守则》（10 条）向学生进行社会主义国家公民应有的道德品质和行为规范教育。

1988 年，教育部颁发了《中学德育大纲》（试行稿）。自治区教育厅要求各学校结合本校的实际，研究制订出贯彻落实的具体意见和措施，还确定了呼和浩特市二中等 10 所中学为自治区贯彻落实《中学德育大纲》的试点中学。自治区教育厅还提出在全面贯彻落实《中学德育大纲》时，要重点突出，以宣传训练中学生日常行为规范为突破口，以重视基本道德、基本观点、基本文明行为的教育和养成为重点。内蒙古教育厅决定统一印制全区普通中学学生证，要求学生人手一本，随时携带，使学生经常按学生证中的《学生守则》《中学生日常行为规范》规范自己的言行举止。

1988 年，全区各中学开展以落实“中学生日常行为规范”为主要内容的品德教育，开展了“学赖宁、做主人、讲奉献”的活动。各中学还邀请当地驻军指战员到校对学生进行队列训练。有的学校还开展军警民共建活动，倡导文明用语和课堂常规、食堂、宿舍卫生等行为训练。同时要求学生遵守交通规则，爱护公共财物，维护社会公德；在家庭要求学生生活自理，尊老爱幼，崇尚勤俭，行为规范。为教育好学生，教师身教重于言教，红山区教育局还制订了《爱生公约》《为人师表公约》《教师行为规范》等。

劳动教育 1950年开始，各学校把劳动教育作为“五爱教育”内容之一。为实施综合技术教育，许多中学开设了金工、木工、油工等生产技术课。1954年，为解决初中和高小毕业生参加生产劳动问题，在做好升学、就业的组织指导工作上，进一步加强了劳动教育，要求对学生加强劳动观点的教育，使每个学生都做到“一颗红心，两种准备”。

1957年10月3日，自治区教育厅发出对中小学继续加强劳动教育的指示，要求各校在进行社会主义思想教育的同时，继续加强学生的劳动教育，重视《农业基础知识》和《农业常识》的教学，正确地开展课外体力劳动。

1958年9月，中共中央国务院颁发《关于教育工作的指示》，明确提出“把教育与生产劳动相结合”作为党的教育工作方针，并且规定在一切学校中必须把生产劳动列为正式课程。我区各中学贯彻党的教育与生产劳动相结合的方针，出现了大办工厂、农场，师生参加劳动的群众运动。如昭乌达盟各中学创建劳动基地，办农场、林场、牧场、砖瓦厂、小工厂，开展勤工俭学活动。与此同时，各校还开展了批判轻视体力劳动的思想观点，批判三脱离（脱离政治、脱离劳动、脱离实际）现象，组织学生参加以农业为中心的生产劳动。9月，各校响应党中央的号召，投入大炼钢铁运动，师生夜以继日地劳动，并且提出要在炼铁中“炼人”。学生通过参加大炼钢铁、大搞农田基本建设劳动，培养自己的劳动观点和对劳动人民的感情。12月复课后，学校仍4天学习，2天劳动，劳动过多、过重，教学秩序很不正常。1959年，劳动时间安排过多的现象得到纠正，学校恢复了正常教学秩序。1961年，按修订后的全日制教学计划，劳动重新列入教学计划。

1962年，呼和浩特市出现了1954年以来第三次升学紧张形势，各学校在家长和学生中宣传中央发出的“不能升学的学生除小部分将在城市就业外，绝大部分要到农村去劳动”的指示。7月，市教育局先后召开毕业生家长代表会和毕业生代表大会，号召学生“一颗红心、两种准备”。暑假后，有772名小学毕业生参加了生产劳动或进补习学校学习，有23名学生到郊区黄合少安家落户。1964年，根据两年内累计有4 000多名中、小学毕业生不能升学的实际情况，市人委成立“中小学应届毕业生工作指导委员会”，大力进行知识青年到农村去的宣传动员。是年，城区有546名中学生到农村牧区安家落户。

1963年，根据自治区教育厅的要求，全区各小学十分重视劳动教育，按照教学计划的规定，有计划地组织学生参加生产劳动，同时在劳动中注意加强对学生进行思想教育，培养他们的劳动观点和劳动习惯。此外，还开始有计划地组织城市、农村、牧区的学生在规定的时间内下乡支援农牧业集体生产，使他们在参加实际生产劳动和接近人民群众的过程中，不断受到教育和锻炼，懂得农业是国民经济的基础，进一步克服轻视劳动的错误观点，树立“从事社会主义农牧业建设光荣”的思想，准备在需要的时候参加农牧业生产或者农村牧区工作。1964年，在自治区教育厅下发的《1964—1965学年度全日制中小学校历》中规定：“生产劳动时间，四年级以上学生每年半个月。”

1967年底，在北京知识青年到内蒙古牧区安家落户的影响下，呼和浩特市一中、二中、三中、内蒙古师院附中等6所中学共50名学生到锡林郭勒盟西乌珠穆沁旗插队落户，成为“文革”后自治区首批上山下乡知识青年。1968年，在毛主席“农村是广阔天地，青年人在那里可以大有作为”的指示下，全区掀起中学生上山下乡的高潮。

“文革”期间，出现了“以阶级斗争为纲”，以劳动代替教学，“开门办学”代替德智体全面发展的教育方针的局面。

1988年，全区中学普设劳动技术课，有教材、有专职教师、有劳动基地，系统地向学生进行劳动教育和生产技术教育，劳动教育从此步入正轨。兴安盟科尔沁右翼前旗大坝沟中学在这方面探索出了一条比较成功的路子：(1)通过多种途径解决师资兼职问题。学校选择业务能力强、具有专业知识的教师为专职教师，安排教学班的班主任为校内兼职教师，聘请旗、盟农学专家为校外兼职教师，形成了具有良好教学素质的专、兼职相结合的教师队伍。(2)自力更生建设实习基地。学校共有劳动实习基地90亩，其中30

亩为生物园，是师生自己动手开辟的。生物园拥有8个不同类别的种植实验区，种植有36个种类的果树和农作物，为学生进行劳技课实习提供了良好条件。（3）教学与实践相结合，为当地农牧业生产培养实用人才。劳技课除了学习自治区统编的教材外，增授当地职业技术教育乡土教材；坚持课堂讲解、基地学习、社会调查相结合的教学方法，加强了学生的实践环节。为培养学生的实验能力，学校建立了果树、蔬菜、粮油作物、病虫害防治等10个课外科技活动小组，确定具体的研究项目，组织学生积极参加课外科学实验。坚持开展劳动技术教育，使学生在文化知识和劳动生产技能等方面都得到明显提高。

理想教育 革命理想教育是培养学生树立革命人生观的重要一环。新中国成立初期，学校的思想政治教育除从理论上阐明资本主义制度的腐朽和社会主义的优越，伟大的共产主义社会必然实现外，都十分注重与革命传统教育相结合。一方面，请老红军、老八路到校作报告，讲述人民军队为人民以及他们自己在工作、战斗中英勇奋斗的光荣业绩，同时经常性地开展“向英雄人物学习，做革命接班人”的活动，如学习董存瑞、刘胡兰、黄继光、邱少云、学习雷锋、王杰、刘英俊等；另一方面，是结合革命节日开展纪念宣传活动，如纪念“五一”“五四”“六一”“七一”“八一”“十一”“一二九”等革命节日，回顾革命历程，缅怀先烈，瞻望革命前程，激励学生为实现远大的革命理想而勤奋学习。

进入20世纪80年代，培养有理想、有道德、有文化、有纪律的一代新人，成为学校德育工作的基本任务。1985年，赤峰地区针对部分青少年出现的“读书无用”、早恋、流失学生突增和青少年违法犯罪率提高等问题，在市委领导下，动员全社会力量，实行学校、社会、家庭综合治理。学校把“四有”教育中的理想教育作为重点，把整顿校风作为突破口，对学生进行“四有”教育。1988年，市委宣传部和教育局党组为落实《中共中央关于加强中小学德育工作的通知》，召开全市学校思想政治工作会议，呼吁以“四有”为目标，从新时期学校思想政治工作的新特点出发，积累教书育人、管理育人、服务育人的经验，1989年7月，市委宣传部和红山区委宣传部总结推广全国德育先进校赤峰七中加强德育工作的经验，《赤峰日报》为此发表了《创建德育工作的新格局》的文章予以介绍。

阶级教育 长久以来，阶级教育是中学思想政治教育的重要内容。1947年5月，热河省人民政府提出：教育要为人民服务，为人民的自卫战争、土地改革和生产劳动服务。对学生进行阶级和阶级斗争教育，除在课堂上正面讲授外还组织学生参加土地改革等社会实践活动。解放初期，为配合“清匪反霸”，开展土地改革运动，赤峰各中学广泛开展阶级和阶级斗争的教育。学校设政治时事课，除正面讲授外，还组织学生参加社会实践，校内大唱革命歌曲，校文艺宣传队演出歌剧《白毛女》、话剧《刘胡兰》等，既向社会宣传，又使自身受到教育。1951年，归绥地区各中学组织了1 000名学生到农村参加土改，教育学生认识封建剥削的罪恶和土地改革的伟大意义。1957年，中学增设政治课，随后开展了反右派斗争等社会主义思想教育。在进行思想教育时，各校都认真贯彻理论联系实际的方针，通过课堂教学、课外活动和组织参观访问、劳动等实际活动，提高了学生的社会主义觉悟。1963年后的几年，呼和浩特市各校普遍开展了访贫问苦，请三老（老贫农、老工人、老红军）作忆苦思甜报告，组织学生进行社会调查，写家史、村史，进一步深入地向学生进行阶级和阶级斗争教育及反对修正主义的教育。赤峰市（今赤峰市红山区）教育局要求各学校在安排中学暑期活动中要求学生写家史、村史，写访问记。仅赤峰一中、赤峰二中学生写出的家史、村史和访贫问苦记录就有300多篇，其中家史最多，许多出身贫苦家庭的学生都写出了自己祖辈在旧社会所受的残酷的阶级压迫和剥削，有的写出了一个村或者一个生产队在新社会发生的巨大变化。这些材料都是真人真事，语言朴实，感情真挚，爱憎分明。

各校普遍教学生学唱控诉旧社会、歌颂新社会、歌颂中国共产党的歌曲“听妈妈讲那过去的事情”、“唱支山歌给党听”，阅读《半夜鸡叫》等揭露地主、资本家残酷剥削劳动人民的小说，组织观看《夺印》《青松岭》等反映农村阶级斗争的电影。为使阶级和阶级斗争教育具体化、形象化，中小学广泛开展了“学习刘文学，做毛主席的好孩子”的活动。

1964年10月，呼和浩特市委宣传部召开了“学校政治工作会议”，通过了《中等学校政治工作条例》，强调以阶级斗争为纲，坚持无产阶级办学方向，培养学生对贫下中农的感情；教育学生积极参加三大革命运动（阶级斗争、生产斗争、科学实验），抵制反动阶级通过“和平演变”的方式复辟资本主义的企图。各校据此调整了班主任、政治课教师和学生干部，使出身工人或贫下中农家庭的学生干部拥有明显的优势。

根据自治区党委要求，各盟市都派出“四清”工作团（队）进驻一些“阶级斗争问题较复杂”的中小学开展社会主义教育运动。1965 年，呼和浩特市派出以市委副书记为团长的“四清”工作团进驻第二中学。工作团重点从有政治历史问题的教师和非劳动人民家庭出身学生的政治思想表现中寻找阶级斗争新动向，一名高一年级学生在宿舍说了一句“亲不过姑舅，香不过猪肉”，被定为没有阶级观点的反动言论，在全校师生大会上加以批判。当时全区各中学德育方针是：“以社会主义教育为纲，以雷锋为榜样，以阶级斗争为中心，突出抓好反修、防修教育，培养革命接班人。”班主任给学生写操行评语时，首先写该生的无产阶级立场是否坚定，劳动人民感情是否强烈，然后再写学习等方面的表现。

阶级教育发展到后期，由于受极“左”思潮的影响，部分出身工人、贫下中农、革命干部和军人家庭的学生（俗称“红五类”）错误地认为，学校里的阶级斗争形势很严峻，阶级敌人随时都可能复辟，应义不容辞地肩负起协助父辈保卫红色江山的重任，对封建主义、资本主义和修正主义思想予以坚决回击，要将地主、富农、反革命分子、右派分子和资本家打翻在地，再踏上一只脚，让他们永远不得翻身。“文化大革命”开始后，这些革命小将先在校内批斗学校领导“走资派”、出身不好或有政治历史问题的老教师“牛鬼蛇神”及有“反动言论”的同学“黑崽子”，然后冲上社会，成为彻底破“四旧”的骨干。呼和浩特市第二中学还在学校大礼堂举办“破‘四旧’成果展”，从社会上抄家得来的宣传“封、资、修”的古旧书籍、祭祀用品，代表资产阶级腐化生活的贵重沙发、梳妆台、贵重饰品和衣服作为“战利品”堆放在礼堂中间，以此对师生进行阶级斗争教育。

形势与党的政策教育 1957 年 11 月 27 日，内蒙古自治区教育厅发出通知，进一步改进对小学学生进行社会主义思想教育，具体意见是：（1）首先必须从思想上明确这次反对资产阶级右派的斗争，是政治战线的思想上的一次伟大的社会主义革命运动，同时也密切关系着少年儿童一代；（2）对学生进行社会主义思想教育，必须有计划有目的地进行；（3）应当将社会主义思想教育当作学校的中心任务之一；（4）要贯彻理论联系实际的方针；

（5）要坚决贯彻正面教育的原则，严格制止在小学中开展反右派斗争。

1959 年 4 月，呼和浩特市教育局在高中学生中进行两条腿走路、全国一盘棋、两点论、冲天干劲与科学分析相结合等辩证唯物主义教育。9 月，在高中学生中开展社会主义教育，组织学生鸣放辩论，开展两种思想、两条道路的斗争。小学五、六年级增设政治课，教学内容为社会主义建设总路线、人民公社和共产主义理想教育。年底，开展了"三面红旗万岁"的教育活动，还组织学生收听和学习中共中央一至九评《评苏联共产党公开信》。

1966 年 6 月 1 日，《内蒙古日报》发表题为《引导各族少年儿童在社会主义"文化大革命"中受教育、受锻炼》的社论，提出要引导少年儿童参加文化大革命。

1985 年，内蒙古自治区教育厅按照（84）教中字 12 号《通知》精神，春节开学后，在高中一年级用两个月的政治课教学时间进行关于党的十二届三中全会精神的时事教育，并要求高二、高三年级在 1985 年上半年也要进行关于党的十二届三中全会精神的教育。

1989 年 7 月 27 日，内蒙古自治区教育厅转发了国家教委《关于对高中学生进行形势教育的通知》。并要求各中学高度重视这次形势教育，各中学要有一位负责同志亲自抓这项工作，以国家教委编发的《高级中学形势教育学习材料》为主要学习内容。1990 年 9 月，内蒙古自治区教育厅根据国家教委教育司（1990）037 号文件精神，对我区初三和高三年级学生利用时事教育课较系统地进行国情教育，时间不少于 10 课时。要求其他年级通过团会、班会及其他活动时间安排国情教育。全区统一使用北京市教育局编写的《国情教育读本》。

民族团结和民族政策教育　从 1947 年内蒙古自治区建立起，各学校就十分注重开展民族团结和民族政策的教育，特别是民族杂居地区的学校。教育是通过政治课（包括自选资料）、历史课、语文课和各种活动，结合师生的思想实际来进行的。为发展少数民族的语言文字，在少数民族聚居区建立了民族学校，如蒙古族中小学、回族小学、满族中小学和朝鲜族小学；在民族杂居区也都建有民族学校（有的为合校）。重视少数民族风俗习惯，如蒙古族的那达慕大会，届时都组织学生参加，回族的开斋节都给学生放假。

1964—1965 年，呼和浩特市有条件的中学利用课外活动时间上蒙古语会话课，让汉族学生掌握一般的蒙古日常用语，以此增进民族团结。

1981 年，教育部正式颁布《中学生守则》（以下简称《守则》）（十条）后，自治区教育厅根据内蒙古的实际，增加一条，即“增强民族团结，尊重少数民族的语言文字、风俗习惯，不说不利于民族团结的话，不做不利于民族团结的事”。各校在贯彻《守则》中，进一步注重民族政策的贯彻和加强民族团结的教育。10—11 月，全区部分高校蒙语授课班学生由于对《关于讨论内蒙古问题的纪要》（中共中央〔1981〕28 号）中的一些提法“不理解”采取了联合罢课的错误行动。各中学组织师生认真学习贯彻中共中央 28 号文件，加强对学生进行民族团结教育，各族师生团结互助，互相学习，识大体、遵守纪律，中学的教学秩序没有受到干扰，受到自治区党委和政府的表扬。

从 20 世纪 90 年代起，民族理论和民族政策教育正式列入教学计划。为加强民族团结和民族政策的教育，对民族语言课时和民族师资编制都有增加，使少数民族的青少年从小就受到马克思主义民族理论的教育，树立起中华民族是一个团结友好的大家庭、各民族之间亲密无间、“谁也离不开谁”的思想观念。赤峰蒙中、赤峰回小、宁城县头道营小学等多次被评为自治区级、市级民族团结先进集体。

学习先进模范教育　1963 年 3 月，全区青少年响应毛主席“向雷锋同志学习”的号召，各校普遍成立“学习雷锋小组”，掀起了学雷锋、争当“四好”（思想好、学习好、身体好、劳动好）学生的热潮，普遍开展了“和雷锋比童年”“学习雷锋做革命事业接班人”“颂雷锋”“学雷锋见行动”等多种形式的活动，出现了许多在校内外做好事，助人为乐、拾金不昧、尊老爱幼、勤奋学习等动人事迹。

1964 年 3 月 13 日，内蒙古自治区党委第一书记乌兰夫为舍身保护集体羊群的“草原英雄小姐妹”题词：“龙梅、玉荣小姊妹，是牧区人民在毛泽东思想教育下成长起来的革命接班人，我区各族青少年努力学习她们的模范行为和高尚品质！”3 月 14 日，《内蒙古日报》发表长篇通讯《草原英雄小姐妹》，报道了龙梅、玉荣在暴风雪中保护集体羊群的英雄事迹。3 月 16 日，共青团内蒙古委员会作出决定，号召全区各族青少年开展学习龙梅、玉荣模范行为和高尚品质的活动之后，全区各级各类学校青少年学生掀起了学习龙梅、玉荣模范行为和高尚品质的活动。

1989年中越边境自卫反击战结束后，解放军英模报告团为呼和浩特市、包头市等地的中学生做报告，激发学生的爱国主义思想。

（二）教育途径和形式

1. 课堂教学

1958年4月11日，内蒙古自治区教育厅颁发《社会主义教育课成绩考查试行办法》的通知。

1978年，全区中小学执行教育部《全日制十年制中小学教学计划（试行草案）》，四、五年级开设政治课，进行共产主义思想和政治常识教育。

1981年，各小学依据教育部《全日制五年制小学教学计划（修订草案）》，将政治课改为思想品德课，并按正式颁布的《小学生守则》（10条）向学生进行社会主义国家公民应有的道德品质和行为模范教育。同年5月，按照教育部的统一要求，自治区教育厅委托包头市东河区教育局组织编写了小学思想品德课课本，经过试用修改后，供西部五个盟市使用。1982年，哲里木盟教育局教研室吸收兄弟省市有关教材的长处，编写了一套小学思想品德课课本及教师参考书。为了总结小学思想品德课的教学经验，包头市教育局于1982年先后两次组织了思想品德课教学观摩和经验交流会。至1983年，全区引进北京、辽宁等兄弟省市的思想品德课教材四、五种。除农村、牧区及偏远地区的简易小学、教学点外，全区绝大多数地区小学普遍开设了思想品德课。

1982年，各小学校思想品德教育执行教育部《全日制小学思想品德课教学大纲（试行草案）》，小学思想品德教育步入有计划、较系统的轨道。

1985年，贯彻执行《中共中央关于改革学校思想品德和理论课程教学的通知》，自治区教育厅要求各小学在语文、历史、美术等课程教学内容中，进行以“五讲四美”、“五爱”为中心的社会常识和社会公德教育。1986年，依据国家正式公布的《全日制小学思想品德课教学大纲》，各小学对学生进行了爱国主义教育、革命传统教育、集体主义教育、劳动教育和共产主义理想教育。

2. 班、团、队工作

随着1972年《关于中小学有关规章制度的试行意见》和《关于学校撤

销连队建制，建立年级组、学科教研组的报告》两个文件的出台，学校恢复了班主任，政治思想教育逐渐展开，混乱局面开始得以纠正。

1979 年 10 月 13 日，内蒙古自治区教育局、自治区团委命名表彰全区优秀少先队辅导员和少先队工作先进集体：命名高玉佩、正月、芦修民 3 人为“优秀少先队辅导员标兵”；授予李笑莲等 176 名同志为“全区优秀少先队辅导员”的称号；表彰满洲里市团委、包头市团结小学等先进集体。

1979 年，全区小学围绕四项基本原则，对学生进行了广泛深入的学习目的、遵纪守法、热爱集体、文明礼貌等方面的教育，开展了以“学雷锋，树新风，创三好”和“五讲四美三热爱”为主要内容的多种形式的教育活动。

1980 年 3 月，自治区教育厅召开了全区优秀班主任经验交流会，总结出班主任工作 10 条经验：诚心诚意地热爱学生；全面了解和熟悉学生，围绕学生的学习做好思想工作，德智体一齐抓，关心学生的全面成长；培养班集体，树立好班风；坚持正面教育（注意培养学生良好的行为和习惯），争取家长的配合，做到学校教育与家庭、社会教育相一致，以身作则，率先示范。

1982 年 8 月，经自治区人民政府批准，自治区教育厅召开了全区中小学、师范学校优秀班主任代表大会。会上以自治区人民政府名义命名表彰了 30 名模范班主任，其中小学班主任 16 名；以自治区教育厅名义表扬了 313 名优秀班主任，其中小学班主任 182 名。会议还总结了班主任工作的 8 条新鲜经验：根据新时期的要求，采取新的方法有的放矢地做好本职工作；在“爱”的基础上讲究“严”的艺术；做学生政治上的引路人，寓德育于丰富多彩的活动之中；抓好建立优秀班集体的起始工作；培养学生的自我教育能力；相信和尊重学生；主动取得科任教师的密切配合；以身作则，用实际行动影响和感染学生。会议期间，成立了自治区班主任工作研究会，颁发了《班主任工作条例（草案）》。1983 年，全区共有 62 名小学班主任被评选为全国优秀班主任。

1985 年 7 月 18—21 日，内蒙古自治区少先队代表会议在呼和浩特市举行。180 名优秀少先队员、辅导员、少先队工作者出席会议。会上学习了我党关于加强少年儿童工作的指示和全国“少先会”精神；总结交流经验，研究部署工作；建立中国少年先锋队内蒙古自治区工作委员会。

1989 年，有一批学校和教师受到国家的表彰，比如海拉尔市健康街小学被国家教委誉为“德育先进校”，牙克石铁路第一小学教师王玉珠荣获全国“德育先进个人”称号。

1990 年，自治区高校工委、教育厅党委作出《关于向乌云同志学习的决定》，号召全区教育系统向哲里木盟库伦旗一中高级教师乌云学习。自治区教育厅在包头、呼和浩特市等地组织了乌云事迹报告会，参加师生逾万人，收到良好效果。

1992 年，自治区召开了中小学德育工作会议和重点中学德育工作现场研讨会。8 月 18 日，自治区教育厅印发了《内蒙古自治区中小学德育工作规程（试行）》，还印发了《中小学德育工作评估办法》，组织开展了对在校中小学生的情况等 6 个专题调查，对 3 个盟市 14 个旗县市 66 所中小学的德育工作进行了督导检查。各地普遍重视以社会主义理论教育和中国近代史、现代史和国情教育，即“两史一情”教育为重点的思想政治教育；一些地区和学校还积极开展了德育教学内容和方法的改革，就坚持以教学为主渠道进行思想政治教育做了有益的探索。

2000 年，自治区先后在乌海市和包头市召开了全区中小学素质教育现场会和全区中小学德育工作会议，总结经验，找出差距，部署工作。

四、中小学体育与卫生

（一）体育

1. 体育教学

1950 年 8 月教育部颁发的《中学暂行教学计划（草案）》规定：初、高中均开设体育课，每周 2 课时。1951 年 8 月，政务院颁发了《关于改善各级学校学生健康状况的决定》，要求各校制订教学计划，将体育课列为必修课程，将课外体育活动列入课程表，要求编写统一的教学大纲、教材，各校建立体育教研室，配备专职体育教师。同年，教育部等九单位联合发出推行广播体操的通知。1953 年毛泽东主席号召青年要“身体好、学习好、工作好。”教育部据此明确规定，“中小学应对学生实施智育、德育、体育、美育等方面发展的教育”。学校的体育工作成为新中国教育工作内容的重要组成部分。各学校进一步加强体育卫生工作，开展争当“三好”学生的活动。1952—1954 年，自治区部分盟市改进体育课教学，推行“劳卫制”，在部分中学进行“劳卫制”锻炼试点，如 1952 年昭乌达盟各中学开始推行“劳卫制”，1954 年呼和浩特市一中进行“劳卫制”试点。1955 年，内蒙古自治区教育厅、卫生厅、体委转发了教育部、卫生部、国家体委《关于改进中小学体育工作》的联合指示，要求自治区各中学以“劳卫制”为中心，改进体育课和体育活动内容。1955—1956 年，自治区中学普遍推行劳卫制。1956 年 4 月，教育部提出，从 1958 年起，初中毕业生达到“劳卫制”少年级标准，高中毕业生达到“劳卫制”一级标准。1958 年，呼和浩特市普遍进行了达标测验。1959 年，呼和浩特市教育局、市体委试办业余体校。

1961 年，全区各中学按人民教育出版社出版的体育教材上体育课，体育课每周减为 1 节。1963 年，各中学陆续恢复“两课、两操、两活动”（每周两节体育课、两次课外活动、每天早操、课间操）。

1966 年以后（文革时期），体育课改为军体课，没有教学大纲，以队列、军训为主。1972 年，内蒙古自治区教育厅下发《关于当前学校体育教育工作中心问题的通知》，要求各校抓好体育课和课外体育活动，各校自制教具。同年 9 月，呼和浩特市教育局与市体委在呼和浩特市十七中合办业余体校，设田径、篮球、足球三个项目，实行半读半训。1975 年分出并成立三十三中，自治区体委确定该校为重点业余体校。

1978 年，自治区各中学根据教育部《通知》精神，按照部颁大纲教学，每周 2 节体育课，每天 1 小时的体育锻炼（包括体育课、早操和课外体育活动），同时积极推行《国家体育锻炼标准》。1979 年，各校学习贯彻《暂行规定》，抓体育课常规建设，赤峰市按大纲统一编写中学体育教学进度表，开展教学研究和课堂教学评优活动。1982 年，呼和浩特市中学按地区建立了教学研究会和中心教研组，研究提高体育课教学质量等问题。哲里木盟、昭乌达盟等地中学自制器材，勤俭办体育。

1987 年，全区中小学体育教学研究会成立，研究会对体育课教学和改革、课外体育活动和业余训练等方面进行了有益的探索。

1990 年 3 月 30 日，内蒙古自治区教育厅、体委下发了《关于贯彻执行

〈学校体育工作条例〉的通知》。《条例》规定普通中学体育课教学应当遵循学生身心发展的规律，教学应符合大纲的要求，符合学生年龄和所在地气候。体育课是学生毕业、升学和考试科目。普通中学每天安排课间操，每周安排三次以上课外活动。

1990 年 12 月，内蒙古自治区教育厅、体委对农村、牧区优秀体育教师进行表彰，有 20 名教师被授予“自治区农村、牧区优秀体育教师”称号。

2. 推行《国家体育锻炼标准》

1964 年，教育部、国家体委改“劳卫制”为《青年体育锻炼标准》。全区各中学按“标准”规定的项目要求积极组织学生锻炼，在群体活动的基础上抓重点项目和优秀运动员的培训。

1973 年，全区各中学开始恢复达标锻炼。

1974 年，内蒙古自治区教育局转发了国家体委和自治区体委《关于试行〈体育锻炼标准〉条例（草案）的通知》，要求各盟市、旗县体委设 1—2 个试点校，落实《标准》。主要对健康、耐力、灵敏度、力量进行测试。

1976 年 3 月 5 日，内蒙古自治区教育局发出《关于在学校广泛施行〈体育锻炼标准〉，开展游泳活动的通知》，要求全区各级学校（包括中小学）从 1976 年起，都要将推行《国家体育锻炼标准》当作学校体育的重点去抓，发动和组织学生参加锻炼，认真抓好测验工作，有条件的地区和学校，大力开展游泳活动。

1978 年 5 月，内蒙古自治区教育局要求全区旗县、城镇以上中学 50% 的学生、农村牧区中学 30% 的学生力争在 1980 年达到《标准》，达标成绩列入学籍。自治区教育局、体委陆续组织各盟市开展对口评比检查活动，检查评比工作制度化，每年进行一次。评比检查的主要内容有：盟市教育局和各学校如何贯彻落实教育部、国家体委、卫生部的通知精神，是否将体育工作列入议事日程，学校体委工作有哪些好的经验和做法；有多少学生参加了“达标”锻炼活动，达标的有多少；体育教研组的作用发挥得如何，是否有工作计划，恢复和修改了哪些规章制度；早操、课间操、课外体育活动的安排，是否坚持每天 2 小时的活动。

1979 年，国家体委、教育部联合发出《关于在学校中进一步广泛施行〈国家体育锻炼标准〉的意见》。内蒙古自治区各中学普遍开展了以“达标”

锻炼为主的群体活动。呼和浩特市各中学把施行《标准》同体育课、课外活动、运动队训练、体育竞赛结合起来，体育活动十分活跃，各项运动成绩迅速提高。哲里木盟各中学把推行《标准》作为教育工作的重要组成部分来抓。1984 年，呼和浩特市直属中学参加“达标”测验的人有 25 000 人，“达标”16 850 人，占受测学生总数的 67.3%。1985 年，赤峰市中小学达及格以上标准的 199 079 人，1987 年增至 345 470 人，占全市应测人数的 81.37%①。

1987 年下半年，内蒙中小学体育教学研究会更名为内蒙古教育学会体育研究会，下设体育、卫生保健、管理等三个专业。11 月，内蒙古教育厅下发《关于认真贯彻执行国家教委〈中学生体育合格标准的试行办法〉的通知》,并提出了具体贯彻意见：在全区重点中学以及选定的 3—5 所不同类型的高中学生中试行，并逐步扩大试行面。根据试点经验自治区制定全区执行《办法》的实施细则，各地区也从实际出发制定本地区的实施细则。1988 年 1 月，内蒙古教育厅下发了《内蒙古自治区〈中学生体育合格标准的试行办法〉实施细则》（试行草案），并要求各试点中学试行。9 月以后，各高中广泛试行。1990 年 9 月，全区初中普遍施行。1988 年 8 月，内蒙古教育厅对试行草案进行修改补充，下发了《暂行规定》,对学生参加课外体育活动作了明确的规定。

1989 年，内蒙古教育厅转发了国家教委《关于检查〈中学生体育合格标准的试行办法〉实施情况的通知》,并结合自治区实际情况作出具体规定并要求贯彻执行。从这一年开始，内蒙古教育厅依据《1989—1990 年盟市学校体育卫生工作目标管理评价标准》对盟市教育处（局）学校体卫工作施行目标管理。

1990 年，教育部和国家体委经国务院批准，下发《学校体育工作条例》（以下简称《条例》）。《条例》中规定：学校体育工作是指普通中学体育课教学、课外体育活动、课余训练和体育竞赛。学校体育工作的基本任务是：增进学生身体健康、增强学生体质，使学生掌握体育基本知识，培养学生的勇敢进取精神。学校体育工作应坚持普及与提高、体育锻炼与安全卫生相结

① 赤峰市教育志编纂委员会编：《赤峰市志·教育篇》（征求意见稿），1991 年编，第 232 页。

合的原则，开展多种形式的强身健体活动，学校体育工作面向全体学生，推行国家体育锻炼标准。

1990 年 3 月 20 日，内蒙古教育厅发出招生工作中认真执行《中学生体育合格标准》（以下简称《标准》）的通知，要求全区各级中学在招生中认真执行体育不合格不得报考高一级学校的规定，认真贯彻落实《标准》，建立健全考评分制度，严格执行自治区制定的“实施细则”。体育不合格不发证书，各级招生办要认真执行没有体育合格证书不予报名的规定。6 月 14 日，自治区教育厅发出通知，决定盟市级以上重点中学对 1990 年入学的初、高中应届毕业生全部进行体育合格标准检查，检查的内容按教体厅（1990）5 号文件规定的内容。1990 年，自治区教育厅对盟市以上重点中学 1990 年入学的初、高中应届毕业生全部进行了体育合格标准检查。

3. 军事训练

1956 年 6 月，教育部发出通知，要求在试点的基础上逐步在高中开展军训，并将军训规定为高中男生必修学科之一。呼和浩特市在高中一年级进行试点，同时在中学师生中开展摩托、射击、滑翔、跳伞等国防训练，并于 1960 年达到普通射手标准。

1961 年，军训野营一律停止。1963 年 8 月，国务院批准国防部《关于制定高等学校、高中民兵试点训练大纲问题的请示报告》，提出各省市自治区自 1963 年 9 月开始选择 1—3 所中学进行试点。1966 年“文革”时期，体育课以队列、军训为主。

1978 年，教育部下发了 319 号文件，要求各校把队列、投弹、军事野营等军体项目开展起来。1984 年 11 月，自治区教育厅确定赤峰蒙中为军训试点学校。

4. 校运动队及其活动

随着课外体育活动有组织、有计划地开展，全区很多学校纷纷成立各种体育项目的运动队，根据条件开展体育活动，逐步增加活动项目。1958 年，群体活动出现高潮。1961 年，由于经济困难，很多运动队暂停训练。1963 年，运动队恢复训练。这一年，自治区中学生运动队在全国中学生运动会获总成绩第三名。

“文化大革命”期间，体育活动以军训、队列为主。1970 年以后，各校运动队陆续恢复训练。1990 年，各校运动队有了健康发展。

1987 年，自治区教育厅制定了《自治区中学开展课余训练试点工作试行管理办法》。对运动训练作了具体规定：（1）根据青少年身体发育规律和特点，制订从初一到高三系统科学的训练大纲及训练计划，每天 1.5—2 小时的正规训练。（2）加强运动训练的科学研究和医务监督。（3）积极参加全国、全区及地区性体育竞赛。1987 年 10 月，内蒙古教育厅、体委下发贯彻国家教委、体委《关于开展课余体育训练、提高学校体育运动技术水平的规划》的意见，提出要办好体育项目传统学校。1987 年底，自治区对区级传统项目学校进行调整和整顿。各盟市着力抓好本地区项目学校的整顿和调整工作，以办好培养高水平学生运动员试点学校。内蒙古师大附中、呼和浩特市六中、包头一中、伊盟一中、赤峰三中、巴盟杭锦后旗一中、哲里木盟蒙中、赤峰蒙中、锡盟蒙中等 10 所中学是自治区首批开展课余训练的学校。

5. 业余体育学校

1956 年，呼和浩特市业余体校正式成立，开设了足球、滑冰业余训练。1959 年，呼和浩特市教育局、市体委办业余体校，吸收有特长的同学参加训练。1962 年，市体委成立了业余体校，设有篮球、足球、冰上运动、网球、乒乓球五个项目。1964 年，呼和浩特市回民中学业余体校由 1960 年的 1 个初中班发展到初一至高中的 5 个班，学生 203 名。1972 年 9 月，呼和浩特市教育局与市体委在十七中合办业余体校，招收有体育特长的小学毕业生，实行半读半训，设有田径、足球、篮球三个项目。1975 年，被自治区体委命名为第一重点业余体校。1972 年，呼和浩特市青少年业余体校正式恢复。1978 年，在临河举办了全区业余体校足球赛。1984 年自治区在呼和浩特市举办了业余体校乒乓球赛。呼和浩特市回民区业余体校于 1983 年被评为全国少年儿童业余体校先进集体。

6. 群体活动及传统项目

新中国成立后，全区性大型的群体活动主要包括运动会、三大球类、乒乓球等竞赛活动。运动会按举办规模可分为全区性、盟市、旗县（区）、学校运动会四种。另外，还有重点中学田径运动会、试点校田径运动会、少年田径运动会、职工运动会、中学生运动会和建国初期的省级运动会等等。

全区性：20世纪50年代初期，绥远省共举办了三届运动大会。1950年10月，第一届人民体育运动大会在呼和浩特市龙泉公园人民体育场举行，呼和浩特市代表队获高中男子组、初中男子组、高中女子组、初中女子组的第一名。1951年，第二届人民体育运动大会举办。1952年10月，第三届人民体育运动大会举办。1956年7月8—11日，在呼和浩特市举办了自治区第一届少年体育运动会。1958年7月，在呼和浩特举办了自治区职工、中学生田径运动会。1963年10月，在呼和浩特市举办了自治区少年田径运动会。1973年3月11日，全自治区中学生运动会在呼和浩特市召开。1979年、1983年、1985年、1989年、1990年共举办了五次全区中学生运动会，其中1985年的运动会是为了迎接1986年全国中学生运动会而召开的（包括中学生田径运动会）。

1980年3月，内蒙体委、教育局转发了国家体委等单位的联合通知，要求把足球活动纳入学校体育计划和团队体育活动，重点开展足球活动的学校，可建立班级、年级、校级运动队，制订系统的训练计划，提倡一个城市对口学校和校内利用周末、节假日开展比赛，并形成制度。

中学生“三好杯”球类比赛是我区规模较大的群众性体育活动，每项比赛四年一次，截至1990年每个项目都举办了四届。第四届的时间如下：1988年足球，1989年篮球，1990年排球。

盟市中学生运动会：自治区各盟市举办运动会的时间、次数不完全一致。如昭乌达盟在1952年6月召开第一届体育运动大会，中学派出运动员参加了比赛。呼和浩特市首届中（小）学生运动会于1954年10月举行，此后每年举办一次中学生田径运动会。1961年国民经济困难时期停开，1966年至1970年文革时期停开，1971年开始恢复。哲里木盟于1982年举办第一届中学生田径运动会，并决定以后每两年举办一次中学生运动会。

校运会：1978年5月，内蒙古自治区教育局下发20号文件，要求各校积极开展课外体育活动，将课外体育活动列入课程表。开展以《国家体育锻炼标准》为主要内容的群众体育锻炼和竞赛活动，形式以小型、多样、单项、分散为主，还要求各校每年举办1—2次校运会。学校每年组织校运会，一般组织一次，也有学校组织两次，春、秋各一次。

（二）卫生保健工作

1. 学校卫生保健组织机构的建立

建立卫生室：1950 年，呼和浩特市各中学建立了卫生室，配备校医一人，负责全校的卫生保健工作。哲里木盟在规模较大的中学增设了医务室，配备了专、兼职校医。

建立保健指导委员会：1950 年，在毛主席提出“健康第一，工作第二”的指示后，呼和浩特市各中学成立了保健指导委员会，负责领导学校卫生保健工作。1954 年 6 月，高教部、教育部、卫生部、体委发出《开展学校保健工作的联合指示》,要求各省、市成立“学校保健指导委员会”。1956 年 11 月，呼和浩特市教育局、卫生局、教育工会组成“呼和浩特市保健指导委员会”，制定了《学校卫生保健工作要点》。1958 年 3 月，教育部、卫生部发出《关于进一步加强学校保健工作领导的联合指示》,要求校长应负责学校保健工作的全面领导。1959 年 4 月，卫生部、教育部要求学校卫生工作列入学校总的工作计划内。呼和浩特市教育局和卫生局联合组织了中学卫生健康检查工作队，对学校卫生健康工作进行了检查。

2. 适当安排作息，保证师生身体健康

1951 年 8 月，政务院公布《关于改善各级学校学生健康状况的决定》，提出具体措施：调整学生日常学习及生活的时间，学生每日上课、自习（包括实验）时间，高中不超过 9 小时，初中不超过 8 小时。学生睡眠时间，中学 9 小时，夏日增加午睡；学生每日体育、娱乐活动或生产劳动时间，除体育课及晨操或课间活动外，以 1 小时至 1.5 小时为原则；减轻学生课业学习与社团活动负担；改进学校卫生工作；注重体育、娱乐活动；学校经费的支配，应适当地照顾保健工作的需要。

1960 年 12 月，中共中央、国务院发出《关于保证学生、教师身体健康的紧急通知》（以下简称《通知》）。《通知》指出：不少城市大中学校师生由于劳逸结合不好，营养较差，生活安排得不好，有少数人得了水肿病和其他疾病，此种情况目前仍在继续发展，必须引起注意。《通知》还提出：要立即抓紧治疗学生和教师的疾病。要求适当地减少工作、学习劳动的分量，增加一些睡眠和休息时间。1963 年，呼和浩特市教育局要求各校有一位领导负责卫生保健工作，保证师生身体健康，适当安排作息。

3. 卫生保健教育

20 世纪 50 年代，自治区各中学普遍开设生理卫生课，对学生进行卫生保健教育工作。1958 年，中共中央、国务院在《关于除四害讲卫生的指示》中，提出要在中学加强卫生教育，把养成卫生习惯作为学生操行成绩的一个方面。1972 年，内蒙古教育局下发 89 号文件，要求各校加强对学生的卫生知识教育。1978 年，自治区中学按《生理卫生教学大纲》进行教学。1984 年 4 月，内蒙古教育厅转发教育部有关通知，规定了生理卫生课的内容，即人体解剖、生理和卫生三方面的基础知识。

1990 年 6 月 9 日，内蒙古教育厅发出了认真贯彻执行《条例》的通知。《通知》提出《条例》是学校卫生工作的基本法则，是指导学校卫生工作的重要依据。各校必须按照《条例》的精神建立学生健康管理制度，把健康教育纳入教学计划，各级教育行政部门要把学校卫生工作作为考评学校工作的一项内容。自治区教育厅、卫生厅和有关部门结合我区实际情况，制定了具体实施办法、检查措施和评估细则。

4. 建立学生健康卡片及监测工作

1954 年 12 月，卫生部、教育部、高教部联合发出通知：建立高三学生健康记录卡片制度。

1978 年 5 月，内蒙古教育局下发 20 号文件，要求各校把“学生健康卡片”列入学籍。1979 年，昭乌达盟各校建立卫生保健室、卫生档案，学生每人一份健康卡片。开展学生生长发育监测，常见病、多发病监测及防治，营养监测，教学卫生监督等项工作。

1980 年，呼和浩特市各中学恢复学生体格检查制度，建立健康卡片。

1982 年 2 月 18 日，内蒙古教育厅决定从 1982 年起，重点中学高中和首批重点中学初中招生实行体检。

从 1983 年开始，自治区每三年对 7—17 周岁的中小学生进行一次体质健康测定，并建立档案。1983 年，主要进行身体形态（身高、体重、胸围）、身体机能（肺活量、脉搏、血压）六项指标的测定和身体健康方面的检查。1984、1985 年又对 1983 年抽样测定的学生进行追踪测定。各盟市也对 7—17 周岁的学生抽样测定，建立了盟市的学生体质健康档案。各体质健康监测点学校还对各个年龄组的学生抽样调查、研究、探讨各年龄阶段生长发育的特点。

赤峰市从1982年开始对全市中学生进行了体检和体质调研。1983年，呼和浩特市对“体质监测点”学校的学生作了全面体检，建立了健康卡片。

1983年10月，四部委决定在1985年对全国学生进行体质健康调查，其中汉族学生25项指标，少数民族学生27项指标。按四部委的要求，自治区调查7—23岁的城乡学生50 000余名。自治区还成立了“内蒙古学生体质、健康调查领导小组，下发了《实施方案》及《补充通知》,规定了调研片及观测学校。调研片：汉族中小学生（7—18岁）全区分三片，东片赤峰市，中片呼和浩特市，西片伊克昭盟；蒙族分两片，即哲里木盟、锡林郭勒盟。观测学生：汉族，城市、农村中小学各3所；蒙族，城市、农村中小学各2所。检测分机能形态、素质、健康3组。

1985年，由呼和浩特市教育局等单位组成“中国学生体质、健康调研呼和浩特市检测队”。从3月到7月检测了15个点35所中学的学生共计18 441人，其中国家定点的学生15 733人，检测少数民族学生6 502人，检测后上报的全部卡片及各种统计数据全部合格。根据检测所得的资料制订了《呼和浩特市地区中小学体质评价标准》。1986年，在检测队的基础上成立了呼和浩特市中小学生卫生保健中心，由呼和浩特市教科所领导，对全市中小学生的卫生健康进行检测和防治、指导，开展体育卫生科研工作。赤峰市在1985年的体质、健康调研检测结果表明：7—18岁的在校学生的身高、体重、肺活量、脉搏、引体向上、仰卧起坐等各年龄组指标均略高于全国同龄学生的平均水平，只有灵敏项、50米跑、800米跑略低于全国平均水平。1986年底，调研检测工作结束，自治区共检测50 376名学生，其中汉族34 577名，蒙族15 799名，经过数据处理获得100多万个有效数据。分析结果是：（1）形态方面：汉族学生居全国中上水平，蒙族居27个少数民族中上水平。（2）机能方面：脉搏低于全国平均值，血压高于全国平均值，肺活量高于全国平均值。（3）素质方面：汉族学生低于全国平均值，中学生视力低下率38.29%，沙眼检出率14.05%，脊柱弯曲、神经衰弱、心脏病、肺结核都有一定比例的发病率。这次体质调研工作是自治区成立以来规模空前的，填补了自治区在这方面的空白。

1988年3月，自治区教育厅发出通知强调：自治区中学生体质健康状况很不理想，与全国29个省市自治区比较，我区中学生身体素质排在第17位，中小学生视力下降排在第11位，中小学生血压偏高，要求各地各学校重视中小学生体质健康的状况。

5. 达标工作

从1980年起，我区各盟市开始学习贯彻两个《暂行规定》。1981年，由旗县教育局和体委联合对各校贯彻两个《暂行规定》的情况进行初检，然后由盟统一组织验收。哲里木盟开展了以达标为中心的群体活动和防近视工作。呼和浩特市的中学抓体育课常规建设，广泛开展“达标”锻炼、测验活动。恢复学生体检制度，建立健康卡片。此后，两个《暂行规定》成为呼和浩特市各中学体卫工作的基本依据和检查标准，呼和浩特市教育局每年都要组织抽查、评比、验收。1983年呼和浩特市教育局、卫生局对8所重点中学贯彻两个“暂行规定”的情况进行验收，呼和浩特一中、二中、土默特中学、蒙古族学校达到合格标准。1984年，呼和浩特市教育局对市直属17所中学进行检查验收，四所中学达到合格标准。赤峰市教育局在学习贯彻两个《暂行规定》中，抓了三项工作，一是在盟、旗县教育局筹建体卫科（股），在教研室设体育教研员，在城镇成立体育中心教研组；二是按《全日制体育教学大纲》统一编写初中体育教学进度表，开展体育课教学研究和课堂教学评优活动；三是发动学生自制体育器材，勤俭办体育。

1985年，自治区对34所首批重点中学、10所盟市、旗县重点中学和部分小学贯彻执行两个《暂行规定》的情况进行了检查验收。有29所成绩优秀，27所合格，2所不合格（包括小学）。

6. 对各种疾病的防治和学校环卫工作

20世纪50年代，昭乌达盟为了控制鼠疫病的流行，办起了教师卫生防疫培训班。1963年，呼和浩特市教育局、卫生局对中学生健康状况进行了调查，着力调查肺结核的发病率，并对蛔虫、脊柱弯曲等疾病采取措施进行治疗。1963—1964学年度，各盟市教育行政部门与当地卫生部门合作，选择一、两所中学，对学生中的常见病建立治疗试点站。1963年，呼和浩特市教育局、卫生局调查学生视力情况及视力减退的原因、学生课桌椅的设置情况。根据调查情况，要求各校指导学生纠正看书写字姿势，养成良好的用眼卫生习惯。

1964 年 9 月，教育部、卫生部等 8 个单位发布《中小学保护学生视力暂行办法（草案）》。自治区各中学认真贯彻执行《暂行办法》,推行眼保健操。呼和浩特市各中学要求学生做到“二要二不要”。“二要”即读书写字姿势要端正，眼睛与书本保持适当距离；看书写字一小时后要休息几分钟或远眺片刻。“二不要”即不要躺在床上看书；不要在过暗的光线下看书。针对以上情况，呼和浩特市各中学采取了调换座位，改进教室灯光的措施。呼和浩特市教育局通过对 7 所中学学生视力及沙眼情况进行检查，证明上述措施有明显的效果，学生的近视率与 1962 年相比下降了 4.2%。1965 年 12 月，昭乌达盟文教处对所辖 6 所中学 5 119 名学生进行调查，结果发现：沙眼发病率为 62.1%，视力减退率为 14.1%，近视眼发病率为 13.6%，有 98.3% 的学生有蛔虫，有 7.5% 的学生脊柱弯曲，调查反映出学校卫生和教学设施等方面存在许多问题①。

1978 年 5 月 22 日，内蒙古教育局、卫生局下发《关于转发教育部、体委、卫生部〈关于加强学校体卫工作的通知〉的通知》（以下简称《通知》）中，要求各级卫生部门加强学校卫生工作，贯彻以预防为主的方针，积极开展常见病、多发病的普查、普治工作。《通知》中要求在人数较多的中学建立和健全卫生室，重点中学要先配齐医务人员，没有校医的中学生理卫生教师兼作卫生保健工作。积极开展对多发病、常见病的防治工作，如近视、沙眼、蛔虫、龋齿、肺结核、脊柱弯曲等病的防治。1979 年，昭乌达盟组织人力对中学生的常见病进行了调查和防治。

1987 年，内蒙古教育厅下发内教体字（87）8 号文件转发《关于加强学生视力保护全面开展学校卫生保健工作的通知》的通知。

1988 年 2 月 23 日，内蒙古教育厅转发《关于贯彻执行国家教委颁发的〈中小学近视眼防治工作方案〉（试行）的通知》。《通知》中提出，我区中小学生视力下降比较严重，特别是城镇中小学生尤为严重，防止学生近视、控制视力下降，首先各级领导要端正办学指导思想，把学生体质、健康作为提高教学质量的一个重要内容来抓，在学校卫生工作方面，要认真贯彻执行内教体字（87）8 号文件精神，把学校卫生工作重点放到学生视力保护上

① 赤峰市教育志编纂委员会：《赤峰市志·教育篇》（征求意见稿），1991 年编，第 232—233 页。

来。经过坚持不懈的努力，自治区在预防近视工作方面取得了一定的成绩。1989 年，赤峰市学生视力不良率由 1985 年的 30.2% 下降至 1989 年的 18.45%①，中学生视力不良情况得到了有效控制。

7. 红十字会工作

1990 年 6 月，自治区召开了内蒙古自治区红十字会第一次全区代表大会，通过了《内蒙古红十字会 1990 至 1994 年五年工作规划》。这时，自治区已有 275 所中小学成立了学校红十字会组织。《五年工作规划》要求各校建立学校红十字会组织，把红十字会工作纳入学校整体工作计划。开展红十字会活动要结合学校思想品德教育，结合《学校卫生工作条例》，加强学校卫生保健工作。

五、勤工俭学

（一）勤工俭学的开展情况

新中国成立后，自治区各中学把劳动教育作为重要的教育内容。1951 年 1 月，昭乌达盟人民政府发出《试办学校育苗造林的指示》，指出各校利用空地校园开辟苗圃，既绿化校园，又可增加学校经费，全盟中学有条件的都开辟了苗圃，春秋两季组织师生参加劳动②。

1957 年 5 月《中国青年报》《人民日报》先后发表社论，提倡组织学生开展勤工俭学活动。自治区教育厅下发了关于组织中学生参加体力劳动的通知，全区各中学的勤工俭学活动迅速发展起来，各校开展了与农业社、工厂订立劳动合同，开辟校田，植树造林等多种形式的勤工俭学活动。10 月，自治区教育厅下发了《关于中小学继续加强劳动教育的指示》（以下简称《指示》）。《指示》要求各校加强学生学习目的性的教育，向学生讲清普通教育的目的主要是培养忠于社会主义事业的、有文化的、身体健康的体力劳动者，其次是为专门人才打好普通知识的基础；要重视“农业基础知识”和“农业常识”的教学；加强劳动教育，一方面通过各种教学来进行，另一方面应组织学生参加一定的体力劳动。

---

① 赤峰市教育志编纂委员会：《赤峰市志·教育篇》（征求意见稿），1991 年编，第 234 页。

② 赤峰市教育志编纂委员会：《赤峰市志·教育篇》（征求意见稿），1991 年编，第 237 页。

1957年勤工俭学正式纳入学校工作中，归学校总务处组织管理，盟市旗县教育行政部门设人兼管此项工作。1958年，勤工俭学活动掀起高潮。

1958年1月，团中央发布了《关于在学生中提倡勤工俭学的决定》。2月，教育部发出通知，要求各地教育行政部门支持和帮助团中央执行《决定》。内蒙古教育厅下发了《关于勤工俭学的试行办法》。各中学普遍开展了勤工俭学活动，学校里大办工厂、农场、牧场，师生参加各项生产劳动，收到了显著的成效。具体表现是：（1）各校普遍地建立了各种工厂、作坊、车间、小组等。截至1958年8月29日，据37所中学的初步统计，已正式投入生产的工厂有83个，正在兴建或计划新建的130个，平均每校有6个工厂或作坊，主要有水泥厂、盐酸厂、翻砂厂、炼焦厂、肥料厂、石油厂、沼气发电厂、淀粉厂、土霉素厂、教具厂、熬硝厂、砖瓦厂、乐器厂、木工厂、编织厂、缝纫厂、造酒厂、硫酸铜厂等50多种。乌兰浩特一中的翻砂厂已生产六吨多产品，该校试制成功的硫酸铜达到了国际水平；赤峰二中的盐酸厂每天可生产二百多斤盐酸，该校的炼焦厂每天可生产五吨焦炭；伊盟一中的烧砖厂已烧出几十万块青砖，该校的水泥厂也大量生产。为了响应大炼钢铁的号召，许多学校大建土高炉，积极炼铁，共有6所中学的土高炉流出铁水，正在兴建的有五所中学、几十座高炉。（2）开辟了校园、农（牧）场。据不完全统计，全区中学和部分小学约种地15 000多亩。种植了小麦、玉米、大豆、高粱、土豆、白菜、瓜、萝卜等。为了配合当地丰产试验和教学工作，很多学校都种植丰产田和试验田；有些学校还栽培了果树，开辟了果木园。在动物饲养方面，根据37所中学的统计，有猪1 715口，鸡2 560只，兔776只，还有羊、蚕、鱼等。在品种改良方面，各校也做了许多试验。

自治区教育厅于1958年9月25日举办全区性教育与生产劳动相结合的展览会。在“大跃进”形势的影响下，全区勤工俭学掀起了新高潮，各校积极参加城镇大炼钢铁，农村大搞深翻造肥的活动，有的学校甚至整日、整星期地劳动。

1959年春，各校先后对校办工厂、农场进行了整顿，把不适合学生参加、供产销问题不好解决的厂子合并或停办。在整顿的同时，又根据需要新建和扩建了一些工厂、农（牧）场。截至1959年底，据110所中学的不完全统计，有校办工厂 148 个，其中机械厂 17 个，化工厂 25 个，木工厂 35 个，砖瓦厂 18 个，印刷厂 11 个，缝纫厂 18 个，其他工厂（水泥、编织、粮食加工等）24 个。据 103 所中学的不完全统计，校田 10 亩以上的有 82 所，校办农场总面积达 7 500 亩。有校办牧场 15 个，饲养厂 71 个，养各种家畜 7 433 只，其中牛 404 头，羊 2 964 只，猪 3 223 口，马、骡、驴 138 头，兔 704 只；养有家禽 4 335 只，其中鸡 4 041 只，鸭 294 只；养蜂 45 箱。

城市中学如呼和浩特、包头二市及少数盟的一些中学，以“工业为主，工、农、牧结合多种经营”的方针建立生产劳动基地。如海拉尔一中、海拉尔二中、乌兰浩特一中、乌兰浩特二中、乌兰浩特朝鲜族中学、包头市一中、包头市二中、包头市九中、呼和浩特市一中、呼和浩特市二中、呼和浩特市六中等都建立了以机械厂为中心的生产劳动基地，而且大多数已投入生产。中、小城镇和农村中学都贯彻“农业为主，工、农、牧结合多种经营”的方针建立生产劳动基地。基本上每个学校都有农场和教学实验园地。城市中学一般 5 至 20 亩地，农村中学一般有 50 至 200 亩地。牧区学校大都以“牧业为主，工、农、牧多种经营”的方针，建立了自己的生产劳动基地。如锡林浩特中学的牧场有牛 150 多头，羊 120 只；农场有地 45 亩，以种植蔬菜为主，并有多种果树，还养有猪、兔等。

一般学校都有木工、铁工、教具等自我服务性小组。全区大约有 75% 至 80% 的中学都有了固定的生产劳动基地。1961 年，根据“调整、巩固、充实、提高”的“八字方针”，各盟市旗县对校办工厂、农场进行整顿，大部分停办，少数缩小规模，减少人员。昭乌达盟勤工俭学活动主要是开荒种地、生产渡灾。呼和浩特市在 1962 年校办工厂、农场全部停办，勤工俭学活动除农村中学继续办小农场外，城区完全停止。1963 年，全区各校贯彻部颁《条例》,学生全年参加劳动一个月。以后的几年里，呼和浩特市各校主要是组织学生参加植树、建校和到农村参加夏锄、麦收、秋收等劳动。昭乌达盟从实际出发对学校所办厂（场）进行了调整。

1966 年，“文化大革命”开始，勤工俭学也受到了影响，有的校办农场被迫停办，有的学校林场被乱砍滥伐。“文革”后期，勤工俭学活动逐步恢复。1970—1976 年，开展学工、学农、学军活动，开始实行厂校挂钩，建立学工、学农点，组织学生轮流参加劳动，如挖防空洞、参加战备劳动等。勤工俭学活动也随之开展起来。有的盟市教育局成立了勤工俭学办公室或设专人负责该项工作。校办工厂和校办农场也逐渐发展起来，并为学校创造了产品和收入。1972 年，呼和浩特市教育局设勤工俭学办公室，领导管理全市中学勤工俭学活动。1976 年，呼和浩特市直属 22 所中学办校办工厂 18 个，工业纯收入 1 607 万元，校办农场 14 个，耕地 709 亩，其他勤工俭学收入达 394 780 元。

1977 年以后，全区中学勤工俭学走向正规化，各盟市旗县开始设专人分管，个别盟市在20 世纪 70 年代后开始设立勤工俭学办公室。1980 年后各盟市旗县陆续成立勤工俭学办公室，1981 年以后有的盟市开始设立校办工业公司，与勤工俭学办公室合管勤工俭学工作。学校勤工俭学规模较大的设生产处，工厂设厂长，农场、饲养场设场长，厂（场）长由学校正式任命。20 世纪 80 年代后，学生参加勤工俭学劳动列入教学计划，并开始开设劳动技术课。

1980 年，呼和浩特市人民政府召开中学勤工俭学会议，对勤工俭学的领导问题、校办工厂（农村牧场）的性质、生产计划、工人的工资、劳保福利、财务管理、土地、工商企业登记、机构设置等问题作了具体规定。1981 年 12 月，呼和浩特市校办工业公司成立，与勤工俭学办公室合署办公，负责工厂、农场的企业管理、经济活动。是年，呼和浩特市城区学校主要办工厂，农场、农村分校陆续停办。1982 年，呼和浩特市教育局发出《中小学勤工俭学财务管理暂行办法》,并要求逐步实现一校一厂。这一阶段，自治区各盟市相继成立勤工俭学办公室或管理机构。

1982 年 7 月，教育部印发了《全国中小学勤工俭学管理暂行办法》。8 月份，教育部等单位在北京联合召开第一次全国中小学勤工俭学工作会议。会议制定了《全国中小学勤工俭学暂行工作条例》和《普通中小学开设劳动技术教育课的试行意见》。在这次会议上，昭乌达盟教育局局长介绍了《从民族地区特点出发，加强领导，开展勤工俭学》的经验，昭乌达盟教育局和哲里木盟两所中学等单位受到国家四部委的表彰奖励，昭乌达盟教育局还被评选为全国勤工俭学先进集体。这次会议后，自治区各中学陆续把勤工俭学劳动列入教学计划，开设劳动技术课。1983 年 11 月，昭乌达盟教育局提出了全盟勤工俭学以农牧为主、多种经营的建设方针。1983 年，呼和浩特市人民政府召开中小学勤工俭学经验交流会，并举办了展览会。1983 年，全区小学勤工俭学总收入达 1 037.62 万元，每个学生平均 3.98 元。

1985 年，自治区中学勤工俭学已具有相当规模，各校办工厂和农林牧场领导管理、规章制度也比较健全，进入了巩固、改革、提高的阶段。各校办工厂提高产品质量，进行技术改革，引进新技术，产品质量有很大提高。例如：呼和浩特市八中砂轮机厂生产的砂轮机作为样品出口孟加拉国。赤峰市勤工俭学各项指标都超额完成了“六五”期间发展计划，居自治区各盟市之首。这一年，呼和浩特市勤工俭学纯收入 253.34 万元，人均 13.28 元；赤峰市纯收入 781 万元，人均 11.50 元；哲里木盟纯收入 506 万元。10 月，自治区召开中小学勤工俭学表彰奖励会议，赤峰市教育局、呼和浩特市校办工业公司等单位被评为自治区勤工俭学先进集体。1986 年 1 月，赤峰教育局召开全市勤工俭学表彰大会，制订了《赤峰市校办企业承包经营责任制试行方案》。一些盟市、旗县勤工俭学开始实行三级管理目标责任制。1986 年，哲里木盟开展勤工俭学的学校（包括小学）2 741 所，纯收入 527.5 万元，学生人均收入 10.29 元。1985—1986 年，哲里木盟勤工俭学管理站连续两年被自治区教育厅评为先进集体。1988 年 1 月，赤峰市人民政府签发《赤峰市教育局关于发展校办企业的意见》，明确校办企业的性质和任务，实行厂（场）长负责制，落实经济责任承包制。11 月，赤峰市全市学校植树造林 80 万亩，每个学生平均一亩多林地。赤峰市勤工俭学提前一年完成“七五”规划任务，纯收入达 1 118 万元，跨入全国先进行列①。

1988 年 11 月，国家教委、国家计委、财政部、劳动部联合召开全国中小学勤工俭学工作会议，自治区受到四部委联合表彰的先进集体有：赤峰教育局、哲里木盟通辽一中、呼和浩特市二中整流器厂、乌兰察布盟集宁市教育局、乌兰察布盟卓资县旗下营中学、兴安盟科右前旗乌兰毛都中学、伊克昭盟鄂托克旗一中、锡林郭勒盟东乌珠穆沁旗蒙中。

---

① 赤峰市教育志编纂委员会编：《赤峰市志·教育篇》（征求意见稿），1991 年编，第 243 页。

（二）勤工俭学的成绩

1979 年，全区开展勤工俭学的中学达 1 822 所，占总校数 3 489 所的 52.2%，勤工俭学纯收入达537.3 万元。1980 年，全区开展勤工俭学的中学有 1 585 所，占总校数 2 870 所的 55.2%，勤工俭学纯收入达 621.66 万元。1981 年，全区开展勤工俭学的中学达 1 466 所，占总校数 2 509 所的 58.4%，勤工俭学纯收入达 712.91 万元。1982 年，全区开展勤工俭学的中学达 1 827 所，占总校数 2 343 所的 77.97%，勤工俭学纯收入达 731.84 万元。1983 年，全区开展勤工俭学的中学达 1 459 所，占总校数 2 218 所的 66%，勤工俭学纯收入达 886.5 万元。1984 年，全区开展勤工俭学的中学达 1 498 所，占总校数 2 103 所的 71.2%，办有工厂 587 个，农牧林场 1 096 个，工业总产值为 2 463 万元，粮食总产量达 775 万斤，纯收入总计 1 013.77 万元，中学生人均 9.4 元。1979—1984 年，勤工俭学收入达 1 693.27 元①。

1987 年，全区有 15 807 所中小学开展勤工俭学活动，全年纯收入 4 390 万元，全区中小学生人均收入 11.3 元。1988 年，自治区政府决定对中小学勤工俭学实行免税政策，同时号召各级政府和社会各部门大力支持中小学勤工俭学活动。这一年，自治区中小学勤工俭学活动成绩喜人：全区开展勤工俭学的学校有 16 078 所，全区中小学共办有工厂 1 085 个、农场 10 161 个、林场 4 109 个、牧场 713 个、渔场 52 个，第三产业的店、所、部 2 992 个。全年纯收入 5 603 万元，人均收入 15.6 元，其中中学人均收入 19.96 元，小学人均收入 10.73 元。达到 1 000 万元以上的盟市 1 个（赤峰市），100 万元以上的旗县 13 个，10 万元以上的学校 43 个②。

中学勤工俭学的开展，在国民经济发展较为落后、教育经费不足的特定时期，在补充教育经费不足、改善办学条件、培养学生德智体全面发展等方面发挥了积极的作用。

---

① 中国教育年鉴编辑部编：《中国教育年鉴（地方教育）》(1949—1984)，湖南教育出版社 1986 年版，第 219 页。

② 内蒙古自治区教育厅主编：《内蒙古教育大观·内蒙古教育年鉴》（上），内蒙古大学出版社 2005 年版，第 322—333 页。

第二节　高等教育

一、发展历程

（一）快速发展的初创阶段（1952—1966 年）

1952 年，内蒙古自治区根据党中央关于发展和提高我国边疆地区各族人民文化教育水平的指示，从发展自治区的教育事业入手，首先决定在原内蒙古行政干部学校的基础上组建内蒙古师范学院，当时校址在乌兰浩特。建校之际，根据自治区教育迅速发展的需要和学校师资的具体情况，以速成的方式举办了 6 个专业的师资班，即蒙文、物理、数学、化学、生物、体育 6 个专业，修业年限一年，共 116 名学生、7 名专职教师。暑假后，设文史科（蒙）、中国语文科、史地科、数理科、生化科、体育科 6 个两年制的专修科。是年 8 月，内蒙古自治区党委、政府、军区从张家口迁至归绥。1954 年，内蒙古师范学院也从乌兰浩特迁至归绥，由张家口师专和绥远师专合并而成的内蒙古师范专科学校并入，专业设置调整为 8 个汉语授课专业和 3 个蒙语授课专业，即汉语授课的语文、史地、艺术、物理、数学、数学物理、生化、体育专业，修业年限 2 年；蒙语授课的文史、数理、生化专业，修业年限 3 年，初步奠定了学校专业设置的基础。

1956 年，增加了本科教育层次。从 1958 年开始，过渡为本科学院。内蒙古师范学院是中华人民共和国成立后，在少数民族地区最早建立的一所高等学校。从建校开始，就致力于蒙汉语授课双轨教育。

从内蒙古的民族特点和畜牧业的特殊地位出发，为尽快改变内蒙古畜牧兽医科学技术落后和人才奇缺的状况，1952 年 11 月，在全国高等学校院系调整中，河北农学院、平原农学院的畜牧兽医系和山西农学院的兽医系合并，在归绥市创建了内蒙古畜牧兽医学院，设畜牧系畜牧专业、兽医系兽医专业，学制 4 年，是内蒙古自治区创办最早的本科高等学校。1959 年内蒙古农业干部学校、内蒙古牧业干部学校、内蒙古农牧业学校合并，同年，更名为内蒙古农牧学院。1962 年内蒙古水利电力学院农田水利系并入。1963 年，列为华北地区重点高等农业院校。

在第一个五年计划期间，随着经济建设和各项事业的发展，适应贯彻党的民族区域自治政策，繁荣和发展内蒙古自治区的政治、经济以及文化科学教育事业的需要，自治区加快了高等教育的发展步伐。特别是为了进一步实施“人畜两旺”的方针，发展医疗卫生事业，增强人民体质，保障经济建设，1956 年 5 月，内蒙古医学院在呼和浩特创建，当时隶属国家卫生部，后划归内蒙古自治区管理。建院之初，只设医疗系医疗专业，学制 5 年。同年 9 月开始招生。内蒙古医学院是中华人民共和国成立后，在少数民族地区建立的第一所高等医学院校。

为了建立基础学科研究基地，培养自治区尤其是蒙古族的科研人才和管理人才，自治区党委和政府决定创办一所综合性大学——内蒙古大学。经国务院批准，于 1956 年开始筹建，1957 年 10 月 14 日在呼和浩特正式成立，隶属于内蒙古自治区人民政府管理。国务院副总理、内蒙古自治区党委第一书记、自治区主席乌兰夫兼任首任校长。中国科学院学部委员、北京大学教授李继侗来校执教并任副校长。在建校典礼上，乌兰夫明确提出内蒙古大学负有“双重任务”的办学方针，即“一方面，它与兄弟高等院校一样地贯彻执行培养有社会主义觉悟的、有文化的、身体健康的劳动者的教育方针；另一方面，必须看到国家在少数民族地区建立高校，它就要担负起繁荣和发展内蒙古民族的文化和培养本民族的知识分子进行科学研究的任务。”“双重任务”的办学方针，是从内蒙古经济建设、社会发展的实际需求出发，在总结内蒙古高等教育办学经验基础之上提出来的，成为内蒙古高等教育办出民族特点和地区特点的重要指导思想，不仅是内蒙古大学的办学方针，也适用于自治区内其他高等学校。

内蒙古大学创建之初，主要是本科教育，设有蒙古语文、汉语文、历史、数学、物理、化学、生物 8 个专业。1962 年，蒙古语文专业招收了首届研究生。

为了发展蒙医事业，1957 年春，经内蒙古自治区人民政府批准，成立了“内蒙古中蒙医学院筹备处”，1958 年 9 月试招了第一期蒙医专业本科生，学制 5 年。1961 年春，经内蒙古自治区人民政府批准，蒙医专业划归内蒙古医学院，成为中蒙医系的一个专业。

1957 年的反“右派”斗争和 1958 年的“大跃进”运动，给自治区的高等教育带来了一定的冲击。特别是 1958 年开始的“大跃进”，违反客观规律，盲目追求高速度，带来了教育上的“大冒进”。1958 年至 1961 年，自治区出现了大建高等院校的热潮。

1958 年 8 月，农业机械部创办了内蒙古工学院（其前身是 1951 年 7 月创办的绥远省归绥高级工业学校，1955 年改名为华北第三工业学校，同年又改名为内蒙古第一工业学校，1956 年定名为呼和浩特机械制造工业学校），设置机械制造、化工、矿业三个系，机制、铸造、锻压、无机、有机、采煤、矿山机电、矿山建筑 8 个专业；学制分别为 3 年、4 年，实际上从当年起已改为 5 年。同年 9 月，冶金工业部在 1956 年成立的包头钢铁工业学校和包头建筑工程学校两所中专的基础上，建立了包头工学院（1959 年后更名为包头钢铁工业学院，1960 年又更名为包头钢铁学院）。同年 11 月，内蒙古林学院在内蒙古扎兰屯成立，设林业、森林采伐运输机械化、林产化学工艺、木材机械加工 4 个专业。1959 年从扎兰屯迁至呼和浩特，增设森林保护、沙漠治理、林业机械 3 个本科专业。林业、沙漠治理等专业成为该校的特色专业。该校是适应内蒙古作为全国林业生产基地的需要，党和国家在少数民族地区建立的第一所高等林业院校。

1958 年到 1961 年，创建的高等院校还有：内蒙古财经学院、内蒙古建筑学院、内蒙古水电学院、内蒙古体育学院、包头医学院（内蒙古自治区直属院校）、包头师范高等专科学校、呼伦贝尔大学、呼伦贝尔盟师专、集宁师范高等专科学校（直属内蒙古自治区管理）、通辽师范学院、包头农学院、呼和浩特师范专科学校、昭盟师范专科学校、巴盟师范专科学校等。此外，还有铁道部创办的包头铁道学院，三机部创办的包头机械工业专科学校。

内蒙古自治区的高等学校由原来的 4 所猛增至 31 所①，招生人数也相应迅速扩大，总体办学规模远远超过了自治区经济承受和学校办学能力的限度，造成教育质量低劣、办学秩序混乱的严重局面。

从 1961 年底开始，贯彻中央“调整、巩固、充实、提高”的方针，经

---

① 内蒙古教育丛书编委会编：《内蒙古自治区教育成就统计资料》（1947—1986），内蒙古教育出版社 1990 年版，第 13 页。

过大力调整，只保留了内蒙古大学、内蒙古医学院、内蒙古师范学院、内蒙古农牧学院、内蒙古工学院、内蒙古林学院、通辽师范专科学校等院校，其余新建院校先后停办。

这一阶段，自治区高等教育因受“左”的错误思想的影响，出现过一些失误。但是，1961 年实施中央“高教六十条”以后，高校各项工作有了明确的章法，教学秩序逐步稳定，教育教学质量和科研水平显著提高。到 1965 年，自治区高等教育基本步入了正常发展的轨道。

（二）遭受“文化大革命”破坏的阶段（1966—1976 年）

“文化大革命”十年动乱，阻断了高等教育的发展进程。林彪和江青两个反革命集团在内蒙古地区制造的所谓“乌兰夫反党叛国集团”、“内蒙古二月逆流”“新内人党”三大冤假错案，使广大干部和教职工遭到的迫害极为惨重。仅内蒙古大学教职工遭到迫害，被打成所谓叛徒、特务、走资派、反动学术权威及“乌兰夫反党叛国集团”“新内人党”成员的达 238 人，占全校 645 名教职工总数的 37% 以上。① 内蒙古医学院在 1968 年秋至 1969 年春挖新“内人党”中，有 114 名蒙汉族师生和家属被刑讯逼供或受到株连。据统计，“文革”中全院受害者达千人以上。② 整个“文化大革命”期间，高校师资队伍流散，图书资料和仪器设备大量丢失毁损，学校建设遭到的破坏更为严重。1971 年 8 月，内蒙古革委会决定，撤销内蒙古林学院，并入内蒙古农牧学院，只保留林学系。受“四人帮”树立的典型——朝阳农学院的影响，1975 年 4 月，内蒙古党委决定，“将内蒙古农牧学院原则上一分为四搬迁到农村牧区，由各盟自办农牧学院”。是年 5 月，按照既定的“搬迁方案”，畜牧、兽医系成建制地搬往锡林郭勒盟，与原内蒙古牧业学校、内蒙古牧业机械化学校合并，建立锡林郭勒牧业学院；农学系成建制地搬往巴彦淖尔盟，建立巴彦淖尔农牧学院；农机、农水系成建制地搬往乌兰察布盟，与原乌兰察布盟农牧学校合并，建立乌兰察布农牧学院；林学系成建制地搬往伊克昭盟达拉特旗，建立鄂尔多斯农牧学院。

“文化大革命”开始后，自治区高等院校停止招生达五年之久，“文化

① 石斌主编：《内蒙古大学四十年》，内蒙古大学出版社 1997 年版，第 122 页。

② 王铁锤、寇永昌主编：《内蒙古医学院四十年》，内蒙古教育出版社 1998 年版，第 12 页。

大革命”前最后两届学生的教学计划也基本上没有完成。1971 年恢复招生，到 1976 年共招收 6 届工农兵学员，学制缩短为三年，实行工农兵学员“上、管、改”（即上大学、管大学、用毛泽东思想改造大学）。这是特殊时期高等教育实行的办学模式，尽管不符合常规高等教育的要求，但也使一大批工农兵学员在高等学校接受了一定的文化知识教育。在“文化大革命”期间，本科教育断层，教育规模萎缩，仅于 1974 年恢复一所专科学校，即包头师范专科学校。对“文化大革命”的严重错误，特别是林彪、江青两个反革命集团的倒行逆施，广大教职员工在遭受巨大冲击的同时，也以各种方式进行了力所能及的抵制和抗争。尤为难能可贵的是，他们在教学、科研等领域中默默地奉献自己的才智和力量，为一届又一届工农兵大学生传授文化知识，在逆境中从事科学研究，做出了很大的努力。

例如，内蒙古大学蒙古史研究室的研究人员，从 1972 年到 1973 年完成了国家点校《元史》的任务；该校物理系教师罗辽复在“文化大革命”中一直致力于基本粒子理论研究，1974 年 1 月，在《物理学报》复刊上发表的基本粒子研究论文，受到了国内外学者，包括著名美籍华裔学者杨振宁教授的关注。内蒙古医学院的教师和研究人员在血红蛋白分型，蒙药降血脂药、断指（肢）再植、肺心病、冠心病、肿瘤防治等方面的研究中，取得显著成绩，发表学术论文百余篇，阙求豪等同志于 1968 年完成了自治区第一例断肢再植手术。

（三）深化改革及持续、稳定、协调发展阶段（1976—2000 年）

1976 年粉碎“四人帮”以后，特别是党的十一届三中全会以来，推倒了“四人帮”在教育战线炮制的“两个估计”，清理了“左”的错误思想的影响，平反了冤假错案，落实了党的各项政策，开展了关于真理标准问题的大讨论，重新确立了马克思主义实事求是的思想路线在高教工作中的指导地位。通过指导思想上和具体工作中的拨乱反正，推动了思想解放，调动了广大干部和知识分子的办学积极性，使高等教育获得了新的生机，走上了整顿、恢复和改革、发展的轨道。

1977 年停止推荐工农兵学员上大学，恢复高校招生考试。通过高考录取的第一批学生，走进了高等学校。从后勤的伙食承包起步，高校的各项改革逐步展开。这一阶段，高等教育有了显著恢复和发展。

1977年冬，撤销了锡林郭勒牧业学院、巴彦淖尔农牧学院、乌兰察布农牧学院、鄂尔多斯农牧学院4所院校。1978年，内蒙古党委决定，正式恢复内蒙古农牧学院和内蒙古林学院，并于12月获国务院批准。同年，内蒙古大学被教育部确定为全国重点大学。经国务院批准：包头钢铁学院（1964年改建为包头钢铁学校）恢复大学建制（由冶金工业部主管）。同年12月，在赤峰师范学校（1962年8月，由昭乌达盟师范专科学校改建）和林东师范学校的基础上，建立昭乌达蒙族师范专科学校（当时昭乌达盟属辽宁省行政区划），新成立哲里木畜牧学院、哲里木医学院（1980年改建为内蒙古民族医学院），两院当时归吉林省管辖。

1980年5月，经国务院批准重建内蒙古财经学院。同年，内蒙古自治区人民政府决定，经国务院批准，将正在筹建的内蒙古民族师范学院与通辽师范学院合并，建成内蒙古民族师范学院，校址设在通辽市。1982年5月，内蒙古师范学院更名为内蒙古师范大学，成为自治区管理的一所多学科综合性的蒙汉语双轨教育的重点师范大学。1983年3月15日，内蒙古党委和政府联合发文确定内蒙古农牧学院为内蒙古自治区重点院校。1985年5月，内蒙古农牧干部学校（校址在萨拉齐）划归内蒙古农牧学院，成为内蒙古农牧学院分院。该校在实施蒙汉语双轨教育方面同样取得显著的成绩，在畜牧、兽医、草原等专业也实行了蒙汉两种语言授课。

1984年，内蒙古大学被国务院学位委员会批准为博士学位授予单位，成为自治区首家有博士学位授予权的高校。

1985年《中共中央关于教育体制改革的决定》颁行以后，高等教育以管理体制为中心的各项改革深入展开。通过转变职能，政府及其教育主管部门的宏观管理也得到相应的加强。贯彻国务院办公厅转发的国家教委《关于深化高等教育体制改革的若干意见》的精神，推进全区高等教育管理体制改革和布局结构调整，取得了令人欣喜的成绩。

1985年以来，为了发挥多方面的办学积极性，适应地方对某些短缺专业人才的需求，经自治区人民政府批准和国家教委备案，新建了海拉尔师范专科学校和乌兰察布盟师范专科学校。在呼和浩特市和临河市成立了青山大学、丰州联合大学（内含青城大学和中山学院）和河套大学等3所短期职业大学。3所短期职业大学均实行“自费学习、民办公助、不包分配、择优录用”的制度。

此外，还有5处持续招生的大专班：内蒙古建筑学校大专班、呼和浩特市教育学院大专班、牙克石林业师范大专班、呼和浩特交通学校大专班和内蒙古体育运动技术学校大专班。

1987年，内蒙古民族医学院更名为内蒙古蒙医学院，成为一所以蒙医药专业和科研为主体的高等院校。同年，经国家教委批准，1957年建校的内蒙古艺术学校并入内蒙古大学，成立内蒙古大学艺术学院。

1993年，内蒙古工学院更名为内蒙古工业大学。经过三十多年的建设和发展，内蒙古工业大学成为一所以工为主，工、理、文、管、经、法相结合的多科性大学。

同年，经自治区政府批准，由原海拉尔师范专科学校、呼盟管理干部学院、内蒙古广播电视大学呼盟分校、呼盟教育学院4校合并组建成立呼伦贝尔大学，在办学层次上属于普通专科学校。学校布局，由过去集中在自治区首府改变为向全区主要城市扩展。

1995年，根据国家教委高校校名规范化的要求，经国家教委批准，包头师范专科学校更名为包头师范高等专科学校；昭乌达蒙族师范专科学校更名为赤峰民族师范高等专科学校；海拉尔师范专科学校更名为海拉尔师范高等专科学校；乌兰察布盟师范专科学校更名为集宁师范高等专科学校；内蒙古丰州联合大学更名为民办内蒙古丰州学院。经自治区教育厅决定，将原内蒙古丰州联合大学所属青城大学和中山学院分别更名为民办内蒙古丰州学院青城分院和民办内蒙古丰州学院中山分院。

自90年代中期开始，内蒙古大学等高校探索校、院、系三级管理办学模式，坚持走内涵发展的路子，取得显著进展。经自治区人民政府批准，内蒙古大学先后成立了蒙古学研究院、生命科学学院、继续教育学院、经济学院和人文学院；内蒙古工业大学成立了国际商学院和继续教育学院；内蒙古师范大学成立了外国语学院、体育学院和国际现代设计艺术学院等。

1997年，经教育部、国家教委院校设置评议委员会对呼伦贝尔大学进行实地考察、评估，正式批准为呼伦贝尔学院。至此，原海拉尔师范高等专科学校、呼盟管理干部学院、内蒙古广播电视大学呼盟分校、呼盟教育学院4校实现实质性合并，成为一所以师范教育为主的全日制综合类高等学校，校址在海拉尔，隶属于自治区教育厅。1998 年该校经自治区人民政府批准升格为准厅级事业单位。通过这次调整，使海拉尔地区高等学校的布局得到优化，实现了该地区普通高校与成人院校的优势互补和资源共享。

同年，内蒙古大学“211 工程”项目于 11 月由国家计委批准立项进入建设阶段。内蒙古农牧学院在原萨拉齐分院的基础上组建了内蒙古自治区第一所高等职业技术学院——内蒙古农牧学院职业技术学院。

同年，自治区成立了包头职业技术学院。它是以创建于 1956 年的国家级重点普通中专包头机械工业学校为主体，与内蒙古一机工学院、二机工学院合并组建而成的，校址设在包头市青山区。该院是内蒙古自治区第一所独立设置的高等职业技术学院。

同年底，经自治区教委批准，原内蒙古农牧学院和内蒙古林学院合并组成内蒙古农业大学。12 月中旬，在全国院校设置评委会上，两校合并成立内蒙古农业大学获得通过。1999 年 4 月 12 日，自治区党委和政府召开成立大会，宣布内蒙古农业大学正式成立，从 9 月起按新的管理体制和机制运转。内蒙古农业大学成为以农为主，农、工、理、经、管、文等多学科协调发展，具有地区特点、民族特色、学科优势的综合性大学。同年，通过政府申报、专家组评审，教育部批准，在内蒙古建筑学校基础上组建呼和浩特职业技术学院；原内蒙古民族师范学院、内蒙古蒙医学院、哲里木畜牧学院三校合并拟成立通辽大学。2000 年，三校调整合并工作顺利完成，最后定名为内蒙古民族大学，成为内蒙古自治区东部地区一所学科较为齐全的区属普通全日制综合性大学。是年，自治区政府决定呼和浩特交通学校并入内蒙古大学，组建内蒙古大学职业技术学院，内蒙古大学与内蒙古大学艺术学院进行实质性合并。原内蒙古煤炭工业学校并入包头钢铁学院。由包头师范专科学校、包头教育学院、包头师范学校 3 校合并组建的包头师范学院经国家教育部批准，于同年 7 月 11 日在包头市正式挂牌成立。合并后的包头师范学院，发挥各家所长，形成了新的优势和特色，集师范教育、高等职业教育、继续教育为一身，融职前培养、职后培训为一体，形成一所以本科教育为主，多学科的、多层次的、多种办学形式的全日制普通高等师范院校。是年，内蒙古蒙文专科学校和内蒙古民族师范学校合并组建内蒙古民族高等专科学校；内蒙古教育学院并入内蒙古师范大学；内蒙古财经学院与内蒙古经济管理干部学院合并办学；呼盟商业学校、呼盟城建中专、海拉尔蒙古族师范学校实质性并入呼伦贝尔学院。这一年，总计完成了5组12所院校的调整合并工作。

截至2000年底，内蒙古自治区高等院校有18所，即内蒙古大学、内蒙古工业大学、包头钢铁学院、内蒙古农业大学、内蒙古医学院、包头医学院、内蒙古师范大学、内蒙古民族大学、包头师范学院、呼伦贝尔学院、赤峰民族师范高等专科学校、集宁师范高等专科学校、内蒙古民族高等专科学校、内蒙古财经学院、呼和浩特职业技术学院、民办内蒙古丰州学院、河套大学、包头职业技术学院。高等院校的设置与布局日趋完善合理。各类高校在校生7.04万人，比“文化大革命”前的1965年增长7倍，比改革开放前的1977年增长8.2倍。可以说，党的十一届三中全会以来，是自治区高等教育事业发展最快、变化最深刻、成效最显著的时期。①

经过48年的发展，自治区高等教育取得了重大成就。

一是形成了结构、布局比较合理的高等教育体系。全区18所全日制普通高等院校，按科类分，综合大学3所、理工院校2所、农业院校1所、医药院校2所、师范院校4所、蒙语文院校1所、财经院校1所、职业大学4所；按层次分，本科院校10所、专科院校8所；按地区分，呼和浩特市9所、包头4所、哲里木盟1所、赤峰市1所、乌兰察布盟1所、巴彦淖尔盟1所、呼伦贝尔盟1所；在人才培养的层次上，不但有了专科生、本科生，而且有了硕士研究生和博士研究生。从总体上看，经过调整、合并和优化组合，已经形成了层次结构和科类结构比较完整、院校布局比较合理的高等教育体系。

二是为国家和自治区培养了大批社会主义建设人才。截至2000年，各普通高等院校共培养出研究生2 450余人、本专科生214 800余人。这些毕

① 1976—2000年资料综合参考：内蒙古自治区教育厅主编：《内蒙古教育大观·内蒙古教育年鉴》（上、下），内蒙古大学出版社2005年版；内蒙古教育丛书编委会编：《内蒙古自治区教育成就统计资料》（1947—1986），内蒙古教育出版社1990年版；内蒙古自治区教育成就编委会编：《内蒙古自治区教育成就统计资料》（1947—1996），内蒙古教育出版社1997年版；内蒙古教育委员会计划建设处编：《内蒙古自治区学年初教育统计提要》（1987—2000），内部发行；内蒙古教育丛书编委会编：《内蒙古自治区教育大事记》（上、下），根据档案资料编辑1987年内部印刷等等。

业生遍布广大农村牧区、工矿企业、党政机关、科研院所和各类学校。其中绝大部分毕业生已成为各条战线的骨干力量，为自治区的社会主义建设作出了重要贡献。

三是建设了一支德才兼备的教职工队伍。截至 2000 年，全区高校有教职工 19 228 人，其中专任教师 8 856 人。在专任教师中，按学历分类，有博士 113 人，硕士 1 264 人，学士 5 236 人，无学位学历 1 534 人，无高校学历 709 人；按职称分类，正高级职称教师 574 人，副高级职称教师 2 463 人，中级职称教师 3 469 人，初级职称教师 1 979 人，无职称教师 371 人。专任教师中 35 岁以下的青年教师 4 016 人，占 45.3%；研究生及以上学历的教师 1 473 人，占 16.6%。

四是学科和专业建设取得显著进展。学科和专业建设是高等学校办学水平和学术水平的主要标志。经过 40 多年的发展建设，自治区各高等学校坚持以学科建设为龙头，提升整体教学、科研水平，基本形成了与自治区经济和社会发展相适应的学科专业门类。截至 2000 年，已拥有涵盖哲学、经济学、法学、教育学、文学、历史学、理学、工学、农学、医学、管理学 11 个学科门类的 228 个专业点，3 个国家级重点学科，35 个自治区级重点学科，并有硕士学位授予权的学科单位 8 个，博士学位授予权的学科单位 2 个，一级学科博士点 1 个，博士点 14 个，硕士点 152 个，极大地提高了高等教育为社会主义建设服务的能力。

五是创建了适应高校需要的办学条件。截至 2000 年，全区普通高等学校校舍建筑面积达 323.4 万平方米，其中教学及行政用房 48.22 万平方米，学生宿舍 40.51 万平方米；学校固定资产 15.54 亿元，其中教学仪器设备资产值 34484.8 万元；学校藏书 849.9 万册。这些办学条件基本上能够适应当前的办学需要，是高等教育四十多年来积累起来的一笔宝贵财富。①

自治区高等教育在其发展的历史进程中，积累了丰富的办学经验。

---

① 教育成就数据综合参考：内蒙古教育丛书编委会编：《内蒙古自治区教育成就统计资料》（1947—1986），内蒙古教育出版社 1990 年版；内蒙古自治区教育成就编委会编：《内蒙古自治区教育成就统计资料》（1947—1996），内蒙古教育出版社 1997 年版；内蒙古教育委员会计划建设处编：《内蒙古自治区学年初教育统计提要》（1987—2000 年），内部发行。

第一，办好高等教育必须把坚定正确的政治方向放在首位，引导学生全面、健康成长。“文化大革命”以前，各高等院校努力贯彻德、智、体全面发展的方针，坚持把思想政治工作放在首位，培养出一大批又红又专的毕业生。其间，虽然也有过某些“左”的偏向，但总的方向是正确的。十年动乱期间，林彪、江青两个反革命集团，把青年学生引向“踢开党委闹革命”、造反夺权的邪路，造成了极为恶劣的影响。中共的十一届三中全会以来，各高校摒弃了“以阶级斗争为纲”等一套“左”的做法，逐步改善和加强了思想政治教育工作。但是，在一度出现的资产阶级自由化思潮的影响下，学生中间也出现了不同程度的迷失方向、信仰动摇、崇洋媚外等混乱思想和重业务、轻政治，重理论、轻实践的倾向。1989年发生的政治风波平息以后，为了加强党对高校的领导，强化学生的思想政治教育工作，内蒙古党委在教育厅建立了高等学校工作委员会，主管高校思想政治教育工作。各高校实行党委领导下的校长负责制，认真贯彻中共中央发布的《爱国主义教育实施纲要》和《中共中央关于进一步加强和改进学校德育工作的若干意见》,坚持德、智、体、美、劳五育并举，把德育放在首位；明确以邓小平理论为德育工作的指导思想；科学规则、设计德育的主要内容；拓宽德育途径，改进德育方法，优化德育环境；完善德育的领导管理体制，妥善地解决青年学生在政治方向和成长道路上遇到的问题。

第二，办好高等教育必须端正办学指导思想，坚持为自治区社会主义建设服务。从50年代后期开始，受“左”的思想影响，片面强调教育“为无产阶级政治服务”，出现“重政治、轻业务”的偏向，接连不断的政治运动，严重地影响了教育教学质量和人才培养质量。“文化大革命”期间，在“无产阶级专政下继续革命”理论的影响下，教育则成为“在上层建筑领域向资产阶级实行全面专政”的工具。中共十一届三中全会以来，邓小平同志关于“教育要面向现代化，面向世界，面向未来”的指示和《中共中央关于教育体制改革的决定》确立的“教育必须为社会主义建设服务，社会主义建设必须依靠教育”的根本指导思想，为高等教育的发展指明了方向。高等教育从端正办学指导思想入手，认真贯彻区党委提出的“科教兴区”的发展战略，适应建立社会主义市场经济体制的要求，克服就教育论教育、关门办教育的偏向，提出了“从高等教育的总体上为自治区社会主义现代化建设服务”的新路子。各高校全面、正确地贯彻党的教育方针，大力调整、优化教育结构，不断推进以体制改革为中心的各项改革，变应试教育为素质教育，着力培养适应自治区现代化建设需要的具有创新精神的一代新人，并充分发挥高校拥有的科技优势，在重视基础研究的同时，把科技主力投向经济建设的主战场，受到了社会各界的好评。

第三，办好高等教育必须重视三支队伍即师资队伍、思想政治教育工作队伍和管理队伍的建设。办好高等教育必须把提高教育教学质量作为首要的追求目标。而师资队伍的素质，则是教育教学质量的重要保证。“文化大革命”以前的高等教育虽然处于初创阶段，但由于各高校十分重视师资队伍的建设，教育教学质量一般来说是能够得到保证的。“文化大革命”十年动乱，师资队伍遭到严重摧残，教育教学质量也随着下降。党的十一届三中全会以来，师资队伍的建设引起各级领导和各高校领导的重视。通过落实政策、调进调出、人事改革、职称评定、在职培训、出外进修以及制定、实施“跨世纪学术带头人培养工程规划”等多项措施，使教师队伍的规模逐步扩大，结构渐趋合理，素质得到显著改善。提高教育教学质量、培养合格人才是一项系统工程。在搞好教学工作的同时，还要加强管理和思想政治教育工作。师资队伍、思政队伍和管理队伍，三位一体，缺一不可。随着各级领导认识上的提高和改革的深化，政工队伍和管理队伍的建设，像师资队伍建设一样，被摆到了应有的重要位置，并采取了一系列有效措施予以加强。如坚持以思想政治建设为核心，以提高管理素质和管理水平为重点，实行在职培训和脱产培训相结合、思想理论培训和岗位业务培训相结合，深化干部制度改革，强化竞争激励机制，实施干部责任目标管理责任制，加强后备干部队伍的培养和选拔等，使思政队伍和管理队伍得到显著提高。

第四，办好高等教育必须体现地区特点和民族特点。能否办出鲜明的地区特点，不仅能够反映高等学校的学术水平、办学水平和教育教学质量，而且也是体现高等学校竞争力状况及其能否紧密为地方经济建设服务的重要标志。办出地方特点的关键在于抓好学科建设。学科是高等学校进行教学活动和科学研究的基本平台。例如，内蒙古大学的博士学位授权点生物学、硕士学位授权点草业科学、环境科学，国家重点学科动物学，自治区重点学科生态学、微生物学、生殖生物学及生物技术；内蒙古农业大学的动物营养、预防兽医学、沙土保持与荒漠化治理、农业水土工程、草业科学、森林培育、农业机械化工程、动物遗传育种与防治；内蒙古师范大学的科学技术史、课程与教学论、人文地理学、动物学；内蒙古工业大学的材料加工工程、化学工艺、固体力学、机械设计及理论、热能工程；内蒙古医学院的骨科学、病理解剖学、眼科学；内蒙古民族大学的世界史等重点学科都是因为体现了鲜明的地方特点才逐步成长起来的。内蒙古农业大学围绕草原畜牧业、荒漠化治理与生态环境保护、林业、高寒区和干旱、半干旱区农业等领域进行学科专业群建设，形成了畜牧学、兽医学、农业工程、林业等体现自治区经济特点、在全国同类学科中有一定学术地位的学科群。内蒙古工业大学按照“实、高、新、交、特”的原则和“信息化带动工业化”的方向，调整、优化学科群结构，形成了机械工程、材料工程、能源动力等具有一定优势的学科群。

体现民族特点，是贯彻落实党的民族区域自治政策、加速自治区现代化建设的要求。民族特点反映在以下两个方面：一是重视发展民族高等教育，大力培养蒙古族和其他少数民族社会主义建设人才。其主要措施是：1. 设置民族高等学校和蒙语授课专业，使民族高等教育同民族中等教育相衔接；2. 制定特殊政策，保证少数民族高中毕业生升入高等院校的适当比例；3. 注意民族高等教育层次结构和科类比例的合理性；4. 通过定向招生和委托招生逐步打开向农村、牧区输送少数民族高级人才的路子；5. 办强蒙语授课专业师资和教材建设，不断提高蒙语授课教育教学质量；6. 开设民族理论和民族政策课。二是重视加强民族相关学科的建设，特别是蒙医蒙药学和蒙古学建设。经过四十多年的努力，如今蒙医蒙药学以其独特的医疗方法、制药方法和神奇的疗效，同中医中药一样，登上了现代科学的殿堂，成为祖国医学宝库中的瑰宝。蒙古学已经成为哲学社会科学领域国家级的重点学科，也是我区高校哲学社会科学方面的一大优势，拥有一支很强的学术力量，日益引起国内外蒙古学界的重视和瞩目。内蒙古大学的中国少数民族语言文学、专门史是博士学位授权点，蒙古史和中国少数民族经济学是硕士学位授权点。内蒙古师范大学的蒙古语言文学、内蒙古民族大学的蒙医学都已成为自治区的重点学科。

第五，办好高等教育必须坚持深化改革与加强宏观管理相结合。发展是硬道理。但是要避免“大跃进”年代不顾主客观条件盲目发展的局面和“文化大革命”中一整套极“左”的做法，走稳定、协调、持续发展的路子，必须坚持不断深化改革并切实加强宏观管理。改革是发展的动力。原有的高等教育体制是在单一的高度集中的计划经济体制下形成的。其主要弊端是国家“包”得过多、“统”得过死，学校缺乏面向社会自主办学的活力。社会主义市场经济体制的建立必然对高等教育体制提出改革的要求。1985年《中共中央关于教育体制改革的决定》发布以来，推进以体制改革为中心的各项改革，扩大高等学校自主权，改革学校内部的领导体系，改革不合理的招生、分配就业制度；调整高等教育的层次结构和科类比例；转变教育思想，改革教学制度、教学内容和教学方法；改革后勤管理等，取得了显著成效。特别是通过高等学校办学体制的改革，理顺了政府、社会和学校三者之间的关系，使高校逐步成为面向社会自主办学的法人实体，为高等学校的发展提供了强大的动力，有力地促进了高等教育的发展。但是改革不合理的管理体制绝不是不要或削弱宏观管理，宏观管理仍然是调控发展的必要手段。在深化高教管理体制改革和各项改革的同时，自治区政府及其教育主管部门积极转变职能，把对学校的直接行政管理变为间接的宏观管理，并加大了管理力度。在着力完成内蒙古大学“211工程”项目建设目标的同时，还大力加强重点学科、重点专业、重点课程建设；强化师资队伍建设特别是青年师资培养；按照教育部的部署，开展本科教学合格评价；积极推进科学技术面向经济建设主战场；加强学籍和学历证书管理；加强图书馆、实验室、教材和基础设施建设；加大国内外学术交流力度；优化体育卫生工作；改善并加强高等学校党的建设和学生思想政治教育工作等等，使深化改革和宏观管理互相促进、相得益彰，保证了高等教育稳定、协调、持续发展。

二、坚持德育为首，加强学生的思想政治教育

贯彻党和国家的教育方针，坚持德智体全面发展，培养合格的社会主义建设者和接班人，必须把德育放在首位，不断加强学生的思想政治教育工作。德育和思想政治教育工作的基本内容是，对学生进行马列主义基本立场、观点、方法的教育，党的理论、路线、方针、政策教育，法制观念和法律、法规教育以及世界观、人生观、价值观教育，帮助学生树立阶级观点、

群众观点、劳动观点、辩证唯物主义与历史唯物主义观点，树立无产阶级世界观、人生观和价值观，使学生掌握建设有中国特色社会主义的基本理论、基本纲领和基本路线，具有爱国主义、社会主义、集体主义的思想品质以及良好的公共道德、职业道德和家庭美德。为此，自治区教育主管部门和各高等院校主要采取了以下几项措施：

（一）发挥“两课”主渠道作用

教育主管部门和各高校把发挥马克思主义政治理论课和思想教育课的主渠道作用，作为搞好德育和思想政治教育工作的根本大计。

一是改革课程体系和教材内容。1978 年改革开放以前，各高校只开设了马克思主义政治理论课，具体的课程设置随着形势的发展变化一直在探索和变动之中。如内蒙古师范大学在建校之初的 1953 年就在专科生中开设马克思主义基础课。1956 年，各高校根据教育部颁发的教学计划，在四年制本科生中增设政治经济学、辩证唯物主义与历史唯物主义两门课。此后又经过多次变动，直到 1988 年根据中央关于加强马列主义理论课教学的指示，将哲学、政治经济学合并为马克思主义原理课，至此才算基本上稳定下来。中国革命史和中国社会主义建设课也是经历了多次变动之后才确定下来的。思想教育课是改革开放以来适应新形势发展的要求，针对学生思想品德出现的新情况，于 80 年代初开设的。到 1992 年，走过十几年的探索路程，以形势与政策、法律基础、大学生品德修养为主干课程的课程体系基本确立。两课教材的内容，同样体现了与时俱进的特征。如马克思的基本理论，1958 年以前，各高校主要讲马恩列斯的基本观点；1958 年以后，强调结合中国革命和建设的实际，以学习毛泽东思想为主；1978 年改革开放以来，则强调学习邓小平理论，大力推动邓小平理论进教材、进课堂、进头脑。

二是强化“两课”改革力度，提升“两课”地位，把“两课”作为重点学科来加强建设。如内蒙古工业大学 1992 年被列为自治区“两课”改革试点院校后，出台了《贯彻落实国家教委关于〈加强和改进高等学校马克思主义理论教育的若干实施意见〉的实施意见》以及《加强和改革“两课”建设的意见》,成立了“两课”建设与改革领导小组，大力改革“两课”教学内容。“马克思主义原理”课着重讲述马克思主义哲学，将马克思主义原理的三个组成部分作为一个整体贯穿于马克思主义哲学之中。“中国社会主义建设”课以建设有中国特色社会主义理论为核心内容。“中国革命史”课坚持以史为主、史论结合，并将课程内容调整为中国革命和建设两部分进行讲授。“马克思主义民族理论”课程侧重讲述邓小平民族思想和有关民族问题的论述。“大学生思想品德修养”课则形成了以“三观”（即人生观、价值观、道德观）、“三义”（即社会主义、集体主义、爱国主义）为主线的内容体系，联系学生思想实际，有针对性地进行讲授，以增强说服力和感染力。与此同时，先后确定《中国革命史》《马克思主义原理》《社会主义建设》《思想品德修养课》为校级重点建设课程，采取增拨经费、稳定骨干教师、补充新生力量、加强学术梯队建设等多项措施予以保证。

三是探索理论联系实际的新方法，切实解决针对性和实效性问题。内蒙古工业大学在《中国革命史》的讲解过程中，把电化教学引入课堂，结合课堂教学内容，有针对性地播放“百部爱国主义影片”，收到了良好的教学效果。在《中国社会主义建设》的学习过程中，授课教师在理论讲解的基础上，结合国际共产主义运动中出现的新情况，采取课堂讨论的形式，激发了同学们学习的积极性。

（二）同形势政策教育相结合，加强日常思想政治教育工作

对学生进行系统的“两课”教育的同时，还要结合各个时期的形势政策教育，加强日常思想政治教育工作。

1953 年贯彻毛泽东提出的“学习好、身体好、工作好”的精神，各高校主要对学生进行热爱专业，争做“三好”学生，为祖国建设服务而努力学习的教育。同时，组织学生学习“党在过渡时期的总路线”。1954—1956 年各高校通过学习《中华人民共和国宪法》和中共“八大”文件，对学生进行社会主义和党的方针政策教育，同时教育学生响应中央提出的“向科学进军”的号召，刻苦钻研业务，立志攀登科学高峰。

1957—1966 年，各高校组织学生参加接连不断的政治运动，政治思想品德教育出现了“左”的偏向。这期间，也有一些好的做法，如 1957 年，贯彻毛泽东提出的教育方针，对学生进行德智体全面发展，做普通劳动者的教育；1964 年毛泽东发出“向雷锋同志学习”的号召，各高校普遍开展了“学雷锋，做好事”活动，教育学生树立全心全意为人民服务的思想。

“文化大革命”中受林彪、江青两个反革命集团散布的极“左”思想的

影响，政治思想品德教育被引向邪路。

中共的十一届三中全会以来，各高校拨乱反正，组织学生深入学习中共十一届三中全会精神，着重领会“解放思想，实事求是”的马克思主义的思想路线。1981 年 10 月，由于对中共中央（1981）28 号文件（《关于讨论内蒙古问题的纪要》）中的一些提法“不理解”，部分高校蒙古族学生上街闹事。针对这一事件暴露出来的思想认识问题，各高校对学生进一步加强了党的民族理论、民族政策、民族团结的教育。1983 年，各高校普遍开展学习张海迪、张华等先进人物的活动，针对学生思想的实际状况，引导学生进行关于人生、理想、价值观的讨论，对学生进行共产主义思想品德教育。如内蒙古师范大学党委、校部联合发出“关于向张海迪学习的通知”，在全校范围内掀起“学习张海迪，争做 80 年代新雷锋”的高潮。1986 年底，由于资产阶级自由化的影响，发生了全国范围的学潮，自治区各高校的一部分学生也受到影响。针对此种情况，各高校旗帜鲜明地进行四项基本原则教育，批判和抵制资产阶级自由化思潮，帮助学生提高思想认识与辨别是非的能力。1988 年，贯彻《中共中央关于改进和加强高等学校思想政治工作的决定》（以下简称《决定》），自治区党委先后下达了《关于贯彻落实（决定）的意见》和《进一步改进和加强高等学校思想政治工作的意见》，围绕高校的思想政治工作作了具体的安排和部署。各高校按照区党委的要求，采取理论联系实际的方法回答青年学生普遍关心的形势、政策、人生、理想、道德、民主、法制等方面的问题，受到学生的欢迎。

1989 年春夏之交发生的政治风波也波及到自治区的各高校。在自治区党委和政府的领导下，教育厅和各高校党政领导采取果断有力措施，妥善地处理了这一重大政治事件。这场风波表明，由于资产阶级自由化思潮的泛滥和西方资产阶级哲学思潮的侵袭，诸如政治多元化的观点，经济私有化的观点，文化上的民族虚无主义观点，价值观上的人本主义观点等，对学生的影响很大。针对青年学生存在的思想理论上的错误观点和模糊认识，内蒙古大学等高校在充分发挥政治理论课主渠道的作用，向学生系统地进行马克思主义哲学、政治经济学和科学社会主义基本理论教育的同时，还选择了“只有社会主义才能救中国、才能发展中国”、“党的领导是中国人民的历史选择”、“加强社会主义民主和加强法制建设的关系”、“人权、民主、自由的阶级实质”等一批题目，组织班子，经过精心准备，写成文章，进行专题教育，解决学生中存在的一些深层次的思想认识问题，收到了很好的效果。

（三）开展教书育人、管理育人、服务育人“三育人”活动

教育主管部门和各高校一向重视发动广大教师结合教学工作对学生进行思想政治和道德品质教育。如内蒙古师范大学在50年代中期就把教师的师表作用和教书育人作为一项基本要求提了出来。1984年开展“五讲四美三热爱”活动，规定的文明单位（系）条件之一，就是“教师能够教书育人，为人师表”。1986年开始，校党委又下发了《关于加强教书育人工作的试行意见》,教书育人工作进一步规范化、制度化。1991年，自治区高校工委、教育厅、教育工会联合组织高校教书育人先进事迹报告团，在全区各高校作巡回报告，引起了强烈反响。在强调广大教师做好教书育人工作的同时，各高校也把管理育人、服务育人作为加强学生德育和思想政治教育工作的重要措施来抓，形成从学校党政领导到教职工齐抓共管、同心协力做好学生德育和思想政治教育工作的局面。

（四）开展以弘扬主旋律为主要内容的校园文化活动

各高校把开展校园文化活动作为德育和思想政治教育的重要载体，把爱国主义教育作为校园文化活动的主旋律，采取多种措施开展丰富多彩的文化校园建设活动，创造浓郁的爱国、爱内蒙古、爱校氛围，让学生在参与中受到教育。1987—1991年，内蒙古师范大学校团委、学生会先后举办四届“学生文化艺术节”，每一届“学生文化艺术节”，都有丰富多彩的弘扬主旋律的文化艺术节目。内蒙古工业大学自1994年以来，在实施“爱国主义教育基础工程”过程中，采取多种措施加大校园文化活动的力度。一是共建“共青团园林”，实施绿化美化校园工程；二是组织学生会开展“尊师爱校”系列服务活动；三是组建学生写作组，编撰工业大学功勋人物传记（校魂）；四是组建学生国情研究组，充分调动学生自我教育的积极性；五是组织开展“托起新世纪的太阳”主题校园文化活动。这些活动，对丰富学生德育和思想品德教育的内涵，提高学生德育和思想品德教育的效果，发挥了重要作用。

（五）坚持教育和管理相结合

各高校坚持管理也是教育的办学理念，把德育和思想政治教育同从严治

校、加强管理紧密结合起来，使管理和教育相辅相成、相互贯通和促进。1986年以来，针对全国部分高校发生学潮的教训，自治区党委和政府一直重视稳定高校局势和校园秩序的工作。教育厅拟定下发了《关于加强突发事件的意见》和《关于进一步加强高等学校治安保卫工作的意见》。各高等学校围绕教育和管理，双管齐下，普遍开展了治理教学环境、整顿教学秩序的工作。1989年波及全国的政治风波平息以后，各高校在认真反思的基础上，针对前几年出现的思想混乱、纪律松弛的情况，加大了贯彻治理整顿方针的力度，坚持“严”字当头，综合治理，突出重点，狠抓管理落实，认真贯彻落实国家教委颁发的《普通高等学校学生管理规定》和《高等学校学生行为准则》两个文件，进一步完善、健全各项规章制度，严肃校规校纪，实行德、智、体综合测评，使校风、教风、学风有所好转，生活、教学、政治秩序迅速恢复，学校的育人环境得到改善。

（六）用校风校纪影响和规范学生的行为

自治区各高等学校从其建立之日起，就非常重视校风校纪的建设和教育。一些学校领导率先垂范，以榜样的力量影响和教育学生。

中国科学院院士李继侗先生于1957年来内蒙古大学任副校长后，不顾年老体衰，千里跋涉，亲自到锡林郭勒草原调查植被情况，从事科学研究，创建生态地植物学科，为内蒙古大学“严谨、求实、创新、奋进”优良校风的建设和形成发挥了重要作用。内蒙古师范学院从1963年起，开展以培养共产主义道德品质为主要内容的校风教育活动，取得了显著成绩。

“文化大革命”中，受无政府主义思潮的冲击和影响，校风校纪遭到严重破坏。1978年，中共的十一届三中全会以来，在拨乱反正、改革开放过程中，各高校大力开展校风校纪教育，收到了明显成效。1980年各高校与“学雷锋、树新风、创三好”活动相结合，把校风校纪教育引向深入。1981年，各高校在“五讲四美（讲文明、讲礼貌、讲卫生、讲秩序、讲道德，心灵美、行为美、语言美、环境美）全民文明礼貌月”活动中，进一步开展校风校纪教育，着力解决“脏、乱、差”问题，使校园面貌有了明显改观。

1986年，内蒙古师范大学集中力量抓好校风、教风、学风建设，强调从严办学，从严治校，管理上坚持严谨治学、严格管理、严密考核、严肃处理，通过以“五讲四美三热爱”为主要内容的道德教育、纪律教育、法制教育，形成浓厚的进步的政治气氛、学术气氛，树立良好的文明形象，逐步形成了“献身、求实、团结、奋进”的校训，成为凝聚人心、开拓创新、与时俱进的重要精神力量。

1987 年以来，内蒙古医学院在贯彻中央《关于加强高等学校思想政治工作的决定》的过程中，坚持以学习《邓小平文选》和党中央重要文件为内容，以爱国主义、集体主义、社会主义为主旋律，以学风、教风、校风建设为重点，遵循“严谨、求实、团结、奋进”的校训，围绕学校中心工作，不断加强思想政治教育，使学风、校风得到明显好转。全院有 80% 以上的同学积极要求进步，递交入党申请书的占到 1/3，各班级普遍成立了马列主义学习小组，涌现出许多拾金不昧、助人为乐、义务服务等先进事迹，无偿献血、义务咨询诊断也十分踊跃，多次受到自治区有关部门的表彰。

内蒙古农业大学坚持以党风带校风，以校风带教风，以教风带学风和考风，重点抓好干部的作风建设，大力加强师德建设，重视对学生的教育与管理，以严格的制度和纪律规范学生的行为，并内化为学生的自觉行动，把德育、智育、体育、美育有机地统一在教育活动的各个环节之中，引导学生勤奋学习、积极向上。

内蒙古工业大学把校风校纪教育同实施爱国主义教育基础工程结合起来进行，把大家凝聚到建设有中国特色的社会主义上，凝聚到热爱内蒙古、建设内蒙古上，凝聚到建设优良校风、学风和教风上，落实到做好本职工作上。经过多年的努力，形成了“民主、团结、勤奋、严谨、求实、进取”的校风。

三、加强教学工作，培养创新人才

（一）教学内容与教学计划的变迁

1952 年内蒙古师范学院建立后，其二年制专科的教学计划是参照苏联及中央教育部颁布的师范专科学校教学计划草案，并根据初级中等学校的实际需要制定的。总学时约 1 700 学时，公共必修课 5 门，即马列主义基础、新民主主义论、心理学、教育学、体育，共计 540 学时。1953 年以来，根据国家的规定，各高校逐步实行统一的教学计划、教学大纲和统编教材。在教学计划中，明确将课程体系划分为公共课、基础课（含专业基础课）和专业课三部分。各专业根据本专业特点确定必修课和选修课。公共课是必修课，共包括4门政治理论课，即德育课、外语课和体育课。文科本科一般课程20多门、专科12门左右，其中选修课3—4门；理工科本科课程30多门、专科20多门，选修课8门左右。前期一般安排公共课、基础课和专业基础课，后期为专业课，并安排见习、实习。见习和实习一般占总学时的5%—30%左右，文科略少，理工农科略高，医科则超过30%。

1958年在整风、反右的基础上，自治区贯彻“教育为无产阶级政治服务，教育与生产劳动相结合”的教育方针，发动群众修订教学计划，制定教学大纲和编写教材，将生产劳动正式纳入教学计划，与教学、科研活动统筹安排。一般规定，每学年每个学生平均有两个月的劳动时间。由于遵循教育规律不够，这次修订教学计划也存在生产劳动、政治教育、集体活动和科研活动安排过多的问题。

1961年以后，根据“调整、巩固、充实、提高”的方针和教育部修订教学计划的有关精神，认真总结1958年以来的教学工作经验，再次修订教学计划，较好地解决了理工科院校学生学习负担过重的问题，体现了以教学为主的原则，同时也兼顾科研和生产劳动的合理安排。

“文化大革命”中，高校一度停止招生。从1971年开始，招收工农兵学员入学。这一时期的教学计划，强调走“五七”道路，开门办学。学员要以学为主、兼学别样，即不但学文，也要学工、学农、学军，也要批判资产阶级。如内蒙古师范学院制定的教学计划是：生产劳动12周，每学年4周；机动6周；军事拉练2周；教学117周，其中开门办学16周、考试6周、入学教育和总结5周。周学时：文科20学时，理科24学时。在课程设置上，主要开设：政治课（中共党史、哲学、政治经济学、形势与任务教育、党的民族政策教育）、毛泽东教育思想、军体课、外语（选修）、专业课（包括有关文化课在内）。以政治冲击业务，劳动和社会实践过多的倾向十分严重。

粉碎“四人帮”后，1977年恢复高等学校统一招生。按照教育部制定教学计划的原则和加强基础理论课教学的有关要求，各院校重新修订教学计划，增加了基础理论课和公共外语课的教学时数。1978年以后，按照“教育要面向现代化，面向世界，面向未来”的要求，多次修订教学计划，以大胆改革、锐意创新的精神，突破原有教学计划的框框，着眼于在传授知识的同时，着重开发学生的智力和提高学生的能力，正确处理基础与提高、当前与长远、理论和实践的关系，实行“三增三减”：增加自学时间，减少讲课时间；增加选修课，减少必修课；增加实践教学环节，减少理论教学时数。课内学时数控制在 2 500 学时以下（四年制），选修课比例提高 10%—20%，加强实验教学，增加计算机上机的操作时间。

1986 年，根据《中共中央关于教育体制改革的决定》的精神，为了多出人才、快出人才，内蒙古师范大学率先改学年制为学年学分制，制定了学年学分制教学计划。（1）教学、科研 138.4 周，占总周数的 68.4%。（2）总学时：文科 2400 学时，理科 2600 学时；周学时：文科 20 学时，理科 22 学时。（3）课程设置：分公共必修课、专业必修课、限制性选修课、任意选修课及实践课 5 类。公共必修课：文科 43 学分，866 学时，占总学时的 36%；理科 45 学分，897 学时，占总学时的 34.5%。实践课 16 学分；教育实习 6 周，6 学分；毕业论文 6 周，6 学分；其余学分由各系自定。专科教育实习 3 周，不做毕业论文。专业课由各系规定。此后，有条件的高校也陆续实行了学分制教学计划。①

（二）教材建设及其质量的提高

高等教育创建之初，教材问题主要采取三种办法解决：一是借用苏联的同类专业教材；二是选用统编教材或比较成熟的其他院校教材；三是吸收苏联教材或国内教材中的精华而编写成讲义、实验指导书及习题集，配合教材试用。内蒙古畜牧兽医学院使用的专业课教材基本上是旧中国的“遗产”，其后陆续引进一些苏联教材。这些教材严重脱离内蒙古的生产实际，再加上翻译质量不高，缺乏实践应用价值，严重影响学生的培养质量。为此，学院组织师生深入农村、牧区，结合教学实习、生产实习，进行深入地调查研究，不断充实、丰富教学内容。经过几年的努力，老师们本着理论联系实际、学以致用、削枝强干、重点突出的原则，编写了一批校用主要教材、参

① 本志编委会编：《内蒙古师范大学志》（1952—1992），内蒙古人民出版社 1993 年版，第 214 页。

考教材和补充教材。这些教材在全国校际交流中获得好评。1958 年开始的教育大革命，试图突破苏联教材模式束缚，探索自己编写教材的路子，实行党组织、教师和学生三结合的方法，厚今薄古，编写新教材。实践证明，这种以学生为主、采用群众运动编写教材的做法，并不成功，新编出的一些教材质量明显下降。

1961 年，贯彻“调整、巩固、充实、提高”的方针和《教育部直属高等学校暂行工作条例（草案）》（即“高教六十条”）的精神，各高校除采用国家有关部委推荐的教材外，加强了对教材编写工作的领导，强调教材建设应坚持加强基础理论、基本知识和基本技能训练，内容要“少而精”的原则，编写出一批质量较高、内容稳定、能反映教学和科学研究成果的新教材。按照中央农业部组织编写全国通用教材的部署和要求，内蒙古农牧学院的彭文和副教授主编了《养羊学》,张荣臻副教授主编了《家畜病理解剖学》。内蒙古师范学院在教材建设上也取得很大成绩。截至 1966 年，共编写出 125 种教材、讲义、实验指导及习题集，保证了学校教学的顺利进行。

“文化大革命”期间，从 1966 年到 1971 年，各高校停止招生期间，教材建设基本上处于空白状态。招收工农兵学员后，实行“开门办学”，原有教材被丢弃，新编讲义有的要以“典型产品组织教学”，有的成了“压缩饼干”，虽然也编写出一些新的教材，但是教材建设在总体上受到了严重影响。

自 1978 年改革开放以来，随着各高等学校规模的扩大，大批新学科、新专业的设立，以教学为中心任务的实施和落实，教材建设成为各高校面临的一个重要课题，引起了国家各级教育部门的重视。教育部制定了教材建设规划，成立了全国教材编审委员会，组织高校协作编写或由专家独自编写各种教学用书，并推荐质量高的教材供各校选用，一大批高质量的教材成为提高教学质量的重要保证。自治区各高校的广大教师也积极投入到教材建设工作中来，取得了前所未有的成绩。如内蒙古大学蒙古语文学系坚持以教材建设为主的科研方向，先后编出《文学理论基本知识》《蒙古族古代文学》（写作）《现代蒙古语》《语言学概论》《写作基本知识》等教材；理科各系的部分教师在长期积累大量教学经验的基础上，编写了《分子物理学》《分析化学》《实数的构造理论》《光谱化学分析》等大量教材和参考书。内蒙古农牧学院承担了《家畜育种学》《普通畜牧学》《牧草及饲料作物栽培》《草原管理学》《家畜病理学》《家畜解剖学》《家畜解剖及组织胚胎学》《牧业经济管理学》《治沙原理与技术》等44部全国通用教材的主编、副主编职务，并参编教材98部。另外，根据内蒙古的生产实际和本院教学具体情况，分别主编、副主编自治区通用教材32种，参编70种，自编校内使用教材572种。仅“七五”期间，就编写正式出版的汉文教材185部；编译蒙古文教材22部；自编出版4部；自编内用教材110部，其中蒙古文教材24部。内蒙古师范大学到1987年止，共编写教材、讲义、参考资料等235种，其中公开出版的有26种。1988到1992年，编写教材讲义、参考资料159种，其中公开出版60种。为了切实加强高校教材建设，规范教材管理，配合重点学科和重点课程建设，1996年经自治区教委组织评定推荐一批国家级重点教材，立项一批自治区级重点教材，评选出46部自治区级优秀教材。

（三）教学管理的探索与加强

内蒙古高等教育的初创期，各高校根据1950年政务院颁布的《高等学校暂行规程》初步制定了一些学生学习管理制度。1954年高等教育部颁布《高等学校考试考查规程》之后，各高校为保证人才培养规格，又相继修订和增订了《学生守则》等一系列文件，对学生的基本要求、入学资格、毕业条件、分配原则、补考、留级、退学、生产实习（教育实习）、毕业实习、毕业设计等做出了明确规定，并制定了实验室、图书馆管理等规章制度。

1958年到1960年期间，高等学校的教学活动因受“大跃进”形势和频繁的政治运动的影响，教学秩序很不稳定，教学管理也受到冲击。1961年以后，贯彻“高教六十条”和《教育部直属高等学校学生成绩考核暂行规程》（草案）精神，各高等学校坚持以教学为主，强调严格遵守教学管理规章制度，并相应地出台了一些新的管理措施，如对学生参加劳动的时间、形式、内容和劳逸结合等都作出了具体规定。

“文化大革命”中，高校一切行之有效的教学管理制度，被斥之为资本主义的“关、卡、压”而受到批判，各项规章制度被破坏殆尽。工农兵学员进校后，按照“上大学、管大学、用毛泽东思想改造大学”的要求，成了管理学校的主人。各高校虽然也制定了几项规章制度，如学员守则、学员学习制度、学员生活制度等，但很难得到有效的执行，教学管理近乎自流状态。

1978年以来，特别是1985年《中共中央关于教育体制改革的决定》颁布以后，随着教育改革的深化，各高校在对原有的规章制度加以发展、充实、补充和修改的同时，又制定了许多新的规章制度，以适应新形势的需要。如经修订和充实的有《学生守则》《新生入学复查和入学教育制度》《学生学习成绩考核与管理的暂行规定》《关于对考试违纪、舞弊行为处理的规定》《学籍管理规定》《学生升、留级和停学、复学办法》以及《课堂规则》《优秀生评选奖励办法》等等。新增加的管理规章制度有《学年学分制试行办法》《课程选修、免修的规定》《主辅修专业制和第二学位制实施办法》《授予学位的实施细则》《研究生学籍管理办法》《研究生学习成绩考核办法》等。

强化教学过程管理，加强重点专业、学科、课程建设，是教学管理的一项重要内容。20世纪80年代以来，各高校和教育主管部门采取了许多措施，并制定了配套的规章制度。如内蒙古师范大学制定的《教学规程》《关于制定教学计划的暂行规定》《教研室工作暂行条例》《关于修订教学大纲的几点意见》等文件，对于保证教学质量起到了很重要的作用。1987年，自治区教育厅制定了《内蒙古自治区关于建设和加强高等院校重点专业或重点学科的试行条例》,明确了重点专业和重点学科的任务。对于重点专业、学科和需要重点扶持的专业或学科，各高等院校和自治区相关主管部门要分别在人、财、物等方面提供必要的条件，予以扶持。为了加强全区高等院校重点专业、重点学科的建设，由自治区教育厅、科委组织有关学者、专家和办学经验丰富的管理干部组成区重点专业、重点学科建设委员会，负责有关的研究评估工作。1995年，自治区教育厅提出以重点课程、重点学科、重点学校建设为龙头，推动教学建设和教学管理。为此，采取两项措施：一是决定分期分批建设一批自治区级重点课程。为落实这项任务，各高校做了大量基础性工作，在已确定的系级重点课程中，遴选出一批校（院）级重点课程，加大投入，重点建设，并从中建设一批自治区重点课程。二是在自治区级30个重点学科的建设中，引入竞争机制，实行评估制度，以推动重点学科教学水平、科研水平的提高。

教学质量评估是20世纪80年代以来强化教学管理的一项重要措施，已成为现代化教学管理质量控制的有力环节。1992年，根据国家教委的部署，自治区教育厅组织了全区高校优秀教学成果奖的评审活动，评出60项获奖成果，一等奖13项，二等奖47项；其中获国家教委一等奖1项，二等奖2项。此后，于1996年、2000年又开展了两次优秀教学成果奖的评审活动。

为了切实加强和改善对高校教学的宏观管理，自治区教育厅把1996—1997年度定为“教育管理年”，通过政策指导、评估检查、推优评奖、统筹规划等手段，切实加强和改善对普通高校的教学管理。1996年，按照国家教委的部署，在全区普通高校开展了教学合格评价工作。各高校“以评促建，以评促改，以评促发展”，明确整改目标，拟定实施方案，大力加强教学基本建设。1997年教育厅印发了《内蒙古自治区普通高等学校试行辅修制的有关规定》,并进一步规范了普通高校学生学籍和学历证书管理。经国家教委专家组评估检查，自治区教育厅被国家教委评为“全国普通高等教育学历证书管理先进单位”。1998年，自治区教委在开展“教育管理年”活动的基础上，进一步加大教学管理力度，围绕开展教学评价和建设活动，要求各高校对照教育部《普通高校本科教学合格评价指标体系》进行自查自评，着力改善办学条件，规范教学管理，提高教学质量，在教学改革和管理等“软件”建设上创优，使基本办学条件等“硬件”指标达到合格标准。与此同时，把高校学籍、学历证书管理与教学改革紧密结合起来加以规范。1999年，自治区教委召开了全区高校教学管理工作座谈会，总结交流了教学改革、教学管理工作经验，评选出4个优秀教务处、3个先进教务处。其中内蒙古师范大学教务处、内蒙古大学教务处、内蒙古农业大学教务处被评为全国高等学校优秀教务处。

（四）教学改革的实施与逐步深化

自治区的高等教育自创建以来进行了多次教学改革。高等教育创建初期，主要学习苏联的教育教学模式，但也存在生搬硬套的现象，忽视中国实际，致使模式单一、格局僵化。1958年的“教育大革命”，试图走自己的路子，但又存在违背教育规律的问题，打乱了教学秩序，过分强调生产劳动，造成教学质量下降。1961年贯彻“高教六十条”，明确树立教学为主的思想，建立各项教学制度，使教学质量有了明显提高。“文化大革命”中，学校教育体制与教学秩序又遭到严重破坏，忽视学习文化、科学技术理论知识。“文化大革命”结束之后，高等院校拨乱反正，围绕如下几个方面进行了一系列教学改革，取得较显著成效。

1. 转变教育教学思想

改革开放之前，受计划经济体制的影响，实行的是一种传统的封闭型的教育思想和教学方法，其主要特点是，重视知识的传授，忽视能力的培养，用孔夫子的话讲，叫“述而不作”。进入20世纪80年代以后，随着社会主义市场经济体制的逐步建立与完善，反映计划经济体制要求的教育教学思想，已经不适应新形势的要求，逐步地发生了深刻的变化。一是树立终身教育观念，从应试教育向素质教育转变；二是树立教育紧密结合社会主义建设实际的思想，从封闭式的以课堂教学为中心的模式向开放式的坚持教学、科研、社会实践相结合的教育模式转变；三是树立市场经济需要的竞争意识，从凝固、僵化的教学思想向与时俱进，不断创新，利于多出人才、出好人才的教学思想转变；四是树立以学生为主的意识，从片面强调教师的主导作用向教为主导、学为主体的方向转变。

2. 改革教学内容和教学方法

“文化大革命”之前，各高校的课程设置和教材主要是搬用苏联的，教学内容比较陈旧，不能充分反映现代科学技术的发展，特别是人文学科的教学内容严重脱离当代中国实际和世界发展变化实际。改革开放以来，特别是20世纪80年代中期之后，根据社会主义现代化建设和建立社会主义市场经济体制对人才培养的要求，各高校以教学改革为核心、以教学内容改革为重点，进行了多方面的尝试和探索。一是根据专业培养目标优化智能结构的要求设计课程体系；二是强化基础性、综合性、应用性课程，拓宽知识面；三是减少教师授课时间，增加学生自学时间，减少必修课，增加选修课；四是加强实践环节，重视外语、计算机、实验技能的培养和训练；五是更新教材内容，把科研成果及时地吸纳到教材中去；六是变灌输式的教学方法为启发式的教学方法，开发学生的创造性思维，提高学生的创新能力。内蒙古师范大学为了拓宽学生的知识面，在教学中实行文理渗透，把美学、文艺欣赏和算法语言课作为文理科各专业的共同必修课。内蒙古农牧学院四年制各专业的总学时，由过去的3 000个减少到2 500个，五年制专业则由过去的

3 800 个减少到 3 200 个，周学时由过去的 28 个减少到 20 个。内蒙古大学经济系计划统计专业必修课由过去的 30 门减少为 23 门，选修课由过去的 5 门增加到 20 门。内蒙古工学院加强了计算机和外语教学，规定各专业一律开设计算机课，学生上机时间不得少于 50 学时；学生在校 4 年中外语教学不断线。内蒙古财经学院计划统计专业增设了基建统计、人口统计、农牧业统计等应用性较强的新课程。

3. 加强实践教学环节

为了提高学生解决问题的能力和创新能力，各高校十分重视加强实践教学环节，努力探索建立教学、科研、社会实践三结合的新体制。内蒙古医学院、包头医学院增加了附属医院，扩大了教学实习场所；内蒙古林学院引导学生从生产实践中选择毕业论文和毕业设计的题目，有针对性地进行研究和设计，真题实做，并在阿拉善盟的荒漠研究中心开展绿化固沙、综合治理研究，取得了重大成果；内蒙古农牧学院的达茂旗的哈牙实验牧场，在培养人才、开展科学研究、促进草原建设方面发挥了重要作用。有些学校有计划地安排高年级学生参加科研训练，培养学生的动手能力和创新能力。建设“211 工程”项目的内蒙古大学，进一步确立了为自治区经济建设和社会发展服务的办学指导思想，加大了学校改革发展的力度，建成了校园计算机网络系统，调整、优化了课程结构，为建立面向 21 世纪的课程体系、人才培养模式奠定了基础，整体教学科研水平和办学效益得到显著提高。

1999 年，自治区教委制定了《关于深化全区高等学校教学改革的意见》，提出用 5 年左右的时间，通过改革在全区初步形成具有时代特征和地方民族特色的现代高等教育思想体系；初步建立能够主动适应 21 世纪自治区经济和社会发展需要，反映现代科技发展趋势的人才培养体系；初步建立能够充分调动学校和师生教学积极性的教学运行机制，使自治区高等学校的教育教学质量有较大提高。

四、加强科学研究，投入经济建设主战场

（一）科研管理的不断强化

高等教育初创时期的前几年，高校的科学研究处于自发状态。1955 年第二届全国高师工作会议之后，内蒙古师范学院党委正式把科学研究工作提

到议事日程，鼓励教师在搞好教学的同时，积极开展科学研究。1956 年中央发出“向科学进军”的号召，激发了广大教师科学研究的积极性，许多教师投入到科学研究中去。1958 年“大跃进”期间，高等学校的科学研究掀起一股热潮。内蒙古师范学院《五年跃进规划十大纲要（草案）》，将“大力开展科学研究”，列为“纲要”内容之一。1960 年 1 月，内蒙古大学和中国科学院内蒙古分院联合举办了第一届科学讨论会。自 1961 年“高教六十条”试行之后，各高等学校的科学研究工作进入调整时期，贯彻以教学为主的原则，使科学研究同教学相结合，提高了教学和科学研究质量，并取得了一批科技成果。“文化大革命”十年内乱期间，科学研究工作受到了严重摧残，基本上处于停顿状态。1978 年全国科学大会的召开，迎来了科学发展的春天。在全国科学大会上，自治区高校有多项成果获奖，其中内蒙古大学的获奖成果有 8 项。在同年召开的全区科学大会上，高校获奖的科技成果有 90 项。1982 年以来，高等学校同生产部门建立起一些教学、科研、生产的联合体，进行“产学研”合作，取得了新进展。是年，中共中央分别作出关于科学技术体制改革和教育体制改革的决定，指明了高等学校科学技术体制改革的方向。各高校认真贯彻中央提出的“经济建设必须依靠科学技术，科学技术工作必须面向经济建设”的战略方针，开拓了科学研究工作的新局面。

1988 年自治区把实行教学、科研、社会实践“三结合”作为深化高校教学领域改革的突破口，以此推进整个高等教育的改革。教育厅年初制定了《关于我区高等学校实行教学、科学研究、社会实践三结合的意见》。根据教育厅的要求，各高等院校把社会主义建设和改革实践联系起来，打破封闭状态，积极开展校内外“三结合”基地建设，取得了显著成果。内蒙古农牧学院农学系在乌盟凉城县建立“三结合”基地，把学生的学习内容纳入到地方的技术开发项目中，从而使学生得到了较好的实践锻炼，地方也收到了明显的生产效益。内蒙古工学院与 25 家厂矿企业建立了联系，承担了十多项科研、设计任务，当年即完成两项，直接经济效益达 130 多万元。

为了使高等学校的科研管理工作逐步走上正轨，1989 年初，自治区教育厅编写了《自治区普通高校科学研究项目指南》，制定了《内蒙古自治区普通高校科学研究项目管理试行办法》，同时重申了科研经费使用和管理制度。按照新的管理方法，将区教育厅负责的科研管理范围由过去的呼和浩特市7所院校扩大到全自治区的15所院校。

1991年，为贯彻全国高校科技工作会议精神和国务院批转的国家教委、国家科委《关于加强高等学校科学技术工作的意见》，自治区教育厅下发了《关于加强高等学校科学技术工作的意见》，提出了今后十年和“八五”期间全区高校科技工作的发展目标和基本要求，规划确定了重点研究领域和主攻方向，并就加强学术队伍建设、增加科技工作投入、加强科技开发和科技服务等问题，制订了导向性的政策和措施。1992年1月，自治区教育厅召开了全区首次高校科技工作会议，总结了全区高校科技工作的成绩和经验，确定了今后10年和“八五”期间高校科技工作的总体思路、主要任务和基本要求，并提出应着力处理好的五个关系：1. 正确处理教学与科研的关系，把科研工作当做高校的一项基本任务来抓；2. 正确处理基础研究、应用研究和开发研究的关系，全面贯彻科技工作必须面向经济建设的方针；3. 正确处理学校和社会的关系，走教学、科研、社会实践三结合的道路；4. 正确处理全面开展科技工作与加强重点研究领域的关系，促进高校科技工作持续、稳定、协调发展；5. 正确处理硬件和软件的关系，向科技管理要水平、要效益。会后，成立了自治区高校科学技术委员会和科研管理研究会。1993年9月，自治区教育厅制定了《关于高等学校科学技术工作改革与发展的意见》，强调要保持高校在基础研究方面的优势，有计划、有目标地建设一批重点学科和重点研究领域，同时培养造就出一批素质优良的中青年学科带头人，为长远发展打下基础；面向经济建设，大力加强应用研究、技术开发和科技成果推广，按照社会主义市场经济规律，建立起科技成果开发、转让、技术服务的有效机制，形成研究、开发、服务相结合的科技工作新局面。是年，自治区高校校办产业协会成立，标志着全区高校校办产业进入了有规划、有组织、协调发展的轨道。1996年，自治区教育厅专门下发了《关于加强高等学校科技成果推广转化工作的意见》，提出实施“百项科技成果推广转化工程”，选择了120项科技含量高、实用性强、市场前景广阔的科技成果，列入了“百项科技成果推广转化工程”。1999年，在全区高等教育工作座谈会上，教育厅提出了《关于加强全区高等学校科技工作的意见》，是年，全区高校实行科研方向和运行机制改革，争取到国家“863”计划项目

1 项，国家自然科学基金项目 36 项，国家社科基金项目 5 项，自治区自然科学基金项目 72 项。

（二）科研机构的设置和科研队伍的建设

1. 科研机构的设置

在高等教育的初创期，高等学校的科学研究刚刚起步，设置的研究机构不多。到 1965 年，各高等院校相继建立起一批研究机构。如内蒙古大学正式批准成立的专门研究机构有蒙古语言研究室、蒙古文学研究室、蒙古史研究室、无线电电学研究室、地植物研究室等。“文化大革命”期间，研究机构遭到严重破坏。1978 年以来，随着高教事业的发展和科研能力的加强，高等学校陆续恢复和新建了一批研究机构。进入 20 世纪 90 年代以后，科研机构发展最快、建立最多。如内蒙古师范大学 1982—2000 年，共建立各类科研机构 31 个。据 1995 年统计，全区各高校共有各类科研机构 60 个，大致可分为以下几种类型：

1）研究室：最小的研究机构，一般附属于教研室或系，也有的是研究所的二级单位；2）研究所：数量上最多，大多是单学科的，或以某学科为主，一般依附于系；3）研究中心：一般是在新兴边缘学科或交叉学科的基础上，跨系、跨学科建立起来的；4）国家和自治区重点实验室：主要从事基础研究和应用研究中的基础性工作，并逐步办成高水平的开放型教学、科研基地。截至 2000 年底，全区各高校共建立国家和自治区重点实验室 22 个。

附：截至 2000 年高校重点实验室名单

表 5－1　教育部及省部共建重点实验室

序号	名　称	依托学校	备　注
1	哺乳动物生殖生物学及生物技术实验室	内蒙古大学	
2	药品生物技术与工程实验室	内蒙古农业大学	在建设中
3	草业与草地资源重点实验室	内蒙古农业大学	已被批准立项建设，正在论证过程中

表5－2 教育部普通高校人文社会科学重点研究基地

序号	名 称	依托学校	备 注
1	蒙古学研究中心	内蒙古大学	

表5－3 与农业部共建重点实验室

序号	名 称	依托学校	备 注
1	草地生态重点实验室	内蒙古大学	

表5－4 与林业部共建重点实验室

序号	名 称	依托学校	备 注
1	沙地生物资源保护利用重点实验室	内蒙古农业大学	

表5－5 依托高校建设的自治区重点实验室

序号	名 称	依托学校	备 注
1	内蒙古家畜繁殖生物技术重点实验室	内蒙古大学	
2	内蒙古草地资源生态重点实验室	内蒙古大学	
3	内蒙古沙地（沙漠）生态系统与生态工程重点实验室	内蒙古农业大学	
4	内蒙古遥感与地理信息系统重点实验室	内蒙古师范大学	
5	内蒙古水资源保护与利用重点实验室	内蒙古农业大学	
6	内蒙古动植物遗传育种与繁殖重点实验室	内蒙古农业大学	
7	牧草与特色作物生物技术重点实验室	内蒙古大学	
8	蒙医临床重点实验室	内蒙古医学院	
9	内蒙古蒙药化学重点实验室	内蒙古大学	
10	内蒙古冶金工程重点实验室	内蒙古钢铁学院	
11	内蒙古机电控制重点实验室	内蒙古工业大学	
12	内蒙古自治区离子束生物工程重点实验室	内蒙古大学	

（续表）

序号	名　称	依托学校	备　注
13	内蒙古自治区稀土材料化学与物理重点实验室	内蒙古大学	
14	内蒙古自治区网络协议工程与智能信息处理重点实验室	内蒙古大学	
15	内蒙古自治区新金属材料重点实验室	原内蒙古钢铁学院、兵器科学院五二研究所	
16	内蒙古自治区工业催化重点实验室	内蒙古工业大学	

2. 科研队伍的建设

初创期高等学校的科学研究人员以教师为主，边搞教学，边搞科研，科研时间一般占工作时间的10%—30%。参加科研工作的还有一部分专职的实验人员、工程技术人员和资料人员。专设科研机构和研究任务较多的高等学校，根据需要，经上级主管部门批准，设置了一定的专职科研编制。进入80年代以后，高等学校专设科研机构增多，专职科研编制也相应有所增加，逐步形成了以学科带头人为主导、以专职研究人员为骨干、以兼职人员为主体、专兼职结合的科学研究队伍。许多高等学校特别是重点大学的教师，基本上是坚持以教学为主，教学、科研双肩挑。专职研究人员以科研为主，也力所能及地担任一定的教学工作。以1995年为例，全区高校科技活动人员为11 324人，其中具有高级专业技术职务人员2 321人，中级专业技术职务人员4 623人。一些著名的学科带头人，如内蒙古大学的中国科学院院士、生态学家与植物生理学家李继侗教授（已故），中国科学院院士、草地生态学家李博教授（已故），中国工程院院士、家畜生殖生物学家旭日干教授等，在相关学科的发展和建设上及相关的科学研究领域作出了重要贡献。

（三）优化科研管理体制

1. 设置管理机构

高等教育创建之初，各高校的科学研究主要依托教学研究室进行。教学研究室既是教学单位，又是科学研究单位，以教学工作为主，教师在教学工作之余，开展一些自选课题的研究。在管理体制上，校级科学研究工作，由校长或主管副校长负责领导。系级科学研究工作一般在系主任和系务委员会领导下进行。教学研究室的科学研究工作则由教学研究室主任领导。研究室、研究所等专职科研机构，则实行主任或所长负责制。1956 年党中央发出向科学进军的号召以后，适应加强科研工作的需要，一些高校在校务委员会下设立了学术委员会，由校长或主管副校长担任主任委员。学术委员会在科研方面的主要职责是审议学校科学研究长远规划和年度计划，评审校内重要学术成果，指导学校学术书刊的编审工作。20 世纪 60 年代初，一些高等学校在教务处内设置了科研科，负责全校经常性的科研管理工作。中共的十一届三中全会以后，各高校陆续成立了独立的科研管理机构，有的叫科技生产处，有的叫科技开发处，有的叫科技处，科学研究走上了全面加强管理的轨道。从 20 世纪 80 年代中期开始，课题组逐渐成为高等学校进行科学研究的一种重要组织形式。有些课题组不仅有财、物及奖酬的支配权，甚至还拥有一定的用人权。在管理体制上，实行分级管理。上级主管部门主要负责指导、检查、评估等宏观工作。校级研究机构由学校自行管理，其中跨系统、跨学科的研究机构或者单列建制直属学校管理，或者由学校指定某个系代管；在一个系的学科范围内的研究机构，一般由系领导，或建立系所合一、教研室与研究室合一的领导体制。各校的科研机构经过多次调整，截至 2000 年，一些主要大学，如内蒙古大学、内蒙古师范大学、内蒙古工业大学、内蒙古农业大学等一律改称科技处。

2. 强化计划管理

20 世纪 50 年代，各高校处于初创期，科学研究只有年度计划，基本上没有长远规划。年度计划也是在各系各单位自报课题的基础上汇集而成的，缺乏指导性。自 1961 年试行“高教 60 条”以后，部分院校开始制定长远规划。如内蒙古大学于 1962 年 7 月，制定了《内蒙古大学今后五至十年教学和科研工作发展规划纲要》，内蒙古师范学院制订了《科学研究十年规划》。“文化大革命”中，各高校的科研计划管理处于瘫痪状态。1978 年以后，随着科研的发展和科研处的建立，各高校的科研计划管理也逐步走上轨道，既有短期的年度计划，也有相应的长远规划。如内蒙古师范大学制定的长远规划有 1983—1985《三年规划》、1986—1991《七五规划》《1989—1992 科研规划》《蒙古学研究规划》等。与科研计划相适应，各高校还制定了科研计划或科研项目管理条例。如内蒙古农业大学制定了《科学技术研究计划管理条例》，对计划的管理范围、计划的制订及项目组织申报、计划的组织实施、计划的结题验收，都作了明确的规定。内蒙古大学制定的《科学技术项目管理办法》则对科技项目管理的意义、原则、范围以及立项、实施、结项等环节作了相应的规定。

3. 加强经费管理

高校科研经费的来源经历了由单一渠道向多种渠道发展的历程。20 世纪 80 年代以前，各高校的科研经费主要是从上级主管部门每年下达的教育事业费中划拨出来的，比例很小，额度不大。20 世纪 80 年代以后，特别是进入 90 年代以后，随着各高校科研力度的加大，科研经费的来源呈现出多元化的趋势。大体上有以下几个渠道：（1）学校划拨的用于科技立项、配套和奖励等工作的经费；（2）校内各单位的科技事业费和科技专项经费；（3）教师和科技人员承担国家和自治区科技、教育、人事等主管部门批准的纵向科技项目经费；（4）校外企事业单位委托的横向科技项目经费；（5）港、澳、台以及国外有关研究部门的合作研究经费。为了加强对科研经费的管理，各高等学校都制定了科研经费的管理办法或管理条例。如《内蒙古大学科学技术研究经费使用管理办法》《内蒙古工业大学纵向科研经费管理办法》《内蒙古农业大学科研经费使用管理条例》等。这些管理办法或管理条例，从各校的实际出发，对科研经费使用的原则、权限、范围、审批程序、管理与监督，做了各自的规定。

表 5－6　附：内蒙古师范大学 2000 年科研经费来源一览表

序号	项目来源	项目数	资金额度（万元）
1	国家自然科学基金——天元基金	2	2
2	国家社会科学基金	1	5. 5
3	教育部科学技术研究重点项目	1	3
4	教育部师范司网络课程开发项目	1	15
5	内蒙古师范大学高校古籍整理研究经费项目	1	0. 4
6	内蒙古哲学社会科学规划项目	1	0. 25
7	内蒙古自然科学基金项目	12	12. 2
8	内蒙古教育厅重点领域、重大项目	4	14

（续表）

序号	项目来源	项目数	资金额度（万元）
9	内蒙古师范大学特色领域研究基金项目	13	1. 91
10	内蒙古师范大学青年科研基金一般项目	7	1. 55
11	内蒙古师范大学青年科研基金重点项目	3	1. 4
12	内蒙古师范大学横向课题	17	83. 5

4. 加强成果管理

在高等教育的初创期，直到改革开放以前，各校的科研成果管理处于不规范状态。学术著作和论文以是否出版或发表为鉴别标准，其他各类研究成果以听取汇报为主要管理形式。1978 年改革开放以来，随着科技事业的发展和科研管理机构的成立，各高校科研成果的管理也逐渐走上了规范的轨道。内蒙古大学制定了《科学技术成果管理办法》《科学技术成果登记办法》《科学技术成果鉴定办法》《科学技术成果转化暂行办法》《科学技术档案管理办法》；内蒙古农业大学制定了《科学技术成果鉴定管理条例》《科学技术成果及其推广转化管理条例》。其他高校也从各自的实际情况出发，制定了相应的管理办法或管理条例。以内蒙古大学制定的《科学技术成果管理办法》为例，它对学校教职工和学生在从事科技活动中产生的职务性成果包括理论研究成果、应用技术研究成果、软科学研究成果，如何进行评估、鉴定、登记、统计、归档、宣传、推广、转化、奖励、保护、保密，都作了具体规定。与此同时，各高校还编印了年度科技成果目录或阶段性的科研成果摘要选编。

（四）科学研究成果

1. 自然科学研究成果

从高等教育创建初期直到“文化大革命”之前，各高等学校发挥自身的优势，把研究方向的重点放在了基础理论研究方面，同时在应用研究方面也迈出了步伐。在数学、物理、化学、地理、生物、自然科学史等基础学科和计算机技术、遥感技术、激光技术、半导体及太阳能电池等新兴学科领域，取得了显著成果。如内蒙古大学刘世泽关于“复数域内一阶微分方程面的若干几何性质”的研究、邱佩璋关于“偏微分方程理论”的研究、陈杰关于“Taylor 级数的收敛问题”和“纤维丛的分类问题”的研究、内蒙古师范学院的斯力更关于“变系数拟线性滞后型系统利用积分不等式方法”的研究；内蒙古大学时学丹、顾世洧等人对“基本粒子理论”和“固体元激发理论”的研究，师树简、李逢泽等人关于“二茂铁及其衍生物合成”的研究；内蒙古大学、内蒙古师范学院、内蒙古农牧学院、内蒙古林学院的三十多位植物学工作者开展的全区植物资源的普查；内蒙古大学张鹤龄关于早期马铃薯脱毒种薯试验的研究；内蒙古师范学院李迪关于数学史和天文学史的研究；内蒙古大学、内蒙古农牧学院李博、曾泗弟、沈祖安等参与的对锡盟种畜场（现锡林郭勒草原自然保护区）应用比例尺航空相片编绘的全场 1∶10 万草场植被图，都是很有价值的研究项目，并取得了一定的研究成果。

“文化大革命”期间，高校的科学研究工作遭到严重破坏，刮起了一股批判基础理论研究之风，给科学技术工作带来严重后果。但许多学校的教师在逆境中拼搏、奋斗，远离派仗，集中精力搞科研，仍然取得了一定成绩。如内蒙古大学物理系从 1970 年起，恢复了基本粒子物理、固体物理的研究。科学研究的组织由分散逐步走向群体化，先后成立了基本粒子研究组、半导体研究组和激光研究组。成功试制了半导体二极管和三极管，解决了单晶硅晶体控制问题，还成功试制了激光准直经纬仪、氦—氖激光器、二氧化碳激光器、氮分子激光器，并发表了学术论文“染料激光器”“激光调平滑升模板工作台技术”“N740 型黑白电视综合测试仪”“JD—l 型低频交流电阻率”“烧结膜硫化镉太阳能电池的研制”等，这些项目均获自治区科学大会奖。这一时期，罗辽复等人在基本粒子物理领域作了较为系统的研究，在“文化大革命”后复刊的《物理学报》第一期及《科学通报》上发表了一批论文，主要有《基本粒子质量关系和层子相互作用》《超子的辐射衰变》《奇异粒子非轻子衰变和层子模型》等，在学术界引起了很大的反响。1976 年杨振宁访华回国后，在一次群众集会上说：“中国的科技正以惊人的速度往前发展，在广州、云南，甚至在边远地区的内蒙古大学都有许多先进的科学成就。”

1978 年改革开放以来，各高校的科学研究进入了一个新的发展阶段。但是在纠正“四人帮”否定基础理论研究的偏向过程中，又出现了另一种偏向，即忽视应用研究和开发研究，不问具体情况如何，一窝蜂地都去搞基础研究，从而影响了科技成果向生产力的转化。1985 年《中共中央关于科学技术体制改革的决定》下达后，各高校贯彻中央提出的“科学技术必须面向经济建设”的精神，在保持基础研究优势的同时，加大了应用研究和开发研究的力度，逐步把科学研究的主力转向经济建设的主战场，出现了基础研究、应用研究、开发研究和科技成果推广相互促进、协调发展的局面。内蒙古大学的湍流运动最简单的方程组、基本粒子理论弱相互作用及规范场经典解、8 卷本《内蒙古植物志》,内蒙古师范大学的种子植物图鉴，内蒙古农牧学院的甜菜丰产高糖生理栽培技术的研究，内蒙古林学院的西藏朴属新种，内蒙古工学院的天然碱浮上澄清，内蒙古医学院的断指再植和左足右移，包头医学院的血红蛋白研究等，都是改革开放以来很有影响的重大研究成果。1996 年实施“九五”计划以来（1996—2000 年)，出版专著 108 部，发表学术论文 14 359 篇，其中国际学术刊物发表 410 篇；有 39 项研究成果获奖，其中获国家科技进步奖 7 项，部委科技成果奖 23 项，自治区科技成果特等奖 1 项、一等奖 8 项，推广技术成果 11 项，实现经济价值 128 万元，为自治区经济繁荣和社会发展做出了应有的贡献。内蒙古大学的中国科学院院士李博教授对干旱、半干旱区植被与草原研究作出了系统的研究，把生态学基础研究与应用研究相结合，把传统研究与近代研究相结合，与当前国际上的热点问题如持续发展、全球变暖、生物多样性保护等联系起来，主持国家科技攻关项目 2 项，专题 4 项，省、部级课题多项，出版专著 4 部，专题地图 5 套，主编科学文集 9 部；先后获“六五”国家科技攻关表彰奖，国家自然科学二等奖 1 项，国家科技进步二、三等奖各 1 项，省、部级科技进步多项，一等奖 4 项、三等奖 3 项，1992 年获乌兰夫基金会自然科学特等奖。内蒙古大学的中国工程院院士旭日干教授在 1982 年至 1984 年赴日本留学期间，攻克了当时家畜体外受精研究中的一项世界性难题，成功地培育出了世界首例“试管山羊”，被誉为“试管羊之父”。1986 年，旭日干教授主持创建了内蒙古大学实验动物研究中心，在国内率先开展了以牛、羊体外受精为中心的家畜生殖生物学及生物技术的研究，完成了多项国家“863”高科技研究项目、国家自然科学基金项目及自治区重点科研项目，并于 1989 年成功地培育出我国首批“试管绵羊”和“试管牛”，填补了该领域的空白，被

《科技日报》评为1989年度国内十大科技成就之一。其研究成果先后获内蒙古自治区科技进步三等、一等、特等奖，国家科技进步二等奖和乌兰夫奖金奖，台湾光华科技基金奖、香港何梁何利基金科学与技术进步奖、美国杜邦科技创新奖及全国“五一”劳动奖章和国家“863”高科技计划突出贡献奖。

2. 人文社会科学研究成果

高等教育建立初期，各高校的人文社会科学研究主要在教学工作的基础上，在相关的学科、专业、课程范围内，选择研究课题。如内蒙古师范学院蒙文科的“国内各蒙古语族语言规律”的研究、教育教研室的“对爱国主义教育批判”的研究，都属于这种情况。1955年以来，各高校贯彻“百花齐放，百家争鸣”的方针，着重批判教学领域资产阶级唯心主义思想，推动了人文社会科学的教学与研究。1958年为贯彻国务院科学规划委员会第五次会议上提出“厚今薄古”的精神，自治区各高校调整教学内容的古今比例，并组织文科师生批判教学中的“厚古薄今”的倾向。1960年为贯彻中央文教小组提出的批判修正主义和十八九世纪资产阶级学术思想的精神，内蒙古大学汉语系师生开展了对俄罗斯19世纪批判现实主义文学某些文学作品的批判，并写出一组批判文章。1966年，“文化大革命”开始后，高校的人文社会科学研究工作几乎全部停顿。1971年，招收工农兵学员后，部分研究工作有所恢复。

1978年4月，全国教育工作会议提出，高等学校应努力建成教育与科学研究“两个中心”，“高等学校的文、史、哲社会科学各科，也应该认真制订规划，恢复并建立一批研究所（室），积极开展科学研究，造就一批高水平的马克思主义理论队伍和学术队伍”。同年6月，教育部在武汉召开全国高等学校文科教学工作座谈会。会议纪要指出：“文科应在研究、认识社会主义革命和社会主义建设的客观规律方面作出贡献。”各高等学校认真贯彻上述精神，人文社会科学研究取得了显著进展。特别是进入20世纪80年代之后，高等学校的人文社会科学研究坚持理论联系实际的精神，注重突出地方特色和民族特色，重视学科建设，重视科学研究与教学相结合，把社会主义建设、改革开放中的重大理论问题、实际问题作为研究的重点，取得了一批重大的研究成果。如内蒙古大学巴·布林贝赫教授的《心声寻觅者的札记》（诗论）、《蒙古族诗歌美学论纲》（学术专著）、《蒙古英雄史诗的诗学》（学术专著）；格日勒图教授主编的《文学理论简编》（与楚鲁合著）、专著《蒙古文论史研究》；清格尔泰教授主编的大学蒙古语文教材《现代蒙古语》、辞书《蒙汉辞典》《蒙古语族语言方言研究丛书》以及由他牵头的国家哲学社会科学“六五”重点项目《阿尔泰语系语言比较研究》，清格尔泰教授和陈乃雄教授合作开展的《契丹小字研究》；确精扎布教授的专著《现代蒙古语语法》《卫拉特方言词汇》《老蒙文和托忒蒙古文》《老蒙文和托忒蒙古文对照蒙古语词典》以及由他主持的中华社科基金、社会科学基金项目《五百万词级现代蒙古语文数据库》《蒙古语人机对话中的语音研究》《蒙古文词根、词干、词尾的自动切分和复合词的自动识别》；郝维民教授主编的《大青山抗日斗争史》《内蒙古革命史》《呼和浩特革命史》《百年风云内蒙古》《内蒙古自治区史》及参编的《蒙古族简史》；林干教授的《匈奴通史》；周清澍教授主编的《内蒙古历史地理》；恩和教授的《蒙古社会经济形势及政局变化研究》《蒙古对外经济关系新格局》。内蒙古师范大学巴雅尔教授的《蒙古秘史》标音本、刘文斌教授的《马克思主义文艺美学研究》、格·孟和教授的《蒙古族哲学史》（蒙文）、韩登庸教授的《〈西厢记〉注析》、王志彬教授的《文心雕龙创作论疏鉴》、内蒙古民族大学刘文鹏教授主编的《古代埃及史》等都是很有影响的研究成果，受到了国内外学术界的关注和好评。1995 年 9 月 21 日，国家教委人文社会科学研究成果奖揭晓，内蒙古大学林干教授的《匈奴通史》获民族学一等奖，清格尔泰、陈乃雄、邢复礼等人合著的《契丹小字研究》获语言学一等奖，布林贝赫教授的《蒙古族诗歌美学论著》（蒙文）获中国文学二等奖，蒙语所《蒙古语族语言方言研究丛书》获语言学二等奖。

在内蒙古自治区第 6 届（1996—2000 年）优秀成果奖中，各高校获一等奖 7 项，荣誉奖 8 项，特别奖 1 项，二等奖 50 项，三等奖 61 项，青年奖 50 项，优秀奖 185 项。

表5－7　附：2000年科研项目统计表

类　别	投入人员数折合全时	国家级项目		省级项目		获奖数		发表论文数量	出版专著数量	三大检索数量	专利授权数量
		在研项目数	投入经费（万元）	在研项目数	投入经费（万元）	国家级	省部级				
自然科学	1269	130	12	557	1682	1	22	2859	18	36	4
人文社科	274	20	455	115	92	2	156	2614	108		

五、高等教育结构调整与管理体制改革

（一）高等教育结构调整

内蒙古高等教育自创办以来一直到20世纪80年代初期，由于受计划经济体制的影响存在的一个突出问题是，层次结构不合理和科类比例失调，这种状况很不适应社会主义建设对人才的需求。前者的表现是，研究生和专科生的比重小，本科生比重大。以1983年在校生为例，研究生135人，占在校生总人数的0.6%；专科生3 816人，占17.7%；本科生17 656人，占81.7%。[①] 后者的表现是：经济管理、应用文科、某些应用理科以及工、农、医、师等科类中一批自治区急需的专业仍是空白；师范、财经、政法以及企业管理和工科中的土建类等科类办学规模小，供求关系紧张；一些专业不必要地重复布点，连年单班招生，教学质量低，经济效益差。1983年以来，根据教育部的部署和1985年5月下发的《中共中央关于教育体制改革的决定》精神，为适应自治区经济建设、社会发展的需要，自治区高等学校着手对高等教育长期存在的层次结构、专业结构比例失调以及专业布局不合理问题进行了调整。

1. 层次结构的调整

调整层次结构的主要措施是，适当控制本科教育，加大发展专科教育和研究生教育的力度。1986年，招收本专科生8 549人，其中本科生5 033

① 内蒙古自治区教育厅主编：《内蒙古教育大观·内蒙古教育年鉴》（上）（1984—1986），内蒙古大学出版社2005年版，第205页。

人，占58.9%；专科生3 516人，占41.10%。[①] 同1983年相比，专科教育的规模明显扩大，而且在文、理、工、农、林、医药卫生、师范、政法、财经等各科类中都有了专科层次的教育。研究生教育发展更快些，1983年在校研究生仅135人，到1986年则增加到514人，相当于1983年的3.8倍。[②] 为了加快研究生教育的发展，各高校大力加强硕士研究生授予专业和博士研究生授予专业建设。到1986年，国家教委先后三次批准内蒙古大学、内蒙古农牧学院、内蒙古医学院、内蒙古师大、内蒙古工学院和包头医学院等6所高校新增硕士学位研究生授予专业59个，并批准内蒙古大学的蒙古语语言文学和应用数学两个专业为博士研究生授予专业。

从1988年开始，自治区对高教发展“七五”计划进行了适当调整。在层次结构上，适当控制了研究生和本科生招生规模，加强了专科层次教育。1988年，本专科招生的比例，从1986年的1∶0.7调整到1∶1.16，本专科比例大体各占一半。[③] 在校研究生人数由1986年的514人[④]减少到1991年的243人[⑤]。经过几年的努力，层次结构的调整取得了显著成效。

2. 专业结构和科类比例的调整

改革开放以来，自治区各高校根据社会主义市场经济和社会发展的需要，并针对各自不同的专业和科类比例情况，对新老专业进行了适时的补充和调整。1983年以来，内蒙古大学、内蒙古工学院、内蒙古农牧学院和内蒙古财经学院分别增设了新闻、环境监测与分析、电厂热能动力工程，电力系统及自动化、硅酸盐、公路与城市道路、动物营养与饲料、基建财务与信用等8个专业，填补了自治区急需的空白专业；进一步扩大了原有的师范、财经、政法以及土木建筑、企业管理等短线学科类专业的办学规模；为保证

---

① 内蒙古自治区教育厅主编：《内蒙古教育大观·内蒙古教育年鉴》（上）（1984—1986），内蒙古大学出版社2005年版，第206页。

② 内蒙古自治区教育厅主编：《内蒙古教育大观·内蒙古教育年鉴》（上）（1984—1986），内蒙古大学出版社2005年版，第207页。

③ 内蒙古自治区教育厅主编：《内蒙古教育大观·内蒙古教育年鉴》（上）（1988），内蒙古大学出版社2005年版，第333页。

④ 内蒙古自治区教育厅主编：《内蒙古教育大观·内蒙古教育年鉴》（上）（1984—1986），内蒙古大学出版社2005年版，第207页。

⑤ 内蒙古自治区教育厅主编：《内蒙古教育大观·内蒙古教育年鉴》（下）（1991），内蒙古大学出版社2005年版，第442页。

优先发展基础学科和实用学科，合理配置了各学科门类，调整了基础学科与应用学科的比例，加强了财经、政法、应用文科和培养农职业中学师资的专业；压缩了长线专业的招生人数；拓宽或改造调整老专业的服务方向；新上师范、工科、农科等各类专业 21 个。到 1989 年全区普通高校专业总数由 1978 年的 66 个增加至 107 个。①

进入 20 世纪 90 年代，对普通高等教育的科类和专业结构进一步加以调整。主要措施：一是采取暂停招生的办法，压缩日语、应用数学、植物学、动物学、工业经济、学前教育等长线专业的办学规模；二是适应需求，增设了科技英语、水土保持以及师范类的体育等专业；三是拓宽专业口径，增强适应能力，将内蒙古工学院的计量与测试、铸造、工业与民用建筑等专业的学制由二年制改为三年制；四是根据自治区产业发展方向，加快冶金、煤炭、石油、电力、化工、旅游、乡镇企业管理等 22 个方面的专业建设和发展。

1998 年，为了贯彻落实第一次全国普通高等学校教学工作会议精神，自治区教委提出了《全区高等学校专业布局结构调整的意见》。对高校现设专业进行了核定、整理，全区高校本科专业由 137 种减少到 88 种。1998—1999 年度全区高校新增 15 个本科专业，其中有 13 个专业是自治区高校空白专业。

3. 专业布局和服务方向的调整

内蒙古地区的高等教育基础差，规模小。但是由于种种社会、历史的原因，有少数相同的专业却在多校重复布点。如土建类专业，既在内蒙古工学院布点，又在内蒙古建筑学校大专班布点，而且均是本科教育层次；人才需求量不大的农牧业机械设计与制造专业，同时在内蒙古工学院、内蒙古农牧学院和哲里木畜牧学院 3 处设置，也全是本科层次。

1984 年以来，对这类专业的布局进行了调整。从 1985 年起，内蒙古建筑学校大专班停招本科生，只办专科教育；该校撤销对教学条件要求较高的建筑学专业，只保留工民建与暖通两个专业。同时，内蒙古工学院恢复建筑

① 内蒙古自治区教育厅主编：《内蒙古教育大观·内蒙古教育年鉴》（下）（1989），内蒙古大学出版社 2005 年版，第 361 页。

学专业，内蒙古大学的半导体专业拓宽为半导体与新能源专业，内蒙古财经学院的工业财务会计专业拓宽为会计学专业。

1988 年，内蒙古大学、内蒙古农牧学院、内蒙古财经学院对计划统计、农牧业经济管理、农牧业机械化等专业，进行了调整和合并。

1999 年 11 月，自治区下发的《关于全区高等学校专业布局结构调整的实施意见》指出了构建合理的高等教育学科专业体系的努力方向，即经过一段时间的调整改革，使高等学校的学科、专业设置更加适应自治区经济建设和社会发展的需要，整体布局结构得到优化，教育层次、科类更为齐全合理，初步形成具有地区和民族特色，基本适应自治区经济建设需求的高等教育学科专业体系。

（二）深化高等教育管理体制改革

1. 扩大高等学校办学自主权

扩大高等学校办学自主权是高等教育管理体制改革的一项重要内容。1983 年底，内蒙古教育厅、财政厅、劳动人事厅、计划委员会共同研究、制定文件，对高等学校财务管理、劳资管理、基建物资管理、人事管理进行改革，开始扩大高校办学自主权。1984 年初，自治区计划、教育、财政和劳动人事部门决定，对高等学校的财务、劳资、基建、人事管理等实行简政放权，提出了扩大学校自主权的 21 条意见。同年 6 月，在全区高教工作会议上，自治区人民政府又提出了扩大高校自主权的 12 条试行意见，其中包括学校可以自主地接受委托办学、调整已有专业的方向、接受科研课题和技术咨询以及党政分工、中层干部任免、教职工流动、对各类人员实行岗位责任制等内容。在这次会上，教育厅还提出了改革学校管理制度的意见。这些意见对高等学校的改革起到了号召、鼓舞和促进作用，推动各项改革向纵深发展。

1985 年，自治区贯彻落实《中共中央关于教育体制改革的决定》精神，从深化管理体制改革入手，实行政校分开，明确划分政府及其教育主管部门和高校的职责权限，于 1988 年 4 月作出了《关于扩大自治区高等学校自主权的决定》。"决定"规定：学校有权根据社会需要和自身条件，同区内外各地区、行业、部门签订委托培养学生的合同，实行联合办学；有权在主管部门规定的"供需见面"比例内，与用人单位直接联系分配毕业生；有权调整或撤并校内机构；有权任免、调动干部；有权本着聘任制的原则招聘或辞退教职工；上级主管部门拨给学校的经常性事业费和专项补助费，学校有权自行计划开支，节余不上缴；在上级批准的基建投资总额、基建总体规划内，有权确定年度基建项目、进行招标等。

1992 年 10 月，为了进一步深化高等学校的改革，增强高校办学活力，促进高等学校利用人才、科技、设备等优势更好地为自治区经济建设服务，自治区政府发出《关于进一步扩大高等学校办学自主权的若干规定》和《关于高等学校兴办经济实体的暂行规定》。根据两个“规定”，自治区高等学校可自主调整专业服务方向，确定教学计划和教学大纲；可从参加全国统考的考生中适当降分招收计划外自费生和委培生；在上级核定的总编制内，有权自主决定内部机构设置和岗位设置，有权自主决定校内自负盈亏单位的劳动用工和工资分配；有权自主决定对学生的收费标准和学生奖学金、助学金的发放范围和标准，有权自主安排使用预算内事业经费和预算外经费；有权评审讲师及讲师以下专业技术职称，有权决定具有高级职称的教学、科研人员延退或延聘。

1993 年 2 月，自治区认真贯彻落实党中央、国务院颁布的《中国教育改革和发展纲要》精神，确立内蒙古大学和内蒙古工业大学为改革的试点单位。将内蒙古大学作为“教育特区”，在办学资金投入、同社会企事业单位联合办学、联合开展科学研究与技术开发以及深化学校管理体制改革等方面，给予特殊优惠政策；在招生、专业调整、机构设置、干部任免、经费使用、职称评定、工资分配和国际交流与合作等方面，进一步扩大了内蒙古大学的自主权。

2. 推进联合办学和学校合并

1993 年以来，政府宏观管理、社会各界共同参与、学校自主办学的新格局开始形成，多种形式的联合办学有了很大的突破。内蒙古师范大学与马来西亚国际现代设计集团联合办学，成立了内蒙古师范大学现代国际设计艺术学院，面向全国招生。内蒙古工业大学与内蒙古电业管理局联合办学，原内蒙古电力学校在并入工业大学的基础上建成了电力学院。内蒙古工业大学还与美国纽约华埠商科学院联合办学，成立了内蒙古工业大学国际现代商科学院。内蒙古农牧学院与自治区乡镇企业局联合办学，成立了内蒙古农牧学院乡镇企业分院。内蒙古大学成立了董事会，吸收社会各界广泛参与学校的建设和发展。海南著名企业家李佳盈先生捐资 1 亿元人民币，在其家乡包头市建设以培养国际金融、外贸等人才为主的内蒙古大学包头佳盈学院，于 10 月初破土动工兴建。内蒙古工业大学、包头钢铁学院也与自治区一些企业和科研单位共建了校董事会，吸收企业和科研单位参与办学和管理。这些企业和科研单位在经费、设备、社会实践等方面给高等学校以大力支持，高等学校在科技开发、人才资源方面直接为企业和科研单位服务，双方互惠互利，优势互补。

1998 年，自治区贯彻全国高教管理体制改革经验交流会议精神，按照“共建、调整、合作、合并”方针，推进全区高等教育管理体制改革向纵深发展。年初，自治区教委召开了院校领导座谈会，研究和部署高校之间开展合作办学工作。会后，先后有 12 所高校之间签定了合作办学协议。合作的内容涉及互聘教师、共同开课、联合培养研究生、联合科研攻关、共用图书设备、联合建设大学生文化素质基地等。部分高校还与企事业单位签定了协作办学协议。

为了提高办学的整体效益，在自治区党委和政府的领导下，自治区高校的布局进行了一次全面的大调整和大合并。继呼伦贝尔盟 4 所院校合并为呼伦贝尔学院之后，又先后完成了包头职业技术学院、内蒙古农业大学、呼和浩特职业技术学院、内蒙古民族大学、包头师范学院、内蒙古民族高等专科学校的组建和合并工作。此外内蒙古大学、内蒙古师范大学、内蒙古财经学院、呼伦贝尔学院等院校还进行了局部合并。

在推动高校联合办学和学校合并的同时，自治区政府及其教育主管部门统筹全局，进一步推进管理体制改革向深入发展。1999 年 3 月，自治区政府在呼和浩特市召开全区高等教育座谈会，对当前和今后高等教育改革、发展任务作出部署。1999 年 11 月，自治区政府印发了《关于全区高等教育管理体制改革和布局结构调整规划》等 7 个文件，比较全面地提出了自治区高等教育管理体制改革的具体指导意见。

《关于全区高等教育管理体制改革和布局结构调整规划》提出：经过 3 年的努力，全区规划建设 2 所综合性大学、若干所多科性和少量的单科性高等学校；除在河套大学、包头职业技术学院、民办内蒙古丰州学院和呼伦贝尔学院以及部分本科院校附设的职业技术学院发展高等职业教育外，根据需要和可能，通过现有高校的合并重组和国家级重点中专改建等途径，再规划建设3—5所职业技术学院。除企业办学之外，自治区不再独立设置成人高校，要积极引导和大力支持社会力量依法办学。调整优化各类师范院校布局结构，逐步实现由三级师范向两级师范教育的过渡。

《关于深化全区高等学校教学改革的意见》提出：用5年左右的时间，通过改革，在全区初步形成具有时代特征和地方民族特色的现代高等教育思想体系；初步建立能够主动适应21世纪自治区经济和社会发展需要，反映现代科技发展趋势的人才培养体系；初步建立能够充分调动学校和师生教学积极性的教学运行机制，使自治区高等学校的教育教学质量有较大提高。

《关于加强全区高等学校科技工作的意见》提出：用5年左右的时间，基本形成以基础研究为依托，以知识创新、高新技术及其产业开发为导向，以科技成果推广、转化服务为重点的科技工作新格局。建设一支老、中、青相结合、以中青年学科带头人为骨干的专兼职科技创新队伍；通过科技攻关和技术创新，争取有3—5项高新技术成果形成产业化，建设好5—10个自治区重点实验室、重点工程技术研究开发中心和科技试验示范园区。

《关于全区高等学校内部管理体制改革的实施意见》提出：积极开展以聘任合同制为主要内容的人事劳动制度改革，以工资总额包干为主要内容的分配制度改革，以促进后勤社会化为主要内容的后勤管理体制改革；经过3—5年的努力，逐步建立起与自治区经济建设和社会发展相适应的高校内部管理体制和运行机制，使高校成为面向社会、面向市场、依法自主办学的实体。

《关于全区高等学校专业布局结构调整的实施意见》指出：经过一段时间的调整改革，使高等学校的学科、专业设置更加适应自治区经济建设和社会发展的需要，整体布局结构得到优化，教育层次、科类更加齐全合理，普通教育、成人教育和高等职业教育相互协调、相互衔接，管理规范有序，整体教学质量和办学效益明显提高，初步形成具有地区和民族特色，基本适应自治区经济建设需求的高等教育学科专业体系。

《关于全区高等学校后勤改革的实施方案》提出：按照政府主导、统筹规划、政策支持、分类指导、全面推进的原则，在3—5年内，通过改革基本实现高校后勤服务社会化。到2003年，初步建立起以社会承担为主，由高校选择，满足办学需要的市场化、社会化的后勤保障和服务体系。

《关于加快全区高等学校校办产业发展的实施意见》提出：1999年完成高校校办产业的清理整顿和体制改革。在此基础上，争取组建3—5个以高新技术产业化开发为主的高校科技企业集团。到20世纪末，全区高校校办产业的销售总收入达到2亿元；到2003年，销售总收入力争突破4亿元。

3. 高等学校内部管理体制改革

进入20世纪80年代以后，自治区高等院校进行了以教学为中心的办学体制、内部管理体制、教育教学、人才培养模式等一系列改革。

高等学校管理体制改革，首先从后勤管理改革入手。1982—1984年，学校后勤部门各单位普遍实行了各种形式的经济承包责任制，使工作面貌大为改观。伙食管理工作实行承包以后，变化十分明显。内蒙古师范大学伙食单位1983年实行经济承包，1985年实行炊事人员工资全额浮动，定额管理，炊事人员的积极性倍增，食堂越办越好。就餐人数由2 300人增加到3 200人，营业额由19万元增加到45万元。内蒙古工学院把后勤工作由管理型转变为服务型，建立了为师生员工服务的办事机构，开展了多方面服务。1984年到1986年，为师生购进各种生活用品1 790多吨，总价值79万元，与呼和浩特同期市场价格相比，师生在经济上得到了16万元的实惠。后勤工作改革对于保证教学质量，稳定教学秩序，维护安定团结的政治局面，起到了积极的作用。

1985年以来，贯彻《中共中央关于教育体制改革的决定》，进一步加快了高等学校内部管理体制改革的步伐。内蒙古大学针对本校许多单位不能严格履行离退休制度，挤占编制不利于新生力量的成长和队伍的更新这种情况，对教师延聘作了具体明确规定。凡到离退休年龄又不符合延聘条件的教师要予以办理离退休手续。在继1986年集中办理过25名同志的退休手续之后，又于1988年在内蒙古自治区率先为一批高级专业技术人员办理了离退休手续，为中青年教师的成长，形成结构合理的师资队伍创造了条件。针对旧体制职责不明、奖惩不严、吃大锅饭的弊端，学校改革分配制度，打破平均主义，实行按劳分配。主要做法是：1. 根据出勤和工作表现，坚持把奖励工资和学校奖金拉开档次发放；2. 对不在岗或不能坚持正常工作的人员，按照规定不发工资和工龄津贴，体现干与不干不一样；3. 分配人员在没有找到工作岗位之前，除扣发奖金外，工资逐月递减。从1991年起，根据国家教委关于高等学校定编的原则，结合内蒙古自治区核定的总编制和各类人员的结构比例，对学校各部门的各类人员按工作性质和任务予以定编，并以此作为各单位调配人员、选留毕业生的依据。在宏观控编的前提下，将选调人员、配备科级干部的权力下放给各系各单位，这样既可以增强各单位的编制意识，调动他们选人用人的积极性，加强自我约束机制，也有利于学校人事部门的宏观管理。内蒙古蒙文专科学校在校内管理体制改革方面采取的主要措施是，在严格考核和定编、定岗、定责的基础上，实行全员聘任合同制；精简机构，促进人才合理分流，将原有16个系处减少到10个，38名处级干部缩减为28名；进行分配制度改革，实行国家工资与校内奖金相结合的分配方式，拉开档次，调动了广大教职工的积极性。

1993年9月，自治区召开的全区高等教育工作会议提出了《内蒙古自治区关于加快改革和积极发展普通高等教育的意见》，并制订了教学改革、学校内部管理体制改革等一系列配套改革方案。根据会议精神，各高等学校进一步修订了本校综合改革方案和配套措施，并全面组织实施。

1995年7月，自治区党委、政府正式下发了《内蒙古自治区关于〈中国教育改革和发展纲要〉实施意见》。年底，自治区教育厅在调研的基础上，提出了自治区高校管理体制改革的总体思路和具体方案，由各高校分步实施。各高校积极调整和改革内部管理体制，探索、试行校、院、系三级管理体制。内蒙古大学为了进一步深化改革，全面落实争进国家“211工程”项目的总体规划，积极探索具有中国特色社会主义现代化大学的办学模式、管理体制和运行机制，于1995年初提出了以机构改革、人事制度改革和分配制度改革为重点，各项改革配套进行的《校内管理体制改革的基本思路》和《党政机关机构改革方案》。同年3月底形成并通过了《内蒙古大学党政机关机构改革方案》（试行）和《内蒙古大学党政机关处级干部公开招聘实施方案》。在这次党政机关机构改革中，精简了内设机构，合并了职能交叉、任务重叠的机构，初步理顺了管理部门、服务部门和经营性实体之间的关系，使党政管理部门进一步转换了运行机制，明确了职责范围，减少了管理层次，提高了工作效率和管理水平。

2000年，各高校依据《中共中央国务院关于深化教育改革，全面推进素质教育的决定》以及国家教育部、自治区教委关于深化高校内部管理体制改革有关文件精神，全面启动校内管理体制改革。内蒙古工业大学制定出了《内部管理体制改革总体方案》,以学科建设为龙头，立足当前学校的规模、结构、质量和效益，着眼今后三至五年学校的发展前景，精简机构和人员编制，改革、调整教学科研组织方式，合理配置、有效利用学校的教育资源。引入竞争机制，加大力度，力求在人事分配制度改革上取得突破。内蒙古农业大学制定了《教育事业近期发展计划暨2010年发展规划》,对深化教育改革、全面推进素质教育作了总体安排。

六、主要大学

（一）内蒙古大学

内蒙古大学是新中国成立后在少数民族地区创立最早的一所综合性大学。1957年10月14日，经国家原高等教育部批准成立，位于内蒙古自治区首府呼和浩特市，隶属于内蒙古自治区人民政府。时任国务院副总理、内蒙古自治区党委书记、自治区主席的乌兰夫兼任首任校长。建校初期，中国科学院学部委员、北京大学教授李继侗来校执教并任副校长。

创建之初，学校主要开展本科教育，设有蒙语系、汉语系、历史系、数学系、物理系、化学系、生物系（动物学专业、植物学专业）等7个系8个专业，1959年蒙语系和汉语系合并为中文系。1962年开办硕士研究生教育。1978年，被教育部确定为全国重点大学，成为全国96所重点大学之一，也是自治区唯一的全国重点大学。1984年，经国务院学位委员会批准为博士学位授予单位。1987年，经国家教委批准，成立内蒙古大学艺术学院，内蒙古艺术学校作为附属中专予以保留。1995年，开始进行学院制改革，成立了蒙古学学院、经济管理学院、生命科学学院、继续教育学院。1996年，顺利通过国家“211工程”部门预审。1997年，经原国家计委立项，成为国家“211工程”重点建设的百所院校之一。2000年，自治区政府决定将呼和浩特交通学校并入内蒙古大学，组建内蒙古大学职业技术学院。至此，学校形成了以本科和研究生教育为主，包括博士研究生、硕士研究生、本科、专科、高等职业技术教育等多种办学层次。同时，还招收民族预科生、留学生和成人教育学生。在人才培养、学科建设和科学研究方面形成了鲜明的民族特色和地区特色。

截至2000年，学校设有蒙古学学院、人文学院、理工学院、化学化工学院、经济管理学院、法学院、外国语学院、生命科学学院、计算机学院、国际教育学院、职业技术学院、艺术学院、继续教育学院、研究生院、马列教研部、体育教学部等14个学院和2个公共教学部，在各学院根据学科特点下设若干系，建立了三级建制、两级管理的体制。学校有36个本科专业、6个专科专业、37个硕士学位授权点、6个博士学位授权点；有1个国家级重点学科、8个自治区级重点学科；有3个国家级和2个自治区级人才培养基地，1个国家大学生文化素质教育基地；有1个教育部人文社会科学重点研究基地、1个教育部重点实验室、3个自治区重点实验室和1个自治区高等学校重点实验室。

在校全日制普通本专科生6 832人，在校博士研究生72人、硕士研究生478人、成人教育学生1 946人、留学生31人。蒙古族及其他少数民族学生占学生总数的35%。建校以来，学校培养出各类专门人才近35 000人，其中包括大批优秀少数民族干部和科技人才。

学校拥有教职工1 820人，其中专任教师858人，科研机构人员105人。专任教师中具有正高职称94人，占11%，副高职称的242人，占28%；有中国工程院院士1人，博士生导师22人、硕士生导师168人；国务院学位委员学科评议组成员2人，教育部高等学校教学指导委员会委员8人；享受国务院政府特殊津贴专家62人，国家和自治区有突出贡献中青年专家24人；国家“百千万人才工程”一、二层次2人，自治区“321人才工程”一、二层次人选30人，自治区高等教育“111工程”一、二层次人选26人。

学校拥有校舍建筑面积36.9万平方米，拥有各类实验室53个，其中教学实验室38个，科研实验室15个；校内实习场所（基地）17个，与校外合作的实习基地89个。教学科研仪器设备总值7 009万元。学校图书馆馆藏文献156万余册，文献资源丰富，管理手段先进，实现了业务管理全程自动化。自建蒙古学特色数据库和导航库是CALIS中心25个特色库之一，清代朱字木刻本《御制蒙古文甘珠尔经》等重要文献已是稀世珍品，教育部民族学科蒙古学文献信息中心成为国内外有影响的文献信息中心。学校建成中国教育科研计算机网内蒙古地区主节点和内蒙古教育科研计算机网网络中心，校园网覆盖了全校教学科研单位和管理部门。九五期间，学校加大经费投入力度，办学条件显著改善，基础设施功能齐全，校园环境优美典雅，绿化覆盖率达 36.8%。

实施“九五”（1996—2000）计划以来，学校新开科研项目 525 项，其中国家级项目 89 项，共获得科研项目经费 6 094.6 万元；发表学术论文 3 735 篇，出版著作 215 部，有 286 项科研成果获国家和省部级奖励。科技成果转化工作取得积极进展，以“试管牛”技术为代表的一批技术已经或正在进行成果转化，为自治区经济建设和社会发展作出了重要贡献。教学改革与建设取得明显成效。承担国家“面向 21 世纪教学内容与课程体系改革计划”项目 4 项，国家新世纪本科教学重大教改项目 6 项；承担省部级以上教材建设项目 14 项，其中国家“九五”重点教材 1 项、教育部立项教材 13 项。获得省部级教学成果奖 12 项，其中一等奖 1 项、二等奖 11 项。获得省部级以上教材奖 26 项。1995 年学校教务处被原国家教委评为全国高校先进教务处，1999 年被国家教育部评为全国高校优秀教务处。

学校重视与国外高校及学术团体的交流与合作。先后与二十多所国外高校建立了校际学术交流与合作关系。仅“九五”期间，学校就派出了 100 人出国留学、220 人出国进行学术交流访问和参加国际学术会议，接待外国学者 1 700 人次来校进行学术交流访问。多次主持召开了有关蒙古学、物理、生物、化学等领域的国际性学术会议。与日本阪南大学、关西国际大学和俄罗斯卡尔梅克国立大学联合培养本科生，学校是教育部批准的可以接收外国留学生的高等院校之一。

学校十分重视党的建设和思想政治工作。围绕教学科研，围绕培养社会主义建设者和接班人的根本任务，围绕“211 工程”建设的目标，围绕学校改革、发展、稳定大局，大力加强党建和思想政治工作，为学校改革、建设与发展提供了强有力的政治、组织和思想保证。学校多次获得了国家有关部门和自治区的表彰，被评为自治区文明单位标兵。

学校大力推进教育教学改革、人事分配制度改革和后勤社会化改革，建立了新的管理体制和运行机制，引进了激励竞争机制，改变了人员管理模式，进一步突出了教学工作的中心地位和教师在办学中的主体地位，充分调动了教职工积极性、创造性。

经过多年的努力拼搏、改革探索和重点建设，紧紧抓住每一次历史机遇，推动学校超常规发展，实现了从普通高校到全国重点大学，从一般性建设到“211 工程”重点建设的历史性跨越。

（二）内蒙古师范大学

内蒙古师范大学的前身是内蒙古师范学院，1952 年诞生于当时的自治区首府乌兰浩特，是新中国在少数民族地区建立最早的一所高等院校。建校时，只有 6 个班级，116 名学生、7 名专职教师。1953 年班组调整，组成蒙文、汉语文、政史、数理、生物、体育等 6 个科，学制由二年改为三年。1954 年随首府西迁至呼和浩特，并同 1953 年由张家口师专和绥远师专合并而成的内蒙古师范专科学校合并。1958 年，完成了由专科学较向本科学院的过渡。1982 年经自治区人民政府批准，更名为内蒙古师范大学，列为自治区管理的重点大学。2000 年，内蒙古教育学院并入内蒙古师范大学。经过近半个世纪的建设和发展，形成了研究生教育、本科教育、专科教育、成人教育、高等职业教育、教师和教育行政干部继续教育等多层次、多形式的办学体系，成为一所多学科综合性的师范大学。建校以来，共培养出毕业生六万余名。

截至 2000 年，学校占地面积 65 万平方米，校舍建筑面积 3.5 万平方米，拥有固定资产 2.3 亿元，其中教学、科研仪器设备总价值约 0.5 亿元。设有外国语学院、国际现代设计艺术学院、体育学院等 3 所学院和教育系、电化教育系、政治经济系、汉语言文学系、蒙古语言文学系、音乐系、美术系、历史学系、数学系、物理学系、化学系、生物学系、地理学系、计算机科学教育系、马克思主义基本理论教研部等 15 个系及教研部。附设第一附中、第二附中。

学校有教职工 1 793 人，其中专职教师 951 人，具有硕士以上学历的人员占教师总数的 31%，有博士学位和博士后的教师（包括在读、在站）65 人，有正高级职称的教师 101 人，副高级职称的教师 319 人。另外，在教师中，自治区及国家有突出贡献中青年专家 13 人，国家“百千万”人才工程 2 人，自治区“111”人才工程一、二层次 14 人，自治区“321”工程一、二层次 7 人，享受政府特殊津贴 44 人。学校立足本科生的培养，重视成人教育，并积极拓展研究生的培养、教育工作，努力招收留学生。全校共有 39 个本专科专业、31 个硕士学位授权点。硕士研究生导师 87 人，博士研究生导师 2 人。全校共有全日制本专科学生 6 697 人，研究生 230 人，成人教育在籍学生 11 519 人，留学生 18 人。

改革开放以来，学校按照“面向现代化、面向世界、面向未来”的教育方针，深化教育教学改革，努力适应基础教育发展的要求，全面提高学生素质。为了使师范生具有宽厚的专业基础知识、较高的教学技能，学校调整优化专业结构，加强基础学科专业建设，大力发展应用学科和技术学科，开展了以增加课程门类、更新充实教学内容、推进教学手段现代化和评选优秀课程为主要内容的课程建设工程。教学管理上，实行学分制、主辅修制和双学位制，调动了学生学习的主动性和积极性，受到国家教育部的表彰。

作为边疆少数民族地区高等师范院校，学校十分重视发展民族高等教育，形成了蒙汉双语授课教学体系。少数民族教职工占全校教职工总数的 40.63%，少数民族学生占学生总数的 46.42%。建校以来，编译蒙文教材 800 余部，公开出版 180 余部。内蒙古自治区民族教育研究中心设在内蒙古师大。内蒙古师范大学蒙语授课专业具有门类多、师资力量强的特点，是三北地区培养民族教育师资和蒙汉兼通高级人才的重要基地，被誉为“民族教师的摇篮”。

学校坚持教学与科研并重，现有 32 个研究所和研究中心，蒙古语言文学、教育学、自然科学史、动物学、区域地理学等 5 个学科成为自治区重点学科，多项研究达到国内较高水平。除自治区重点实验室——资源环境与地理信息系统实验室外，学校还设有磁学实验室、天然气化工与材料科学实验室、磁性酶实验室等。1991 年以来，全校主持各级各类科研项目 669 项，其中国家级课题 45 项；出版著作 443 部，其中专著 243 部；发表论文 6 778 篇，其中国外刊物 119 篇，在《NATURE》发表 1 篇，被 SCI、EI、CA 等收录的有 67 篇，被其他核心刊物转载、收录的论文有 304 篇；鉴定成果 52 项；获奖成果 1105 项，其中省部级以上 267 项。学校出版发行的学术刊物有《内蒙古师大学报》（自然科学、社会科学蒙汉文 4 种版本）和《语文学刊》。

改革开放以来，学校先后与美国、英国、加拿大、澳大利亚、日本、俄罗斯、蒙古国、葡萄牙、荷兰等国家及国内一些知名院校和科研机构建立友好关系，进行教育交流与科研合作，先后聘请42名国内外著名专家学者任学校名誉教授、客座教授和兼职教授；积极发展留学生教育，建立了蒙汉语留学生教育中心。目前合作研究的重要项目有节水农业工程研究、中英合作英语教学发展项目、稀土化学研究、多媒体开发研究、科学技术史研究、稀土磁制冷材料研究、天然气化工与材料科学研究等。

（三）内蒙古工业大学

内蒙古工业大学是一所以工为主，工、理、文、管、商相结合的多科性工业大学。始建于1951年，初名绥远省高级工业学校。1958年成立内蒙古工学院，1993年更名为内蒙古工业大学。校本部坐落在呼和浩特市北郊，占地80公顷，建筑面积20余万平方米。

截至2000年，学校设有四院、八系、三部。在校学生总数8 000余人，其中全日制研究生、本专科生5 000余人，其他办学形式的学生3000余人。建校以来，已为国家培育了34 000余名高级专门人才，他们遍布全国各地。

学校专任教师700余人，教授67人，副教授232人，高级实验师17人，讲师313人，实验师62人。其中9人被授予国家级或自治区级有突出贡献的中青年专家称号，21人获政府特殊津贴，3人获自治区科技兴区特别奖。

学校设有50个教研室、62个实验室和计算中心、信息中心、电教中心、测试中心，有9 500平方米的图书馆、2 200平方米的体育馆、3 000平方米的游泳池及31 000多平方米的室外运动场地。全国外语水平考试呼和浩特中心、全国计算机等级考试内蒙古考点和内蒙古制造资源计划（MRP-II）应用研究中心、内蒙古自治区新能源试验示范基地等也设在内蒙古工业大学。目前，已联入“中国教育与科研计算机网（CERNET）”。

学校坚持科技工作面向内蒙古自治区经济建设的主战场，努力实施产学研结合工程。设有液压技术、自然能源、精细化工、四维稀土、机电一体化、企业咨询与质量认证等20个科研设计院所和机械厂、技工贸总公司、计通高新技术公司等9个校办产业。“天然碱（日晒碱）制纯碱工业试验”“500米钢轨全长淬火生产线”“铁系无铬（NBC—I）型CO高（中）温变换催化剂工业试验”，磁卡生产线专用设备等一系列科研成果在区内外推广应用，取得显著的经济效益和社会效益。

1994 年学校成立“内蒙古工业大学董事会”，区内外董事单位达 132 家。

学校注重国内外学术交流与合作。先后与加拿大萨斯喀彻温大学、美国西德克萨斯州立大学和西德克萨斯农业和机械大学、俄罗斯赤塔工业大学、蒙古国立工业大学、日本国阪南大学等建立了校际合作关系。学校与清华大学、北京工业大学、北京建工学院、广西大学、太原理工大学正式签订了全面合作协议。

四十多年的办学历程，学校形成了“民主、团结、勤奋、严谨、求实、进取”的优良校风。严谨踏实、奋发进取的精神激励着一代又一代的工大人躬耕树蕙、努力拼搏。“八五”以来，学校多次受到中宣部、国家教委、团中央、全国总工会和自治区的表彰与奖励，并获得“自治区先进学校”“自治区党的建设和思想政治工作先进高等学校”等称号。1998 年 7 月被评为“全国党的建设和思想政治工作先进高等学校”。

学校坚持“民主、团结、勤奋、严谨、求实、进取”的校训，强化开放、改革意识，坚持实施素质教育，坚定走自己的发展之路，努力创造更加辉煌的明天。

（四）内蒙古农业大学

内蒙古农业大学于 1999 年由内蒙古农牧学院和内蒙古林学院合并组建而成，是一所以农为主，农、工、理、经、管、文等学科门类协调发展，具有地区特点、民族特色、学科优势的多学科性大学。

内蒙古农牧学院的前身是内蒙古畜牧兽医学院，在 1952 年全国高校院系调整中成立于归绥（呼和浩特）市，是由河北农学院、平原农学院的畜牧兽医系和山西农学院的兽医系合并组建起来的。设畜牧、兽医两个专业，学制 4 年，是内蒙古自治区创办最早的本科高等学校。1959 年内蒙古农业干部学校、内蒙古牧业干部学校、内蒙古农牧业学校并入。同年，更名为内蒙古农牧学院。1962 年内蒙古水利电力学院农田水利系并入。1963 年，列为华北地区重点高等农业院校。“文化大革命”中，内蒙古农牧学院一度被一分为四。1978 年内蒙古农牧学院得以正式恢复。

内蒙古林学院于1958年在内蒙古扎兰屯成立，设林业、森林采伐运输机械化、林产化工艺、木材机械加工4个专业。1959年从扎兰屯迁至呼和浩特，增设森林保护、沙漠治理、林业机械3个本科专业。“文化大革命”中，于1971年撤办，并入内蒙古农牧学院，保留林学系。1978年恢复为内蒙古林学院。

内蒙古农业大学组建以后，两校的优势得以充分发挥，办学实力显著增强，办学规模进一步发展壮大，形成了具有农、工、理、经、管、文等6个学科门类，20个二级学科，38个本科专业，14个专科专业。所设专业基本覆盖自治区农牧林业现代化建设所需的各类专业面，学科专业的建设始终与自治区的基础和主导产业结构的调整相适应，形成了学校鲜明的办学特色和显著的学科优势与专业特长。学校以本科教育为主，兼具研究生教育、专科教育、成人教育、高等职业教育等多层次、多形式的办学体系，成为国家西部大开发重点支持建设的院校，也是国家大学生文化素质教育基地院校和国家草业学会会长单位。学校下设的职业技术学院是全国高等职业技术教育示范院校建设单位。

截至2000年，学校设有10个学院，3个直属部，4个教学部。学校是自治区具有博士学位授予权的两所大学之一。有国家一级学科畜牧学及动物营养与饲料科学等博士点8个，硕士点28个。自治区级重点学科8个，省部级重点学科1个，重点实验室2个。学校在校生10 642人，其中本专科学生9 046人，硕士研究生272人，博士研究生37人，成人教育学生1 287人；少数民族学生占27%，蒙语授课学生近千人。

学校有专任教师918人，其中教授119人，副教授299人；博士生导师27人，硕士生导师160人；少数民族教师占30%，双语授课教师110人；享受政府特殊津贴64人，国家和自治区有突出贡献的中青年专家24人；有3人入选国家级百千万人才工程，有39人入选自治区“321人才工程”第一、第二层次。

学校占地面积909.3万平方米，建筑面积39.8万平方米，现有4万余平方米的教学楼群，6.08万平方米的学生宿舍，11 638平方米的食堂，标准田径运动场3处，图书馆文献累计总量77.7万册。

内蒙古农业大学坚持面向“三农”，面向区域经济建设的办学方向，充分发挥教学、科研和社会服务的职能以及多学科、综合技术人才集中和专业特长等优势，面向产业基地，以市场为导向，积极推进高新技术研究和实用技术开发，抓好具有地区特点、民族特色、学科优势的基础研究，为自治区农牧林业提供科研成果、技术以及产品。学校在科技开发、科技攻关、科技推广、科技扶贫等方面都取得了显著成绩。在研课题 229 项，科研经费 1 618 万元。1999 年获得国家自然科学基金项目数和资助总经费列全国农林院校第 5 位，居全区高校首位。通过"教学、科研与社会生产实践"的有机结合，多层次多形式为自治区培养所需的各类专门人才；使学校成为自治区农牧林各类专门人才的培养基地和农牧业科学研究、技术开发、成果转化、产品孵化的基地。

学校加强对外交流，与美国、日本、俄罗斯、英国、加拿大、蒙古国等 17 个国家的 30 余所大学、科研机构和民间组织建立了校际合作交流关系。

学校坚持不断深化教育教学改革，切实提高办学质量和办学效益，努力培养以应用型为主的基础厚、口径宽、能力强、素质高，具有创新能力、实践能力和创业精神的高级科技管理人才。近半个世纪以来，学校走出了一条教学、科研、生产相结合独具特色的办学道路；形成了一支治学严谨，具有较强科研能力的队伍；建立了一批在国内具有明显优势的学科，培养了 6 万余名适用于国家和自治区经济建设的高科技人才；取得了一批应用于生产实践中并有巨大经济和社会效益的重要科研成果，为自治区建设和发展做出了重要贡献。

（五）内蒙古民族大学

内蒙古民族大学由有着四十多年办学历史的原内蒙古民族师范学院、内蒙古蒙医学院、哲里木畜牧学院于 2000 年合并组建而成的，是内蒙古自治区东部唯一一所学科较为齐全的区属普通全日制综合性大学。

原内蒙古民族师范学院的前身是始建于 1958 年的通辽师范学院。在四十多年的发展中，学院具备了一定的办学规模，成为内蒙古东部区专业设置齐全、师资力量雄厚、科研能力较高、办学实力最强的民族师范院校。民族师范教育的特殊性，使其形成了蒙汉兼容的办学风格和特色，成为内蒙古东部地区发展教育、科技、文化的重要基地。

原哲里木畜牧学院 1978 年经国务院批准成立，其前身是 1958 年建校的哲里木盟农业合作化学校、哲里木盟农牧学校等，建院初期归吉林省管理，1979 年原内蒙古自治区行政区划恢复后，改由自治区人民政府管理。建院后，全院师生发扬“艰苦创业、勤俭建院”精神，经过多年的努力奋斗，形成了本科、专科两个层次，全日制、函授、自学考试等多种形式，具有自治区东部区特点的高等农牧业教育体系。

原内蒙古蒙医学院是于 1978 年在 1958 年成立的卫生学校的基础上改建的，当时校名为哲里木医学院，由吉林省管理。哲里木盟重新划归内蒙古自治区后，于 1980 年，改建为内蒙古民族医学院。1987 年改名为内蒙古蒙医学院，是一所以蒙医药教学和科研为主的高等院校。

合并后的内蒙古民族大学，继承了原来各校的办学特色和优势，优化了资源配置，提升了办学层次，教育质量和办学效益明显提高。

学校有东、西、北三个校区，占地面积 2 302 亩，校舍建筑面积 24.1 万平方米。设有 49 个普通教育专业，7 个职业技术教育专业，涵盖了法、教育、文、史、理、工、农、医、管理等 9 个学科门类。

学校具有硕士学位授予权、留学生招收资格权和外籍教师聘任资格；拥有 7 个硕士学位授予点，3 个省级重点学科，3 门自治区示范课程；4 个版本的学报在国内外公开发行；图书馆是中国学术期刊（光盘版）二级检索站，藏书 68.1 万册，中外文报刊种类 1 800 余种；建有 60 多个基础和专业实验室，拥有较为先进的教学、科研仪器设备。

学校拥有教职工 2 514 人（含附属医院职工），教师和科研人员 839 人，其中副高职称以上人员 565 人，教师中具有博士硕士学位 96 人，享受政府特殊津贴的专家和有突出贡献的中青年专家 22 人，入选自治区“321 人才工程”人员 46 人，荣膺曾宪梓高师教育基金奖 13 人。本专科生、研究生、留学生共 8 700 人，成人教育在籍学生 6 700 人。

学校遵循“规模、结构、质量、效益”协调发展的原则，确立了“以社会发展需求为向导，以师资队伍建设为核心，以专业建设为基础，以加强硕士学位学科建设为重点，以立项建设和目标化管理为重要手段”的学科建设的指导思想，制定了学科建设规划和实施方案。通过优化整合及专业调整，培养了新的学科增长点，学科门类逐步齐全，学科布局结构更趋合理。世界史学科、蒙医学学科、计算物理学科被确定为自治区重点学科，校级重点学科建设进一步加强。学校以巩固基础、拓宽口径、改老扶新、突出重点为原则，把专业划分为重点专业、扶持专业、一般专业和限制招生专业，并进行分类调整建设，通过专业调整建设使部分专业的毕业生出现供不应求的喜人局势。

学校视教学质量为生命线，本着以学生为本、一切为了学生的原则，切实加强管理，狠抓教学质量。为此，成立了由经验丰富的教师组成的教学指导委员会、教学督导组，建立了教授承担本科教学任务制度和校院两级教学会议制度，以加强教学管理和控制。在强化管理的同时，注重教师队伍建设，在立足稳定和培养现有人才的同时，加大人才引进力度，并制定一系列优惠政策，调动教师工作的积极性。

学校坚持科研与当地生产实际结合，不断加快科研成果向现实生产力的转化，为地方经济和社会进步服务。蒙医药专业发挥特色优势，与内蒙古复旦蒙药生物技术有限责任公司签订蒙医蒙药开发合作协议。农学院承办召开了来自内蒙古自治区东部地区和部分外省（市）政府、高校及生产单位领导、专家和科技人员参加的农业科技开发研讨会。

内蒙古民族大学人正在为把学校建成为培养高层次创造性人才的摇篮；成为内蒙古东部地区经济和社会发展的知识创新、科技创新的重要基地；成为当地民族文化和教育开发、研究的中心；成为学科门类比较齐全，以教学为主，教学科研相长，具有鲜明地方特点、民族特色和学科优势的综合性大学，进行着不懈的努力。

附：

一、硕士、博士授予单位及学科点（截至 2000 年）

2000 年，内蒙古自治区有博士学位授予单位 2 个，硕士学位授予单位 8 个，博士、硕士一级学科 1 个，博士点 14 个，硕士点 152 个，在校研究生 1 539 人。

表 5－8 2000 年博士、硕士学位点情况统计表

	博士单位	硕士单位	一级学科博士点	博士点	一级学科硕士点	硕士点
内蒙古大学	*	*		6		38

防兽医学　16. 临床兽医学　17. 林木遗传育种　18. 森林培育　19. 森林经理学　20. 农业经济管理

博士学位点：1. 畜牧学　2. 草业科学　3. 动物营养与饲料科学　4. 动物遗传学　5. 农业机械化工程　6. 农业水土工程　7. 水土保持与荒漠化防治　8. 基础兽医学

内蒙古工业大学（19）

硕士学位点：1. 计算数学　2. 机械电子工程　3. 材料学　4. 动力机械及工程　5. 流体机械及工程　6. 电力电子与电力传动　7. 控制理论与控制工程　8. 检测技术与自动化装置　9. 计算机应用技术　10. 建筑设计及其理论　11. 岩土工程　12. 应用化学　13. 管理科学与工程　14. 企业管理（含：财务管理、市场营销、人力资源管理）

博士学位点：1. 固体力学　2. 机械设计及理论　3. 材料加工工程　4. 热能工程　5. 化学工艺

内蒙古师范大学（31）

硕士学位点：1. 马克思主义哲学　2. 逻辑学　3. 政治经济学　4. 马克思主义理论与思想政治教育　5. 民俗学（含：中国民间文学）　6. 中国少数民族经济　7. 中国少数民族史　8. 中国少数民族艺术　9. 教育学原理　10. 教育技术学　11. 发展与教育心理学　12. 体育教育训练学 13. 文艺学　14. 汉语言文字学　15. 中国古代文学　16. 中国现当代文学　17. 比较文学与世界文学　18. 俄语语言文学　19. 音乐学　20. 美术学　21. 设计艺术学　22. 历史文献学（含：敦煌学、古文字学）　23. 专门史　24. 基础数学　25. 应用数学　26. 植物学

博士学位点：1. 动物学　2. 科学技术史　3. 人文地理学　4. 中国少数民族语言文学（蒙古语族）　5. 课程与教学论

包头钢铁学院（8）

硕士学位点：1. 工程力学 2. 机械电子工程 3. 材料加工工程 4. 热能工程 5. 结构工程 6. 采矿工程

博士学位点：1. 钢铁冶金 2. 控制理论与控制工程

内蒙古医学院（16）

硕士学位点：1. 生理学 2. 人体解剖与组织胚胎学 3. 免疫学 4. 内科学 5. 儿科学 6. 皮肤病与性病学 7. 影像医学与核医学 8. 妇产科学 9. 耳鼻咽喉科学 10. 中医临床基础 11. 中医医史文献 12. 民族医学 13. 药物化学 14. 药理学

博士学位点：1. 病理学与病理生理学 2. 眼科学

包头医学院（3）

硕士学位点：1. 生物化学与分子生物学 2. 人体解剖与组织胚胎学 3. 内科学

内蒙古民族大学（7）

硕士学位点：1. 中国古代文学 2. 中国少数民族语言文学（蒙古语族） 3. 有机化学 4. 作物栽培学与耕作学

博士学位点：1. 民族医学 2. 世界史 3. 理论物理

第三节 民族教育

内蒙古自治区是以蒙古族为主体，汉族人口占多数，又有达斡尔族、鄂温克族、鄂伦春族、回族、满族和朝鲜族等其他少数民族的多民族地区。蒙古族和达斡尔族、鄂温克族、鄂伦春族等少数民族的教育是内蒙古自治区教育事业的重要组成部分，是反映民族区域自治的重要标志之一。半个多世纪以来，以蒙古族教育为主要内容的少数民族教育事业得到了巨大发展，成为内蒙古自治区社会发展的一个亮点。

一、民族教育的发展历程

（一）民族教育起步和发展的时期（1947—1957 年）

1947 年 5 月 1 日，内蒙古自治政府成立时，设置文化教育部，部长由政府副主席哈丰阿兼任。1948 年文化教育部改称教育部。1949 年召开了自治区教育工作会议。1954 年召开了第一次全区民族教育工作会议，确定了发展民族教育的基本方针和任务，制定了一系列具体政策和措施，提出了“学校教育为少数民族开门”、“优先、重点”发展民族教育的方针政策和“集中办学”的牧区办学方案，促使自治区民族教育蓬勃发展。

1947 年，全区只有 4 所民族中学，其中 1 所蒙古族中学，3 所蒙汉合校，有在校少数民族中学生 524 人。民族小学 377 所，在校生 2.25 万人。民族中学专任教师 26 人，小学教师 912 人。到自治区成立十周年前夕的 1957 年上学期，全区民族小学发展到 1 695 所，民族小学在校生达 11.87 万人，比 1947 年各增长 3.5 倍和 4.2 倍；民族中学增加到 22 所，民族中学在校生达 13 700 多人，比 1947 年分别增长 4.5 倍和 25 倍多。民族中小学专任教师分别达到 515 人和 4 894 人，各比 1947 年增长 18.8 倍和 4.3 倍。1947—1957 年期间，自治区共建立了 15 所中等技术学校和 9 所中等师范学校，有少数民族在校生 2 655 人（其中中师生 1 323 人）；9 所师范学校中，有两所民族师范。全区中专（含中师）有少数民族教师 144 人，其中蒙古族 110 人，其他少数民族 34 人。1952 年创建的内蒙古师范学院，是解放后党和国家在少数民族地区建立的第一所民族高等师范院校。建校初期，有三个蒙语授课的科，即文史科、数理科和生化科，学制三年；少数民族学生达 163 人。这期间还成立了内蒙古畜牧学院和内蒙古医学院，开设具有民族教育内容的系和专业。1957 年，内蒙古大学成立，自治区主席乌兰夫兼任校长，不仅设有蒙古语言文学系，各个系还招收 30% 左右的少数民族学生。1957 年，自治区普通高等学校在校少数民族学生达到 898 人，其中蒙古族 785 人，其他少数民族学生 113 人；用蒙古语授课的本专科学生有 264 人；本专科有少数民族教师 105 人，其中蒙古族教师 81 人，其他少数民族教师 24 人。①

（二）民族教育曲折发展的时期（1958—1966 年）

1958 年 5 月，中国共产党第八次全国代表大会第二次会议上提出了鼓足干劲，力争上游，多快好省地建设社会主义的总路线，随即形成了“大

① 内蒙古自治区教育成就编委会编：《内蒙古自治区教育成就统计资料》（1947—1997），内蒙古教育出版社 1997 年版，第 39—45、56—59 页。

跃进”和人民公社化运动。教育战线上，掀起了全党全民大办教育的高潮，出现了不顾客观条件、脱离实际、各类学校一哄而上的局面。特别是在人民公社化运动中，把原有的农村中小学下放到人民公社，全区很快办起了许多小学、农业中学、农业技术学校。截至 1965 年，民族小学从 1957 年的 1 695 所（蒙校 1 337 所，含蒙汉合校 247 所，其他少数民族学校 111 所）增加到 3 795 所（蒙校 2 978 所，蒙汉合校 651 所，其他民族学校 166 所）；民族中学从 20 所（蒙中 13 所，蒙汉合校 2 所，其他少数民族学校 5 所）增加到 72 所（蒙中 35 所，蒙汉合校 32 所，其他少数民族学校 5 所）；全区中专从 24 所（含中师）增加到 164 所；民族职业中学从 27 所增加到 83 所；普通高等学校从 1957 年的 4 所猛增到 1960 年的 31 所。① 群众和厂矿企业办的小学也由原来的 1 110 所增加到 6 309 所，厂矿办起了 2 571 所职工学校，43 万职工参加业余学习，从 1958 年到 1960 年，两年共扫除文盲 172 万人，是自治区 1957 年的 3.4 倍，97% 的青壮年参加文化学习……②以上一些数字虽受了浮夸风的影响，但也确实反映了当时浮夸冒进的情况。这种大干快上的“教育革命”，超越了经济发展速度，使教育发展与经济发展比例失调，尤其是发动师生停课参加大炼钢铁及各种政治、生产等运动，打乱了正常教学秩序，违背了教育规律，无法保证教育质量，对民族教育特别是对民族语文授课、民族教材编写、民族教师队伍建设的影响也很大。

1958 年“大跃进”和“教育大革命”的“左”的错误，从 1960 年底开始纠正。1960 年 11 月，中央文教小组召开全国文教工作会议，检查批评了文教战线的“五风”即共产风、浮夸风、强迫命令风、干部特殊风、瞎指挥风，集中研究如何在教育工作中贯彻执行“调整、巩固、充实、提高”八字方针。内蒙古自治区迅速贯彻会议精神，从大专院校到中小学普遍注意全面安排教学与生活，贯彻劳逸结合的原则，恢复正常教学秩序，加强基础训练，提高教育质量。1961 年 9 月，《教育部直属高等学校暂行工作条例》

① 内蒙古自治区教育成就编委会编：《内蒙古自治区教育成就统计资料》（1947—1997），内蒙古教育出版社 1997 年版，第 39—40、13 页。内蒙古自治区统计局编：《辉煌的内蒙古》，中国统计出版社 1999 年版，第 363、364 页。

② 郝维民主编：《内蒙古自治区史》，内蒙古大学出版社 1991 年版，第 276 页。

（即高教60条）颁布试行；1963年3月，中共中央颁布了《全日制小学暂行条例》（即小教40条）和《全日制中学暂行条例》（即中教50条），这些条例分别对大、中、小学的方针、任务、培养目标、管理体制等作了规定。自治区教育战线在认真贯彻这些条例的同时，结合自治区的实际于1964年制定了《内蒙古自治区全日制蒙古族及其他少数民族中小学暂行工作补充条例》（简称《民族教育30条》），规范了各类民族学校的工作，使民族教育事业的恢复调整取得了显著成绩。各高等院校对其结构、层次、布局、领导体制进行了调整改革，逐步建立了教育、科研、生产联合体；普通教育，以教学为主，端正办学思想，加强基础知识和基本训练，同时也纠正了单纯追求升学率的倾向，树立了为社会主义培养具有较高的政治觉悟和文化技术素质的劳动者的目标；教学方法上贯彻“少、精、活”的原则，以减轻学生的过重负担。

民族语文教材建设也有了全面发展，各级各类民族学校全面开展自编教材工作。1960年建立了教育出版社，一年中就编写出了各种教材154种（含教科书、工具书及教学参考书），基本满足了蒙古族中小学对蒙古文教材的需求。内蒙古师范大学也编译出一批蒙文高校教材，包括语文、历史、数学、物理、化学、生物等共26种64册。1962年内蒙古大学清格尔泰先生第一次招收了两名蒙古语言专业研究生，开创了该专业研究生教育的历史。

在教师队伍的建设上，由于内蒙古师范学院和自治区中等师范学校的设立，加快了民族师资队伍建设。1965年，高等学校已有少数民族专任教师306人，中专有少数民族教师337人，普通中学有少数民族教师1 639人，小学已有少数民族教师9 499人。①

这一阶段，内蒙古自治区民族教育在曲折中发展。直到“文化大革命”前，民族教育的办学规模、办学结构、办学层次、办学质量，还是得到了较好的发展。民族小学校数比1956年增加了93.6%，在校少数民族学生增加了82.1%；民族中学增加了4.1倍，在校生增加了1.14倍；在园少数民族幼儿数达到1 185人，增加了82%；民族中等专业学校（含中师）发展到7

① 内蒙古自治区教育成就编委会编：《内蒙古自治区教育成就统计资料》（1947—1997），内蒙古教育出版社1997年版，第66—68页。

所，在校少数民族学生 4 036 人，增长了 84%；高等院校少数民族学生达到 2 125 人，比 1956 年的 366 人增加了 4.8 倍。蒙语授课和加授蒙文的学生数，普通中学从 1956 年的 6 998 人，增加到 1965 年的 16 287 人；小学达到 178 919 人；普通高等院校蒙语授课学生增加到 1965 年的 739 人。1965 年，普通高等学校拥有少数民族专任教师 306 人（其中蒙古族 229 人，其他少数民族 77 人），比 1957 年增加 201 人。①

（三）民族教育在“文化大革命”中的严重破坏（1966—1976 年）

在“文化大革命”的十年浩劫中，民族政策遭受全面破坏，各级各类民族学校被诬蔑为搞民族分裂的“苗圃”、“大本营”，把经过 20 年艰苦奋斗建立起来的全区民族中小学大砍大杀，几乎破坏一空。盟市、旗县的民族中学基本被取消，不少民族小学陷入被迫停办的状态，学校领导和教师受到迫害或被迫改行。自治区首府呼和浩特市，原有蒙古族学校 10 所，一度全部被撤销。当时呼和浩特市中小学有蒙语专任教师 93 人，“文革”中受迫害致死的 3 人，被迫调离的 29 人，改行的 55 人。到 1973 年，全市蒙语专任教师只剩 6 人，为原有教师总数的 6.4%。蒙语授课学生一度只占全市蒙古族学生总数的 1.7%。② 其他盟市也和呼和浩特市大体相同。专门编译出版中小学蒙文教材的内蒙古教育出版社也被强令停办。

特别需要指出的是：林彪、江青反革命集团在内蒙古制造的“挖肃”运动，即以挖乌兰夫黑线，肃乌兰夫流毒之名大搞挖“新内人党”的运动，从城市挖到农村，从党政机关挖到学校、厂矿，各级各类学校的书记、校长，甚至教师，尤其是蒙古族，大多数被打成“新内人党”分子，受到严重迫害，许多民族教育工作者被致残致死。

1969 年，自治区东部的哲里木、昭乌达、呼伦贝尔 3 盟和西部的阿拉善左旗、右旗及额济纳旗，分别划归辽宁、吉林、黑龙江、甘肃和宁夏 5 省、区。当时的自治区范围内，教育统计工作处于停滞状态，教育状况尚无准确的统计数据。仅有蒙汉合校的高等学校，1970 年是 3 所，到 1975 年为

---

① 内蒙古自治区教育成就编委会编：《内蒙古自治区教育成就统计资料》（1947—1997），内蒙古教育出版社 1997 年版，第 39、41、56—59 页。

② 呼和浩特市教育统计。

5 所。中等专业学校和普通中学无据可查。1965 年和 1975 年，蒙古族小学是 2 978 所和 3 029 所；蒙汉合校为 651 所和 784 所，其他少数民族学校为 166 所和 126 所。[①] 1965、1970、1975 这 3 年，每年各类学校中的少数民族在校学生和蒙古族在校学生分别是 290 919 名和 249 491 名，251 666 名和 218 099 名，484 521 名和 427 543 名。1965 年和 1975 年高等学校的少数民族在校学生分别是 2 127 名和 1 494 名，其中蒙古族在校学生为 1 780 名 1 269 名；普通中等学校少数民族在校学生为 26 353 名和 110 763 名，其中蒙古族在校学生为 20 261 名和 92 800 名；小学少数民族在校学生为 256 206 名和 372 264 名，其中蒙古族在校学生为 220 331 名和 333 474 名。[②] 上述学校和学生这两组数据的变化表明，从 1966 年至 1974 年的 9 年间，民族教育全部停顿，直至 1975 年整顿教育，学校复课以后，民族教育才得以恢复，这是“文革”对民族教育破坏的见证。

（四）民族教育全面恢复，迅速发展时期（1976—2000 年）

经过揭批“四人帮”，清除其在教育战线上的流毒，拨乱反正，落实党的民族政策，民族教育逐步恢复。特别是在中央提出科教兴国和百年大计、教育为本的战略任务后，内蒙古自治区的民族教育的发展进入了又一个“黄金时期”。

1978 年 12 月党的十一届三中全会以后，内蒙古的民族教育事业重新获得生机与活力。1979 年 8 月，内蒙古自治区教育局召开了全区民族学校教学工作会议，会议研究讨论了如何从民族学校实际和特点出发，有效地提高质量，并制订一系列计划措施，以实现全区教育工作会议上提出的民族教育奋斗目标。

1980 年，经国务院批准，教育部和国家民委联合发出《关于加强民族教育工作的意见》，对全国少数民族教育工作提出拨乱反正、恢复和发展民族教育的具体意见。同年，内蒙古自治区人民政府批转了教育厅《关于恢复和发展民族教育的几点意见的报告》，指出：“抓好普及小学五年义务教育，在三、五年内，牧区小学要争取达到全部由国家办。人、财、物的使用

① 内蒙古自治区统计局编：《辉煌的内蒙古》，中国统计出版社 1999 年版，第 363 页。

② 内蒙古自治区统计局编：《辉煌的内蒙古》，中国统计出版社 1999 年版，第 364 页。

必须体现牧区普及小学教育这个重点。优先安排各项民族教育补助费，要专款专用，保证办学的需要。”“积极恢复和发展中学教育，教学仪器设备要优先供应民族重点中学和民族师范学校。”“调整大专院校的民族学生招生的比例，原定区内的高等学校录取少数民族学生不少于招生总数的百分之十五的规定，已不适应变化了的情况（指自治区恢复原行政区后，少数民族人口比例从7%增加到13%）。”① 1982年《自治区党委书记办公会议纪要》规定，在区内高等院校招生中，蒙古族及其他少数民族新生的录取比例占招生总数的20%以上、25%以下为宜。蒙语授课考生，单独制定最低录取分数线，对汉语授课少数民族考生，适当降分录取。对达斡尔族、鄂温克族、鄂伦春族和朝鲜、回族、满族考生，根据不同情况加以照顾。对三个自治旗内的“三少”民族考生降分幅度更大。同时对中等专业学校招收录取少数民族考生的比例，也作出相应规定。② 1980年12月，内蒙古自治区文教办公室和教育厅联合发出了《关于加强和改善鄂伦春、鄂温克、莫力达瓦达斡尔自治旗民族教育工作的报告》,对自治区内这三个少数民族教育提出了十项加强意见。③ 贯彻上述方针政策与具体措施，使内蒙古的民族教育开始全面恢复。

1981年召开的第三次全国民族教育工作会议，是全国民族教育全面恢复发展的重要标志。会议充分肯定了新中国成立以来党和政府在发展少数民族教育方面所采取的特殊政策措施，彻底肃清了“文化大革命”期间林彪、“四人帮”等对党的民族政策及民族教育方针措施的严重破坏，为全国少数民族教育的逐步恢复和进一步发展提出了许多明确的指示。指出：“发展民族教育必须从少数民族地区的实际出发，充分注意和尊重民族特点、地区特点、注意把社会主义内容和民族形式正确地结合起来，使我国的民族教育成为中国社会主义教育体系的一个重要组成部分。‘文化大革命’以前特别是

---

① 乌兰图克、齐桂芝主编：《内蒙古自治区民族教育文集》,内蒙古大学出版社1990年版，第80—83页。

② 中共内蒙古自治区委员会文件：《内蒙古自治区党委办公会议纪要》（内党办发［1982］29号),《内蒙古自治区民族教育文集》,内蒙古大学出版社1990年版，第230页。

③ 乌兰图克、齐桂芝主编：《内蒙古自治区民族教育文集》,内蒙古大学出版社1990年版，第97页。

新中国成立初期，民族教育之所以发展较快，重要原因之一就是注意从少数民族地区特点出发，采取了不同于汉族地区的许多特殊措施。这个经验值得我们认真吸取。”还指出：“在我们这样一个人口众多，经济不发达的大国，发展教育，国家支持是很重要的条件。发展民族教育，仍然需要国家和地方继续采取特殊措施，在人力、财力、物力上给予重点扶持。”① 会议上国家民委胡嘉宾副主任说：“实践证明，发展民族教育，必须认真贯彻执行党的民族政策，切实尊重和充分保障少数民族在政治上、经济上、文化教育上的民族平等权利和民族自治权利，必须从各民族的实际出发，不能照搬汉族地区的做法，也不能在各少数民族之间搞一刀切。同时，国家应该采取特殊措施，重点扶持民族教育，逐步建立适合民族地区特点的教育体系。”正如当时教育部张承先副部长所讲，“这次会议对民族教育应该是历史性的转折”，② 这次会议对内蒙古民族教育的恢复和发展起到了极为重要的指导作用。

会后，内蒙古自治区教育厅发出《关于认真学习全国第三次民族教育工作会议文件的通知》和《全国第三次民族教育工作会议传达提纲》，③要求各盟市旗县教育局、各个厂矿企业教育处，认真学习和领会会议精神，结合本地区民族教育的实际，研究制定如何贯彻落实会议精神的具体方案。1982年，自治区教育厅向各盟市旗县下发的民族教育工作要点中做了进一步的部署，对达斡尔、鄂温克、鄂伦春三个自治旗提出：“首先要安排好本旗主体民族的教育，在办学需要上要保证这个重点。同时要抓好自治区内其他少数民族的重点中小学，使区内其他少数民族教育在较短的时间内，从数量和质量上都能有较大的发展和提高。”1984年颁布的《中华人民共和国民族区域自治法》第三十七条中规定：“民族自治地方的自治机关可以为少数民族牧区和经济困难、居住分散的少数民族山区，设立以寄宿制为主和助学金为主的公办小学和中学。”这就是“两主一公”办学方针。1985年内蒙古自治区

① 夏铸、哈经雄、阿布都·吾寿尔主编：《中国民族教育50年》，红旗出版社1999年版，第11页。
② 夏铸、哈经雄、阿布都·吾寿尔主编：《中国民族教育50年》，第11页。
③ 乌兰图克、齐桂芝主编：《内蒙古自治区民族教育文集》，内蒙古大学出版社1990年版，第148—149页。

教育厅发出的《关于贯彻落实全区第二次牧区工作会议精神的意见》中强调指出："各牧区旗县要认真执行国家民族区域自治法。"[①] 1986年4月，自治区政府在赤峰市召开了主席办公会议，会议上提出用两三年时间着力改善民族小学的办学条件，要使全区430个牧区、半农半牧区苏木中心学校逐步实现"两主一公"建设要求。此后，自治区教育厅、计委先后联合召开三次"两主一公"建设现场会。通过"两主一公"学校建设，大大改善了牧区、半农半牧区小学办学条件，使民族基础教育硬件建设上了一个新台阶。

1985年以后，根据《中共中央关于教育体制改革的决定》精神，内蒙古民族教育管理体制进行了相应的改革，民族基础教育实行"地方负责，分级管理"的原则，仍然坚持"优先、重点"发展民族教育的政策措施。1985年召开的全区民族教育研究会第二次年会，着重研究落实民族教育管理体制的改革与统筹领导问题。在教育体制改革过程中，为确保民族教育质量的不断提高，1986年自治区教育厅组织召开了全区牧区小学管理、改革与经验交流会，提出了《提高民族教育质量的意见》。同时，自治区教育厅组织专人到基层进行调查研究，并总结自治区成立40年来的经验，在原有《全日制蒙古族及其他少数民族中小学暂行工作补充条例》的基础上，拟定了《内蒙古自治区民族教育工作条例》和《内蒙古自治区民族教育改革实施细则》。于1986年8月11日，向自治区人民政府作了报告。1988年1月20日，成立了内蒙古自治区少数民族教育事业发展基金会。同年，自治区第七届人民代表大会第二次会议通过了《内蒙古自治区实施〈中华人民共和国义务教育法〉办法》，该办法中规定："民族教育是自治区教育的重点，各级人民政府要在经费、编制、师资、校舍、设备、教材等方面，保证蒙古族和其他少数民族义务教育的优先发展。"这样，改革开放以后，"优先、重点"发展民族教育的政策措施不仅没有削弱，而且借助《中华人民共和国义务教育法》的颁布实施，以法律法规的形式加以巩固。这是20世纪80年代内蒙古民族教育迅速发展的重要保障。

1992年3月，召开了第四次全国民族教育工作会议，会上中共中央政治局委员、国务委员兼国家教委主任李铁映在讲话中指出："各地党委和政

---

① 参见《中华人民共和国民族区域自治法》有关民族教育的条款。

府的主要领导，特别是民族区域自治地方的主要领导同志，要亲自过问民族教育工作，把民族教育纳入当地经济和社会发展的总体规划，摆在优先发展的战略地位。"① 会后，国家教委制定并印发了《全国民族教育发展与改革纲要（试行）（1992年—2000年）》指出："各级政府把民族教育的改革与发展放在重点、优先的战略位置，纳入当地经济社会发展的总体规划，列为各级政府主要负责人的任期目标责任制，作为政绩考核的一项重要内容，并贯彻始终。"②

内蒙古自治区政府及教育行政部门为贯彻《全国民族教育发展与改革纲要》精神，开展了一系列工作，制定了自治区发展民族教育的相应措施。1993年召开了分管民族教育的盟市长、教育处局长参加的民族教育工作座谈会，座谈会上重点讨论了全区民族教育改革和民族教育适应社会发展的需求等问题，明确了对民族教育战略地位和作用的认识，把发展民族教育作为培养少数民族人才，提高少数民族劳动者整体素质，振兴民族地区科技、经济事业的根本大计来抓；同时，还采取一些特殊的强有力的政策和措施，在民族教育的经费投入、办学条件、师资配备、领导管理等方面给予大力支持。此后，自治区在安排教育经费时一如既往地对民族教育作了适当倾斜。1995年，自治区政府召开了全区教育工作会议，自治区政府主席乌力吉在讲话中指出："要优先发展少数民族教育。民族教育在我区教育中占有重要地位，必须给予重视和加强。""每年从民族地区5%的民族机动金中拿出10%（120万元），用于民族教育事业。"③ 据此，自治区教育厅多次专门组织力量深入基层调查研究，还组织全区民族教育处处长、科长、民族中小学校长到发达地区及区外少数民族省区进行参观学习；在此基础上拟订了《内蒙古自治区民族教育改革与发展实施意见》，并于1996年召开全区民族教育改革理论研讨暨经验交流会，着重研究探讨了民族教育适应市场经济体制的新要求，更好地为自治区经济建设和社会发展服务等问题，为深入进行

① 夏铸、哈经雄、阿布都·吾寿尔主编：《中国民族教育50年》，红旗出版社1999年版，第12页。

② 《纲要》，内蒙古自治区教育厅民族教育处编：《内蒙古民族教育工作手册》，内蒙古教育出版社2004年版，第72页。

③ 夏铸、哈经雄、阿布都·吾寿尔主编：《中国民族教育50年》，红旗出版社1999年版，第13页。

民族教育体制改革和不断发展民族教育，从思想上、理论上和方针政策等方面提高了认识，为促进自治区民族教育的发展起到了重要的作用。

在改革开放的20多年里，内蒙古民族教育的发展变化，可以概括为：各级各类民族学校的办学规模进一步扩大，办学条件进一步改善，办学效益、教育质量进一步提高，办学体系进一步健全和完善；建立了从幼儿教育到高等教育，从普通教育到专业教育、职业教育、成人教育的民族教育体系。截至2000年，全区已有少数民族幼儿园100多所，在园幼儿2.4万人、少数民族学前班儿童4.1万人；民族小学校2 002所，其中蒙校1 480所、蒙汉合校385所、其他少数民族学校137所，在校少数民族学生41.7万人，学龄儿童入学率达到99%；民族中学313所，其中蒙校199所、蒙汉合校95所、其他少数民族学校19所，在校生29万人；普通中等专业学校在校少数民族学生2.8万人；职业中学2.9万人；普通高等学校在校少数民族学生1.6万人，其中少数民族博士生45人，硕士生217人。这是新时期民族教育蓬勃发展的具体体现，是改革开放带来民族教育兴旺发达的重要标志。①

二、民族教育的主要成就

（一）培养了大批人才，提高了民族素质

从1947年内蒙古自治区成立到2000年，半个多世纪以来，内蒙古的民族教育，尤其是蒙古族教育取得了辉煌的成就。全区普通大中专院校培养了约10万名以少数民族为主的少数民族中高级人才，其中有5万多人成为各级领导干部或专业技术骨干力量。据2001年统计，在普通高等院校有蒙古族专任教师2 000多名，其中蒙古语授课教师800多名，蒙古族教师占全区高校专任教师的25.5%。全区普通中小学为自治区培养了少数民族有文化的劳动者达360万人，其中有60%具有初高中文化程度，他们遍布生产劳动和其他工作第一线，是自治区社会主义现代化建设的生力军。② 自治区蒙

① 内蒙古自治区教育厅发展规划处编：《内蒙古自治区2000/2001学年初教育统计提要》,2001年内部印行，第13—15、46页。

② 内蒙古自治区教育成就编委会编：《内蒙古自治区教育成就统计资料》（1947—1997），内蒙古教育出版社1997年版，第32页；内蒙古自治区教育厅发展规划处编：《内蒙古自治区2000/2001学年初教育统计提要》,2001年内部印行，第78页。

古族教育的规模，同50年前相比，已经发生了巨大的变化，从1947年只有14名中师、6名高中、400名初中、2万名小学蒙古族在校生，到2000年达到各级各类学校齐全，基本能满足蒙古族青少年就学需要的完整体系。2000年，内蒙古自治区已经有各级各类学校蒙古族在校生729 571人。其中接受普通本专科教育大学在校生13 534人，占全区同类学生的19.3%（研究生436人，占全区同类教育的28.3%）；接受普通中等专业教育的22 512人，占全区同类教育的21.2%；接受中等职业教育的25 136人，占全区同类教育的12.1%；接受普通中学教育的240 538人，占同类教育的18.4%；接受初等教育的360 809人，占同类教育的17.9%；接受幼儿教育的56 011人，占同类教育的16.7%；接受各级成人学校教育的10 595人，占同类教育的1.0%。① 必须指出的是2000年全区人口为2 375.54万人，其中蒙古族人口为400.6万人，蒙古族人口占全区总人口的16.86%。② 可见，全区各类教育中，除成人教育和中等职业教育以外的各类教育蒙古族学生占同类教育的比重都超过了蒙古族人口占同期全区人口的比重。从自治区蒙古族与全国每万人口平均在校生比较来看，普通高等学校、普通中专、职业中学的每万人口中，蒙古族学生均超过全国、全区每万人口中平均在校生。如下表：

表5-9　内蒙古蒙古族与全国每万人口平均在校生比较

民族 / 学校类别	各民族总计			蒙古族	
	在校生	每万人口平均		在校生	每万人口平均
		内蒙古	全国		
普通高校	70 428	29.82	33.64	13 534	34.07
普通中专	106 407	45.05	38.88	22 512	56.67
职业中学	207 600	87.89	39.97	25 136	63.27
普通高中	266 394	112.79	95.41	48 088	121.05
普通初中	1 040 857	440.85	489.85	192 450	484.44

① 内蒙古自治区教育厅发展规划处编：《内蒙古自治区2000/2001学年初教育统计提要》，2001年内部印行，第104—106页。

② 内蒙古自治区统计局编：《内蒙古统计年鉴》（2011），中国统计出版社2001年版，第144—148页。

（续表）

学校类别＼民族	各民族总计			蒙古族	
	在校生	每万人口平均		在校生	每万人口平均
		内蒙古	全国		
小学	2 015 076	853.15	1 033.54	360 809	908.24
幼儿园	335 667	142.12	178.24	56 011	140.99

全区人口数摘自2000年《内蒙古统计年鉴》。

（二）建成了完整的民族教育体系

自治区成立后的五十多年来，民族教育虽然受到“左”的政策的影响以及“文化大革命”的破坏，但在中国共产党的领导下，党的民族政策的光辉照耀下，仍然取得了很大的成绩，建立健全了从幼儿教育到高等教育，从普通教育到专业教育、成人教育的完整体系。

民族基础教育网络化 民族幼儿园由自治区成立初期1947年的几所发展到了上百所，少数民族聚居的旗县所在地普遍设立了民族幼儿园，部分苏木也办起了民族幼儿园，绝大部分蒙语授课小学都附设了学前班。有些牧区还试办了流动幼儿园，在天气暖和的季节把幼儿集中起来，过一过集体生活，让牧区的幼儿接受早期教育，结识新朋友，取得了良好的效果。流动幼儿园是符合民族地区，尤其是牧区特点的一种幼儿教育形式。目前民族幼儿园辐射面在逐步扩大，民族幼儿教育已引起了各部门的广泛重视，广大牧民也认识到儿童早期教育的重要性。民族幼儿园教育教学秩序逐步规范化，师资力量不断增强，教材建设逐见成效。

遍布全区牧区、城镇、农村的2 002所民族小学（蒙校1 480所、蒙汉合校385所、其他少数民族小学校137所），313所民族中学（蒙校199年、蒙汉合校95年、其他少数民族学校19所），形成了良好的民族基础教育网络，对少数民族青少年进行基础教育。

随着《中华人民共和国义务教育法》的颁布实施和内蒙古自治区义务教育工程的全面启动，民族中小学教学条件有了明显的改善，出现了草原上最好的房屋是学校校舍的喜人景象。学校布局进一步合理化，进行了多种形式的集中办学试点，撤并了过于分散的教学点，加强了民族学校管理，扩大了民族学校规模，提高了效益，使得民族基础教育教学质量有了很大的改善。

民族职业教育形成规模　职业教育是教育体系中的重要组成部分。自治区成立以来，民族职业教育从无到有几经反复地发展起来。1958年，为贯彻中央关于普通教育与职业教育同时并举的方针而起步，最初办起的15所民族职业中学，有2 010名学生；1963年，为纠正大跃进之风，贯彻“调整、巩固、充实、提高”的八字方针，只保留了1所，在校生只剩219人；1965年，由于贯彻“两种劳动制度和两种教育制度”的指示，自治区又办起81所民族职业中学，在校生达到3 892人；但由于“文化大革命”中错误地批判了“两种劳动制度和两种教育制度”，全区职业教育彻底崩溃，没剩一所职业中学。改革开放后，自治区职业教育进入了稳步发展的轨道。1985年，《中共中央关于教育体制改革的决定》下达后，蒙古族职业中学达到23所，在校少数民族学生有7 600多人。但民族职业教育仍是整个教育体系中最为薄弱的一环。《中国教育改革和发展纲要》下达后，自治区为发展民族职业教育，提出把一部分蒙古族普通高中改成职业高中；在普通蒙古族中学，增办职业班，增设职业课，使大部分普通中学在校生都接受一两门职业技术教育，毕业后为农村牧区服务。为鼓励学生上职业中学，自治区还规定了普通高等学校每年必须从职业高中毕业生中降分录取一定数量的学生；派遣职业中学教师到日本公费留学等相关政策。通过中等教育结构改革和一系列政策引导。到1996年，自治区已有44所蒙古族职业中学，在校少数民族学生达到18 300多人，2000年增加到25 000多人，民族职业教育形成了与普通教育相互衔接、相互沟通、多层次、多规格、多形式的职业教育体系。1998年后，86所普通中等专业技术学校有17所扩建成职业技术学院，使全区职业技术教育规模更加宏大，体系更加完整。

民族中高等教育特点鲜明结构合理　内蒙古自治区成立初期20年间民族教育在整体上有了较大发展，与解放前相比发生了翻天覆地的变化。但是，民族中高等教育的发展尚属起步阶段。党的十一届三中全会以后，全区民族中高等教育才有了全面而快速的发展，并且以蒙语授课为其主要特点。20世纪五六十年代只有几所中等专业学校和少数高校招收蒙语授课学生。进入20世纪80年代以后，全区一百多所中等专业学校中有44所学校先后设置过民族班。2000 年共有少数民族学生 2.8 万人，在校蒙语授课学生 5 千多人。全区 19 所高等学校中已有 13 所普通高校 30 多个专业设蒙语授课专业或民族班，在校少数民族学生 1.6 万人，在校蒙语授课学生近 4 千人；在校少数民族博士、硕士研究生 372 人，其中蒙语授课博士、硕士研究生 78 人。①

民族中高等教育布局和专业结构基本合理，自治区教育部门对民族语言文学、民族历史、民族医学以及数理化等长线专业采取适当控制使其稳步发展，同时根据民族地区市场经济体制建立的新要求，采取灵活多样的形式加速培养财经、理工、管理、法律、外语等专业的少数民族人才。内蒙古大学、内蒙古医学院、内蒙古工业大学等采取民族预科班形式，使蒙语授课学生利用一年的时间打好汉语文、外语及其他文化课基础，第二年分到各汉语授课专业，以弥补蒙语授课专业之空缺，也有部分学生能直接考入汉语授课专业。

内蒙古大学于 1997 年 11 月进入国家“211 工程”重点建设，其蒙古语言文学以雄厚的教学、科研队伍及资料、信息基础被列为国家级重点学科，成为内蒙古大学“211 工程”建设重点项目。内蒙古大学成立了蒙古学研究院，成为全国、乃至世界蒙古学研究中心，先后成功地召开了 4 次国际蒙古学学术研讨会，率先利用计算机进行蒙语文信息处理，研制成功了几种蒙文应用软件，建立了世界上最大的蒙语文数据库。每年招收蒙古语文基地班，专门培养高素质的蒙古语文文学专业人才，为民族文化教育的繁荣发展输送着强有力的后备军。此外，“试管羊之父”旭日干是内蒙古唯一的中国工程院院士，任内蒙古大学校长，他本人及其“动物研究中心”的多项研究成果，大部分转化为现实生产力，为内蒙古畜牧业发展发挥着重要作用。

在并轨招生、自主择业的高校体制改革中，内蒙古自治区政府对少数民族学生采取了“高中阶段蒙语授课的学生升入区内高校以后免缴学费”

---

① 内蒙古自治区教育成就编委会编：《内蒙古教育成就统计资料》（1947—1997），内蒙古教育出版社 1997 年版，第 39—40 页；内蒙古自治区教育厅发展规划处编：《内蒙古自治区 2000/2001 学年初教育统计提要》，2001 年内部印行，第 13—15 页。

等一系列倾斜政策，在新形势下有力地巩固和发展了民族高等教育。总之，全区民族中高等教育专业结构日趋合理，形式灵活多样，师资和科研队伍日渐壮大，为民族地区经济建设培养出足够数量和质量的少数民族人才。

各级各类民族成人教育均衡发展

1. 扫盲教育　在20世纪50年代，农村、牧区以冬闲时间的扫盲班、识字班、夜校为主要办学形式，城镇以业余学校、速成识字班、文化补习学校为主要形式进行扫盲。其对象为15—45岁的青壮年，以认识1 500个汉字为主要内容，牧区以认识蒙文字母、能区分音节、会拼读字、词、句为内容，并使其获得阅读、写作和简单计算能力。到1957年，自治区成立10周年时，蒙古族大部分群众已脱盲。“文化大革命”期间，扫盲工作停顿，复盲情况严重，又产生了新一代文盲。1978年党的十一届三中全会后，全区实行教育工作行政领导责任制，各级政府层层签定奖惩合同，加上联合国教科文组织的资助，培养了配备了1 200名扫盲专职人员。1988年，首先有7个盟市、62个旗县完成扫盲任务；1990年，全区有89个农牧业旗县达到基本扫除文盲标准；到20世纪末，全区文盲、半文盲已从自治区成立初期的90%下降到15%以下；21世纪初，由于有20个旗县接受世行贷款，自治区执行了两期“国家贫困地区义务教育工程”项目，自治区大部分旗县实现了两基（基本普及九年义务教育，基本扫除文盲）。

2. 民族中等成人教育　对农村、牧区的基本扫除文盲的农牧民，从20世纪80年代开始，主要通过“燎原计划”、绿色证书制度和县（旗）、乡（苏木）和村（嘎查）三级办学等形式，对农牧民进行适应生产、生活和致富急需的培训，使他们学会种植、养殖、加工等一技之长，同时结合进行道德、理想、政策、法规等教育，以提高农牧民的素质。在此期间，自治区政府，适时地提出并实施了为全区300万农牧户每户培养一名家庭技术员的奋斗目标，有力地促进了农村、牧区成人中等教育。对城镇、厂矿企业职工和在职小学教师的中等成人教育，主要通过职工中专、干部中专、广播电视中专、中师函授、中小学教师合格证书制度等形式进行。到2000年，全区城乡已有成人中专118所，教职工达6 388人，在校生3.48万人，其中少数民族近9 000人。在全区59所教师进修学校中，少数民族比例较高的旗县教师进修学校对培养、提高蒙语授课小学教师起到很大作用。①

3. 民族高等成人教育　内蒙古自治区民族成人高等教育始于1957年，1979年以后形成规模，主要有独立设置的高校和高校附设的函授、夜大学。成人高校中蒙古族学生主要分布在独立设置的广播电视大学、教育学院，也有少部分在职工高等学校和管理干部学院。成人高校蒙古族在校生，1957年仅有8人，1965年也只有294人，1980年达到2 752人，1986年后达到4 000人以上。1988年在全区22所成人高校中，设有蒙古语授课专业的学校有7所。在成人高等学校2.15万名在校生中，少数民族在校生共5 160名，其中蒙古族4 452人（1966年，成人高校在校少数民族学生达到6 689人，少数民族专任教师460人），其他少数民族学生708人。成人高等学校4 001名教职工中，有少数民族教职工838人，其中蒙古族650人，其他少数民族188人；2 057名专任教师中，有少数民族专任教师430人，其中蒙古族337人，其他少数民族93人。2000年，由于对普通高校、普通中专和成人高校、职工大中专学校进行了合并，成人大专院校在校生人数又有了较大幅度的提高。据教育统计提要，2000年全区成人高等教育包括成人高等学校和普通高等学校附设函授、夜大和成人脱产班的在校学生总数达到52 473人，其中少数民族在校生、蒙古族学生、其他少数民族学生分别增至4 364人、3 830人和534人。②

（三）民族师资队伍不断壮大，民族教材建设卓有成效

自治区成立五十多年来，尤其是改革开放二十多年来，内蒙古民族师资队伍建设取得了可喜的成绩。1981年自治区政府决定蒙文专科学校的师范部重新分离出去，建立独立的内蒙古民族师范学校。全区21所师范学校中，有4所纯蒙语授课学校、4所蒙汉合设学校，这些民族师范学校专门为民族小学培养合格的师资，为普及义务教育、提高民族基础教育质量起着极为关键的作用。内蒙古师范大学、内蒙古民族师范学院、内蒙古民族高等专科学

---

① 内蒙古自治区教育成就编委会编：《内蒙古自治区教育成就统计资料》（1947—1996），内蒙古教育出版社1997年版，第308—310页。

② 内蒙古自治区教育成就编委会编：《内蒙古自治区教育成就统计资料》（1947—1996），内蒙古教育出版社1997年版，第297—301、46—47页；内蒙古自治区教育厅发展规划处编：《内蒙古自治区2000/2001学年初教育统计提要》，2001年内部印行，第17页。

校、赤峰民族师范高等专科学校等民族高等师范院校招收蒙语授课专业和民族班，内蒙古教育学院和各盟市教育学院、旗县教师进修学校等都承担着民族中小学师资培训任务。这样，民族师资培养培训网络基本建成，并不断地改善办学条件和提高规模质量，成为民族教育改革和发展的强大后盾。全区蒙语授课小学师资学历合格率达90%，初中师资学历合格率达74%，高中师资学历合格率达70%，均比过去有了很大的提高，蒙语授课高中师资学历合格率和中小学部分学科师资学历合格率还高于全区平均水平。同时，民族中小学师资专业结构不断得到调整和完善，教育教学能力明显提高。

民族中小学校教材建设，经过五十多年的努力，取得了巨大的成绩。尤其是中共十一届三中全会以后，内蒙古教育出版社恢复组建了原有机构，并不断补充新生力量，较圆满地完成各级各类学校使用的蒙古语文教材编辑出版任务。民族中小学各科蒙语文教材不仅供内蒙古地区使用，而且还供黑龙江、吉林、辽宁、河北、甘肃、青海、新疆等省区的蒙古族自治州、县的蒙古族中小学使用，部分教材还被蒙古国学校采纳使用。随着民族教育教学改革的深入进行，民族语文教材建设也在不断地丰富和发展。根据蒙语授课中学开设外语的实际要求，从1998年秋季开始蒙译统编英语教材已供学生使用，这是内蒙古民族语文教材建设史上的一个新篇章。蒙语授课幼儿园使用的全套教材已于1999年秋季开始供学生使用。至此，全区民族中小学、幼儿园各科蒙古语文教材门类已齐全，编辑出版质量也有较大提高。内蒙古民族语文教材建设事业经过五十多年的努力，圆满完成了一个世纪的历史任务，以矫健的步伐跨入21世纪。

大中专蒙文教材建设事业亦取得了可喜的成就。进入20世纪80年代以后，内蒙古自治区高等学校蒙文教材编译委员会和中专、中师蒙文教材编译委员会相继成立，专门负责组织和领导各高等院校和中专、中师蒙文教材的翻译、编审和出版发行、评选等工作。二十多年来为全区，乃至全国高等院校和中专、中师蒙文教材建设事业作出了很大贡献，丰富和发展了民族语文教材建设事业。为了进一步加强大中专蒙文教材建设事业，保证编译质量，1998年自治区教育厅又专门成立了大中专蒙文教材审查办公室，使教材的建设更加规范化。到2000年，内蒙古教育出版社形成了以蒙语文、汉语、自然科学、社会科学为主，蒙汉文地方教材为辅；涵盖学校课程设置的语数外、理化生、史地政、体育、音乐、美术、思想品德教育、环境教育、健康教育等学科；建立健全了从自编到翻译，从幼儿园到中小学以及高等教育、成人教育、职业教育等完备的教材出版体系。截至21世纪初，共研究开发、编辑出版了蒙、汉、俄、日、英等教材图书2 700多种，年出书品种近2 000种，其中有400多种教材图书分别获得国家级、省部级和地区级各种奖励。蒙文教材与图书，不仅供应内蒙古、黑龙江、吉林、辽宁、甘肃、青海、新疆以及北京等地区，还有一部分销往国外。

（四）民族教育改革不断深入，科研成果显著

改革开放以来，民族学校教学改革不断深入，各种教改实验应运而生，有单科教改，也有整体教改；有以学校为单位的教改，有以旗县、盟市为单位的教改，也有自治区统一进行的教改，还有与外省区合作进行的教改等。20年来借助丰富多彩的教改活动为内驱力，内蒙古民族教育质量得到快速提高。

首先，民族学校汉语文教学改革日趋深化。原定蒙语授课小学汉语文从三年级开设，进入20世纪80年代以后，各地区根据社会和经济形势的变化，纷纷改革汉语文起设时间，绝大部分农村牧区蒙语授课小学都提前了汉语文开设时间，有的从二年级开设，有的从一年级开设。

其次，蒙语授课中学外语教学改革虽然起步不太早，但进展很快。以盟市旗县为单位纷纷开展外语教改实验，积极探索蒙语授课学校外语教学的有效途径。2000年全区已有一半的初中和一半多的高中开设了一门外语课程。

每一项改革，都经过实验、试点。从改革项目的提出，到实验、试点、确定、论证，从教师的配备到教材的编译发行，都要投入一定的人、财、物力才能够在全区范围内推广；同时涉及各年级课程设置和学制的改革。为了使蒙语授课学生适应从学习蒙、汉双语过渡到学习蒙、汉、外三语，初中的学制统一改成四年制。改革后，民族教育的教学教育质量得到了提高，培养的人才更适合改革开放的需要。

此外，其他各科教学改革和整个民族教育科学研究都十分活跃，建立了从自治区到盟市、旗县的三级教研网络和三级民族教育研究会。自治区教育科学研究所专设了民族教育研究室，内蒙古师范大学创建了“内蒙古民族

教育研究中心”，自治区教育厅主办的《内蒙古教育》（蒙文版）已有近50年的历史。这些民族教育教学研究机构及其成果，极大地促进了民族教育改革发展和民族教育教学质量的提高。

内蒙古自治区成立五十多年来，特别是改革开放以来，民族教育科研成果显著，在民族教育史领域有《元朝的蒙古教育概况》《清朝蒙古族教育史梗概》等论著；在民族教育实践领域，有《必须高度重视边境牧区的民族教育》《牧区办学问题研究》《民族教育的基本问题》《民族教育论文集》《内蒙古农牧区民族职业技术教育》《内蒙古民族教育概况》《民族教育发展战略概论》《试析内蒙古蒙汉双语教育发展研究》《内蒙古少数民族双语教学》等近千万字的论著。这些论文与专著均在中央和自治区出版部门、学报、期刊上正式出版发行。从理论和实践的结合上，总结和分析了民族教育的成绩、经验和存在问题，使民族教育得以健康发展。

三、民族教育的基本经验和问题

（一）在事业发展上，坚持优先、重点发展民族教育的政策措施

“优先、重点”发展少数民族教育是内蒙古自治区发展少数民族教育的主要政策措施。所谓“重点”是指自治区党委、政府在发展全区各级各类教育事业中，把发展少数民族教育置于重点地位；所谓“优先”是指在确定发展少数民族教育的重点地位的基础上，各级党委、政府在发展少数民族教育所需人力、财力、物力等方面给予优先安排，特殊照顾。内蒙古自治区成立之后，在党的民族政策和教育方针的正确指引下，用马克思主义民族理论，科学地制定和采取了“优先、重点”发展少数民族教育政策措施，为发展全区少数民族教育、缩短少数民族与汉族在文化教育上的差距，起到了重要的作用。自治区成立五十年来的经验证明，由于自治区党委、政府高度重视少数民族教育事业，一贯地贯彻执行“优先、重点”发展少数民族教育的政策措施，全区民族教育以高于全区教育事业发展的速度发展起来，自治区内其他少数民族教育事业以高于蒙古族教育发展的速度发展起来。实践证明，“优先、重点”发展民族教育政策措施是发展少数民族教育的根本保障，也是党的民族政策的重要组成部分。社会主义新时期是各民族共同繁荣发展的时期，民族教育由于历史基础和地区特点以及民族差异等原因，在人

力、财力、物力等方面需要相应的照顾和扶持，只有这样才能达到共同繁荣发展的目的。因此，在社会主义市场经济体制下，仍需坚定不移地贯彻执行“优先、重点”发展民族教育的政策措施。

（二）在学校设置上，坚持从实际出发，因地制宜地设置民族学校

自治区成立初期，为了更好地贯彻落实使用本民族语文授课政策和为了建立较为完整的民族教育体系，采取了因地制宜设置民族学校的办法。根据少数民族学生的语文教学的特殊需要，在蒙古族聚集的牧区、半农半牧区设立蒙古族学校，蒙汉散杂地区和城镇设立了蒙汉合校。这一措施符合了当时民族教育发展的客观实际。所以，自治区成立至“文革”前夕，蒙古族中小学得到快速发展。如 1947 年全区只有 1 所蒙古族中学，到 1965 年增加到 35 所，年均递增率为 21.84%；1947 年全区蒙古族小学 282 所，到 1965 年增加到 2 978 所，年均递增 14.25%。在“文革”期间，这一政策措施遭到严重的破坏，蒙语授课中小学大量被撤并或改为汉语授课学校。党的十一届三中全会以后，经过拨乱反正，落实党的民族政策，使民族语言授课中小学得到了迅速地恢复发展，为蒙语授课民族教育体系的形成，打下了良好的基础。此后，为提高民族教育的规模效益，自治区强调进一步调整学校布局，并要求各级政府，根据少数民族的愿望和要求，设立民族学校，如牧区或民族人口较集中的地区设立蒙语授课学校满足学生、家长的要求；语言条件较差，生源不足地区，采取了因地制宜设立蒙汉合校的措施。实践证明，从实际出发，因地制宜设置民族学校是符合民族特点和地区特点，是正确而成功的措施。

（三）在授课用语的选择上，坚持贯彻党的民族语文政策

对凡懂蒙语的儿童均用蒙语授课，不懂蒙语的蒙古族儿童用汉语授课加授蒙语文。少数民族学校使用本民族语文授课加学汉语文是党和政府一贯实施的发展民族教育的特殊政策措施之一，也是党的民族政策的重要组成部分。早在 1938 年毛泽东同志就指出“尊重少数民族的文化、宗教、习惯，不但不应该强迫他们学习汉语文，而且应赞助他们使用各民族自己语言文字的文化教育”。自治区成立以后，第一次全区教育工作会议就明确指出：“为发展少数民族语言和文字，少数民族学校要用本民族语言文字授课。”以后，党和政府把这一政策用法律的形式固定下来，历届修订的《宪法》

中均明确规定“各民族都有使用和发展自己的语言文字的自由”。历次全国和全区民族教育工作会议上，都把用本民族语文授课作为重要的政策来加以重申和强调。1984 年颁布实行的《中华人民共和国民族区域自治法》中规定：“招收少数民族学生为主的学校，有条件的应当采用少数民族文字的课本，并用少数民族语言讲课；小学高年级或者中学设汉文课程，推广全国通用的普通话。”总之，用本民族语文授课加学汉语文的政策措施和法律法规是发展少数民族教育的最有力的保障。只有坚持用本民族语文授课加学汉语文，才能保证少数民族学生更迅速地掌握科学文化知识，才能培养出蒙汉兼通的人才，才能使少数民族语言文字事业得以繁荣昌盛，才能使整个民族教育事业按其自身的特殊规律顺利地发展起来。

（四）在师资队伍建设上，坚持“师资先行”的方针

自治区成立以后，十分重视民族师资队伍建设事业，注意培养了蒙语授课师资，并制定和采取了许多特殊的政策措施，使民族师资队伍建设事业取得了显著成效。1952 年内蒙古师范学院成立之时，就设立了蒙文部，专门负责蒙语授课师资培养工作。1953 年自治区又设立了蒙文专科学校，并在此后先后创办了几所民族师范学校，专为民族中小学培养蒙语授课师资。改革开放以后，民族师资培养工作更加受到各级党委、政府的重视，各盟市师范学校根据本地区蒙语授课中小学情况，纷纷设立蒙语授课班，1955 年成立了内蒙古民族师范学校，又在伊盟东胜市设立了蒙语授课幼儿师范学校；内蒙古师范大学、民族师院和内蒙古蒙古族师范专科学校等几所民族师范院校大部分学科专业均设立了蒙语授课本专科班和硕士班。至此，蒙语授课师资队伍培训培养网络基本形成。百年大计，教育为本，发展教育，师资先行。只有建立一支数量足、质量高的民族师资队伍，民族教育的改革和发展才有可靠的保障。在民族教育发展过程中始终坚持民族师范教育先行，以师范教育带动和促进整个民族教育发展。

（五）在教材建设上，坚持从民族地区需要出发，设立了专门编译出版各级各类学校蒙文教材的内蒙古教育出版社

自治区成立以后，自治区政府文教部十分重视民族教材建设事业，为发展民族语文教材事业，采取了一系列政策措施，并取得了辉煌的成绩。1947 年内蒙古自治区成立伊始，在其《政府执政纲要》中规定：“推行蒙文报刊

和书籍，研究蒙古历史，在蒙校普及蒙文教材以发展蒙古文化”。1948 年 12 月，自治区政府文教部编纂的初级小学使用的蒙文各科教科书正式出版发行。这是全区解放以后第一套自编的蒙文教材。1950 年文教部完成了全套初高小蒙文教科书编辑工作，并编译了一部分中学蒙文教科书，共出版了蒙文教科书 46 种，达 31 万册，除供给区内民族学校使用外，也供新疆等地区使用。1952 年内蒙古人民出版社成立后，专门设置了教科书编辑室。1960 年在教科书编辑室的基础上，成立了内蒙古教育出版社。内蒙古教育出版社的建立，为自治区民族教育发展起到了重要的推动作用，保证了民族中小学各科蒙文教材的质量和数量以及按时供应。到 1996 年建社 36 年间，教育出版社共出书 1.75 万种，约 13.5 亿册，其中蒙文教材和各种图书 9 000 种，约 1.3 亿册。从蒙文幼儿教材到中小学以及中等师范学校各种教材和学生课外读物、高等学校部分基础课蒙文教材和学生课外读物、蒙文工具书，还有蒙汉文职业中学教材、蒙汉文教育理论书籍以及其他学术著作等。蒙文教材与图书，供应内蒙古、黑龙江、吉林、辽宁、甘肃、青海、新疆以及北京等地区，还有一部分销售于国外。由于有内蒙古教育出版社这一实力强大的教材基地，自治区民族语文教材建设事业蒸蒸日上，大大促进了民族教育的改革和发展。

（六）在办学形式上，坚持了“四结合、四为主”和“两主一公”的办学原则

所谓“四结合、四为主”办学原则是指在民族中小学办学形式上，采取以公办为主、民办与公办相结合，以集中为主、集中与分散相结合，以寄宿为主、寄宿与走读相结合，以全日制为主、全日制与半日制相结合的原则。“四结合、四为主”办学原则是自治区成立初期，在民族中小学办学实践过程中，探索出来的比较符合当时民族教育实际的办学原则。自治区成立之初，民族中小学主要以分散、民办、半日制与走读的形式建成。1953 年 8 月召开的全区第一届牧区小学教育会议上提出了集中办学与以之相应的寄宿制办学的原则。但是 1962 年自治区教育厅提出了《关于牧区试办巡回小学的意见》后，各牧区纷纷办起巡回小学，巡回小学一时盛行，成为当时牧区小学的一种主要办学形式。“文化大革命”中后期，又雨后春笋般地涌现出了马背学校和队办小学，出现了队办小学遍布千里草原的现象。党的十一

届三中全会以后，肃清了极“左”思想对民族教育的影响，针对当时民族学校过于分散，民族中小学规模效益低等现实，进一步明确提出了“四结合、四为主”办学原则，并对民族中小学布局进行了统一调整，达到了提高效益和质量的目的。1984 年《中华人民共和国民族区域自治法》颁布实施以后，对“四结合、四为主”办学原则加以进一步的完善，提出了“两主一公”即建立寄宿为主和助学金为主的公办民族中小学的办学方针。“两主一公”办学方针是“四结合、四为主”办学经验的高度概括和发展。它十分符合民族地区办学实际，尤其是牧区和山区的地域特点，又充分体现了党和政府对民族教育的关心和支持。民族地区地广人稀、交通不便，所以，牧区孩子一入学前班就开始住校就读，直到初高中毕业。这给学校和学生家长带来了多几倍的经济负担。因此，提出助学金为主的办学方针是十分必要的。实践证明，坚持“两主一公”办学方针，大大改善了民族地区苏木中心校办学条件，加快了牧区、半农半牧区普及初等义务教育步伐，是十分正确而科学的民族中小学办学方针。到了新的历史时期，更加重视了这一方针的进一步贯彻和落实。

（七）在经费筹措上，坚持国家扶持与自力更生相结合，以财政拨款为主，多渠道筹措民族教育经费的措施

自治区成立以来，自治区党委、政府对民族教育经费投入方面，一贯采取优先安排、重点保证的倾斜政策措施。国家还增设了专项补助。民族教育的财政拨款主要有两大方面，一是在整个教育投资中，与一般教育同等的核拨民族教育各项经费，并且给予优先安排；二是国家和自治区对少数民族教育设立一定的专项补助，有条件的盟市旗县级政府又相应地设立一定的专项补助。这些财政拨款是民族教育得以迅速发展的最根本的保障。同时，随着经济体制改革的不断深化，民族教育经费投资体制不断得到完善，逐步形成了以财政投入为主、多渠道筹措民族教育经费的新体制，并取得了良好的效果。在“两主一公”建设过程中，广大牧民群众掀起了集资办学的热潮，呼伦贝尔盟西新巴旗群众集资达到上百万元，锡林郭勒盟东乌旗社会集资达 177 万元，相当于同一时期国家投入的 23% 。从 1984 年至 1986 年，锡林郭勒盟社会集资 2 600 万元，使 80% 以上的苏木中心校实现了“一无两有”和“一无多有”。总之。政府拨款为主，多渠道筹措经费，是发展民族教育

的比较成功的经费筹措体制。

（八）突出的问题和原因

1. 改革开放以来，学习本民族语言文学的学生逐年减少

从小学生看：从1980年到1995年，15年间全区学习蒙文蒙语的学生减少了25 600多人。但在这15年内随着人口的增长，少数民族在校小学生增加了34%，而学习蒙文蒙语的小学生占全区少数民族在校生的比例，从1980年的73.3%下降为1995年的49.6%，减少了23.7个百分点。

从中学生看：从1980年到1995年，15年间学习蒙文蒙语的学生减少了8 600多人，但在15年内，随着人口总数的增加，少数民族在校中学生增加了32.5%，而学习蒙语的中学生占在校少数民族中学生的比例，从1980年的66.8%，下降到1995年的46.6%，减少了20.2个百分点。

从部分旗县和盟市所在地看：甘旗卡镇是通辽市科尔左翼后旗政府所在地，是通辽市各旗县蒙古族人口占本旗人口比例最高的旗。该旗的旗直属蒙古族完全小学和幼儿园，1995年在校和在园少数民族儿童比20世纪80年代初期减少了一半。海拉尔的呼伦小学和乌兰浩特市的蒙古族小学，学习蒙文蒙语的学生仅占两市蒙古族学龄儿童的10%。其他盟市所在地集宁、东胜、临河都各有一所蒙古族小学，但蒙语授课在校生均不足市内蒙古族儿童的30%。

调查表明，我们的儿童和青少年并未失学，而是不愿意入蒙古族学校学习，不愿意学习蒙文蒙语，而入了其他学校，同汉族儿童随班就读。

造成上述问题的主要原因，主要是蒙语授课学生的出路窄。从升学角度讲，这类学生从小学习蒙、汉两种语文，再学外语，学习负担过重，因此绝大部分未学外语。从20世纪90年代中期开始，区外大专院校不录取无外语成绩的考生；从就业角度讲，蒙语授课的大专毕业生，从执行大专学生"交费上学，不包分配"后，就业形势就更加严重。

2. 民族中、小学的汉语文和外语教师严重短缺

长期以来，自治区对蒙语授课的学生放松了对汉语文和外语教学的要求。主要表现在以下三个方面：一是在小学阶段的蒙语授课学生开设汉语文的起始年级过晚，一般小学从三年级起加设汉语文课，牧区（20世纪50年代中期）从五年级才开设汉语文课；二是1962年内蒙古自治区教育厅曾发

出过《关于申请1962年高等学校招生免试外国语的通知》①，这一通知虽明确了年份，并且强调“凡经批准今年免试外国语的学校（班级学生），外国语的教学必须按原教学计划照常进行，坚决防止取消或减少外国语的教学时间，集中突出其他课程的倾向。”但对蒙语授课毕业生报考大专院校可以免试外语的做法一直延续了四十多年，高考是个指挥棒，不考就不教不学，严重影响了中学的外语教学。由于以上两个原因，蒙语授课中小学，长期以来不重视配备和培训汉语文和外语教师，甚至中师和高师也没建立起培养和培训这两科教师的机制，全区蒙语授课中小学严重缺乏汉语文和外国语教师的问题在所难免。

3. 一个时期“四为主”苏木民族小学建设投资造成浪费

为了加快“普九”进程，自治区在20世纪80年代曾要求，每个牧区旗县，每一个苏木都要集中财力办好一所“四为主”小学。到20世纪90年代中期，全区为430个牧区苏木小学进行大量投资。当时自治区边疆草原上，最好的房子是学校，不少学校达到一无（无危房）多有（教室、宿舍、食堂、饭厅、课桌椅、院墙、阅览室、图书室……），在那个时期的确提高了牧区儿童的入学率和巩固率。但进入新世纪后，随着自治区基层政权的变化，特别是合乡并镇以后，随着牧民的生活水平的提高，大部分儿童的家长，尤其是蒙古族人口较少的西部区，把苏木小学的学生转入旗镇或盟市所在地上学，苏木学校的生源逐渐枯竭，造成中西部地区大部分苏木“四为主”学校解体。使20世纪八九十年代的苏木小学的建设投资造成浪费。

第四节　师范教育

内蒙古师范教育的起步较早。1907年（光绪三十三年）清政府学部会同理藩部议复喀喇沁札萨克郡王贡桑诺尔布建设师范学堂，同年，绥远省曾建有师范学堂；1908年（光绪三十四年）创办满蒙师范学堂，开创了内蒙古的师范教育。但近代内蒙古师范教育步履艰难，40年中各时期、各地区一些有识之士克服种种困难，创办各类师范学校、师范讲习所等，由于当时

① 内蒙古教育厅［62］教普字第13号。

政府对师范教育的不重视，以及时局不稳、经费困难等原因，大多半途停办。至1947年内蒙古自治区成立时，仅有中等师范学校5所。

1949年新中国成立后，内蒙古自治区党委和政府为适应自治区社会主义建设和基础教育发展的需要，积极发展师范教育。截至1966年，全区已有中等师范学校13所，高等师范院校5所，教育行政干部学校1所，一些旗县创办了教师进修学校，初步形成了自治区师范教育体系，为自治区基础教育的发展输送了大批合格的师资和教育干部。

“文化大革命”期间，全区各中等师范学校遭到严重摧残，学校卷入了“斗、批、改”，被迫停止招生，教师队伍被冲击、拆散，教学仪器、设备、图书资料损失严重，民族师范教育濒于毁灭。1972年后，一些中师招收工农兵学员，教学质量得不到保证，师资培养质量严重下降。高等师范院校从“文革”一开始就遭到严重冲击，各项工作陷于停顿，停止招生达五、六年之久，广大教职工受到残酷迫害，党的民族政策、统战政策、干部政策、知识分子政策被肆意践踏。“文革”后期招收工农兵学员，基础知识十分薄弱，难以保证教学质量和师资培养质量。

粉碎“四人帮”以后，特别是党的十一届三中全会以后，经过拨乱反正，自治区师范教育进行了恢复、整顿、充实，各级师范院校得到迅速发展，办学水平和教育质量不断提高。1980年全国师范教育工作会议后，我区各级师范院校进一步明确了师范教育在整个教育事业中的地位、作用和为中小学培养师资的方向。在此期间，自治区民族师范教育得到迅速恢复，走上了健康发展的道路。自治区决定，集中力量办好8所民族师范学校，制订和编印民族师范学校的教学计划、教学大纲和教材，加强民族语言文字的教学，使民族师范学生毕业时都能达到蒙语授课的水平。各高等师院校从自治区和本地区实际需求出发，努力办成具有师范性和民族特点的高校，坚持开设蒙语授课专业，培养蒙汉兼通的民族中学合格师资。

截至1986年，自治区已有本科师范院校2所，专科师范院校4所，教育学院（包括内蒙古教育学院、各盟市教育学院及待备案的兴安盟教育学院）11所，中等师范学校（包括遍布各盟市的普师和幼师，含蒙授、汉授和蒙汉合校）22所，旗县教师进修学校76所（其中61所经自治区正式备案）。在加强中小学教师培养工作的同时，各级师范院校和教师培训院校积极开展在职教师学历补偿教育和提升学历教育，包括高师与中师函授教育、卫电函师范教育和各类脱产培训。内蒙古自治区师范教育体系基本形成。

1996 年全国师范教育工作会议以后，自治区各级各类师范院校启动 21 世纪的课程体系和教学内容改革。各中等师范学校落实三年制中等师范学校教学方案，积极开展教育教学改革。各高等师范院校加强专业和学科建设，合理调整专业结构，开拓专业新领域，拓宽专业口径。内蒙古师范大学 1998 年 10 月被国务院学位办批准为教育硕士专业学位试点单位；各师专开展了高等师范专科教育二、三年制教学方案的试行工作。1990 年开始，自治区各级教师培训院校（教育学院、教师进修学校等）逐渐由学历补偿教育为重点向中小学教师继续教育为重点转移。1999 年正式启动“内蒙古自治区中小学教师继续教育工程”。

2000 年，自治区各级各类师范院校进行了层次布局结构调整，推进三级师范（高师本科、高师专科、中等师范）向两级师范（高师本科、高师专科）过渡，重组师范教育资源，调整学校布局，优化师范教育结构，进一步完善师范教育制度，逐步形成以现有师范院校为主体，其他高等院校共同参与，培养培训相衔接，体现终身教育思想的开放的师范教育体系，开创了自治区教师培养培训新格局。

一、中等师范教育

（一）中等师范教育的发展

1949 年 10 月，中华人民共和国成立时，内蒙古仅有中等师范学校 5 所，即绥远师范学校（后改为呼和浩特师范学校）、绥远省第二师范（后改为乌盟师范学校）、陕坝师范学校（后改为巴盟师范学校）、扎兰屯师范学校、包头第一师范学校（后改为包头师范学校）。

1951—1960 年，相继成立了通辽师范学校（后改为哲里木盟师范学校）、林东师范学校、内蒙古民族师范学校、赤峰师范学校、伊克昭盟师范学校、锡林郭勒盟师范学校、大兴安岭林业师范学校和新惠师范学校，除阿拉善盟外，全区其他盟市均建立了师范学校。

内蒙古中师发展的一个重要特点是重视民族师范教育，通辽师范学校和锡林郭勒盟师范学校为蒙汉合校，林东师范 1963 年改为蒙古族师范学校，内蒙古民族师范学校是自治区教育厅直属、全区招生的一所民族师范学校。

1966—1976 年“文化大革命”时期，内蒙古中等师范教育惨遭破坏。如历史悠久、具有光荣传统的呼和浩特师范学校①，“文革”初期被迫停办；1970 年改为呼和浩特市第二十六中学，师范学校干部和中老年教师多被批斗，青年教师多数调往外校，校园“八大景”全被捣毁，树木被砍伐殆尽，1971 年，呼和浩特市革委会决定成立“五七”师范，只能暂借当时停办的内蒙古劳动技工学校校址，举办师资短期培训。通辽师范学校（蒙汉合校）是“文革”的重灾户②，学校被说成是复辟资本主义的桥头堡、培养封资修幼苗的大温床；学校的领导干部被以莫须有的罪名戴上当时流行的各种各样的帽子；一些老教师被打成“反动学术权威”“牛鬼蛇神”“阶级异己分子”；一些共产党员和民族教师被打成民族分裂主义分子，他们的身心深受摧残。包头师范学校③在“文革”初期一度被撤销，复校后校名改为“包头市五七师范学校”，1975 年，校名改为包头师范学校。

粉碎“四人帮”后，自治区对中等师范学校进行了恢复、整顿、调整，在乌海市和阿拉善盟新建了中等师范学校，并新建和改建了内蒙古民族幼儿师范学校和内蒙古幼儿师范学校。1980 年，全区已有中等师范学校 22 所，中等师范教育的战略地位渐被确立，经费增长、基建投资、师资配备等方面得到优先保证，为自治区中等师范教育的发展提供了基本条件。在此期间，民族中等师范教育迅速恢复，但在办学方向、规范、体制、布局到教学质量等方面存在许多问题，如 1970 年至 1975 年，没有高师毕业生，恢复后的民族师范学校向师专靠拢，而把培训民族小学教师的任务下放到旗县，造成的民族师范教育质量问题亟待迅速扭转。为此，自治区决定有计划地办好 8 所民族中等师范学校，并对民族中等师范学校的管理体制、民族语言文字教学、招生工作以及民族教师的培训提高，都提出了具体的实施意见和要求，从而促进了全区民族中师的健康发展。

1980—1993 年，内蒙古自治区中等师范学校的发展和教育教学改革大

① 《岁月回眸·呼和浩特师范学校简史》（内部发行），第 6 页。
② 《哲盟师范学校校史》（1951—1986），第 44 页。
③ 《内蒙古师范教育》，内蒙古教育出版社 1993 年版，第 22 页。

体经历了三个阶段：

全区中师教育以贯彻全国、全区师范教育会议精神为起点，主要围绕端正办学方向、明确培养目标和加强薄弱环节展开工作，从而迈开了中师教育改革发展的步伐。

以贯彻《中共中央关于教育体制改革的决定》为起点，认真贯彻中央关于“把加强和发展各级师范教育作为实施九年制义务教育，提高基础教育水平的战略措施和根本大计”的重要指示和国家教委关于加强和发展师范教育的意见，全区中师各校全面推行教育教学改革，提高中师教育教学质量；积极实行定向招生和定向分配制度；努力加强师资队伍建设；大力改善办学条件，使中师教育提高到一个新的水平。

1989 年国家教委颁发《三年制中等师范学校教学方案（试行）》后，自治区的中师教育以贯彻国家教委《教学方案》为中心，深化中师教育整体改革。在此期间，全区各中等师范学校深入贯彻《中师德育大纲》和《中师生行为规范》,努力改善办学条件，在实现中师标准化建设方面，向前跨越了一大步。

1993 年 8 月 21 日至 9 月 2 日，国家教委组团全国各省市人员参加的华北五省对内蒙古自治区区中师进行了联检。检查团对我区中等师范学校的办学水平给予很高的评价①，一致认为，内蒙古中师坚持社会主义政治方向，面向农村牧区、面向小学、面向自治区现代化建设，办学方向端正明确，质量意识、创优意识强，各民族团结奋斗，为全区初等教育事业做出了重要贡献；中师标准化建设由于领导重视，近年来进展速度较快，势头很好，全区总体水平有明显提高，学校教育教学改革取得显著成效，在师资队伍建设、学校科学化管理、贯彻落实三年制教学方案和教学大纲、学生基本功训练和青年教师培养等方面取得了突出成绩。称赞内蒙古中师在全国中师中“异军突起”，部分学校的管理科学化水平、教师队伍建设水平达到国家先进水平，并且在一些方面创造了值得在全国推广的经验。

1996 年 10 月 18 日至 12 月 10 日，自治区教育厅组织专家评估组对 8 个盟市 13 所申报“甲级”的中师进行了评估，评出甲级一等学校 2 所（兴安

① 《内蒙古自治区教育厅关于华北五省区对我区中师联检的总结报告》（内教师训［94］21 号）。

盟师范学校、包头师范学校）；甲级二等学校 8 所（扎兰屯师范学校、哲盟师范学校、呼和浩特市师范学校、内蒙古幼儿师范学校、大兴安岭师范学校、内蒙古民族师范学校、伊盟师范学校、巴盟师范学校）；乙级一等师范学校 3 所（新惠师范学校、林东师范学校、乌丹师范学校）。中师评估对促进我区各中等师范学校办学水平和效益的提高发挥了积极作用，使各中师办学又上了一个新台阶。

2000 年全区进行了师范院校层次布局结构调整，大多数中师并入当地有关高校，撤销了 2 所中师（大兴安岭林业师范学校、包钢师范学校），保留了 5 所中师，即内蒙古民族幼儿师范学校、新惠艺术师范学校、林东民族艺术师范学校、内蒙古幼儿师范学校和扎兰屯幼儿师范学校。布局结构调整推进了自治区三级师范向两级师范的过渡。

（二）中等师范教育的办学方针与专业设置

1. 中师的办学方针

我区中等师范学校是培养小学和幼儿园师资的中等专业学校，中师的办学方针是全面贯彻教育方针，培养合格的小学和幼儿园教师。具体表现在如下四个方面：

（1）坚持正确的办学指导思想：坚持四项基本原则，深化改革，全面贯彻国家的教育方针，面向小学和幼儿园，力求办出师范特色和地区特色，为保质保量地实施普及初等教育和发展幼儿教育服务。

（2）明确中等师范学校的任务：培养热爱中国共产党，热爱社会主义祖国，有理想、有道德、有文化、有纪律，有为教育事业献身的革命精神，有扎实的业务基础，有良好的文化素养和教育教学能力，懂得教育教学规律，师德高尚，体魄健全的小学和幼儿园师资。

（3）坚持面向农村牧区办学的方向：根据农村牧区的需要组织中师教育的全过程，培养愿意到农村牧区从事小学和幼儿园教育工作，能适应农村牧区现代化建设和实施义务教育需要的小学教师。使毕业生既愿当、爱当，又能当、会当农村牧区小学教师，经过实践，较快地胜任农村牧区小学教师工作。

（4）办好民族中等师范学校及蒙汉合校中师：办好民族中师，体现民族师范教育特点，是加强少数民族师资队伍建设、切实提高民族小学教育质量的根本措施，也是关系到提高自治区各少数民族科学文化水平、培养少数民族科学技术生力军和后备队的一项具有战略意义的工作。

2. 自治区中等师范学校主要设置普师和幼师两个专业

（1）普师班（包括体育、音乐、美术选修班）

普师是自治区中等师范学校的主要部分，其目标是培养合格的小学教师。普师班招收应届初中毕业生，年龄 17 周岁以下，定向招生可放宽到 18 周岁。有条件的学校，将体、音、美特长测试合格的学生分别编为体育、音乐、美术选修班，单独编班教学。

民办教师普师班（1981—1986 年招代课教师，称民办代课教师普师班）招收具有初中文化程度，连续教龄满 5 年以上，年龄 30 周岁以下，身体健康，能够坚持学习的现任小学民办（代课）教师，以逐年提高小学师资队伍的质量。

（2）幼师班

幼师是自治区部分中等师范学校设置的专业，包括主要培养幼儿园师资的幼儿师范学校和部分举办幼师班的中师。

幼儿师范班招收应届初中毕业女生，此外，还少量招收具有初中文化程度的幼儿园教养员。报考幼师的教养员，年龄须在 19 周岁以下，具有两年以上幼教教龄，并经所在单位同意。

自治区中等师范学校普师和幼师两个专业的学制为三年，蒙语授课普师班学制四年，民办（代课）教师普师班学制二年。普师和幼师均严格要求执行国家和自治区制订的教学计划，努力培养合格的小学和幼儿园师资。

（三）中等师范学校的教育教学工作

1. 中师的思想政治教育工作

中等师范学校思想政治教育工作不仅要提高学生的社会主义觉悟，树立无产阶级世界观和共产主义道德品质，而且要使师范生热爱教育事业，具有从事对小学生进行思想品德教育的能力。

1983 年起，各中师认真贯彻教育部颁发的《中等师范学校学生守则（试行草案）》（以下简称《守则》），教育学生树立立志为小学、幼儿园教育事业服务的专业思想，并把对学生的专业思想教育同共产主义理想教育紧密联系起来。根据自治区教育厅的要求，把“自觉地执行党的民族政策，加强民族团结，尊重少数民族风俗习惯”作为《守则》的第九条加以学习和贯彻，在学生中广泛进行民族政策和民族团结教育。《守则》的颁发、宣传、教育和执行，对我区师范学校的思想政治教育工作起着有力的推动作用。

1988 年 2 月，自治区教育厅《关于加强和改革中等师范学校的若干试行意见》进一步明确指出：中等师范学校要把思想政治工作放到一切工作的首位，贯穿在学校工作的各个方面、学生成长的各个阶段及教学工作的各个环节。

1989 年 12 月，自治区教育厅颁发了《内蒙自治区中等师范学校学生日常行为规范》（以下简称《规范》）。《规范》包括仪表端庄、谈吐得体、举止文明、学习勤奋、遵纪守法、尊敬师长、团结同学、爱护儿童、尊重他人、热心服务 10 项，共 40 条。要求各师范学校全体师范生自觉遵守，以养成良好的品德和行为习惯，为毕业后成为合格的小学（幼儿园）教师打下坚实的基础。

1995 年 4 月 25 日至 29 日，在伊盟师范学校进行了全区中师校长德育工作调查研究活动，并发布了活动《纪要》①。参加调研的同志一致认为，德育是中师教育的重要组成部分，对全体中师生的健康成长，对实现中师的培养目标和提高中师的办学水平有重要导向、动力和保证作用，对所服务地区的小学教育质量和数以万计的小学生的精神面貌也有直接重大的影响。活动《纪要》分析了当前中师生的思想动态、主流和存在问题，提高了在建立社会主义市场经济体制条件下如何加强师生的爱国主义教育、中华民族传统美德教育和专业思想教育的认识，并认为加强对后进生的教育和管理是摆在德育工作面前的一个重要课题，各中师要加强后进生的思想转化工作。

2. 中师的教学工作

党的十一届三中全会以后，自治区各中等师范学校防止或克服 1958 年“大跃进”过多组织学生参加劳动和“文革”中以“斗、批、改”替代教学等“左”的倾向，恢复正常教学秩序，执行 1980 年教育部颁布的《中等师范学校规程》,贯彻以教学为主的原则，要求在教学中理论联系实际、面

① 《全区中师校长德育工作调查研究活动纪要》（内蒙教师训便字［1995］30 号）。

向小学和幼儿园，注重培养学生的自觉性、创造性，培养学生的独立思考能力、自学能力和独立工作能力。

1982 年 3 月，自治区教育厅在《印发〈关于中等师范学校提高教育质量的几点意见〉的通知》(内教师字［82］10 号）中进一步要求各师范学校必须狠抓《中等师范学校规程（试行草案)》的贯彻落实，指出执行全国和全区统一的教学计划是提高中师教育质量的重要保证，各校要从中等师范学校的培养目标出发，通过教学，让学生扎扎实实学好各科基础知识，练好基本功，克服偏科现象，培养从事小学教学工作能力，做到“德、智、体”、“文、理、艺”全面发展。

1989—2000 年，自治区各中师以“主动适应”和“有机结合”的要求，认真落实国家教委颁发的《三年制中等师范学校教学方案（试行)》①，在上好必修课的前提下，有计划、有准备、分层次开出了选修课。课外活动有了新的进展和突破，不仅辐射面广，而且增加了一定的科技含量，教育实践正在逐步加强。一个以必修课为主，辅之以选修课、课外活动和教学实践四块有机结合的新的教学模式在自治区中师逐步形成。

1992 年教育厅、语委在转发《关于进一步做好中等师范学校普及普通话工作的通知》(内教师训字［92］36 号）时，要求作为基础教育师资培养培训的师范院校在普及普通话方面必须走在前面，各中等师范学校要加强对广大师生的普通话训练，并把语言规范训练列为职业能力训练的主要内容之一，严格按照标准定期考核，并将考核成绩记入个人考绩档案。要求各校要经常地、扎扎实实地做好这方面的工作，使自治区中等师范学校的普及普通话水平再上一个新的台阶。

为了进一步深化中师教育改革，适应普及九年义务教育对提高师资水平的需要，逐步提高小学教师学历层次，为基础教育培养骨干教师，从 1995 年起，呼和浩特师范、包头师范、兴安盟师范、内蒙古民族师范等校进行了五年制培养专科程度小学师资的试点。五年制试点班的学生毕业后，国家承认大专学历，分配到重点小学任教。五年制大专班的培养目标是：具有高师

① 《国家教委关于颁发〈三年制中等师范学校教学方案（试行）的通知〉》(教师字［89］007 号)。

专科程度的文化知识和教育理论素养，教学基本功扎实，能胜任小学语文、数学两个学科的教学，其中主干学科要达到专科水平，并且具有一定的开展小学教育的科研能力和自学能力，能指导小学开展多项课外活动，胜任班主任工作和少先队辅导员工作，经过一年的教育教学实践，成为小学教育的学科带头人。依据这一培养目标，为了进一步加强五年制大专班的试点工作，使五年制大专班的教育教学工作更加科学化、规范化，制定和印发了五年制侧重文科和侧重理科的“大专班课程设置安排表”①。

各试点校都十分重视五年制小教大专试点工作，围绕办好五年制大专班做了大量的工作，积累了较为丰富的经验，为以后三级师范向两级师范过渡做了必要的准备。

（四）中等师范学校的管理

自治区中等师范学校属于县团级，它的设立、变更与停办需自治区政府审批，报国家教委（教育部）备案。除自治区直属中师外，其余师范学校由盟市领导、盟市教育处（局）管理。

中等师范学校实行校长负责制。中师校长是学校行政的主要负责人，在上级党、政部门的领导下，受上级党、政部门的委托，负责领导和管理学校的工作。党组织对学校行政工作负有保证和监督的责任。

师范学校设立校长主持的校务委员会，作为学校行政工作的审议机构；建立和健全以教师为主体的教职工代表大会制度，加强民主管理和监督。

各中等师范学校贯彻执行《中等师范学校规程》，结合学校实际情况建立和实行各项管理制度，如教学、学籍、招生与毕业分配、思想政治教育、总务与财务、各类人员工作制度等，保证学校正常教学、工作和生活秩序。由于师范学校学生住校，各校都设有宿舍辅导员（或生活指导教师），管理学生舍务和生活，并对女生加强妇女卫生常识教育。同时，各校认真办好食堂，加强伙食管理；做好安全保卫工作，加强安全教育。

---

① 《内蒙古自治区教育厅关于印发五年制大专班试点教学计划的通知》（内蒙教师训发［97］13号），《内蒙古自治区师范教育工作文件汇编》（内部发行），第371—372页。

二、高等师范教育

（一）高等师范教育的发展

1949 年新中国成立时，自治区没有 1 所普通高等学校。1952 年诞生于当时内蒙古自治区首府乌兰浩特市的内蒙古师范学院，是自治区第一座高等学府，也是新中国成立后党和国家在边疆少数民族地区建立的最早的一所高校。

内蒙古师范学院 1954 年 8 月随自治区首府西迁至呼和浩特市（内蒙古师范专科学校并入学院），1958 年 9 月完成了由专科向本科的过渡。“文革”初期，学院各项工作陷于停顿，1971 年起开始招收工农兵学员。1978 年 3 月，迎来了 1977 年国家恢复高考制度后首批通过国家入学考试录取的 529 名新生；同年 10 月，又招收 863 名新生。1980、1986、1991 年三次共 15 个学科被批准具有硕士学位授予权①。1982 年 10 月 22 日正式改名为内蒙古师范大学，并被列为全区重点高校。

内蒙古民族师范学院前身是通辽师范专科学校，1958 年 6 月 26 日经内蒙古人民委员会批准成立，坐落在哲里木盟通辽市。1965 年改为通辽师范学院，升格为四年制的本科高等师范院校。“文革”中学校停止招生 6 年，1972 年恢复招生（工农兵学员）。1978 年 3 月和 10 月经全国统一招生录取学生 839 名。1980 年 6 月改建为内蒙古民族师范学院。

赤峰民族师范专科学校 1958 年开始招生，1960 年正式建校，校名为昭乌达盟师专，1962 年停办。1978 年恢复，易名为昭乌达蒙族师范专科学校；1995 年国家教委为规范全国高校名称，将其更名为赤峰民族师范高等专科学校。

包头师范高等专科学校成立于 1958 年，是面向内蒙古西部地区培养初中师资的师专，学科门类齐全。2000 年 7 月与包头教育学院、包头师范学

---

① 1980 年经国务院学位委员会批准，蒙古语言文学、数学教育与自然科学史、政治经济学三个学科获硕士学位授予权；1986 年批准教学论、发展心理学、现代汉语、现代文学、古代文学、中国民族史、哲学、动物学、植物学、音乐教育、美术教育等十一个学科具有硕士学位授予权；1991 年批准区域地理的硕士学位授予权。《内蒙古师范大学志》（1952—1992），内蒙古人民出版社 1993 年版，第 209—210 页。

院合并，组建包头师范学院，成为集全日制高等师范教育、高等职业教育、继续教育为一身，融职前培养、职后培训为一体的普通高等学校。

集宁师范高等专科学校成立于1958年，是自治区和乌兰察布盟两级管理的全日制高等师范学校。近年来学校办成以师范类为主，兼顾非师范类，本科与专科相结合，普通高等教育和成人高等教育相结合的综合性高等学校。

呼伦贝尔学院是1993年由海拉尔师范专科学校、呼伦贝尔盟教育学院、呼伦贝尔管理干部学院、内蒙古电大呼盟分校合并组建的普通高等专科学校。学院举办教师教育，培养培训中学师资。

2000年师范学院布局结构调整后，内蒙古民族师范学院与哲里木畜牧学院、内蒙古蒙医学院合并，合并后的内蒙古民族大学继续举办教师教育，承担中学师资培养培训任务。

（二）高等师范院校的办学方针

我区各高等师范院校从建校起，就认真执行1952年教育部颁布的《关于高等师范学校的规定（草案）》,“根据新民主主义教育方针，以理论和实际一致的办法，培养具有马克思列宁主义与中国革命实践相结合的毛泽东思想的基础，高级文化与科学水平和教育的专门知识与技能，全心全意为人民服务的中等学校师资”。中共十一届三中全会以后，自治区各高师院校在办学中坚持社会主义方向和“三个面向”，坚持贯彻党的教育方针和民族政策，坚持面向中学，坚持德智体美劳全面发展的教育思想。各院校在贯彻执行国家教委1996年下发的《关于师范教育改革和发展的若干意见》（教师［1996］4号）中进一步明确必须坚定不移地为中小学教育服务，主动适应中小学教育改革和发展的需要，主动适应社会主义现代化建设的需要。

（三）高等师范院校的思想政治教育工作

自治区各高等师范院校建校后，尤其是中共十一届三中全会以后，十分重视思想政治教育工作，逐步完善思想政治教育体系，加强思想政治教育工作队伍建设，研究改革政治理论课教学，采取有效措施体现教书育人、管理育人。

内蒙古师范大学始终把培养德、智、体全面发展的建设者和接班人作为对学生进行思想政治教育的总目标，逐步完善思想政治教育系统，不断强化思想政治教育队伍，努力优化思想政治教育方式，学校思想政治教育工作成绩显著，先后被授予全国民族团结进步先进集体、全区思想政治工作优秀单位等称号。经过多年实践和酝酿，1984 年确立了“献身、求实、团结、奋进”八字校风的建设方针。1985—1986 年度集中力量开展了校风、教风、学风和工作作风建设工作。之后，深入开展了严谨治学、严格管理、严密考核、严肃处理的从严治校活动和教书、管理、服务“三育人”活动，收到了良好效果。

内蒙古师范大学于 1956 年 7 月，把《中国革命史》《马克思列宁主义基础》正式定为全校各系必须开设的政治理论课。1982 年，马克思主义民族理论和党的民族政策教育由专题报告和讲座变为教学计划的正式课程。1990 年，根据高校实际，调整了思想品德课，开设《形势与政策》《大学生品德修养》《法律基础知识》《职业道德》等课程。1990 年 2 月，校党委和行政部门联合颁发了《关于把治理整顿工作深入到教学领域中的决定》，明确规定：“在教师中，着重解决如何结合专业理论知识的传授加强对学生进行思想政治和道德品质教育的问题”，要求每门课程都有实施计划。此后，每学期的教学检查中，都把落实情况作为重点检查项目。

内蒙古民族师院建校以来，坚持以“发愤图强、艰苦奋斗、埋头苦干、自力更生”和勤俭办学教育师生员工，并教育教职工充分认识培养少数民族学生，是贯彻党的民族政策的具体表现。“文革”后院党委召开了全校思想政治工作会议，研究工作重点转移中的思想政治工作，要求全院广泛深入地开展坚持四项基本原则的教育，深入进行革命理想、前途教育和共产主义道德风尚教育，并要求发挥党支部的战斗堡垒作用，建设一支强有力的思想政治工作专业队伍，从实际出发、从学校特点出发，围绕教学、推动教学。1986 年院工会被授予自治区高校思想政治工作先进单位，1987 年被自治区评为全区先进高等学校。

内蒙古民族师范学院把思想政治工作看成实现学校工作重心转移的重要保证。1979 年 6 月全院思想工作会议强调，学院思想政治工作必须抓好马列主义、毛泽东思想的理论学习和教育；必须切实加强党的思想建设和组织建设；必须围绕教学、推动教学，同教学工作紧密结合；必须建立、健全行之有效的制度，建立一支强有力的专业政治工作基本队伍。1989 年学院制定了《关于加强党的建设的意见》《关于院党政领导班子增强党性、为政清廉的若干意见》《关于加强思想政治工作的意见》《教师职业道德规范》《大学生文明行为规范》《违纪学生处罚条例》等文件，并认真贯彻落实，对学院今后一定时期内坚持社会主义办学方向，充分发挥党的政治领导核心作用，加强和改革思想政治工作，起到十分重要的作用。

赤峰师专、包头师专、集宁师专等校为了培养合格的初中教师，始终把思想政治教育作为师专教育的重要组成部分，努力探索具有师范特色、民族特色和地区特色的思想政治教育内容、途径和方法。赤峰师专本着学校一切工作都是为了转变学生思想的精神，按照培养“有理想、有道德、有文化、有纪律”的人才标准，开启教书育人、服务育人、管理育人的工作。集宁师专通过国情教育、形势政策教育、崇尚科学反对邪教为主题的无神论教育，组织社会实践活动，多渠道、多形式、多层次地培养和提高学生的思想政治和道德素质，收到良好的教育效果。

（四）高等师范院校的教学与科研工作

自治区各高等师范院校努力贯彻以教学为主、教学与科研并重的原则，积极开展教学改革。各校在教学体制、专业与学科设置、教学内容和方法等方面都作了一些改革尝试，取得了一定成效。各校重视民族教育，不断改革蒙语授课各专业的教学，提高民族师资培养的质量。各高师院校在教学和科研中重视教育学科教学和教育科学研究工作，在教学中突出师范性、民族性和地区性特点，坚持正确的办学方向。

内蒙古师范大学积极推进教学改革，优化专业结构，以师范教育和民族高等教育为特色，以学科建设为龙头，以本科教育为基础，大力发展研究生教育。在教学工作中对教学体制、专业设置、教学内容和方法不断进行探索，如坚持多渠道、多形式、多层次办学，侧重于增加或充实短线专业，从总体上改变学校的单一学制；从试点到全面实行学年学分制、导师制和优生优培制、双学位制、二二分段制、教学评估制度等。学校大力增补现代化教学设备，充分利用电化教学、分析测试、计算机管理手段，丰富和充实了教学内容和教学方法，开阔了学生视野，增长了实践本领，提高了学习自觉性和主动性，促进了教学质量的提高。1980 年以后，学校采取有效措施，进一步处理好教学与科研的关系，把教育科学研究放在突出位置，科研工作全面步入正轨，校内研究机构相继建立，学术活动日趋活跃。至 1991 年底，各类科研成果达 3 964 项，其中具师范、地区、民族特色的成果占总数的 33% 以上①，全面提高了学校的学术水平。在建校近五十年中，学校培养和造就了一批坚持社会主义方向、坚持为基础教育服务、坚持为经济建设服务、坚持与教学结合、学术造诣较深、能够团结协作、艰苦奋斗的学科带头人和教学骨干。

自治区高师院校在发展中不断深化教学改革，不断提高教学质量和学术水平。1996 年全国师范教育工作会议以来，各高校启动面向 21 世纪的课程体系和教学内容改革，加强专业和学科建设，合理调整专业结构，开拓专业新领域，拓宽专业口径。其中，内蒙古师范大学开展了教育硕士专业学位试点工作。各高师院校把培养和提高学生的全面素质作为教学改革的重点，加强基本理论、基础知识学习和基本技能训练，广泛运用现代化教育技术，改进教学方法和手段，努力提高师范教育现代化水平。

1985 年《中共中央关于教育体制改革的决定》发布后，内蒙师大出台了《内蒙古师范大学改革方案》，教学改革由点到面、有步骤有计划地开展起来。在教学改革中努力做到“四不”：不盲目向综合大学攀比看齐，坚持为普及九年制义务教育服务，为有效地提高基础教育的质量服务；不盲目追求学科门类的综合化，着眼于为基础教育和调整中等教育结构的需要服务；不片面追求研究生的升学率，切实办好本科；不脱离实际地扩大办学规模，努力提高办学水平。

1991 年，为了加强和改革蒙语、汉语教学，内蒙古师大出台了《大学蒙古语文、汉语文教学管理条例》，参照大学外语教学的精神，大学蒙语文、汉语文均分为四级教学，本科毕业时，必须获得 18 学分；同时规定，必修蒙语文、汉语文的学生，可同时选修外语。

内蒙古民族师院前身通辽师专在艰苦的条件下努力办学。1960 年 11 月，学校用了三个月的时间认真学习了“高教六十条”，树立了“以教学为主”的思想。改制为师范学院后，教学工作不断改进和完善。1988 年，学院制定和实施了《内蒙古民族师院关于改进教学工作的意见》及教学工作

① 《内蒙古师范大学志》（1952—1992），内蒙古人民出版社 1993 年版，第 15 页。

评估办法、教学工作量实施细则，要求院系各级领导牢固树立培养合格中学教师这一指导思想；每个教职工树立献身师范教育思想，做到教书育人、服务育人、管理育人；每个学生要树立牢固的专业思想，刻苦学习，奋发向上。在教学中注意突出师范性、民族性，加强教育理论与实践的教学，改进教育实习工作，加强基本功训练与考核，对公共基本功（硬笔书法、常用汉字、口头表达能力、常用文体写作）继续实行过关制度，基本功不过关者，在毕业时不授予学士学位。在教学工作中采取多种措施，努力提高蒙语授课班的教学质量。1997 年，学院启动“高等师范教育面向 21 世纪教学内容和课程体系改革计划”工程，采取科研立项的办法，把研究过程和改革实践紧密结合，教学与课程建设已初见成效，教学质量不断提高。

内蒙古民族师范学院在教学改革中实行了教学承包制，发放了教学津贴。为了建立严格的教学工作考核制度，科学地计算教师的工作量，制定了《教师工作规范》,对于以教学为主的教授、副教授、讲师、助教，分别规定了每学期应授课的学时，讲课应达到的水平，应完成科研任务的级别及数量，指导研究生或进修生的数量等标准。这一改革措施对促进教学起到了积极作用。

包头师专、集宁师专、赤峰师专等校在落实教学工作的中心地位，加强基本理论、基础知识学习和基本技能训练（尤其是教师职业技能训练），强化实践环节，以及面向农村，为“农科教结合”服务等方面，结合本地本校实际深化教学改革，并把培养和提高学生的全面素质作为教学改革的重点。

自治区各师范专科学校始终坚持以教学为主，德、智、体、美、劳全面发展，培养合格初中教师的原则，保证时间充足，集中主要的精力搞好教学工作，提高教学质量；逐步明确课程与教学内容改革是教学改革的关键。1996 年全国师范教育工作会议以后，各校积极进行主辅修、双学科改革，稳步推进学分制，开设好选修课，努力培养适应基础教育特别是“三教统筹”、“农科教结合”所需要的复合型人才。1997 年起，努力做好“高等师范专科教育二、三年制教学方案”① 的试行工作，进一步把教学改革深入到

① 国家教委:《关于试行“高等师范专科教育二、三年制八个专业学科必修课程设置方案与说明”的通知》（教师司［1997］19 号）。

课程领域，逐步建立面向21世纪、体现师范教育特点的学科课程体系和教学内容。

赤峰师专在20世纪80年代确立了“加强高教性，突出师范性，重视民族性，兼顾地方性”的指导思想，在具体教学中要求“打好基础，加强实践，着重能力培养”，不断改进教学，提高教学质量。集宁师专实行主辅修制的复合型人才培养模式，增强学生适应社会的能力。在教学计划中强调“适应性”、“广博性”、“师范性”，加强实验课和计算机课的教学，建立和健全教育实习基地，强化教育实习的指导和考评。各校在执行高等师范专科教育教学方案和学科教学计划中，都注重为实现培养目标，认真安排各专业课程设置、教育实习、生产劳动、军事训练和社会调查与实践，致力于培养德智体全面发展的合格的初中教师。

1997年起，自治区各高师院校组织实施国家教委发布的《高等师范教育面向21世纪教学内容和课程体系改革计划》①，以适应现代化建设对人才培养的需要，全面提高办学质量和效益。

（五）高等师范教育的管理

自治区高等师范教育事业由自治区人民政府统一领导和管理（见《内蒙古自治区实施〈中华人民共和国高等教育法〉实施办法》）。

自治区人民政府教育行政部门主管全区高等师范院校，实行宏观指导。师专和布局结构调整后组建的学院由自治区和盟市共同管理。《内蒙古自治区实施〈中华人民共和国高等教育法〉实施办法》第七条规定：“自治区人民政府及其有关部门应当依法落实高等学校办学自主权”。

自治区依法自主发展民族高等师范院校，设置蒙语授课专业，培养民族中学师资和少数民族高级专门人才。

我区高等师范院校依据《中华人民共和国高等教育法》，实行中国共产党高等学校基层委员会领导下的校长负责制，校长是学校的法定代表人。

高等师范院校的校长（院长）主持校长（院长）办公会议或者校务会议；高等师范院校设立学术委员会，审议学科、专业的设置，教学、科学研

① 国家教委：《关于组织实施“高等师范教育面向21世纪教学内容和课程体系改革计划”的通知》（教师司［1997］3号）。

究计划方案，评定教学、科学研究成果等有关学术事项；高等师范院校设立以教师为主体的教职工代表大会，依法保障教职工参与民主管理与监督，维护教职工合法权益。

各高等师范院校结合学校的实际和办学需要，制定了思想政治教育与师德教育、教学与科学研究、各类人员的职责、后勤服务、师资建设与职务评聘、学生学习与生活等方面的校内规章制度，保障学校正常的工作和学习秩序，推进学校的改革和发展。

2000 年，自治区开展了师范院校层次布局结构调整工作。① 内蒙古教育学院并入内蒙古师范大学，成立内蒙古师范大学继续教育学院；内蒙古民族师范学院与哲里木畜牧学院、内蒙古蒙医学院合并，组建内蒙古民族大学；包头师专、包头教育学院、包头师范学校合并，组建包头师范学院。

三、成人师范教育

（一）教育学院

1. 教育学院的办学方向、任务及发展

教育学院属成人高等师范院校，是培训中学在职教师、教育行政干部和开展中学教育、教学研究的基地，是我区高等师范教育的重要组成部分②。

教育学院要全面贯彻党的教育方针，坚持为社会主义现代化建设服务，为中学（含农业、职业中学）服务的办学方向。

教育学院的任务是：从本地区的实际出发，通过多种培训，提高中学在职教师的政治、文化和业务水平，帮助他们达到专业合格、学历合格或成为教学骨干；要有计划地分期分批地培训教育行政干部，提高他们的思想政治水平、教育理论水平和管理水平；要以研究教育教学、民族教育和中学教材教法为主开展科学研究，要深入中学调查研究，进行教学实验，并指导本地区中学教师开展群众性的教学研究工作。1980 年，经自治区政府同意，将内蒙古教育行政干部学校改建为内蒙古教育学院，享受师范学院待遇；包头

① 内蒙古自治区：《关于师范院校层次布局结构调整实施方案》（内政发［2000］36 号）。

② 《内蒙古自治区人民政府转发自治区教育厅关于加强教育学院建设的若干意见》（内政发［89］71 号）。

教育学院和昭乌达盟教育学院享受师范专科学校待遇。1983 年 4 月，经自治区政府同意，呼和浩特市、呼伦贝尔盟、哲里木盟、锡林郭勒盟、乌兰察布盟、伊克昭盟均建立了教育学院。1986 年 12 月，建立了兴安盟教育学院（待国家教委备案）。经过几年努力，自治区教育学院体系初步形成，布局基本合理，为全区中学教师培训和教育行政干部培训工作创造了条件。

1990 年 7 月 15 日至 31 日，国家教委对我区教育学院进行了复查①。复查组总的印象是：大部分学校初步具备了一定规模的办学条件，绝大部分教育学院办学方向明确，培训任务明确，能够为基础教育热心服务；重视思想政治工作，把德育放在首位；多数学校办学质量有保证。存在的问题有：有些学院领导、有的教师对开展继续教育的意识还不强，多数学校重视职前培养，还招了大专班，重视学历班，轻视短训班；适应中学特别是农村初中的教学改革做得不够，渗透职业教育内容意识不强，办学条件还要进一步改善。

自治区和各教育学院结合工作实际，认真研究了国家教委复查组意见，采取措施积极进行整改。

2000 年自治区开展师范院校布局结构调整，巴盟教育学院并入河套大学，包头教育学院并入包头师范学院，呼盟教育学院并入呼伦贝尔学院，内蒙古教育学院并入内蒙古师范大学。

2. 教育学院的专业设置

经国家教委审核备案的教育学院，具有高等师范本科或专科学历授予权。开设专业要根据全区和当地经济、文化、教育事业的现状和发展需要统筹设置，在现有基础上发挥各学院优势，分工协作。

内蒙古教育学院以培训高中教师、蒙语授课中学教师、完中校长、盟市旗县教育处（局）长为主，其专业设置逐步过渡到以后期本科为主，学历补偿教育各专业与中学所开设学科相对应。各盟市教育学院以培训初中教师、校长、教务主任、旗县教育局长为主。全区建立东、中、西三片协作区，在协作区内系统进修师专课程的各专业实行跨盟市招生，不设教育学院

---

① 《内蒙古自治区教育厅关于国家教委教育学院复查组对我区教育学院进行复查的通报》（内教师字［90］26 号）。

的乌海市、阿拉善盟的中学教师、教育行政干部，由中、西片协作区的教育学院负责培训。

至1988年，我区教育学院已形成比较合理的培训网络。在专业设置上，已有政史、语文、外语、数学、物理、化学、生物、体育、地理、教育、蒙古语言文学及蒙语授课的数学、物理、化学、生物等16个专业，可完成师专程度的培训任务。除音乐、美术外，培训专业覆盖中学各学科。

3. 教育学院的学员

教育学院的学员来自中学在职教师和教育行政干部。中学在职教师和教育行政干部经所在单位同意，均可参加教育学院各种形式的学习、进修。系统进行高等师范专科、本科课程进修的教师，需要有高中文化程度和初步教学能力。报考后期本科的在职中学教师，要求具有大专文化程度。各教育学院按自治区成人高校招生计划，通过成人高考，择优录取。

教育学院对学员所学的课程都要进行考试，成绩存入档案。学完所规定的课程并经考试合格者，发给毕业证书，享受普通高等师范院校毕业生的同等待遇。学员学习成绩和毕业证书是教师、干部评定职称和晋级的依据之一。

教育学院要教育学员坚持四项基本原则，忠诚党的教育事业，端正学习态度，遵守学习纪律，努力完成学习任务，建立学员学籍管理制度。对优秀学员，应给予表扬奖励；对违犯校规、国家法令的学员，要进行批评教育或给予处分。

学员原任职学校要保证进修人员的学习时间，帮助解决学习、生活遇到的实际问题。

教育干部训练逐渐走向制度化，并与干部提拔、晋升挂钩。各教育学院干部培训逐步实行教育行政干部岗位合格证书制度，各地逐步推行校长持证上岗制度。

开展中学教师继续教育后，报考教育学院学历提高进修的学员，仍需按招生规定参加成人高考，择优录取。除参加学历进修的中学教师外，都应参加继续教育短期培训（包括各级骨干教师培训），按继续教育计划参加教育学院或其他举办继续教育高校的学习，并把学习成绩记入继续教育证书，作为教师考评、评聘、晋升的重要依据。

4. 教育学院的管理

内蒙古教育学院受自治区人民政府领导，由自治区教育厅主管。盟市教育学院受自治区人民政府和盟市行政公署、政府双重领导，以盟市领导为主，由盟市教育处（局）主管，自治区教育厅在业务上给予指导。教育学院主管部门负责对教育学院办学方向、办学规模、专业设置等方面的领导与管理，为教育学院逐步配齐师资、添置教学设施，保证提供办学经费和完成基本建设，并采取措施向教育学院输送学员，充分发挥教育学院的作用。

教育学院的内部管理实行院党委领导下的院长负责制。学院各部门、科系建立岗位责任制和教学管理、学籍管理、思想政治教育管理、生活管理等方面的制度，实现教书育人、管理育人、服务育人。

各教育学院的工作坚持以教学为主，努力提高教学质量。培训工作强调专业对口、学以致用，注重成人特点，突出师范性、针对性和实效性。多年办学实践证明，教育学院办学形式必须多样化，要因需施教、因地制宜、分散设点、分段教学；要不断创新培训模式，提高培训质量和效益。

5. 教育学院由学历补偿教育向继续教育转移

“文化大革命”造成内蒙古自治区基础教育师资水平严重下降。粉碎“四人帮”后各地加强了在职教师的培训工作，但教师队伍的落后状况仍相当严重。据1980年统计①，在14 000名高中教师中，大学本科以上程度的仅占26.8%；60 000多名初中教师中，专科以上程度的仅占11.1%，中学教师学历合格率很低，实际水平还要更低一些。这种状况不改变，就难以切实提高中学教育质量。教育学院恢复和建立后，首要任务就是对学历不合格的中学教师进行学历补偿教育。

经高师院校的培养和各教育学院的培训，到2000年，高中教师的学历合格率已达60.47%，初中教师的学历合格率已达84.03%②，从根本上扭转了大批教师不能胜任教学工作的局面。从1990年开始，教育学院的任务由学历补偿教育为重点逐渐向中学教师继续教育为重点转移，同时，继续完成

① 《中国教育年鉴（地方教育）》(1949—1984)，湖南教育出版社1986年版，第220页。

② 内蒙古自治区教育厅发展规划处编：《内蒙古自治区2000/2001学年初教育统计提要》(2001.5)，第2页。

部分教师的学历补偿教育和学历提高教育。

中学教师继续教育的任务是使每个教师在现有的基础上得到进一步提高，并培训出一定数量的骨干教师和学科带头人，使其中一部分逐步成为中学教育教学专家，最终建立一支坚持社会主义方向、品德高尚、结构合理、质量优良、适应需要的中学教师队伍。

（二）教师进修学校

1. 教师进修学校的办学方向、任务及发展

教师进修学校是培训小学教师和教育行政干部的成人中等师范学校。

旗县教师进修学校的主要任务是：提高小学在职教师的政治、文化、业务水平；提高小学教育行政干部的领导能力和管理水平；开展小学教育教学研究。

教师进修学校要发挥以下功能：充分发挥对当地小学教师、教育行政干部的培训功能；努力发挥当地教育行政部门的参谋功能；主动发挥对当地建设人才的培养功能。

各旗县教师进修学校要做好与当地教研室、电教站之间的协调工作，在人力、物力、财力上要统筹考虑，明确职责，加强领导。要积极创造条件，努力把教师进修学校办成对本地区小学在师资培训、教研、电化教育、图书资料信息等方面有指导作用的教育中心。

至1988年，自治区各旗县教师进修学校在建设、培训和管理等方面已取得重大进展和可喜成绩，主要表现在如下几个方面①：

（1）恢复和建立了93所教师进修学校（有些因办学条件差等原因撤并，2000年总数为76所），其中55所经自治区审批备案，全区大部分旗县有了培训小学教师的基地。

（2）组织了大规模、多形式、多类型、多学科的培训。1980—1988年培训小学教师约15万人次，其中2万多人取得了中师毕业证书。

（3）办学条件得到初步改善，具备了进一步提高培训能力的物质条件。

（4）师资力量得到较快充实。1980—1988年，专任教师由160人扩大到1 100人，其中有高级讲师160人。

① 《内蒙古自治区教师进修学校校长研讨会纪要》（内蒙古教师字［88］38号）。

（5）建立了正常教学秩序，进行了教学内容和方法的改革。试点改革民办教师普师班招生办法，将竞争机制引入学校。

（6）自治区、盟市、旗县教育行政部门加强了对教师进修学校的宏观管理和业务指导。

1966 年 9—10 月，自治区教育厅组织专家组对 43 所教师进修学校进行了检查评估①，评估结果为：达标示范学校 5 所，基本达标学校 18 所，黄牌警告学校 8 所，取消备案资格学校 2 所。评估促进了教师进修学校建设。如黄牌警告的学校中 4 所进步很快，学校建设和培训工作颇有成效，锡林浩特教师进修学校和科尔沁区教师进修学校已进入自治区教师进修学校先进行列。

2. 教师进修学校的学员

教师进修学校的学员是小学（幼儿园）在职教师和教育行政干部。小学教师、教育行政干部经所在单位同意，均可申请参加各种形式的进修。

小学教师接受教师进修学校培训后取得的教材教法考试合格证书、专业合格证书、中师毕业证书，是教师考评、职务评聘的重要依据。

各教师进修学校开展继续教育后，培训对象为服务区全体小学、幼儿园教师和教育干部，主要承担教师继续教育全员培训，其培训学时与成绩记入继续教育证书。此外，教师进修学校还要根据教育行政部门部署，开展小学短缺学科师资培训、“义教工程”师资和校长培训。

3. 教师进修学校的管理

自治区各旗县教师进修学校受盟市行政公署、人民政府和旗县人民政府领导，以旗县为主，由旗县教育部门管理，盟市教育部门在业务上给予指导。

教师进修学校实行校长负责制。学校设校长 1 人，副校长 1—2 人。党支部对党和国家的方针政策贯彻执行保证监督并对学校重大问题提出意见和建议。

教师进修学校要从自身的性质、所具有的功能和承担的任务出发，探索办学规律，加强科学管理。教师进修学校的工作及管理要有利于学员政治思

① 《内蒙古自治区教育厅关于全区教师进修学校评估结果的通报》（内蒙教师训发［197］4 号）。

想和业务素质的提高，有利于小学教育质量的提高；要针对培训对象的特点，切实保证各类培训的质量，办出自己的特色；要从师训干训的实际出发，深化教学领域的改革；要完善和加强教学管理，充分发挥电教、图书资料的作用；切实抓好后勤工作，提高服务质量，为教学创造良好的条件和环境。

4. 教师进修学校由学历补偿教育向继续教育转移

据1980年统计①，全区128 000多名小学教师中，中师和高中以上文化程度的仅占38%。经过十年培养培训，即中师培养和全区各教师进修学校培训，尤其是各教师进修学校各种类型的学历补偿教育，至1991年②，153 799名小学教师中，中师、高中毕业及以上学历已有103 493名，取得专业合格证书的3 855名，加上20年以上教龄的18 015名，共计125 368名，占全区小学教师总数的81.5%，学历补偿教育任务基本完成。改变了十多年前大量小学教师不能胜任教学工作的局面。为适应新时期小学教育的要求，自治区各旗县教师进修学校除继续完成部分教师的学历补偿教育，必须把工作重心转移到小学教师继续教育工作上来，这是师训工作发展的必然趋势，是教师队伍建设的重要举措，是关系到提高小学教育质量的紧迫任务。

教师进修学校是小学教师继续教育的办学实体。小学教师继续教育的任务是：通过教育教学实践和培训，使每个教师的政治业务素质不断得到提高，培育出一批教育教学骨干；他们中的一些教师成为小学教育教学专家，形成一支拥护中国共产党的领导和社会主义制度，忠诚人民教育事业，思想品德高尚、学科结构合理、业务素质优良的小学教师队伍。

自治区1991年开展小学教师继续教育试点工作，1995年进入逐步推广阶段。各旗县教师进修学校自1999年起实施自治区“中小学教师继续教育工程”，承担本区域小学教师继续教育全员培训任务。

（三）函授师范教育

1. 中师函授教育

---

① 《中国教育年鉴（地方教育）》（1949—1984），湖南教育出版社1986年版，第220页。

② 《内蒙古自治区教育厅关于开展小学教师学历后继续教育试点工作的通知》（内蒙教师字［91］11号）。

中师函授师范教育是成人中等师范的在职业余教育，是我区师范教育体系的重要组成部分，其任务是：在学员自学的基础上，通过通信辅导和集中面授辅导相结合的方式，帮助在职小学教师提高思想政治和文化业务水平，使不具备合格学历的在职小学教师按统一规定的教学计划、教学大纲和教材的要求，在教育理论、文化知识和教学能力等方面得到提高，并使主要学科达到中等师范毕业程度，以胜任小学教学工作。

各盟市设中师函授部，附设在师范学校或教育学院，归盟市教育处（局）和所在院校领导，其主要职责是：执行上级制定的中师函授教育的方针政策、教学计划和教学大纲，管理中师函授学员的学籍，组织安排教学和集中备课，编印讲义和有关辅导材料，组织统一考试和评定学业成绩，开展教学研究，搞好评比检查，并承担部分面授任务。

至1989年，自治区中师函授教育体系已基本确立，形成了盟市函授部、旗县函授站、乡镇苏木（学区）函授点三级培训网络，培训质量稳步提高。

自治区中师函授教育深受广大农村牧区和城镇小学教师的欢迎，帮助大批小学教师达到合格学历。民办教师参加函授学习毕业后保证使用和成绩优秀者优先转正等政策，调动了民办教师参加函授学习的积极性，促进了自治区小学教师队伍建设。

2. 卫星电视函授师范教育

1986年10月1日，中国卫星电视教育频道正式开播后，自治区各盟市、旗县积极利用卫星电视教育开展在职教师培训工作。为规范自治区卫电函教育，自治区教育厅鉴于全区中师函授教育已有多年办学经验，并与卫星电视师范教育在小学教师培训中互相服务，互相促进，本着卫星电视中师教育与中师函授教育合一的原则，决定在各盟市逐步建立与中师函授合一的卫星电视函授中等师范教育制度。

卫电函中师的主要任务是：最大限度地组织本地未达中等师范毕业的小学在职教师，通过系统收看卫电中师视听教材并给予必要的辅导，使学员能够坚持四项基本原则，忠于人民教育事业，在教育理论、文化知识和教学能力几方面都得到提高，达到专业合格或中等师范毕业程度，基本胜任或胜任小学教学工作。

卫电函中师学校贯彻执行国家教委批准颁发的中国电视师范学校中师教

学计划，使用统一的教学大纲和教材，学制为四年。

卫电函中师教学是卫电视听教材、教师函授面授辅导和学员自学的有机结合。卫电函中师学校定期组织学员收看视听教材，派出或聘请辅导教师每月定期辅导和批改作业。为保证教学质量，每年安排不少于 15 天的面授（辅导、实验）；学员应保证相应的自学时间，一般收看卫电视听教材与自学时间以 1∶1 为宜，使学员总学时达 2 000 学时左右。

本着立足现实、着眼未来的原则，我区在进一步加强和发展中师函授教育的同时，积极发展中师卫星电视教育。在函授教育中尽可能多地运用电化教育手段，以提高教学质量。有条件的地区将中师函授和中师卫星电视教育合二为一，相互补充，共同发展。

3. 高师函授教育

高等师范院校、教育学院举办的高师函授教育是自治区高等师范教育的重要办学形式和成人师范教育的重要组成部分，是向在职中学教师进行学历培训的重要途径。

高师函授教育的任务是：培养拥护党的领导，热爱社会主义祖国，忠于人民教育事业，具有良好师德，比较系统地掌握高师本、专科基础理论与基本知识，了解本学科发展的新成就，掌握中学教育教学的基本技能，懂得教育教学规律，具有一定教研能力的合格的中学教师。

自治区高师函授起步较早①。1956 年内蒙古师范学院设立了函授科，设汉语文、蒙语文、数学三个专业，1958 年增设了物理、化学、生物、历史、地理五个专业，1959 年成立函授部，1964 年成立内蒙古师范学院附设函授大学，设有 8 个系，均为五年制本科。“文革”期间被迫停办。“文革”前共培养出本专科毕业生 1 500 多名。1975 年恢复函授部，1983 年恢复函授大学建制。1979—1991 年，共毕业高师本专科函授生 13 000 名。之后，各高师院校和教育学院相继成立了函授部，开展高师函授教育。1990 年成立了内蒙古自治区高师函授协作会，对交流经验、沟通信息，提高高师函授教育质量，起到了推动作用。

内蒙古师范大学、内蒙古民族师范学院和内蒙古教育学院以举办本科、

---

① 《内蒙古师范大学志》（1952—1992），内蒙古人民出版社 1993 年版，第 292 页。

后期本科函授教育为主，其他院校举办专科函授教育。内蒙古师范大学附设函授大学，其他院校设立函授部。负责函授教学的院校和盟市函授站所在院校统筹安排使用教室、实验室、阅览室、图书馆、学员宿舍、食堂及其他教学生活设施。

自治区高师函授教育严格执行国家教委、自治区教育厅颁发的教学计划和大纲。从1993年招收的新生开始，高师专科函授统一使用卫星电视高等师范专科教材。

举办高师函授教育的院校负责组织教学的全过程，包括组织面授、指导自学、辅导答疑、批改作业、组织实验与实习、安排考试或考查、指导毕业设计及论文答辩等。各个教学环节都要求在教师指导下进行，同时充分调动函授学员学习的主动性和创造性。

学员学完教学计划规定的全部课程、经考核成绩合格、通过思想政治鉴定，由院校发给经自治区教育厅验印的毕业证书，国家承认其学历，享受普通高等师范院校毕业生同等待遇。按照国务院学位委员会授予学位的有关规定，对符合条件的毕业生授予相应的学位。

举办高校函授的院校在抓好函授教学工作的同时，结合函授教育，有计划有组织地开展科研工作，重点是函授教学的特点、规律与管理的研究及中小学教育教学与素质教育的研究。高师函授教育科学研究的开展及其成果，推动了函授教育教学质量的提高。

新中国成立以来，特别是中共十一届三中全会以来，内蒙古师范教育已经形成包括中师、高师和成人师范教育在内的比较完整的体系，师资培养培训成效显著。至2000年，全区有普通高中、普通初中、小学和幼儿园教师共223 921人，学历合格率分别为60.47%、84.03%、95.92%和92.89%。① 他们绝大部分接受了师范院校的培养和培训。他们中已涌现出一批中小学教育专家（特级教师、骨干教师、学科带头人）和各级教育干部。自治区各级各类师范院校坚持社会主义办学方向，坚持为基础教育服务，以改革促发展，取得了显著成绩，为自治区中小学教师队伍建设作出了

① 内蒙古自治区教育厅发展规划处编：《内蒙古自治区2000/2001学年初教育统计提要》,2001年内部印行，第2页。

历史性贡献。

内蒙古自治区50年师范教育的办学经验，大致可概括为如下几个方面：

1. 坚持师范性特点。各级各类师范院校必须认真贯彻执行党的教育方针，明确培养培训目标，面向基础教育，服务基础教育，为基础教育培养培训合格的师资。

2. 坚持民族性特点。内蒙古是以蒙古族为主体的少数民族地区，必须办好各级各类民族师范院校，贯彻民族政策，加强民族师资的培养培训。要在事业发展、办学条件、人员编制、经费分配、教材编写等方面给予优先，确保民族中小学师资培养培训的质量。

3. 坚持面向农村牧区办学的方向。我区中小学教师的70%以上在农村牧区，各级各类师范院校必须从内蒙古实际出发，认真执行“倾斜农村牧区”的政策，把为农村牧区培养大批高水平的教师看作是教育服务农村牧区、服务农民牧民的最好体现。要向师范生进行“从农村牧区来，回农村牧区去”的教育；要根据农村牧区的需要，培养学生到农村牧区从事中小学教师工作的本领，使他们毕业后志愿到农村牧区学校工作。

4. 坚持师范教育的改革。自治区师范教育是在不断改革中求得发展的。2000年师范院校布局结构调整和基本完成三级师范向两级师范过渡之后，师范教育出现的一系列新问题需要研究和解决。必须从自治区实际出发，根据新时期对师资培养培训的要求，不断推进内蒙古师范教育的改革和发展。

在实施科教兴区战略，迎接知识经济挑战的新形势下，内蒙古师范教育必须更好地适应现代化建设和基础教育改革发展的需要，为内蒙古基础教育的振兴、为“科教兴区”提供有力的人才和知识支持。

第五节　成人教育

一、概述

中华人民共和国成立后，内蒙古自治区的成人教育有了很大的发展。成人教育的范围、形式、对象都有了很大的飞跃。教育范围涵盖各行各业；教育对象从农牧民、职工、干部到离退休老人；教育形式包括业余教育、技术教育、中高等学历教育等。成人教育在相当时期内是教育体系中占有相当比重的重要组成部分。

解放初期，内蒙古自治区文盲人数占总人口 90% 以上。这样，扫除文盲就成为当时成人教育的头等任务。从解放初到 1965 年，全区的扫盲工作虽然有低潮有高潮，但一直在积极向上的发展中。这期间，在干部及职工中扫除文盲的基本目标已经达到。“文革”中，扫盲的工作基本停顿，但个别地区仍有开展。党的十一届三中全会以后，扫盲工作起步较快。1990 年第四次人口普查结果显示，全区 15 周岁以上的文盲占总人口的 15.39%，低于全国 15.88% 的平均水平。1991 年之前，全区有 89 个农牧业旗县都先后达到了当时国务院所规定的基本扫除文盲标准。

自治区的农牧民占总人口的 8% 以上，过去的农牧民教育以扫盲为主。改革开放以后，农牧民教育由文化学习向实用技术培训转变。从 1999 年开始，自治区实施“燎原计划”，对农牧民的适用技术培训开始了一个加速的时期。到 1997 年止，全区有 320 万农牧民领取了“绿色证书”，完成了全区每户农牧民有一名家庭技术员的培养任务。

“文化大革命”前，职工在经过了扫盲和初中等文化教育后，已经有了良好的基础。在“文革”的破坏结束后，根据中央《关于加强职工教育工作的决定》精神，我区建立了职工教育委员会。在 1983—1984 年，大规模地开展了青壮年职工的“双补”工作。双补工作结束后，又大力开展职工岗位培训，为适应社会主义市场经济的发展打下了良好的技术人才基础。近年来，对下岗职工的再培训已成为职工教育中的重点。

对干部的教育一直受到高度重视，早在 20 世纪 50 年代末，在文化方面的扫盲工作就已结束。“文革”后，干部教育的重点在于具有提高性质的学历教育上。对领导干部的岗位培训在 90 年代开始也逐步成为干部教育的重点。

自治区的成人中等专业教育在新中国成立初期有过一定的创建与发展。“文革”后，成人中等专业学校的发展迎来了一个高潮，从最初的 40 余所发展到近 90 所。20 世纪 80 年代末期，开始对成人中等专业学校进行大规模的调整与压缩。在 20 世纪末，成人中等专业学校受自身的局限性及普通高等学校发展的影响，已经处在寻求变革的十字路口，有相当的成人中等专业学校向职业学校转变。

自治区的成人高等教育同全国其他省市相比并不晚。20 世纪 50 年代的函授大学、夜大，60 年代的干训班、职工业余大学等。但受到当时条件所限，这些教育形式没有得到进一步的培植，其形式大多附属在普通高校之中，规模也较小。“文革”中的“七·二一”工人大学，则徒有大学之名，大多无大学之实。党的十一届三中全会后，成人高等教育获得了迅猛的发展。最多时，全区成人高等学校达 14 所之多。从 90 年代开始，成人高等教育从学历教育向岗位培训逐渐转变。到 2000 年，随着普通高等教育的较大发展，成人高等教育在逐渐转型，全区完全独立的成人高等院校只有包括广播电视大学在内的 8 所。

在成人高等教育中，有一所无校园的大学，就是成人自学考试，我区的成人自学考试始自 1983 年。经过 10 多年的发展，成人自学考试已具有相当规模。

随着形势的发展，成人教育已经走过最辉煌的时段。进入 21 世纪，过去的成人教育的内容在很大程度上将以继续教育的形式生存并发展。

二、扫除文盲工作①

中华人民共和国成立初期，我区的文化教育事业十分落后，中小学在校生仅占全区人口 3.96%，文盲率高达 90% 以上，在牧区，除了王公、贵族、喇嘛之外，牧民的文盲率几乎为 100%。这便使我区的扫盲工作，起步伊始就肩负着十分沉重的包袱。也正因为如此，这项工作几十年来一直受到自治区党委和政府的极大关注和支持。

刚解放时，扫盲工作实际是早在解放区就推行的“冬学”的继续。这种“冬学”形式的扫盲工作一直延续到 1954 年。

1950 年，中央人民政府教育部作出《关于开展“冬学”的指示》。在这一批示的推动下，内蒙古自治区及当时的绥远省均开展了声势浩大的扫盲工作。

---

① 综合参考内蒙古教育丛书编委会编：《内蒙古自治区教育成就》（1947—1996），内蒙古教育出版社 1997 年版；内蒙古教育科学研究所编印：《内蒙古教育大观》（内部资料），1999 年。

早在 1949 年 10 月 7 日，绥远省人民政府就发出《关于设办冬学的指示》。“指示”就冬学领导与教师、课程布置、课本、学习时间与对象以及经费、待遇等问题做了明确的规定。

根据扫盲工作的需要和形势的发展，1951 年 3 月，绥远省人民政府发出将冬学转为常年学习的农民业余学校的指示，并据此颁发了《农民业余学校实施办法》,之后全省各地先后召开了冬学工作总结会议，讨论和研究了转入常年学习的农民业余学校的具体步骤和方法。

3 月 22 日，首届内蒙古自治区农牧民业余教育会议召开。会议为期 5 天，主要是表彰和奖励冬学识字运动中的优秀干部、模范教师和优秀学员。据当时统计，在 1950 年冬学中，有 40 万农牧民参加了冬学识字学习。

在内蒙古自治区和绥远省政府的领导下，各地开展了声势浩大的扫盲工作。

1951 年 10 月 15 日—21 日，第二届内蒙古自治区农牧民业余教育会议在张家口举行，会议总结了农牧民教育工作，布置了 1951 年冬季的冬学工作。

1951 年 10 月 22 日，绥远省政府发出《关于 1951 年开展冬学的指示》。

1951 年 11 月 18 日—23 日，绥远省工农业余教育会议召开。

1952 年 6 月，内蒙古自治区文教部在乌兰浩特市举办了速成识字实验班。学员 39 人，其中蒙古族 26 人，女学员 11 人。

1952 年 11 月，绥远省扫除文盲工作委员会召开全省扫盲工作会议，政府副主席孙兰峰出席了会议并讲了话。会议总结了 1952 年扫盲工作，拟订了 1953 年扫盲工作计划。

1952 年 12 月 31 日，内蒙古自治区扫盲工作委员会成立。

1956 年 8 月中旬—9 月中旬，自治区扫盲协会筹委会举办扫盲干部训练班。为各监管、行政区及旗县培训扫盲干部 27 人。

据统计，1956 年全区职工业余文化教育总人数为 58 358 人，比上一年增加 24 011 人。干部文化教育人数达 67 000 人，比上一年增加 30 131 人。

1950 年 11 月 18 日—23 日，绥远省文教厅、总工会在归绥召开全省第一次工农教育会议。会议通过了《开展职业业余教育实施办法（草案）》,此办法于当年 12 月 16 日由绥远省政府颁布实施。

1950年，内蒙古人民政府文教处制定《冬学运动实施办法》。1951年1月，内蒙古自治区总工会文教会议召开，会议就职工业余教育中组织、领导、学制、教材、教师和经费等问题作了进一步研究和商讨。

在内蒙古自治区和绥远省的领导安排下，各盟市开展了广泛的扫盲运动。1951年前后，各盟市都成立了“冬学运动委员会”，在“冬学运动委员会”的领导下开展扫盲工作。

从1955年开始，根据国务院的指示，自治区及各级扫盲常设机构先后撤销，其工作划归教育部门管理。内蒙古自治区建立了群众性的扫除文盲协会，会长是当时的自治区政府副主席阿丰阿。协会还编印发行《扫盲报》，每周一期，介绍各地扫盲经验，宣传党和国家的扫盲方针、政策。各盟市也相继成立了扫盲协会。与此同时各市扫盲工作依旧声势浩大地进行着。特别是在1958年，随着当时大跃进的号召，各地的扫盲工作出现了高潮。

到1966年“文革”前，自治区组织编辑、出版发行了识字教材150万册，培训扫盲干部3 000余人次，培训专兼职教师20 000余人次。

1958年公社化后，每个公社平均有一至二名扫盲专职干部。全区共有扫盲专职干部1 033人。

1957年，内蒙古自治区人委发出奖励1956年度全区扫盲工作积极分子和先进单位的决定。在决定中，共奖励业余教师230名，办学工作人员100名，学员50名，单位40个。

1961—1962年，国民经济调整时期，只有个别地区不足百人坚持业余高小班学习。扫盲专职干部和教师均调做农村整风整社工作。

1963年以后，随着国民经济的好转，各地的扫盲又陆续恢复起来。呼和浩特市人民委员会批转教育局《关于开展农村扫盲业余教育的报告》，决定给农村20名业余教育专职干部编制（其中土旗12名，郊区8名），要求旗、区选定条件较好，师资质量较高的地区，由专职干部分片包干、深入社队协助工作，先重点办好一批农民业余学校以带动全面发展。1964—1965年，自治区先后3次召开民师会议，整顿民师队伍。郊区每个公社配备一名管农民教育的脱产干部，有的公社，队队办起民校。1965年底，已有111个大队举办农民业余学校，占郊区224个大队的50%，参加学习人数达8 081人。

“文化大革命”中，扫盲工作机构被撤销，教师、干部改行做其他工作，扫盲工作基本停顿。1972 年以后，在部分地区恢复了扫盲工作。但由于当时的政治气候影响，扫盲识字大都变成阶级斗争，政治学习的形式，因而真正扫盲脱盲的人很少。

1978 年 11 月 6 日，国务院发出《关于扫除文盲的指示》,我区各地的扫除文盲工作逐步恢复起来。

1979 年 5 月，原自治区革命委员会在《贯彻执行国务院〈关于扫除文盲的指示〉的决定》中规定：各盟市旗县都要设立工农牧教育委员会。委员会由各级工会、共青团、妇联、贫协、知青办、武装部和教育行政部门的负责同志组成，由各盟行政公署和各级革命委员会主管文教的领导同志负责，组织领导本地区的工农牧教育。农村牧区以共青团为主，工矿企业以工会为主，做好扫盲班的组织管理和思想工作。每个公社都要配备二名扫盲和工农牧教育专职干部，列入教育事业编制，由旗县教育局统一领导。专职教师要专职专用，保证他们有 5 / 6 的工作时间用于从事本职工作，公社团委专职干部，每人保证一半时间抓扫盲工作。

1982 年，自治区政府在《积极发展农牧民教育的通知》中，提出农牧民教育的两项任务，即：“大力扫除文盲”和“积极开展农牧民技术教育”。要求：凡青少年，青壮年文盲、半文盲比例在 30% 以上的地区，要把扫盲作为农牧民教育工作的重点。扫盲主要对象是青少年和党团员、干部、职工。在农牧民技术教育方面，有条件的地区，要举办比较正规的农牧业技术学校，采取业余、半脱产、脱产的学习形式，系统传授农牧业知识，为社队培养急需的技术人才。通知规定：开展农牧民教育所需经费，经通过国家、集体、个人三个渠道加以解决。各地教育事业费中，用于农牧民教育的经费不得少于 1. 5% 。

各地在开展扫盲工作中，贯彻了“一堵、二扫、三提高”的方针，把普及小学初等教育和扫盲结合起来，堵住新文盲的产生。扫盲的对象主要是 13—40 岁的校外少年和青壮年农牧民。扫盲的组织形式，根据农牧民的生产、生活实际，因人、因地、因时制宜。在农村中，群众居住集中的地方，以班组教学为主，提倡普通学校办夜校。在群众居住分散的地方，采取识字小组包教保学、送字上门等组织形式，亲教亲、邻教邻。在牧区，根据牧民居住分散的特点，在牧闲时把扫盲对象集中起来，进行全日学习。一般的一至两个月内，就可扫除蒙文文盲。1982年以来，各地普遍建立了文化档案，把扫盲任务落实到每一个教师和学员身上。根据教师和学员完成教学任务的情况，制定了奖罚制度，在旗、县、乡，对教师和学员有不同的奖罚规定。兴安盟科右前旗人民政府1983年《关于大力开展农牧民教育的通知》中规定，凡是文盲、半文盲不得参军、不得招收为工人或提拔为干部。这些规定，对提高农牧民学习积极性，加快扫盲速度起了良好的作用。

1982年以来，由于各地党政领导的重视，农牧民教育工作取得了显著成绩。经各盟市验收，赤峰市13个旗、县、区，巴盟的五原县，锡盟的镶黄旗，哲盟的通辽县、开鲁县等15个旗县市在13—40岁的青壮年中，基本扫除文盲，即非文盲人数达到85%以上。

由于措施得力，工作加强，涌现出许多扫盲先进地区。

1983年9月，教育部在新疆召开十一省区农民业余教育会议，昭盟教育局以《我们是怎样开展扫除文盲工作的》为题汇报昭盟扫盲工作。

1984年8月14日，自治区人民政府委派扫盲验收团，对赤峰市扫盲工作进行核实验收。12月3日，自治区人民政府以内政办［1984］231号文件批准，赤峰市为基本无文盲市。这对全区的扫盲工作起到了进一步的推动作用。

1984年以来，全区多数地区实行了扫盲承包责任制，从盟市、旗县到乡镇苏木、村嘎查，以致每个扫盲教师和学员，都逐级分别签订了完成扫盲任务的奖惩合同，年终兑现，完成者受奖，完不成者受罚。这样，大大增强了有关部门和工作人员的责任感，激发了他们搞好扫盲工作的热情。为了推动扫盲工作的开展，自治区人民政府于1984年2月召开了全区电话会议，就进一步抓好扫盲工作作了动员和部署。当年，全区参加学习的农牧民达50多万人，扫除文盲20万人。到1985年底，全区已有35个旗、县、区达到了国务院规定的基本扫除文盲标准，少青壮年非文盲率达到83.5%。

1988年9月7—12日，中国联合国教科文组织全国委员会、国家教育委员会、中国成人教育协会、自治区人民政府在呼和浩特市召开了庆祝第22届国际扫盲日西南、西北地区农牧民教育协作会。这次会议规模大、范围广，对宣传内蒙古，了解内蒙古，促进内蒙古的农牧民教育产生了深远的影响。镶黄旗、林西县、五原县被国家教委评为全国扫除文盲先进县。

这一时期的扫盲工作采取的主要措施是：（1）加强领导，广泛宣传，使扫盲工作真正成为地方各级的“政府行为”。（2）层层建立扫盲专职机构，配备专职人员。盟市设科、旗县（区）设股、乡镇（苏木）配备扫盲专职干部。到1992年，全区乡级扫盲专职干部达3 000多人，聘用兼职教师13 000多人。此外，在每年寒暑假，还有10万多名中小学教师和高年级学生参加扫盲工作。（3）逐级实行扫盲任务承包合同责任制。具体做法是：以乡镇（苏木）为单位，进行调查摸底，建立农牧民文化户口卡，确定现有文盲脱盲期限；制订年度扫盲计划，从政府和教育部门两条渠道，逐级签订承包合同，做到定任务、定时间、定奖惩条件，责任到人，奖罚分明。（4）建立严格的考核验收制度。在严格执行国务院发布的《扫除文盲工作条例》的基础上，1992年4月，自治区教育厅结合全区实际，制定下发《内蒙古自治区高标准扫除青壮年文盲单位标准及考核验收办法》。（5）扫盲识字教育同初级职业技术教育有机地结合起来，在扫盲的同时开展实用技术培训。（6）大力加强少数民族扫盲工作。每年下拨扫盲专项经费时对牧区适当倾斜，提倡和鼓励少数民族文盲用本民族语言文字参加扫盲学习。

1985—1992年，全区累计扫除文盲140多万人，全区总人口文盲率已从1978年以前的40%下降到15.3%。15—40周岁青壮年非文盲率达96%以上；经考核验收和自治区政府批准认可，全区89个农牧业旗县全部达到国务院规定的基本扫除文盲标准（每个自然村脱盲率达85%以上）。

这一期间全区扫盲工作主要统计指标变化如下表：

表5-10　内蒙古自治区扫盲指标

年　份	扫盲达标旗县（个）	青壮年非文盲率（%）
1985	35	83.5
1986	51	86
1987	51	86.1
1988	62	86.3
1989	83	—
1990	—	—

（续表）

年　份	扫盲达标旗县（个）	青壮年非文盲率（%）
1991	—	—
1992	89（全部）	96

从1993年开始，根据国家教委对扫盲教育的对象、标准、验收办法等方面新的要求。自治区扫盲教育开始重新建档立卡，摸清扫盲工作的情况和各种基础数据。截至1993年8月末，全区15周岁以上，新中国成立后出生的青壮年总数为12 061 725人，其中文盲753 318人，非文盲11 308 407人，非文盲率为93.75%。据此，各地都重新制订了扫盲规划，普遍开展了高标准扫除文盲活动。为推动扫盲工作的开展，自治区人民政府于1993年批转了教育厅《关于进一步大力加强扫除文盲工作的报告》,进一步强调要把扫除文盲的任务和各级领导的任期目标结合起来，认真落实领导责任制；强调要贯彻扫盲和普及义务教育统筹规划、同步实施、同步验收、同步奖励，"堵"、"扫"结合，"堵"重于"扫"的方针；提出了对全区扫盲工作要实行分类指导、分区推进的工作原则。总的规划是分三步走，即1995年之前要在全区经济相对发达的14个市属区、12个县级市中率先扫除青壮年文盲；1998年之前使大约60个左右条件较好的旗县基本扫除青壮年文盲；其余十几个困难较大的偏远旗县在2000年之前要重点突破，集中精力打歼灭战，以按期完成20世纪末基本扫除本区青壮年文盲的历史任务。

由于自治区政府重视，高标准扫除文盲的工作已在全区范围内基本推开。1993年，自治区对包头市青山区、昆区，呼和浩特市回民区，赤峰市元宝山区进行了普及九年制义务教育和扫除文盲的评估验收。上述4个区均达到了国家规定的高标准扫除文盲的标准，并已呈报国家教委备案。截至1993年底，全区又有17个旗、区在自检自验的基础上，向自治区提交了高标准扫除文盲评估验收的申请报告。

1994年，自治区各级人民政府和教育部门积极推进全区扫盲教育规划的实施，全区共有10万农牧民参加了扫盲学习，其中5.2万人达到了脱盲标准，使全区青壮年非文盲率达到93.4%。

自治区把扫盲工作的检查、评估、验收纳入教育督导系列，并与普及九年义务教育的检查、评估、验收工作同步实施。年内，经自治区“两基”评估验收和自治区政府批准。乌兰浩特市、二连浩特市、包头市白云鄂博矿区、呼和浩特市新城区和玉泉区成为自治区第二批基本扫除青壮年文盲的旗县（市区），从而使全区基本扫除青壮年文盲的市区达到9个。

全区各地结合实际，采取一系列加强扫盲教育的措施。巴彦淖尔盟层层签订扫盲教育责任状：由行署逐级向下签订责任状，一直签到乡镇苏木、村嘎查；由教育部门逐级向下签订责任状，一直签到学区、学校、教师，层层分解任务。锡林郭勒盟对城乡扫盲情况作了重点调查，举办各种形式的文化提高班，对脱盲人员进行文化提高教育，最大限度地控制了复盲率。不少地区把扫盲和农牧民技术培训紧密结合起来，在脱盲学员具备了初步读写能力之后，及时组织他们学习实用技术，既巩固扫盲成果，又掌握了实用技术。1994年12月，自治区教育厅发出《关于利用冬闲时期积极开展扫盲工作的通知》。各级教育部门组织农村牧区中小学利用现有的校舍、设备举办了各种形式的扫盲班，广大农村牧区中小学教师和高年级学生利用寒假时间参加了当地的扫盲工作。

1995年10月31日，自治区政府召开了全区扫盲工作电话会议。自治区副主席宝音德力格尔，教育厅、农业厅、妇联、团委的负责同志分别在会上讲了话。自治区政府强调，要进一步提高对扫盲工作重要性的认识，抓住机遇，把自治区扫盲工作进一步推向高潮；明确了扫盲工作是各级政府的重要职责，要直接抓到乡镇一级政府，同时落实到村；把扫盲工作同各级领导的任期目标结合起来，实行目标管理并作为考核各级领导政绩的一项主要内容。自治区政府还对扫盲工作的管理机构、专职队伍建设、多渠道解决扫盲经费等作出了明确规定。

改革开放以来，自治区累计扫除青壮年文盲160多万人。1995年扫除青壮年文盲53 800人。现在全区1 288万15周岁以上新中国成立后出生的青壮年中，非文盲为1 217万人，非文盲率为94.45%。现有青壮年文盲79 052人。文盲与非文盲比例为1∶11。全区100个旗县市区中有6个旗县市区经1995年度自治区组织的“两基”评估验收，达到了“两基标准”，实现了基本普及九年义务教育、基本扫除青壮年文盲。这6个旗县市区是：包头市郊区、石拐区、东河区、呼市郊区、巴盟临河市、乌海市海勃湾区。

自治区政府要求：每个乡、苏木至少配备二名专职人员抓好扫盲工作；任务重的乡、苏木要配备2—3名并保证专职专用。各级教育部门都要设有基本适应扫盲工作需要的专职机构。截至1995年底，全区有乡、苏木级扫盲专职人员2 000多人，兼职教师13 000多人。从1995年起，自治区团委、教育厅联合组织了全区大中学生志愿者扫盲与科技文化服务行动，动员10万名中小学教师和高年级学生、大学生参与扫盲工作，基本形成了一支能适应工作需要的专兼职教师队伍。

内蒙古自治区原规划从1996年起到20世纪末扫除青壮年文盲25万人。根据国家教委温州会议要求和自治区可能达到的目标，又重新调整了全区“九五”扫盲规划。即：从1996年起，前三年每年扫除青壮年文盲8万人，争取扫盲10万人；后两年每年扫盲4万人，争取扫盲5万人；到2000年，全区要扫除青壮年文盲32万—40万人。

由于及时调整了扫盲规划，加大了扫盲工作力度，1996年全区共扫除青壮年文盲9.7万人。青壮年非文盲率上升到95.2%，上升0.7个百分点。1996年，自治区有4人荣获“中华扫盲奖”，呼和浩特市郊区小井乡学校和准格尔旗纳林镇阳湾小学荣获“中华扫盲奖”，有4个地区被评为扫盲先进单位。

针对扫盲经费逐年递减，脱盲人数逐年递减的现状，自治区教育厅决定首先从增加扫盲经费入手，1996年安排扫盲经费从上年的50万元增加到170万元。其中，104万元拨到全区12个盟市用于扫盲并强调专款专用，其余66万元用于自治区编写蒙汉扫盲教材和开展扫盲后教育。

1997年内，自治区教育厅划拨扫盲经费250万元，编印蒙汉文两种文字的扫盲教材10万册，无偿发到基层用于扫盲教学。为准确掌握扫盲工作的新情况，自治区教育厅抽调专人组成调查组对全区青壮年文盲状况、普及小学五年教育、小学生辍学状况进行了抽样调查。通过对4个盟市、8个旗县、14个乡苏木的调查，进一步核实了文盲和非文盲人数。暑假期间，自治区教育厅和团委组织3 000多名大学生进行扫盲现状调查，设立扫盲调查点1 000多个，收回调查报告2 000多份，为制定全区扫盲规划提供了科学依据。

1998年，全区有4个地区获得“全国扫除文盲工作先进地区”称号，4

名个人获得中华扫盲奖，进一步调动了扫盲教育工作者的积极性。

1999 年，自治区进一步加大了扫除青壮年文盲工作的力度。一是把扫盲工作列为各级领导工作目标管理和实绩考核的主要内容，层层签订目标责任状，落实领导责任。二是各级教育部门开展调查研究，摸清了扫盲底数。年内，自治区教委组织专门力量，历时 2 个月，深入 7 个盟市、16 个旗县、35 个乡镇苏木进行扫盲工作调查。三是加强扫盲后的巩固提高工作，全区各地利用县、乡、村三级农牧民文化技术教育培训网络，开展以推广新技术、新产品为主的实用技术培训和“绿色证书”教育。四是加强督导评估和检查考核。在对年内实现“两基”达标旗县督导验收的同时，自治区教委组织 3 个组对各盟市的扫盲工作进行检查考核。年内，共扫除青壮年文盲 2.58 万人，青壮年非文盲率达到 96.6%。

三、成人业余文化教育

（一）农牧民业余文化技术教育①

20 世纪五六十年代的农牧民教育除了作为重点的扫盲工作外，巩固与提高性质的文化教育也有了一定的规模。如赤峰市 1959 年时，在业余高小初高中学习的农牧民有 78 012 人；到了 1965 年，赤峰市有农牧民业余学校 4 656 所，学员 133 887 名。为了推广赤峰市林西县的经验，1965 年 3 月，自治区教育厅曾在林西县召开全区业余教育现场会，教育厅副厅长秦丰川在会上作了《推广林西现场会议经验，促进全区业余教育革命化》的总结报告。呼和浩特市从 1955 年开始出现农牧民业余高小学习班。到 1960 年即从最初的 200 人发展到 11 340 人。

农牧民技术教育当时也有开展。通辽市 1962 年有初技班学员 180 名。1965 年有 1 375 名技术专业班学员。

20 世纪 70 年代，自治区也有办培训班培训生产队技术员的技术教育。

① 综合参考内蒙古教育丛书编委会编：《内蒙古自治区教育成就》（1947—1996），内蒙古教育出版社 1997 年版；赤峰市教育志编委会编：《赤峰市教育志》，内蒙古科学技术出版社 1995 年版；哲里木盟教育志编委会编：《哲里木盟教育志》，内蒙古人民出版社 1989 年版；内蒙古教育科学研究所编印：《内蒙古教育大观》（内部资料），1999 年。

党的十一届三中全会以后，农村牧区实行经济改革和生产责任制，农牧民为了提高经济效益、增加收入，迫切要求学习科学技术，提高农牧业生产技术水平。1982 年，自治区人民政府下发的《积极发展农牧民教育的通知》指示：在大力开展扫盲工作的同时，要有步骤地发展农牧民科技教育和职业技术培训；已经基本完成扫盲任务的地区，在抓好巩固提高工作的同时，则要尽快地把农牧民教育的重点转移到对农牧民进行初、中级文化科技教育和职业技能培训上来。

各地根据农牧民学习技术的要求，主要是开展初级技术教育。赤峰市郊区、包头市郊区和通辽县等地区积极组织农牧民参加蔬菜、果树、缝纫、机电、大田作物栽培等短期培训班，教学方法主要是边讲边实践，学习时间一般为一至三个月。1983 年全区参加农牧民技术教育短期培训班的人数达 34 000 余人。针对农村牧区种植和饲养业的需要，很多地区组织了业余技术讲座，运用广播传授技术知识或实行技术讲话录音下乡，群众需要什么讲什么。1982 年，自治区建立了中央农业广播学校内蒙古分校，招收农牧业干部、职工和农牧民学习，采用广播教学与面授辅导的方法，系统学习农业中专课程，学制二至三年。经过考试，截至 1983 年已毕业学员 1 800 余人。开展技术教育，主要依靠各地科协和农牧业技术部门，由这些部门提供教材和教师。各地的农牧民专职干部协助动员组织群众学习。

到 1984 年，全区共办各种类型的农牧业科技班、短训班、科普讲座等 6 600 多次，参加科技学习的农牧民达 20 多万人，出现了不少由于学科学用科学而走上致富之路的先进乡（苏木）、村（嘎查）。通辽县的木里图镇，仅 1984 年就办起各种形式的科技班 146 个，培训学员 8 200 人次，全镇平均每个农户培训 2.5 人次，基本上实现了对主要农业劳动力的全员培训。由于劳动者素质的普遍提高，这个镇工农业生产连年大幅度增长，人均收入由 1982 年的 300 元上升到 1984 年的 830 元。1985 年 10 月，自治区教育厅在木里图镇召开了农牧民科技教育现场会议，推广了他们“以镇带村，两级培训”的经验，即：首先把各村、组干部和技术骨干集中到镇里培训，然后再把这些骨干放下去分别回村办班，对村民进行技术再传授。这些村级骨干一方面是镇文化技术学校的学员，另一方面又是村办农牧民业余学校的教师，如此循环往复，不断地起着农村牧区科技教育中“二传手”的作用。

这一经验的推广，对全区农牧民科技教育的进一步发展起到了有力的推动作用，为了适应农村牧区生产和经济发展的形式，自治区教育厅 1984 年提出，要把农牧民教育从单层次办学尽快转移到多层次、多规格办学的轨道上来，逐步建立村嘎查、乡苏木、旗县三级办学的农牧民教育体系。

1984 年，全区只有乡、苏木、镇办农牧民文化技术学校 5 所，1985 年发展到 20 所，而 1986 年全区乡、苏木、镇办农牧民文化技术学校和培训中心已达到 135 所。一些旗县，如巴林左旗，全旗 22 个乡苏木、镇都办起了农牧民文化技术学校，并达到了“五有”（即有校舍、有领导班子、有专职教师、有试验基地、有桌凳）。这些办学单位，有的是以招收回乡初高中毕业生为主，进行系统培训的一年制全脱产班；有的是农闲集中、农忙回乡、长短结合的半脱产班；有的是为乡镇企业上岗前做准备的业前培训班。总之，利用各种不同形式为乡苏木、镇培养了一大批科技骨干，并以此对村嘎查班的农牧民业余学校发挥着指导和推动作用。

旗县级这一层的农牧民教育同样有两种类型：一是按照一定条件审批建立的农牧民中专；二是不计学历、以短期培训为主的旗县农牧民科技学校。当时全区这样的学校有 11 所，其中农牧民中专 3 所，科技学校 8 所。

1985 年建立的宁城县、敖汉旗、巴林右旗 3 所农牧民中专，有在校学生 203 人，分农学、农机、畜牧三个专业，共有教职工 63 人，其中专职教师 50 人。农牧民中专在办好学历教育的同时，同样着力于农村牧区短期培训班，培训各种急需的技术人才，如巴林右旗中专，是全国同类学校中唯一的一所用民族语言（蒙语）授课的学校，办学以来已为本旗短期培训了 1 000 多名农机和畜牧方面的人才，全旗 359 户农机专业户中有 287 户是从这所学校培养出来的。此外，如林西县、翁牛特旗、镶黄旗、兴和县、杭锦后旗等地的旗县级农牧民科技学校，也办得很有特色，分别为本旗县生产和经济发展培养了一批急需的人才。

在上述三个层次五种类型的办学中，全区每年有 100 万人以上的农牧民在接受着不同形式、不同规格、不同内容的文化科学技术教育，为自治区经济的发展和繁荣在提高劳动者素质方面准备了先决的条件。

为了进一步总结经验、表彰先进，经自治区政府同意，自治区工农牧教育管理委员会于 1986 年 1 月在呼和浩特召开了全区工农牧教育先进集体和先进工作者代表大会，会上受到表彰的农牧民教育先进集体有60个，先进工作者189人。自治区认为全区三级办学的农牧民教育体系虽已逐步形成，但还比较薄弱，而且发展也不平衡。从总体来看，是东部强于西部，农区强于牧区，商品经济发达的富裕地区强于不发达的贫困地区。对于这种不平衡的规状，一是要承认，不划统一框框，不搞一个模式，哪里能先办起来都是好事；二是要尽快改变，要以东带西，以农带牧，以富带贫，以科技教育带动扫盲教育。为了尽快地改变这种不平衡的状态，自治区教育厅决定，从1986年开始，在全区三级办学的农牧民教育体系中抓好100个示范点，不断总结经验，充分发挥示范点的示范带头作用，以带动整个农牧民教育事业的发展，为振兴内蒙古自治区的经济发挥出更大的作用。

农牧民教育开始转向业余学校和技术教育。1986年8月，呼盟第一所面向农民，以业余教育为主的扎兰屯牦牛沟乡农民教育中心成立。不久，全盟又建起4所苏木农牧民教育中心。到年末，全盟参加农牧民技术培训的有9万余人。兴安盟在1985年以后，各旗县市农牧民教育重点转向科学技术培训。是年，突泉县各种科技培训班49个，接受培训的农牧民2 930人。1987年，科右中旗有6个苏木镇开办农牧民文化技术学校。同年，乌兰浩特市成立农牧民科学技术学校，并形成市、苏木乡、嘎查村三级科学技术教育网络。

1988年，全区农牧民科技教育特别是三级办学网络的建设有了突破性进展。据年末统计，全区村嘎查一级农牧民文化业余学校已发展到5 000所；乡镇苏木一级的农牧民中专和农牧民综合技术培训中心发展为30所。部分旗县已实现了一乡一校。1988年，全区约有100万农牧民不同程度地接受了职业技术培训，在生产实践中取得了明显的经济效益。

1988年，贯彻国务院批准国家教委有关“燎原计划”的精神，结合我区实际，教育厅及时拟定了《关于“燎原计划”的实施方案》，报经自治区人民政府批转全区执行。在“实施方案”中，提出要“点”、“面”结合，有步骤地组织实施。在“点”上，通过“燎原计划”的实施，要建成一批农、科、教协调发展的示范乡、苏木。要求1989、1990两年内，每年培训青壮年农牧民100万—150万人，即在“七五”期间使全区200万—300万青壮年农牧民受到实用技术培训。根据“实施方案”的要求，自治区教育厅在调查研究的基础上，调整确定了全区首批50个联系点。在抓“点”的同时，明确提出“七五”期间要通过重点扶持乡苏木文化技术学校等措施，在全区建成100—150个“燎原计划”示范乡。

1989年1月，自治区政府批转全区执行“实施方案”。3月初，召开了全区农牧民教育科长会议，专门研究部署了全面落实《“燎原计划”实施方案》的工作。8月中旬，自治区政府在巴彦淖尔盟召开了全区职业技术教育和农牧民培训现场会，对实施“燎原计划”提出了更明确的要求。

同年，全区各级政府和教育部门围绕实施“燎原计划”主要采取了如下措施：

第一，建立“燎原计划”示范乡，典型引路，辐射全区。1989年，全区建立“燎原计划”示范乡苏木30个。经自治区检查验收，有12个示范乡苏木达到规定标准。奈曼旗青龙山镇自然条件差，1980年人均收入近30元。1986年建起镇农牧民文化技术学校。确定为示范乡以后，第一批抓了两个示范村，15个示范户。第二批又抓了665个种植、养殖等各种类型的示范户。每户选择一两项实用技术开展试验，结果绝大多数取得了较好的成果，在全镇发挥了很强的示范辐射作用。1989年，全镇人均收入达到450元，为1980年的15倍。在抓示范乡的同时，还注重抓了示范项目建设。自治区将国家教委1988年和1989年下达的450万元“燎原计划”贷款，集中使用在60个农牧业生产和经济建设的重点项目中。经抽查，其中不少项目已发挥了较好的经济效益和社会效益。

第二，狠抓县、乡、村三级办学，提高农牧民的文化科技素质。1989年，全区以培养农牧民家庭技术员为重点，一方面充分发挥普通中学和职业中学的优势，一方面着重抓了旗县、乡苏木、村嘎查三级办学。开鲁县吉尔格朗吐苏木政府投资14万元，建起了近1 000多平方米、设施齐全的农牧民文化技术学校；通辽市大林镇农牧民文化技术学校有校舍23间，实习试验基地2 800亩，1989年，建立了电化教育视听中心，播放辐射面15公里，收听收看培训面为100%。

1990年，教育厅加强了综合改革实验县和“燎原计划”示范乡的建设。年内，对敖汉、奈曼、镶黄三个实验旗进行了观摩评估，同时指导各盟市要抓好一个旗县的综合改革，使全区的综合改革实验县发展为14个。对“七五”期间的100个“燎原计划”示范乡进行了抽查，落实了“八五”期间“燎原计划”示范乡发展为500个的具体任务。同时，加强了对农牧民实用技术的培训。全区三级农牧民文化技术学校已发展到9 250所，比去年增加了3 510所，有170万农牧民接受了实用技术培训。其中有52万人达到家庭技术员的标准，其中30万人获得绿色证书。

1990年，全区在原有3个综合改革试验旗的基础上，又确定11个旗县为农村牧区教育综合改革试验旗县。同时提出了以下几点要求：一是实行基础教育、职业技术教育、成人教育“三教统筹”和农（牧）、科、教统筹；二是把发展基础教育、职业技术教育和成人教育同实施“星火计划”“燎原计划”“丰收计划”结合起来，纳入当地经济、社会发展战略规划，统筹管理，抓好落实；三是建立由旗县政府主要领导牵头，分管领导负责，教育、科技、计划、财政、劳动人事、税务、公安等有关部门负责人参加的统筹管理机构，负责制定规划、筹措经费、调配师资、组织学习、安排人才使用、进行教学质量评估等工作；四是各级政府对教育工作的领导，实行严格的任期目标管理责任制。从自治区到盟市、旗县、乡镇苏木，一级抓一级，层层落实。一年来，试点工作取得了新的进展。敖汉旗在开展综合改革以来，逐步确立了科技致富、教育兴旗的指导思想，提出了以基础教育为基础，以职业技术教育为突破口，以成人教育为依托，实施“三教统筹”，农、科、教结合的综合改革思路，为全区的综合改革提供了颇有指导性的借鉴。该旗被确定为全国试验县之后，从旗到乡、村进一步充实加强了统筹领导力量，不少乡镇配备了科技副镇长，协助一把手抓统筹。他们把农业部门推行的“丰收计划”、科技部门推行的“星火计划”和教育部门推行的“燎原计划”结合起来，努力做到规划统筹和实验项目统筹。康营子乡自筹经费2.3万元，由统筹领导办公室统一规划，各有关部门全力配合，开辟了10个实验小区，进行了7个项目的试验，当年就收到了明显的效益。四道湾子镇通过两级农校开展了“水稻寒地早育稀植”“玉米制种”等试验项目推广，种植了250亩水稻，当年增产3 125万公斤，开辟的5 200亩制种实验田，创纯收入182万元。

1992年全区教育工作会议提出：当前和今后一个时期内，要紧紧抓住农村、牧区教育综合改革这一关键环节，积极有步骤地推进“三教统筹”

和农科教结合，为实现农业再创新水平、农民如期达小康、畜牧业再上新台阶、牧民率先达小康的奋斗目标创造条件。会后，全区各地紧紧围绕这一中心开展工作，把农村牧区教育综合改革逐步推向深入。

与此同时，各级地方政府对农村牧区教育综合改革的统筹机制正在逐步形成。在组织领导方面，全区 11 个盟市成立了有主要负责同志牵头、有关部门参加的统筹领导机构；14 个综合改革实验旗县普遍建立了县、乡两级政府统筹领导小组，实行例会制度，定期研究工作。在经费统筹方面，各级地方都相应出台了一些政策，通过多种渠道增加了教育投入。全国首批综合改革实验县奈曼旗由政府牵头建立了教育基金制度，4 年累计筹集基金 550 万元；敖汉旗 4 年集资 1 000 万元，占全旗教育总投入的 20%；镶黄旗人口不足 3 万，全年教育投入竟达 200 万元。在规划统筹方面，进一步体现了农科教结合的原则，把教育发展规划纳入当地经济、社会发展的总体规划，基本模式是“经济出题目，科技上项目，教育出人才”。在基地统筹方面，县乡两级政府因地制宜采取措施，积极划拨耕地、草场，解决试验、实习基地，开展科普试验，推广新技术，对当地生产起到了示范作用。

1992 年，旗县、乡镇苏木、村嘎查三级农牧民实用技术培训已初具规模，形成网络。全区 89 个农牧业旗县中，50 个旗县建立了县级培训中心或农牧民中专，占农牧业旗县总数的 56%；1 553 个乡镇苏木已有 1 191 个办起乡级农牧民文化技校，占乡镇苏木总数的 77%；在 13 738 个村嘎查中，已办起 7 083 个村农校，占村嘎查总数的 52%。全区多数旗县均已建起教育电视台（站），如敖汉旗目前已形成 1 台、9 站、35 个放录像点的电化教育格局；察右中旗铁沙盖乡的教育电视台可覆盖 7 个乡、51 个行政村、190 个自然村。电化教学已成为三级培训网络中重要的教学手段之一。

“燎原计划”示范乡建设由点到面迅速扩展，使一大批增产的实用技术项目得以推广，直接促进了当地经济发展。1992 年，全区“燎原计划”示范乡由 100 个扩大为 500 个，累计推广实用技术项目 200 多项，给当地群众带来了可观的经济效益。通辽市太平乡五福村，1986 年人均收入近 30 元，通过实施“燎原计划”，推广水稻开发新技术，到 1992 年人均收入达到 1 147 元，提高近 40 倍。

1993 年，农牧民培训网络建设又有新的发展。全区建有县级培训中心

60 个，占 89 个农牧业旗县的 67. 4%；乡苏木级农牧民文化技术学校 1 300 所，占 1 553 个乡、镇、苏木的 84%；村、嘎查级农牧民文化技术学校 8 300 所，占 13 738 个村、嘎查的 60. 4%。根据国家教委和有关部门的文化规定，自治区教育厅会同自治区农委和冶金机械厅分期分批地对农业广播电视学校的盟市、旗县级分校和旗县级农牧业机械化学校进行评估验收，其中有 8 所盟市级农业广播电视学校分校（含工作站）、43 所旗县级农业广播电视学校分校、32 所旗县级农牧业机械化学校通过了验收和批准备案，分别纳入自治区成人中等专业教育和成人中等教育系列管理。1993 年 10 月，自治区政府办公厅发出《关于认真做好全区农业广播电视学校中专毕业学历验印工作的通知》，原则上解决了农业广播电视学校验印问题。同时，还进一步加强了对农业函授大学和“燎原计划”的宏观管理，使农、科、教相结合的农牧民培训网络得到了进一步的完善和加强。

1994 年 1 月，自治区政府召开了全区农村牧区教育综合改革工作会议。会议提出：按照“燎原计划”的要求，继续重视和加强县、乡、村三级农牧民文化技术学校的建设。“八五”期间，要重点发展乡苏木级文化技术学校，使其办学面达到 95% 以上；旗县级农牧民中专或培训中心以及村嘎查农牧民文化技术学校也要有所发展，办学面都要达到 95% 以上。各级农牧民文化技术学校实行由政府统筹、教育及有关部门联合办学的体制，以开展扫盲和扫盲后的科技教育为主，同时体现一校多用，既是对农牧民进行社会主义教育的基地，也是开展科技咨询、信息交流的场所。全区农村牧区教育建设得到加强，农牧民实用技术培训普遍展开。到 1994 年底，全区县级农牧民培训中心已发展为 1 446 所，比上年增加 146 所，占 1 553 个乡镇苏木的 9. 31%；村嘎查级农牧民文化技术学校有 10 693 所，比上年增加 2 393 所，占 13 738 个村嘎查的 77. 8%。赤峰市对乡镇苏木和村嘎查农牧民文化技术学校进行了评估，全市村嘎查农牧民文化技术学校发展到 2 497 所，办学面达 92. 3%；乡镇苏木农牧民文化技术学校发展到 270 所，办学面达 100%。年内，全区参加实用技术培训的农牧民达 330 万人次，其中有 45 万人经过考核达到了农牧民家庭技术员的标准。

1995 年，自治区贯彻了国家教委《关于加强乡、村农民文化技术学校建设》的通知精神，不断加强和完善乡、村两级农牧民文化、科技培训网络。目前，全区已建立乡、苏木级农牧民文化技术学校 1 446 所，占乡、苏木总数的93%；建立村、嘎查农牧民文化技术学校 18 693 所，占村、嘎查总数的 78. 5%。自治区要求 1998 年以前，每个乡、苏木、村、嘎查都有一所农牧民文化技术学校，其中 1/3 要办成示范性的农牧民文化技术学校。此外，自治区农牧民中等教育也得到明显发展。

1996 年，经自治区教育厅会同农业厅评估验收，呼和浩特市、包头市的 4 所旗县级农业广播电视学校被批准允许举办中等专业学历教育。1996 年，全区共有农业广播电视学校、分校 70 所，农民中专 3 所。农广校、农民中专已毕业学生 18 000 多人，在校生 4 000 多人，平均每年招生规模 2 000 人。全区经过教育厅批准的农牧业机械化学校有 29 所，主要对农牧民进行初级技术培训。

自 1989 年《关于“燎原计划”的实施方案》中提出对青壮年农牧民进行实用技术培训后，方案得到很好地贯彻。方案提出的培训目标是在“八五”期间为全区 316 万农牧户每户培养一名家庭技术员。这是当时自治区党委和政府对农牧民教育提出的一项重要任务。

此项工作开展以来，成效十分显著，截至 1993 年底，在全区 334. 4 万农牧户、1 466. 7 万农牧民中，通过扫盲和扫盲后不失时机地进行实用技术教育和培训，经考试考核累计已有 222. 88 万人掌握了一技之长，其中有 141. 29 万人领到了“绿色证书”。

到 1996 年，全区共培养家庭技术员 290 万人，已基本完成自治区政府提出的培养目标。

1997 年，最后的 26 万人领取了“绿色证书”，至此，完成了为全区农牧户每户培养一名家庭技术员的任务。

家庭技术员的培训为农牧民带来了科学与技术，也带来了财富。据调查，经过培训的家庭技术员在生产效益和经济收入方面都明显高于普通农牧户的水平。据巴林左旗对家庭技术员户和普通农牧户的抽样调查，普通农牧户的人均收入为 474. 3 元，而家庭技术员户为 880. 3 元，人均收入比普通农牧户高出 406 元，户均收入高出 1 827 元。

培训农牧民家庭技术员、实施“绿色证书”制度，使全区农牧业劳动者素质有了较大幅度的提高，不仅在当地生产实践中获得了显著效益，而且在国际上也产生了一定的影响。在呼和浩特地区对俄罗斯和其他独联体国家所组织的劳务输出中，同样是种植蔬菜，凡获得“绿色证书”的，劳动成果和收入明显高于普通菜农，其工资是一般人员的5倍以上。

（二）职工业余文化教育①

内蒙古自治区成立后，职工教育便在一些地方开始出现。

1947年11月下旬至12月，呼盟海拉尔市总工会先后举办两期工人训练班，参加训练的有170多人。1949年5月，海拉尔市总工会工人夜校开学，学员200多人，学习文化、政治及工会业务等知识。

1949年，随着农牧民扫盲教育的兴起，通辽市工人教育开始起步。开鲁县、通辽县各建一个文化馆，利用文化馆对工人进行文化教育。同时，组织工人夜校。1949年5月，全盟有7所工人夜校，其中有1所工人补习学校。学校招收有一定文化知识的工人，学习政治常识、社会科学常识、近代革命史、世界知识等。教员由工厂中党、政、工负责人担任。有3个工人识字班，识字班以扫盲为主，并教授粗浅的算术、革命史。1个工人业余技术补习班，招收青年技术工人，教以粗浅实用的技术理论知识，教员由企业技术人员担任。全盟4 413名职工中，参加各类学习的有422名。

1951年6月20日至6月25日，绥远省总工会文教会议召开，会议通过了《发展职工业余教育计划（草案）》。同年7月2日，绥远省政府颁发《各级职工业余教育委员会组织条例（修正案）》。

1950年5月，归绥市文教局直属职工业余文化学校（简称职工学校，下同）建校开学，校址附设于回民完小。9月，为组织职工学习文化，归绥市职工教育委员会成立，在全市开展宣传活动。市文教局、劳动局先后两次召开私营行业资方座谈会，要求资方支持工人学习文化，保证业余学习时

① 综合参考呼伦贝尔盟志编委会编：《呼伦贝尔盟志》，内蒙古文化出版社1999年版；哲里木盟教育志编委会编：《哲里木盟教育志》，内蒙古人民出版社1989年版；呼和浩特市教育志编委会编：《呼和浩特教育志》，内蒙古人民出版社1990年版；伊克昭盟志编委会编：《伊克昭盟志》，北京现代出版社1994年版；赤峰市教育志编委会编：《赤峰市教育志》，内蒙古科学技术出版社1995年版；锡林郭勒盟志编委会编：《锡林郭勒盟志》，内蒙古人民出版社1996年版；内蒙古教育丛书编委会编：《内蒙古自治区教育成就》（1947—1996），内蒙古教育出版社1997年版；内蒙古教育科学研究所编印：《内蒙古教育大观》（内部资料），1999年。

间。市政府发文要求不及初中文化程度的职工，一律参加文化学习。下半年增设市直属职工学校两处。12 月成立职工业余学校校本部，校址在吕祖庙，与干部学校合署办公，下设 3 个分校。另有发电厂、面粉厂、印刷厂等企业自办的职工学校 3 处，是年，全市共有职工学校 7 所。

1951 年，职工、干部学员实行分校分班。由于设在小学内的职工学校逐渐增多，市政府在《关于职工业余教育分校与小学实行统一领导》的通知中规定："凡设于各小学之职工分校，均与小学实行统一领导，由小学校长领导全盘工作，贯彻校长负责制"。但各职工分校的教学业务工作仍由职工学校校本部领导。有的学校设副教导主任或主任教员 1 人，协助教导主任掌管职工教育，完成教学计划，教师由校长统一调派。是年，职工学校共有 12 所，为鼓励学员学习，各校评选出学习模范共 80 人，颁发了奖金、奖状。

1951 年，宝昌镇成立一所察哈尔盟直属机关职工业余学校，有初级学员 130 人，专职教师 1 人，兼职教师 4 人。

伊盟根据中央"1954 年职工教育预备会议"精神，首先在 8 个具备办学条件的厂矿企业里建立了职工业余学校，配备了专职教师。

呼盟在第一个五年计划期间，出现了职业不对口的大量失业工人亟待培训就业的问题，职业技术教育迅速发展起来，全盟举办多种形式的文化、技术训练班。1951 年底，全盟有职工业余学习班 265 个，参加学习的职工 7 833 人，其中文化学习班 142 个 3 476 人，政治学习班 59 个 3 393 人，技术学习班 64 个 964 人。

赤峰市最初在南部旗县较大的厂矿中举办工人业余学校。赤峰镇内的制药厂、医院、供销合作社等办职工学校 9 处，463 名职工参加学习。至 1951 年，学员达 1 494 名。

1955 年 3 月，呼市旧城各职工分校合并成立庆凯街职工业余联校，扩大各类班级，设置从扫盲到初中约 30 个班，达到近千人的规模。9 月，呼市商业局将百货公司、联营商店、市联社等 16 个单位的 1 184 名学员，从市属的职工、干部业余学校中抽出，由商业系统自办联校。

1955 年 12 月，全国职工业余教育会议提出职工业余教育两大任务：一是普遍提高职工群众的文化技术水平；二是从职工中培养科学技术人才和管理干部。此后，我区的职工教育工作有了更大的发展。

1957 年，呼市庆凯街职工联校改名为旧城职工业余联校，扩大班级，吸收新建小型企业职工入学。随着职工文化的提高，要求升入高小、初中人数增多，单位独自办校逐渐转向系统办校。是年，呼市地区联办的有车站职工联校和旧城职工联校，系统办的有第一、二工程公司职工学校，独家办的有内蒙古日报社、邮电局以及市毛织厂、云母厂、被服厂、手工业社、砖瓦厂等 7 所职工学校，共计 11 所，各类在校学员 6 414 人。1958 年，呼市车站职工联校办起大专班，设机械制造专业，招生 42 人。年末，呼市城区职工学校共有 20 所。1960 年，呼市车站职工联校因在提高职工文化技术水平方面成绩显著，被授予成人教育先进单位称号，先后参加了市、自治区以及全国文教群英会。1961 年，经济困难时期，职工教育规模缩小，大部分职工学校停办。1962 年，呼市总工会教育部接管全市职工教育，呼市市委批转市总工会党组《关于职工教育专职教师和经费集中管理》的报告：决定除商业系统外，职工教育的专职教师和经费从 7 月 1 日起统由呼市职工教育委员会办公室管理；旗、区系统和各办学单位建立起职工教育委员会或校务委员会。是年呼市城区有职工联校 9 所，即车站职工联校、东门外职工联校、旧城区职工联校、西北片工厂联校、东南片工厂联校、手管局系统工厂联校、玉泉区、新城区及回民区工厂联校。呼市工会教育部分期分批组织有条件的单位复课，使在校学员恢复到 7 542 人。1964 年，呼市职工学校发展了初、中级技术班，在校人数增至 9 326 人。

1954 年，哲盟有 32 个工人学习班，1 448 名学员，其中有 10 个业余高小班，307 名学员；1 个业余初中班，35 名学员。有 42 个城市劳动人民业余扫盲班，835 名学员，其中，蒙文 2 个班，69 名学员。到 1957 年初，全盟有 8 000 名工人在业余高小班学习，有 130 名工人参加业余初中班学习。1959 年，哲盟掀起工厂办学的高潮。当时，全盟共有 27 342 名工人，全盟厂办校有 56 所，系统办校 8 所，参加各类文化学习的工人有 23 430 名，占工人总数的 85.7%，占青年工人总数的 94%。1960 年 2 月，有上千名工人业余高小或初中毕业。与此同时，全盟共配备 39 名工人专职教师，其中，高小程度的有 5 名，初中程度的有 20 名，高中程度的有 14 名，兼职教师有 418 名。到 1964 年，全盟工矿企业工人在校人数为 2 177 名，其中高小 688

名，初中 919 名，高中 333 名。

20 世纪 60 年代初，呼伦贝尔盟职工教育贯彻中共中央提出的“调整、巩固、充实、提高”的方针和文教工作会议精神，旗市、厂矿及基层工会分别建立了职工业余学校。这些学校多数为每周一、三、五下午或晚间学文化，二、四下午或晚间学政治，周六下午学技术。

1959 年，昭盟职工业余教育贯彻“结合生产，统一安排，因材施教，灵活多样”的原则，全盟工人增加到 54 725 名，有 133 个厂矿根据厂矿企业本身的特点，办起政治、技术、文化三结合的业余红专学校 149 所，36 214 名工人参加学习，占工人总数的 66.3%。1960 年 2 月，昭盟教育处、盟工会联合举办全盟工矿企业职工业余教育专职教师训练班，主要是学习全国职工教育黑龙江现场会议精神，交流办学和教学经验。1965 年，昭盟职工人数达 77 595 名，参加文化学习的 8 734 名（扫盲班 1 712 名，高小班 3 092 名，初中班 2 121 名，高中班 818 名，外语班 141 名，蒙语班 850 名），技术班 4 034 名，中级班 1 500 名（蒙语函授 1 250 名），初级班 657 名，大专班 1 350 名（其中函授 950 名），短期培训班 527 名，参加政治班学习理论的 7 060 名。

1956 年，伊克昭盟有职工业余文化学校（包括临时培训场所）9 所，专职教师 8 人，业余教师 38 人，在校学员初小班 754 人，高小班 187 人，初中班 78 人。全盟有工会组织的地区均组织当地职工进行文化补习，并建立健全了各项规章制度。到 1958 年，全盟有职工业余文化学校 5 所，专任教师 11 人，兼职教师 34 人，在校学员数 1 118 人（初小班 696 人，高小班 262 人，初中班 160 人）。

“文化大革命”开始后，全区职工教育便基本停止，职工学校停办。“文革”后期，曾有一些职工学校挂上了“七·二一”大学的牌子。

中共十一届三中全会以后，职工教育出现了新的情况，迎来了新的发展机遇。1981 年，中共中央作出《关于加强职工教育工作的决定》。按照中央的决定，自治区开展了广泛的青壮年职工文化、技术补课工作。

1982 年 4 月，自治区政府批转了工农牧教育管理委员会《关于加强职工教育工作的报告》，要求全区各地进一步抓好全员培训，突出领导干部培训和青壮年职工文化、技术补课两个重点，并规定了企业和行政事业单位的职工教育经费，大体上按工资总额的1.5%掌握使用。计入企业成本或列入行政事业费预算，还可以从利润留成、企业基金、自筹资金、行政事业费、地方财力或机动财力中拿出一部分用于职工教育。各部门、各单位要按照职工总数的3‰—5‰的比例配备专职教师。全日制普通高等院校，各级教育学院、教师进修学院（校），也要承担职工教育的师资培训。

自治区政府于1982年4月，颁发了《关于开展青壮年职工文化技术补课的暂行规定》,就青壮年职工的文化、技术补课作出了8条规定：

（1）从1983年起，招收学徒，必须具备初中文化水平。

（2）各单位都要建立文化、技术考核档案，作为调资、晋级和提职的重要依据之一。从1983年起，学徒工未达到初中毕业水平的要延期转正。文化、技术学习优秀的可提前转正。退休顶替子女，亦按上述规定执行。

（3）对技术工种和关键岗位的青壮年职工，应优先安排文化、技术补课。从1994年起，文化、技术补课未取得合格证的，不能晋升；限期补课仍不合格者，要调离技术工种或关键岗位。

（4）凡是没有完成补课任务的，不能当会计、统计或其他管理人员，也不能推荐外出深造。

（5）凡有奖金的单位，其脱产学习的职工都可参加评奖学金。

（6）积极参加补课并取得优异成绩，应作为评选先进代表和进行奖励的条件之一。

（7）要把抓这项工作的成绩大小，作为衡量、考核一个单位和领导干部的一项标准。

（8）对成绩显著的教师和职工教育工作者，要给予表扬和奖励。

按照自治区的安排，“双补”工作在全区各地大面积铺开。各盟市根据实际情况，开办补习班，利用职工业余文化学校等各种方式进行了大规模的推进。

1984年召开的全区经济工作会议职工教育专题讨论会，遵循分类指导、分类要求的原则，进一步落实了各盟市“双补”进度计划指标。同年，自治区人民政府组织职工教育检查团，认真检查了全区以“双补”为重点的职工教育工作进展情况。这些措施，促进各地加快了“双补”的步伐。至1985年8月，全区青壮年职工文化、技术补课合格率分别达到67.7%和

61.2%，达到了国家规定的低限要求。1986年，全区“双补”工作进入扫尾阶段。1986年8月，经自治区人民政府批准，由自治区经委、教育厅、劳动人事厅、总工会、团委共同组成6个“双补”验收组，对全区12个盟市的“双补”工作进行了全面的检查验收。验收结果表明，我区青壮年职工“双补”工作历时五年，基本完成了国家规定的任务。全区职工文化补课对象609 752人，已有503 298人初中文化补课合格，累计合格率为82.54%；技术补课对象425 037人，已有35 504人初级技术补课合格，累计合格率为83.53%，均超过了国家规定的高限要求。通过“双补”教育，全区青壮年职工的文化程度和技术水平均有明显提高，使过去职工队伍“三低一少”（文化程度低、技术水平低、管理水平低、专门人才少）的状况开始改变。

1986年12月，自治区工农牧教育管理委员会会同经委、劳动人事厅、教育厅等部门联合发出了《关于公布青壮年职工文化技术补课工作合格盟市及青壮年职工文化技术补课先进单位的通知》，对11个“双补”合格盟市和18个“双补双优”单位进行了表彰奖励。

为适应尚未达到初中文化程度的职工学习初中文化和“双补”合格后的职工学习高中文化的需要，到1986年底，全区共开办职工初、中等学校422所，在校生达28 359人。

按照自治区的安排，在“双补”后期，对职工业务培训也开始陆续进行。

从1984年到1986年各地区、部门和企业根据生产经营的需要，共培训工人约93.3万人。1985—1986年，总计完成工人高级技术培训6 725人，中级技术培训74 695人，初级技术培训340 318人，其他短期适应性培训124 151人。为了搞好企业的班组建设，到1986年培训班组长已达3万人。

在此期间，自治区职工教育机构在调整中健全，各盟市和大多数厅局都设立了职工教育机构，其中呼和浩特、包头、乌海、锡林郭勒4个盟市成立了实体的职工（成人）教育委员会。大中型企业大都设立了教育处（科）或培训中心，小型企业配备了专职干部。职工教育办学条件不断改善，全区用于职工教育的校舍面积已达60万平方米。从1984—1986年的三年间，每年都有一定数量的大学本科毕业生到职工高、中等院校任教。自治区现有职工教育专职教师 9 400 人，管理干部 6 300 人，还有一大批兼职教师和干部。

从 1987 年起全区各级教育部门配合计划、劳动人事等部门加强了对全区岗位培训的宏观指导和服务工作，制定了岗位培训的有关配套政策，协助部分行业确定了岗位分类和岗位规范标准；制订了指导性的培训计划及教学大纲，同时组织编写了教材，拟定了考核实施办法。这样，全区在 1987 年个别单位试点的基础上，1988 年进一步扩大了试点范围。特别是冶金、物资、银行、铁路、邮电、电力、商业、供销等行业和系统都开展了试点工作，而且措施落实，见效比较快。例如，包头钢铁公司、莫尔道嘎林业局等单位，由于领导重视，政策落实，充分调动了广大职工岗位培训的积极性，通过一年多的实践，形成了符合本行业特点的规范化、制度化的岗位培训新格局，为全区其他行业、系统提供了借鉴。1988 年，全区参加岗位职务培训的职工、干部 18.81 万人，比 1986 年增加了 13.41 万人，增长 248%。

在总结前三年试点经验的基础上，1990 年岗位培训在全区普遍推开，全年共培训 60 万人，相当于前三年的总和。在重点抓好职工适应性培训的同时，各地进一步开展了规范性培训试点。据不完全统计，全区物资、邮电、商业、人事、金融、税务、轻工、交通、财政等系统及 14 个大型企业制定了 160 多种岗位规范，并且多数已开办了试点班。各有关部门普遍制定了岗位培训方案。自治区劳动人事部门、经委系统制定了国家行政工作人员和“三总师”、厂长、经理的岗位培训实施方案，为全区的岗位培训提供了借鉴。1990 年，教育厅会同有关部门组织力量深入盟市、大厂矿企业进行了岗位培训的专题调查，掌握了大量数据，为制定自治区岗位培训实施方案做了准备，同时在全区范围内开展了岗位培训经验材料和有关论文征集活动，已征集材料、论文近百篇。

1991 年，自治区把岗位培训作为成人教育的重点，研究落实规划，认真组织实施，全区岗位培训工作呈现出积极发展的态势，主要表现在：第一，各级领导对岗位培训工作重要性和紧迫性的认识进一步提高，岗位培训工作已纳入各部门的议事日程；第二，积极试点，总结经验，加强了部门、行业间的横向联合与协作；第三，注重实效，使岗位培训与提高工作效率、经济效益相结合，推动了企业内部的改革。全区物资、邮电、商业、人事、银行、税务、轻工、交通和财政系统及 14 家大型企业，在广泛深入调查研究的基础上，摸清了从业人员素质和岗位设置状况。自治区从实际出发，积极修订计划和规划，选择一批代表性强、有相当基础的企业进行了培训试点；同时制定了 160 多个主要岗位、关键岗位的岗位规范和相应的配套政策措施，完成了教材的选编和推荐任务。年内，全区有 70 多万干部、职工参加了培训。10 月下旬，自治区召开了岗位培训经验交流会议，总结了前一时期的工作，明确了今后一个阶段内全区岗位培训的目标、任务和主要措施，对岗位培训向规范化、制度化发展起到了促进作用。职工岗位培训工作由试点阶段逐步向全面开展过渡。

从 1992 年起，全区各系统岗位培训领导机构，各大厂矿企业、高中等职工院校的培训机构已建立健全；全区行政机关工作人员、企事业单位职工的岗位培训由点到面逐步开展。到 1992 年底，全区已有 24 万人参加不同层次的岗位培训并结业，有 16 万人正在接受培训；全区国家行政机关工作人员有 4. 5 万人完成公共课培训，占应培训人数的 56. 2% 。

自治区岗位培训在经历数年的调整之后，1993 年，已被列为职工教育的工作重点，引起了各级党委、政府和企事业单位领导的高度重视。自治区工农牧教育管理委员会进一步加强了对全区岗位培训工作的宏观指导。全区各个系统、行业已分别制定了岗位培训规范，建立并完善了培训基地和培训制度，使岗位培训全面展开。全区各类企业特别是大中型企业在对青年工人进行文化补课的基础上，从行业和岗位规范特点出发，广泛开展了业务培训、技术考核、技术技能比赛，大大提高了从业人员的素质。1993 年，全区各系统、行业对从业人员的岗位培训已逾百万。有些行业如银行系统，已进入全员培训的较高层次发展阶段。呼和浩特铁路局推广中国式的开展岗位单项技能组合式培训，取得了大面积的培训效果；呼伦贝尔盟大雁矿务局采取“四三一”培训方式，将井下作业人员按四班进行编制，三个班作业，一个班轮流成建制培训，不仅有效地解决了工学矛盾，而且培训效果十分突出，从而引起全区工矿企业的极大兴趣和重视。

1995 年，全区岗位培训按照行业系统管理的原则，正在稳步实施。全年共完成各类培训达百万人次，在提高职工队伍的科学文化、政治业务素质方面发挥了重要作用。同时，全区继续组织了高等、中等专业证书教育，开展了多种形式的培训，进一步发挥了成人院校为经济建设和用人单位服务的功能。

1996 年，全区把岗位培训继续作为成人教育工作的重点，积极组织协调全区各系统、行业岗位培训工作，全年培训在岗职工达 90 万人（次），组织进行了全区各类成人教育管理干部的岗位培训及考核工作，加强了全区各类岗位培训机构的审批管理，保证了全区岗位培训工作的稳步发展。

1997 年，全区各类成人大中专院校、各社会力量办学单位、自治区级各类教育培训中心，根据行业、部门、地区和社会的需求，不同程度地承担了岗位培训和继续教育任务。据不完全统计，全区各级各类成人院校、各行业系统、厂矿企业进行岗位培训达 70 多万人次，其中担负下岗职工的转岗、再就业培训达 9 万多人次，使岗位培训、继续教育和社会化教育这项成人教育的重点工作得到进一步加强。

1998 年，自治区教委加强对岗位培训工作的宏观指导和统筹，全年各行业系统、部门共培训各类人员 80 多万人次。培训工作的特点是：（1）成人高、中等院校积极主动承担任务，发挥龙头作用。内蒙古经济管理干部学院除继续办好厂长经理培训班外，全年共举办工商管理培训班 12 期，培训学员 921 人；包钢职工大学主动承担全公司各类岗位培训任务，提高企业在岗人员素质；呼和浩特管理干部学院经市政府批准，增挂呼市干部培训中心牌子，承担起全市公务员培训任务：呼和浩特市职工大学承担对全市科技干部的继续教育以及职称评定考试辅导工作。（2）各行业、系统、部门进一步规范办学行为，保证岗位培训工作的正常开展。全区各行业、系统、部门共办培训中心 32 个，在机构、经费、师资、教材、任务等方面都得到落实。（3）各成人院校、培训中心在抓好行业系统岗位培训工作的同时，主动开展下岗职工再就业培训。自治区教委成立了下岗再就业培训领导小组，全区各成人院校、各培训中心认真落实培训任务，全区教育系统共培训下岗职工 15 000 多人。

（三）干部业余教育①

中华人民共和国成立以后，干部教育在继承根据地干部教育的优良传统

① 综合参考呼和浩特市教育志编委会编：《呼和浩特市教育志》，内蒙古人民出版社 1990 年版；内蒙古教育丛书编委会编：《内蒙古自治区教育成就》（1947—1996），内蒙古教育出版社 1997 年版；内蒙古教育科学研究所编：《内蒙古教育大观》（内部资料），1999 年。

基础上，以迅速提高干部的文化水平作为教育工作的重要任务。主要通过开办机关业余文化学校和干部文化补习班（学校）的方式进行。

初期的干部业余文化教育主要是抓不及初中毕业水平的干部的文化教育，另一部分是进行扫盲。

1950 年，绥远省成立了省直属机关干部文化补习学校，在校学员共计 200 余人。在后来的调查中，省级 52 个直属机关单位的干部中文盲、半文盲占总数的 2. 33%，工勤人员中文盲、半文盲占总数的 62. 53%，初中毕业以上干部占总数的 48. 68%。1953 年，学校下放至呼市领导，改为呼市第二干部分校。1954 年 9 月，第二干部分校再次交由省直属机关领导，改名新城干部文化学校。1955 年，新城干部文化学校重归呼市领导，易名为第三干部学校。

1950 年 6 月，内蒙古自治区人民政府直属机关学校成立。由党委宣传部直接领导，9 月改交文教部领导。当时参加学习的干部有 218 名，分为初小、高小和初中三个班。到 1951 年 2 月，增为 5 个班，学员达到 313 名，另设新蒙文两个班。5 月，因自治区东部人员迁到张家口，学员增加到 1 136 人，班级增到 35 个（新增数学、语文、班各 10 个，新旧蒙文班 15 个）。

1952 年 8 月 31 日，内蒙古自治区干部文化学校成立。当时有教职员 211 人，学员两个班，共 99 人。1953 年 2 月，该校合并到绥远省行政干部学校。同年 6 月增设 4 个班，全校共 6 个班，学员 240 人。1954 年春，蒙绥合并，学校改为内蒙古自治区行政干部学校。同年秋又增设 3 个班，全校共 9 个班，学员共 354 人，教职工有 64 人。1956 年 8 月，自治区人委决定，撤销内蒙古自治区行政干部学校。

1950 年，绥远省工农速成中学成立。因无校舍，即先在旧绥中学附设一个班，有 78 名学员，决定于 5 月 15 日开学。1951 年，已有三个班，学员约 120 人。1952 年 8 月，学校开始在呼市麻花板兴建校舍，正式建校。

1956 年 6 月 11 日至 12 日，内蒙古自治区教育厅在呼和浩特市召开全区第一次干部文化教育会议。会议讨论拟定了《十二年干部文化教育规划》。

1953 年 12 月，内蒙古自治区召开了机关干部会议，绥远省召开了重点机关学校会议。两省、区的会议对干部教育中存在的领导关系不明确、学制课程不统一，教学质量低，制度不健全等混乱现象进行了分析，提出了整改措施；同时就学制课程、教材、制度等方面存在的问题作了研究和讨论，提出了初步的解决办法。1950 年 3 月，呼市创办市干部业余文化补习学校 1 所（简称干部学校，下同）附设在第二完小内。市政府两次行文要求市级机关各单位，动员所有初中程度以下干部，一律参加业余文化学习。年底，城区有市干部学校 1 所，市法院干部文化学习班 1 个，在校学员共计 500 余人。

1951 年底，市文教局决定干部、职工分校分班，将在干部学校学习的企业职工转入职工学校学习。市干部学校改为干部业余中学，与职工学校校本部合署办公，地址设在旧城吕祖庙内，又增设一个干部分校。1952 年，干部业余中学抽调教学人员协助推行“速成识字法”的试点和培训师资工作，干部学校 8 个班转为速成识字教学班，增加工商厅干部学校 1 所，是年共有干部学校 6 所（班）。

1953 年对市级机关干部的文化程度调查，市级 60 个单位的干部中，文盲、半文盲占总数的 9. 79%，工勤人员中文盲、半文盲占总数的 49. 07%，初中毕业以上干部占总数的 30. 06%。调查情况表明，干部队伍的文化程度较低。是年，职工学校本部并入干部学校一分校，职工五分校改为第四干部分校，另增设干部三分校。至此，干部业余中学下属有 4 个分校，加上省公安厅干校、卫生厅干校、财委干校共计 7 所。是年，机关事业单位自办干校的还有市公安局干校和红山口结核病院干校 2 所，财委干校和市法院文化班停办，学员分别转入就近的干部学校学习。

1955 年 4 月，市政府 104 次会议决定：成立呼和浩特市干部业余文化教育委员会，通过《干部业余文化教育委员会组织办法》,对人员编制经费作出了规定。6 月，市人委通知抽调区级以上机关的文盲、半文盲干部（包括工勤）脱产学习，市教育局先后举办两期干部脱产扫盲班，参加学习的有 34 人。干部业余中学与第一干部分校合并，称第一干部学校，试办高中语文专修班。新城干部文化学校重归本市领导，易名为第三干部学校。另在车站小学内新建第二干部学校。至此，市直属有第一、二、三干部学校 3 所，（原二分校、四分校与就近干部学校合并）。年初，市教育局设置推行新蒙文办公室，抽调 3 名蒙古族干部，先办起新蒙文业余学习班，后又办新蒙文干部脱产学习班，附设于新城元贞永街第三干部学校内，不久，新蒙文停止推行，该班撤销。

1956年以后，干部教育向更高的层次发展。

1956年至1957年，在向“文化科学进军”的高潮中，呼市人委要求政府机关、人民团体中不及高小和初中毕业程度的干部要全部参加业余文化学习，金融、贸易、合作等部门的干部不及初中毕业程度的已有80%入学。这一时期，干部学校初中、高中班学员人数大增，至1957年在校人数达到3 935人。是年，将第一、二、三干部学校分别附设于一中、二中、三中、四中、五中校内，改称中学附设干部学校。1959年又增设市电影公司干部文化班1个，撤销附设于二、四、五中的干部学校，保留旧城一中、新城三中附设的干部学校。1961年至1965年，由于整风整社、社会主义教育、“四清”等政治运动频繁，干部分期分批参加各项中心工作，干部学校学习人数逐年减少。1961年，附设于一中、三中的两所干部学校撤出合并，改称第一干部学校。到1966年初，只剩呼市第一干校。

1966年“文化大革命”开始后，我区的干部教育全部停止。

党的十一届三中全会以来，干部教育重新开展。全区恢复和重建各级干部学校57所，其中自治区级干部学校9所，盟市级干部学校28所，旗县级干部学校20所。截至1983年底，各级党校、干部学校共有2 065名专职教师，轮训各级各类干部达140 000余人，占全区干部总数的29%，仍在各级党校、干部学校学习的干部有10 680人。

为了加强干部教育工作，1981年自治区党委批准成立了自治区干部教育委员会，自治区党委第二书记廷懋任主任委员。1983年进一步充实调整了自治区干部教育管理委员会，自治区党委副书记刘贵谦任主任委员。

20世纪80年代起，干部教育更多的是以学历教育和提高管理水平为目标的。

在提高管理水平方面，干部教育的主要着眼点在于岗位培训。干部培训作为“六五”期间职工教育工作的重点，受到了各级领导的重视和各方面的大力支持。至1986年底，各级党校、管理干部学院、职大、电大、教育学院、函大、夜大以及普通高校干部专修科、普通（职工）中专学校等，先后轮训各类干部10.1万人次。其中，大专程度的有45 269人，中专程度的有 29 071 人，已毕业大中专学员 27 104 人。从 1984 年起，对工交、财贸等十几个行业中的企业厂长、经理进行了系统的培训和统考。到 1986 年底，已统考 6 批累计 2 500 多人，平均合格率达 99%。45 岁以下干部的中专、高中教育也陆续开展起来。1986 年，参加全科和单科学习的有 18 293 人。其中，参加全科学习的有 6 807 人，已毕（结）业 9 456 人。

四、成人中等专业教育①

新中国成立初，我区的成人中等专业教育首先是在干部教育的基础上发展起来的。当时，为了迅速提高干部的文化和专业技术水平，为行业和部门培养适用与合格人才，由主管部门主办相对应的专业干部学校。创建较早的有内蒙古供销合作干部学校（1949 年），内蒙古银行干部学校（1951 年），内蒙古水利干部学校（1952 年），中国人民解放军蒙绥军区司令部气象干部学校（1953 年），内蒙古公安干部学校（1953 年），内蒙古粮食干部学校（1956 年），内蒙古自治区手工业管理干部学校（1956 年），呼盟供销合作干部学校（1956 年），伊盟财经贸易干部学校（1956 年）等。

这一时期的干部学校有很多后来改为普通中等专业学校。

党的十一届三中全会后，成人中等专业教育有了极大的发展。为了认真贯彻 1982 年 9 月国务院批转教育部《关于举办职工中等专业学校的试行办法》，自治区工农牧教育管理委员会办公室、自治区教育厅、计委于 1983 年 5 月联合下达了《关于审批职工中等专业学校（班）有关问题的通知》，对举办职工中等专业学校和职工中专班的办学条件、办学形式、审批程序、入学考试等提出了具体意见。

1983 年 9 月，自治区政府办公厅批准设立呼和浩特市城市建设工程职工中等专业学校等 22 所普通中等专业学校附设的职工中专班。同年 10 月，经全区统一招生，79 个中等专业共录取新生 4 355 人，包括在校生、全区职

---

① 综合参考内蒙古教育丛书编委会编：《内蒙古自治区教育成就》（1947—1996），内蒙古教育出版社 1997 年版；内蒙古教育科学研究所编：《内蒙古教育大观》（内部资料），1999 年；呼和浩特教育志编委会编：《呼和浩特教育志》，内蒙古人民出版社 1990 年版；伊克昭盟志编委会编：《伊克昭盟志》，内蒙古人民出版社 1999 年版；哲里木盟教育志编委会编：《哲里木盟教育志》，内蒙古人民出版社 1989 年版；赤峰市教育志编委会编：《赤峰市教育志》，内蒙古科学技术出版社 1995 年版。

工中等专业学校和职工中专班共有学生 6 550 人。自 1983 年自治区人民政府批准设立首批 22 所职工（干部）中等专业学校以来，我区职工中等专业教育进入了一个较快发展的阶段。1984—1986 年，自治区人民政府先后批准设立了 44 所职工（干部）中专，国家有关部委批准设立了 8 所职工中专。同时，自治区教育行政部门加强了对职工中等专业学校建校审批、统一招生、学籍管理、毕业审核等方面的宏观指导，使职工中专教育逐步走向正规化。1986 年底，全区共有职工中等专业学校 74 所，其中干部中专 8 所，职工中专 66 所；共设置不重复专业 115 个；有在校生 13 452 人；3 900 名毕业生走上生产和工作岗位。

1988 年，针对存在的问题，自治区开始调整成人（职工）中专招生政策，逐步解决人才结构“细腰”问题。主要包括：扩大成人（职工）中专的招生规模，放宽乡镇企业职工报考工龄、年龄的限制；对劳动模范、先进生产（工作）者考生实行降分录取；各职工中专均可实行跨行业、系统、地区招生等等。当年，全区职工中专（包括师范类）共招生 1. 74 万人，比 1986 年增加了 0. 21 万人，增长了 12% 。

1989 年 3 月，自治区教育厅会同计委联合下达了《关于职工（干部）中专检查评估的通知》。评估工作结束后，向自治区政府提交了调整整顿成人中专院校的报告。总体思路是：成人中专，凡办学条件极差，且无力改善的学校；长期不招生或招生规模太小，达不到国家要求的学校；生源无保证，没有连续招生能力的学校；主管部门不明确或办学经费无保障的学校，均予撤销。凡同一行业设立几所学校，各校培训任务都不大，属“一厂一校一个班”的，要实行联合办学。原属职工中专，后经批准改为普通中专的学校或与普通中专合并，实行“一个实体，两块牌子”的学校以及并入职工大学成为内设中专部的学校，要撤掉职工中专的牌子。根据这一调整方案，职工中专可撤并 26 所。当年年底，经自治区政府批准，农业银行系统的 8 所职工中专调整撤并为 2 所。

1990 年，对成人中专进行了进一步调整和撤并。在全面检查评估的基础上，根据自治区教育厅拟定的调整成人中专的三条原则，经过充分讨论提出了撤并 27 所、限期整顿 7 所，即将原 87 所职工（干部）中专调整为 60 所成人中专的调整方案。自治区政府于年底正式批准了这个方案，使成人中专的调整迈出了重要的一步。

针对成人中等专业教育存在的学校布局、专业设置不尽合理，办学条件改善缓慢，部分学校生源困难、办学效益低等问题，1991 年 1 月，自治区政府转发了自治区教育厅、计委《关于进一步改革调整职工（干部）中等专业教育结构的报告》,对全区职工（干部）中等专业教育作了进一步调整：采取集中办学、联合办学等方式，撤并 18 所学校；将与普通中专合校的 9 所学校撤销建制；对 7 所学校暂停招生，要求按《成人中等专业学校暂行条例》,限期充实加强或改办为其他类型的学校。经过调整，成人中专由原来的 86 所调减为 59 所，基本上改变了战线过长、布局分散、专业重复、生源不足的局面。

从 1992 年开始，按照加快发展成人中等专业教育，完善党校各项管理制度，促进规范化管理的工作思路，自治区对全区 59 所成人中等专业学校进行了全面评估检查，提高了学校主办单位依法执教治校的认识和服务意识，增强了管理能力，调动了学校的办学积极性，推进了学校的科学化、规范化管理。到 1995 年，在全面完成对全区成人中等专业学校评估检查工作的基础上，自治区教育厅、计委印发了《关于全区成人中等专业学校评估工作的报告》,由自治区人民政府批转执行。通过评估及认真总结，共评出省部级重点学校 8 所，A 级学校 13 所，达标学校 14 所，基本达标学校 12 所，限期整顿学校 9 所，调整撤并学校 6 所。这项工作的开展进一步增强了各成人中专学校及办学主管部门的质量意识和依法治教意识，推进了学校各项工作健康有序地发展。

1998 年，自治区教委制订了《内蒙古自治区成人中等学历教育管理暂行办法》,规范各成人中专学校的办学行为，加强学历教育管理；制定了招生、办学优惠政策，加强专业审批和招生计划管理，调节生源流向，扩大了一些办学条件好、办学质量高的成人中专学校的办学规模，增强了这些学校的发展后劲。

在普通高等教育大规模扩招后，成人中等专业教育也面临怎样生存发展的问题。1998 年自治区教育厅开展了成人中等专业学校管理体制改革调研活动，为积极推进成人中等专业学校的改革发展进行必要的铺垫。

成人中等专业学校简介：

内蒙古粮食干部学校　1956 年创建，1960 年改为内蒙古粮食学校。

乌盟财贸干部学校　1958 年创建，1978 年改为乌盟财贸学校。

内蒙古手工业管理干部学校　1956 年创建，1979 年改为内蒙古第二轻工业学校。

内蒙古水利干部学校　1952 年创建，1956 年改为内蒙古呼市水利学校，1987 年改为内蒙古水利学校。

伊盟工业交通干部学校　1983 年创建，1985 年改为伊盟工业职工中等专业学校。

中国人民解放军蒙绥军区司令部气象干部学校　1953 年创建，1956 年改为内蒙古气象局干部学校，1958 年改为内蒙古气象学校，1962 年改回原名，1972 年改为内蒙古气象学校。

呼伦贝尔盟供销合作干部学校　前身为呼盟供销合作干部训练班，1954 年创建，1956 年改为呼盟供销合作干部学校，1968 年停办。

伊盟财经贸易干部学校　前身为伊盟供销合作训练班，1954 年创建，1956 年改为伊盟财经贸易干部学校，1979 年改为伊盟财贸学校。

哲盟财贸学校　前身为哲盟供销干部训练班，1955 年创建，1965 年改为哲盟财贸学校。

昭乌达盟财贸干部学校　1964 年创建，1979 年改为昭乌达财贸学校。

内蒙古银行干部学校　1951 年创建，1960 年改为内蒙古财政金融学校。

内蒙古物资职工中专　前身为内蒙古物资学校，1962 年创建，1985 年改为内蒙古物资职工中专，1989 年改为内蒙古自治区物资学校。

内蒙古供销合作干校　1949 年创建，1979 年改为内蒙古供销学校。

内蒙古公安干部学校　前身为公安部直属内蒙训练科，1953 年改为内蒙古公安干部学校，1954 年改为内蒙古公安学校，1959 年改为内蒙古政法干部学校，1980 年改为内蒙古自治区人民警察学校。

内蒙古自治区劳改干部文化学校　1954 年创建，1960 年改为内蒙古劳改技术学校，1965 年改为内蒙古劳改干部学校，1980 年改为内蒙古劳改工作干部学校。

内蒙古工商行政管理干部学校　1984 年创建，1985 年改为内蒙古工商行政管理学校。

赤峰市敖汉旗农民中等专业学校 1985年10月开学，1987年经自治区人民政府批准纳入全区中专招生计划。

赤峰市右旗牧民中等专业学校 建于1985年9月，学制二年；1987年经自治区人民政府批准，纳入全区中专招生计划。

赤峰市宁城县农民中等专业学校 于1985年10月开学，学制二年；1987年经自治区人民政府批准，纳入全区中专招生计划。

赤峰市干部中等专业学校 1982年5月，盟公署决定恢复行政干部学校，归口人事局。1984年9月1日，因学制未定，招生任务没列入自治区计划，暂与电大分校合办，开设电大班，设管理干部专修课。1987年9月，行政干部学校改为赤峰市干部中等专业学校。

赤峰市公安警察干部中等专业学校 赤峰市公安干部学校于1984年4月建立，1986年11月28日改为赤峰市公安警察干部中等专业学校。

赤峰市粮食职工中等专业学校 1980年初，昭乌达盟粮食局干部训练班建立，1982年3月，训练班改建为昭乌达盟粮食干部学校，共办班7期。1983年9月，昭乌达盟粮食局干部学校改建为赤峰粮食职工中等专业学校。

中国农业银行赤峰职工中等专业学校 前身是中国农业银行昭乌达盟支行干部学校，始建于1980年11月，1984年6月改建为中国农业银行赤峰市职工中等专业学校。

赤峰商业职工中等专业学校 1983年9月8日，在原昭乌达盟商业干部学校的基础上建立职工中等专业学校，10月盟改市后称赤峰市商业职工中等专业学校。

平庄矿务局职工中等专业学校 1986年，平庄矿务局建一所中等专业学校。

哲里木盟粮食职工中专 1986年6月，在原哲里木盟粮食干部训练班的基础上建成哲里木盟粮食职工中专。

哲里木盟工业职工中专 哲里木盟工业职工中专于1984年9月正式建成。

伊克昭盟公安干警中等专业学校 1985年5月，伊克昭盟公安干校改建为伊克昭盟公安干警中等专业学校。1987年秋，由于生源不足，办学经费困难，伊克昭盟公安干警中等专业学校暂停招生，只办各种短期培训班。

伊克昭盟农牧职工中专　1969 年秋，伊盟革命委员会决定，在杭锦旗吉尔格朗图成立伊克昭盟“五七”农场。1970 年改名为“五七”干部学校，校址迁到达拉特旗树林召公社三顷地。1979 年 4 月，“五七”干部学校改名为伊克昭盟农牧干部学校。1980 年下半年，中共伊盟盟委决定，伊克昭盟农牧干部学校与伊克昭盟农机学校合署办公。1981 年，农牧干部学校与农机学校组成一个领导班子。1983 年，中共伊盟盟委批准在东胜筹建职工中专学校；8 月，经内蒙古自治区人民政府批准，撤销伊克昭盟农牧干部学校，成立“伊克昭盟农牧职工中专学校”。

五、成人高等教育①

“文革”前，我区的成人高等教育不仅规模小，而且具有行业性质，其存在也很短暂，有的属于普通高校的附属部分。

包头钢铁学院于 1958 年成立夜大部，并于当年开始招生，开设采矿工程、钢铁冶金、工业电气自动化等 5 个夜大本科专业。后由于该校在 1964 年降格为中专，夜大部也随之于 1966 年停止招生。此前 8 年间共招收 8 届学生，共计 1 258 人，毕业 295 人。

由内蒙古卫生厅管理的内蒙古卫生干部进修学院成立于 1956 年。1962 年同包头医学院合并为两块牌子，一套人马。1965 年撤销。

1962 年 12 月，内蒙古财经学院调整下马，改为内蒙古财贸干部进修学院。1966 年 5 月自治区政府决定撤销内蒙古财贸干部进修学院，分别成立内蒙古财贸干部学校和内蒙古财贸学校。

1958 年，内蒙古大学创建附设业余大学，内蒙古师范学院则创建附属呼和浩特业余大学。

1960 年，呼市市委、人委联合举办机关干部业余大专班，设专人管理，由干部学校具体负责教学业务。同年，自治区卫生厅和内蒙古医学院也创办业余医学大专班，设医疗和药剂专业，招生 108 人。

上述业余大学及大专班在 1965 年最后一批学员毕业后即相继停办。

---

①　综合参考包头市志编委会编：《包头市志》，内蒙古人民出版社 1983 年版；内蒙古教育丛书编委会编：《内蒙古自治区教育成就》（1947—1996），内蒙古教育出版社 1997 年版。

1956 年，包头一机厂、二机厂等大厂矿曾联合创办包头职工联合夜大学。到 20 世纪 50 年代末，联合夜大学被教育部批准命名为包头业余工学院。到 1959 年，包头一机厂单独成立了内蒙古一机厂业余大学，开设机械制造、铸造、锻造、热处理等 16 个专业。

“文化大革命”开始后，大学停止招生，成人高等教育也随之停止。但从 1975 年起，在上面的号召下，出现了办“大学”的热潮。这些大学在工矿企业，被称为“七二一大学”，在农林牧区，称作“五七”大学。这都是由纪念毛泽东的一些批示而得名的，有的则称为共产主义劳动大学，有的称为农垦大学。

这些“大学”在当时突然涌现，数量很大。如呼市曾有“七二一大学”61 所，呼盟有 39 所，锡盟有 7 所，伊盟有 9 所。而“五七大学”共产主义劳动大学各地也有不少。如巴盟知识青年共产主义劳动大学，呼盟农牧场管理局农垦大学等。

1978 年，根据国务院批转教育部《关于办好“七二一大学”的几点意见》精神，各地开始对此类学校进行整顿。到 1979 年，这类学校全部停办。

上述“大学”是当时政治形势的产物，根本不具备大学的实质。但有的条件尚好，有一定规模的学校，在后来的整顿中，成为一些职工大学创建时的基础部分。

中共的十一届三中全会以后，成人高等教育有了很大的发展，取得了重要成绩。

最早发展起来的是职工大学和广播电视大学。1979 年，呼市职工大学、包头第一机械厂职工工学院、包头第二冶金建设公司职工大学相继成立。到 1981 年，已经有包头市职工大学、内蒙古第二机械厂职工工学院、乌达煤矿职工大学、包头钢铁公司职工大学、包头机械职工大学、内蒙古水利职工大学等 9 所职工大学，共设置不重复专业 23 个。1983 年底，在校生 3 200 多人。到 1983 年，即先后毕业 1 400 多名专科学生。全区职工高等院校校舍面积为 47 000 多平方米，有专职教师 380 余人，其中讲师以上教师 116 人。这些院校都陆续建立健全了教学和管理制度，教学设备和图书资料也已粗具规模。

从 1982 年起，自治区职工高等院校开始实行全区统一招生。由自治区教育厅统一命题、统一考试、统一评卷、统一录取。文科考生考政治、语文、历史、地理；理科考生考政治、语文、数学、物理、化学、外语（按10%计入总分）。1982 年，有 6 所职工大学参加了全区统一招生，共录取新生 327 人，其中文科 54 人，工科 271 人，少数民族 22 人。

1983 年，自治区与山西省、贵州省实行联合命题、统一考试，由各省、自治区组织统一评卷、统一录取。1983 年全区有 9 所职工大学参加了统一招生，共录取新生 1 355 人，其中文科 367 人，理工科 988 人（含经济管理），其中有少数民族 140 人。同年 3 月 19 日，内蒙古自治区 5 所职工高等院校 7 个专业的 371 名首届毕业生，领到了由内蒙古教育厅颁发的大专毕业证书。

到 1986 年，成人高等院校已有在校生 4 908 人，专职教师 409 人。

1987 年，全区有职工大学 9 所、干部管理学院 3 所、广播电视大学 1 所，在 15 所高校附设函授或夜大，还有社会力量办学 4 所，就学人数达 42 000 人。到 1988 年，已有 2 058 名学员毕业。

为了鼓励职工参加职工高等院校的学习，1980 年，自治区教育局、劳动局在转发教育部、国家劳动总局《关于职工高等院校脱产、半脱产学习的学员工资福利待遇的暂行规定》中，结合自治区实行情况，制定了奖学金制度。规定：凡参加脱产、半脱产学习的职工高等院校的学员，每学期学习成绩优秀者给予奖学金。奖学金可分为二等：学习考试平均成绩达 90 分以上者，给予一等奖学金；75 分至 89 分者给予奖学金。奖学金的数目，由各单位比照其他奖金自行规定。学员学习考试成绩虽达到 75 分以上，但政治思想表现有重大问题的，不应给予奖励。没有奖金的单位的学员不享受奖学金待遇。

1979 年 2 月内蒙古广播电视大学成立，开始了全区的广播电视教育。自治区政府副主席周北峰兼任校长，有 5 位专兼职副校长。到 1983 年全区有 10 个盟市和一些大厂矿企业建立了电视大学分校。内蒙古广播电视大学除了中央广播电视大学统一开设的 31 个专业外，还结合自治区实际开设了气象、水利、毛纺等专业。

为适应加强干部教育工作的需要，自治区人民政府于 1984 年、1985 年先后批准成立了 3 所管理干部学院，即：内蒙古管理干部学院、内蒙古呼伦尔管理干部学院、内蒙古经济管理干部学院。1986 年，自治区人民政府又批准成立了内蒙古管理干部学院呼和浩特市分院。

各管理干部学院成立以来集中围绕改善办学条件、加强师资队伍建设和提高教学质量采取了措施，短时间内见到了明显的成效。1986 年，这些管理干部学院共开设 40 个专业，在校生 2 075 人。有教职工 506 人，其中专职教师 245 名；校舍建筑面积 51 520 平方米，其中教学面积 25 100 平方米。到 1988 年，已有 2 058 名学员毕业。

1988 年，全区成人高等院校在改革办学体制中，遵循“取长补短、自愿互利、共同发展”的原则，广泛开展了多种形式的联合办学。如包头市职工大学与包头机械局职工大学就地联办，形成了联合实体；内蒙古管理干部学院与内蒙古经济管理干部学院建立了专业协作，同一层次同一专业实行联合办学；内蒙古一机厂工学院 1986 年暑假期间，举办了全国职工大学物理教学研讨会，23 个省 5 市、自治区部分职工大学的代表和专家教授出席了会议。这种联合促进了校际间的教学研究活动，有利于摆脱普教模式，按成人教育的特点开展教学工作，并不断提高教学质量。

从 20 世纪 90 年代开始，根据成人高等教育的发展情形及形势的需要，自治区加强了对成人教育的宏观调控，先后在招生、专业结构、体制等方面对成人高等院校进行了调整与改革。

1991 年，改革成人高校招生办法。调减成人高校招生计划，成人高校招生计划由 1990 年 12 300 多人调减为 9 661 人。加强区外院校招生计划管理，调整专业招生计划。把经济建设不急需的长线专业招生指标调减下来，增加了能源、水利、农业等自治区经济建设急需专业的招生指标。实行按科类划线，强调专业对口，坚持按需培养。在 1991 年成人高校招生工作中，针对各专业录取分数线严重不平衡的情况，实行了按教育、管理、职工院校和电大等科类专业划线的办法。对于经济建设急需的专业和面向艰苦行业、偏远地区招生的专业，采取倾斜政策，积极组织生源，并在录取政策上予以照顾。

1992 年，自治区教育厅继续开展了成人高等学校的治理整顿，对全区 12 所成人高校进行了检查评估，促进成人高校加强管理，优化结构，提高整体办学效益。为进一步增强成人高等教育为自治区经济建设和社会发展服务的能力，各成人高校对专业科类结构进行了调整，削减了长线专业，增设了自治区经济建设急需的经济、能源、农牧林水等短线专业。到1992年底，为期3年的全区成人高校治理整顿工作顺利完成，为成人高等教育的进一步发展奠定了基础。同年，继续深化成人高校招生制度改革。一是调整计划，对经济建设急需、生源充足的专业，增加了招生名额。如内蒙古大学国民经济管理专业、包头医学院临床医学专业和包头市职工大学计算机专业计划招生分别由40名、30名、20名扩大为72名、68名、82名。二是对自治区经济建设特别是边远地区急需的一些特殊专业，单独划定录取分数线。如内蒙古大学为伊盟乌审旗办的财会专业、内蒙古师范大学为二连市办的经济管理专业等，都单独划定了录取分数线。1992年，区内外各类成人高校共录取新生9 943人，为招生计划数的100.8%。

1992年自治区教育厅会同自治区人事、组织部门对1988年、1989年、1990年举办的成人高等教育专业证书班12 327名学员进行了复查。复查清理工作对全区成人高等教育《专业证书》教学班在控制试点规模、保证教学质量的基础上健康发展，起到了促进作用。

1993年，在自治区政府的统筹协调下，教育厅和有关部门密切配合，进行了以调整学校布局、调整专业方向、理顺学校内部管理体制、增强整体办学效益为重点的一系列改革。当年，全区非师范类成人高校由过去的23所调整为8所，一些规模较小、专业设置重复的成人高校进行了实体联合办学。学校数量虽有减少，但各个院校的办学规模均有扩大。各院校开设的专业更加突出了实用、实效原则，更加贴近了自治区经济建设的需要。内蒙古广播电视大学为走出困境，实施整体配套改革，试办基础教学班，增强了学校活力，扩大了服务领域，提高了办学效益。

《中国教育改革和发展纲要》颁布后，自治区成人高等教育积极探索向多样化、职业化方向发展，进一步加强应用型、复合型、外向型人才的培养。主要举措是：(1) 按照“集中力量、合理布局、发挥优势、提高质量”的原则，有步骤地调整了成人高校的布局，推动了成人高校的联合办学。(2) 主动适应自治区经济建设和社会发展对人才的需求，调整了专业设置，增强了学校自我发展的能力。到1994年，“汽车设计与制造”、“计算机原理及应用”“财会电算化”“计理与检测”等一批新专业逐步开设。(3) 深化教学领域的改革，提高教学质量和效益。全区成人高校在课程设置和教学内容、方法上进行了一系列改革：调整基础课、专业课的比例，增设应用性的章节；加大实践性教学环节的比重，确保实践性教学质量；与企业双向介入，促进生产、教学相互渗透等。（4）创办第二学历教育、后期本科试点等新的办学形式，为用人单位服务。（5）深化招生制度改革。

1995 年，根据自治区的实际，重点围绕稳定发展规模，理顺管理体制，挖掘内部潜力，建立高效运行机制方面展开工作。一是组织制定、研究论证了《内蒙古自治区成人高等教育改革发展意见》；二是编制了年度成人高校招生计划，制定了有关招生政策；三是按照国家教委要求，完成了电大基础班的完善工作，组织实施了电大“注册视听生”的试点工作；四是在实施改革措施的基础上，加强并完善了成人高校的制度建设。

根据自治区实际，按照国家教委部署，1996 年，成人高等教育工作的重点是：“加强评估，增强活力，办出特色，提高质量”。为此，自治区教育厅、计委联合下发了《关于在全区成人高等院校进行办学水平评估工作的通知》,并下达了具体评估指标体系。各成人高校积极准备，认真开展自评；各办学主管部门加大投入，加强复评工作，充分调动了各方面积极性，使得各成人高校在办学指导思想、管理方法、办学水平、教学质量等方面均发生了不同程度变化，同时带动了其他工作的开展。成人高等教育为自治区经济建设服务的功能正在逐步加强。

1997 年，自治区制定的成人高等教育的工作方针是：调整、挖潜、转轨、增效。根据国家教委的工作部署和自治区经济建设以及社会发展的实际需求，重点抓了 4 项工作：一是对全区各成人高校进行评估检查。通过 3 月至 5 月的评估检查活动，进一步促进了成人高校的各项建设，拓宽了办学思路，规范了办学行为，明确了办学方向。各学校通过调整专业结构和挖掘内部办学潜力，逐步扩大服务功能，特别是服务社会的功能，取得了明显的社会效益和经济效益。二是通过在内蒙古自治区管理干部学院试办高等职业技术教育，促进了各成人高校办学思想的转变，使学校的专业设置更加符合需求，人才培养规格更加切合实际，为今后进一步扩大高等职业教育办学规模取得了经验。三是继续试行电大“注册视听生”制度，拓宽了成人高等教育入学渠道，更大范围地满足了社会各界接受高等教育的需求。四是通过参加国家教委成人高等教育体制改革调研活动，使各成人高校了解全国成人教育的发展动态，充分认识到成人高等教育改革发展的必要性和重要性，为自治区成人高等教育的专业调整和学校布局调整做了充分的前期准备工作。

1998 年，全区成人高等教育的主要工作是：（1）认真总结 1997 年开展的成人高校办学水平评估检查工作，总结经验，表彰先进学校。（2）组织进行成人高校管理体制改革调研活动，提出具体实施方案。（3）改革成人高校原有的单一的办学模式，促进成人高等教育向多渠道、多层次、多规格、多形式的方向发展。在两所成人高校试办成人高等职业技术教育，在内蒙古经济管理干部学院新增本科教育；在内蒙古广播电视大学继续试行电大注册视听生制度。（4）加大成人高校内部管理体制改革和教学领域改革力度。内蒙古经济管理干部学院开拓办学市场，走校企联合办学的路子，为自治区名牌企业伊利集团、伊化集团以及其他中小企业开办工商管理培训班，共培训学员 921 人。自治区教委对区外成人高等院校函授站、第二专业专科学历教育管理等方面加大了工作力度，保证了成人高等教育的健康有序发展。

1999 年内，自治区教委进一步深化成人高、中等教育改革。（1）开展成人高、中等院校布局结构的调研工作，提出了调整方案。（2）确定内蒙古电视大学为自治区远程教育试点，进一步强化了注册视听生教育。（3）继续扩大成人高等职业教育试点，试点学校由 5 个增加到 7 个，突出了成人高等教育的职业性、操作性等特点。（4）扩大成人高校招生规模，全区成人高校扩招 1 700 人，招生总数比上年增加 3 249 人。

六、自学考试①

1983 年 3 月，内蒙古自治区教育厅开始筹建自治区高等教育自学考试委员会。1984 年 3 月，内蒙古自治区人民政府批准成立自治区高等教育自学考试指导委员会，内蒙古自治区人民政府副主席赵志宏同志任主任委员。

内蒙古自治区自学考试从 1985 年开考以来到 1999 年底，已经初步形成了学历层次、专业门类比较齐全，以国家学历考试为主，学历认定考试及其

① 综合参考内蒙古教育科学研究所编印：《内蒙古教育大观》（内部资料），1999 年。

他社会考试为辅的综合体系。累计开考本科、专科、中专3个学历层次的专业75个，累计为国家培养各类毕业生58 316人，其中本科生1 247人，专科生51 410人，中专生5 659人。1999年全区自学考试本、专科及中专累计服务人数为28.1万人，累计报名科次为64万科次。开考专业54个，其中本科12个，专科40个，中专2个，此外，还开考卫星电视函授专业17个，中师幼师卫星电视函授专业2个。1999年，内蒙古自治区教育招生考试中心制定印发《内蒙古自治区社会力量举办高等教育学历文凭考试工作实施意见》和《内蒙古自治区高等教育自学考试课程免考实施细则》,进一步完善了自学考试的规章制度。高等教育学历文凭考试制度试点工作得到加强，参加高等教育学历文凭考试的试点院校由原来的2所民办高校（内蒙古经贸外语学院、内蒙古医药专修学院）发展到5所，新增的3所民办高校是：内蒙古科技专修学院、内蒙古工程技术专修学院、内蒙古职业专修学院。

1999年，内蒙古自治区教委继续深化自学考试制度改革。首先调整了开考专业计划。停考了一批报考人数少、社会需求量小的专业，开考9个面向农村牧区的应用型专业和面向少数民族高龄学员的蒙语授课专业。其次，加强实践性环节的考核。对16个专业理论课全部合格的考生进行了实践性环节的考核。第三，实行教考分离。逐步减少区内命题，加大使用全国和外省区试题的比重。在评卷方面，回避办班院校对试卷的评阅。

七、成人高等院校简介①

内蒙古广播电视大学 1979年2月内蒙古广播电视大学成立，开始了全区的广播电视教育。自治区政府副主席周北峰兼任校长，有5位专兼职副校长。到1983年全区有10个盟市和一些大厂矿企业建立了电视大学分校。内蒙古广播电视大学除了中央广播电视大学统一开设的31个专业外，还结合自治区实际开设了气象、水利、毛纺等专业。1979年至1983年，内蒙古

---

① 综合参考呼和浩特教育志编委会编：《呼和浩特教育志》,内蒙古人民出版社1999年版；包头市志编委会编：《包头市志》,内蒙古人民出版社1983年版；内蒙古教育科学研究所编：《内蒙古教育大观》（内部资料），1999年。

广播电视大学共招收五届理、工、文科类学生 22 000 多人，其中全科生 12 685 人，单科生 8 398 人。全科生中包括经自治区政府批准从应届高中生和社会青年中招收的 835 名学生，这些学生毕业后，由国家实行统一分配。到 1983 年，内蒙古广播电视大学已经毕业了 79、80 两届全科生 2 521 人，单科生 4 903 人。内蒙古广播电视大学有教职工 274 人，校舍面积 5 344 平方米。正在筹建 5 200 平方米的电视录制中心、教学中心和实验中心。

内蒙古广播电视大学 1983 年以后进入巩固发展阶段。它采用广播、电视、函授、面授相结合的方式，进行远距离教学，是当时自治区第一所在校生超万人的综合性、多学科大学。至 1985 年开设理工、文、财经 4 科 11 类 39 个专业，形成遍布全区各地的电视教育网，教职工 105 名。

1986 年，学校共开设理、工、文、经、党政等科类 38 个专业；有在校生 12 615 人，教职工 715 人，其中专职教师 268 人；学校建筑面积 12 209 平方米。同时，内蒙古广播电视大学在全区 12 个盟市及呼和浩特铁路局、牙克石林管局建立了电大分校；在包头二零二厂、平庄矿务局等 9 个大型厂矿建立了电视大学；在乌兰察布、呼伦贝尔、赤峰等盟市的 25 个旗县建立了电大工作站，基本上形成了遍布全区各地的广播电视教育网络。

内蒙古管理干部学院　位于乌兰察布路，1985 年在校学员 2 385 名，专任教师 87 名，全校教职工 207 名。

至 1985 年，开设理工、文、财经 4 科 11 类 39 个专业，形成遍布全区各地的电视教育网，教职工 105 名。

内蒙古水利职工大学　1979 年成立，至 1985 年，有 24 个专业，脱产学习在校生 287 名，专任教师 22 名，行政工勤人员 34 名。

呼和浩特市管理干部学院　成立于 1984 年，1985 年在校生 128 名。

内蒙古矿业职工大学　前身为乌达矿务局“七二一工人大学”，创办于 1975 年。1980 年，经自治区人民政府批准，改为乌达煤矿职工大学。1982 年，经原教育部备案，为国家成人高等学校之一。1992 年 5 月 25 日，经内蒙古自治区人民政府批准，更名为内蒙古矿业职工大学。1984 年以后，在自治区范围内招生。基本专业为地下采煤和矿山机电，兼中文、数学、法律、会计、计算机应用、企业管理等 16 个专业，另设有 13 个专业的中专部。学校有电子、采煤等 6 个实验室，藏书 4 万册。1993 年，设大专专业 7

个，中专专业1个，教职工143名，班级16个，在校生393名。至1995年，累计毕业大中专生3 014名，其中大中专生595名，岗位培训和进修学员294名。

呼伦贝尔管理干部学院　1984年6月建立，校址在海拉尔。1985年1月，自治区人民政府正式批准成立并开始招生。招收两年制大专班中文、秘书、政治学、经济管理、农牧经济管理4个专业在职管理干部200人。1986年3月，国家教委批准备案。学院根据呼盟各项事业发展的需要，设置专业和课程，许多课程属于新兴学科和边缘学科，如管理系统工程、市场学、经济法、电子计算机原理与应用、领导科学、行政管理等。在全区管理干部学院中，率先开设中国县级经济学、乡镇经济管理、管理系统工程以及行政领导和决策等专业课。1988年，在完成国家招生计划的同时，开设行政管理专业民族班，招收牧业旗、自治旗、民族乡的少数民族干部30人。1989年，开设的专业有中文与秘书、政治学、农牧经济管理、经济管理；在校大专班学生292人，专业证书班14个848人，岗位职务培训班1个35人，短期训练班2个109人；教职工139人，其中专任教师82人（副教授18人、讲师22人、助教42人）；有各种图书资料5万余册。

呼市职工大学　1979年成立。1984年新建一栋有4 200平方米的教学大楼，职工大学当时有各种类型的大专单科班、短训班58个，学员1 013人。大专毕业学员734人，单科和双科结业学员2 465人。1985年，新增4个专业，招生501人，毕业生223人，在校生972人。学校位于呼市锡林南路，有教职工67人，专任教师32名。

内蒙古一机厂职工工学院　前身是1956年与内蒙古二机厂等联合创办的包头职工联合夜大学，1959年单独成立内蒙古一机厂业余大学，开设机械制造、铸造、锻造、热处理等16个专业。1979年改为职工工学院。1990年，全院共有教职工181人，其中专职教师148人，专职教师中有副教授8人，讲师20人。1990年底，接受学历教育大专在校生15个班557人，中专在校生10个班349人，技校生12个班392人。为满足工厂人才需要，学院还通过开办电大班、北工函大班等，培养本科和专科人才。1990年，全院固定资产总额300万元，建筑面积7 000多平方米，拥有投资130多万元、面积877平方米的各类实验室12个，设有价值8万元的教具库，共有各类教具、模型、示教板、幻灯片、教具挂图1.53万套（件），以及投资15万元的语音室、电教室各1个，图书馆面积210平方米，藏书8万余册。从建院到1990年，该院已输送毕业生2 000多人（含技校100余人，中专605人），其中大专及本科生1 330人，分布在全国18个省、市、自治区。工学院培养的学生，已占全厂大专以上文化程度40%以上。

包头市职工大学　包头市总工会主办，成立于1981年。1983年5月23日经内蒙古自治区政府正式批准并由国家教育部批复财政部备案。开设机械制造工艺与设备、机电、企业管理等17个专业。1990年在校生980人，另有专业证书班学员327人。有教职工198人，其中专职教师65人，专职教师中有副教授7人，讲师20人。有计算机、电工、物理、电化教学实验室以及绘画室、演播室。图书馆藏书3万余册，阅览室有各类期刊160余种。该校积极建立科研、生产相结合办学体制坚持多层次，多规格办学，为经济建设服务。自1984年以来共培养专科毕业生1 769人，岗位培训3 700余人次。

包钢职工大学　创建于1980年，附设中专部。大学部开设冶金企业管理工程、钢铁冶金、冶金机械等12个专业；中专部开设环境保护、稀土冶金、采暖通风等13个专业。1990年，有在校生395人，另有短训班学员167人；有教职工146人，其中专职教师83人，专职教师中有副教授13人，讲师43人。实验室设施齐全，可满足教学、科研需要。图书馆藏书7万余册。该校充分发挥大企业优势，从企业生产建设发展需要出发，采取脱产、半脱产、业余、函授、专业证书、岗位培训等多种办学形式。重视学员思想政治工作，着眼于“四有”职工培养，注重教学管理和教学研究工作，加强课堂教学环节和实验性教学手段，强调学生分析问题和解决问题能力的培养提高，形成“尊师重教，严谨治学，致力改革，服务包钢”的良好校风。建校以来，共为包钢输送各类人才2 187人。近年来把办学重点转移到专业职务岗位培训，先后开设以培训公司科级干部为主的机动、安全、财务、生产、劳资等管理干部培训班、技术骨干外语培训班、现代化管理训练班等，参加培训学习的近1 000人。

第二冶金建设公司职工大学　创建于1969年，原名二冶工人大学、包建工人大学。开设专业以工业与民用建筑为主，另有不连续招生的建筑企业管理工程冶金建筑机械、水暖通风工程、建筑企业会计等专业。1990 年有在校生 224 人，教职工 107 人，其中专职教师 38 人，专职教师中有副教授 4 人，讲师 11 人。有教学楼、学生宿舍、物理实验室、微机室、录像室等设施，藏书 3 万余册。建校以来共为本系统及全区培养建筑行业管理技术专业毕业生 883 人。1990 年同包头市职工大学合并。

内蒙古二机总厂职工工学院 创建于 1980 年，开设机械制造工艺与设备、工业企业电气自动化、铸造工艺与设备等 13 个专业。1990 年有在校生 418 人，其他进修班、专业证书班、自学考试助学班学员 400 人。教职工 99 人，其中专职教师 51 人，专职教师中有副教授 10 人，讲师 24 人，另聘兼职教师 8 人。该院注意发挥多功能作用，采用职大、电大、继续教育、高等职业技术教育、专业证书教育、高等教育自学考试、岗位培训等多种办学形式，共培养专科毕业生 1 807 人，接受继续教育 841 人，接受专业证书教育 328 人。该院建有电教语音室和化学、物理、金相、计量、液压、电子等 10 个实验室，教模具 519 种（件）。图书馆藏书 53 万册，期刊 345 种。学院注意教学与科研相结合，在省级以上刊物发表论文 45 篇，世界第 4 次继续工程教育大会交流论文 1 篇，承担省部级研究课题 12 项。

第六节 中等职业教育

一、职业教育的发展历程

内蒙古地区的职业教育始于 20 世纪初。光绪二十八年（1902 年）和光绪二十九年（1903 年），清政府颁布的《壬寅学制》和《癸卯学制》把实业学堂列入学制系统。绥远、赤峰、呼伦贝尔、哲里木等地区先后建立了军事性质的实业学堂和铁路学堂。

1913 年，中华民国教育部颁布了《实业学校令》和《实业学校规程》，将实业学堂改为实业学校。至 1921 年，内蒙古地区相继出现了归绥中学甲种矿业科、河口（今托克托县）乙种商业学校，赤峰私立女子实业学校，私立归绥医学传习所等实业学校（班）。

1922 年，中华民国教育部颁布了《学校系统改革案》即《壬戌学制》，将实业教育改为职业教育，原实业学校改为职业学校，学制年限和课程根据地方需要酌定。绥远特别行政区学务局举行的教育行政会议上要求推广职业教育，通令各中学加授农科。1925 年后，内蒙古地区先后出现了绥远全区职业专门学校、绥远区立工科职业学校、科尔沁左翼三旗蒙汉学校附设农科初级职业学校、绥远女子师范学校职业班、赤峰县乙种商科职业学校等由教育行政部门批办的职业技术学校（班）。

伪满洲国和伪蒙疆政府时期，日伪政权在内蒙古地区分农、商、工和其他专业设置了一些职业技术学校。伪满洲国“新学制”施行后，中等教育突出了实业实务教育，在中学、青年学校及其他中等学校中都加设各科职业班次，授以普通文化知识和职业技术基本知识。

近代内蒙古的职业教育步履艰难，40 多年的时间中，内蒙古地区的一些有识之士克服种种困难，创办各类职业（实业）学校（班），但由于时局不稳、经费困难等多种原因，大多半途停办。直到 1949 年，内蒙古的职业教育仍然徘徊在极低的水平，全区仅有 3 所中等技术学校，在校学生仅 646 人①。

（一）快速发展阶段（1949—1966 年）

解放初期，绥远省人民政府接管了原国民党绥远省政府的初、中级职业技术学校。一所是归绥市农科职业学校（1924 年成立），一所是归绥高级助产学校（1947 年成立，1951 年改名为归绥市卫生技术学校），一所是五原县初级农牧学校（1946 年成立），在校生共 646 人，少数民族学生仅 10 人，其中蒙古族学生 3 人②。

1950—1953 年，内蒙古自治区人民政府和绥远省人民政府根据第一次全国教育工作会议提出的教育方针和中央人民政府政务院“关于新学制改革的决定”、“关于整顿和发展中等技术学校的指示”，发展职业技术教育。内蒙古自治区于 1950 年成立了“内蒙古自治区卫生学校”（由原设在乌兰

① 内蒙古自治区教育成就编委会编：《内蒙古自治区教育成就统计资料》（1947—1996），内蒙古教育出版社 1997 年版，第 181、182 页。

② 内蒙古自治区教育成就编委会编：《内蒙古自治区教育成就统计资料》（1947—1996），内蒙古教育出版社 1997 年版，第 42 页。

浩特的内蒙古军区干部学校改办）；1952 年，在扎兰屯设立了工业学校和农牧学校，在乌兰浩特创立商业学校和林业学校（1953 年迁往扎兰屯）。绥远省于 1951 年在归绥市（呼和浩特）成立了绥远省高级工业学校，在包头成立包头护士学校（一年后停办）；1953 年在归绥市创立蒙文专科学校。[①] 至 1953 年底，内蒙古自治区和绥远省的中等职业技术学校发展到 10 所，在校生增加到 3 637 人，少数民族学生 646 人，其中蒙古族学生 565 人[②]。第一个五年计划时期，内蒙古自治区被确定为国家重点建设地区之一，为适应第一个五年计划经济建设的需要，内蒙古自治区的中等职业教育在巩固整顿的同时稳步前进。1954 年，内蒙古自治区人民政府召开第一届中等专业教育会议，自治区人民政府根据中央人民政府政务院《关于整顿和发展中等技术学校教育的指示》和中央教育部《中等技术学校暂行实施办法》的精神，结合自治区建设事业的需要，对原内蒙古自治区和绥远省地区的中等技术学校进行了调整，所设学校专业力求集中、对口和相近，学校间进行适当分工。五原县初级农业学校并入呼和浩特市农牧学校（原归绥农业学校），内蒙古自治区卫生学校从乌兰浩特迁到呼和浩特并入呼和浩特卫生学校（原归绥卫生学校），学校由 1953 年的 10 所调整为 8 所[③]。

1955—1957 年，自治区根据全国中等专业教育工作会议确定的“谁用干部谁办校”的原则，掀起了中等专业教育的一个发展高潮。交通部、城市建设部、冶金工业部、第二机械工业部、铁道部等国家部委和自治区计划委员会、林业厅、水利厅等厅局在自治区内分别创办了中等专业技术学校。1956 年，自治区中等技术学校发展到 18 所（工业 8 所、农业 3 所、林业 2 所、医药 1 所、财经 3 所、蒙文专科 1 所）；1957 年调整为 15 所（工业减少 1 所、林业减少 1 所、财经减少 1 所），在校生 9 061 人，少数民族在校

---

① 内蒙古自治区档案馆藏教育档案 302—1—36、37、47、55、193、196、203；包头市地方志史编修办公室编：《包头史料荟要》第 6 辑，1982 年内部印行，第 16—24 页。

② 内蒙古自治区教育成就编委会编：《内蒙古自治区教育成就统计资料》（1947—1996），内蒙古教育出版社 1997 年版，第 42、181 页。

③ 内蒙古自治区教育成就编委会编：《内蒙古自治区教育成就统计资料》（1947—1996），内蒙古教育出版社 1997 年版，第 181 页；内蒙古自治区档案馆藏教育档案 299—2—267。

生 1 417 人，其中蒙古族 1 032 人①。

1955 年，国家劳动部召开第一次全国技工学校校长会议，学习苏联技工学校办学经验，提出技工学校要培养既有文化技术理论，又有操作技能的工人的办学目标。由于迫切需要技术工人，中央部门和自治区所属企业开始在包头市举办技工学校。1956 年，包头市创办技工学校 6 所（包钢技校、二六三技校、一冶技校、二冶技校、铁路技校、包头糖工技校），在校生 3 800 人②。

1958—1960 年，“大跃进”和人民公社运动的兴起。自治区根据中央提出的向下放权，实行“两条腿走路”的办学方针，兴起了国家办学与厂矿、企业、农业合作社（生产大队）办学并举，普通教育与职业教育并举，全日制学校和半工（农）半读、业余学校并举的办学热潮，改变了过去以各业务部门或教育部门为主的办学状况，出现了各行各业多渠道办学的局面。自治区各业务厅局及盟市旗县都根据形势发展的需要，创建了一批中等专业技术学校。1958 年，自治区的中等专业技术学校迅速发展到 60 所，其中有 12 所是根据刘少奇主席于 1958 年提出的“两种教育制度和劳动制度”的精神设置的半工半读性质的中等专业技术学校。③ 中等专业学校比上年增长了 4 倍，在校生 20 076 人，比上年增长了 2.2 倍。④ 在“大跃进”形势的推动下，自治区也出现了大办高等院校的热潮，一些中等专业技术学校升格为大专院校。呼和浩特机械制造工业学校（内蒙古工业学校）、包头铁道工程学校、内蒙古呼和浩特建筑学校、内蒙古水利学校、包头工业学校等升格为学院；呼和浩特卫生学校改办为医学专科学校；在内蒙古扎兰屯林业学校的基础上成立了内蒙古林业学院；内蒙古呼和浩特农牧学校并入内蒙古畜牧兽医学院。这些大专院校都附设中专部（班），有的还附设专科预备班、中专预

① 内蒙古自治区教育成就编委会编：《内蒙古自治区教育成就统计资料》（1947—1996），内蒙古教育出版社 1997 年版，第 181、182 页；内蒙古自治区档案馆藏教育档案 302—1—512、515，299—2—267。

② 技工学校资料数据依据内蒙古自治区劳动人事厅档案室有关资料整理。以下凡技工学校资料均同此条。

③ 内蒙古自治区档案馆藏教育档案 301—1—521、529、531。

④ 内蒙古自治区教育成就编委会编：《内蒙古自治区教育成就统计资料》（1947—1996），内蒙古教育出版社 1997 年版，第 181、182 页。

备班、短训班、文化班等其他附设班①。

1959 年 7 月前，自治区党委和人民委员会根据中央关于纠正教育革命中出现的“左”倾错误的要求，提出了“整顿、巩固、提高的同时，有计划、有步骤地发展教育事业”的方针，按照“缩短战线、集中兵力、保证重点、计划落实”的原则，对中等专业学校作了调整，由 60 所调整为 48 所。但在 1959 年庐山会议后到 1960 年底，在“左”的思潮影响下，中等职业教育又掀起了一个发展高潮。中等技术学校一下子发展到 129 所，有的实行春秋季招生，在校生达 42 114 人②。内蒙古财经学校、包头第一机械制造工业学校、扎兰屯农牧学校、昭乌达盟卫生学校、呼伦贝尔盟卫生学校等升格为大专院校③。同时，由于技术工人的需求骤然增大，技工学校在全区大面积兴办，到 1960 年底，技工学校发展到 50 所，在校生 16 331 人。为了适应经济建设及“大跃进”的形势，解决日益增多的农村高小毕业生不能按期升学这个突出的社会问题（1953—1957 年自治区有 57.9% 的高小毕业生约 12 万多人不能按期升学）④，满足农村小学毕业生的升学要求，内蒙古自治区根据教育部在全国教育行政会议上提出的“大力兴办农业中学、工业中学和手工业中学”的精神，掀起了大办农业中学的热潮，自治区教育厅按照自治区人民委员会推行两种教育制度的部署，首先在农村人民公社大量试办半农半读农业中学。1960 年，内蒙古自治区农业中学由 1958 年的 199 所发展到 428 所，在校生由 1958 年的 26 604 人增加到 32 138 人⑤。由于国家的经济困难，自治区农业大面积歉收，致使刚刚诞生的农业中学出现了难以维持的局面，导致农业中学职业教育功能淡化，办学衰减，半工（农）半读初衷难于实现，两种教育制度的推行处于停顿状态。

---

① 内蒙古自治区档案馆藏教育档案 301—1—521、529、530、531。

② 内蒙古自治区教育成就编委会编：《内蒙古自治区教育成就统计资料》（1947—1996），内蒙古教育出版社 1997 年版，第 181、182 页。

③ 内蒙古自治区档案馆藏教育档案 302—1—538、540。

④ 内蒙古自治区教育成就编委会编：《内蒙古自治区教育成就统计资料》（1947—1996），内蒙古教育出版社 1997 年版，第 97 页。

⑤ 内蒙古自治区教育成就编委会编：《内蒙古自治区教育成就统计资料》（1947—1996），内蒙古教育出版社 1997 年版，第 235、236 页。

1961—1963年，内蒙古自治区党委和人民委员会根据中央提出的“调整、巩固、充实、提高”的八字方针和教育部确定的职业技术教育要“放慢步子、缩短战线、压缩规模、合理布局、提高质量”的精神，批转了教育厅和计划委员会关于全区中等专业学校整顿方案，提出的调整原则是“缩短战线、巩固重点、集中力量、提高质量”，采取“合、撤、减、移”的办法进行调整，停办一批新办的而又条件差、布局不合理的中等专业学校，达到“合理布局、控制规模、提高质量”的目的。自治区教育厅印发了《关于全日制中等专业学校调整方案（草案）的通知》，根据压缩城市人口，减少国家商品粮供应量，大力加强农业第一线的方针，按照全区一盘棋的原则和农、轻、重的顺序，对全区各级各类职业技术学校进行大幅调整。1961年11月，中等专业技术学校调整为36所，在校生11 712人，教职工总数4 597人，旗县所设中等专业技术学校全部撤销。① 1962年中等专业技术学校进一步调整为21所，在校生5 287人，教职工总数2 820人。② 到1963年只保留中等专业技术学校18所，在校生5 080人，教职工总数2 471人。③ 升格为大专院校的多数恢复了中专建制。自治区劳动局根据国家劳动部关于“精减城镇人口和精简职工的精神”，形成了压缩、调整技工学校的报告，并报呈自治区人民委员会批转后，对全区50所技工学校进行整顿。1961年5月份减为25所，在校生由16 331人减为7 078人；8月份减为6所，在校生减为2 483人；年底减为3所。1962年7月，自治区内的技工学校已全部撤销或停办。1963年9月恢复1所，招生114人。为适应当时的形势，全区农、职业中学在全面调整中也进行较大的压缩，有的停办，有的取消，有的改为全日制中学。1961年，只保留了农、职业中学132所；到

① 内蒙古自治区教育成就编委会编：《内蒙古自治区教育成就统计资料》（1947—1996），内蒙古教育出版社1997年版，第181、182页；内蒙古自治区档案馆藏教育档案302—1—281、282、283，299—2—297、299。

② 内蒙古自治区教育成就编委会编：《内蒙古自治区教育成就统计资料》（1947—1996），内蒙古教育出版社1997年版，第97页。

③ 内蒙古自治区教育成就编委会编：《内蒙古自治区教育成就统计资料》（1947—1996），内蒙古教育出版社1997年版，第181、182、235页。

1963 年底，恢复到 169 所。① 经过三年调整后，1963 年内蒙古自治区的中等专业技术学校由 1960 年的 129 所压缩为 18 所，压缩了 86%；在校生 42 114 人压缩为 5 080 人，压缩了 87.9%；教职工 7 219 人压缩为 2 471 人，压缩了 65.8%；农、职业中学由 1960 年 428 所压缩到 169 所，压缩了 60.5%；在校生由 32 138 人压缩到 8 307 人，压缩了 74.1%；教职工由 2 151 人压缩到 766 人，压缩了 64.4%；技工学校全部停办后又恢复了 1 所，仅是 1960 年的 2%，招生人数 114 人，仅是 1960 年在校人数（16 331 人）的 0.7%。

1964—1965 年，经过调整后的中等职业技术教育随着国民经济的逐步好转，开始走上稳步发展的轨道。自治区根据教育部召开的教育工作会议精神，确定进一步执行“两条腿走路”的方针，逐步实行两种教育制度，明确半工（农）半读学校是今后教育的发展方向，并在全区开始兴办职业学校。一是举办面向农村牧区的半耕半读职业学校；二是城市由国家发动厂矿企业和各部门举办各种类型的职业技术学校，列入国家劳动计划，由计划部门下达指标有计划的对未升学的初、高中毕业生进行职前培训。根据国务院决定，技工学校的综合管理由劳动部门划归教育部门。1964 年 1 月，自治区党委和人民委员会在呼和浩特召开了全区半工（农）半读教育会议，决定大力发展半工（农）半读教育，制定了推行半工（农）半读教育制度的规划，要求各盟市企事业单位建立半工（农）半读领导机构，编制方案，确定措施，建立保障制度。自治区成立了半工（农）半读教育领导小组，印发了《关于全区试行半工（农）半读教育的初步意见》，对试办半工（农）半读中等专业技术学校，技工学校和农、职业中学等方面的工作提出初步意见。5 月和 6 月自治区人民委员会两次批转了自治区半工（农）半读教育领导小组关于试办和改为半工（农）半读中等职业技术学校的报告。为全面落实半工（农）半读教育制度，一大批半工半读技工学校和中专附设技工学校相继诞生。试办、改办的半工（农）半读中等职业技术学校均须按照自治区人民委员会（65）［蒙教字 210 号文］办理了审批手续，纳入

① 内蒙古自治区教育成就编委会编：《内蒙古自治区教育成就统计资料》（1947—1996），内蒙古教育出版社 1997 年版，第 235 页。

国家招生计划统一安排，是国家教育制度的正规学校。1965 年，全区半工（农）半读职业教育有了很大发展。到 1965 年底，全自治区中等专业技术学校 125 所，在校生 23 673 人；其中新办、改办和试办的半工（农）半读中等专业学校 104 所，在校生 14 799 人。[①] 66 所技工学校全部半工半读。中等农、职业中学发展到 1 055 所，全部半工（农）半读，在校生 58 433 人，出现了许多小型走读农、职业中学。[②]

1966 年初，内蒙古自治区继续扩大两种教育制度一校并存的办学形式，各盟市、各厅局、各厂（场）矿企业、各部门都积极试办半工半读职业学校，以积极而慎重的态度，贯彻“五年、十年推行”的规划。一部分全日制中等专业学校在部分专业试行半工半读，并认真总结开展半工半读的经验；技工学校也有新的发展，仅呼市地区，内蒙古人民委员会批准新建新生机械厂中等技术学校、公安厅农业科学试验研究所中等技术学校、呼市汽车装配厂中级技术学校、呼市运输公司中级技术学校 4 所技工学校，并于建校始实行半工半读制度。呼市、包头、昭盟、乌盟、哲盟等盟市召开了半工（农）半读会议，学习中央和刘少奇主席的有关指示，总结经验，布置任务，为今后半工（农）半读教育深入发展进行了认真准备。内蒙古自治区的中等职业技术教育仍呈发展势头。

（二）“文化大革命”破坏阶段（1966—1976 年）

“文化大革命”开始后，全区中等专业技术学校和技工学校陷入混乱和瘫痪，党组织被取消，学校停办，部分学校被其他单位占用，改为中学或工厂，教学设备、校舍、仪器、图书资料遭到严重破坏。教师有的调离，有的流散到工矿企业单位，有的连同家属子女下放到农村，有的到“五七干校”。如内蒙古农业学校 60% 的教师被调到巴盟生产建设兵团，学校的仪器、设施、图书，调拨给市内中学和企业，校舍也被化纤厂占用；包头机械工业学校改为包头东风机械厂。大多数农、职业中学停办或解散。两种教育

① 内蒙古自治区教育成就编委会编：《内蒙古自治区教育成就统计资料》（1947—1996），内蒙古教育出版社 1997 年版，第 181、182 页；内蒙古档案馆藏教育档案 302—1—558、564、572；299—2—242。

② 内蒙古自治区档案馆藏教育档案 302—1—537，299—2—235、236。

制度受到批判，半工半读学校全部被封杀，全区中等职业教育遭到严重破坏。学生停课，参加运动；学校领导和部分教师在运动中遭到残酷斗争、无情打击。运动中制造了大批冤假错案，许多同志身心遭到严重摧残，蒙受了不白之冤。如在“挖肃运动”中包头机械工业学校380多名教职员工就有100多名被打成“新内人党”，其中一部分“骨干分子”被关进地下室，大搞逼、供、信。内蒙古扎兰屯农牧学校有89名教职工被打成“新内人党”，其中一名教师含冤死去。除内蒙古农业学校等少数中专招收“社来社去”学生办培训班外，绝大多数学校停止招生达6年之久。①

1972年，内蒙古自治区中等技术学校开始恢复和建立。至1974年底，陆续恢复中等技术学校30所。“文化大革命”后期，各校采取“群众推荐，领导批准”的招生办法，实行工农兵学员“上管改”（即上中专、管理中专和改造中专）。1974年，自治区安排在先期恢复的30所中等技术学校中的5所学校开办技工班，招收技工学生；并成立了呼和浩特铁路司机技工学校。技工学校的成立和招生，为技工学校的全面恢复和发展做了准备。

1975—1976年，学“朝阳农学院经验”，锡林郭勒盟牧业机械化学校和乌兰察布盟农牧学校、巴彦淖尔盟农牧学校同下放到锡盟、乌盟、巴盟的内蒙古农牧学院分院合并，改办为“锡盟牧业学院”、“乌盟农牧学院”、“巴盟农牧学院”，并在伊克昭盟建立了“鄂尔多斯农牧学院”。哲里木盟农业机械化学校改办为农牧学院，昭乌达盟农牧学校和农牧业机械化学校合并，改办为农牧学院。到1976年，包头机械工业学校、内蒙古气象学校、内蒙古邮电学校、内蒙古财贸学校、内蒙古蒙文专科学校、内蒙古艺术学校、内蒙古医院卫生学校、内蒙古体育学校、内蒙古建筑学校、内蒙古农业学校、呼和浩特交通学校、包头铁路工程学校、内蒙古水利电力学校、内蒙古工业学校、内蒙古轻工业学校、呼和浩特卫生学校、内蒙古燃化学校（后改称为内蒙古煤炭工业学校）、锡林郭勒卫生学校（宝昌卫生学校）、扎兰屯林业学校、扎兰屯农牧学校、伊盟卫生学校、巴盟卫生学校等37所中等专业

① 据韩国才等主编：《包头市机械工业学校校史》（1989），郭宪靖等主编：《内蒙古农业学校70年》（1994），图布新等主编：《光辉五十年——扎兰屯农牧学校发展简史》（2002），以上史料均系内部印行 。

学校恢复或建立。

"文化大革命"十年期间，自治区中等教育结构单一，人才比例失调，职业教育成为整个教育事业最薄弱的环节，与国民经济的发展需要严重脱节。对"文化大革命"的严重错误，特别是林彪、江青两个反革命集团的倒行逆施，各类中等职业学校的广大教职员工在遭受巨大冲击的同时，也以各种方式进行了力所能及的抵制和抗争。特别是在"文化大革命"后期恢复招生以后，广大教职工面对恶劣的政治环境、艰苦的办学条件以及参差不齐的学生，默默地奉献在教学和生产第一线，为一届又一届工农兵学生传授文化知识和专业技能，作出了自己的贡献。

（三）深化改革及持续、稳定、协调发展阶段（1977—2000 年）

粉碎"四人帮"以后，特别是党的十一届三中全会以来，教育战线在清理"左"的错误思想的影响，平反冤假错案，落实党的各项政策的同时，通过指导思想上和具体工作中的拨乱反正，使中等职业教育走上了恢复、改革和发展的轨道。1977 年，中等专业学校和技工学校恢复统一招生考试制度。招生实行自愿报名，统一考试。为促进技工学校的发展，1978 年 2 月国务院决定全国技工学校的综合管理工作重新划归国家劳动总局主管，教育部改为协助。自治区内的 28 所技工学校划归劳动部门管理，劳动部门随即开始编制各级各类技工学校的发展规划和招生计划。10 月，自治区革命委员会批转自治区文教办公室和教育局《关于大力整顿认真办好中等专业教育的几点意见》,要求各级革委会抓紧解决中等专业教育中存在的问题，认真落实党的知识分子政策，对"文化大革命"中和以前历次政治运动中遗留下来的冤、假、错案平反昭雪。11 月，自治区革委会劳动局和教育局根据中央和自治区党委有关文件精神，联合发文要求各地区各部门把发展技工教育纳入议事日程，制定规划，组织落实。12 月，自治区革委会劳动局召开全区技工培训工作会议，会议决定有计划地发展技工学校，为实现四个现代化培养中级技工。

1977—1978 年，自治区撤销了内蒙古农牧学院四所分院，恢复了伊克昭盟农牧学校、乌兰察布盟农牧学校、锡林郭勒盟牧业机械化学校、锡林浩特牧业学校、巴彦淖尔盟农牧业机械化学校的中专建制；撤销了昭乌达盟农牧学院，恢复昭乌达盟农牧学校和农业机械化学校的中专建制。1978 年，自治区中等专业技术学校恢复和发展到44所（工业学校11所、农业11所、林业1所、医药12所、财经5所、体育1所、艺术2所、蒙文专科学校1所），在校生13 910人。还有1所政法干部学校（内蒙古自治区警察学校前身）面向社会招生。① 恢复技工学校28所，另有11所中专附设技工班，在校生2 700多人。哲里木盟、昭乌达盟等盟市恢复农业中学。

中国共产党十一届三中全会后至1985年，内蒙古自治区根据中央提出的“调整、改革、整顿、提高”八字方针和国务院关于中等教育结构改革的指示，中等职业教育有计划地稳步发展。内蒙古自治区革命委员会印发（内革发［1979］100号文）《关于恢复和新建中等专业学校问题的通知》，自治区新建和恢复了一批中等专业学校。中等专业技术学校经过调整、恢复和新建后，初步形成了专业门类齐全、结构布局较合理的中等专业技术教育的体系。1980年11月，教育部确定的全国239所重点中等专业学校，内蒙古自治区有8所。它们是：包头机械工业学校、内蒙古煤炭工业学校、内蒙古邮电学校、呼和浩特交通学校、锡林浩特牧业机械化学校、内蒙古牧业学校、昭乌达盟卫生学校（后改为赤峰卫生学校）、内蒙古艺术学校，这些重点中专学校，在教材建设、师资建设、办学经济、校舍设备等方面起到带头示范作用。

1980年，国务院批转教育部、国家劳动总局《关于中等教育结构改革的报告》（国发［1980］252号），要求压缩普通高中的规模，将一部分普通高中改办为职业学校、职业中学、农业中学，并且明确职业中学、农业中学是普通教育与职业技术教育相结合的中等学校。自治区按照国家的要求，在试点的基础上，开始对中等教育结构进行改革。各地结合当地实际和社会需求，发展职业技术教育，将一部分普通高中改办为农、职业中学，控制和压缩普通高中，扩大职业高中的规模，努力改变中等教育结构单一的局面。1984年，自治区人民政府发布《内蒙古自治区改革中等教育结构，发展职业技术教育实施方案（试行）》（内政发［1984］104号），要求大力发展职业技术教育，尤其是农村牧区职业教育，各级政府要加强对农、职业中学的

① 内蒙古自治区教育成就编委会编：《内蒙古自治区教育成就统计资料》（1947—1996），内蒙古教育出版社1997年版，第184页。

领导，在制度、政策、投入等方面给予保证。

各行业的业务部门主动与教育部门挂钩开展联合办学已逐渐成为趋势，基本摆脱了教育部门独家办学的局面。仅呼和浩特市就有近30余家单位与职业学校联合办学，其中有啤酒厂、食品公司、毛纺厂、西装总厂、民族服装厂、安装公司、外贸工艺品厂、蒙文印刷厂、民族商场、新城宾馆、昭君大酒店、电视机厂等企业。到1985年底，随着中等教育结构改革的深入，中等专业技术学校发展到73所（工业21所、农业12所、林业2所、医药14所、财经12所、政法6所、体育1所、艺术3所、其他2所），在校生28 633人，少数民族学生5 459人，其中蒙古族学生4 688人，蒙古语言文字授课学生2 075人。农、职业中学由1980年的75所发展到333所，另有附设农、职业班的普通中学178所，在校生96 318人，少数民族学生9 715人，其中蒙古族学生7 615人。[①] 基本扭转了中等教育结构单一的局面。

在此期间，根据国家劳动总局的要求，自治区着重抓好一批重点技工学校的建设。1981年，自治区政府决定，为防止盲目发展和重复建设，技工学校的发展应从严控制，将已经下放给盟市的设立技工学校审批权限收归自治区，由自治区劳动局统一审批。技工学校招生对象主要是面向非农业户口的初中毕业生，少数民族不受户口限制。1985年，全区技工学校总数为89所，在校生为2.01万人。“七五”期间（1986—1990年），内蒙古自治区中等职业教育认真落实全国职业技术教育工作会议的精神和《内蒙古自治区贯彻〈中共中央关于教育体制改革的决定〉的实施意见》，坚持“调整、改革，适应需要稳步发展”的方针，把办学方向转移到为当地经济建设培养初、中级实用人才的轨道上。自治区教育厅组织力量对全区中等职业教育的发展现状和存在问题进行了调研，拟订了《中专教育改革方案》（以下简称《方案》），提出了打破条块分割，逐步实行业务部门（地方）同教育部门双重管理、分工负责的领导体制。各中等专业技术学校按照《方案》的要求，一是进行校内领导体制和内部管理体制的改革，包头铁路工程学校、内蒙古工商行政管理学校、内蒙古商业学校、巴盟牧业机械化学校、包头机械工业

---

① 内蒙古自治区教育成就编委会编：《内蒙古自治区教育成就统计资料》（1947—1996），内蒙古教育出版社1997年版，第42、182、184、236、237、246页。

学校、内蒙古二轻工业学校、内蒙古电力学校等逐步实行党政分工，试行校长负责制，成立了校务委员会，建立健全教职工代表大会制度，推行民主管理，开始实行教师聘任制及工资分配制度的改革。二是改革招生计划和毕业分配制度，招生计划分国家任务、委托培养和自费生三种形式；在毕业分配上，逐步开展不包分配的试点，内蒙古农业学校、巴盟农牧业机械化学校等率先进行改革尝试。三是调整专业设置，增设了经济建设急需的短线专业。四是加强校际联合和省际交流，开展了教育科学研究。

自治区教育厅制订了《内蒙古自治区农、职业中学验收标准（讨论稿）》和验收实施办法，提出要着力办好40所首批示范性的农、职业中学，要求各盟市、各大厂矿要办好1—2所重点职业技术学校，每个旗县要办好一所符合验收标准的农、职业高中。1988年，通过总结巴彦淖尔盟兴办“3+1”学校办学经验和赴山西考察“3+1”教育的办学经验后，自治区政府印发了《关于深化农村牧区教育改革，加速培养中初级技术人才的决定》，要求在3—5年内全区农村牧区要将50%普通初中逐步改为“3+1”学校或农、职业中学。要求各企业应按照“先培训，后就业”的原则，招工时优先录取专业技术对口的各类职业技术学校的毕业生。1989年7月，自治区人民政府在巴彦淖尔盟临河市召开了全区农村牧区职业技术经验交流现场会，向全区推广了巴盟地区试办“3+1”学校的经验。自治区人民政府批准中专扩大招收蒙古语文字授课学生的名额。自治区各类中等职业学校贯彻执行《内蒙古自治区民族教育改革实施细则》，体现自治区民族特色，培养少数民族专业技术人才，加强了民族职业技术教育。少数民族中等专业技术学校（含蒙汉合校）由1985年的15所发展到28所，民族农、职业中学增加到24所。① 私立职业技术学校在绝迹40多年后，重新出现。原内蒙古建筑设计院高级工程师刘泽兰创办了私立中等专业学校——呼和浩特中山建筑工程学校，纳入国家招生计划。呼和浩特市教育局批准民族职业教育家巴静山创立正风职业学校，并纳入呼市中学招生计划。各盟市陆续出现了一批私立职业技术学校（或培训班）。

---

① 内蒙古自治区教育成就编委会编：《内蒙古自治区教育成就统计资料》（1947—1996），内蒙古教育出版社1997年版，第186、237页。

自治区技工学校进入加强管理、整顿提高阶段。1988 年，自治区人民政府批转了自治区劳动人事厅《关于加强技工学校管理的报告》，要求各地根据全区职业高中和中等专业学校发展情况，各盟市重点办好一所技工学校，部分企业的技工学校要转向职工的岗位培训。自治区计委、劳动人事厅成立了检查验收小组，对 94 所技工学校进行了整顿验收，有 11 所评为自治区重点技校（1989 年批准认定）。1990 年内蒙古自治区技工学校按盟市分布情况：呼和浩特市 15 所，包头市 17 所，乌海市 10 所，赤峰市 5 所，呼伦贝尔盟 21 所，兴安盟 2 所，哲里木盟 7 所，锡林郭勒盟 2 所，乌兰察布盟 10 所，伊克昭盟 1 所，巴彦淖尔盟 9 所，阿拉善盟 2 所，共 101 所。其中国务院部委办的 17 所，地方办的 84 所。1990 年，自治区制定了《职业中学办学水平评估细则》和《旗县综合性职业高中办学水平评估体系》，对全区 30 所首批办好的职业高中进行了评估认定，确定 5 所职业高中为自治区级重点职业中学。按照国家教委和自治区政府关于对职业高中毕业生逐步实行“两证俱全”（即文化毕业证和技术等级证）和先培训后就业的精神，全区各盟市普遍开展了进行技术等级考核。到 1990 年底，全区中等专业技术学校 80 所（工业 26 所、农业 11 所、林业 2 所、医药 16 所、财经 14 所、政法 5 所、体育 1 所、艺术 3 所、其他 2 所），在校生 36 888 人，少数民族学生 8 090 人，其中蒙古族学生 6 897 人。农职业中学 347 所，另有附设农职业班的普通中学 107 所，在校学生 118 507 人，少数民族学生 15 320 人，其中蒙古族学生 12 703 人。① 技工学校 101 所，在校生 3. 14 万人。1990 年，各类高中阶段职业教育在校生 13. 48 万人（不含成人中等专业学校在校生）占高中阶段在校生 33. 54 万人的比例由 1980 年的 18. 2% 上升到 40. 2% 。各类中等职业学校招生 5. 01 万人，与普通高中招生人数 6. 93 万人之比为 4. 2∶5. 8。

“八五”期间（1991—1995 年），根据国务院颁布的《关于大力发展职业技术的决定》精神，内蒙古自治区人民政府颁布了《内蒙古自治区人民政府贯彻〈国务院关于大力发展职业技术教育的决定〉的若干意见》（内政

① 内蒙古自治区教育成就编委会编：《内蒙古自治区教育成就统计资料》（1947—1996），内蒙古教育出版社 1997 年版，第 42、44、182、184、236—237 页。

发［1992］71号），自治区的中等职业教育加快了办学体制的改革，推进中等专业技术学校、技工学校的招生收费改革和毕业生自主择业就业制度的改革。教育厅根据上述文件精神，制定了《内蒙古自治区中等职业技术教育十年规划和“八五”计划》,确定了自治区“八五”期间和“九五”期间发展职业技术教育的主要目标和主要任务，即到2000年，逐步使50%—70%的初中毕业生进入各类中等职业学校学习，职业教育占高中阶段在校生的规模达到60%左右，全区重点建设70所左右示范性职业高中、中专和技工学校。

1991年12月，自治区人民政府在赤峰市召开“全区职业教育经验交流会”，自治区和各盟市财政、计划、劳动人事、科技、农牧、税务、教育等部门领导和各盟市分管教育的盟市长，有关旗县职业学校的领导出席会议。自治区党委常委刘云山出席了会议，赵志宏副主席在会议开幕式上作了题为《总结经验，振奋精神，把我区职业技术教育的发展推向一个新的阶段》的报告。自治区教育、人事劳动、计委、财政等部门就有关全区发展职业教育、学校布局和教学质量、职业教育的经费、实行等级证书、毕业生就业等问题发表了意见。从1992年开始，中等专业技术学校扩大了定向招生不包分配的比例，农牧林医类专业招生指标由原来定向到旗县改为全部定向到乡镇苏木，打开人才通向农村、牧区的路子。自治区中等专业技术学校改革传统封闭的办学模式，在办好中专班的基础上，实行联办大专班，增设自费班、技术培训班、委托班、函授班、自学助考班及试办高等职业技术班等办学形式，逐步形成了多层次、多形式的办学格局。呼和浩特交通学校、内蒙古电力学校、包头煤炭工业学校等分别与加拿大、俄罗斯、蒙古的一些院校缔结了校际友好关系，开展国际间合作的交流。

1994年，国家教委批准包头机械工业学校试办高等职业技术班，这是国家教委批准全国10所中专试办高职班之一。中等专业学校还加强了与职业中学的联系，扶持职业中学搞好教学科学实验、生产经营和社会服务。中专学校扩大了学校办学自主权，增强了办学活力，职业学校走联合办学和校企结合、产教结合的路子，由过去的1校1厂发展为1所学校甚至1个专业与多个企业、事业单位联合办学，开始向联办、联管共同负责的方向发展。农村牧区加大了初级职业技术教育的比重，农村牧区初级职业中学、“3+1”学校、“3+短”班有了发展。农村牧区的职业中学从农牧区、农牧业、农牧民实际需要出发，注重了“实际、实用、实效”，增加实用技术课的比重。职业高中在扩大与企事业单位联合办学的同时，拓宽联合办学渠道，加强校际合作，探索与中等专业技术学校、高等院校联合办学的路子。如兴安盟乌兰浩特第一职业高中、锡林浩特职业高中、赤峰市第三职业高中分别与长春职业技术学院、吉林职业技术学院、锡林郭勒盟电大、包头钢铁学院、北京商贸学院实行了联合办学。阿拉善左旗职业高中与包头商业学校联合办学，还与日本广岛亚洲友好学院、大阪美西外国语学校达成联合办学协议。呼市教育局与内蒙古商业厅开展归口联合办学，双方协议商定，将“内蒙古立达国际商场”“工业品批发市场”“内蒙古五金交电化工公司”等人才需求量纳入招生计划，并让第二职业高中等7所职业高中为其招收所需多种专业人才1 000名。

自治区政府于1993年下发了《关于加快发展职业技术学校校办产业的意见》,在立项、审批、注册、登记、贷款、原料供应、征税、水电收费等方面，为职业学校校办产业的发展提供了优惠政策，加强了重点校的建设。1991—1993年，自治区教育厅根据国家教委统一部署，利用3年时间完成了中等专业学校合格评估（1991年评出37所合格学校），办学水平评估（1992年评出19所A级学校）和重点学校的评估（1993年评出国家级重点学校5所，省部级重点校19所）。据统计，通过3年的评估，学校主管部门和地方政府为中等专业学校投入基建资金1亿多元，设备资金800多万元，捐赠图书17. 7万册。

自治区各盟市加强了骨干职业高中的建设，集中力量建成一批综合性、示范性的重点职业中学。1991年自治区教育厅完成了第二批自治区级重点职业高中和首批盟市级重点职业高中的评估、认定工作。1992年，自治区劳动人事厅根据国家劳动部的通知，对全区技工学校进行了全面评估，评定6所学校为省部级重点技工学校。1994年，自治区教育厅组织了第三批自治区级和第二批盟市级重点职业高中的评估认定工作。全区共认定自治区级重点职业高中24所（1995年10月，经自治区人民政府批复改办为职业中专），盟市级重点职业高中45所。1993年，国家教委对自治区级重点职业高中进行了抽查验收，肯定了自治区重点职业学校建设走在了全国少数民族地区和边疆地区的前面。1995年，自治区教育厅评出8所学校作为国家级重点职业高中上报国家教委审批。

1995 年，内蒙古自治区中等专业技术学校 82 所（工业 27 所、农业 11 所、林业 2 所、医药 16 所、财经 15 所、政法 5 所、体育 1 所、艺术 3 所、其他 2 所），在校生 43 953 人。职业中学 420 所，在校生 15.37 万人。[①] 技工学校 99 所，在校生 48 780 人。各类高中阶段职业教育在校生 15.98 万人，占高中阶段在校生 34.5 万人的比例为 46.3%。各类高中阶段职业学校招生 5.81 万人，与普通高中招生人数 7.04 万人之比为 4.5∶5.5。民族职业教育在“八五”期间得到更进一步发展。普通中等专业学校少数民族在校生 14 166 人（蒙古族 12 650 人），其中有 38 所学校设有蒙古语言文字授课专业和培训班，蒙古语言文字授课在校生 5 870 人。[②] 职业中学少数民族在校生 21 055 人（蒙古族 17 783 人），蒙古语言文字授课在校生 9 007 人。民族职业学校 48 所。[③]

1996 年 5 月，全国人大常委会通过并公布了《中华人民共和国职业教育法》，自治区人大教科文卫委员会、司法厅、教育厅、劳动厅联合发出《关于学习宣传和贯彻实施〈中华人民共和国职业教育法〉的通知》，要求各盟市采取多种形式加大宣传力度，深入学习和贯彻《职业教育法》。“九五”期间，内蒙古自治区以宣传和贯彻《职业教育法》和全国第三次职业教育工作会议精神为契机，把职业教育列为全区教育战线重点工作。1997 年自治区政府召开全区职业教育工作会议，自治区党委副书记乌云其木格、自治区副主席宝音德力格尔出席会议并讲话。自治区有关部门负责人和各盟市分管教育的盟市长及部分高校、中专、技工学校和职业高中校长参加了会议。自治区党委决定把职业高中建设任务和中等教育结构调整的比例列为旗县以上政府和教育行政部门的责任目标，纳入自治区对盟市的考核目标。

1998 年，自治区政府批转了自治区教委《关于大力发展职业教育的意见》

---

① 内蒙古自治区教育成就编委会编：《内蒙古自治区教育成就统计资料》（1947—1996），内蒙古教育出版社 1997 年版，第 182、184、236、237 页。

② 内蒙古自治区教育成就编委会编：《内蒙古自治区教育成就统计资料》（1947—1996），内蒙古教育出版社 1997 年版，第 42、56 页。本注数据内含中等师范学校。

③ 内蒙古自治区教育成就编委会编：《内蒙古自治区教育成就统计资料》（1947—1996），内蒙古教育出版社 1997 年版，第 39、44、58 页。

（以下简称《意见》），自治区教育委员会在《意见》中提出了面向21世纪深化职业教育改革，加快自治区职业教育改革的具体意见及到2000年改革和发展职业教育的目标。按照教育部部署自治区继续开展了国家级重点中等职业学校的申报、评估工作。到2000年，自治区通过评估的国家级重点职业技术学校24所（中专9所、职业高中10所、技工学校5所），自治区级重点职业技术学校56所（中专17所、职业高中15所、技工学校24所）。

自治区教委印发了《深化中等职业教育教学改革的意见》，制订了《普通中专教学评估指标体系》《职业高中教学评估指标体系》等文件，强化了对中等职业教育教学制度建设的宏观管理。国家教委在天津召开“全国职业高中开展职业技能鉴定工作座谈会”，总结职业技能鉴定工作开展十年来的经验，明确提出在职业学校实行“双证书”制度。按照国家的要求，自治区各中等职业学校开始全面推行“双证书”制度，即中等职业学校毕业生同时可以获得“毕业证”和“职业资格证”两种证书。许多中专和技工学校被自治区劳动人事厅确定为职业技术鉴定站（所），开展职业技能培训和职业技能鉴定工作。按照“先培训、后上岗”的原则，推行就业准入制度。对各类新就业人员进行时限和形式不同的职业教育和培训。

根据《教育部关于调整中等职业学校布局结构的意见》（教成字［1999］3号文件）精神，一些部委所属中专和技工学校划归地方管理。一些专业相似、地域相近的中等职业学校进行合并，一些社会需求量小、办学条件差的学校进行了改制，办学条件较好且社会急需的中专校升格为职业技术学院。1998—2000年，包头机械工业学校改办为包头职业技术学院，呼和浩特交通学校并入内蒙古大学，成为内蒙古大学职业技术学院，内蒙古建筑学校改办为呼和浩特职业技术学院（后改为内蒙古建筑职业技术学院），内蒙古煤炭工业学校和呼伦贝尔盟商业学校分别并入包头钢铁学院和呼伦贝尔学院。中央部委举办的一些中等专业学校下放自治区管理，如：内蒙古银行学校、呼和浩特交通学校等。自治区经济部门管理的内蒙古工业学校、内蒙古商业学校、内蒙古电子学校、内蒙古化工学校、内蒙古粮食学校、内蒙古工艺美术学校、内蒙古建材学校、内蒙古医药职工中专等9所学校移交自治区教育厅管理。一些部属技工学校和自治区属技工学校划归地方管理。

自治区政府批转了自治区教委等部门《关于中等专业学校全面实行招

生并轨改革的实施意见》,确定了中专招生并轨的具体实施政策，彻底改革毕业生“统包统分”的就业制度，中等专业学校毕业生实行双向选择、自主择业的就业办法。1999 年，自治区党委、政府召开了全区教育工作会议，自治区党委书记刘明祖出席了会议，自治区主席云布龙出席了会议并做了重要讲话，党委副书记乌云其木格和政府副主席宝音德力格尔分别作了报告，会议明确把职业教育列为全区教育战线的重点工作。农林牧地矿等中等专业学校实行计划放开、招生放开，实行学校自主招生。当年，自治区各类高中阶段职业教育在校生21.22 万人占高中阶段在校生的比例达到48.4%。中等职业教育的招生人数达到了高中阶段招生人数的 51.2%，职普比例达到最高峰。从2000 年开始所有中等专业学校计划放开、自主招生。2000 年4 月，自治区党委办公厅、政府办公厅批转了自治区教育厅、农业厅、畜牧厅《关于建好农牧业职业技术学校和农牧业科技示范基地的意见》。要求每个农牧业旗县都要集中力量办好一所综合性的职业高中或职教中心，使之成为当地经济建设技能型人才培养中心，农村牧区实用技术和劳动力转移的培训中心，农牧区新技术、新品种的试验和推广中心。

技工学校从 1996 年起生源开始减少，1997 年调整布局和办学形式，到 2000 年全区技工学校从 1996 年的 92 所减到 82 所，在校生 2.81 万人。职业高中从 1998 年起生源萎缩，到 2000 年，全区职业高中从 1997 年的 177 所减到 156 所，在校生 7.22 万人；职业初中 269 所，在校生 13.54 万人。中等专业技术学校在 1999—2000 年间，因调整中等专业技术学校布局，学校从 1998 年的 86 所减到 81 所，在校生 8.97 万人。2000 年，各类接受高中阶段职业教育的在校生 20.67 万人占高中阶段在校生 47.31 万人的比例为 43.7%，比 1999 年下降了 4.7 个百分点；由于受高等学校和普通高中扩招的影响，各类高中阶段职业学校招生人数仅为 6.55 万人，比上年下降 20% 以上，占高中阶段招生人数的比例仅为 37%，高中阶段职业教育呈现下滑趋势。①

① 内蒙古自治区教育厅计财处编：《内蒙古自治区 1997 年教育统计提要》,1998 年 4 月内部发行，第 26 页；内蒙古教育委员会计划建设处编：《内蒙古自治区 1998/1999 学年初教育统计提要》,1999 年 4 月内部印行，第 18 页；内蒙古自治区教育厅发展规划处编：《内蒙古自治区 2000/2001 学年初教育统计提要》,2001 年 5 月内部印行，第 12、14、15 页。

二、中等职业教育的成就

中华人民共和国成立后到2000年，内蒙古自治区的中等职业教育走过曲折的道路，取得丰富经验和辉煌的成就。

（一）培养了一大批各条战线的专门人才

各级各类中等职业学校按照党的教育方针，培养了一大批留得住、用得上的实用人才。从1949—2000年，累计为各条战线培养输送中等层次的专门人才110多万人。其中中等专业技术学校约28.4万人，农、职业中学60.63万人，技工学校20多万人。这些人多数被分配到广大农村牧区的基层组织和生产服务第一线，他们在各条战线上发挥着骨干作用。其中不少人走上了各级领导岗位。有的成为企业家、科学家、艺术家。如内蒙古农业学校毕业的张廷武和扎兰屯农牧学校毕业的郝益东担任自治区副主席；呼和浩特交通学校毕业的戴惠民担任黑龙江省交通研究站总工程师，是纽约科学院外籍院士；杨金泉是山西省武宿立交枢纽工程的设计者；内蒙古扎兰屯林业学校毕业的马建章是中国工程院院士、纽约科学院外籍院士；内蒙古轻工业学校毕业的杨文俊是蒙牛集团总裁；内蒙古艺术学校毕业的德德玛、腾格尔等是著名艺术家。

1958—1966年，农业中学的毕业生绝大多数充实了农业、林业、牧业等生产战线，其中一大部分担任了生产队的技术员、会计、队长、保管、拖拉机手、电工、保健工作者、畜疫防治员、林业技术员，也有的分配到邮电、卫生、交通、教育部门工作，很大程度上满足了当时人民公社的需要。职业中学毕业生多被工厂录用，也有的分配到国营农、林、牧、渔场参加生产劳动。

1980—2000年，农、职业中学进一步提高了教育教学质量，毕业生在各行各业发挥所学专业特长，深受用人单位的好评。一大批训练有素的技术骨干脱颖而出，如呼和浩特职业高中毕业生于军，设计了“中国耐克”系列运动鞋打入英国、澳大利亚等国家和地区的市场；包头市第四职业高中的毕业生常金风被评为全国“五一”劳动奖章获得者；包头钢铁公司职业高中毕业生刘承军被冶金部授予“全国新长征突击手”的称号。巴盟临河一职毕业生方勇将内蒙制革工艺与绘画艺术完美结合，发明了国家专利——皮画艺术，添补了我国绘画领域的一项空白。更多的毕业生则走上了自谋职业、勤劳致富的道路，成为家乡致富的带头人。

“文化大革命”前，技工学校为铁路、机械、钢铁、冶金、邮电、交通、电力、煤矿等工业战线培养了许多既有文化理论，又有操作技能的工人，也为当时人民公社培养了农牧业技术人员和农牧业机械技术人员。党的十一届三中全会后，技工学校不仅为上述工业战线各部门培养技术工人，还为民航、建筑建材、林业采伐、轻纺、矿山机械、电子、化工、造纸、盐业、水利、野外勘探、商业供销、饮食服务、粮食、宾馆餐厅等行业培养人才。新中国成立后至2000年，内蒙古自治区技工学校约培养的20多万技术工人，在厂矿企业和事业单位发挥了重要作用。有的还成了工程师、技术人员和生产建设中的骨干。

附录1

表5－11 1979—2000年内蒙古自治区中等专业技术学校分科毕业生数

单位：人 年份	合计	工科	农科	林科	医药	财经	政法	体育	艺术	其他
1979年	2 336	360	602	188	589	430	—	97	70	—
1980年	5 014	943	1 360	—	1 290	1 088	152	—	59	122
1981年	9 643	3 719	1 935	—	2 067	1 473	161	—	205	83
1982年	5 609	1 197	1 536	124	1 319	1 103	179	—	54	97
1983年	7 112	1 522	1 635	330	1 596	1 505	181	155	72	116
1984年	7 477	1 924	1 294	507	1 420	1 704	150	89	215	174
1985年	8 044	2 245	967	323	1 134	2 537	316	49	167	306
1986年	10 734	3 072	1 448	364	1 711	2 841	738	61	168	331
1987年	11 405	4 065	1 273	499	1 674	2 539	823	—	241	291
1988年	11 054	3 313	1 288	323	2 123	2 423	980	113	196	295
1989年	9 998	2 680	1 202	284	1 922	2 441	846	164	176	283
1990年	10 809	3 034	1 218	195	1 861	3 256	562	163	269	251
1991年	11 292	3 312	1 442	459	1 869	3 158	587	112	169	184
1992年	12 392	3 962	1 138	533	2 111	3 286	556	330	333	143
1993年	11 395	3 585	1 222	291	1 836	2 947	677	328	324	185
1994年	10 890	3 632	1 264	196	1 700	1 976	490	582	232	181
1995年	12 449	4 089	1 355	417	1 906	2 834	463	439	235	711

（续表）

年份＼单位：人	合计	工科	农科	林科	医药	财经	政法	体育	艺术	其他
1996 年	14 097	4 779	1 383	227	2 017	2 845	690	451	552	1 153
1997 年	13 626	5 300	1 501	242	1 885	2 810	762	486	333	307
1998 年	13 068	4 974	1 550	225	1 693	2 605	717	552	487	268
1999 年	16 311	6 147	2 768	273	1 609	2 943	953	717	607	294
2000 年	19 495	5 936	2 925	428	1 620	5 772	1 063	885	677	189

附录 2

表 5－12 1991—2000 年内蒙古自治区职业中学毕业生数

（单位：人）

年　份	1991	1992	1993	1994	1995	1996	1997	1998	1999	2000
高中	18 725	18 544	19 777	18 690	19 136	18 459	18 868	21 842	24 314	24 331
初中	15 499	17 437	20 817	18 709	20 484	21 597	30 038	32 790	33 718	37 070
合计	34 224	35 981	40 594	37 399	39 620	40 056	48 906	54 632	58 032	61 401

附录 3

表 5－13 1991—2000 年内蒙古自治区技工学校毕业生数①

（单位：万人）

年　份	1991	1992	1993	1994	1995	1996	1997	1998	1999	2000
毕业生数	0. 99	1. 02	1. 10	1. 14	1. 66	1. 57	1. 73	1. 52	1. 56	1. 24

① 附录 1—3 依据内蒙古自治区教育成就编委会编：《内蒙古自治区教育成就统计资料》（1947—1996），内蒙古教育出版社 1997 年版，第 186、187、236 页；内蒙古自治区教育厅计财处编：《内蒙古自治区 1997 年教育统计提要》,1998 年 4 月内部印行，第 18、37、53、55 页；内蒙古教育委员会计划建设处编：《内蒙古自治区 1998/1999 学年初教育统计提要》,1999 年 4 月内部印行，第 18、37、53、55 页；内蒙古教育委员会计划建设处编：《内蒙古自治区 1999/2000 学年初教育统计提要》,2000 年 6 月内部印行，第 12、33、56、58 页；内蒙古自治区教育厅发展规划处编：《内蒙古自治区 2000/2001 学年初教育统计提要》,2001 年 5 月内部印行，第 12、35、60、62 页。

（二）学校建设形成了比较完整的中等职业教育体系，形成了较为合理的中等教育结构

通过50年的努力，自治区中等职业教育形成了比较完整的体系，全区各类中等职业学校319所，其中中等专业学校81所，职业高中（中专）156所，技工学校82所。另外，属于中等职业教育性质的学校还有成人中专118所，中等师范学校5所。中等职业技术教育已形成了多学科（工种）、多形式、多种力量办学的教育体系。①

按照自治区党委和政府每个旗县都要集中力量办好一所综合性职业高中或职教中心的要求。全区多数农牧旗县都在集中力量建设一所综合性职业高中或职教中心，旗县职教中心的建设得到了加强。

自治区的中等职业教育在较快发展过程中加强重点学校的建设。根据国家教委和劳动部关于开展评估认定重点职业学校的通知精神，自治区教育、劳动、计委等部门分别制定了中等专业学校、技工学校、职业中学办学水平评估细则，经过几次全面验收评估，到2000年，内蒙古自治区建成国家级重点职业学校24所（中专9所、职业高中10所、技工学校5所），自治区级重点职业学校56所（中专17所、职业高中15所、技工学校24所）。

附录4

表5－14　1996—2000年内蒙古自治区中等专业技术学校分科类设置概况表

种类＼年度	1996年	1997年	1998年	1999年	2000年
工业(所) 在校生（人）	27 19 378	27 21 054	28 26 613	26 32 242	23 32 659
农业(所) 在校生（人）	12 6 428	12 7 450	12 9 762	12 12 590	12 12 726
林业(所) 在校生（人）	2 1 029	2 1 307	2 1 411	2 1 529	2 1 121

① 内蒙古自治区教育厅发展规划处编:《内蒙古自治区2000/2001学年初教育统计提要》,2001年5月内部印行，第12、14、16页。

（续表）

种类 \ 年度		1996 年	1997 年	1998 年	1999 年	2000 年
医药(所) 在校生（人）		16 5 365	16 5 330	16 5 913	16 8 293	16 12 156
财经(所) 在校生（人）		15 8 567	15 10 106	15 13 417	15 19 148	15 18 943
政法(所) 在校生（人）		5 1 639	6 1 827	6 2 223	6 3 301	6 4 549
体育(所) 在校生（人）		1 1 763	1 2 162	1 2 496	1 2 701	1 2 564
艺术(所) 在校生（人）		4 1 685	4 2 397	4 3 068	4 3 179	4 4 437
其他(所) 在校生（人）		2 619	2 589	2 701	2 1 056	2 553
总计	学校（所）	84	85	86	84	81
	在校生（人）	46 473	52 222	65 604	84 579	89 708
	少数民族在校生 （蒙古族学生） 及占比例	9 686 （8 594） 20.8%	10 654 （8 958） 20.4%	13 072 （11 098） 19.93%	17 571 （15 532） 20.77%	21 170 （18 142） 23.6%
教职工人数	总数	12 860	13 059	12 057	11 863	11 003
	其中专任教师	6 013	6 239	6 076	6 076	5 832

附录 5

表 5－15　1996—2000 年内蒙古自治区职业中学基本情况表

年份	学校数（所）			在校生数（人）			少数民族在校生（其中蒙古族学生）（人）
	计	初　中	高　中	计	初　中	高　中	
1996	432	245	187	163 562	105 271	58 291	21 564（18 303）
1997	441	264	177	191 052	123 840	67 212	26 293（21 876）
1998	459	283	176	212 737	133 627	79 110	28 648（24 525）
1999	443	275	168	225 891	141 657	84 324	30 373（26 061）
2000	425	269	156	207 604	135 391	72 209	29 436（25 136）

表 5－16　2000 年内蒙古自治区中等专业技术学校分盟市设置一览表

学校名称	主管部门	校　址	取得重点学校级别与时间	备　注
呼和浩特市				
内蒙古邮电学校	内蒙古移动通信公司	呼伦贝尔南站	1994 年自治区级	国家部委所属学校，1999 年划归地方后撤销。
内蒙古大学职业技术学院（呼和浩特市交通学校）	内蒙古大学	公园南路	1994 年国家级、自治区级，2000 年国家级	1999 年称交通部呼和浩特交通学校，隶属交通部。2000 年改办为内蒙古大学职业技术学院，未计入中专校数中。
内蒙古广播电视学校	内蒙古广播电影电视局	呼清公路一公里处		
内蒙古工程学校	内蒙古地质矿产厅	乌兰察布路	2000 年自治区级	1996 年由“内蒙古地质学校”更为此名。
内蒙古石油化工学校	内蒙古教育厅	乌兰察布东路	2000 年自治区级	2000 年由内蒙古石油化工厅划转教育厅主管。
内蒙古工业美术设计学校	内蒙古教育厅	公园南路	2000 年自治区级	1999 年由“内蒙古二轻工业学校”更为此名。2000 年由内蒙古轻纺工业厅划转教育厅主管。
内蒙古电力学校	内蒙古电力有限责任公司	东门外	1994 年自治区级，2000 年国家级	
内蒙古粮食学校	内蒙古教育厅	锡林南路		2000 年由内蒙古商务厅划转教育厅主管。
呼和浩特职业技术学院（内蒙古建筑学校）	内蒙古教育厅	钢铁路工人村	1994 年国家级、自治区级	1999 年由内蒙古建筑学校改办，划转教育厅主管，2000 年未计入学校数中。
内蒙古电子工业学校	内蒙古教育厅	乌兰察布东路	2000 年自治区级	2000 年由内蒙古电子总会划转教育厅主管。
内蒙古工业学校	内蒙古教育厅	海拉尔东路	2000 年自治区级	2000 年由冶金机械厅划转教育厅主管。

（续表）

学校名称	主管部门	校　址	取得重点学校级别与时间	备　注
内蒙古建材工业学校	内蒙古教育厅	乌兰察布路		2000年由建材总会划转教育厅主管。
内蒙古水利学校	内蒙古水利厅	海拉尔西路	1994年和2000年自治区级	
内蒙古农业学校	内蒙古农业厅	呼清公路	2000年自治区级	
内蒙古医学院附属卫校	医学院	新华大街		
内蒙古医院卫生学校	内蒙古卫生厅	昭乌达路		
呼和浩特市卫生学校	呼和浩特市卫生局	回民区果园西路		
内蒙古经贸学校	内蒙古供销社	团结小区	1994年自治区级，2000年国家级	1999年由内蒙古供销学校改为此名。
内蒙古银行学校	中国人民银行呼和浩特市中心支行	机场路	1994年自治区级	国家部委所属学校，2000年划归地方。
内蒙古商业学校	内蒙古教育厅	乌兰察布东路	1994年自治区级，2000年国家级	2000年由内蒙古商务厅划转教育厅主管。
内蒙古对外经贸学校	内蒙古对外经济贸易合作厅	南门外		
内蒙古工商行政管理学校	内蒙古工商局	赛罕区东影南街		
内蒙古会计学校	内蒙古物质集团有限责任公司	海拉尔东路	1994年和2000年自治区级	原内蒙古物质学校
内蒙古财政税务学校	内蒙古财政厅	兴安北路	1994年自治区级，2000年国家级	
内蒙古司法学校	内蒙古司法厅	展览馆西路		
内蒙古人民警察学校	内蒙古公安厅	呼哈公路	1994年自治区级，2000年国家级	

（续表）

学校名称	主管部门	校 址	取得重点学校级别与时间	备 注
内蒙古劳改警官学校	内蒙古监狱管理局	呼清公路		1997 年计入学校数内
内蒙古体育运动学校	内蒙古体育局	呼伦贝尔北路		
内蒙古艺术学校	内蒙古教育厅	东风路	内蒙古大学艺术学院中专部	
※呼和浩特艺术学校	呼和浩特市文化局	文化宫街	内蒙古艺术学校分校	
内蒙古气象学校	内蒙古气象局	海拉尔东路		国家部委所属学校
※内蒙古蒙文专科学校	内蒙古教育厅	赛罕路		1997 年计入高等院校中
内蒙古团校	内蒙古团委	麻花板		1997 年计入学校数中
包头市				
包头机械工业学校	内蒙古教育厅	青山区呼得木林大街	1994 年国家级	1998 年改办为“职业技术学院”，隶属于国防科工委，1999 年划转自治区教育厅主管，未计入学校数中。
包头铁路工程学校	呼和浩特市铁路局	东河区巴彦塔拉大街	1994 国家级、自治区级，2000 年国家级	国家部委所属学校
内蒙古煤炭工业学校	内蒙古煤炭管理局	昆区阿尔厅大街	1994 年自治区级	
内蒙古轻工业学校	内蒙古轻工业厅	京包路东兴车站		
包头市工业学校	包头市经贸委	昆区友谊大街		
包头市轻工业学校	包头市经贸委	包头市九原区		1998 年计入学校数中
包头市农牧学校	包头市农牧局	包头市幸福南路		
包头市卫生学校	包头市卫生局	青山区云岗道		

（续表）

学校名称	主管部门	校　址	取得重点学校级别与时间	备　注
包钢职工医院卫校	包钢职工医院	包钢医院		
包头市财经学校	包头市财政局	青山区富强中路	2000 年自治区级	
包头市人民警察学校	包头市公安局	青山区富强南路		
※包头艺术学校	包头市文化局	青山区建设路		内蒙古艺术学校分校
乌海市				
乌海市工业学校	乌海市教体局	海南区谋尔沟街		2000 年由乌海市经贸委划转教体局主管。
赤峰市				
内蒙古纺织工业学校	内蒙古轻纺厅	西桥大街	2000 年自治区级	
赤峰市农牧学校	赤峰农业局	市西郊	1994 年和 2000 年自治区级	
赤峰市卫生学校	赤峰市卫生局	红山区园林路	1994 年国家级，2000 年国家级	
赤峰市财经学校	赤峰市财政局	红山区昭乌达路		
赤峰市艺术学校	赤峰市文化局	松山区临河路		1996 年计入学校数中
呼伦贝尔盟				
海拉尔煤炭工业学校	内蒙古煤矿安全监察局	海拉尔市学府路		国家部委所属学校，1999 年划归地方。
呼伦贝尔盟工业学校	呼盟经济局	海拉尔市武警路		
扎兰屯农牧学校	内蒙古畜牧厅	扎兰屯市	1994 年自治区级，2000 年国家级	
扎兰屯林业学校	内蒙古林业厅	扎兰屯市	1994 年和 2000 年自治区级	
大兴安岭林业学校	内蒙古森工集团	牙克石市		原牙克石林业学校

（续表）

学校名称	主管部门	校 址	取得重点学校级别与时间	备 注
呼盟卫生学校	呼盟卫生局	扎兰屯市		
呼盟蒙医学校	呼盟卫生局	海拉尔市学府路		
大兴安岭林业卫生学校	内蒙古森工集团	牙克石市		原牙克石林业卫生学校
呼盟商业学校	呼盟教育局	海拉尔市学府路		2000年划转教育局主管，并入呼伦贝尔学院。
呼盟财政学校	呼盟财政局	海拉尔市财校路		
呼盟人民警察学校	呼盟行署	海拉尔市和平路		
呼盟民族艺术学校	呼盟文体广电局	海拉尔市西大街		
兴安盟				
内蒙古电力管理学校	兴安电业局	乌兰浩特市五一街		2000年由内蒙古电力集团划转兴安电业局主管。
兴安盟农牧学校	兴安盟农业局	乌兰浩特市五一街		
兴安盟卫生学校	兴安盟卫生局	乌兰浩特市五一街		
通辽市（哲里木盟）				
通辽市工业学校	通辽市经贸委	霍林河大街		原哲里木盟工业学校于2000年改为此名。
通辽市农牧学校	通辽市粮食局	新建大街		原哲里木盟农牧学校于2000年改为此名。
通辽市卫生学校	通辽市卫生局	霍林河大街		原哲里木盟卫生学校于2000年改为此名。
通辽市财经学校	通辽市财政局	和平路	2000年自治区级	原哲里木盟财贸学校于2000年改为此名。
通辽市艺术学校	通辽市文化局	明仁大街	2000年自治区级	原哲里木盟艺术学校于2000年改为此名。
锡林郭勒盟				

（续表）

学校名称	主管部门	校　址	取得重点学校级别与时间	备　注
内蒙古锡林浩特牧业学校	内蒙古畜牧厅	锡林浩特市	1994 年和 2000 年自治区级	
内蒙古锡林浩特牧业机械化学校	内蒙古畜牧厅	锡林浩特市		
锡盟卫生学校	锡盟卫生局	锡林浩特市		
锡盟民族财贸学校	锡盟财政局	锡林浩特市		
乌兰察布盟				
乌盟工业学校	乌盟经济委员会	集宁市怀远路		1999 年并入财贸粮食学校，不计校数。
乌盟农牧学校	乌盟农业局	察哈尔右翼前旗平地泉		
乌盟卫生学校	乌盟卫生局	集宁市文化路		
乌盟财贸粮食工业学校	乌盟财政局	集宁市工农路		1999 年乌盟工业学校并入财贸粮食学校合称此名。
乌盟人民警察学校	乌盟公安局	集宁市工农路		
※乌盟艺术学校	乌盟文化局	集宁市文化路		内蒙古艺术学校分校
伊克昭盟				
伊盟工业学校	伊盟经委	东胜市		2000 年与伊盟财经学校合并，取消校名，不计入学校数中。
伊盟农牧学校	伊盟教体局	达拉特旗树林召镇	2000 年自治区级	2000 年由伊盟农业局划转伊盟教体局主管。
伊盟卫生学校	伊盟教体局	东胜市		2000 年由伊盟卫生局划转伊盟教体局主管。
伊盟财经学校	伊盟财政局	东胜市		2000 年与伊盟工业学校合并，取消校名，不计入学校数中。

（续表）

学校名称	主管部门	校　址	取得重点学校级别与时间	备　注
鄂尔多斯职业技术学校	伊盟教体局	东胜市		2000 年由伊盟财政学校、工业学校、技工学校合并组成。
※伊盟艺术学校	伊盟文化局	东胜市		内蒙古艺术学校分校，2000 年改为“幼儿艺术师范学校”。
巴彦淖盟				
临河水利学校	河套灌区总局	临河市		
巴盟农牧学校	巴盟农牧局	临河市		
巴盟牧业机械化学校	巴盟农机中心	临河市		
巴盟卫生学校	巴盟卫生局	临河市	2000 年自治区级	
※巴盟艺术学校	巴盟文化局	临河市		内蒙古艺术学校分校
阿拉善盟				
阿盟卫生学校	阿盟卫生局	巴彦浩特镇		

附录 6

2000 年批准认定的国家级的重点中专学校：内蒙古电力学校、内蒙古经贸学校、内蒙古商业学校、内蒙古财政税务学校、内蒙古人民警察学校、包头铁路工程学校、赤峰市卫生学校、扎兰屯农牧学校、呼和浩特交通学校。

自治区级重点中专学校：内蒙古工程学校（海拉尔煤炭学校）、内蒙古石油化工学校、内蒙古工业美术设计学校、内蒙古电子工业学校、内蒙古工业学校、内蒙古水利学校、内蒙古农业学校、内蒙古会计学校、包头市财经学校、内蒙古纺织工业学校、赤峰市农牧学校、扎兰屯林业学校、通辽市财经学校、通辽市艺术学校、锡林浩特牧业学校、伊克昭盟农牧学校、巴彦淖尔盟卫生学校。

2000 年批准认定的国家级重点职业高中：包头第四职业高中、包头市第八职业高中、巴彦淖尔盟乌拉特前旗中等专业学校、包头市育才职业中等专业学校、赤峰市第一职业中等专业学校、赤峰市华夏职业学校、呼和浩特市第二职业中等专业学校、兴安盟乌兰浩特市第一职业中等专业学校、巴彦淖尔盟临河市第一职业中等专业学校。2001年又批准认定呼伦贝尔盟阿荣旗职业中等专业学校。自治区级重点职业高中：呼和浩特市第一职业中专、呼和浩特市第三职业中专、包钢职业中专、赤峰市第二职业中专、赤峰市元宝山区职教中心、乌海市第一职业高中、兴安盟乌兰浩特第二职业中专、通辽市科尔沁区职业中专、通辽市奈曼旗民族职业中专、通辽市科左中旗职业中专、乌兰察布盟集宁市职业中专和丰镇市职业中专、锡林郭勒盟东乌旗民族职业中专和职教中心、阿拉善盟阿左旗职业高中。

附录7

1996年，全区技工学校及其地区分布如下：

1. 呼和浩特市：内蒙古纺织技校、内蒙古航天技校、内蒙古林业技校、内蒙古地质技校、内蒙古饮食服务技校、内蒙古建工技校、内蒙古水利技校、内蒙古技工学校、呼和浩特附件厂技校、呼和浩特市商业技校、呼和浩特钢铁厂技校、呼和浩特交通技校、呼和浩特铁路司机学校。

2. 包头市：一机厂技校、二机厂技校、二〇二厂技校、包头钢铁公司矿山技校、包头钢铁公司技校、包头铝厂技校、包头市电机技校、包头市机械技校、包头市冶金矿机技校、包头市电子技校、包头市棉纺厂技校、包头市商业技校、包头市轻工技校、包头市城市建设技校、包头市劳动技校。

3. 赤峰市：赤峰市黄金技校、赤峰市建工技校、赤峰市民族技校、赤峰市交通技校、赤峰药厂班、赤峰宁城商校班、平庄矿务局技校、赤峰商业技校、赤峰商粮校班。

4. 乌海市：乌海市化工厂技校、乌海市交通技校、乌海市基本建设技校、乌海市农林技校、乌海市商业粮食供销技校、乌海市工业技校、西卓资山水泥厂技校、千里山钢铁厂技校。

5. 呼伦贝尔盟：呼盟技工学校、呼盟农机技校、呼盟交通技校、呼盟粮食技校、呼盟工业技校、呼盟电力技校、海拉尔市技校、海拉尔铁路运输技校、满洲里市技校、乌努尔林业技校、扎兰屯纸浆厂技校、牙克石林业技校、乌尔其汗林业技校、图里河林业技校、根河林业技校、金河林业技校、伊敏煤电技校、扎赉诺尔矿务局技校、大雁矿务局技校、伊图里河铁路技校。

6. 兴安盟：兴安盟技工学校、兴安盟交通技校、五岔沟林业技校。

7. 哲里木盟：哲盟民族技校、通辽市技工学校、扎鲁特旗技校、开鲁县技工学校。

8. 锡林郭勒盟：锡盟民族技校、赛汉塔拉技校。

9. 乌兰察布盟：乌盟技校、乌盟农牧技校、乌盟供销技校、乌盟建工技校、集宁市技工学校、丰镇市技校、察右中旗技校、兴和县技工学校。

10. 巴彦淖尔盟：巴盟技工学校、巴盟建工技校、巴盟交通技校、临河市技校、杭锦后旗技校、五原县技工学校、乌拉特前旗技校。

11. 伊克昭盟：伊盟技工学校。

12. 阿拉善盟：阿盟技工学校、吉兰太盐场技校。

（三）教育教学工作积累了丰富的经验，教师队伍得到加强

新中国成立初期到1957年，根据第一次全国教育工作会议提出的“教育必须为生产建设服务、为工农服务、学校向工农开门”的方针，中等专业学校优先录取工农子女入学。根据毛泽东主席“向苏联学习”的号召和第一次全教会议提出的“借苏联的经验来建设中国的教育”的精神，自治区的中等专业技术学校基本上是按照苏联中专的模式进行办学，这对于改革学校教育、保持良好的教育教学工作起了积极借鉴作用。

1958—1960年，在“大跃进”时期开展的“教育革命”，中等专业技术学校、技工学校和各种农、职业中学迅猛发展，客观上为工农业及各条战线培养了一批人才，其素质普遍高于社会录用的人员，缓解了各条战线对人才的需求，也是贯彻党的教育方针的一种探索，激发了人民群众的办学热情，出现了多形式、多渠道的办学局面。农业中学的发展，为兴办农村职业教育、满足人民群众学习文化和生产技术的迫切要求和小学毕业生升学的需要、促进农业生产的发展开拓了新的途径。特别是半工（农）半读中等职业学校的成立，这是一种积极试验，是一种创举。

中共十一届三中全会后到1990年，内蒙古自治区的中等职业教育经过“文化大革命”停办、恢复的曲折过程，开始实行中等教育结构改革，并取得了显著成绩。在进行中等教育结构改革的过程中，自治区党委和人民政府颁布了一系列关于改革中等教育结构，发展职业技术教育的文件，推动了自

治区中等专业技术学校、技工学校和职业中学三类职业学校的发展，职业技术教育初具规模，中等教育结构趋于合理，初步形成了适应经济和社会发展需要的中等职业技术教育体系。中等专业技术学校专业门类齐全，布局结构较合理。农、职业中学在贯彻落实中央和自治区关于大力发展中等职业教育精神的同时得到了迅速发展，并努力实现自治区人民政府提出的农牧区每户都有1名受过专业技术培训的中初级技术人员的奋斗目标。

进入20世纪90年代，职业教育学校内部管理体制的改革进一步深化。一是全面实行校长负责制，推动学校内部人事和分配制度的改革，多数学校都进行了岗位责任制、教师聘任制和学校内部分配制度等多项改革，扩大了学校办学的自主权，办学活力有所增强。二是招生就业全面实行并轨，放开学校的招生计划，初中毕业生可以不参加统一考试，凭义务教育证书到中等职业学校注册就学。中等职业学校毕业生采取不包分配、双向选择、择优录用的政策。三是对中等职业学校的课程结构进行了初步的改革，学校不再实行统一的教学计划，中等职业学校开始重视培养能力的课程改革，文化课、专业基础课、技能实训课按4∶3∶3的比例安排，适当增加选修课并开展学分制的试点工作。

职业学校师资队伍建设得到加强。我区的职业学校教师队伍随着职业教育的不断发展而日益壮大。1949年，我区职业技术学校教职工只有78人，教师只有32人（不包括师范学校）。到2000年，中等职业学校教职工共达到3万多人，专职教师达到2万多人（不包括技工学校）。① 中等专业技术学校副高职称以上教师949人，占专职教师总数的16.3%；中级职称教师2 860人，占专职教师数的49.2%；职业中学高级教师271人（初中33人，高中238人），中级教师2 928人（初中1 102人、高中1 826人），分别占专职教师的1.8%和19.8%。② 职业学校在师资队伍建设方面还注意吸引了企事业单位工程技术人员、管理人员和能工巧匠担任学校专职或兼职教师，

① 内蒙古自治区教育成就编委会编：《内蒙古自治区教育成就统计资料》（1947—1996），内蒙古教育出版社1997年版，第181页。

② 内蒙古自治区教育厅发展规划处编：《内蒙古自治区2000/2001学年初教育统计提要》，2001年5月内部印行，第14、15页。

提高了“双师型”教师在教师队伍中的比例。

附录 8

表 5－17　1953—2000 年中等专业技术学校教职工分岗位和专任教师分职务构成情况①（部分年份）

（单位：人）

年份	总计	专任教师	教辅人员	行政人员	工勤人员	校办工厂农场职工	其他附设机构人员	专任教师专业技术职务构成情况			
								高级讲师	讲师	助理讲师	教员
1953	663	197	20	244	192	——	10	—	—	—	—
1957	2 209	833	267	649	460	—	—	—	—	—	—
1958	4 123	1 350	686	1 370	537	—	—	—	—	—	—
1962	2 820	985	141	807	418	—	469	—	—	—	—
1965	4 365	2 035	—	1 288	772	263	7	—	—	—	—
1980	6 295	2 733	—	1 805	999	674	84	—	—	—	—
1981	7 243	3 022	—	2 049	1 395	681	96	—	—	—	—
1985	10 598	4 379	907	2 568	1 965	537	242	14	507	—	3 858
1986	11 486	4 786	1 015	2 791	2 197	526	171	21	486	183	4 096
1990	12 382	5 779	1 337	2 514	2 074	559	119	491	1 855	2 529	904
1991	12 535	5 824	1 426	2 540	2 086	519	140	513	2 020	2 576	715
1995	12 687	5 839	1 396	2 524	1 948	546	434	656	2 540	2 437	206
1996	12 860	6 013	1 475	2 441	2 012	551	368	774	2 844	2 199	196
2000	11 003	5 832	1 206	2 022	1 594	139	210	949	2 866	1 847	170

① 内蒙古自治区教育成就编委会编：《内蒙古自治区教育成就统计资料》（1947—1996），内蒙古教育出版社 1997 年版，第 196、199 页；内蒙古自治区教育厅发展规划处编：《内蒙古自治区 2000/2001 学年初教育统计提要》,2001 年 5 月内部印行，第 60、61、62、63 页。

附录 9

表 5－18　1959—2000 年农、职业中学分岗位教职工数（部分年份）①

（单位：人）

年份	总　计	专职教师			行政人员	工勤人员	校办工厂农场职工
		初　中	高　中	小　计			
1959	1 470	1 105	—	1 105	117	248	—
1965	3 497	2 513	79	2 592	253	528	124
1980	523	162	158	320	84	53	66
1981	535	145	259	404	49	52	30
1985	8 584	1 854	3 857	5 711	1 481	930	462
1986	11 664	2 709	4 924	7 633	1 807	1 866	418
1990	14 946	3 812	6 313	10 125	2 057	2 141	623
1991	15 532	4 057	6 562	10 619	2 180	2 200	533
1995	18 038	6 610	6 361	12 971	2 301	2 326	440
1996	18 340	7 009	6 208	13 217	2 295	2 378	450
2000	19 400	8 578	6 243	14 821	—	—	—

附录 10

表 5－19　1991—2000 年职业中学专职教师专业技术职务构成情况②

（单位：人）

年份	合计	高　级			一　级			二　级			三　级			未　评		
		小计	高中	初中	小计	高中	初中	小计	高中	初中	小计	高中	初中	小计	高中	初中
1991	10 619	185	184	1	1 634	1 272	362	3 502	2 350	1 152	2 108	1 143	965	3 190	1 613	1 577

---

① 内蒙古自治区教育成就编委会编：《内蒙古自治区教育成就统计资料》（1947—1996），内蒙古教育出版社 1997 年版，第 248、251 页；内蒙古自治区教育厅发展规划处编：《内蒙古自治区 2000/2001 学年初教育统计提要》,2001 年 5 月内部印行，第 15 页。

② 内蒙古自治区教育成就编委会编：《内蒙古自治区教育成就统计资料》（1947—1996），内蒙古教育出版社 1997 年版，第 251 页；内蒙古自治区教育厅计财处编：《内蒙古自治区 1997 年教育统计提要》,1998 年 4 月内部印行，第 98、99 页；内蒙古教育委员会计划建设处编：《内蒙古自治区 1998/1999 学年初教育统计提要》,1999 年 4 月内部印行，第 98、99 页；内蒙古教育委员会计划建设处编：《内蒙古自治区 1999/2000 学年初教育统计提要》,2000 年 6 月内部印行，第 100、101 页；内蒙古自治区教育厅发展规划处编：《内蒙古自治区 2000/2001 学年初教育统计提要》,2001 年 5 月内部印行，第 100、101 页。

（续表）

年份	合计	高级			一级			二级			三级			未评		
		小计	高中	初中	小计	高中	初中	小计	高中	初中	小计	高中	初中	小计	高中	初中
1992	11 463	166	164	2	1 655	1 282	373	3 789	2 509	1 280	2 300	1 176	1 124	3 553	1 683	1 870
1993	12 076	177	172	5	1 831	1 370	461	4 209	2 599	1 610	2 527	1 157	1 370	3 332	1 449	1 883
1994	12 271	162	152	10	1 817	1 355	462	4 540	2 702	1 838	2 633	1 048	1 585	3 119	1 249	1 870
1995	12 971	176	166	10	2 078	1 487	591	5 100	2 728	2 372	2 750	961	1 789	2 867	1 019	1 848
1996	13 217	210	201	9	2 197	1 551	646	5 505	2 755	2 790	2 471	771	1 700	2 794	930	1 864
1997	14 336	225	207	18	2 487	1 673	814	6 149	2 869	3 280	2 511	673	1 838	2 964	873	2 091
1998	14 335	265	243	22	2 630	1 752	878	6 511	2 870	3 641	2 268	599	1 669	2 661	883	1 778
1999	15 536	348	320	28	2 946	1 969	977	7 237	3 121	4 116	2 270	572	1 698	2 735	872	1 863
2000	14 821	271	238	33	2 928	1 826	1 102	6 865	2 843	4 022	2 121	500	1 621	2 636	836	1 800

（四）民族职业技术教育得到较快发展

1949 年自治区没有专门的民族职业技术学校，直到 1953 年，自治区建立了第一所民族职业技术学校——内蒙古蒙文专科学校，从此，内蒙古的民族职业教育开始起步，并走上了快速发展的轨道。到 1965 年，全区民族中专学校 4 所，少数民族在校学生 3 752 人，其中蒙古族 2 999 人。中共十一届三中全会以后，为体现自治区民族特色，培养少数民族专业技术人才，自治区教育战线贯彻执行优先重点发展民族教育的方针，加强了民族职业技术教育。

1980 年，民族中等专业技术学校 14 所，少数民族在校生 3 586 人（蒙古族 2 914 人），农、职业中学少数民族在校生 390 人（蒙古族 360 人）。①

1986 年，民族中等专业技术学校增加到 15 所，少数民族在校学生 5 673 人（蒙古族 4 831 人）。民族农、职业中学发展到 32 所，在校学生发展到 13 482 人（蒙古族 10 837 人）。②

---

① 内蒙古自治区教育成就编委会编：《内蒙古自治区教育成就统计资料》（1947—1996），内蒙古教育出版社 1997 年版，第 39、44、186 页。

② 内蒙古自治区教育成就编委会编：《内蒙古自治区教育成就统计资料》（1947—1996），内蒙古教育出版社 1997 年版，第 39、44、186 页。

到1996年，中等专业学校有38所设置民族班，少数民族在校生9 686人（蒙古族8 694人）；民族职业中学由1986年的32所增加到47所，少数民族在校生发展到21 564人（蒙古族18 303人）。①

到2000年，中等专业学校仍有38所设置了民族班，中等专业技术学校少数民族在校生21 170人，占整个中等专业学校总数的23.6%。其中蒙古族学生18 142人；职业中学少数民族学生29 436人，其中蒙古族25 136人。②

附录11

表5－20　1949—2000年内蒙古自治区中等专业技术学校和农职业中学在校少数民族学生数（部分年份）③

（单位：人）

年份	中等专业技术学校			职业中学								
	计	蒙古族	其他族	合计			高中			初中		
				计	蒙古族	其他族	计	蒙古族	其他族	计	蒙古族	其他族
1949	10	3	7	—	—	—	—	—	—	—	—	—
1953	646	565	81	—	—	—	—	—	—	—	—	—
1957	1 417	1 032	385	—	—	—	—	—	—	—	—	—
1958	2 653	1 795	858	2 226	2 010	216	—	—	—	2 226	2 010	216
1962	626	474	152	387	361	26	23	13	10	364	348	16
1965	2 675	2 018	657	4 497	3 892	605	114	63	51	4 383	3 829	554
1980	3 586	2 941	645	390	360	30	198	174	24	192	186	6

① 内蒙古自治区教育成就编委会编：《内蒙古自治区教育成就统计资料》（1947—1996），内蒙古教育出版社1997年版，第5、39、42、44页。中等专业学校中含民族中等师范学校，但不含少数民族学生数。

② 本志编纂委员会编：《内蒙古自治区志·政府志》，方志出版社2001年版，第699页；内蒙古自治区教育厅发展规划处编：《内蒙古自治区2000/2001学年初教育统计提要》，2001年5月内部印行，第14、15页。中等专业学校中含民族中等师范学校，但不含少数民族学生数。

③ 内蒙古自治区教育成就编委会编：《内蒙古自治区教育成就统计资料》（1947—1996），内蒙古教育出版社1997年版，第43、44页；内蒙古自治区教育厅发展规划处编：《内蒙古自治区2000/2001学年初教育统计提要》，2001年5月内部印行，第13、14页。

（续表）

年份	中等专业技术学校			职业中学								
	计	蒙古族	其他族	合计			高中			初中		
				计	蒙古族	其他族	计	蒙古族	其他族	计	蒙古族	其他族
1981	3 692	3 207	485	748	625	123	407	321	86	341	304	37
1985	5 459	4 688	771	9 715	7 615	2 100	7 524	5 844	1 680	2 191	1 771	420
1986	5 673	4 831	842	13 482	10 837	2 645	9 327	7 293	2 034	4 155	3 544	611
1990	8 090	6 897	1 193	15 320	12 703	2 617	9 269	7 238	2 031	6 051	5 465	586
1991	8 344	7 238	1 106	17 894	14 227	3 667	11 353	9 140	2 213	6 141	5 087	1 054
1995	9 355	8 224	1 131	21 055	17 783	3 272	8 674	6 850	1 824	12 381	10 933	1 448
1996	9 686	8 594	1 092	21 564	18 303	3 261	8 897	7 322	1 575	12 667	10 981	1 686
2000	21 170	18 142	3 028	29 436	25 136	4 300	11 226	8 912	2 314	18 210	16 224	1 986

三、职业教育发展的经验

（一）提高对职业教育的认识，是发展职业教育的前提

职业教育是教育事业中与经济社会发展联系最直接、最密切的部分，是我国教育体系的重要组成部分，是国民经济和社会发展的重要基础。发展职业教育，为初、高中毕业生和城乡新增劳动者、下岗失业人员、在职人员、农村劳动者及其他社会成员提供多种形式、多种层次的职业学校教育和职业培训，是开发人力资源，提高生产、经营、管理、服务第一线劳动者素质，拓宽就业渠道，促进劳动就业和再就业的重要举措，也是促进经济发展的重要手段。由于受传统教育思想的影响，一部分人鄙薄职业教育，轻视从事职业教育的劳动者，除了国家指令性计划中等专业技术学校学生包分配当国家干部的一段时间外，职业教育成为等而次之的教育，学生及其家长也视之为不得已而为之的教育，接受职业教育学生主要是平民家庭、困难家庭、问题家庭、弱势群体家庭的孩子。这事实上使得职业教育变得边缘化、弱势化。这些现象成为发展职业教育根深蒂固的思想认识障碍。地方领导和有关部门往往只强调高等教育和普通高中的发展，存在着忽视职业教育的倾向，职业教育与普通教育不能协调发展。因此，充分发挥职业教育在发展经济、提高

劳动者素质、实现充分就业方面的作用，进一步提高社会对职业教育的认识，是发展职业教育的重要前提。

（二）职业教育坚持以就业为导向的办学宗旨，是职业教育的根本出路

职业教育的办学目标是就业，从某种意义上说，职业教育是谋生教育、就业教育。职业学校根据地方经济建设、产业结构调整，选择合适的办学模式，根据就业市场的需求调整专业结构，形成鲜明的办学特色，才能更好地发挥职业教育自身的功能。通过加强专业建设，每个职业学校都应当形成不同于别人的办学特色，使每一个就学者都能按照自身的条件和兴趣学到谋生的一技之长，这是职业教育的办学宗旨，也是发展职业教育的根本出路。

（三）加强教师队伍建设，是发展职业教育的重要条件

职业学校与普通学校的教师最大的区别，是职业学校教师不仅要有丰富的理论知识，而且要有一定的生产技能和经验。职业学校教师的补充，不仅要从高等学校毕业生中选拔，更应该从有实践经验的高技能人才和能工巧匠中选聘。职业学校应当注重在职教师的培训与提高，一方面加强教师新知识、新理论的培训，另一方面职业学校教师要到生产服务第一线参加实践活动，通过参与生产实践，使教师掌握新技能、新工艺，形成既懂理论又精通生产技能的“双师型”教师队伍。

（四）重视实践教学环节，抓好实训基地的建设，是职业教育区别于普通教育的显著特点

为了加强学生动手能力的培养，职业学校都应当有自己的实训基地，实训基地可以由学校主办，也可以放到企业，依托优势产业和骨干企业，建设与企业生产技术水平相适应的实训基地。职业学校通过实训基地，加强学生实践技能的训练，提高动手能力，可以积累生产经验，进一步增强就业能力。

（五）坚持德育为首，突出职业道德教育，是实现职业教育培养目标的重要保证

针对职业学校学生文化课成绩普遍较差的实际，职业学校应当将行为养成教育，爱岗敬业、诚实守信的职业道德教育作为提高人才培养质量的重要环节，努力实施对学生的人文关怀。要求每位教师尊重、理解、鼓励学生，关心家庭贫困、学业不佳、习惯不良的学生，加强与学生之间的情感联系。

通过心理咨询，开展对职业学校学生心理健康教育，使之克服自卑、怯懦、自弃自暴的不健康心理，形成健全的人格。

（六）政府为职业教育创造良好的环境，是职业教育发展的重要保证

政府加大对职业教育的投入，帮助学校解决困难，可以减轻学校的办学压力。政府通过优惠政策，扶持职业教育，进一步提高职业教育的政治地位、社会地位和经济地位，为职业教育发展创造好的环境。学校通过多渠道筹措办学经费，形成多样化的发展路子。办学形式突出多样性，专业设置突出职业性，教学方法突出实践性，培养目标突出应用性，就可以实现职业教育与普通教育相协调，与社会经济发展相适应的发展目标。

第十八章

文　化

第一节　概　述

中华人民共和国成立初期，中共内蒙古自治区委员会和中共绥远省委员会制定了贯彻中国共产党文艺方针、政策的一系列具体措施，各级人民政府做了大量工作。

1949 年 11 月，自治区人民政府在乌兰浩特召开内蒙古文学艺术工作者第一届代表大会，确定了文艺工作的方针和任务。① 同年，归绥市人民政府组织民间艺人召开座谈会，了解情况，帮助艺人解决生活困难。由人民政府委派的文化干部着手组织流散艺人，采取分期分批的形式集中学习时事、政治，帮助其提高思想觉悟，鼓励其参加新中国的建设。

1950 年元月，内蒙古自治区人民政府指示：要妥为保管各召庙所藏的蒙古文和藏文经典，从而使大批藏传佛教经典得以保护。此后，自治区人民政府根据中央人民政府政务院颁布《禁止珍贵文物图书出口暂行办法》的指示，制定具体措施，有效保护内蒙古的珍贵文物。② 1950 年 5 月，绥远省政府在原绥远教育推行委员会图书部的基础上筹建绥远省图书馆；1952 年 5

① 中国曲艺志全国编辑委员会:《中国曲艺志・内蒙古卷》,中国 ISBN 出版中心 2000 年版，第 15 页。

② 焦雪岱主编:《内蒙古文化五十年》,（内新图准字［97］第 64 号），1997 年，第 73 页。

月，内蒙古师范学院图书馆建立，当时的藏书虽仅有 7 000 余册，但开高校图书馆建设之先；1953 年 5 月，内蒙古蒙古语文研究会图书资料室建立，成为自治区科研机构中建立最早的图书资料室。1951 年，内蒙古电影教育工作总队和绥远省电化教育总队相继成立，这是内蒙古地区最早的电影放映管理部门。①

1950 年 11 月，在当时的自治区首府张家口召开了内蒙古民间艺人代表大会。② 内蒙古自治区人民政府主席乌兰夫出席会议。会议明确指出，要把发展和繁荣蒙古族的文艺放在重要位置。会议还从内蒙古地区民族民间文化艺术遗产丰厚的实际出发，研究、制定了发展包括文艺在内的民间艺术的总体方针。从此，内蒙古的文化事业进入有组织、有领导、有规划、有明确发展目标和方向的新阶段。

1951 年 5 月 5 日，中央人民政府政务院颁布《关于戏曲改革工作的指示》,提出“改戏、改人、改制”③ 的方针。内蒙古自治区和绥远省各级政府采取一系列措施，认真贯彻、落实中央的指示，开始筹建戏曲改进委员会或剧目审定委员会进行戏曲与文艺改革，实行“百花齐放，推陈出新”。

内蒙古各地陆续建立文化馆，配备专职干部，组织流散艺人开展演出活动。1950 年，昭乌达盟大双庙举办农村艺人训练班，成立艺人联合会；包头市二人台艺人组织乡曲组，由原来撂地卖艺进入剧场演出；同年 2 月，绥远省文教厅在归绥市举办以二人台艺人和业余文艺骨干为主的民间艺人学习会（后改名群众艺术学校），历时 3 年，共办 7 期。学员结业后返回所在旗县，成立了一批二人台职业和业余剧团。

为了彻底改变历史上内蒙古地区罂粟种植泛滥，部分民间艺人嗜毒如命、生活潦倒、精神萎靡的状况，人民政府采取有效措施，在断绝鸦片来源的同时，对染毒艺人进行救济，帮助其戒毒。此后，民间艺人的精神面貌发

---

① 内蒙古自治区电影放映发行事业大事编辑委员会：《内蒙古自治区电影放映发行事业大事编年记》,1995 年打印本，第 2 页。

② 内蒙古自治区文学艺术界联合会、内蒙古自治区档案局、内蒙古自治区歌舞团：《内蒙古艺术大事记》,内蒙古人民出版社 1993 年版，第 5 页。

③ 中华人民共和国中央人民政府政务院：《关于戏曲改革工作的指示》,《中国大百科全书 · 戏曲曲艺》,中国大百科全书出版社 1983 年版，第 80 页。

生了巨大变化：包头市二人台盲艺人计子玉曾深受鸦片毒害，戒毒后自编自演《新中国》《大胜利》等节目，[①] 表达对中国共产党和人民政府的感激之情；兴和县文化馆组织东路二人台艺人秦福喜、赵有根、高乐美等创作演出新戏《美人计》《后悔不起》《童养媳见天日》，配合土改运动和宣传婚姻法。许多剧团把上座率最高的星期日定为“捐献日”，演出收入全部捐献给抗美援朝前线。[②]

调查、清理、配合生产建设发掘和科研课题的发掘是新中国成立后内蒙古文物考古的基本工作内容；一边进行田野考古调查，一边培养考古人才，是早期文物考古基本做法。

此后，包头召湾汉墓、麻池元代遗址和托克托伞盖村元墓等陆续被发现，一批卓有成就的草原考古专家陆续涌现。随着野外工作的逐步开展，室内研究工作也有所成就，内蒙古文物考古的重要成果在《文物》《考古》和《考古学报》等国家级刊物上不断发表。《内蒙古文物资料选辑》（内蒙古人民出版社出版）一书汇集了20世纪50年代及稍后，内蒙古文物工作队重要的文物考古成果；由文物出版社出版的《内蒙古出土文物选集》则是上述成果的精选。

1953年7月，内蒙古自治区人民政府发布《关于保护文物古迹的指示》，要求各级政府和有关部门，对全区一切具有历史、艺术价值的建筑、革命文物、古生物文物进行保护管理、田野考古调查和清理。

1954年3月，内蒙古自治区人民政府派出“迎成吉思汗灵柩代表团”前往青海省塔尔寺，将抗日战争时期为了防止日军劫持而安放在塔尔寺长达16年之久的成吉思汗灵柩运回鄂尔多斯。乌兰夫主席亲率代表团前往伊克昭盟伊金霍洛旗，参加祭祀成吉思汗大典和成吉思汗陵奠基仪式。1957年5月，建筑面积达5 000平方米的内蒙古博物馆落成，并举办《内蒙古自治区十年建设成就展览》。从20世纪50年代中期到60年代中期，赤峰市、包头

---

① 中国戏曲志全国编辑委员会编：《中国戏曲志·内蒙古卷》，中国ISBN出版中心1994年版，第25页。

② 中国戏曲志全国编辑委员会编：《中国戏曲志·内蒙古卷》，中国ISBN出版中心1994年版，第25页。

市、乌兰察布盟、伊克昭盟等地，陆续建立文物保护科研机构，内蒙古的文物保护管理、展览、考古发掘和科学研究逐步形成体系。

1951 年 1 月，内蒙古自治区人民政府新闻出版局成立；2 月，绥远人民出版社成立。1952 年 7 月 1 日，在新闻出版局的基础上组建内蒙古人民出版社；9 月，内蒙古人民出版社从张家口迁到归绥。1954 年 3 月，内蒙古自治区和绥远省合并；同年底，内蒙古人民出版社与绥远人民出版社合并，称内蒙古人民出版社，具有出版和管理职能。

1953 年 1 月，中共中央蒙绥分局在归绥召开内蒙古自治区、绥远省文艺工作会议，会议提出，必须加强中国共产党对文艺工作的领导，使文艺能为大规模的国家经济建设更好地服务。3 月，绥远省第一届民间艺术会演在归绥召开。[①] 这次会演选拔出二人台艺人刘银威、高金栓等赴京参加全国首届民间音乐舞蹈会演，演出《走西口》《打金钱》和《打秋千》，受到首都观众的欢迎及党和国家领导人的接见。9 月，刘银威等 7 位二人台艺人参加赴朝慰问团，出国为中国人民志愿军和朝鲜军民演出。1954 年，二人台艺人丁喜财、周满仓、秦有年、常来骠应邀分别到天津和上海的音乐学院任教。中国唱片公司还出版了《走西口》《打金钱》和《打樱桃》唱片。

此时，内蒙古地区的文化进入了前所未有的发展时期。文艺工作者紧紧围绕党和政府在各个时期的中心工作创作和演出。艺人们编创演出了大量宣传土改、镇压反革命、抗美援朝和恢复、发展生产的作品，有力地配合了中国共产党和各级人民政府在各个时期的中心工作，对宣传和动员各族人民参加祖国的社会主义革命和建设，加强民族团结发挥了很大的作用。文艺工作者特别注重深入生活，在农村、牧区、建设工地等发现素材，用艺术的形式表现各族人民生活所发生的变化，反映社会发生的深刻变革。为了繁荣蒙古族和其他少数民族的文化与艺术，自治区人民政府经常开办各种类型的民间艺人学习班、培训班，帮助其提高思想和业务水平。同时还组织多种形式的比赛、观摩等活动，相互学习、交流技艺，这些措施促进了民族文化艺术的快速发展。

---

① 内蒙古自治区文学艺术界联合会、内蒙古自治区档案局、内蒙古自治区歌舞团：《内蒙古艺术大事记》，内蒙古人民出版社 1993 年版，第 9 页。

1954年3月，绥远省正式划归内蒙古自治区，归绥改名为呼和浩特，成为自治区首府。同年4月，内蒙古自治区文化事业管理局成立，负责全自治区文化事业的行政管理与领导。同年，内蒙古文化局颁发《内蒙古自治区民间职业剧团登记管理条例》，对全自治区民间职业剧团进行登记，以便加强管理，保护剧团的合法权益，提高剧团的演出质量。所有登记的剧团陆续建立"共和班"制，进行民主管理制度。为了支持艺术表演团体的工作，自治区政府先后拨出巡回演出费、业务辅导费、演出辅助费以及艺人救济金等专项经费，投资总额达69万多元。同时，还采取剧场免征娱乐税2年、表演团体在城乡物资交流会上演出免纳会费等优惠措施，① 对演出活动加以鼓励。此时，各民族艺人的社会地位更是空前提高，一批民间艺人参加了工作，成为文艺工作者，其中的优秀分子还加入了中国共产党、共青团，被评为各级劳动模范、先进工作者，有的还当选为各级人民代表大会和人民政治协商会议代表、委员，担当起参政、议政的重任。

1955年10月，内蒙古第一届民族民间音乐、舞蹈、戏剧观摩演出大会在呼和浩特市举行。在这次观摩演出大会上，演出中路梆子、京剧、评剧、二人台、东路二人台、二人转、道情、大秧歌、满族八角鼓戏、蒙古剧等10个剧种31个剧目。道情和大秧歌等剧种当时已经濒临失传，此次观摩演出得以恢复。会演期间，呼和浩特市新城区业余剧团演出了八角鼓小戏《对菱花》，该剧是在传统八角鼓说唱的基础上创新而成，为内蒙古增添了一个少数民族新剧种，引起前来观摩会演的一些专家的浓厚兴趣。《秦香莲》《走西口》《打金钱》《探病》《梵王宫》《疯僧扫秦》《卖毛驴》等剧目经过整理、改编，在思想性和艺术性上均有较大提高。王玉山（水上漂）、王治安（凤凰旦）、宋玉芬（三女红）、李月鹏、樊六、刘银威、任翠凤、康翠玲、班玉莲等著名老艺人和青年演员的精湛表演深受观众赞赏，获得演员一等奖。② 观摩演出大会历时20天，是对新中国成立初期内蒙古戏曲改革

---

① 中国戏曲志全国编辑委员会：《中国戏曲志·内蒙古卷》，中国ISBN出版中心1994年版，第26页。

② 中国戏曲志全国编辑委员会：《中国戏曲志·内蒙古卷》，中国ISBN出版中心1994年版，第26页。

成绩的集中展示，对继承与发扬民族艺术遗产，进一步繁荣创作和演出起到了积极的推动作用。

1957 年 3 月，内蒙古图书馆楼竣工，面积 2 830 平方米，藏书达 37 万册。它标志着内蒙古的图书馆事业有了长足的进步。自治区文化主管部门注重盟市图书馆及部分旗县图书馆建设。至 1958 年，建立自治区级图书馆 1 所、盟市图书馆 10 所、旗县图书馆 7 所，共 18 所；一些大型厂矿企业和大部分旗县相继建立党校图书馆（室），约有 70 多所，藏书从几百册到几千册不等，在基层文化建设中发挥着颇为重要的作用。

20 世纪 50 年代初以来，人民政府分别在满洲里兴建了中苏友谊宫，在呼和浩特兴建了乌兰恰特等一批设施先进的剧场；位于内蒙古东部的海拉尔、牙克石、乌兰浩特、通辽、锡林浩特等地，由当地政府、集体和说书艺人兴办的蒙语说书馆陆续开业。①

新中国成立初期，全国的文化馆事业由教育部下属社会教育司领导。文化馆的建立对基层群众文化的建设与发展起了重要作用。但是，由于当时对文化馆的性质、工作方针、任务不够明确，加以事业发展很快，相应的领导、组织工作没有跟上，因此存在不少问题。1952 年，文化部接管文化馆事业，1953 年 12 月，发布《关于整顿和加强文化馆、站工作的指示》，明确了文化馆的性质和工作任务，要求县以上各级人民政府切实加强对文化馆、站的领导和管理，并且提出了具体要求。

《指示》明确指出，文化馆是政府为开展群众文化工作，活跃群众文化生活而设立的事业机构，其工作任务包括：向广大人民进行时事政策的宣传，教育群众为实现国家过渡时期的总路线、总任务而奋斗；组织和辅导群众的各种文化学习，并配合扫盲工作；组织和辅导群众业余艺术活动（包括各种文化娱乐活动）；普及与群众日常生活和工、农业生产有关的科学、技术知识和卫生知识。② 根据文化部的指示，内蒙古地区在积极贯彻中央的指示在兴建文化设施的同时，各地还努力培养基层文化工作者，搞好民族、

---

① 中国曲艺志全国编辑委员会：《中国曲艺志·内蒙古卷》，中国 ISBN 出版中心 1994 年版，第 319 页。

② 梁泽楚编著：《群众文化史·当代部分》，新华出版社 1989 年版，第 4 页。

民间艺术遗产的发掘、整理，广泛开展群众文化活动。

1956 年 10 月，内蒙古文化局召开全自治区剧团团长会议。会议传达了全国剧目工作会议的精神，结合内蒙古的实际情况制定了进一步加强挖掘、整理传统剧目工作的措施，号召剧团开展“献宝”活动。会后，各地剧团积极组织人力抄录传统剧目。河套行政区红星剧团老艺人李茂森重病在身，在病榻上口述了 9 个传统剧目后去世；包头、呼和浩特、乌兰察布等地的老艺人也积极参加“献宝”活动，其中有不少是濒临失传的文化珍品。内蒙古文化局还为贡献突出的单位和个人颁发证书和奖金。①

从 20 世纪 50 年代初到 20 世纪 60 年代中期，群众文化事业得以较快发展，但也受到“大跃进”浮夸风的影响，不切实际地大办许多文化机构。1959 年，在“征集和创作百万民歌”的热潮中，办起了 10 000 多个农村俱乐部、7 000 多个业余剧团、社队，还创办了数以千计的人民公社文化馆、文化站、图书馆、图书室、书店、文艺创作组等。从 1961 年开始，随着调整国民经济的“八字方针”的贯彻执行，群众文化事业也逐步走上健康发展的轨道。

从中华人民共和国成立到 20 世纪 50 年代中期，自治区的文化艺术无论在内容还是形式上，都在继承传统的基础上得到较大的发展。这一时期，创作了大批宣传革命英雄主义，反映新的社会生活的作品。在各艺术门类，如音乐、舞蹈、戏剧、文艺等领域都有优秀的作品问世。与此同时，随着内蒙古大规模的开发、建设，包头、呼和浩特、赤峰、通辽、海拉尔、牙克石等成为草原上的重要城市。为了支援边疆和包钢等国家重点工程建设，来自祖国各地的建设大军汇集内蒙古。冶金、铁路、森工、建筑等行业都有自己的业余文工团，他们的创作与演出丰富了内蒙古地区的文化生活。

为了进一步满足广大农牧民对文化与精神生活的渴求，1957 年，根据党中央和自治区党委关于大力开展民族地区文化工作的指示，自治区文化局组织工作组，深入牧区和半农半牧区调查研究，并在锡林郭勒盟的苏尼特右旗和昭乌达盟（现在的赤峰市）的翁牛特旗试点。经过 3 个多月的调查研

---

①　中国戏曲志全国编辑委员会：《中国戏曲志 · 内蒙古卷》，中国 ISBN 出版中心 1994 年版，第 27 页。

究和精心准备，在原有文化馆的基础上，组建了一支能够经常流动、装备轻便、队伍短小精悍、人员一专多能的小型文艺工作队。这支队伍以演出为主，兼做宣传、辅导、服务工作，定名为“乌兰牧骑”。1957 年 6 月 17 日，内蒙古自治区第一支乌兰牧骑在苏尼特右旗宣告成立。①

20 世纪 50 年代后期到 60 年代初期，内蒙古地区的文化艺术发展较快。1957 年，内蒙古自治区已有单独建制的公共图书馆 15 所。自治区成立 10 周年庆典前夕，建筑面积达 3 000 平方米的内蒙古图书馆建成，并投入使用。同年，中国电影发行公司内蒙古自治区分公司成立，由自治区电影分公司担负起全区电影的发行放映业务和行业管理工作。

1957 年，内蒙古第一所培养专门艺术人才的学府——内蒙古艺术学校在呼和浩特成立。② 学校设音乐、舞蹈和戏剧 3 个专业班，培养各民族的专业艺术人才。各级文化部门还通过多种途径培养，培训专业、业余演员、作者。此时，内蒙古各地又陆续兴建了一批现代化剧场。许多大型工矿企业兴建的俱乐部和文化宫，配置先进的舞台设备。各旗县过去只有兼演影剧的礼堂，也都建立起了专营剧场；农村也建起不少具有宽敞舞台的露天剧场，文化基础设施逐步改善。1957 年 5 月，为了庆祝内蒙古自治区成立 10 周年，内蒙古文化局和文联联合举办全自治区文艺评奖，产生了很好的影响。同年 12 月，内蒙古第一届戏曲观摩演出大会在呼和浩特举行。参加观摩演出的共有 28 个剧团，演出人员 676 名，演出中路梆子、京剧、评剧、二人台、二人转、秦腔、北路梆子、道情、东路二人台 9 个剧种的 52 个剧目。③ 其中，中路梆子《嘎达梅林》取材于蒙古族叙事民歌，是新中国成立后创作的较早反映蒙古族人民反抗封建王公、军阀统治的作品。丰镇县北路梆子剧团演出的《哭殿》，是继山西省 1954 年恢复北路梆子剧种后，在内蒙古舞台上演出的第一个北路梆子传统剧目。古老剧种，再萌生机。

---

① 内蒙古自治区文化厅编：《草原上的文艺轻骑兵——乌兰牧骑》，内蒙古人民出版社 1983 年版，内部发行。

② 中国戏曲志全国编辑委员会：《中国戏曲志 · 内蒙古卷》，中国 ISBN 出版中心 1994 年版，第 27 页。

③ 中国戏曲志全国编辑委员会：《中国戏曲志 · 内蒙古卷》，中国 ISBN 出版中心 1994 年版，第 28 页。

整风和反右运动开始后，文化艺术界“左”的思想影响渐增，反右扩大化在一定程度上挫伤了文艺工作者的积极性。如在处理政治与业务的关系，由于对艺术规律和特点研究、重视不够，造成创作和演出活动中单纯写中心、唱中心、演中心、配合中心任务风行一时，作品质量也有所下降。在处理继承创作的关系时，对传统曲目没有引起应有的重视，部分艺术家、演员、艺人的创造力受到遏制等。由于“左”的指导思想的影响，出版物的质量也有较为明显的下降。进入20世纪60年代后，随着上级党政领导部门文艺政策的调整，各级文化主管部门深入基层做工作，上述局面逐渐扭转。

1959年7月，为迎接中华人民共和国成立10周年，内蒙古文化局举办自治区专业艺术团体会演。[①] 在这次综合性会演中，有8个剧种的19个剧目获得演出奖。获奖剧目既有《老少换妻》《七堂会审》《挡马》《见皇姑》等经过整理改编的传统剧目，也有《青山红旗》《红松店》《密云风尘》等现代戏。表现蒙古族人民革命斗争历史的《草原烽火》《巴林怒火》《席尼喇嘛》,表明民族题材的戏曲创作无论在数量上还是质量上都达到了一个新的水平。根据蒙古族叙事民歌改编的《诺丽格尔玛》,和反映民主革命时期伊克昭盟“独贵龙”运动的《黎明前》等，进一步拓宽了蒙古剧的创作题材，在艺术表现手法上也有创新。

1960年，为了进一步发展戏曲事业，内蒙古文化局先后组建内蒙古曲剧团、内蒙古京剧团和内蒙古冀剧团3个自治区直属戏曲剧团。次年，以此为基础，建立内蒙古戏曲剧院。内蒙古京剧团由原北京市属京剧团的部分演员及中国戏曲学校1960年部分毕业生组成，后又与包头市京剧团及由西藏调来的原北京市新华京剧团合并。该团既有以李万春为代表的老一辈艺术家，又有新中国培养出来的青年演员。到20世纪末，已发展成为具有草原特色的知名京剧院团。其他两个自治区直属艺术表演团体则因缺乏观众等原因，于60年代中期曲剧团下放盟市，冀剧团调出内蒙古，剧院也随之撤销。

1960年12月，内蒙古自治区艺术工作者第二次代表大会在呼和浩特召开，通过了内蒙古文联章程，改选、建立了各协会的领导机构，明确了今后

---

① 中国戏曲志全国编辑委员会:《中国戏曲志·内蒙古卷》,中国ISBN出版中心1994年版，第29页。

的奋斗方向和工作任务。从1961年7月始，著名的史学家范文澜、翦伯赞、吕振羽、翁独健、韩儒林、刘大年、王怡秋、金灿然等访问内蒙古。[①] 之后，由著名的教授、学者、作家、艺术家叶圣陶、老舍、曹禺、梁思成、吴祖湘等组成的中央文化访问团也来到内蒙古。访问和学术活动对推动内蒙古的文化建设起到了重要作用。

此时，内蒙古文化艺术进入了又一个较快的发展时期，从内蒙古杂技团、内蒙古京剧团的成立，到内蒙古艺术剧院、内蒙古戏曲剧院成立，内蒙古的专业艺术表演团体经历了一个建立、调整与发展的时期。艺术家在自己的领域为自治区的文化事业辛勤耕耘，并结出硕果：1961年，内蒙古歌舞团舞蹈演员莫德格玛赴芬兰赫尔辛基参加第八届世界青年联欢节，她表演的独舞《盅碗舞》荣获金质奖章；[②] 1962年，内蒙古文化局主办蒙古族民间音乐大师色拉西从艺65周年纪念会，会上，年近耄耋的色拉西老人欣然招收7名弟子，亲自传授潮尔演奏技艺，对民族文化的挚爱，难于言表，与会者无不为之感动；[③] 同年，由内蒙古歌舞团创作的蒙古族第一部大型舞剧《乌兰保》问世。[④]

1962年初，根据内蒙古自治区党委的指示，成立了内蒙古二人台艺术调查研究委员会。委员会下设剧目、音乐、表演、理论4个业务组，分头对二人台和东路二人台进行全面的研究。从1月到4月，委员会责成专人赴呼和浩特市、包头市、集宁市、土默特右旗、土默特左旗、丰镇县等地，邀集著名艺人计子玉、樊六、巴图淖（蒙古族）、卢章（蒙古族）等到呼和浩特，开展二人台、东路二人台传统剧目的口述、抄录、校注和唱腔采录工作。期间还多次召开座谈会，向老艺人调查了解二人台、东路二人台的历史沿革及发展状况，进行专题研究。经过近一年的工作，推出重要成果：编印

① 参见内蒙古自治区文学艺术界联合会、内蒙古自治区档案局、内蒙古自治区歌舞团：《内蒙古艺术大事记》，内蒙古人民出版社1993年版，第27页。

② 内蒙古自治区文学艺术界联合会、内蒙古自治区档案局、内蒙古自治区歌舞团：《内蒙古艺术大事记》，内蒙古人民出版社1993年版，第28页。

③ 内蒙古自治区文学艺术界联合会、内蒙古自治区档案局、内蒙古自治区歌舞团：《内蒙古艺术大事记》，第29页。

④ 内蒙古自治区文学艺术界联合会、内蒙古自治区档案局、内蒙古自治区歌舞团：《内蒙古艺术大事记》，第29页。

《二人台传统剧目汇编》（共 7 册），内收二人台剧目 122 个，东路二人台剧目 54 个，二人台说唱小段（顺口溜、绕口令）67 个；采录二人台传统唱腔 55 段，东路二人台传统唱腔 84 段，以及一些著名老艺人的代表性唱腔。此次活动对日后内蒙古地区的非物质文化遗产保护影响深远。①

1963 年 11 月，内蒙古二人台、二人转观摩演出会在呼和浩特市举行。参加这次观摩演出的有 9 个演出队，演出和观摩人员约 1 000 余人，还有来自北京、上海、宁夏、河北和山西的观摩人员。演出约 30 个剧目，其中现代题材剧目占 70% 以上。在这次观摩演出会的基础上，内蒙古文化局组成内蒙古二人台、二人转汇报演出团，于 1964 年 1 月赴京演出《邻居》《探郎》《闹元宵》《打金钱》《卖面》《赛乌素沟畔》《秀女放鸭》《接闺女》等优秀剧目。为此，中国戏曲研究院召开专题座谈会，组织在京的专家研讨。②

1964 年 3 月，内蒙古京剧团根据乌兰察布盟达尔罕茂明安联合旗蒙古族少年龙梅、玉荣姐妹在暴风雪中保护集体羊群的英雄事迹，创作演出现代戏《草原英雄小姐妹》。6 月，该剧参加在北京举行的全国京剧现代戏观摩演出大会，并改名为《草原小姐妹》，演出后受到观众的好评，首都和外地的剧团纷纷学演、移植。4 月 25 日至 5 月 13 日，内蒙古自治区专业音乐舞蹈观摩演出会在呼和浩特举行。中央歌舞剧院、中央民族歌舞团、北京木偶剧团、上海美术电影制片厂等来宾参加观摩演出，乌兰夫等自治区党政领导接见全体代表。6 月，内蒙古艺术剧院京剧团参加在北京召开的全国京剧现代戏观摩演出大会，《草原小姐妹》再度赴京演出，党和国家领导人周恩来、李先念、陆定一等观看演出，并接见全体演员。1965 年，内蒙古话剧团的大型话剧《包钢人》，在天津、北京、太原等地公演，受到各地观众的热情欢迎。③

从 1965 年 6 月起，文化部从内蒙古自治区选调 3 支乌兰牧骑，先后到

---

① 中国戏曲志全国编辑委员会：《中国戏曲志 · 内蒙古卷》，中国 ISBN 出版中心 1994 年版，第 30 页。

② 中国戏曲志全国编辑委员会：《中国戏曲志 · 内蒙古卷》，中国 ISBN 出版中心 1994 年版，第 30 页。

③ 戴柄林主编：《包头市文化志》，内蒙古人民出版社 2001 年版，第 27 页。

全国27个省市、自治区演出431场，观众达100万人次以上。乌兰牧骑完成全国巡回演出后，在北京受到周恩来、朱德、邓小平等党和国家领导人的接见。这次巡回演出成为自治区文化艺术史上的一件盛事。①

1966年“文化大革命”开始后，内蒙古的文艺事业遭受重创，损失巨大。各地的专业与业余艺术表演团体处于瘫痪状态，有的甚至解散；演员、艺人被迫离别舞台、下放劳动；服装道具和多年积累的资料被销毁或流失；一批卓有成就的演员、艺术家被关押批斗，有的被摧残致死；图书馆、博物馆等文化事业单位的工作也受到严重冲击。同年6月，成立毛主席著作印制办公室，取代原有出版机构。1967年4月，自治区革命委员会生产建设指挥部接管了毛主席著作印制办公室。内蒙古图书出版的主要任务就是印制毛主席著作，其他工作陷于瘫痪、停止状态。1968年10月1日，内蒙古人民出版社和内蒙古教育出版社被撤销。

虽然于1966年10月成立的内蒙古直属乌兰牧骑保留了一批民族文艺人才，但大多数基层乌兰牧骑更名为当地革命委员会政治部所属的文工团，主要演出一些配合政治任务的歌舞节目，有的自行消亡。

1969年内蒙古开办了第一家电视台——内蒙古电视台。1975年，内蒙古电视台经过扩建，有了5频道的黑白电视中心。内蒙古电视台蒙古语节目也从1976年10月2日开播。内蒙古的电视事业进入起步时期。②

1976年10月，自治区首府呼和浩特及各盟市、旗县都在欢庆粉碎“四人帮”的伟大胜利。

为了医治“文化大革命”给文化工作造成的巨大创伤，内蒙古各级文化主管部门认真落实中央和自治区党委的决策，深入基层，调查研究，做了大量的工作。如从20世纪70年代后期开始着手对自治区各类文艺创作人员进行登记，摸清队伍情况。举办群众文艺汇演、调演，交流经验。陆续恢复了基层文化馆（站）和演出团体的活动，明确基层文艺工作由各地文化馆（站）归口管理。以后各盟市根据当地的实际制定了繁荣文艺创作和演出，发展文艺事业的具体措施。各地的基层文艺活动逐步恢复。随着政策的落

---

① 达·阿拉坦巴干、朱嘉庚主编：《乌兰牧骑赞》，内新图准字［2007］第57号，第5—20页。

② 阿云嘎主编：《内蒙古文联50年》，内蒙古文联2004年内部发行，第146—147页。

实，一批颇有名望的文艺工作者、编辑与出版工作者，及其他专业技术人才陆续归队，文化队伍逐步壮大。

1977年12月，内蒙古文化局及时转发了中共中央宣传部《关于逐步恢复上演优秀传统剧目的请示汇报》，决定恢复上演一批在内蒙古有一定影响的优秀传统剧目。至此，禁锢多年的传统剧目、曲（书）目也随之逐渐解禁，一批优秀传统剧目、曲（书）目重现舞台。①

1978年中国共产党十一届三中全会后，内蒙古的文化艺术工作进一步摆脱了"左"的思想束缚，走向繁荣。此时，中共中央在《关于关心人民群众文化生活的指示》和《关于城市、厂矿群众文化工作的几点意见》中，把群众文化生活的改善提到与物质生活的改善同等重要的位置上，并明确要求要加强少数民族地区文化建设。内蒙古文化主管部门按照中央精神，积极贯彻"加强领导，积极发展，因地制宜，量力而行，讲求实效，稳步前进"的方针，逐步恢复和发展国办文化馆，发展群众文化事业。1979年5月1日起，内蒙古电视台实现彩色图像播出。内蒙古电视台和各盟市电视台自办的汉语文艺节目，无论在品种、形式和制作、播出的数量与质量上，都有了较大的发展。汉语电视文艺节目，除了他们自己摄制的文艺节目，还播出了相当数量的从中央电视台和外省区电视台转录或交换来的节目，丰富了节目内容。蒙古语专题艺术片摄制始于1981年，拍摄的是音乐专题片《美丽的草原我的家》。

1979年3月，内蒙古自治区文化局、内蒙古文联召开平反大会，为自治区直属文艺单位在"文化大革命"期间的冤、假、错案彻底平反，为有关人员恢复名誉，落实政策。② 历时10年的"文化大革命"，使大批优秀演员、艺人告别舞台。他们或已辞别人世，或已被迫改行，或因年事已高，在家颐养天年，文艺队伍青黄不接，培养新一代演员和文化艺术人才的任务刻不容缓。与此同时，由于大量有关文化艺术的珍贵资料在浩劫中毁损、流

① 中国曲艺志全国编辑委员会编：《中国曲艺志·内蒙古卷》，中国ISBN出版中心2000年版，第21页。

② 中国曲艺志全国编辑委员会编：《中国曲艺志·内蒙古卷》，中国ISBN出版中心1994年版，第21页。

失，加之诸多民间艺人年事已高，抢救民族遗产的任务也迫在眉睫。

针对上述情况，内蒙古各级文化主管部门根据中央有关文件的精神，采取多种措施培养艺苑新人，挖掘、整理、抢救优秀民间文化遗产。1979 年 3 月，内蒙古文化局、内蒙古文联和内蒙古广播局联合召开全自治区民间戏曲、曲艺、音乐录音工作会议，出席会议的有蒙、汉、达斡尔、鄂温克等民族的著名老艺人。1982 年 10 月，有关部门在呼和浩特联合举办笑嗑亚热录音会，录制了一批颇有影响的作品。1983 年 1 月，文化部委托内蒙古文化局在呼和浩特举办“全区蒙语说书，边牧文化站训练班”，历时 45 天。史诗《格斯尔》的抢救工作也引起国家的高度重视，从 20 世纪 80 年代初始，曾多次召开全国性会议，对《格斯尔》的搜集、整理、研究工作做了全面部署。1984 年，自治区《格斯尔》工作领导小组成立，之后，相关的研究工作陆续展开。① 1979 年，经国务院批准，内蒙古电影译制片厂改为内蒙古电影制片厂，两年后，拍摄出第一部彩色故事片《阿丽玛》。② 内蒙古的文化艺术事业进入快速发展时期。

内蒙古拥有着岩画艺术的宝库，东起大兴安岭，西到巴丹吉林沙漠，岩画分布绵延数千公里。③ 20 世纪 70 年代，内蒙古的文物考古工作者对内蒙古地区的岩画进行了系统考察和研究，到 90 年代推出了一批重要研究成果，在国内外产生了深刻影响。

20 世纪 80 年代以来，自治区文化厅选送多批学员到中央音乐学院、上海戏剧学院等著名艺术院校学习，培养艺术人才；先后邀请全国文艺界、新闻界部分知名人士王蒙、冯牧、朱子奇、孙谦、李准、谌容、王笠耘、谢明清等来内蒙古访问，开展学术交流。这一时期，经内蒙古自治区人民政府批准，内蒙古自治区艺术研究所、内蒙古自治区艺术档案馆和内蒙古音像出版社、内蒙古文化市场稽查队等单位陆续成立。

---

① 中国曲艺志全国编辑委员会编：《中国曲艺志 · 内蒙古卷》，中国 ISBN 出版中心 2000 年版，第 21 页。

② 阿云嘎主编：《内蒙古文联 50 年》，内蒙古文联 2004 年内部发行，第 99—100 页。

③ 盖山林：《阴山岩画》，文物出版社 1986 年 12 月；盖山林：《巴丹吉林沙漠岩画》，北京图书馆出版社 1998 年版。盖山林：《乌兰察布岩画》，文物出版社 1989 年版；中国音乐文物总编辑部编：《中国音乐文物大系 · 内蒙古卷》，大象出版社 2007 年版。

为了适应文化事业发展的需要，各盟市、旗县文艺团（队）对演员队伍普遍进行了调整，充实了新生力量。有的地区还新建了演出机构，采取切实措施抓创作和演出。对各地蒙语说书厅、说书馆、剧场等基础设施进行新建、扩建或修缮，自治区文化局还组织专业人员研制成功适合巡回演出的活动舞台和流动剧场。这一时期，专业和业余创作均呈兴旺之势。1982 年 8 月，包头市民间歌剧团更名为包头市地方实验剧团，漫瀚剧创建进入日程。①

20 世纪 80 年代以来，自治区各级政府和主管部门投入大量资金，兴建和扩建了一批公共图书馆、② 高等学校图书馆等各系统图书馆建筑，扩大图书馆馆舍面积，增添了各种新技术装备和更新了家具设备。至此，自治区图书馆事业依据现行管理体制形成的系统和类型，主要有公共图书馆、科研院所图书馆、高等学校图书馆、中等专业学校图书馆和中小学图书馆、党校图书馆、医院图书馆、工会图书馆和寺院图书馆等。自治区公共图书馆、高等学校图书馆和科研院所图书馆是自治区图书馆事业的三大支柱，其他系统图书馆是其重要组成部分。随着现代化技术手段在图书馆的广泛应用，加大了电子文献和网络文献的建设。图书馆文献资源建设呈现出纸质文献、电子文献、网络文献并存的多元化和学科文献、文种文献专门化的发展趋势。运用以计算机技术为核心的新技术手段，从传统的封闭式文献借阅，发展到开架式的文献管理模式。

与此同时，内蒙古和全国各地的文艺交流频繁，经常参加全国性的调演、汇演，获得多种奖项。此时，一批在“文化大革命”中被迫中断的文艺期刊陆续复刊，还新创刊了一批新的期刊。③ 1985 年，自治区首届“萨日纳”奖颁布，此为内蒙古艺术创作与评论的最高奖。④

20 世纪 80 年代中期以来，随着改革开放的不断深入，内蒙古的文化艺术事业也在改革中发展。“提高全民族的科学文化水平，发展高尚的丰富多

① 戴柄林主编：《包头市文化志》，内蒙古人民出版社 2001 年版，第 93—96 页。
② 焦雪岱主编：《内蒙古文化五十年》，内新图准字［97］第 64 号，1997 年，第 55—69 页。
③ 戈夫　团英主编：《内蒙古期刊事业》，内蒙古文化出版社 1990 年版。
④ 阿云嘎主编：《内蒙古文联 50 年》，内蒙古文联 2004 年内部发行。

彩的文化生活，建设高度的社会主义精神文明”是时代的要求。贯彻执行党的基本路线，坚持“二为”方向和“双百”方针，发挥自身特点和优势，不断推出优秀作品，满足人民群众日益增长的精神文化需求，为自治区的物质文明和精神文明建设做出新贡献的艺术工作指导思想，成为文化艺术工作者的自觉行为。内蒙古电影制片厂拍摄的故事片《月光下的小屋》荣获广播电影电视部1985年度优秀影片奖，同时获文化部颁发的“优秀儿童故事片奖”。1986年，在全国第二届舞蹈比赛中，内蒙古参赛的5个节目共获奖12项。同年，应文化部邀请，包头地方实验剧团在北京人民剧场演出漫瀚剧《丰州滩传奇》。1988年蒙古剧观摩研讨会在通辽举行。《安代传奇》被命名为科尔沁蒙古剧①，之后，蒙古剧的建设迈开了坚实的步伐。

1991年呼和浩特市晋剧团演员宋转转荣获第八届中国戏剧“梅花奖”，这是内蒙古第一位获得中国戏剧“梅花奖”的演员。② 1993年自治区文化厅成立了艺术创作中心，各盟市也建立了相应的机构，对创作进行指导、协调、检查和服务。广大文艺工作者深入生活，体察改革开放和社会主义现代化建设中人们的思想和精神面貌，创作、演出具有鲜明民族风格和地区特色，深受各族群众欢迎的作品，在音乐、舞蹈、戏剧、文艺、杂技等方面均取得了很好的成绩。仅1984年到1996年底，内蒙古各艺术门类共有100多个剧（节）目在国内外举办的重大艺术活动和比赛中获奖200多项。其中话剧《旗长，你好》《司法局长》，舞剧《森吉德玛》，漫瀚剧《契丹女》，蒙古剧《蒙根阿依嘎》（《银碗》），歌舞剧《也兰公主》连续四届夺得国家“文华新剧目奖”，连续五届夺得中宣部“五个一工程奖”。1994年，舞剧《森吉德玛》和3人舞《牧人浪漫曲》荣获中华民族20世纪舞蹈经典评比提名奖。1990年，在法国巴黎第十三届“明日”马戏节上，内蒙古杂技团的《四人踢碗》荣获金奖，这是内蒙古第一个在国际杂技大赛中获大奖的节目。③ 在1995年第二届中国文艺节上，内蒙古参赛曲目《博克赞》和

① 王文章主编：《中国少数民族戏曲剧种发展史》，学苑出版社2007年版，第429页。

② 内蒙古自治区文学艺术界联合会、内蒙古自治区档案局、内蒙古自治区歌舞团：《内蒙古艺术大事记》，内蒙古人民出版社1993年版，第146页。

③ 高延青主编：《草原飞花——走向世界的内蒙古杂技》，内蒙古人民出版社2006年版，第72页。

《团结奋进的内蒙古》获艺术节最高奖——牡丹奖。

20 世纪 90 年代末，内蒙古电视台已经成为全国蒙古语电视文艺、艺术片最大的生产基地和中心。电视译制片方面，蒙古语电视译制水平在全国居于领先位置，为著名电视剧的蒙古语版在国内外传播做出了重要贡献。①

20 世纪 90 年代，大型舞蹈诗《鄂尔多斯情愫》交响乐《成陵祭随想曲》《额尔古纳河》,民族器乐曲《万马奔腾》《成吉思汗的两匹骏马》《赤峰雅乐套曲》等在弘扬民族民间音乐与文化遗产，锐意创新方面取得了很好的进展；歌曲《乳香飘》《美丽的草原我的家》《雕花的马鞍》《草原恋》等脍炙人口；齐·宝力高成为享誉国内外的马头琴演奏家。

改革开放以来，内蒙古共派出百余个艺术表演团（组），足迹遍及亚、非、欧、美、大洋洲的数十个国家和地区，访问演出数千场，范围之广，次数之多，影响之大，均创自治区成立以来对外文化艺术交流的新纪录。对外文化交流的内容包括民族歌舞、杂技、器乐等演出；民族文物展览；民族与民间文化、风情展示等诸多方面。不仅为内蒙古的民族艺术赢得了较高的声誉和广阔的市场，同时通过文化交流提升了自治区的知名度和对外影响，为内蒙古的社会与经济发展作出了独特的贡献。

为了开创农村、牧区文化工作的新局面，20 世纪 90 年代初，经自治区政府批准，“彩虹文化年计划”和“边境文化长廊建设规划”开始实施②。群众文化活动日益丰富多彩。每逢春节等时令节日，由民间自发自办的高跷、脑阁、秋千、旱船、龙灯、跑驴、腰鼓、舞狮、花鼓、秧歌等活动热闹非凡，与群艺馆、文化馆（站）组织的知识竞赛、书画展览、时装表演等具有时代气息的文化活动形成互动。达斡尔、鄂温克、鄂伦春“三少”民族的文化事业也得到很大发展，带有民族韵味的民间故事、说唱艺术、桦树皮艺术、编织与刺绣艺术、剪纸艺术等各具特色。到 20 世纪 90 年代末期，内蒙古 12 个盟（市）和绝大部分旗县均建成了设施与功能较为完善的图书馆。农村、牧区的图书室也有很大发展，在乡（镇、苏木）文化站里，基本上设有图书阅览室，一些地方还出现了个人兴办的图书室，覆盖自治区全

① 阿云嘎主编:《内蒙古文联 50 年》,内蒙古文联 2004 年内部发行，第 149—150 页。

② 焦雪岱主编:《内蒙古文化五十年》,内新图准字［97］第 64 号，1997 年，第 47—48 页。

境图书馆网已基本形成。①

由文化部和自治区文化厅命名的各种“文化艺术之乡”分布在内蒙古各地，涵盖了民歌、民间剪纸、民间说唱、民间书法绘画等多个文化艺术领域。② 自治区与各盟市文化主管部门积极组织、选送优秀节目参加全国性的比赛或会演，如“群星奖”比赛、全国农民歌手邀请赛、全国民间音乐舞蹈比赛和各类书法、绘画、摄影比赛等。内蒙古选手在以上活动中赢得了许多荣誉。随着市场经济的建立，群众文化艺术为当地经济建设服务的作用日益凸显，各地充分挖掘利用当地独具特色的文化资源，创造社会与经济价值。

文化科技事业伴随着科学技术的不断进步。文化科技开发研制项目涉及到民族乐器、声乐、舞蹈、电影、图书、印刷、文物、舞台技术、运动医疗、嗓音保护、化妆皮炎防治等十几个专业领域，并在民族乐器、蒙古舞教材、电影涂磁录音、蒙文照排、图书微机管理系统、舞台技术、文化车③等方面取得了突出的成绩。

此时，内蒙古的文博展览事业快速发展。1979 年内蒙古文物总店成立，负责全区流散文物的征集和保护。1982 年元旦，内蒙古博物馆再度开馆，《内蒙古古生物与古人类陈列》《内蒙古历史文物陈列》《内蒙古民族文物陈列》《内蒙古革命文物陈列》,奠定了内蒙古文博展览与陈列的基础，具有重大意义。1986 年，内蒙古文物工作队正式更名为内蒙古文物考古研究所。

内蒙古的长城包括战国时期的燕、赵长城，秦长城，汉长城，西晋、北魏、隋、唐、金长城和明长城④，囊括了中国历史上各个时期的长城，总长度达 13 000 余公里。长城考古与保护自 20 世纪 80 年代以来一直是内蒙古文物考古的一项重要内容。

1997 年以来，内蒙古自治区文物考古研究所与中国国家博物馆遥感与航空摄影考古中心合作，对内蒙古东南部、中南部、北方草原地区的一些大

① 内蒙古群众艺术馆编：《内蒙古自治区群众艺术馆文化馆志》,内蒙古人民出版社 2001 年版。

② 焦雪岱主编：《内蒙古文化五十年》,内新图准字［97］第 64 号，1997 年，第 40 页。

③ 焦雪岱主编：《内蒙古文化五十年》,内新图准字［97］第 64 号，1997 年，第 176—183 页。

④ 陆思贤：《长城话古》,内蒙古人民出版社 1986 年版；高旺：《内蒙古长城史话》,内蒙古人民出版社 1991 年版；高旺：《长城访古万里行》,中国广播出版社 1991 年版。

型遗址以及额济纳河流域居延遗址群进行大规模的航空摄影考古工作。区域性考古调查是20世纪90年代引进的考古调查方法，主要是运用卫星照片、GPS定位技术和数据库等先进手段，对调查区域作全面覆盖的勘察与分析。

1987年7月，建筑面积达1.65万平方米的内蒙古展览馆大楼落成。1993年，内蒙古书画院暨清将军衙署博物院成立，对于促进全自治区文博界书画艺术研究工作，产生了很好的作用。这一时期，内蒙古的文化市场管理也得到迅速发展，管理逐步规范。①

1988年4月，内蒙古自治区新闻出版局正式成立。按照1981年国务院批转的《关于大力加强少数民族文字图书的出版工作的报告》精神，自治区新闻出版局确定了“把蒙文图书放在首位，蒙汉两种文字图书共同发展繁荣”的方针。自治区新闻出版局制订了一系列的出版规划，繁荣内蒙古的出版事业。

到20世纪末，内蒙古电影制片厂共计拍摄百余部故事片、艺术片和纪录片。其中，民族题材影片从不同的角度反映了民族历史、民族生活、民族文化和民族的风俗习惯。②

搜集整理民族民间文化遗产，弘扬民族文化受到各级文化主管部门的重视。经过二十多年的努力，到20世纪末，由自治区文化厅主管，内蒙古艺术研究所等单位承担的国家社科基金资助重大项目、国家艺术科学规划重点项目《中国民间歌曲集成·内蒙古卷》《中国民族民间舞蹈集成·内蒙古卷》《中国戏曲志·内蒙古卷》《中国戏曲音乐集成·内蒙古卷》《中国曲艺志·内蒙古卷》《中国曲艺音乐集成·内蒙古卷》和《中国民族民间器乐曲集成·内蒙古卷》全部出版③。内蒙古文化厅受到国家文化部的表彰。艺术集成丛书出版，不仅为艺术科研积累了大量珍贵资料，也促进了艺术科研队伍的建设。

蒙古文图书、期刊、音像制品的出版一直备受自治区出版界的重视。内蒙古各有关出版机构不仅尽力满足蒙古族人民的文化需求，而且还承担着为

---

① 焦雪岱主编:《内蒙古文化五十年》,内新图准字［97］第64号，1997年，第184—200页。

② 阿云嘎主编:《内蒙古文联50年》,内蒙古文联2004年内部发行，第99—102页。

③ 内蒙古自治区文化厅:《内蒙古自治区志·文化志》初审稿，2007年，第761—762页。

黑龙江、吉林、辽宁、宁夏、甘肃、新疆、云南、北京8个省、市、自治区（简称“八省区”）提供各级各类教材的任务，并且，影响远及海外。内蒙古已成为世界蒙古文图书出版的中心。20世纪90年代，相继实行了出版社年检制度、出版物编校质量管理制度、出版单位通气会制度等，成立内蒙古自治区出版工作者协会，确保自治区出版业的持续繁荣。

第二节 民族文化

一、音乐

（一）音乐创作

中华人民共和国成立之初，内蒙古的音乐家美丽其格、通福、德伯希夫、莫尔吉夫、明太、却金扎布、王世一、彦彪、吕烈、阿民布和、额尔敦朝鲁、张善、达·仁沁、达·桑宝等创作了大量深受人民群众喜爱和欢迎的作品。如《草原上升起不落的太阳》《敖包相会》《草原晨曲》《各族人民心连心》《小青马》《我的快骏马》《富饶的夏季牧场》《像撒缰的骏马在草原上飞奔》《黄羊闸小唱》《天下风光哪最美》《一轮红日照草原》《我爱我的战马》等。①

20世纪50年代后期到60年代初期，内蒙古的音乐事业有了很大的发展，许多盟市相继建立歌舞团，不少旗县建立乌兰牧骑，音乐创作再上高峰。一大批作曲家先后创作了许多作品，在区内外产生较大影响。其中有辛沪光、杜兆植、莫尔吉胡、魏家稔、额尔登格、永儒布、吕宏久、李博文、赵汝德、那日松、王敏、敦德布、陈致年、关益全、柳谦等。主要作品如：《嘎达梅林交响诗》《故乡音诗》《森吉德玛组曲》《草原晨曦圆舞曲》《鄂伦春姑娘》《锡林河》等。②

进入70年代末80年代初以来，内蒙古的老一代作曲家再度焕发青春，中青年作曲家不断涌现，形成了在自治区内外颇具影响力的创作群体，如阿

---

① 阿云嘎主编：《内蒙古文联50年》，内蒙古文联2004年内部发行，第104页。

② 阿云嘎主编：《内蒙古文联50年》，内蒙古文联2004年内部发行，第105页。

拉腾奥勒、图力古尔、索伊洛图、桑洁、呼格吉夫、罗庆、吴展辉、高守本、王俊杰、楚伦布和、任义光、左如云、车聘中、李杰、耿生、巴图朝鲁、王星铭、段泽兴、郭子杰、刘钢宝、王瑞林、乌兰托嘎、色·恩克巴雅尔、铁英、李世相、松波尔、张景彬、崔逢春、查干、潘建华、宝贵、姜楠、李焕星、新吉勒图、斯琴朝克图、车若娟、宝音等，其代表作有：《美丽的草原我的家》《彩虹》《草原上有个美丽的传说》《骆驼草的思念》《胡麻开花》《家乡的小河》《山野里的鄂温克》《乳香飘》《莫日格勒河之歌》《沙海驼铃》《草原恋》等。大型作品《乌力格尔主题随想曲》《森林畅想曲》《钟声响了》《森吉德玛》《东归的大雁》（舞剧音乐），改编器乐曲《走西口》等也颇具影响力。

与此同时，音乐文学引起人们越来越多的关注，一批具有厚重文学修养，着力体现草原音乐文化底蕴的词作家开始蜚声自治区内外，如张之涛、火华、印洗尘、毕力格太、高·却拉布杰、杨树山、金福林、巴德荣贵、刘大为、郑克荣、特·其木德、张铭、张世荣、王磊、康也维、王燃、诺敏、程建林、阿古拉泰、白立平、赵越、顾烙金、潘凯华、潘新民、张建中、王新洲、王宝柱、林岩、高山、姚云、岳晓青等。

蕴藏于内蒙古民间的音乐文化资源极为丰厚，也是内蒙古历代音乐人取之不尽、用之不竭的创作源泉。早在二十世纪五六十年代内蒙古的音乐家就深入民间，发现创作素材，激发创作灵感，创作出脍炙人口的作品：如通福的《敖包相会》《银河》《映山红花满山坡》，王彦彪的《小青马》，杨少臣的《满打满算就数哥哥你》，张善的《五月散花》《毦妈妈》，王敏的《鄂伦春姑娘》等，许多作品至今传唱不息。①

（二）音乐演出

新中国成立之初，一曲《草原上升起不落的太阳》唱出了草原人的心声，唱出了草原儿女对新生活的热爱与赞美，可以说其内容与旋律影响、感染了无数艺术家的创作与表演。蒙古族歌唱家哈扎布、宝音德力格尔演唱的蒙古族长调歌曲深受人民的喜爱；宝音德力格尔演唱的《辽阔的草原》，悠扬嘹亮，使人心旷神怡；哈扎布演唱的《走马》朴实亲切，深情无限，多

① 阿云嘎主编：《内蒙古文联50年》，内蒙古文联2004年内部发行，第105—106页。

次代表内蒙古出访演出；宝音德力格尔演唱的长调《辽阔的草原》,1955 年 7 月在第五届世界青年联欢会上获金质奖章；哈扎布演唱的《小黄马》等荣获第五届世界青年联欢节金奖，为中国赢得了荣誉。

改革开放以来，内蒙古的音乐队伍不断发展壮大，涌现出不少优秀的人才如：敖登高娃、图都布、努玛、金花、牧兰、德德玛、索德米得、拉苏荣、阿拉泰、朝鲁、那楚克道尔吉、那顺、阿·其木格、其其格、刘良慧、阿拉坦其其格、扎格达苏荣、巴德玛、乌云其木格、乌尼特、白炎、郭丽茹、嘎日布、苏日拉图、玛希、其其格玛、朱晓娟等。

这一时期，蒙古族青年合唱团在内蒙古乐坛异军突起：在奥地利和荷兰举办的首届奥林匹克合唱大赛上，蒙古族青年合唱团一举荣获 3 项金奖；在其他国内外重要演出和比赛中获得多种奖励与荣誉，被誉为内蒙古的“文化名片”。内蒙古交响乐团除演奏莫扎特、柴科夫斯基的著名作品之外，还演奏了许多以草原音乐文化为主的作品《嘎达梅林交响诗》（辛沪光）、《成吉思汗陵祭》（杜兆植）、《故乡音诗》（永儒布）、《第一交响曲》（阿拉腾奥勒）及小号协奏曲《草原上升起不落的太阳》、笛子协奏曲《走西口》等作品，为繁荣发展内蒙古交响乐艺术做出了突出贡献。蒙古族民族乐团和以齐·宝力高为首的野马马头琴乐团，创作演出了《万马奔腾》《成吉思汗的两匹骏马》《初升的太阳》《草原连北京》等一系列优秀的蒙古族乐曲，震撼乐坛。活跃在当代中国乐坛上的德德玛、腾格尔、韦唯、韩磊、含笑、斯琴格日勒、杨坤、三宝等都是来自内蒙古草原的音乐家和音乐人。

（三）音乐出版与研究

新中国成立后，内蒙古音乐出版事业得以发展。1957 年，由内蒙古人民出版社出版的《内蒙古十年优秀歌曲选》汇集了自治区成立以来创作的一批优秀歌曲作品。随后，《建国十年歌曲选》（内蒙古人民出版社，1959 年出版），《内蒙古获奖歌曲集》（内蒙古人民出版社，1962 年出版），《内蒙古优秀歌曲选》（人民音乐出版社，1960 年出版），《乌兰牧骑之歌》（人民音乐出版社，1965 年出版），《红太阳光辉照草原——内蒙古自治区成立三十周年歌曲选》（人民音乐出版社，1977 年出版），《大刀进行曲及其他——麦新歌文集》（人民音乐出版社，1984 年出版），《美丽的草原我的家》（人民音乐出版社，1982 年出版）等陆续出版。由内蒙古音乐家协会主办的《草原歌声》（1980 年创刊），自治区和各盟市文艺刊物上也发表了大量音乐作品。

内蒙古的音乐家、作曲家和音乐理论家深知，民间蕴藏着丰厚的音乐文化元素，草原是音乐创作的根脉。到民间采风，搜集民间音乐文化素材，向民间歌手学习，是内蒙古音乐工作者数十年来从未间断的优良传统。他们的足迹遍及广阔的草原、沙漠戈壁，访问从大兴安岭深处一直延展到黄河两岸。鄂尔多斯民歌、科尔沁民歌、阿拉善民歌等蒙古族民间音乐精品均有系统的收录与整理；达斡尔、鄂温克、鄂伦春“三少”民族的民间音乐则辑录在《鄂温克民歌选》《达斡尔民歌选》歌集之中。潮尔、马头琴、四胡、三弦、口簧等民间乐器文化深受蒙古等民族人民喜爱。

从二十世纪五六十年代起，内蒙古音乐界就开始收集、整理民间器乐文化。70 年代末、80 年代初以来，内蒙古文化局、内蒙古文联、内蒙古广电局和相关院校联合或单独采录、搜集，保存了大批经典曲目。1984 年，年已古稀的蒙古族艺人孙良从内蒙古东部草原来到呼和浩特，共采录蒙古族四胡曲 140 多首，时至今日，大多已是弥足珍贵的精品。1979 年，《中国民间歌曲集成·内蒙古卷》开始编纂（1992 年 9 月由人民音乐出版社出版），其后，《中国民族民间器乐曲集成·内蒙古卷》（1994 年开始编纂，2001 年 3 月由中国 ISBN 中心出版）、《中国音乐文物大系·内蒙古卷》（2000 年开始编纂）等国家艺术科研重大（重点）项目陆续启动。随着研究成果的不断问世，民族音乐研究队伍也在成长壮大。

随着研究队伍的建设和研究工作的展开，民族音乐理论，特别是蒙古族音乐理论研究取得了重要进展。如 20 世纪末，内蒙古的音乐研究者提出了内蒙古民族音乐 6 个色彩区①的研究成果：巴尔虎色彩区（相当于呼伦贝尔市）。这一色彩区更多地保留着狩猎经济时期的古老风格，长调民歌较为发达，其特点是音调高亢，形式简洁；科尔沁色彩区（包括兴安盟、通辽市全部和赤峰市的一部分，即大兴安岭以南地区）。19 世纪末叶以来，生活在这里的蒙古族人民逐渐由游牧改为从事农业和半农半牧的生产。生产方式的

① 中国民间歌曲集成全国编辑委员会、中国民间歌曲集成·内蒙古卷编辑委员会编纂：《中国民间歌曲集成·内蒙古卷》，人民音乐出版社 1992 年版，第 12—15 页。

改变、蒙汉民族间的文化交流，使这一地区的音乐文化获得了新的发展；察哈尔色彩区（包括锡林郭勒盟、乌兰察布盟阴山山脉以北的地区，以及赤峰市、大兴安岭北麓的牧区）。锡林郭勒大草原地处内蒙古自治区中部，自忽必烈建立元朝以来，这里便是蒙古族人民政治、经济、文化的中心地带。位于锡林郭勒草原南部的上都城（今正蓝旗境内），是元代的另一政治中心。其民歌色彩华丽，装饰音变化丰富；鄂尔多斯色彩区（包括鄂尔多斯市和巴彦淖尔市阴山山脉以南的部分地区）。这一色彩区的中心地带鄂尔多斯高原，也是一代天骄成吉思汗衣冠冢的安葬之地。蒙古族古老的文化和礼俗，在鄂尔多斯部蒙古人中保存得较为完整。鄂尔多斯也是农耕与游牧文化的融汇之地，直接关系到鄂尔多斯音乐风格的形成和发展；阿拉善色彩区（相当于阿拉善盟地区）。地处贺兰山西侧，境内多沙漠。境内寺庙很多，佛教音乐对阿拉善民歌影响很大；乌拉特色彩区（包括巴彦淖尔市的乌拉特前旗、乌拉特中旗和乌拉特后旗）。17 世纪，乌拉特蒙古人由呼伦贝尔故乡西迁至乌拉山下。经历三百余年，随着生活环境的变化，他们逐渐地形成自己的独特风格。上述成果在国内外尚属首次提出，对日后内蒙古地区的音乐理论研究产生了深刻影响。

二、舞蹈

（一）舞蹈创作与演出

中华人民共和国成立之后，内蒙古的舞蹈快速发展，专业舞蹈工作者在继承民族舞蹈的基础上推陈出新，改编和创作了一批优秀舞蹈作品。舞蹈家贾作光从蒙古和“三少”民族民间舞蹈中提取元素，创作了《牧马舞》《鄂伦春舞》等一批具有浓郁民族与地域风格的舞蹈作品。1949 年全国第一次文代会在北京召开，上述作品由内蒙古文工团在会议期间演出。① 此为内蒙古舞蹈首次在北京亮相，赢得与会代表的一致赞誉。此后，由内蒙古文工团团长周戈作词，汪焰等作曲，贾作光编舞创作了内蒙古第一部歌舞剧《黄花鹿》。文工团舞蹈演员队还创作了《打草舞》，舞蹈家吴晓邦根据达斡尔族民间舞的素材创作了《达斡尔舞》等作品。

① 阿云嘎主编：《内蒙古文联 50 年》，内蒙古文联 2004 年内部发行，第 91 页。

中华人民共和国成立初期，内蒙古文工团是内蒙古的舞蹈创作与演出的中心，与此同时，盟市等专业文艺团体和部队文工团也将舞蹈艺术的发展列为工作重点，悉心培养舞蹈人才。此后，内蒙古的舞蹈专业演员和编导队伍逐步建立，创作了一批国内外有影响的舞蹈作品，如《牧马舞》《鄂伦春舞》《马刀舞》以及吴晓邦创作的《希望》《达斡尔舞》等。1950 年，中央人民政府邀请内蒙古文工团赴北京参加庆祝中华人民共和国成立 1 周年庆祝活动。在各民族文工团演出联欢晚会上，内蒙古文工团演出的歌舞节目成为晚会演出的重点。《献花舞》《幸福的孩子》《马刀舞》《鄂伦春舞》等让所有观众惊叹。毛泽东、朱德、周恩来、刘少奇等党和国家领导人观看了演出。毛泽东写下著名诗篇《浣溪沙·和柳亚子先生》，观后心情，跃然纸上。①

20 世纪 50 年代，一批优秀作品的问世使内蒙古舞蹈事业展示出辉煌的业绩，被专业人士称为内蒙古舞蹈艺术的“黄金时期”。

1955 年，《鄂尔多斯舞》《挤奶舞》《布里亚特婚礼》《嬉戏舞》《筷子舞》《孤独的小马驹》《哈库麦舞》《擀毡舞》《牧羊舞》《蒙古狮子舞》《太平鼓舞》等几十部舞蹈作品，在民间舞蹈的基础上艺术地再现了多姿多彩的生活，丰富了内蒙古的舞蹈文化，奠定了内蒙古舞蹈艺术的发展之路。同年，《鄂尔多斯舞》在波兰华沙第五届世界青年与学生和平友谊联欢节上获金质奖章，《挤奶舞》于 1957 年在莫斯科第六届世界青年与学生和平友谊联欢节上获铜奖；1959 年在自治区音乐、舞蹈、戏剧汇演中又涌现出《牛奶站》《得了红旗》《三个车老板》《盅碗舞》（独舞）《盅碗舞》（群舞）《牧民变成钢铁工人》《踢鼓子》《剪羊毛》《安代舞》《鄂温克舞》《布谷鸟舞》《草原民兵》《驯马手》《小青马》等优秀舞蹈作品；1961 年在芬兰赫尔辛基举办的第八届世界青年与学生和平友谊联欢节上莫德格玛演出的《盅碗舞》荣获金质奖章。此时，贾作光、斯琴塔日哈、宝音巴图、仁·甘珠尔、乌云等，则成为第一代蒙古族舞蹈艺术家。

“文化大革命”初期，内蒙古的舞蹈工作者创作了《接过套马杆》《快乐的挤奶员》《欢乐的草原》《北疆民兵》《送战马》《草原前哨》《敬祝毛

① 阿云嘎主编：《内蒙古文联 50 年》，内蒙古文联 2004 年内部发行，第 91—92 页。

主席万寿无疆》《兄妹护草》《哑女高歌》等作品。70年代中后期又创作了《彩虹》《喜悦》《鹰》《达拉根巴雅尔》《驼铃》《捣茶舞》《筷子舞》《小活佛》等作品。上述作品虽带有鲜明的时代印记，但因民族与地方特色浓郁，仍广受全国观众的赞誉。这一时期创作的大型歌舞《草原上升起不落的太阳》具有较大影响力。

1976年10月以后，内蒙古舞蹈创作的环境日益宽松，舞蹈家创作与表演积极性日益高涨，优秀作品不断涌现：《绿色的骄傲》《炒米飘香》《捣茶舞》《珠兰》《达拉根巴雅尔》《敖特尔风情》《牧人浪漫曲》《蒙古人》《翔》《爱的奉献》《乳香飘》《伊茹乐》《蒙古额日》《小牧民》《多彩的节奏》等作品从不同的角度反映了人民的生活，与时代同步，因而受到群众的欢迎，并在全国舞蹈界赛事活动中名列前茅。此时，乌兰牧骑的创作和内蒙古艺术学院的舞蹈创作也异军突起。艺术学院的演员富有青春朝气，作品时代感强；乌兰牧骑的演员贴近生活，作品生活气息浓厚，使观众产生亲切感。内蒙古艺术学院林萍的《伊茹乐》获"荷花奖"银奖；乌审旗乌兰牧骑道尔吉的《牧人浪漫曲》获全国舞蹈比赛创作和演出二等奖。

1980年7月，内蒙古文化局、内蒙古舞蹈家协会、内蒙古音乐家协会联合举办"独唱、独奏、独舞"汇演，《鹰》《喜悦》《马蹄舞》《木库连新曲》《陶尔古特》《精奇里姑娘》《青春吐艳》等优秀舞蹈作品整体推出，令人振奋。同年8月，内蒙古文化局、内蒙古舞协组织演出队参加大连全国第一届单、双、三人舞比赛，内蒙古选送独舞《喜悦》《鹰》《小巴特尔》《陶尔古特》参赛，敖德木勒获得表演二等奖，巴图获表演一等奖、创作二等奖。1980年12月，舞协出刊内部刊物《内蒙古舞蹈艺术》。此后，《祝福》《苏日庆》在全军舞蹈比赛中获奖。《捣茶舞》被选定参加1987年莫斯科国际艺术节。《敖特尔风情》用舞蹈展现了草原上的民族风情，且生活气息浓郁，获土耳其国际民间艺术节银杯奖。还有一些舞蹈作品如《彩虹》《达拉更巴雅尔》《驼铃》《筷子舞》《小活佛》《绿色的骄傲》《炒米飘香》《捣茶舞》《珠兰》《敖特尔风情》《牧人浪漫曲》《蒙古人》等在全国级的赛事活动中获奖，受到全国观众的热烈欢迎。

在专业舞蹈繁荣的同时，群众性舞蹈健身活动也开展得如火如荼。1996年10月，协会组织鄂尔多斯老年健身舞队参加"全国中、老年第二届健身舞比赛”，荣获最高奖——荷花奖。1998 年，在全国第三届老年健身舞比赛中，来自内蒙古的鸿嘎鲁艺术团、鄂尔多斯老年健身舞队均获赛事最高奖——“松鹤奖”;《乳香飘》获首届中国舞蹈“荷花奖”银奖。2000 年，舞蹈《小荷风采》参加全国少儿舞蹈比赛,《火红的安代》参加全国中、老年广场舞的比赛，成绩均名列前茅。

（二）舞剧、歌舞剧创作与演出

20 世纪 60 年代初，由舞蹈家仁・甘珠尔、李淑英、查干等编创的内蒙古第一个大型舞剧《乌兰保》问世。《乌兰保》以反映革命战争年代蒙、汉族人民用鲜血凝成的战斗友谊为主题，不仅思想性强，艺术表现手法独到，且贴近生活与时代，演出大获成功。1962 年，协会秘书长宝音巴图（时任内蒙古歌舞团团长）率领内蒙古歌舞团进京演出大型民族舞剧《乌兰保》及民族歌舞。

20 世纪 80 年代初，舞剧《达那巴拉》拉开了新时期舞剧创作的序幕。其后，呼盟歌舞团的舞剧《呼伦与贝尔》《情系兴安》,通辽市歌舞团的舞剧《安代之歌》,赤峰市歌舞团的《太阳契丹》,乌兰察布歌舞团创作的舞剧《英雄格斯尔可汗》《东归的大雁》,呼和浩特市民族歌舞团创作的《香溪情》,包头歌舞团创作的《额吉》,鄂尔多斯歌舞团创作的《森吉德玛》,以及大型舞蹈史诗《蒙古源流》《鄂尔多斯情愫》《马头琴声》《生命欢歌》等大型舞剧作品，数量达数十部之多。1985 年 9 月，《东归的大雁》应文化部邀请进京演出，中央领导习仲勋、刘澜涛、杨静仁等在内蒙古自治区主席布赫的陪同下观看演出。在京期间，中国舞协主持召开座谈会，著名舞蹈家、中国舞协主席吴晓邦称赞该剧“是最近几年内我国舞蹈界最精彩的一部民族舞剧”。[①] 鄂尔多斯歌舞团演出的舞剧《森吉德玛》,1992 年 10 月参加沈阳全国舞剧会演，扎那获得编导一等奖，赵霞获得表演一等奖。《森吉德玛》剧组还荣获了“文华奖”。[②]

上述作品主题思想鲜明，民族风格浓郁，表现手法多样，人物塑造富有质感，舞台样式丰富多彩，使内蒙古的舞剧创作与演出跻身全国先进行列。

① 阿云嘎主编:《内蒙古文联 50 年》,内蒙古文联 2004 年内部发行，第 93 页。

② 文华奖于 1991 年设立，是国家舞台艺术最高奖。

（三）舞蹈队伍建设与研究

20 世纪 70 年代末以后，内蒙古舞蹈队伍建设步入正轨。

1981 年 3 月，为繁荣发展舞蹈艺术创作，内蒙古文化局、内蒙古舞蹈家协会联合举办为期半年的“内蒙古舞蹈编导研究班”。舞蹈编导曹晓宁、林树森、扎那、托娅、李小庆、巴达玛等 45 人参加学习，9 月编导研究班结业，推出大型民族舞剧《英雄格斯尔可汗》等 15 部舞蹈作品；1983 年 5 月，为推动工矿企业的音乐、舞蹈活动，内蒙古舞协、内蒙古音协、乌海市文联、乌海市文化局联合举行“煤城之音”音乐会，创作演出反映煤矿工人的生活劳动的舞蹈《煤姑娘》《闪光的心灵》等作品。同年 10 月，内蒙古文化厅、内蒙古舞协、呼和浩特市音协、呼和浩特市舞协联合创办儿童歌舞创作学习班，有 100 多人参加学习，对舞蹈后续力量的培养起到积极作用。

1986 年 5 月，全区第二届舞蹈比赛在呼和浩特市举行，参赛作品达 41 部，在比赛期间召开了舞蹈创作理论研讨会。同年 7 月，中国少数民族舞蹈学会首届年会在呼和浩特市召开，这是一次全国少数民族舞蹈家欢聚的盛会，来自全国 22 个民族的 106 名代表参加，其中包括贾作光、康巴尔汗、左哈拉、宝音巴图、莫德格玛、刀美兰等舞蹈大家。中国舞协主席吴晓邦主持会议，自治区主席布赫、内蒙古政协副主席云照光接见了与会代表。

通过学习与交流，新一代舞蹈演员、编舞不断涌现，内蒙古民族舞蹈队伍迅速壮大，逐渐成为内蒙古舞蹈界的中坚力量。

与此同时，舞蹈研究，特别是民族舞蹈研究得到越来越多的关注与重视。如：1982 年 12 月，内蒙古舞蹈家协会主席斯琴塔日哈参加在北京召开的亚洲地区保护与发展传统民间舞蹈讨论会，并宣读论文。1984 年 1 月，由文化部、中国舞协、国家民委联合举行云南舞蹈节，内蒙古舞协组织会员前去观摩。同年，舞协理事西诺日布、李淑英等人参加在昆明召开的全国少数民族舞蹈创作研讨会。1985 年 10 月，全国舞蹈创作研讨会在南京举行，斯琴高娃、曹晓宁、巴达玛等参加会议。会议期间，对民族舞蹈的创作、表演和研究等问题进行了深入探讨。1985 年，内蒙古舞协组织召开蒙古舞教材研讨会，对教材编撰的主导思想、框架、主演内容等进行研讨。1989 年，斯琴塔日哈主编的《蒙古族舞蹈基本训练》由内蒙古人民出版社出版。

1989 年 8 月，邀请蒙古国舞蹈家道力格尔苏荣讲学，有近百名学员参加学习，开阔了视野。

1997 年，斯琴高娃的论文《论新时期内蒙古舞剧创作》获第二届华北区文艺理论二等奖。1998 年 1 月，内蒙古舞蹈家协会编辑的《蒙古族舞蹈艺术》由中国文联出版社出版。从 20 世纪 80 年代初，国家艺术科研项目《中国民族民间舞蹈集成 · 内蒙古卷》开始编撰，1994 年 9 月由中国 ISBN 中心出版。此后，关于内蒙古舞蹈艺术的研究逐步推向深入。

三、戏剧

（一）蒙古族宗教仪式剧

蒙古族仪式剧与藏传佛教（即喇嘛教）的关系甚密。“蒙古敬信黄教，实始于俺答。”[①] 清代，藏传佛教在蒙古地区传播加速。时至清末，内蒙古地区约有寺庙 1 600 余座，每年农历正月、六月时，各地寺庙的查玛演出接连不断。

查玛为藏语音译，另有“萨姆”、“羌姆”、“切穆”等多种译名，民间俗称“跳鬼”。查玛孕育了蒙古族宗教仪式剧[②]（以下简称“仪式剧”）。据《绥远通志稿》记载：“跳时以特制之服装面具，饰为各种奇异形状，有如菩萨、罗汉者；有如弥勒、沙弥者；有须发皤然、伛偻如老人者；有独角黑面，踊跃如魑魅者；更有若天魔修罗，厥象狰狞可畏怖者；亦有若牛头、鹿面，厥态披猖堪惊愕者；有衰迈老怪，行动摇曳，觅捕小妖，如捉迷藏者。亦有骷髅㟃白，目眶洞然，齿牙齴然，持鞭巡回如侦魔眚者。凡此光怪陆离，千姿万状之扮演，悉以前代极精工之艺术制造品。所谓切穆面具者，分别装饰之，衣服华美与式样之广狭长短，均各随所饰人物之妍丑老少而异。”[③] 可以说蒙古族宗教仪式剧是一种与藏传佛教佛事仪式相谐，有音乐伴奏，有固定的服饰、面具和道具，有角色之分，以宗教舞蹈表演故事的仪式剧形式。查玛演出的目的在于弘扬藏传佛教教义。内蒙古地域辽阔，受社

① 魏源：《圣武记》，中华书局 1984 年点校本，第 500 页。

② 王文章主编：《中国少数民族戏曲剧种发展史》，学苑出版社 2007 年版，第 425—426 页。

③ 荣祥主撰：《绥远通志稿》第 7 册，内蒙古人民出版社 2007 年版，第 317—318 页。

会与自然环境的影响，各地查玛活动的规模不等，形式也存有差异，但均有严格的表演程序。查玛的表演者为寺内受过专门训练的喇嘛，音乐演奏者也有着深厚的功力。日后，仪式剧中的思想、表演形式和音乐等逐渐被蒙古剧吸纳，在蒙古剧的形成与发展过程中占据重要位置。

仪式剧剧目的内容与藏传佛教中米拉日巴的故事相关，代表性剧目有《米拉·查玛》《古日·查玛》《米拉传》《米拉》等。①

《米拉·查玛》：清初以来流传于呼和浩特大召（时称无量寺）等位于土默特一带的藏传佛教寺庙。每年除夕之夜，寺庙内的喇嘛身穿跳查玛时的专用服装，头戴面具，在寺庙前广场上举行盛大的禳灾、祈福、诵经和跳查玛活动。《米拉·查玛》的演出规模宏大，气氛凝重而热烈。该剧的主要剧情是：米拉日巴原为贵族子弟，因愤世嫉俗而离家出走，后落足一处古刹，经多年修炼而成佛。某日，一对以狩猎为生的猎人兄弟——黑老头和白老头，因追捕猎物而来到深山。他们闯入了米拉的修行之地，于是猎人与米拉之间展开了“对话”。经过米拉的耐心规劝，一对猎人终于幡然悔悟，从此不再杀生害命，后皈依佛门。

《古日·查玛》：清代以来流行于鄂尔多斯的乌审召、准格尔召等地，每年农历正月或七月，都要举行规模盛大的宗教活动，其时演出仪式剧《古日·查玛》。寺庙中的喇嘛身穿查玛服，头戴面具，分别扮做菩萨、米拉、白老头、黑老头、牛、马、鹿、狗等角色，在音乐声中进行演出。该剧的主要情节是：一对猎人兄弟贡布道尔吉（白老头）和额尔勒岱（黑老头）在深山中狩猎，一天，他们忽然发现前方有两只温顺的小鹿，于是立即放出猎犬追赶。鹿惊，逃入米拉修行的古刹，猎人兄弟尾随其后追赶而入。此时，只见米拉在寺中安然而坐，犬、鹿在西侧静卧。二人惊愕，上前用手摸米拉日巴，感到体温如常，推之却纹丝不动，以石块击之，“铛铛”作响。贡布道尔吉幡然悔悟，当即决定不再杀生害命；而额尔勒岱则张弓怒射，谁知箭竟未能射穿米拉的袈裟，方知佛法无边。其后，黑、白老头皈依佛门。

《米拉传》：清乾隆后期以来流行于阿拉善盟的广宗寺（俗称“南寺”），每年农历四月十五日至五月十五日之间，寺庙内的喇嘛便集合在一

① 王文章主编：《中国少数民族戏曲剧种发展史》，学苑出版社2007年版，第431—433页。

起边练习边演出仪式剧《米拉传》。广宗寺至今还残存着演出《米拉传》的戏台，演出有专用的服装、面具和道具。该剧的主要情节是：米拉日巴出生于富贵之家，7 岁时父亲过世，家中的财产均被叔父占有。后来，米拉进入寺庙做了喇嘛，他在师傅迪入瓦、却如瓦、玛如瓦的悉心教诲下，学识日增，处境见好。但此时叔父仍在暗中作梗，还设计谋害米拉。米拉在诸神和四大金刚的帮助下，战胜了邪恶，后经苦心修炼最终成佛。

《米拉》：清中叶以来流传于赤峰市阿鲁科尔沁旗的罕庙及巴拉奇如德庙一带，每年农历正月，寺庙喇嘛身穿查玛服戴面具演出。《米拉》的主要情节是：米拉和其师傅久居深山，以修炼成佛。某日，两位猎人（黑、白老头）为追赶两只猎物（鹿）而携带猎犬追至古刹。此时，猎人见犬、鹿静卧在米拉的身边，且无丝毫敌意而大惑不解。后经米拉劝化，两猎人终皈依佛门。

上述剧目，分布在西起巴丹吉林沙漠边缘，东至昭乌达草原的广阔地域，无论是在归化、多伦诺尔等草原重镇，还是在位于草原深处的召庙、罕庙，均拥有广泛的观众。每有演出活动，离寺庙上百里甚至千里的牧民，也要按时去参加，此种情景在漠南草原相当普遍。

此外，体现宗教思想向世俗文化过渡的代表剧目《好德格沁》也颇有特色。

《好德格沁》① 在蒙语中意为“祝福、求子”，汉译则包含“丑角”之意。该剧起源于赤峰市敖汉旗境内一个蒙、汉族杂居的村庄——乌兰召，传播于邻近的村落，约形成于公元 18 世纪中叶。《好德格沁》有固定角色：阿林查干（白老头），其妻曹门代，其义子朋斯克（黑小子），其女花日，以及孙悟空和猪八戒。他们头戴面具，身穿蒙古族服装，手持道具载歌载舞用蒙古语表演。该剧每年春节期间演出，艺人走村串户，流动表演，属于民间自娱性行为。通过对剧目所体现思想的研究可知，《好德格沁》与《查玛》存在着明显的传承关系，均体现了藏传佛教的思想和教义，但《好德格沁》的世俗化趋向明显，逐渐由娱神转换为娱人。

---

① 《好德格沁》也称《呼图克沁》。王文章主编：《中国少数民族戏曲剧种发展史》，学苑出版社 2007 年版，第 433 页；李宝祥主编：《草原艺术论》，内蒙古文化出版社 2004 年版，第 42—43 页。

仪式剧具有如下主要特征：

剧目内容的世俗化。从《米拉·查玛》的剧情看，其内容主要围绕宗教教义，突出了米拉的修炼和一对猎人的悔悟以及最终的皈依。简单的情节在凝重的宗教音乐烘托下，使人们感受到的是一种神圣化的世界。而在《古日·查玛》和《米拉》中，剧情已发生了变化，除米拉、黑白老头外，鹿、牛、马、狗等动物被赋予了人类的情感，至于米拉在古刹中安然而坐，推之不动，击之有声，摸之“体温如常”，体现的更是世俗的理念，从而透视出宗教和艺术的区别，也就是说，艺术认识它的制造品的本来面目，认识这些正是制造品而不是别的东西；宗教则不然，宗教以为它幻想的东西仍是实实在在的东西。至于《米拉传》的剧情就更为丰富了，不仅有比较完整的故事情节、矛盾冲突，甚至有塑造具有丰富内心世界的人物。米拉在3位师傅和诸神的帮助下战胜叔父，看似表现的是佛法无边，其实仍未脱离我们常见的正义战胜邪恶的主题。

演出形式的世俗化。仪式剧的演出最初笼罩在藏传佛教的神秘色彩之中，以娱神为主要目的，是存在于寺庙的艺术。然而，随着时间的推移，原本属于寺庙的艺术，逐渐演变为由寺庙的喇嘛和世俗群众共同参与，具有一定民间性质的文化活动，我们将其称为宗教存在形式的世俗化。到清中叶以后，这种世俗化随处可见。如在鄂尔多斯地区，每有仪式剧演出，寺庙正殿门前的平台上被视为“正席”，活佛、大喇嘛、王公、地方政要等在此就座，东侧为本寺庙喇嘛的观演区，西侧为本旗王爷的眷属、随行的坐区，而广大的喇嘛教信徒和一般观众均挤在广场南面观看，这与当地世俗区划观念是一致的。就连地处偏远的广宗寺戏台，每年农历四月至五月演出《米拉传》期间，也对世俗群众开放，届时，寺庙内的喇嘛和远道而来的牧民可同台观看。此外，蒙古族传统祭敖包活动也对仪式剧的世俗化产生着影响。在鄂尔多斯、乌兰察布等地，许多喇嘛教寺庙的周围有一座或几座敖包，这些敖包邻近寺庙，有的甚至仅以墙分隔。每逢大的祭敖包活动，歌舞、说唱、器乐等民间艺术活动不断，有的喇嘛还到场为之念经致祭。

表演场所及其表演的世俗化。与《古日·查玛》《米拉》在寺庙演出不同，《好德格沁》的表演场所在民间更具有世俗的特点。如，演出没有固定的场所，属于“自然组合”在一起表演的艺术，只有受到邀请才可以上门为主人驱邪避灾、送子祈福，此与民间传统的社火表演习俗类似。不仅场所游移不定，其表演在遵循一定规则的前提下，也可以自由发挥，甚至主人及主人的家人、亲朋好友等均可参与表演。

仪式剧面具文化演绎得淋漓尽致。表演者不仅要以头戴面具的方式实现人与神的沟通，还要通过面具区别在剧中所扮演的角色。面具一般用纸浆制坯，经修磨、漆浸、彩绘等多道工序制成。仪式剧的面具采用的是全封闭结构，可以封闭表演者的整个头部，因此显得庄重而神秘，与整个剧情相谐。纸质面具较轻，对表演活动的影响较小，易于演员即兴发挥；通过面具可以折射出多种文化信息：骷髅面具的惧怕与敬畏，黑、白老头面具的滑稽与智慧，牛头面具的庄重与威猛等。

（二）蒙古剧

1. 剧种概述

新中国成立前后，蒙古剧创作与演出已经取得了丰硕的成果。1953 年，由内蒙古歌舞团创作演出的剧作《慰问袋》问世后，引起国内戏剧界的重视，被一些专家认为是一出有鲜明民族特点的蒙古剧①，并被收入《中国地方戏曲集成·内蒙古卷》。1953 年，哲里木盟库伦旗业余剧团创作演出的《汉城烽火》,突破了改编叙事民歌的传统模式，用蒙古剧表现抗美援朝战争，在题材上取得突破，同时在唱腔、表演等方面均有所突破。

蒙古剧的建设一直为自治区党委和政府所重视。从 20 世纪 50 年代中期始，内蒙古党委宣传部、自治区各级文化主管部门及相关盟市多次召开会议对此问题进行专门研究，并采取实际步骤加以推进。1957 年内蒙古民族歌剧团建立，同年内蒙古第一支乌兰牧骑成立，上述专业艺术表演团体的建立，对蒙古剧 20 世纪后半叶的发展具有特别重大的意义。内蒙古自治区民族剧团的首任团长是珠兰其其格。建团时称内蒙古民族实验剧团，后称内蒙古民族歌剧团、内蒙古实验歌剧团、内蒙古歌剧团等。1979 年 10 月改名为内蒙古民族剧团。2000 年，该团与内蒙古歌舞团合并后称内蒙古民族歌舞

① 20 世纪 80 年代也称“蒙古戏”。中国戏曲志全国编辑委员会编：《中国戏曲志·内蒙古卷》,中国 ISBN 出版中心 1994 年版，第 71 页；王文章主编：《中国少数民族戏曲剧种发展史》,学苑出版社 2007 年版，第 421 页。

剧院。内蒙古民族剧团成立后，先后创作演出了《达那巴拉》《拐棍》《嘎达梅林》《赛乌素沟畔》《扇子骨的秘密》《满都海斯琴》等数十个蒙古剧剧目，是内蒙古最具影响力的蒙古剧专业表演团体。诞生于鄂尔多斯草原的蒙古剧《黎明前》（又名《森吉德玛》）影响深远；活跃在科尔沁草原和乌兰察布草原上的一些牧民业余剧团还演出了《韩秀英》《梅其其格》等，形成了专业与业余创作演出互动的良好局面，并在逐步构建属于蒙古剧的角色行当和程式化动作。

“文化大革命”结束后，蒙古剧建设进入新的阶段。内蒙古民族剧团（后合并到内蒙古民族艺术剧院）成功创作、演出了蒙古剧《满都海斯琴》，通辽市演出了科尔沁蒙古剧《安代传奇》,伊克昭盟演出了鄂尔多斯蒙古剧《蒙根阿依嘎》（《银碗》），赤峰市用蒙汉两种语言创作演出了昭乌达蒙古剧《沙格德尔》等，在蒙古剧的发展史上均具有里程碑意义。

至此，内蒙古地区的蒙古剧形成了以下3个主要分支：

科尔沁蒙古剧①。诞生于科尔沁草原，用蒙古语演出。内蒙古通辽市库伦旗乌兰牧骑于20世纪80年代初创作《安代之歌》,80年代中期在此基础上创作蒙古剧《安代传奇》。该剧以在当地民间广为流传的安代传说架构故事，融会科尔沁地区的蒙古族文学、音乐、舞蹈等文化与艺术，将蒙古族的音乐与舞蹈融入戏剧故事与表演，同时糅以当代文化元素，获得成功。1988年，来自全国和自治区的专家、学者对《安代传奇》进行理论研讨，定名为科尔沁蒙古剧。

昭乌达蒙古剧。② 产生于内蒙古昭乌达地区（今赤峰市），代表剧目有《沙格德尔》《胡其热台地》等。《沙格德尔》的剧本，是根据昭乌达地区家喻户晓的民间讽刺诗人沙格德尔的故事编创的。《沙》剧用蒙、汉两种语言演出，这也是蒙古剧发展史上的创新之举。《沙格德尔》的唱腔音乐获“孔三传”奖，剧本获全国少数民族题材戏剧剧本银奖。以后赤峰地区的各文艺团体在此基础上不断探索，又创作出《胡其热台地》等新剧目。

---

① 王文章主编：《中国少数民族戏曲剧种发展史》,学苑出版社2007年版，第429页。

② 王文章主编：《中国少数民族戏曲剧种发展史》,学苑出版社2007年版，第429页。

鄂尔多斯蒙古剧[①]。早在20世纪50年代，伊克昭盟创作出蒙古剧《森吉德玛》,之后又创作出《赛乌素沟畔》《母亲之爱》《连心锁》等剧目。90年代前后开始创作蒙古剧《蒙根阿依嘎》(《银碗》)。该剧以流传于鄂尔多斯地区的蒙古族民歌构建音乐旋律，从独具特色的鄂尔多斯蒙古族民间舞蹈提取素材，着力塑造和刻画人物。《蒙根阿依嘎》曾获全国“五个一工程”入选作品奖。1993年9月，在乌兰巴托举办的第二届世界蒙古戏剧艺术节上获得崇高荣誉。

与此同时，关于蒙古剧建设的理论和实践问题引起自治区，乃至国内外戏剧理论界的重视。对一些深层次的理论问题，如关于剧种认定与认同的研究，关于音乐体制的构成与唱腔的研究，关于表演与导演手法的研究，关于剧本与剧目创作的研究，关于专业与业余表演机构的研究，以及观众审美心理的研究等逐步展开。

2. 代表剧目

20世纪40年代末50年代初前后，创作的剧目主要有《血案》《慰问袋》《汉城烽火》等。

《血案》：原为歌剧，后译成蒙语。写抗日战争胜利后，国共两党的军队在察哈尔一带展开激烈斗争，蒙古族青年巴根一家受到国民党军队的残害，被八路军解救后参军的故事。

《慰问袋》：写抗美援朝时，春节前夕，新婚不久的其其格精心缝制绣有蒙古族吉祥图案的慰问袋，内装礼品，和丈夫巴图一起骑马将慰问袋送到当地政府，献给在前线杀敌的志愿军将士。

同样表现抗美援朝的蒙古剧剧作还有《汉城烽火》等。

这一时期创作的蒙古剧具有如下特点：

其一，紧紧围绕党和国家的中心工作，团结和动员内蒙古地区的各民族人民为建立和保卫新生的政权而奋斗。《慰问袋》演出后，在国内戏剧界引起较大反响，当时被称为“蒙古戏的雏形之作”。1955年参加内蒙古首届民族民间音乐舞蹈戏剧观摩演出会，剧本收入中国戏剧出版社1959年出版的《中国地方戏曲集成·内蒙古卷》。

---

① 王文章主编：《中国少数民族戏曲剧种发展史》,学苑出版社2007年版，第429页。

其二，汉族及其他民族的戏剧家、音乐工作者等参与蒙古剧的创作，蒙汉族戏剧工作者的团结合作，不仅将蒙古剧推向一个新的发展阶段，并为日后蒙古剧的编创与演出开拓新路。如《血案》原为由周戈创作的歌剧，后由孟和巴特译成蒙语，其音乐也是由内蒙古文工团的蒙古族音乐工作者依据蒙古剧的要求重新创作的；《汉城烽火》同样是表现抗美援朝这一重大题材，但在剧情安排、唱腔设计、舞台表演等方面均有发展和创新。

1954—1978 年创作的蒙古剧剧目主要有《诺丽格尔玛》《黎明前》（又称《森吉德玛》）、《达那巴拉》《人畜两旺》《拐棍》《扇子骨的秘密》《巡逻》等。①

《诺丽格尔玛》：根据在科尔沁草原一带流传的叙事民歌编创。写阿拉坦苏和在新婚之夜被征从军，一去达 10 年之久。新娘诺丽格尔玛在家饱受婆母虐待，后被逐出家门。诺丽格尔玛誓不再嫁，历尽坎坷，终与阿拉坦苏和团圆。

《黎明前》：根据发生在鄂尔多斯草原的民间故事编创。写民国初年，鄂尔多斯高原掀起蒙古族人民反抗蒙古王公暴政的“独贵龙”运动。牧民姑娘森吉德玛因参加反抗活动被抓进王府，她宁死不屈，机智勇敢，巧妙地和“独贵龙”取得了联系，重获自由且与情人宝力德相逢，再踏反抗之路。该剧 1959 年由伊克昭盟文化队首演，同年参加内蒙古专业艺术团体会演，获优秀演出奖。

《达那巴拉》：写民国初年科尔沁草原，牧马青年达那巴拉与金香姑娘相爱，两人约会时被统领之子巴拉登窥见。巴拉登垂涎于金香的姿色，唆使管家巴拉珠带人到金香家逼婚。达那巴拉在牧民的帮助下，营救金香出逃。巴拉登率兵追赶，达那巴拉边走边战，后弹尽而被击中。金香悲痛欲绝，坠崖殉情。1964 年内蒙古民族剧团首演。

《人畜两旺》：写一牧民妻子因病多年未育，母亲请“博”（萨满巫师）来给儿媳看病，夫妻俩则想去医疗队诊治，“博”暗中示意母亲加以阻拦，致使儿媳病情加重。此时，医疗队及时赶到抢救，儿媳转危为安。事实教育

---

① 参见中国戏曲志全国编辑委员会编：《中国戏曲志·内蒙古卷》中的《剧目》部分，中国 ISBN 出版中心 1994 年版。

了母亲，儿媳也病愈怀孕，牧民一家人畜两旺，生活美满安康。

《扇子骨的秘密》：写20世纪60年代初期，国家面临困难，某苏木（乡）的不法分子哈里金误以为“反攻倒算”日子已经来到，便以一把扇子骨占卜，试图用金钱和美色引诱干部，以达到自己的目的。

《拐棍》：写诺彦（牧主）家的女奴其其格与牧马人桑布相爱，并暗结夫妻。诺彦之子垂涎其其格的美貌，屡设毒计暗害桑布，欲强占其其格。危难之中，汉族采药老人赵大爷救起奄奄一息的桑布，并帮助其其格携子逃离虎口，到外地谋生。1964年1月，内蒙古民族实验剧团在呼和浩特首演。

《巡逻》：写驻守在呼伦贝尔草原的解放军和当地民兵共同巡逻保卫边疆的故事。该剧1975年由巴尔虎旗乌兰牧骑首演。

这一时期剧作有如下主要特点：

其一，继续从蒙古族传统文化中吸取素材，推进剧种与剧目建设。如《诺丽格尔玛》和《达那巴拉》初创于20世纪30年代，最初由科尔沁草原和察哈尔草原上的蒙古族中学生创作并演出，自50年代初开始，众多的苏木（乡）的业余剧团演出上述剧目。1961年呼伦贝尔盟民族歌舞团编创并演出《诺丽格尔玛》,1964年内蒙古民族剧团编创并首演《达那巴拉》,这是一个由业余到专业的创作、表演过程，期间跨越30年之久。其文学性和表演水平在逐步提高，并成为颇具影响力的蒙古剧剧目。

其二，创作与当时的社会生活环境紧密相连，剧本突出“阶级斗争”。如《诺丽格尔玛》最终将剧情改为：王爷要强娶诺丽格尔玛，拆散了一对夫妻，诺丽格尔玛宁死不从，投河自尽；《扇子骨的秘密》更是直接表现了“阶级斗争”。

其三，反映现实生活的蒙古剧已占一定的比重，如《人畜两旺》《巡逻》等。

其四，此时的剧作者已经掌握了一定的编剧理论与创作技巧，剧本文学性得以显现，其故事情节曲折、引人注目。至于“文化大革命”期间，内蒙古各地的专业与业余剧团、文工团和乌兰牧骑等还用蒙语移植、改编“样板戏”，对蒙古剧的传播起过一些积极作用。

其五，时间跨度大，创作、移植剧目丰富。从1954年内蒙古自治区和绥远省合并，到1978年中共十一届三中全会召开之前，历时24年。据估算，期间由内蒙古民族剧团和内蒙古各地艺术表演团体创作、改编、移植的蒙古剧剧目在百出以上。①

1978 年之后，随着拨乱反正和改革开放的逐步深入，蒙古剧得到较快发展，不仅创作了大型蒙古剧《满都海斯琴》,还逐渐形成了科尔沁蒙古剧、昭乌达蒙古剧和鄂尔多斯蒙古剧，代表剧目有《安代传奇》《沙格德尔》《蒙根阿依嘎》(《银碗》) 等。

《安代传奇》②：写女主人公苯布来与安达是一对亲密无间的恋人，有着对美好生活的愿望。病魔缠上了美丽的苯布来，父亲桑杰、母亲浩日劳和安达等一起展开了呼唤心灵的拯救行动。期间，大喇嘛格布黑和牧主之子额尔敦从中作梗，使拯救行动异常困难。在乡亲的帮助下，苯布来终于从癫狂迷离中解脱出来，安达在她的身旁声声呼唤："安代"（蒙古语，此处取"起来"之意)、"安代"，人们晃动手中的绸带翩然起舞，为之祈福。病魔最终被除，有情人赢得了幸福。该剧于 1988 年由库伦旗乌兰牧骑创作并演出。

《沙格德尔》：写清末的依和草原遭遇大旱，达王在大灾之年仍对牧民横征暴敛，王爷的打手伯岱借机施威，欲强占民女霍斯楞；赶来祝贺婚礼的沙格德尔用特制的"夜明珠"，骗走了伯岱，成全了霍斯楞和森格的姻缘。被戏弄的伯岱怀恨在心，将霍斯楞抓回王府侍候哈屯（王爷之妻），又欲迫害森格；沙格德尔把赴敖包会的达王阻于桥头，用打赌之法巧妙地解救了森格。欢腾的敖包会上，沙格德尔识破了伯岱与福德勾结陷害森格的诡计，帮助森格夺得了摔跤冠军。沙格德尔又用调包计巧破了哈屯与伯岱的苟且之事，并借机替伯岱写了征税公文。达王、哈屯怀恨在心，借佛灯、豹皮之事欲处罚霍斯楞与森格，沙格德尔用调包计再次为之解救。征税人禀报，王府的牲畜已被牧民分摊，达王始知上当，沙格德尔入狱。牧民们扮做"好德格沁"，劫狱救人成功。达王气极，怒斩伯岱。沙格德尔告别众牧民，融入茫茫草原。编剧李凤阁、丛培德（执笔），主要演员李宝林、白术艺、丁淑

---

① 参见中国戏曲志全国编辑委员会编：《中国戏曲志·内蒙古卷》中的《剧目》部分，中国 ISBN 出版中心 1994 年版；王文章主编：《中国少数民族戏曲剧种发展史》,学苑出版社 2007 年版，第 435—438 页。

② 参见库伦旗乌兰牧骑 1991 年演出本，编剧：斯·巴特尔。

华、倪燕、刘树林、金赤萍等。1990 年由赤峰市民族歌舞剧团创作，1991 年 8 月正式对外演出。

《蒙根阿依嘎》：又称《银碗》。写某舞蹈学院的女生乌日汗，毕业前到养母成长的巴音布拉格草原学习创作“银碗舞”。天资聪慧的乌日汗拜文化队长陶古斯为师悉心学艺。细心的陶古斯发现乌日汗练功时用的银碗不寻常：这是她二十年前抱着女儿逃离王府时送给艺师朝克图的。这一偶然发现打破了人物之间原有的平静生活。一只银碗的辗转波折，两个女人的苦难与幸福，三代艺人的悲欢离合，折射出的是一段不寻常的历史。编剧孟根苏吉、齐·毕力格，导演巴德玛道尔基，作曲玛希、乌力吉，编舞巴德玛其其格，主要演员苏雅拉其其格、额·其木格、娜布庆花、齐·苏亚拉、格其亚拉巴特尔等。1990 年由鄂尔多斯歌舞剧团创作演出。

《满都海斯琴》：写 15 世纪末的中国北方草原动荡不止，蒙古贵族伊斯木勒处心积虑地要篡夺蒙古部落汗位，黄金家族的地位受到严重挑战。危难时刻，蒙古族女英雄满都海斯琴被推上了历史舞台，她凭借自己的美貌、武功与睿智获得了黄金家族后裔——满都勒可汗的器重。为了草原上苍生的安危，为了黄金家族的利益，她毅然放弃了与科尔沁王博力特的美好爱情，嫁给了年迈体衰的蒙古可汗。满都海替老可汗主政、出征，用武力与智慧力控危局。老可汗病逝后，为了蒙古部落的和平与统一，为了政权的巩固，满都海再作决断：下嫁年幼的小可汗巴图孟克。她辅佐小可汗平息了百年来蒙古部落的内乱，统一了蒙古部落，实现了蒙古与明王朝的修好。主要演员阿拉腾其其格、巴德玛、娜布其、额尔德木图、呼格吉勒图、巴特尔、乌云桑、丹巴、朝鲁、娜拉、呼格吉勒图、朱虹等。该剧于 2000 年 10 月荣获第六届中国艺术节大奖，2000 年 12 月荣获文化部第九届文华新剧目奖。

新时期剧作有如下主要特点：

其一，蒙古剧存在的价值与意义，不仅被内蒙古文化艺术界关注，更为各级党委宣传部门、文化主管部门所关心，蒙古剧创作与发展的良好环境逐步形成。在此背景下，艺术家开始了多方面的艺术实践与探索，由此推动社会关于蒙古剧观念的形成与完善，促使观众在新的层面上认识蒙古剧，认识科尔沁蒙古剧、昭乌达蒙古剧和鄂尔多斯蒙古剧。

其二，摒弃“阶级斗争”观念，其间的创作逐渐摆脱了类型化与脸谱化，主动克服肤浅与浮泛，注重刻画人物内心世界，人物关系日趋合理，剧情渐趋复杂，其空间日益扩展。

其三，人们对蒙古剧的认识日益理性，意识到在蒙古族民间传承的非物质文化遗产是蒙古剧创作的真正源泉。如《安代传奇》音乐有安代曲 14 首，民歌两首，博曲（蒙古萨满音乐）两首，喇嘛曲 1 首，采用原生民间音乐素材 19 首。《安》剧、《沙》剧、《蒙》剧和《满》剧，无一例外地都是从蒙古族人民的历史文化与生活中汲取营养、寻觅素材，编织故事，折射的是蒙古族人民所熟知或熟悉的生活、矛盾和斗争，反映的是蒙古民族审美情趣文化观念。

其四，内蒙古素有“歌海”、“舞乡”之称，音乐与舞蹈在蒙古族表演艺术中占据极为重要的位置。蒙古剧要独立于中国剧种之林，必须具备民族特点与地方特色。其间的蒙古剧，在剧本创作、音乐、表演、舞美和导演手法运用等方面，更重音乐与舞蹈因素。如唱腔音乐、伴奏音乐、主要人物的重要唱段，在保持民族风格的同时吸取传统戏曲唱法与表现手段，进行了多方面的探索，且日趋丰富与豪华。

其五，关于蒙古剧的理论研讨逐步深入，理论对创作的导向与指导意义日益凸显。如何使蒙古剧的创作与演出构建在历史与现实结合的高度，符合当代人审美观念，拓展蒙古剧社会影响力，体现其现实意义与价值，展现剧种风格与特色等，已成为该领域研究者普遍关注的问题。

3. 艺术与美学特点

其一，音乐特点。蒙古剧的音乐，则因不同的时代体现出不同的特点。民国年间创作演出的蒙古剧一般音乐比较单一，大多仅以一首蒙古族民歌的旋律贯穿全剧，人们称之为“单曲体结构”。

新中国成立后，经过戏剧与音乐工作者的长期艰苦努力，蒙古剧的音乐大为丰富。人物角色同腔共调，全剧一曲到底，旋律简单、易于上口的传统音乐表现形式得以沿用和发展；同时还创造了“联曲体结构”唱腔，也就是在一个剧目唱腔中采用多首民歌，每个角色一般只用一首民歌，曲调的数量与剧中人物、剧情内容相关；此外还运用伴唱、重唱、对唱和合唱等手法，使唱腔富于变化，以表达不同人物的性格和感情，从而为蒙古剧音乐的创新做了成功的尝试。

通过对内蒙古民族剧团、各地的乌兰牧骑等专业艺术表演团体所创作与表演的蒙古剧音乐进行分析、研究可知，蒙古剧音乐的基本构成，是蒙古族民间流传的萨满音乐、藏传佛教音乐、传统民歌、乌力格尔音乐、英雄史诗音乐等，同时也糅入现代创作元素。在乐队的构成上，则以四胡、马头琴、鼓、蒙古笛等民族乐器为主，并少量使用管弦乐器，以增强艺术表现力。

其二，表演风格和舞美特色。不同时期、地域和内容的蒙古剧有不同的表演风格。如仪式剧《米拉·查玛》等因在寺庙中表演，与宗教文化相偕，因而表演风格庄严、凝重；《好德格沁》虽与佛教思想有一定的联系，如供奉面具、神灵附体、送神归位等均与查玛及萨满文化相关；而载歌载舞、穿街过巷式的表演，孙悟空、猪八戒的造型、动作、道具等体现出的则是轻松和滑稽，世俗化倾向突出；"抖肩"、"舞动红绸"等动作的韵律，体现的是蒙古族舞蹈的基本表演风格。至于舞台上的蒙古剧演出，其表演风格则大多与剧情、所塑造的人物和作品的思想内涵等联系在一起。

就舞美特色而言，蒙古剧在民间戏台、临时性演出场所以及在城镇与村落流动表演时，其舞美的基本特色是质朴、粗犷、不刻意追求；而专业艺术表演团体在城市剧场表演的蒙古剧大多追求考究甚至铺张的舞台，近年来的发展趋势尤为如此。

实录性的生活展现。蒙古剧的审美特色首先表现在其对生活的实录。实录就是按照生活的本来面目真实地反映现实，实录展现的是作品的真实性和深刻性。

与严酷自然环境抗争的游牧生产，与金戈铁马相伴的部落之间的征战，与农耕文化长期的交流与融合等，创造了蒙古民族多姿多彩的物质与精神生活。这种多姿多彩的物质与精神生活，早在遥远的古代就以史诗的形式在蒙古族中传播。如在巴尔虎蒙古族中流传的史诗《英雄古那干》,[①] 其渊源可以上溯到蒙古部落时期；在卫拉特等蒙古族流行的史诗《江格尔》[②] 是卷帙浩繁的鸿篇巨制，蒙古民族的生活尽录其中。

此外，乌力格尔艺人如行云流水般的说唱，在科尔沁草原上流传的叙事

---

① 中国曲艺志全国编辑委员会编：《中国曲艺志·内蒙古卷》,中国 ISBN 出版中心 2000 年版，第 59 页。

② 色道尔吉译：《江格尔》,人民文学出版社 1983 年版。

民歌，在鄂尔多斯高原流传的漫瀚调，让蒙古等民族观众感受到的是，“美的事物在人心中所唤起的感觉，是类似我们当着亲爱的人面前时洋溢于我们心中的那种愉悦。我们无私地爱美，我们欣赏它，喜欢它，如同喜欢我们亲爱的人一样。由此可知，美包含着一种可爱的，为我们的心所宝贵的东西”。蒙古剧就是以这个“东西”为平台产生的，因此，它也是“一个无所不包、能够采取最多种多样的形式、最富于一般性的东西”。可以说蒙古剧的美就蕴涵在“这些最多种多样的对象，彼此毫不相似的事物”①之中。

其三，延展性的宗教内核。蒙古剧的审美特色表现在它所具有的宗教内核。黑格尔认为，“最接近艺术而比艺术高一级的领域就是宗教”。②为了弄清艺术和宗教的联系，必须从二者在文化上的联系着手加以研究。这是因为，众多的研究已经证实，宗教从它诞生的那一天起，一直居于人类文明的核心位置，深刻影响着人们的哲学、道德和几乎所有的文化艺术观念。文化人类学研究者认为，“人类文化的根源在人类的心灵”，在原始社会，“哲学与科学的思想尚在萌芽，且在宗教的范围之内。所以如要了解原始的心理只有探索原始宗教”。也就是说，有关当时的社会状况，意识形态和文化活动等，我们“都可以参考原始的宗教而得以解释。”③

早在蒙古统治者入主中原之前，流传于大漠草原上的萨满教中祭仪的形态已经相当完备。正是传统的宗教文化，孕育了蒙古族古代表演艺术的最初形态。而这种表演有歌舞贯穿，有简单的角色之分，可以表现简单的故事等，应该说所有这些都是十分难能可贵的。由此我们也有理由说，在蒙古族入主中原前后，仪式剧已具初态。藏传佛教在漠南的盛行并逐步取代了萨满教，对于一种具有悠久历史的原始宗教本身来说无疑是一个悲剧；然而从历史的延续性看，明清以来，蒙古族的宗教仪式剧则是借助喇嘛教及其仪式得以弘扬和发展，《米拉传》的诞生就是很好的例证。仪式剧在传播过程中孵化出《好德格沁》，这个过程既是艺术形式依托宗教土壤的变异，同时也体现了人们审美观念由宗教到世俗的嬗变。至于日后创作的《安代传奇》，均

① ［苏］车尔尼雪夫斯基：《艺术与现实的美学关系》，人民文学出版社 1957 年版，第 6 页。

② 黑格尔：《美学》第 1 卷，商务印书馆，第 132 页。

③ 林惠祥：《文化人类学》，商务印书馆 1996 年版，第 218 页。

浸溶在蒙古族传统的宗教观念之中；新中国成立后创作的蒙古剧《诺丽格尔玛》《黎明前》《沙格德尔》《满都海斯琴》等，其宗教线索也未见割断，这就是很好的例证。

其四，综合性的审美特质。蒙古剧综合性的审美特质是一个含义比较丰富的概念，应包括内容、形式和剧目属性等多层含义。就内容而言，蒙古剧反映的是蒙古民族悠久的、丰富多彩的生活，体现的是蒙古人对上苍感悟，游牧人对生命认识和对自然与社会的理解，含义深邃。就形式而言，蒙古剧与蒙古民族传统的音乐、舞蹈、说唱及叙事性口头文学等，具有难以分割的联系。就剧目属性而言，在蒙古剧剧目中，既有喜剧的氛围，也有悲剧的结局。

四、曲艺

（一）曲艺创作与演出

陶力（史诗）、乌力格尔、好来宝是蒙古族传统的说唱艺术形式①。达斡尔、鄂温克和鄂伦春“三少”民族也有其传统说唱艺术：乌春、宁恩阿坎和尼莫罕②。

20世纪50年代初，内蒙古各族说唱艺人怀着极高的热情融入了新中国的文艺队伍。除说唱传统曲目外，还在各级文化部门和文化工作者的关心指导下，将当时流行的优秀文学作品和英雄故事改编成曲目，如《丹娘》《勇士徐汉林》《白毛女》《刘胡兰》《赵一曼》《郭俊清》等。民族曲艺表演艺术家和创作者还深入生活，在农村、牧区、建设工地等发现素材，通过各族人民的新生活、新气象，反映社会发生的深刻变革，如乌力格尔《呼尔勒巴特尔》《牧羊儿童巴特尔》《合作的力量》《嘎拉双胡尔》，好来宝《两个青年竞赛》《白音敖包颂》《党和母亲》，快板《美军自叹》，相声《抓活的》等等，为传统曲艺注入了新鲜血液。曲艺对动员和团结自治区各族人民参加

① 中国曲艺志全国编辑委员会编：《中国曲艺志·内蒙古卷》中的《综述》部分，中国ISBN出版中心2000年版。

② 中国曲艺志全国编辑委员会编：《中国曲艺志·内蒙古卷》中的《曲种》部分，中国ISBN出版中心2000年版。

社会主义革命和建设起了积极的作用。1955 年 10 月，在内蒙古首届民族民间音乐、舞蹈、戏剧观摩演出大会上，一些蒙古族民间艺人演出了好来宝和乌力格尔节目。同年，内蒙古文联、文化局在乌兰浩特举办民间艺人训练班，琶杰和毛依罕担任教师，培养了一批民族曲艺新人。

笑嗑亚热[①]是蒙古族十分喜爱的曲种。新中国成立后，存在于蒙古族传统文化中的幽默、滑稽、讽刺等艺术表现手法得以进一步的弘扬和发展，与此同时，相声、评书在内蒙古地区进一步流传。从 20 世纪 50 年代中期始，蒙古族曲艺工作者普力吉、道尔吉、达·金巴扎木苏等为笑嗑亚热在内蒙古形成做了多方探索。1956 年 11 月，由达·金巴扎木苏编创的《陶力·根敦》用蒙古语演出，以说为主，也有学、逗、唱，在内蒙古人民广播电台播出，此为笑嗑亚热定型后较早的曲目。笑嗑亚热的曲目内容大体可分为歌颂和讽刺两种。笑嗑亚热既可讽刺和针砭时弊，鞭挞社会上的丑恶现象，又能歌颂和赞美社会生活中的凡人新事，其题材和内容十分广泛，听众能在笑声中获得启迪和教益。笑嗑亚热的语言有散文也有韵文，或者散、韵结合。其曲目大量吸收民间的谚语、俗语，语言幽默、形象、生动、鲜明。在修辞方法上，多采用对比、排比、比喻、夸张、双关等诸多方法，其表演常以诗歌和散文叙述相结合的方式出现。主要作者和演员有玛希毕力格、特木尔高力陶、那顺乌力吉、刚嘎木仁、赛吉拉呼等。主要作品有《好相识》《帽子下面的旅行》《笑的需要》《松树》等。

1957 年 8 月，在内蒙古自治区人民政府主席乌兰夫的提议下，内蒙古蒙语说书厅在呼和浩特建成。琶杰和毛依罕在此说唱陶力、好来宝和乌力格尔，深受蒙古族观众的喜爱。有关部门还配备专人记录和整理琶杰和毛依罕的作品，研究蒙古族说唱艺术的发展历史。与此同时，内蒙古东部各盟也相继建成一些蒙语说书馆，为民间艺人提供了条件优越的固定演出场所。在文化部门有计划地培养和扶植下，涌现出一批优秀的蒙古族说唱艺人，如扎那、乌斯呼宝音、萨仁满都拉、布仁巴雅尔等。

从 20 世纪 50 年代开始，内蒙古人民广播电台录制了大批蒙古族艺人演

---

① 中国曲艺志全国编辑委员会编：《中国曲艺志·内蒙古卷》中的《曲种》部分，中国 ISBN 出版中心 2000 年版；阿云嘎主编：《内蒙古文联 50 年》，内蒙古文联 2004 年内部发行。

唱的传统曲目和现代曲目。内蒙古人民出版社陆续出版了《英雄古纳干》《格斯尔传》《嘎达梅林》等蒙古族传统曲艺作品。《花的原野》《鸿嘎鲁》等蒙文文艺刊物，也经常发表好来宝、乌力格尔新作。

这一时期，内蒙古广播事业的空前发展更进一步推动了内蒙古曲艺事业的辉煌，自治区各盟市相继建立了专门机构，开办蒙、汉语说书节目，曲艺艺人应邀在电台录制节目，有传统曲目，如：布仁巴雅尔、额尔敦珠日合、孟根高力套、白音等人录制的《东辽》《封神演义》《薛刚反唐》《三国演义》等；有歌颂新人新事、反映草原建设、赞美内蒙古山川自然的新创曲目，如：琶杰、毛依罕、萨仁满都拉等演唱的《绰尔河畔风光好》《铁牤牛》《阿拉塔姑娘》《王起生》等；有民族英雄史诗、民间流传故事改编的曲目，如：乌斯夫宝音、叁布拉诺日布演唱的《达那巴拉》《金珠尔》《格瓦桑布》等；内蒙古人民出版社陆续出版发行了《蒙古族历代文学作品选》《英雄古纳干》《格斯尔可汗传》《嘎达梅林》等传统曲艺作品。内蒙古的曲艺蒸蒸日上，在创作曲目和培养人才等各个方面均有长足的发展。

1962 年的全国民间文艺工作者代表大会上，蒙古族曲艺大师琶杰、毛依罕等受到了党和国家领导人的接见。毛泽东主席与琶杰亲切握手，内蒙古的曲艺工作者深受鼓舞。

1966 年“文化大革命”开始，内蒙古民族曲艺遭到重创：曲艺表演团体解散，多年积累的珍贵资料被毁，艺人被迫离别艺术舞台。一些地区革委会所属的文工团、宣传队配合当时的政治任务演出一些反潮流、抓阶级斗争、斗“走资派”等内容的曲目。而居住在地处偏远、交通不便地区的牧民，仍以传统方式说唱自娱，但活动范围很小，且秘而不宣。

20 世纪 70 年代初期，各旗县地区乌兰牧骑初步恢复，曲艺成为乌兰牧骑演出中的重要内容。1974 年 4 月，由内蒙古直属乌兰牧骑编创的好来宝《我们的好书记》,尝试用多种乐器伴奏，在好来宝中融入戏剧情节，在表演中加进舞蹈动作，用独唱、轮唱、重唱、合唱等形式演出，参加了华北文艺调演；同年 5 月，又应邀到北京参加庆祝“五一”国际劳动节的活动，道尔吉仁钦、拉苏荣、吉日木图等向首都观众表演了乌力格尔曲目《打虎上山》。

1976 年 10 月，“文化大革命”结束。同年 12 月，内蒙古人民出版社编辑出版《除“四害”》曲艺演唱专辑。乌力格尔、好来宝、笑嗑亚热等曲艺作品开始通过报纸、广播等在自治区内外流传。此后，各级文化主管部门深入基层，调查研究，民族曲艺演出机构陆续恢复，曲艺演出日益活跃。

1980 年 10 月，由内蒙古自治区代表队演出的乌力格尔《训子》，在北京举行的全国少数民族文艺演出中获优秀奖；同年 11 月，全国优秀曲艺作品评奖揭晓，毛依罕创作的《敬爱的党——我慈爱的母亲》获一等奖。次年 12 月 25 日，内蒙古曲艺家代表大会在通辽召开，陈清漳、道尔基仁钦、玛希毕力格、任世民、劳斯尔、布仁巴雅尔、甘珠尔等出席大会。1982 年，内蒙古曲协和内蒙古人民广播电台在呼和浩特市召开笑嗑亚热创作录音会，录制了《撒谎的恶果》等 32 个曲目。①

自治区宣传文化部门，通过采访、录音等多种方式，大力挖掘整理优秀传统曲目。同时，组织蒙文作者编创新曲目，丰富艺人的说唱内容。哲里木盟开办蒙语说书培训班，培养具有中专水平的说唱演员，努力从整体上提高蒙古族说唱艺术队伍的素质。内蒙古直属乌兰牧骑多次赴国外演出，把蒙古族说唱艺术介绍给各国人民。一些蒙古族说唱艺术新作，荣获了内蒙古自治区政府文学创作“索龙嘎”奖、艺术创作“萨日纳”奖。

蒙古族说唱艺术在音乐方面进行的革新，取得了显著的成绩。起初，在乌兰牧骑的演出中，将好来宝单口和对口的传统说唱形式发展为群口说唱。群口说唱由 4 至 6 人表演，既有独唱和对唱，也有领唱和齐唱，唱腔音乐不再满足于传统曲调的简单连缀，有时根据说唱内容的需要进行新腔的编创。②

后来，适应说唱形式的变化，伴奏形式也有所变化。除传统乐器四胡外，还增加了手风琴、扬琴、大提琴、火不思、三弦、手鼓等。演员既是演唱者，又是乐队演奏者。突破了传统演唱方法的局限，吸收蒙古族长调民歌

---

① 中国曲艺志全国编辑委员会编：《中国曲艺志・内蒙古卷》，中国 ISBN 出版中心 2000 年版，第 48 页；内蒙古自治区文学艺术界联合会、内蒙古自治区档案局、内蒙古自治区歌舞团：《内蒙古艺术大事记》，内蒙古人民出版社 1993 年版，第 68 页。

② 中国曲艺志全国编辑委员会编：《中国曲艺志・内蒙古卷》，中国 ISBN 出版中心 2000 年版，第 62 页。

和潮尔的演唱方法，唱腔中出现了主旋律和持续低音形成的对比性复调音乐，使蒙古族说唱音乐更加丰富多彩。

在演唱好来宝、乌力格尔曲目时，吸收蒙古族祝词、赞词的吟诵，并伴以舞蹈表演，这是蒙古族说唱艺术的又一创新尝试。把歌唱、吟诵和舞蹈结合起来，使得蒙古族说唱音乐的素材更加丰富，具有返朴归真的民俗色彩和恢弘雄浑的史诗风格。

20世纪80年代初以来，内蒙古民族曲艺在全国曲艺演出与竞赛中屡获荣誉：1981年，由道尔吉仁钦说唱的乌力格尔《马头琴的故事》,在天津举行的全国曲艺优秀节目观摩演出中获一等奖；1983年，李双喜（浩斯巴雅尔）创作的胡仁乌力格尔《青史演义》获得首届文学艺术创作奖“骏马奖”；同年，乌力格尔《青史演义》《杭盖的秘密》,笑嗑亚热《白马长鸣》《谚语》《怎么办》,好来宝《可爱的妈妈》,评书《薛刚反唐》,相声《富裕之后》《四季歌》,二人转《一块花头巾》等获得内蒙古自治区首届文学艺术创作“索龙嘎”、“萨日纳”奖。

在1986年全国曲艺新曲（书）目比赛中，好来宝《那达慕》,笑嗑亚热《那个人》、和岱日勒查《美》等获奖。1987年中央电视台全国业余相声邀请赛中，《我爱二人台》《我的位置》《请原谅》等获3个作品奖，6个表演奖，内蒙古曲艺家协会获伯乐奖。在1988年全国曲艺大奖赛上，好来宝《今日内蒙古》、岱日拉查《你知道吗?》再次获奖。1989年自治区改革题材文艺调演中，参演曲种6个，曲目10个。《大鼻子安甲》获优秀创作奖，内蒙古曲艺队荣获优秀集体表演奖。1990年“长治杯”全国曲艺大赛中，道尔吉仁钦等表演的集体好来宝《腾飞的骏马》获表演一等奖。1991年在大连举行的相声大赛中，《阴盛阳衰》获奖。1992年在首届曲艺节上，《江格尔英雄史诗》获表演一等奖。在“宋河杯”全国曲艺小品大赛中，小品《浪子回头》获二等奖。1993年全国首届少数民族曲艺展演中，参赛曲目12个，共获曲目一等奖3个、二等奖9个，创作一等奖2个、二等奖7个，最佳表演奖1个、一等奖2个、二等奖8个。1994年内蒙古民族曲艺团到北京参加国庆45周年和《民族区域自治法》颁布10周年暨全国第二次民族团结表彰大会庆祝活动，在人民大会堂演出了《团结奋进的内蒙古》,并在天安门广场中心舞台演出。1995年在第二届曲艺节上好来宝《团结奋进的内蒙古》、赞词《博克赞》荣获全国曲艺最高奖“牡丹奖”。①

1997年，内蒙古民族曲艺团到北京参加庆祝党的十五大电视文艺晚会《继往开来》的演出，乌云桑创作并领衔主演的《草原儿女的心愿》获得中央电视台的表彰。之后，内蒙古民族曲艺团赴南京参加“中国曲艺荟萃97新曲目汇演”，《团结奋进的内蒙古》获新曲目奖；在第五届中国艺术节上《团结奋进的内蒙古》荣获文化部第七届文华奖——新节目奖。此外，《团结之歌》《大鼻子安甲》《博克赞》《今日内蒙古》《内蒙古的骏马》等曲目，还荣获自治区文学创作“索龙嘎”奖和艺术创作“萨日纳”奖。②

（二）人才培养、交流与研究

早在20世纪40年代末50年代初，内蒙古各级文化主管部门就开始发现、培养民族曲艺人才。

1953年，在乌兰浩特举办的内蒙古东部区民间文艺汇演，许多优秀曲目和艺人受到嘉奖。1955年，内蒙古首届民间音乐、舞蹈、戏剧（包括曲艺）观摩演出大会在呼和浩特举行，蒙古族民间说唱艺人演出了好来宝和乌力格尔节目，大会筛选出二人台优秀演唱曲目参加了全国汇演。同年，内蒙古文联和内蒙古文化局在乌兰浩特联合举办了民间艺人训练班，享誉自治区内外的民间艺术家琶杰、毛依罕等应邀担任教师，他们言传身教，精心指导，培养了一批民族曲艺新人。此时，内蒙古文化局颁布《内蒙古自治区民间职业剧团登记管理条例》，依据条例对活跃在民间的民族曲艺演出机构进行管理。

好来宝、乌力格尔等传统说唱艺术，以其鲜明的民族风格深受蒙古族农牧民的喜爱。1957年乌兰牧骑建立后，民族曲艺成为演出的主要形式。20世纪50年代末60年代初，随着各旗乌兰牧骑的建立，蒙古族说唱艺术得到前所未有的普及，在乌兰牧骑演出的各种形式的文艺节目中，好来宝、乌力格尔、笑嗑亚热等占据重要位置。

1965年，内蒙古的3支乌兰牧骑代表队分赴28个省、市、自治区巡回演出，蒙古族说唱艺术传播到全国各地。各地的乌兰牧骑还对传统的说唱艺

① 阿云嘎主编：《内蒙古文联50年》，内蒙古文联2004年内部发行，第136—137页。

② 阿云嘎主编：《内蒙古文联50年》，内蒙古文联2004年内部发行，第137页。

术形式加以改革，使之更具有时代特点，更富有艺术表现力。

1976年10月后，内蒙古民族曲艺人才培养、交流与研究进入了新的发展时期。

1979年5月19日，内蒙古自治区文化局、广播局、文联联合召开了全自治区民族民间戏曲、曲艺、音乐录音工作会议，参加会议的有老艺人、音乐和民间文学工作者百余人，关嘎、道尔吉、劳斯尔等录制了一批曲艺节目；内蒙古广播电台邀请说书艺人布和演播并录制了蒙古语说书《三国演义》《平原枪声》《野火春风斗古城》等；同年11月，胡尔查、玛希毕力格出席在北京召开的中国文学艺术工作者第四次代表大会和中国曲艺工作者第二次代表大会，并当选为中国曲艺家协会理事。

1980年7月，内蒙古曲艺家协会成立。协会成立后，在文联党组的领导下，坚持“二为”方向和“双百”方针。充分调动曲艺工作者的积极性，发挥内蒙古曲艺的民族特点和民族形式的优越性，举办和参加了一系列的艺术活动，取得了可喜成绩。

1985年，中国曲艺家协会理事、内蒙古曲艺家协会副主席道尔吉仁钦随中国内蒙古访日艺术交流团出访日本。交流团在日本东京、大阪、京都、奈良等地演出了蒙古族传统书目《江格尔》,受到日本各界的好评。1997年3月，由内蒙古曲艺家协会副主席江喜带领民族曲艺团赴乌兰巴托，参加1997年蒙古国国际幽默艺术节，乌云桑创作表演的《荧屏之友》,乌日根表演的《取药》,分别获该艺术节专项一等奖和最高荣誉奖。

改革开放以来，内蒙古的曲艺界先后接待了国内各省区及国外的宾客，如韩国、日本、蒙古国、捷克、法国、美国、加拿大、保加利亚、瑞典、瑞士、新加坡、缅甸、新西兰、巴基斯坦等国及港澳台地区的研究蒙古语言、文化、历史的专家、学者及旅游人员达3 000余人次。

对外艺术交流的不断扩展，不仅为自治区的民族曲艺赢得了较高的声誉和广阔的市场，还提高了自治区曲艺界的知名度和对外影响，为内蒙古的改革开放和经济建设做出了独特的贡献。

1998年7月，为了更好地纪念和发扬光大琶杰、毛依罕两位大师的艺术成就，在他们的家乡——扎鲁特旗鲁北镇的西山上，为两位大师竖起了纪念碑，碑体正面用蒙、汉、英三种文字分别刻有“曲艺艺术大师琶杰纪念碑”、“曲艺艺术大师毛依罕纪念碑”鎏金大字，碑体背面用蒙、汉两种文字分别刻上了两位大师生平，碑体上方是蒙古族民间四胡的现代艺术造型，两侧刻有蒙古族民间图案。中国曲协主席罗扬、常务副主席刘兰芳、内蒙古文联党组书记阿云嘎等出席了揭碑仪式。中国曲艺家协会命名琶杰、毛依罕的家乡——扎鲁特旗为“中国民族曲艺之乡”①。

1998 年 7 月 10 日，由中国曲艺家协会、呼和浩特市人民政府主办，内蒙古文联、内蒙古国债中心协办的第三届中国曲艺节在呼和浩特、包头两市召开，中共中央政治局常委、国务院副总理李岚清发来贺电，全国人大常委会副委员长邹家华、帕巴拉·格烈朗杰、布赫、铁木尔·达瓦买提，全国政协副主席孙孚凌、万国权，原全国人大常委会副委员长雷洁琼及文艺界知名人士周巍峙、高占祥、翟泰丰等为本届艺术节题词致贺。来自全国 29 个省、市、自治区和中直及部队文艺团体的 260 多名演员和曲艺家，在呼和浩特和包头等地演出。②

1998 年 7 月，著名蒙古族曲艺大师琶杰、毛依罕艺术成就研讨会隆重召开，来自中国曲协、各省曲协和内蒙古自治区文艺界、教育界有关领导和专家学者们出席了研讨会。会议期间产生了《试论老一代民族曲艺表演艺术家们的语言艺术》《民间说唱艺术家的才华——论琶杰〈格斯尔罕传〉》《论毛依罕好来宝说唱的艺术风格和创作技巧》等论文 50 余篇，集中展示了近年来内蒙古说唱艺术的研究成果，从多个侧面论述了琶杰、毛依罕的艺术生涯、创作成就和艺术特色。与会者一致认为，琶杰、毛依罕是我国著名民间说唱艺术家和民间诗人，在长期的艺术实践中，他们继承和发展蒙古族古老的说唱艺术，为蒙古族当代说书、好来宝、诗歌创作的发展，做出了卓越的贡献，他们创作表演的多部传世佳作，以其独特的艺术魅力，载入我国民间说唱艺术史册，而且为中华民族的文化艺术交流做出了贡献。许多经典作品已经由内蒙古人民出版社正式出版或编印成册，定为教材。如：业喜忠乃等创作的好来宝集《我的家乡好》（蒙文版）、色道尔吉译著的蒙古族史诗《江格尔》（汉文版）等。

---

① 阿云嘎主编：《内蒙古文联 50 年》，内蒙古文联 2004 年内部发行，第 137 页。

② 阿云嘎主编：《内蒙古文联 50 年》，内蒙古文联 2004 年内部发行，第 136—137 页。

五、杂技

新中国成立后，呼和浩特、伊克昭等盟市陆续建立杂技团，内蒙古民族杂技事业由此起步。① 1958 年 4 月，在内蒙古自治区主席乌兰夫同志的关怀下，中国杂技团 29 名青年演员和教师，支边来到内蒙古，组建了内蒙古歌舞团杂技队。②

1959 年 12 月，杂技队招收了第一批蒙古族杂技学员，开始培养少数民族杂技演员，逐步建立民族杂技演出队伍。1960 年 4 月 22 日，内蒙古自治区杂技团在呼和浩特正式成立，此为推动内蒙古民族杂技事业具有重要意义。

1960 年到 1966 年，以内蒙古杂技团为主体的杂技专业艺术表演团体，深入到自治区的农村、牧区、部队、厂矿、机关、学校进行巡回演出。特别是内蒙古杂技团发扬了吃苦耐劳、艰苦奋斗的精神，三年自然灾害时期，一年要在农牧区连续巡回演出七八个月之久，经常饿着肚子一天演出数场。为了方便群众，团里自己制作演出场围子，顶着炎炎烈日演出。演员们一边献艺，一边讲解，一边演出，一边宣传。良好的演技和演出作风赢得了广大农牧民群众的高度称赞。期间，内蒙古杂技团的足迹遍及辽宁、黑龙江、宁夏、山西等省区，民族杂技风格在演出与磨砺中逐步形成。

“文化大革命”开始后，内蒙古及各盟市的杂技团的演出活动中断。1971 年，内蒙古的杂技团恢复演出。为壮大演出队伍，他们在区内外广招杂技人才，先后从自治区内外的杂技团调进 17 名演员，充实了演出力量。从 1973 年到 1982 年间，内蒙古杂技团深入基层演出，累计演出 1 468 场，观众达 268 万人次，平均每年在基层演出达 5 个月之久，城镇、乡村、牧区、边防哨所等都留下了演员的身影。内蒙古与相邻的辽宁、宁夏、山西、河北等省区在杂技艺术上的交流日益频繁。在此基础上，内蒙古杂技艺术民族化的探索和研究成果凸现，一批具有民族特色的杂技节目，如《木马》

---

① 参见内蒙古自治区文化厅：《内蒙古自治区志·文化志》初审稿，2007 年。

② 高延青主编：《草原飞花》中的《综述》部分，内蒙古人民出版社 2006 年版；阿云嘎主编：《内蒙古文联 50 年》，内蒙古文联 2004 年内部发行，第 140 页。

《昭君出塞》《双人踢碗》《摔跤造型》《举人》《空中飞人》《魔术》《滑稽》《口技》《椅技》等相继问世，节目多姿多彩，民族特色浓郁。此时，内蒙古杂技团在呼和浩特市乌兰恰特剧场创下连续演出两个月，场场爆满的记录。1981年，中国杂技艺术家协会正式成立，内蒙古杂技团几十位有造诣的演员，成为中国杂技艺术家协会首批会员。

改革开放以来，内蒙古杂技界正确处理继承传统与推陈出新、民族风格与时代精神、创新立意与民族形式的关系，民族杂技焕发出新的艺术魅力。

1982年，内蒙古杂技团正式组建了"飞车走壁"队，尝试新的表演技巧和摸索新的杂技表演方式，开拓新的演出市场；1983年，内蒙古杂技团在全区文艺表演团体中率先实行了责任承包制；1984年79级民族班学员毕业，回到内蒙古自治区，并赴东三盟进行汇报演出；1988年，内蒙古杂技团赴澳大利亚的布里斯班为世界博览会演出，从此，民族杂技走出国门；1989年，内蒙古杂技团在自治区直属艺术表演团体中率先实行团长招聘制。①

改革为民族杂技的发展注入了活力，生活为艺术创作提供了源泉。内蒙古的杂技艺术家注意从民族的日常生活和传统习俗中发现创作素材，挖掘其文化内涵，创作演出的节目折射出的是蒙古民族豪放性格和坚韧不拔的精神。这一时期创作演出的《对传马鞭》《高翻三台》《摔跤造型》《五塔造型》《四人踢碗》《滚灯》《举刀拉弓》《蹬弓造型》《射箭》《三人蹬技》《环技》《双层晃板》《双人滚灯》《博克勇士》《乌仁斯特牧其——四人柔术》等节目，在创意、表现手法、服装与道具的运用、音乐创作、舞蹈编排、舞台美术设计等方面体现出鲜明的民族特色。这些节目一经推出，便赢得了广大观众的赞誉，并获得国际、国家和省部级奖36项。民族杂技艺术的广阔空间为少数民族演员的培养和发展架起宏大舞台。

内蒙古杂技团从建团以来，先后招收11批蒙古、满、回、达斡尔、鄂温克、鄂伦春等少数民族演员100多名。②

内蒙古的民族杂技艺术在对外文化交流中发挥着重要作用。内蒙古杂技

---

① 高延青主编：《草原飞花》，内蒙古人民出版社2006年版，第174页。

② 阿云嘎主编：《内蒙古文联50年》，内蒙古文联2004年内部发行，第142页。

团曾先后出访亚洲、欧洲、非洲、大洋洲、北美洲五大洲的数十个国家，其中包括美国、法国、德国、荷兰、希腊、意大利、奥地利、瑞士、加拿大、新西兰、澳大利亚、日本、韩国、泰国、新加坡、朝鲜、蒙古、毛里求斯、留尼旺、塞舌尔等国家和地区，及我国的香港和澳门。访问增加了各国、各地区对内蒙古的了解，为宣传内蒙古、扩大内蒙古的知名度作出贡献。

六、影视

（一）电影创作与生产

1. 制片

1950 年，长春电影制片厂拍摄故事片《内蒙人民的胜利》,[①]1953 年，在拍摄故事片《草原上的人们》中，开始培养蒙古族和其他少数民族电影人才。蒙古族剧作家玛拉沁夫、特·达木林，导演广布道尔吉，摄影师阿尔杜沁，达斡尔族作曲家通福，蒙古族和达斡尔族电影表演艺术家乌日娜、恩和森、鄂长林、朝鲁、乔鹿、树海等，通过拍摄上述两部影片的创作步入影坛。上述两部影片同时出汉蒙两种语言的拷贝，为内蒙古的蒙古语译制片奠定基础。1956 年，内蒙古自治区选拔人员，组成两个实习团，一个蒙古语译制片组分赴长春电影制片厂、中央新闻纪录电影制片厂学习实践，全面掌握电影的制片生产管理、艺术创作和技术等有关业务。两年后学成归来，与长春电影制片厂、中央新闻纪录电影制片厂支援内蒙古的一批专业人员共同创建电影厂。1958 年 8 月，内蒙古电影制片厂正式建厂。1959 年，为向国庆 10 周年献礼，拍摄了反映蒙汉人民团结奋斗在草原家乡建设钢城的黑白故事片《草原晨曲》,影片深受广大观众的喜爱。从建厂到 1962 年的 4 年间，共拍摄十余部长、短纪录片，近 80 本 250 个主题的新闻简报，反映了当时内蒙古的经济建设与社会发展状况。此外，还拍摄了二人台传统剧目影片《卖碗》《走西口》（黑白片），彩色长纪录片《今日内蒙古》,短纪录片《牧区公社好》《阳光普照鄂伦春》《光辉的节日》等。其中《今日内蒙古》和《牧区公社好》在全国发行上映，《周总理来包钢剪影》、乌兰夫领导内蒙古

① 内蒙古自治区文学艺术界联合会、内蒙古自治区档案局、内蒙古自治区歌舞团：《内蒙古艺术大事记》,内蒙古人民出版社 1993 年版，第 4 页。

自治区活动等纪录片具有重要史料价值。

1962 年，内蒙古电影制片厂根据国民经济“调整、巩固，充实、提高”的方针，故事片停止生产，只保留了蒙语译制片和有关的生产部门，并将厂名改为“内蒙古电影译制片厂”。1966 年“文化大革命”开始后，内蒙古译制片厂停产。1972 年，译制片厂又接到译制任务，重新译制了少量蒙古语影片。1976 年 10 月后，译制片厂从每年译制 3 部提高为 12 部，1977 年扭亏为盈。此后，该厂的译制片生产每年稳定在 10 至 15 部。①

1979 年 2 月，经国务院批准恢复故事片生产，并恢复内蒙古电影制片厂厂名。一批蒙古、汉、回、满、达斡尔等各民族职工成为创作、生产、管理部室的骨干。厂部下设文学部、艺术片室、译制片室、电视部办公室、生产调度室、计财科、技术科、政工科、艺术档案室、宣传发行科和摄影、录音、洗印、置景、照明与烟火等车间科室。厂内拥有办公楼，摄影棚、录音棚、洗印楼等建筑设施，能够承担本厂故事片生产任务，具备内景拍摄、混合录音以及洗印电影拷贝、译制蒙古语影片的全部生产能力。1988 年，标准放映厅落成，可放映 35 毫米、70 毫米胶片的影片，并能放映双片和立体声影片，当时在全国居领先位置。1983 年，高级工程师阿都沁夫提出了涂磁录音工艺设计方案，并与文化部电影局共同试制成功，荣获文化部科技进步奖，这一改革，加快了译制速度，增加了译制节目数量和语种。

内蒙古电影制片厂每年承担着国家 4 至 5 部故事片、约 300 本蒙语译制片和部分拷贝洗印等生产任务。《猎场札撒》《北方囚徒》《天堂之路》《神猫与铁蜘蛛》《阿丽玛》《重归锡尼河》《绿野晨星》《关键时刻》《成吉思汗》,儿童片《月光下的小屋》,艺术片《彩虹》等均为恢复故事片生产初期较有影响的作品。

内蒙古电影制片厂拍摄的彩色纪录片《草木篇》《塞外军营绿荫浓》《民族大团结的盛会》《准格尔煤田》《团结起来建设边疆》《草原你好》《乌兰夫谒成陵》等也受到各方面观众的好评。蒙语译制片《桥》《阿丽玛》等荣获国内、自治区内优秀译制奖。

---

① 内蒙古自治区电影放映发行事业大事编辑委员会:《内蒙古自治区电影放映发行事业大事编年记》,1995 年打印本。

改革开放以来，内蒙古电影制片厂拍摄的影片在国内外获得诸多荣誉：《骑士风云》在第十届金鸡评奖中获得了最佳导演、最佳摄影、最佳剪辑、最佳男配角、最佳音乐五项提名，并获得了最佳摄影、最佳剪辑、最佳男配角的桂冠；《东归英雄传》获得1993年政府颁发的华表奖，获得1994年中宣部、文化部、广电部颁发的“五个一工程奖”等国内8项大奖；《悲情布鲁克》于1995年获得华表奖最佳电影技术奖，第四届大学生电影节最佳观赏效果奖，并获得西班牙国际电影节最佳影片奖。《一代天骄成吉思汗》（1997年摄制）获当年的“华表奖”优秀影片奖，1998年获得长春国际电影节最佳华语故事片奖，获得第十八届“金鸡奖”最佳导演、最佳服装、最佳摄影、最佳录音4项大奖。该片于1999年作为第一部中国少数民族题材的故事片，参加了美国“奥斯卡国际电影节”最佳外语片的角逐，为中国民族题材影片走向世界做出了巨大贡献。①

内蒙古的文艺工作者周戈、珠岚其其格、云照光、白朝蓉、朝克图纳仁、恩和森、葛根塔娜、塞夫、麦丽丝、宁才等为内蒙古电影事业作出卓越贡献。②

2. 译制配音

内蒙古文化主管部门十分重视电影的少数民族语言译配工作。20世纪50年代初，自治区文化局派员到长春电影制片厂协助配音译制蒙语影片《金银滩》《牧人之子》等31部影片。这些影片不仅在牧区普遍发行，还在国内外交流，产生了很好的影响。

译制配音分蒙语口语对白配音和涂磁配音两种。

蒙语口语对白配音。内蒙古电影制片厂成立后，边生产，边译制，从1958年至1959年连续译制了《草原烈火》《党的女儿》《百万民歌》等15部蒙语版影片。1959年发行蒙语影片35毫米15部，16毫米20部，放映1 054场院，观众达261 730人次。③

---

① 阿云嘎主编：《内蒙古文联50年》，内蒙古文联2004年内部发行，第101页。

② 阿云嘎主编：《内蒙古文联50年》，内蒙古文联2004年内部发行，第101页。

③ 参见内蒙古自治区电影放映发行事业大事编辑委员会：《内蒙古自治区电影放映发行事业大事编年记》，第29页。

1964 年 9 月，自治区开始蒙语口语对白配音以来，先后为《国庆十点钟》《今日内蒙古》等二十多部影片进行蒙语对白配音。同年 6 月，自治区电影配音表演队一行 4 人由自治区电影公司经理锡水率领，赴北京向国务院、文化部、电影局和中影公司做蒙语现场配音、录音、放音磁带同步录放装置的汇报表演，并为中国电影科学技术研究所的专家们作了蒙语口头翻译配音和磁带同步录放装置现场录音、放音表演。后又赴四川参加西南地区少数民族电影宣传工作会议，为会议作了汇报映出。

1966 年 2 月，自治区召开三级干部会议，为解决蒙古族代表看电影问题，内蒙古电影公司对《地道战》《战上海》《鄂尔多斯风暴》等进行蒙语口语对白配音，获得成功。此后，内蒙古电影公司多次举办蒙语翻译配音人员短训班、训练班，开设《翻译理论》《语言艺术》等课程。不仅译配了大量影片，译配质量也在不断提高。

涂磁配音。1965 年 10 月，中影公司在福州市召开全国电影涂磁录音现场会，推广影片涂磁录音装置。会后，自治区电影公司开始涂磁录音的试验工作。1978 年，12 月文化部电影局在广西南宁召开少数民族语影片译制涂磁录音座谈会。内蒙古电影译制片厂副厂长石万玉、自治区电影公司刘景惠等人参加了会议。会议期间，内蒙古电影译制片厂演示了本厂研制和录音的 8.75 毫米副磁带蒙语译制片。1980 年 12 月，“全国电影民族语涂磁配音工作会议”及“华北区电影发行协作会议”在内蒙古召开，进一步推动了内蒙古涂磁配音事业的发展。1981 年 1 月，中影公司为支持少数民族地区积极开展少数民族语言译磁录音工作，拨款 10 万元支持内蒙古的涂磁配音。1982 年 2 月，为总结自治区 30 多年来蒙语影片译制发行、放映工作，表彰在工作中做出优异成绩的先进单位和个人，推动蒙语和其他少数民族语言影片的译制、发行放映工作，更好地为各民族群众服务，自治区文化局在呼和浩特召开“全区首届优秀译制片发行放映评奖会”。会议由自治区文化局副局长奇哈拉格主持，自治区政府副主席周北峰、党委宣传部副部长、文化局局长云照光在会上做了重要的讲话；文化局副局长葛根塔娜、自治区语委主任额尔敦陶也在会上讲话。会议评选出优秀蒙语译制片 6 部，先进集体 13 个，先进个人 20 名。

国家与自治区的重视，内蒙古相关部门的努力，译配人员的辛勤劳动，推动了内蒙古涂磁配音工作高质量、快速度发展。20 世纪 80 年代初，内蒙古电影公司创建涂磁译制科（后改称民族语影片制作科），设有涂磁、套片、录音、检验、摄像、复制等技术环节，并于 1983 年正式投产，产生了深远的影响。与此同时，锡林郭勒盟、哲里木盟、昭乌达盟、乌兰察布盟、伊克昭盟、巴彦淖尔盟、阿拉善盟、兴安盟等也陆续建立电影涂磁配音机构，基本覆盖内蒙古全境及周边的蒙古族聚居区。

3. 风格与特色的形成

努力使思想性、艺术性、观赏性统一起来，使作品成为先进文化的精品力作。电影导演塞夫、麦丽丝自专门拍摄民族电影题材以来，以其强烈的弘扬民族文化精神和越来越精湛的电影艺术手段，拍摄出了多部以蒙古族人民为表现对象的草原题材电影，在多部电影屡获殊荣后，他们拍摄的电影《一代天骄成吉思汗》又于 1997 年荣获中国电影“华表奖”优秀影片奖，在第 18 届“金鸡奖”的角逐中荣获最佳导演奖，在 1998 年美国费城国际电影节上荣获最高金奖。

自治区的少数民族电影艺术家作为一个具有鲜明民族文化特点的艺术创作群体，活跃在中国电影电视艺术创作的舞台上。演员斯琴高娃、艾丽娅、涂门、哈斯高娃、巴森，摄影师伊·呼和乌拉、格日图，导演哈斯朝鲁、张元龙，编剧江浩、陈枰等是这一群体的中坚力量。20 世纪 90 年代末，一批年轻的导演、摄影、演员、剪辑、服装、化妆专业人才在影视创作领域日益活跃，茹美琪、契那日图、张建华、朝英等，有的还在“金鸡奖”、“华表奖”等奖项的角逐中赢得了荣誉。

在影视合流的格局中，起到了促进电视剧质量提高的重要作用。冉平、陈枰、路远、肖亦农、邢原平、林海鸥、萨仁托娅等影视人①，把一部部优秀的电视剧贡献给了时代和观众。

（二）电视创作与生产

1969 年，内蒙古开办了第一家电视台——内蒙古电视台。电视台初创时期，技术设备条件很差，最初的文艺节目只能播放引进电视片。之后，使用外省电视台支援的一部电子管摄像机，简陋直播一些小型的文艺演出节

① 阿云嘎主编：《内蒙古文联 50 年》，内蒙古文联 2004 年内部发行，第 101 页。

目。1970 年 5 月播出的第一个电视文艺节目，是内蒙古军区某师业余文艺宣传队来台演出的歌舞、说唱节目。建台初期，文艺节目主要以播放黑白节目为主。1971 年，使用两台电子管摄像机，开始直播一些小型的文艺演出。

1971 年的“五·一”国际劳动节，首次现场直播了呼钢工人宣传队演出的实况。同年，编播技术人员克服种种困难，架通了中心机房到乌兰恰特剧场的电缆线，现场直播了内蒙古京剧团演出的《红灯记》。从此，内蒙古电视台开始既能在小演播室直播小型文艺节目，又能在剧场转播大型的文艺节目。为了开辟节目来源，又用电缆接通电视台至乌兰恰特剧场的专线，用以转播舞台演出节目。

1975 年，内蒙古电视台经过扩建，有了 5 频道的黑白电视中心、3 信道的黑白电视转播车和 600 平方米的大型演播厅，扩大了转播范围，多次转播了文艺、杂技演出、体育比赛和焰火晚会等。内蒙古电视台的文艺节目，只能组织一部分业余文艺爱好者和少年儿童，演播一些零散的音乐、舞蹈节目。

自 1975 年 5 月 1 日起，内蒙古电视台进入了彩色录像时期，自办文艺节目日趋丰富多彩。1979 年 5 月 1 日起，内蒙古电视台实现彩色图像播出后，使电视文艺更加绚丽多彩，从而大大增强了它的艺术效果。内蒙古电视台和各盟市电视台自办的汉语文艺节目，无论在品种、形式和制作、播出的数量与质量上，都有了较大的发展。汉语电视文艺节目，除了他们自己摄制的文艺节目，还播出了相当数量的从中央电视台和外省区电视台转录或交换来的节目，丰富了节目内容。

1981 年，内蒙古电视台拍摄了第一部音乐舞蹈艺术片《塞外鸿雁》，它摆脱了以往实录舞台表演的局限，拍摄了乌兰牧骑在田间地头、草原工矿演出的情景，此片曾在中央电视台播出。1982 年 8 月，电视戏曲片《二孔明赔情》初上屏幕，1983 年，中央电视台作为元旦重点节目播出。此后，《二板头进城》和《二倔头的趣事》陆续问世，并形成系列。上述作品因具有浓郁的地方特色和较强的时代感赢得了广大观众的喜爱。1984 年，又拍摄了音乐风光片《摇篮之歌》。之后，内蒙古电视台的电视艺术片、专题片有大幅度的增加，历年来不少节目在中央电视台及其他省级电视台播出，并获得多种奖励。

20 世纪 80 年代中期以来，创作的二人台《打樱桃》《走西口》，京剧

《打焦赞》,漫瀚剧《丰洲滩传奇》,木偶剧《巴拉根仓的故事》等电视作品达40多部，其中《打樱桃》《丰洲滩传奇》《巴拉根仓的故事》等在中央电视台播出。电视剧《亲家卖粮》《山林的雾》《啼笑因缘》《黄敬斋》《风雪巴林道》《驼峰山》《拉骆驼的姑娘》《黄土窝的故事》也吸引了全国电视观众和专家学者的目光，并在“飞天奖”和“骏马奖”评选上获奖。其中一些电视剧被介绍到欧美30多个国家。

一直以拍摄民族题材电视剧著称的导演宝音达来，1987年拍摄了根据无产阶级革命家王若飞的历史故事为题材的八集电视连续剧《黄敬斋》,这是自治区第一次拍摄的长篇电视连续剧。20世纪80年代中期，《上海滩》《万水千山总是情》等港台电视剧风靡全国，内蒙古电视台导演王新民趁势而上，将张恨水的长篇小说《啼笑因缘》改编成电视连续剧，1987年该剧在内蒙古电视台推出，引起全国观众普遍好评。

此后，由内蒙古创作的电视剧《天神不怪罪的人》《京江祭》《老冒小传》《沙柳和它的影子》《遥远的驿站》《乌兰夫》《东方商人》《乡间多少情》《那女人》《党员二愣妈》《水命》《耶达山的雪》《静静的艾敏河》等，在自治区内外产生了很大的影响。内蒙古的电视工作者还和区外电视台合作拍摄了一批具有影响的力作。在《武则天》《贺兰雪》《沟里人》《烟事》《总督张之洞》《水浒传》《驼道》《怪王别传》《激情燃烧的岁月》等作品中，均有内蒙古的电视人担任主创人员。

20世纪80年代电视纪录片《骏马追风》《沙漠散记》《鄂尔多斯婚礼》《力的较量》《深深眷恋的草原》问世，90年代《驯鹰散记》《金色的圣山》《敖德斯尔》《温都根查干》《父亲的眼泪》《母亲的襟怀》《今日包头》《人民的诗人——纳赛音》《丽莎的梦》《母亲的碑》等陆续推出，其影响扩大到国内外。期间，中国纪录片学会、内蒙古电视台联合召开“纪录草原”电视纪录片研讨会，中国纪录片学会会长陈汉元等有关专家、学者对内蒙古拍摄的电视纪录片给予很高的评价，新华社、《瞭望》等进行了深度报道。

内蒙古电视台从1984年开始举办大型春节文艺晚会。陆续录制、播出了《北疆赞歌》《白色源流》《森吉德玛》《德德玛个人音乐会》《孙良四胡音乐会》《草原金秋歌手大奖赛》《马头琴的传说》等具有民族与地方特色的晚会、赛事和专题文艺节目约100部。内蒙古电视台获得过全国电视文艺

“星光奖”所有奖项。

（三）蒙古语电视文艺

内蒙古电视台蒙古语节目从1976年10月2日开播。① “以译制为主，自办为辅，创造条件，逐步过渡”是最初的方针，除举办一些配合时事政治活动的综合文艺晚会外，还转播专场演出、比赛等。同年底，内蒙古电视台的蒙古语电视正式开播，蒙古语电视文艺也同时与观众见面，蒙古语电视和汉语电视，共同使用一部黑白电视发射机，用10频道分日交叉播出。鉴于蒙古语电视刚刚举办，节目来源少，人力和经验不足等问题，因而采取积极上马、稳步前进的方针，暂定每周二和周五播出两次。文艺节目以译制为主，逐步增加自制节目的比重。

蒙古语电视文艺节目最初采用的是摄像直播，播出的内容主要是蒙古族观众喜闻乐见的歌舞、说书、好来宝等，也播放一些蒙语文艺节目（译制）。1979年10月，内蒙古电视台购进两部电视录像机，节目制作手段有了较大的改善，从此，蒙古语文艺节目由直播导入录像阶段，节目质量有了较大提高。

1979年，内蒙古第一部蒙古语电视剧《烟酒》诞生。进入20世纪80年代以后，内蒙古电视台蒙古语电视文艺节目先后录制了《春节文艺联欢会》《德德玛音乐会》《拉苏荣音乐会》《孙良四胡独奏晚会》等，邀请内蒙古文艺界著名演员录制《蒙古包盛会》等大型歌舞节目，蒙古语电视文艺的影响日益扩大。1981年，内蒙古电视台摄制的蒙语电视剧《母爱》问世。此后，内蒙古电视台译制的影片《保密局的枪声》等陆续播出，影片和电视剧的译制水平不断提高，蒙古语电视文艺节目数量也在逐步增加，多次被评为自治区学习和使用蒙文蒙语先进集体。

蒙古语专题艺术片摄制始于1981年，拍摄的是音乐专题片《美丽的草原我的家》。该片在中央电视台播出，并作为交换节目出口蒙古人民共和国。1983年拍摄的《驼赛》《乌拉特婚礼》,1985年拍摄了《安代乡情》,1987年拍摄的《比翼齐飞》《鄂温克风情》等艺术专题片均产生了很好的反响。

蒙古语电视文艺节目专场录像工作开始于1983年。陆续摄录了华北音

① 阿云嘎主编：《内蒙古文联50年》,内蒙古文联2004年内部发行，第101页。

乐节、全自治区乌兰牧骑调演等大型文艺汇演等。1984 年拍摄了《首届全国青年歌手电视大奖赛内蒙古选拔赛》。1986 年以来先后录制了 3 部大型舞剧:《东归的大雁》《蒙古源流》和《森吉德玛》。此后，直播了《首届全区蒙语歌曲电视大奖赛》等大型演出活动，录制与播出水平日益提高。

1987 年 7 月 27 日，在庆祝内蒙古自治区成立 40 周年前夕，内蒙古电视台实现了蒙古语电视节目的每日播出。蒙古语电视文艺节目自办、译制节目的播出量日渐增加。

经过十多年的积累，到 20 世纪 90 年代初，蒙古语电视制作所需要的设备、技术和专业技术人才等已经发生了质的变化。蒙古语电视节目的制作方针也做了相应的调整：注重开掘民族文化宝库，创作具有民族特色和地方特点的文艺节目成了新的工作方针。此后，先后录制播出了《吉祥人间》《都楞毕力格》《春暖人间》《哈达情》《新春的祝福》《吉祥草原》等数十台颇有影响力的晚会，引起强烈影响。其中晚会《哈达情》《吉祥草原》分别获全国电视文艺“星光奖”二等奖和三等奖。同时还制作出《金色圣山》《心灵的报春花》《在那伊敏河畔》等十几部思想精深、制作精良、艺术精湛的电视艺术片。艺术片《在那伊敏河畔》荣获全国少数民族电视题材“骏马”二等奖，并荣获自治区“五个一工程”奖和自治区文艺创作“萨日娜”奖，还荣获全国蒙古语电视节目一等奖。

20 世纪 90 年代末，内蒙古电视台已经成为全国蒙古语电视文艺、艺术片最大的生产基地和中心。① 电视译制片，蒙古语电视译制水平在全国居于领先位置。《红楼梦》《高山下的花环》《渴望》《篱笆·女人·狗》《赵尚志》《杨乃武与小白菜》《安娜·卡列尼娜》《末代皇帝》《北京人在纽约》《三国演义》等不同年代制作、流行的电视剧均有蒙古语译制作品，为著名电视剧的蒙古语版在国内外传播作出了重要贡献。

七、乌兰牧骑

（一）乌兰牧骑创建

乌兰牧骑始建于 1957 年，以演出为主，兼作宣传、辅导、服务工作。

① 阿云嘎主编:《内蒙古文联 50 年》,内蒙古文联 2004 年内部发行，第 150 页。

长期以来，坚持深入农村、牧区最基层，在农牧民群众中扎下了根，受到农牧民群众的热烈欢迎，并被誉为“草原文化轻骑队”。1957 年国家完成农业合作化和工商业社会主义改造之后，大规模的社会主义经济建设高潮到来。推进牧区和半农半牧区的文化建设，提高农牧民的文化生活水平，成为自治区党政领导关心的重要问题，乌兰牧骑创建被列入日程。

20 世纪 50 年代，内蒙古地区经济还比较薄弱。尤其是牧区和半农半牧区，由于地域辽阔，人口分散，交通不便。不但经济落后，而且在文化生活方面就显得贫乏。而世世代代劳动、生活在这些地区的蒙古族和其他各族人民正在期待着富裕、繁荣、文明的日子能够在他们的家乡——草原上早日实现。对于牧区和半农半牧区人民的这种心愿，党和政府是十分关切的。中央和内蒙古自治区党委曾多次发出指示，要求各地大力发展少数民族地区特别是边远牧区的经济和文化。为此，自治区各级人民政府在 1957 年之前，已在全区牧区和半农半牧区的各旗县普遍建立了以活跃群众文化生活为主要任务的文化馆和文化站。但是，由于机构性质与队伍结构所限，这些“馆”或“站”难于深入到广大边远的牧区和半农半牧区。面对这种情况，自治区文化局花费了不少心血寻求解决的办法，并于 1957 年初指示各地文化部门研究、探讨这一问题。

1957 年 5 月初，内蒙古自治区党委第一书记、自治区主席乌兰夫在总结自治区十年来工作的时候，指出：“在经济、文化建设工作中，曾经发生和仍然存在着的主要问题是：缺乏周密的、系统的调查研究，有些工作不能很好地根据民族的和地区的特点来贯彻执行党和国家的总的方针、政策，有时往往发生搬用别的地区的工作经验的偏向”。① 乌兰夫的这一指示使文化主管部门的同志们深受教育和启发。自治区文化局根据乌兰夫同志的指示精神，认真分析了自治区文化工作特别是牧区文化工作中存在着长期听不到广播，看不到电影、演出、展览、图书的实际情况，做出关于在牧区进行文化工作试点的决定。经指派由内蒙古群众艺术馆馆长于纯斋、文化局庆来、伊德新等组成工作组赴锡林郭勒盟苏尼特右旗、正蓝旗、正镶白旗以及乌兰察布盟达茂旗等几个点进行了比较全面的调查了解。经过这次调查研究，工作

---

① 达·阿拉坦巴干、朱嘉庚主编：《乌兰牧骑赞》，内新图准字［2007］第 57 号，1997 年，第 4 页。

组的同志们一致认为：鉴于牧区、半农半牧区地广人稀、交通不便和居民点极其分散的种种特点，要使农牧民群众的文化生活丰富起来，就必须建立一种装备轻便、组织精悍、人员一专多能、便于流动的小型综合文化工作队。只有这样，才能把社会主义的文化艺术直接地、经常地送到广大农牧民居住和生产的浩特与牧场。基于这一构想，便将逐步形成和组建的牧区红色文化工作队，命名为“乌兰牧骑”。

“乌兰牧骑”称谓，在蒙古语中，“牧骑”一词是“嫩芽”的意思。取此寓意，参加试点调查工作组把“牧骑”一词引申为文化工作队。在这一词上又冠以“乌兰”二字。“乌兰”一词在蒙语中为红色的意思，象征着光明与革命。这样“乌兰牧骑”这一名词就被赋予了一种新的内容，成为今天各民族人民群众都非常熟悉的“红色文化工作队”了。在社会主义的新中国，“红色文化工作队”① 也就意味着乌兰牧骑所担负的任务是极其光荣和艰巨的，它激励着队员们的辛勤工作和奋斗精神。

周恩来总理十分喜爱和支持乌兰牧骑事业，曾先后 12 次接见乌兰牧骑队员。1965 年 12 月 22 日晚，周总理在中南海紫光阁设便宴招待参加全国巡回演出归来的乌兰牧骑队员时，就“牧骑”的汉语意义向队员们进行新的解释与说明，使“乌兰牧骑”这一名称更加名副其实，寓意更加深刻。周恩来总理对队员们说：“牧骑呔，我建议要骑马，成个名副其实的‘牧骑’。骑上马，带上帐篷，也挺好。不要进了城市，忘了乡村。要不忘过去，不忘农村，不忘你们的牧场。”②

从此，乌兰牧骑便成为草原各族人民喜爱的文化轻骑兵，驰骋在辽阔、美丽和逐步富裕、繁荣起来的内蒙古千里草原上。

（二）乌兰牧骑试点

1957 年 5 月 28 日至 6 月 17 日，乌兰牧骑试点工作首先在群众文化工作比较活跃的昭乌达盟翁牛特旗和锡林郭勒盟苏尼特右旗进行。自治区文化局

① 达·阿拉坦巴干、朱嘉庚主编：《乌兰牧骑赞》，内新图准字［2007］第 57 号，1997 年，第 5 页。

② 达·阿拉坦巴干、朱嘉庚主编：《乌兰牧骑赞》，内新图准字［2007］第 57 号，1997 年，第 19 页。

抽调了于纯斋、达瓦敖斯尔、刘英男、图布新、张敏、庆来、吴魁 7 人组成试点工作组[①]，参加和指导了苏尼特右旗的试点工作。苏尼特右旗旗长朝克巴达拉胡和旗委宣传部长明干也参加了试点工作组的领导工作。

昭乌达盟翁牛特旗的乌兰牧骑试点工作，从 5 月 28 日开始至 6 月 15 日结束。从时间上看，是全区第一个试点队。但是，该旗人民委员会在试点工作之后的 6 月 25 日，才正式批准建队。而苏尼特右旗的乌兰牧骑则是从 6 月 17 日以试点的形式正式开始工作的，并且作为自治区文化局的试点队，直接受自治区的领导。所以，苏尼特右旗的乌兰牧骑被正式确认为全区第一支乌兰牧骑队。

苏尼特右旗的乌兰牧骑试点队经过精心挑选，从旗属各单位抽调了 12 位有专业特长的同志为第一批队员，他们是：乌力吉陶克套（原文化馆长，出任队长）、伊兰（女，团委干部）、乌云毕力格（文教科干部）、阿拉塔图（文化馆干部）、乌尼格日勒（女，文教科干部）、额尔和木图（小学教师）、斯琴道尔吉（牧民）、额尔登达来（牧民）、娜仁托雅（女民歌手）、荷花（女，商业局干部）、车夫 2 人。

第一支乌兰牧骑的建队装备情况：胶轮车两辆（其中一辆是专门为试点工作组使用的），马 6 匹（其中 3 匹是专门为试点工作组配备的），幕布 2 块，煤气灯 3 盏，乐器 5 件（其中三弦、四胡、马头琴、笛子、手风琴各 1 把），服装 4 套，播音设备 1 套，留声机 1 台，收音机 1 台，帐篷两顶。第一支乌兰牧骑的队员们在试点工作组的协助下，经过一个时期的紧张排练，准备了为牧民演出的第一批节目，主要有小剧《两朵红花》《为了孩子》，器乐合奏《阿苏如》《八音》，好来宝《党的关怀》《宏伟的计划》《幸福路》，舞蹈《挤奶姑娘》，以及蒙语相声、民歌等，而且队员们还初步学习和掌握了化妆技术。组队期间，自治区文化局党组书记、第一副局长布赫同志曾亲自到苏尼特右旗调查乌兰牧骑试点工作进展情况，鼓励大家搞好试点工作。

1957 年 6 月 17 日，在苏尼特右旗文化馆内，试点工作领导小组为乌兰牧骑的正式诞生举行简朴而庄重的建队典礼：门前挂出了队旗，墙上张贴了

---

① 达·阿拉坦巴干、朱嘉庚主编：《乌兰牧骑赞》，内新图准字［2007］第 57 号，1997 年，第 7 页。

标语，在排练室的紫色幕布上悬挂着用蒙汉两种文字书写的《苏尼特右旗乌兰牧骑试点汇报演出》醒目会标，幕布正上方凌空飞腾的金色骏马图案使不大的会场显得既庄严、美观，又富有浓郁的民族特色。试点工作组和旗里的领导同志观看了乌兰牧骑的首场演出，并询问了图片展览、画报、图书等项服务工作的准备情况。旗委宣传部长明干在会上讲话。之后，在苏尼特草原的试点全面展开。①

乌兰牧骑的多能、多用特点，从一开始就充分地表现出来了。在各地的演出活动中，队员们都是身兼数职，有的既是报幕员又是歌手，有的既是舞蹈演员又是器乐演奏员。在演出前后，他们还要分别充当图片展览讲解员、售书员、业余文艺辅导员、民歌搜集员以及摄影员、播音员、理发员等等。

乌兰牧骑队员们的足迹遍及苏尼特草原。他们边走边演，把牧民喜爱而难得看到听到的歌舞送到村屯浩特和一个个放牧点，把各种服务活动送到家门口和蒙古包里。为了认真体现党和人民政府对千百年来贫穷落后的蒙古族同胞的精神关怀，队员们常常不辞辛劳，为一、两个正在放牧或卧病的牧民进行专场演出，使牧民深受感动。有时，天阴下雨或风沙弥漫，队员们照样化妆登场，一丝不苟，认真演好每一个节目，努力搞好每一项服务。

乌兰牧骑全心全意为牧民群众送歌献舞、热情服务的事迹，很快传遍了草原上的村村户户。每当乌兰牧骑的大胶轮车和鲜红的队旗出现在远方，牧民们便纷纷从蒙古包里跑出来，高兴地互相招呼着："玛奈乌兰牧骑依日勒!"（我们的乌兰牧骑来啦）孩子们更是乐得蹦蹦跳跳，庆贺着欢乐的到来。一次，一位名叫包特格日勒的蒙医为了护送一位患病的队员，艰难地跋涉两天沙漠路程，硬是坚持护送到一个新的演出点才放心地离去。为了感谢乌兰牧骑的热情演出和关心队员们的健康，牧民们总是端出家里最好的肉食、奶酒和各种奶食品招待队员们。为了关照队员们的旅途生活，牧民们还常常把各种奶食塞到队员们的衣兜或挎包里，使队员们十分感动，从而更加激发了他们全心全意为牧民群众服务的热情，坚定了队员们做好一名乌兰牧骑队员的信心和决心。

---

① 达·阿拉坦巴干、朱嘉庚主编：《乌兰牧骑赞》，内新图准字［2007］第57号，1997年，第9页。

第一支乌兰牧骑的试点演出和服务活动胜利地结束了。从6月17日至8月11日，历时54天，行程1 500余公里，演出30多场。每次演出都受到牧民群众的热烈欢迎。8月11日，圆满地完成了试点工作任务的乌兰牧骑队员们高高兴兴地回到旗政府所在地温都尔庙。在试点工作总结会议上，专程从呼和浩特赶来的自治区文化局社会文化处处长阿日鲧和文化局干部项再瑜热情地肯定了试点工作的成绩，会议通过了《苏尼特右旗乌兰牧骑试点工作总结》。会议一致认为：乌兰牧骑是适应牧区文化工作需要的一种新型的文化工作队，是一种好形式、好办法，试点是成功的。同年9月5日，自治区文化局召开了全区牧区文化工作会议，推广了苏尼特右旗乌兰牧骑试点工作的经验。接着，内蒙古自治区人民委员会又批发了《乌兰牧骑工作条例》。

（三）乌兰牧骑初创

苏尼特右旗和翁牛特旗试点证明，乌兰牧骑是适应自治区牧区，半农半牧区农牧民群众要求的。1957年9月，内蒙古自治区人民委员会批准了《乌兰牧骑工作试行条例》①，内蒙古自治区文化局随即召开全区牧区文化工作会议，决定在全区牧区和半农半牧区推广乌兰牧骑试点经验，扶持、发展这一新生事物。1958年1月，内蒙古自治区人民委员会正式批准下发了内蒙古文化局《关于在牧区和半农半牧区建立乌兰牧骑的报告》，乌兰牧骑这一红色文化工作队便在牧区和半农半牧区普遍建立起来，以后逐步推广到自治区各旗县。

内蒙古自治区人民委员会于1957年9月批转的《乌兰牧骑工作试行条例》，明确规定了乌兰牧骑的性质、方针、任务。明确规定乌兰牧骑是为开展牧区和半农半牧区群众文化工作，满足农牧民群众的文化需要而设立的综合性的基层文化事业机构。明确规定乌兰牧骑的四项任务：一、通过各种文化艺术活动，向广大人民群众宣传马克思列宁主义、毛泽东思想，进行共产主义教育；二、普及与工农牧林业生产和群众生活有关的科学技术知识和卫生常识；三、辅导群众业余文化艺术活动；四、编创、翻译演唱材料和宣传

---

① 达·阿拉坦巴干、朱嘉庚主编：《乌兰牧骑赞》，内新图准字［2007］第57号，1997年，第12页。

材料，搜集整理当地民族民间艺术遗产。规范了乌兰牧骑深入基层的服务方向、队伍精干的组织形式、小型多样的活动方法、轻便灵活的装备设施和艰苦奋斗的建队精神。这些规定规范，都为乌兰牧骑的普遍建立和健康发展指明了方向，开辟了道路。

1959 年 10 月至 12 月，内蒙古自治区文化局在自治区首府呼和浩特市举办了全区第一期乌兰牧骑训练班。苏尼特右旗、翁牛特旗、正蓝旗、额济纳旗、镶黄旗、苏尼特左旗、东乌珠穆沁旗、西乌珠穆沁旗、阿巴嘎旗、阿拉善左旗、鄂托克旗、巴林右旗、莫力达瓦达斡尔族自治旗、正镶白旗、科尔沁右翼前旗等首批建立的 15 支乌兰牧骑 200 余名队员参加了这期训练班的学习。

乌兰牧骑从首创试点的两个队到首批建立的 15 个队，只用了两年多时间，成为内蒙古牧区和半农半牧区基层民族文化工作的生力军，受到了各级党委政府的关怀重视和农牧民群众的普遍欢迎。《内蒙古日报》1959 年 10 月 25 日刊登题为《牧民赞扬乌兰牧骑》的特写文章，第一次详细报道了苏尼特右旗乌兰牧骑全心全意为牧民服务的动人事迹。1960 年 6 月，鄂托克旗乌兰牧骑指导员热喜、苏尼特右旗乌兰牧骑女队员伊兰出席全国文教群英会，受到党和国家领导人毛泽东、刘少奇、周恩来、朱德、邓小平的亲切接见。周恩来总理同热喜进行了亲切交谈。同年 6 月 30 日，《戏剧报》第 12 期发表题为《草原上的一面红旗》的采访文章，高度赞扬鄂托克旗乌兰牧骑全心全意为农牧民服务的先进事迹。乌兰牧骑这一新生事物开始得到社会上和区内外的广泛关注与好评。

（四）全国巡回演出前后

1963 年初，各级党委和文化行政部门，根据内蒙古党委和内蒙古人委提出的“发展乌兰牧骑和提高乌兰牧骑”的指示精神，加强了对各地乌兰牧骑的领导和训练，许多旗县还新建立了乌兰牧骑。到 1963 年底，全自治区已有 30 个旗县建立了乌兰牧骑，并且按照乌兰牧骑工作条例的各项规定认真贯彻落实，长期坚持活跃在基层农牧区，同广大农牧民群众建立了血肉相连的紧密联系。乌兰牧骑队员大多来自农牧民子女，他们与农牧民亲如一家，打成一片，全心全意为农牧民服务。乌兰牧骑既是宣传队，又是革命文化的播种队，还是农牧民生产生活的服务队。它是在为农牧民服务、与农牧民结合的过程中成长起来的。长期扎根农牧区服务的实践，锻炼了乌兰牧骑队伍，提高了队员的思想觉悟，增添了队员的服务本领，逐步形成了全心全意服务农牧民的乌兰牧骑精神和文艺轻骑的乌兰牧骑特色，并在自治区内外产生了较大的影响。

1964 年 11 月至 12 月，全国举行少数民族群众业余文艺观摩演出大会，乌兰牧骑代表队随内蒙古群众业余文艺代表团前往北京，向全国少数民族群众业余文艺观摩演出大会做了汇报演出。中央领导同志看了演出以后，对乌兰牧骑给了很高的评价和极大的荣誉，称赞“乌兰牧骑是一面值得骄傲的文艺界红旗”。毛泽东主席、周恩来总理及中央领导同志多次接见乌兰牧骑，《人民日报》连续发表 7 篇评论文章赞扬和宣传乌兰牧骑。为了向全国推广乌兰牧骑经验，根据周恩来总理的提议，1965 年初，文化部决定选调内蒙古乌兰牧骑 3 支代表队到全国巡回演出。文化部赋予这 3 支乌兰牧骑演出队的任务是：一、向各地文艺工作者传播经验；二、通过演出向群众进行革命的宣传教育；三、通过参观、访问、观摩，乌兰牧骑队员也要向全国学习，要受到教育。在内蒙古自治区党委政府的高度重视和领导关怀下，由内蒙古自治区文化局组织带领的 3 支乌兰牧骑全国巡回演出队，自 1965 年 5 月到 1966 年 1 月，历时 7 个半月，行程 10 万多里，演出 600 场，观众近百万人次①，圆满完成了全国巡回演出任务。乌兰牧骑的足迹遍布了 27 个省、市、自治区，除在省城演出外，还深入工厂、农村、牧区、部队和井冈山、延安等老革命根据地，为各族人民送歌献舞，热情服务。这不仅在乌兰牧骑的历史上是空前的，在国内文艺团体中也是少见的。周恩来总理说：这是毛泽东时代的幸运，也是乌兰牧骑努力的结果。

在全国巡回演出期间，各中央局、各省市自治区党政领导同志以及有关部门高度重视，各地群众与文艺工作者十分赞赏乌兰牧骑的宝贵经验和示范演出。各级领导都在百忙中抽暇观看演出，接见队员，进行亲切的谈话。中南局第一书记陶铸说：“我看到你们的演出，觉得你们的干劲很充沛，在舞台上像一团火，充满新鲜空气，民族风格很浓，你们的方向走对了”。西北局第一书记刘澜涛说：“乌兰牧骑的革命精神充满了台上台下，无愧为各族人民欢迎的草原轻骑队。”井冈山老革命根据地的群众，在乌兰牧骑离开的

① 达·阿拉坦巴干、朱嘉庚主编：《乌兰牧骑赞》，内新图准字［2007］第 57 号，1997 年第 16 页。

时候，特意从山上红军打过仗的地方砍来两根翠竹，要乌兰牧骑用这竹子做旗杆，高举红旗永远向前。

乌兰牧骑 3 支全国巡回演出队回到北京后，周恩来、朱德、邓小平等党和国家领导同志接见了 3 支演出队的全体同志，周恩来总理和陈毅副总理还在中南海请全体队员吃饭。敬爱的周总理语重心长地教导乌兰牧骑队员："不要进了城市，忘了农村，要不忘过去，不忘农村，不忘你们的牧场。望你们保持不朽的乌兰牧骑称号，把革命的音乐舞蹈传遍到全国土地上，去鼓舞人民。""文艺要革命化、民族化、大众化。你们这是万里长征的第一步，你们还要提高。""你们作风朴素，要保持这个作风。所以今天吃饭，我注意了，就是吃大锅饭。"周总理和乌兰牧骑队员一道吃窝窝头，多次看小型演出和队员联欢，指挥大家合唱《北京的金山上》和《草原儿女爱延安》，指示拍摄《乌兰牧骑之歌》大型彩色艺术纪录片，为乌兰牧骑事业的发展规划了辉煌的前景，在全国文艺界掀起了学习乌兰牧骑的热潮。

1966 年 1 月，乌兰牧骑 3 支演出队回到内蒙古自治区时，内蒙古党委第一书记、自治区主席乌兰夫以及党政领导听取了全国巡回演出情况汇报，指示要认真贯彻落实中央领导对乌兰牧骑的讲话精神，进一步加强乌兰牧骑的建设和发展，号召内蒙古各行各业学习乌兰牧骑，全心全意为各族人民服务，并且委派 3 支全国巡回演出队到各盟市进行汇报演出与巡回宣讲，向全区各族人民汇报全国巡回演出的盛况和收获，激发乌兰牧骑和各族干部群众热爱祖国、建设边疆的革命热情与奋斗精神。1966 年 3 月，内蒙古党委批准组建 3 个直属乌兰牧骑，以便总结经验，加强对全自治区乌兰牧骑工作的指导和帮助。①

"文化大革命"开始后，一些旗县的乌兰牧骑被解散或被改名，有些地方不给工资不给经费，许多乌兰牧骑队员遭批斗被迫改行。但是，仍有不少乌兰牧骑坚持在农牧区活动，在艰难困苦中继续坚持为农牧民群众服务。

（五）改革开放以来

改革开放以来，乌兰牧骑事业得到了迅速的恢复和发展。各地乌兰牧骑

---

① 达·阿拉坦巴干、朱嘉庚主编：《乌兰牧骑赞》，内新图准字［2007］第 57 号，1997 年，第 19—20 页。

继承发扬乌兰牧骑光荣传统，适应新形势的要求，改革管理体制，拓展服务内容，提高艺术水平，开辟演出市场，加强思想政治工作，取得了令人瞩目的新成就。

1980 年至 1997 年，文化部、国家民委先后举办了全国乌兰牧骑式团队文艺会演和全国乌兰牧骑式团队表彰会，并选派内蒙古鄂托克旗乌兰牧骑、莫力达瓦达斡尔族自治旗乌兰牧骑赴四川省和西藏自治区示范演出，再次宣传推广乌兰牧骑全心全意为农牧民服务的经验和做法。

内蒙古自治区人民政府于 1985 年 8 月正式颁布了《内蒙古自治区乌兰牧骑工作条例》，对乌兰牧骑的性质、方针、任务、体制、队员、经费等再次做出明确规定，这是我国少数民族地区文艺方面第一个立法文件，从立法高度大力推进了乌兰牧骑事业的发展。

1986 年，内蒙古自治区党委领导强调指出，在新的历史时期，乌兰牧骑必须发展，必须加强自身建设，不断满足广大农牧民在文化生活方面日益增长的新需求。自治区党委宣传部、自治区文化厅联合组织各级宣传文化部门，对全自治区乌兰牧骑进行普遍深入的调查研究，决定选择苏尼特右旗、鄂托克旗、巴林右旗 3 个有代表性的乌兰牧骑进行加强乌兰牧骑自身建设的试点工作，以探索乌兰牧骑在新时期的改革发展之路。试点工作从 1986 年 10 月开始至 1988 年 6 月结束，并于 1988 年 7 月召开了加强乌兰牧骑自身建设试点工作总结会议，对历时一年零八个月的试点工作进行了全面总结，向全自治区各地进行推广，极大地推动了乌兰牧骑事业的改革发展。

随后，还相应建立了乌兰牧骑建设的长效机制，全面落实《乌兰牧骑工作条例》，建立乌兰牧骑培训中心，成立乌兰牧骑辅导团，设立乌兰牧骑艺术节，建立乌兰牧骑学会，创办乌兰牧骑刊物，实施乌兰牧骑建设评估制度和表彰奖励制度，引导各地乌兰牧骑不断适应农村牧区经济建设和精神文明建设的新形势与新要求。

随着改革开放的不断深入，乌兰牧骑在坚持服务方向、队伍建设、经营管理、演出方式、活动方法等诸多方面开始了新的探索：①

---

① 达·阿拉坦巴干、朱嘉庚主编：《乌兰牧骑赞》，内新图准字［2007］第 57 号，1997 年，第 24—28 页。

1. 集中演出，分散服务

20 世纪 80 年代中期，赤峰市翁牛特旗乌兰牧骑根据农村牧区实行家庭承包制后的新情况，采取集中演出、分散服务的活动方式，即在演出之余，队员们分散深入各家各户，“进哪家门，是哪家人，干哪家活”，既解决了演出接待的难题，也找到了服务的最佳形式，因而深受广大农牧民的欢迎。鄂托克旗乌兰牧骑在新的条件下探索出了“牧忙分散，牧闲集中”的新的活动方式：即在牧业生产繁忙、牧民难以集中的季节，把全队划分为几个小分队，走家串户进行小型分散活动；牧闲季节，全队集中，开上“大篷车”，带齐服装道具，进行赶点演出。这种集中演出，也采取定时定点的办法，即根据牧民分布情况确定合理的演出点并固定下来，演出时间也预先确定，使乌兰牧骑和农牧民事先都有准备。这种有规律的演出，还常常和草原流动文化车的电影放映等活动同时进行，形成农牧民自己固定的“文化日”。

农村牧区每年一度或半年一度的物资文化交流大会和那达慕大会，是乌兰牧骑进行有偿演出的黄金时节。每逢这些盛大节日，丰收后的农牧民常常一连几天，甚至十几天聚集在活动中心，不仅要做足买卖，而且要看足戏。乌兰牧骑在这类活动中抓住机遇大显身手，把它作为投身市场竞争的练兵场，并努力把它培育成农村牧区的文化消费市场。农牧区的其他节假日和民俗活动，也都是乌兰牧骑“搭台唱戏”的用武之地。另外，一些乌兰牧骑还开始尝试在人口较为集中的乡（苏木）镇拉起布围子，进行售票演出。这一举动得到了已涉足商海的广大农牧民的充分理解，这种有偿演出的收入，成为一些乌兰牧骑更新演出设备、维修交通工具、提高演员待遇所需经费的主要来源。但是根据大多数牧区和部分偏远农村目前尚无法形成文化消费规模的实际，各地乌兰牧骑自觉抵制拜金主义的侵蚀，决不因此而减少在大多数农村牧区的无偿演出次数和降低演出质量。

2. 参与共建，宣传辅导

随着党的工作重心的转移，乌兰牧骑从事基层宣传的领域大为拓宽，由过去的单纯政治内容拓展到经济、政治、社会、科技、文化等各个方面，在系统地、连续地宣传党的基本路线和在农村牧区的各项方针政策的同时，承担普及法律知识、科技知识、计划生育、交通安全、草原防火等多方面宣传的任务。在宣传手段和方式上，也由过去的口头解说为主、辅以幻灯、图片的形式，发展为利用录音、录像宣传为主，同时更多地注意将这些宣传内容融入所演的文艺节目中去，使宣传与演出相得益彰。

随着农村牧区四级群众文化网络的逐步健全，乌兰牧骑对基层进行文艺辅导的内容也有很大发展。他们一方面继续做好农牧民业余文艺演出队的业务辅导工作，一方面根据农牧民文化素质不断提高、参与意识日益增强的实际，把组织以自娱自乐型为主的群众文化活动作为文化辅导的重要内容，每到一地，在为农牧民演出之余，或与农牧民举行联欢，或举办草原卡拉 OK 娱乐活动，为加强基层文化站室建设、推动群众文化活动作出了积极的贡献。

农村牧区社会主义市场经济的发展，使乌兰牧骑为农牧民提供生产生活服务的内容和方式也发生了重要的变化。在继续帮助那些劳动力缺乏或遇到特殊困难的农牧户从事剪羊毛、打畜草、修水库等生产活动，为一些农牧民提供照相、家电维修、代寄邮件等服务的同时，逐步把重点转移到为农牧民提供经济信息、科技情报和致富门路方面来，为农村牧区社会化服务体系的建立和社会主义市场经济的发展，尽自己的一份力量。

3. 围绕经济，开拓市场

20 世纪 90 年代初，为了适应社会主义市场经济的发展，各地乌兰牧骑注意强化了为经济建设服务的活动内容。他们积极开拓新的活动领域，利用自身优势，主动参与改革开放和现代化建设的实践。有些乌兰牧骑积极投身到地方政府组织的经济活动中去，通过演出为地区和有关经济部门及企业的经济交往牵线搭桥。阿拉善左旗乌兰牧骑 1992 年到宁夏、甘肃等临近省区的 46 个火车站点进行慰问演出 50 余场，沟通了本地区与铁路部门的联系，为加快本地区铁路运输、促进物资流通起了积极的推动作用。鄂温克旗、新巴尔虎右旗等乌兰牧骑充分利用身处边境或旅游胜地的地理优势，与当地有关经济部门联姻，在旅游景点提供演出服务，为边境贸易提供接待演出，还随商务团体外出，进行商务公关演出，在发展边贸，招商引资，扩大开放中起了重要作用，同时也增加了乌兰牧骑的经济收入。还有的乌兰牧骑直接投入文化市场，参与竞争，翁牛特旗、鄂托克旗、鄂托克前旗、乌审旗、伊金霍洛旗等地的乌兰牧骑，积极开拓区外演出市场，近年来多次到北京、上海、广州、西安、深圳等地进行风情表演和民族歌舞演出。自治区直属乌兰牧骑继打开香港演出市场后，1993 年首次到台湾进行商业性演出，创造了大陆文艺团体在台湾演出场次最多、观众最多、时间最长、经济收入最高的纪录。

4. 改革体制，加强管理

各地乌兰牧骑在不断改进演出、宣传、辅导、服务的内容和方式的同时，还不同程度地进行了管理体制方面的改革，以求建立更加适应社会主义市场经济发展和精神文明建设的要求、并符合民族地区文化发展规律的乌兰牧骑体制。各地乌兰牧骑普遍实行了队长负责制、全员聘任制和以演出、宣传、辅导、服务为主要内容的目标管理责任制，并不同程度地进行了内部劳动、人事和分配三项制度的改革，有力地调动队员的积极性，解放艺术生产力，增强了乌兰牧骑对社会主义市场经济发展的适应能力。

乌兰牧骑从诞生、成长到逐渐发展、壮大，受到了党和政府的亲切关怀和扶持。到 2000 年底，内蒙古自治区有 46 支乌兰牧骑，分布在自治区各地。

乌兰牧骑平均全年为农牧民及参加各种类型演出 120 场，全国有 1.7 亿观众看过乌兰牧骑的演出，其足迹遍及全国 29 个省、市、自治区及台湾、香港地区，曾出访亚洲、欧洲、非洲、美洲等 20 多个国家。①

40 多年来，乌兰牧骑创作出大量优秀的艺术作品，在国际国内各项比赛和会演中获得数百项奖励，培养出一批享有较高声誉的表演艺术家，为内蒙古自治区的艺术事业作出了重大而独特的贡献。

八、艺术创作中心

（一）内蒙古自治区艺术创作中心

内蒙古自治区艺术创作中心成立于 1993 年 7 月，机构原设在内蒙古自治区艺术研究所，人员从内蒙古艺术研究所和厅直属单位抽调、聘任。1997 年 6 月，经内蒙古自治区机构编制委员会批准，单独设立内蒙古自治区艺术创作中心，正处级全额事业单位，核定编制 7 人（正高级专业技术职务岗位 1 个，副高级 2 个，中级 4 个）②。其主要职能是：研究制定艺术创作、重点

① 达·阿拉坦巴干、朱嘉庚主编：《乌兰牧骑赞》，内新图准字［2007］第 57 号，1997 年，第 59—60 页。

② 内蒙古文化厅：《内蒙古自治区志·文化志》初审稿，2007 年版，第 824—825 页。

剧、节目创作规划；组织召开全区艺术创作会议、重点剧、节目研讨论证会；指导、扶持乌兰牧骑艺术创作；筛选、推荐优秀作品参加比赛、评奖；立项、策划、编创各种纪念、庆典大型文艺晚会；深入基层，体验生活艺术采风；开展文艺理论研究，挖掘、弘扬民族民间文化艺术；举办舞台艺术编创培训班，培养编创人才；建立完善全区舞台艺术人才库。

中心成立以来，开展了许多重要业务活动，如：制订《1998—2000 年全区“五个一工程”重点剧节目规划》；制订《1998—2000 年内蒙古自治区艺术创作规划》；《1998—2000 年区直艺术表演团体重点剧节目创作规划》；《1998—2000 年区直艺术表演团体全区“五个一”重点剧节目创作规划》；2000 年，制定《内蒙古自治区“十五”期间重点剧节目创作规划》等，经有关部门批准后实施；论证《满都海斯琴》《忠烈碑》《舍楞将军》《在那座丰碑下》《老油坊》《转龙湾》《鄂尔多斯情愫》《草原母亲》《额吉恩日勒》和好来宝《团结奋进的内蒙古》等重点剧（节）目；组织、筹办第四届全区乌兰牧骑建设理论研讨会；筹备并举办内蒙古自治区第四届蒙古剧理论研讨会；参与 2000 年全区优秀剧节目展演的策划、评奖等。

（二）盟（市）艺术创作中心

包头市艺术创作中心

包头市艺术创作中心 1979 年初成立，当时称包头市文化局戏剧创作评论室，是包头市文化局主管戏剧创作评论的一个职能科室，负责组织、管理全市戏剧创作与评论，同时从事剧本创作，创办了戏剧刊物《剧稿》。该机构成立以来，举办了 7 次大型的戏剧作品讨论会（其中包括两次跨地区研讨会），共讨论剧本 200 余部，交流论文 20 余篇。组织作者深入生活，发现创作素材；组织剧作家外出学习，开阔视野。评选佳作，奖励专业与业余创作作者等。经过 20 多年的不懈努力，包头市艺术创作水平有了很大提高，推出了一批在自治区内外颇有影响的力作。1999 年底，包头市艺术创作中心在机构改革中并入包头市艺术研究所。①

此外，呼和浩特、赤峰、伊克昭、哲里木等各个盟市均有艺术创作评论机构，有创研室、创评室和创作中心等多种称谓，有的与当地的艺术研究所

① 戴柄林主编：《包头市文化志》，内蒙古人民出版社 2001 年版，第 193—196 页。

合署，有的独立存在，均为当地文化主管部门组织艺术创作、评论与研究的机构。部分旗县也有类似的机构。

第三节　群众文化

一、发展历程

中华人民共和国成立后，发展群众文化，提高广大人民群众的文化素质成为新中国建设的重要任务。根据国家的统一部署与要求，自治区党和政府制订了一系列方针、政策，发展群众文化事业，培养基层文化工作者，并投入专项经费兴建文化设施，本着“业余、自愿、小型、多样”的活动原则，广泛开展群众文化活动，通过活跃群众文化生活，起到教育人民、团结人民的作用。与此同时，民族民间艺术遗产的发掘、整理工作也被列入群众文化的范畴。

从20世纪50年代初开始，内蒙古地区的群众文化配合减租反霸、土地改革、抗美援朝、三反运动和国家的基本建设等开展工作，取得了突出的成绩。如1954年，呼和浩特市文化馆组织展览会364次，深入基层宣传109次，各种讲座70次。建立黑板报286块，图书站、读书（报）组137个，广播站2个。放映电影、幻灯片361次，绘制连环画幻灯片72套。组织辅导业余剧团、演出队32个，演出139场。改组三和茶园，合并剧院、安置人员。创编新剧5出，排演新剧63出。次年组织联欢会、展览会14次。深入基层慰问演出38场，建立工人俱乐部、业余剧团、图书室、美术组12个，并建立大召文化站、大西街儿童俱乐部等基层群众文化设施。这是内蒙古群众文化的奠基时期、顺利发展时期。①

20世纪50年代中期以后，自治区的群众文化事业在党的“百花齐放、百家争鸣”的方针指引下得到进一步发展。1959年内蒙古掀起“征集和创作百万民歌”的热潮，举办了各种形式的赛诗、赛歌活动。期间办起了

① 内蒙古群众艺术馆编：《内蒙古自治区群众艺术馆·文化馆志》，内蒙古人民出版社2001年版，第19—20页。

10 000 多个农村俱乐部、7 000 多个业余剧团、社队，还创办了数以千计的人民公社文化馆、文化站、图书馆、图书室、书店、文艺创作组等。1959 年，自治区文化主管部门组织“百万民歌进京展演”活动，内蒙古著名歌唱家哈扎布、宝音德力格尔和著名民间艺术家毛依罕等人参加展演。被誉为“民间艺人的旗帜”的毛依罕出席了全国群英会，受到毛泽东主席和周恩来总理等党和国家领导人的亲切接见，成绩斐然。

但由于受到“大跃进”和浮夸风的影响，在一些地方兴办的群众文化机构具有一定的盲目性，进而难以巩固和发展。从 20 世纪 60 年代初开始，全自治区贯彻执行调整国民经济的“八字”方针，群众文化事业逐步进入健康发展轨道，基层群众文化得到活跃。如 1960 年 8 月，内蒙古文化局在哲里木盟库伦旗召开全自治区普及安代舞现场会。为了确保会议成功，来自自治区、哲里木盟和库伦旗的群众文化工作者精心筹备与组织，工作达数月之久。现场会结束后，他们又深入基层搜集整理有关安代的音乐与舞蹈资料，还在呼伦贝尔盟、哲里木盟、昭乌达盟等盟市及呼和浩特地区开展推广活动。

1966 年，“文化大革命”开始，各地的文化馆处于瘫痪状态。大量录音资料、翻译文稿和民歌原始记录稿，图书、档案资料被焚毁，录音机、照相机等设备和乐器流失，造成的损失难以弥补。

20 世纪 70 年代末以来，自治区的群众文化事业逐步复苏。各地的群艺馆、文化馆、文化站的活动陆续步入正轨，群众文化工作队伍也得以充实，各种群众文化活动得以展开。

中国共产党十一届三中全会后，自治区的群众文化事业进入了繁荣发展的大好时期。中共中央在《关于关心人民群众文化生活的指示》和《关于城市、厂矿群众文化工作的几点意见》中把群众文化生活的改善提到与物质生活的改善同等重要的位置上，并明确要求要加强少数民族地区文化建设。自治区文化主管部门按照中央精神，积极贯彻“加强领导，积极发展，因地制宜，量力而行，讲求实效，稳步前进”的方针，恢复和发展国办文化馆事业，取得了一定的成效。在改革开放的大潮中，积极探索群众文化事业发展的新路子。这一时期大力兴办文化站、文化中心，在管理体制上逐步形成了以国办为主，国家、集体、个人一起上的局面；群众文化事业单位管理方式发生了转变，许多文化事业单位强化科学管理，引入竞争机制和目标管理，在内部管理上向现代管理迈进。

社会主义市场经济的建立和发展，给内蒙古群众文化事业带来了新的机遇和挑战。进入20世纪90年代，自治区决定实施“彩虹文化年计划”和“边境文化长廊建设规划”，以此为契机，推动新时期群众文化的发展。与此同时，一些制约群众文化发展的重点、难点问题得以解决。群众文化在设施设备的配置与更新、队伍建设、活动场所的开辟，开展活动的经常化等方面都取得了很好的进展；农村、牧区的群众文化工作也出现了新的局面。到20世纪90年代末，林西县、突泉县、鄂托克旗、呼和浩特市郊区、奈曼旗、包头市昆都仑区、乌审旗、赤峰市松山区等先后跨入全国文化先进县行列，锡林郭勒盟、呼伦贝尔盟等地跨入全国边境文化长廊建设先进地区行列。

二、网络构建

（一）群众文化管理机构的建立

中华人民共和国成立前，内蒙古地区仅有一些简陋的民乐社、民教馆、易俗社、流浪剧团等。新中国成立后，自治区人民政府设立文化教育部，下设群众文化事业管理机构——文化处。

1954年原绥远省划归内蒙古自治区，自治区人民政府设立了文化事业管理局，统一领导自治区文化事业。作为国家机构的组成部分，群众文化行政管理机构，根据党和政府对群众文化工作，特别是对民族群众文化事业提出的方针政策和原则，按照自治区经济、社会发展的总体规划，制订了全区群众文化事业发展的长远规划和工作计划，领导全区各族人民努力实现群众文化事业的大发展。

50年来，虽然在不同的历史时期，群众文化行政管理机构有分有合，但总的来看机构的建立较早较健全，充分体现了党和政府对群众文化事业的关怀和重视。现在自治区文化厅设有社会文化处，盟市文化行政部门设有文化科，旗县文化行政部门设有专门机构或人员，乡镇苏木文化站，行使群众文化管理职能。一个自上而下完整的群众文化行政机构的建立，保证了党和政府文化工作方针政策的贯彻落实，成为群众文化事业健康发展的重要组织保证。

（二）国办群众文化机构的建立

自治区成立之后特别是新中国成立后，自治区党委、政府在百废待兴的情况下立即着手兴建群众文化活动基地——文化馆，按照国家统一部署开展丰富多彩的宣传文化活动。1956 年 2 月，文化部、共青团中央联合下发《关于配合农村合作化运动高潮，开展农村文化工作的指示》。1956 年 8 月，文化部颁发《关于群众艺术馆的任务和工作的通知》,① 对群众艺术馆的性质、任务、工作方法以及编制、经费等作出了明确规定，指出：群众艺术馆是各省、自治区、直辖市文化局所属的事业机构，专门负责从业务上研究和指导群众业余艺术活动。“通知”规定，国办群众文化机构的工作任务是：搜集、整理民间艺术遗产和辅导群众业余艺术创作，以发扬民族的民间的艺术优秀传统，充分发挥群众的艺术创造才能；编辑并推荐适合群众业余艺术活动需要的演唱和业务学习材料；协助文化艺术干部学校，或采取举办讲座等方式，有计划地培养和提高文化馆（站）、文化宫（俱乐部）的艺术干部，以便通过他们来培养和提高群众业余艺术骨干；组织专业艺术工作者，有计划地对群众业余艺术组织进行业务辅导，以推动群众业余艺术活动的开展和提高。

之后，内蒙古进一步加强了国办群众文化机构的建设。各旗县普遍建立文化馆，并结合农村牧区合作化运动，广泛开展活动。据 1957 年的统计，全区建有文化馆 100 个，文化站 34 个②。为加强全自治区群众业余艺术活动的指导，编辑、推荐适合群众业余艺术活动需要的演唱材料和业务学习材料，1957 年 1 月，内蒙古自治区群艺馆成立，进行调研、创作的同时，创办了汉文刊物《鸿雁》和蒙文刊物《鸿嘎鲁》,发表群众文化作品，为基层演出提供材料。

从 1957 年到 1966 年间，群众文化事业的发展起伏较大，从统计数字看，文化馆的数量从 1957 年的 100 个降至 1962 年的 80 个，减少了 1/5。

---

① 梁泽楚编著：《群众文化史·当代部分》,新华出版社 1989 年版，第 37—38 页。

② 焦雪岱主编：《内蒙古文化五十年》,内新图准字［97］第（64）号，1997 年，第 33 页。

"文化大革命"期间，再遭重创。①

为了加快国办群众文化机构的建设，1979 年 8 月，内蒙古文化局在乌兰察布盟察哈尔右翼中旗召开内蒙古自治区文化馆、站经验交流现场会。内蒙古七盟三市文化局、文化（群艺）馆、站负责人，自治区宣传部门和新闻单位 170 多人参加了现场会。文化部民文司曾晓田、政研室的柏玉华到会指导。自治区文化局党组书记、局长云照光致开幕辞，自治区党委宣传部副部长郑广智、乌兰察布盟盟委书记张广前先后讲话，察哈尔右翼中旗旗委副书记云德禄介绍旗委领导文化馆工作的经验。代表们还到农村牧区、厂矿街道文化点现场参观。中共中央委员、中宣部副部长、文化部部长黄镇，专程到会并讲话。自治区党委常务书记王铎、自治区党委宣传部长潮洛蒙、乌兰察布盟盟委副书记范建国等领导同志参加闭幕式。会议命名察右中旗文化馆为全区第一个"先进文化馆"。这次会议为实现全区群众文化工作重点转移具有重要意义。1980 年，内蒙古群艺馆组织调研组，深入 8 个盟市、32 个旗县、35 个乡村调查研究，比较系统地掌握了全自治区群文工作的现状；举办群艺馆长培训班，文化馆长培训班，文化站骨干培训班；举办全自治区文化馆表、导、演培训班等。

上述措施有效地促进了国办群众文化机构的建立。据 1981 年的统计，全自治区有 13 个群众艺术馆（含内蒙古群艺馆），105 个文化馆、481 个文化站。从统计数字上看，基本实现了盟市有群艺馆，旗县有文化馆。尽管此时的基层文化馆、站的馆舍与设备较为简陋，有的甚至有馆无舍，但群众文化活动却开展得扎实有效：1978 年，包头市群众艺术馆组织辅导业余文艺积极分子演出的话剧《于无声处》，在全市引起强烈反响，其影响一直延续到 20 世纪 80 年代初；1980 年，由哲里木盟群众艺术馆选送的版画《新娘》（刘宝平作），在第六届全国美展中获铜牌奖；白雪林创作的短篇小说《蓝幽幽的峡谷》获 1984 年全国优秀短篇小说奖；金荣创编并参加表演的三人舞《安代传说》在 1986 年全国民族民间音乐舞蹈录像大奖赛中，获文化部颁发的创作三等奖，表演三等奖；1989 年，内蒙古锡林郭勒盟群众艺术馆组队赴湖南衡阳市参加"七省八市友好城市歌手邀请赛"，获一、二等奖各一项等等。

① 焦雪岱主编：《内蒙古文化五十年》，内新图准字［97］第 64 号，1997 年，第 33 页。

国办群众文化机构的普遍建立有力地保证了各地群众文化事业的发展。各地文化馆开展群众文化辅导，组织群众性文化艺术创作活动，主办各种大中小型演、展、讲、赛活动，搜集整理民族民间艺术遗产，积极传播新科学、新风尚等。1995 年，全自治区文化馆共举办各类展览 801 次，组织文艺活动 4 282 次，举办训练班 1 091 次。①

据 1998 年的统计，全自治区有 13 个盟市以上群艺馆（其中自治区群艺馆 1 个），102 个文化馆；全自治区群艺馆、文化馆全年组织群众文化活动 3 484 次，举办各类艺术培训班 544 次，举办展览 279 次；群艺馆、文化馆总收入 2 002. 6 万元，其中财政拨款 1 817. 6 万元，经营收入 27. 1 万元；总支出 1 976. 9 万元，其中业务费支出 163 万元。②

（三）基层文化站（室）的建设

20 世纪 80 年代后，随着全面改革开放的深入，随着城乡经济体制的发展和人民群众物质生活水平的提高，对文化生活的需求日益增长，单一国办文化体制已不能适应新形势的需要，非国办的文化站在全国部分地区开始出现，针对这一状况，1981 年 8 月，中共中央下发《关于关心人民群众文化生活的指示》，肯定了各地依靠集体经济力量试办农村文化中心（站）的经验，文化部相继召开了几次全国性会议，肯定并推广“群众文化社会办，国家、集体、个人一起上”的经验，群众文化事业出现新的格局。此后，自治区新的群众文化机制迅速推进，出现了一批非国办的文化站、文化中心，进一步推进了群众文化事业的发展。据 1987 年的统计，全自治区建有文化站 1 597 个，文化中心 107 个③，基本实现了乡有文化站的目标。科尔沁右翼前旗大坝沟乡文化中心站、通辽市木里图镇文化中心、包头市郊区全巴兔乡文化站、赤峰市敖汉旗新窝铺乡文化站等就是这一时期涌现出来的先进典型。其基本经验是：坚持阵地活动和社会活动相结合，重大节日和平时活动相结合，中心工作和文化活动相结合的原则，积极开展丰富多彩的群众文化活动，走向综合性办站的路子，以培养“有理想、有道德、有文化、

① 焦雪岱主编：《内蒙古文化五十年》，内新图准字［97］第 64 号，1997 年，第 34 页。
② 参见《内蒙古文化厅 1998 年总结》。
③ 焦雪岱主编：《内蒙古文化五十年》，内新图准字［97］第 64 号，1997 年，第 35 页。

有纪律”的社会主义公民。

各地还注重突出文化站的民族特点与地方特色。如呼伦贝尔盟地区的文化站发掘达斡尔、鄂温克、鄂伦春族民族民间舞蹈传统，并加以编辑整理，使之发展成为较大规模的集体性舞蹈，实现了跨地域传播，社会效益凸显；苏木乡镇文化站和嘎查村文化室，是集宣传教育、科技培训、文化娱乐、图书借阅、图片展览等多种功能为一体的综合性文化活动机构；文化站、文化室根据当地党委、政府的统一部署，开展经常的党团青妇教育、计划生育宣传和法律法规教育等活动，发挥着其他机构无法替代的作用。又如，乌兰察布盟化德县白音塔拉乡文化站20世纪80年代初创办阿淖山文学社，发展社员达200多名，先后有30多名青年作者的百余篇文学作品发表在《内蒙古日报》《草原》《小说选刊》等报纸杂志上，有的还在中央人民广播电台播出。他们在进行文学创作的同时，学习、研究农村科普知识，撰写了大量农业科普文章，陆续在山东《农家生活》《内蒙古科技报》等多种报刊上发表。文化站还组建农民书画社，培养美术、剪纸等民间艺术人才300多人，其作品先后在地区级以上报刊发表、展出的有2 296件，被自治区命名为民间剪纸艺术之乡。①

到20世纪90年代末，全自治区有文化站1 597个，文化站站舍总面积达20.8万平方米。②

（四）文化室、文化户的建立与发展

在国家文化政策的引导下，在各级文化行政部门的支持下，从20世纪80年代初期开始，村嘎查文化室陆续在农村牧区建立，以家庭为单位兴办的文化户不断涌现，推动群众文化事业向纵深发展，推动基层精神文明建设，进而促进农牧民文化素质的提高。

农村牧区文化室是群众文化网络的前沿，在方便群众、直接为群众服务的功能上有着其他文化事业单位不可替代的作用。近年来，在广阔的农村牧区以“一个阵地，多种功能，综合效益”为标准，集党建、民兵、妇女、青年、文化、科技活动为一体的村嘎查文化室得到了迅速发展，为农牧民提

① 焦雪岱主编：《内蒙古文化五十年》，内新图准字［97］第64号，1997年，第35页。

② 内蒙古文化厅社会文化处提供。

供多种有益的精神食粮。位于伊盟鄂托克旗额尔和图苏木巴音布拉嘎嘎查文化室建筑面积达900平方米，设有图书阅览室、娱乐活动室和电影放映组。图书阅览室藏书900多册，年订报刊15种（份），有十几种娱乐用品，年放映电影、录像数十场。当地群众将文化站称之为“牧民之家”。

为了加强对文化室的管理，各地相继制订、出台有关文化站建设与管理的标准，引导文化室、文化户向健康的方向发展。在政策扶持和专业人员的指导下，家庭文化户这一新生事物迅猛发展，仅数年间就遍布自治区各地。文化户逐渐成为当地精神文明建设的先导，农牧民脱贫致富的带头人：鄂托克前旗查干陶劳盖苏木巴彦乌素嘎查牧户王吉拉斯仁在当地文化部门的支持下自办文化户。他家中藏有文学、娱乐和农牧业生产等方面的书籍300多册，每年订阅报刊十几种。王吉拉斯仁以看书读报为乐，还经常为乡邻无偿传递和提供致富信息，每逢重大节日，还要组织举办各种活动，活跃牧民生活，对带动当地脱贫致富起到很好的作用。

随着农村牧区文化工作的深入，农牧民进一步加深对文化在奔小康进程中的意义与作用的认识，致富先治愚，治愚学文化逐渐成为自觉行为。现实对文化户的建设提出了新的要求。一种被牧民称之为“联户文化室”的非集体性质的家庭文化户新生事物，在伊克昭盟杭锦旗草原上应运而生。1994年，青年牧民额尔敦陶格涛提出了联户兴办文化室的设想，受到周围几户牧民的支持和响应，大家纷纷出钱、捐物出力，破土动工盖起了一座100平方米的文化室，并购进放像机、录音机、电子琴、台球、乐器等十几种文化活动用品，订报刊16种，图书1 240册。文化室除每月定期组织4次活动、每逢重大节日开展庆典活动外，紧紧围绕科技致富这一中心任务提供各种科技服务。1995年，该文化室引进塑料暖棚养羊技术，提高了羔羊的出栏率和大羊的保膘率。1996年引进、推广地膜覆盖种植玉米技术，使全嘎查玉米增产率达到30%。1997年，当地联户文化室由最初的5户发展到20户，成员110多人，资产已达2万余元。由于各方面的努力，截至1995年，自治区建立农村牧区村嘎查文化室6 108个，家庭文化户3 542户。到20世纪90年代末，自治区有嘎查村文化室12 813个，文化室总面积达386 400万平方米。①

① 内蒙古文化厅社会文化处提供。

到2000年，一个以旗县文化馆为龙头、乡镇苏木文化站为枢纽、村嘎查文化室为前沿、农牧民文化户为补充的群众文化网络在内蒙古各盟市基本形成。四级群众文化网络在自治区社会与经济发展中所发挥的作用日益突出，建设标准也在逐步提高。

自治区文化主管部门根据牧区地广人稀的特点，因地制宜地创造出新的群众文化活动平台——文化车。文化车被群众称为“流动文化站”，深受欢迎。1987年10月，文化部在内蒙古伊克昭盟召开全国文化车鉴定会[①]。此后，文化车在包头、巴彦淖尔、呼伦贝尔及自治区各盟市陆续推广。流动文化站一般由旗县文化馆主办，以机动车辆作为载体，携带各种图书报刊、文化图片、影视放映设备、科普宣传材料等，开展图书借阅、图片展览、电影录像、幻灯放映等活动。由于各地经济条件、居住环境的差异，文化车有不同类型。如特制型小四轮拖拉机文化车、拖斗或小四轮拖拉机文化车、NM140W型文化车、汽车式文化车、畜力式文化车等。

文化车在文化服务的实践中逐渐形成了“文化日”这一具有牧区特色的文化活动形式。通过定时、定点、定线、定活动内容等方式，使分散的牧民过上了“文化日”。每到“文化日”，牧民们身着节日服装，扶老携幼从几十里外赶来参加活动，形同盛大节日。农牧民称文化车工作人员是：宣传党的政策的宣传员、放映电影录像的放映员、义务理发的理发员、为生活带来方便的售货员、运送物品的运输员、传播致富门路的信息员、修理钟表电器的修理员、送递报刊信件的邮递员、进行社会主义教育的教育员、组织家庭文娱活动的协助员。

（五）群众文化队伍的培养

20世纪90年代以来，随着经济体制改革的深入，群众文化队伍受到了很大冲击，人员流失，特别是尖子人才流失现象严重。同时基层文化站的工作人员转干问题迟迟得不到解决，直接影响工作。为此，1991年和1993年自治区先后解决了550名和260名农村牧区文化站工作人员的转干问题。1995年自治区编办和文化厅联合下发了《关于全区乡苏木镇文化站机构编

① 参见内蒙古群众艺术馆编：《内蒙古自治区群众艺术馆·文化馆志》，内蒙古人民出版社2001年版，第343页。

制和人员配备等问题的通知》,对乡苏木镇文化站的性质、任务作出了明确的规定；在稳定队伍、控制人员流失等方面起到了重要作用。

各地尽可能解决基层文化工作者生活工作中的实际问题，解除其后顾之忧。如赤峰林西县通过县政府与各乡镇签订责任状解决了 19 个乡镇文化站人员工资福利待遇；将尚未转干的基层群众文化工作者的工资从每月 120 元—150 元提高到 240 元—260 元。各盟市、旗县采取各种切实可行的措施，努力提高文化工作者政治思想素质和业务水平。如包头市委托包头师专专门开设群众文化专业班；赤峰市通过专业技术人员继续教育开展培训；有些旗县文化部门采取“以会代训”或“会训合一”的形式加强了培训提高工作。各地普遍制定了基层文化干部培训提高的“九五”规划和年度计划。

三、活动的开展

（一）发掘民间文化，突出民族特点

内蒙古地区的民族民间文化资源丰厚，活动富有特色。蒙古族和三少民族的音乐、舞蹈、曲艺文化丰富多彩，各地的民俗文化异彩纷呈。

中华人民共和国成立后，复兴民族文化、保护民族文化遗产成为群众文化工作的一项重要内容。各地文化馆协助政府文化主管部门对流散在民间的艺术进行调查走访，帮助民间艺人解决生活和从艺活动中存在的困难，鼓励其参加新中国的建设。一些著名的蒙古族民间艺人如色拉西、琶杰、毛依罕、哈扎布等进入了内蒙古的专业艺术表演团体，成为享誉国内外的艺术家；百乙拉、额尔敦朱日合、蒙根高力套、叁布拉诺日布等则仍活跃在内蒙古草原上，他们演唱（说唱）的蒙古族长调民歌、陶力（史诗）、乌力格尔、好来宝和祝赞词等为无数牧民带来欢笑与快乐。

二人台和东路二人台广泛流传于内蒙古中西部的农区和半农半牧区。新中国成立后，在各地群艺馆、文化馆和文化站的支持与扶持下，民间二人台与东路二人台活动开展得红红火火。在包头市土默特右旗，群众自办的二人台业余班社、业余演出队、业余剧团 50 年间历经数代，层出不穷。每逢喜庆节日、家庭聚会、友朋相聚、红白事宴等等均有二人台演出或演唱。

漫瀚调是蒙汉族群众十分喜爱的歌种，在鄂尔多斯等地，每有群众文化活动，总能听到悠扬动听的漫瀚调。

在内蒙古东部的达斡尔、鄂温克、鄂伦春三少民族聚居区，传统音乐、舞蹈和说唱得以继承、弘扬，成为当地群众开展文化活动必不可少的内容。三少民族的民间故事、刺绣、剪纸、桦树皮工艺品制作等也是群众业余文化生活的重要组成部分。为弘扬三少民族文化，促进民族团结和共同富裕，由自治区文化厅牵头，于1996年4月26日—5月2日在呼和浩特举办内蒙古首届达斡尔、鄂温克、鄂伦春三少民族业余文艺调演。来自莫力达瓦达斡尔族自治旗、鄂温克族自治旗、鄂伦春自治旗等地的62名演职人员参加了调演活动。调演共评出特别节目荣誉奖3个；节目一等奖3个；节目二等奖6个；节目三等奖9个，优秀创作奖8个；优秀组织工作奖4个；优秀辅导奖5名。之后，应国家民委、文化部邀请，于同年5月3日—8日赴北京汇报演出两场。演出受到有关部门领导和首都观众的赞誉。①

此外，梆子戏、秧歌和社火、彩塑、剪纸、刺绣、骨雕、布贴、堆积、印刻、盘雕、绒粘、面人、面具、寒食、丝缠、舞龙舞狮、高跷、抬阁、脑阁、转阁、秋千、旱船、龙灯、跑驴、腰鼓、狮舞、花鼓等民间传统文化活动形式与大型彩车、焰火、体育文娱、灯展、知识竞赛、书画展览、时装表演等现代群众文化活动形式并存互动，使节日的群众文化生活更加丰富多彩，绚丽多姿。

在群众文化工作者和民间艺人的共同努力下，内蒙古民族民间文化的挖掘整理和保护工作取得了突出的成绩：1995年自治区文化厅命名呼市郊区毫沁营乡为民间剪纸艺术之乡、赤峰市巴林右旗为民族曲艺之乡、呼盟扎兰屯卧牛河镇为民间书画艺术之乡、兴安盟突泉县水泉乡为民间戏曲艺术之乡、兴安盟科右中旗为民族曲艺之乡、哲盟通辽市为少儿版画艺术之乡、哲盟库伦旗养畜牧苏木为“安代”艺术之乡、乌盟化德县白音塔拉乡为民间剪纸艺术之乡、伊盟准格尔旗为“漫翰调”艺术之乡。由自治区相关部门组织、选送的优秀群众文化节目参加全国性比赛或会演均获佳绩②。据1991—1996年统计，在全国性重大比赛，如“群星奖”比赛、全国农民歌

① 参见内蒙古群众艺术馆编：《内蒙古自治区群众艺术馆·文化馆志》中的三少民族自治旗文化馆，内蒙古人民出版社2001年版。

② 焦雪岱主编：《内蒙古文化五十年》，内新图准字［97］第64号，1997年，第42页。

手邀请赛、全国民间音乐舞蹈比赛和各类书法、绘画、摄影等比赛中，内蒙古共推荐300多个（件）节目（作品），获优秀奖以上奖项192个，荣获组织工作奖15次。①

（二）服务于经济建设，实现文化与经济互动

改革开放以来，群众文化面临新的形势与任务，融入当地社会发展，服务于当地的经济建设重要性日益显现。在各级政府的主导和支持下，群众文化工作者创造性工作，立足当地的文化资源，深入研究其特色和文化内涵，推出了一系列富有创意，并为人民群众普遍欢迎的新的群众文化活动形式，在城市和城镇，“文化夜市”、“农牧民文化节”、“消夏文化节”、“文化集市”等，这些活动融文体、经贸为一体，通过文企联姻、文经结合，为群众文化注入了新的活力，群众的参与意识普遍增强，被群众称为“艺术开花，经济结果”，效益良好。在草原上，蒙古族传统的祭敖包、那达慕，是草原上聚集吸引群众最多的、最欢腾热烈的节日。近年来随着农牧民物质文化生活水平的提高，那达慕的规格越来越大，成为集文化、科技、体育、贸易、旅游为一体的盛会。1991年呼盟那达慕期间，除传统的体育项目外，专业、业余文艺团体同台演出，还开展民族风俗展、民间艺术品展等向国内外宾客充分展示草原风情的展览活动，鲜明地体现了文化工作以经济建设为中心，紧紧围绕改革开放和试验区建设服务的时代精神。

与科技普及、科技服务相结合是新时期为农村牧区基层文化活动注入的新内容。基层文化工作者就是这一内容的积极实践者：巴彦淖尔盟杭锦后旗南小召乡文化站自办科技小报，无偿发给农民，传递科技致富信息，使该乡成为自治区“吨粮生产基地”，农业总产值中的科技含量达到62.5%；赤峰市松山区老府镇文化站，每年都要集中举办4次以上科技培训班，每周末为群众播放一次科技录像片，每月编印一期《文化信息》和《科技简报》发到农民手中，并为群众致富牵线搭桥；临河市份子地乡红旗村文化室在全乡率先推广蜜瓜种植新技术，使该村人均收入大幅攀升等等。

乡镇苏木文化站成为集政治思想宣传、传播科学文化、进行法制教育等为一体的综合型文化活动基地，全方位满足了广大农牧民“求知、求美、

① 焦雪岱主编：《内蒙古文化五十年》，内新图准字［2007］第57号，1997年，第42页。

求乐、求富”的需求，充分体现了文化的先导作用，使文化站富有旺盛的生命力。农牧民说：“党的富民政策解决了我们想富不敢富的问题，文化站解决了我们想富不会富的难题。”

1998 年 3 月底，为期近 4 个月的“百团千场基层演出活动”落下帷幕。在此次活动中，自治区文化部门组织各级各类 118 个专业艺术表演团体，紧紧与“三下乡”活动相结合，深入旗县以下农村牧区及部分厂矿、军营、哨所、校园，开展了旨在丰富基层群众文化生活，展示内蒙古近几年来改革开放、民族团结和社会进步巨大成就。同年 5 月，在全国第六次文化先进县经验交流会上，巴彦淖尔盟杭锦后旗、呼和浩特市新城区、哲里木盟开鲁县被命名为全国文化先进县。6 月 26 日在广西南宁召开的全国“知识工程”经验交流会上，内蒙古自治区“草原书屋”工程受表彰。

（三）发展行业群众文化，满足不同层面文化需求

1. 职工文化（包括企业文化）

职工与企业群众文化的开展在内蒙古有着丰厚的基础。新中国成立后，国家在包头、乌海、呼和浩特等地建立的大型厂矿、企业均有职工俱乐部，各类地方企事业单位也陆续建立群众文化活动场所。与此同时，来自内地，支援内蒙古建设的大型建筑、施工和生产单位大多有自己的业余文化活动机构。

进入新时期，上述传统在内蒙古得到很好的传承与发展。职工文化的开展对培育企业精神，塑造企业形象，创造名优产品，加强职业道德建设的关系密切。

在实际操作中，有的企业还将职工文化与职工的教育培训、企业的人才培养、各类人员专业技术水平提高等通盘考虑，统一安排，着力创造良好的人文环境。随着经济的发展，职工的文化生活也由娱乐消闲型向艺术追求型转变，活动水平越来越高。

1991 年 4 月，成立了乌海市企业家俱乐部，共有 80 多家大中型企业作为成员参加了俱乐部。1996 年，为推动文化与经济结合和文企联姻工作，企业家俱乐部先后成立了“三维形象设计中心”和“经济信息中心”，文化为企业服务，企业逐渐加大对文化的投入，形成良性循环。乌达发电厂、市玻璃厂、黄河化工集团、一通厂、西卓子山水泥厂等企业开展群众性书画、

摄影、体育比赛等自娱自乐的文体活动[①]。

1997 年，内蒙古职工文联成立[②]。职工文联以推动企业文化发展、交流企业文化研究成果，广泛深入地考察研究企业文化以及各种文化现象，推动职工文化活动、促进社会主义先进文化的建设为宗旨，积极开展丰富多彩的各项活动，极大地推动了企业文化建设。

1998 年 9 月，内蒙古职工文联和包钢文联联合举办“全区职工文化工作及文学创作研讨班”，邀请名家讲课，有 30 多人参加学习；同年 6 月，与大兴安岭林管局联合举办文学创作改稿会，有近百人参加活动，研讨班邀请《人民文学》《天津文学》《文艺报》等刊物的编辑授课、改稿。[③]

内蒙古职工文联通过开展和参加了一系列的评奖活动，加快企事业文化建设。由自治区党委宣传部、自治区总工会、自治区文化厅、自治区政研会、自治区文联等单位联合举办的首届“全区企业文化建设先进单位的评选”和首届“全区优秀企业文化工作者评选”活动中，包头钢铁（集团）有限责任公司等 48 个会员单位获企业文化建设先进单位称号；徐维贵等 100 名文艺工作者获全区优秀企业文化工作者光荣称号。在首届中国职工艺术节展演中，有 4 部作品获首届中国职工艺术节奖，有 5 件书法作品获入围奖；在“全区企业文化建设理论研讨会”评奖中，《从伊盟集团企业文化建设的实践看管理的新形态》等 38 篇论文获理论研讨会奖；在全区职工美术、书法、摄影展评奖中，马自强、雨辰、袁胜等创作的近 200 幅作品获奖，同时还有百余名企业文化工作者受到了表彰。在首届全区职工文学评奖中有近 50 件作品获奖。

据不完全统计，到 2000 年，自治区境内约有职工业余文艺演出团队 1 200 多个，职工文化活动骨干 25 000 余人。由自治区各级工会组织管理的工人文化宫、俱乐部有 558 个，各级图书馆（室）4 800 多个[④]。随着企业对职工文化投入的加大，活动场所和开展各种活动所需的器材大量增加，职

① 参见内蒙古群众艺术馆编：《内蒙古自治区群众艺术馆 · 文化馆志》中的乌海市群众艺术馆，内蒙古人民出版社 2001 年版。

② 阿云嘎主编：《内蒙古文联 50 年》，内蒙古文联 2004 年内部发行，第 164 页。

③ 阿云嘎主编：《内蒙古文联 50 年》，内蒙古文联 2004 年内部发行，第 165 页。

④ 数字由内蒙古职工文联提供。

工文化活动的环境与条件大为改观，活动内容日益丰富。

2. 军营文化

根据内蒙古边境线漫长，军队与地方各方面联系密切的特点，多年来军地双方一直在探索军民共办文化活动，并将其作为开展军营文化的重要组成部分。额尔古纳市黑山头镇地处边境，当地驻军和边防派出所干警联合开展文体活动，其基本做法是“经费共同投入，队伍共同建设，活动共同开展，设备共同使用”。“四同”不仅在文化经费的投入和文化设施的利用等方面实现了效益的最大化，更重要的是密切了军队与地方的关系，加强了边防建设。东乌珠穆沁旗实行地方送文化到部队和部队送文化到地方的工作模式，形成了文化上的互补与互动。部队的“边塞流动文化服务队”，经常送文化到蒙古包。在边境地区每逢重大节日，军地双方都要共同组织联欢活动或举办那达慕及各种文体比赛。据1994年的统计，全自治区有半数以上的边境旗县图书馆、文化馆和乡镇苏木文化站向当地部队开放，部队官兵经常到地方文化活动场所开展活动。地方艺术团体深入边境地区同时为地方和部队演出，部队的业余文艺演出队也经常为牧民演出服务，有的文艺演出队一年为牧民群众演出90多场。1994年，各边防团利用上级下发的百部爱国主义影片录像带，有计划地为部队官兵和牧民群众放映，收到了良好的宣传教育效果。

3. 少儿文化

自治区少儿文化活动的开展可以追溯到新中国成立初期，此时，文化与教育部门在呼和浩特、包头等较大城市建立“少年之家”等，活跃少年儿童的课余文化生活。“文化大革命”开始后中断。

改革开放以来，自治区的少儿文化进入了前所未有的发展时期。文化厅与自治区教育厅、妇联、团委、少工委等部门联合，先后举办了全区红领巾艺术节、母子艺术节、校园歌曲大赛、校园集体舞大赛，少儿美术、书法、摄影、剪纸展览等活动，活跃和丰富了少年儿童文化生活。各地群艺馆、文化馆也经常举办各类有助于少年儿童健康发展的培训班、辅导班等，组织、推荐一些优秀少儿业余艺术团（队）或个人参加全国性的活动或比赛，多方面满足少年儿童的精神文化需求。各地文化部门在开展少儿文化艺术活动时，注意与创建“中国民间艺术之乡”活动相结合，引导少年儿童继承、发展本地区、本民族文化的优良传统。自治区文化厅还先后组织少儿艺术团赴北京演出，有些小演员还随中国少儿艺术团赴日本、新加坡等地访问演出，向国内外观众展示内蒙古民族少儿文化艺术的独特魅力。通辽市科尔沁区文化馆继承和发扬少儿版画传统，培养了大批少儿版画人才，被国家文化部社会文化司命名为“少儿版画之乡”。

1992 年，文化部等 8 部委制订、实施旨在繁荣少儿文化的“蒲公英计划”。自治区各级文化主管部门认真贯彻落实：在赤峰市元宝山区山前镇马架子村试建了建筑面积达 3 500 平方米的儿童文化园，随后又成立了儿童文化园所属“金马驹”艺术团。1997 年该村儿童文化园通过文化部检查验收，成为文化部命名的全国 13 个国家级农村儿童文化园之一。①

在 1992—1995 年全国“蒲公英计划”第一周期评比中，自治区文化厅被评为最高星级——三星级，荣获文化部颁发的三星级牌匾和表扬令。为抓好少儿文化工程，1996 年 7 月，自治区文化厅在赤峰市召开了全区少儿文化工作会议，总结推广了马架子村儿童文化园经验。之后，农村儿童文化园建设在呼和浩特、包头、巴彦淖尔、哲里木等盟市的乡镇苏木展开。这是一项惠及子孙后代，关系农牧区长远发展的文化基础建设项目。

4. 广场文化

进入新时期，内蒙古社会与经济快速发展，用于城市基础设施建设的投入逐年加大，城市的面积在扩大，人口在增长，用于群众文化活动的广场在增加。如何满足城市居民日益增长的文化需求成为群众文化工作所要研究的一个新的课题。

内蒙古的广场文化首先从包头等草原都市发端。

包头是一个拥有 200 多万人口的工业城市，大厂矿企业集中，职工在城市人口中所占的比例较大，开展业余文化活动的基础雄厚。包头的城市基础设施完备，夏季气候宜人，适宜户外活动。包头市结合城市特点，借鉴外地经验和做法，于 1984 年创办大型群众文化活动——群众文化节。文化节由包头市文化局牵头，市总工会、团市委共同组建领导小组，协调领导。活动从同年 5 月始到 10 月止，历时 5 个月。开展了“钢城建设者之歌”“全市职

① 焦雪岱主编：《内蒙古文化五十年》，内新图准字［97］第 64 号，1997 年，第 46 页。

工美术、书法、摄影展”“少儿美术、书法展览”“包头市老干部书法、绘画作品展览”“剪纸艺术展”“驻包部队首届美术、书法、摄影展”等多种群众文化活动。文化节期间共举办演出活动50场，节目730多个，参展作者计505名，展出作品600件，其中美术作品297件，书法作品250件，摄影作品53件。年龄最小的作者年仅4岁，最大的已过七旬。观众约21万人次①。活动除在市内3区开展外，还到呼和浩特市、乌海市巡回演出、展览。

此后，广场文化逐渐在自治区各地兴起。1989年，哲里木盟通辽市举办大型民间广场舞“安代”演出活动，获得很大成功，并于国庆前夕赴北京代表自治区参加国庆40周年和第二届中国艺术节②；1993年，乌海市召开首届乌珠慕（葡萄）节，文化节以当地盛产的葡萄丰收为载体与平台，以歌舞表演、书法绘画展示、广场舞蹈健身等多种当地群众喜闻乐见的形式开展活动③；1996年9月，乌兰察布盟集宁市以文化夜市的形式举行广场文化活动。活动以文艺演出为主，辅以美术、书法、摄影展，农民剪纸展、古钱币展、现场书法、绘画表演展销、图书展销等。文艺演出既有当地群众喜爱的东路二人台传统剧目，也有民族歌舞、现代流行歌曲独唱、联唱和革命历史歌曲大合唱，民族器乐联奏等，可谓丰富多彩；呼和浩特市也于1999年举办首届广场消夏文化活动，因具有丰厚的文化资源，又占据首府优势，加上文化主管部门的精心组织、策划和文化工作者的共同努力，虽起步较晚，但后来居上，其规模和影响迅速扩大，逐渐成为文化品牌。

此外，残疾人文化也引起各级群众文化部门的关注。1996年由兴安盟民政局、兴安盟文体局、兴安盟残疾人联合会主办，兴安盟群众艺术馆承办的“兴安盟首届残疾人文艺调演”在乌兰浩特市举行。共有8个代表队，70多名残疾人演员参加，演出了30多个节目，18人获表演奖，10个节目

---

① 戴柄林主编：《包头市文化志》，内蒙古人民出版社2001年版，第267—268页。

② 内蒙古群众艺术馆编：《内蒙古自治区群众艺术馆·文化馆志》，内蒙古人民出版社2001年版，第238页。

③ 参见内蒙古群众艺术馆编：《内蒙古自治区群众艺术馆·文化馆志》中的乌海市群众艺术馆和乌海市各区文化馆志。

获创作奖。①

四、“彩虹”计划与“文化长廊建设”规划

（一）“计划”与“规划”的提出

中共十一届三中全会以来，内蒙古群众文化事业得到快速发展。随着经济体制改革的深入及社会主义市场经济的逐步建立，群众文化事业，特别是农村牧区文化工作遇到了新的困难和问题：一些地方由于认识上存在误区，把公益性的群众文化事业简单地推向市场，因缺乏资金与物质的支持，难以开展活动；有的群众机构的自身建设与时代脱节，从而陷入困境。

为了解决上述问题，推动自治区群众文化的可持续发展，内蒙古文化主管部门采取多种措施抓群众文化，稳定群众文化队伍，解决群众文化工作中存在的问题。从1990年起广泛开展全自治区“百面红旗文化站竞赛”和全自治区群艺馆、图书馆、文化馆“金牛奖”评比活动，大张旗鼓地表彰基层群众文化先进单位和个人：1991年元月，自治区文化厅等部门联合表彰被文化部、人事部授予全国文化系统劳动模范的周经洛同志及受表彰的内蒙古23个（名）先进文化馆、文化站和馆长、站长，12个（名）文明图书馆、馆长及荣获全区文化系统“金牛奖”的27个群艺馆、文化馆、图书馆。此项活动引起了各级党政领导的重视，增强了广大群众文化工作者的责任感、使命感。

为加大农村牧区文化工作领导力度，改变以往群众文化工作那种零散的建设方式，整体提高四级文化网络建设水平，以适应社会主义市场经济的发展，自治区文化厅在反复征求意见的基础上，提出了旨在加强农村牧区四级文化网的建设，重点是加强乡镇苏木文化站建设，以此带动全自治区的群众文化工作。计划以内蒙古各族人民喜爱的“彩虹”为命名，全称为“彩虹文化计划”，并于1992年10月报请自治区人民政府批转实施。②

针对内蒙古自治区边境线长，边境旗（市）已全部对外开放，边境地区文化建设滞后等实际情况，自治区因地制宜，实施文化部倡导的“万里

① 数字由兴安盟艺术研究所提供。

② 焦雪岱主编：《内蒙古文化五十年》，内新图准字［97］第64号，1997年，第47—48页。

边疆文化长廊建设规划”。自治区和盟市的群众文化工作者深入基层，调查研究，与当地军民共同研究、探讨共建问题。在此基础上，多次召开现场会（表彰会），形成了完整的工作思路与办法。1994 年 11 月，内蒙古文化厅报请自治区人民政府批转“内蒙古自治区边境文化长廊建设规划”。

此后，两大群众文化工程在内蒙古开始全面实施。“彩虹文化计划”与“边境文化长廊建设规划”明确要求：要把实施“彩虹文化计划”与“边境文化长廊建设规划”纳入地方经济、社会发展的总体规划中，纳入各级领导目标责任制中，并成立实施领导小组，以保证两大工程的目标能够顺利实现。

（二）两大文化工程的实施

自治区人民政府批转实施“彩虹文化计划”与“边境文化长廊建设规划”后，各盟市、旗县按照两大工程的要求，成立由党委、政府牵头，各有关方面参与的领导小组，制订实施细则、发展规划，把农村牧区文化发展规划纳入当地经济社会发展总体规划中，纳入领导任期目标和年度考核体系中。赤峰市实行“一票否决制”：文化建设未达标的单位，不能评为小康乡镇苏木、村嘎查。伊克昭盟行署召开全盟市文化工作会议，将量化的小康文化工程各项任务指标分解下达到各旗市，盟行署领导与各旗市分管领导分别签订了责任书，把目标责任纳入总体目标管理之中，作为对干部政绩考核的内容之一。之后，各旗市政府层层分解下达任务，层层签订责任书，层层实行目标管理，直到乡苏木，村嘎查。1995 年底，盟委、行署授权盟文化局组成考核小组，分赴各旗市对小康文化工程实施情况进行考核验收，兑现奖惩。自治区人民政府于 1996 年 9 月在伊克昭盟召开全自治区农村牧区文化工作现场会，推广其做法。

锡林郭勒盟有长达 1 095 公里的边境线，驻军较多，实施“计划”与“规划”的任务繁重。当地党委和政府根据“彩虹文化计划”和“边境文化长廊建设规划”的要求，成立了由分管副盟长、副秘书长牵头，文化、计划、财政、民族事务、公安、教育、体育、科技、广播电视、团委、妇联、边境等方面负责人参加，涵盖全盟 4 旗 1 市及军分区等 18 个单位的边境文化长廊建设领导小组，制订了《锡林郭勒盟千里边境文化长廊建设规划》。规划中明确提出：要建成东至乌珠穆沁旗、西至苏尼特右旗的 4 旗 1 市的千里边境文化长廊，① 形成旗连旗、苏木连苏木、嘎查连嘎查，具有民族特点和区域特色的千里草原文化风景线。他们施行规划措施地方与部队共同制定、文化骨干共同培养、文化场地相互开放、文体器材双方共用、图书箱双向流动、影视放映一起观看、大型活动共同组织等方法，受到文化部和解放军总政治部的重视。

军民共建边境文化长廊是自治区在边境文化建设中的一个创举，受到文化部和解放军总政治部充分肯定。在 1994 年 7 月召开的内蒙古自治区军民共建边境文化长廊建设工作座谈会上，文化部领导赞扬军民共建是搞好边疆文化长廊建设的一大法宝。1996 年 12 月，自治区人民政府下发了《关于进一步落实彩虹文化计划和边疆文化长廊建设规划的通知》，从加快文化设施建设、加大经费投入、加强队伍建设、开展文化下乡、深化改革、加强组织领导等几个方面提出了具有指导性和可操作性的建设意见。

“彩虹文化计划”和“边境文化长廊建设规划”的实行开创了全自治区农村、牧区群众文化工作新局面。经过数年实践，有关部门对此项工作提出指导性意见：一是具有切实可行的奋斗目标。既有长期目标，又有短期目标，既有宏观的要求，又有可操作性的近期安排。二是坚持实事求是，因地制宜，量力而行，循序渐进，避免一刀切，力戒形式主义。三是逐步把文化发展的规划纳入当地经济和社会发展的总体规划中，使文化事业的发展自觉地服从服务于当地经济建设这一中心工作，促使其健康发展。

（三）社会与经济效益的获得

实施“彩虹文化计划”和“边境文化长廊建设规划”以来，各地坚持了“以地方投入为主，中央和自治区导向型补助为辅”的方针，积极开拓经费投入的多种途径，有效地增加了文化设施的经费投入。“计划”与“规划”实施以来，全自治区新建盟级图书馆 2 个，文化馆 11 个，文化站 156 个②。据不完全统计，自 1995 年以来全区各级财政累计投入文化设施建设的经费达 4 000 多万元。有些盟市、旗县制定了财政投入的倾斜政策，以确保文化事业经费的稳定来源。如包头市作出规定，各旗县区政府要保证文化

① 焦雪岱主编：《内蒙古文化五十年》，内新图准字［97］第 64 号，1997 年，第 48 页。

② 焦雪岱主编：《内蒙古文化五十年》，内新图准字［97］第 64 号，1997 年，第 51 页。

事业经费的投入，在上一年文化业务经费的基础上每年增加10%，伊克昭盟行署决定自1996年开始连续5年内，每年盟财政至少划拨10万元专款，用于农村牧区小康文化建设。许多旗县在文化设施建设上，采取了“四点筹资”的办法（向上争取一点，地方财政拿一点，文化部门自筹一点，社会集资赞助一点）解决了基本建设资金短缺的问题。在乡镇苏木文化站和村嘎查文化室建设上，坚持以乡苏木投入为主，社会集资为辅及旗县财政适当补贴的原则，并结合农牧民赞助钱物或投工投劳广开资金渠道，改善基层文化设施。

积极开展“以文补文”活动，增强文化事业单位自我发展能力，同时作为文化设施建设及开展文化活动所需经费的有益补充。有的旗县切实贯彻落实国务院和自治区有关文化经济政策，扶持文化事业单位创收。如伊盟乌审旗许多苏木、乡给文化站划拨文化田，鼓励以文补文。该旗沙尔利格苏木文化站几年来年均创收可达2万余元，并把70%的收入用于文化设施建设上。该文化站在1982年仅有2 000多元资金，如今已发展到拥有40多万元固定资产的规模。

自治区人民政府划拨“彩虹文化计划”与“边境文化长廊建设规划”专项资金，并以层层匹配的办法筹措资金，重点扶持基层文化站建设。

为庆祝自治区成立50周年，自治区党委、政府决定加快“彩虹文化计划”和“边境文化长廊建设规划”的实施步伐，于1996年和1997年共计投入600万元专款用于农村牧区文化站建设的补贴，同时要求盟市、旗县匹配不少于900万元，不足部分由乡苏木自行解决的办法，于1997年7月10日前累计新建、改建、完善1 000个文化站。为用好这笔专项资金，使它发挥应有的效益，自治区计委、财政厅、文化厅联合下发通知，对资金的使用、匹配办法、各级部门的责任、奖惩等方面作出了明确的规定。自治区文化厅与各盟市分管盟市长逐个签订责任状，以确保匹配资金及时足额到位。据1996年底初步统计，全自治区已到位匹配资金达2 300万元。①

1993年6月，自治区人民政府对广泛开展边境文化长廊建设和创建文化先进旗县（市）、苏木（乡）活动并取得突出成绩的锡盟、伊盟、哲盟、赤峰市4个盟市，东乌珠穆沁旗等11个旗县（市、区），青格力等21个苏

① 焦雪岱主编：《内蒙古文化五十年》，内新图准字［97］第64号，1997年，第52页。

木（乡镇）进行表彰；1995 年自治区人民政府第二次命名实施“彩虹文化计划”和“边境文化长廊建设规划”先进地区，额济纳旗等 12 个旗县（区）为文化先进旗县（区），并对荣获全国文化先进县称号的突泉县等 4 个旗县（区）、对荣获全国边境文化长廊建设计划先进地区称号的海拉尔市予以奖励各 10 000 元。此外，自治区文化厅对临河市文化馆等 29 个全区农村牧区文化工作先进集体、张年能等 30 名先进个人予以表彰，命名池存虎等 11 位农民业余歌手为“百灵歌手”。①

第四节　公益文化

一、文化活动管理与稽查

新中国成立后，自治区的国办文化基本属于公益性质。内蒙古文化主办部门逐步建立、完善管理机构，主要负责国办文艺团体的会演、调演、观摩演出、节庆演出、礼宾演出、任务性演出、福利性演出等为内容的演出市场。改革开放以来，随着市场经济的兴起，非公益、经营性文化逐渐产生与发展，文化管理的职能随之拓展与延伸。

从 20 世纪 50 年代初开始，内蒙古各地陆续建立文化馆，配备专职或兼职干部，深入基层，组织民间流散艺人学习政治与文化，宣传党的方针、政策，进行引导和管理。

50 年代中期，随着文艺演出的繁荣，演出协调、指导的任务日益繁重。1957 年，内蒙古自治区文化局决定在文化局艺术处设立“内蒙古巡回演出办公室”，负责管理全区的巡回演出，安排各类调演、会演和任务性演出。与此同时，各地兴建的工人文化宫各类俱乐部、剧场、影剧院等文化设施陆续落成，内蒙古的演出活动有了正规的场所和平台。

1966 年“文化大革命”开始，内蒙古巡回演出办公室的工作中断。

20 世纪 70 年代末以来，内蒙古公益性文艺演出活动逐步恢复。内蒙古巡回演出办公室也于 1978 年恢复，1982 年 12 月改名为内蒙古演出公司。随

① 焦雪岱主编：《内蒙古文化五十年》，内新图准字［97］第 64 号，1997 年，第 54 页。

着改革开放逐步深入，从 80 年代初期始，具有经营性质的文化在内蒙古出现。在经济、文化发展较快的城市，自发地出现了一些包括书刊零售、台球娱乐等内容的文化娱乐经营户，这对全自治区的文化市场起到一定示范和引领作用。之后，经营文化的项目逐渐增多，范围不断扩展，规模由小变大。如何对其管理，逐渐提到日程。1985 年 10 月，自治区人民政府成立了由分管副主席牵头的内蒙古自治区社会文化管理委员会，负责全自治区文化市场的宏观管理工作，内蒙古的文化市场管理由此起步。此时，社会对文化市场缺乏明确认识，加之国家和自治区出台的管理法规和政策较少，人员缺乏管理经验等，开展工作较为困难。

1986 年起，内蒙古文化局在全自治区范围内核发由文化部统一印制的艺术表演团体《营业演出许可证》、剧场（馆）《营业演出许可证》,有计划地安排自治区艺术表演团体到兄弟省市巡回演出，同时接待外省市艺术表演团体来内蒙古巡回演出活动。

1988 年 12 月，自治区政府发出《关于加强文化市场管理工作的通知》(内政发［1988］3188 号)，明确了全区文化市场管理的方针、任务、管理范围及管理体制。1990 年 12 月，《内蒙古自治区文化市场管理暂行办法》颁布，对演出、娱乐活动及场所、音像书刊市场管理、审查、鉴定等问题做了规定。各盟市也根据各自实际陆续出台地方性法规或管理制度，并相继成立文化市场管理机构。

1993 年，全国文化市场工作会议召开，要求各地理顺管理体制，建立专门的文化市场管理机构，从根本上解决管理体制不顺，文化、广播电视、公安、工商、新闻出版等部门分工不明，职责不清，效率不高的问题。同年底，自治区人民政府下发《关于我区文化市场实行“统一领导、归口管理、分级管理”新体制的通知》（内政发［1993］3178 号），决定在全自治区文化市场实行“统一领导、归口管理、分级管理”的体制。1994 年 1 月自治区文化厅设立文化市场管理办公室，5 月成立自治区文化稽查队，至此，自治区有了文化市场专门管理机构。

1994 年 5 月 31 日，自治区人大八届八次会议通过了《内蒙古自治区文化市场管理条例》。《条例》对归口管理和分级管理等问题做了明确规定，理顺了管理体制，推动了自治区文化市场管理法制化、规范化的进程。根据

《条例》的有关规定，1995年，自治区文化厅将文化市场管理办公室改为文化市场管理处，同年下发《关于自治区文化厅艺术处、文化市场管理处演出管理职责划分的通知》，撤销内蒙古自治区演出公司，由文化市场管理处管理商业性演出，凡营业性售票或有广告、赞助演出以及其他有偿演出，均由文化市场管理处管理。

1994年6月，自治区人大颁布《内蒙古自治区文化市场管理条例》。同年8月，国务院颁布《音像制品管理条例》。之后，文化部陆续出台《营业性娱乐场所管理办法》《营业性时装表演管理办法》《文化市场稽查暂行办法》《美术品经营管理办法》《音像制品出租、零售和放映管理办法》等十多个法规性文件，文化市场逐步进入有章可循，依法管理的时期。

从1995年5月起，进行全自治区高校周边环境综合治理。根据文化部《文化市场稽查暂行办法》的规定，为全自治区九百多名文化市场管理、稽查人员核发全国统一的《中华人民共和国文化市场稽查证》，并对稽查人员执行公务、执行处罚等具体执法行为进行规范。

加大管理力度，对书报刊、音像、演出、娱乐等市场加强了管理。对于形成较早、发展较快的书报刊市场，除重视日常管理外，还经常进行集中治理。1989年8月，自治区成立整顿清理书报刊和音像市场工作领导小组及办公室，对书报刊市场进行集中治理，各盟市也纷纷成立机构，配合全区的集中整治行动。从1991年起，陆续编发《查禁书刊目录》，配合稽查工作。与此同时，成立内蒙古文化音像发行中心，负责全区的音像制品总批发业务，并在呼伦贝尔盟、乌兰察布盟、包头市、乌海市等盟市建立了二级批发单位，充分发挥国有发行主渠道作用。

1995年，自治区文化厅下发《关于进一步加强我区演出市场管理工作的通知》，根据自治区《文化市场管理条例》和文化部关于营业性演出管理的有关规定，对自治区的演出市场加以管理。1996年，认真贯彻落实文化部《关于严禁色情表演加强演出市场管理的通知》和《演员个人营业演出活动管理暂行办法》等文件精神，开展了在全自治区艺术表演团体和艺术院校中颁发个人《营业演出许可证》的工作；加强对那达慕大会、农牧区物资交流大会文艺演出的管理，杜绝不健康演出。举办文化市场经营者和管理者培训班，提高经营者和管理者的自身素质。呼和浩特市于1988年率先举办文化市场经营者培训班，开全国培训经营者之先河，并为此后全自治区培训积累了经验。

1996 年 6 月，自治区、呼和浩特市及呼和浩特市郊区文化市场管理部门共同举办了两期录像放映和出租经营者培训班，聘请文化、公安、工商部门的专家和管理工作者，向呼和浩特地区的从业者讲授国家和自治区有关文化市场经营管理的政策、法律法规及其他相关知识，培训结业的发给文化市场经营从业资格证书。经过培训，规范了经营者的经营行为，具有典型和示范意义。此做法得到了文化部的肯定，从此，自治区经营者培训活动形成定制。同年，自治区文化厅制定下发《全区文化市场稽查人员岗位培训实施方案》,对文化市场稽查人员培训的方针、任务、形式、步骤等作了明确规定。定期（不定期）举办全自治区文化市场管理干部、稽查队负责人培训班，培训班聘请专家、学者授课，并进行考试，核发证书，作为从事文化市场管理工作的上岗凭证。

2000 年，内蒙古基本建成自治区、盟市、旗县、苏木乡镇四级文化市场管理体系，建立起比较系统的专职或兼职文化市场管理机构。自治区文化厅设立文化市场管理处，12 个盟市基本上都成立了专职文化市场管理机构，没有成立专门机构的则设专人负责文化市场管理。全自治区 90% 以上的旗县设有文化市场管理办公室。在 1 560 多个苏木乡镇中，大部分设有文化市场管理所（组），文化市场管理日益规范。

二、文化科技与艺术教育

（一）文化科技

内蒙古的文化科技事业伴随着自治区社会与经济的发展和科学技术的进步逐步兴起。自治区的文化科技开发研制项目涵盖民族乐器、声乐、舞蹈、电影、图书、印刷、文物保护、舞台技术、运动医疗、噪音控制、化妆皮炎防治等十几个专业领域，并在民族乐器改革、电影涂磁录音、流动剧场、蒙文照排、图书微机管理系统等方面均有突破性进展。据不完全统计，截至 2000 年，内蒙古共有 30 多项文化科技成果通过了专家评审或技术鉴定，有的还获得国家专利；有 15 项获文化部科技成果奖或科技进步奖，其中包括自治区科学技术成果二等奖、科学技术进步三等奖和国家科学技术发明四等奖①。具体项目如下：

1. A－2 型流动剧场

A－2 型流动剧场是为专业艺术表演团体到农村、牧区、矿山、边防等地演出而设计的流动演出场所。1981 年 7 月，由杨维瀛、尚战龙、马杰、郭力志研制成功并通过文化部鉴定，1982 年获内蒙古自治区人民政府授予的重大科技成果二等奖。流动剧场主体系全覆盖、圆锥线体形，无梁悬索结构，用钢材、铝合金、木材、三防维纶帆布、强拉力压龙带等材料制成。整个剧场用一辆解放 CA－30A 型或东风牌载重汽车牵引，挂一辆拖车即可装运、流动使用。之后，杨维瀛等还研制成功 A－1、A－3、A－4 等不同型号流动剧场，以适应不同的演出环境，容纳不同数量的观众。

2. 电影涂磁录音

1983 年 9 月，由阿都沁夫、高步青研制的电影胶片涂磁录音工艺通过了文化部组织的评审。涂磁录音工艺是将汉语完成拷贝的胶片齿孔边上涂布一条（16mm 影片）或两条（35mm 影片）磁迹，用以转录少数民族语言声带，从而制成具有两种或三种语言声带的光磁两用片。此种拷贝影片既可用少数民族语言放映，也可用汉语放映，还可将两种或三种语言声带同时还音，使两个或三个民族的群众同场看电影。文化部将该种光磁两用片确认为我国的一个新片种。

3. 微机蒙文图书目录管理

1986 年 7 月，由田怀烈、苏丽娅、嘎尔迪、张立研制的微机蒙文图书目录管理系统，通过了内蒙古科委和文化厅组织的专家鉴定。该系统用蒙古族语言文字进行图书馆蒙文藏书目录管理，具有目录显示、追加、修改、删除、检索等功能，代替手工目录体系，减少重复劳动，提高了工作效率。该系统采用的蒙文文献著录格式，与中、西文著录格式统一，有一定兼容性和通用性，为实现图书馆蒙文文献管理和服务自动化作出了贡献。该项目获文化部 1987 年度科技成果四等奖。

4. 蒙文照排

1983 年 10 月，由辛吉勒图、赵燕霞、范伯勋、范津研制的蒙文照相排

① 焦雪岱主编：《内蒙古文化五十年》，内新图准字［97］第 64 号，1997 年，第 177 页。

字，通过内蒙古科委和文化厅组织的鉴定。此项技术主要用于出版印刷蒙文书刊、报纸文字的排版，为提高图书产品印刷质量创造了条件，填补了我国少数民族文字出版印刷工艺的一项空白。该项目获文化部1983—1984年度文化科技成果三等奖，获自治区1984年度科学技术进步三等奖。

5. 火不思

火不思是蒙古族的古老乐器，约于清中叶以后失传。高·青格乐图（工作单位：内蒙古艺术研究所）等经过深入研究文献资料和调查走访，在此基础上反复试制获得成功。该乐器1989年3月通过内蒙古科委和文化厅组织的专家鉴定，同年9月，获得中国文化部科学进步四等奖。改革后的火不思具有音域较宽，共鸣较强，音色清脆洪亮，穿透力强等特点。演奏古典、民间长、短调乐曲独具特色，填补了蒙古族民族乐队弹拨乐器的空白。该乐器研制成功后得以推广和使用。

6. 十八弦雅托噶

娜仁格日乐（工作单位：内蒙古大学艺术学院）等研制，1989年3月试制成功，后通过内蒙古科委和文化厅组织的专家鉴定。该琴具有音质纯、音量大、音色美、穿透力强等特点，具有较强的艺术表现力。1990年11月，获得文化部科技进步四等奖。新的雅托噶有18根弦，采用双弧形的制作法扩大了共鸣箱，具有音质纯、音量大、音色美、穿透力强等优点，能演奏一些新创作的独奏、重奏、伴奏曲目，丰富了乐器的表现力。

7. 环氧树脂笛

李镇（工作单位：内蒙古歌舞团）等于1997年试制成功，并获国家专利（实用新型专利），专利号为：912254017。同年，获得内蒙古文化科技进步一等奖。用环氧树脂（玻璃钢）替代天然竹，其优点是不易变形干裂，音色圆润明亮。

8. 金属弦马头琴

达日玛（工作单位：内蒙古直属乌兰牧旗艺术团）于1989年3月研制成功，并通过内蒙古科委和文化厅组织的鉴定。呼和浩特市二轻局劳动服务公司周印、李福明为乐器制作人。金属弦马头琴用钢弦替代尼龙弦，钢弦的稳定性解决了琴弦受气候及演奏变化影响音准失控问题，且较好地保持了马头琴的音色、音质，且穿透力强。共鸣箱的调整使琴体设计合理，音量增大。能独奏、重奏、合奏不同风格的乐曲。1989 年获文化部科技进步三等奖。

9. 高音四胡

赵双虎（工作单位：内蒙古大学艺术学院）于 1990 年 8 月研制成功。内蒙古民族乐器厂段廷俊为乐器制作人。研制后的四胡改丝弦为钢弦。由于钢弦的张力比丝弦大，容易产生噪音，设计者将四胡的单筒共鸣箱改为双套筒共鸣箱，以便清除噪音，优化音质，增强乐器的穿透力。此外，对四胡的弓子也进行了改革。改革后的四胡在音色、音质、音量均体现出特色，得以较广泛使用和推广。1990 年通过内蒙古科委和文化厅组织的鉴定，并获文化部科技进步四等奖，内蒙古自治区科技进步二等奖。

10. 双套筒高音四胡

满都拉（工作单位：内蒙古民族剧团）于 1991 年 10 月研制成功。呼和浩特市二轻局劳动服务公司的周印为乐器制作人。双套筒高音四胡在结构上有所创新，琴头为鹿头，将原来的单筒改为双套筒结构，音箱套共鸣箱为一体获得双层共鸣共振，在制作材料的选择、琴体尺寸等方面都有变化。1991 年通过中国艺术研究院音乐研究所音响试验室的测试。1991 年 10 月，双套筒高音四胡通过呼和浩特市科委和内蒙古文化厅组织的鉴定，获文化部科技成果三等奖，内蒙古自治区科技成果奖。

11. 蒙古胡尔

呼和巴特尔（工作单位：内蒙古民族歌舞剧院）于 1990 年 8 月研制成功。呼和浩特市二轻局劳动服务公司的周印为乐器制作人。蒙古胡尔在设计上采用双层音筒，通过共振，达到高音的功能。1990 年蒙古胡尔通过中国音乐研究所乐器声学测试，达到国家专业乐器技术指标，符合 IEC 标准，并获文化部科技进步四等奖，1992 年获内蒙古文化厅科技进步二等奖。

12. 赤峰仿古乐器与乐队

赤峰市民族歌舞团从 1983 年起，历时 3 年，试制出已经失传与濒临失传的蒙古族古代乐器 9 种 28 件，并建立蒙古族民间管弦乐队和北方胡笳乐队，编创乐曲，进行演出活动。

民间管弦乐队是参照从成吉思汗时代的宫廷、延续到民间及当地王府乐队的模式建立的。在乐器试制时，通过查阅收藏于全国各大图书馆、博物馆中的相关资料与实物，参照北方少数民族历代宫廷乐队的壁画、图片等，了解、掌握所研制乐器的样式、结构、数据等，加以复原与创造。

仿制蒙古族古代乐器共 9 种 28 件，吹奏乐器有：竖胡笳、横胡笳、茂登潮尔、瓦尔喀筚篥等；拉弦乐器有：诺门图火不思（即拉弦火不思）、西纳干胡尔等；弹拨乐器有：火不思、雅托噶（分高音、中音、低音三种）等；打击乐有：乌苏图朝毛等。组建蒙古族民间管弦乐队和北方胡笳乐队；组织音乐创作力量，以古典音乐和较古老的蒙古族民歌、器乐曲改编诸多具有浓郁民族特色的独奏曲和合奏曲。1986 年应国家民委、文化部的邀请晋京演出；1988 年参加“第二届中国艺术节”，随后参加第一、第二、第三届“全国民族管弦乐展播”，反响热烈。其中合奏曲《如意歌》获一等奖，《沙格德尔》获二等奖。1987 年和 1988 年还先后应邀赴加拿大和俄罗斯交流演出，被评为最好的艺术团。

（二）艺术教育

1. 内蒙古大学艺术学院

1957 年 10 月建立，时称内蒙古艺术学校。设音乐和晋剧两个专业，从外单位调入专业课教师 7 名，招生 59 名。之后，增设电影戏剧、民间歌剧、舞蹈、舞台美术、蒙语歌剧、京剧等专业。学制 2—3 年。

1958 年，电影戏剧演员班招生 45 名。次年，电影戏剧演员班变更为话剧班，分别于 1960 年和 1979 年招生。1959 年、1960 年、1975 年、1976 年、1978 年，民间歌剧班招生 5 届，共计 83 名。民间歌剧专业前 3 届 3 个班的毕业生，大部分留在内蒙古二人台演出队（今内蒙古二人台艺术团），后两届 3 个班毕业生在自治区内统一分配，有的充实到内蒙古二人台艺术团，有的充实到呼和浩特、包头等盟市级二人台剧团。1961 年开设舞台美术专业，招生 20 名，班主任乌力格。该班毕业生绝大部分充实到内蒙古自治区各级文艺团体。1963 年、1966 年、1974 年蒙语歌剧专业招收 3 届，招生 70 名。学生毕业后大部分被分配到内蒙古民族剧团工作。1972 年开设京剧班招生 44 名，学生毕业后全部分配到包头市京剧团。

建校伊始，内蒙古艺术学校就将音乐和舞蹈作为重点学科加以发展。从 1957 年到 1987 年，音乐专业（包括器乐和声乐）连续招收学生 773 名，其中，器乐专业 475 人，声乐专业 298 人。舞蹈专业于 1959 年招收第一批学生，到1987年，共招学生410名，学制分6年、3年两种（1966年前学制6年，1975年开始改为3年）。①

1987年，内蒙古艺术学校被列入文化部所属重点中等艺术院校。同年3月，经自治区人民政府申报，国家教委批准，建立内蒙古大学艺术学院②，并更改校名。内蒙古艺术学校作为艺术学院的附属中专部继续保留。

学院占地面积63亩，建筑面积约30 000平方米。1992年后，学院新建教学大楼、音乐厅、舞蹈排练厅、琴房、展览厅，并对学生公寓、食堂、操场等基础设施加以改造，更新和购置了大量的教学设备，教学环境大为改善。设声乐、器乐、舞蹈、理论作曲、工艺美术、绘画6个系，招收声乐、器乐、作曲、舞蹈、影视表演、音乐教育、美术教育、服装设计、装潢设计、广告摄影、室内外环境艺术、油画、国画16个专业的本、专科生和中专生。

到2000年，在校学生1 200余名，教职员工428名。具有教授、副教授职称的66人，讲师161人。出版（编印）著作、教材40余部，发表学术论文500余篇，学院教师与学生创作、表演和展出的艺术作品获得国家与自治区多种奖励。由内蒙古大学艺术学院培养的毕业生已经成为内蒙古各艺术表演团体的骨干力量，并在各个艺术领域发挥着重要作用。涌现出一大批国内外知名的艺术家。

2. 内蒙古文化艺术干部学校

前身为内蒙古文化艺术干部训练班，1978年7月成立。原址在呼和浩特市新华广场南侧内蒙古文化大楼。1984年10月，更名为内蒙古文化艺术干部学校。

学校建筑面积2 423平方米，编制为25人，系内蒙古文化厅下属全额拨款事业单位，全自治区文化系统唯一的一所干部和专业技术人员教育培训机构；同时，也是全自治区乌兰牧骑培训中心和文化厅机关业余党校。建校初期，主要工作任务是举办各种文化艺术干部训练班，同时，为区内外文艺

---

① “内蒙古艺术学校”中的数据源自内蒙古自治区文化厅：《内蒙古自治区志·文化志》初审稿，2007年，第786—787页。

② “内蒙古大学艺术学院”中的数据由内蒙古大学艺术学院提供。

团体来呼演出（调演、汇演），提供集训场地和后勤服务。1982 年后，为了适应管理工作的需要，提高文化工作者的业务素质，学校适时开展了学历教育，经内蒙古文化厅申请，学校挂靠内蒙古广播电视大学、内蒙古管理干部学院。先后开办了“电大文科教学班”“文学班”“文化事业管理”等班级，面向全区文化系统在职干部招生，共办 6 届，毕业学生 232 名。此后，与中央文化管理干部学院联合举办了“群众文化管理专业证书班”及“文博专业证书班”等文化系统专业人才大专学历证书班。学校自成立以来，先后举办过“全区乌兰牧骑轮训班”“全区图书馆业务训练班”“全区电影师资训练班”“全区文物考古训练班”“全区文化馆长训练班”“全区作曲配器进修班”“全区民族舞蹈研究班”“全区歌曲创作班”等各类中短期训练班 80 多期，培训学员 10 000 多人次。1993 年后，为了配合国家行政机关工作人员向公务员过渡，学校开办了全区文化系统行政机关工作人员岗位培训班，725 名工作人员经培训后顺利完成了公务员过渡培训。1999 年起至今，学校开展了艺术、群文、图书、文博 4 个系列专业技术人员的继续教育，共培训学员 9 840 人次。2000 年 5 月，内蒙古自治区乌兰牧骑培训中心挂牌，并开办“全区乌兰牧骑舞蹈编导班”。①

3. 盟市艺术学校②

哲里木盟艺术学校：前身为哲里木盟业余艺术学校，1975 年 5 月建立。1976 年 8 月，建立哲里木盟艺术学校，是一所以培养蒙古族艺术人才、发展科尔沁民族文化艺术为宗旨的中等艺术专业学校。建校初期设声乐、器乐、舞蹈 3 个专业，后增设职工艺术中专班、建立和完善声乐、器乐、舞蹈、戏剧表演、舞美、音乐理论和美术等诸多专业。20 世纪 90 年代末，有教职员工近百名，毕业学生 1 000 余人。

呼伦贝尔盟民族艺术学校：前身为黑龙江省艺术学校呼盟民族班，1975 年建立。开设声乐、器乐、舞蹈 3 个专业，有教职工 7 名。1975 年至 1978 年，共招收学生 90 名。20 世纪 80 年代初改名为呼伦贝尔盟艺术学校，并与内蒙古自治区艺术学校在招生名额上保持隶属关系。1996 年改称为呼伦

① 内蒙古自治区文化厅：《内蒙古自治区志 · 文化志》初审稿，2007 年，第 788—789 页。
② “盟市艺术学校”中的数据均由各个艺术学校提供。

贝尔盟民族艺术学校。学校现有教学楼一座，建筑面积为 4 500 平方米，教职工 63 人，在校生 192 人，来自达斡尔、鄂温克、鄂伦春 3 个自治旗的少数民族学生占一定比例，开设音乐、舞蹈、话剧和理论作曲专业。

呼和浩特市艺术学校：呼和浩特市艺术学校前身为内蒙古艺术学校呼和浩特市戏曲班，1979 年 5 月建立。地址在呼和浩特市文化宫街（原呼和浩特市文化局招待所），首任戏曲班主任康翠玲。1982 年，经呼和浩特市人民政府批准，正式成立呼和浩特市艺术学校。

巴彦淖尔盟艺术学校：1980 年 4 月建校，当时称内蒙古艺术学校巴彦淖尔盟分校。1996 年，学校改建，搬迁到临河市开发区八一街中路，建筑面积 2 800 平方米。初建校时，只设晋剧、舞蹈两个班，学员 45 名。后逐步发展，到 2000 年，有教职工 57 人，其中，高级讲师 2 人，讲师 20 人，毕业生累计 530 名。

乌兰察布盟民族艺术学校：建于 1980 年，其前身是内蒙古艺术学校乌兰察布盟戏曲班，首届学生 37 名。1997 年三校合并后，办学规模不断扩大。建校之初，学校设置了表演和器乐两个专业，后经过不断的调整、优化和发展，学校已建立声乐、器乐（包括马头琴专业）、舞蹈、表演、节目主持、群文、东路二人台等专业。到 2000 年，有教职员工 100 余名，毕业学生 1 000 余人。

伊克昭盟艺术学校：1980 年建立，始称内蒙古艺术学校伊克昭盟歌舞班。1980 年 5 月，内蒙古计委下达 20 名招生指标，同年 10 月开学。学校以招收蒙古族学生为主。培养有民族文化技能的中等专业艺术人才。2000 年，学校并入伊克昭盟幼儿师范学校。

包头市艺术学校：1980 年建校，始称内蒙古艺术学校包头分校。学校占地面积 12 000 平方米，建筑面积为 4 600 平方米。全校教职工由建校初的 20 名，增加到 70 余名，专业设置由开办初期仅有的二人台专业班，发展到有戏曲（漫瀚剧、晋剧、二人台）、舞蹈、声乐、器乐歌舞等多种专业学科。

赤峰艺术学校：1982 年 10 月建立，当时称内蒙古艺术学校赤峰分校。1996 年经内蒙古自治区人民政府批准，正式建立赤峰艺术学校。建校之初，该校仅设舞蹈、声乐、器乐和说书 4 个专业。1996 年增设戏曲专业。1997

年增设群文专业和文博专业。1999 年 1 月，自筹资金 700 万元新建综合教学大楼，学校的总建筑面积已达 14 000 平方米，建筑面积达到文化部规定的标准。2000 年，教职工人数 74 名，在校学生共 493 人。学校共设有 8 个专业，即：舞蹈、声乐、器乐、美术、戏曲、群众文化音乐舞蹈、表演播音主持和文物保护与管理专业。

三、艺术研究与艺术档案

（一）艺术研究

中华人民共和国成立之前，内蒙古地区无专设的艺术研究与艺术档案机构。从 20 世纪 50 年代初开始，内蒙古地区的各级文化主管部门开始建立具有艺术研究性质的常设或阶段性的专门机构。

中华人民共和国成立后建立的绥远省戏曲审定委员会是内蒙古地区较早的具有艺术研究性质的临时性机构。之后，内蒙古自治区文化局及各盟市文化局陆续建立创作评论室、戏剧研究室等常设机构，从事创作和研究。从 20 世纪 70 年代末，内蒙古建立了自治区级的艺术研究专门机构——内蒙古艺术研究所，到 2000 年底，内蒙古地区各盟市及有关高校艺术研究机构逐渐建立和完善。

1. 绥远省戏曲审定委员会①

绥远省人民政府文化局所属指导戏曲改革工作的专门机构，1953 年 7 月成立，1954 年底撤销。主任委员席子杰，驻会委员有苗文琦、曾士先、霍世昌、杨沛青等，另聘热心戏曲事业的领导、专家、名艺人王修、霍国珍等为会外委员。开展戏曲剧目整理、改编和创作，开展相关研究，并对剧团的业务活动进行指导等。

2. 内蒙古二人台艺术调查研究委员会②

自治区搜集、整理二人台艺术遗产的专门机构。1961 年春，中共内蒙

---

① 中国戏曲志全国编辑委员会编：《中国戏曲志·内蒙古卷》，中国 ISBN 出版中心 1994 年版，第 420 页。

② 中国戏曲志全国编辑委员会编：《中国戏曲志·内蒙古卷》，中国 ISBN 出版中心 1994 年版，第 421 页。

古自治区党委候补书记兼宣传部长胡昭衡在观看二人台老艺人樊六的演出以后，给内蒙古文化局副局长布赫和二人台音乐研究者吕烈写信，建议对二人台艺术遗产进行全面的调查研究，在这个基础上进行二人台改革，以满足人民群众文化生活的需要。此后，由自治区和呼和浩特市两级文化局联合组建内蒙古二人台艺术调查研究委员会。主任布赫，副主任包德力、韩燕如。委员会下设办公室，负责人吕烈、杨隆华、郑大海，工作人员有贾勋、席子杰、刘英男、齐凝凝、都君一、杨沛青等，办公地点设在呼和浩特市政府招待所。委员会召集贺炳、冯有才、计子玉、巴图淖、关全喜、秦有年、高四等20余名老艺人，对二人台和东路二人台传统剧目进行调查、整理、研究，编印《二人台传统剧目汇编》（内部资料），次年初，该机构撤销。

3. 内蒙古自治区艺术研究所

1979年10月成立，时称内蒙古文学艺术研究所，其主要业务是搜集、整理研究民族民间文化遗产。1984年机构改革时，将原属内蒙古文化局文化处主管的《北国影剧》蒙、汉文编辑部划归该所，并改名为内蒙古艺术研究所。1993年1月，根据内蒙古自治区编委［1993］1号文件精神，内蒙古艺术研究所与内蒙古自治区艺术档案馆合并，更名为内蒙古自治区艺术研究所（保留档案馆职能，一个机构，两块牌子），编制40人，是自治区级艺术科研机构。主要职能是开展艺术研究、艺术档案、非物质文化遗产保护和艺术期刊编辑工作等。

内蒙古自治区艺术研究所自成立以来，先后承担国家艺术科研重点项目《中国民间歌曲集成·内蒙古卷》《中国民族民间舞蹈集成·内蒙古卷》《中国戏曲志·内蒙古卷》《中国戏曲音乐集成·内蒙古卷》《中国曲艺志·内蒙古卷》《中国曲艺音乐集成·内蒙古卷》和《中国民族民间器乐曲集成·内蒙古卷》的编纂工作。到2000年，7部艺术集成志书全部出版，总计800余万字。由该所承担国家艺术科研重点项目《中华舞蹈志·内蒙古卷》《中国音乐文物大系·内蒙古卷》《内蒙古自治区志·文化志》也于2000年启动。①

内蒙古多次组织、承办全自治区艺术理论研讨会，出版诸多研究专著，

① 内蒙古自治区文化厅：《内蒙古自治区志·文化志》初审稿，2007年，第761页。

研究人员在自治区内外刊物上发表了大量论文和学术文章，在一些研究领域获得重要成果。

4. 盟市艺术研究所①

呼和浩特市文学艺术创作研究所：前身系呼和浩特市文化局戏剧创作研究室，1984 年成立，人员编制初设 8 人，后增至 20 人。1996 年 6 月更名为呼和浩特市文学艺术创作研究所。其主要职能是进行艺术研究与创作。建所以来，积极开展呼和浩特地区民族民间艺术的搜集、整理与研究工作，创作了大量戏剧、影视、小说和美术作品，在自治区内外颇具影响。

包头市艺术研究所：成立于 1984 年，初由包头市文化局文化系统一批从事文化艺术工作多年的老同志所组成，后充实了一批中青年业务骨干，到 20 世纪末实有人数 23 名。在全面搜集民族民间文化遗产的基础上，编辑《包头市文化志史资料汇编》（共 3 辑）；1995 年底，完成《包头市文化志》编纂，该书约 40 余万字。注重艺术研究与创作，撰写戏剧、音乐等论文数十篇。创作出戏曲、歌剧、电视剧等数十部（集），音乐作品 50 多首（部），获得国家和自治区主要奖项。②

哲里木盟艺术研究所：1986 年 3 月成立，编制 12 人。建所以来，业务人员经常组织研究人员深入广大农村牧区，搜集整理民族民间文化艺术遗产，出版了《蒙古胡尔齐 300 人》《乌力格尔曲调 300 首》《科尔沁博艺术初探》等专著和撰写了大量论文，并多次参加中国少数民族曲艺研讨会和中国傩戏学国际学术研讨会等国内、国际学术交流活动。

成吉思汗研究所：成吉思汗研究所于 1989 年 2 月成立，隶属于伊克昭盟文化处，编制 5 人，首任所长王勤学，其主要业务是从事成吉思汗及蒙古学方面的课题研究、成果展览和文化宣传等工作。1989 年至 2000 年，成吉思汗研究所曾先后出版《成吉思汗研究文集》（1912—1949，1946—1990）两册；《成吉思汗祭奠》（蒙汉文本）两册；《成吉思汗八白室》（蒙文本）、《成吉思汗八白室与鄂尔多斯人》《成吉思汗全书》《萨刚彻辰及其陵寝祭奠》《成吉思汗陵简介》（蒙汉文本）、《成吉思汗祭奠》（蒙汉文修订本）

① “盟市艺术研究所”中的数据除单独加注的外，均由各个研究所提供。

② 戴柄林主编：《包头市文化志》，内蒙古人民出版社 2001 年版，第 188—193 页。

等著作；撰写成吉思汗研究及蒙古学方面的论文数十篇。

赤峰市文化艺术创作研究中心：1989 年 10 月成立，时称赤峰市民族艺术研究所，同时挂赤峰市艺术创编室牌子。1993 年 10 月，该所并入赤峰市群众艺术馆，成为该馆下设的创研部。1998 年 10 月，从市群艺馆分出，再次成为独立的事业单位，同时更名为赤峰市文化艺术创作研究中心，并保留赤峰市民族艺术研究所的名称至今。2000 年，在编人员 8 人，由该所承担的国家艺术科研课题《草原艺术论》完成送审稿，并得到文化部科技司的书面表彰。

伊克昭盟文化艺术创作研究所：1989 年成立，时称伊克昭盟文艺创作研究室，主要任务是从事民族文化艺术的创作和理论研究。该所成立伊始，承担了全盟重点大型剧节目的创作，鄂尔多斯民族文化艺术理论研究以及向全盟专业文艺团体提供演出剧节目，对各旗、区乌兰牧骑、专业文艺团体进行业务辅导等工作。1989 年至 2000 年，该所曾先后创作了 60 多部剧本，200 多首歌曲、民族器乐曲和舞曲，编导 30 多个民族舞蹈，撰写了 50 多篇文艺理论文章。

兴安盟艺术研究所：兴安盟艺术研究所是兴安盟文化体育局下属的全额拨款事业单位，其前身为兴安盟艺术集成志书工作办公室。1990 年 5 月份成立，办公地址在兴安盟文体局。1997 年 5 月，正式更名兴安盟艺术研究所。负责兴安盟地区的民族民间艺术的搜集、整理和研究，协助当地艺术表演团体开展工作，参与（指导）艺术创作。

（二）艺术档案

1. 艺术档案事业的建立过程

1983 年，文化部、国家档案局联合下发《关于印发〈艺术档案工作暂行办法〉的通知》，对建立艺术档案机构，开展艺术档案工作作出明确的规定。内蒙古自治区文化厅 1984 年 5 月，在自治区档案局的协助下，正式向自治区政府申请成立内蒙古艺术档案馆，同年 12 月，经自治区政府批准，内蒙古自治区艺术档案馆正式成立。此后，各盟文化系统亦相继成立了艺术档案机构 300 余个，呼和浩特市、包头市、巴彦淖尔盟等盟市建立文化艺术档案馆（或管理中心），部分旗县在文化局设立联合档案室。

1989 年 8 月，由文化部主办，内蒙古文化厅承办，内蒙古艺术档案馆协办，在呼和浩特市召开了华北地区首届艺术档案工作协作会议，文化部副部长赵起扬等出席会议，北京、河北、山西、天津及内蒙古代表80余人参会。1990年，为贯彻落实文化部《艺术档案整理规则》,由内蒙古文化厅主办、内蒙古艺术档案馆承办、哲里木盟文化处协办，在通辽市召开了全区艺术档案工作现场会，文化部办公厅派2名代表出席会议，自治区文化部门、档案部门有关领导、档案员80余人参加会议。1995年5月，自治区文化厅成立内蒙古自治区文化艺术档案工作领导小组，各盟市也相继成立艺术档案工作领导小组。

随着艺术档案各项业务建设及管理水平的不断提高，全区文化系统文化艺术档案馆（室）藏量已经达到一定数量：①

1996年各门类档案共计253 672卷，艺术档案156 492卷，其中纸质档案29 942卷，照片104 045张，录音5 773盘，录像3 614盘，实物13 117件。1998年全自治区艺术表演团体、群众文化单位、艺术学校、艺术研究等单位建立个人艺术档案1 826人，其中一级职称97人，二级职称368人，三级职称1 361人；个人艺术档案17 146卷（盘、件、张），其中文字2 877卷，音像1 409盒（盘），照片9 466张，实物3 394件。2000年，全自治区文化系统有百余个单位晋升自治区档案管理等级。自治区直属文化系统有13个单位的档案室及档案工作晋升自治区档案管理等级。内蒙古电影公司还晋升国企省部档案管理等级，内蒙古展览馆、博物馆晋升为特级先进单位。

2. 内蒙古自治区艺术档案馆

1984年12月成立，编制为20人，是全国建立最早的省级文化艺术档案专门管理机构。1993年元月，根据内蒙古自治区编委［1993］1号文件，内蒙古艺术研究所与内蒙古艺术档案馆合并（一个机构，两块牌子，两项职能），其职责主要是收集（接收、征集）、永久保管内蒙古自治区民族民间文化艺术档案史料和区直现行文化单位各类档案，保护自治区文化艺术遗产，开展提供利用和编史修志工作；代行内蒙古自治区文化厅管理全自治区文化艺术档案工作与文化系统档案工作的职能。

1985年8月，创办《艺术档案工作交流》（全国首个艺术档案刊物，后更

① 数据源自内蒙古文化厅：《内蒙古自治区志·文化志》初审稿，2007年，第779—780页。

名为《艺术档案》）。1987 年，由自治区政府划拨专款兴建艺术档案楼，次年 11 月竣工，建筑面积 2 023 平方米，其中档案库房 4 个，面积 800 平方米。

该馆注重对著名艺术家艺术档案的收集、整理和抢救工作，其中包括毛依罕、琶杰、色拉西、桑都仍、哈扎布、宝音德力格尔、德伯希夫、美丽其格、恩和森、周戈、斯琴塔日哈、李小春、敖登高娃等数十人。载体形式包括文字、图片录音、录像和实物资料收藏等。到 20 世纪 90 年代末，馆藏重大文化艺术活动、文艺集成志书、艺术活动、乌兰牧骑、传统剧目、艺术家与文化名人、书稿（蒙、汉文）及区直文化单位档案等计 20 个全宗，档案 11 197 卷，资料 8 893 册（盘）。其中纸质档案 4 840 卷，照片档案 421 卷、20 000 余张，录像档案 1 426 余盘，录音档案 1 110 盘，光盘档案 400 张，各类实物档案 3 000 件；馆藏资料有各类文化艺术图书、期刊 7 000 余册，外国音乐录音资料 428 盘，唱片 117 套（312 张）。①

建馆以来，利用馆藏档案举办或承办参加了《全国文化史料展览》《全国档案成果展》《1980—1990 年全国对外交流成果展》《乌兰牧骑成立三十五周年图片展》《乌兰牧骑成立四十周年图片展》等 9 次全国、全区重大展示活动，展出或选送图片、实物 5 500 余件②。1996 年编拍录像片《艺术在这里延伸——发展中的内蒙古艺术档案工作》代表内蒙古报送国家档案局，并参加全国档案工作专题片比赛。编著《内蒙古文学艺术大事记》《内蒙古自治区对外文化交流大事记》《文化艺术档案国际指南》（内蒙古部分）等多种文献与专业书籍。

3. 各盟市艺术档案机构③

呼和浩特市文化艺术档案馆：成立于 1991 年 3 月，职责是：接收、征集、保管呼和浩特市需要永久和长期保管的文化艺术档案资料；接收呼和浩特市文化系统基层单位全宗，并对其进行科学地管理，做好提供利用档案内容，做好编辑出版档案史料等工作。2000 年，馆藏档案 3 000 余卷，科技图

① 数据源自内蒙古自治区文化厅：《内蒙古自治区志 · 文化志》初审稿，2007 年，第 780—782 页。

② 数据源自内蒙古自治区文化厅：《内蒙古自治区志 · 文化志》初审稿，2007 年，第 782 页。

③ “盟市艺术档案机构”中的数据除单独加注的外，均由各个艺术档案馆提供。

纸 402 张，照片 2 868 张，录像、录音带 23 盒，馆藏资料 588 册。编制的检索工具有目录式、卡片式、文字叙述式、图表式共 4 种 50 余册。包头市艺术档案网络管理中心：包头市艺术档案网络管理中心成立于 1986 年，其前身系包头市艺术研究所艺术档案室。1990 年改为包头市文化局艺术档案室。其职能是搜集、整理、保管包头地区需要永久和长期保管的文化艺术档案资料，同时负责督促检查、指导包头市文化局直属各文化单位以及各区、旗、县的艺术档案工作。网络管理中心的库藏载体分为文字、照片、录音、录像和实物 5 种。划分为：单位（团）类、剧（节）目类、个人类 3 个大类，数十项属类，为包头市的国家一级演员、剧作家、作曲家等数十人建立了个人艺术档案。藏文字档案 280 卷，照片档案 3 700 幅（张），录音档案 2 400 盘（盒），录像档案 120 盘，个人艺术档案 75 卷。①

巴彦淖尔盟文化体育局档案室：成立于 1985 年，设有专职档案员 1 人、兼职档案员 7 人。档案室成立伊始，即把搜集、整理、保管巴盟地区的艺术档案资料作为该室的主要任务。同时，还督促、检查、指导盟局属各文化单位以及旗县文化局的艺术档案工作。藏档案 1 420 卷，分为文字、声像、录像 3 大类。

此外，伊克昭盟乌审旗文化局、哲里木盟扎鲁特旗文化局、阿拉善盟阿左旗文体局等旗县也建立了联合档案室。

第五节　图书馆事业

20 世纪上半期，是内蒙古近代图书馆事业兴起的重要时期。1902 年 10 月，喀喇沁右旗札萨克郡王贡桑诺尔布创建的崇正学堂图书馆，是内蒙古地区第一所具有近代图书馆特征的学校图书馆，是内蒙古近代图书馆事业的发端，在内蒙古图书馆事业史上具有重要地位。1908 年 11 月，统辖归化城土默特蒙古的归化城副都统三多奏请官办的归化城图书馆，附设阅报所，是内蒙古地区第一所公共图书馆。面向广大民众的公共图书馆是地区图书馆事业形成的标志，也是地区图书馆事业发展的基础。民国以来，内蒙古地区近代

① 戴柄林主编：《包头市文化志》，内蒙古人民出版社 2001 年版，第 216—219 页。

图书馆事业经历了产生、发展和衰败的历史过程。这个历史时期先后建立的公共图书馆、民众教育馆图书馆（室）共有 90 所。其中省级公共图书馆 3 所，盟级图书馆 1 所，县级图书馆 39 所（含日伪时期建立或改组的计 6 所），乡级图书馆 47 所①。学校图书馆数量仅次于公共图书馆，中等专业学校、师范学校及中小学校图书馆得到了一定发展。继崇正学堂图书馆之后，诸如绥远省立绥远师范学校、绥远省立第一女子师范学校、五族学院、绥远中山学院、归绥农科职业学校、归绥中学、区立包头第二中学、集宁一中等学校图书馆（室）都有了规模不等的藏书。其他类型图书馆也有所发展，如归绥市的共和医院（创办于 1918 年）、归绥市立公教医院（建于 1923 年）、平民医院（建于 1925 年）和厚和医院（建于 1937 年）的图书馆（室），都有少量医学藏书。据 1945 年至 1949 年统计，"内蒙古地区寺庙约 1 422 座"②，1 400 余所藏传佛教寺院图书馆藏书基本得到保存，是这一时期图书馆事业的重要组成部分。

在中国共产党的领导下，内蒙古蒙汉各族人民打败日本侵略者之后，发动了波澜壮阔的内蒙古自治运动和解放战争，在中华人民共和国成立前夕，1947 年 5 月成立了内蒙古自治政府，开始民族区域自治建设，内蒙古的历史进入了新的发展时期。纵观内蒙古自治区图书馆事业 50 余年的发展，尽管有失误，有挫折，总的说来发展是主线，从小到大，跌宕起伏，逐步发展，特别是中共十一届三中全会至 20 世纪末，在改革开放的大潮中，自治区图书馆事业展现了勃勃生机，发展是迅速的，变化是深刻的，成绩是巨大的，为自治区社会主义现代化建设做出重要贡献。

自治区图书馆事业依据现行管理体制形成的系统和类型，主要有公共图书馆、科研院所图书馆、高等学校图书馆、中等专业学校图书馆和中小学图书馆、党校图书馆、医院图书馆、工会图书馆和寺院图书馆等。自治区公共图书馆、高等学校图书馆和科研院所图书馆是自治区图书馆事业的三大支柱，其他系统图书馆是其重要组成部分。内蒙古自治区的图书馆事业大致分

---

① 忒莫勒：《近代内蒙古地区公共图书馆事业史》,《内蒙古近代史论丛》第 4 辑，内蒙古人民出版社 1991 年版，第 131—208 页。

② 德格勒、乌云高娃：《内蒙古喇嘛教近现代史》,远方出版社 2004 年版，第 297 页。

为四个发展阶段，即初建时期（1947—1957 年）、巩固发展时期（1958—1965 年）、停滞及恢复发展时期（1966—1976 年）和全面发展时期（1977—2000 年）。

一、初建时期（1947—1957 年）

自治区经过恢复国民经济，进行社会民主改革，实施发展国民经济第一个五年计划，逐步实现了内蒙古统一的民族区域自治，出现了社会政治稳定，经济、文化、教育事业发展的新局面。同样，自治区图书馆事业在整顿和改造旧图书馆的同时，有步骤有重点地兴建各类型图书馆，特别是工会图书馆和农村图书馆有了较快发展。这是自治区图书馆事业稳步、健康发展时期。

在新中国成立初期，南京国民政府留存下来的图书馆，仅有为数不多的公共图书馆和少数中等专业学校和中学图书馆，且这些图书馆大多集中在归绥市、包头市等城市，北部边境牧区旗县没有一所图书馆，南部地区原有的民众教育馆图书馆（室）已基本停办或损失殆尽。内蒙古地区虽有 1 422 座寺院图书馆藏书相对稳定，但在 1947 年开始的内蒙古东部地区土地改革运动中遭受了惨重的破坏。高等学校图书馆、科研院所专业图书馆、党校图书馆和工会图书馆等基本都是从零开始建设。

公共图书馆事业　1950 年 5 月，在原绥远教育推行委员会图书部的基础上筹建绥远省图书馆，工作人员 4 名。同年 10 月迁入归绥市新城鼓楼，正式命名绥远省人民图书馆，工作人员 8 名，藏书 31 653 册。1954 年绥远省划归内蒙古自治区，5 月 1 日省馆改名为内蒙古自治区图书馆。1957 年 3 月，位于人民公园内的图书馆楼竣工，面积 2 830 平方米，工作人员 29 名，藏书达 37 万册①，蒙汉文古旧图书、地方文献等特色藏书已初具规模，组织机构健全，外借内阅的读者服务已形成体系。在国家“一五”计划指导下，自治区文化局着力加强了盟市图书馆及少量旗县图书馆建设。至 1958 年已建立自治区级图书馆 1 所、盟市图书馆 10 所、旗县图书馆 6 所，共 17 所。作为基层图书馆的延伸，从 1947 年秋建立乌兰浩特市文化馆图书室，

---

① 冀森：《三十五年的回顾》,《内蒙古图书馆工作》1985 年第 2、3 期。

至1957年旗县文化馆图书馆（室）发展到100个。①

高等学校图书馆事业 随着经济、文化、教育事业的恢复发展，内蒙古历史上的第一批正规的高等学校陆续建成，先后建立了4所高校图书馆：1952年5月创建的内蒙古师范学院图书馆，当时藏书7 000余册，使用馆舍100平方米；1955年建成800平方米独立馆舍，工作人员3人；1952年11月成立的内蒙古畜牧兽医学院图书馆，当时藏书1万余册，使用馆舍400平方米，后扩大馆舍面积达1 500平方米，工作人员3人；1956年5月成立的内蒙古医学院图书馆，当时藏书1.4万余册，使用馆舍600平方米，工作人员10人；1957年10月建立的内蒙古大学图书馆，当时藏书17.42万册，使用馆舍2 000平方米，工作人员20人②。这4所高校图书馆的建立，奠定了自治区高校图书馆事业的基础，揭开了内蒙古高校图书馆事业史的第一章。这一时期，各高校图书馆根据各校教学、科研工作的需要，明确办馆方针、任务，积极地进行各文种各类型文献的搜集、整理和利用工作，初步建立了较科学的基础业务工作体系和读者服务工作体系，提高了业务管理水平，主动地为学校的教学和科学研究工作提供优良的服务。至1957年底，4所高校图书馆馆舍总面积为4 900平方米，馆藏文献总量为24.8万余册，工作人员共有50人。

科研院所图书馆事业 1953年5月建立的内蒙古自治区蒙古语文研究会图书资料室，是自治区科研系统中最早设立的图书资料室，工作人员2人。1957年5月，在研究会基础上成立了厅级编制的内蒙古历史语言文学研究所，图书资料室改称图书资料编译室。1956年3月成立的内蒙古农业科学研究所图书情报室，其前身为始建于清末的归绥农林试验场，经抗日时期的绥远省第二农事试验场、1950年2月改建的绥远省立归绥农事试验场、1954年内蒙古五里营农业试验场发展而来的。这些试验场图书室都有规模不等的藏书。

其他系统图书馆事业都有了一定发展。1948年11月，在乌兰浩特创建

① 乌林西拉主编：《内蒙古图书馆事业史》，内蒙古大学出版社2009年版，第10—11页。

② 乌林西拉：《蓬勃发展中的内蒙古高校图书馆事业：1947—1992》，《华北高校图协十年》，天津古籍出版社1995年版，第357页。

的内蒙古党校图书室藏书已有 6 万多册。1952 年内蒙古党校迁到归绥市，图书馆进一步发展，至 1956 年馆舍面积为 300 平方米，藏书达 9 万多册，工作人员 2—3 人①。内蒙古医院图书馆初建时仅有藏书 1 000 余册，到 1957 年已达 1 万多册。

二、巩固发展时期（1958—1965 年）

这一时期自治区图书馆事业的发展起伏不定，但是总体上仍然在原有基础上取得很大成绩。1958 年，中共中央提出了社会主义建设总路线，之后轻率地发动了“大跃进”运动和人民公社化运动，以高指标、浮夸风、瞎指挥等为主要标志的“左”倾错误严重地泛滥，自治区图书馆事业的发展受到挫折。其主要特点是图书馆事业发展过快过急，不切实际的盲目“大跃进”；在“破除迷信，解放思想”的口号下，正常的工作秩序受到干扰破坏。1958 年至 1960 年，内蒙古高校图书馆由原来的 4 所猛增至 20 所，新建的高校图书馆大多属于仓促上马，基础设施不足，书刊资料残缺不全，业务工作质量低劣，管理秩序混乱，无法适应学校教学、科研工作的要求。一些公共图书馆片面强调为基层工农业服务，忽视了为生产科研服务；只重视书刊流通率，忽视了文献资源建设和典藏。提出了过高的发展读者、流通图书、建立农村牧区图书室的“指标”，图书馆的发展出现了盲目性，造成图书的丢失。在“大破大立”的口号下，忽视了图书馆工作规律的科学性和延续性，使图书馆工作受到损失。

1961 年春，“左”倾错误得到及时纠正，国家贯彻“调整、巩固、充实、提高”的八字方针，自治区图书馆事业经过整顿和巩固，重新走上健康发展的道路。调整了图书馆事业发展规模，使之与国民经济和文化教育事业的发展相适应；加强了图书馆基础业务工作，建立健全各项规章制度；强化民族文献、地方文献资源建设，图书馆逐渐形成各具专业特色的藏书体系；突出读者服务工作，提高服务工作质量，编制了一些馆藏专题目录和推荐目录。至 1965 年底，自治区以图书馆建制保留的三级公共图书馆只有 12

① 韩静：《党校图书馆在风雨中前进》，《内蒙古党校五十年》，内蒙古人民出版社 1998 年版，第 202 页。

所，有自治区级图书馆1所（内蒙古图书馆），盟市级图书馆7所（呼和浩特市图书馆、包头市图书馆、呼伦贝尔盟图书馆、锡林郭勒盟图书馆、巴彦淖尔盟图书馆、伊克昭盟图书馆、乌兰察布盟图书馆），旗县图书馆4所（通辽市图书馆、丰镇县图书馆、赤峰市图书馆、太仆寺旗图书馆），藏书总量近100万册。1962年，旗县文化馆调整为80个。在没有独立建制图书馆的旗县，各文化馆均建有图书室，代行图书馆职能①；20所高校图书馆经过调整、撤销、合并等成为9所，是内蒙古大学图书馆、内蒙古师范学院图书馆、内蒙古农牧学院图书馆、内蒙古医学院图书馆、内蒙古工学院图书馆、内蒙古林学院图书馆、包头医学专科学校图书馆、内蒙古财贸干部进修学院图书馆和通辽师范专科学校图书馆。其馆舍总面积为12 600平方米，藏书总量为181.6万册，工作人员140余人，系所资料室60多个②。内蒙古历史语言文学研究所图书资料编译室，1958年归属中国科学院内蒙古科学分院图书馆管理。1962年初，中国科学院内蒙古科学分院图书馆建制撤销，恢复了内蒙古历史语言文学研究所图书资料编译室建制，已有藏书18万册，工作人员17人，它是内蒙古社会科学院图书馆的前身。正是在这个时期，自治区各系统图书馆，竭力克服“左”倾错误的干扰和三年经济困难的影响，在各级领导的重视下，文献资料建设有了较大发展。内蒙古图书馆、内蒙古社会科学院图书馆、内蒙古大学图书馆和内蒙古师范学院图书馆等搜集和整理了大量的珍贵蒙古文、汉文古籍和民国时期出版物，奠定了图书馆馆藏特色文献基础。建立了较为规范化的基础业务工作流程和具有一定规模的读者服务体系，使图书馆整体工作水平上了一个台阶。

自治区的科研院所图书馆和科技情报单位，主要建立于20世纪50年代中后期，采取了较为平稳的政策，总体发展趋势是健康的，情报资料工作是活跃而有效的。1958年11月建立内蒙古自治区科学技术情报研究所，1959年以后，各盟市相继成立了盟市科技情报研究所。自治区科研设计单位及大型厂矿企业也成立了情报机构，如内蒙古农科院、内蒙古交通科研所等。科

① 乌林西拉主编：《内蒙古图书馆事业史》，内蒙古大学出版社2009年版，第12页。

② 乌林西拉：《蓬勃发展中的内蒙古高校图书馆事业：1947—1992》，《华北高校图协十年》，天津古籍出版社1995年版，第359页。

技情报领域同样受到当时“大跃进”“浮夸风”的影响，一些浮夸、失实的“情报”大量出现在所交流的信息中，其中最具代表性的是所谓超声波应用技术，根据当时报道的资料介绍，超声波几乎成了“万能膏药”。1962 年中国科学院内蒙古科学分院撤销后，科学分院图书馆科技藏书划归内蒙古科技情报研究所，成立科技图书馆。截至 1965 年底，全区科技情报机构共有 50 个，专职科技情报工作人员近 200 人①。内蒙古党校图书馆馆舍面积为 1 000 平方米，藏书 24 万册，各盟市、一些大型厂矿企业和大部分旗县相继建立了党校图书馆（室），约有 70 多所，藏书从几百册到几千册不等，都开展了图书报刊借阅服务工作。

三、停滞和恢复发展时期（1966—1976 年）

从 1966 年 5 月到 1976 年 10 月，我国发生的“文化大革命”，使中国共产党、国家和人民遭到新中国成立以来最严重的挫折和损失。1947 年以来，在艰难曲折中发展起来的自治区图书馆事业，同样遭到严重干扰和破坏，其中寺院图书馆藏书则遭到第二次毁灭性浩劫。其主要表现概括为以下几点：

第一，图书馆的性质、任务、服务对象等都被任意歪曲篡改，把为工农兵服务与为知识分子服务、为农村牧区厂矿企业服务与为教学科研单位服务对立起来，片面强调前者。例如，据不完全统计，至 1977 年自治区农村、牧区、厂矿企业基层图书室达 12 500 个，藏书 300 万册，仅乌兰察布盟就有基层图书室 6 581 个②。这些为宣传需要，政治色彩浓厚的基层图书馆（室）至 1978 年前后基本上自行消散。第二，图书馆多年积累的管理经验和行之有效的各项规章制度，被污蔑为“管、卡、压”，致使有些图书馆出现无章可循、管理混乱的现象。第三，图书馆入藏的古旧外文书刊，被污蔑为“封、资、修毒草”，受到禁锢，有的甚至被焚烧。第四，藏书建设遭到破坏，采购外文书刊被诬为“洋奴哲学”、“崇洋媚外”，横加批判，以致高校图书馆、科研院所图书馆等长期订购的外文书刊，被迫中断订购有数年之久。其后虽进行了补购，却造成了无法弥补的损失。第五，图书馆业务干部

① 姜铁城：《内蒙古自治区科技情报事业三十周年》，内蒙古人民出版社 1988 年版，第 2 页。

② 内蒙古图书馆：《蓬勃发展的我区图书馆事业》，《内蒙古日报》1977 年 7 月 22 日。

不能从事正常的业务工作，关闭图书馆长达5—6年之久，工作人员或下放劳动或入学习班或调离，使建立起来的专业队伍受到损害。第六，图书馆事业的规模有所缩减，特别是工会图书馆、党校图书馆、中小学图书馆多数被关闭，或合并或撤销。如，1970年末内蒙古林学院撤销单独建制，合并到内蒙古农牧学院，图书馆的藏书及设备也随之合并；1975年内蒙古农牧学院一分为四，分别在乌兰察布盟、锡林郭勒盟、伊克昭盟和巴彦淖尔盟四地建立分院，图书馆的资料、设备及人员也被一分为四下放到四盟分院办馆。在合并、分散、搬迁过程中，图书资料及设备受到重大损失。全区科技情报机构纷纷被撤销或拆散合并，大量文献资料被处理或因无人保管而散失。即便个别情报机构被保留下来，也处于名存实亡的瘫痪状态。第七，停止了自治区图书馆学函授专业教育和专业培训活动。

在长达10年的“文化大革命”中，自治区各系统各级图书馆的广大职工，通过多种形式，不同程度地与“左”倾错误进行了持续的抵制和斗争，使“文化大革命”的破坏受到了一定程度的限制。在坚持图书馆性质、任务的正确性，保护图书馆馆藏文献资源，维护图书馆工作规律等方面做了大量工作。内蒙古图书馆、内蒙古社会科学院图书馆、高校图书馆和内蒙古党校图书馆，以及多数盟市旗县图书馆，大都基本保护了图书馆馆藏文献，并尽可能有所增加。特别是各大图书馆珍藏的蒙古文、汉文古籍、民国时期书刊和外文图书等基本未遭到损失。据《中国蒙古文古籍总目》统计，全国收藏蒙古文古籍1.31万种，内蒙古图书馆、内蒙古社会科学院图书馆、内蒙古大学图书馆和内蒙古师范大学图书馆收藏的蒙古文古籍为10 425种，占总收藏量的80%①。又据《内蒙古自治区线装古籍联合目录》统计，全区收藏汉文古籍2.7万余种50万册，内蒙古图书馆等四大图书馆收藏的汉文古籍为42万册，占总收藏量的84%。② “文化大革命”初期，特别是1968年8月内蒙古党校被撤销后，图书馆藏书多次面临着被瓜分、搬走和销毁的境地，内蒙古党校图书馆的一些老同志，抱着与这些图书资料“同生死、共存亡”的决心，经过多次的软抗硬顶，历经磨难，终于保住了图

① 参见乌林西拉主编：《中国蒙古文古籍总目》，北京图书馆出版社1999年版。

② 参见何远景主编：《内蒙古自治区线装古籍联合目录》，北京图书馆出版社2003年版。

书馆财产。到 1973 年内蒙古党校恢复时，图书馆藏书仍有 20 余万册。还要提到的一件事情，是关于“文化大革命”文献的搜集和整理。1967 年下半年至 1969 年，内蒙古大学图书馆临时负责人根据馆内同志的建议，决定有组织有计划地搜集内蒙古和全国各地的“文革”文献，除在呼和浩特大力搜集各种传单、小报等，还几次派人长驻北京，多渠道搜集各种“文化大革命”时期的非正式出版物。“文化大革命”后期及其以后，内蒙古大学图书馆继续重视了“文化大革命”文献的访求及保管。馆藏各类红卫兵小报、传单、书刊等非正式出版的“文化大革命”文献共有近 2 万种 7 万余册（份）。① 当时不花钱或少花钱即可随手得到的“文化大革命”文献，已成为今人或后人研究“文化大革命”历史的重要参考资料。

“文化大革命”后期，各系统图书馆工作得到了一定恢复和发展。1971 年 8 月，中共中央转发了国务院《关于出版工作座谈会的报告》。《报告》中明确地指出：“图书馆担负着宣传马克思主义、列宁主义、毛泽东思想，为三大革命运动服务的重要任务，要加强对图书馆的领导，充分发挥它的作用。目前很多图书馆停止借阅的状态应当改变，要积极整理藏书，恢复借阅。”这些意见，使部分公共图书馆逐步地恢复了图书借阅和其他服务工作。1965 年全区有公共图书馆 12 所，1975 年前后新建旗县图书馆 23 所，恢复图书馆建制 1 所，到 1978 年共有各级公共图书馆 36 所。1971 年以来，随着各高校招收的工农兵学员入校，高校图书馆工作得以恢复。陆续整理开放一部分藏书，恢复了图书借阅工作。1971 年 12 月，恢复重建包头师范专科学校图书馆，1976 年 7 月新建哲里木农牧学院图书馆（1978 年 12 月改为哲里木畜牧学院图书馆）。1974 年内蒙古科委成立后，恢复了内蒙古科技情报研究所，定编 18 人。随着自治区有关厅局恢复工作以及当时社会生产对科技情报的需要，全区的科研院所图书馆（室）和科技情报机构逐步得以恢复，群众性的科技情报网迅速发展。据 1976 年统计，组建 8 个专业厅局情报站，49 个科技情报网，盟市、旗县也相继建立了一批情报网。全区专职科技情报机构已有 70 多个，工作人员 500 余人。②

① 伊莉：《内蒙古大学图书馆“文革”文献特色库建设》，学术会议交流论文 2007 年版。

② 姜铁城：《内蒙古自治区科技情报事业三十周年》，内蒙古人民出版社 1988 年版，第 4—5 页。

四、快速恢复和全面发展时期（1977—2000 年）

1976 年 10 月，以粉碎“四人帮”反革命集团为标志，宣告“文化大革命”结束，中国进入社会主义现代化建设的新时期。中共十一届三中全会重新确立了马克思列宁主义的思想路线、政治路线和组织路线。决定把全党工作的重点转移到社会主义现代化建设上来，全面地纠正“文化大革命”及其“左”倾错误。这一历史时期最鲜明的特点是改革开放，最显著的成就是快速发展，最突出的标志是与时俱进。社会进步，经济繁荣，文化教育兴盛，民族团结，为自治区图书馆事业的全面发展创造了良好的政治和社会环境。

党中央和政府加强了对图书馆事业的领导。在 1978 年五届全国人大以后的历次政府工作报告和国家“六五”至“九五”四个五年计划内，都提出了发展图书馆事业的计划和指标，把图书馆事业纳入国民经济和社会发展的计划，为图书馆事业建设创造了条件。1980 年 5 月，中共中央书记处第 23 次会议讨论并通过了《图书馆工作汇报提纲》,明确指出当时图书馆事业存在的主要问题，并就发展图书馆事业，改进图书馆条件，加速北京图书馆新馆建设，发展图书馆学教育和科研事业，加速图书馆专业人员培养，加强和改善对图书馆事业的领导等问题提出指导意见。这些意见对推动图书馆事业的全面发展具有重大意义。此后国务院和政府相关主管部门陆续制订并颁布了一系列图书馆行政规章，保障并促进了图书馆事业在改革开放的浪潮中健康发展。1987 年 3 月，由中央宣传部、文化部、国家教育委员会、中国科学院联合会签，并经中共中央领导人和国务院同意，印发的《关于改进和加强图书馆工作的报告》,是继 1980 年《图书馆工作汇报提纲》之后，图书馆工作方面又一个重要文件，其基本精神是在新的形势下，要进一步改革、改进和加强图书馆工作，对今后一个时期的图书馆工作具有重要指导意义。党中央和政府为切实帮助少数民族地区发展经济文化，努力培养和提拔少数民族干部，重视少数民族地区图书馆事业的发展。1983 年 7 月，文化部、国家民委和中国图书馆学会联合在北京召开的全国少数民族地区图书馆工作座谈会，是建国以来举办的具有里程碑意义的首次会议。这次会议和持续到 2006 年举行的九届全国少数民族地区图书馆工作会议、图书馆学研讨会，对我国民族地区图书馆事业全面发展起到了不可估量的作用。

自治区图书馆事业在党中央改革开放政策的指引下，在自治区政府各相关主管部门的领导和支持下得到了迅速发展。各系统图书馆经过近3年的整顿恢复和初步发展，先后完成了调整组织机构、组建专业干部队伍、清理补充藏书、加强基础业务工作、强化读者服务工作，很快地使图书馆工作步入正常的轨道，并得到发展，为实现图书馆现代化奠定了坚实基础。1981年至2000年，在“六五”至“九五”四个五年计划期间，建立和完善了各系统图书馆事业管理体制；制定和颁布有关法规、条例；制定和实施图书馆事业发展规划；加大资金、政策上扶持的力度和进行图书馆工作的评估、检查；进行图书馆事业宏观管理和指导，迎来了自治区图书馆事业前所未有的大发展，为自治区社会主义精神文明建设和物质文明建设作出了重大贡献。

（一）图书馆规模不断扩大，新建一批图书馆

1978年底，全区公共图书馆有36所，其中自治区级图书馆1所，盟市级图书馆7所，旗县级图书馆28所，藏书总量为150余万册（件），工作人员599人。“五五”、“六五”期间，公共图书馆事业以图书馆基础设施建设为开始，有计划按比例发展。至1985年底，共有各级公共图书馆93所，其中新建图书馆共55所，恢复图书馆建制2所。内蒙古北部18个边境旗市中已有14个建立了图书馆。达斡尔族、鄂温克族、鄂伦春族3个少数民族自治旗和呼和浩特市回民区均已建立图书馆，是自治区公共图书馆事业建设的鼎盛时期。“七五”至“九五”期间，公共图书馆事业有了进一步发展。1998年5月，内蒙古图书馆新馆舍竣工并投入使用，馆舍面积2万平方米，藏书达140万册。在巩固、充实原有图书馆基础上，全面推进盟市、旗县图书馆建设，又兴建了正镶白旗图书馆、阿拉善右旗图书馆、额济纳旗图书馆、红山区民族少儿图书馆、二连浩特市图书馆、阿拉善盟图书馆和兴安盟图书馆等15所图书馆。至1998年，自治区共有各级公共图书馆108所，其中自治区级图书馆1所，盟市级图书馆12所，旗县级图书馆93所，少儿图书馆2所。据2002年统计，自治区108所公共图书馆建筑总面积13万平方米，总藏书量为693.6万册，工作人员1 794人。① 全区各乡镇苏木文化站

① 内蒙古自治区人大常委会教科文卫委员会：《关于〈内蒙古自治区公共图书馆管理条例〉执法调研情况报告》，内常办发［2002］55号（2002年12月14日）。

普遍设有图书室或独立图书馆，一些嘎查村也建立了图书馆室。据 1981 年统计，全区有 105 个文化馆、481 个文化站。进入 20 世纪 90 年代后，自治区又实施了“彩虹文化计划”和“边境文化长廊建设计划”，加快了基层图书室的建设和普及工作。正在逐步形成以自治区、盟市、旗县三级公共图书馆为主，以乡镇苏木文化馆（室）为辅的图书馆网络布局。

1981 年、1987 年召开了两次全国高校图书馆工作会议，成立了主管全国高校图书馆工作的组织机构，出台了一系列指导性文件，大大地推动了我国高校图书馆事业的全面发展。内蒙古各级领导十分重视高校图书馆工作，内蒙古教育厅于 1982 年元月、1984 年元月、1986 年 4 月、1990 年 12 月和 1996 年 6 月先后五次召开了内蒙古高校图书馆工作会议，积极贯彻落实《中华人民共和国高等学校图书馆工作条例》《普通高等学校图书馆规程》《普通高等学校图书馆规程（修订）》等一系列法规性文件，并结合内蒙古高校图书馆的实际，制定了各项政策，促进了全区高校图书馆事业的发展。1981 年 12 月，全区有普通高校图书馆 16 所（不含内蒙古蒙文专科学校图书馆），馆舍总面积为 22 000 平方米，馆藏文献总量为 346.6 万册，工作人员为 392 人。[①] 至 1999 年，通过重建、合并，全区 16 所普通高校图书馆馆舍总面积为 90 394 平方米，馆藏文献总量为 626 万册，工作人员为 712 人，计算机共 241 台。[②] 各高校图书馆逐步以现代化技术手段，整合丰富的文献资源和人力资源，通过技术研发、资源建设、信息服务等方式，建设以数字图书馆为核心的高等教育文献联合保障体系，实现文献信息资源共建、共知、共享，为自治区高等教育事业和经济建设发挥着更大的作用。

科研院所图书情报（信息）系统门类很多，数量较大，藏书专深，是科学研究工作的重要组成部分，是科学研究工作的耳目、尖兵和参谋。自治区科技情报事业和专业科研院（所）图书馆（情报研究所），在迅速恢复整顿和重建的基础上有了很大发展。基本建成以自治区、盟市、旗县三级综合科技情报系统和专业科研机构图书馆（科技情报所）为主体的文献信息保

---

① 刘羚：《内蒙古自治区高等学校图书情报事业》，《华北高校图协十年》，天津古籍出版社 1996 年版，第 378 页。

② 据内蒙古高校图工委秘书处存档案，内蒙古高校图书馆 1999 年度统计报表。

障体系。1984 年 4 月，自治区科委召开第二次全区科技情报工作会议，讨论通过了《内蒙古科委关于加强全区科技情报工作的意见》等三个文件，并责成内蒙古科技情报研究所代行全区科技情报工作的管理职能，负责制定科技情报工作的方针政策、计划规划、行使业务指导、组织协调、干部培训等职责。内蒙古科技情报研究所到 1988 年已发展到 10 个科室，人员 84 人，形成以科技书刊、专刊文献、标准文献为主，具有一定规模的藏书体系。8 盟 4 市都建立了科技情报研究所，全区 74 个旗县设有科技情报机构，多数是旗县科委下属情报研究室。一个以专职情报机构为骨干，以群众性科技情报网为基础的科技情报网络系统已经形成，并且具有一定规模。全区有专职科技情报机构 302 个，专职科技情报人员 2 059 人。全区各地还出现了很多诸如经济情报、市场情报、情报咨询等各级各类科技情报网站共有 344 个，其中自治区级的科技情报网站 117 个，盟市级的科技情报网站 100 余个，旗县级的科技情报网站 127 个，拥有兼职科技情报人员 5 000 余人[①]。一些单位还参加了全国性或区域性（华北区、西北区）的专业科技情报网。截至 1991 年底，科研情报单位藏科技文献达 188. 44 万册（件）。自治区和盟市两级各专业科研机构的科技情报工作，多隶属于两级政府的相关部门。在各自政府主管部门的重视和领导下，科研事业及其文献情报工作都有较大发展。进一步完善各级科技情报机构，加强和充实馆舍、文献、设备和人员建设。20 世纪 90 年代末，随着我国科学技术体制改革的逐步深化，自治区的科研院（所）科技情报所（图书资料室）工作有新的变化。一些非公益性科研机构实行改制与机构调整重组，陆续退出政府机构序列，科技情报工作也随之而淡化或停顿。农、牧、林、气、水、农机等系统的科研院（所）及其科技情报机构作为公益性或服务性机构被保留下来，有的还升格为准厅（局）级单位，如内蒙古农科院、内蒙古畜科院、内蒙古林科院等，有的则随机构调整直接隶属国家有关部门，实行垂直管理，如内蒙古气象局系统等。其间产生的一些民营科研机构的科技文献工作尚在发展中。

社会科学院（所）图书馆（图书资料室）是自治区社会科学研究工作的重要组成部分。1979 年 2 月成立内蒙古社会科学院图书馆，目前是自治

---

① 姜铁城：《内蒙古自治区科技情报事业三十周年》，内蒙古人民出版社 1988 年版，第 8 页。

区最大的社会科学专业图书馆，在国内外社会科学科研系统图书馆中具有重要地位。在文献资源建设，特别是蒙古学文献资源建设及其开发利用研究、文献保护、读者服务以及图书馆学研究方面工作业绩突出，为自治区社会科学研究事业作出重要贡献。进入20世纪80年代后，内蒙古主要党政部门和相关高等学校相继成立了一批社会科学研究机构，大多设有图书资料室，逐步形成以自治区直属专业研究单位、高等学校、党干校和党政部门为主的社会科学研究院（所）图书馆（室）体系。截至1989年，除内蒙古社会科学院图书馆外，全区有县处级以上社会科学研究机构所属图书资料室50个。①

同样，其他系统图书馆都有了很大发展。随着20世纪80年代党校教育的发展，内蒙古地区党校系统图书馆进入一个较稳定、繁荣的发展阶段。自治区党校系统图书馆以内蒙古党校图书馆为中心，包括12个盟市级党校图书馆、10多所大型企业党校图书馆和近100所旗县级党校图书馆（室），已形成覆盖全区的党校图书馆系统网。

（二）新建、扩建图书馆建筑，设施装备有了很大改变

20世纪80年代以来，自治区各级政府和主管部门投入大量资金，新建和扩建了一批公共图书馆、高等学校图书馆等各系统图书馆建筑，扩大了图书馆馆舍面积，增添了各种新技术装备，更新了家具设备，自治区图书馆建筑进入新的发展时期。

至1985年自治区各级公共图书馆达到93所，馆舍条件却不容乐观。全区公共图书馆总面积44 034平方米，其中内蒙古图书馆只有3 000平方米，9个盟市馆馆舍总面积18 841平方米，83个旗县（区）馆馆舍面积共有21 793平方米。科右前旗图书馆馆舍面积只有32平方米，卓资县图书馆馆舍面积仅有50平方米，这其中还未包括8个租、借办公场地的图书馆。②

从1986年“七五”计划开始，自治区新建图书馆馆舍，改建扩建不符合要求的图书馆馆舍，图书馆馆舍情况得以改观。重点建设内蒙古图书馆，1994年全国省级公共图书馆评估定级时，“内蒙古图书馆成为全国唯一在设

① 内蒙古自治区哲学社会科学规划领导小组：《内蒙古自治区社会科学纪实：1947—1989》1990年，第1—2页。

② 乌林西拉主编：《内蒙古图书馆事业史》，内蒙古大学出版社2009年版，第18页。

施、经费、新书入藏率三个项目全得‘零’分的省级图书馆，远远落后于内地和沿海发达地区”①。于是，作为自治区成立50周年献礼项目的内蒙古图书馆新馆，于1995年5月18日破土动工，占地面积28 000平方米，建筑面积2万平方米的内蒙古图书馆新馆在1997年7月8日落成。新馆由书库、阅览室、报告厅三大部分组成，设计总藏书量为300万册，设有7个外借口，29个不同类型的阅览室，近2 000个阅览席位。设有蒙古文经卷特藏库和地方文献阅览室、电子阅览室、学术报告厅、计算机检索、缩微复制、声像资料等部门，是自治区当时规模最大、功能最齐全的现代化公共图书馆②。1998年依据文化部部署，对自治区旗县（区）级以上公共图书馆进行评估定级工作。自治区参加评估的101个公共图书馆馆舍总面积118 794平方米，其中12个盟市图书馆馆舍面积为48 504平方米，87个旗县（区）图书馆馆舍面积68 315平方米，2个少儿图书馆馆舍面积1 974平方米。12个盟市图书馆和2个少儿图书馆馆舍都是1978年以后新建的。12个盟市图书馆馆舍基本上达到了国家标准的要求。其中，呼和浩特市图书馆达到了国家标准第二档8 000平方米的要求，包头市图书馆达到了国家标准第三档6 000平方米以上的要求。87个旗县图书馆中，馆舍面积达到国家标准要求的47个，占旗县图书馆总数的54%，2个少儿图书馆的馆舍面积均达到了国家标准要求③。随着馆舍问题的逐步解决，图书馆的设备也得到进一步改善。1985年，自治区公共图书馆工作还处于手工操作状态。91所图书馆中仅有4台复印机，其中2台是国家文化部拨款购置的。除内蒙古图书馆外，10个盟市图书馆中，只有呼和浩特、包头二市图书馆配备了复印机。1994年，92所旗县图书馆中只有少数图书馆有电视机、四通打字机、复印机，大部分旗县图书馆中没有千元以上的设备。到1998年，101所图书馆中有计算机70台。2004年，12个盟市馆中已有8个具备了利用现代化科技手段进行文献加工的能力，13个旗县图书馆拥有计算机设备，有3个图书馆还

① 益民：《全国省级公共图书馆评估定级小组来内蒙检查工作》,《内蒙古图书馆工作》（内部刊物）1994年第3—4期。

② 杜烨：《新建内蒙古图书馆简介》,《内蒙古图书馆工作》1997年第3期。

③ 内蒙古自治区人民政府办公厅转发文化厅：《关于全区基层公共图书馆现状报告的通知》，内政办发［1999］15号（1999年3月29日）。

开通了自己的网站。

高校图书馆事业最为显著的成绩之一，是图书馆建筑面积的不断扩大和设施装备的大力改善，为自治区高等学校图书馆的现代化建设和发展提供了良好的办馆条件。全区 16 所高校图书馆，先后都兴建了独立馆舍。馆舍总面积已由 1985 年的 50 553 平方米扩大到 1988 年的 64 956 平方米，进而扩大到 1999 年底的 90 410 平方米，馆舍面积比 1985 年增长 1.79 倍。进入 21 世纪初期，自治区又建成一批新的图书馆楼。2000 年建成内蒙古大学图书馆（16 000 平方米）、2003 年建成内蒙古农业大学图书馆（21 850 平方米）、2004 年建成内蒙古师范大学盛乐校区图书馆（20 029 平方米）、2007 年建成内蒙古医学院图书馆（25 000 平方米）、2006 年动工兴建内蒙古大学新校区图书馆（28 000 平方米）。[①]

其他各系统图书馆依据各自不同的条件和需要，也兴建了一批新图书馆建筑。1985 年建成的内蒙古社会科学院图书馆馆舍面积 1 400 平方米；1985 年建成的内蒙古党校图书馆馆舍面积 5 257 平方米，阅览室办公主体建筑 4 层，书库 6 层，设计藏书量为 100 万册。至 2000 年，全区党校图书馆（室）馆舍总面积 3 万多平方米。1984 年以来，全区大部分中等专业学校图书馆都有了专用馆舍。部分学校新建的图书馆楼相继落成，具有代表性的新建图书馆有：内蒙古艺术学校图书馆面积 500 平方米，交通部呼和浩特交通学校图书馆面积 3 200 平方米，内蒙古农业学校 1 400 平方米图书实验大楼，包头铁路工程学校图书馆面积 1 844 平方米，内蒙古经贸学校（原内蒙古供销学校）图书馆建筑面积 3 800 平方米，内蒙古电子学校图书馆面积 1 800 平方米，包头市机械工业学校图书馆面积 1 035 平方米，内蒙古轻工业学校图书馆面积 1 000 平方米，内蒙古银行学校图书馆面积 1 700 平方米，内蒙古商业学校图书馆面积 2 000 平方米，内蒙古工业学校图书馆面积 700 平方米，内蒙古财政学校图书馆面积 2 000 平方米等。这些大面积的图书馆楼陆续投入使用，夯实了中专图书馆今后发展的基础，提升了办馆环境，走到了全区中专图书馆系统建设的前列。此外，一些重点中学图书馆建筑也拔地而

① 乌林西拉主编：《内蒙古图书馆事业史》第 4 章高等学校图书馆，内蒙古大学出版社 2009 年版，第 203 页。

起，如包头一中1990年建成图书实验楼，总面积1 720平方米；内蒙古师范大学附属中学1999年建成图书馆楼，建筑面积1 951平方米；呼和浩特第一中学1963年建成2 000平方米的图书实验楼，2003年新建科技图书楼，图书馆馆舍面积达2 000平方米。①

这些已建和正在兴建的高校图书馆、公共图书馆建筑，大多设计思想先进，摒弃了传统图书馆建筑模式，采用统一柱网、层高、荷载的模数式结构，馆舍具有功能多样、结构新颖、布局灵活、自动化程度高、造型别致、环境幽雅、装备设施完善等特点。许多图书馆采用藏、借、阅、咨询、检索相结合的单元布局，体现了大面积开架，以用为主，方便读者的新服务体系。新馆建成后，多数图书馆都增添更新了设备和家具，图书馆面貌为之一新，使图书馆成为本地的一座标志性建筑，成为文化水平发展的象征。

（三）加强文献资源建设，逐渐形成自治区文献信息保障体系

文献资源建设及其合理布局，是图书馆开展各项工作的基础。文献资源建设的优与劣，是衡量图书馆工作水平的重要标志之一。1978年国务院转批了国家文物局《关于图书开放问题的请示报告》，批判了“四人帮”推行的文化专制主义，解放了被他们长期禁锢的图书。自治区各系统图书馆在清查、整顿馆藏文献的基础上，加大资金投入力度，通过多种途径，采用各种措施，提高馆藏文献的数量和质量，强化各图书馆馆藏特色文献建设。随着现代化技术手段在图书馆的广泛应用，加大了电子文献和网络文献的建设。图书馆文献资源建设呈现出纸质文献、电子文献、网络文献并存的多元化和学科文献、文种文献专门化的发展趋势。

1988年底，自治区图书馆界进行了文献资源调查和文献资源合理布局研究。按照国家“七五”社科基金重点项目：全国文献资源调查与布局课题组的统一部署，作为其子课题，由内蒙古图书馆学会牵头，成立内蒙古文献资源调查课题组，区内公共、高校、科研系统17所图书馆、情报单位的50多位工作人员参加了此项工作。历时两年，课题组对17所图书馆、情报单位的98个研究级文献范围进行调查评估。其研究成果是王春阳等撰写的《内蒙古文献资源调查报告》和王春阳主编的《内蒙古文献资源调查工作综

① 参见乌林西拉主编：《内蒙古图书馆事业史》，内蒙古大学出版社2009年版，第259—263页。

录：研究级》一书。这是自治区第一次组织的跨系统大规模文献资源调查和布局研究活动。通过调查研究，掌握了自治区17所图书馆、情报单位具有研究级水平的文献资源基本情况与分布状况，了解了各主要学科文献收集的完备程度和支持研究的能力，明确了自治区文献资源建设的重点和中心，找出存在问题，提出解决办法。刘东维主持的内蒙古科技文献资源建设现状分析及合理布局研究课题，是"国家科技情报发展规划：1991—1995"的组成部分。课题组对自治区104个文献情报单位的科技文献状况进行调查研究，客观地反映自治区科技文献现状，提供多种数据，指出存在的主要问题以及解决问题的基本对策。其研究成果是《内蒙古科技文献资源建设现状分析及合理布局》一书。文献资源调查与布局研究，客观上为全区图书馆文献资源宏观建设提供了理论依据和实施方案。令人遗憾的是这些研究成果未能在各文献单位进行文献资源建设协作协调发展、指导和改进本馆的文献资源建设方面发挥有效的作用。

自治区各级公共图书馆从1979年开始，在内蒙古文化厅的领导下，对馆藏文献进行清查、整理。清查馆藏实有文献量，整理在"文化大革命"中被损坏的文献、目录等，力争使书、卡、账相符。随着国家对图书馆事业的投入逐年增加，自治区各级公共图书馆馆藏文献总量一直在增长。1978年底，全区公共图书馆共有36所，藏书总量为150万册（件）。据统计，1998年参加自治区旗县（区）级以上公共图书馆评估定级的101家图书馆，其文献入藏总量为489.382万册。因财政投入所限，公共图书馆藏书增长较慢。12个盟市图书馆中，仅有呼和浩特市、包头市、伊克昭盟图书馆的文献总量达到了国家标准的要求，其余9个盟市图书馆均未达到国家最低文献入藏量的要求。87个旗县图书馆中，仅有30个图书馆达到了同级文献入藏量4万册的国家标准，占参加评估旗县图书馆总数的34.48%。旗县图书馆文献入藏总量289.5261万册，平均每个图书馆3.3278万册。2个少儿图书馆的文献入藏总量达到了国家标准要求①。各图书馆在加大文献收藏力度的同时，注重各学科文献，特别是科技文献的收藏比例。加强地方文献、民族

---

① 内蒙古自治区人民政府办公厅转发文化厅：《关于全区基层公共图书馆现状报告的通知》，内政办发［1999］15号（1999年3月29日）。

文献的收藏和利用，一直是公共图书馆的主要任务之一。散佚在民间的历史文献资料和本地区出版的文献资料，对于自治区政治、经济、文化、历史、民族等方面的研究具有重要意义。搜集和整理这些文献资料是图书馆义不容辞的责任。自治区文化厅在1986年的《关于加强和改进我区公共图书馆工作的意见》中，重申地方文献和民族文献资料收藏的重要意义，强调各级公共图书馆要加强对其收藏。根据自治区的要求，各级公共图书馆一般都设立专门机构、专人、专款对地方文献、民族文献进行收藏。同时召开相应的会议，以提高对地方文献、民族文献的认识和加大对其研究的力度。到目前为止，各级公共图书馆已形成了以蒙古文文献和地方文献为特色的图书馆藏书体系。内蒙古图书馆1984年藏书为115万余册，现有藏书近150万册，其中蒙古文古籍2 198种7 800卷册，新版蒙古文书刊10万余册，并保存有吉里尔蒙古文图书6 300册、藏文古籍570多种、满文古籍3 400册，汉文地方文献资料6万余种。又如，鄂尔多斯市图书馆拥有地方文献、民族文献上万册（件），相关报纸13种，杂志34种，全国各地正式出版的各种蒙古文报纸和杂志都已订购。比较珍贵的地方文献资料有鄂尔多斯市档案馆搜集整理的《成吉思汗八白室》《独贵龙运动》《鄂尔多斯人历史文献集》《鄂尔多斯研究》《旺丹尼玛》等。在呼伦贝尔市图书馆，对蒙古文书刊专设蒙文部管理，对地方文献、民族文献，尤其是三个少数民族自治旗的文献资料，从1987年开始在特藏部设专架收藏。

自治区高校图书馆建立健全文献资源采购原则，拓宽采购渠道，补充各类型各文种纸质文献和引进电子文献，不断提高文献采购质量，确保学校教学、科研对文献资源的需求，满足了网络环境下读者对文献信息资源的要求。据统计，1999年底自治区16所高等学校图书馆的藏书总量达到626万册（件）。①

自治区各高校图书馆在原有藏书基础上，加强了藏书清点、藏书评估、藏书剔旧及文献资源的共建、共享等工作。同时进行文献布局的研究和实施，提高了藏书质量。根据本校学院、系（所）专业不断增设和调整，以及教学和科学研究工作的快速发展，通过多种途径采集，经过长期积累和不

---

① 据内蒙古高校图工委秘书处存档案，内蒙古高校图书馆1999年度、2005年度统计报表。

断努力，保持和发展了各馆藏书特色，形成并建立了具有本校学科特色或文种特色的藏书体系。自治区“优先、重点”发展民族教育，为适应发展民族教育的需要，蒙古文文献的收集一直是相关各学校图书馆工作的一个重要方面，形成多学科多文献类型的蒙古文文献保障体系。内蒙古民族大学图书馆加大蒙古文古籍和现代蒙古文文献的寻访力度，注重收藏散落在民间的蒙医药学古籍、地方志等，在馆藏的70余万册藏书中收藏了8 000多种10余万册蒙古文图书，500多种蒙古文古籍，逐步建成了独具民族特色的藏书体系。内蒙古大学图书馆根据学校教学、科研的需求，不断拓宽文献的搜集渠道，补充和完善特色文献资源，如1988年5月，从丹麦、挪威、联邦德国等地缩微复制蒙古文古籍846种，形成了以蒙古学和生命科学为重点，以学校教学、科研专业用书为保障的多学科藏书体系。呼伦贝尔学院图书馆，注重搜集鄂伦春族、鄂温克族和达斡尔族三个少数民族的文献资源，为传承和弘扬民族的语言文化知识积累了丰富的文献资源。20世纪90年代末，自治区各高校图书馆在建立本馆书目数据库的同时，开始引进电子资源。1997年4月，内蒙古工业大学图书馆引进重庆维普中文科技期刊数据库，开始对全校师生开展计算机光盘检索服务。1999年，内蒙古医学院图书馆引进美国医学索引光盘检索系统，向全区部分用户开展点对点服务。1997年9月，内蒙古大学图书馆正式建成10台微机联网的《中国学术期刊（光盘版）》一级检索站，开始为校内外读者提供全部8个专辑3 000余种学术期刊的全文检索服务。随后，中国学术期刊镜像站点在内蒙古工业大学、内蒙古农业大学、内蒙古民族大学等院校相继开通。1999年内蒙古大学图书馆网站问世，开始网络环境下的读者服务工作。读者可通过图书馆网站检索馆藏汉文图书、蒙古学图书、西文图书的书目信息数据库。图书馆自建的蒙古学文献特色库已被国家教育部中国高等教育文献保障系统（CALIS）中心列入全国25个重点特色库建设之列。一些图书馆引进了部分综合性、专业性大型书目、全文数据库，如《美国国会图书馆书目数据库》《中国国家书目数据库》《中西文期刊联合目录数据库》《中国学术期刊（光盘版）数据库》《中国科技期刊数据库》《中国专利公报数据库》等。同时，自治区教育厅重视高校图书馆文献资源建设与布局研究，先后成立了内蒙古高等学校外方文献信息中心、国家教委民族学科蒙古学文献信息中心、内蒙古自治区医学文献资源共享网络、CALIS 内蒙古自治区文献信息服务中心等，从而达到文献资源共建、共享。

20 世纪 80 年代末，自治区基本建成以专业科研院所图书馆（室）和自治区、盟市、旗县科技情报研究所（站）为主的科研院所图书馆系统。这些专业文献机构隶属于各自的科研部门，服务于本专业科研工作，其馆藏文献具有很强的专业性和针对性，在文献资源建设中取得显著成绩，形成学科特色鲜明的专业藏书体系。内蒙古社会科学院图书馆馆藏文献于 1978 年为 18 万册，2000 年增到 24 万册，其中汉文图书 16 万册，蒙古文等少数民族文字图书 4 万余册。内蒙古科技情报研究所馆藏文献，以科技期刊、科技图书、专利文献、标准文献、科技报告、产品样本为主要文献类型，1992 年馆藏总册数达 50 余万册（件），内蒙古农业科学院情报研究所藏书达 10 万册。①

据 2000 年不完全统计，内蒙古党校图书馆系统馆藏文献总量约 280 万册（件），其中内蒙古党校图书馆馆藏文献总量为 57 万册（件），呼和浩特市党校图书馆、赤峰市党校图书馆馆藏文献都在 10 万册（件）以上，年读者 5 万多人次②。同样，内蒙古医院图书馆系统的文献资源建设有了较大增长，特别是 1989 年，在开展全区创建文明医院的活动中，明确规定旗县级以上医院必须设置图书资料室，并提出最低文献收藏数量，这一规定进一步加强了全区各级医院图书馆（室）建设。据 2000 年统计，全区 380 余所旗县级以上医院图书馆（室）馆藏文献总量约 200 多万册，其中内蒙古医院图书馆藏书达 20 多万册（1989 年藏书为 10 万册），馆藏图书达 1 万册以上的就有 80 多家医院图书馆。③

（四）拓宽和深化读者工作领域，提供优质读者服务

图书馆的一切工作都是围绕着读者进行的，为读者服务是图书馆工作的出发点和归宿。改革开放新时期的读者工作向纵深发展，自治区各系统图书馆工作体制逐渐形成以读者工作为中心的新格局。其主要标志是，树立

① 乌林西拉主编：《内蒙古图书馆事业史》，内蒙古大学出版社 2009 年版，第 156、152 页。
② 乌林西拉主编：《内蒙古图书馆事业史》，内蒙古大学出版社 2009 年版，第 273 页。
③ 乌林西拉主编：《内蒙古图书馆事业史》，内蒙古大学出版社 2009 年版，第 292、302 页。

“读者第一，服务至上”的思想理念，运用以计算机技术为核心的新技术手段，从传统的封闭式文献借阅，发展到开架式的文献管理模式，极大地方便了读者。

扩大读者服务工作领域 在常规借阅方面，各图书馆根据自身条件和读者需求，调整书库，增加出纳口，扩大半开架、开架范围，延长借阅时间，实行无休日开馆运行机制，提高文献利用率。同时，随着馆舍的改善，逐步实现馆藏文献藏、借、阅一体化服务模式。自治区各级公共图书馆充分利用新书推荐、新书通报、新书评介、新书辅导等多种形式，积极主动地向读者推荐好书，同时结合各地的特点，开展形式多样的读书活动。如乌海市图书馆为配合当地政府举办的“经济试验区建设大讨论”活动，举办了“热爱乌海、建设乌海、振兴乌海百题知识竞赛”。赤峰市红山区图书馆为配合当地爱国主义教育，举办了“祖国在我心中读书有奖知识问答”活动。奈曼旗图书馆为配合当地“爱祖国、爱家乡”教育，举办了“奈曼昨天、今天、明天演讲大赛”。举办图书馆服务宣传周（自1989年始，每年5月最后一周）、创建文明图书馆活动，进行全区公共图书馆“金牛奖”评比，这些活动都取得了较好效果。“据统计，2001年全区各级公共图书馆发放借书证近10万个，接待读者274万人次，流通图书235万册次，举办不同规模的读书活动822次。”① 高校图书馆在提供良好服务方面做了大量工作。1995年内蒙古工学院建成7 500平方米新馆舍，实行了全开架藏、借、阅相结合的新管理模式，充分利用馆藏资源和新馆舍的优势，为广大师生查阅文献、获取知识提供了方便。至2000年前后，自治区高校图书馆基本建成了藏、借、阅、检索、咨询为一体，师生共用的读者服务体系，藏书开架率达60%以上，开架管理也日益完善。采用先进的光通道信息存储设备，文献检索、借阅、信息咨询直接快捷，不仅可以进行内部业务工作，还对“一站式”检索、网络参考咨询、信息推送、网上借阅等服务提供了必要的网络基础平台。部分图书馆还提供远程VPN访问、重点读者支持等个性化服务。各高校图书馆有计划地完成了馆藏各文种印刷型文献资源书目数据库的建设，方

---

① 内蒙古自治区人大常委会教科文卫委员会：《关于〈内蒙古自治区公共图书馆管理条例〉执法调研情况报告》，内常办发［2002］55号（2002年12月14日）。

便了读者使用。部分图书馆开始了特色馆藏全文数据库的建设工作。内蒙古大学图书馆建立的“蒙古学信息网”和“中国蒙古文期刊网”及时准确地发布国内和国际蒙古学的学术研究动态，“中国蒙古文期刊网”填补了国内浏览蒙古文期刊全文数据库的空白。

开架借阅已成为一种基本服务方式，其他系统图书馆正在逐步采用这种管理模式。它提高了文献利用率，扩大了文献流通范围，降低了长期困扰图书馆的拒借率，也减轻了工作人员的劳动强度，有时间从事读者导读、咨询工作。

加强文献信息咨询服务　各系统图书馆大多建立了情报服务机构，开展信息服务工作。在解答读者咨询、辅导读者阅读、开展定题服务、跟踪服务、代查代检课题服务等方面，各图书馆都做了大量工作，取得可喜成绩。

各级公共图书馆还充分发挥馆藏文献的作用，主动开展跟踪服务、定题服务和科技咨询服务，努力为“科教兴区”作贡献。1984 年 8 月，内蒙古图书馆学会在杭锦后旗召开了为农业生产服务现场经验交流会。杭锦后旗图书馆在会上作了“为农业生产服务”的经验介绍。这次现场会的召开，推动了自治区“科技图书兴农”“科技图书兴牧”活动的深入开展。通辽市图书馆多年来坚持为专业户送书上门，他们了解到基层读者的需要，适时地送去关于“家畜家禽饲养方法”“养羊技术”“养鸡技术”等方面的科学技术图书，受到农村专业户的热烈欢迎。开鲁县图书馆开展跟踪服务，及时编印农民需要的技术资料，骑着自行车送到农民手中。科左后旗图书馆开展科技图书巡回展览活动，缓解了农牧民看书难的问题。自治区各级公共图书馆在为农牧业生产服务的同时，也积极为厂矿企业的科技人员服务。牙克石市图书馆开展跟踪服务，跟踪林业机械厂的科研项目，为该厂工程师周作彬设计的“J50 集材车大架液压矫直机”的设计提供了重要的科研资料。周作彬工程师设计的“3QY－260 型圆盘整地机”投产后，创产值 100 多万元。1983 年 12 月，为推动各级公共图书馆更好地为科研和生产服务，内蒙古图书馆学会和内蒙古图书馆在乌兰察布盟图书馆召开了全区公共图书馆为科研、生产服务现场经验交流会。会上乌兰察布盟图书馆介绍了他们为科研生产服务的经验，与会同志受到了极大的启发。一些图书馆，把承担科研任务的科技读者当成本馆的重点读者，在借阅期限和册次方面给他们提供方便，以便让他们充分阅读吸收，把书上的知识转化为生产力。内蒙古动力机厂高级工程师薛光雨是内蒙古图书馆科技部和呼和浩特市图书馆的老读者，也是重点读者。30 多年来，借阅图书馆的书刊资料不断更新知识，发明了三项专利。他发明的“泵控阀”专利被呼和浩特市青山环保设备厂用于“XCWC 型消烟无压采暖锅炉”，为该厂创造产值 2 105 万元，为国家上缴利税 673.6 万元。1996 年，在呼和浩特地区读者读书成果评奖活动中，薛光雨荣获二等奖。“兴安盟读者王善堂 2000 年利用盟图书馆编印的《农家顾问》刊出的科技信息，引进‘高效碳酸氢铵’，当年产生经济效益近 1 亿元。据了解，2001 年全区各级公共图书馆编印不定期科技小报、信息资料 30 多种，解答读者咨询 16 000 条，代检索课题 1 000 多项，较好地发挥了社会服务职能。”①

自治区高校图书馆积极配合教学、科研的需要，开展参考咨询、文献检索、文献编译以及二次文献、三次文献的编制工作。据内蒙古高校图工委粗略统计，全区 16 所普通高校图书馆于 1985 年至 1989 年间共计为用户代检课题 1 235 个，口头咨询 32 219 次，书面咨询 3 003 次，定题服务 99 项，编制了多项各类型书目、索引、文摘、题录等。如内蒙古医学院图书馆于 1988 年至 1989 年间，为院内 27 项正式课题提供了文献检索服务，为内蒙古卫生厅科教处 15 项科研课题立项前的审查论证提供了文献资料服务；包头医学院图书馆编印了《医学科技情报》；内蒙古林学院图书馆编印了《林学科学信息与服务》；内蒙古农牧学院图书馆从 1985 年开始定题情报服务，至 1990 年底，5 年共完成项目 20 项，提供各种题录、文摘和原始文献 2 503 条（篇），代译题录 16 500 条，代检取馆外文献 227 篇，并编译出版了《农业文献检索工具书简介》。② 各馆还利用现代化技术手段进行馆际互借、文献传递、虚拟参考咨询、科技查新等网络服务方式，使图书馆的读者服务工作日益由被动变为主动，由一般服务转变为有重点、有针对性的服务。

强化文献报道服务和情报调研工作 进入 20 世纪 90 年代，逐步扩大图

① 内蒙古自治区人大常委会教科文卫委员会：《关于〈内蒙古自治区公共图书馆管理条例〉执法调研情况报告》，内常办发［2002］55 号（2002 年 12 月 14 日）。

② 乌林西拉：《蓬勃发展中的内蒙古高校图书馆事业：1947—1992》，《华北高校图协十年》，天津古籍出版社 1995 年版，第 365—366 页。

书馆的情报职能，进行文献信息开发服务，网络化文献检索服务。根据自治区经济建设、文化教育和科学研究工作的实际需要，强化文献报道和情报调研工作，大大提高了文献检索的准确性和完整性，读者服务工作水平又上了一个新台阶。

在书目文献工作方面，图书馆编辑出版了各类型联合目录、导读目录、专科专题书目索引、书目提要多种。据统计，至2000年共正式出版（含部分内部发行）蒙汉文书目索引30余种，成为文献报导和检索服务的必备工具书。特别是根据自治区重点学科、重点科研项目编制的大型民族文献、地方文献书目索引，受到国内外学术界的关注。

科研院所图书馆及科技情报单位，在科技情报编辑报道和情报（信息）调研方面成绩卓著。自治区科技情报界加强了科技情报的编辑出版工作，相继创办了一批以反映自治区科技战线、科研动态和研究成果为主要内容的专业刊物，诸如《内蒙古农业科技》《内蒙古畜牧科学》《内蒙古科技动态》《内蒙古科技成果公报》《内蒙古科技情报》《技术经济报道》等。

情报调研工作是科技情报工作的重要内容之一。只有把情报分析研究工作做好了，才能提高情报服务工作的质量，充分发挥科技情报资料的作用。及时地对国内外各学科、各专业的科学技术发展动向及研究水平等进行分析整理，写成综述、述评，编印成小册子予以传递报道，提供给有关部门或领导参阅。内蒙古科技情报所作为自治区科技情报调研工作的龙头单位，每年都要自选或承担部分情报调研课题。例如1982年，根据自治区的地区特点、生产特点和民族特点，确定了6个全区性的和地区性的大型情报调研课题：《内蒙古自治区稀土资源开发利用现状及前景》《内蒙古自治区毛皮加工工业和科研工作现状及其发展前景》《内蒙古自治区制革工业现状及调整发展意见》《内蒙古自治区甜菜生产和科研现状及今后发展意见》《内蒙古自治区蒙医药现状及发展前景》《巴盟地区土壤盐碱化现状及治理意见》。这些课题由内蒙古科技情报研究所主持，组织全区科技情报力量，通力协作，开展了大规模的情报调研工作，经全区各级情报部门的共同努力，在1983年内都顺利完成。到1987年底，内蒙古科技情报所共完成情报调研课题42个，其中属于综述、述评性质的14个，属于行业性、专业性的28个。综述性的情报成果，以其掌握的材料全而新、分析透彻，能开拓思路、扩大眼界为特点。这方面的成果主要有《国外畜牧业概况及发展动向》《现代科学技术概况及发展前景》《农业现代化概念》等。①

进行读者教育工作 读者教育工作，在我国兴起于20世纪50年代。其主要工作内容是进行读者阅读辅导，直接向读者提供文献。图书馆编制一些推荐书目、新书通报、图书馆利用指南等，进行实事性、知识性辅导，这是图书馆所独具的一种教育方式。到了20世纪80年代中后期，自治区的图书馆读者教育工作，在传统的阅读辅导工作基础上有了新的发展，教育重心转向了对读者进行系统的文献知识、文献检索知识的教育。教学组织工作已从个别图书馆的单一教育形式，发展为有组织有计划的全区性多层次多途径教育。

1984年2月，教育部首次颁发了《〈关于在高等学校开设文献检索与利用课的意见〉的通知》,1985年又颁发了《关于改进和发展文献检索课教学的几点意见》,明确规定高等学校图书馆应承担起开设文献检索与利用课程的任务。在高等学校内，以图书馆作为教学基地和协调中心，以培养学生自学能力和独立研究能力为目的开设了《文献检索与利用》课程。为推进文献检索课教学计划的实施，自治区各高等学校图书馆制定了《社科文献检索》和《科技文献检索》课程的介绍和教学大纲，组建了教学小组和教学实习基地——文献检索阅览室，并促使该课程正式纳入学校的教学计划，从而为文献检索课的开设创造了条件。内蒙古高校图工委和内蒙古高校图书馆管理研究会举办文献检索与利用课学习研讨班，并于1990年组织调查小组，对全区高校图书馆开展文献检索课的情况进行了调查研究，提出了改进文献检索课教学的建设性意见。一些院校图书馆结合本校的学科专业设置和少数民族学生的构成情况，编译了蒙古文文献检索与利用课教材，为蒙古族学生开设了蒙古语授课文献检索课，在这方面成绩突出的是内蒙古大学图书馆、内蒙古师范大学图书馆、内蒙古民族师范学院图书馆、昭乌达蒙族师范专科学校图书馆等。据1991年统计，全区16所普通高校已有13所高校不同程度地开设了文献检索课，覆盖50多个专业，专职和兼职教师60多名，自编教材9种，作选修或必修课的学生3 487人次，听专题讲座的学生2 498人次。据1997年度高校图书馆统计报表统计，全区16所普通高等学校图书馆

---

① 姜铁城：《内蒙古自治区科技情报事业三十周年》,内蒙古人民出版社1988年版，第73页。

有 13 所开设文献检索课，专兼职教师 52 名，作选修或必修课的学生 4 000 人次①。扩大了文献检索课教学范围，引进计算机检索教学，编制了一批文献检索课教材，如：内蒙古民族大学图书馆林英、步晓辉等主编的《文献检索简明教程》、内蒙古林学院图书馆刘淑贤等主编的《新编文献检索教程》、包头医学院图书馆丁晓岭等编著的《医学文献检索与利用》、内蒙古医学院图书馆朱进忠等主编的《医学文献检索》、内蒙古农业大学图书馆赵欢乐等主编的《农业信息检索与利用教程》、内蒙古工业大学图书馆武志朝等主编《新编科技信息检索与利用》、包头轻工职业技术学院图书馆宋茂林等编著《文献检索教程》《信息检索学导论》等。内蒙古大学图书馆琪琪格编著的《社会科学文献检索》蒙古文教材，填补了蒙古文文献检索与利用课教材的空白。内蒙古林学院图书馆刘淑贤、闫俊喜编写的《林业文献检索与利用讲义》（10 万字）和《林业文献检索与利用实习指导》（2 万字），早在 1992 年就在文献检索课教学中使用，并在全国林业院校交流。

公共图书馆和其他系统图书馆的读者教育形式多样化，大多进行入馆教育、文献检索与利用教育、书目教育、阅读欣赏能力教育等，举办规模大小不一的文献知识讲座、利用图书馆知识培训班。

（五）逐步完善管理体制，增强馆际协作

改革开放之前，自治区未形成图书馆事业宏观管理体制，图书馆内部管理主要是经验型行政管理模式，各图书馆系统间没有或极少有协作关系。近 30 年来，自治区图书馆事业的宏观管理和各图书馆管理都发生了巨大变化，在图书馆科学管理方面有了长足发展。

按着自治区行政隶属关系确立的现行图书馆事业管理体制，形成了公共图书馆、学校图书馆、科研院所图书馆、党校图书馆、工会图书馆等系统。内蒙古文化厅、内蒙古教育厅、各专业厅局、内蒙古总工会等部门，对各自主管的图书馆系统实行宏观领导，建立了图书馆事业主管机构，如内蒙古文化厅文化处、内蒙古教育厅高教一处、中职处等；制定和出台了一系列相关文件和工作条例，如《内蒙古自治区图书资料专业干部业务职称评定实施

① 据内蒙古高校图工委秘书处存档案，内蒙古高校图书馆 1991 年度、1997 年度统计报表。

细则》《内蒙古自治区盟市旗县图书馆工作暂行规定》《内蒙古自治区教育厅关于加强内蒙古高校外文文献中心工作的通知》《内蒙古自治区公共图书馆管理条例》等；召开全区各系统图书馆工作会议，公共图书馆、高等学校图书馆、中等专业学校图书馆、党校图书馆等系统主管部门，都数次召开全区性工作会议，进行总结、指导、协调工作，制订图书馆事业发展规划，制订、修改工作规程、条例；主持图书馆工作的检查评比，总结经验，表彰奖励先进。如高校图书馆、中等专业学校图书馆自1989年开始，建立学校图书馆评估制度，先后数次进行全区高校图书馆、中等专业学校图书馆的评估检查。又如，1994年、1998年、2004年内蒙古文化厅根据文化部部署，对全区旗县以上公共图书馆进行了全面评估定级工作。这些活动极大地调动了图书馆工作者积极性，改善了办馆条件，提高了服务工作水平，促进了业务建设和科学管理，推动了自治区图书馆事业的发展。

图书馆内部管理，主要是对人、财、物和业务工作的管理。在改革开放的新形势下，图书馆的管理理念、体制和方法手段发生了很大改变，逐步实现由经验型管理向科学型管理的转变。各图书馆在健全组织机构、完善业务工作规范和各项规章制度的同时，运用现代化技术手段，稳步推进管理体制改革。在定编、定岗、定任务、定目标的基础上，实行以目标管理为核心的运行机制，包括馆长负责制、人员聘任制、定性与定量管理制、效绩考核奖惩制、专业职称评聘制等管理制度，引进和使用优胜劣汰的竞争机制、物质奖励和精神鼓励相结合的激励机制，使图书馆面貌发生了变化。从自治区图书馆界整体看，管理改革发展并不平衡。内蒙古图书馆、各高等学校图书馆等大中型图书馆的管理改革，起步于20世纪80年代中期，各馆结合自己的实际情况进行管理改革，在实践工作中不断探索创新，积累了丰富的管理经验，使图书馆管理工作日趋科学化。

在现行图书馆事业管理体制下，强化图书馆系统间、图书馆间的协作协调，促进自治区整体图书馆事业的发展，是今后图书馆界的一项重要任务。按行政系统管理图书馆事业的体制，缺乏自治区图书馆事业的统筹安排和全面规划，没有组织管理图书馆事业的权威机构和强有力的决策和措施，出现各系统图书馆事业发展不平衡，又很难实施全区文献资源的合理布局和真正意义上的文献资源共享。为改变这一状况，1991年6月，内蒙古科学技术委员会、内蒙古文化厅、内蒙古教育厅共同发起，商请内蒙古冶金机械厅、内蒙古新闻出版局等六家厅局同意，成立内蒙古自治区厅（局）际图书情报工作协调委员会。旨在“推动和促进我区图书情报事业的发展，研究解决图书情报工作领域的重大问题，实现全区文献资源的合理布局和图书情报工作现代化网络的形成，更好地开展各图书、情报部门的协调服务和文献资源共享。”① 内蒙古自治区厅（局）际图书情报工作协调委员会，是在自愿、平等、互惠基础上建立的横向联合组织，是全区图书情报界开展协作、协调工作的领导机构。它的成立试图打破自治区图书情报界条块分割、各自为政、难以共同发展的格局。该委员会成立十余年来，并未发挥其组织协调的领导作用，而且由于组织机构成员变动等主客观原因，早已形同虚设。这是一个亟待解决的全国性问题。

（六）图书馆学教育蓬勃发展，一支结构较为合理的图书情报事业专业队伍基本形成

自治区的图书馆学教育，是自治区图书情报事业的重要组成部分。自治区图书馆学教育事业同样经历了一个逐步发展、逐步完善的过程。始于20世纪50年代初期的图书馆在职人员业务培训，半个世纪以来一直是自治区图书馆学教育的主体，是图书馆工作人员终身教育理论的体现和实践。20世纪80年代，包括学历教育和非学历的在职继续教育进入兴盛时期，到20世纪90年代仍然保持着发展的态势，并且初步形成了以本、专科学历教育和多种类型在职培训教育并举的具有民族特点的多层次图书馆学教育体系。在短时期内，迅速改变了自治区图书馆学教育事业的落后状态，为自治区图书情报界培养出了大批专业人才，逐步建成一支有足够数量的学历结构、知识结构和职称结构较为合理的专业队伍。

自治区图书馆学教育事业发展史，以1978年9月内蒙古大学图书馆等六所高等院校联合创办图书馆学专修科为界点，分为初创时期和发展时期。

初创时期（1949—1977年）　自治区图书馆事业的迅速整顿、恢复和发展，大批新参加图书馆工作的人员亟待培训。早在1953年8月，绥远省人

① 《内蒙古科学技术委员会、内蒙古文化厅、内蒙古教育厅关于成立内蒙古自治区厅（局）际图书情报工作协调委员会的通知》，内科发［1991］第58号（1991年6月20日）。

民图书馆受绥远省文化局委托举办的归绥县文化馆（站）图书管理员训练班，开创了自治区图书馆学在职专业教育之先河。该训练班学期为一个月，学员 12 人，均为归绥县基层文化馆（站）图书管理员。经过培训，学员初步掌握了图书馆工作简要知识和基本操作技能，成为自治区首批接受图书馆学短期培训的工作者，较好地适应了当时图书馆工作的要求。截至 1977 年，内蒙古图书馆举办全区性公共图书馆各类短期训练班共 11 期，培训人员为 357 人次；部分盟市图书馆举办盟市地区性业务训练班共 11 期，培训人数为 385 人次。其中于 1976 年 4—10 月，北京大学图书馆学系进行开门办学，与内蒙古图书馆联合举办的半年制北京大学图书馆学系函授学习班，学员达百余人，较系统地学习了图书馆学专业知识和工作技能。这是自治区“文化大革命”期间仅有的一次图书馆学专业培训，是很难得的①。这一时期参加图书馆在职工作人员专业培训班的学员，主要是盟市旗县公共图书馆、文化馆（站）的图书管理员，学习内容是基础专业知识和基本专业技能，依据图书馆工作流程，侧重于图书采访、分类、编目和读者工作等业务工作环节。

20 世纪 50 至 70 年代，我国图书馆学正规学校教育规模小，层次单一，致使图书馆学专业人才奇缺。30 年间分配到内蒙古图书馆界的图书馆学本、专科毕业生仅有 15 人，其中北京大学毕业生 12 人，武汉大学毕业生 3 人，远远满足不了自治区图书馆界对专业人才的需求。成人函授高等教育作为全日制高等教育的补充，1958 年，北京大学图书馆学系在呼和浩特设立图书馆学函授专修科辅导站，由内蒙古图书馆负责函授辅导站的教学活动和组织管理工作。辅导站于 1958 年、1961 年、1965 年举办了三期北京大学图书馆学函授专科班，招收具有一定图书馆工作经验的内蒙古图书馆、高校图书馆和机关图书馆的在职干部，三期共有学员 22 人，取得毕业或肄业证书者共 17 人。他们的毕业在一定程度上缓解了自治区图书馆学专门人才奇缺的情况。

发展时期（1978—2000 年） 改革开放以来，自治区图书馆学教育事业得到飞速发展，既创办全日制高校和成人高校本、专科学历教育，又举办不

① 乌林西拉主编：《内蒙古图书馆事业史》，内蒙古大学出版社 2009 年版，第 327 页。

同层次、不同类型的在职专业人员培训班、进修班、专业证书班、高级研讨班等。其办学规模之大、办学层次之多、民族特点之突出是前所未有的，是迄今自治区图书馆学教育史上最辉煌的时期。

第一，学历教育。

自治区图书馆学学历教育包括全日制高校和成人高校本、专科教育，中专（含职业高中）教育和研究生班教育。全日制高校图书馆学教育始于20世纪70年代末期，时断时续，一直未能形成较稳定的办学机制。成人高校本、专科教育是自治区图书馆学教育的主体，一直处于非常重要的地位，在很大程度上弥补了全日制学校教育的不足。20世纪80年代的图书馆学中专教育和世纪之交兴办的研究生班教育，则都处于起步阶段。

20余年间共举办图书馆学不同学历层次的教学班46期，毕业学生总数为2 158人。其中大学本科班5期，毕业139人；大学专科班34期，毕业1 538人；中专班（含职业高中班）5期，毕业454人；研究生课程进修班2期，结业27人，有9人通过考试获得同等学历硕士学位①。自治区自己培养造就的大批高、中、初级图书馆学专门人才，极大地缓解了图书情报界专业人才的供需矛盾，改善、提高了专业人员的整体素质。中、初级层次专业毕业生不但数量多，质量也较高，基本适应了业务工作岗位的要求。毕业生中的大部分人已成为本单位业务骨干，部分人走上领导岗位，或被评聘为研究馆员、副研究馆员。据不完全统计，全区公共图书馆、高校图书馆、科研系统图书馆中，半数以上的馆长、副馆长和部（室）主任都由专业毕业生担任。他们不仅在实际工作中成为业务骨干，而且在图书馆学研究领域中也多有建树，发表或出版了相当数量的有较高学术水平的专业论著，产生了一些在自治区乃至全国图书馆学界有一定影响的中青年学者。

---

① 乌林西拉主编：《内蒙古图书馆事业史》，内蒙古大学出版社2009年版，第329页。

图书馆学学历教育统计表（1978—2005）

名称 时间（年）	中专教育（含职业高中）		专科教育		本科教育		研究生教育	
	期数	人数	期数	人数	期数	人数	期数	人数
1978—1980			3	162				
1981—1990	5	454	22	1022				
1991—2005			9	354	5	139	2	27
合计	5	454	34	1538	5	139	2	27

第二，非学历在职继续教育。

在职继续教育一直是自治区图书馆界进行专业知识更新、提高专业能力的主要教育形式。这一时期在职专业继续教育得到前所未有的快速发展，由内蒙古文化厅、内蒙古教育厅、内蒙古高等学校图书情报工作委员会、内蒙古中等专业学校图书馆工作委员会、内蒙古图书馆、内蒙古科技情报研究所、各大学图书馆、各盟市公共图书馆、内蒙古图书馆学会和盟市级图书馆学会，以及各级政府劳动人事厅局等所主办的图书馆在职人员非学历继续教育，已形成多类型、多系统、多层次的办学模式。1978—2005 年间，全区各级政府主管部门、图书馆学会、协会等学术性群众团体、各系统图书情报部门等所举办的全区性或盟市地区级的在职人员专业培训班共计 217 期，受培训人员 16 974 人次，这里尚有 4 期这类短训班的人数不清楚以及可能遗漏的办班情况。这一时期自治区图书馆界参加培训的总人数是 1977 年以前 30 年培训总人数的 23 倍。其中，文化系统全区性培训班为 26 期，4 056 人次；盟市级培训班为 139 期，10 457 人次；教育系统培训班为 41 期，1 981 人次；科研系统培训班为 11 期，480 人次。①

图书馆在职人员继续教育以图书馆系统主管部门和学术性群众团体为主导，根据自治区各系统图书馆工作的实际需要和图书馆现代化进程的快速发展，遵循“按需施教，学以致用”的办学原则，针对在职专业人员的知识结构、岗位需求及职称评聘要求等情况，举办了不同层次的专业培训班。培

① 乌林西拉主编：《内蒙古图书馆事业史》，内蒙古大学出版社 2009 年版，第 331—332 页。

训班理论联系实际，注重理解、注重实践，学习专业理论与专业技能。在职专业培训教育，具有形式多样、时间灵活、人数众多、投入小、收效快等特点。其类型主要有短期专业培训和比较系统的专业进修。

短期专业培训班、学习班有三种类型：一是专题性短期培训班，侧重于业务工作流程的某一环节，目的是有针对性地解决带有共性的问题，提高专项工作的理论水平和工作技能，以求更好地适应现有工作岗位的需要。如分编工作、读者工作、期刊管理工作、基础统计工作、文献检索、西文图书编目等内容。二是知识更新性短训班，以学习掌握新知识、新理论、新标准和新技术方法为主要教学内容，进行知识更新和补缺。举办有关文献著录条例（GB3792 系列国家标准）、《中国文献编目规则》《中国图书馆分类法》《中国分类主题词表》《通用汉语著者号码表》等新标准、新技术方法以及计算机应用等专项业务培训班。自治区公共图书馆系统在短期专项培训教育方面成绩尤为显著。三是年度专业继续教育培训，根据各级政府主管部门所制定的相关政策进行的继续教育，在 20 世纪 90 年代有了很大发展。1995 年人事部颁布的《全国专业技术人员继续教育的暂行规定》更是为保证包括图书馆专业在内的专业继续教育顺利进行，提供了重要的法律根据和保证。根据本规定，每一中、高级专业技术人员每年接受继续教育的时间不得少于 40 学时，每一初级人员不得少于 32 学时。接受继续教育的内容，包括有关专业的理论、方法、技术和信息。

比较系统的专业教育，是根据各级政府主管部门相关政策的规定，在职专业人员接受比较系统的专业教育。主要有职称考核系统培训和高等学校图书馆干部进修两大类型，其共同点是时间较长（3 个月、半年或 1 年），系统学习图书馆学情报学专业基础课程，使受教育者的专业理论知识和工作能力得到加强和提高。对完成教学计划、考试合格者，发给结业证书，可作为评定专业技术职称、聘任上岗的参考依据。为评定专业技术职称而举办的管理员级、助理馆员级专业培训班及一年制信息管理专业本科课程进修班（学习专业本科核心课程 6 门以上），系统地学习图书馆学专业基础课，较全面地掌握专业知识和专业技能。教育部委托北京大学等多所高校举办“高等学校图书馆专业干部进修班”，或“助教进修班”、“古籍整理研修班”等。培养对象是 1982 年元月以后毕业的非图书馆学或情报学专业的本、专科生，并具有半年以上图书情报工作经验，热爱图书馆工作的中青年业务骨干。内蒙古各高校图书馆先后选送非图书馆学专业本、专科毕业生50余人，到复旦大学、武汉大学、南开大学、大连理工学院、兰州大学、西北大学等院校学习图书馆学专业主干课程。这批专业人员安心图书馆工作，较快地适应了图书馆高层次业务工作，成为各高校图书馆的中坚力量。

第三，图书馆学民族教育。

民族地区图书馆事业的重要任务之一，是积极创造条件，克服困难，发展图书馆学民族教育，培养少数民族专业干部，开发与利用少数民族文献资源，更好地为民族地区的社会主义建设服务。早在1981年内蒙古图书馆举办了自治区首届蒙语授课牧区旗县图书馆工作人员训练班，学员45人，学期一个月。用蒙语较系统地讲授图书馆业务工作的基本知识和基本技能，这在我国尚属首次。1985年举办了蒙语授课第二期全区图书馆业务干部培训班，学员50多人。1987年又举办了全区图书馆专业人员首届助理馆员级蒙文业务培训班，学员63人。此外，赤峰市图书馆举办了全市图书馆蒙文业务人员培训班。1988年5月，内蒙古文化厅为进一步培养蒙古族等少数民族图书馆学专门人才，委托内蒙古大学图书馆创办蒙语授课图书情报学专修科。内蒙古大学图书馆经过积极筹备，于1988年9月举办了自治区首届蒙语授课图书情报学专修科，经过严格入学考试，择优录取87名学员，其中蒙古族83人，达斡尔族3人，鄂温克族1人，学员遍布自治区11个盟市和新疆巴彦高勒蒙古族自治州。为了保证教学质量，使学员毕业时取得国家承认的学历证书，教学活动纳入自治区自学考试轨道。有2/3的课程通过了严格的学历认定自学考试，成绩合格者获得国家承认的大专文凭。这是我国第一次用民族语言进行图书馆学大专学历教育，培养少数民族图书情报学专业技术人才。1992年和1993年内蒙古大学图书馆通过自治区成人高考，又连续举办两届蒙语授课图书情报学专修科，分别录取学生为13人和10人，学制3年。3届蒙古语授课图书情报学大专班，共毕业蒙古族等少数民族学生110人，为发展自治区民族教育事业作出了重要贡献。

（七）图书馆学研究成绩显著，一批学术成果问世

中国图书馆学，即中国现代图书馆学形成于20世纪初期。若把1900—1910年间视为我国现代图书馆学的创建期，那么，自治区的图书馆学研究

则晚了60余年。在内蒙古图书馆界，真正意义上的图书馆学研究起步阶段，是在20世纪80年代。虽然起步晚，基础差，起点却不低，发展也快，并取得了令人瞩目的研究成果，已经在我国图书馆学研究领域中占有一席之地。

纵观内蒙古图书馆学研究发展状况，以1979年12月内蒙古图书馆学会成立为界点，在其之前自治区图书馆界的图书馆学理论研究尚未起步，应用研究也多限于对本馆各业务工作环节的微观探讨，集中体现在一些图书馆的规章制度、业务统计报表、业务工作流程以及工作总结、工作报告等方面，处于初级的经验描述水平。此外，内蒙古图书馆和一些高校图书馆编制了多种专题目录、推荐目录、新书目录和书本式馆藏图书目录。

1979年以来，自治区图书馆事业得到了迅速的恢复、整顿和发展。在科教兴区的大环境中，图书馆界逐渐形成了较好的学术氛围，内蒙古图书馆学会及各系统各专业图书馆学会和协会的成立、图书馆学教育的发展、图书馆学专业期刊《内蒙古图书馆工作》蒙汉文版的创办、图书资料系列专业技术职称的评定，以及图书馆学各级科研课题的申报等，都有力地推动了自治区图书馆学研究工作，改变了图书馆长期以来只搞业务工作不进行科学研究的局面。特别是图书馆学学科地位得到提高，自治区图书馆界于20世纪80年代末开始申报省部级和国家级科研项目。内蒙古大学图书馆陈乃雄主持的编制《蒙古学汉文古籍书目提要》科研课题，1987年立为内蒙古自治区哲学社会科学“七五”规划项目，实现了自治区图书馆学研究立项零的突破。其后图书馆界申报的科研课题，先后获准立为国家哲学社会科学基金资助项目、国家自然科学基金地区科学基金项目、内蒙古自治区哲学社会科学规划项目、文化部科学研究项目、教育部全国高校古籍整理研究委员会资助项目和国家民委少数民族古籍整理资助项目，共有24项。还有一批科研课题获准立为内蒙古文化厅、内蒙古教育厅、内蒙古科委等厅局级，或盟市级，或各高等院校、内蒙古社会科学院的科研项目。各类科研课题得到经费、资料、设备等多方面支持，保证了各科研项目的顺利完成。（附：获准立为省部级以上科研项目一览表）

在学术研究中，既注重民族地区图书馆事业相关主题的研究，突出学术研究中的民族特色和地区特点，又重视学术交流活动的开展和图书馆学研究人才的培养。在学术研究成果中，一些具有原创意义的研究课题，诸如关于蒙古文文献科学整合与开发利用的研究、关于地方文献学、民族文献学与民族文献目录学等研究就很有成就，其研究成果受到学术界和图书馆界的关注，逐步形成了自治区图书馆学的研究特点。

这一时期，自治区图书馆界编著或主要参与编著的蒙古文、汉文图书馆学专译著和古籍注释著作共214部，其中蒙古文专译著36部。214部著作中正式出版著作133部，具有代表性的内部出版发行著作81部。蒙古文、汉文著作主要是书目索引检索性工具书、参考工具书、专业教材（含文献检索课教材）、论文集和古籍注释著作，共有182部，专业学术著作共有32部①。这些著作和已发表的数千篇论文，更多的是侧重于图书馆学应用研究和开发研究，基础理论研究一直是自治区图书馆学研究中的薄弱环节。在专业学术著作中，忒莫勒的《近代内蒙古图书馆事业史》,王龙的《阅读研究引论》,包和平、许斌的《中国民族文献学研究》,裴芹的《古今图书集成研究》等书都具有较高的学术水平，有自己独到的学术观点，是不可多得的专业学术著作。王龙早在1984年就萌生建立“阅读学”的想法，通过对国内外阅读研究成果的研究和翻译，进行有关阅读的社会调查，发表了系列论文《开展我国阅读学研究浅论》《阅读社会学初论》《阅读社会学二论》《阅读史研究探论》等，逐渐形成自己的阅读研究的理论框架和学术观点，《阅读研究引论》一书受到学术界关注。

蒙古文文献组织研究 自治区图书馆界文献整序工作的整体状况，基本与国内其他图书馆保持了同步。蒙古文文献整序工作长期以来，大体上是依据汉文图书分类编目方法，结合蒙古文图书特点进行的，虽基本上适应了工作的需要，并在实际工作中创造、积累了丰富的工作经验，但是，从未有成文的“蒙古文图书著录规则”和蒙古文书次号，蒙古文图书的编目工作既不统一，又不规范，难以适应现代化图书馆的要求。内蒙古图书馆界依据自己的研究人才优势和实际工作需要，以高度的责任感和极大的热情投入到蒙古文文献组织的理论研究和应用研究中并在蒙古文文献工作标准化和自动化的应用研究方面取得了多项重大研究成果，建成较为完善的蒙古文文献科学管理体系。

---

① 乌林西拉主编：《内蒙古图书馆事业史》,内蒙古大学出版社2009年版，第560—589页。

1983年3月，全国文献工作标准化技术委员会第六分技术委员会委托内蒙古大学图书馆起草的国家标准《蒙古文文献著录规则》蒙汉文两种文本，作为文献检索体系标准化的一个项目，经国家标准局标综所［1984］075号文件正式确认，认为“这是关系到建立具有中国特色的标准体系的问题”。《蒙古文文献著录规则》蒙汉文两种文本广泛的应用在蒙古文图书及大型书目、机读目录等的著录工作中。为了适应国际文献标准化的发展趋势，实现蒙古文文献书目信息交流，保障蒙古文文献组织的先进性，内蒙古图书馆编制出版了《蒙古文著者号码表》（内蒙古教育出版社，2000年）和《蒙古文文献编目规则》（内蒙古人民出版社，2003年）。这两部专著的正式出版标志着我国蒙古文文献编目工作发展到一个新阶段，也表明蒙古文文献著录标准化进入先进行列。《蒙古文古籍分类法大纲》衍生于《中国蒙古文古籍总目》的编撰工作。研究编制《蒙古文古籍分类法大纲》主要依据万余种蒙古文古籍的实际情况，借鉴文献分类学的理论、方法与技术，坚持以科学分类为基础，以文献保障原则和用户保证原则为出发点，在设置类表、确定类目名称、类系、类列等方面，突出蒙古民族特点、蒙古文古籍学科特点及文献保障特点。新建立的《蒙古文古籍分类法大纲》具有系统性、科学性和实用性，符合蒙古文古籍分类标引的需要。这些图书馆学研究重大成果，对进一步实现蒙古文文献规范整序，提高蒙古文文献管理水平，实现计算机网络检索和文献资源共建共享，顺利进行蒙古文文献信息与中外文文献信息交流具有重要作用。

民族文献和地方文献研究　随着社会经济和文化的发展，特别是修志工作和蒙古学研究的需要，民族文献和地方文献研究被提到前所未有的高度，得到了迅速的发展，发表和出版了一批具有较高学术水平的学术论著。忒莫勒编撰的《建国前内蒙古地方报刊考录》（内蒙古图书馆编印，1987年）和《建国前内蒙古方志考述》（内蒙古大学出版社，1998年）两部专著是其中重要的研究成果，具有很高的学术价值和资料价值，受到学术界的好评。此外，忒莫勒还发表了《喀喇沁王与书画》《珍贵的革命文物——〈内蒙国民旬刊〉》《民国史与蒙古史的珍贵文献——〈西盟会议始末记〉》等论文数十篇。张利的《我国西部地区的方志资源及其开发利用》（《情报资料工作》,2002年第1期）、《西部大开发中方志资源特殊的社会功能和价值》、云广英的《略述〈鲁氏世谱〉》等文都是出色的学术论文。蒙古文文献研究成果累累，诸如斯琴毕力格的《〈黄金史纲〉的作者与成书年代考》（《内蒙古社会科学》蒙古文版，1993 年第 2 期）、伯苏金高娃的《关于咱雅班智达译〈嘛呢堪布〉抄本的几个问题》（合作）（《卫拉特研究》,1995 年第 4 期）、乌·托娅的《〈蒙古源流〉吉日嘎郎图本抄写年代考》（《内蒙古社会科学》蒙古文版，2004 年第 5 期）等都是有价值的学术论文。

综述性文献研究 内蒙古社会科学院图书馆在社会科学各学科领域，特别是在蒙古学文献信息的综述性研究方面，成绩卓著。出版的综述性论著有乌力吉图等主编的《蒙古学 10 年：1980—1990》（内蒙古人民出版社，1990 年）和《内蒙古社会科学通览》（内蒙古人民出版社，1992 年）、乌·托娅的《各国收藏蒙古文文献概述》（《内蒙古社会科学》蒙文版，1997 年第 6 期、1998 年第 1 期）、《国际蒙古学研究概述》（蒙古文，内蒙古文化出版社，1999 年）、吉木斯等的《中国蒙古学研究概述》（蒙古文，辽宁民族出版社，2002 年），还有内蒙古大学图书馆德力格尔的《近十年中国蒙古学研究概况》《美国的蒙古学研究》《英国的蒙古学研究》（均载内蒙古社会科学院编《蒙古学研究年鉴》,2005 年）、莎日娜的《蒙古学金石碑刻研究综述》（《蒙古学信息》2004 年第 4 期）、《近二十年来我国西部地区民族古籍工作概述》（第 1 著者，《中央民族大学学报》2004 年第 6 期）、《当代草原文化研究的文献评述》（《西北民族学院学报》2005 年第 6 期），这些综述性论著系统地介绍了国内外，特别是内蒙古自治区蒙古学学术研究的新进展、新成果、新情况，使广大科研工作者得以全面了解蒙古学各学科的研究现状和发展趋势，并从中得到有价值的学术信息，促进了学术交流和学术繁荣。

目录学研究及应用 为科学地揭示和有效地报道文献信息，使读者依靠书目、索引等工具书获取文献资料，自治区图书馆界的书目工作十分活跃，特别是在蒙汉文古籍目录、蒙古学文献目录、地方文献书目提要等方面成绩突出。这些书目文献著作在资料的搜集整理、款目的著录、分类体系的建立、书目结构的确定、观点的阐述等方面，都有新的创意和突破，具有鲜明的时代特征、民族特点和地区特色。对开发利用文献信息资源、提高文献服务水平、深入目录学理论研究等都发挥了积极作用。其主要特点：第一，书目类型渐趋完备。自治区编辑出版的书目、索引、提要、文摘等有30余种，形成较为完备、系统的书目体系。有国家书目性质的大型回溯书目、联合目录、专科专题目录、地方文献目录、古籍目录、版本目录、导读目录及书目之书目等。第二，书目编制技术科学。书目工作重视了对书目编制原则、指导思想、收录范围、著录项目、分类体系、书目结构及编辑手段现代化等问题的理论探讨，在某些方面有所创新和突破。在书目工作实践中，强化书目编制技术方法的标准化、规范化，使之与国内、国际书目发展趋势相一致。第三，民族特色突出。蒙古文文献资源数量巨大，类型繁多。内蒙古图书馆界为蒙古文古籍及现代蒙古文图书等编辑出版了综合性和专题性蒙古文书目、索引，初步建成蒙古文书目文献系列。第四，专科专题目录异军突起。在专科专题目录研究成果中，蒙古学文献书目、索引最多，地方文献书目、提要次之，其他学科文献专题目录居第三。这些专科书目文献具有选题针对性强、报道规范、研究层次专深、时间迅速等特点，满足了读者需求的多样性和专指性，在自治区书目文献系统中占有重要地位。

主要书目索引有：《中国蒙古文图书综录：1947—1986》（乌林西拉主编，内蒙古大学出版社，1990年）及其续集《中国蒙古文图书综录：1987—1997》（萨仁编，内蒙古大学出版社，1999年），是我国第一部蒙古文回溯性系列书目，它全面、系统地反映了这一时期我国蒙古文图书出版的概貌，具有国家总书目性质。先后问世的《中国蒙古文古籍总目》三卷本和《内蒙古自治区线装古籍联合目录》三卷本是联合目录方面的标志性研究成果。《中国蒙古文古籍总目》（乌林西拉主编，北京图书馆出版社，1999年），收录全国179家文献信息单位和80位个人藏书者的蒙古文古籍1.31万种，比较全面地反映了我国蒙古文古籍收藏概貌，兼有国家联合目录功能。《中国蒙古文古籍总目》三卷本和2002年出版的《蒙古文甘珠尔·丹珠尔目录》两卷本（收录蒙古文佛教典籍5 023种），既独自成书，各具特色；又相互联系，互为补充，成为一个有机整体，在系统、全面地反映了我国蒙古文古籍概貌的同时，还将我国现存的1.81余万种蒙古文古籍作为一个整体进行整理、研究，揭示其内容特征和形式特征，编成我国迄今为止，收录完备、著录规范、分类科学、检索方便的蒙古文古籍书目工具书。《内蒙古自治区线装古籍联合目录》（何远景主编，北京图书馆出版社，

2004 年），收录了自治区 50 余家图书馆、博物馆和一些政府机关收藏的线装古籍 27 288 种、50 多万册，全面地揭示了自治区汉文古籍的收藏状况，是我国第一部省市自治区级古籍联合目录。这部书目同时制作了电子版，是一部编辑优良，具有较高学术价值和应用价值的汉文古籍书目工具书。《〈骈字类编〉词目索引》（张利、杜宏刚、邱瑞中主编，内蒙古大学出版社，1999 年）一书，为我国古代著名类书《骈字类编》13 门类、10 万余条词语编制索引。该索引以《印刷通用汉字字型表》为依据，对原书中出现的异体字、假借字和不规范汉字进行了考证，予以规范化。正文采用《四角号码查字法》（新法）排序，编有《首字笔画索引》和《首字音序索引》,提供多种检索途径，是一部有价值的检索工具书。

各大图书馆重视蒙古学文献研究工作，编辑出版的蒙古学书目文献已基本形成系列成果，主要有书目、书目提要、论文资料索引、金石碑拓目录、人物传记资料索引等，成为自治区专科目录体系中的重要支柱，得到国内外蒙古学界的高度评价。已出版的代表性书目有：《国际蒙古学书目·第三分册：中国卷》（乌林花、苏日娜等编，国际蒙古学会秘书处编印，2002 年）、《内蒙古大学蒙古学书目》（包祥主编，内蒙古大学出版社，2004 年）、《蒙古学汉文古籍书目提要》（陈乃雄主编，内蒙古大学出版社，1997 年）、《蒙古学金石文编题录》（莎日娜主编，内蒙古大学出版社，2005 年）。内蒙古大学图书馆编辑出版的蒙汉文蒙古学论文资料索引已形成系列索引。蒙古文部分有《蒙古学论文资料索引：1910—1984》（阿·乌宁巴图编，内蒙古教育出版社，1987 年）、《蒙古学论著索引：1985—1990》（阿·乌宁巴图编，内蒙古大学出版社，1992 年）和《蒙古学蒙文论著索引：1991—1995》（乌林花编，内蒙古大学出版社，2006 年）；汉文部分有《蒙古学论文资料索引：1949—1985》（苏日娜、额尔德尼主编，内蒙古大学出版社，1987 年）和《蒙古学论著索引：1986—1995》（额尔德尼编著，辽宁民族出版社，1997 年）。人物传记及其资料索引有《内蒙古人名录：社会科学》（乌力吉图主编，内蒙古大学出版社，1987 年）、《中国蒙古学学者：1949—1991》（苏日娜、晓克主编，内蒙古大学出版社，1993 年）、《清代蒙古族人物传记资料索引》（云广英总编著，内蒙古大学出版社，1998 年）和《外藩蒙古回部西藏王公传记索引》（宝音图，宝日吉根编著，内蒙古大学出版社，1999年）等。

古籍整理与研究 自治区的蒙古文、汉文古籍资源，绝大部分都收藏在图书馆中，为图书馆进行古籍整理工作创造了条件。古籍整理的内容众多，图书馆古籍整理主要是指对古籍的搜集抢救、分类编目、典藏保护和开发利用等系列工作。自治区各图书馆在搜集抢救蒙汉文古籍、编辑出版古籍书目索引、点校注释古籍以及古籍整理研究方面做了大量工作。点校整理出版的重要蒙古文、汉文古籍著作主要有：孙玉臻等点校的《那逊兰保诗集三种》，张凌霄校注的《倭仁集注》，乌力吉图的蒙古文校注本《大黄册》和蒙古文汉译《卫拉特历史文献集》，忒莫勒点校的《从西纪略》《绥远旗志》《土默特旗志》，杜宏刚译注的《老子》，杜宏刚、邱瑞中等编辑的《韩国文集中的蒙元史料》和《韩国文集中的明代史料》等。近几年来，曹惠民在古籍整理出版方面成绩卓著，其主编的丛书《中国古典名著全译典藏图文本》共有38部，目前已出版了由他译注的《颜氏家训》《孙子兵法全译》《人物志全译》《古文观止全译》等。此外，他还编注、出版了《唐伯虎诗文书画全集》《郑板桥诗文书画全集》《文徵明诗文书画全集》等。

古籍版本及雕版印刷史研究历来是图书馆界难度最大的学术领域之一，有关雕版印刷史的研究，邱瑞中的研究成果最为突出。他的《前印刷史述略》（《内蒙古大学学报》1990年第1期）、《玄奘与印刷术——读〈大慈恩寺三藏法师传〉札记》（1999年）、《玄奘与印刷术——读季羡林先生〈关于大乘上座部的问题〉后感》（2004年）、《韩国发现的〈无垢净光大陀罗尼经〉为武周朝刻本补证》（《中国典籍与文化》1997年第4期）、《再论韩国藏〈无垢净光大陀罗尼经〉为武周朝刻本》（《中国典籍与文化》2000年第3期）、《无垢净光大陀罗尼经为武周朝刻本辨》（《光明日报》1997年10月4日）、《良心负罪，女主刻经——再谈〈无垢净光大陀罗尼经〉》（《光明日报》2000年2月4日）等一系列论文，因证据可靠充分，论证严密合理，受到国内外印刷史研究界的广泛关注。截至目前，邱瑞中关于印刷术之产生的研究，仍处于该领域的前沿位置。

潘国允、赵坤娟编著的《蒙元版刻综录：三卷》（内蒙古大学出版社，1996年），是研究元版图籍的力作。该书系汇集元代刻印图籍的版本目录，收录官、家、坊主持刻印者近400家，刻印图籍千余种。此外，何远景的

《鱼尾的起源》《〈黄山谜〉之谜》，朱敏的《简论辽代汉文图书的编刻与典藏》，莎日娜的《元代图书出版事业述略》，索娅的《蒙古时期我国平阳的刻书事业及其成就》，白代晓的《再论〈大藏经〉版本》，潘国允的《略论汲古阁主人及其藏书印》等论文，在版本学及雕版印刷史研究方面都有不同程度的学术贡献。

（八）发挥图书馆学会、协会作用，推动图书馆事业发展

1979 年 7 月在太原市召开了中国图书馆学会成立大会和第一次全国图书馆学讨论会，同年 12 月，内蒙古图书馆学会成立大会在临河市召开，并举行首次图书馆学研讨会。会议听取了学会筹委会工作报告；讨论、通过了《内蒙古自治区图书馆学会章程草案》；选举产生了第一届理事会。这是自治区图书馆事业发展史上的一次盛会，具有重大历史意义和现实意义。其后，先后四次召开全区会员代表大会。内蒙古图书馆学会是依法登记成立的全区图书馆工作者的学术性群众团体，是内蒙古社科联、中国图书馆学会的团体会员，是党和政府联系图书馆工作者的桥梁和纽带，是发展自治区图书馆事业的重要社会力量。截至 2005 年 6 月，共拥有盟市级图书馆学会 9 个，旗县级图书馆学会 2 个，个人会员 500 余人，中国图书馆学会会员 250 名。1988 年 10 月，建立学会第一届工作委员会，设有学术研究委员会、编译出版委员会、协调教育委员会，2000 年增设民族地方文献工作委员会①。学会挂靠在内蒙古图书馆，学会秘书处隶属内蒙古图书馆。20 多年来，学会在中国图书馆学会、内蒙古社科联、内蒙古文化厅的领导下，在广大会员和图书馆工作者的积极支持和参与下，学会组织会员和图书馆工作者开展图书馆学研究和国内外学术交流，编辑出版期刊、学术研究资料，介绍国内外图书馆学研究动态和成果；为自治区科技发展战略、政策和经济建设中的重大决策以及图书馆事业政策的制定提供咨询服务；推广和评定图书馆学科研成果；进行图书馆工作者继续教育、普及图书馆学基础知识等方面都做了大量工作，取得了显著成绩。内蒙古社科联于 1997 年、2000 年、2001 年、2003 年、2004—2006 年度先后 5 次授予内蒙古图书馆学会为“先进学会”或

① 李凌：《繁荣图书馆学研究，推动内蒙古图书馆事业发展——内蒙古图书馆学会成立 22 年回顾》，《内蒙古师范大学学报》（哲学社会科学版）2003 年第 6 期。

“优秀学会”称号，呼伦贝尔盟图书馆学会于1997年、2001年两次被中国图书馆学会评为“先进集体”，学会工作者也多次被评为“先进工作者”，受到上级表彰。

学术研究工作　内蒙古图书馆学会与盟市旗县地方图书馆学会、各系统图书馆学术组织相互协调，保持着密切的联系，构成了一个以内蒙古图书馆学会为中心，开展学术活动的群众性网络，建成了多系统、多层次学术活动组织系统。

内蒙古图书馆学会多次组织学术研讨会、报告会。主要有：全区公共图书馆为科学研究与生产服务现场经验交流会；全区中青年图书馆工作者学术研讨会；儿童图书馆读书活动经验交流会；民族地区图书馆改革与发展学术研讨会；蒙古国图书馆事业发展概况专题报告会等。其中，于1996年7月在呼和浩特举办内蒙古图书馆学会1996年学术研讨会，会议主题：民族地区图书馆改革与发展——迎接'96年北京国际图联大会。会议收到应征论文150余篇，60名论文作者出席会议，与会者紧密围绕着“自治区图书馆改革与发展”这一中心主题，进行了热烈讨论。1990年11月、1999年6月两次举办全区图书馆界蒙古文工作者学术研讨会，用蒙古文撰写学术论文，用蒙古语进行学术交流，这充分体现了自治民族的权利与义务，开创了我国用少数民族语言文字举办图书馆学科学讨论会之先河，对进一步开展蒙古文文献的科学整序和开发利用研究，促进图书馆学蒙古文研究工作，培养民族专业干部和提高民族专业干部的学术研究能力具有重要意义，是自治区图书馆事业史上的光辉一页。

跨盟市或盟市级的地区图书馆学术活动的发展状况虽不平衡，但大都举办了自己的学术会议，推动了当地图书馆学研究和图书馆事业的发展，培养了一批具有一定学术研究能力的专业队伍。如，1984年12月成立的呼伦贝尔盟图书馆学会，是自治区第一个成立的盟市级学会。1984—1986年连续三年举办了全盟图书馆学科学讨论会，1993年5月举办第四次科学讨论会。学会举办的四次科学讨论会及两次全盟中青年论文大赛，即收到论文203篇。又如，伊克昭盟图书馆学会成立于1985年11月，至1990年的5年间，成功举办五届全盟图书馆学理论研讨会，撰写论文200余篇，其后又多次举办学术会议。再如包头市、通辽市、赤峰市等地区的图书馆学术活动也很活跃。

内蒙古高校图工委、内蒙古中专图工委和华北图协、华北高校图协、华北中专图协等学术组织机构，多次举办全区或华北地区学术研讨会，参加人数之多、研讨内容之丰富、影响之深远，都是前所未有的。这些学术活动，全方位、多角度地反映了自治区图书馆学研究的状况。自治区高校图工委和各高等学校图书馆多次举办、承办、协办大型学术会议及各类研讨班和专题讲座。内蒙古高校图工委和内蒙古高校图书馆管理研究会于1982年、1984年、1992年、1996年四次主持召开了全区高校图书馆科学研讨会，百余篇用蒙汉文撰写的论文在会上交流。从1986年开始，内蒙古高校图工委先后组织近300人次参加了19届华北地区高等学校图书馆协会学术年会，提交论文200余篇。内蒙古高校图工委还在1986年、1991年、1996年、2002年四次出任华北高校图协执行主席，分别在通辽、包头、呼和浩特主持召开了华北高校首届、第6届、第11届和第16届学术讨论会。2000年7月内蒙古大学图书馆承办“新世纪图书馆建设发展研讨会”，大陆和台湾的31个单位41位馆长及负责人参加了会议，大会围绕新世纪图书馆建设等几个问题进行了研讨。又如，内蒙古图书馆学会医院图书馆专业委员会于1992年至2000年间，举办了四次全区医院图书馆学术研讨会，进行成员馆间的学术交流和业务工作研讨。

学会重视与区外、国外图书馆界建立联系，开展学术交流活动，在一定程度上改变了自治区图书馆界封闭、信息不灵的局面。如，1996年8月，内蒙古高校、科研、公共系统图书馆的17名代表出席了第62届国际图联大会。会议期间，代表们有选择地参加了第62届国际图联大会208个专业会议的研讨，考察了北京地区的图书馆，参观了国际图书博览会、图书馆专用设备和技术展、电子图书馆展，参加了有关图书馆领域最新技术进展专题讲座。通过这次会议，内蒙古图书馆界进一步加强了同国内外同行的交流合作和相互学习。又如，1984年至2006年间，内蒙古图书馆界组团参加了九届全国少数民族地区图书馆工作会议或学术研讨会，并于1994年、2006年分别在通辽市和海拉尔市成功主办全国少数民族地区图书馆学术研讨会。通过论文交流、学术研讨，扩大了自治区图书馆界的影响，促进了民族文化交流，增进了民族团结，推动了民族地区图书馆学研究和图书馆事业的发展。

编译出版工作　内蒙古图书馆学会主要任务之一是“编辑、出版、发行图书馆学（蒙汉文）文献信息资料，促进学科发展。”学会主持编辑出版的蒙汉文图书馆学著作及期刊《内蒙古图书馆工作》蒙汉文版，受到学术界、图书馆界的广泛关注。

1988年底，由内蒙古图书馆学会牵头，成立内蒙古文献资源调查课题小组，区内公共、高校、科研系统17所图书馆及情报部门的50多位工作人员参加了此项工作。历时两年，课题组对17所图书馆及情报部门的98个研究级文献范围进行了调查评估。由王春阳等六人撰写的《内蒙古文献资源调查报告》发表在《内蒙古图书馆工作》1989年第1—2期上。1990年由内蒙古图书馆学会出版了由王春阳主编的《内蒙古文献资源调查工作综录：研究级》一书，内部发行。自1990年以来，由学会牵头，经过区内外图书馆界同仁的不懈努力，编辑出版了《中国蒙古文古籍总目》三卷本、《蒙古文甘珠尔·丹珠尔目录》两卷本和《内蒙古自治区线装古籍联合目录》三卷本。为了抢救、整理、挖掘散存于区内外图书馆的珍贵历史文献，在自治区党委宣传部、自治区新闻出版局的大力支持下，内蒙古图书馆学会编纂的《内蒙古历史文献丛书》已经启动，已出版的有《哲里木盟十旗调查报告书》《西盟会议始末记》《西盟游记》《侦蒙记》《征蒙战事详记》《归绥道志》《伊克昭盟专辑》等，这项工作正在有计划地进行中。华北图书馆协会组织编写“图书馆岗位培训系列教材”共3卷14册，1991—1994年由文津出版社出版。内蒙古图书馆学会承担了《图书馆科学管理》（李蒙智编著）、《图书馆业务辅导》（常作然、贾凡、刘艳春编著）和《古籍整理》（何远景编著）三册的编著工作。

《内蒙古图书馆工作》蒙汉文版是内蒙古图书馆学会会刊，是内蒙古图书馆学会和内蒙古图书馆联合主办的学术性和知识性兼容的专业刊物，具有鲜明的民族特色和地方特色。该刊是内蒙古唯一的图书馆学专业刊物，蒙古文版又是我国唯一以少数民族文字编辑出版的图书馆学专业刊物。是自治区图书馆学研究的窗口，是发表学术研究成果，交流工作经验的园地。自1980年复刊以来，紧密结合内蒙古图书馆界的实际，开设了“民族地区图书资料橱窗”“内蒙古学者、藏书家传略”“民族地方文献工作”“蒙古学文献研究信息”“民族地方文献珍藏”“民族地区图书馆事业”等颇具特色的栏目。发表了一批具有学术价值和文献价值的优秀研究成果，为繁荣自治区图书馆学研究，推动自治区图书馆事业发展，提高图书馆科学管理水平，培养学术研究队伍做出了贡献，立足于我国图书馆学专业期刊之林。

表彰、奖励活动　学术成果评估是提高学术研究水平，检验学术研究质量的重要环节。学会组织评选、推荐图书馆学科研成果参评全国、自治区优秀成果评奖活动。1990 年，中国图书馆学会组织的“庆祝中华人民共和国成立 41 周年暨中国图书馆学会成立 10 周年图书馆学情报学优秀著作、论文、二次文献评选”活动，是新中国成立以来第一次全国性的专业学术评奖活动。在这次活动中，自治区图书情报工作者路子先著的《试论高校图书馆的管理改革》、刘东维著的《我国情报学学术期刊及其体系结构》获优秀论文奖；成刚著的《高等学校的情报环境及图书馆情报机构的建立》、盛明光著的《谈图书馆员的知识结构问题》和王子舟著的《建国以来图书馆服务评述》获论文奖；《乔瑞泉论文选》获丛书著作奖；苏日娜、额尔德尼主编的《蒙古学论文资料索引：1947—1985》（汉文）、阿·乌宁巴图编著的《蒙古学论文资料索引：1910—1984》（蒙古文）和八省区蒙古语文办公室主编的《全国蒙文古旧图书资料联合目录》获二次文献优秀成果奖；内蒙古图书馆编著的《内蒙古自治区资料索引：1947—1961》获二次文献成果奖。2004 年 5 月，中国图书馆学会为纪念学会成立 25 周年，举办“中国图书馆学会第二届图书馆学情报学学术成果奖”评奖活动，自治区包金香主编的《蒙古文文献编目规则》、王龙著的《阅读研究引论》获优秀成果著作类三等奖。

1989—2006 年，在内蒙古自治区第三届至第八届社会科学优秀成果奖评选活动中，学会初评、推荐的图书馆学论著，经复评、终评有以下论著获得名次。在 1989 年第三届社会科学优秀成果评选中，苏日娜、额尔德尼主编的《蒙古学论文资料索引：1947—1985》（汉文）、阿·乌宁巴图编著的《蒙古学论文资料索引：1910—1984》（蒙古文）、刘东维著的《我国情报学核心期刊的引文统计及其评价》获二等奖。在 1993 年第四届社会科学优秀成果评选中，乌林西拉主编的《中国蒙古文图书综录：1947—1986》、梁仁勋著的《对我国现阶段图书馆事业发展的思考》获二等奖，王秀真等编著的《图书分类实用技术》、刘羚著的《戏剧影视刊物的集中分类与排架》、刘洪全著的《试论目录学与读书治学》、邱瑞中著的《前印刷史述略》、邬卫华著的《期刊分类的特殊性不应忽视》获三等奖。在1997年第五届社会科学优秀成果评选中，甘月文著的《对〈新华月报〉功能的认识》获二等奖，梁仁勋著的《对社会主义初级阶段图书馆事业发展规律的认识和思考》获三等奖，包和平、许斌合编的《中国民族文献研究》获青年奖。在2000年第六届社会科学优秀成果评选中，乌林西拉主编的《中国蒙古文古籍总目》三卷本获一等奖，邱瑞中著的《韩国发现的〈无垢净光大陀罗尼经〉为武周朝刻本补证》获二等奖，琪琪格编著的《社会科学文献检索》（蒙古文）获三等奖，色·斯琴毕力格著的《蒙文〈丹珠尔〉研究导论》获青年奖。在2003年第七届社会科学优秀成果评选中，乌林西拉主编的《蒙古文甘珠尔·丹珠尔目录》两卷本获一等奖，包金香等编著的《蒙古文著者号码表》获青年奖。在2006年第八届哲学社会科学优秀成果评奖（首届政府奖）评选中，何远景主编的《内蒙古自治区线装古籍联合目录》三卷本获二等奖；包金香主编的《蒙古文文献编目规则》、马熙融著的《论高校系（部）资料室的整合及其功能转变》获三等奖。此外，还有一批专著和论文获历届社会科学优秀成果优秀奖。

1990年，内蒙古图书馆学会举办“内蒙古自治区图书馆学首届优秀成果评选活动”。经过专家小组的认真评选，苏日娜、额尔德尼主编的《蒙古学论文资料索引：1947—1985》（汉文）、阿·乌宁巴图编著的《蒙古学论文资料索引：1910—1984》（蒙古文）、刘东维著的《我国情报学核心期刊的引文统计及其评价》和包金花、巴图吉尔嘎拉编著的《蒙汉对照图书馆学名词术语解释词典》四项成果获一等奖，12项成果获二等奖，28项成果获三等奖。

附表：获准立为省部级以上科研项目一览表

课题名称	课题负责人	负责人所在单位	批准立项机构名称	成果形式	立项时间	完成时间
蒙古学汉文古籍书目提要	陈乃雄	内蒙古大学图书馆	内蒙古自治区哲学社会科学研究“七五”规划项目	专著	1987年	1997年出版

（续表）

课题名称	课题负责人	负责人所在单位	批准立项机构名称	成果形式	立项时间	完成时间
内蒙古文献资源调查	王春阳	内蒙古图书馆	国家社科基金“七五”重点项目；“全国文献资源调查与布局”子课题	调查报告；专著	1988年	调查报告：1989年出版专著：1990年出版
内蒙古科技文献资源建设现状分析及合理布局研究	刘东维	内蒙古科技情报研究所	“国家科技情报发展规划：1991—1995”课题组成部分	专著	1991年	1993年出版
建立蒙文书目数据库	苏丽娅等	内蒙古图书馆	文化部重点资助科技项目	软件系统	1992年	1995年8月通过文化部科技司组织的专家鉴定
国际蒙古学书目·第三分册：中国卷	乌林花、苏日娜等	内蒙古大学图书馆	国际蒙古学合作项目	专著	1993年	2002年出版
中国蒙古文古籍总目	乌林西拉	内蒙古大学图书馆	内蒙古自治区哲学社会科学研究“八五”规划项目 国家社会科学规划基金资助项目 国家民委少数民族古籍整理资助项目 国际图联促进发展中国家图书馆事业核心计划（IFLA ALP）项目	专著	1994年	1999年出版
蒙古文甘珠尔·丹珠尔目录	乌林西拉	内蒙古大学图书馆	内蒙古自治区哲学社会科学研究“八五”规划项目 国家社会科学规划基金资助项目 国家民委少数民族古籍整理资助项目 国际图联促进发展中国家图书馆事业核心计划（IFLA ALP）项目	专著	1994年	2002年出版

（续表）

课题名称	课题负责人	负责人所在单位	批准立项机构名称	成果形式	立项时间	完成时间
蒙古文著者号码表	苏丽娅等	内蒙古图书馆	文化部重点资助项目	专著	1996年	2000年出版
内蒙古自治区线装古籍联合目录	何远景	内蒙古图书馆	教育部全国高校古籍整理与研究基金资助项目	专著	1996年	2004年出版
内蒙古大学图书馆古籍善本目录	陈世敏	内蒙古大学图书馆	教育部全国高校古籍整理与研究基金资助项目	专著	1997年	待出版
《骈字类编》词目索引	张利、杜宏刚、邱瑞中	内蒙古大学图书馆、内蒙古师大图书馆	教育部全国高校古籍整理与研究基金资助项目	专著	1998年	1999年出版
蒙古学金石文编题录	莎日娜	内蒙古大学图书馆	内蒙古自治区哲学社会科学“九五”规划项目	专著	1998年	2005年出版
蒙古文机读目录软件研究开发、建立蒙古文图书数据库	阿拉坦仓、张桂荣	内蒙古大学图书馆	国家教育部CALIS特色库资金资助项目	应用软件	1998年	2004年

第六节 文物考古事业

欧洲在文艺复兴时期兴起的古物学被认为是近代考古学的前身，从19世纪40年代开始，随着地层学和类型学方法被逐步应用于对古代人类遗存的研究之中，现代意义上的考古学才开始形成了。近代考古学起源于欧洲，后来传入美洲，形成两种不同的学术传统，20世纪初又传到世界各地，形成了各具特色的考古学。

我国在北宋时期出现了以古代的青铜器和石刻为主要研究对象的金石学，到清末明初，金石学的研究领域拓宽，内容扩展到各种古代器物，已接近近代的考古学。“五四”运动之后，一些从西方学成归来的留学生把近代考古学理论带入中国，并迅速运用到考古学实践之中，使近代考古学在中国大地上生根，并获得了进一步的发展完善。

一、解放前内蒙古地区考古工作的畸形发展

1921年，瑞典地质学者安特生（1874—1960年）主持发掘了河南渑池县仰韶村遗址，同时还在仰韶村周围调查发现了一批史前文化遗址，从而提出了仰韶文化的命名。这是在中国考古学史上有很大影响的一次考古发掘工作，以致不少学者越来越倾向于将这一年作为中国近代考古学诞生的标志。

1926年，哈佛大学人类学博士、后被尊为“中国考古学之父”的李济（1896—1979年）对山西夏县西阴村遗址的发掘，是中国学者第一次主持开展的田野考古发掘工作。1931年，梁启超先生的次子、著名考古学家梁思永（1904—1954年）主持了安阳后岗遗址的发掘，第一次采用了按文化层区分文化堆积的科学方法，发现并确认了仰韶、龙山和小屯三个时期堆积相互叠压的层位关系，即著名的“后岗三叠层”，为中国考古学在地层学方法的应用上开创了一个新时期。20世纪40年代，中国考古学界对类型学方法的探索不断深入，其中苏秉琦（1909—1997年）对宝鸡斗鸡台瓦鬲墓及其出土陶鬲的分类分组研究，奠定了我国考古类型学方法的基础。

与国内考古学界对地层学和类型学方法的不断探索相比，解放前的内蒙古地区对考古学理论发展的贡献微乎其微。所做的一些考古工作，多为外国人的掠夺性调查发掘，国内学者只见一些零星的小规模调查。

外国人的考古工作 自19世纪末以来，国外的探险家和探险队纷至沓来，他们的目的各不相同，有心怀不轨的挖宝者，有猎奇的旅行家，有为帝国主义服务的间谍，当然也不排除个别真正的考古研究者。

1892—1893年，俄国旅行家阿·马·波兹德涅耶夫（A. Pozdneiev）受俄国外交部的委派，在蒙古地区进行了历时15个月的实地考察。在其日记体考察著作《蒙古及蒙古人》中①，记述了1893年3至8月期间在内蒙古地区的旅程。他先后走访了归化城、土默特地区、多伦诺尔、克什克腾旗、巴林旗、乌珠穆沁旗等地，调查过元上都、应昌路、辽庆州、辽金元丰州等

① 参见［俄］阿·马·波兹德涅耶夫：《蒙古及蒙古人》第2卷，张梦玲等汉译，内蒙古人民出版社1983年版。

遗址，带走汉、蒙、满文的手抄本和刊印本历史文献 130 部，计 720 册之多。

俄国人科兹洛夫（Kozlov）早在 1899 年就开始在我国西藏、青海和蒙古等地进行探险考察，发现了位于今额济纳旗境内的西夏黑水城（今通称黑城遗址）。此后于 1908 年和 1909 年两次大规模盗掘了黑城，盗走了西夏文和汉文文书 2 000 余卷，绢画（唐卡）300 余幅，以及一大批文物，出版了大部头的著作《蒙古、安多和死城哈喇浩特》（1923 年）[①]。1926 年，他在挖掘了蒙古国的诺颜乌拉匈奴墓后，又一次扫荡了黑城。

英籍匈牙利人斯坦因（Mark Aurel Stein）于 1901 年开始在我国西藏、新疆和甘肃一带进行探险活动。1914 年，他继科兹洛夫之后盗掘了黑城，将获取的西夏文和汉文文书运到英国，在其撰写的《斯坦因西域考古记》一书中，曾自述发掘黑城的经过[②]。

法国天主教神甫闵宣化（J. Mullie）在赤峰北部地区传教多年，对巴林旗一带的辽代古迹做了很多实地考察。如 1912 年、1920 年两次到巴林左旗探考辽上京的地理方位，1920 年还考察了庆陵，撰写了《东蒙古辽代旧城探考记》（1922 年）一书，“前言”中伯希和附注云：“此稿关系甚巨”[③]。该书以《辽史·地理志》中所记薛映行程为主要参考，辅以其他著述，对薛映所经潢水石桥以北的祖州祖陵、上京、怀州怀陵、庆州庆陵等遗存都作出了准确的认定。

1922 年，法国天主教传教士梅岭蕊（Louis Maric Kervyn）挖开了庆陵的中陵，发现了契丹小字辽兴宗皇帝哀册、仁懿皇后哀册以及汉字仁懿皇后哀册等文物。梅岭蕊不会做拓片，雇人逐字抄录，将仁懿皇后的契丹小字哀册手抄本的照片首次发表在法文版《北京天主教会杂志》1923 年第 118 期上。这是自契丹文字失传数百年后首见天日，其意义非常重大，在学界引起

---

① 参见［俄］彼·库·科兹洛夫：《蒙古、安多和死城哈喇浩特》，王希隆等汉译，兰州大学出版社 2002 年版。

② 参见［英］斯坦因：《斯坦因西域考古记》，向达汉译，中华书局、上海书店联合出版 1987 年版。其中第十六章“从额济纳河到天山”为斯坦因自述发掘经过，附录二“斯坦因黑水获古纪略”为向达对斯坦因盗掘文物过程的描述及具体盗掘文物的统计。

③ ［法］闵宣化：《东蒙古辽代旧城探考记》，冯承钧汉译，中华书局 2004 年版，第 7 页。

轰动，海内外的学者竞相研习，遂在学界产生了契丹文字专业。可惜这两方哀册至今仍下落不明。

1922 年，为庆祝中东铁路修筑 25 周年，一些俄国人举办了一个大型纪念展览会，同时组织了东省文物研究会，附设一个博物馆，即今黑龙江省博物馆的前身。东省文物研究会在我国东三省内调查发掘古文化遗址，曾到呼伦贝尔一带活动。1928 年路克锡舍（A. S. Lukashlim）在海拉尔沙丘一带采集细石器，发掘石器时代墓葬，出土陶器、石斧、骨器等，发表有《海拉尔附近新石器时代遗址》等文章。

1922 年，法国天主教神甫、地质及生物学家桑志华（Emile Licent）到萨拉乌苏考察，采集到许多动物化石和 3 件人类股骨化石。1923 年，桑志华和另一位法国古生物学家德日进（Teilhard de Chardin）再次来到萨拉乌苏进行科学发掘，在旧石器时代文化层中清理出 200 多件人工打制的石制品和骨角器，并从发掘到的化石中确认出 1 枚人的牙齿。经加拿大解剖学家步达生（Davidson Black）的研究，将这枚牙齿命名为“the Ordos Tooth”（鄂尔多斯人牙齿），我国考古学家裴文中首称之为“河套人”。“河套人”是在我国发现的重要古人类化石，代表人类演化的一个重要阶段，与“山顶洞人”化石齐名。后来桑志华和德日进又在林西教区活动中，发现了锅撑子山新石器时代遗址，并考察了札赉诺尔的中石器时代文化。

20 世纪 20 年代，由美国自然历史博物馆组建的中亚探险队，以安德鲁斯（Roy Chapman Andrews）为队长，带领不同领域的科学家们，分别于 1922 年、1923 年、1925 年、1928 年和 1930 年，5 次考察了内、外蒙古地区。其中，1925 年和 1928 年考察中的考古收获，分别由探险队成员纳尔逊（Nelson）和庞德（Pond）作了初步整理，由范尔舍韦斯（Walter A. Fairservis, Jr.）执笔编著了《蒙古南戈壁考古》（1993 年）英文版考古调查报告①。全书分为 6 大部分，其中第 3 部分“内蒙古的晚期史前遗存”主要介绍了探险队 1928 年在内蒙古西部草原地区的考古调查成果，共发现遗址点 82 处，采集的遗物有陶器、石器和骨器等。

1926 年，瑞典著名探险家和地理学家斯文赫定（Sven Hedin）借德国汉

① 张文平：《〈蒙古南戈壁考古〉（英文版）简介》，《内蒙古文物考古》2003 年第 2 期。

莎航空公司企图开辟德中航线的机会，组织了一个由瑞典、德国的科学家和德国航空人员在内的人数众多的探险队，准备对我国西北的广大地区进行多学科考察。1927 年，通过中国学术团体协会与斯文赫定的斗争与争取，成立了以中方为主体的西北科学考察团，中方团长为北京大学教务长徐炳昶，瑞方团长则由斯文赫定担任。考察团的成员包括了地质学、考古学、古生物学等多个领域的科学家，中方考古学家为黄文弼，瑞方考古学家为贝格曼（Folke Bergman）。在 1927—1935 年的长达 9 年的时间里，考察团主要考察了内蒙古西部和新疆等地区，在多个方面都取得了突出的成绩，如包头白云鄂博铁矿就是在这次考察中由中国地质学者丁道衡发现的，同时还培养了一批杰出的学者。

中瑞西北科学考察团在内蒙古西部的考古收获，以贝格曼在额济纳河流域汉代居延边塞遗址发现的 1 万余枚汉简最为轰动①。其中“永元器物簿”尚存当时簿书编缀原形，同时出土的毛笔可见当时书写工具真实形状，是汉代西北地区部分真实原始边役档案，因此定名为“居延汉简”。此外，在今巴彦淖尔市阴山以北和阿拉善盟一带发现了大量的细石器及其他文化遗物②，调查了今达茂旗鄂伦苏木古城，黄文弼在古城中发现了《王傅德风堂碑记》石碑③。

美国人拉铁摩尔（O. Lattimore）在 1933 年作横断中亚的旅行时，来到了鄂伦苏木古城遗址，辨识出古城中有十字纹的墓石是景教寺院遗迹，著有《内蒙古的一座景教废城》一文④。1936 年，美国人海涅士（Haenisch）和马丁（D. Martin）根据拉铁摩尔提供的线索先后来到鄂伦苏木古城进行调查，马丁在王墓梁发现了汉文铭刻的“管领诸路也里可温”耶律于成的神道碑⑤。

---

① ［瑞典］贝格曼：《考古探险手记》，张鸣汉译，新疆人民出版社 2000 年版，第 120—135 页。

② 陈星灿：《内蒙古巴彦淖尔盟的史前时代遗存——中瑞西北科学考察团考古资料的整理与研究之一》，《考古学集刊》第 11 集，中国大百科全书出版社 1997 年版，第 1—20 页。

③ 黄文弼遗著，黄烈整理：《黄文弼蒙新考察日记》（1927—1930），文物出版社 1990 年版，第 15—22 页。

④ ［美］拉铁摩尔：《内蒙古的一座景教废城》，杨文海汉译，内蒙古大学蒙古史研究室编：《蒙古史研究参考资料》（内部资料）第 14 辑，1980 年。

⑤ ［美］D. 马丁：《关于绥远归化北的景教遗迹的初步调查报告》，内蒙古大学蒙古史研究室编：《蒙古史研究参考资料》（内部资料）第 14 辑，1980 年；陈垣：《马丁先生在内蒙发现之残碑》，出处同上。

安德鲁斯、斯文赫定和拉铁摩尔对中国北部边疆地区及中亚的探险与考察活动，规模都很大，在西方学术界影响颇深。同时，日本人在内蒙古境内的考古活动更为频繁，在抗日战争时期，由日本外务省控制的东亚考古学会，其研究随日本对中国的侵略而不断向纵深发展。

1908 年，桑原骘藏和鸟居龙藏调查了应昌路，发现了《应昌路新建儒学记》石碑。同年，桑原骘藏还调查了上都①。

自 20 世纪 30 年代开始，日本人对辽代帝陵进行了不间断的调查和盗掘。1930 年，鸟居龙藏携其家人对庆陵东陵进行了非法调查和测绘摄影。1931 年，日本东亚考古学会组织内蒙古调查团到庆州、庆陵进行调查，团员有江上波夫、田村实造等人。他们了解到 1930 年热河省军阀汤玉麟开掘了庆陵的东陵和西陵，盗走了墓中的哀册和宝物，1932 年田村找到汤，在其住宅中确认了出土物品，并将拓本带回日本展览。1933 年，鸟居龙藏再次到庆州和庆陵调查。1934 年，“满日文化协会”评议员关野贞到庆陵调查。关野贞于 1935 年去世后，1937 年“满日文化协会”派黑田源次、竹岛卓一等调查庆陵，对东陵壁画作了临摹摄影，并将小片壁画及庆州遗址出土的古文物一并盗运到日本，存于京都大学文学部。1939 年，“满日文化协会”又派田村实造、小林行雄等人到庆陵，掘开墓室进行测绘、摄影，并临摹东陵壁画，劫掠了一批文物，出版了《庆陵》（1953 年）和《庆陵の壁画》（1977 年）两书，至今仍是研究庆陵东陵的基本资料。

1933—1938 年间，远藤隆次、德永重康、赤崛英三、加纳金三郎等人，曾多次调查扎赉诺尔中石器时代文化。1943 年，加纳金三郎继顾振权于 1933 年发现第一个人头骨之后，又发现第二号人头骨，远藤隆次将其定名为“扎赉诺尔人”。

1935 年，东亚考古学会组织滨田耕作、赤崛英三、岛田贞彦、三上次南、三宅宗悦、水野清一等发掘了赤峰红山遗址及墓葬，刊印了《赤峰红山后》一书。新中国成立后，我国著名考古学家尹达（1906—1983 年）在其编著的《中国新石器时代》一书中，根据梁思永的意见，专门加写了

① ［日］石田干之助：《关于元上都》，包国庆汉译，叶新民、齐木德道尔吉编著：《元上都研究文集》，中央民族大学出版社 2003 年版，第 1—34 页。

《关于赤峰红山后的新石器时代遗址》一章，正式提出了“红山文化”的命名。

1936 年，由江上波夫、赤崛英山等人组成的调查班，在内蒙古东部至中部的大青山前后，广泛进行考古调查，涉及遗址包括辽上京、庆州、元上都、鄂伦苏木古城等多处，出版有《蒙古高原横断记》一书。1939 年，江上波夫、饭田须贺斯等再次调查了鄂伦斯木古城，1942 年江上波夫又考察了鄂伦斯木古城。江上波夫曾著有《汪古部的景教系统及其墓石》《百灵庙鄂伦苏木元代汪古部王府址之发掘调查》等一系列文章，还与水野清一合作，将历年在内蒙古及我国北方地区收罗的青铜器汇集编著了《内蒙古长城地带》（1935 年）一书。

1937 年，东亚考古学会组织原田淑人等调查了元上都遗址，对古城作了较为细致的测绘，出版了考察报告《上都》（1941 年）。

1943 年，驹井和爱、和岛诚一和岛田正郎等组成的发掘团，发掘了和林格尔县土城子古城遗址，得到很多北魏的遗物，并得到汉砖及云纹瓦当，以及唐式兽面莲花纹瓦当，推测古城为汉代的成乐县、北魏的盛乐城、唐代的单于都护府。1944 年，岛田正郎等人发掘了辽祖州城遗址，出版了《祖州城》（1955 年）一书。

1944 年小山富士夫等人发掘了辽上京遗址内的白瓷窑址，并调查了赤峰缸瓦窑、巴林左旗白音戈勒窑等。

国内学者的考古工作　1930 年，梁思永在发掘了黑龙江昂昂溪遗址后，10 月末到赤峰、林西和阿鲁科尔沁旗等地调查，采集了一批新石器时代遗物，著有《热河查不干庙、林西、双井、赤峰等处所采集之新石器时代石器与陶片》一文[①]，这是我国学者在内蒙古东部地区考古的开端。

抗日战争期间，沈阳博物馆的李文信（1903—1982 年），在东北地区做了很多考古调查与发掘工作，为东北地区辽代文物考古奠定了基础。他在今内蒙古境内的工作主要有：1939 年 7 月底调查辽庆陵和庆州西北金界壕；1940 年 7 月发掘喀喇沁旗张家营子辽郑恪墓；1943 年 5 月发掘辽祖州城址，

① 梁思永：《热河查不干庙、林西、双井、赤峰等处所采集之新石器时代石器与陶片》，《田野考古报告》第 1 册，1936 年，第 1—15 页。

7 月调查林东附近辽代史迹，11 月发掘林东兴隆山辽墓、调查阿鲁科尔沁旗至青羊砬子金界壕；1944 年 5 月发掘辽上京窑址，6 月发掘缸瓦窑辽代窑址，8 月发掘白塔子北山辽墓、调查白塔子至会通河金界壕①。

1944 年，李文信发掘缸瓦窑遗址时，时在赤峰师范学校任教的佟柱臣也参加了发掘。作为教师的佟柱臣对考古有着浓厚兴趣，平时经常到野外进行考古调查，发现了夏家店等遗址，后成为我国著名的考古学家。

1942—1943 年，由中央研究院历史语言研究所组成的西北科学考察团历史考古组进行河西考古，团员石璋如曾到额济纳旗黑城考察。

1944 年，北京猿人第一个头盖骨的发现者裴文中（1904—1982 年）在日本学者远藤隆次的陪伴下，曾到扎赉诺尔调查扎赉诺尔人及其文化遗物，发现了第三号人头骨。日本投降后的 1946 年，裴文中从日本学者手中接收了新中国成立前发现的 3 个扎赉诺尔人头骨化石。他在《中国史前时期之研究》一书中称扎赉诺尔人所创造的文化为“扎赉诺尔文化”，并认为中国北方文明的起源与扎赉诺尔文化有关。

小结 新中国成立前主要是国外探险家和部分考古学者对内蒙古境内古遗址的调查和发掘，往往采取非科学的手段，杀鸡取卵，对遗址本身造成了极大的破坏。获取的遗物，大部分被运往国外，少量留在国内者，亦多在战乱中流离失散，最终下落不明。但另一方面不可否认的是，在当时中国积贫积弱的状况下，外国人的考古活动在一定程度上为内蒙古解放后的考古工作奠定了基础，如居延汉简、庆陵哀册的发现，在当时学术界影响甚大。闵宣化通过史料考述与实地勘察相结合的历史地理研究，否定了以前沙畹（Chavannes）等学者将白塔子古城认定为辽上京的错误判断，指出白塔子古城为庆州，其正确性经得起以后的检验。

中央研究院历史语言研究所考古组和北平研究院史学所是新中国成立前我国主要的考古研究机构，在安阳殷墟、后冈遗址和宝鸡斗鸡台墓地等进行过大规模的考古发掘工作，产生了一批杰出的考古学家，在地层学和类型学的探索方面均取得突破性成果。而内蒙古地区在这一时期，无论是外国人还是国内学者的工作，仅仅是简单地在遗址上采集或掘取遗物，对考古学本身

① 李文信：《李文信考古文集》，辽宁人民出版社 1992 年版，第 1—2 页。

的发展意义不大。

二、内蒙古文物考古事业的初创（1947—1966年）

新中国成立伊始，百废待兴。中央级的考古学研究机构中国科学院考古研究所于1950年8月1日正式成立。1952年，北京大学历史系正式设立了我国高校中的第一个考古专业，苏秉琦任考古教研室主任。1952年和1953年，文化部、中国科学院和北京大学合办了两届考古人员培训班，当时的内蒙古自治区文教部和绥远省文教厅均派员参加了培训班，为此后内蒙古文物考古工作的开展培养了数名骨干力量。

考古机构的建立　在1954年初绥远省与内蒙古自治区合并之前，内蒙古自治区文教部仅有文物干部汪宇平1人，绥远省文化局有文物干部李逸友、张郁、郑隆和张彦毅等4人，后来除张彦毅中途退出文物工作外，其他4人一直坚持下来，成为内蒙古自治区文物考古事业的奠基者，被尊为“四老”，其中以汪宇平和李逸友成就最大。

汪宇平（1910—2005年），出生于辽宁省辽阳市一个满族家庭，先后就读于复旦大学经济系、北平中国大学经济系，毕业后获学士学位。抗日战争胜利后，曾在沈阳日报社供职。1951年受聘于内蒙古自治区文教部从事文物考古工作，1953年参加了文化部、中国科学院和北京大学合办的“第二届考古人员训练班”。

李逸友（1930—2002年），四川高县人，曾先后肄业于四川大学历史系、北京大学历史系，1951年春考入华北人民革命大学二部，同年夏分配到绥远省人民政府学习委员会工作。1952年参加了“第一届考古人员训练班”后，到绥远省文教厅从事文物考古工作。1952年冬天，李逸友冒着风雪到东四中心旗（今察右后旗）调查二兰虎沟鲜卑墓地被盗情况，揭开了内蒙古自治区艰苦考古历程的序幕。

1954年内蒙古自治区文化局成立后，下设内蒙古文物工作组，负责全区的文物保护管理、田野调查和发掘工作，是一个半行政半专业性质的工作机构，汪宇平和李逸友分别担任正、副组长。1955年，由内蒙古文物工作组建议筹建内蒙古博物馆，同年开始调集筹建人员，1956年动工兴建，1957年5月1日自治区成立十周年时正式开馆。1958年内蒙古文物工作组与内蒙古博物馆合署办公，卢滨担任组长，李逸友仍为副组长，此后人员成倍增加，其中包括一批高校考古专业毕业的大学生，到1960年时业务人员多达24人。

1959年至1960年间，内蒙古自治区文化局曾建立文物处，负责全区文物保护管理工作。自1962年6月起，内蒙古文物工作组正式改称为内蒙古文物工作队，从半行政半专业性质过渡到事业单位，荷云任队长，李逸友任副队长，人员精简为6人，仍与内蒙古博物馆合署办公。内蒙古自治区文化局文物处撤销后，全区文物保护管理工作由社会文化处负责，文物工作队起参谋作用。

田野考古及室内研究工作的开展 内蒙古文物工作组及其后的内蒙古文物工作队一直是内蒙古自治区文物考古事业初创时期的主力军。在蒙绥合并之前，绥远省文教厅的李逸友、张郁、郑隆等已开展了简单的考古调查工作，如包头召湾汉墓、麻池元代遗址和托克托县伞盖村元墓等①，都是在这一时期发现的。蒙绥合并之后，陆续在全区境内开展考古调查和小规模的清理发掘工作。自1958年开始，还开展了配合生产建设的大规模考古发掘。

从1954年蒙绥合并到1966年"文化大革命"开始这一段时期内，内蒙古文物工作组（队）开展的考古调查和发掘工作，主要可分为调查、清理、配合生产建设发掘和科研课题的发掘4种②。

1956年开始的第一次全国文物普查，在内蒙古到1963年才告结束。这次普查是以一些文物分布密集的地理单元为单位展开的，如1957年在昭乌达盟巴林左旗、林西县、克什克腾旗、宁城县等地的调查，1963年对额济纳河下游的调查、在呼伦贝尔草原地区的调查等。其他的一些考古调查，亦有许多重要发现，如1956年在伊克昭盟萨拉乌苏河大沟湾和滴哨湾等地点发现了旧石器时代的河套人化石及其文化遗物③；1958年在宁城县南山根调查到夏家店上层文化墓地，并征集到一批青铜器④；1962年在辽祖陵陵园内

---

① 内蒙古文物工作组：《几年来的内蒙古文物工作》，《文物参考资料》1957年第4期。

② 李逸友：《论内蒙古文物考古》，《内蒙古文物考古文集》第1辑，中国大百科全书出版社1994年版，第1—53页。

③ 汪宇平：《伊盟萨拉乌苏河考古调查简报》，《文物参考资料》1957年第4期。

④ 李逸友：《内蒙古昭乌达盟出土的铜器调查》，《考古》1959年第6期。

查到祖陵的具体位置等①。

在配合工农业生产建设的考古发掘中，取得许多重要的收获。如 1958 年清理发掘的察右前旗土城子元代集宁路遗址及其周边墓葬，出土了一批珍贵的瓷器②；1959 年、1960 年清理发掘的满洲里市札赉诺尔古墓群，是首次正式发掘的鲜卑人遗迹③；1960 年春正式发掘的和林格尔县土城子古城，发现了汉代、北魏和唐代等多个时期的遗存④。配合生产建设发掘规模最大、时间最长的是两座古城，一是 1959—1961 年间发掘的呼和浩特市郊二十家子汉代古城，除汉代遗存外，还发掘了城内、城外的唐代、辽代和金代遗迹⑤；二是 1959—1960 年间发掘的宁城县大明城辽中京遗址，发现了辽、金、元、明等多个时代的遗迹和遗物⑥。这两大工程，不仅锻炼了内蒙古的文物考古人员，而且为相关时代遗存的分期断代确立了可靠的依据。

列为课题的考古项目，主要是辽上京在 1961 年被国务院公布为全国重点文物保护单位后，自治区文化局派员重点勘察了其皇城部分，基本搞清了建筑遗迹的分布及地下文化层堆积情况⑦。

随着野外工作的逐步开展，室内研究工作也有所成就，关于内蒙古文物考古的简报和论文不断见诸《文物》《考古》和《考古学报》等国家级刊物之上。内蒙古文物工作队将本单位 1961 年底以前发表的资料汇辑成《内蒙古文物资料选辑》一书，由内蒙古人民出版社于 1964 年出版。同时，汇集了历年出土文物的精华，编成《内蒙古出土文物选集》一书，由文物出版社于 1963 年出版。

其他考古机构及其工作　1959 年，中国科学院考古研究所建立了内蒙古工作队，是该所建置最早的几个队之一。之前于 1958 年，中国科学院考

① 贾洲杰：《内蒙古昭盟辽太祖陵调查散记》，《考古》1966 年第 5 期。

② 内蒙古自治区文物工作队：《元代集宁路遗址清理记》，《文物》1961 年第 9 期。

③ 郑隆：《内蒙古扎赉诺尔古墓群调查记》，《文物》1961 年第 9 期。

④ 内蒙古文物考古研究所：《内蒙古和林格尔县土城子古城发掘报告》，《考古学集刊》第 6 集，中国社会科学出版社 1989 年版，第 175—203 页。

⑤ 内蒙古自治区文物工作队：《1959 年呼和浩特郊区美岱古城发掘简报》，《文物》1961 年第 9 期。

⑥ 辽中京发掘委员会：《辽中京城址发掘的重要收获》，《文物》1961 年第 9 期。

⑦ 内蒙古文物考古研究所：《辽上京城址勘察报告》，《内蒙古文物考古文集》第 1 辑，中国大百科全书出版社 1994 年版，第 510—536 页。

古研究所就曾派员调查拟建的万家寨水库淹没区黄河沿岸的文物古迹，开始参与内蒙古的考古工作。1959 年派刘观民等支援内蒙古文物工作组发掘辽中京遗址。内蒙古工作队建立以后，在内蒙古东南部地区开展了大量的工作，主要人员有刘观民、徐光冀和刘晋祥等考古学者。

1960 年，刘观民、徐光冀等在昭乌达盟巴林左旗乌尔吉木伦河流域调查，同时也调查了伊克昭盟准格尔旗、伊金霍洛旗等地。1960 年 4—6 月，刘观民、徐光冀等试掘赤峰药王庙、夏家店两处遗址[①]，根据地层叠压关系，首次将当地的青铜文化区分为相当于夏商时期的夏家店下层文化和相当于西周春秋时期的夏家店上层文化。1961 年 4—6 月刘观民、徐光冀等对宁城县南山根遗址和 1963 年 4 月徐光冀等对赤峰蜘蛛山遗址的发掘[②]，进一步肯定了夏家店下层文化和夏家店上层文化的相对年代，丰富了对这两种青铜文化内涵的认识。1961 年至 1962 年，刘观民、徐光冀等试掘了巴林左旗富河沟门遗址[③]，提出了“富河文化”的命名；同时，又发掘了南杨家营子墓地和金龟山遗址，其中在南杨家营子墓地清理的二十余座墓葬[④]，为探讨鲜卑的葬俗提供了重要的资料。1962 年 8 月，刘观民等发掘巴林左旗双井沟墓地[⑤]，清理了两处辽代墓地，多为火葬，为研究辽代的墓葬习俗提供了较为重要的资料。1963 年，刘观民、刘晋祥等发掘赤峰西水泉遗址[⑥]，主要揭露了红山文化的遗存，为较好地认识红山文化的面貌提供了重要资料。1964 年，徐光冀等对赤峰英金河、阴河流域的夏家店下层文化石城址进行

---

① 中国科学院考古研究所内蒙古发掘队：《内蒙古赤峰药王庙、夏家店遗址试掘简报》，《考古》1961 年第 2 期；中国科学院考古研究所内蒙古工作队：《赤峰药王庙、夏家店遗址试掘报告》，《考古学报》1974 年第 1 期。

② 中国科学院考古研究所内蒙古工作队：《宁城南山根遗址发掘报告》，《考古学报》1975 年第 1 期；中国社会科学院考古研究所内蒙古工作队：《赤峰蜘蛛山遗址的发掘》，《考古学报》1979 年第 2 期。

③ 中国科学院考古研究所内蒙古工作队：《内蒙古巴林左旗富河沟门遗址发掘简报》，《考古》1964 年第 1 期。

④ 中国科学院考古研究所内蒙古工作队：《内蒙古巴林左旗南杨家营子的遗址和墓葬》，《考古》1964 年第 1 期。

⑤ 中国科学院考古研究所内蒙古工作队：《内蒙古昭盟巴林左旗双井沟辽火葬墓》，《考古》1963 年第 10 期。

⑥ 中国社会科学院考古研究所内蒙古工作队：《赤峰西水泉红山文化遗址》，《考古学报》1982 年第 2 期。

了调查，并做了较为详尽的测绘；此外还发现了红山文化遗址、夏家店下层文化遗址、夏家店上层文化遗址、战国秦汉长城等约计150处不可移动文物点；并对赤峰新店夏家店下层文化石城址进行了发掘①。

1959年，中国科学院内蒙古分院建立了考古研究所，1960—1961年初与内蒙古文物工作组合署办公。1961年撤销了中国科学院内蒙古分院，考古研究所合并到内蒙古语文历史研究所，改名为考古组。内蒙古大学历史系在1958—1962年间曾一度设立考古教研室，教研室的教师曾在呼市郊区及黄河两岸进行过考古调查②，并派贾洲杰支援内蒙古文物工作组发掘辽中京遗址。此外，个别盟一级的文物工作站也开始建立起来，1958年就建立了昭乌达盟和乌兰察布盟的两个文物工作站。昭乌达盟文物工作站自1959年起在昭盟境内广泛调查，清理过敖汉旗石羊石虎山墓地等③，乌兰察布盟文物工作站配合内蒙古文物工作组清理过元代集宁路遗址。内蒙古自治区文化局自1958年起陆续举办了几届全区文物干部培训班，各盟市及一些重点文物旗县都派员参加学习，其中一些学员成为专职文物干部。

小结 在“文化大革命”之前的这段时期内，内蒙古的文物考古工作逐步呈现出蓬勃发展的大好形势。内蒙古文物工作组建立初期的几名业务干部不畏艰辛，跋山涉水，栉风沐雨，对业务刻苦钻研，经过艰苦卓绝的努力，初步掌握了全区重要文物的分布状况，认识出一些考古学文化的特征和发展规律，开始向某些学术领域作深入探讨。李逸友对当时的工作状况，有非常深切的切身体会：

“在50年代至60年代期间，内蒙古地区的交通很不发达，除有铁路地区之外，各旗县市之间的交通少数用带棚客车，大多是用运货大卡车运输旅客，有些地方甚至用马车。从旗、县、市城区到农村牧区去，基本上不通汽车，有的地方偶尔能找到马车，大都是骑乘牲畜，无论马或驴，都算是最快捷的交通工具；在比较发达地区能找到自行车骑行，每日行程百十里也很满

① 徐光冀：《赤峰英金河、阴河流域的石城遗址》，《中国考古学研究——夏鼐先生考古五十年纪念论文集》，文物出版社1986年版，第82—93页。

② 内蒙古历史研究所：《内蒙古中南部黄河沿岸新石器时代遗址调查》，《考古》1965年第10期。

③ 内蒙古自治区昭乌达盟文物工作站：《内蒙古昭乌达盟石羊石虎山新石器时代墓葬》，《考古》1963年第10期。

足；但在牧区或人烟稀少的沙漠地带，能找到木轱辘的勒勒车，又称二饼子车，用牲畜拉着缓缓行进，速度较人步行慢得多，主要是利用赶车人作为向导，每日行程仅数十里。更多的时候，是靠自己徒步进行考察，在50年代下乡时须自带行李甚至干粮，我身上除背有行李外，还有照相机等工具和用品，约10公斤左右，因此田野考古工作并不轻松，不是想象中的游山玩水。饥饿、干渴和疲劳经常袭来，如果没有坚定的事业心，早就转业改行了。单身徒步进行长途考古调查，记忆犹新的是1954年配合集宁至二连铁路工程，沿着计划修筑路线的标桩一步一个足印迈步前进，往返行程约400余公里，有几次饥困已极，进入老乡家里便倒在炕上睡着了，等到房东做好饭叫醒我时，才发现背包仍挂在双肩上。当初从事考古工作时，饭量较小而体力不佳，经过几年田野考古工作的锻炼后，饭量增加且不管任何食物都可入口，长期在野外工作不觉疲劳，不仅锻炼了意志，而且健强了身体。每年田野考古工作时间，至少有4个月之久；1957年和1958年时在野外时间最长，出门时穿着冬装，树枝上还没有绿叶，随身带着夏衣，天暖后将冬装寄存起来，待天冷后再穿着回来，时间已近新年，树上早已没有枯叶了。我就是这样地踏查过内蒙古的大部分旗、县、市辖境，是很难计算出究竟行程有多少公里，因而在后来工作中如遇到各地方发现任何文物情况时，都能立即闪映出当地的山川风貌、风土人情和交通路线，为确定下一步计划制定出可行措施，深深领会到亲身田野考古调查的益处。”①

奠基者们筚路蓝缕，以启山林。20世纪50年代末至60年代前期主要从北京大学历史系考古专业毕业分配到内蒙古工作的一批大学生，则对内蒙古文物考古事业的未来充满了期望与幻想。分配在内蒙古文物工作组的有李作智、陆思贤、丁学芸、田广金和郭素新，分配在内蒙古大学的有贾洲杰，分配在中国科学院内蒙古分院考古研究所的有崔璇（一名崔璿）、吉发习，还有从西北大学历史系考古专业毕业的盖山林辗转分配至内蒙古文物工作组。他们为内蒙古文物考古事业的发展带来了一股新鲜的力量。然而天意弄人，一场始料未及的政治风暴席卷了中华大地，内蒙古文物考古工作的带头人李逸友被下放到乌拉特前旗小佘太公社务农。这代表了当时绝大多数文物

① 李逸友：《北方考古研究（一）·前言》，中州古籍出版社1994年版，第2—3页。

考古工作者的命运。

三、内蒙古文物考古事业的蓬勃发展（1978—2000年）

十年动乱期间，内蒙古的文物考古事业遭到了很大的挫折，一些文物考古机构被拆散或合并，专业人员被迫改行或中断业务活动。有的业务干部曾冒着风险抢救过一批重要文物，但科学的考古工作中断了很久。直到1972年以后，才陆续恢复了一些业务活动，如呼和浩特市东郊大窑旧石器时代遗址①、和林格尔小板升东汉壁画墓②和呼和浩特市大学路北魏墓③等，都是这一时期的重要发现。

粉碎“四人帮”以后，全区各地的文物考古机构陆续恢复，业务人员返回岗位。中共十一届三中全会以后，内蒙古文物考古事业与其他科学一样，迎来了自己的春天。但期间的发展，也不乏坎坷与曲折，个别主要行政领导不懂业务、玩弄权术，使业务人员的工作积极性受到打击，造成人才的流失，给考古事业带来了破坏。但大江毕竟东流，纵观“文化大革命”之后内蒙古文物考古事业的发展历程，进步因素仍然占据了主导地位。

考古机构的变迁　1978年，李逸友从内蒙古大学蒙古史研究室调回内蒙古文物工作队，继续担任副队长一职。1980年，内蒙古文物工作队与内蒙古博物馆正式分开，办公地点设在原清代绥远将军衙署院内。1984年更名为内蒙古文物考古研究所，1992年兴建了新的办公大楼，位于呼和浩特市赛罕区展览馆东路展南巷1号。内蒙古文物考古研究所长期多以党支部书记担当行政一把手，业务干部多只任副所长，历任业务副所长有李逸友、陆思贤、丁学芸、魏坚、塔拉。内蒙古文物考古研究所有史以来第一个业务所长是田广金，于1989—1992年间任职。

内蒙古文物考古研究所是自治区唯一一家具有国家文物局认定的团体考古发掘资质的科研单位，承担着自治区范围内文物保护和考古勘探、调查、

---

① 内蒙古博物馆，内蒙古文物工作队：《呼和浩特市东郊旧石器时代石器制造场发掘报告》，《文物》1977年第5期。

② 内蒙古自治区博物馆文物工作队：《和林格尔汉墓壁画》，文物出版社1978年版。

③ 郭素新：《内蒙古呼和浩特北魏墓》，《文物》1977年第5期。

发掘、研究等方面的工作任务。所内建有2000余平方米的国家级文物库房和标本陈列室、墓志陈列室、图书资料室等。为了给田野考古工作提供便利与保障，更好地进行文物保护工作，还设置了一些条件较为完善的野外工作站，有准格尔旗二里半工作站、薛家湾工作站、和林格尔汉墓工作站、凉城县老虎山工作站、察右前旗庙子沟工作站、集宁路工作站、正蓝旗元上都工作站、宁城县辽中京工作站和巴林左旗辽上京工作站等。

内蒙古文物考古研究所设有4个业务研究室，包括一批学有专长的研究员、副研究员和博士、硕士等，多人持有国家级考古发掘领队资格证，具备较强的田野考古和室内研究实力。

考古学专家的成熟 在十年动乱中，内蒙古的考古工作者并没有完全消沉，很多人选择了埋头学习的避世良方。如李逸友在下放农村期间，通读了《辽史》,在老乡的帮助下考察了查石太山的秦汉长城，回到呼和浩特市之后又在内蒙古大学蒙古史研究室查阅了大量的北方民族史籍，为以后的考古工作奠定了扎实的史料学基础。到1978年之后，随着田野考古工作的不断开展，内蒙古自治区涌现出一大批国内外知名的考古学专家，有李逸友、田广金、盖山林和陆思贤等。他们各有所长，在中国当代考古学史上均占据一席之地。

李逸友，历任内蒙古文物工作组副组长、内蒙古文物工作队副队长、内蒙古文物考古研究所副所长等职，长期主管业务工作，是内蒙古文物考古事业的奠基者之一，堪称内蒙古当代考古学泰斗。他主持发掘了宁城县辽中京、额济纳旗黑城、多伦县砧子山元代墓地等重要遗址，出版有《黑城出土文书·汉文文书卷》《内蒙古历史名城》等专著，发表论文70余篇，晚年结集为《北方考古研究（一）》,其中《辽代城郭营建制度初探》《辽代契丹人墓葬制度概说》《元丰州甸城道路碑笺证》和《元代草原丝绸之路上的纸币》等论文均为经典之作。李逸友为内蒙古地区的辽代考古、蒙元考古、城址考古、长城考古、钱币研究及内蒙古考古学史等多个领域，奠定了坚实的基础。

田广金（1938—2006年），辽宁瓦房店市人，1965年毕业于北京大学历史系考古专业，同年到内蒙古文物工作队工作。曾主持了伊金霍洛旗朱开沟遗址、凉城县岱海遗址群等重要考古发掘项目，在鄂尔多斯式青铜器研究、先秦时期内蒙古中南部考古学文化序列和谱系的建立以及早期牧业文明起源的探索等方面成就卓著，撰有《鄂尔多斯式青铜器》《中国青铜器全集·北方民族卷》《北方考古论文集》等著作。曾任内蒙古文物考古研究所所长、中国考古学会理事、北京大学古代文明研究中心客座研究员、中国社会科学院古代文明研究中心专家委员会委员、内蒙古文史研究馆馆员等职。

盖山林，1936 年出生于河北行唐县，1960 年自西北大学历史系考古专业毕业，1962 年到内蒙古文物工作组工作，1976 年以来主要致力于岩画的考察与研究。出版有《阴山岩画》《乌兰察布岩画》《巴丹吉林沙漠岩画》《内蒙古岩画的文化解读》和《中国岩画全集·北方卷》等岩画学报告和论著，构筑起了内蒙古岩画考古的基本框架。曾担任内蒙古自治区政协副主席等职。

陆思贤，1935 年出生于江苏海门市，1960 年毕业于北京大学历史系考古专业，同年到内蒙古文物工作组工作。在神话考古方面独辟蹊径，为学界所推崇，出版有《神话考古》《天文考古通论》（与李迪合著）等专著。曾担任内蒙古文物考古研究所副所长等职。

其他老一代的考古学专家，还有张郁、丁学芸和郭素新等。张郁（1917—2003），安徽和县人，早年毕业于南京美术专科学校，内蒙古文物考古事业的奠基者之一。长期从事田野考古工作，曾主持发掘和林格尔小板升东汉壁画墓、奈曼旗辽陈国公主与驸马合葬墓等，后者被评为“七五期间十大考古发现”之一。主持编写了《和林格尔汉墓壁画》《辽陈国公主墓》等考古学专刊。丁学芸曾任内蒙古文物考古研究所副所长，著有《内蒙古文物与考古》《内蒙古历史文化遗迹》两书，均为通俗性、普及性读物。郭素新与田广金为夫妇，二人同年毕业于北京大学历史系考古专业。郭素新长期襄助田广金从事田野考古工作，为《内蒙古文物考古》刊物的创刊人之一，并长期担任该刊物主编，还主持编写了《中国文物地图集·内蒙古自治区分册》。

内蒙古文物考古研究所的第二代考古学专家，均是在“文化大革命”之后到 20 世纪 80 年代期间参加工作，他们的业务水平亦逐步趋于成熟，有郭治中、魏坚、塔拉、孙建华、陈永志、索秀芬和曹建恩等人。如郭治中先后主持发掘了林西县白音长汗、赤峰松山区缸瓦窑、喀喇沁旗大山前等遗址，与索秀芬合编《白音长汗——新石器时代遗址发掘报告》考古学专刊，发表有《内蒙古东部区新石器——青铜时代的考古发现与研究》《水泉墓地及相关问题之探索》等论文，在内蒙古东南部史前考古方面具有一定的造诣。魏坚曾主持发掘了凉城县崞县窑子墓地、正蓝旗元上都遗址、察右中旗七郎山鲜卑墓地和额济纳旗汉代烽燧址等，在中南部史前考古、蒙元考古等方面都卓有建树，编辑出版了《内蒙古中南部汉代墓葬》等考古学著作。塔拉曾主持发掘了宁城县小黑石沟青铜时代墓地等重大项目，热衷于科技考古工作，自20世纪90年代以来与中国国家博物馆遥感与航空摄影考古中心合作，在内蒙古境内进行了多次航空摄影考古工作，出版了《内蒙古东南部航空摄影考古报告》考古学专刊。

考古工作及主要成果　“文化大革命”之后的近30年间，内蒙古文物考古研究所及其前身内蒙古文物工作队，作为全区文物保护与考古研究的主力军，在史前时期考古学文化谱系的建立、北方游牧民族考古学文化遗存的研究、历史时期中原政权在内蒙古地区的行政建制探考等方面，都作出了重要的成就。特别是近年来聚落考古、环境考古、遥感与航空摄影考古以及区域性考古调查等诸多新方法、新技术的应用，极大地拓展了内蒙古文物考古的研究领域。

内蒙古地区的史前考古，自新石器时代开始，按照考古学区系类型的理论，大致可以划分为四个不同的文化区，即东南部属于燕辽文化区、中南部属于中原文化区、西部属于西北文化区、北部草原属于狩猎采集经济文化区。

内蒙古东南部发掘的重要新石器时代遗存有林西县白音长汗遗址、水泉遗址、巴林左旗二道梁遗址、巴林右旗塔布敖包遗址和克什克腾旗南台子遗址等，进一步明确了小河西文化、兴隆洼文化、赵宝沟文化、红山文化、小河沿文化等考古学文化的内涵，还新发现了兴隆洼文化白音长汗类型等考古学文化的新类型。重要青铜时代遗存有敖汉旗范仗子墓地、宁城县三座店遗址、小黑石沟墓地、克什克腾旗龙头山遗址、喀喇沁旗大山前遗址和赤峰市松山区三座店遗址等，进一步揭示和丰富了夏家店下层文化和夏家店上层文化的内涵，对于两者的年代、分期、族属以及经济形态等方面的研究均具有重要意义。重要早期铁器时代遗存有敖汉旗水泉墓地和林西县井沟子遗址西区墓地等[1]，为探索貊族及东胡遗存提供了新的线索。

内蒙古中南部发掘的重要新石器时代遗存有凉城县石虎山遗址、王墓山遗址、园子沟遗址、老虎山遗址、察右前旗庙子沟遗址、大坝沟遗址、清水河县岔河口遗址、下塔遗址、托克托县海生不浪遗址、准格尔旗二里半遗址、寨子塔遗址、永兴店遗址、白草塔遗址和包头西园遗址等，建立起了内蒙古中南部新石器时代考古学文化发展序列，表明在仰韶时代属于仰韶文化的一个或数个地方类型，到龙山时代则发展为独立的老虎山文化。重要青铜时代遗存有伊金霍洛旗朱开沟遗址、清水河县西岔遗址和准格尔旗西麻青墓地等，它们可能与夏商西周时期的鬼方、舌方等北方国有关，但尚难明确对应关系。重要早期铁器时代遗存有凉城县崞县窑子墓地、毛庆沟墓地、饮牛沟墓地、忻州窑子墓地、小双古城墓地、和林格尔县小板申村北坡墓地、清水河县阳畔墓地、包头西园墓地、准格尔旗玉隆太墓地、杭锦旗桃红巴拉墓地、阿鲁柴登墓地和乌拉特中旗呼鲁斯太墓地等，初步勾勒出东周时期内蒙古中南部地区以鄂尔多斯式青铜器为代表的诸考古学文化多元并存的局面，与《史记·匈奴列传》中"往往而聚者百有余戎，然莫能相一"的记载相吻合。

内蒙古西部发掘的额济纳旗绿城子古城遗址[2]，发现有早期铁器时代的遗存，包括圆角长方形地面式房址和长方形土坑竖穴墓等，属于西北羌戎文化类型。内蒙古北部草原发掘的鄂温克族自治旗辉河水坝遗址[3]，是该地区保存较好的一处细石器遗址，共发现了大约相当于新石器时代、汉代和辽代三个不同时期的含有细石器的文化层堆积。

进入历史时期以后，内蒙古地区长期处于中原王朝与北方游牧民族政权之间的势力角逐之地，表现在考古学文化上，大多数时期内的文化内涵可分

---

① 郭治中：《水泉墓地及相关问题之探索》，《中国考古学跨世纪的回顾与前瞻》，科学出版社 2000 年版，第 297—309 页；王立新：《探寻东胡遗存的一个新线索》，《边疆考古研究》第 3 辑，科学出版社 2004 年版，第 84—95 页。

② 魏坚：《额济纳旗居延遗址》，《中国考古学年鉴·2000》，文物出版社 2002 年版，第 133—134 页。

③ 塔拉、张文平：《鄂温克旗辉河水坝细石器遗址》，《中国考古学年鉴·1997》，文物出版社 1999 年版，第 99—100 页。

为中原型与草原性两类。中原型文化特征突出的时代，以战国秦汉最为显著。草原型文化，则包括了匈奴、鲜卑、突厥、契丹和蒙古等诸多北方游牧民族的遗存。

战国秦汉是中原王朝对内蒙古地区的经略管辖延续时期较长、行政建置设立较多的一个阶段，发现的考古遗存类有城址、一般性居址和墓葬等多种。发掘的城址有呼和浩特市东郊陶卜齐古城、卓资县城卜子古城、清水河县城嘴子古城、和林格尔县土城子古城和托克托县古城村古城等。发掘的战国时期墓葬有察右前旗呼和乌苏墓地、和林格尔县土城子古城周边墓地和清水河县城嘴子古城东山墓地等。发掘的汉墓数量庞大，清理发掘数百座，以内蒙古中南部地区最为集中①。

匈奴考古尚处于探索阶段，准格尔旗西沟畔墓地中的部分墓葬被认为与汉代的匈奴遗存有关。内蒙古中南部地区发现了许多以中原文化因素为主、兼有游牧文化因素的东汉时期墓葬，如鄂托克前旗三段地 M8、M23、包头沼潭 M3、张龙圪旦 M1 等，被认为大多数应是各时期入居汉地、汉化程度很高的匈奴人及其后裔的墓葬。

鲜卑是继匈奴之后在蒙古高原上崛起的强大的北方游牧民族。发掘的鲜卑城址有和林格尔县土城子古城、托克托县古城村古城等。发掘的重要鲜卑墓葬有满洲里市扎赉诺尔、敖汉旗西粉房、二连浩特市盐池、正蓝旗和日木图、商都县东大井、察右中旗七郎山、察右前旗下黑沟、准格尔旗二里半和乌审旗巴图湾水库区等。

内蒙古东南部地区是辽王朝的统治腹心，辽上京、中京、祖州祖陵、庆州庆陵和怀州怀陵等重要的文物古迹皆分布于这一地区，辽上京经多次正式发掘。辽墓分布众多，发掘的重要墓葬有奈曼旗陈国公主与驸马合葬墓、阿鲁科尔沁旗耶律羽之家族墓地、宝山壁画墓和巴林左旗白音罕山韩氏家族墓地等。被誉为“草原瓷都”的缸瓦窑遗址经过多次发掘，发现有辽、金、元三个时期的瓷窑址②。

① 魏坚编著：《内蒙古中南部汉代墓葬》，中国大百科全书出版社 1998 年版。

② 刘冰：《缸瓦窑考古发掘综述》，《赤峰博物馆文物考古文集》，远方出版社 2007 年版，第 357—364 页。

大元大蒙古国的建立，将内蒙古地区全境与中原完全纳入一个统一国家政权的行政管理体系之中，这在历史上还是第一次。而往北的漠北地区则成为国家的边疆。元朝实行行省制度，内蒙古地区分属于中书省、陕西行省、甘肃行省和辽阳行省管辖，行省下设路、府、州、县四级行政建置；同时，元朝对蒙古贵族实行投下分封制度，一些国家行政建置的辖区同时又是蒙古部落的投下领地。迄今为止，内蒙古地区发现的元代城址达 80 余座之多，除元上都和可考的路、府、州、县城外，还包括了大量投下城，军事屯田所和驿站等。对元上都的勘测、发掘取得了丰硕成果，对其布局有了详细了解，并发掘了羊群庙祭祀遗址，抢救清理了多伦县砧子山墓地、正蓝旗卧牛石墓地、一棵树墓地、正镶白旗三面井墓地、伊松敖包墓地、镶黄旗乌兰沟墓地、博克敖包山墓地等，清理修复了元上都皇城的东墙和南门①。发掘的额济纳旗黑城古城，明确了元代亦集乃路城叠压在西夏黑水城之上，搞清了城址布局特点，获得了一批珍贵的汉文、西夏文、蒙古文、藏文及古阿拉伯文文书②。通过对达茂旗鄂伦苏木古城及其周边遗迹的调查和发掘，对汪古部的景教遗存有了初步了解③。

内蒙古是岩画艺术的宝库，东起大兴安岭，西到巴丹吉林沙漠，都有岩画分布。自 20 世纪 70 年代开始，以盖山林为主的考古工作者对内蒙古地区的岩画进行了系统考察和研究，拓描岩画 5 000 余幅，摄录图像 3 万余张，出版了多部研究内蒙古岩画的专著。这些岩画的内容涉及了古代北方民族的社会生活、生产方式、宗教信仰、审美情趣、娱乐方式和天道观念等方方面面，可谓北方民族历史进程的图解。

长城考古，内蒙古是重点。与全国其他省、直辖市、自治区相比较，这里的长城时代最多，长度最长。自战国燕、赵、秦始，经历秦、汉、西晋、北魏、隋、唐、金、明等各个时代的长城，在内蒙古境内都有分布，初步统计总长度达 12 000 余公里。李逸友、陆思贤、盖山林和贾洲杰等都调查了

---

① 魏坚：《元上都城址的考古学研究》,《蒙古学研究》第 8 辑，内蒙古大学出版社 2005 年版。

② 内蒙古文物考古研究所、阿拉善盟文物工作站：《内蒙古黑城考古发掘纪要》,《文物》1987 年第 7 期；李逸友编著：《黑城出土文书》（汉文文书卷），科学出版社 1991 年版。

③ 盖山林：《阴山汪古》,内蒙古人民出版社 1991 年版，第 270—302 页。

相关长城，并发表了调查报告。

科技考古是当代考古学的一个重要发展方向。1997 年以来，内蒙古自治区文物考古研究所与中国国家博物馆遥感与航空摄影考古中心合作，对内蒙古东南部、中南部、北方草原地区的一些大型遗址以及额济纳河流域居延遗址群进行了大规模的航空摄影考古工作[①]。区域性考古调查是 20 世纪 90 年代以来由西方传入的新的考古调查方法，主要是运用卫星照片、GPS 定位技术和数据库等先进手段，对调查区域作全面覆盖的勘察与分析。内蒙古文物考古研究所与美国匹兹堡大学自 1999 年以来，在赤峰地区合作进行的一系列的调查活动[②]，对探讨当地先秦时期的聚落形态演变、社会复杂性进程等深层次考古学课题均具开创之功。

随着田野考古工作的大量开展，室内研究成果也不断涌现，出版了一系列考古学专刊、图录、论著和论文集等，有《和林格尔汉墓壁画》（1978 年）、《阴山岩画》（1985 年）、《契丹女尸》（1985 年）、《鄂尔多斯式青铜器》（1986 年）、《乌兰察布岩画》（1989 年）、《黑城出土文书·汉文文书卷》（1991 年）、《阴山汪古》（1991 年）、《内蒙古中南部原始文化研究文集》（1991 年）、《内蒙古东部区考古学文化研究文集》（1991 年）、《辽陈国公主墓》（1993 年）、《内蒙古历史名城》（1993 年）、《内蒙古中南部汉代墓葬》（1998 年）、《巴丹吉林沙漠岩画》（1998 年）、《岱海考古（一）——老虎山文化遗址发掘报告集》（2000 年）和《朱开沟——青铜时代早期遗址发掘报告》（2000 年）等。主要汇集田野考古报告的《内蒙古文物考古文集》，截至 2000 年共出版了两辑。

1981 年创刊的《内蒙古文物考古》期刊，由内蒙古自治区文化厅、内蒙古考古博物馆学会主办，是自治区唯一的专业考古研究刊物，编辑部即设在内蒙古文物考古研究所。自创刊以来，《内蒙古文物考古》已由初始的不定期刊物发展为半年刊，内容以报道内蒙古地区的最新考古发现和研究成果为主。

---

① 张文平：《航空摄影考古在内蒙古地区的初步发展》，《内蒙古文物考古》2002 年第 2 期。

② 参见赤峰中美联合考古研究项目：《内蒙古东部（赤峰）区域考古调查阶段性报告》，科学出版社 2003 年版。

其他考古机构及相关研究成果　中国社会科学院考古研究所内蒙古工作队的考古调查与发掘工作继续主要集中在内蒙古东南部地区，也曾到内蒙古西部和呼伦贝尔草原做过工作。发掘的遗址绝大多数属于先秦时代，个别晚到秦汉以后。继20世纪60年代确认了夏家店下层文化和夏家店上层文化、识别出富河文化后，在80年代又率先识别出了兴隆洼文化、赵宝沟文化等，使内蒙古东南部地区先秦时期考古学文化序列和谱系的研究不断深入①。先后入队的工作时间较长的考古学者有杨虎、朱延平、刘国祥和董新林等。

中国社会科学院考古研究所内蒙古工作队主要在20世纪80年代以后所做的考古调查和发掘工作，大致依照由早及晚的时代序列，主要有：1982年，与敖汉旗文化馆合作，在该旗南部进行普查性考古调查，发现分布密集的大量古代遗址，所获资料丰富。1983—1986年，杨虎等开始小规模发掘兴隆洼遗址，命名了“兴隆洼文化”②；此后于1992—1993年，对兴隆洼遗址进行了大规模的发掘，将居住区完整地全面揭露，弄清了房屋布局，为我国史前聚落形态的考古研究提供了实例③。1986年6—7月，刘晋祥等发掘敖汉旗赵宝沟聚落遗址，命名了“赵宝沟文化”④；1985年杨虎等清理的敖汉旗小山遗址两座房址⑤、1988年6月刘晋祥等发掘的翁牛特旗小善德沟遗址⑥，均为加深对赵宝沟文化的认识提供了重要材料。1987年，杨虎等发掘敖汉旗西台遗址⑦，第一次揭示了红山文化的聚落及其防卫性围壕。1988年

① 董新林：《田野考古工作四十年回顾与展望》,《内蒙古文物考古》1998年第1期。

② 中国社会科学院考古研究所内蒙古工作队：《内蒙古敖汉旗兴隆洼遗址发掘简报》,《考古》1985年第10期。

③ 中国社会科学院考古研究所内蒙古工作队：《内蒙古敖汉旗兴隆洼聚落遗址1992年发掘简报》,《考古》1997年第1期；杨虎、刘国祥：《兴隆洼聚落遗址发掘再获硕果》,《中国文物报》1993年12月26日。

④ 中国社会科学院考古研究所：《敖汉赵宝沟——新石器时代聚落》,中国大百科全书出版社1997年版。

⑤ 中国社会科学院考古研究所内蒙古工作队：《内蒙古敖汉旗小山遗址》,《考古》1987年第6期。

⑥ 刘晋祥：《翁牛特旗小善德沟新石器时代遗址》,《中国考古学年鉴·1989》,文物出版社1990年版，第130—131页。

⑦ 杨虎：《敖汉旗西台新石器时代及青铜时代遗址》,《中国考古学年鉴·1988》,文物出版社1989年版，第134—135页。

7 月，刘晋祥、朱延平等发掘了翁牛特旗大新井遗址[①]，为一种新的文化类型，其年代大体与兴隆洼文化相去不远；同年，杨虎等发掘敖汉旗榆树山和西梁遗址[②]，它们的文化性质与大新井遗址相近。1974 年至 1977 年，刘观民、徐光冀、刘晋祥等发掘敖汉旗大甸子墓地，清理夏家店下层文化墓葬 700 座；1983 年 5—6 月，刘观民等对大甸子墓地进行了补充发掘，连同前几年的发掘墓葬总计 800 余座，获得该墓地基本完整的资料[③]；1990 年 7—10 月，刘晋祥等发掘赤峰西道夏家店下层文化聚落遗址；1996 至 1999 年，朱延平与内蒙古文物考古研究所、吉林大学考古系联合发掘喀喇沁旗大山前夏家店下层文化遗址，并调查了大量同时期的山城遗址，对该类遗存和该文化内涵均提出一些新的认识[④]。1981 年，杨虎等发掘敖汉旗周家地夏家店上层文化墓地[⑤]。1983 年，杨虎发掘敖汉旗柳南墓地[⑥]，其文化特征可能代表一种新的文化类型。1992 年 7—8 月，刘晋祥、朱延平等对库伦旗奈林稿、秦家沟遗址进行了试掘，发现了一种夹砂素面红褐陶的遗存，其文化特征与高台山文化有相似之处，但又有所不同，是否为一个新的文化类型尚待进一步证实。1983 年，刘观民等前往额济纳旗居延地区调查与试掘汉代烽燧遗址。1998 年，刘国祥等在海拉尔市谢尔塔拉清理了一处年代在公元 9—10 世纪之间的墓地，推测其族属为室韦，命名为“谢尔塔拉文化”[⑦]。出版了考古学专刊《大甸子》（1996 年）和《敖汉赵宝沟》（1997 年）等。此外，虽未在内蒙古做过具体工作，但在北方草原文化的考古学研究上有很深造诣的中国社会科学院考古研究所原常务副所长乌恩岳斯图（1937—2008

① 刘晋祥：《翁牛特旗大新井村新石器时代遗址》，《中国考古学年鉴·1989》，文物出版社 1990 年版，第 131 页。

② 杨虎：《敖汉旗榆树山、西梁遗址》，《中国考古学年鉴》（1989），文物出版社 1990 年版，第 131—132 页。

③ 中国社会科学院考古研究所：《大甸子——夏家店下层文化遗址与墓地发掘报告》，科学出版社 1996 年版。

④ 赤峰考古队：《内蒙古喀喇沁旗大山前遗址 1996 年发掘简报》，《考古》1998 年第 9 期。

⑤ 中国社会科学院考古研究所内蒙古工作队：《内蒙古敖汉旗周家地墓地发掘简报》，《考古》1984 年第 5 期。

⑥ 刘晋祥：《敖汉旗柳南墓地》，《中国考古学年鉴·1984》，文物出版社 1984 年版，第 91 页。

⑦ 中国社会科学院考古研究所、呼伦贝尔民族博物馆、海拉尔区文物管理所编著：《海拉尔谢尔塔拉墓地》，科学出版社 2006 年版，第 71—108 页。

年），发表了许多关于北方地区青铜时代至早期铁器时代考古学文化研究的论著。

内蒙古博物馆与内蒙古文物工作队分离之后，功能以文物收藏展示、社会服务为主。此外，以大窑遗址为基地的旧石器时代考古工作，亦主要由内蒙古博物馆承担。汪宇平长期主持大窑遗址的发掘工作，提出了“大窑文化”的命名，在国内考古学界具有一定的影响。汪宇平还于 1980 年、1990 年调查了满洲里市札赉诺尔的蘑菇山旧石器时代遗址①。内蒙古博物馆协同锡林郭勒盟文物工作站于 1988 年清理的镶黄旗乌兰沟墓葬②，填补了北方草原地区蒙元考古中蒙古贵族墓葬研究的空白。

1978 年内蒙古自治区社会科学院成立后，内蒙古语文历史研究所考古组被划归到该院下属的历史研究所，改称考古研究室。崔璇主持发掘的包头阿善、托克托县白泥窑子等新石器时代遗址③，对内蒙古中南部地区新石器时代考古学文化谱系的建立，产生了很大的推动。由于专业人员青黄不接，随着崔璇在 20 世纪末的故去，这个考古研究室也最终撤销了。

内蒙古自治区的部分盟市在“文化大革命”中一度被划归黑龙江、吉林、辽宁、甘肃和宁夏等省、自治区管辖，各省、自治区的文物考古部门也做了很多的工作。如由甘肃省博物馆等单位联合组成的居延考古队在 20 世纪 70 年代对居延遗址的发掘④，是继中瑞西北科学考察团之后对居延遗址的又一次大规模调查发掘。

内蒙古自治区各盟、市的文博机构由早期的文物工作站后来大多发展为博物馆，绝大部分旗、县都设立了文物管理所或博物馆。广大的基层文物工作者在地方文物保护和配合上级部门的考古发掘中，都作出了不可忽视的贡献。赤峰市敖汉旗文物管理所是旗县文物管理部门作出突出成绩的一个典

① 汪宇平：《扎赉诺尔蘑菇山旧石器时代晚期遗址》,《内蒙古文物考古文集》第 1 辑，中国大百科全书出版社 1994 年版，第 62—71 页。

② 内蒙古博物馆　锡林郭勒盟文物管理站：《镶黄旗乌兰沟出土一批蒙元时期金器》,《内蒙古文物考古文集》第 1 辑，中国大百科全书出版社 1994 年版，第 605—609 页。

③ 内蒙古社会科学院蒙古史研究所、包头市文物管理所：《内蒙古包头市阿善遗址发掘简报》,《考古》1984 年第 2 期；魏坚、崔璇：《内蒙古中南部原始文化的发现与研究》,《内蒙古文物考古文集》第 1 辑，中国大百科全书出版社 1994 年版，第 125—143 页。

④ 甘肃居延考古队：《居延汉代遗址的发掘和新出土的简册文物》,《文物》1978 年第 1 期。

型，在所长邵国田的带领下，借第二次全国文物普查的契机，旗里的文物工作者们走遍了近 8 400 平方公里旗境的山山水水，现在全旗已发现有不可移动文物点近 4 000 处，成为全国闻名的文物大旗。

北京大学考古系著名考古学家严文明非常关注内蒙古中南部的新石器时代考古工作，多次实地考察，在文化性质的判定上给予关键性指导。为了解决内蒙古中南部仰韶三期遗存的文化内涵问题，1992 年北京大学考古系与内蒙古文物考古研究所联合发掘了托克托县海生不浪遗址，对以前已经有人提出、但尚存疑的“海生不浪类型”予以确认①。严文明指导的博士生韩建业协助田广金整理了岱海遗址群的大部分考古调查、发掘资料。此外，北京大学考古系在内蒙古的考古工作还有：林西县等地的考古调查、察右中旗大义发泉细石器遗址的发掘、大窑旧石器时代遗址的调查与发掘等。

北京大学历史地理研究中心亦对内蒙古地区的考古学研究非常关注，该中心的学者主要利用考古学资料作历史时期环境变迁的研究。中心的创始人侯仁之院士早在20 世纪60 年代，就深入乌兰布和沙漠、毛乌素沙漠进行考察，开展了“沙漠考古”的研究工作，发表了《乌兰布和沙漠北部的汉代垦区》《乌兰布和沙漠的考古发现和地理环境的变迁》和《从红柳河上的古城废墟看毛乌素沙漠的变迁》等考察研究报告②。侯仁之的学生们继承了侯老的治学路线，硕果累累。王北辰对河套地区的古城遗址多所考察，探究了它们的行政建置③。唐晓峰早年曾供职于内蒙古大学蒙古史研究室，与研究室的李逸友、贾洲杰等一起调查了内蒙古西部的秦汉长城，撰写了《内蒙古西北部秦汉长城调查记》一文④；后来发表有《鬼方：殷周时代北方的农牧混合族群》《先秦时代山陕北部的戎狄与古代北方的三元人文地理结构》

---

① 北京大学考古系、内蒙古自治区文物考古研究所、呼和浩特市文物事业管理处：《内蒙古托克托县海生不浪遗址发掘报告》,《考古学研究·三》,科学出版社 1997 年版，第 196—239 页。

② 参见侯仁之、邓辉主编：《中国北方干旱半干旱地区历史时期环境变迁研究文集》,商务印书馆 2006 年版。

③ 《王北辰西北历史地理论文集》编辑组编：《王北辰西北历史地理论文集》,学苑出版社 2000 年版。

④ 唐晓峰：《内蒙古西北部秦汉长城调查记》,《文物》1977 年第 5 期。

等有关北方地区历史地理的研究文章[①]；人文地理随笔《长城内外是故乡》更是在新的时代下对中国北方长城的历史意义作出全新阐释的名篇佳作[②]。

吉林大学边疆考古研究中心近些年来积极参与内蒙古的考古工作，在东南部地区史前时期考古学文化谱系的完善、辽代瓷器研究和运用体质人类学方法对于古代北方民族人种的辨识等方面，均取得了一系列突破性的成果。北方民族考古专家林沄是领军人物，1992 年他在呼和浩特市召开的“中国古代北方民族考古文化国际学术研讨会”提交的《关于中国的对匈奴族源的考古学研究》论文[③]，对于探讨匈奴的族源具有指导性意义。朱泓和他的研究生们通过体质人类学的研究，为探寻古代北方民族的源流提供了一条重要的途径。其他几位学者的研究成果，如朱永刚、王立新的东南部史前考古研究，杨建华的鄂尔多斯式青铜器研究，冯恩学、彭善国的辽代考古研究，汤卓炜的环境考古研究等，也都具有一定的影响。

还有在其他单位工作的一些考古学者，为内蒙古地区的考古研究也做出了不同的贡献。如张忠培，是北中国史前考古的权威专家之一，早年曾执教于吉林大学，为该校考古系的创建人，后调任故宫博物院院长，一直关注内蒙古地区的史前考古研究，组建了赤峰考古队、两省一区（山西省、陕西省、内蒙古自治区）考古队等，研究东北文化区、北方地区史前时期的文化谱系发展、生产和社会组织形态变迁等问题。再如中国文物研究所的乔梁，在匈奴、鲜卑考古研究方面独树一帜，提出了许多独到的见解。

存在问题与未来研究方向　内蒙古地区史前时期考古的四个文化区之间，目前所达到的研究水平颇不平衡，存在的问题亦各不相同。

东南部的文化谱系发展序列在四个地区之中最为完备，除新石器时代早期空缺、小河沿文化和夏家店下层文化之间存在文化断档外，其他各个时期的考古学文化属性都有较为明确的界定，经济形态变迁的研究已奠定了初步的基础，并开始了社会复杂性的探讨。争议较大的问题是，新石器时代的一

---

① 参见唐晓峰：《鬼方：殷周时代北方的农牧混合族群》,《中国历史地理论丛》2000 年第 2 期；唐晓峰：《先秦时代山陕北部的戎狄与古代北方的三元人文地理结构》,《中国北方干旱半干旱地区历史时期环境变迁研究文集》,商务印书馆 2006 年版。

② 唐晓峰：《长城内外是故乡》,《读书》1998 年第 4 期。

③ 林沄：《关于中国的对匈奴族源的考古学研究》,《内蒙古文物考古》1993 年第 1、2 期。

些文化之间，是一种前后相继的关系还是二者或数者之间存在重合的关系，如赵宝沟文化和红山文化之间，有的学者认为后者晚于前者、后者系由前者发展而来，有些观点则认为赵宝沟文化与红山文化早期阶段并行发展。

中南部的新石器时代考古已建立起较为完整的文化谱系发展序列，青铜时代文化则显得支离破碎，目前能够确认的只有夏商时期的朱开沟文化和商末周初的西岔文化，西周至春秋早、中期之际的考古发现极少，对经济形态变迁的研究尚处于摸索阶段，没有形成系统。

东南部和中南部均需继续完善文化谱系的研究，东南部主要是解决新石器时代相连文化之间的时空关系问题，中南部主要是解决青铜时代文化发展序列中空白时段的填补问题。均需加强经济形态变迁的研究，其意义在于，在公元前 10 世纪至公元前 7 世纪欧亚大陆草原的游牧化浪潮中，内蒙古长城地带作为欧亚大陆草原与中原农耕区域的交界地带，究竟在游牧业的起源和初始发展过程中充当了何种角色。在完善了文化谱系和明确了经济形态变迁之后，下一步才可致力于不同文化所反映的社会复杂性的考察，在“古文化—古城—古国”的总体发展框架下，探寻所谓的“北方模式”①。

西部阿拉善盟境内仅零星发现属于西北文化区的遗址，如阿拉善左旗巴彦浩特镇城南 0.5 公里处的鹿图山遗址采集有齐家文化的陶器②，额济纳旗绿城子古城遗址出土遗存与公元前 1 千纪上半叶分别分布于河西走廊东部和西部的沙井文化、兔葫芦类型遗存皆具有一定的相似性③。该地区在西北文化区中的地位，是将来需要通过更多遗址的发现和研究来解决的问题。

北部草原是一个不确切的地理概念，包括了呼伦贝尔市、锡林郭勒盟的全境和乌兰察布市、呼和浩特市、包头市、巴彦淖尔市的阴山以北地区，大量出土细石器是这一区域内史前时期遗存共同的主要特点。对于细石器遗址的了解和研究至今仍十分有限，狩猎采集文化区只是对它们的一个大致概括，其中可能包含了多个不同的文化区。北部草原地域较广，多草原沙漠环

---

① 韩建业：《中国北方地区新石器时代文化研究》，文物出版社 2003 年版，第 267—269 页。

② 齐永贺：《内蒙古白音浩特发现的齐家文化遗物》，《考古》1962 年第 1 期。

③ 李水城、水涛：《公元前 1 千纪的河西走廊西部》，《宿白先生八秩华诞纪念文集》（上），文物出版社 2002 年版，第 63—76 页。

境，工作条件艰难，这一地区史前时期文化谱系的建立，是一个长时期的任务。第一步的工作，是争取在工作基础较好的呼伦贝尔地区首先建立起较为完备的文化发展序列，其他地区则有初步工作的开展。其实，北部草原无论是史前还是历史时期的考古学研究，都是亟待加强的薄弱区域。

此外，通辽市北部地区和兴安盟一带是另一个值得引起关注的史前考古空白地带，有的学者将其视为燕辽文化区与松嫩平原文化区之间的一个文化交融之处，有待实地考古研究的检验。

战国秦汉遗存通过与中原同时期同类遗存的比较，对于其基本特征已可作出准确的认识，但在深层次的研究上，还没有完全纳入中原文化的发展体系之中，从而进一步勾勒出它们的边域特色。居延考古是汉代考古中的一个重点，居延遗址群防御体系的构成、出土汉简的释读等内容，都有待于作深入探究。

内蒙古中南部春秋晚期至战国时代以鄂尔多斯式青铜器为代表的诸文化类型的研究，取得了很大的成就，主要的研究者田广金认为分布于鄂尔多斯地区的桃红巴拉类型即是由白狄发展而来的先匈奴文化①。也有的学者反对这样的观点，认为匈奴起源于漠北，但匈奴人是在阴山直接接触了鄂尔多斯的先进文化并间接吸收了汉文化养分之后走向强盛的，阴山—鄂尔多斯是匈奴走向历史舞台的新起点②。目前无论哪一种匈奴起源学说，都缺乏足够的考古学证据支持。据史料记载，匈奴帝国早期的统治中心在今内蒙古中部偏北的地区，加强阴山北部的匈奴考古工作，对探索匈奴的起源及其早期社会形态，都具有十分重要的意义。

从西汉末年到北朝时期，内蒙古地区发现的被笼统归属于鲜卑名下的墓葬遗存，有40余处共计约700多座。虽然已有很多学者对其作了不同程度的分期分区及相关民族、部族的推定研究，但从史料记载这一时期在内蒙古境内活动的鲜卑部族及其他民族的复杂性来看，目前无论是所发现遗存的数量还是研究的深度，对于进一步廓清当时民族丛杂的局面是远远不够的。这

---

① 田广金、郭素新：《鄂尔多斯式青铜器》，文物出版社1986年版，第197—199页。

② 马利清：《原匈奴、匈奴历史与文化的考古学探索》，内蒙古大学出版社2005年版，第300—310页。

些遗存首先可能分属于匈奴、乌桓、鲜卑、高车和柔然等不同的民族，其次各个民族之下又有各自的众多部族，如匈奴有独孤、铁弗等部，鲜卑有慕容、宇文、段、拓跋和贺兰等部，同一民族的不同部族之间的丧葬习俗也可能存在差异。呼伦贝尔市大兴安岭东麓是拓跋鲜卑的故乡，内蒙古中南部及其北部草原地区是拓跋鲜卑建立代国、积蓄力量走向中原的长期根据地，从《魏书》的记载中，可以钩稽出大量位于今内蒙古境内的拓跋鲜卑的活动地望，需要结合考古学的调查发现予以历史地理学的考辨。此外，北魏六镇与考古发现古城遗址的对应问题，各家说法不一；葬有代魏 6 位帝王、1 位太子、11 位皇后及众多陪葬臣僚的金陵，至今仍是一个扑朔迷离的未解之谜。北魏一世兴两次国史之狱，造成一代史学衰微，《魏书》避“国恶”“不典”而多隐讳之语，利用考古学资料揭示鲜卑代魏时期的一些历史真相，或可补《魏书》不实之憾。另一方面，以考古类型学为依托，结合史料记载对各类鲜卑遗存作出准确的族属认定，是鲜卑考古研究中的大课题。

契丹人的辽朝，是继北魏之后，由北方民族建立起来的又一个在中国历史上影响较大的国家政权。它存在的时间，比汉、唐以外任何一个中国古代的封建王朝都要长。与北魏进入中原、采用汉化管理模式不同，辽的政治中心始终位于它兴起的北方草原地区，其统治方式是一种以不同的政府体系分别管理契丹人和汉人的双重行政建制。这种融会草原游牧文化和中原农耕文化所体现出来的行政体系双重性，同样存在于辽文化的其他诸多方面，考古发现的一些辽代遗存也证实了这一点。继续加强对辽代大型遗址和墓葬的保护性研究工作，是未来辽代考古的主要任务。此外，契丹早期遗存的研究工作有待深入，包括与库莫奚文化遗存差异的辨识等。

蒙元考古方面，对上都、亦集乃路和集宁路等古城遗址的考古发掘工作虽均取得了非凡的成就，但俯瞰全局，整个内蒙古地区的蒙元考古研究仍处于起步阶段。蒙元考古的未来发展重心是古城遗址的保护和研究，可分为两个方面进行。一是以上都、应昌路、集宁路、亦集乃路和黑山头古城、鄂伦苏木古城等大遗址的保护工作为轴心，对其进行试掘研究。二是加强对其他城址的调查和试掘等工作，能够对这些城址的单个具体性质及总体分布状况得出一个明确的结论。

其他一些考古发现较少、长期不被重视的领域，在内蒙古地区的历史发展长河中同样占有其一席之地，考古学研究同样应予以重视。如唐代考古的重点是三受降城，三受降城的边防防御体系与其他中原政权所建长城防御体系的异同，需要运用考古学的证据加以比较分析。突厥考古仅局限于锡林郭勒草原等地，发现少量墓葬，与突厥人当时在内蒙古地区的活动历史很不相称。金代考古通常被附属于辽代考古或蒙元考古之中，有“金、元不分”之说；辽、金分家，金、元分家，考古类型学的研究当有所为。明清考古是一块有待开拓的处女地，如明王朝北部边疆防御体系的构成即是一个非常有意义的课题。

从时代上来看，史前考古、鲜卑考古、辽代考古和蒙元考古是内蒙古地区考古学研究中内容丰富、意义重大且极富于地区特色的四个重点领域，是今后需要重点突出、集中力量加强的方面。从地域上来看，除考古学调查、发掘与研究已经开展得较为出色的东南部、中南部仍须持续工作外，北部草原是将来急须加大工作力度的重要区域，该区域是研究草原型文化内涵的关键地域。此外，还有一些其他的考古工作薄弱区域，如通辽市北部和兴安盟一带等，需要有针对性地不断去充实。

科技考古需不断拓宽领域、加大力度。内蒙古地区历代存留下来的古城遗址达700多座，大多位于草原沙漠地带，受人为破坏很少，应当采用地面测绘与航测相结合的方法，搞清它们的结构布局，从而结合史料考证其行政建制，完善内蒙古地区的历史文化发展谱系。推进计算机辅助考古学，加强计算机软件在考古工作中的应用，从而提高考古学研究中的数据分析能力。注意培养体质人类学、环境考古学等领域的专门人才，从而加强对内蒙古北方长城地带的人种交流和环境变迁等问题的研究。

此外，内蒙古地区的考古学文化遗存，与蒙古国有很多相似之处，将蒙古国的考古学文化与内蒙古地区作对比参照，对于进一步认识蒙古高原古代诸北方民族的考古学文化内涵具有重要的意义。

小结　随着经济建设的飞速发展，对考古学产生了两个方面的重要影响。一方面，在经济建设中，大量的工程项目不可避免地要建在古遗址上或其附近，因此配合基本建设的文物保护和遗址发掘工作，成为考古工作者一项繁重的任务。另一方面，随着人民生活水平的提高，文化欣赏品位也随之提升，文物古迹成为娱乐大众的一个重要橱窗，旅游业也往往以文物古迹为主要依托点，考古工作者必须作更深入的研究，为大众提供精品、提供准确的信息。

但无论以上两个方面的影响如何值得引起重视，真正的考古学家不会忘记自己的天职，即了解人类过去的历史，是为了指导将来的发展道路。在经济大发展的今天，出现许许多多人与自然严重失调的问题，如环境恶化、资源枯竭、人口膨胀等，如何处理好人与自然的关系，考古学文化发展兴衰的缘由或许可以提供有益的借鉴。尤其是处于农牧交错生态脆弱地带的内蒙古地区，人为因素导致环境恶化的现象尤其显著，通过考古学的研究为环境保护与治理提供可行性意见，也是文物考古工作者义不容辞的职责。

著名考古学家苏秉琦在20世纪90年代初提出了用考古学资料“重建中国史前史”的号召①。中国古代北方民族的历史，也需要利用考古学来重建，剔除中原史料记载中的歧视与歪曲，归还其本来面目。只有涵盖北方民族政权的历史，才是完整的中国历史。内蒙古自治区的文物考古工作，将会为重建中国北方民族史发挥重要的作用。

第七节 出版事业

一、图书与教材出版

（一）出版机构②

中华人民共和国成立之初，内蒙古自治区的出版工作由内蒙古自治区人民政府文教部社会教育处、编译处和《内蒙古日报》社蒙文编辑部承担。1951年1月，这几个机构合并，成立内蒙古自治区人民政府出版局，主要任务是编辑、出版蒙古文图书、译本。这是中华人民共和国成立后最早组建的少数民族自治区综合出版机构。2月，绥远人民出版社成立。绥远省人民

① 苏秉琦：《华人·龙的传人·中国人——考古寻根记》，辽宁大学出版社1994年版，第73—134页。

② 资料来源：周仲德、贾来宽：《内蒙古出版事业概况》，内蒙古文化出版社1990年版；各出版社提供的资料。

政府新闻出版处工作人员兼做出版社的编辑出版工作。

1952年7月1日，内蒙古自治区人民政府出版局正式定名为内蒙古人民出版社，社址在张家口（今隶属河北省）。9月，内蒙古人民出版社从张家口迁到归绥。到1953年底，内蒙古人民出版社有职工49人，其中编辑人员30人，行政干部12人。设蒙古文理论书籍、通俗读物、教科书、美术编辑、校对5个组。

1954年3月，内蒙古自治区和绥远省合并。年底，内蒙古人民出版社与绥远人民出版社合并，称内蒙古人民出版社。

1960年4月，内蒙古教育出版社成立，隶属内蒙古自治区教育厅。到1966年，职工达到85人，其中，编辑人员54人。

1966年“文化大革命”开始后，自治区文化局于6月成立毛主席著作印制办公室。1967年4月，自治区革命委员会生产建设指挥部接管了毛主席著作印制办公室。1968年，毛主席著作印制办公室改称毛主席著作出版办公室。

1968年10月1日，内蒙古人民出版社和内蒙古教育出版社被撤销。1969年4月，内蒙古自治区教材编写组成立。到1973年，教材编写组人员达到90多人。

1971年全国出版工作会议召开。10月18日，内蒙古自治区革命委员会政治部毛主席著作出版办公室改称内蒙古自治区革命委员会政治部出版局，同时，恢复内蒙古人民出版社。

1973年11月，内蒙古自治区教材编写组被撤销，恢复内蒙古教育出版社。

1978年底，内蒙古自治区出版事业管理局与内蒙古人民出版社合署办公。

1979年，内蒙古自治区原区划恢复，呼伦贝尔盟、哲里木盟、昭乌达盟从东北三省重新划归内蒙古自治区，3个盟在归属东北三省期间成立的蒙文图书编译室划归内蒙古人民出版社。内蒙古自治区出版事业管理局和内蒙古人民出版社对3个编辑室进行调整，保留原有建制，并使用内蒙古人民出版社名义和书号出书。1982年7月，在3个蒙文图书编译室的基础上分别组建内蒙古文化出版社、内蒙古少年儿童出版社、内蒙古科学技术出版社，均为出版蒙古文图书的专业出版社。

1985 年 8 月，内蒙古大学出版社成立。

1989 年底，内蒙古教育出版社内设 11 个编辑室、9 个业务行政科室，还有内蒙古教育印刷厂、内蒙古通辽印刷厂和内蒙古儿童教材与读物彩色印刷分中心，逐步形成编译、出版、印刷一条龙的教材出版体系。全社有职工 116 人，其中编、译、审校人员 83 人，管理人员 18 人，工人 15 人。

1992 年 9 月，蒙古学出版社成立，主要出版民族类图书。1993 年 7 月，蒙古学出版社更名为远方出版社。

1997 年底，内蒙古教育出版社共设 11 个编辑室，7 个行政、出版业务管理科室，有职工 117 人。

（二）出版概况

1. 图书出版①

中华人民共和国成立后，出版工作由内蒙古自治政府社会教育处、编译处和《内蒙古日报》社蒙文编辑部负责。到 1950 年，这几个机构先后用蒙古文翻译、出版了马克思、恩格斯著《共产党宣言》,列宁著《唯物主义与经验批判主义》,斯大林著《马克思主义与民族问题》,毛泽东著《中国革命和中国共产党》《在延安文艺座谈会上的讲话》等一批经典著作。

1951 年，由内蒙古自治区人民政府出版局编辑、出版蒙古文图书。1951 年，绥远人民出版社成立，出版汉文图书。1952 年 7 月，在内蒙古自治区人民政府新闻出版局的基础上组建内蒙古人民出版社，主要出版蒙古文图书。

1952 年，中共中央内蒙古分局决定成立以乌兰夫为主任委员的内蒙古自治区《毛泽东选集》蒙古文版出版委员会，开始翻译、出版工作。

到 1953 年末，内蒙古人民出版社和绥远人民出版社共出版图书 47 种，其中，政治类 21 种，文艺类 21 种，经济类 5 种。

1954 年 3 月“蒙绥合并”，内蒙古人民出版社和绥远人民出版社随之合并，承担起内蒙古图书和教材的出版工作。

---

① 参见周仲德、贾来宽：《内蒙古出版事业概况》,内蒙古文化出版社 1990 年版；各出版社提供的资料。

从1948年算起，到1957年，内蒙古共出版各类蒙、汉文图书和教材1 047种，1 143万册，其中，蒙古文图书和教材930种，882万册。蒙古文书籍中有新蒙古文书籍68种，共165万册。翻译、出版蒙古文版《毛泽东选集》一、二、三卷（第四卷于1962年出版）和一部分马克思、恩格斯、列宁、斯大林著作。还出版了达斡尔文识字课本和正字法。

1957年以后，尤其是在“大跃进”运动中，由于“左”的指导思想的影响，出版物质量严重下降。1957—1965年，全区共出版蒙古文版图书1 791种，1 120万册。

1966年开始的“文化大革命”使内蒙古的图书出版事业遭到破坏。自治区文化局于6月成立毛主席著作印制办公室。1967年4月，自治区革命委员会生产建设指挥部接管了毛主席著作印制办公室。内蒙古图书出版的主要任务就是印制毛主席著作，其他工作陷于瘫痪、停止状态。在随后的几年中，大多数出版工作者遭到批斗、隔离审查或下放劳动，内蒙古的出版事业遭受了一次浩劫。1968年，内蒙古人民出版社和内蒙古教育出版社被撤销。从1966年至1969年的4年中，除了毛主席著作，其他图书仅出版183种。1970年，出版各种版本的毛主席著作427万册；毛主席像133万张；“两报一刊”社论30余篇；宣传毛泽东思想的读物178.6万册；战备宣传画12种，38万张；革命现代京剧剧本4万册；革命现代京剧剧照119.8万张；年画9种，11万张；革命历史歌曲10种，11万册。

1971年10月，内蒙古人民出版社恢复。1973年11月，恢复内蒙古教育出版社。1974年，中央召开蒙、藏、维、哈、朝5种文字图书编译出版规划会议，分配内蒙古人民出版选题84种。到年底出版37种。全年计划发稿211种，实际发稿241种，其中，蒙古文103种，汉文113种，美术25种。

1975年12月，召开八省区蒙古文图书出版协作小组会议，调整八省区蒙古文图书两年出版规划，商定蒙古文图书编译、印制、发行协作问题。

“文化大革命”结束后，特别是中共十一届三中全会以后，内蒙古出版界医治“文化大革命”创伤，平反冤、假、错案，努力吸收1957年以后受迫害的老出版工作者、老编辑、优秀出版人才归队，并大量再版中外优秀图书，逐步打开了局面。

内蒙古人民出版社（从1952年建社起），截至1986年共出版蒙、汉文图书8 200多种，4.3亿册，其中，蒙古文图书4800多种，6 400多万册。内蒙古教育出版社从1947年成立教科书编辑室算起，共出版蒙古文教材、图书5 100多种，5 000多万册。内蒙古少年儿童出版社（从1979年算起）共出版蒙古文图书357种，13.4万册。内蒙古科学技术出版社（从1979年算起）共出版蒙古文图书250种，6.85万册。到1987年，自治区共有综合出版社1家，专业出版社5家。出版图书976种，其中蒙古文图书612种。

1988年，全区各出版社出版图书达1 057种，其中新出版708种。

1990年以后，内蒙古文化出版社在出版蒙古文图书的同时，也适量出版一些汉文图书，以弥补蒙古文图书出版短缺的经费。

从1993年起，受市场经济大潮的冲击，全区图书出版出现下滑的形势，仅出版961种。1995年，全区7家出版社仅出版843种，其中新书仅491种。比“八五”开始的1990年下降26%，平均每年下降5.2%。图书总印数1995年为6 561册，比1990年下降17.5%，平均每年下降3.5%。1995年全区平均每人年分得图书2.98册，比1990年的年人均3.97册下降0.99册。蒙古文图书出版的下滑尤其明显，图书品种萎缩，计划投入逐年减少。针对这种情况，中共内蒙古自治区委员会、自治区人民政府采取各种措施，遏制了图书出版的颓势。到1996年，出版图书即猛增到1 241种，其中新书677种。1997年达到1 591种，其中新书870种。1999年，全区仅图书即出版1 577种，其中新书911种。图书总码洋达到4.4352亿元。

从1998年开始，由于财政补贴不足、出版蒙古文图书亏损大等原因，内蒙古科学技术出版社每年出版适量的蒙古文图书。

到2000年底，远方出版社已出版蒙汉文图书690种，年均出版图书86种。重印再版图书平均每年40种，年均再版率为31%。

全区出版界的对外交流活动日益频繁。内蒙古各出版单位参加了美国、蒙古国、俄罗斯、香港、马来西亚、菲律宾、日本、德国等国家和地区的各种书市和出版交流合作，出版物销往二十多个国家和地区。

2. 教材出版

（1）中小学教材出版①

1949—1951 年，隶属内蒙古自治区人民政府文教部的蒙古文中小学课本编译处同步翻译人民教育出版社理科小学各学科教材，编辑小学、中学蒙语文 1、2 册。1951 年，成立内蒙古自治区新闻出版局后，专设教科书编辑科，编译、出版《初级小学算术》《高级小学地理》《民校课本语文》《蒙古语法》等蒙古文教材。1950—1952 年，国家改造制订了第一套教学大纲。1951 年第一套全国通用的中小学教材加以修订或改编而成。

1953 年 11 月，内蒙古人民出版社成立第一编辑室，后改为教科书编辑室，专门从事教科书编译工作。

1953 年冬，按照中共中央蒙绥分局的指示，引进蒙古国理科中小学课本，将其转写成斯拉夫蒙古文，并加以改编。从此有了比较完善的蒙古文中小学课本。1954 年初，自治区人民政府副主席哈丰阿亲自与国家外交部联系，引进了蒙古人民共和国在莫斯科印制的全套教科书。

1955 年春，根据 1954 年召开的自治区第一次民族教育工作会议精神，小学要从高年级加授汉语课。到 1956 年底，自编蒙语文和汉语文教材，同步翻译人民教育出版社根据国家最新制定的中小学学制、培养目标、教学计划以及有关规定编辑、出版的十二年制教材，至此，共完成 13 类、64 种蒙古文中小学课本的编译任务。遵循全国统一课程、教材，结合内蒙古自治区的特点编辑蒙古族中小学、师范、业余教育教学用书，并编制统一的教学大纲；自编中小学、师范学校使用的蒙古语文、《农牧业生产基础知识》和《内蒙古地理》《内蒙古历史》等必要的乡土教材。教材以人民教育出版社的教材为原本翻译，解决名词术语的统一问题。受“大跃进”和反右斗争的影响，各类教材中均加入了与学科无关的政治内容，搞形式主义，“贴标签”，知识性、系统性差。

内蒙古教育出版社于 1960 年 4 月 25 日成立后，围绕教材建设，明确了编辑、出版任务，主要为：编辑、出版蒙古族学校所用教学大纲、课本、教

① 资料来源：内蒙古教育出版社：《内蒙古自治区中小学大纲/教材征订单》（1975—2000）；《内蒙古教育出版社 30 年（1960—1990）》，内蒙古教育出版社 1997 年版；内蒙古教育出版社 2000 年编制的宣传材料：《内蒙古教育出版社》。

学参考书、课外读物和工具书。在编辑出版次序上定为：先主科后副科，先课本后教参，见缝插针安排课外读物和工具书。第一年全社员工已达 54 人。当年编辑、出版中小学和示范教材 135 种，印制 133 万册，基本满足中小学、师范学校教学用书的需要。

1962 年，内蒙古教育出版社根据人民教育出版社黄皮大纲和自治区蒙古语文教学的实际情况，制订了第一个《蒙古语文教学大纲》。自编教材有了重大变革，突出了语文的特点和知识由浅入深、循序渐进的科学体系，五、六年制教材并存，并根据民族教育工作会议精神，开始着手编辑数、理、化、史、地、生 6 个学科的名词术语汇编。1963 年，根据乌兰夫的指示和 1962 年"内蒙古自治区关于民族语文及民族教育会议"精神，编辑、出版教学工具书《汉蒙学生词典》《蒙日汉学生词典》。1964 年，在"四清"运动中，推广五四制教材，课本变动不大。到 1965 年，教材品种初步齐备，出版大纲、课本、教学参考书和课外读物以及工具书 274 种，其中蒙古文教材 254 种，约 1 800 万册，基本上满足了当时自治区和八省区（内蒙古、黑龙江、吉林、辽宁、宁夏、甘肃、青海、新疆）各类中小学蒙古文教材的需要。

到"文化大革命"前，内蒙古教育出版社已成为近 90 人的具有一定规模的专业出版社。在蒙古文基础教育课程教材的自编、翻译，加授汉语教材的编写以及学科建设方面有比较明确的原则和政策引导。

到"文化大革命"开始的 1966 年，教育出版社一年即出版各种教学用书 274 种，其中，蒙古文教材 154 种，印制 1 799. 7 万册。

1968 年，内蒙古教育出版社被撤销。1969 年，自治区教育厅成立教材编写组，从各地抽调中小学教师数十人，根据"复课闹革命"的形势需要，按照当时政治需要编写了 64 种教材。直至 1973 年，教材一直由教材编写组负责。1969—1973 年，教材编写组累计编译、出版蒙、汉文教学用书 205 种，1 623. 4 万册，其中，蒙古文教材 81 种，86. 75 万册。由于受"左"倾思想路线的影响，不用人民教育出版社教材，加上人才、资金等严重不足，教材品种不多，教材质量不高，又强调突出政治，大大削弱了基础知识，有的教材存在严重的知识性、科学性错误。

1973 年 11 月 22 日，内蒙古自治区教材编写组被撤销，恢复内蒙古教育出版社。之后重新编译、出版了供应内蒙古和八省区蒙古文中小学各科教材和工具书。1975—1976 年，出版蒙古语授课小学蒙古语文和教学参考书（1—10 册）、中学蒙古语文（1—10 册）；汉语授课加授蒙古语文的蒙古语文小学教材（1—3 册）、初中教材（1 册）。1975 年，《蒙汉词典》出版。1976 年，《汉蒙对照自然科学名词术语词典》出版。70 年代，蒙古族学校汉语教材版本变动比较频繁，政治色彩比较浓。1977 年版的汉语教材是一套比较完整的教材，小学和初中分甲乙两类，选文多数是优秀的传统篇目，也有优秀时文。

到 1981 年，政、史、地、数、理、化、生教学大纲、教材成龙配套，并开始大量编写各类工具书，编辑出版乡土教材《内蒙古地理》《内蒙古历史》和工具书《外国地名蒙语译音手册》。与此同时，编辑、出版具有民族、地域特色的中小学音乐、美术、体育教材。从此，音乐简谱被五线谱代替。1982 年，中国第一部《全日制民族中小学汉语教学大纲》颁布。受国家教育部委托，内蒙古教育出版社汉语教材编辑参与了大纲的制定，并编辑出版了 4 部汉语教学大纲。

1985 年 5 月，中共中央下发《中共中央关于教育体制改革的决定》。内蒙古教育出版社根据教材建设需要，调整机构，并从优秀教师中和新毕业大学生中抽调和引进人才，充实编辑队伍。1986 年，全国蒙古文教材编审委员会成立，办公室设在内蒙古教育出版社。采取编审分开的方式，教材由国定制改为审订制，教材研究专家、一线教师和教学研究人员参与教材审查工作。1990 年，义务教育蒙古族学校六三制和五四制教材同时出版。至此，蒙古文教材从幼儿到中小学（包括职业教材、中等师范教材）直到高等学校基础课教材全部由内蒙古教育出版社出版，并且成龙配套；蒙古文工具书基本形成系列；蒙古族学生开始有了自己的蒙古语文寒暑假作业。

1992 年 10 月，国家教育委员会、国家民族事务委员会联合发布《关于加强民族教育工作若干问题的意见》。同时，国家教委印发《全国民族教育发展与改革指导纲要（试行）》（1992—2000 年）。为给民族教育提供更好的服务，内蒙古教育出版社调整义务教育蒙古族学校蒙古语文和汉语文教材的结构，以便适应民族教育发展的新目标，新任务；拓展业务范围，成立职业教育编辑部和音像编辑部，加强蒙古文职业教育劳动课教材和音像教材的建设，编译、出版蒙古族学校小学汉语磁带（一套）；编辑出版《民族团结》《高中蒙古语法》教材和《蒙古式摔跤》等乡土教材；编辑出版蒙古文民族师范教材蒙语文和汉语《阅读与写作》教材；根据高等学校教学和人才培养的需要，编辑出版高等学校《大学蒙语文》《大学汉语文》教材。

此外，还编译出版幼儿园教学用书语言、学数、常识、体育、手工、绘画、认识四季等25种教材；中小学各科教学大纲39种；中小学各类教材（包括小学劳动课教材）100多种；教学挂图、图册、表格等20多种；教学辅助用书，包括教学参考书、练习与自测、综合练习、课外习题集、寒暑假作业、汉语和音乐录音磁带、趣味数学、周末自测等16种，100多册。教材、教学用书成龙配套。

1999年，中华人民共和国国务院颁发《关于深化教育体制改革，全面推进素质教育的决定》。同年12月，国家教育部颁发《基础教育课程改革纲要（试行）》。至此，酝酿了3年多的基础教育改革在全国展开，新课程的结构发生了根本性的变化。各科新课程标准纷纷出台，一纲多本，教材多样化。

1999—2000年，出版从小学到高中的与整套蒙古语文教材相适应的教学辅助用书，共19种，144册；蒙古族学校汉语教材19种，128册，五四制、六三制教材并用。还出版地方教材11种，33册；校本教材2种，16册；幼儿教材20多种，约120多册。

从20世纪90年代初到2000年，内蒙古教育出版社还重印、新编包括《汉蒙对照科学名词术语词典》《现代蒙古语频率词典》《汉蒙对照常用词词典》《学生汉蒙词典》《教育百科》等书在内的蒙古族学生、名词术语以及教育科学类工具书15种。

内蒙古教育出版社的蒙古文教材和汉文教材同步出版，国标教材、地方教材、校本教材共同研发，上档次，成系列，并且不仅有纸介质教材，还有电子教材，实现了教材的立体化、多元化构建，让蒙古族学生享受到和汉族学生同样多的教育资源，使蒙古文教材建设进入了跨越式发展阶段。

（2）大中专教材出版①

① 这部分资料由内蒙古自治区大中专蒙古文教材编审委员会办公室提供。

1980年7月，根据内蒙古、新疆、甘肃、青海、河北、辽宁、吉林、黑龙江8个省区大专院校蒙古语授课教育教学的实际需要，由内蒙古师范大学、内蒙古大学、内蒙古农牧学院、内蒙古医学院、内蒙古林学院、内蒙古工学院和内蒙古教育出版社7个单位联合申请，经内蒙古自治区人民政府批准，成立了内蒙古自治区高等院校蒙古文教材编审委员会，具体负责高等院校蒙古文教材的编译、审定、出版和发行等工作。之后，又成立了内蒙古自治区中专、中师蒙古文教材编审委员会，主要负责中专、中师蒙古语授课班蒙古文教材的编译、审定、出版和供应工作。两个委员会编审、出版不同学科、不同层次的蒙古文教材400余种，约1.2亿字，内容涵盖蒙古语言文学、教师教育、蒙医、蒙药、新闻、法律、农林、经济、管理等学科、专业。

1997年7月，内蒙古自治区教育厅针对蒙古语文协作八省区大中专（中师）院校蒙古文教材的编译、出版和教材供应工作中存在的不协调等问题，与协作省区教育厅协商，并报请教育部批准，牵头成立了全国大中专（中师）院校蒙古文教材审定委员会，专门负责组织、协调跨省区有关大中专（中师）院校的蒙古文教材建设工作。从1998年开始，国家新闻出版署为了解决大中专院校蒙古文教材的出版问题，每年为大中专蒙古文教材划拨60个专用书号。全国大中专（中师）院校蒙古文教材审定委员会在最初几年就完成了近60种蒙古语言文学专业及相关专业本科教材的编审、出版任务。

1997年12月，内蒙古自治区教育厅在原内蒙古自治区高等院校蒙古文教材编审委员会和中专、中师蒙古文教材编审委员会的基础上，经内蒙古自治区编制委员会批准，成立了内蒙古自治区大中专蒙古文教材编审委员会办公室（以下简称编审办），隶属自治区教育厅，规格为相当于处级事业单位，并核定人员编制5名，经费来源为差额补贴性质。自此，大中专院校蒙古文教材渐成体系，由全国民族大中专院校教师组成庞大的蒙古文教材编审队伍，形成了较规范的教材建设组织网络，并形成了由“编审办统筹规划、专家把关、院校支持、出版社出版”的大中专院校蒙古文教材建设运行机制。

2000年底，为了理顺和规范大中专院校蒙古文教材建设机构与工作，经教育部批准，将新一届的全国大中专院校蒙古文教材审定委员会办公室设在内蒙古自治区大中专蒙古文教材编审委员会办公室。

历年编审、出版的蒙古文教材涵盖蒙古语言文学、教师教育、新闻学、编辑出版学、播音与主持艺术专业、社会学、民俗学、蒙医学、蒙药学、法学、经济学、管理学和农林类专业、艺术类专业、公安专业等近30个学科、专业的课程教材和共同课程教材。

二、期刊出版与音像出版

（一）期刊出版①

中华人民共和国成立后，创刊于内蒙古自治区成立之初的《人民知识》《内蒙古自治政府公报》《内蒙古画报》等期刊继续出版。同时，为适应国家经济、文化、科技、教育等事业的发展，新创办了一大批刊物。蒙古文刊物有《新内蒙古》《内蒙古妇女》《内蒙古中小学教师》（后更名为《内蒙古教育》）、《内蒙古文艺》（后更名为《花的原野》）、《党的教育》《内蒙古师院学报》（蒙古文，文理合一）等，汉文刊物有《教与学》《绥远教育》（后两刊合一，更名为《内蒙古教育》）、《内蒙文艺》（后更名为《草原》）、《实践》等。到1958年，全区有社会科学类刊物2种，其中蒙古文版1种；自然科学类刊物3种，其中蒙古文版1种；文艺类刊物5种，其中蒙古文版3种；文教类刊物4种，其中蒙古文版2种；综合性刊物6种，其中蒙古文版3种。刊物总数达到20种，其中，蒙古文版10种，共发行500多万册。

到1959年，期刊已有32种。

1960年，国民经济处于困难时期，新创办的仅有《实践》（蒙古文版）、《内蒙古文史资料》《蒙古动态》《蒙古问题研究》4种。许多期刊停办，就连影响很大的《内蒙古画报》也被停刊。后来随着经济形势的好转，有些刊物复刊，有些直到“文化大革命”结束后的拨乱反正时期才复刊。

1966年开始的“文化大革命”使内蒙古的期刊事业也受到重创，大部分期刊停刊，只剩下《实践》等几种刊物，也都是转载“两报一刊”（《人

① 资料来源：戈夫、团英：《内蒙古期刊事业》，内蒙古文化出版社1990年版；内蒙古自治区新闻出版局提供的资料。

民日报》《解放军报》《红旗》杂志）的文章。1972 年、1973 年有少数刊物复刊，如《草原》（改为《革命文艺》）、《内蒙古教育》（蒙、汉文版）、《花的原野》《内蒙古青年》等。“文化大革命”10 年间，创刊的只有《内蒙古林业通讯》（后改为《内蒙古林业科技》）、《内蒙古畜牧科学》《包钢科技》《理论战线》《现代农业》《红小兵》（后改为《哲里木少年》,是《娜荷芽》的前身）、《蒙医药》等十多种刊物。这些期刊有 11 种是科学技术类期刊，因其很少涉及时政内容，所以能正常出版。在这期间，一些盟市、旗县文化、教育部门编印了类似期刊的小册子，数量达数十种，如 1973 年科尔沁右翼中旗编印的蒙汉文文艺季刊《霍林郭勒》,先后印发了 20 多期。

“文化大革命”结束后，尤其是中共十一届三中全会以后，内蒙古的期刊事业进入快速发展时期。1980 年以后发展更快，数量和品种增多。到 1983 年，全区范围内正式发行的期刊达 80 种左右。1985—1986 年是期刊数量增长最快的两年。1986 年，期刊增加到 85 种。到 1989 年，创办的期刊已达 70 种，全区期刊总数达到 119 种（蒙古文期刊为 40 种），其中，正式出版、公开发行的有 111 种（蒙古文期刊为 40 种）。

在 20 世纪 80 年代的期刊中，文学艺术类、高校学报和科学技术类期刊增长最快。这些期刊奠定了内蒙古自治区各盟市期刊的分布格局和文学艺术类较多的品种格局。高校学报新创办的有《内蒙古财经学院学报》《内蒙古工业大学学报》等 17 种。这一时期最显著的是科学技术类期刊，由 9 种发展到 31 种，增长 3 倍之多。科技情报类期刊，如《情报业务研究》等在 80 年代初期创办，但出版时间都很短，到 80 年代末又相继停办。此外，畜牧类《内蒙古畜牧业》《当代畜禽养殖业》,综合科技类《身边科学》《科学》《内蒙古科技》等也都创办于这一时期。由于期刊品种空前丰富，期刊出现了细分读者市场的专业化趋势，如女性读物《中外妇女文摘》、中老年读物《老年世界》、中学生读物《中学英语之友》等。其间，涌现出许多有影响的期刊，如 1983 年创办的《资料与卡片》,以“卡片”形式荟萃百科知识，1990 年发行量达 25 万册，成为内蒙古自治区发行量最大的期刊之一。这一时期创办的《科学管理研究》《稀土》等至今在学术界仍有较大影响。

1990 年，内蒙古有社科类期刊 47 种，科技类期刊 31 种，文艺类期刊 24 种，群众团体办的综合类期刊 9 种，初步形成结构合理、门类齐全的格局。

此外还有大量的内部期刊。中共十一届三中全会以后，为适应经济建设的需要，在公开发行期刊不断面世的同时，内蒙古自治区党政各部门还陆续创办了服务于党的中心工作的专业性、政策性较强的内部期刊。到 1989 年为止，出版内部期刊 165 种，内容涵盖社会生活、生产各个方面。

在 20 世纪 90 年代，随着社会主义市场经济体制的确立和改革发展的深入，内蒙古自治区的期刊从数量迅猛增长期，进入了追求质量稳步发展期。1990—1997 年，创办期刊 30 种。增长较快的品种是哲学社会科学类和自然科学类期刊，哲学社会科学类增加 10 种，自然科学类增加 17 种。其他种类中，文化生活类增加 4 种，文学艺术类减少 2 种。1997—1999 年，因对期刊进行集中治理整顿，种类没有增加。随着人民群众物质生活和精神生活的改善，读者对期刊种类的要求更加丰富，为适应形势的发展，这一时期的内蒙古期刊阵容中涌现了一些新品种，如计算机类期刊《家庭电脑世界》《内蒙古软件》,文化生活类期刊《读者俱乐部》等。

经过近 20 年的发展，内蒙古自治区的期刊在数量规模上获得了发展，同时也出现了质量不高、品种重复等问题。在 1997—1999 年的期刊结构调整中，停办公开发行期刊 17 种、内部期刊 225 种，取消了内部期刊系列。通过 3 年的治理整顿，压缩了一批质量不高、结构重复的行业期刊。同时有几种期刊被划归内蒙古人民出版社和内蒙古新华报业中心，实现“政刊分开”，促进了期刊集约化发展。在结构调整中，有一部分内部期刊得以公开出版，并用调整下来的刊号创办了一些面向读者、面向市场的新期刊。到 2000 年底期刊数量又增加了 15 种。

出版蒙、汉两种文字期刊是内蒙古自治区出版事业的一大特点。中华人民共和国成立后，为了落实党的民族区域自治政策和发展民族文化、教育事业，党和国家非常重视蒙古文期刊的发展。到 1966 年，蒙古文期刊从自治区成立初的 4 种，发展到 13 种。如 1950—1960 年创办的有《内蒙古公安》《内蒙古教育》《鸿嘎鲁》《花蕾》等。1960 年以后创刊的有《实践》（蒙古文版）等。至 1989 年，蒙古文期刊发展到 40 种。1978 年以后，先后创办了《世界文学译丛》《草原银幕》《哲里木文艺》《内蒙古社会科学》（蒙古文版）、《身边科学》《向导》等。1999—2000 年创办了 8 种，如《索伦嘎》

《时代风纪》（蒙古文版）、《蒙古学研究》《婚姻家庭社会》等，基本形成了内蒙古自治区蒙古文期刊比较合理的阵容和布局。2000年以后，蒙古文期刊在品种上没有再增加。

（二）音像出版①

1. 内蒙古音像出版社

内蒙古音像出版社于1984年成立，隶属于内蒙古自治区广播电视厅。1985年即出版了5万盒录音带，推向市场。1986年发行蒙古语录音带和地方戏曲带5.8万盒，还与外单位合作发行各种磁带185.9万盒，成为全国有较大影响的音像出版单位。

20世纪80—90年代，内蒙古音像出版社为多位国内知名歌手，如韦唯、毛阿敏、田震等录制个人演唱专辑，出版盒式录音带；为作家、音乐人刘索拉录制盒式录音带；制作一些民族音像制品，如民歌演唱合辑《牧歌》，还为部分区内著名歌唱家如拉苏荣、牧兰、金花等录制个人演唱专辑。

内蒙古音像出版社于1996年由于不守法经营和多次违规卖版号，被吊销经营许可证。

2. 内蒙古文化音像出版社

1992年1月，内蒙古文化音像出版社成立，隶属于自治区文化厅，属自收自支事业单位。1993年，内蒙古文化音像出版社先后与浙江文艺音像出版社、敦煌国际影视文化交流中心、中国历史博物馆等合作，出版了《风起云涌》《潘美辰》《林忆莲》《中国文物鉴定》等音像带和自己录制的《草原情歌》、马头琴独奏《天上的风》等民族音像制品。1994年，制作完成《中国文物鉴定》系列讲座录像带。在1997年内蒙古自治区成立50周年之际，免费为区内部分艺术家出版个人专辑。1998年，出版VCD《草原深情——内蒙古歌舞乐精品选》，在不到两个月的时间里发行收入就达20万元。

1999年，内蒙古文化音像出版社出版VCD《内蒙古民歌精品典藏》。这是内蒙古自治区音像业投资最大、规模最大、影响最广的一次出版活动。2000年出版CD《草原歌声》《万马奔腾——齐·宝力高与野马马头琴乐队》等。

---

① 这部分资料由内蒙古文化音像出版社提供。

三、印刷[①]

在中华人民共和国成立初期，归绥市的国营印刷企业有在 1949 年“九一九”绥远和平起义后将小大印刷局收归国有后改称的归绥市人民印刷厂。1952 年，建业印刷厂、大众印刷厂并入归绥市人民印刷厂，改称归绥市印刷厂。1954 年“蒙绥合并”，绥远省政府印刷厂的部分人员和设备并入该厂，改称呼和浩特市印刷厂，以印刷书刊为主。

1950 年初，内蒙古日报社随中共内蒙古自治区委员会和自治区政府迁到张家口，印刷厂部分人员和设备留在乌兰浩特市，承印《内蒙古日报》东部版，大部分人员和设备迁至张家口。之后又招聘一批有经验的老工人，职工增加到 160 人。

1952 年 10 月，内蒙古日报社印刷厂搬到归绥市。1953 年 9 月，内蒙古日报社印刷厂与成立于 1949 年的绥远日报印刷厂合并，称内蒙古日报社印刷厂，分为总厂和分厂两部分，原绥远日报社印刷厂改称内蒙古日报社印刷总厂，成为自治区第一家专业书刊印刷厂。内蒙古日报社印刷厂改称内蒙古日报社印刷分厂，承印《内蒙古日报》蒙、汉文版。内蒙古日报社印刷总厂在 1958 年划归自治区文化厅，改称内蒙古印刷厂（后于 1972 年更名为内蒙古新华印刷厂）。

包头市在中华人民共和国成立初期的国营印刷企业只有包头日报社印刷厂。后陆续并入人员和设备，成为包头地区最大的综合印刷企业。

在中华人民共和国成立初期，也有为数不多的私人作坊，但数量很少。在国民经济恢复时期，私人又开办了一些小型印刷厂。这些私营印刷厂都在 1956 年的社会主义改造中公私合营。

以后又陆续建立了内蒙古通辽教育印刷厂、包头市人民印刷厂及其他盟市报社印刷厂，其中具有蒙古文排版、印刷能力的印刷厂有 8 家。到 20 世纪 60 年代初，内蒙古自治区所有的盟市所在地都建立了印刷厂，近一半的

① 资料来源：《内蒙古印刷事业》编委会：《内蒙古印刷事业》，内蒙古文化出版社 1994 年版；呼和浩特市人民政府印刷行业管理委员会、呼和浩特地区印刷技术协会：《呼和浩特印刷事业》，内蒙古文化出版社 1994 年版；内蒙古自治区印刷技术协会提供的资料。

旗县建立了文字与零件印刷的工厂。部分城市还有机关印刷厂和厂矿、学校印刷厂。

1963 年，内蒙古文化物资供应站成立，担负起自治区新闻、出版用纸和印刷机械的供应工作。1964 年 7 月，内蒙古印刷厂受内蒙古自治区文化厅的委托，成立了内蒙古印刷学校。

同年，自治区人民委员会投资 280 万元，对内蒙古印刷厂进行大规模改造，新建厂房，并购进一批先进设备。

在“文化大革命”期间，印刷业受到严重冲击。大部分印刷单位生产秩序混乱，产量、质量下降，生产周期不能保证。为了适应印刷毛主席著作的需要，1967 年、1968 年连续两年由自治区革命委员会拨款 256 万元，对通辽教育印刷厂进行技术改造，新建 0.6 万多平方米厂房，购进设备，使其生产能力由年产 2 万多令增至 8 万令。一些印刷厂扩大生产能力，以印制毛主席著作。在此期间又新建了 20 多家旗县印刷厂。出于印刷毛主席著作的需要，很多旗县印刷厂转型为书刊印刷企业，如杭锦后旗印刷厂、五原县印刷厂、凉城县印刷厂、开鲁县印刷厂、巴林右旗印刷厂、赤峰县印刷厂、集宁市印刷厂等。1972 年，批判极“左”思潮，开展治理整顿，印刷企业的生产能力有所回升。为了加强蒙古文印刷的力量，1974 年筹建成立内蒙古蒙文印刷厂。该厂是以印刷蒙古文为主的较大型的书刊印刷企业。

在 20 世纪 70 年代，包头市、呼和浩特市都建立了商标印刷专业厂，有了平印、凹印、凸印印刷商标工艺。

随着东三盟重新划归内蒙古自治区，印刷业的实力有所增强。1983 年，内蒙古印刷工业科技情报站成立。该站是内蒙古自治区第一个印刷科技组织。1984 年，内蒙古制版中心成立。各印刷厂不断引进先进设备和印刷技术，纷纷采用胶印及其他先进工艺。内蒙古新华印刷厂引进瑞典马提尼胶订联动机，在国内也属先进，解决了印刷和装订不平衡的问题。随后又引进日本 4 色胶印机。内蒙古制版中心和包头第二商标厂也引进了日本 4 色胶印机。蒙古文照排试验也获得成功。包头稀土钢铁公司印刷厂率先采用电子排版系统，获得良好的效益。

1985 年，内蒙古自治区印刷技术协会成立，随后开展工作。内蒙古印刷工业科技情报站逐步与之合署办公。1986 年，在国家教委的帮助下，引进联合国儿童基金会无偿援助项目，在内蒙古通辽教育印刷厂设立内蒙古教材和儿童读物彩印中心，为蒙古文教材实现彩色印刷奠定了基础。同年开始城市经济体制改革，内蒙古印刷业在整顿的基础上，开始实行承包责任制等改革措施，增强企业的活力。到1986年底，全区印刷企业达1 000多家。20世纪80年代末90年代初，印刷业经历了一场变革，电子排版、激光照排和胶印等先进技术被广泛采用，实现“光与电”，告别“铅与火”。1990年，全区性的印刷行业清理整顿工作全面展开。同年，对印刷企业承印图书、报刊等出版物实行许可证制度。到1995年，自治区书报刊印刷许可企业发展到84家。到1996年，自治区共有国家级书报刊定点印刷企业5家，自治区级书报刊定点印刷企业12家。内蒙古新华印刷厂和内蒙古蒙文印刷厂合并为内蒙古民族印刷厂，职工达1 000多人。1998年，赤峰印刷集团公司改制，成为赤峰市彩色印刷有限公司，2000年正式成为民有民营企业。1999年，内蒙古教育印刷厂整体转制，更名为内蒙古瑞德教育印务股份有限公司。该公司是内蒙古自治区同行业中第一家实行股份制的公司。另有一些印刷厂也进行改制，成为印刷公司。

四、发行①

（一）内蒙古自治区新华书店集团

中华人民共和国成立后，始建于1947年9月的东北新华书店内蒙古分店（始称内蒙书店，1948年11月改称东北书店内蒙古分店）仍留在乌兰浩特。1952年改称新华书店内蒙古东部区分店。到1953年，共有干部、职工170人。

绥蒙新华书店始建于1948年11月。1949年10月，绥蒙新华书店进入归绥，改称新华书店归绥分店。各支店随之建立。1950年4月改称新华书店绥远省分店。1952年10月改称新华书店蒙绥分店。到1953年，共有干部、职工191人。

1952年12月，国家邮电部、出版总署联合发布《关于改进出版物发行

① 资料来源：《内蒙古自治区新华书店志》，内蒙古人民出版社1999年版；内蒙古自治区书刊发行业协会提供的资料。

工作的决定》。根据该“决定”，从1953年1月1日起，新华书店将报刊发行任务交给邮政部门。

1954年1月，在内蒙古自治区与绥远省正式合并前，新华书店内蒙古东部区分店与新华书店蒙绥分店两个省级店合并，组成内蒙古新华书店。所属支店改为地方国营性质，人、财、物由新华书店总店管理改为由内蒙古自治区人民政府管理。

1955年4月，各盟、市、行政区所在地支店改称盟、市、行政区店，并行使对所属旗县支店的管理职能，成为一级店，实行分级管理。

1955年7月，撤销热河省建制，将原属热河分店管辖的赤峰等6个支店划归内蒙古新华书店。1956年4月，甘肃省巴彦浩特蒙古族自治州划归内蒙古自治区，改为巴彦淖尔盟。6月，将原阿拉善旗支店改建为巴彦淖尔盟店。

1957年，在呼和浩特市中山西路建成3层图书发行大楼，面积达2 400平方米。

1958年，盟、市、行政区中心支店和各旗县支店人、财、物全部下交地方管理，名称改为××旗（县）新华书店。

1963年，盟市、旗县店财政收回到区店管理，并恢复盟市一级店，各旗县店隶属关系改为由盟市店和当地文化行政部门双重领导。全区共有96个店和17个旗县以下门市部。

1964年，内蒙古图书发行学校成立。

“文化大革命”开始后，内蒙古新华书店大部分环节以上干部被揪斗，机构瘫痪。各级新华书店都受到“破四旧”的冲击，许多图书被停售、封存，甚至被烧毁。区店办公场所被社会上的“群众组织”占据，档案及财产损失严重。

1969年9月，内蒙古东部地区的呼伦贝尔盟、哲里木盟、昭乌达盟分别划归黑龙江、吉林、辽宁3省，西部地区的阿拉善左旗划归宁夏回族自治区，阿拉善右旗、额济纳旗划归甘肃省，所属书店随之划出。全区书店缩减为6个盟市店，48个旗县店。

到了1970年，新华书店除发行毛主席著作、像章、课本外，其他业务都陷于停顿。1972年以后，通过几次召开全区性会议，整顿和恢复工作秩序，发行工作逐步恢复正常。“文化大革命”期间，全区新华书店系统图书损失约为250万元。

1976年初建立乌海市店。年末，全区书店有职工924人，自治区店有78人。

1978年，内蒙古新华书店实现建店以后的首次扭亏为盈，全年实现利润28.8万元。1979年3月，内蒙古新华书店改称内蒙古自治区新华书店。5月，随着东三盟、西三旗重新划归内蒙古自治区，盟市、旗县店又增加41个。全区职工增至1 784人。1985年，内蒙古自治区新华书店恢复1954年以前的事业单位性质，成为实行企业化管理的事业单位。自治区店在新华大街建成7层大楼。10月，赤峰市店将所属旗县店的人事权管理由地方收归市店。自治区店将财权下放市店，形成人、财、物由盟市一级统管的体制，将其作为体制改革试点。1987年，呼盟、锡盟、乌盟、包头市、伊盟、乌海市6个盟市店实行人、财、物三权统一管理体制。哲盟各店全部由地方管理。

1992年，全区盟市、旗县新华书店人事权由属地管理改为由自治区新华书店管理。系统内实行自治区店与盟市店分级管理。随着改革开放，实行社会主义市场经济，自治区新华书店也根据国家新闻出版总署的要求，开始建立以国营新华书店为主体，多种经济成分、多条流通渠道、多种购销形式并存，少流通环节的发行网。各级书店实行承包经营，扩大了企业经营自主权。还广泛进行对外交流，与蒙古国的交流尤显频繁。针对一些地方的教育行政部门、有关单位和个人对中小学教材、教辅发行权的争夺及带来的恶果，采取各种措施，在政府的支持下，保住了发行权，保证了教材、教辅的供应。

1995年，全区新华书店固定资产原值为10 928.1万元。有独立核算的新华书店97个，门市部192处，职工3 326人。

1998年12月，全区新华书店改制，成为内蒙古自治区新华书店集团；自治区店改制，成为内蒙古自治区新华书店集团有限责任公司。同年，自治区新闻出版局成功举办了“草原书市”。这是自治区有史以来规模最大的一次图书订货展销活动。自治区新闻出版局还实施“草原书屋”工程，发动全区的新闻、出版单位为各“草原书屋”联系点赠送书、报、刊等。

全区新华书店在2000年底销发货总额为7.66亿元，在全区最大的60家批发零售贸易企业销售总额排名中列第二位，完成利润2 095万元。

（二）内蒙古自治区外文书店

1979年2月，内蒙古自治区外文书店（简称外文书店）成立，单位性质为国有企业，隶属内蒙古自治区出版事业管理局。7月1日正式营业。当年即销售各类图书55万册，销售码洋21万元。

1982年，外文书店实行经营承包制。1984年，销售额达到170万元，利润为21万元。

1985年，外文书店在呼和浩特市新华大街12号建成2 500平方米的营业大楼。同年5月1日，营业大楼正式投入使用。

1988年，外文书店采取以外文图书为主、多种经营为辅的经营策略，与新华书店各发行所、有关出版社、各盟市新华书店等单位建立业务关系，采取多种形式经销或代销部分中文图书、挂历、年画、贺年卡等。还与自治区和呼和浩特两级电视台合作，举办各种外语讲座。从1979年7月到1989年底，共完成销售额3 360万元，销售各类进口书刊21.5万册，上缴国家各种利税110万元。1989年底，固定资产达到226万元，职工总数达到125人。

外文书店先后举办过多次影响较大的业务活动，如举办影印期刊、进口图书、进口音乐磁带唱片展销，美国时代生活出版社新书展览以及英国企鹅、甲壳虫、朗曼出版社，英国剑桥大学出版社，荷兰、港台地区及蒙古国图书展销等活动近20次。还引进国外的先进图书、刊物、文献资料等，供有关科研机构使用。

1997年，外文书店的销售额达到1 400万元，利润13万元，国有资产保值增值率为100%。

从1998年开始，外文书店着手进行公司改制工作，于12月25日正式成立内蒙古外文书店有限责任公司。到2000年，公司销售额达到1 800万元，有职工90人。

（三）私营书店

1950年，归绥的明善书局和塞风书店停业。包头的明善书局与总号一起停业。停业的还有包头的西北书店等。同期，在通辽等地新办了一些书店、书摊，以经营文具为主，兼营图书。

在1956年开始的工商业的社会主义改造运动中，全区的私营图书发行业实行公私合营。呼和浩特的“中华”“中原”“新生”“协昌”等书店组成呼和浩特公私合营书店，后于1959年并入呼和浩特市新华书店。包头市的“维新”“力生”“益衡”等书店并入包头市百货公司文化用品部门。赤峰市的玉记书庄、宝盛合书局组成公私合营书店，后于1959年并入赤峰市新华书店。通辽的几家书店、书摊合营为“四联书店”，后于1959年并入通辽市新华书店。

中共十一届三中全会以后，内蒙古地区开始出现私营书店。尤其是中国实行改革开放以后，私营书店发展很快。到2000年，全区已有1 000多家私营书店。其中，规模较大的有呼和浩特市中山书店、水院建筑书店，乌海市竞人书店，东胜教育书店，巴彦淖尔市银亮通慧书店，集宁领先书店，锡林浩特市教育园丁书店，阿拉善左旗文苑书店，赤峰市文圃图书销售有限责任公司，通辽丰华书店，海拉尔京联书店，乌兰浩特市阳光书苑有限责任公司等。

1994年，内蒙古自治区新闻出版局对全区民营书业二级批发业务进行审查、核定，并在呼和浩特、包头两地建立了定点图书批发市场。

此外，全区还有数十个二级批发店。

五、评奖活动①

“内蒙古图书奖”的评奖活动从1998年开始，自治区新闻出版局制定《内蒙古图书奖评奖暂行办法》，决定由自治区新闻出版局和自治区出版工作者协会联合举办内蒙古图书奖的评奖活动。内蒙古图书奖作为内蒙古自治区的正式政府奖项，每两年举办一次。1999年9月，开展首届内蒙古图书奖评奖活动。“内蒙古自治区书报刊编校质量优胜奖”的评选活动从2000年开始。内蒙古期刊奖的评奖活动从2000年开始。“特睦格图印刷奖”的评奖工作从1994年开始。另有一些人员获中国“韬奋出版奖”、“全国新闻出版业有突出贡献的中青年专家”、“全国新闻出版系统先进工作者”“全国百

① 这部分资料由内蒙古自治区新闻出版局提供。

佳出版工作者”“全国优秀中青年图书编辑”“中国书刊发行奖”等荣誉。大量图书、期刊获省部级以上奖励。

六、党和国家对民族文字出版的扶持①

用民族文字出版图书等一直是内蒙古出版业的最主要的特点，尤其是蒙古文图书、期刊、音像制品的出版格外受到关注。内蒙古自治区成立后，党和政府在当时的战争形势下，仍然把蒙古文图书出版提到议事日程。中华人民共和国成立后，党和政府为发展内蒙古的出版事业采取一系列的措施，如建立图书、期刊与音像出版及印刷、发行机构，建设编辑、印刷、发行队伍，保证出版资金等。在中华人民共和国成立初期，国务院在关于加强民族出版工作的文件中指出：“民族出版工作要体现少数民族当家作主的权利……民族自治地方的出版社，要把出版少数民族文字图书作为自己的首要任务。”根据这个精神，自治区确定了把蒙古文图书出版放在首位的出书方针。“文化大革命”后，对于蒙、汉文两种图书的关系怎么摆的问题出现了争议：一种意见是恢复“文化大革命”前“以蒙古文图书为主”的方针；另一种意见是根据汉文图书品种、册数、印张大幅度增长的实际情况，主张“蒙汉文并举”。1981 年，根据当时的民族文字图书出版情况，国务院批转了《关于大力加强少数民族文字图书的出版工作的报告》。1987 年，自治区新闻出版局按照这个文件的精神，确定了“把蒙文图书放在首位，蒙汉两种文字图书共同发展繁荣”的出书方针，并经 1989 年 1 月 12 日自治区人民政府常务会议审议通过。

在资金投入上，中华人民共和国成立以后，一直实行计划经济，图书、期刊出版均由政府拨款。1972 年，蒙古文图书印刷用纸由自治区财政解决。1988 年自治区新闻出版局成立后，自治区对蒙古文图书出版予以补贴。20 世纪 80 年代末期，蒙古文图书出版补贴为每年 300 多万元。从 1993 年起，面对蒙古文图书出版在市场经济的冲击下严重下滑的局面。自治区人民政府采取多种措施予以扶持，其中一项措施就是提高出版补贴，达到每年 425 万元。

---

① 这部分资料由内蒙古自治区新闻出版局提供。

其他的扶持措施还有许多。蒙古文图书的定价，从汉文图书翻译、出版的，由于蒙古文排版所占的版面多，印张增加，但原则上执行原汉文图书的定价。著作稿比照同类汉文图书定价标准，略予放宽。“文化大革命”前，蒙古文图书的发行一直由新华书店与汉文图书一起核算，实际上是以发行量大的汉文图书扶持发行量小的蒙古文图书。“文化大革命”期间，全系统的亏损都由财政拨补。从 1979 年 7 月起，将发行蒙古文图文的折扣提高为 40%（比汉文图文的发行折扣多 10 个百分点）。增加的折扣，作为发行蒙古文图书的基层书店、供销社和流供员的发行奖，专款专用。1983 年推行第二步利改税，按 35% 交所得税。财政鉴于书店有政策性亏损这一部分，同意利润单位按 25% 交所得税，实际上减税 10%，用于弥补牧区店和蒙古文图书亏损。新华书店总店对内蒙古的蒙古文图书发行予以支持，从直属北京、上海两个发行所按向内蒙古发货额的 3%，每年增拨一块农牧区发行网点扶持资金。1979 年实行利润留成后，总店又将 3 个直辖市和京沪发行所得利润的 10% 集中补贴民族地区。1979 年至 1983 年底，补助内蒙古 729 万元。实行利改税后这项补助停止，国家新闻出版署和国家财政部决定从 1992 年 1 月 1 日起扩大对少数民族地区的发货折扣（增加 5 个折扣）。另外，国家从 1991 年起对 421 个民族贸易县实行优惠利率。内蒙古自治区有 48 个旗县新华书店享受货款优惠利率。自治区财政每年从“边疆事业费”项下拨出用于资助边牧区基建的投入款，每年为 15 万—25 万元。1981—1985 年累计为 247 万元。“九五”期间拨入 115 万元。区店用这部分资金改善牧区房屋条件和图书流动供应交通工具，先是配备帐篷、马车、马匹等，后又配备机动车。在稿酬方面，恢复稿酬制度后，为了鼓励蒙古文创作，自治区有关部门在 1980 年 7 月决定：蒙古文著作稿酬执行每千字 3—12 元的标准（汉文为 3—10 元）。有较高科学价值或艺术价值而印数较少的著作，可酌情提高稿酬，最高不超过 15 元（汉文图书不超过 13 元）。蒙古文图书的印数稿酬，以千册为计算单位，不足千册的以千册计算（汉文图书印数稿酬以万册为计算单位，不足万册的以万册计算）。由于蒙古文图书印量小，费工，1980 年 7 月决定全区蒙古文图书的装版费在原来的汉文图书装版费增加 15% 的基础上，提高到 50%，作为印数少图书的补贴。

1982 年 6 月，为了搞好各社间的协作，避免重复出版造成浪费，出版行政管理部门组织召开了全区蒙古文图书选题协调会，对蒙古文图书出版选题进行分析论证。以后每年都召开一次这样的选题论证会。1986 年，又扩大会议规模，邀请民族出版社、辽宁民族出版社、新疆人民出版社蒙编部和区内的蒙古文高等院校教材编审委员会、自治区语委古籍整理办公室代表参加。

从 20 世纪 90 年代起，自治区人民政府对蒙古文出版单位实行相关的财税优惠政策。国家新闻出版署对民族文字图书免收条码费，对民族文字图书书号不限数量。国家新闻出版署还设立了中国民族出版基金，对优秀民族文字出版物予以扶持。内蒙古自治区每年都能争取到一定数量的蒙古文图书出版经费。

内蒙古各有关出版机构不仅在尽力满足蒙古族人民的文化需求，承担着为内蒙古、黑龙江、吉林、辽宁、青海、甘肃、新疆、河北 8 个省、自治区（简称“八省区”）提供各级各类教材的任务，并且影响远及海外。内蒙古已成为世界蒙古文图书出版的中心。

七、出版管理①

中华人民共和国成立后，出版事业的管理工作主要由政府施行。1950 年 1 月，绥远省人民政府成立新闻出版处，主要进行出版业的社会管理。绥远人民出版社成立后，仅有的两名编辑人员由新闻出版处干部兼任。1952 年 6 月，新闻出版处撤销，出版行政管理职能由绥远省人民政府文教部承担。内蒙古自治区的出版事业管理开始由内蒙古自治区人民政府文教部下设的编译处、社会教育处负责。1951 年 1 月，内蒙古自治区新闻出版局成立。1952 年内蒙古人民出版社成立后，将新闻出版局的出版业务移交给内蒙古人民出版社，出版行政管理职能仍归文教部。从 1955 年起，由自治区文化局管理出版事业。1960 年 7 月，自治区新闻出版局成立。年末与内蒙古人民出版社合署办公。1962 年，自治区新闻出版局撤销，出版行政管理职能仍归自治区文化局。

1978 年底，内蒙古自治区出版事业管理局与内蒙古人民出版社合署办

① 这部分资料由内蒙古自治区新闻出版局提供。

公。1988 年 4 月，内蒙古自治区新闻出版局正式成立。按照 1981 年国务院批转的《关于大力加强少数民族文字图书的出版工作的报告》精神，自治区新闻出版局确定了“把蒙文图书放在首位，蒙汉两种文字图书共同发展繁荣”的方针。自治区新闻出版局还制订了一系列的出版规划。在 20 世纪 90 年代，相继实行出版社年检制度、出版物编校质量管理制度、出版单位通气会制度等，成立内蒙古自治区出版工作者协会。从 1995 年起，自治区新闻出版局每年在第四季度召开下一年度全区图书选题论证会，并对当年 1—10 月的图书出版情况进行分析。其后又制订了图书选题计划和书号管理规定。1998 年，自治区新闻出版局加挂版权局的牌子。

2000 年，根据自治区机关改革精神，自治区新闻出版局完成公务员过渡和人员定岗工作。10 月，内蒙古新华报业中心成立。

第八节　新闻事业

一、报业

1948 年 1 月 1 日，《内蒙古日报》在乌兰浩特正式创刊，是内蒙古自治区历史最久的日报，用蒙汉两种文字出版。《内蒙古日报》创刊后，积极宣传中国共产党和中国共产党内蒙古工作委员会的方针、政策，宣传各条战线涌现出的新人新事，反映人民群众的心声，用正确的舆论导向引导、鼓励各族群众，吸引了许多各民族青年参加革命，为巩固和扩大解放区，支援解放全中国作出了积极的努力。

中华人民共和国成立后，内蒙古地区各盟市党委先后办起了用蒙汉两种文字出版的机关党报。此外，还办起了《锡林郭勒盟牧民报》《察哈尔盟牧民报》《内蒙古青年报》《内蒙古妇女报》《内蒙古战士报》等。1953 年 11 月至 1954 年 3 月，《内蒙古日报》与《绥远日报》从联办到合并，两报精英荟萃，使合并后的《内蒙古日报》进入了新的发展阶段。随着工农牧业生产的大发展，自治区又产生了一些新的报纸，如《内蒙古工人报》《内蒙古扫盲报》《包钢报》《大兴安岭报》《铁道报》《包头青年报》《敖汉报》《科右中旗报》《阿荣旗报》《布旗建设报》等。截止到 1966 年，全区报纸发展到23种，其中蒙文报8种，汉文报15种[①]。在各地党委、政府的支持下，一大批老报人带领年轻的编辑、记者艰苦创业，从无到有，从小到大，逐步改善了办报环境，改善了印刷条件。当时的记者，为了出色地完成报道任务，经常深入到工厂、农村和偏远牧区，了解生产劳动情景，体验工人、农民、牧民的生活和感情。在交通不便的条件下，有的骑马骑骆驼，有的徒步，跋山涉水，跨越沙漠，深入到辽阔的草原和大兴安岭的深山老林采访、写作。在这段历史时期，全区各报宣传报道了人民共和国的诞生，土地改革，党在农村、牧区及城镇进行民主改革的一系列方针和政策；宣传报道了镇反、肃反，抗美援朝，"三反""五反"，社会主义改造等运动；宣传报道了恢复国民经济，实施第一个五年计划，我国第一部宪法颁布施行；宣传报道了党和人民群众昂扬的社会主义积极性和革命创造精神，工农牧业生产和科技、教育、文化、卫生等各项重大成就和经验。党的民族政策、马克思主义民族观、民族团结进步，始终作为一项重要的宣传主题，并渗透到其他各项宣传报道之中。全区各报在宣传报道中还发现和报道了一批脍炙人口的重大典型事件和先进人物。其中有名闻全国、植根群众、服务牧民的文艺战线轻骑兵——乌兰牧骑；种草治沙，发展畜牧业，走建设养畜之路的乌审召；为保护集体羊群，敢与狂风暴雪作殊死斗争的"草原英雄小姐妹"龙梅、玉荣；农业劳动模范郭老虎，牧业劳动模范莫日格策等。这些重大典型，通过宣传报道，进一步发挥了榜样的作用，使广大人民群众受到启迪和教育，促进了社会主义建设事业的发展，成为鼓舞人们积极向上的精神力量。与此同时，各报采取多种形式，组织干部职工学习党的方针、政策，学习采编业务知识，提高了采编人员的理论、政策水平，提高了新闻队伍的素质。一大批年轻有为的记者、编辑迅速成长起来，发挥了骨干作用，使报纸的质量和数量都有了显著的提高，影响逐年增大。这是内蒙古自治区报业发展的一个重要时期。

1966—1976年十年"文化大革命"时期，由于"左"的思想影响，政治运动频繁，报纸成了各种派别争夺的阵地，成了林彪、"四人帮"一伙篡党夺权的工具。刚刚成长起来的一批蒙、汉各族新闻专业人员，有的在运动

① 贾来宽、张玉岭、郭毅编：《内蒙古新闻事业概况》，内蒙古大学出版社1989年版，第46页。

中受到批斗和残酷迫害，有的被调离新闻工作岗位，有的被迫下放到农村、牧区。不少报纸特别是蒙文报纸被迫停刊。因此，内蒙古自治区的报业处于动乱和停滞不前的状况。

党的十一届三中全会以后，中国共产党经过拨乱反正，进入以经济建设为中心，坚持改革开放，建设有中国特色的社会主义的新的历史时期。国运兴则报业昌。党的十一届三中全会以来的路线、方针、政策，为办好新时期的报纸指明了方向，也为报业的发展、报纸自身的建设与改革创造了条件。从此，自治区报业进入了繁荣发展的时期。从1978年到1987年，仅仅9年的时间里，内蒙古地区恢复和新办的报纸就达到26种①。作为乌海市委、阿拉善盟盟委、兴安盟盟委机关报的《乌海日报》《阿拉善报》（蒙、汉文版）、《兴安日报》（蒙、汉文版）相继创刊。至此，全区12个盟、市的党委都有了机关报。随着改革开放的不断深入，运用科学技术、发展民族经济，成为内蒙古各族人民的共同心愿。《内蒙古科技报》（蒙、汉文版）、《赤峰科技报》（蒙、汉文版）、《伊盟科技信息报》（蒙、汉文版）、《巴盟科技报》《阿盟科技报》《内蒙古信息报》及《内蒙古工商报》等科学技术和经济信息类报纸，随着时代的发展，相继创刊，受到各族人民群众的欢迎。为各族人民提供服务的《内蒙古广播电视报》《包头广播电视报》《小学生作文报》《内蒙古法制报》也应运而生。随着内蒙古煤炭资源的开发利用，煤炭战线的报业也得到迅速发展，先后有《平庄矿工报》《扎赉诺尔矿报》《霍林河矿报》《乌达矿工报》《大雁矿工报》等8种矿工报相继问世。

改革开放以来，自治区各报尤其是各级党报一直把解放思想、实事求是当作宣传工作的灵魂贯穿于一切报道之中。"实践是检验真理的唯一标准"的大讨论在首都新闻界发轫之后，《内蒙古日报》发表了一批报道和文章，作出了积极的呼应。这场大讨论打破了思想上的禁锢，深刻教育了全党和全国人民，内蒙古各报同仁也从中获得了殊深的教益。接着，各报又组织了生产目的讨论以及民族政策再教育的宣传和大力宣传平反冤假错案，有力地推动了全区平反冤假错案工作的开展，受到了自治区各族人民的广泛赞誉。20世纪70年代末和80年代初，自治区干部群众勇敢地冲破"一大二公"的旧

---

① 贾来宽、张玉岭、郭毅编：《内蒙古新闻事业概况》，内蒙古大学出版社1989年版，第47页。

体制和平均主义的旧观念，在农村实行了家庭联产承包责任制，在牧区率先实行草畜双承包责任制，极大地解放了农村牧区生产力。全区各报尤其是各级党报对于自治区农村牧区承包责任制的动态、典型、经验以及发展趋势，都作了及时地广泛地深入地宣传报道。自1994年自治区第六次党代会以来，内蒙古党委领导全区干部群众开展了社会主义市场经济理论的大学习大讨论。全区各报对于大学习大讨论在通过版面语言造成声势与舆论强势的同时，还报道了各地区、各部门开展大学习大讨论的做法、经验，推动大学习大讨论向纵深发展。对于大学习大讨论在经济建设上表现出来的成果、突破旧的思想观念进行大胆改革的典型，如：伊盟化工集团、鄂尔多斯羊绒集团、青松制衣公司、伊利有限公司以及伊盟化工集团跨地区大兼并等等，都作了比较深入甚至连续的报道，在社会上引起了良好的反响。

党的十一届三中全会以后，全区各报的宣传报道实现了由过去的以阶级斗争为纲向以经济建设为中心的转变。全区各报尤其是各级党报十分重视改革开放的宣传，以此为动力带动整个经济建设的报道。改革开放初始阶段，根据自治区的实际，在大力宣传报道农村牧区家庭联产承包责任制和草畜双承包责任制的同时，也适度宣传了国有企业实行承包经营的状况。20世纪80年代中期，随着形势的发展，加大改革开放的报道力度，报道了一些有影响的典型。以后，对国有企业特别是国有大中型企业在深化改革中取得的成就给予充分肯定，对于他们内外环境的困难大声疾呼，充分报道他们在前进的道路上所取得的进展和积累的经验；大力宣传报道放手发展乡镇企业、私营企业、三资企业、横向联合企业，增强其内在活力和整体素质，为自治区的经济建设做出应有的贡献。党的十四大和自治区第六次党代会以来，根据内蒙古党委提出的强化开发第一产业、优化提高第二产业、突出发展第三产业；积极调整所有制结构，扶持发展非国有制经济；全面实施资源转换、开放带动、科教兴区、名牌推进、人才开发五大战略；把发展农牧产品加工工业、能源工业、冶金工业、重型机械工业四大支柱产业和化工、建材、森工三大优势产业，作为调整优化产业结构的精神，《内蒙古日报》在上述诸多方面，进行了有计划、有重点、有步骤的宣传报道。其中既有重点报道、系列报道、综合报道、典型报道，也有述评、评论和理论性的文章，为自治区抓住机遇、深化改革，促进经济发展，保持社会稳定，创造了良好的舆论环境。

社会主义精神文明是社会主义的重要特征，是社会主义的灵魂。改革开放以来，全区各报尤其是各级党报在坚持突出报道经济建设、物质文明建设的同时，始终把精神文明建设当作报道的主旋律来唱响。20 世纪 80 年代，《内蒙古日报》有声有色报道了在开展“五讲四美三热爱”活动中的好人好事以及涌现出来的先进人物和先进典型单位，在物质文明建设的先进单位的宣传报道中力求见物见人见思想，在精神文明建设的先进单位的宣传报道中力求写人写变化写精神，使两个文明建设互相渗透，互相促进，有机地结合起来，这个做法一直延续到现在，并且有了很大的进步和发展。精神文明是宣传报道长期的主旋律，因此，必须在创新上下功夫，把握时代脉搏，体现时代精神，注重群众创造，使报道出现新拓展，新突破、新面孔，做到常改常新，不断向纵深开拓。《内蒙古日报》比较充分地报道了军民共建活动、社区文明建设活动、城乡少年儿童“手拉手”活动、文化下乡活动、支援“希望工程”活动、科技和教育扶贫活动、“希望工程”活动和“五好家庭”活动，机关良好形象工程、窗口行业的服务承诺活动，等等。这些报道不仅在题材、内容、事实上是新鲜的，而且在报道形式、报道体裁、报道角度上也有所创新，加上这些报道反映了群众的心声，代表了群众的利益，所以收到了良好的社会效益。

在内蒙古这块美丽富饶的土地上，蒙古族、汉族和其他兄弟民族长期聚居，共同劳动，为祖国经济文化的发展做出了不可磨灭的贡献。在社会主义现代化建设的新的历史时期，自治区各报为了把民族团结的报道提高到一个新的水平，不断探索、不断开拓新的报道领域，为增强报道的广度和深度，使报道更加生动活泼，主要运用了三种新闻手段。一是狠抓重大典型，充分反映内蒙古草原上盛开的民族团结之花。报道了《牧民战胜暴风雪，救活汉族青工》《居延海畔团结花》等区内民族团结的典型，也报道了《草原北京心连心》等区外为我区牧民热忱服务的动人事迹，报道了《蒙古族妈妈强凤仙抚育六个汉族孤儿》等蒙汉民族亲密团结的感人典型，也报道了《乌兰哈达乡朝鲜、蒙古、汉族共同建设家乡》等蒙汉民族同其他兄弟民族团结的先进业绩。二是努力办好反映民族团结的各种定期和临时性专栏，这是对典型报道的补充和延伸，对宣传民族团结起到了良好作用。三是开展了

“民族团结”征文活动，这是动员干部群众回顾民族团结历史，总结民族团结经验、宣传民族团结事迹的一种有效形式。

通过庆祝内蒙古自治区成立40周年、50周年活动和开展民族团结表彰月活动，掀起民族团结的宣传高潮，组织战役性报道，集中突出地宣传民族团结的主题。在报道内容上，宣传了中共十一届三中全会以来，在党中央、国务院的关怀和领导下，自治区各族人民共同努力，在政治、经济、教育、文化等方面取得的巨大成就；自治区团结、建设、改革、开放的喜人形势；各族干部群众团结建设边疆的英雄业绩等等。

为使民族团结的报道向纵深发展，配合自治区成立40周年、50周年大庆和民族团结表彰月活动发表社论；在报道民族团结先进典型时，有计划地配发评论、评论员文章和编者按语，从而为典型报道增强了认识的深度和逻辑的说服力量，推动了自治区民族团结事业的发展。

新中国成立五十多年来特别是改革开放以来，内蒙古报业的繁荣发展，为自治区经济建设的腾飞和社会的文明与进步做出了巨大贡献。

二、广播电视事业

1. 广播事业

1950年10月17日，中共中央内蒙古分局、内蒙古自治区人民政府作出建立乌兰浩特人民广播电台的决定。在中央广播事业局和东北人民广播电台的大力支持下，乌兰浩特人民广播电台于当年11月1日用蒙汉两种语言正式开始播音，它标志着内蒙古人民广播事业新纪元的开始。

乌兰浩特人民广播电台当时只有一部中波2千瓦发射机，频率为1270千赫，蒙汉语广播同用一部机器，分段轮流播出。① 建台初开办的节目有蒙汉语的《新闻》《政令通告》《时事评论和讲述》《干部学习讲座》《文艺节目》和汉语的《记录新闻》。每天18时30分开始播音，共播音3小时45分，其中包括固定转播中央台的《联播》节目。另外，每日上午10时开始转播中央台的《记录新闻》。当时，自治区各旗县均设有收音站并且每天按时抄收中央台和乌兰浩特人民广播电台的《记录新闻》，编印成广播快报，

① 《内蒙古自治区志·广播电视志》，内蒙古人民出版社2003年版，第6页。

及时发往各乡、苏木。这种运用广播远距离迅速传播信息，各旗县就地抄收并编发广播快报的宣传方式，在当时交通不便，广大农村牧区没有收听工具的情况下，能使党的方针政策、新闻时事、农牧业生产知识、人民生活、卫生常识等传播到广大人民群众中，在很大程度上改变了内蒙古农村牧区的封闭状态，潜移默化地影响人民的思想观念，有力地推动中心工作的开展。

内蒙古自治区党政机关由乌兰浩特迁至张家口后，1951 年春，中共中央曾批准建立内蒙古人民广播电台第一台（后因故未建），乌兰浩特人民广播电台于同年 5 月 1 日改称内蒙古人民广播电台第二台，发射功率扩大到 20 千瓦[①]。不久，第二台迁往海拉尔市（1969 年 8 月 1 日，改称呼伦贝尔人民广播电台）。1954 年 3 月，绥远省建制撤销，划归内蒙古自治区，归绥市改称呼和浩特市，为内蒙古自治区首府，绥远省人民广播电台改称内蒙古人民广播电台。同年 3 月 6 日，内蒙古人民广播电台汉语开播，5 月 1 日，蒙古语开播。当时只有 1 部 1 000 瓦中波发射机，蒙汉语只能交叉播音。新建的内蒙古人民广播电台按照自治区的任务，开办了新闻、对农村牧区广播、对职工广播、时事政治讲座、理论学习，为听众服务、文艺、天气预报、记录新闻等汉语节目。蒙古语有新闻、文艺等综合节目。不久，中波发射机的功率扩大为 20 千瓦，并同时使用 4 部短波发射机向首府东西两侧中远地区播出蒙汉语广播，覆盖范围扩大，传输能力增强。与此同时，农村收音站开始过渡为有线广播，网络通达广大农户。至此，大体形成无线广播与有线广播相结合的全区广播网雏形。

1956 年 8 月，内蒙古人民广播电台办公楼建成，总面积 2 100 平方米。设有蒙汉语播音室、录音室、控制室，180 平方米的播音馆等。机房配备了当时国内最先进的遥控技术设备，这套设备使用了近 20 年。同年，拥有两部 7 500 瓦的短波发射机和 1 部 20 千瓦的中波发射机的 501 发射台建成投入使用[②]。11 月，蒙汉语广播实现了分机发射。1957 年，501 发射台设备又增加了一倍，基本形成了由中、短波广播组成的内蒙古自治区无线广播网。蒙汉语广播的覆盖范围扩大到自治区中部和东、西部地区。播出质量、收听

---

① 《内蒙古自治区志·广播电视志》，内蒙古人民出版社 2003 年版，第 6 页。

② 《内蒙古自治区志·广播电视志》，内蒙古人民出版社 2003 年版，第 6 页。

效果有了较大改观。为加强全区广播事业的管理，1956 年 8 月 1 日，成立了内蒙古广播事业管理局，与内蒙古电台合署办公。内蒙古人民广播电台完成了创建时期的基本建设任务，为自治区广播事业的发展奠定了基础。

20 世纪 50 年代后期，全区各盟市广播电台相继建成。内蒙古台大功率中波台开播，农村广播网有了相当大的发展，牧民使用收音机有了明显的普及，广播的覆盖范围进一步扩大。在此期间，内蒙古台的蒙汉语节目实现了分机同时广播，各自办成一套完整的广播节目。蒙古语节目自编自采稿件比例增大，深入牧区，半农半牧区采录了大批优秀民族文艺节目，节目内容更加丰富，节目质量进一步提高，民族特点和地方特点更加鲜明。由于采编人员业务水平的提高和工作经验的逐步积累，驻各盟市记者站的建立，以及采录制作设备的补充，使新闻时效性明显提高，独家新闻日渐增加，录音报道经常运用，重大事件现场转播开始尝试，广播剧和电影录音剪辑在听众中产生广泛反响，整个节目的广播特点明显突出，基本上摆脱了依靠报纸办广播的模式。其中反响较大的有：1957 年 5 月，内蒙古自治区成立十周年庆祝活动期间，现场直播李先念副总理率中央代表团代表党中央和国务院，祝贺内蒙古自治区成立，慰问内蒙古各族人民等活动；同年，以录音新闻报道集二线铁路通车仪式；1959 年 10 月 15 日，报道周恩来总理为包钢一号高炉建成出铁剪彩仪式，以录音新闻报道三盛公黄河枢纽工程落成典礼。这些耳闻其声、如临其境的广播新闻报道，使内蒙古千里草原上广大城乡各族人民备感亲切、深受鼓舞。

“大跃进”期间，内蒙古的广播事业受当时政治气氛影响，在宣传中逐步升温地报道全民大炼钢铁、人民公社化，继而多次以广播大会等形式宣传了全区各地脱离客观实际、违反科学规律的一些做法，促使浮夸风、瞎指挥、共产风愈演愈烈。这些失误虽然在 1961 年以后国民经济调整方针的指引下得到一定程度的纠正，但是给广播宣传工作留下极其深刻的教训。这一时期，自治区有线广播建设在大干快上的思想影响下，有了大幅度的发展，并开始建设公社放大站，农村网开始从一级传输向两级传输过渡，基层网络广泛延伸，入户喇叭大幅度增加。但在这个大发展中，一些地区不适当地追求发展速度和普及率，对技术标准和建设质量有所忽视，致使一些基层网络质量不高，线路传输故障较多。为此，在以后的十多年里进行过多次全区规模的网络整顿维护。

20 世纪 60 年代初的国民经济调整时期，内蒙古人民广播电台的广播吸取了“大跃进”时期的经验教训，以健康、平稳的态势全面、深入地宣传了“调整、巩固、充实、提高”的“八字方针”，宣传了奋发图强、自力更生、勤俭建国的思想，在鼓舞各族人民战胜自然灾害，克服暂时的困难，恢复与发展生产方面发挥了积极作用。与此同时，内蒙古台和各盟市台以及旗县广播站重新认识广播的性质、任务和作用，克服盲目性，增强自觉性；进一步明确新闻报道既要闻风而动，又要冷静思考；既要密切联系实际，又要保持高度理性思维。因此，广播宣传的舆论引导作用明显增强，节目内容更加丰富，知识性、趣味性进一步提高，同时采编作风更加扎实，精心编稿、精心制作、深入浅出、通俗易懂，吸引听众的稿件和节目明显增加，广播宣传出现一派欣欣向荣的景象。

1964 年，拥有 2 部 150 千瓦中波发射机等设备的 610 发射台在内蒙古人民广播电台建成。随后，全区陆续建成数十座转播台，旗县农村牧区广播站、广播网有了相当程度的普及，广播喇叭、收音机也在迅速增加。

1965 年 10 月 26 日，内蒙古台的蒙古语编辑部制定出《关于蒙古语广播进一步加强为牧区、半农半牧区服务的方案》。蒙古语节目逐渐形成了以《全区联播》《农村联播》《牧业节目》为主的新闻节目体系；开办了《对农村牧区广播》《文化与科学》《学习》《可爱的祖国》等社教专题节目；并开始有计划有重点地采录、制作传统民歌、“乌力格尔”和“笑呵”等蒙古语文艺节目，一批著名的蒙古族艺术家宝音德力格尔、哈扎布等人的作品很快在区内外流传开来。内蒙古台实际上已成为全国录音、收集、保留、传播蒙古族文艺的资料中心。蒙古语文艺广播在 20 世纪 60 年代中期已占到蒙古语节目的 50%，较好地满足了蒙古族听众的收听需要①。这一时期，汉语广播影响较大的新闻节目有《全区联播节目》《新闻和内蒙古报纸摘要节目》和《对农牧民广播》。社教节目分别开办了以工人、农牧民、干部、青年、妇女为对象的轮回节目。根据第 4 次全国广播会议精神开办了《家庭生活》《文化与生活》《为听众服务》《可爱的内蒙古》《新蒙古语教学讲座》

① 《内蒙古自治区志·广播电视志》，内蒙古人民出版社 2003 年版，第 7 页。

等 10 余个专栏节目。努力扩大文艺节目的来源，开设了《教唱歌》《每周一歌》《广播剧院》等栏目。1962 年，播出了庆祝内蒙古自治区成立 15 周年文艺专题 36 个，比较全面地反映了在党的民族政策指引下，在 10 余年中自治区文学艺术事业的成就。1965 年，汉语文艺节目已占汉语节目的 60%，文艺节目日趋活跃和丰富①。

到 1966 年初，内蒙古人民广播电台蒙汉语全天播出时间共计 24 小时 20 分钟。内蒙古台的广播覆盖范围、收听率、宣传质量、影响力有了明显提高，广播事业处在迅速发展时期。

1966 年 5 月“文化大革命”开始以后，在无产阶级专政下继续革命理论的影响下，内蒙古同全国一样在广播宣传中“左”的错误重新抬头，而且越来越严重，调子越来越高。新闻报道充满了歌颂“红卫兵”破“四旧”，批“封、资、修”，支持“造反”“夺权”，讨伐“叛国投修”，打倒“走资派”等内容；理论节目改成“活学活用毛主席著作”，对毛泽东思想的宣传断章取义、生搬硬套；文艺节目主要是“语录歌”、“样板戏”，大量优秀节目被禁锢。内蒙古台汉语节目只保留新闻、理论节目，蒙古语节目于 1967 年初全部停办。1967 年 1 月 17 日，中共中央发出《关于广播电台问题的通知》，全区广播电台实行军事管制，自办节目停办，全天转播中央台节目。1968 年以后，陆续恢复少量自办节目，但基本上是当时林彪、“四人帮”控制的《人民日报》《解放军报》《红旗》杂志的翻版，与全国各地广播一个腔调，一个面孔，一个模式，完全抹杀了内蒙古广播宣传的地方特点和民族特色。“文化大革命”期间，人民广播的优良传统被否定，无产阶级新闻理论被歪曲，真实性、群众性被抛弃，深受各族人民欢迎的许多优秀节目被迫停办停播，许多行之有效的规章制度遭到批判，大批优秀的广播工作者受到残酷迫害，各级领导干部几乎全部被“打倒”，许多干部被下放基层，广播队伍被打乱，专业人才大量流失。“文化大革命”给内蒙古人民广播事业造成巨大损失。

20 世纪 60 年代中期，中央广播事业局先后两次召开广播战备工作座谈会。由于战备的需要和内蒙古自治区特殊的地理位置，内蒙古台的技术

---

① 《内蒙古自治区志·广播电视志》，内蒙古人民出版社 2003 年版，第 7 页。

建设在“文化大革命”中继续有所发展，发射功率、广播覆盖率进一步提高。1969 年，建成 657 发射台，“主要对外，兼顾区内”（1975 年改为 694 台）。同时，内蒙古台还自力更生建成 001 台，作为“平战结合”台使用。

1970 年以后，内蒙古自治区广播事业管理局又在牧区和边远地区建成了若干中、小功率的转播台，并更新了部分发射台的机器设备，还建立了 702 战备台。1971 年，由国家投资建设的内蒙古广播电视综合楼，于 1975 年竣工使用，进一步改善了内蒙古台的节目制作手段。内蒙古台蒙古语广播于 1971 年开始翻译播出本台汉语节目。1972 年 11 月，恢复部分自办节目。明确了“以翻译为主，自办为辅”的办节目方针。1973 年，成立通联组，每年举行蒙古语广播通讯员会议。创办了蒙文《内蒙古广播》内部交流双月刊。

从 20 世纪 60 年代后期开始到 70 年代末，内蒙古自治区广播事业局根据“进山、进洞、分散、隐蔽”的方针进行了大规模的广播战备工程建设。其中主要项目除了有平战结合的短波战备台 001 台外，有地下播控室 002 台，有半进山的对外广播短波发射台 657 台，有包括播音车、控制车、节目制作车、检修车、发电车、生活车等配套齐全的战备广播车队，有全进山的播控台、发射台与 2 000 千瓦火力电厂和生活区的 702 台。这些战备工程耗资巨大，除 001 台外，多数作用甚微①。

1976 年 10 月，党中央一举粉碎了“四人帮”反党集团，结束了长达十年之久的“文化大革命”。1978 年 12 月，中国共产党第十一届三中全会召开，实现了全党工作重点的转移，标志着中国社会主义革命和建设进入了一个新的发展时期。人民广播事业走上了一条改革与振兴的发展道路。

在中共十一届三中全会精神的鼓舞下，内蒙古各级广播台站的工作逐步走上正轨；广播队伍大力进行思想、组织、纪律的整顿；大批遭受迫害与错误批判的人得以恢复名誉，他们重新振作起来；广播宣传不断消除“左”的影响，结合实际完整地、准确地宣传毛泽东思想，深入批判林彪、“四人帮”祸国殃民的罪行；宣传报道的指导思想，从“以阶级斗争为纲”转移

① 《内蒙古自治区志·广播电视志》，内蒙古人民出版社 2003 年版，第 4 页。

到“以经济建设为中心”上来，宣传农业联产承包生产责任制和牧业畜群草场双承包责任制。内蒙古台先于其他媒体报道了关于托克托县中滩公社包产到户等一系列农村牧区推广联产承包责任制的典型和经验，在全区产生很大影响。为了促进广大干部和群众解放思想、开展真理标准的大讨论，内蒙古台针对推行农牧业生产责任制等存在的思想认识问题，连续编发了若干篇针对性强、论据充分的评论。其中若干篇由内蒙古自治区党委主要领导指定《内蒙古日报》转发，第一次出现报纸转发广播评论的情况。这一时期的广播宣传在全区各地引起强烈反响，听众来信大量增加，对广播给予积极支持和鼓励。

内蒙古台对广播宣传进行认真改革，恢复广播宣传“自己走路”的方针。进一步加强经济报道，强调新闻的短、快、新，增加“今日新闻”或“正在发生”的新闻。蒙汉语新闻播出次数逐年增加，信息量扩大，时效性显著增强，典型报道、批评报道、连续报道、现场报道、录音报道等广泛应用。并且逐步增加了有深度的报道，于是播出了一系列具有社会影响的连续报道和系列报道，其中有的被评为全国好新闻一等奖。如 1982 年 10 月 22 日起，持续了 26 天的“关于解决巴彦淖尔盟地区甜菜收购运输难”连续报道，获得 1982 年全国好新闻一等奖，受到全国广播界高度评价。“呼和浩特市商业局某些领导人以品尝验收为名请客大吃大喝”等一系列批评报道，得到自治区领导的大力支持和肯定。抓问题、抓典型、抓评论、增强新闻节目的思想性，成为内蒙古台新闻改革中的成功经验。1984 年以后，内蒙古台汉语新闻部连续 3 次被评为全国新闻战线和广播电视系统的先进集体。蒙古语新闻在 20 世纪 80 年代初，自编率达 80%，全天播出 1 小时 40 分钟，广播特色增强，内容逐渐丰富。①

内蒙古台在推进宣传改革实践中进一步加深了对广播宣传规律的认识，并由此提出广播宣传应该以新闻为骨干的业务思想。这个认识于 1983 年夏季在承德举行的华北地区广播协作会议上受到时任国家广播电视部部长吴冷西的肯定和支持，并在当年秋季的全国广播电视工作会议上得到充分肯定。由于“以新闻为骨干”业务思想的确立，内蒙古台新闻的时效明显提高，

---

① 《内蒙古自治区志·广播电视志》，内蒙古人民出版社 2003 年版，第 9 页。

当天新闻几乎每天都有，电话报道与电话采访经常运用；独家新闻日渐增多，会议新闻减少，来自基层反映广大人民群众创造性地贯彻中共十一届三中全会精神生动实践的稿件成为每天新闻节目的主体。20世纪90年代初，汉语新闻“全区新闻联播”等7个新闻栏目，播出时间从5分钟到20分钟不等，各具特色，每天播出95分钟，占全台汉语节目的15%，收听率居于前列，成为广播的“龙头”节目。专题节目中“话说内蒙古”“热爱内蒙古、献身内蒙古、建设内蒙古”“冒富大叔逛市场”“厂长经理谈改革”等栏目都办得有声有色，充满了时代气息和乡土特色。为了满足人民群众日益增长的精神文化需求，内蒙古台从1987年7月31日起开办了一套立体声调频广播节目，每日播出2小时35分钟，逐渐增至10余小时，全部为文艺节目。栏目有“立体声之友”“华夏乐坛”“草原的旋律”等，深受各族群众的欢迎。

内蒙古台以及各盟市台、旗县广播站在宣传工作中不断总结经验，深入贯彻“自己走路”的方针，广播特色进一步发挥，民族特点与地方特色进一步突出，完全摆脱了对报纸的依赖。内蒙古台蒙古语广播逐步实现了自编自采，并根据广大蒙古语听众的要求和收听习惯进一步调整了节目设置，在各盟市记者站增配能用蒙古语进行采访报道的记者。与此同时，与全国其他蒙古语广播的七省区广播电台建立了经常性业务协作，内蒙古台和盟市台的优秀蒙古语广播节目，特别是文艺节目常年与七省区台交换，在七省区广大蒙古族听众中产生广泛影响。蒙古语广播在蒙古国和俄罗斯的布里亚特蒙古自治共和国也拥有相当数量的听众，每年都收到他们的大量来信，热情赞扬内蒙古自治区的改革开放，祝贺内蒙古经济的快速发展和人民生活水平的明显提高。

为了彻底改变自治区广播电视节目远距离传输的落后状况，提高信号质量，解决边境牧民听好广播，看好电视及全区广播电视系统的业务通讯问题，内蒙古自治区党委、人民政府于1984年5月批准，建设以呼和浩特为中心，东至满洲里，西到巴彦浩特的两条微波干线，并把这项工程作为内蒙古自治区成立40周年的重点献礼项目。微波线路横贯全区12个盟市，40多个旗县，全长3500公里。随着内蒙古广播电视微波干线和新的短波发射中心建成，相当一部分旗县建成调频台，广播电视的传输跨进一个新阶段，广播的人口覆盖率达到75%[①]。为了彻底解决自治区广播电视节目源的传送问题，经自治区和中央批准，从1993年开始建设内蒙古卫星上行站，1994年竣工。在自治区成立50周年前夕，1997年元旦，内蒙古台的蒙汉语广播电视节目用数字压缩技术实现了同时通过卫星转送。标志着内蒙古的广播传输手段进入全国先进行列，进入数字化的新的发展时期。

20世纪90年代中后期，内蒙古台和盟市台先后几次对广播节目进行改版，节目设置与内容结构发生了很大变化。新闻性节目档次增加，每档节目发稿条数增多，经济新闻比例加大，市场经济类消息明显突出；宣传改革、发展、稳定；民族团结的宣传报道更加富有大局意识；随着新闻评论性节目的开办，国计民生、改革话题引起广泛关注，舆论引导与监督的力度进一步加大；蒙汉语社教、文艺类节目更加贴近广大听众需求；宣传方式从单向交流转向双向交流，从灌输式转向启发式；播音从居高临下的态势转向平等亲切的谈心态势；以版块结构为形式的主持人节目增多。内蒙古台实现了广播系列化布局。基本形成了以蒙古语、汉语中短波频率广播为核心，调频立体声广播、音乐之声、城市之声3个调频频率各有侧重、各具特色和社会服务对象化的5个专业频率。全台5套节目每天播出时间达到80多个小时。与此同时，全区的广播节目制作播出手段进一步提高与完善，内蒙古台中波发射中心两部150千瓦老式发射机改为200千瓦新式发射机，短波发射中心从发射机到天线、配电系统全面更新为当前国内先进水平的设备。

经过50多年的努力奋斗，内蒙古人民广播事业由小到大，由少到多，已发展成一项规模宏大的事业。内蒙古人民广播电台发展成为在全国发射功率大、覆盖面广的省级广播电台之一，并通过“亚洲二号”卫星传送节目，信号源可覆盖全国及周边53个国家和地区。全区共有广播电台62座，其中自治区级2座、盟市级12座、旗县级48座；全区广播节目总计67套，其中自治区级4套、盟市级15套、旗县级48套；全区共有中、短波发射台56座，发射功率1 476千瓦；调频发射台92座，发射功率86.16千瓦。到2002年，全区广播覆盖率为89.2%[②]。内蒙古自治区建成了城市农村并重，

① 《内蒙古自治区志·广播电视志》，内蒙古人民出版社2003年版，第6页。
② 《内蒙古自治区志·广播电视志》，内蒙古人民出版社2003年版，第3页。

有线与无线结合，卫星、微波、中、短波及调频和有线广播共同组成的立体广播传送覆盖网，为完成党和政府的宣传任务提供了现代化的宣传工具。

2. 电视事业

20 世纪 50 年代末期，电视事业在中国刚刚兴起以后，内蒙古自治区广播局就开始筹办电视。1960 年 4 月，从内蒙古人民广播电台抽调 6 名工程技术人员进行电视广播的前期准备工作。由于遇到“三年经济困难”时期，筹建工作被迫中断。1966 年初，筹建工作再次夭折。两度中断之后，于 1969 年夏季开始第三次筹建，至 9 月底，完成了技术设备安装与调试，当年 10 月 1 日晚，以内蒙古人民广播电台电视组的名义开始了试验播出，这标志着内蒙古自治区电视事业的开端。当时，设备非常简陋，以 3 间大的候播室为机房，只有 1 台 50 瓦发射机，1 根 40 米长的木杆作天线支撑物，覆盖半径仅 3.5 公里。① 由于当时呼和浩特市几乎没有电视接收设备，为了扩大影响，电视组在试验播出之初的每个晚上，在呼和浩特市区以及郊区设十几个收看点，吸引了大批群众观看。一时间，呼和浩特播出电视节目成为内蒙古自治区各地传播的喜讯。

试播期间，由于设备简陋，且不配套，加上人员少、缺乏经验，只能播出图片新闻和从电影发行公司租来的电影片以及天气预报。经过半年多的试播，积累了一定的经验，充实了一些设备，于 1970 年 5 月 1 日，电视组改用呼和浩特电视台的名义正式播出。1970 年 9 月 8 日，播出以 16 毫米摄影机拍摄的第一条自采新闻《内蒙古自治区活学活用毛泽东思想积极分子代表大会召开》。当年开办了第一个新闻性专栏节目《内蒙古新闻》。1971 年 7 月，在呼和浩特市的北面大青山最高峰海拔 2 000 多米高的了目山建成电视发射台——706 台，发射功率由 1 000 瓦扩大到 7 500 瓦，覆盖半径由几公里扩展到近 100 公里，呼和浩特周围几个旗县均可以收看到。随着播出与发射条件的不断改善，1973 年 7 月 1 日，呼和浩特电视台正式更名为内蒙古电视台，郭沫若为电视台题写了台标。台标背景是一匹骏马在盛开鲜花的草原上奔腾，象征着内蒙古自治区飞速进步与发展。1975 年，3 000 平方米的广播电视大楼建成后，增设了三讯道的黑白中心、三讯道黑白电视转播

① 《内蒙古自治区志·广播电视志》，内蒙古人民出版社 2003 年版，第 155 页。

车、600 平方米大演播厅和 80 平方米的小演播室等设备，条件有了较大改善，自办节目能力有了提高，节目播出时间也相应增加，节目品种逐步齐全，内容进一步丰富，新闻时效日益增强。

1976 年 2 月，内蒙古电视台顺应广大蒙古族群众的愿望，率先在全国 5 个少数民族自治区中办起了少数民族语言——蒙古语电视节目。当时，办蒙古语节目的编辑和译制人员只有 5 名，起初只能播放图片新闻、胶片新闻和蒙古语译制专题片，每周播出一次，每次十分钟，与汉语节目使用同一频道。蒙古语电视节目的播出，使自治区的蒙古族同胞第一次看到了本民族语言的电视节目。

中共十一届三中全会以后，内蒙古的电视事业进入了迅速发展时期。1979 年 5 月 1 日，蒙汉两种语言电视开始播出彩色节目，播出与收视效果明显提高。从 20 世纪 70 年代至 20 世纪 80 年代，全区各盟市相继建起了电视台，而且还建了许多发射台、转播台、差转台。到 1982 年全区电视发射台、转播台、差转台达 159 座，全区电视综合人口覆盖率为 28.8%①。当时，各盟市电视台除自办节目外，还通过传递录像带播出内蒙古电视台的主要节目，并就近转播邻省区的电视节目，其中包括中央台的节目。1983 年 1 月，内蒙古电视台与山西省广播局合作，建成了从太原到呼和浩特的微波干线，并与北京至太原的微波线路联通。内蒙古电视台通过这条微波线路开始直接收转中央电视台第一套节目，结束了靠传递录像带播出中央台节目的历史。

1983 年以后，陆续建成呼和浩特至包头、赛汉塔拉，萨拉齐至东胜，大武口至乌海等微波支线，内蒙古电视台节目传播与覆盖得到进一步改善与扩大。1987 年 7 月，内蒙古广播电视微波干线建成开通，以呼和浩特为中心，西至巴彦浩特、东到满洲里的横贯全区的微波线路全长 3 500 公里。它的建成结束了各盟市电视台靠传送录像带播放中央台、内蒙古台节目的历史。内蒙古电视台的蒙汉语节目可通过这条微波线路传送到全区 12 个盟市和数十个旗县，电视综合人口覆盖率达到 75%②。各盟市台也可将自己的电

① 韩茂华主编：《翻天覆地 50 年》（1947—1997），内蒙古人民出版社 1997 年版，第 338 页。
② 《内蒙古自治区志·广播电视志》，内蒙古人民出版社 2003 年版，第 156 页。

视节目回传到内蒙古电视台。毗邻的黑龙江、辽宁、河北、山西、陕西、宁夏、甘肃等省区的一些地区也可以收看到内蒙古电视台的节目。同年 8 月 1 日，在欢庆内蒙古自治区成立 40 周年之际，全国省级电视台第一座拥有 24 000 平方米的内蒙古彩电大楼投入使用。大楼有录制区、新闻制作区、播出中心等。在原有一套汉语节目的基础上，增加了蒙古语节目频道，每天播出 3 小时的蒙古语节目。在内蒙古自治区成立 40 周年大庆前后的 104 天的时间里，以新闻、专题、文艺、电视剧等多种形式连续报道了内蒙古自治区 40 年伟大成就。大庆期间，中央电视台播放了内蒙古电视台拍摄的 30 条新闻和 8 集大型专题片《骏马追风》、电视连续剧《黄敬斋》。

进入 20 世纪 90 年代后，内蒙古电视台办台思路日臻成熟。在以宣传为中心，以新闻为龙头的业务思想指导下，精心办各类节目，重视开发荧屏资源，积极发展电视产业，围绕宣传这个中心，建设好宣传、技术、经营管理 3 支队伍，为办好电视提供组织保证和物质支持。

1991 年，内蒙古电视台新闻节目跃上新的台阶，新闻质量大有提高，在观众中的影响越来越大。同年新闻部拍摄的节目获国家级奖 13 个，其中《西瓜启示录》获全国优秀电视新闻一等奖，《择业与创业》获全国优秀新闻专题一等奖。

经过 20 多年的努力，内蒙古自治区电视广播事业取得了令世人瞩目的成绩。但是由于内蒙古地域辽阔，人口居住分散，仍有 75% 的土地上的 25% 的人口看不到或看不好电视节目，特别是自治区的蒙汉语电视节目覆盖率低，只有 40% 左右①。为提高自治区电视节目的覆盖率，在巩固完善全区现有发射台、转播台、差转台的基础上，又建设了 4 条微波支线，同时大力发展小功率的地面卫星接收站。到 1996 年，全线微波电路总长为 5 470 万公里，131 个站。共建地面卫星收转站 3 384 座。经过几年的努力，电视覆盖率又提高了 2. 5 个百分点，达到 77. 5%②。即使这样，一些远离微波干线的边境旗县和一些偏远的乡镇苏木仍看不到自治区的电视节目，其根本的原因是节目信号源的传输问题，解决的唯一办法是上卫星通过卫星传送。在中

① 韩茂华主编：《翻天覆地 50 年》（1947—1997），内蒙古大学出版社 1997 年版，第 338 页。

② 韩茂华主编：《翻天覆地 50 年》（1947—1997），内蒙古大学出版社 1997 年版，第 338 页。

央的支持下，内蒙古广播电视厅克服重重困难，于1997年元月使自治区的蒙汉语电视节目用数字压缩技术的同时用“亚洲2号”卫星传送，圆了内蒙古广播电视工作者的“卫星梦”。这不但彻底解决了自治区电视节目的信号源问题，也标志着内蒙古电视传输技术进入数字化的新的发展时期。内蒙古广播电视节目通过卫星传送是自治区广播电视事业建设发展新的里程碑。通过卫星，把内蒙古电视台的蒙汉语两套节目传送到亚太、澳新、西北非、东欧53个国家和地区。至此，为世界各国人民全方位了解内蒙古提供了一个形象生动的窗口。

为了适应新形势的要求，内蒙古电视台对原有节目进行了大幅度的改版，新开办了新闻评论性节目，经济类节目、法制节目和少儿节目，节目的内容和形式更加符合内蒙古各族人民的文化底蕴和欣赏习惯，更加贴近内蒙古改革开放以来发生了巨大变化的实际。其中反响较大的新闻评论性节目《今日观察》，由于它密切关注内蒙古的社会热点和忠实地反映百姓心声，在进行正面报道的同时，加大舆论监督力度，从开播之日起就引起社会各界的广泛关注，观众来访、来信、来电络绎不绝。内蒙古电视观众把它叫做“内蒙古的《焦点访谈》”，有力地促进了社会风气的好转和法制的健全以及社会民主的进程。儿童节目《嫩荷芽》以独特的民族形式反映今日内蒙古各族儿童的生活和学习，充满童真童趣。它的观众不仅遍及内蒙古广大城乡，而且在全国许多省区都有大批观众。

内蒙古电视台的各类节目始终遵循中国共产党的宣传政策和宣传方针，认真贯彻为人民服务、为社会服务的方向和百花齐放、百家争鸣的方针，一直注意保持地方特色、民族特点与时代精神的紧密结合。从早期的《沙漠散记》《草原母亲的爱》《神山圣水阿尔山》《夏营盘》《套马》《香鼬》一直到20世纪90年代末的《金色圣山》《父亲的眼泪》《母亲的襟怀》《温都根查干》《寻找都冷扎那》《敖德斯尔》《丽莎的梦》，都真实地反映出改革开放后内蒙古的新面貌，展示内蒙古人民今日的生存状态，揭示出中共十一届三中全会以后内蒙古一派欣欣向荣的景象。1997年底，在北京举行的上述一系列纪录片的研讨会上，许多资深的电视纪录片专家赞扬说：内蒙古电视艺术娴熟地表现了内蒙古自治区今天发生的巨大发展，形成了当代内蒙古草原文化独领风骚的华章。

为了丰富蒙古语电视节目，使广大蒙古族电视观众及时收看到区内外、国内外优秀影视作品，从 1979 年以来，内蒙古电视台开始逐年加强电视片的蒙古语译制工作。开始是在播出汉语影片过程中以蒙古语旁白解说形式译播，继而以两人对话形式译播。1981 年以后，逐渐使译制工艺流程规范化，做到译制配音角色化，译制语言口型准确。脚本既忠实于原版风格，又符合蒙古族观众收视收听习惯。为适应蒙古语节目需求，1996 年内蒙古电视台将蒙古语译制部扩建为译制中心，使其成为全国蒙古语电影、电视最大的译制片生产基地，日产 120 分钟的译制节目。在近 20 年的时间里，共译制电影 777 部、电视片 4723 集①。其中《三国演义》《水浒传》《红楼梦》《高山下的花环》《渴望》等大型电视片的译制播出深受广大蒙古族观众欢迎。对电视译制工作所取得的显著成绩，内蒙古自治区人民政府专门给予嘉奖。内蒙古电视台译制的蒙古语电视片除满足本台播出外，还提供给兄弟省区办有蒙古语电视节目的电视台。除影视译制外，还大力开展专题片与新闻节目的译制，1998 年底，实现了当天用蒙古语译制中央电视台《新闻联播》。

电视剧是电视节目中的重头戏，拥有大量观众。改革开放以后，至 1998 年底，内蒙古电视台先后拍摄了 83 部（390 集）反映现实与历史题材的电视剧②。《山林的雾》《王昭君》《黄敬斋》《啼笑因缘》《亲家卖粮》《小活佛》《春雨》《鄂温克畅想曲》《磁的诱惑》《沙柳和它的影子》《遥远的特尔戈勒》《山不转水转》《乌兰夫》《我爱冰雪亮晶晶》《东方商人》《春香》《那女人》《法官无烦恼》《京江祭》《迎新马队》《老干部局长》《燕子李三》《走出森林》等电视剧以及《母亲的襟怀》《父亲的眼泪》《温都根查干》《寻找都仁扎那》《托起明天的太阳》等电视专题片，都是有代表性的电视文艺作品，其中有部分作品获全国“五个一工程奖”“飞天奖”“华表奖”“骏马奖”。

1993 年，经自治区人民政府批准，内蒙古自治区广播电视厅决定组建内蒙古有线电视台、内蒙古经济广播电视台，这是 20 世纪 90 年代推行的一项重大改革。根据专业化分工的新思路，内蒙古电视台主要经营汉语新闻综

---

① 《内蒙古自治区志 · 广播电视志》，内蒙古人民出版社 2003 年版，第 8 页。

② 《内蒙古自治区志 · 广播电视志》，内蒙古人民出版社 2003 年版，第 158 页。

合频道（卫视），蒙古语频道（卫视）、文体娱乐频道；内蒙古经济电视台经营经济生活频道；内蒙古有线电视台则侧重自办影视、信息类频道。形成了一厅四台的格局，这为以后实行频道资源整合，内蒙古电视台频道专业化奠定了基础。1998 年底前，4 个台经营的蒙汉语共 6 套电视节目，基本实现了栏目化。新闻节目实行滚动播出，增加了播出次数，开辟了评论节目，加强了深度报道，涌现出一批具有社会影响的品牌节目、栏目。在节目制作和播出方面，建成了较为完整、规范的电视中心设施及其配套技术设备。在节目传输方面，从运用传统的无线发送、微波传送发展到卫星传送。在宣传、技术许多方面与全国多数省市电视媒体保持同步发展。

有线电视由城市的共用天线系统发展而来。从 1991 年起，呼和浩特、包头等城市通过共用天线接收电视，开始向有线电视过渡。于是，有线电视以其图像清晰、接收方便、频道多、节目内容丰富的优势深受用户欢迎，并迅速在各中小城镇及其郊区普及。1993 年，内蒙古有线电视台建成并播出。至 1998 年底，全区有线电视台达 47 座，用户共 80 万户①。2001 年，全区有线电视用户达 143 万户②。有线电视是无线电视的补充与延伸，也是党和政府的喉舌和舆论宣传工具，也是建设精神文明的重要阵地。有线电视台的飞速发展，一方面反映了自治区改革开放以来人民生活水平的迅速提高，彩色电视机的快速普及。另一方面是由于卫星电视的飞速发展，为有线电视提供了丰富的节目源。通过卫星传送的自治区蒙汉语电视节目，经过各地的卫星接收机进入全区各地的有线电视网，无疑将有效地扩大蒙汉语电视节目的覆盖。有线电视的普及，为在新世纪实现全区有线电视网络资源的整合与发展打下了良好基础。

随着内蒙古广播电视事业的飞速发展和全区各地经济实力的不断增强，自治区各盟市电视台逐步发展壮大，自办节目丰富多彩。各盟市电视台的自办节目，密切联系地方实际，突出地方特点和民族特色，贴近当地人民生活。如呼伦贝尔电视台的《呼伦贝尔风情》《布里亚特婚礼》，兴安台的《四等小站》，哲里木台的《今日哲里木》，锡林郭勒台的《草原红牛》《认识的

① 《内蒙古自治区志·广播电视志》，内蒙古人民出版社 2003 年版，第 7 页。

② 《内蒙古自治区志·广播电视志》，内蒙古人民出版社 2003 年版，第 9 页。

飞跃》，巴彦淖尔台的《艾力亚》，伊克昭台的《燃烧的火》，呼和浩特台的《奶茶飘香》《白雾》《雏鹰展翅》，包头台的《鹿城风采》《金鹿鸣春》《达尔罕草原的春节》等，都深受观众喜爱，有的被中央台、内蒙古台采用播出，有的还被国外电视台选购。

从1999年起，按照国家广电总局提出的到20世纪末，全国基本实现"村村通广播电视"的总体要求，内蒙古广播电视厅在全区各级党委、人民政府及有关部门的领导和支持下，经过全系统广大干部职工的共同努力，于2000年10月10日，基本实现了自治区行政村一级的广播电视村村通目标。全区3 017个行政村盲点收听收看到了中央人民广播电台、中央电视台第一套节目和内蒙古电视台的节目，极大地改变了这些地区精神文化生活贫乏的局面[①]。在此基础上，广播电视逐步向自然村延伸，使全区广播电视覆盖率有很大提高。

自1969年10月1日以内蒙古人民广播电台电视组的名义成功播出电视节目以来，内蒙古自治区的电视事业从无到有，从小到大，从黑白到彩色，从对内到对外，从无线到有线，从微波到卫星，不断发展壮大，不断取得新的成就。到1998年底，全区共有电视台35座，其中自治区级2座、盟市级12座、旗县级20座、东风电视台1座（系统外）；电视节目套数37套，其中自治区级4套、盟市级12套、旗县级20套、东风电视台1套；旗县级广播电视台50座；有线电视台47座，其中自治区级1座、盟市级4座、旗县级42座；电视发射台1 274座，发射功率345.096千瓦；微波站124座，线路长度4 948公里；卫星地面接收站4 299座；到2002年，全区电视覆盖率达到84.9%[②]。随着全区"村村通"广播电视的进展，基本上解决了偏远地区看电视难的问题。

伴随着内蒙古广播电视事业的发展，服务和支持广播电视的其他各项事业都有了长足的进步。其中，内蒙古广播电视艺术团在近30年中，为广播电视创作、排练、演播了相当数量的民族文艺节目，丰富了节目源。同时，在长期的演出实践中创作了一大批具有较高水平的富有地方特点、民族特色

① 《内蒙古自治区志·广播电视志》，内蒙古人民出版社2003年版，第10页。

② 《内蒙古自治区志·广播电视志》，内蒙古人民出版社2003年版，第7页。

和时代精神的优秀节目，培养了一批创作人员和优秀演员。此外，为适应广播电视事业发展需要，先后建立的内蒙古广播电视学校，内蒙古广播电视报社等厅属事业单位，在为自治区培养广电专业技术人才，广泛宣传影视节目，密切联系观众听众等方面，创造了良好的社会效益和经济效益，都为内蒙古广播电视事业的蓬勃发展发挥了应有的作用。

三、电影事业

1. 电影发行放映事业

解放前，辽阔的内蒙古只有屈指可数的几座城市有些小型电影院。1947年，内蒙古自治区成立后，内蒙古文工团接管了王爷庙（今乌兰浩特市）的电影院，命名为“乌兰浩特电影院”，并且恢复了电影放映活动，成为内蒙古地区第一座人民政权的电影院。之后，海拉尔、通辽、赤峰、满洲里等地的几个老影院经过修整也恢复了放映活动。到 1949 年中华人民共和国成立时，全区共有 8 座电影院，加上 3 个电影队，共有 11 个放映单位[①]。1950年，归绥市（今呼和浩特）的“新生堂”经过修整，定名为人民电影院，恢复放映活动，成为绥远省（今内蒙古自治区西部）的第一座电影院。为了加强对电影工作的领导，1951 年，内蒙古电影教育工作总队和绥远省电化教育总队相继成立，这是全区最早的电影放映管理部门。1954 年，内蒙古自治区与绥远省合并，绥远省建制撤销，成立了内蒙古自治区文化局，下设电影处，负责全区电影事业的行政管理。1957 年，中国电影发行公司内蒙古自治区分公司成立。从此，由自治区分公司担负起全区电影的发行放映业务和行业管理工作。

从 20 世纪 50 年代中期开始，自治区电影发行放映工作进入了一个全面快速的发展时期。电影队伍不断扩大，电影发行机构逐步健全，放映单位逐步增多。1956 年，全区仅有 35 毫米放映单位 27 个。1957 年，35 毫米放映单位达到 51 个[②]。各地政府为了解决当地群众看电影问题，投入了很大的财力物力建设电影院，使电影院的数量逐年增加。到 1965 年，全区新增电

① 焦雪岱主编：《内蒙古文化五十年》,1997 年内蒙古文化厅编，第 120 页。

② 焦雪岱主编：《内蒙古文化五十年》,1997 年内蒙古文化厅编，第 121 页。

影院98座，总数达到147座[①]。在放映单位发展的同时，全区电影发行机构也不断发展和健全。1956年，自治区在昭乌达盟和包头市各建了一个电影发行站，海拉尔电影发行站也由黑龙江省移交内蒙古。与此同时，电影从业人员大幅度增加。到1965年已发展到2 305人。1965年，全区放映电影场次达19万场，观众达7 627万人次；全区年人均看电影达到5.88场，全年放映收入697万多元，发行收入304万多元[②]。自治区所有的城镇和大部分农村牧区，群众都能看上电影。当时的电影以高度的思想性、艺术性和真实性感染了广大观众，对于团结群众、教育群众，调动群众的革命精神和工作热情起到了积极的作用。

1966年5月，"文化大革命"开始。在极左路线和思潮的影响下，电影工作被诬陷为"文艺黑线的吹鼓手"，发行放映活动被迫停顿。电影机构瘫痪，工作秩序混乱。1968年4月，根据中央的通知精神，自治区将"文化大革命"以前发行的影片全部封存。"文化大革命"十年是自治区电影事业最萧条的时期。发行放映的影片为数甚少，除八部样板戏影片外，只有十几部老影片恢复放映；"文化大革命"后期拍摄的一些新影片，大多数受"左"倾思想的影响，谈不上什么艺术作品，只是政治的图解。而这一时期进口的一些国外影片在一定程度上补充了电影银幕的空白。如《列宁在十月》《列宁在1918》《多瑙河之波》等影片给人们留下了深刻的印象。

1976年10月，"四人帮"被粉碎，"文化大革命"十年结束。百废待兴，电影事业焕发出新的生命力。

1977年后，一大批被禁映的影片陆续与观众见面。群众多年来受到禁锢和压抑的热情终于迸发出来，在全区各地，所有的影院都是观众如潮，出现了罕见的排队买票的景象。据1979年统计，全区放映电影场次90.7万多场，观众达52.2452亿人次，放映收入3 182.5万元，发行收入1 808.6万元。全区年人均看电影达到28.8场，其中城镇观众年人均看电影达到49.5场。1981年，全区放映单位达到4 062个[③]，这是历史最高水平，电影行业

① 焦雪岱主编：《内蒙古文化五十年》，1997年内蒙古文化厅编，第123页。

② 焦雪岱主编：《内蒙古文化五十年》，1997年内蒙古文化厅编，第125页。

③ 焦雪岱主编：《内蒙古文化五十年》，1997年内蒙古文化厅编，第125页。

的职工也迅速增加，达到万人以上，这是自治区电影史上最鼎盛、最辉煌的时期。

进入 20 世纪 80 年代以后，由于电视、录像的发展，其他文化娱乐形式的增多，电影的观众逐步被分流。影院上座率下降，发行放映收入也逐年减少。到 1985 年，全区发行收入只有 966 万多元①，降到了历史最低点。为了扭转电影下滑趋势，从 1986 年开始全区电影行业对电影的经营进行了改革，对各地区采取了承包经营的办法，调动了基层的积极性；同时，根据文化部的要求，对电影票价进行了调整，对部分优质影片实行浮动票价；另外，加强了电影放映的宣传组织工作，对于重点影片进行重点宣传，组织各种汇映、展映和宣传放映活动，成效十分显著，使发行放映收入稳步回升。从 1986 年到 1991 年，自治区电影的发行收入一年一个新台阶，到 1991 年全区电影的发行收入又达到了 1 655. 7 万多元②。

与此同时，在对外电影交流方面也取得了很大的成绩。几年来，共有苏联、南斯拉夫、朝鲜、罗马尼亚、巴基斯坦、日本、蒙古等许多国家的电影周和电影展映在内蒙古举办。特别是 1990 年，由中国电影发行公司主办的“第十届日本电影周”在呼和浩特隆重举行。由日本东映、日活、大映、东宝和松竹五大制片公司 20 人组成的代表团来内蒙古访问，日本著名影星高仓健、三田佳子等与自治区观众见面。电影周期间，代表团还游览了内蒙古的名胜和草原，代表团所到之处受到热烈欢迎。内蒙古草原的美丽风光和各族人民的热情好客给代表团留下了美好而深刻的印象。1991 年，“蒙古人民共和国电影周”在呼和浩特举行。蒙古国代表团一行 10 人来自治区访问，受到热情接待。电影周共展映 6 部影片。此前，内蒙古的观众很少看到蒙古国的电影，通过展映活动，使双方加深了了解，增进了友谊。

1992 年，自治区电影的经营又出现较大滑坡，全区发行收入 1383. 7 万元，比 1991 年下降 22. 8%③。究其原因，一方面录像、镭射对电影冲击越来越严重，有线电视的兴起，不仅与电影争夺观众，而且还侵害电影片权，

---

① 焦雪岱主编：《内蒙古文化五十年》,1997 年内蒙古文化厅编，第 126 页。

② 焦雪岱主编：《内蒙古文化五十年》,1997 年内蒙古文化厅编，第 127 页。

③ 焦雪岱主编：《内蒙古文化五十年》,1997 年内蒙古文化厅编，第 127 页。

使电影业蒙受重大损失；另一方面，电影行业多年形成的旧的经营体制，已不能适应市场经济的新形势。

为了使电影行业尽快适应社会主义市场经济的新形势，扭转电影生产与经营的被动局面，1993 年，国家广电部出台了《关于当前深化电影行业机制改革的若干意见》，把电影的生产与经营一步到位引入市场经济的轨道。打破了过去由中国电影发行公司统购包销国产影片的经营格局，改由各地区电影公司直接与制片厂见面，按照市场价格购买影片。由于内蒙古属欠发达地区，国家对于自治区的电影事业过去有一定的优惠政策，由中国电影发行公司每年从电影版权费中补贴 500 万元。改革之后中国电影发行公司取消了对内蒙古影片版权费补贴，使自治区与发达地区处于同一起跑线上参与竞争。这将使内蒙古的电影行业面临一场严峻的考验。

为了适应市场经济的新形势发展，自治区电影行业尽快转变观念，转换经营机制，按照市场经济的规律重新调整电影行业内部的经济关系和经营格局。鉴于中国电影发行公司取消对内蒙古的补贴，自治区电影公司也取消了对盟市、旗县电影公司的补贴，各级电影公司由过去行政管理的上下级关系变成了经营上的合作关系。各盟市电影公司首先取消了旗县电影公司这一中间环节，直接面向基层影院发行影片。由于改革是一步到位进行的，因此，全区电影行业上上下下都普遍反映出对改革的不适应，加之录像、镭射和有线电视侵犯电影版权，行为日益严重，造成全区电影经济的大滑坡。据统计，1993 年全区电影发行收入 703 万元，比 1992 年又下滑 40% 以上①。电影经济滑坡，使自治区电影行业面临严重的经济困难，电影市场萎缩，放映单位大量流失。许多放映单位改放录像或镭射，有的甚至改为舞厅或商场。一些放映单位虽然坚持放映，但观众稀少，入不敷出；一些基层电影公司和放映单位长期发不了工资，处境十分困难。事实证明，在电影经济滑坡，电影这块蛋糕越做越小的情况下，光靠电影经营已难以养活在电影全盛时期形成的庞大机构和上万人的队伍，电影部门必须深化改革。

为了扭转电影经济不断滑坡的局面，全区电影部门普遍采取了一业为主，多种经营的策略。精干电影队伍，大量分流人员，开发其他产业，减轻

---

① 焦雪岱主编：《内蒙古文化五十年》，1997 年内蒙古文化厅编，第 128 页。

对主业的压力，力争渡过难关。在影片的经营方面，为调动各地区的积极性，减少矛盾，增强行业凝聚力，1994 年底，由自治区电影公司牵头，各盟市电影公司参加，组成全区电影联合经营公司。由各电影公司加入股金，在全区实行统一经营，规模经营。经过一年的运营取得了一定的成绩。1995 年，全区的经营情况，虽然各个地区发展不平衡，但从总的情况看，经济滑坡的势头有所减缓。特别是呼和浩特、包头、赤峰 3 个地区，经营情况呈上升趋势。仅呼和浩特地区放映收入达 500 万元，创历史最高水平。呼和浩特电影宫完成放映收入 200 万元，跨入全国先进影院行列，受到国家广电部表彰①。呼和浩特等地区电影经营情况的好转，给全区电影行业带来了生机和希望，增强了电影部门克服困难，走出困境的信心和勇气。

伴随着电影行业机制的改革，全区各级党委、政府和电影部门在抓好电影的基础工作，改造电影业外部环境方面做了大量工作。

首先，各级党委、政府和文化主管部门加强了对电影工作的领导，增加投入，为电影部门排忧解难，全区大部分电影部门属于企业。由于电影经营遇到很大困难，一些地区为了支持电影事业的生存与发展，把当地电影部门由企业变为事业单位，或者变为事业性质企业化管理，解决他们的后顾之忧，一些单位虽然没有变为事业单位，但当地财政逐年加大对电影的补贴。据统计，1995 年各地财政对盟市电影公司的补贴就达 100 万元以上，有力地支持了电影事业的发展。

第二，加快影院改造，提高服务质量，以优美的环境、优质的服务，提高电影在文化市场上的竞争力。全区城市影院大多数都是二十世纪六七十年代建设的，设备陈旧，条件简陋。严重影响了影院的上座率。为此，全区各地普遍进行了城市影院的改造工作，为了加快城市影院改造的步伐，广电部设立了电影事业发展专项资金，规定从每张电影票收入中提取 5 分钱，上缴国家，国家再按 40% 的比例返回自治区，这项资金专门用于影院改造。另外，国家还根据内蒙古少数民族地区的状况，每年拿出一部分资金对自治区的一些特困地区的影院和电影公司实行补贴。几年来，自治区使用这项资金，并且调动地方的积极性对一些重点影院进行了改造。经过改造的影院在

① 焦雪岱主编：《内蒙古文化五十年》，1997 年内蒙古文化厅编，第 129 页。

效益上比普通影院有明显的提高。

第三，维护电影合法权益，打击侵权盗版。从20世纪90年代初以来，镭射、录像、有线电视侵害电影版权的行为十分严重，抢影、抢播电影节目，挤占电影阵地，扰乱了电影市场，影响了电影收入。从1995年开始，这一问题引起了有关部门的高度重视。中宣部、广电部、文化部联合发出通知，彻底取缔了营业性镭射节目的放映活动。1996年，文化部再一次下文，对录像市场进行彻底整顿。打击侵权盗版，制黄贩黄和不规范经营行为，新闻媒体也纷纷曝光，形成了一种社会气候，使整顿工作取得了明显成效。

第四，积极培养人才，努力提高电影队伍的素质。为了提高职工队伍素质，努力培养一批经营管理和技术人才，自治区文化厅通过与区外几所电影中专学校联系，为内蒙古培养了几批电影技术和管理中专学员，还有少数大专学员，并举办了几期全区电影技术培训班，另外各盟市和旗县也举办了一些电影短训班。1994年，按照国家劳动部、广电部的要求，自治区文化厅再一次开展了全区电影技术人员等级培训考核工作。全区电影行业许多职工都参加了培训和考核。通过培养人才和培训职工提高了广大职工的业务素质，为全区电影行业进一步深化改革，开拓市场，促进电影经营情况的好转，创造了有利条件。

2. 电影制片事业

新中国成立初期，反映内蒙古地区蒙古族生活和历史题材的影片寥寥无几，为繁荣民族电影艺术，经国家电影主管部门和自治区人民政府批准，决定在内蒙古建立电影制片厂。1958年，内蒙古电影制片厂正式成立。建厂伊始，文化部为支持少数民族地区发展民族电影事业，根据内蒙古电影制片厂（以下简称内影厂）技术力量薄弱的状况，从长影、新影、上影抽调了一批技术骨干到内影厂工作，并调入了一批摄影和放映设备，使内影厂很快投入影片生产。

1958年，内影厂拍摄了第一部纪录片《李伍海翻身忘本记》；1959年，为向中华人民共和国成立十周年献礼，内影厂与长影合拍了第一部民族题材故事片《草原晨曲》；1961年，拍摄了戏曲片《卖碗》《走西口》；1962年为向自治区成立15周年献礼，拍摄了大型纪录片《今日内蒙古》；同年，由内影厂拍摄的纪录片《今日的包钢》《牧区公社好》《今日内蒙古》在全国新闻纪录片评比中被评为“好纪录片”。

1962 年 9 月，遵照文化部的指示，内蒙古电影制片厂故事片生产暂时下马，只保留民族语影片译制，并改名为“内蒙古电影译制片厂”。

1966 年，“文化大革命”开始后，内影厂的生产全面瘫痪。1972 年，文化部根据周恩来总理指示，批准内影厂恢复译制片工作。1975 年，在兄弟厂的帮助下内影厂上马彩色胶片洗印工艺，洗印了第一部 35 毫米蒙语拷贝《青松岭》,送中影公司审查后，技术达标，从此，内影厂能够承担 35 毫米、16 毫米和 8. 75 毫米彩色胶片的洗印工作。

1979 年，经国务院批准，恢复内影厂故事片生产，内蒙古电影译制片厂也更名为内蒙古电影制片厂。自治区政府对内影厂恢复故事片生产十分重视，并拨出专款拍摄自治区第一部大型歌舞艺术片《彩虹》。1981 年，内影厂摄制完成了民族题材故事片《阿丽玛》,这是该厂恢复故事片生产后拍摄的第一部彩色故事片。该片经国家和自治区领导观看后，受到较好的评价。1982 年，内影厂又拍摄了民族题材故事片《母亲湖》。两部民族题材故事影片的摄制完成，表明内影厂已具备独立生产故事片的能力，并且具备了一定的民族特色。

为了支持内影厂提高生产能力，扩大生产规模，1983 年，自治区政府投资 40 万元在该厂新建了占地面积 2 035 平方米的摄影棚，解决了内影厂的内景拍摄问题。内影厂已成为集故事片生产、电影洗印和民族语影片译制为一体的综合性企业。形成了以文学部、艺术片室、摄影车间、置景车间、录音车间、洗印车间、译制片室为主的行当齐全的艺术创作，生产和管理机构，为了提高创作和生产能力，内影厂特别重视人才的培养和队伍素质的提高，并通过送出去请进来等办法加快人才培养。尤其是与北京电影学院联系，利用学院的正规教育，分期分批地培养了一批编剧、导演、摄影、演员、制片等诸多专业的艺术和管理人才。并且在实际工作中，大胆起用年轻新手，让他们在实践中得到锻炼和提高。使他们逐步成长为艺术创作、生产和管理的骨干力量。

在自治区党委、政府和文化主管部门领导下，多年来，内影厂在创作实践中努力把握正确的创作方向，弘扬主旋律，表现多样化。同时他们根据自身的特点和优势，始终坚持突出民族特色和地区特点，在民族题材影片的创作上进行了积极地探索和不懈的努力，取得了可喜的成绩。据统计，从1983年至1992年，内影厂共生产故事片47部，平均每年生产4—5部以上。其中《猎场扎撒》《月光下的小屋》《成吉思汗》《恋爱季节》《飞越人生》《骑士风云》《东归英雄传》等影片在艺术上达到较高的水准，在国内产生了一定影响。影片《猎场扎撒》以全新的手法表现了牧民的生活和捕猎场景，画面讲究，韵味醇厚，在电影界反响很大。该片于1986年参加纪念加拿大温哥华建城100周年电影节，受到好评。影片《月光下的小屋》表现了一个劳改释放人员家庭父子间的感情以及走向新生活的过程。影片获1985年印度第四届国际儿童电影节最佳故事片金像奖，美国洛杉矶第八届国际青少年电影电视节最佳家庭影片优秀奖和中国电影童牛奖。影片《成吉思汗》再现了成吉思汗前半生驰骋疆场统一蒙古各部所建立的丰功伟业。影片耗资巨大，场面壮观，放映后受到观众广泛好评。影片《骑士风云》获第十一届中国电影金鸡奖最佳摄影奖和最佳剪辑奖、最佳导演提名奖、最佳作曲提名奖和最佳男配角提名奖。为表彰《骑士风云》影片所取得的成绩，自治区政府专门召开表彰大会，向获奖者颁发了证书和奖金。影片《东归英雄传》以十八世纪蒙古土尔扈特部落不堪沙俄的奴役，经过浴血奋战，英勇回归祖国的历史为背景，为保护一张东归路线图与沙俄军队展开的殊死搏斗。影片把娱乐片的表现手法与民族风格融合起来，达到了情节迭宕、气势雄浑的效果。该片获得1994年广电部政府奖，中宣部"五个一工程"奖，第十五届中国电影"金鸡奖"优秀故事片奖和最佳导演提名奖。

1993年，全国电影行业机制改革，广电部在出台的《关于当前进一步深化电影行业机制改革的若干意见》中规定，国内各制片厂生产的影片直接面向市场，自主发行，不再由中国电影发行公司统购包销。中国电影发行公司过去给制片厂家的影片生产预付款也就此取消。改革给电影行业带来了发展的机遇，但是首先面临的是严峻的挑战。内影厂遇到了前所未有的困难。为了保护自治区唯一的电影生产企业，自治区政府对内影厂实行了免交所得税和给予低息贷款等扶持政策，支持该厂继续生产故事片，发展内蒙古的电影事业。在自治区政府和有关部门的支持下，内影厂广大干部职工振奋精神，顽强拼搏，想方设法摆脱困境。为了尽快适应社会主义市场经济的新形势，内影厂对管理体制、人事制度、分配制度进行了大胆改革，采取了一业为主，多种经营，划小核算单位，分流人员，健全规章制度，堵塞漏洞，开源节流等措施。通过改革，稳定了职工情绪，增强了企业凝聚力。调动了职工的积极性和创造性，在资金紧缺的情况下，他们寻找合作伙伴，吸引外部资金，并且争取合拍片指标，多生产合拍片。1993 年与香港合拍了《边城浪子》和《谁与争锋》两部影片，1994 年发行，创造效益 300 多万元，缓解了企业的经济困难①。1995 年又合拍了《马仔虎威》《绑错票》《悲情布鲁克》等影片，创造了一定的经济效益。特别是与北京电影制片厂和森威影视制作公司合作拍摄的民族题材故事影片《悲情布鲁克》以全新的手法表现了马背上的蒙古民族的骠悍、勇敢、不屈不挠的精神和气节。再一次证明了内影厂在民族题材影片的表现形式和艺术风格方面独具特色，并且越来越成熟。该片获得 1995 年中国电影“华表奖”技术奖；第十六届中国电影“金鸡奖”最佳剪辑奖，最佳化妆奖和集体表演奖。

1996 年，内影厂在资金紧缺的情况下，克服困难，进一步挖掘潜力，争取国家电影主管部门的支持和吸收社会资金，拍摄了《马永贞》《龙在少林》《车站》《漠北往事》等影片，创造了一定的经济效益。此后，内影厂故事片的拍摄又迈上了一个新的台阶。1998 年摄制的故事片《一代天骄成吉思汗》荣获第十七届中国电影“金鸡奖”最佳导演、最佳服装、最佳摄影和最佳录音 4 项大奖，是第十七届中国“金鸡”、“百花”电影节获奖最多的一部电影。2002 年 7 月，内影厂拍摄的向中共十六大献礼的重点故事片《天上草原》,先后荣获第 8 届中国电影“华表奖”、第 22 届中国电影“金鸡奖”、中国长春电影节最佳影片奖、第 3 届全国少数民族题材“骏马奖”和第 12 届上海影评人“十佳影奖”等 20 个奖项。

内蒙古电影制片厂自 1958 年成立，至 1998 年共拍摄故事片 65 部，其中民族题材影片 25 部。另外还拍摄艺术片和纪录片 8 部②。这些影片从不同的角度反映了民族历史、民族生活、民族文化和民族的风俗习惯，对于宣传内蒙古，发展内蒙古，促进民族团结，振奋民族精神，作出了积极的贡献。

① 焦雪岱主编：《内蒙古文化五十年》,1997 年内蒙古文化厅编，第 151 页。
② 焦雪岱主编：《内蒙古文化五十年》,1997 年内蒙古文化厅编，第 152 页。

3. 民族语电影事业

新中国成立初期，内蒙古民族语电影事业是一片空白，少数民族群众看不到本民族语言的电影。1951 年，内蒙古电影教育工作总队到锡林郭勒盟牧区巡回放映，使牧民群众第一次看到了电影。为了便于牧民看懂电影，电影队提前编印了蒙文说明书，并由放映员用蒙语现场解说，使牧民群众看懂了电影。牧民表示了热烈欢迎电影队，希望他们多来牧区放映，更希望能够看到本民族语言的电影。为了尽快制作出蒙语影片，满足少数民族群众看电影的要求，1952 年，内蒙古与长春电影制片厂合作，开始了民族语影片的译制工作。同年，由内蒙古与长影合作译制的 16 毫米蒙语影片《内蒙古人民的胜利》《中国民族大团结》首次在牧区放映。牧民群众第一次看到本民族语言的电影，欣喜万状，激动不已。此后，蒙语影片的放映活动在广大的草原牧区陆续展开。1954 年，自治区在部分边境牧区建立了固定放映点，实行规划放映，把蒙语影片的放映工作纳入到农村牧区电影的整体规划之中，1956 年，为了满足城镇蒙族群众观看蒙语影片的要求，自治区在呼和浩特部分影院率先开辟了蒙语影片专场，受到蒙古族群众的欢迎。为了更好地为少数民族群众服务，1957 年，自治区文化局举办了蒙古族放映人员训练班，对常年工作在边境牧区的蒙古族放映员进行业务技术培训。通过培训使蒙古族放映员的素质普遍得到提高，从而大大提高了蒙语影片的放映质量和服务水平。此时，边境牧区电影队一年能够放映蒙语影片 18 个节目，300 多场，观众达 8 万多人次①。

为了促进自治区民族语电影事业的全面发展，改变过去依靠外省区译制蒙语影片的状况，在自治区政府的支持下，1958 年，内蒙古电影制片厂成立后，同时在该厂成立了民族语影片译制组，并派员赴长影学习译制工作。1959 年，内影厂译制了《草原烈火》《党的女儿》等 15 部蒙语影片。从此，自治区能够独立地承担民族语影片的译制工作。

但是由于译制片数量较少，满足不了全区发行放映的需求。因此，1964 年自治区学习吉林省延吉市朝语口语翻译对白配音的经验，在全区推广蒙语口语翻译对白配音的做法。自治区电影公司组织了由蒙古、达斡尔、鄂伦

---

① 焦雪岱主编：《内蒙古文化五十年》，1997 年内蒙古文化厅编，第 141 页。

春、鄂温克等少数民族放映员参加的配音对白训练班，并在各地区培养了“尖子队”，使这一做法很快得到推广。1965 年，全区共有边境牧区电影队 65 个，能够进行蒙语对白配音放映的达到 22 个队①。牧民群众对这种放映形式非常欢迎。1965 年 4 月，蒙语对白配音“尖子队”向乌兰夫等自治区党政领导进行了汇报映出，乌兰夫同志对这种映出形式给予充分肯定，赞扬他们在工作中有所创造，有所前进。同年，自治区电影技术人员为了进一步改进民族语译制片的制作和放映形式，研制成功了 16 毫米磁带同步录放装置。这部装置可以与影片画面同步录音、放音，可以代替放映员的现场口语对白配音，减轻了放映员的劳动强度。同时，由于这种装置具有蒙汉语双声道，因此，在蒙汉族聚居区都可以使用，从而提高了影片的利用率。这项研究成果在向自治区和国家有关部门汇报映出后，得到各方面的充分肯定，被认为是解决少数民族群众看懂电影的最有效的方法。为推广这项新技术，自治区电影公司及时成立了“机械配音推广队”，在全区进行推广。当时，全区一年发行蒙语影片 45 部，放映场次达 2 400 多场，观众达 58 万人次②。

在“文化大革命”十年期间，自治区民族语电影的译制、发行和放映工作全面停顿。直至“文化大革命”后期，这项工作才逐渐开始恢复。

十年动乱结束后，为进一步发展民族语电影事业，扩大民族语影片的译制规模，20 世纪 70 年代后期，呼伦贝尔盟、哲里木盟和昭乌达盟电影公司相继成立了涂磁配音科，开始了 16 毫米蒙语影片的译制工作。改变了过去只由内蒙古电影制片厂一家译制蒙语影片的状况，全区每年译制蒙语影片由过去的 20 部左右增加到了 60 多部③。1981 年，呼伦贝尔盟电影公司译制了第一部达斡尔语故事片《傲蕾·一兰》,在达翰尔族干部群众中放映后引起强烈反响。

为了总结自治区 30 多年来民族语影片译制发行和放映工作的经验和成绩，1982 年自治区文化局在呼和浩特召开了全区首届优秀译制片发行放映评奖会。会议评出优秀译制片 6 部，先进集体 13 个，先进个人 20 名。1984

① 焦雪岱主编：《内蒙古文化五十年》,1997 年内蒙古文化厅编，第 142 页。

② 焦雪岱主编：《内蒙古文化五十年》,1997 年内蒙古文化厅编，第 142 页。

③ 焦雪岱主编：《内蒙古文化五十年》,1997 年内蒙古文化厅编，第 144 页。

年，文化部、国家民委在北京人民大会堂召开全国少数民族语译制片表彰大会，自治区18名代表参加大会，乌兰夫、阿沛·阿旺晋美、班禅额尔德尼等国家领导人接见了会议代表。内蒙古的《桥》《傲蕾·一兰》等5部译制片被评为优秀译制片。

长期以来，为了促进内蒙古民族语电影事业的发展，国家电影主管部门给予自治区极大的支持和帮助。中国电影发行公司每年补贴自治区100多万元，用于民族语影片的译制发行和放映工作，从而保证了内蒙古民族语电影事业的稳固和全面发展。到了20世纪80年代末期，自治区一年可译制35毫米和16毫米蒙语影片75个节目。年放映蒙语影片27 000多场，观众达700万人次，少数民族群众年人均看电影2—3场①。为了进一步扩大蒙语影片的放映范围，更好地为少数民族群众服务，经自治区文化厅与广播电视厅协商，决定从1989年开始，由自治区电影公司向内蒙古电视台提供蒙语影片录像带，每周向全区边境牧区定向播放，使少数民族群众观看蒙语影片更加方便快捷、节目量大大增加，从而较好地解决了少数民族群众看电影的问题。

然而，1993年全国电影行业机制改革后，内蒙古民族电影工作遇到了严重的困难和严峻的考验。由于中国电影发行公司取消了对自治区民族语影片每年100万元的补贴，而内影厂和各级电影公司由于经济困难无力顾及民族语影片的译制和发行工作，加之边境牧区电影队由于收费难被迫停止活动，使全区民族语电影工作濒于全面停顿状态。少数民族群众看电影难的问题又变得十分突出。为此，全区少数民族群众反响十分强烈。针对这一情况，自治区党委、政府予以高度重视，经自治区主席办公会议研究决定，从政府民族机动金中拿出100万元补贴自治区民族语电影事业，以促进这项事业尽快恢复并且长期稳定地发展起来。

在资金保证的前提下，自治区文化厅根据实际情况，对民族语电影工作进行了全面大胆的改革。首先，在管理体制上为改变过去前期译配与后期制作以及发行放映脱节的弊端，将内影厂的译制车间和自治区电影公司的涂磁配音科合并起来，成立了内蒙古民族语电影译制中心，赋予该中心译制和发

① 焦雪岱主编：《内蒙古文化五十年》,1997年内蒙古文化厅编，第144页。

行民族语影片的职能，由中心与基层放映单位直接挂钩，在全区形成民族语影片译制、发行和放映一条龙的新格局。其次，在资金使用上，压缩前期译制开支，加大后期发行放映的投入，对发行的蒙语拷贝实行补贴，调动基层放映队的积极性，促进边境牧区的放映活动尽快恢复起来。第三，在生产工艺上，针对过去译制35毫米蒙语拷贝成本高、不实用的问题，改为使用录像带译配，然后转录到16毫米拷贝上的新工艺，这样不仅节约了译制成本，而且使译制工作更加简便快捷。1996年，译制中心又帮助呼伦贝尔盟、哲里木盟和赤峰市3个译配点进行译制工艺改革，从而为自治区译制工作全面恢复创造了条件。在此基础上，自治区文化厅和译制中心多次组织人员深入边境牧区调查研究，重点解决发行放映环节中的问题，要求各地尽快把牧区电影队恢复起来，开展活动，努力解决少数民族群众看电影的问题，满足他们的精神文化需求。经过几年的艰苦努力，自治区民族语电影事业有了较大的发展。从而为提高少数民族群众的思想道德和科学文化素质，促进民族地区的经济发展和社会进步，发挥了积极的作用。

教育部人文社会科学百所重点研究基地

内蒙古大学蒙古学研究中心学术著作系列

TOMUS 23

国家社科基金成果文库
SELECTED WORKS OF THE CHINA NATIONAL FUND FOR SOCIAL SCIENCES

内蒙古通史 第七卷

中华人民共和国时期的内蒙古自治区（四）

总 主 编　郝维民　齐木德道尔吉
本卷主编　郝维民

人民出版社

第十九章

艺　术

第一节　概　述

中华人民共和国成立初，面对抗日战争、解放战争留下的创伤，百业待兴。就在共和国急需休养生息的关头，朝鲜战争的战火烧到中国家门口鸭绿江畔。于是，在毛泽东的决策并部署下，中国人民志愿军跨过鸭绿江，进行抗美援朝，内蒙古自治区各族人民与全国人民一道，勒紧裤带捐献粮食、捐献飞机大炮，中国人民终于赢得抗美援朝战争的胜利。此后，中国进入社会主义革命和建设时期。配合20世纪50年代至60年代初期的各项政治运动，如土地改革、剿匪反霸、宣传婚姻法、取缔一贯道、“三反”“五反”、大跃进、大炼钢铁、“四清”等，中国共产党调动一切舆论工具，进行宣传教育活动。这个时期的内蒙古文艺战线不断扩展。各个盟市旗县先后成立文工团或歌舞团，创办广播电台，大张旗鼓地宣传中国共产党的主张。如：1949年，乌兰察布盟歌舞团、昭乌达盟文工队、包头秦腔剧团、包头新力京评剧团、萨拉齐县大众晋剧社、集宁市晋剧团（集宁建新晋剧团）、土默特旗新乐晋剧团成立；1950年，包头市晋剧二团、包头市民间歌剧团（包头民艺剧团）、固阳剧团、卓资胜利晋剧团成立；1951年，呼和浩特市民间歌剧团（绥远省实验剧团）、察哈尔右翼中旗歌剧团成立；1952年，扎兰屯剧团、宁城县评剧团、翁牛特旗评剧团成立；1953年，内蒙古话剧团、丰镇北路梆子剧团、武川红星剧团成立；1954年，林东人民剧团、四子王旗新艺剧团、呼和浩特市马术杂技团成立。此外，还有包钢话剧团、大兴安岭林区京剧团等数以百计的机关、厂矿文艺工作团、队，常年活跃在基层。仅以喀喇沁旗为例，1949—1965年，该旗有大小剧团36个，上演京剧、评剧、二人转、皮影等。如常年活动于各村屯的杀虎营子业余京评剧团，创办于1953年，该团全部为蒙古族演员，上演的剧目有《秦香莲》《马寡妇开店》《小女婿》《刘巧儿》等。该旗还有30多箱（家）驴皮影（剧团）常年活动于基层。土默特左、右旗的业余晋剧团、二人台剧团则多达100余家。时有绥远省前进实验剧团（现呼和浩特市民间歌舞剧团前身）根据归绥市郊区的真人真事编演的反映减租反霸的《火烧饮牛沟》等剧目，均产生了积极的宣传教育作用。各机关乃至大型企业单位与大专院校等，也组办秧歌队，上街扭秧歌，机关干部、工人、学生也纷纷走上街头，表演反映抗美援朝内容的活报剧，或散发传单，开展反对美帝国主义侵略朝鲜的签名运动。

1946年4月成立于张家口的内蒙古文工团，是全区也是全国最早建立的专业民族艺术表演团体，文工团的演职员一手拿乐器，一手拿武器，或配合政治运动进行文艺宣传，或参加土地改革、减租减息工作；1949年，绥远省人民文工团、绥远省军区文工团和绥远省军乐队成立；1950年，内蒙古军区文工队成立，后改称内蒙古军区歌舞团，先后演出反映抗美援朝、土改镇反的歌舞、小戏等。1953年7月25日，由绥远省文工团和山西省总工会文工团合并成立绥远省话剧团，先后演出《雷雨》《八一风暴》和捷克斯洛伐克大型话剧《尤利乌斯·伏契克》等，并参加过1956年3月在北京举行的全国第一届话剧会演，参演剧目：《我们都是哨兵》（蒙语剧，朝克图纳仁编剧，获演出一等奖），《在激流中》（薛焰编剧，获演出二等奖）。该团足迹遍及内蒙古自治区各盟市，并为内蒙古的话剧事业培养出大批艺术人才，为文艺宣传做出巨大的贡献。

1957年6月，锡林郭勒盟苏尼特右旗组成一支十几人的文艺演出队，成为内蒙古草原上第一支文艺轻骑队——乌兰牧骑（蒙语译音，汉意：红色宣传队）。此后半个世纪，全自治区各旗县都建有乌兰牧骑，《人民日报》三次发表文章三赞乌兰牧骑。乌兰牧骑的队员们，吹打弹拉、歌舞表演、说书唱戏一专多能，许多队员还能在偏远的牧区为牧民理发、照相、放电影、演幻灯，乃至剪羊毛、修机器、修理半导体等。十几个人一辆马车，来去方便，解决牧区因交通不便而长期缺少文化生活的困难，为宣传党的方针政策和普及群众文化生活作出不可磨灭的功绩。乌兰牧骑还多次组队代表内蒙古各族人民、代表中华人民共和国出访，把来自蒙古高原的民族歌舞和草原人民的眷眷情意传往欧洲、亚洲、非洲等百余个国家和地区。

1960 年 8 月 15 日，内蒙古京剧团成立，该团演出的革命现代戏《草原英雄小姐妹》,1966 年以来演出的《红灯记》《智取威虎山》等革命现代京剧，1976 年以来演出的《野猪林》《孙悟空大闹天宫》等传统戏，以及由昭乌达盟京剧团演出的京剧《巴林怒火》等，为内蒙古地区京剧艺术的普及与发展，起到积极的促进作用，并受到了广大观众的欢迎。

从 1947 年延安鲁艺的安波等搜集蒙古族民歌开始，半个世纪以来，就有关流行于全区各民族的民歌、舞蹈、曲艺、戏曲等多次进行普查统计，编辑出版专辑书刊，使艺术研究事业从小到大、从弱到强，硕果累累。内蒙古歌舞团研制成功的火不思，改革后的马头琴、四胡等乐器，同为民族乐器的发展添砖加瓦。音乐理论的研究从无到有、从小到大，产生并形成具有中国北方民族风格特点的音乐理论专著及研究人员。

对于旧剧团的改造，从 1950 年就已开始。面对全自治区数以百计的晋剧、二人台、大秧歌、二人转、皮影、落子等旧戏班子和艺人，中国共产党提出“改人、改戏、改制”的“三改”政策。如有的旧艺人吸食鸦片，有的剧团上演黄色、封建迷信的剧目，有的剧团还在实行班主制等，均进行改革。1951—1953 年，在归绥市新城小剧场举办二人台、大秧歌队、幻灯、剪纸、评书等艺人学习培训班 11 期，经过培训学习的艺人有 700 多名，这些艺人还在学习班上互相切磋技艺，传授曲剧目。绥远省文化局派人组织老艺人挖掘整理二人台传统剧目 120 余个，后编成长达 7 册的《二人台传统剧目汇编》,为内蒙古地区二人台的继承与改革发展积累了宝贵的第一手资料。通辽、赤峰等地文化馆也组织东部地区的民间艺人，对二人转、落子、皮影的艺人进行培训。通过文艺整风，中国共产党又提出“百花齐放，推陈出新”的文艺方针，使得内蒙古地区的文艺活动，从 1953—1966 年的十几年中，出现一段繁荣局面，一大批剧本、音乐和文艺理论的书刊问世。二十世纪 50 年代末，伴随着“总路线、大跃进、人民公社”三面红旗运动，从工人到农民，从干部到学生，到处编歌写诗，兴起轰轰烈烈的群众文化运动。

1962—1964年，文艺界演出现代戏，一大批歌颂新中国人民、反映时代新风貌的戏剧问世。加之1960—1962年三年自然灾害后国民经济的逐渐好转，内蒙古自治区也和国内其他省区一样，呈现出姹紫嫣红的文艺春天。

在艺术教育方面，自1957年内蒙古艺术学校成立后，50年来，已为社会培养出数以千计的专业艺术人才，这些学生已遍及内蒙古各盟市旗县，不乏佼佼者。至20世纪80年代，内蒙古艺术学校的分校已遍及各盟市。同时，从自治区到各盟市旗县，都建立起专业和业余相结合的三级研究与创作队伍——文学艺术工作者联合会，形成一支有组织、有特色的文艺工作者大军。

20世纪50年代的群众歌咏活动，凡机关团体、工矿企业、军队、学校等都普遍开展此项工作。全区数以百计的文化馆、文化站及其工作人员，为群众歌咏活动提供场地和艺术指导，各地利用文艺会演以及节日、会议（召开前）等进行歌咏比赛。广泛、深入的群众性歌咏活动，使中国共产党的方针、路线、文艺政策等得到宣传，并在活跃群众文化生活、陶冶人们的情操方面起到积极作用，同时还产生出一批优秀的群众文化工作者和音乐爱好者（家）。当时，在内蒙古各地流行的群众歌曲有《我们走在大路上》《歌唱二小放牛郎》《歌唱祖国》《抗美援朝歌》《解放区的天》《草原晨曲》《草原上升起不落的太阳》《半个月亮爬上来》《英雄们战胜了大渡河》等。时值中苏友好的年代，一批苏联革命歌曲如《斯大林颂》《斯大林之歌》《喀秋莎》《莫斯科郊外的晚上》《青年进行曲》《祖国进行曲》《红色的战士》《光明赞》《布琼尼将军之歌》《穿过海洋、穿过波浪》《三套车》等歌曲，也广泛传播于各地。

继群众歌咏活动的热潮，又于1957—1958年展开全区性的“百万民歌”运动，文化部、自治区文化局在全区范围内掀起群众性的民歌创作活动，号召凡是能够用笔创作的就写出来，凡是能表演的就演唱出来。仅一年时间，全区创作出数以万计的蒙汉文歌曲、好来宝、快板剧本和美术作品等。虽然，大跃进时期浮夸风严重，但可以说明当时群众的创作热情与盛况，是古往今来闻所未闻、见所未见的。其中许多优秀民歌，唱遍长城内外，如：

蒙汉人民是一家

一苗树，两朵花，蒙汉人民是一家，
永远跟着共产党，千年万载不分家。

千年柏哟万年松，千柏万松绿又青，
各族人民团结紧，携手跃进再跃进。

牛羊肥哟草儿青，山坡一片高炉群，
红火冲上九重云，建设幸福大家庭。

千枝万叶一条根，各族人民心连心，
心心向着共产党，人人跟着毛泽东。

这首民歌，由作曲家德伯希夫改词作曲后，作为内蒙古民族团结昌盛的象征，已有两代人传唱。历年来，由自治区文化厅（局）等单位举办的各种形式的文艺会演、调演、观摩、大奖赛等，涌现出许多优秀曲剧目和优秀的艺术创作、表演人才。伴随着共和国的成长与自治区的光辉历程，其他文化事业如电影、图书、美术、摄影等艺术形式也迅速发展。

1966年5月，“文化大革命”开始，文艺团体不许上演有关帝王将相、才子佳人的剧目，传统剧目的服装被当众烧毁，老艺人、名演员被当做反动艺术权威进行批斗，或被发配到农村、兵团进行锻炼和接受改造。民族民间艺术被当作“毒草”险被铲除，传统戏曲被视为“封资修”而几遭灭顶之灾，刚刚成长起来的民族民间艺术如被践踏的幼苗一样，奄奄一息。“革命文艺宣传队”成为“文化大革命”的产物。在十年“文革”中，群众的文化生活几成空白。人们看不到诙谐风趣、红火热闹的二人转、二人台的表演，听不到唱念并重的《打金枝》,欣赏不到京剧《二进宫》的大段唱腔和《三岔口》的精彩武打表演。民歌被当做黄色音乐，正月十五的秧歌也被禁止。所有的文艺团体被停止演出，进行“斗批改”活动，就连杂技团专门从苏联等国进口的表演马术的十几匹良种马也被卖给农民拉车种地，永远在农村安家落户。满街张贴着“坚决铲除资产阶级文艺毒瘤”“彻底打倒资产阶级反动文艺路线”“打倒封资修”“坚决支持工农兵占领革命舞台”等大标语。自 1947 年内蒙古自治政府成立到 1966 年 20 年间成立的数以百计的各种专业、业余的文艺团体（特别是戏剧团体）被停止活动和演出后，取而代之的是毛泽东思想宣传队，是由各学校、厂矿、机关团体以及地方驻军组建的业余性质的各种规模与艺术表演形式的文艺宣传队，全区计有 1 000 多家。当时社会上流行的是革命样板戏《红灯记》《智取威虎山》《沙家浜》《奇袭白虎团》《海港》《龙江颂》《杜鹃山》等现代京剧，及芭蕾舞剧《红色娘子军》《白毛女》选场和革命交响乐钢琴协奏曲《黄河》以及钢琴伴唱《红灯记》等。各学校及大型企事业单位组织的“革命文艺宣传队”，在农村、机关、厂矿进行活动，终年忙于为工代会（工人阶级代表会）、贫代会（贫下中农代表会）、农代会（农村三级或四级干部代表会）、知青会（下乡插队的知识青年代表会）、军代会（中国人民解放军驻军部队代表会）、红代会（红卫兵代表会）、文代会（革命文艺工作者代表会）演出，其节目基本属于“三忠于”、“四无限”的内容。

“文化大革命”结束后，呈现出姹紫嫣红的文艺春天，地方戏、民歌、曲艺等民族民间艺术重新登上舞台，继而涌现出一大批卓有成就的艺术家及文艺理论家。20 世纪 60 年代，因受极左思潮的影响，宗教艺术发展缓慢，至 70 年代末，宗教艺术随着中国共产党的有关宗教政策的执行而得以发展。经济体制的改革，为文化艺术的发展创造优越的社会环境。各盟市的业余艺术团体如雨后春笋，星罗棋布；各种民间歌舞娱乐形式多样，各呈风采。歌舞艺术，不再仅是专业艺术工作者的职业，已广泛传入民间。

在中国共产党“百花齐放、百家争鸣”的文艺方针指引下，内蒙古地区民间艺术得以继承发展，并推陈出新。全区音乐、歌舞、曲艺、戏剧的发展百花齐放，争奇斗艳。许多民间艺人如色拉西（马头琴）、扎木苏（雅托克）、巴拉贡（马头琴）、铁钢（四胡）、毛依罕（乌力格尔）、哈扎布、宝音德力格尔（长调）、苏玉兰（晋剧）、王玉山（晋剧）、刘银威（二人台）等和艺术家贾作光（舞蹈）得到人民群众的广泛认可。

在内蒙古地区有着广泛、深厚群众基础的民间社火，集歌舞、戏曲于一体，融杂技、武术为一炉，锣鼓开道、唢呐叫街，永恒的主题、不变的造型，熟悉的歌词、走熟的街巷，年复年、代接代地传承着。这些由普通工人、农民、商人、学生、职员等组成的秧歌队，代表成千上万的民众，表现着人民的理想与夙愿，歌唱着人间的真善美。每逢年节，那人山人海的景象，是任何艺术形式都不能比拟的。这一属于“下里巴人”的艺术，在“文化大革命”时期曾一度被废止，“文化大革命”结束后，这原汁原味的民间社火，再度兴盛，走向村村社社，传遍千家万户，年年岁岁被男女老幼拥戴着、欣赏着、参与着，印证民族民间艺术强大的生命力和朴素的美学品格。民间社火，在20世纪末，从其艺术形式、种类、规模诸方面，已发展到全盛的时期。

各种戏剧团体也非常活跃，仅以业余剧团为例，土默特左旗文化馆干部邢海滨说：“1977年，全旗经我手办理的二人台业余剧团演出证有44个。剧团人数最多的十五六人，最少的4个人。”[①] 1978年，敖汉旗唱评戏、二人转、皮影的业余剧团有159个。

在民族民间艺术的搜集、整理、研究方面，有关艺术团体、艺术研究机构及文艺工作者等，先后出版数以百计的民歌集、舞蹈集等资料书刊。20世纪80年代成立的内蒙古艺术研究所，成为发展民族民间艺术的助推器。一代艺人、艺术家的成长，是使各种艺术形式如民歌、乐器、舞蹈、曲艺、戏剧等在民间能得以广泛流传和拥有更多的观众与爱好者的重要原因之一。

蒙古剧是流行于内蒙古地区独特的民族艺术形式。1956年4月，根据中央艺术团体专业化的指示，从内蒙古歌舞团分设出歌舞团、民族实验剧团和话剧团。1957年4月19日，正式成立内蒙古民族实验剧团，珠岚其其格任团长。该团成立后，先后演出《金鹰》《满都海斯琴》等上百部蒙古剧、话剧，并为“蒙古剧”这一新剧种在内蒙古的创建填补空白。像中国传统的戏剧成长的道路一样，蒙古剧以蒙古族民歌为基础，吸收蒙古族舞蹈、曲艺的艺术表现手法，同时借鉴其他剧种的导演、舞台美术、戏剧表演程式等，初步形成一个新的剧种。这个剧种直至20世纪末还不太成熟，但它毕竟是几千年来以游牧为生的北方马背民族产生出的属于自己地区、自己民族的戏剧。愈是民族的，愈是世界的。

---

① 参见邢野采访笔记1977年手稿。

20世纪80年代，随着对“中华第一玉龙”和“中华老祖母雕像”的考古发现，由赤峰地区的音乐工作者根据史料的记载和对出土文物、墓画的研究与追寻，研究并仿造出曾属于北方游牧民族的一套管弦乐器，有胡笳、筚篥、雅托克等。这批乐器经国家有关单位鉴定和认定后，已正式使用，并由赤峰市歌舞团携带由这些乐器演奏的曲目出访欧亚，屡屡载誉。与此同时，“赤峰雅乐”“赤峰佛乐”“好德格沁”等反映赤峰地区民间的、宗教的艺术形式也相继问世，由此形成对中国北方游牧部族文化艺术的研究与继承、发展的热潮，形成“赤峰文化现象”。

人类物质生活的丰实，使他们对于艺术的需求更上一个台阶，各城镇中普遍建有剧场、俱乐部、说书厅等文娱活动场所，各苏木、乡镇也多数建有戏台。数以千计的剧场、戏台、说书厅乃至由各级政府资助的“流动舞台”等，为歌舞、戏剧的表演提供了良好的条件与环境。音乐教育事业，开始走向正规、系统，各中、小学都配有专职的音乐教师，配备有一定数量的钢琴、脚踏琴、手风琴和管弦乐器，并建有本学校的乐队、合唱队或鼓号队、腰鼓队等。各盟市的艺术学校和各级师范学校，为中小学和各文艺团体培育出大批的音乐专门人才，为全区的文艺发展储备了力量。文艺工作者向民族、民间探求艺术的真谛，在这歌的世界、舞的海洋中汲取艺术营养，施展艺术天赋，同时为千百万民众献艺。

民族民间音乐艺术的发展，标志着民族的繁荣与国家的昌盛，标志着国民经济的发展，中华人民共和国成立60多年以来，民族民间音乐艺术有长足的发展，百花齐放、百家争鸣，继承传统、推陈出新。随着内蒙古地区经济的发展，使得文化的发展产生出巨大的活力，并与周边地区产生着撞击。行政区域的分合出入，也因为地域属性的变化而使音乐艺术产生着变化，如曲剧、吉剧的传入等。在乐器方面，研制出高音四胡、高音马头琴、低音马头琴、火不思、胡笳、筚篥等。在器乐曲方面，二人台牌子曲得以革新，挖掘整理出十番乐。民歌方面，曾多次对传统民歌进行收集整理，编印成册，如《内蒙古民歌集》《爬山调》《漫瀚调》等。在舞蹈方面，继承、革新安代舞，创编盅碗舞、筷子舞等，使之在全区普遍流传。为各族人民喜闻乐见，充满泥土气息的秧歌，得到广泛的传播，每逢年节，各村屯都要组建自己的秧歌队，一展风采。曲艺方面，乌力格尔、好来宝、乌春、快板书等，在牧区被广泛传诵，笑呵亚热开蒙语相声之先河。戏剧方面，全区各盟市旗县都建有剧团，二人台、二人转、京剧、晋剧、评剧、吉剧以及秦腔、大秧歌剧、话剧等，都设有专门的艺术团体，且人才济济。被称为“天下第一团”的包头市漫瀚剧团，以二人台音乐为母体，创造出新剧种漫瀚剧。宗教音乐与舞蹈，也有一定发展。仲夏之际，各盟市旗县纷纷举办那达慕大会、交流会，“文艺搭台，商业唱戏”，有乌兰牧骑、剧团表演文艺节目，届时，商业网点密布，中外客商就各种经济项目进行洽谈。及至21世纪初，全区已出现多个“艺术之乡”，如和林格尔县“剪纸之乡”，准格尔旗“漫瀚调之乡”，土默特右旗“打坐腔之乡”，武川县“爬山调之乡”等。内蒙古地区的民族民间艺术，凡乐器、民歌、舞蹈、曲艺、戏剧种种，从北方原始民族最初的艺术雏形，遍历远古、夏、商、周、秦、汉、晋、隋历代，到大唐帝国文化发展的全盛时期，又经辽、西夏、金时的文化交流，元代的融会，明、清时期的递转，伴之民国时期滥觞于北国的土著文化，及至中华人民共和国成立后半个世纪的文化大演播，已形成奇葩争艳的文艺春天，各种艺术体裁、题材，已繁衍成风骨清朗的泱泱河川。

第二节 少数民族艺术

一、民歌

（一）长调民歌

长调民歌系蒙古族民歌主要艺术形式之一，蒙语称“乌日图音道”，由一人演唱。它在蒙古族乃至中国民族民间音乐中占有重要的位置，是蒙古族音乐文化中的瑰宝。长调音乐流行于牧区和半农半牧区。北元时期是蒙古族长调民歌进一步形成并发展的时期。长调民歌随着地区的不同，其旋律风格与演唱风格各有特点。如阿拉善长调民歌、乌拉特长调民歌、鄂尔多斯长调民歌、锡林郭勒长调民歌、呼伦贝尔长调民歌，以及科尔沁长调民歌、察哈尔长调民歌等，均各呈风韵。

长调民歌的曲式结构较自由，有的是两句式，有的是三句式，各乐句之间旋律长短不尽相等。它产生于游牧民族特定的劳动方式与生活环境。长调民歌从旋律风格及演唱特点上讲，都表现出辽阔自由、舒展悠长的典型的草原牧歌特色，也体现出蒙古族人民豪爽、粗犷的民族风格。长调民歌的题材有赞颂英雄的内容，也有思乡、思亲、赞马等方面的内容。20 世纪 50 年代初，歌唱家宝音德力格的长调民歌在世界青年歌手大赛中倾倒各国观众，获得金奖。

（二）短调民歌

“短调”，是与长调对比而言的，蒙语称“包古尼道”。流行于牧区、半农半牧区和农区。短调民歌的音乐结构规整，多为上下句单乐段体结构形式，也有四句式或其他结构形式。其上下句之间的结构形式较之长调民歌协调、对称，多为节拍形式，调式多用宫、徵、羽调，商调次之，以五声音阶为常用，特别是一些古老的蒙古族短调民歌，更是如此。

内蒙古地区的短调民歌，也因地域与部族的不同而各呈风韵。以鄂尔多斯短调民歌为例，羽调式的民歌很多，且有特点，其下行五六度的旋律进行独具风格，切分节奏的使用频繁而具有动力感，如《成吉思汗的两匹青马》《引狼入室的李鸿章》《锡尼喇嘛》《森吉德玛》等。其他又如科尔沁短调民歌《锦州城的九音钟》《嘎达梅林》《美酒醇如香蜜》《六十三之歌》《北京喇嘛》等，结构紧凑，旋律优美流畅。和长调民歌相比，短调民歌所表现的题材内容更加丰富，除长调民歌表现的思乡、思亲、赞马之类的内容外，还有表现历史题材的长篇叙事歌、婚嫁歌、风俗歌、酒歌、祭祀歌等。

（三）土默特蒙古曲儿

“蒙古曲儿”是土默特蒙古族人民传统的民间音乐艺术之一。从土默特部首领阿勒坦汗于明万历初年请准修筑“库库和屯”后，继于万历三年由明廷赐名“归化”（今呼和浩特市）始，这里的蒙古族人民已经用自己的民歌来伴随劳动与生活。流行的民歌如《喇嘛苏》《四公主》《三百六十只黄羊》等。土默特蒙古人以游牧为生，至清代，官府多次放垦，旅蒙商接踵而来，加之城镇的扩建，商业日臻发达。嗣后，许多蒙古族人民弃牧从农，从游牧到定居事农。于是那些适于游牧生活演唱的牧歌（特别是长调民歌）逐渐失传。至清咸丰年间（1851—1861 年）当地流传着的多为短调民歌，其民歌具有浓厚的农区劳动生活特点。蒙古族人民在举行婚礼时，总要歌唱一番，多为吉庆之辞。“曩年有蒙古曲儿一种，以蒙语编词，用普通乐器如三弦、四弦、笛子等合奏歌之。歌时用拍板及落子以为节奏，音调激扬，别具一种风格。迨后略其调，易以汉词，而仍以蒙古曲儿名之。久而汉人凡用丝竹合歌小曲者，亦均称为蒙曲儿，实则所歌者皆汉曲也。民国以后，虽不盛行，仍未尽绝。居民遇喜庆事，则延致之，以娱宾客。歌者多不以此为业，酬以酒馔而已。城内多为汉人，若内地票友，乡间多为蒙人，间有取值者，亦极少数。蒙古曲二人歌者为多，其语句亦多设为问答之词，单歌者甚少”。① 如有《古勒奔包》《八音杭盖》《敏金杭盖》《沙尤格包》等。

清代末年，呼和浩特地区蒙汉杂居的“板升”（即村庄）星罗棋布，因为蒙汉劳动人民常年杂居在一起，彼此间自然而然地传授劳动经验，交流文化知识，这是历史发展的自然规律。《绥远通志稿》载：“土默特旗旧俗，亦有禁习汉文之例。昔年家庭社会，凡属蒙人，概以蒙语问答，假有杂以汉语者，耆老严斥之，同辈讥笑之。迨后禁忌稍弛，渐至习焉不察。自清同治至于光绪中年，游牧废而农业盛，俗尚一变，故今五六十岁老人，蒙语尚皆熟练；在四十岁以下者即能勉作蒙语，亦多简单而不纯熟；一般青年，则全操汉语矣。惟各寺喇嘛于蒙语守之较严。除与汉人接谈用汉语外，平日寺中，仍以蒙语为主。约计全旗人通蒙语者，居十分之三”②。《绥远通志稿》成稿于民国26年（1937年），按照当时蒙汉文化交流的社会情况来看，将蒙语演唱的蒙古曲儿“易以汉词”是自然的事情。

土默特蒙古曲儿的演唱多为一人，伴奏者1—3人或5人不等，乐器有四胡、三弦、扬琴、笛等。表演时不化妆，无动作，可即兴编词演唱。多于室内演唱，很少撂地摊儿演出。

（四）满族民歌

隋唐时期，满族的祖先女真尚以渔猎为生。辽、金、元时期，一直居于白山黑水。明神宗万历四十四年（1616年）努尔哈赤统一女真各部建立后金政权。明思宗崇祯十七年（1644年）定都北京，国号清。满族人按八旗建制，也称为旗人，食俸禄。在大清帝国鼎盛时期，满族八旗子弟每闲暇无事，琴棋书画、赋诗吟曲乃至耍雀架鹞、斗鸡戏狗、斗蛐蛐耍蝈蝈者，不乏

① 绥远通志馆：《绥远通志稿·民族》第7册卷51，内蒙古人民出版社2007年版，第166页。

② 绥远通志馆：《绥远通志稿·民族》第7册卷51，内蒙古人民出版社2007年版，第201页。

其人。满族人对于艺术以京剧、单弦等喜、擅者为多。其民歌、小曲等，结构工整，旋律婉转、流畅，与北地之山曲儿的旋律风格大异其趣，饶有江南民歌之韵。

满族人有自己的语言和文字，属于阿尔泰语系满—通古斯语族满语支，崇尚萨满教。满族民歌多表现劳动生产、爱情等内容。其题材有叙事歌、抒情歌、摇篮歌、儿歌、游戏歌、劳动号子等。旋律以五声音阶为主，多用宫调式。音调朴实，曲式结构规整。如《八仙庆寿》等。

（五）回族民歌

回族信奉伊斯兰教，好武术，不崇尚演戏唱曲。回族素有聚居之习，尤以各清真寺附近为甚。每每闲暇，青年人于街头院内，三五成群，习武练艺，不提倡子女学歌唱戏。以呼和浩特及包头地区的回族为例，均不擅歌舞曲剧等，唯对武术活动如摔跤、掷石锁、抛石弹及弹腿、洪拳、少林拳等多有擅者，且有许多高手，如吴英、吴跃、吴桐、白儒珍等。

民间艺术和人民不是绝缘的，清乾隆年以后，归绥之商务运输多以驼运为生，远足新疆、中亚细亚及乌兰巴托和贝加尔湖等。塞外巨商大盛魁商务通达，饲养了成百上千的骆驼，专请回族驼工帮脚。若赴新疆，走个来回要八九个月。漫漫征程，于是驼工自己编曲找乐子，随之产生一些有关驮运的民歌，同时也学唱外地民歌，如内蒙古中西部地区的爬山调，戏曲如秦腔等艺术形式。每当打尖露营时，或在旅程中，驼工们引吭高歌，见物发端，随口编唱。花儿系流行于宁夏回族自治区的民歌形式，随民族迁徙，及民族文化的交流，于清末民初传入与今内蒙古阿拉善盟接壤的地区。其表演形式有独唱、对唱、群唱等；其题材多为表现劳动生产、表达爱情和历史故事等方面的内容。民歌如《拉骆驼叹十声》《张良卖布》《李元卖水》《拾柴》《朱买臣休妻》等。

（六）赞达仁

“赞达仁”是鄂伦春语，汉意“放声歌唱”，系以山歌、小调为主的鄂伦春民歌。其题材有赞歌、劳动歌、情歌、诙谐歌、儿歌。艺术表现形式有：

山歌体赞达仁 旋律舒展自由，有类似蒙古族长调民歌的特点。演唱者可即兴填词咏唱。鄂伦春人长期的游猎生活，形成该民歌节奏自由和高亢悠扬的特点，如《生长在兴安岭上》《各民族欢聚多幸福》《远方来的鹿》《黄骠马的乳汁》等。

小调体赞达仁　旋律规整，结构紧凑，其特点类似蒙古族短调歌，有固定的唱词，多为劳动生活歌曲，如《美丽勤劳的乌娜吉》《打猎归来》等。

赞达仁的旋律音域较宽，达 14 度，多用羽调式，也有用宫调式与徵调式，其他调式较少用。旋律音阶多用五声，鲜有六声。曲式结构为二乐句或四乐句的单乐段体，一些长篇的叙述歌也多如此。衬词多用“讷咿耶”几个字。中华人民共和国成立后，鄂伦春人民即兴编创出许多新民歌以歌颂新生活，如流行于全国的《鄂伦春小唱》等。

在赞达仁中还有短篇和长篇叙事歌等形式。短篇题材有对歌、儿歌、摇篮曲等。对歌式赞达仁一般以同一曲调问答呈上下句式。其题材多为爱情、婚嫁逗趣等方面的内容。如《渡口》《定亲礼对唱》等。长篇叙事歌多采用曲联体形式，或一曲唱到底，也可夹叙夹唱。其题材多为故事传说、民族历史方面的内容。

赞达仁基本曲式为上下句乐段结构。有二拍、三拍、四拍及散板节拍。无伴奏乐器。

（七）赞达拉嘎

“赞达”是鄂温克族唱歌的意思，“拉嘎”是名词的后缀。“赞达拉嘎”是鄂温克族民间小调、山歌之类民歌的总称。鄂温克族以游牧生活为生，逐水草而居，历史上曾有几次大的迁徙，因此居住分散。各地自然环境不同，同一民族劳动生产方式也有一定区别。鄂温克语属阿尔泰语系，分 3 个方言区，该 3 个方言区的赞达拉嘎各有特色。

辉河方言区　流行于鄂温克自治旗一带，受蒙古族长调民歌的影响，其旋律起伏较大，在乐句结束处长音的尾部常使用华彩性的装饰音，曲式结构为分节歌式，常用散板节拍，音域在 8—15 度之间，常用五声宫调式与徵调式。

莫勒根河方言区　陈巴尔虎旗一带赞达拉歌，受达斡尔族、蒙古族、汉族音乐的影响，音乐结构较匀节拍规整，旋律活跃流畅，也有一些民歌的旋律有较大的起伏跌宕。

敖鲁古雅河方言区　20 世纪 50 年代，额尔古纳左旗（根河市）兴建敖鲁古雅猎民新村，附近鄂温克族人陆续迁来定居。这里的鄂温克民歌粗犷质朴，富于山野原始生活气息。总体说，该地区赞达拉嘎的旋律简洁朴素。曲式结构以二句或四句组成的单乐段体为主，有的民歌只是一个乐句。

传统民歌在题材方面有表现生产劳动的，如《黄羊之歌》《德敖奎河》；表现反抗斗争的，如《出征歌》《歌唱海兰察将军》；表现爱情的，如《奔马》和《金珠与珠烈》。其他还有赞歌、风俗歌、儿歌等。

鄂温克民歌除赞达拉嘎外，还有奴苦该勒舞蹈歌与萨满宗教歌。

（八）扎恩达勒

“扎恩达勒”是达斡尔民歌的主要形式，男子放牧、放排、赶路、打柴，或妇女在外采集食物时演唱。扎恩达勒共有三种：一是词曲固定，不能随便改动的，如《心上人》《伊齐肯乌报》《哎哟妈妈》等；二是题材内容可以按照固定曲调由演唱者即兴填词演唱的；三是词、曲均可即兴编唱，基本属于创作的，如《怀念朋友》《逃难歌》等。而这第三种扎恩达勒经过人们传唱后，又循环演变成第一种扎恩达勒。扎恩达勒的衬词以“讷耶尼耶”为主，或冠之首，或殿于尾，或置于中，而有的曲调通篇吟唱“讷耶尼耶”几个衬字，并无正文。

扎恩达勒调式以宫调式为主，还有徵、商调式。其旋律舒展悠扬，有起伏。句尾常以长音结束，有时加上特殊的慢颤音。节奏为二、三拍子，曲式结构以四个乐句组成的单乐段体为主。达斡尔族人民为保卫家乡，保卫祖国，在历史上曾与沙俄侵略者进行过英勇的斗争，歌唱斗争精神的达斡尔民族歌声，成为该民族广为流传的民歌。20 世纪 50 年代，又产生许多歌颂党、赞美社会主义祖国的新民歌。

（九）俄罗斯族民歌

清乾隆年始，已有俄罗斯人进入中国的满洲里、海拉尔、牙克石、额尔古纳等地开矿、养殖或经商，始有彼地之民间艺术如民歌、舞蹈传入。清光绪二十九年（1903 年）中东铁路通车，俄国铁路员工携家属再次大批进入呼伦贝尔和黑龙江等地，仅牙克石当时就有上万俄侨。1917 年苏联十月革命胜利后，又有一批俄罗斯贵族迁入额尔古纳、满洲里、海拉尔、根河等地。随之，也带来他们的生活习惯和宗教信仰（东正教）及民间艺术等。许多冀、鲁、豫北上闯关东的汉子，娶俄罗斯姑娘成家立业，子孙繁衍，至

20 世纪末已有五代人，其后代，仍有取俄罗斯名者，如姑娘取名“柳芭”、小伙子取名“阿廖沙”等。其生活习俗、文化艺术等也多与呼伦贝尔地区的中国人交流融会，如用汉语演唱俄罗斯民歌，就很有特色。

俄罗斯族民歌的演唱形式有独唱、齐唱与合唱。合唱多为混声或二重唱，也有一领众和的形式。如按音乐体裁分类，俄罗斯族民歌可分为仪式歌、抒情歌及叙事歌三类。

仪式歌 如在婚嫁时所唱的婚礼歌等。

抒情歌 描写爱情生活的民歌，此类歌曲多为一部或三部合唱，由一领众和的形式进行演唱，篇幅较长。

叙事歌 歌词叙述一个完整的故事，少则五六段，多则数十段。叙事歌的歌词内容广泛，有的是战争题材，如《儿子战死在疆场》等。20 世纪 50 年代以来，呼伦贝尔盟的俄罗斯族也演唱苏联卫国战争时期的革命歌曲，如《卡秋莎》等。

（十）漫瀚调

“漫瀚”为蒙语译音，汉意“沙漠”，“漫瀚调”系蒙、汉语合璧，作“沙漠调”，又作“蒙汉调”“蛮汉调”。流行于内蒙古中西部蒙、汉杂居的鄂尔多斯市准格尔旗、达拉特旗和包头市土默特右旗，呼和浩特市土默特左旗等地。

漫瀚调是在蒙古族民歌和爬山调的基础上形成的，同时吸收陕北信天游的一些特点。漫瀚调的流行地多为蒙汉杂居的半农半牧区和农区。准格尔、达拉特、伊金霍洛、鄂托克前旗和东胜区等地同属黄土高原地区，与山西河曲、陕西榆林等地仅一河（黄河）之隔，两岸多有来往，清代官府多次放地垦荒，晋、陕人民多有来者，初为“跑青牛犋”，后则携家带口北上，从事农牧业生产，随即形成蒙古族民歌的曲调，配以汉语唱词演唱的民歌形式，为黑界地（明、清政府为防止晋陕民人北上而在沿长城一线设置的禁地，或称无人区）北侧之蒙、汉人共同喜闻乐见，兼收并蓄，形成漫瀚调独特的艺术风格。因此，人们也称其为“蒙汉调”。鄂尔多斯蒙古族人民盛行“坐唱”，摆上酒筵，席地而坐，品酒放歌，常常是通宵达旦。这种音乐生活也影响了生活在这里的汉族人民。他们或被邀请参加蒙古族的婚礼，或为解除一天的疲劳，晚上蒙、汉乡亲们相聚歌唱，久而久之，逐渐产生了为蒙、汉两族人民共同喜欢的艺术形式。于是，坐唱、对歌成了他们生活中的组成部分。又因为这一地区在历史上交通闭塞，于是这种原始的属于草根文化的艺术形式就被长期地保存下来，成为这一特定地区的流行歌种。

漫瀚调的旋律以鄂尔多斯蒙古族短调民歌为主，兼有爬山调、陕北信天游、晋北山曲儿音乐的特点；唱词以汉语为主，但又吸收蒙语词汇，使两种风格的旋律互相糅合，两个民族的语言混合使用，俗称“风搅雪”。如《王爱召》《栽柳树》均属此例。其他还有《德胜西》《扫帚花》等。漫瀚调的结构以上下句式为多，上句落属音或下属音，下句落主音，下句多为上句的简单重复，在后半部有所变化。另有四句式，多结构方整，似有两句式结构抻长之感。旋律多为五声音阶，以徵、商、宫调式为多，羽调次之，角调很少。旋律高亢明亮，音程跳动大，具有北方民族特点。其副词以“哎咳”“哎咳咳”“哎哟”“哎哟哟”“哎”等使用频繁，且有特点。

二、舞　蹈

（一）盅碗舞

顶碗舞　蒙古族民间舞蹈。辽代宫廷乐舞与西夏乐舞已有此技，张祜《悖鸳儿舞》载曰：“春风南内百花时，道唱凉州急遍吹。揭手便拈金碗舞，上皇惊笑悖鸳儿。”舞伎悖鸳儿在歌舞会上信手拾起席间的“金碗”，即兴作舞，博得皇上的惊喜。至元代宫廷宴会进一步传习。明、清代，蒙古族部落首领、王公等宴会庆典，多有表演，以鄂尔多斯蒙古族部落具有代表性。至20世纪50年代，专业文艺工作者加以创新，冠以今名，谓之《顶碗舞》。至80年代，表演者将《顶碗舞》原来使用的陶瓷碗革新为搪瓷碗。其顶碗舞者，头顶搪瓷碗若干，表演时双目平视，头部、上身相对保持平稳，双手臂、双腿舞蹈动作为多，有提腕、压腕、云手、山膀、摆臂、抖臂、小跑步、错步等多种舞蹈语汇及舞姿。伴歌起舞，不拘形式，舞者为女性。有条件的，加四胡、笛等乐器伴奏。

打盅舞　蒙古族民间舞蹈。酒席宴上，弹起三弦，拉起四胡，妇女们将小酒盅扣在手指上，双手各执二三只，使酒盅轻轻碰击，和着音乐发出有节奏的、玲珑剔透的响声，伴以舞蹈。其基本舞蹈技巧同顶碗舞。伴歌起舞，不拘形式，舞者同以女性为多。

盅碗舞 蒙古民间舞蹈。20世纪50年代末，内蒙古专业舞蹈工作者将打盅子舞和顶碗舞结合起来，互相借鉴，并加进新的舞蹈语汇，如抖肩、碎步等，将其发展、创作为一种新的舞种——盅碗舞。也即头顶碗，双手持盅。讲求双腿脚、双手臂的平衡。舞者同为女性。

筷子舞 蒙古民间舞蹈。蒙古族饮食以手扒肉、奶食为主。手扒肉者，将大块羊肉煮好，持蒙古刀刮、割食之，蒙古人原本不使箸（筷子），及至元帝国一统天下，沿袭汉族饮食文化，箸的使用先从贵族起，渐至明清，方被游牧民族接受。但最先普及箸的蒙古族，是以农业生产或半农半牧生产为主，并靠近中原的地区（部落）。筷子舞原属临场发挥、即兴表演的民间艺术，其舞蹈语汇、服饰、道具很随意，舞者男女不限。“诗，咏其志也；歌，咏其声也；舞，动其容也。三者皆本于心”（《乐记》），鄂尔多斯、土尔扈特部蒙古族，在欢乐的宴会上，为助兴，随手拾起席间竹筷（通常以右手握一把），和着音乐节拍，用筷子轻击肩、膝关节，左手心和腰部等处，欢歌起舞，旁有歌者伴唱。筷子舞与顶碗舞有同工异曲之妙。20世纪50年代，专业舞蹈工作者进一步将民间筷子舞的技巧予以加工发展，将单手持筷改为双手各握一把，饰以红绸，并丰富、发展肩部、腰部、腿部的舞蹈语汇，使筷子舞更加欢快热烈、灵巧活泼，现已形成独具风格的舞蹈形式。

（二）安代舞

蒙古族民间舞蹈。“安代”系蒙语译音，其汉意一说系人名，一说系病名，一说是治病的方法。内蒙古通辽市文艺工作者认为是蒙语“奥恩代”的音变，汉语“抬起头”的意思。安代舞的起源，又与通辽市库伦旗一带“博”舞多有雷同。20世纪50年代，经过艺术加工后的新式安代舞开始广泛流传。

关于安代舞的起源，有多种传说。一说很早以前，蒙古镇（今辽宁省阜新蒙古族自治县一带）有一老翁，中年丧偶，和女儿过着清贫的生活。女儿长到18岁时得一种病，面色萎黄，精神不振，百治不愈。老人心急如焚。这一天，老人决定用车拉上女儿外出散心，以减轻女儿心中的苦闷。行至与蒙古镇接壤的库伦旗时，女儿突然病情加重，危在旦夕。老翁急得直跺脚，不由自主地围着车边转边唱，泣述不幸。歌声引来同情的人们，也跟在老翁身后边转边唱。不料姑娘渐渐抬起头，醒过来，也跟着人们边转边唱，跳得浑身出汗，病情减轻许多，从此，这种治病的方法就在库伦旗传开。另一说是在郭尔罗斯住着一对青年夫妇，妻子因不育而积郁成病，丈夫驱车携妻求医。行至库伦旗，见众人于树下歌舞取乐，妻子闻声立感欣慰。但妻子一离开那些唱歌跳舞的人们，旋即哭闹。丈夫只好去求他们来为妻子唱歌跳舞。妻子受到鼓舞，下车与之同乐，直至汗水浸透衣衫。病愈后，夫妻定居在这里，生儿育女，生活很美满。

20世纪50年代之前，安代舞在库伦旗流行广泛。谁家有病人，要举办安代，邻友资助必要的物什，全村百姓，甚至旁村的人都来起舞助兴，绕场踏舞，放声歌唱。人太多时，要另择场地。库伦旗流行的安代，就性质而言，有为劝解患相思病妇女的“阿达安代”；有为治疗婚后不育症的“乌茹嘎安代”。就形式而言，有病人不参加跳舞的“文安代”；有病人参加跳舞的“武安代”。就规模而言，有室内举办的“小安代”，有室外举办的“大安代”。此外，还有“求雨安代”。50年代后，随着医疗卫生的发展，人们生病后不再去跳安代，而改为求医，于是治病的安代骤减，但因载歌载舞的安代能起到娱乐作用，后经文艺工作者的改革，一种既有民族风格特点，又有新内容、新形式的“新安代”出现，并在自治区普及开来。其舞蹈动作有：

甩巾踏步 左手叉腰，右手持红绸在胸前上下甩动，右脚在音乐的强拍上作踏步动作。

双手甩巾踏步 双手同时向同一方向甩动红绸，右脚如前原地活动或作前进状。

挥巾踏步 双手臂同时向前上方挥动，双脚作踏步状或前进状。

圆圈踏步 或称“阿拉坦苏日古拉”（汉意“为人治病的神庙宇”），众人手拉手围成圈，原地踏步或转圈跳舞。

另有专门为跳安代伴唱的歌手，以一唱众和或一唱众舞的形式进行表演。

安代舞经专业舞蹈工作者的加工发展，又产生出新安代舞，其动作有甩巾踏步、绕巾踏步、摆巾踏步、绕巾走步、摆巾横走步、绕巾大横步、摆巾小滑步、掏手弓箭步、甩巾蹲步、摆巾跪步、甩巾交替蹲、摆巾大滑步、甩巾小跑步、绕巾小跑步、甩巾冲步跑、甩巾吸腿跳、绕巾腿跳、甩巾蜷曲跳、甩巾蹲跳、甩巾点步跳、绕巾半圈转、甩巾走转、辗转、甩巾点吸转、绕巾上步转、绕巾跳、甩巾跳转等舞蹈动作。就形式而言，又有单人舞、双人舞、集体舞等。该舞蹈语汇多具专业特点非民间之固有，尚未在民间普及开来。如安代舞中歌手劝慰病人的唱词：

把你的黑头发放开啦，啊，安代！
不要坐着发闷了，啊，安代！
你同辈的朋友们到齐了，啊，安代！
该到欢舞的时候啦，啊，安代！
把你的脚步迈开了，啊，安代！
跳起来心情才痛快，啊，安代！
把你的手臂甩起来，啊，安代！
跳出汗来才能免病灾，啊，安代！

（三）托布秀尔舞

蒙古族民间舞蹈。流行于阿拉善盟和新疆巴音格楞蒙古自治州、博尔塔拉蒙古自治州的土尔扈特、和硕特、厄鲁特等蒙古族部落中。托布秀尔舞是一种弹拨乐器，当乐手弹起托布秀尔时，人们便围成圆圈，自由入圈起舞，跳起《萨布日登》舞，同时唱道：

像水浪拍着河岸一样，
苗条的少女在起舞歌唱，
弹起萨布日登舞曲，
美丽的姑娘尽情地跳吧！
嗨！登登！
嗨！登登！
河岸上姑娘们翩翩起舞，
摆动着双肩像婆娑的幼树，
弹起萨布日登舞曲，

美丽的姑娘尽情地跳吧！
嗨！登登！
嗨！登登！

托布秀尔舞的表演，每逢婚嫁等喜庆日，即由一人弹起托布秀尔，有徒手舞、带道具舞和单人舞、多人舞等表演形式。其余人围坐四周拍手唱和，舞者1—3人，有男有女。其舞蹈动作有双腿交叉、拖踏，双臂和手腕环绕翻转，或左右摆动、上举下叉等；女性多作梳妆、照镜、挤奶、擀毡等舞蹈动作，其他动作还有抖肩、压腕、提腕、绕臂等动作。男性多作鹰展翅、羊顶角等动作。有时还穿插顶碗舞、筷子舞的表演。当舞蹈进入高潮时，弹奏托布秀尔的琴师持琴起跳，将琴持于胸前、肩部、背部、头顶、胯下等位置，边弹奏、边表演。尤以将托布秀尔置于背部弹奏，有西域乐舞反弹琵琶之美。20世纪50年代后，此舞在阿拉善渐销声匿迹，仅流行于新疆卫拉特蒙古族的聚居区。

（四）额呼兰·德呼兰

鄂伦春族民间舞蹈。“额呼兰·德呼兰”是鄂伦春语“篝火”的意思。每当猎民获取大宗猎物，如熊、犴、野猪等，即召来部落人分享之，体现着原始共产主义社会的特点。晚间，于居所附近之低洼处或河沟旁燃起篝火，边唱边跳，或模仿熊的动作跳舞。因为长期的狩猎生产，鄂伦春族猎民对各种野兽进行细致的观察后，了解其习性，掌握其活动规律，及至模仿其动作而起舞。“三人操牛尾，投足以歌八阕。……八曰《总禽兽之极》”。该《八阕》表现出鄂伦春民间舞蹈的艺术表演形式与其内容极相似。舞蹈离不开生产，离不开生活。

起舞时，由大家手挽手转圈缓缓踏步，一人领唱，众人和之。其旋律较平稳，音域在八度左右，便于集体歌咏。节奏性强，切分音的使用很有代表性和节奏感。用于伴舞的歌曲除反映狩猎内容者外，还有一些反映妇女生活的内容。有的歌曲，通篇以“介本介会”“额呼兰·德呼兰”之类衬词演唱，多表现一种基本情绪色彩。舞蹈唱词如：

岸边开着鲜花，像银子在那里堆放。

河岸上长荨麻，我们用它搓麻绳。
乌鸦嘎嘎叫，我们的耳环摇晃。
喜鹊喳喳叫，我们纳鞋正忙。
寒鸦的嘴儿尖，我们做靴忙。
用四方的岩石，垒成高高的墙。
用那绿石子，做一串项链戴在脖子上。
仿那平板石，做成烟荷包带身上。
在倒落的树干上，洒上洁白的乳浆。
红色的石头上，姑娘们坐着把歌唱。
青色的山岩上，小伙子们坐着把歌唱。

《额呼兰·德呼兰》
额尔登挂　莫玉玲　唱
白杉　注音配歌

这是一首古老的民间舞蹈歌曲，词曲有多种变体。

鄂伦春族以熊为图腾。其《黑熊搏斗舞》具有原始狩猎舞蹈特点，舞者作熊状，以两三只熊相斗为表现内容。猎友或村民围作一圈，舞者居中模拟熊的动态，以双腿半蹲、双手扶膝、身体前俯的姿态，模仿熊站立时的前倾姿势。互相对视，上身左右摇摆，前后扭动双肩作搏斗状，以双脚跺地跳跃起舞。口中发“哈姆、哈姆”的吼声。继而动作加快，蹦跳蹲跃，与其他舞者形成激烈而有趣的对抗舞蹈，最后以其中一只熊胜利为止。《黑熊搏斗舞》的伴奏，其舞者节奏性地模仿熊的呼叫声，并由围观者协同，有时二部轮呼，此起彼伏，舞者与观者互动，使情、舞、声融为一体，以增加舞蹈原始古朴之风貌。舞蹈形象生动，自娱性、竞技性强，体现出猎手的勇敢精神，常于鄂伦春族的传统节日中举行。

（五）阿罕拜舞

鄂温克族民间舞蹈。阿罕拜舞又称为“努该勒”、“努力格日”，意为“跳舞”、“热闹”。每逢婚礼或劳动之余，晚间，人们在河边围着篝火，并按照太阳升起的方向，手拉着手热烈地跳起舞来。阿罕拜舞集中地体现出鄂温克人传统的游猎生活遗留下的民族特色，这种特色和本民族的劳动方式与所崇拜的图腾（动物）有密切的关系。阿罕拜舞多数题材是描写狩猎的，其舞蹈语汇多模仿大兴安岭深处的大型野生动物如虎、野猪、熊，舞蹈有《跳虎舞》《野猪斗架舞》等。动作粗犷豪放，健美热烈，节奏性强，其脚步踏地发出的声音和身体颠动的动作，是阿罕拜舞特有的舞蹈语汇。也有表现生活的舞，如姑娘出嫁的前夜，向亲人们表示告别时，主婚人、介绍人、长者、来宾和出嫁姑娘坐在中间，小伙子们坐在蒙古包左右两侧。以活泼、欢快的《萨加乜》等舞曲伴唱，姑娘们在中间翩翩起舞。舞蹈活泼、欢快，富于激情。上身动作丰富多变，脚下遇强拍时，其中一只脚的脚跟着地、脚掌踏地而行；弱拍时另一脚掌踏地跟随，左右脚反复进行，发出“哒哒”的走马步声音。姑娘们与伴唱者不时发出有节奏、有韵律的呼声。如：

啊罕呗：向参加舞会的兄长们致意。
鄂希：让舞者跳起来吧！
鄂胡耶：向父亲致以临别前的祝福。
鄂苏耶：向母亲致以临别前的祝福。
鄂希耶：向姐妹们致以临别前的祝福。
鄂苏喔：向参加舞会的老人们祝福。
阿加麦：向来宾致意。
豪吉日：向参加舞会的人致意。
嘎赫日：出嫁的姑娘要梳洗干净。
德很德：加油跳！
鄂孙呗：再玩一会儿！
赫吉日：再从头来一遍！
鄂几耶：欢送来宾！
业几：欢送来宾！
奥九喔：祝愿出嫁姑娘一路平安，舞会结束！

鄂温克族的舞与唱是分不开的，有舞必歌。其歌节奏，多为二拍子或三拍子，结构紧凑，旋律音域不宽，便于载歌载舞时集体演唱。

（六）鲁日格勒

达斡尔族民间舞蹈。根据有关资料记载，以及有关达斡尔族的生活习惯、语言特点和居住的地理位置等情况，有的理论家认为达斡尔族可能是契丹的后裔。达斡尔人同样喜歌好舞，且聪明好学。明清时代，达斡尔人多用满文。清代末年，居住在呼伦贝尔、黑龙江的一批达斡尔人移居新疆，故居住在新疆的达斡尔族讲维吾尔语，居住在内蒙古、黑龙江的讲蒙古语。

“鲁日格勒”又作“哈库麦”，系达斡尔族民间流行的歌舞形式。每逢年节，几乎每天晚上都要歌舞集会，并多由女子进行表演，故其舞蹈柔美轻松，和鄂伦春族的露日格仁舞、鄂温克族的奴该勒舞在表演形式与舞蹈语汇上形成对比。舞时不用乐器伴奏，边舞边唱。其表演形式有：

以歌唱为主　以舞蹈为辅的赛歌　始由二人表演，双方协商选择歌曲，然后齐唱，或对唱，所唱的歌大多缓慢悠扬，委婉动听，如《美露咧》《五样热情的歌》等。其中像《五样热情的歌》是最常用的歌，一般人都会唱。

以舞蹈为主　以歌唱为辅的赛舞　这类歌曲大多短小精干，轻快活泼，所唱歌曲有《农夫打兔》《姐妹俩》《夸山羊》等。舞蹈者则根据歌曲所演唱的内容进行模拟动作表演，如洗脸、梳头、挑水、打柴等动作。

郎图大奇　舞蹈进入高潮　双方对打三拳，俗称“郎图大奇”（“郎图”即拳头）。舞者一手叉腰，一手舞向对方脑门，左右手交叉，双方佯作对打与遮挡姿势。有时，还可有第三者加入劝架，替劣势者助威，二人合打优势者，而优势者则专攻第三者，此便形成郎图大奇高潮。一位善郎图大奇的舞者可击败若干第三者，但围观的群众不把这优势者打败是不罢休的，直到优势者无力再斗而告饶时，众大笑告终。表演郎图大奇时，无歌咏伴舞，仅以“罕白”“罕木咧”“哲里哲”之类的衬词以烘托气氛。

为鲁日格勒伴唱的歌曲，句式短小，旋律平稳，节奏性强，音域窄，多为宫调式旋律，节拍为二、三拍子。下附舞曲唱词一首：

手握铁砂长铳猎枪，
狩猎那飞禽和走兽；
烧炭采石又伐木，
辛勤创业历尽艰苦。

奔流的河水必有源，
繁茂的大树必有根；
给我们幸福的是共产党，
子孙后代牢记在心。

《深山密林我的家》
嘎瓦·乌日根桑 其那日图 记注
包玉林译 配

（七）布利亚特舞

为集体舞。表演时，男女老幼手挽手围成圈，唱着歌，双脚随着歌声的节拍从左向右跳着。主要流行于呼伦贝尔盟的布利亚特蒙古族中。男女青年手拉手围成一个圈，由左向右慢慢移动并唱着音调悠长的歌曲。过一会儿之后，舞蹈者相互靠拢，快速跳动，歌曲则由悠长转为快速。一般由一个老太婆或老头儿首先开始舞蹈和唱歌，年轻人在人数众多的集会上不能领先跳舞和唱歌。

布利亚特蒙古人信奉萨满教，故也模仿熊的动作表演《熊舞》。表演时，“熊”爬行着，不时地爬到周围某个人身旁嗅一嗅他的衣服，而且还模仿熊用后足直立，前足（双手）作叩击状。如果周围有谁故意投物激怒“熊”，“熊”还要扑过来，将该人按倒，并作撕咬状，博得围观者大笑为止。

（八）太平鼓舞

满族民间舞蹈。一作“跳单鼓的”、“烧香的”、“唱阴阳的”、“跳八角鼓”。太平鼓舞系满族民间流行的舞蹈，表演于节日或喜宴，流行于内蒙古东部区及东北地区蒙族、汉族妇女中。每逢年节，或偶适闲暇，几位妇女手持单鼓自娱，多相约于自家中举办，任人观赏、任人参与。跳单鼓，在东北民间或称“打祖宗”，是一种类似祭祀的家庭舞蹈，很少在公共场合举行。表演时，着满族传统服装，左手执太平鼓，右手执鼓鞭。舞蹈动作有“苏秦背剑”“犀牛望月”“仙人指路”等，也有的动作是从萨满舞蹈中借用来的。节目有《跑走马》《拉大锯》,《捕蝴蝶》《拾棉花》《弹棉花》《捞饭》《烙饼》《狮子滚绣球》《铁拐李》《猪八戒背媳妇》《闹元宵》《三家串门》《姑娘夹包袱》《请姑爷》等节目，内容所涉及的，主要是农业劳动和农民生活，其次是农村流传的传说故事。这是与萨满教舞蹈的主要区别之一。赤峰市、通辽市的部分回族、汉族也有好此技者。舞蹈动作有“大扇鼓”“小扇鼓”“圆鼓”“追鼓”“转鼓”“扑蝴蝶”“逗公鸡”“四方斗”“走月牙”“拉抽屉”“串胡同”“摇头跪”等12套。其中《大扇鼓》《小扇鼓》较普及流行，可4人对舞，也可2人对舞。其中《追鼓》的表演，1人在前，1人在后进行舞蹈表演，以后者追败前者告一段。所演唱的曲调多为东北民歌，或从其他艺术形式中借鉴。民歌如《放风筝》，二人转如《蛤蟆腔》，东北大秧歌如《四平调》等，都是太平鼓舞的曲调。

三、曲艺

（一）好来宝

“好来宝”系蒙语译音，汉意“联韵”“串联”。四句或两句一首（节），各句之间第一个音节谐韵，也有的兼押腹韵、尾韵者，各首之间可联韵，或交叉换韵。好来宝的篇幅长短不同，短的三五分钟即表演完毕，如艺人们每到一家问候主人的开场白，即属此例。长的则能表演几个晚上。它的发展，继承陶力（蒙古族曲艺）的说唱特点，使蒙古族曲艺表演形式进一步得到发展。其题材也更加丰富，除一般思乡、赞马、儿女风情、世态炎凉以及知识性之类的内容外，还有许多民间长篇故事及古典章回小说，传统曲目有《僧格林沁》《燕丹公主》《英雄陶克陶》等。许多艺人还自筹诗文进行演说。在北方游牧地区，除婚丧嫁娶、那达慕和佛寺中的祭祀活动，能够看到歌舞、摔跤和傩形舞、傩形戏外，平日生活中，最受人欢迎的，就是草原上的艺人演唱的好来宝和乌力格尔及前述陶力等。20世纪60年代以来，遍踏内蒙古大草原的乌兰牧骑曾为文化闭塞、深居简出的农牧民带来欢乐，则另有评述。好来宝表演者孑身一人，骑着马，皮口袋里装着抄尔或胡尔，跋涉在牧民的毡房间。清末民初，有的乌力格尔艺人在正式表演前，也穿插表演一段好来宝，以渲染气氛。

20世纪60年代以来，由内蒙古民族剧团专业演员创作并表演的好来宝有《嘎达梅林》《娜布琪公主》《延旦公主》《满都拉少爷》《乌审召变迁记》《扎那玛》《大战醉马草》《歌唱新生事物》《歌唱党》《草原赞歌》《歌唱〈毛选〉第五卷发表》《民兵训练》《扎拉呼》《伟大的转折》《悼念周总理》等。

（二）单口好来宝

也称“当海”或“扎达盖”好来宝。演唱者自拉自唱。单口好来宝是基础，对口好来宝与群口好来宝均在此基础上衍变、发展而来。故其题材丰富，一些传统的古典曲子均为单口好来宝。其他还有赞美家乡、赞马，夸奖姑娘、小伙子，称赞服饰以及歌颂新生事物，赞颂社会主义祖国等内容，如民间艺人琶杰（1906—1979年），少年时代就已成为深受科尔沁草原蒙古人欢迎的说唱艺人和歌手。由琶杰自编自演的《黑跳蚤》,指桑骂槐，以物喻人，语言刻薄，比喻辛辣，揭露了社会的黑暗与不平等。

（三）对口好来宝

问答式 蒙语“比图”。演唱时一问一答，由2人表演。在表演过程中，要问得巧，答得妙。所涉及的内容从天文地理、大自然界的花鸟鱼虫，到人间社会及儿女情长等，无所不有，无所不问。表演者于蒙古包内盘腿坐唱，旁观者边饮酒边欣赏。通宵达旦，尽兴方散。在问答式好来宝中，还有一些内容涉及古典小说，如《三国演义》《隋唐演义》《水浒传》等。

群口好来宝 20世纪60年代，由乌兰牧骑的文艺工作者根据传统好来宝的演唱特点而创作的一种曲艺形式。由4—6人采取齐唱、领唱、对唱等形式进行表演。表演者每人拉一把大四胡，有时还加入笛、高音四胡、扬琴、三弦等伴奏乐器。其题材内容多以歌颂社会主义祖国各条战线的新鲜事物或建设成就为主。

（四）乌力格尔

“乌力格尔”为蒙语，汉意为“故事”“说书”。用蒙语说唱。陶力、好来宝主要流行于科尔沁草原，后流传到内蒙古各地及辽宁省阜新等地的牧区和半农半牧区及城镇中。阜新、通辽、赤峰市等地的艺人们，根据陶力、好来宝的艺术表演形式和特点，结合英雄史诗、章回小说、传说故事民间口头文学，而形成“呼仁乌力格尔”（用四胡伴奏的故事），其艺人称为“胡尔奇”或“胡仁奇”。清代已经有这种艺术形式，以说唱英雄史诗和神话故事，如《满魔王》等。清末民初，艺人把评书如《大八义》《小八义》《聊斋志异》《封神演义》《三国演义》《大唐》《后唐》《水浒》《西游记》等译成蒙语说唱，在牧民中很受欢迎。20世纪60年代后，文艺工作者又将当代文学作品如《林海雪原》《雷锋的故事》等编成乌力格尔演唱。20世纪50年代始，凡流行乌力格尔的盟市旗县均建有说书厅，尤以通辽市为最。鉴于乌力格尔广泛、深厚的群众基础，内蒙古的乌兰牧骑几乎都有专职的乌力格尔演员。乌力格尔的表演者为男性，一人表演，自拉抄尔或胡尔自唱。拉胡尔表演乌力格尔叫"胡仁乌力格尔"，表演者被称为"胡尔齐"；拉抄尔表演乌力格尔的叫"抄尔乌力格尔"，表演者被称为"抄尔齐"。艺人每到一家表演时，开头要说几句恭维主人的话，然后由主人"点戏"。一些长篇的故事内容，需要几天乃至十几天才能讲完，方圆几十里的牧民闻声，也专程策马而来，一饱耳福。乌力格尔兴起在北元时期，其发展在清乾隆年之后。用四胡伴奏的胡尔乌力格尔侧重演唱历史故事，如《三国演义》《青史演义》《水浒》《大八义》《小八义》等；用抄尔伴奏的乌力格尔侧重演唱蒙古族英雄史诗如《阿拉坦嘎拉巴汗》《洪格尔》《蟒古斯》等，其题材内容更多地保留着陶力的特点。

乌力格尔的曲调有300多首，并各有特定的用场。乌力格尔的音乐大致可分为：1. 叙事调。唱词及旋律的句法结构均较规整，类似好来宝，如《开篇》《上朝》《赶路》《出征》等。2. 抒情调。节奏开阔舒展，旋律优美动听，用于表现对山水景色的描绘，或表达美好的愿望等，如《缅怀英雄》《思春》《幻想》等。3. 伤感调。节奏徐缓，音调哀怨，适于表现悲哀、忧伤、思念等痛苦情绪，如《思亲》《悲调》《孤苦》等。4. 诙谐调。节奏轻快，音调活泼，语言幽默生动。通过运用滑音、跳音，以及四胡的弹弦、击弓等技巧，可以产生很强的喜剧效果。《小姐赶路》是个典型的例子。对于这些曲目，胡尔奇们在长期的演唱实践中，逐渐形成了一些相对固定的套路，如《开篇调》《上朝调》《行军调》《赶路调》《征战调》《审案调》《思乡调》《思恋调》和《悲调》等等，因此，就整部书目看，蒙语说书基本上类似曲牌体。① 这是乌力格尔音乐的主要组成部分，如表现开篇、行军、赶路、询问、训诲等内容的曲调。传统书目有《阿斯尔查干海青》《道喜巴拉图》《女神》《达格德尔莽古斯》《勇士楚伦巴特尔》《阿拉坦嘎拉巴

① 包玉林主编：《中国曲艺音乐集成·内蒙古卷·乌力格尔概述》，中国ISBN中心出版社1997年版，第146页。

汗》《狂人阿巴海》《霍日格斯尔》《江格尔传》《成吉思汗》《窝阔台汗》《忽必烈汗》《呼日勒巴特尔》《特古斯朝克图》《玛尔朗史诗》《博迪嘎拉巴汗》《金龙马》《诺恩女神》《格斯尔传》《渥巴锡汗》《青史演义》《洪古尔珠兰》《启明星》《孤儿传》《三娘子》《阿拉坦宝喜格图汗》《成吉思汗降世》《夏国》《周国》《战国策》《西汉》《西晋》《大西梁》《大唐》《东辽》《唐王传》《封神演义》《金宫桦皮书》《黄金史》等。新编书目有《嘎达梅林》《达那巴拉》《白音套海的战斗》《英雄阿尤希》《戈壁姑娘》《陶克陶胡》《牧民的好姑娘》《巴林怒火》《连心锁》《祖国啊母亲》《草原烽火》《哑女》《孤星》《林海雪原》《白毛女》《新儿女英雄传》《罕山的秘密》《金色的兴安岭》《一对模范》《劳动竞赛》《剑》等。

（五）单弦

单弦随着满族社会地位的提高而引入宫廷。清乾隆年间，满族八旗军入绥远城后，因对当地的北路梆子、秧歌等艺术形式不感兴趣，故常从京、津等地邀来皮簧班及单弦艺人演唱，尤以单弦的演唱多系乡土音韵，为满人所雅俗共赏，不乏知音者，茶余饭后自习沿唱，加之一人兼弹（三弦）带唱，方法简单，内容丰富，故很快成为本地满民所喜爱的艺术形式。每当婚宴寿诞、佳节喜庆时，家家都要请那些学唱单弦的弟子们来娱乐一番，有时通宵达旦，尽兴方散。前期弟子中的艺人已不可考，后期有洪吉庆、于善奎和铁匠洪师傅等。满族八角鼓艺术也因爱好者众多而得以发展，每逢族人红白事宴，必前往说唱，那些演奏丝弦乐器的"要家"，还学习二人台、京剧的曲牌，演奏牌子曲。

岔曲 原为传统的八角鼓曲词的一种，其内容以抒情叙事者为多，曲目有《起字岔》《慢岔》《平岔》《垛字岔》等。八角鼓传入宫廷后，进一步得到发展。岔曲有大小之分。有六句唱词者为小岔曲，后在第三、四句间加科白与间奏者为大岔曲。

群唱 在二胡、扬琴、笛、箫和鼓、板、锣等乐器的伴奏下，由多人齐唱的曲子。这些曲子多由文人编创，曲目如《万民乐》《太平年》《龙马吟》《飞黄词》等。

单唱 包括下例拆活儿、下地儿等，统称作越调。至民国年间，又有双人表演的形式（双人头）。演唱曲牌连接的顺序一般分《曲头》《数唱》

《太平年》《湖广调》《罗江怨》以及《山坡羊》《醉太平》《寄生草》《闹五更》《哭皇天》调等，但各家并不严格遵循这个演唱顺序，常根据自己的爱好而自行取舍。如呼和浩特市新城区满族艺人于鹤年（擅月琴、三弦、八角鼓，长于京剧）口传的单弦《十三辙》。

拆活儿 作拆唱或拆唱八角鼓。“拆活儿”就是把人物情节和语言、道白等分别由故事中的人物来演唱，作单弦时由一人演唱，作拆活儿则应由分别扮演红娘、莺莺、张生等人对唱。因人物增多，加之各角色的表演方法和特点的不同，所以，拆活儿表演具有一定的戏剧色彩，最初仅由若干人分唱一个曲目，不加表演。后来，表演者一边演唱，一边根据词意做些动作，于是形成最初的带有戏剧色彩的表演动作，为“下地儿”打下基础。

下地儿 艺人们吸收其他曲艺、剧种如京剧、二人台等艺术表演方法，进一步把“拆活儿”发展为走场表演，俗称“下地儿”。即八角鼓艺术不再是击鼓弹弦、坐诵诗文，而是解放手脚，初步形成一些简单的台步、身段等动作。民国23年（1934年），绥远城满族艺人于善奎与洪吉庆表演下地儿，学习二人台的传统剧目如《十里墩》《小放牛》《三国题》等，还自编《十三辙》《闹毛包》等小戏。

四、民族器乐

阿斯尔 蒙古族器乐合奏形式。“阿斯尔”系蒙语译音，汉意“楼阁”。北方游牧民族逐水草而生，多旅居毡房——蒙古包，或曰“帐篷”。元、明、清历代，蒙古贵族所居之商都马群阿斯尔、镶黄旗阿斯尔，蒙古包大而阔，凡表演器乐合奏的艺人在其内为王爷或达官演奏，久之，人们把这种艺术表现形式称之为“阿斯尔”。元帝国一统天下后，国内经济文化一度繁荣，元廷沿用宋与辽金之宫廷卤簿，凡雅乐、鼓吹、燕乐乃至登歌大乐、诗歌杂技承袭不暇。江南丝竹、周边夷乐也登堂入室，与蒙古族传统的音乐艺术互为映衬。民间已形成以笛、筝（雅托克）、胡尔、抄尔、三弦等乐器为主的丝竹乐队，以演奏蒙古乐曲。元代王公之家多有此乐。至明代，蒙古族退居漠南称北元，宫廷音乐多散落民间，或被明廷继承。于是形成以宫廷乐器笛、提琴（同四胡）、雅托克、鞶鼓（三弦）和胡笳，以及抄尔合奏的蒙古族器乐“阿斯尔”，渐次在民间普及开来，并在各部落流传。民间音乐在中国北方得以传承，渐次形成一定的演奏形式，还产生出许多乐曲。清代，宫廷雅乐、鼓吹、宗庙礼仪，得以继承元、明之卤簿大典，集两千年之遗风古训，而成天下之大统。清《理藩院则例》规定，招待蒙古王公筵宴时要奏蒙古乐："是日，乐部和声署设中和韶乐於殿檐下左右，陈丹陛大乐於中和殿北檐下左右，笳吹队舞、杂技百戏，俟於殿外东隅。武备院张黄幕於殿南正中，内务府管领设反坫於幕内，尊、爵、金卮、壶酌具。尚缮总领於宝座前设御筵。殿内左右，布蒙古王公暨内大臣、入殿文武大臣席。……进蒙古乐歌，是时，同进赏酒。引亲赐酒之王公等祗跪行一叩首礼，皇帝亲赐酒，饮毕，复行一叩首礼。其余王公等，由领侍卫内大臣立监视侍卫授酒一次。皇帝亲赐酒之王公等退归原位，行一叩首礼，众皆行一叩首礼，饮毕，复行一叩首礼，蒙古乐止。"蒙古族直属理藩院管辖的49旗，如翁牛特旗、敖汉旗、乌珠穆沁旗、准格尔旗、阿拉善旗、喀喇沁旗、奈曼旗、索伦旗、四子王旗、鄂托克旗、杭锦旗等，多有自己的乐手。清光绪二十九年（1903年），日本籍学者鸟居龙藏考察蒙古地区，目睹喀喇沁旗王府乐队，并为其摄影，可知那时的乐队已有四胡、雅托克、笳、笛、抄尔、叶克勒等乐器。

阿斯尔得以在内蒙古草原上流传至20世纪末的另一个原因，是清代宫廷在锡林郭勒草原上设置的牛群、羊群、马群、驼群等放牧机构，该机构系朝廷命官，食俸禄。朝廷为保证军马及肉食品、奶制品的来源，对牧群的官员尤加关照，特准将宫廷雅乐之丝竹乐器雅托克、火不思、三弦、四胡、笛等并乐伎赐派于察哈尔八旗牛、马群之官吏，让他们能聆听到纯正的宫廷音乐，促使其尽忠尽职。久而久之，人们把这种音乐也称之为阿斯尔，其曲谱和乐器进一步传入民间。清帝国灭亡后，这散落在草原上的丝竹雅乐再也无法收回，自然衍变为被牧区人民喜闻乐见的艺术形式。直至民国年间，阿斯尔的演奏仍不乏其人，不绝其声。这其中，便是民族文化交流的极好印证，更为雅托克、四胡等乐器在中国北方游牧民族中安家落户，创造出极好的条件。

如前述，阿斯尔或可释作"蒙古包里的音乐"，其所奏器乐曲有《八音》等，此外多数是民歌，但民歌是具有地区特点和部落特点的，所以，随着蒙古族部落（旗）的不同，阿斯尔有镶黄旗阿斯尔、太仆寺旗阿斯尔、正蓝旗阿斯尔、喀喇沁旗阿斯尔、阿都沁旗阿斯尔等，形成一些不同的风格、流派。阿斯尔所用之乐器，因各部族的不同而略有差异，但主奏乐器笛子、四胡则必不可少，其他乐器的搭配如准格尔旗配以三弦、打琴；乌拉特旗配以三弦；土默特旗配以三弦、胡琴；正蓝旗配以马头琴、雅托克；喀喇沁旗配以胡笳、火不思等。唯独一点，阿斯尔的全部乐器中，不使用任何打击乐器。而且，传统的演奏是席地而坐。及至20世纪50年代后，方坐在凳子上演奏。

牌子曲 满族音乐表演形式。随着满族“下地儿”“拆活儿”等曲艺艺术形式的发展，原有的一只八角鼓、一把三弦已不能适应音乐伴奏的需要，那些爱好音乐的弟子们，在学习其他曲艺、剧种表演艺术的同时，耳濡目染，学会枚（笛子）、扬琴、四胡、二胡、月琴等乐器，如满族艺人于鹤年从京剧中学会弹月琴，且有娴熟的演奏技巧。于是，伴随着“下地儿”的表演艺术，形成以八角鼓击节领奏，以枚、扬琴、四胡、月琴等为主的丝竹乐队。这种艺术表演形式主要流行于满族聚居的绥远城。

民国三十年（1941年）后，满族丝竹乐耍牌子已具备一定的艺术水准，因为八角鼓乐器的加入，从而使该丝竹乐与其他戏曲的乐队在演奏风格和音响效果上形成明显的区别。当时，丝竹乐队除为下地儿表演伴奏外，也常演奏一些单弦中的曲牌，如河南调、湖广调、百花调、风摆柳、东城调、朝天子等，俗称“走牌子”。演奏之余，还常打坐腔，遇有好唱家时，乐师们很愿意为之伴奏。如汉族艺人贺炳在三十几岁时，常去绥远城和满族子弟们打坐腔。满民很好客，又喜爱文艺，一听他唱得好，就留住他一唱好几天。

常用的曲牌有：《精忠》、《秦琼》、《伍子胥》、《赤壁》、《罗成》、《游春》、《夏景天》、《瑞雪成堆》、《才郎夜读》、《琴棋书画》等。

五、戏剧

（一）蒙古剧

流行于内蒙古通辽市、呼伦贝尔盟、兴安盟、锡林郭勒盟、乌兰察布盟、阿拉善盟、呼和浩特市、赤峰市及辽宁省阜新市等地。辽、金时期，杂剧已很流行。自元朝以来，戏曲始长足发展。蒙古人喜歌好舞，又有唐、辽、金、北宋、西夏等音乐艺术之陶冶，加之元帝国一度太平天下，或歌、或舞、或杂戏、或剧，多继承前朝卤簿，兼糅并储，并融以本民族之艺术。

较之宽松的文化政策，使歌舞、戏曲等在元帝国执政时得以繁荣发展，并广泛流传于蒙古上层贵族中。戏曲唱腔有固定的曲牌，兼以作科，尚无武打。其伴奏乐器、脸谱、服饰等，始无定规，衍至明代，方形成一定格局，有的戏曲中还包括手技、口技、杂耍、笑话等。忽必烈在宫廷中供养着专门表演为皇上欣赏的喜剧“拿都勒沁”的班子，以表演神话故事和民间故事为主。艺人们将西藏的《梅拉传》借用鄂尔多斯古典歌曲《吉如》改编成歌剧。元末明初，蒙古族戏剧家杨景贤把《西游记》等 18 部戏剧脚本搬上舞台。北元至清代，蒙古剧无大进展。

蒙古剧作为一种艺术形式，主要是在内蒙古自治区成立后发展起来的。民国 35 年（1946 年），内蒙古文工团演出由周戈等人创作的蒙语歌剧《鄂尔登格》《血案》。同年，成立的东部区奈曼旗文工团，演出反映蒙古族妇女为追求婚姻自由的歌剧《韩秀英》，反映喇嘛偷情的歌剧《万利》。1951 年，演出由布赫创作的反映抗美援朝的蒙语歌剧《慰问袋》。蒙古剧的前身（雏形）是蒙语歌剧，在“科尔沁蒙古剧”未命名前，通辽市的一些艺术团体如库伦旗文化馆，就演出过许多用蒙古族民歌或长篇叙事诗改编的蒙语歌剧，有《陶克陶胡》《韩秀英》《达那巴拉》《嘎达梅林》《金珠儿》等，这些蒙语歌剧的表演，少则二三十人，多则五六十人，有演员、有伴奏、有舞台工作人员，其多数在半农半牧区演出，那里有较大的表演场所——舞台和更多的从事农耕文化并已经定居的蒙古民族作为观众。蒙语歌剧在通辽市经过 40 年的实践，于 1988 年 7 月 25 日，由国家文化部、自治区文化厅和通辽市文化处的 50 多位专家学者在通辽市召开的研讨会上，正式命名“科尔沁蒙古剧”为新剧种。

科尔沁蒙古剧遵循尊重传统、尊重蒙古民族欣赏习惯等原则，广泛吸收蒙古族民歌、安代、萨满、查玛、好来宝、乌力格尔等艺术形式和特点，以民歌唱故事，载歌载舞，并学习有关戏剧的艺术特点。1988 年，经有关单位研究决定，通辽市库伦旗乌兰牧骑被命名为“科尔沁蒙古剧实验剧团”。1991 年，又有赤峰市蒙古剧《沙格德尔》面世。1996 年，在由国家文化部、自治区文化厅和内蒙古民族剧团等有关方面召开的学术研讨会上，内蒙古地区的蒙语歌剧被正式统一命名为蒙古剧，由内蒙古民族剧团承办蒙古剧的研究和实验等有关艺术方面的事宜。

题材 以反映蒙古族人民反对民族压迫，争取自由生活和爱情类的题材内容富有特点，如《独贵龙》《陶克陶胡》《嘎达梅林》《巴林怒火》等。也有反映悲欢离合的爱情类题材，多以草原牧区的生活为基础。许多比较成功的歌剧是用民间流行的长篇叙事歌改编发展而成的，因为这些内容为广大牧民所熟悉，许多人还会演唱其中的民歌，这类歌剧经排练演出后，很受欢迎，如《韩秀英》《万利》《森吉德玛》等。其唱词按照蒙语的韵律编排，上下对偶，合辙押韵。其念白以韵白为主，常把蒙语中富有哲理和寓意的谚语、成语、歇后语、典故等糅合在念白中，以增强艺术表现力和感染力。

音乐 蒙古剧所用的音乐，均以传统的蒙古族民歌和曲艺音乐（好来宝、乌力格尔）为素材编创而就，为曲联体音乐结构。有的则原曲挪用。因地域的不同，各地都以流行于本部族的较为典型的民歌为基调，繁衍发展，拓引新曲，很少沿用外地（指其他盟市或部落）的民歌，并以此而形成蒙古剧的地区（部族）音乐特色。如歌剧《乌仁都西之歌》的音乐具有鄂尔多斯蒙古民歌的特色；哲里木盟的歌剧《韩秀英》的音乐具有科尔沁蒙古民歌的特色；呼伦贝尔盟的歌剧《希望》又具有呼伦贝尔蒙古民歌的特色等。伴奏乐器的使用比较自由，多数乐队注意突出马头琴、四胡、竹笛、雅托克和三弦的使用。20 世纪 50 年代前，其乐器伴奏以民族乐队为主体，及至 90 年代，乐队中又加入小提琴、中提琴、大提琴、贝司、圆号、小号、长号、长笛、双簧管、单簧管、巴松等西洋管弦乐器，为混合（中、西乐器）乐队。打击乐器的使用，必要时用梆子击节，或用定音鼓造气氛。其他打击乐器如戏曲通用的鼓、板、锣、镲等，概不使用。辽宁省阜新市 1951 年演出的有关反对包办婚姻的蒙古剧《花儿》一剧中，即已使用鼓、锣、钹、木鱼等打击乐器。有关角色、脸谱、服饰、身段和切末装置等，多学习借鉴话剧和歌剧的程式。

剧目 20 世纪 70 年代，内蒙古自治区许多盟、旗都编写蒙语剧本，并进行排练和演出。以 1985 年 12 月在呼和浩特举办的“内蒙古自治区首届蒙语戏剧调演”为例，共演出内蒙古民族剧团，锡林郭勒盟、呼伦贝尔盟、通辽市、赤峰市 6 个代表队的 8 场晚会。由阿茹娜编剧、敖登高娃导演、美利其格作曲，由内蒙古民族剧团演出的四场歌剧《莉玛》，描写勇敢智慧的沙格德尔台吉和美丽善良的莉玛姑娘相爱。后来，沙格德尔被遣往前线征战，莉玛在家遭非难，致使精神失常。全剧以沙格德尔与莉玛的爱情故事为主线，涉及到上层达官显贵（如剧中出现的塔娜公主及其随从）为满足私欲而不择手段陷害他人的故事。其他有代表性的剧目还有：《草原烽火》《乌力吉的生日》《陶克陶胡》《达那巴拉》《有这么一个人》《赛乌素沟畔》《赠礼》《拐棍》《洪湖赤卫队》《红灯记》《杜鹃》《草原曙光》《雪中之花》《满都海斯琴》《小家的早晨》《原来是你》《巴拉根仓》《乌云其其格》《选女婿》《章京之女》《褐色的鹰》《敖包相会》《草原情》《宝马的故事》《十日考验》《岩血石》《映山红》《新达丽》《四季》等。

（二）蒙古语话剧

蒙古语话剧是蒙古族的新型艺术形式，在话剧领域内是一个新的发展和创举。民国37年（1948年），内蒙古东部解放区就已开始由地方上的文艺团体演出中小型蒙语话剧。1985年12月4日，在呼和浩特市举办的内蒙古首届蒙古语戏剧调演会上，由锡林郭勒盟西乌珠穆沁旗乌兰牧骑演出的独幕蒙语话剧《相识的人》,获优秀剧本创作奖和优秀演出奖；由阿巴嘎旗乌兰牧骑演出的小话剧《联产亦联心》,获剧本创作奖和演出奖。又如：《千万不要忘记》《霓虹灯下的哨兵》《农妇》《于无声处》《一双绣花鞋》《八一风暴》《枫叶红了的时候》《收租院》《春光曲》《归来》《姑娘跟我走》《雷雨》《槐树庄》《好的开端》《救救她》等话剧也以蒙古语演出。

内蒙古民族剧团自1957年成立以来，演出的蒙古语话剧如《金鹰》《国际线上》《嘎达梅林》《巴呼桑一家》《两件缎子袍》《女民兵之歌》《苹果树下》《有知识的女婿》《巴特尔新传》《算盘图古吉尔》《巴拉根仓新传》等数以百计的蒙语话剧，为内蒙古地区话剧的发展，从编剧到表导演艺术方面都注入新的血液，并成为中国话剧事业发展的新语种、新尝试。(有关话剧，包括蒙语话剧的题材、表演形式、音乐、脸谱与服饰、舞台陈设等，从略)

（三）八角鼓剧

该剧流行于呼和浩特市新城区，该区系满族聚居区。清乾隆四年(1739年)，于归化城（今呼和浩特市玉泉区，一称旧城）东北5里处筑绥远城，现存“将军衙署”系官府驻地。继之，调山西右卫八旗军3 000人驻防；乾隆十二年（1747年）又从北京调来1 200名满洲兵；二十六年后，驻军家属陆续迁来。清康熙至乾隆年间（1662—1795 年）是大清帝国的鼎盛时期，其间民间艺术如歌、舞、乐等很发达，“满人娱乐，……三曰唱八角鼓，各种乐器，与汉人普通演奏所用者相同。惟有一鼓，径约七寸，形为八角，每角贯以小叉。唱时且摇且击，又名太平歌。满人生长兵籍，习于战阵，平日所藉于娱乐者，如射股子，放鹰犬之类，殆亦寓有练习射猎之意，使勿忘其本业耳。至八角鼓，各地满人皆唱之，相传为乾隆时，大将军阿桂平定大小金川，师旋时，军中特制此乐，编为歌词，使军士唱和，以当凯歌。故后亦称八角鼓为太平歌，又曰得胜歌也。从前满人遇有喜庆、寿贺诸事，辄为集善此歌者，以娱宾。此风盛行一时，至清末犹多。民国以来，多数为生计所迫，汲汲于谋求职业一途。所谓射股子，放鹰犬及唱八角鼓诸娱乐，也已无此闲情逸致，故在今满人日常生活中，甚罕见有及此者焉。”①清灭亡后，及至民国年间，民间仍流行八角鼓。“还有绥远城的满民们唱的一种歌曲，伴奏的乐器很多，有八角鼓一面，可称特色，本地其他戏曲是没有的。所唱的调，整曲多是言情的，少有淫词滥调，较小班戏曲为富。如《玩月光》和《虞美人》的曲子，就是八角鼓的产品”。② 1953 年，呼和浩特新城区文化馆文艺工作者乌静波、关润霞等根据满族老艺人洪吉庆口述，将两首八角鼓岔曲《二姑娘害相思得病》和《王干妈探病》糅合在一起编成《对菱花》一剧，又继承满族曲艺“下地儿”的表演，施以唱、念、做、舞，学习其他剧种，设生、旦等角色，配以乐队伴奏及简单的舞台布景等，遂开满族戏曲之先河。但满族八角鼓戏至 20 世纪 70 年代即销声匿迹。至 80 年代，因文化部编辑出版“十大集成”而又时兴过一阵，终失传。

伴奏乐器以八角鼓击节领奏，丝竹乐器有笛、三弦、四胡、扬琴、月琴、琵琶、二胡、笙，打击乐器有鼓、板、锣、镲、四块瓦。表演时，演员模仿京剧的身段，念京白，着满族传统服装。民国初年，满族艺人演奏牌子曲，曾吸收许多北路梆子和二人台的器乐曲牌，如鬼拉腿、喜相逢、上南坡等，并借鉴京剧、晋剧音乐的乐器如鼓、板和二人台音乐的打击乐器四块瓦等，以丰富自身的音乐表现力。其唱词典雅，旋律优美。

---

① 绥远通志馆编：《绥远通志稿 · 民族》第 7 册卷 52，内蒙古人民出版社 2007 年版，第 234 页。
② 参见霍国珍：《绥远二人台戏曲的沿革》（手抄本）。

1954年，继由新城区文化馆歌剧团排演出八角鼓戏《挎柳斗》。

（四）回族歌剧

清康熙二十九年（1690年），康熙大帝率部亲征噶尔丹部获胜。时新疆、宁夏一带回族有从事商驼贸易者，因战事，留在归化城（呼和浩特市）。其后又有张家口的部分回民迁居归化城。三十二年，始于归化城北建清真寺。清雍正年间（1723—1735年）有陕西长安、大荔等地的回族北出塞外贩卖牛羊，有拜、哈、马三姓始在呼和浩特地区落脚。乾隆末年（1786—1795年），新疆一带的回族护送香妃娘娘赴京，事毕，乾隆皇帝于归化城南八拜村赐给香妃本族（马姓）一片土地，使其安家。同治元年（1862年）陕西回民任武起义于渭南，继之，陕甘回族白彦虎、马化龙揭竿。清廷派大臣左宗棠镇压，大肆屠杀回民，甘肃灵武、金积、平凉等地回民为避战乱，携老扶幼，迁来归化城落脚。至此，回民于归化城北聚成村落，并沿守族俗。

回民以小分散、大聚居为特点，民风勤劳、俭朴，善经商理财，男子好武术，以少林拳棍等为长，尤以归化城吴桐、白儒珍等颇有名气。缘因伊斯兰之教规，不尚戏曲、舞蹈。唯回族歌剧，咸于20世纪50年代兴起，60年代失传。1950年，为宣传中国共产党的各项方针政策，配合土地改革、婚姻法颁布和抗美援朝等政治运动，时“归绥市回族自治区”（今呼和浩特市回民区）组织并成立业余剧团。之后，剧团发展到30多人。演出的剧目有《接代表》《姑娘的心》《尔代节的一天》《两条金子》《入出社》等；晋剧有《小姑贤》《端阳游湖》《打狗劝夫》《豆汁计》《打灶神》《苏先生钻炕洞》等；二人台传统戏有《走西口》《挂红灯》《打连成》等。其中《一眼井》（作者乔奋一）是第一部用本地回族方言韵白、着回族民族服装、描写回族生活的歌剧。该剧以某院落中回汉杂居的现状为题材，描写一家汉民不注意尊重回民的生活习惯，导致回民不愿与汉民共用一口井吃水，旋使矛盾激化。后经街道居委会主任调解，终归于好，共饮一井水。用地方戏二人台唱腔《五哥放羊》《跳粉墙》《十爱》《挂红灯》等填词演唱，并以枚、扬琴、四胡、三弦等乐器伴奏，系独幕歌剧，长达40分钟。1955年，该剧首次参加内蒙古自治区第一届民族民间音乐舞蹈戏剧观摩演出大会，获剧本奖。

第三节 汉族民间艺术

一、民歌

（一）爬山调

一作“山曲儿”“小曲儿”“曲曲儿”。流行于内蒙古中、西部农区与半农半牧区。抗日战争时期，大青山抗日根据地的指战员和当地的人民群众，也编创出许多具有革命内容的唱词，在抗日军民中传唱，这些新民歌，在当时艰苦的战争环境中，曾起过积极的宣传作用和教育作用。如由郝秀山和曹文玉领导的一支大青山八路军抗日游击队，常能听到郝、曹二人为鼓舞士气而即兴编创的爬山调。爬山调曲调优美，措辞泼辣而不善修饰，感情外露而不加掩饰。爬山调按地区色彩区分，有后山调、河套调与前山调之分。后山调流行于阴山北麓武川县、四子王旗一带，其特点是旋律高亢悠长；河套调流行于巴彦淖尔盟河套地区，其特点是旋律婉转悠扬；前山调流行于阴山南麓土默川平原地区，其旋律特点兼有前二者之长。

表演形式 爬山调的演唱多为一人，或赶脚行路，或锄耧耙磨，或收割打场，或喜或忧，或男或女，或老或幼，不拘人物，不拘形式，不拘场合，不拘内容，而且不用任何伴奏乐器，根据自己的嗓门任选调高。“山曲儿本是肚里生，心想唱甚就唱甚”。演唱者还可借物发端，借景抒怀，即兴编词演唱。20世纪50年代以来，随着民间音乐艺术的发展，出现二人对唱的爬山调，且加入以竹笛为主的小型民乐队伴奏。爬山调的演唱，其演唱技巧多属自然发声法，发音部位靠前，注重口腔、脑腔共鸣，其高音区多用假声。歌手张二寅虎（武川县）的演唱，技巧娴熟，声音明亮，且能借物抒怀，自筹诗章。1954年晋京于怀仁堂演唱的《大黑牛耕地》是他的拿手曲目。这当中最难能可贵的是演唱者的即兴性，一位优秀的歌手能够看到什么唱什么，走到哪儿唱到哪儿。而且所唱的内容还要合辙押韵，容易上口。许多即兴编创的歌词，不胫而走，久唱不衰。

题材内容 有描写老一辈革命者在革命战争中戎马生涯的，如《人民当家来做主》《盘龙卧虎根据地》《井儿沟就是咱们久走的路》《日本强盗乱抓人》等；描写揭露旧社会黑暗生活的，如《背炭》《遭年限》《抓壮丁》《盼五更》等；描写妇女追求人身解放和争取自由婚姻的，如《骂媒人》等；描写爱情的，如《难心难意难开口》《眊哥哥》等。爬山调的题材内容，从自身的喜怒哀乐、理想夙愿到世态炎凉、花果草木、鸟兽鱼虫以及五更十二月、爱情故事等，无所不唱，无所不有。巴彦淖尔盟、包头市、呼和浩特市流行的爬山调，在题材内容方面，除占有一定比重的具有革命内容和进步意义的曲目外，其余绝大部分是描写男女婚姻和追求自由恋爱的题材。

文学特色　（1）比·兴　是诗歌创作中传统的表现手法，宋人朱熹云："比者，以彼物比此物也，兴者，先言他物以引起所咏之词也。"南朝刘勰《文心雕龙》云："比者，附也；兴者，起也。附理者，切类以指事，起情者，依物以拟议……"爬山调歌词属于口头文学，口授心传，世代咏唱，特别在旧社会，没有专门的爬山调文学创作者，没有专门的歌唱家，也没有专门的听众，更无人去收集、整理、研究。劳动人民为寄托自己的情思，抒发自己的理想，触景生情，借物发端，联类引喻，尽情挥洒，"山曲儿本是出口材，心里头有甚就唱出来。"而且出语朴实易懂，准确形象，多有针砭时弊的词句，尖酸刻薄，尽情鞭挞，听罢酣畅淋漓。因为爬山调的唱词是上下句结构形式，所以常见的比兴手法是上句比兴，下句陈述，也有上句陈述，下句比兴的倒插比兴句。（2）赋　是韵文和散文的综合体，通常用来写景叙事，也有以较短的篇幅抒情说理的。爬山调属于韵文类，但作为口头文学，它的词句又具有一定的散文风格。它的上下句结构以赋的形式陈述主题，往往能自成一个段落和内容。而且上下句之间一呼一应，相间甚密，并无牵强附会之嫌。（3）双词迭韵使用　内蒙古中西部地区人民在日常生活中，为把某一件事物表达形容得更加准确、形象，也为达到表现某种亲昵、爱慕、珍惜之情，往往把一些本来是用一个字表达的单音字而加以重复，形成当地特有的双词迭韵的语言形式，如"亲亲"、"蛋蛋"、"眉眉"、"眼眼"、"嘴嘴"等。（4）方言俗语的使用　多见于当地口头流传的语言，为广大群众所熟悉，易听易辨，通俗明了。俗语的使用虽然普遍，但不滥用，遣词造句工整、对仗，且幽默风趣。一段词中，一个俗语的成功使用，往往以此形成该曲的精华和高潮所在。（5）儿化音的使用　儿化音在内蒙古西部农区的方言中很有特点，而且读来亲切顺耳，具有浓郁的乡土气息，特别是把儿化音配以双词迭韵，更有特色。

音乐特点 其旋律以五声调式为主，宫、商、徵、羽调式为多用。转调的使用很有特点，多以“清角为宫”的方法向下属方向转调。其节奏形式多为4节奏。曲式结构多为上下句式，上句多落属音或下属音，有时上下句同落主音。

（二）码头调

泛指由流浪艺人演唱于里巷街头的民歌小调，纯属流行于勾栏瓦肆、乡镇市井的地方小曲。其题材多为反映五更四季、儿女情长、历史典故及世态炎凉，以至人间伦理、社会时弊、土匪妓女等内容。码头调多为清唱，演奏者自筹韵脚，即兴演唱。许多民间艺人还能借物发端，随口编创歌词，且合辙押韵。每年正月扭秧歌时所演唱的民歌中也有码头调，且配以伴奏乐器。最初，这些码头调和秧歌舞配合演唱，以后渐次分离出来，成为单独的民歌演唱形式。

码头调的曲目很杂，多数是从其他民歌中移植而来。码头调的共同特点是结构整齐，节奏性强，旋律简朴流畅，便于咏唱，如《三国调》《珍珠倒卷帘》《凤凰九九图》等。码头调伴奏乐器有鼓、锣、镲等打击乐器。因为打击乐器的加入，使得码头调的演奏和演唱节奏性强，旋律活泼明快。因码头调的题材内容与人民的生活很贴近，故码头调所唱曲目极易普及流传。如《出狱牢》《张大人叹十声》《独立队九九图》等。

二、诗歌

（一）串话

属民间口头文学，同属民谣类。除串话、绕口令外，还有酒令、节气歌、农谚歌及格言、俗语等。用方言俗语，以合辙押韵的词句，表达一个完整的意思。串话多合辙上口，易学易懂，便于咏诵，其意蕴含蓄幽默，富于哲理，欢笑声中明白事物的原委，间或受到启迪。更有那些插科打诨、笑骂贬责的句子和那些针砭时弊、揭露社会阴暗面的句段，听罢使人受到教育和启发。其题材最初多以民间琐事如家庭纠葛、儿女情长、风流韵事、五更十二月等内容为主，用方言编成合辙押韵的词句进行演唱，一个故事通常只用一个韵脚，中间很少换韵。篇幅较短。旧社会一些流浪艺人或乞丐多会此艺，无论是赞美，还是挖苦讽刺，都很形象、生动。民谣（串话）是伴随着人类的劳动与生活而形成的口头文学，因民谣多为自生自灭的艺术形式，故有许多珍贵的艺术题材内容失传。辽代天祚帝耶律延禧曾于天庆五年（1115 年）因征讨女真部败北，回宫召老臣萧查剌、吴庸、耶律大悲奴、马人望、柴谊议政；因人老迟缓而误国误民，契丹人编出民谣："五个翁翁四百岁，南面北面顿瞌睡。自己精神管不得，有甚心情杀女真。"如前综述中所记："垂杨传语山丹，你到江南艰难，你那里讨个南婆，我这里嫁个契丹。"描写征夫南下，某女思夫心切之意，火热、泼辣、质朴、真切。及至 20 世纪七八十年代，社会上还流传着一些针砭时政的串话，曲例如《四"话"干部》《社干与社员》《六等人》《半斤粮》等。

（二）绕口令

属于语言游戏，也作"拗口令"。古时多与饮酒行令相关，将一组声音、韵律、调高相似或相近的字词交叉编成语句，要求一口气快速读出，故而读者多容易产生错误。绕口令的咏诵，要求读者口齿伶俐，发音清晰，记忆力强。绕口令的咏诵与方言有关，甲地流行的绕口令，搬到乙地，在声音、韵律、调高方面就会发生变化，而不成其为绕口令。

三、曲艺

（一）十不闲儿

一作"十不闲儿莲花落"，流行于赤峰、通辽等地。系由锣、鼓、镲伴奏的曲艺形式，由一人表演。演出时，场上放一长 4 尺、高 6 尺的木架，雕龙绘凤，系彩挂绸，表演时，将鼓、镲等打击乐器按不同位置分别置于左右手，一般左手演奏小鼓，右手演奏镲，两爿镲均绑定在木架上，利用杠杆原理，以手制之。有的在脚上设一机关，控制一件打击乐器锣。以口中念词，自打自唱，手、足、嘴皆配合伴奏与表演，缺一不可，故名"十不闲儿"。十不闲儿在清嘉庆年间最为兴盛，至光绪年间"老佛爷"慈禧太后也好此技。清末，此技传入归化城，民国年间，通辽、赤峰地区尚有习此艺者。民国 30 年后，艺事后继无人而失传，堪称绝响。

单唱 即传统的自打锣鼓自唱的方法，唱腔为上下句式，其中第一段上句的落音和以后各段的上句根据唱词的不同或情绪色彩的不同落在 mi、si、do 音，下句则全部落在 ra 音上，并以“哎”字拖长音。每演唱前，先由打击乐器演奏一套锣鼓，以后每段唱腔之间的鼓点可随意变化。

彩唱　即另设丑、旦角色，化妆着彩衣，表演带唱，旁有弦子（三弦）、八角鼓伴奏，已具备曲联体小戏的雏形，曲目有《小化缘》《十里亭》等。旦角系男扮女装。

（二）渔鼓书

道人说唱的艺术形式。表演时左手执渔鼓，右手执简子，以鼓声的节奏点伴以道家的说唱，俟间奏时，则鼓、简同鸣。所演唱的内容多为道教伦理，如劝人为善、孝敬公婆、安于现状、不争名夺利等，曲目如《十劝人》《十四句贤孝》等。该艺术形式盛行于清代及民国初年，因其表演形式单调，题材内容死板教条，相比之下，不及乞丐的快板书内容广泛，且调笑叫骂皆能成诵，故于民国年间渐次销声匿迹。

（三）快板书

流行于内蒙古中西部地区的快板书，清咸丰年间由晋、陕等地北出塞外的艺人传入，自打竹板自诵。快板书多出自沿街讨吃的乞丐，旧时这种被达官显贵称作“俚曲”的民间艺术，其地位比较低下。他们献艺于门前篱下、里巷街头。20 世纪 70 年代，有人称之为“门楼调”。内蒙古乌兰察布盟如丰镇、卓资、化德、凉城、商都县，土地较贫瘠，系农区，多晋陕移民，每遇荒旱，颗粒无收，许多农民便手持竹板四处逃荒，卖艺糊口，以度灾年。故此种艺术在乌兰察布盟、土默川更为流行。“文化大革命”期间，快板书被搬上文艺舞台，并进一步形成单口快板、对口快板和群口快板。其传统曲目有：《棺材铺》《苏先生钻炕洞》《王婆骂鸡》等。还有一些配合政治形势编唱的段子，如《打倒一贯道》《打倒美国佬》《人民公社好》《计划生育好》《承包到户好》等。快板书作为一种民间曲艺形式，有体裁短小、主题鲜明、结构紧凑等特点，有一定的故事情节。能及时、准确地反映社会生活中的一些重大事件及人们所关心的一些社会问题。许多艺人都有即兴编创的本领。快板书的演说，通常押一个韵，有时也在中间改辙换韵。有时，因为故事情节的需要，表演者还要作一人多角的表演，随时模拟故事中男女声调或有关音响效果。其韵辙遵循十三辙的语音规律，方言俗语穿插其间，

“儿化音”的使用很有特点。如前述，多以乌兰察布盟、土默特方言咏诵。

（四）数来宝

数来宝是以打击乐器（或响器）伴奏的说唱形式，一作“顺口溜”“练子嘴”。一人说唱，多为男性。乞丐多擅此技。其打击乐器以胯骨板儿为多，也有以箸击碗或二碗相碰以为乐者。今之北方饭店或家庭仍忌讳在餐桌上以箸击碗或二碗相碰，盖出此因。数来宝的表演以咏诵合辙押韵的诗句为主，有时伴以歌唱，仍以自打自唱为主。其表演的内容多为比较短小的句子，如四句、八句或十六句不等，因他们忙于走街串户乞食，每到一地不能久留，加之有的人家嫌弃乞丐，赏几个钱了事，乞丐也乐此不得，点头哈腰，面带笑容，说几句合辙练口的恭维话走人便是。但他们仍能做到走到哪里说唱到哪里，见物发端，连类引发，一气咏诵。

（五）落子

民间曲艺形式，一作莲花落、莲花乐、张口落子、花子调、走马牌子、落子、乞丐调、讨吃调，是由乞食者表演的一种曲艺艺术形式，广泛流行于中国北方农区，以竹制乐器竹板儿为伴奏乐器进行表演。其“张口”有两个含义：一是指表演打击乐器落子（即竹板儿）时，该乐器一开一合的形态似“张口”；二是指乞丐开口要饭的意思。落子由打击乐器竹板或碎嘴子伴奏，其持竹板者多为男性，持碎嘴子者多为女性，自打自诵，一人表演。落子以唱为主，间有数来宝句段。所说唱的内容同为赞美主人或恭喜发财之类的内容，也有说唱故事的。唱落子的乞食者在丐帮中算是有一技之长的上等乞丐，因他们不仅能咏诵，还要有一副较好的嗓音以歌唱，每逢红白喜事或寿诞庆典等，乞丐把预先编好的落子词献上，除赞颂东家之外，还增加一些故事内容，加以适当的表演，为事宴增加许多热烈的气氛，间或有人“点唱”，则乞食者收入更多。落子起源于唐、五代时的“散花乐”，是道人在民间布道、传教时咏唱的。《警世歌》从宋代开始在民间流行，并首先由乞食者传唱。清代末年传入内蒙古农区，在城乡流传尤甚。因为落子有一定的传统文化基因，且有较高的艺术性和较丰富、完整的题材内容，在全国各地有许多表演形式，如东北莲花落、姚安莲花落、江西莲花落、湖南莲花落、绍兴莲花落、广西零零落等。所以到 20 世纪 50 年代，已被搬上舞台进行表演，从而脱离世俗的乞丐文化领域。

四、民间器乐

（一）民间鼓吹

鼓乐房属于民间带有商业性质的鼓吹乐队。有两种形式，一是单纯的民间鼓乐班，只设文、武场吹打乐，如归化城的长胜鼓房；一种是兼有念喜操办红白事宴的鼓房，如永裕通杠房。鼓房所奏曲调多以民歌小调和梆子腔的唱段或曲牌为主。最早的鼓房为绥远城（呼和浩特市新城区）于清代乾隆年间随八旗驻防官兵而来的永裕通杠房，到咸丰年间，已发展为拥有32杠，于绥远城闻名遐迩，能够同时操办官、民事宴的大型鼓房。辛亥革命后，官鼓房随着清朝的灭亡而绝迹，但民间的鼓乐班却保留下来。通辽市于民国3年设制，其中除蒙古族外，还有冀、鲁闯关东之汉民，每婚丧、年节，总有艺人吹打一番。通辽市的第一家鼓乐房是民国十年（1921年）由辽宁省朝阳地区的崔振林（1900—1946年）首创，人称崔家鼓房。此后又有冀东刘湘亭迁移到通辽市的刘家鼓房等。至民国三十四年日本侵略军投降时，赤峰地区已有大小鼓房30多家。鼓乐房的传承，多为家族内父子、兄弟、叔侄等，无女性参与。因系家庭组合成的小班，故多无名称，以姓氏冠之。但也有一些声望较高的职业性鼓房，取个字号，以图事业兴旺，如归化城较有影响的有曹二毛的长胜鼓房、于福义的武胜鼓房等。在萨拉齐、毕克齐、察素齐、托克托、包头、临河、陕坝、集宁、赤峰、通辽、乌兰浩特等地的鼓乐班也很多。其中有的是职业的，有的是半职业的，兼营其他手艺活计。那些业余班多属临时凑合，其艺术水平与职业班比较，相形见绌。在各地的鼓乐班中，有许多盲艺人从事演奏活动，以此谋生。

鼓乐班由文、武场组成。以内蒙古中、西部地区的鼓乐班为例，其文场有高、低音唢呐各1支（俗称“尖唢呐”“塌唢呐”），笙1支，管子1支（常由吹唢呐者兼奏），有条件的鼓乐班还加一把大板胡。武场有大鼓、小鼓、铙钹、铰子、大锣、小锣、小铜鼓、两眼罩等各1件，分别由4人演奏。内蒙古东部区的鼓乐班，其文场有唢呐（高低音各一支）、管子、笛、笙、角、匏，武场乐器有大鼓、堂鼓、包锣、铙钹、乐子、云锣等，分别由5—10人操持。高音唢呐音色明亮，多用于红事宴的伴奏；低音唢呐音色浑厚，专用于白事宴的伴奏。以突泉县鼓乐班为例，文场有唢呐、笙、管各一支，武场有鼓、锣、镲。其吹奏红事宴（即喜庆事宴）的高音唢呐管长7—8寸，内蒙古中西部区称其为海笛，东部区称其为小三机子。吹白事宴的低音唢呐1.2—1.4尺，管愈长则音愈低。所奏的曲调有专门的工尺谱，许多艺人都识谱。常用的调有本调、甲调、凡调、小字调、六字调、梅花调、四字调，俗称“三大调四小调”。演出前先由顾主预聘，到预定的时期，鼓乐班要沿街大吹大擂而去，鼓手们打出各种复杂的锣鼓经，如《霸王赞》《马腿儿》等，以显示其演奏技艺，并进一步招徕顾客。此谓之“过街式”或“走街式”表演。到目的地后，在东家指定的地点（或乐棚中）吹奏，此谓“坐棚式”或“坐堂式”。若遇有两个鼓乐班对垒，还要各施绝活儿，以显示自家的技艺。

鼓乐班有官、民之分。官鼓房是公办的，如清代绥远的都统署内就设有官鼓房，有3人执乐，分别为牛腿号、鼓、锣。其任务有二：一是官老爷升堂时奏乐，名曰《都统乐》；二是官家问刑杀人时，要去刑场奏《阴魂乐》。演奏时，持阴锣者在前面开路，牛腿号、鼓随其后。

各地的鼓乐班，因师承关系及风格流派的不同，及服务形式的不同，故其演奏的乐曲及所使用的乐器（组合）也不同。如通辽市的鼓房就有冀东派和辽西派之分。以呼和浩特、包头、乌兰察布、巴彦淖尔市等地为例，鼓吹乐以唢呐（2支）、笙（1支）为文场主乐，余有小堂鼓、锣镲、铙等乐器。赤峰、通辽、呼伦贝尔市与兴安盟等地的鼓吹乐，其文场则加入管子和笛子等乐器，武场加入碰盅、云锣、铜鼓（疙瘩锣）等。所演奏的曲牌有：《喜相逢》《爬山虎》《小拜门》《小开门》《万年欢》《将军令》《得胜令》《狮子岭》《十字牌子》《判官帽子头》《大救驾》《吊棒槌》《鬼拉腿》《三十六梆子》等百余首。

文场的演奏技巧较为复杂，领衔乐器是唢呐，吹奏者也是鼓乐班的班主。具体吹什么曲子，反复多少遍，吹奏多长时间，都由他来决定。鼓乐班所演奏的曲目分两大部分，一是“老调”，如《青天歌》《劝金碑》《趟子》等；再就是模仿其他曲艺、剧种的曲牌或唱段，如晋剧的《打金枝》《下河东》等；或社会上流行的小曲等，这部分谓之“新调”。

一般鼓乐，红、白事宴所奏曲牌有别，如遇红事宴，演奏万年花、将军令、得胜令等，白事宴则演《奏苦伶仃》《蓝花花》《圪浅浅》等。以白事宴为例，按传统习俗，人死后，在床曰尸，入棺曰柩，起棺入土曰葬。凡是停尸、入棺、下葬，各有其相应的曲调。如起棺下葬时，多吹《蓝花花》等曲。《蓝花花》原为陕北民歌，被民间艺人改编为吹打曲后，由管子、唢呐领奏，使用颤、打、滑、挑等演奏技巧，伴以舒缓的节奏，能使游人止步、吊唁者落泪。20 世纪 90 年代，农区的乡村操办红白事宴时，时兴以吹鼓乐队伴奏。许多专业艺术团体的演奏员每逢闲暇外出“跑场子”，多与民间艺人一道打小班儿，同时丰富民间鼓吹乐的曲目和演奏技巧。

（二）秧歌锣鼓

秧歌调　秧歌锣鼓与前鼓乐房及后改良调锣鼓多有雷同。所用乐器有大鼓、大镲、小镲、锣等，其乐器构造及演奏技巧等，与其他艺术表演形式基本相同。唯鼓乐房的锣鼓是纯音乐性质的表演，具有营业性质。而秧歌锣鼓则是民间为扭秧歌伴奏的，系自娱的。因其表演性质不同，演奏的乐曲性能也不同。

秧歌锣鼓的演奏者要做到节奏稳健、节拍清楚，不可忽快忽慢，否则，扭秧歌的就无法表演。鼓点也不能太花哨，司鼓（执大鼓者）要紧密配合秧歌的表演者，及至高潮处锣紧鼓密，仍要有鲜明的节奏感。

改良调　清代，土默特平原盛行社火。至民国初年，毕克齐后营盘（现毕克齐第一小学旧址）驻防着晋军阎锡山二十镇的部分军队，每年正月十五“闹三官”时，军民同乐，踩高跷参加娱乐。该部有擅击鼓的晋籍军人郭喜，人称“老郭喜”。郭喜认为民间流行的秧调鼓点简单，就吸收当地锣鼓经中的成分，编创出一套锣鼓经，由几名晋籍军人扶铜锣，他亲自司鼓演奏，很受欢迎。后来，为使该锣鼓经区别于原调，取名“改良调”。

改良调锣鼓用大鼓、大锣、大镲、小镲，基本节奏点（乐汇）有两小节（4 拍），以此为基础，或繁或简，或强或弱，予以变奏。主奏乐器大鼓较之一般大鼓特殊，其直径 75 厘米左右，厚 35 厘米，呈扁圆形。大鼓体形圆扁，泛音少，发音清脆。

（三）赤峰雅乐

也称十番乐。赤峰雅乐的形成，有如下几个原因：1. 赤峰是连接华北平原、东北平原的要道，它东达辽沈，西抵草原商埠经棚（克什克腾），达锡林浩特，南连京津，北经科尔沁草原抵吉林、黑龙江省，历为兵家必争之地。2. 赤峰历史悠久，为红山文化发祥地，是辽国首府驻地。3. 赤峰水土丰美，境内有西拉木伦河、老哈河、乌尔吉木伦河、教来河、大凌河、滦河等内陆7条水系，汇合308条支流，四季奔流，还有天然湖泊140余处。水肥草美，人杰地灵。自辽国以来，历代帝王留恋赤峰水土，常围猎于斯。4. 康熙帝建造承德避暑山庄后，赤峰渐次发展为承德外围较大的一个市镇，故尔，北京—承德—赤峰，彼此有更多的经济往来与文化交流。承德避暑胜地，作为朝廷的一个府，供养着专门演奏雅乐、番部乐的乐伎与优伶，同时，还有藏传佛教、汉佛教音乐。赤峰地区有辽、金统治集团宫廷音乐之遗风，更多地接受黄钟大吕的陶冶。宫廷雅乐流走于民间后，得以接收和沿袭，不致湮灭。雅乐是宫廷祭祀活动及朝会仪礼所用的音乐，源于周代礼乐制度，用于郊社（祭礼天地）、宗庙（祭礼祖先）、宫廷仪礼（朝会、宴飨宾客等）、射乡（统治者宴飨士庶代表人物，或指乡射礼和乡饮酒礼），以及军事上的大典等。后世历朝历代祭奉先贤的活动（如祭孔子）也模仿并应用郊社、宗庙之乐。元代蒙古统治阶级进入宫廷，接受由宋、辽、金遗留的宫廷仪礼，其乐器、乐曲、乐舞等，全盘得以传承。至明代，又继承元代的礼仪。清代康熙皇帝曾多次北出喜峰口赴承德地区避暑、游猎，目睹该地山川秀丽，气候宜人，随拨巨资修建宅院，设宫布殿，康熙四十二年（1703年）破土，五十年竣工，康熙帝兼用此避暑山庄接待晋见的少数民族首领，借以安邦定国。避暑山庄落成后，宾客不断，香火不绝。宫廷雅乐，民间燕乐也于此交流融汇。清乾隆以后，又有蒙古四十九旗王爷多有好歌舞者，或养乐手、歌手，或操办戏班、梨园，一以自娱，二以宫廷帝王、官宦北上避暑、公巡狩猎时，以宴诸侯，自得其中无限奥妙。随着寺庙在避署山庄周围的增设，藏传佛教、汉佛教、道教音乐也流传于此。因承德避暑山庄特殊的历史地位，不仅保留如仿西藏布达拉宫建造的普陀宗乘之庙，仿新疆伊犁固扎尔庙建造的安远庙等，还保留大批珍贵的音乐文化，如宫廷音乐、寺庙音乐和民间音乐以及壁画、园林艺术等。清咸丰以后，随着清帝国的衰退，承德避暑山庄的宫廷音乐、佛教音乐、道教音乐的伶官、乐师、艺人等因年迈失宠或其他原因，悉多流散民间，加之各方艺人的互相学习，旋使宫廷音乐流传于承德、赤峰等地。清光绪初年，商人李林梓来赤峰元宝山开发煤矿，召集当地的艺人演奏雅乐。之后又有当地举人董子先和秀才张朝清传习。至

20 世纪 40 年代，继有李惠清专工此艺，并于每年农历七月十三的盂蓝盆会和年节进行演奏。李惠清还在民国 25 年（1936 年）石印全部乐谱。此后又有张海峰、徐俊及刘百川等艺人从事此技，使之延续至今，尚有知音。

雅乐，有词、有曲、有舞，赤峰雅乐原本如此，后失传。雅乐中的舞，需有专门的舞伎，唯从宫廷传到民间后，已无舞伎。所用乐器，丝竹乐有胡琴、四胡、三弦、洞箫、笛、笙、管、筚篥、篪、胡笳等；打击乐器有大鼓、怀鼓、云锣、云板，另有扑镲、豆板、星、铃等。云板是指挥，丝竹乐器是基础。以大齐奏为主。

赤峰雅乐舒展、典雅，具有比较纯正的宫廷音乐风格。曲目有：《庆寿》《小妹子》《北正宫》《中风韵》《鹧鸪天》《鹧鸪地》等。赤峰雅乐以传统的工尺谱记录。

五、戏曲

（一）二人台

表演形式　二人台的表演有唱、念、做、舞之说。唱，用民歌发声法，讲求脑腔和口腔的共鸣；念，以方言土韵为主，吸收北路梆子的韵白；做，较生活化；舞，以秧歌的舞蹈语汇为主。其表演形式有：（1）带鞭戏　俗称载歌载舞的火炮曲子，由生、旦二人表演，如《挂红灯》《打金钱》。表演时旦角持绢、扇，丑角持霸王鞭起舞。（2）硬码戏　只唱不舞的唱功戏，有做功，由丑、旦二人，或一人表演，如《走西口》《小尼姑思凡》。（3）对唱　无舞蹈，有一定故事情节的对唱形式，如《撑船》《冻冰》《送大哥》。（4）牌子曲　系二人台曲牌音乐，可单独形成器乐合奏，俗称“耍牌子”。

音乐特点　调式　以徵、商调式使用最广泛，并以 C 徵、C 商为常见。其他还有宫（C 宫、F 宫、G 宫）、羽（C 羽、D 羽）调式。板式有亮调、慢板、慢二流水、快二流水、快板。伴奏乐器，东路二人台有枚、板胡、扬琴、渔鼓、镲、锣；西路有枚、四胡、扬琴、四块瓦，20 世纪 50 年代，学演大型古装戏，借鉴京、晋剧武场音乐，加入成套打击乐器鼓、板、镲、锣及其锣鼓经。

角色　脸谱　服饰　二人台小戏如西路的《走西口》、东路的《拉毛驴》等，已有角色之分。移植演出古装戏，学习、套用晋剧、京剧的小生、老生、小旦、老旦、彩旦等角色行当，但并没有形成行当体系。传统的表演，旦角化妆同扭秧歌化妆，不包头，不贴大鬓。20 世纪 50 年代以来，因上演古装戏，旦角的化妆则学习京、晋剧中的小旦妆。老生妆不挂髯口，仅留小须或“山羊胡子”，着深色服装。老旦的化妆较简单，同于一般戏曲。彩旦的装束艳丽，服饰随剧目内容定，如表演传统戏，多以清末民初的服饰为主（民国初年，饰丑角的大多数还留着辫子，穿大襟袄、大裆裤、牛鼻鞋）。演古装戏则基本搬用晋、京剧的一套。表演生活化，程式动作较自由。其特有的舞蹈动作如鞭舞、扇舞、绢舞等，适用于载歌载舞的小戏如《打金钱》之中。

切末　装置　传统的舞台装置，如打土摊儿演出，观众围一圈，中间表演。清末民初，晋陕民人之青壮年者，结伙北上“走西口”，在土默特平原等地“跑青牛犋”，聚居于两边是炕、中间留一条便道的屋内，谓之“大伙房”。这种大伙房能居住三五十人，艺人们则于晚间点着油灯在大伙房内演出。日本侵略军侵占呼和浩特、包头期间，城镇中的俱乐部也是经常演出的场所，点个马灯即可。20 世纪 50 年代后，有简单的舞台陈设与装置，如挂一道底幕，吊两盏汽灯，唱《走西口》时，放一张桌子，一边放一个骨排凳子。及至 60 年代，因为学演现代戏和古装戏，按照剧情的需要，舞台美术得以迅速发展。二人台传统表演的道具主要有霸王鞭、扇子、手绢。

剧目　西路二人台传统剧目，硬码戏有《走西口》《二姑娘得病》《二姑娘要女婿》《要女婿》《盼丈夫》《打酸枣》《爬楼》《进兰房》《阿拉奔花》《探小妹》《撑船》《扇子计》《绣花灯》《跳粉墙》《听更》《惊五更》《怀胎》《张狗小揽长工》《绣麒麟》等。带鞭戏有《打金枝》《打秋千》《打樱桃》《打连成》《碾糕面》《捏软糕》《牧牛》《卖胰子》《五哥放羊》《放风筝》《十里墩》等。对唱有《海莲花》《报花名》《报花卷帘》《冻冰》《十道黑》《串河湾》等。

另有东路二人台，系土生土长于内蒙古中西部地区的曲牌体地方小戏，主要流行于内蒙古乌兰察布盟与呼和浩特地区，以及锡林郭勒盟的太仆寺旗、河北省张家口市坝上、山西省大同市等地区，初称“玩艺儿”。同以丑、旦二人（为主）表演的载歌载舞的地方小戏。它的形成基本同西路二人台，即清末民初时，由晋、冀民人北出塞外谋生时，在其所带来当地的民歌小调和社火秧歌等艺术形式的基础上形成的。乌兰察布盟集宁、丰镇市和锡林郭勒盟太仆寺旗一带，多沿习晋、冀民风，各村寨广兴庙宇，老爷庙、奶奶庙、牛王庙、马王庙、龙王庙等遍及城乡，每酬神献戏，就有玩艺儿班子出台，加之每年正月十五闹红火，各村镇三官社出面布排，各家各户各字号派些钱粮以资费用，更为玩艺儿的形成与发展提供条件。还产生出像游占奎（艺名油钵子）等民间艺人。及至中华人民共和国成立初期，始将“玩艺儿”这一名称改为“东路二人台”，与前“二人台”对称，将前述之二人台称为“西路二人台”。东路二人台与西路二人台在艺术表演特点等诸方面，各有特色，从略。

（二）二人转

二人转，或称“蹦蹦”，流传于内蒙古呼伦贝尔盟、兴安盟、通辽市、赤峰市等地。明代，内蒙古东部区并东三省部分地区，还是游牧地区，清代放垦，鲁、冀民人大批北上“闯关东”谋生，旋将当地的民间艺术如秧歌、莲花落等移入。新的环境，新的劳动生产方式，自然产生新的艺术形式，地蹦子秧歌、呱嘴、串话和十不闲等民歌、曲艺、舞蹈形式糅合在一起，形成新的艺术品种，即兼有歌、舞、戏、曲艺之长的歌舞小戏“蹦蹦”，也有一人唱抹帽戏的“单出头”，但多数为二人表演，初为男扮女装，至民国年间始有女性。其表演形式及艺术特点等与内蒙古西部区的二人台有许多相似之处。二人转的形成，也有人认为与辽国时的《臻蓬蓬歌》和金、元时期的“倒喇”有关。至民国年间，二人转进一步吸收东北大鼓、太平鼓、皮影戏、喇叭戏、河北梆子、评剧以及在东北流传的民歌和东北大秧歌的艺术特点，经若干的加工发展形成若干流派。如东路：以吉林市为中心的长白山一带，多舞彩棒，以武戏见长；西路：以辽宁省黑山县为中心，包括辽西地区，受十不闲、莲花落影响较大，唱腔重板头，讲究赶板夺字；南路：以辽宁抚顺为中心，包括辽阳、海城一带，受大秧歌影响较深，善耍扇子，唱腔优美，做工细腻，载歌载舞。“蹦蹦”一说，有撂地摊儿演出之意，20世纪50年代前，二人转的演出同于二人台，很少登大雅之堂，多活动于民间，没有特设的舞台和布景。“这种舞俑随时随地皆可表演，是一种民间农村中的娱乐，在大都市里看不到正式出演的，可以说是一种农村艺术。在这个舞俑里，扮男人的作为丑角，丑角的艺术必须好，而且花样也要多，更要滑稽幽默的怪相百出，能引人发笑，才受人们欢迎。扮女人的俗语叫作‘包头的’，大概是女人梳头迭粉戴花的意思。‘包头的’表情必须会风骚妖荡，才受人们的欢迎。在这种舞俑里，所谓的唱词，是根据民间所流行的‘唱本’，是非常通俗的大众化的东西，当然是较为粗俗，但是文绉绉的东西是玩不通的。当然，这些唱本里也有很多是由野史的故事编成的，但总不如那些纯由民间田野里所产生的故事受人欢迎。这种舞俑整个形式，就是一面舞一面唱，不论‘唱本’本身的故事如何，也不管男方和女方的故事怎样，或者是一个叙事抒情的长诗，都是由演出的男女两个角色，一替一句的唱下来。”① 俗有“南靠浪（舞）、北靠唱、西讲板头、东要棒”之说。

演唱形式有：

二人转 由二人表演，一旦一丑，有说有唱，系载歌载舞的对口演唱形式。

单出头 一人在舞台上表演，时有抹帽戏，串演多个角色。

拉场戏 演员以特定的角色出现。

群唱 若干人边舞边唱，或坐唱。

常见的为前三种，称为“一树三枝”。

二人转所表现的题材，有历史典故、名人闻人、才子佳人、五更四季、花鸟鱼虫、人间伦理以及世态炎凉等方面的内容。唱腔朴实优美，道白诙谐幽默，舞蹈明快泼辣。传统曲剧目有300多个，有《兰桥会》《西厢》《杨八姐游春》《施公案》《清剑少八义》《十三姐进城》《锯大缸》《井台会》《摔镜架》《寒江》《八扯》《红月娥做梦》《武松大闹慕家庙》《蓝桥》《盘道》《浔阳楼》《英雄志》《劈关西》《神宇寺》等。两个人在台上表演多角色的“多头戏”时，多以串演的方法为之。如《猪八戒拱地》等。

20世纪50年代以来，又产生许多新剧目，如《包公赔情》等。而且，还在拉场戏的基础上，学习借鉴兄弟剧种的艺术特点，形成龙江剧（主要流行于黑龙江省）和吉剧（主要流行于吉林省和内蒙古东部区）。至20世纪末，赤峰市、通辽市、乌兰浩特市、海拉尔市，以及牙克石市、扎兰屯

① ［香港］董秋水：《东北风土小志·俑舞和戏剧》，邢野编：《内蒙古艺术史料选编》，内蒙古艺术研究所1988年编印，第135页。

市、新惠镇、天义镇等地，二人转的演出仍然很兴盛，上演的剧目有《宫门挂玉带》《刘依打母》《回杯记》《十字坡》《阴魂阵》等。1999 年 12 月，通辽市、乌兰浩特市、赤峰市等地演出的二人转，门票人民币 5 元者，坐后排；10 元者，坐前排，有长条桌，有瓜子一盘，茶水包用。上演《马寡妇开店》《小二姐思春》等传统剧目，唱念做舞，快慢相间，笑骂贬谪，插科打诨皆是戏。舞具有扇子、手绢，伴奏乐器为板胡、唢呐、竹板（含碎嘴子）等。

二人转常用的器乐曲牌有四五十首，有《大救驾》《大鼓四平调》《哭糜子》等。专调如《诉情》《报花名》等，小曲儿如《茨儿山》《月牙更》《九反朝阳》等。伴奏乐器有唢呐、板胡、竹板、锣、鼓等。音乐结构为曲牌连缀体，一个曲目用七八首牌子曲不等。表现手段有说（说白）、唱（演唱）、做（表演）、舞（舞蹈）、耍（耍扇子、耍手帕），以唱为主。

（三）道情

道情一作“咳咳腔”，流行于呼和浩特市、包头市、乌兰察布盟、巴彦淖尔盟一带。清代末至民国年间盛行，20 世纪 50 年代后渐销声匿迹。常用的唱腔曲牌有《黄罗洞》《正耍孩儿》《反耍孩儿》《平十字》《上十字》《浪淘沙》等 30 多首。音乐分上下句，多用徵调式。演员设生、旦、净、丑等角色。题材内容多半是成仙得道和谈情说爱者。每出戏三四个角色，很少演唱武戏。另有一种清音演唱形式，即自击渔鼓、摇简自唱，或由另一人击四块瓦演唱。“戏目繁多，如《韩湘子出家》《樊江关》等，都是百观不厌的，然而一般伶人都具有相当的功夫。‘转弯旦’所演的《雪梅吊孝》那是最出名，最能叫座的好手，个人的技艺实在是老练，据说他这‘转弯旦’名字的由来，也是有因的，因为他能使灯光移动，转弯旦这名由是而得。他们也成立戏班，不设老板制”。① 关于道情剧的表演艺术，艺人们有一句口头禅叫“诌书捏戏，咳咳腔唱得个炼句”。

道情戏的板式有四股眼、夹板、二性、流水、介板和浪白 6 个基本板式，另有导板、留板、垛板和切板等辅助板式。伴奏有文武场，文场有胡胡（高音板胡）、二股弦（高音板胡）、三股弦（小三弦）、四股弦（月琴），

① 《言画刊·厚和土戏道情与咳咳腔》民国 29 年 123 期。

20 世纪 60 年代始称“四大件”。吹管乐器有大唢呐、小唢呐和笛子。文场是专为唱腔伴奏的。另有前奏、间奏等，也以文场音乐为主。文场为演员伴奏的有垫、衬、连、断、带、裹、随、补等技法。武场有鼓板、马锣、铙钹、梆子、小锣、大堂鼓、小战鼓、狗秏子、镗锣、碰盅等十几件打击乐器组成。丝弦曲牌有南变花、哪吒令、南瓜蔓、五十六梆、黄莺亮翅、寄生草、丝罗带、水龙吟等百余首。

（四）晋剧

广泛流行于呼和浩特、包头、乌兰察布、巴彦淖尔、赤峰市等地。从乾隆年间至清代末年，晋剧的戏班以客串演出为主，很少在一地久留。时于塞外流行中路梆子（一作南路梆子）与北路梆子戏，唯北路梆子戏具有唱腔高亢明亮、武打火爆热烈等特点，受北方人欢迎，较之中路梆子盛行。“自皮黄两班垮台后，晋剧‘吉升’‘长胜’两班才相继红起来，民间称这两班戏为‘字号班’，以示与个人领戏、用个人名字组班有所不同，如侯攀龙科班、白三碌礡班、狞眉三子班。而事实上这两班也确比那些‘人名班’要好得多。因为他们每班都有自己的几个著名骨干演员，本地俗话称这些角色为‘好把式’，都具有相当大的号召能力，并各有各的热爱观众，就是许多‘自乐班’的清唱爱好者，凡是能唱出名声来的，往往是从模仿这两个班里的某名角唱法，用心揣摩，才逐渐取得群众的称赞，这种情况，一方面说明两班演员艺术的不弱，另一方面也说明本市居民对戏剧的喜爱。”① 至清光绪年间（1875—1908 年），由山西来到呼和浩特地区两个梆子剧团，一名吉升班，一名常胜班，并以归化城为落脚处，常住塞外。以后又相继出现以其班主的姓氏或绰号为名的班社，如狞眉三子班、侯攀龙班等。其他还有包头的归化舞台晋剧社、西北影剧社晋剧班等剧团。其时，除少数可供演戏的小园子如归化城的普庆园、宴美园之外，大部分为露天演出，俗称野台戏，同时也去赶庙会。清代末年，内蒙古中西部地区各行业自发结成各种“社”，出资请唱北路梆子和大秧歌戏，也有玩艺儿班子演出垫场戏。所演剧目如《打金枝》《九件衣》《寇准背靴》《鸡架山》《明公断》《金水桥》等传统戏。

① 荣祥：《土默特沿革》，土默特旗文化局 1981 年编印，第 193 页。

内蒙古地区庙宇多面南，故演员面北唱戏，谓之“酬神”。台下观众面南观戏，任人立观，不收费用。到20世纪40年代末，中路梆子（晋剧）已经很普及（东部三盟多喜闻河北梆子、吉剧、京剧、二人转和蒙古剧等），并出现王玉山（艺名水上漂）、张玉喜（狮子黑）、杨盛鹏、任翠凤、常艳春（八岁红）、邓有山（舍命红）等名优，及后起之秀康翠玲等。中路梆子（晋剧）的盛行，使得许多戏班常年活动于塞外，一些在山西本土不甚有名的艺人，来到塞外竟唱出名堂，收徒弟，传技授艺。如王玉山即为绥、晋两地之戏迷所共识。“轰动一时之名旦水上漂来张献艺一节，迭志本版。兹确消息，该伶路经大同时，被当地士绅一再敦请，义演三日，该伶慷慨应允，闻可于明（3日）晚车到此。该伶随身应用化妆器俱及行李等项，前二日已经运到，约在本月五日可在庆乐剧院登场云。”又：“庆乐戏院，昨（14日）晚为水上漂、王巧云、王玉莲露演之期，至下午六时，已告满座，甚至军人，均遵守纪律，一律购票入场。是时晋剧名旦任翠凤亦翩翩来此观剧，以致后台演员异常兴奋，除尽力演出外，可见水上漂叫座之魔力之大矣”①。王玉山还在20世纪40年代创办“五山戏剧学校”，培养塞外的晋剧爱好者，久而久之，北地之晋籍艺人渐次被土著艺人取代。至20世纪40年代末，塞外的晋剧团体已很多，著名的如有呼和浩特吉升班班主高丙寅，创办于清光绪年间，在宴美园与同和园唱戏。侯攀龙班班主侯攀龙，创办于清光绪年间，该戏班的主角孙旺（十三红）曾为其班主在三官庙、十王庙和关帝庙与吉升班、长胜班唱对台戏，引走观众，唱的是《斩黄袍》,从此使侯攀龙班小有名气。其他还有保尔哈少姓张的艺人组建的天顺班，土默特旗的亢二、沙梁村的徐福安，以及武占胜、四寡妇等，都领过戏班。这些班社（和外地流入的班社）都有自己的衣箱和跑龙套的底包，其主要角色多为花重金聘来的客席演员，以写合同的方式与某个戏班的班主合作唱几出戏，少则几天，多则数月，合同期满后，即又去闯其他码头。其名角有卢三红、董万年、老福义、金锁子、根换子（筱蝴蝶）、丁毛小（五路红，五路村人，故名）、千二红、八百黑、李子健等。其中的“千二红”、“八百黑”艺名的由来，是该伶无论受聘于哪家戏班，年包银为1 200两和800两，由此得

① 《商业日报》1947年7月2日。

名。喀喇沁旗王爷府的戏班也演出过晋剧。民国27—38年，国民党傅作义部驻守河套地区，鄂友三的骑兵旅中即有青山剧团，专唱晋剧。

晋剧传统的演出方式有两种，一是每年入冬后在戏园子（如归化城的宴美园、同和园、普庆园）演出，演出时，台上唱戏，台下摆设酒宴，观众边吃边看，饭钱中包括戏票钱，称之为"戏酒馆子"或"大戏馆子"。仍以呼和浩特市为例，清代末年每年七八月，是戏园子上座率最高的季节。大商号大盛魁、元盛德、天义德远足乌鲁木齐乃至欧亚大陆的驼队回城后，届时，外地商贾纷至，大小商贩云集，热闹非凡。民国元年，阎锡山的队伍进驻归化城，其部下经常进大戏园子白吃饭"看闯戏"，故大戏馆子关闭而改作宴美茶园和同和茶园，观众是边喝茶边看戏，茶票钱算在戏钱里，但仍为坐方桌看戏。到民国十年（1921年）后，铁路修到归绥，商业发展，于是在茶园中撤方桌，改作一色的长条凳子看戏。另一种演出方式是社戏，如前述，由各个行社出资请戏班子酬神献戏，从每年二月初四开始，到十月上旬停止。庙会则必须唱大戏。赤峰地区有唱皮簧、河北梆子戏者。有时演员休息或换场，由当地鼓乐班或打玩艺儿唱二人台的艺人上去接个小段儿。晋剧在题材内容、表演程式、音乐、角色行当、脸谱服饰、切末装置、代表性剧目等，多同于山西，只是因为常年生活在塞外的汉族人民因受当地生活习惯、劳动方式、地理、环境、语言等影响，对晋剧艺术的表演、欣赏、创作以及审美观等都逐渐产生变化。同时，演员又逐年为生长在内蒙古地区的青年演员所更新，其中还有许多蒙古族晋剧演员。这样，两地的同一剧种就在艺术表现形式上形成一些区别。主要剧目有：《明公断》《打金枝》《赐环》《六月雪》《柜中缘》《天河配》《白虎鞭》《凤仪亭》《三岔口》《火焰山》《辕门斩子》《三进士》《乾坤带》《青风寨》《水帘洞》《杀狗》《教子》《游龟山》《红书剑》《三丑会》《翠屏山》《困雪山》《杀楼》《蝴蝶杯》等。

（五）大秧歌

清乾隆年间始于塞外流行，盛行于民国年间，流行于呼和浩特市、包头市、乌兰察布盟、巴彦淖尔盟等地。内蒙古的大秧歌剧是山西秧歌剧的一个种类，其伴奏乐器、道白、唱腔、上演剧目等有的与山西北路梆子雷同。而大秧歌的行当、程式、切末等要求不及晋剧严格，故较容易学演和流传，塞外人也把大秧歌叫“小班子”（大班子即北路梆子）。大秧歌剧团由20—30人组成，内有两个组织，分别完成两种性质不同的任务：一是演出组，由演员和文武场组成。演员有红、黑、生、旦角色之分（无女演员，所有的旦角均为男扮女装），另有大衣箱、二衣箱、头带箱等人若干。文场伴奏乐器由大板胡、小三弦、躺笛（枚）组成，武场伴奏乐器有鼓、板、大锣、小锣、铙钹等。文武场合称为“场面”，由4人兼奏，除为演员伴奏外，还配合剧情演奏器乐曲牌与锣鼓经，曲牌多与晋剧相同。另一个组是“宝局”，由5—10名擅赌者组成。剧团每到一处打开局面后，宝局的赌家就在观众中设摊赌博。这些赌手都是班主专门雇用的，很会赢钱。他们在赌场上赢（或输掉）的钱，无论多少，除提成部分外，其余部分统归班主。因为该秧歌班每到一处的演出都是“任人立观的野台戏”，仅能得到少许的饭钱和粉脂钱，所以剧团的一部分经费开支便寄托在宝局身上。20世纪50年代后，取缔宝局。民国年间，土默特一带经常活动的大秧歌剧团有土默特旗的蒙古壮壮班、武川的砖头班、太平庄一带的大头班、归化城的李迁贵班、张有忠班等。较有声望的艺人有小四红、一月旦、一声雷、小白、老白等。“文化大革命”前，土默特左旗、武川县还有大秧歌专业、业余剧团，“文化大革命”中解散。至20世纪60年代，此剧种在内蒙古地区失传。大秧歌剧的音乐明快刚劲，唱腔有头行、二行、三行、滚白之分。其表演艺术俗有“乱弹”和“动弹”之分，前者为唱功戏，后者为武功戏。一个略具规模的戏班子，讲究有一两个能文能武的“底包”（即系什么角色都能扮演的“忙来用”）做该团的中流砥柱。经常演出的剧目有《翠屏山》《田氏劈棺》《化金钗》《千里送妹》《周文送母》《下山》《白娘子闹花园》《合凤裙》《九件衣》《小放牛》《牧羊圈》《鸿雁捎书》《捉放曹》《伍子胥出樊城》《七虎子聘姑娘》《何文秀算卦》《火焰驹》《狮子楼》等。

六、话剧　小品

（一）话剧

民国十一年（1922年）2月，“绥远旅京同学会”首次在归绥县大西街同和园戏院演出文明戏《一念之差》《孔雀东南飞》（由杨令德饰焦仲卿）。嗣后，这些学生又在托克托县的城隍庙戏台及包头等地演出。因受新文化运动的影响，归绥的中学堂改男女分校为男女同校，于是，归绥的女学生也上台演出文明戏。民国21年（1932年），由中国共产党领导的北平文化总同盟委派苞莉芭剧社（苞莉芭系俄语音译，汉语“革命”之意）抵归绥县演出文明戏《SOS》《英雄与美人》等。同年底，绥远剧社演出《SOS》等剧。民国二十三年（1924年），漠南剧团演出《可怜的裴迦》等剧。抗战期间，活跃在山西、北京、内蒙古中部地区的晋绥军区战斗剧社演出《汾离公路》《打得好》《亡国恨》《敌我之间》等剧，还有由严寄洲、林扬等编剧、导演的反映抗战内容的六幕话剧《把敌人挤出去》等。民国二十七年（1928年）6月，国民政府政治部第三厅厅长郭沫若从重庆派来导演，指导在河套地区驻守的国民党傅作义部绥远省动委会政治部宣传队导演并演出曹禺的《雷雨》《日出》，吴祖光的《风雪夜归人》，俄国剧作家果戈理的《钦差大臣》等大型话剧。此后，这个宣传队还排演过反映抗日题材的《八百壮士》等剧。民国三十三年（1944年），八路军一一五师的抗敌剧社在张家口演出话剧《子弟兵和老百姓》。民国三十四年（1945年）冬，苏联红军进驻赤峰克什克腾旗后，克什克腾旗的革命青年演出过话剧《怒海涛声》《热血青年》。民国三十五年（1946年），赤峰市第二次解放后，延安鲁迅艺术学院在赤峰地区配合当时的革命形势演出《送军鞋》《我送哥哥上战场》《兄妹开荒》等歌剧和话剧。热中军分区前进剧社以喀喇沁旗大西沟门农会主任霍进祥烈士的英雄事迹编演话剧《硬骨头》。民国三十六年（1947年），北平的于是之、谢万和、李晓蓝等演员在包头东河区中山堂演出过大型话剧《重庆二十四小时》《狂欢之夜》等剧。中华人民共和国成立初期，绥蒙军区文工团演出由张毅导演的话剧《董存瑞》《钢筋铁骨》，原绥远省人民文工团演出话剧《赵小兰》《夫妻之间》《麦收之前》《刘胡兰》等剧。其中反映妇女争取自由解放的《赵小兰》一剧，为提倡男女平等，主张婚姻自主和宣传党的新婚姻法方面，起到积极的宣传作用。原绥远省行政干部学校文工队演出的《红军回来了》一剧，描写红军因战略转移而暂时撤离某村，国民党匪徒乘隙而入，在村里奸淫掳掠，而后我军突然返回，全歼敌人的故事。呼伦贝尔盟、哲里木盟也组建话剧团。还有一些业余话剧团如包钢工人业余话剧团、呼和浩特铁路局职工话剧团等，演出过许多剧目。

（二）小品

20世纪80年代兴起的舞台表演艺术，流行于各地。小品的形成一开始就被电视、电影、广播等艺术媒体所青睐，故其传播快、流行广泛。至90年代，内蒙古自治区各戏剧团体均有演出。有汉语小品与蒙语小品两种形式。小品的题材内容多来自现实生活，作者就生活中的焦点问题或闪光的事例以及社会时弊等，编创成供舞台表演的小戏，有主题，有人物角色，但舞台布景陈设较简单。一张桌子是一个家庭，放一部电话就是一个公司。走个圆场2里地，抬抬脚算是进门。着现实生活中的服装，讲普通话或蒙语，无乐队伴奏。表演时可说可唱，无程式化动作，无流派。

以内蒙古民族剧团为例，自20世纪80年代以来开始上演由蒙语表演的小品，题材广泛，内容丰富，一些剧目公演后，产生极好的社会影响。节目如：《银碗与银镜》《乳汁洗过的心》《叫声妈妈》《洁白的蒙古袍》《新婚之夜》等。还有用汉语表演的小品有：《搬迁》《特殊门诊》《人生旅途》《一桌酒席》《1+1=2》《离婚之后》《分手时刻》等。

第四节　群众艺术

一、秧歌

（一）跑圈子秧歌

流行于乌兰察布、呼和浩特与包头地区。以土默特为例，清光绪初年，天主教在土默特旗流行甚广，许多农民在神甫的游说下，崇信耶稣，视十字架上受难的耶稣为顶礼膜拜的图腾。神甫为使教徒们“驱除邪念，净化心灵”，倡导信徒咏唱赞美诗，背诵圣母经。另有教会创办的“音乐会”，在唱经和送葬时吹打一阵。至光绪年间，清帝国已走向没落，民不聊生，加之托克托、萨拉齐、丰镇一带土匪猖獗，光天化日之下拦路抢劫，或夜入村舍奸淫掳掠。清光绪二十六年（1900年）义和团运动失败，“庚子赔款”使比利时天主教会获得大片土地和白银。土默川平原上，天主教聚居的二十四顷地村，城高墙厚，且有民团荷枪实弹昼夜守护，又有受清廷保护的外国神甫坐镇，故土匪劣强不敢刁抢，二十四顷地反倒成为偏安一隅，周围十里八村之村民，每到秋后，便以走亲访友为名，扶老携幼，车拉马驮，涌进二十四顷地村暂过一冬。每逢冬春季节，正月十五大闹三官活动，村里农民都要红火热闹一番。一处红火，四方呼应。晋、陕移民及后裔的乡民，更是竭力想把从老家学会的秧歌在塞外表露一番，十里八村的乡农们也竞相效仿。而且题材广泛、形式多样。包括那些神甫也在人群中观看这热烈的场面，赞叹中国文化之博大精深。其后，每逢年过节，土默川大街披彩，小巷挂红，人们自发地组织起来或表演、或伴奏、或打杂，一齐动手，一齐红火。是时，室空巷满，热闹非凡，直至相沿成习。跑圈子秧歌，就是把几种秧歌集中起来，于街头巷尾或大户人家的院子里表演，观众围个大圈，中间扭秧歌。而且，各种秧歌都要按一定程序在圈内单独表演，分别亮相。例如，把踩高跷的编作一个队叫"高跷鼓子"（一作"股子"），把推小车的编成一个队叫"小车鼓子"，扳旱船叫"旱船鼓子"。既不踩高跷，也不推小车的地秧歌表演者，被统称作"踢鼓子"。因"踢鼓子"的人数多，又按艺术特点的不同和技艺之高低细分为"头队鼓子""二队鼓子""三队鼓子"等。最后还有一位统一指挥秧歌表演的叫"分公子"，和各队鼓子一同参加演出。从正月十四到十六，秧歌队几乎跑遍全村的大户院落和主要街巷及中心广场。即使某家院落很小，大队人马回转不开，也要由分公子临时安排较小的队鼓子，轮换进去表演，对方无不笑脸相迎，热情相送。有时，秧歌队还受聘去外村表演。踢鼓子秧歌视其表演规模和形式，可分作大场子、小场子与过街场子：

大场子　表演者有十几人至上百人不等。主要以舞蹈队形操练为主，其队形名称有《单头引》《双头引》《满天星》《天地牌》《梅花阵》等。"踢鼓的"（由男子表演）与"拉花的"（初为男扮女装，及至20世纪50年代后由女子表演）则在队形表演告一段后，于场子中表演《打酸枣》《摘南瓜》《观灯》《小放牛》等歌舞艺术。

小场子　由10人左右表演，踢鼓的围绕拉花的表演。踢鼓的出场叫《备马出阵》,双人舞为《丹凤朝阳》,男一女二舞为《双凤朝阳》,男女各二舞为《双挂印》,男一女四舞为《落毛》等内容。踢鼓的单人舞动作有《飞脚》《戴宗三亮式》《四品步》《猛狮抖鬃猩》等近80种形式。拉花的单人舞动作有《兔旋窝》《蜂扑瓜》《小五花》等，其他舞蹈形式还有《大踢四门》《小踢四门》《里外罗城》《扑灯花》《八角楼》《凤凰单展翅》《弹腿转》《二鬼把门》等50余种。小场踢鼓子舞表演细腻，技巧复杂，故事情节丰富，具有浓郁的地方特色。大小场踢鼓子秧歌均在街头巷尾表演。拉花的多为男扮女装，20世纪50年代始有女角。

过街场子 秧歌队伍在行进中边走边表演，主要以队形变换为主，其程式有《编蒜辫》《蛇蜕皮》等。踢鼓子秧歌受武术洪拳的影响，讲求腿脚、手臂的功夫，踢鼓的动作刚劲、粗犷，具有北方男子豪爽之气。踢鼓子秧歌有文武场之分。文场乐器有唢呐、管子等；武场乐器有鼓、锣、镲。

艺术特点 （1）唱 当表演告一段落后，表演者就彼此以手搭肩围成一个圆圈，唱起“码头调”，如《水漫金山寺》《珍珠倒卷帘》《飞鸟九九图》《撑船》等，有的秧歌队还有丝弦伴奏。（2）奏 有条件的秧歌队，常有几位吹唢呐、吹笙的艺人随行，他们有时和着锣鼓的节奏吹奏，有时则单独出来表演一番。吹奏的曲目多为民间杠房（鼓乐班）娶媳妇、聘闺女的音乐和晋剧曲牌，如万年花、喜相逢、碰梆子等。（3）打 就是秧歌队中必不可少的打击乐部门。通常由大鼓、大镲、小镲、大锣、小锣等乐器组成。打击乐器比较普遍，不仅表演秧歌的社里必须有这一套家伙，就连各字号及村屯，也基本上有这些乐器。锣鼓的演奏分过街锣鼓和表演锣鼓两种。过街锣鼓要求节奏稳健，花样不太复杂，主要为演员踩节奏和招徕观众之用。以一个地点进行定场表演时，则要紧锣密鼓，打出各种花样来，以显示一定的技巧。鼓乐班（杠房）的艺人，也多在年节参与秧歌队出街表演，其所奏的曲目及技艺，自然高出业余爱好者一筹，而独领风骚。

（二）双墙子秧歌

位于黄河畔的托克托县城关镇南端，有个村子叫必令板申。清乾隆年间，晋陕移民北上塞外走西口垦荒屯田，继之落脚谋生。必令板申居民日渐增多，于是就在村子中间沿东西走向垒起一道土墙，傍墙是条路，自然将板申分作南北二村。当地人习惯上把土墙南边的村子叫前墙子村，把土墙北面的村子叫后墙子村。该前后村均临近黄河，水肥土沃，以种植蔬菜为主，民多富庶。前后墙子村的村民喜好文艺，尤擅跑竹马。村子北面的托克托县城的城关镇，各商号按照行业结成各种“社”，每年逢时过节，要请戏班唱戏，或办社火以酬神、娱民，以求吉利。尤以每年正月上元节的社火为盛，各个“社”自愿集资，红火热闹一番。当地人把这种集资办红火的形式称之为“公街秧歌”。于是，城关镇内的几家行社如“寿阳社”等，出资聘请前墙子与后墙子村的艺人联手举办秧歌，称为“双墙秧歌”，民间谓之“双墙子秧歌”。双墙子秧歌中有竹马表演，竹马之技，源远流长，早在宋代宫廷舞队中已有此艺。清《新年杂咏》载：“元夕舞队有男女竹马，今谓之跳马灯。”黄模《竹马灯》诗曰：“轻盈纱映烛，掩冉影随身。跳碎铜街月，霏霏起暗尘。”明代戏曲《双金榜》“游灯”也有《跑竹马》出现。清代《百戏竹枝词·竹马灯》曰：“元夜儿童骑之，内可秉烛，好为《明妃出塞》之戏。诗曰：红灯小队童男好，月夜胭脂出塞图。”[①] 竹马的头部挂一小灯笼，内燃一支小蜡烛，可谓名副其实的竹马灯。双墙子秧歌中的竹马，有9人、7人之分。9人竹马，内有8人骑马，1人骑驼；7人竹马，内有6人骑马，1人骑驼。竹马者，一般用竹篾扎成骨架，饰之以彩布，分前后两截，系在表演者的腰上，其表演动作有骑马疾驰、跳跃、尥蹶子等动作。赤峰地区在民国年间的秧歌中也仍有《跑竹马》群舞。至20世纪80年代，“北京顺义、延庆等地区仍有以昭君出塞为题材的《跑竹马》群舞”。[②] 一些艺人们还结合托克托城关武术世家吴英、吴跃弟兄传授武术动作，在秧歌中加入使枪弄棒的情节，每到一处打开场子，便有几位健儿手持刀枪剑戟表演一番少林武术，故又有“托县双墙武社火”一说。

（三）皇杠

及至民国十年（1921年）京绥铁路通车之前，托克托县河口镇历来为水旱交通要冲，系塞外皮毛集散地。自秦代以来，就设关卡收税，以供朝廷使用。每年，驻守托克托的地方官都要晋京缴纳贡银，抬着装满金银珠宝的箱子向皇上进贡，当地人把这些箱子称为“皇杠”。据说，隋代农民领袖程咬金和尤俊达等人曾经拦劫过给皇上进贡的皇杠队伍，以后，人民根据这一故事编成民间舞蹈。这种艺术形式最初活动于每年旧历五月十三，传为当年程咬金劫皇杠的日子，后于民国初年改为上元节进行。皇杠的道具，下面是一只尺半见方的空木箱，箱子上面用木料仿制一个状若庙宇的顶子，屋脊两

---

① 王克芬：《中国舞蹈史·明清部分》，人民音乐出版社1984年版，第93页。

② 王克芬：《中国舞蹈史·明清部分》，人民音乐出版社1984年版，第93页。

端雕以兽头，饰以脊瓦，五彩油画，绘以寿字、万字与飞天、云子边等，庙里燃灯。用一根杆子从木箱中间穿过，为避免头重脚轻，在箱底放几块金元宝（砖头），以增加稳定性。表演时，由两位男演员一前一后像舁筐一样抬着走。舁皇杠的男演员多为十四五岁的少年。穿红鞋，脚腕上系一串铜铃，和着锣鼓，伴着锣鼓点“哗啦啦”作响。头戴红色小丑帽，上身着黄布褂，下身着红色彩裤。化妆做剧中丑角，贴八字胡须，右手持一把小扇，边扭边摇扇子。除舁皇杠的少年外，还有一位押皇杠的“将军”，武士装束：黄马褂，紫红裤子，扎靠腿，脸涂金粉，持大刀，乘独龙杠，表示骑马。

皇杠的队伍由开路旗、锣鼓、銮驾、皇杠、独龙杠、墩子鼓、督旗组成，从略。

（四）武社火

南茶坊的秧歌凭唱嘞，淌不浪的秧歌凭晃嘞，
小召的秧歌凭浪嘞，海窟的秧歌凭棒嘞。

这是清末民初流行于呼和浩特地区的民谣《秧歌》。“海窟”是呼和浩特玉泉区清泉街的旧称，这条街有个泉眼，水质甘美，一年四季水流不断，当地人将该泉眼起名“海窟”，这个地方也就叫“海窟村”，后来，归化城老城向外扩展，把海窟村括进来，海窟村又改称“海窟街”。民国十七八年大旱，泉水干涸后，再没出水。海窟街有一批武术爱好者，凡弓、弩、枪、刀、剑、矛、盾、斧、钺、戟、鞭、锏、挝、殳、叉、耙头、绵绳套索、白打十八般武艺均有好者，平日闲暇无事，爱好者常于街头巷尾小练一阵作罢。每逢年节，随秧歌队出场，集武术表演和维持秩序于一任，故有“海窟的秧歌凭棒嘞”一说。“南茶坊的秧歌凭唱嘞”，是说南茶坊一带有几个唱家，擅民歌小调，逢年节随秧歌队出台，小有名气。“淌不浪的秧歌凭晃嘞”，是讲淌不浪村脑阁架上的小演员因摇摆而称著。“小召的秧歌凭浪嘞”，是讲小召的秧歌以高跷称著，踩高跷饰公子少爷等表演者故意向观众中的姑娘们使眼色，以调笑取闹，故之。唱、晃、浪、棒均有典故。“腰系一条带，脚穿牛鼻鞋”（鞋音孩），每年正月十五闹红火，海窟街的武术爱好者便组织起来，腰系宽腰带，足蹬软底鞋，穿戴整齐，随在本村秧歌队殿尾，每到一处，锣鼓声过后，都要表演一阵武术套路，如少林棍、少林枪、

少林刀、双刀对打、刀枪对打、空手夺刀、空手夺枪等，自然吸引一大批围观者，海窟街的秧歌由此扬名。其秧歌部分，则与其他村镇无异，从略。

（五）秧歌舞种类

有脑阁、抬阁、担阁、转阁、小车、旱船、独龙杠、龙舞、狮舞、骑驴舞、大头和尚戏柳翠、猪八戒背媳妇、渔翁戏海蚌、跑竹马等。

（六）东北大秧歌

流行于呼伦贝尔盟、兴安盟、赤峰市、通辽市、包头市等地及东三省。其题材内容与内蒙古中、西部区雷同。清代，官府“移民实边”；清末，兴建中东铁路（1903 年通车），关内民工北上，随带去当地民间艺术形式，结合北地满族的民间艺术，形成独具风韵的东北大秧歌。据记载清代顺治年间，杨宾若《柳边纪略》记载，北地“上元夜，好事者辄扮秧歌”，可窥端倪。每年农历正月十五前后，各村屯文艺爱好者自发组织表演，或有二人转艺人参与其间，形成歌、舞一体之艺术风格。东北大秧歌的表演，男“包头”扮女装，俗称“上装”，着戏曲脸谱，描眉打鬓，着花旦或彩旦服饰，手持扇子或手绢。另有丑角，头上包白毛巾，手持花棍。女性男饰，男子尽可能模仿女性之妩媚多情、含羞带笑，以及带有挑逗性的眼神等，以娱人，加之仿女非女、是男非男的舞蹈身段，久之，形成被东北人普遍认可的大秧歌之原始、朴素的美学品格——“浪”。20 世纪 50 年代后，结束男扮女装的表演方式，大秧歌中的妇女形象由女性承担，更使“浪”得秀美，“浪”得端庄，“浪”得泼辣，“浪”得大方，“浪”出东北人朴实勤劳、憨厚、大方的性格。20 世纪 50 年代，包头市兴建大型钢铁厂，东北工人支援包钢，将东北大秧歌带到包头市。

又，民国年间，赤峰地区民间舞蹈形式多样，每逢年节、庙会便云集于市，计有：黄龙旗（类仪仗队）、报马（100 匹）、小车（8 辆）、挎鼓（24 面）、龙灯（红、蓝 2 条）、旱船（2 只）、马叉会（20 人）、高跷队（100 人）、秧歌（100 人）、背阁（16 台）、文王百子车（2 辆）、黄箱会（4 副）、逛花园（1 台）、坛子会（2 副）、对子马（50 匹）、香亭子（1 台）、马童（100 人）、中幡（24 副）、三烟枪（24 支）、狮子（8 对）、八大怪（8 人）、寿星会（8 人）、抬阁（16 台）、杠子会（1 副）、十不闲儿（1 架）等。有六七百人出台表演，可谓盛况空前。

高跷　足踩3尺高木拐，饰以唐僧、悟空、八戒、沙僧西天取经之装束；或饰以八仙过海中的张果老、铁拐李等诸神；或古装戏的才子佳人等。其表演有开场、跑大场、扭清场等，其中以扭清场表演技巧最高，各扮演者都要使尽浑身解数，拿出看家本领，尽情发挥，以显其能。

二人转　同地方小戏二人转，剧目相同，唯此系正月十五跑大场露天演出，别有情趣。

地秧歌　有小车、旱船、戏海蚌等，从略。

东北大秧歌道具有手绢、扇子、花棍（霸王鞭）。其表演风格讲求浪劲儿、美劲儿、泼辣劲儿。有的表演者，故意向姑娘、媳妇聚集的人群中使眼色，逗得她们含羞带笑，场里场外融作一片，气氛热烈。

伴奏乐器以打击乐器鼓、镲、锣为主，有条件的村屯，加文场如唢呐、管子等吹管乐器。

（七）健身舞

由专业人员根据老年人的活动特点而编创的舞蹈动作，如下蹲、踢腿、擦地、侧身、弯腰、扭腰、扭臀、转体等。表演者成行成队站在那里，在录音机的伴奏下进行活动。

二、活报剧　哑剧　三句半

（一）活报剧

民国二十六年（1937年），如前述，就有京津等地进步人士在呼和浩特地区表演过反映日本侵略中国东三省的活报剧《放下你的鞭子》。土地改革和镇压反革命时期，中小城镇演出过有关斗地主分田地和剿匪肃反的剧目。1952年，抗美援朝运动中，文化团体和一些机关团体演出过反对美帝，支援朝鲜人民保家卫国的活报剧，如《美帝国主义是纸老虎》《打倒李承晚》等。

20世纪60年代“文化大革命”运动中，这种艺术形式曾一度兴盛。活报剧为独幕剧，单一主题，演员2—3人，表达一个特定的故事。其剧目多自编自演，其题材以反映现实生活中出现的重大事例，及配合政治运动宣传等为内容。

（二）哑剧

哑剧的表演不受语言的制约，有几件道具，有一定的故事情节，演员出场后，观众便可根据场景的安排和演员的表演去领略其中的故事。民国三十五年（1946 年），内蒙古人民自卫军骑兵第二师文工团在哲里木盟科尔沁左翼中旗成立后，即以演哑剧为主。其后，哑剧在内蒙古地区仅限于业余演出，其题材多以反映时事政治内容为主。

（三）三句半

由 4 人表演，前 3 人每人说一句七言诗，第四人只说半句（通常为 2—4 个字），作为结束句，该半句话要精、妙，兼有抖包袱逗哏的作用。如：

甲：土默川上三件宝，
乙：山药莜面大皮袄，
丙：土特产品人人爱，
丁：真不赖。
合：对，真不赖！

也有的三句半每人手执一件打击乐器，每表演完一段后，敲锣打鼓走个圆场后继续表演。

三、业余剧团

（一）职工业余京剧活动

1951 年，在轰轰烈烈的抗美援朝运动中，归绥市各单位职工及市民掀起捐献飞机大炮运动。市总工会组织票友王鸿光、元鸿举、杨继曾、关佳中、姜绍武等 20 多人，在大观园剧院为募捐演出收入达 1 000 多元。接着，在市工会的协助下，正式成立归绥市职工业余京剧团。

业余京剧团的演员，有很多人从小就喜爱京剧，如张吾翼早在 20 世纪 30 年代就是北京小有名气的票友；元鸿举等人于民国三十年（1941 年）前后就在归化城的“上三元”玩票。他们又和铁路工人俱乐部的票友经常有联系。职工业余京剧团成立后，赶排当时在全国争演的新编历史剧《十五贯》,并抢先在市内上演，赢得观众的赞誉。他们中的许多人都是一专多能的演员，如副团长杨继曾，生旦净丑兼能，在全团上演的67个剧目中，他扮演过68个角色。浏览他1952—1959年的演出笔记，具体哪一天演什么戏，谁饰什么角色，在什么地点，为何事演出，观众多少人次，一条一款，均有详细记载。据不完全统计，从1952—1964年的12年中，该团共演出476场，上演剧目67部，观众达50多万人次。1954年七八月间，该团代表内蒙古自治区组成呼和浩特市支援包头新建铁路、工业基建联欢慰问团，在包钢和集二线工地演出21场。1955年参加内蒙古自治区第一届民族民间音乐舞蹈戏剧观摩演出大会，演出《拾玉镯》。几位主演都获奖。极盛时期，该团的蒙、汉、回、满族演职员达60多人，生、旦、净、末、丑行当俱全。固定财产如行头、道具、乐器等价值3万元。杨鲁安、于鹤年等都是该团的票友。1966年“文化大革命”开始后，剧团解散。1970年，呼和浩特市工代会重建职工业余京剧队，从各工厂、商业战线、学校等单位抽调将近100人，排练京剧《红灯记》《智取威虎山》和《沙家浜》选场。装载3卡车服装道具，除在本市区、土默特左旗、托克托县等地演出外，还去石家庄、邯郸、邢台等地演出，前后献演400场戏。1973年，京剧队解散。以后，有许多演职员参加专业京剧团。1980年底，市工会重新组织新老演职员，于1981年2月春节期间为庆祝该团成立三十周年，举办专场演出。

（二）红旗剧社

1952年1月，归绥市三和曲艺馆与朝阳巷文艺宣传队合并为“红旗剧社”。社址在大西街“同和园”，全社40多人，以演歌剧为主，兼演小话剧。红旗剧社成立后，曾配合形势演出《刘巧儿》《王秀鸾》《小女婿》《王贵与李香香》《小二黑结婚》《满家喜》《四劝》《不识字之苦》等。1953年2月与民艺剧社合并。

（三）和平剧社

归绥市大召西夹道77号有个“龙泉澡堂”，1952年3月，土默特旗蒙古族商人奎大先生把这个澡堂改成一个小戏园子，并从土默特旗蒙汉杂居的沟子板村请来以卢章、杨润成为首的玩艺儿班子，又从近郊招来秦有年等人，组成“和平剧社”，有卢章、杨润成“执梁”，演唱二人台传统剧目。这个剧社当时还是班主制，没有名称，但它属于土默特旗管辖，是土默特旗的一个二人台剧团。当时，因为上演的剧目单调，演员阵容参差不齐，又有大召前唱晋剧的新民剧社引走观众，不久，这个业余剧团被挤垮。政府为扶持地方戏，取消班主制，由群众推选出云凤林（蒙古族）、赵计计（蒙古族）为社长，重新组建和平剧社，又招收30多名青年演职员，如贺华、王素珍、张美莲等人，1953年农历正月，演出追求婚姻自由的歌剧《秀兰挑女婿》，一个多月的满场。1954年4月，排演古装戏《茶瓶计》。同年5月，内蒙古自治区、呼和浩特市两级文化局整顿剧团，又有张曙、董舒等为该社排演现代戏《走上新路》。第二年正月，和平剧社改名为呼和浩特市民间歌剧二团。翌年，原平地泉行政区歌剧团下马，也归入该团。

四、群众歌咏活动

内蒙古地区的群众歌咏活动始于“五四”运动，首先在青年学生中流传开来，渐次普及到城镇中的工人、职员以及市民和军队中。牧区因居住分散、交通不便和语言文字等原因，除传统的潮尔演唱形式外，很少有群众性的歌咏活动。群众歌咏活动的兴起，是政治运动的产物，是社会进化的体现，它随着一次次的政治运动，成为它的宣传工具，在文艺为政治服务的原则下，起着先行与倡导作用。

（一）中华人民共和国成立前的群众歌咏

“五四”运动后，旅京同学会的学生首先把“打倒列强救中国”的歌曲传到归绥等地。“九一八”事变后，日本帝国主义侵占东三省，今内蒙古自治区的呼伦贝尔盟、兴安盟、哲里木盟、赤峰市同时成为沦陷区。日本帝国主义以东三省为据点，一步步把侵略势力伸向华北、华中及西北地区。国民党爱国将领冯玉祥五原誓师，东进抗日。民国二十一年（1942年）6月，于伶、李佩衡、邸力等率领北京文化总同盟派出的“苞莉芭”剧社来归绥公演，宣传抗日救亡运动，并帮助建立绥远反帝大同盟由杜如薪任书记，苏谦益管宣传，马麟分管组织，归河北省反帝大同盟领导。绥远反帝大同盟在中小学生中发展50多个盟员，建立起8个基层反帝小组。出版革命刊物《血腥》（后改为《血星》）；成立绥远剧社，演出抗日救亡歌曲和剧目。此后，归绥、包头等地流行的群众歌曲有《九一八》（韦瀚章词、黄自曲，作于1933年）、《热血歌》（吴宗海词、黄自曲）、《大路歌》（孙瑜词、聂耳曲，作于1934年）、《毕业歌》（田汉词、聂耳曲，作于1934年）、《新的女性》（孙师毅词、聂耳曲，作于1934年）、《卖报歌》（安娥词、聂耳曲，作于1934年）等。歌唱者多为青年学生。民国二十五年（1936年）8月，日本关东军参谋长坂垣征四郎抵绥，胁迫绥远省政府主席傅作义和日本缔结《防共协定》,并出面领导华北“独立”，遭到傅作义的拒绝。继之，日本侵略军调兵遣将，在今呼和浩特城北170公里远的百灵庙囤积军需物资。同年11月24日，傅作义率部收复百灵庙，12月10日收复大庙。首战大捷，全国各地纷纷组团赴绥进行慰问，民国二十六年（1937年）1月21日，以“左联”陈波儿为团长的上海妇女儿童慰问团一行30人到归绥慰问傅作义抗日将士，她们在“九一八”纪念堂演出活报剧《放下你的鞭子》《张家店》和革命歌曲《义勇军进行曲》《国际歌》《救亡进行曲》等。青年音乐工作者吕骥在傅作义部队教唱革命歌曲，并为傅作义部谱写《三十五军军歌》。吕骥还被傅作义聘为客席音乐教授。这一时期演唱的群众歌曲有《中华民族不会亡》（野青词、吕骥曲，作于1935年）、《新编“九一八”小调》（崔嵬、钢鸣词、吕骥曲，作于1935年）、《松花江上》（张寒晖词曲，作于1936年）、《牺牲已到最后关头》（麦新词、孟波曲，作于1936年）、《五月的鲜花》（光未然词、阎述诗曲，作于1935年）、《热血》（田汉词、冼星海曲，作于1936年）、《只怕不抵抗》（麦新词、冼星海曲，作于1937年）等。抗日战争时期，国民党爱国将领傅作义退居河套，陕坝地区在抗战初期和相持阶段（1937—1942年）也流行并演唱抗日爱国歌曲。民国三十四年（1945年）8月15日，日本侵略军投降后，苏联红军进驻的呼伦贝尔盟、兴安盟等地，群众中流传着苏联歌曲《卡秋莎》《列宁之歌》等。在解放区流传着《游击队之歌》（贺绿汀词曲，作于1937年）、《二月里来》（塞克词、冼星海曲，作于1939年）、《黄河颂》（光未然词、冼星海曲，作于1939年）、《保卫黄河》（光未然词、冼星海曲，作于1939年）、《到敌人后方去》（启海词、冼星海曲，作于1938年）、《三大纪律八项注意》（红军歌曲）、《秋收》（陕北民歌）等歌曲。延安鲁艺的师生和内蒙古文工团（内蒙古歌舞团前身）的文艺工作者，在群众中广泛教唱《义勇军进行曲》（田汉词、聂耳曲，作于1935年）、《大刀进行曲》（麦新词曲，作于1937年）、《歌唱二小放牛郎》（方冰词、劫夫曲，作于1942年）、《没有共产党就没有新中国》（曹火星词曲，作于1943年）、《说打就打》（谢明词、庄映曲，作于

1946年)、《战斗进行曲》（韩塞词、佩之曲)、《咱们工人有力量》（马可词曲，作于1948年）等。民国三十五年（1946年）4月1日，内蒙古文工团成立后，文工团员走到哪里，唱到哪里，进一步把革命歌曲在群众中普及开来。

（二）中华人民共和国成立后的群众歌咏活动

中华人民共和国成立后，配合新中国成立初期的各项政治运动，如土地改革、镇反、剿匪、宣传贯彻《婚姻法》、抗美援朝等，文艺团体、机关单位、学校师生纷纷走上街头，宣传中国共产党的方针政策。为吸引听众，首先唱几首群众歌曲。当时流行的群众歌曲有：《打土豪，分田地》《贫下中农一条心》《妇女翻身歌》《婚姻自由》《妇女解放歌》《南泥湾》《边区小唱》《志愿军小唱》《打倒美国佬》等。这些歌曲词语简明易懂，曲式结构方整，音域适中，易学易唱，在群众中普及流传很快。群众歌咏活动的大开展，是1958年大跃进时期内蒙古百万民歌运动，及至同年举办的“百万民歌展览歌唱运动月”达到高潮，不仅举办歌唱会，还出版印刷《内蒙古民歌选》专辑。据初步统计，全区各行业共创作歌曲2 200首，民歌1 137.77万首，快板、好来宝1.73万首，剧本1 159个，诗画312幅。

高高山下一条河，
弯弯流水绕山过。
乡乡社员唱山歌，
山歌汇成无底河。

《乡乡社社唱山歌》

脚踏黄河手扳山，
命令河山大换班。
河水上山变成油，
高山下川铁水流。
拉住太阳衣后襟，
踩住月亮脚后跟。
千人万人一条心，
要把高山剔刮平。

《命令河山大换班》

数以千万计的民歌，虽然也和“大跃进”运动一样有浮夸现象，而且百分之九十五以上的歌曲有词无曲，但足以说明全区 986 万人口在一马当先、万马奔腾的总路线、大跃进、人民公社“三面红旗”的照耀下，怎样以忘我的热情参与这个运动，以饱满的政治热情讴歌“社会主义好”这个主题。在大跃进浮夸风的影响下，虽然人们想着、唱着“山头桃、路边柳，大河小河清水流；莫道塞外风沙苦，苦战三年赶苏州”，因为不按客观规律办事，仍然没有摆脱贫困的帽子。好在百万民歌并不排斥抒情歌曲，所以有许多表现爱情题材内容的民歌得以传唱。还有一些民歌，如“撕块白云擦擦汗”“蹬住地球扳倒山”“麦穗比我辫子长”“土豆一个两人扛”等，虽然过分夸张，却也表现出劳动人民气壮山河、战天斗地的精神和气概。

继 1958 年百万民歌运动后，群众性的歌咏活动如火如荼地开展起来，机关、厂矿、部队、学校尤甚，每在会前必有歌咏，且互相拉歌赛歌，还产生出许多“拉拉歌”，如“叫你唱，你就唱，扭扭捏捏不像样”“×××，来一个”“唱一个，快快快”等等。而且，各个盟市旗县，几乎每年都要由当地的文化部门组办各种形式的文艺会演。各有关单位对于文艺会演非常重视，抽调全系统的文艺爱好者集中排练一段时间，然后择优选送参加比赛。通过会演，涌现出许多有一定天赋和水平的艺术爱好者，被选送到各文艺团体中。即使在三年自然灾害时期，内蒙古人民也没有忘记唱歌。特别是各级工会、各个俱乐部，几乎每周六的晚上都要举办学唱歌活动，许多专业文艺工作者还深入到厂矿、部队去教歌。到 1964 年、1965 年，群众性的歌咏活动已蔚然成风。

1966 年 5 月“文化大革命”开始后，几乎所有的剧团都被定为“资产阶级”艺术团体而停止活动，取而代之的是革命歌曲、毛主席语录歌曲、毛主席诗词歌曲等，于是，群众性的大唱革命歌曲运动铺天盖地而来。《东方红》《大海航行靠舵手》几乎成为有口皆唱的划时代的声音。20 世纪 80 年代的群众歌咏活动不算活跃。至 90 年代，特别是 1997 年内蒙古自治区成立五十周年纪念和 1999 年中华人民共和国建国五十周年纪念掀起广泛的群众歌咏活动，各厂矿、企事业单位、学校、部队等，分别在“五一”“六一”“七一”“八一”“十一”等节日举办大型歌咏活动和文艺会演。以内蒙古体育馆为例，多次举办 6 000 人以上的大合唱，各盟市旗县、部队、厂矿、学校几乎每年都举办此项活动。所唱歌曲和表演的节目如：《东方红》《大海航行靠舵手》《没有共产党就没有新中国》《各族人民大团结》《歌唱祖国》《绣金匾》《山丹丹开花红艳艳》等数以百计。

第二十章
科学技术事业

第一节　科技事业发展概述

一、自然科学

内蒙古自治区成立以前，内蒙古的自然科学研究状况极为落后。全区仅有几处简陋的工业试验所和农业试验场，专业科研人员寥寥无几，科研成果几乎是空白，严重地制约着内蒙古地区经济、社会和各项事业的发展。

内蒙古自治区成立以后，自治区党委和人民政府积极着手建立和发展自治区的科技事业。早在 1948 年，即建立了内蒙古流行病防治研究所。中华人民共和国成立后 1950 年，内蒙古自治区人民政府农牧部建立了扎兰屯农业试验场和钱家店农业试验场，各盟分别建立了农业推广站，绥远省农林厅将原归绥农业实验场改为绥远省五里营农业实验场，开始展开农业科学实验活动。

在国家实施“一五”计划期间，随着有计划、大规模经济建设的起步，科学技术对国民经济和社会发展的重要性日渐突显。1956 年 3 月，自治区主席乌兰夫在内蒙古自治区第一届人民代表大会第三次会议所作的报告中提出：“加强培养中、高级各类建设人才，建立科学研究机构和开展科学研究工作，并积极地开展科学技术知识的普及工作。”根据报告精神，自治区在“一五”期间，先后建立了内蒙古工业试验所（1954 年、1958 年改名为内蒙古轻工业厅科学研究所）、内蒙古畜牧兽医科学研究所（1954 年）、内蒙古林业科学研究所（1954 年）、内蒙古农业科学研究所（1956 年）、内蒙古中蒙医研究所（1956 年）、内蒙古水利勘测设计院（1956 年）、内蒙古畜牧厅草原勘测大队（1956 年）等一些与自治区国民经济和社会发展密切相关，并符合自治区地方、民族特点和科研基础条件的科研机构。

1958 年，在全国各项事业"大跃进"的形势下，内蒙古自治区响应党的号召，掀起以大力进行技术革命和文化革命为中心的社会主义建设高潮，自治区的科技事业进入一个新的发展阶段。同年 3 月 26 日，适应科学技术事业大发展的需要，自治区成立综合管理科学技术事业的专门机构——内蒙古自治区科学工作委员会，次年改称为内蒙古科学技术委员会，主席由内蒙古人民政府副主席哈丰阿兼任。随后，各盟市的科技管理机构和一批地区性科研机构也纷纷成立。从此，自治区的科技事业开始步入有计划、有领导的发展阶段。同年，自治区在自然科学各专业学会成立的基础上，成立了内蒙古自然科学专门学会联合会。1959 年，内蒙古自然科学专门学会联合会和内蒙古科学技术普及协会合并为内蒙古科学技术协会。

1958 年 6 月 7 日，自治区主席乌兰夫在向内蒙古自治区第二届人民代表大会第一次会议所作报告中，提出"加速建设具有先进水平的工业、农牧业和科学文化的社会主义的内蒙古"的号召。本次会议通过的《内蒙古自治区社会主义建设五年规划纲要六十条》，进一步确定了"大力发展科学研究工作，建立自治区科学分院，加强对各科学研究所的领导，新建立沙漠研究所、农具研究所、经济研究所和传染病研究所，各盟市旗县都要建立科学研究机构，培养各类研究人材"的方针和措施，并将科研事业正式纳入自治区国民经济和社会发展计划。从 1958 年开始，自治区财政给自治区科委和科研机构划拨专项事业费。

1958 年 9 月 21 日，中共内蒙古自治区委员会第八次常委扩大会议发出"关于大办科学事业"的指示，提出打破科技高不可攀的神秘观点，摆脱资产阶级思想的束缚，根据内蒙古自治区和国家长远需要开展最新的科学研究工作，在尖端科学方面要力争上游。同年 10 月，中共内蒙古自治区委员会批准内蒙古科学技术委员会党组关于建立 5 个尖端研究所及其他研究机构的报告，并于 12 月 1 日在呼和浩特市召开了全区科学工作会议，吹响了向科技进军的号角。根据上述科技方针和指示精神，1958 年 12 月 8 日，中国科学院内蒙古分院成立，下设物理、化学、植物、数学力学、半导体、无线电电子学等 6 个研究所和内蒙古科技图书馆。此外，自治区有关厅局新设立内蒙古农牧业机械化研究所（1958 年）、内蒙古传染病研究所（1958 年）、内蒙古科学技术情报研究所（1958 年）、内蒙古煤炭设计研究院（1958 年）、内蒙古重工业厅设计研究院（1958 年）、内蒙古气象科学研究所（1959 年）、内蒙古水利电力科学研究所（1960 年）、内蒙古地质局地质研究所（1959 年）、内蒙古交通科学研究所（1959 年）、内蒙古水产科学研究所（1960 年）、内蒙古粮食科学研究所（1961 年）等科研机构。其他盟市、旗县以及高校和厂矿也陆续建立一些专门研究机构。从而，自治区的科学研究事业从无到有，从小到大开始发展壮大起来。

但是，由于“大跃进”时期不适当地提出大办各项事业，包括科研事业在内，发展过快、过多、过猛，加之三年自然灾害的影响，超出了自治区财力、物力和科研基础条件所能承受的限度。所以，从 1961 年开始，自治区根据党中央提出的“调整、巩固、充实、提高”的方针，对科研事业也进行了整顿和压缩，撤并了包括中国科学院内蒙古分院在内的一些科研机构，并将科研工作的重点转到改善民生，解决人民群众的温饱问题，加强农牧业的基础地位方面。之后，1963 年自治区筹建了农牧科学院，并在国家科委的支持和推动下，在锡林郭勒盟建立了现代化草原畜牧研究中心。

“文化大革命”期间，特别是前期，自治区的自然科学事业遭到严重的干扰和破坏。许多科研院所和机构被撤销，仪器设备被闲置或毁坏，技术资料散失，科技人员受到歧视和不应有的迫害，科技事业几乎处于瘫痪状态。

1971 年，自治区革命委员会成立科技局，科技事业开始逐渐恢复。之后，陆续建立了内蒙古电子研究所（1971 年 10 月）、内蒙古地方病防治研究所（1973 年 3 月）、内蒙古果树科学研究所（1975 年 3 月）、内蒙古液压技术研究所（1975 年 6 月）、内蒙古电子计算站（1975 年 7 月）、内蒙古甜菜制糖工业研究所（1976 年 4 月）等科研机构。到“文化大革命”结束后的 1977 年，自治区已拥有 73 个专业研究机构，从事科学研究的专业人员达 2 000 余人。此外，自治区 30 多个旗县建立农科所，500 多个人民公社建立农科站，3 000 多个生产大队建立农科队，2 万多个生产队建立农科组，基本形成四级农科网和三级牧科网①。

1978 年，党中央召开全国科学大会，邓小平同志提出了“科学技术是第一生产力”的重要论断，从而，自治区的科技事业同全国一样，迎来新的春天，进入蓬勃发展的新时期。1982 年 10 月，国务院召开全国科技奖励大会，提出“科学技术工作必须面向经济建设，经济建设必须依靠科学技术”的战略方针。1985 年发布的《中共中央关于科学技术体制改革的决定》,进一步为自治区科学技术的发展指明了方向，有力地推动了自治区科技事业的发展。同年，自治区人民政府成立了科学技术顾问委员会，并制定了《内蒙古自治区科学技术进步奖励办法》,加强了对科技工作的重视和领导，促进了自治区科技事业的发展。

在此期间，自治区在恢复原有科研机构的基础上，又新建或扩建内蒙古环境保护科学研究所（1978 年）、内蒙古化工科学研究所（1978 年）、内蒙古建筑材料工业设计科学研究所（1978 年）、内蒙古建筑科学研究所（1978 年）、内蒙古计量测试研究所（1980 年）、内蒙古农业科学院（1980 年）、内蒙古机电设计研究所（1980 年）、内蒙古药品监察研究所（1980 年）、内蒙古科学技术馆（1982 年）、毛乌素沙地整治研究中心（1983 年）、内蒙古广播电视科学研究所（1984 年）、内蒙古乳品科学研究所（1986 年）、内蒙古纺织科学研究所（1986 年）、内蒙古煤炭科学研究所（1987 年）等一些专门研究机构，以及电子计算中心、理化测试服务站、微电脑开发研究部等现代化科技服务机构。此外，各盟市旗县和部分高校、厂矿根据各自的优势和条件，也建立了自己的研究机构。

截至 1987 年，自治区旗县以上的各类科研机构已发展到 155 个。其中，自治区级 31 个，盟市级 87 个，旗县级 37 个，职工总数达 11 110 人。其中，从事科技活动 7 207 人，从事科学研究工作 4 610 人。科技人员中有妇女 1 584 人，少数民族 988 人（蒙古族 706 人），拥有高级职称 91 人，中级职称 1 103 人，初级职称 1 409 人。此外，自治区 19 所高等院校中，设有研究与开发机构 55 个，从事科技活动人员 9 392 人。其中，教师 6 050 人，其他

① 《内蒙古自治区三十年》,内蒙古人民出版社 1977 年版，第 136 页。

技术人员 2 782 人，辅助人员 560 人。教师中有教授 33 人，副教授 399 人，讲师 1 955 人，助教 1 512 人。全区科学研究机构共有固定资产 12 995. 7 万元。其中，科研仪器设备 3 682. 4 万元，占固定资产总额的 28. 3%。在科研设备总价值中，仪器设备占 1 759. 5 万元。其中，国产设备占 805. 4 万元，占仪器设备总价值的 45. 8%；具有 80 年代水平的仪器设备价值为 1 218. 5 万元，占仪器设备价值总额的 69. 3%；70 年代水平的占 21. 7%；60 年代水平的占 9%。此外，自治区建立三级学会（协会、研究会）共九十多个，会员 9 万多人；全区有民办科研机构 102 个①。从 1976 年至 1987 年的 11 年间，自治区地方科技三项费用以平均 13. 1% 的速度逐年增长，高于同期财政支出 8. 4% 的增长速度，低于财政收入 19. 8% 的年均增长速度。

从自治区科研机构的专业设置来看，包括农业、畜牧业、林业、渔业、水利、气象、煤炭、冶金、建材、农牧机械、轻纺、化工、电力、电子、机械、粮食加工、交通、邮电、中蒙医、地方病、传染病、环境保护等。凡是与内蒙古地区特点和民族特点有关的领域，都具备了一定的科研力量。科技情报、标准、计量、地震等行业，也都设立了专门科研机构。一个多层次、多学科，与自治区经济建设和社会发展相适应的科学研究体系已经基本形成。

进入改革开放新时期以后，自治区坚持“科学技术是第一生产力”的指导思想，认真贯彻“经济建设必须依靠科学技术，科学技术工作必须面向经济建设”的基本方针，积极、稳妥地推进科技体制改革，使自治区的科技事业不断发展壮大，科技实力明显增强。特别是 1991 年，自治区党委和人民政府正式提出“科教兴区”的发展战略，并在自治区“八五”计划和“十年规划”中，明确提出“科教兴区，先行科技”的指导思想，把发展科学技术事业作为“兴区富民、实现小康”的巨大推动力，摆在更加重要的位置。

1992 年 10 月，自治区党委和人民政府作出《关于推动科技进步，振兴内蒙古经济的决定》。《决定》提出进一步放开科研机构，进一步放活科技

① 中共内蒙古自治区委员会宣传部：《光辉的历程》（1947—1987），内蒙古人民出版社 1988 年版，第 344 页。

人员，推进农村牧区科技进步，推进企业技术进步，积极发展高新技术产业，加速科技成果商品化、产业化，大力推进国际科技合作与交流，努力增加全社会对科技的投入，切实加强对科技工作的领导等方针、政策和措施，并在基层旗县开展了科技工作达标活动，在工矿企业开展了创建科技先导型企业的活动。1995 年，自治区党委和人民政府又提出《关于实施科教兴区战略，加速科学技术进步的意见》，自治区人大常委会颁布了《内蒙古自治区科学技术进步条例》等政策、法规性文件。1996 年，自治区成立以内蒙古党委副书记、政府主席乌力吉为组长，自治区党委副书记乌云其木格、组织部长周德海为副组长，由 12 个相关部门参加的自治区科技工作领导小组，制定了《内蒙古自治区“九五”科技兴区战略规划》，把科技同教育置于“九五”期间优先发展的战略地位，并将其放在“五大战略”之首加以落实，使科技工作由以往的部门行为上升为政府行为和社会行为。从而，进一步增强了全社会对科技工作重要性的认识，调动了广大科技人员的积极性，推动了自治区科学技术事业的迅速发展。

特别是 1996 年 2 月，自治区第八届人民代表大会第四次会议通过的《内蒙古自治区国民经济和社会发展第九个五年计划和 2010 年远景目标纲要》中明确提出：“增加科技投入。到 2000 年，全社会的研究与开发支出占国内生产总值的比重达到 1.5%；财政科技投入增长速度要高于财政收入的增长速度；银行要增加科技贷款规模，引导企业增加科技投入。”从而，使自治区科技事业的发展得到明确的财力保障。

1997 年，自治区成立 50 周年之际，自治区国有独立研究和开发机构已发展到 159 家，共拥有固定资产 5.7 亿元，具有 80 年代末水平的仪器设备价值总额占整个仪器设备价值总额的 82%；自治区大中型工业企业、大专院校和有关行业部门的非独立科研机构已发展到 200 家，民营科技企业已发展到 800 多家，从业人员近万人，其中科技人员占 50% 以上，全区自然科学技术人员总数达到 36 万人①。此外，全区已有 60% 以上旗县选派了科技

① 韩茂华主编：《翻天覆地五十年》（1947—1997），内蒙古大学出版社 1997 年版，第 298、300、301 页。

副旗县长，有70%以上的苏木（乡镇）配备了科技副职①。

20世纪末的“九五”时期，自治区共组织实施各类科技计划项目1 243项，投入经费44.3亿元，取得科技成果2 048项，科技成果的转化率超过40%，科技对经济增长的贡献率由“八五”期末的30%提高到40%。

以上统计显示出自治区科技事业的发展明显加快，全区范围内形成了门类比较齐全、学科基本配套的科研体系，科技进步正在成为自治区经济发展和社会进步的首要推动力量，为今后自治区各项事业的发展进步奠定了坚实的基础。但是，应当清醒地看到，自治区的科技发展水平和整体实力与全国相比还有很大差距，人才流失的问题比较严重，科技投入水平仅为全国的30%左右，科技成果转化率和科技进步贡献率都比较低，以企业为主体的技术开发和创新体系很不健全，以信息技术为先导的高新技术产业发展比较落后，科学技术的滞后，仍然严重制约着自治区经济和社会的健康、快速发展。这是在今后的工作中，特别需要加以注意和予以解决的重要问题。

二、社会科学

内蒙古地区的社会科学事业由于受到历代统治阶级政治上的束缚和社会生产规模狭小的限制，长期处于停滞落后的状态。1947年，内蒙古自治政府成立以后，内蒙古的社会科学事业在传播和确立马克思列宁主义、毛泽东思想，继承和发掘历史文化的基础上，适应自治区各个时期的革命与建设任务，逐步发展、壮大起来，成为自治区政治、经济、社会、文化建设中不可缺少的重要组成部分，并且发挥着日益显著的作用。

早在1947年5月自治政府成立时所制定的《内蒙古自治政府施政纲领》中，就明确规定“研究蒙古历史”、“发展蒙古文化”。同年秋，成立了由17人组成的从事人文社会科学研究的专门机构——内蒙古蒙古语文研究室。

在开始实施国家“一五”计划的1953年，中共中央蒙绥分局召开内蒙古自治区和绥远省蒙古语文工作会议，决定并成立了蒙绥地区蒙古语文研究会。1954年，自治区成立内蒙古文物工作组，开始从事考古研究，1961年改为内蒙古文物工作队。1957年5月，在内蒙古自治区成立十周年之际，

① 韩茂华主编：《翻天覆地五十年》（1947—1997），内蒙古大学出版社1997年版，第302页。

配合国家对少数民族历史语言的调查工作，自治区成立内蒙古历史语文研究所。同年8月，成立内蒙古文学研究所。1958年8月，内蒙古历史研究所成立，原内蒙古历史语文研究所更名为“内蒙古语言文学研究所”。上述机构的成立，为自治区蒙古学研究事业奠定了良好的基础。1959年初，中国科学院内蒙古分院成立，下设哲学社会学部，辖历史、语言、哲学和经济研究所。1960年3月，内蒙古党委决定：成立内蒙古哲学、文学、民族、考古、教育、法学6个研究所，由自治区党委宣传部统一领导，中国科学院内蒙古分院负责管理行政事务。1962年中国科学院内蒙古分院撤销后，1963年建立内蒙古语言文学历史研究所。1964年秋，内蒙古哲学社会科学研究所成立，与内蒙古语委合署办公。该所内设历史、语言文学、哲学、经济、民族、宗教等6个研究室和学科。此外，20世纪60年代，内蒙古大学以其雄厚的师资，先后成立了蒙古语文研究室（1962年）、蒙古史研究室（1962年）、蒙古人民共和国研究所（1964年）等研究机构，成为自治区蒙古学研究的一支重要力量。除上述专业研究机构外，从50年代末起，自治区陆续成立了一些群众性的社会科学团体和组织。1958年6月，内蒙古自治区哲学社会科学联合会成立。随后，又陆续成立内蒙古哲学学会（1958年）、内蒙古教育学会（1958年）、内蒙古经济学会（1959年）、内蒙古历史学会（1960年）、内蒙古自治区中共党史学会（1979年）、中国民间文艺研究会内蒙古分会（1963年）等群众性社会科学团体。

到20世纪60年代中期，自治区初步形成了具有自治区地区特点和民族特点的以蒙古学研究为基干的，包括哲学、经济、民族、考古等学科的人文社会科学体系，为以后的发展进步打下了良好的基础。

但是，“文化大革命”期间，自治区社会科学事业以其所谓“意识形态”的属性，无疑成了遭受重创的重灾区。自治区几乎所有社会科学研究机构均被迫解散或中断研究工作，初步形成的科研队伍遭受严重冲击，科研人员或被以莫须有的罪名加以迫害，或被下放和改行，许多成果被批判和否定，大量珍贵典籍、文献和资料被损毁或散失，整个社会科学事业陷入完全停滞状态。

“文化大革命”结束后，内蒙古党委宣传部于1978年7月5日召开全区社会科学规划会议，传达全国社会科学规划工作座谈会精神，研究拟订和修改哲学、政治经济学、历史、考古、教育、文艺理论、语言、民族、宗教、畜牧经济等学科三年、八年规划，讨论了机构设置、队伍建设和资料工作等问题。从而，自治区的社会科学进入重新恢复发展的历史新时期。同年11月，内蒙古党委决定建立内蒙古社会科学院。1979年2月，内蒙古社会科学院正式成立，原内蒙古语言文学历史研究所划入该院，并分立为蒙古语言文字研究所、历史研究所和文学研究所。此外，新建经济研究所、哲学社会学研究所、民族研究所和情报研究所以及图书馆、杂志社等机构，出版发行《内蒙古社会科学》蒙古文版、汉文文史哲版和经济社会版，《蒙古语言文学》（蒙古文）和《蒙古学资料与情报》等刊物。

自治区一些高等院校也分别建立了自己的研究机构。如：内蒙古大学先后设立中共内蒙古地区党史研究所（1982年成立，后改称内蒙古近现代史研究所）、蒙古史研究所（1982年）、原蒙古语言研究室改为蒙古语文研究所（1982年）、原蒙古文学研究室改为蒙古文学研究所（1983年）；内蒙古师范大学设立蒙古语言研究所（1979年）、蒙古语言文学研究所（1983年）、蒙古史研究所（1988年）、教育科学研究所（1984年）；内蒙古财经学院设立经济管理研究所；内蒙古民族师范学院设立蒙古语言文学历史研究室；内蒙古党校设立马列主义研究所（1984年）等。

此外，自治区政府一些厅局根据各自的职能和业务，也成立了专门研究机构，如：为了开展地方志的研究和编写工作，建立内蒙古地方志总编室；内蒙古文化厅建立内蒙古艺术研究所（1979年）、文物考古研究所（1986年）；内蒙古人民银行建立金融研究所（1979年）；内蒙古日报社建立内蒙古新闻研究所（1981年）；内蒙古经委设立了内蒙古经济研究中心（1983年）；内蒙古教育厅建立教育科学研究所（1983年）；内蒙古党委组织部建立人才科学研究所（1984年）；内蒙古计划委员会建立经济研究所；内蒙古财政厅建立财政研究所；内蒙古统计局建立了统计科学研究所（1986年）。据不完全统计，到1987年，自治区全区性的社会科学研究所（不包括自治区党和政府以及各厅局的调研室）已发展到24个，人员500余人。其中，科研人员300余人①。

---

① 中共内蒙古自治区委员会宣传部：《光辉的历程》（1947—1987），内蒙古人民出版社1988年版，第351页。

党的十一届三中全会以后，随着自治区社会科学事业的恢复和发展，各种社会科学学术团体也纷纷恢复和建立。1980 年 6 月，内蒙古哲学社会科学学会联合会正式恢复，选举王铎为主席，潮洛蒙、齐永存、于北辰、戈瓦为副主席，并设立办事机构开展工作。截至 1987 年，自治区社会科学学术团体，已从原有经济、哲学、教育、历史、中共党史 5 个学会发展到 42 个。它们包括：畜牧业经济、农业经济、林业经济、物资、财经、政法、会计、统计、档案、金融、商业经济、价格、图书馆、考古、新闻、蒙古历史、蒙古语言、达斡尔历史语言文学、科学社会主义、地理、统战理论、社会学、法学、人才学、古代文学、农牧金融等 26 个学会，以及民族理论、基本建设经济、国土经济学、蒙古族哲学及社会思想史、资本论、蒙古人民共和国、少数民族汉语教学、鄂温克族等 8 个研究会，世界语、企业管理、翻译工作者等 3 个协会，共有会员 1 万余人①。上述社会科学群众团体成了联系、团结自治区哲学社会科学研究人员和实际工作者的桥梁和纽带。

1987 年元月，内蒙古党委宣传部发文：建立自治区哲学社会科学规划小组，由内蒙古党委常委、宣传部部长文精任组长，负责全区哲学社会科学研究计划和课题的制定和组织实施工作。同年 8 月，内蒙古自治区哲学社会科学《七五》规划工作座谈会在呼和浩特市土默特右旗召开，制定了自治区第一个哲学社会科学的五年规划，提出自治区逐步建立三个研究中心的目标。即畜牧业经济研究中心、民族理论政策研究中心和蒙古学研究中心。这次座谈会是自治区第一次制定哲学社会科学的五年计划，在自治区哲学社会科学发展史上有着重要意义。从此，自治区的哲学社会科学真正纳入有组织、有计划的发展轨道。

到 1989 年，自治区的社会科学事业已基本形成一个学科比较完备的科研体系。哲学、历史学、语言学、蒙古学、经济学、民族理论与民族学、教育学等传统学科得到进一步巩固、提高和发展；许多过去比较薄弱的学科，如社会学、法学、新闻学、宗教学、情报学、图书馆学等，也逐步扩大了研究队伍，得到快速发展；许多新的学科，如管理学、人才学、科学学、未来

---

① 中共内蒙古自治区委员会宣传部：《光辉的历程》（1947—1987），内蒙古人民出版社 1988 年版，第 351、352 页。

学以及其他新兴分支学科等，也相继组建学术团体或专门机构。全区性的社会科学各学科的学会（研究会、协会）已由1980年的16个发展到146个；协会会员由1980年的2 000人发展到26 000人。[①] 自治区的社会科学事业呈现出繁荣发展的良好局面。

1991年5月，自治区第七届人民代表大会第四次会议通过的《内蒙古自治区国民经济和社会发展十年规划和第八个五年计划纲要》确定："社会科学研究要坚持马列主义为指导，紧紧围绕经济建设，加强对我区经济建设和改革开放中重大理论问题的研究，加强马克思主义基本理论的研究和宣传。要发挥我区的科研优势，重点加强蒙古学、畜牧业经济和民族理论等方面的研究，力争在这几门学科研究上取得较大的突破，改善社会科学研究条件和设施。"从而，为自治区哲学社会科学的发展确定了指导方针、战略重点和保障措施，使自治区哲学社会科学进入健康发展的轨道。

截至1997年，内蒙古社会科学联合会直属学会、协会、研究会达101个，所涉及的领域涵盖了社会科学领域的100多个学科。自治区12个盟市有6个盟市成立了社科联，全区社科联会员达3万多人[②]。到20世纪末，内蒙古自治区基本形成了学科齐全，结构较为合理，具有地区特点和民族特点的社会科学学科体系和科研队伍。从1980年开始，自治区共开展了5届社会科学优秀成果评奖活动，评出优秀成果2 000余项（其中一等奖48项）。这些成果反映了内蒙古社会科学的研究方向和水平。有的成果已经达到国内甚至国际先进水平，对促进自治区两个文明建设，繁荣发展内蒙古的社会科学事业做出了应有的贡献。

三、科学技术普及事业

科学技术普及是科学技术事业的重要组成部分。它担负着宣传科学思想，传播先进生产技术和经验，推广科学技术新成果和普及现代科学技术知识、方法的重要任务，对于提高全民的科学文化素质，促进经济和社会的发展，增强国家和地方的综合实力，具有重大的意义。

---

① 乌兰察夫、乌力吉图主编：《内蒙古社会科学通览》，内蒙古人民出版社1992年版，第10页。

② 韩茂华主编：《翻天覆地五十年》（1947—1997），内蒙古大学出版社1997年版，第380页。

内蒙古地区解放后，自治区各级党组织和政府十分重视科学技术的普及推广工作。1949 年，绥远省农业厅即开办了农业技术训练班；1951 年，分别在集宁、陕坝、萨拉齐成立了绥东、绥西、绥中农业技术推广队。1952 年，内蒙古自治区政府在呼纳、兴安、哲里木、昭乌达、察哈尔等盟建立农业技术推广站，使自治区的农业技术推广工作开始起步并得到加强。

1951 年 5 月，根据中华全国自然科学专门学会联合会和中华全国科学技术普及协会《暂行组织方案要点》,绥远省文教厅召开会议，成立省科学技术普及协会筹委会。1954 年 3 月绥远省划归内蒙古自治区，同年 6 月 10 日，在绥远省科学技术普及协会筹委会的基础上组建成立内蒙古科普协会筹委会。1956 年 4 月，中共内蒙古自治区委员会发布《关于加强科学技术宣传、普及工作的指示》,要求各级党委加强对科普工作的领导，各盟、行政区、市争取在年内建立起各自的科普协会，有条件的旗县、镇也应着手建立，并要求配备必要的专职干部，拨给必要的业务经费①。

同年 7 月，内蒙古科学技术普及协会第一次代表大会召开，会议通过了工作报告和《内蒙古科学技术普及协会章程》,选举产生了科普协会委员会。与此同时，由于自治区各类自然科学专门学会的纷纷成立，为中华全国自然科学专门学会联合会内蒙古分会的成立创造了条件。1958 年 6 月 28 日，内蒙古科联召开成立大会，宣告正式成立。同年 11 月 27 日，根据中国科协“一大”的精神，内蒙古科普协会与内蒙古科联合并，成立内蒙古自治区科学技术协会。随后，自治区各盟市科联、科普协会相继改建为科学技术协会。到 1959 年，内蒙古 7 盟 2 市都建立了科普协会，并建立自治区级学会 12 个，旗县级科协 85 个，基层科普协会 1214 个，会员达 6. 39 万人②。

1961 年至 1962 年，在国家调整和精简机构过程中，内蒙古科协仅以 5 人编制得以保留，盟市旗县科协相继被合并或撤销。1963 年 7 月，在全国农业科学技术工作会议和全国农业科学技术普及工作会议之后，内蒙古科协召开会议研究贯彻会议精神，科协工作得以恢复和发展。到 1965 年，盟市科协都已恢复建制，旗县科协也多数相继恢复。

---

① 张应琦主编:《内蒙古自治区科学技术协会志》,内蒙古大学出版社 1998 年版，第 382 页。

② 张应琦主编:《内蒙古自治区科学技术协会志》,内蒙古大学出版社 1998 年版，第 382 页。

1966 年开始的“文化大革命”，使内蒙古的科学技术普及事业遭到严重的破坏和干扰，各级科协组织被解散，人员分流，物资散失，刚刚恢复起步的科普工作，被迫完全中断。1971 年，内蒙古科技局成立后，1972 年 11 月，在该局设立了科普处，自治区的科普工作重新得以恢复和开展。

“文化大革命”结束后，中共中央于 1977 年 9 月 18 日发出《关于召开全国科学大会的通知》,并作出“科学技术协会和各专门学会要积极开展工作”和“必须大力做好科学普及工作”的指示。1978 年元月，内蒙古自治区召开科学大会。会议通过了自治区科普工作十年发展规划。规划确定的全区科普工作的奋斗目标是：三年大恢复大整顿，八年大发展大提高，23 年赶超国内先进水平。规划还确定组织建设一支宏大的科普队伍，广泛开展各种科学技术普及工作，大搞群众性科学实验活动，积极推广新技术，建立必要的科普活动场所等一系列重要任务和具体措施①。1978 年 2 月，自治区党委批准恢复内蒙古科协，并要求各盟市都要恢复或建立科协机构。从此，自治区科普事业进入新的历史发展时期。

1981 年 12 月 25 日，内蒙古科学技术协会召开全区科普工作经验交流会。吉林、北京、河北、辽宁、山西、宁夏等省、市、自治区的代表应邀到会并介绍先进经验。会议表彰和奖励了自治区科普工作 50 个先进集体和 47 个先进个人，进一步推动了内蒙古科普事业的发展。到 1982 年底，自治区 12 个盟市及除额济纳之外的 99 个旗县市区都恢复和建立了科协。并且，各级科协根据需要逐步建立各种专业学会、协会、研究会，在科技人员比较集中的大中型厂矿、企业也建立了科协。自治区的 12 个盟市都成立了科技咨询服务机构，全区农村牧区建立乡镇科普协会近千个，会员约 5 万人②。

到 1992 年，自治区 100 个旗县市区都已建立科协组织，并建成科普文明旗县 12 个，建立乡镇苏木科普协会 1 156 个，科普文明乡镇苏木 167 个，科普文明村、嘎查 1 466 个，科技示范户 71 907 个，旗县科协直属的科技服务单位 71 个，全区科协系统共有咨询服务机构 176 个。此外，农村牧区发展了以科技人员为骨干，农牧民科技能手为基础的专业技术研究会（协

① 张应琦主编：《内蒙古自治区科学技术协会志》,内蒙古大学出版社 1998 年版，第 398 页。

② 张应琦主编：《内蒙古自治区科学技术协会志》,内蒙古大学出版社 1998 年版，第 3 页。

会）1 281 个，会员 23 846 人；在科技人员比较集中的厂矿企业建立科协 132 个，会员 23 204 人；部分高等院校和城市街道也建立了科协组织[①]。

1993 年，在自治区机构改革过程中，全区基层科协组织再次进行撤并。旗县市区科协组织基本都与科委合署，有的甚至被取消。

1995 年 5 月 12 日，自治区党委和人民政府发出《关于加强科学技术普及工作的实施意见》，要求“自治区科协及各群众团体学术组织都要继续发挥主动性、创造性，大力开展日常性、群众性科普活动”，“要注意在人员和资金上保障科普工作的正常开展”。1996 年 11 月 4 日，自治区党委又下发了《关于进一步加强科协工作的通知》，强调“各盟市、旗县不得随意自行宣布撤销科协，已宣布撤销的要尽快恢复”。

1996 年 2 月，为了加强对自治区科普工作的领导和组织协调工作，自治区成立以自治区党委副书记乌云其木格为组长，自治区副主席周维德、自治区科委主任刘学敏、自治区科协党组书记王俊玉为副组长，包括自治区各有关厅局和群众团体领导参加的内蒙古自治区科学技术普及工作协调小组。

上述《意见》《通知》的颁布和采取的组织措施，进一步强化了全社会对科普工作重要性的认识，明确了其性质和任务，以及在自治区经济、社会发展中的重要地位，并对科普队伍建设、财政投入等方面作出明确规定和要求。其中，《关于加强科学技术普及工作的实施意见》规定，自治区将从 1995 年起，每年划拨一定数量的专项经费用于科普事业，并随着财政收入的增长而逐年增加。1996 年 6 月 1 日，自治区人大常委会通过的《内蒙古自治区科学技术进步条例》规定，“各级人民政府要重视和加强科学技术的普及工作，应将科学技术普及工作列入国民经济和社会发展规划”。而且，群众性科学技术普及经费，自治区、盟市、旗县要按人均不低于 0.1 元列入财政预算，并逐年增加，由各级科学技术协会负责专款专用。这两个文件对稳定科协队伍，促进科普事业的发展，提供了法律保障和财政支持，从而对自治区科普事业的发展发挥了重要作用。

到 1997 年，自治区共建立科普示范旗县 20 个，科普文明乡镇 258 个，

---

① 许令妊：《担负起历史的责任，为实现我区十年规划“八五”计划建功立业》，张应琦主编：《内蒙古自治区科学技术协会志》，内蒙古大学出版社 1998 年版，第 430 页。

科普文明村、嘎查 2 690 个，科技示范户 12.9 万个；建立农函大盟市级分校 11 所，旗县级支校 47 所；成立基层农研会 2 227 个，共建立示范基地 367 个；全区科协系统共发行期刊 202 种①，自治区科普事业呈现出蓬勃发展的可喜局面。

第二节　科技队伍的建立与发展

内蒙古自治区成立之初，由于自治区的科技事业极为落后，科研机构和科技人员为数甚少，严重地制约着自治区经济、社会、文化等各项事业的发展。根据有关资料，1951 年全区专业技术人员总数仅为 144 人，占当时全区总人口的 0.2‰，分布于工程、农业、卫生 3 个行业。② 内蒙古自治区成立以后，随着大规模经济、社会和文化建设的展开，急需足够数量的各类专业技术人员。因此，自治区人民政府一方面采取“包下来”的办法，将解放前原有的少量知识分子和科技人员绝大多数分配到适当的工作岗位，并从社会上将有初级文化知识的技术人员基本加以录用；另一方面，从 1948 年到 1950 年代初，内蒙古自治区政府陆续举办了工业、农业、林业、畜牧兽医、贸易、财经、卫生和政法等 20 余所比较正规的学校和训练班，开始培养自治区建设所需各行业的专门人才。各企业也与行政主管部门配合采取轮训、冬训等各种方式，培养科技队伍和人才。此外，1947—1954 年，自治区抽调大批有培养前途的在职干部和青年学生，分别保送到东北工学院、吉林高级职业专科学校、长春土木建筑学校、天津矿业学院、南京交通技术学校、中国人民大学、中央政法大学和中央财经学院等全国 33 所院校进修、培养，人数共达 1 272 人③。

到 1959 年，自治区已办起了 18 所高等学校，初步完成了工、农、牧、林、医、师范以及综合大学的高等教育设置，共设有 50 个系科 69 个专业，

---

① 张应琦：《全区各族科技工作者动员起来为实施“科教兴区”战略贡献智慧和力量》，张应琦主编：《内蒙古自治区科学技术协会志》，内蒙古大学出版社 1998 年版，第 461 页。

② 韩茂华主编：《翻天覆地五十年》（1947—1997），内蒙古大学出版社 1997 年版，第 353 页。

③ 李铁生主编：《内蒙古自治区·科学技术志》，内蒙古人民出版社 1997 年版，第 1050 页。

开始为自治区各项事业的发展，培养和输送大批专门人才。

此外，从20世纪50年代起，党和政府积极号召并组织大批内地其他省区市的干部、专门人才和大中专毕业生奔赴内蒙古参加建设。仅1950—1954年，由内地和沿海省市经国家统一分配到内蒙古支援边疆建设的大学毕业生即达792人，并逐年增多①。自治区在20世纪50年代成立的几所高等院校和中等专业学校及科研机构，其主要教学人员和骨干力量都是由这批人组成的。例如，1956年，根据周恩来总理的指示，从北京大学、南开大学、复旦大学、南京大学等国内名牌大学抽调130多名优秀教师支援内蒙古大学的筹建工作。教育部、卫生部从北京医学院、沈阳医学院抽调骨干教师支援内蒙古医学院的筹建。此外，国家为自治区的重点建设项目和新建单位调配了大批科技干部。1954年包钢筹建时，国家从鞍钢等地抽调大批技术干部支援包钢。50年代初，自治区还从南京、上海等地分批招收失业知识分子和专业人员900余人来内蒙古工作。这些措施，对奠定内蒙古的科学技术基础，促进各项事业发展，发挥了重要作用。据不完全统计，从建国后到60年代初，党和国家陆续为自治区直接援助各类科技干部和专门人才就达到十几万人②。

1954年，内蒙古自治区和绥远省合并时，内蒙古科技队伍人数达1 312人，占全民所有制单位职工总数的1.2%。到1960年，达到47 908人，占全民所有制单位职工总数的16.47%③。

但是，1960—1962年，由于国家连续三年遭受自然灾害，加之1958年以来，各项事业大干、快上，盲目的发展，超出了自治区财力、物力所能承受的限度。为了摆脱这一困境，自治区根据党和国家制定的方针、政策，采取了精简职工、压缩城镇人口的措施。期间，自治区不少科研院所和大中专院校的部分专业技术人员被迫下放改行或精简回乡，使自治区科技队伍的规模有所缩小。1963年以后，随着整个国家和自治区经济形势的好转，自治

① 李铁生主编：《内蒙古自治区·科学技术志》，内蒙古人民出版社1997年版，第1050页。

② 赵方玉：《我区职工队伍40年来不断发展壮大》，中共内蒙古自治区委员会宣传部：《光辉的历程》（1947—1987），内蒙古人民出版社1989年版，第336页。

③ 李铁生主编：《内蒙古自治区·科学技术志》，内蒙古人民出版社1997年版，第1050、1051页。

区的科技事业也得到恢复和发展。1964 年 5 月，自治区根据中共中央、国务院转发内务部《关于进一步对使用不当的高等学校毕业的干部进行调整的报告》精神，对全区高校毕业生使用情况作了调查，使 1960 年以来精简回乡的 1 467 人重新归队。自治区科技队伍的规模又开始逐渐扩大。但是，直到 1965 年，自治区科技人员仍比 1960 年少 15 000 人。

1966—1976 年十年“文革”期间，内蒙古的科技队伍受到重创和削弱。广大知识分子和科技人员被称之为“臭老九”，受到不公正的待遇和打击迫害。许多科技人员被迫改行或下放，各高等院校连续 5 年没有招生，影响了一代人的培养。因此，自治区的科技队伍不仅没有大的发展，而且形成年龄结构断层现象。

党的十一届三中全会后，随着党的实事求是思想路线的恢复和确立，以及包括知识分子政策在内的各项政策的落实，加之恢复高考制度、多渠道办学培养人才、调整所用非所学人员等，使自治区科技队伍开始得到充实和发展。

1978 年，内蒙古人事局对全区自然科学专业技术人员情况进行了一次调查。结果全区所用非所学人员达 2 700 人。1978 年 10 月，自治区党委批转了人事局党组《关于抓紧做好用非所学的科技人员调整的意见的报告》，指出：“做好用非所学的科技人员的归队工作，是拨乱反正，落实党的知识分子政策，解决我区科技队伍青黄不接、后继乏人的一项最快、最现实的重大措施。”同年，自治区调整 1 297 名科技人员归队。1980 年 4 月 15 日，内蒙古自治区人民政府转发国务院批转国家民政部、国务院科学技术干部局《关于闲散在社会上的科学技术人员安排使用意见的报告》，根据这一报告精神，自治区共择优录用闲散科技人员 2 311 名。到 1981 年 8 月，调整归队的科技人员已达 2 141 人，占应调整人数的 87%①。到 1984 年底，自治区共调整 2 460 名用非所学的科技人员的工作，录用了 2 492 名闲散科技人员，并破格录用了 10 名自学成才者。

80 年代，随着国家经济体制和人事制度的改革，人才交流成为干部计划调配的一种重要补充形式。1984 年 4 月，国务院批转劳动人事部、国家

① 李铁生主编：《内蒙古自治区·科学技术志》，内蒙古人民出版社 1997 年版，第 1059 页。

民委《关于加强边远地区科技队伍建设若干政策问题的报告》，指出："边远地区急需科技人员，允许他们到沿海内地通过招聘、借调、邀请讲学、咨询服务、技术协作等方式加以解决。"同时，自治区还采取各种优惠政策稳定区内知识分子和科技人员。1983 年 1 月 14 日，中共内蒙古自治区委员会、内蒙古自治区人民政府发布《关于改善知识分子政治、工作和生活待遇的暂行规定》，作出了包括对在边境旗市和乡村、苏木工作的知识分子浮动一级工资，以及科技人员家属的户口迁移在内的 14 项具体规定，做到优先解决知识分子两地分居、"农转非"、子女就业等问题，优先改善知识分子的生活条件和工作环境等。特别是在全区范围内按档次和地区类别，实行了知识分子生活补贴，使广大知识分子感受到了党的政策的温暖，对稳定自治区的知识分子队伍，发挥了积极作用。1984 年 3 月，自治区党委又下发了《关于知识分子工作的决定》，进一步加强了对知识分子工作的领导和重视。

此外，从 1978 年开始，自治区的一些大学开始恢复招收文科和理科的硕士研究生，为自治区各行业培养更高层次的人才。从 1980 年以后，利用多种渠道向国外派遣留学和进修人员。这些办法和措施，对自治区科技队伍的稳定，科技素质的提高，以及自治区科技水平的提高，均产生了重要影响。但是，由于自治区经济欠发达，科研基础和条件较差，科研人员的工作、生活差强人意，因此，1981—1983 年，内蒙古流出区外知识分子达 2 000 多人。为此，1984 年 9 月 12 日内蒙古劳动人事厅根据区内知识分子外流并有继续增长趋势的情况，发出了《关于严格控制我区知识分子向区外流动的紧急通知》。与此同时，自治区采取各种积极应对措施，增加智力投资，实行多渠道、多层次培养人才，并取得显著成效。据统计，仅 1977—1985 年，自治区共接收与分配区内外大中专毕业生 12 万多人。其中研究生一百四十多人，大学本科生 1.5 万人，大专生 1.8 万人，是内蒙古接收和分配区内外大中专毕业生最多的几年。此外，70 年代末以来，内蒙古电大、职大、函大等各类成人高校共培养毕业生 6 000 多人。

到 1988 年末，自治区全民所有制从事自然科学的科技人员达 18 万人，比 1978 年的 5.9 万人增加 12.1 万人，增长两倍。其中，具有高级职称 5 729 人，中级职称 3.5 万人，少数民族科技人员 1.4 万人；社会科学从业人员（包括新闻出版、文化艺术、翻译、法律、财会、统计、经济等专业）

达到20.5万人。其中，具有高级职称达3 334人，中级职称达1.3万人，少数民族科技人员达3.4万人①。历经50年的培养和建设，到1996年，自治区各类专业技术人员已达到47万多人，占人口总数的比重达到2.1%，超过全国平均水平0.5个百分点。其中，自然科学技术人员36万人②。截至2000年，自治区国有单位各类专业技术人员已达50.947万人。其中，高级专业人员达26 815人，中级专业人员达157 650人，平均每万名职工中拥有专业技术人员1 931人③。

第三节　自然科学研究

内蒙古的自然科学研究是根据自治区的民族特点、地区特点、资源特点和经济建设的需要，逐步推进、发展和完善的。研究的领域主要包括：农业、林业、畜牧业、渔业、水利、气象、煤炭、冶金、建材、农牧业机械、轻纺、化工、电子、电力、机械、粮食加工、交通、邮电、中蒙医、地方病、传染病、环境保护等。此外，科技情报、标准、计量、地震等，也都建立了专门的科研机构。截至1996年底，全区共获得重大科技成果4 665项。其中，获国家科技进步奖27项，国家星火奖12项，国家自然科学奖2项，国家发明奖6项。获自治区科技进步奖2 164项，星火奖112项。科技成果的转化率达30%。此外，在1996年自治区专利申请年，全区共申请专利达858件，专利申请总量达到4907件，实施专利技术新增产值20亿元，新增利税4亿元，创汇4 000多万美元④，反映了自治区科学技术的发展水平以及对地方经济、社会进步所产生的重要影响。科技进步正在成为内蒙古经济和社会进步的首要推动力量。

---

① 苏学生：《职工队伍不断发展壮大》，周维德主编：《奋进的内蒙古（1947—1989）》，中国统计出版社1989年版，第130页。

② 内蒙古自治区科学技术委员会：《发展中的科技事业》，韩茂华主编：《翻天覆地五十年（1947—1997）》，内蒙古人民出版社1997年版，第301页。

③ 李斌主编：《2001内蒙古统计年鉴》，中国统计出版社2001年版，第514页。

④ 内蒙古自治区科学技术委员会：《发展中的科技事业》，韩茂华主编：《翻天覆地五十年（1947—1997）》，内蒙古人民出版社1997年版，第301页。

一、畜牧科学研究

内蒙古自治区拥有我国最大的草原牧场。畜牧业是自治区主体民族蒙古族的传统生产方式和支柱产业，在自治区经济结构中占有十分重要的地位。因此，畜牧科学的研究在自治区自然科学研究中占有举足轻重的地位，取得的成果和研究水平也是令人注目的。

家畜改良和选育 自治区成立以来，非常重视家畜改良工作。早在1949年11月，自治区党委就提出“广泛利用科学方法，进行防疫，改良畜种”的方针。1950年前后，自治区建立起第一批国营种畜场和配种站，并从当时的苏联、民主德国、澳大利亚、新西兰、英国、丹麦、巴基斯坦、加拿大和国内新疆等地引进大批马、牛、羊等优良家畜品种，进行家畜改良育种工作，以及地方良种选育和新品种培育工作。并从20世纪50年代起，开展了品种标准化工作，从20世纪60年代起，实施了家畜改良方向区域规划。

1959年，为了掌握和了解自治区的家畜品种状况，内蒙古畜牧厅组织有关单位对自治区家畜品种资源和畜牧业生产进行调查，于1960年编写出各盟市畜牧业及家畜品种调查报告。1977年，内蒙古畜牧厅、农牧场总局和内蒙古农牧学院等单位，在国家农业部畜牧局和中国农业科学院的统一组织下，再次在全区范围内开展家畜家禽品种资源调查，由涂友仁主编了《内蒙古家畜家禽品种志》（附品种图谱），1985年内蒙古人民出版社出版。

在技术措施方面，从20世纪50年代起，自治区即开始采用人工授精、冷冻精液配种、应用妊马血清促进绵羊多胎技术。1958年，自治区全面推广绵羊杂交改良和绵羊人工授精新技术，当年完成改良配种绵羊326万只。1959年，内蒙古家畜改良站筹建了家畜精液公司，并开展冷冻精液技术的研究工作。从70年代起，自治区在畜牧业中广泛应用胚胎移植技术。此外，从1976年起，内蒙古家畜改良站等单位在全区推广牛冷冻精液配种技术，对畜种繁育和改良发挥了重要作用。

80年代，内蒙古畜牧科学院分别与自治区家畜改良站、哲盟畜牧兽医研究所合作，经过多年的艰苦探索，在绵羊精液冷冻保存技术、牛精液冷冻配种技术方面取得突破性进展，取得国内外领先地位，经济、社会效益显著。

90 年代以来，胚胎移植技术在一些畜牧业发达国家已应用于商业化生产。1993 年，内蒙古家畜改良站申报并开始从事牛羊胚胎移植技术的开发和应用。截至 1997 年，共研究开发出 50 项科研成果。其中，在牛羊超数排卵和重复超排的研究方面取得突破性进展，在国内居领先水平，达到国际先进水平；在牛羊冷冻胚胎技术的研究和开发方面，达到国内领先水平；在牛、羊胚胎分割技术的研究方面，达到国内领先水平。牛羊胚胎移植高新技术已走出实验室，在生产中大面积推广应用。

经过自治区科技人员多年辛勤努力，自治区在家畜新品种改良方面，先后培育出内蒙古毛肉兼用细毛羊（1976 年自治区革命委员会验收命名）；敖汉毛肉兼用细毛羊（1982 年自治区人民政府验收命名）；内蒙古草原红牛（1984 年自治区人民政府验收命名）；鄂尔多斯毛用细毛羊（1985 年自治区人民政府验收命名）；中国美利奴羊科尔沁型（1986 年国家经济委员会农业局验收命名）；内蒙古三河牛新品种（1986 年鉴定验收）；科尔沁毛用细毛羊（1987 年自治区人民政府验收命名）；锡林郭勒马（1987 年自治区人民政府验收命名）；中国黑白花奶牛（1987 年中国黑白花奶牛鉴定委员会验收名命）；内蒙古黑猪（1983 年自治区科学技术委员会验收命名）；乌兰哈达猪（1985 年自治区科学技术委员会、农业委员会验收命名），以及科尔沁牛、双峰驼、呼伦贝尔细毛羊、兴安细毛羊等优良家畜品种。到 1997 年，自治区已使 600 万只细毛羊引入澳美羊基因，使全区良种和改良牲畜比重上升到了 60% 以上①。

畜禽疫病防治研究　内蒙古自治区是国家重要的畜牧业生产基地。因此，畜禽疫病防治研究工作，对于发展畜牧业生产，促进自治区国民经济的发展，具有十分重要的意义。自治区成立以来，这方面的研究取得了一些成果。

自治区成立以后，采取封锁、隔离、消毒、毁尸和经检疫注射牛瘟疫苗等措施，至 1952 年消灭了牛瘟。这是自治区第一种被消灭的畜间烈性传

① 内蒙古自治区科学技术委员会：《发展中的科技事业》，韩茂华主编：《翻天覆地五十年（1947—1997）》，内蒙古人民出版社 1997 年版，第 302 页。

染病。

1953 年，自治区有关部门对已分离出的 1 600 株布鲁氏菌作了菌型鉴定。其中发现羊种菌 1 272 株、牛种菌 310 株、猪种菌 6 株、非典型菌 3 株、未定种 9 株。这说明各种家畜和动物均可感染布鲁氏菌病，从而对防治该病提供了科学依据。此外，在畜间布鲁氏菌病研究方面，内蒙古地方病研究所等单位完成的“应用猪二号苗口服免疫预防控制家畜布病的研究”，内蒙古兽医工作站完成的“猪二号苗对成年羊饮水免疫预防布氏菌病”研究，内蒙古地方病防治所完成的“布氏菌猪二号苗羔羊免疫试验”研究，均取得重要成果和明显的经济、社会效益。到 1987 年，自治区基本控制了畜间布鲁氏菌病和马鼻疽病。

1957 年，内蒙古畜牧兽医科学研究所在全区 22 个旗县，进行了以牛羊为主的寄生虫病调查，发现内外寄生虫 102 种。据此制订了全区家畜寄生虫防治规划，编印了《内蒙古自治区家畜寄生虫概志》一书。

猪瘟、猪丹毒、猪肺疫是我国危害最为严重的三大猪疫病。1967 年，内蒙古生物药品厂首次提出并开展了猪瘟、猪丹毒、猪肺疫三联苗的研究，1970 年终于在国内首次研制成功，1982 年正式纳入国家规程。该疫苗的研制成功，不仅在科学上有重要意义，而且，在经济效益和社会效益上也取得了明显效果。该厂随后又研制成功口服猪肺疫弱毒菌苗，并于 1974 年正式通过鉴定，在全国 19 个省、自治区、直辖市广泛应用，取得了满意的效果。在此基础上，内蒙古生物药品厂又育成了毒力、免疫原性和遗传稳定性均甚良好的 Ta53 猪肺疫菌种。这是当时我国仅有的两株中最好的一种。其毒力低于当时国内标准 3. 5—5. 2 倍，而对猪的免疫效率却提高了 40 倍，取得了明显的经济效益。1982 年，该菌种作为法定菌种，正式纳入国家规程。1984 年，内蒙古畜牧科学院周家辉等完成应用酶联免疫吸附试验快速诊断猪瘟的研究，获得 1986 年内蒙古科技进步二等奖。

80 年代，内蒙古畜牧科学院在我国首次开展了大肠杆菌高免乳清制造工艺和防止大肠杆菌性羔羊腹泻的研究和试验，并取得重要成果，为采用被动免疫方法防治其他家畜传染病，提供了新途径、新方法和新工艺。该院王士明等在 1982 年完成的《124—146 生物制剂防治幼畜腹泻病研究》成果，经实践证明，该方法无副作用，不产生抗药性，适用范围广，既可用于预防，又可用于治疗，并且还有帮助消化，促进生长的作用，因而深受用户和群众的欢迎。

1991 年，内蒙古畜牧科学院在从事兽医遗传病理学研究中，在世界上首次报道了山羊“遗甲”隔代遗传成功，并获得纯合子，首次研究成功山羊源性 tsh 放免检测药盒，解决了山羊 tsh 的测定；首次运用山羊 tsh 水平值以及 T3、T4 在血质中的含量，提出了山羊“遗甲”杂合子的检测标准，为净化山羊“遗甲”基因库提供了依据。此外，该院完成的“羊消化道内源蛋白质周转规律”研究，具有较高的学术和应用价值，产生了较好的经济和社会效益。

1995 年，内蒙古农牧学院完成了“鸡传染性法氏囊病病原及防治措施的研究”，从内蒙古鸡传染性法氏囊病流行的四个不同地区分离到四株鸡传染性法氏囊病病毒，并对其进行了细胞培养特性、理化特性、形态特性、回归试验、毒介测定、血清型及亚型的分型等生物学特性的研究和测定，在某些方面填补了国内研究的空白，达到国内领先水平。此外，该院完成的“微量赭曲霉素 A 对鸡只免疫抑制作用的研究”、“鸡产蛋下降综合症病原及防治措施的研究”、“驱杀牛皮蝇蛆新剂型——浇泼剂研究”、“兔出血症的病理学和特异性诊断方法的研究”等成果，均具有较高的科学和应用价值，并取得了明显的经济和社会效益。

在畜禽疾病研究方面，自治区学者出版的主要著作有：1962 年，内蒙古兽医站巴达仁贵编译的《兽医针灸学》（内蒙古人民出版社，1962 年）；1985 年，自治区兽医工作站编印了内蒙古第一部兽医史料《内蒙古自治区畜禽疫病史》；1986 年，自治区兽医工作站与内蒙古农牧学院合作编著了国内第一部《兽医操作技术手册》（计 76 万字），由内蒙古人民出版社出版。

草原建设和保护研究　20 世纪 50 年代，自治区协助和配合国家农业部对锡林郭勒盟和伊克昭盟草原进行考察，编写了《内蒙古锡林郭勒盟草场概况及其主要牧草的介绍》（畜牧兽医图书出版社，1956 年）和《内蒙古伊克昭盟草原调查报告》。从 1957 年开始，自治区畜牧厅草原勘察大队分赴全区各盟，利用各种现代化手段开展草原资源的勘测调查，首次根据航测图片绘制 1∶10 万至 1∶20 万的植被图，查清了自治区草原面积、草地类型、草地资源的发展潜力及草原退化的情况，完成了 19 个牧业旗以旗为单位的草原调查报告，对109个牧业公社进行了草原综合规划，并编印出《内蒙古主要野生饲用植物简介》（1964年）。1959年夏，在前两年的工作基础上，自治区畜牧厅草原勘察大队与国家测绘局第三大队、内蒙古大学生物系合作，对锡林郭勒盟草原进行了全面勘察。完成了植物区系、草原植被、草场资源及自然条件的考察项目。从1980年起，内蒙古草原勘察设计院组织各盟市、旗县，开展了耗时8年的第三次草原资源勘测调查，并从1982年起，在全区不同草原类型区建立86处观测样地，开展了草地初级生产力定位监测的研究，后编写出《内蒙古草地资源》《1：100万内蒙古草地资源图》《内蒙古草地资源统计资料》《内蒙古饲用植物》等综合性著作。

1959—1966年，自治区畜牧厅分别在新巴尔虎左旗、苏尼特右旗、达茂联合旗、鄂托克旗、阿拉善左旗建立5个草原改良试验站，开展草原生产力及动态测定工作，积累草原生态学的基本资料和数据。1962年，根据相关研究发表《内蒙古荒漠草原地区四个放牧地类型饲料储藏量及其动态的研究》《内蒙古草原地带主要植物的饲用评价》《呼伦贝尔盟草原草场类型及其生产力的初步研究》等成果。1966年4月，内蒙古农业厅、畜牧厅、水利厅、林业厅、气象局、供销合作社等单位合作编写了《内蒙古农牧业资源》一书，由内蒙古人民出版社出版。这是自治区第一部系统介绍全区农牧业资源的专著。

进入改革开放的新时期以后，赤峰市林业科学研究所历经15年的努力，于1985年通过鉴定，完成牧场防护林营造技术及效益的研究，在国内同类研究中先行一步，成果达到了国内先进水平，为填补“三北”地区草牧场防护林体系建设和研究的空白，树立了样板，起到了示范作用。

1981年，内蒙古气象科学研究所等单位樊锦召等人完成天然牧草生长发育与气象条件关系的研究，获得1988年内蒙古科技进步二等奖。1982年，内蒙古草原工作站、巴彦淖尔盟草原工作站共同完成巴盟河套灌区盐碱地种植优良牧草的试验研究，获得1990年内蒙古科技进步二等奖。

伊克昭盟优良牧草筛选及人工半人工草地建立的研究，是国家“六五”科技攻关项目“饲料开发技术”的一个重要课题。内蒙古畜牧科学院在1983—1985年期间完成该课题，经专家组验收鉴定，该项研究成果在国内具有先进性和可行性，对于在荒漠草原和干旱草原地区建立大面积草灌结合的人工、半人工草地有新的突破，为改良伊盟的沙化、退化草地，调整产业结构，发展畜牧业生产，提供了科学依据。

1983—1985 年，北京大学与内蒙古大学 12 个单位近百名科技人员多学科协同攻关，合作进行遥感技术在内蒙古地区草场资源调查中的应用研究，编出全区 1∶100 万和各盟市 1∶50 万比例的草场资源系列地图，提出草场资源新数据。1986 年，内蒙古环境保护科学研究所完成《内蒙古草地类自然保护规则》的科研项目。1987 年，内蒙古草场资源遥感考察队编著并出版了《内蒙古草场资源遥感应用研究》一书。

此外，赤峰市林业科研所完成的“干旱黄土丘陵造林技术的研究”，以及内蒙古畜牧科学院完成的“优良牧草筛选及人工、半人工草地建立的研究”，敖汉旗林业局完成的“敖汉旗退化草场防护林体系工程营建”等成果，具有重要的科学和实际应用价值，在自治区的草原建设和保护方面，均发挥了重要作用，取得了明显的经济和社会效益。

从 20 世纪 50 年代末开始，国家和自治区有关部门进行飞机播种牧草试验。从 1980 年开始，国家及自治区每年拨专款用于飞播牧草。1980 年 7 月，阿拉善左旗草原局、草原站完成的“腾格里沙漠东缘流动沙地飞机播种牧草试验”项目和在年降雨量 200 毫米以下的腾格里沙漠东缘流动沙地试验飞机播种沙拐枣、籽蒿取得成功，并获得 1986 年自治区科技进步一等奖。1987 年，飞机播草配套技术被自治区农委作为畜牧业 10 项实用增产技术之一在全区推广。同年，自治区飞机播种牧草已遍及全区 11 个盟市 50 多个旗县，累计飞播 712.62 万亩，约占全国飞播总面积的 44%—45%。

牧草和饲料改良　自治区从 50 年代初起，积极从国内外引进适应本地生长的各种优良牧草，进行引种栽培和驯化栽培试验，同时注意进行新优良牧草品种的研究和开发。1959 年内蒙古畜牧厅为适应牧草生产需要，改建 17 处牧草种子繁殖场和 3 处定位型草原改良试验站。

1960 年，内蒙古农牧学院草原专业收集了区内外优良牧草和野生牧草共 112 个品种。其中豆科牧草 64 种，禾本科牧草 48 种，并对其生长情况、结实性、适应性、抗逆性、越冬性等进行观察、记载，编写出《牧草原始材料观察报告》，为自治区草原建设提供了依据。同年，内蒙古农牧学院陈世璜完成内蒙古草原植物根系类型研究，1989 年获得自治区科技进步二等奖。

1962—1977 年，内蒙古农牧学院采用自然和人工传粉的远缘杂交方法育成抗寒、抗旱、抗病、高产的“草原一号”、“草原二号”杂种苜蓿新品种，使苜蓿这一优良牧草的栽培区向北、向高海拔地区大大推进。

1982 年，内蒙古草原工作站、巴彦淖尔盟草原工作站共同完成巴盟河套灌区盐碱地种植优良牧草的试验研究，获得 1990 年内蒙古科技进步二等奖。

1986—1994 年，内蒙古农牧学院草原系育成的蒙农红豆草，不仅丰富了我国抗旱型豆科牧草的品种资源，更重要的是为我国北方干旱寒冷地区提供了一种极宜推广种植的高产、高蛋白饲料。1987—1994 年期间，内蒙古农牧学院还与中国农业科学院畜牧研究所合作完成“苜蓿地方品种整理鉴定”，搞清了我国苜蓿地方品种的特征、特性、适应性及地理分布，撰写出我国第一部具有现代科技水平的牧草专著——《中国苜蓿》,对我国牧草科学的发展作出了较大贡献。

在饲料研究方面，1979 年，内蒙古畜牧科学院与呼和浩特市锅炉厂合作进行国家重点科技攻关项目——粗饲料热喷技术和设备研究，1985 年，通过自治区级鉴定验收。这是国内首创的饲料科研重大成果。1982—1984 年，内蒙古粮食科学研究所进行“膨化人工乳工艺及设备研究”，并获得成功。此外，内蒙古农牧学院与内蒙古粮食设计研究所于 1983 年完成的“生物发酵血粉饲料的研究”，内蒙古粮食科学研究所等完成的“牧区压缩饲料研究”成果，均达到国内先进水平，取得了明显的经济效益。

1987—1992 年，内蒙古农牧学院甜菜研究所白辰等完成“饲料甜菜内饲 5 号新品种选育及利用研究”。经生产应用结果表明，育成的内饲 5 号饲料，抗旱、抗盐碱性强，适应性广，易储藏，对褐斑病、根腐病有较强抗性。无论是在牲畜育肥还是奶牛产奶量的提高方面，均有明显的效果和不可替代作用。截至 1995 年已推广面积 30. 5 万亩，新增经济效益 2. 05 亿元。

此外，内蒙古畜牧厅畜牧业现代化办公室完成的“草原畜牧业的综合技术应用研究”（1994 年），内蒙古农牧学院完成的“利用豆科牧草加工节粮型颗粒饲料的研究”等成果，在畜牧业生产上均有广泛的科学应用价值，并达到较高的研究水平。

二、农业科学研究

内蒙古自治区在经济区划上素有“南粮北牧”之称。农业在自治区国民经济中具有举足轻重的重要地位。因此，自治区成立后，农业科学的研究是自治区较早兴起的学科之一，并且取得了一系列重要成果，为自治区国民经济的发展作出了积极贡献。

农作物品种选育和改良　自治区成立以来，非常重视农作物优良品种的引进和选育工作。1952 年 9 月，自治区政府农牧部发出《关于开展田间选种，重点进行良种评选的通知》，并且组织工作组赴呼伦贝尔、锡林郭勒二盟，重点开展良种评选。1956—1958 年，内蒙古农业科学研究所和昭盟、乌盟农研所首先分别开始了小麦、玉米、谷子和马铃薯的品种间杂交育种。60 年代中期至 70 年代中期，自治区各级农业科研单位普遍进入小麦、糜子、马铃薯以杂交育种为主，玉米、高粱、向日葵和甜菜以杂交优势利用为主，兼顾引种筛选和系统选育的育种途径。进入 80 年代后，又开始莜麦、黍子、胡麻等杂交育种。从 50 年代初到 80 年代，自治区为进行农作物品种改良，共引进春小麦、莜麦、玉米、水稻、油菜、两用亚麻、豆类、马铃薯、甘薯、甘蓝、大白菜、花椰菜、根菜、番茄、茄子、青椒、黄瓜、南瓜、菜豆、洋葱等 290 个品种。

在小麦品种改良方面，1953 年，绥远省农业试验场与河北省沙岭子农业试验场、山西省大同农业试验站合作开展小麦联合试验，1955 年，选出甘肃 96 号（三联 1 号）和三联 2 号两个抗锈品种，1957 年，由种子部门大量调进推广，成为当时自治区水浇地种植面积最大的抗锈小麦品种。这一时期，自治区东部区通过小麦联合区域试验，选出甘肃 96 号、合作 1—7 号小麦优良推广品种。1960 年，内蒙古农业科学研究所农业物理室利用钴-60 辐射开展小麦育种。这是自治区首次将放射性同位素技术应用于作物育种。1980 年，由内蒙古农牧学院农学系育成的春小麦新品种“内麦五号”通过审定和命名。经几年组织试种推广，表现高产稳产，深受一些地区群众欢迎。巴盟农业科研所培育的“早熟、多抗、优质、高产良种‘内麦 17 号’小麦”，取得了较大的经济效益和社会效益。此外，内蒙古农业科学院作物所完成的“大麦隐性核不育的发现研究与应用”（1991—1994 年）课题，通过研究核不育大麦的特性、遗传规律，为选育大麦优良品种提供了资料，具有较高的科学和应用价值。

在谷子品种改良方面，1953 年春，绥远省农业试验场选出玉皇谷、压塌车、龙爪黄 3 个谷子良种在土默川推广。1965 年，内蒙古农业科学院育成黄玉 1 号、2 号、3 号、4 号等 4 个谷子良种。这是自治区首次通过有性杂交育成的谷子品种。1971 年，赤峰市农业科学研究所培育出谷子新品种“昭谷一号”，该品种属于中早熟类型，具有耐低温，抗旱性较强，抗风不易掉粒，营养价值较高，适口性较好，稳产、高产的特点。到 1984 年，该品种在全国推广面积达 222 万亩，年纯增效益 2 988 万元，累计纯增产值达 6 054 万元。1990 年，由全国品种审定委员会认定为国家品种。1973 年，内蒙古农业科学研究所以粳谷为母本，糯谷为父本进行有性杂交，育成谷子杂交种“内谷 3 号”，这是国内首次推广的粳糯杂交谷子种。1978 年，昭乌达盟农业科学研究所胡洪凯等，从谷子杂交后代中发现由显性基因控制的雄性不育株。经进行遗传分析，确定它的不育性由核内的显性雄性不育基因控制，这是在国内外首次发现。该基因的发现，在理论上和实际应用上均有较高的价值。

在甜菜良种培育方面，70 年代，内蒙古狼山甜菜试验场汪真年等人在甜菜 AB 品种中发现并采收了雄性不育株，这是国内发现的第一批甜菜雄不育材料。1968 年，内蒙古农业科学院经过 10 年的试验培植出甜菜生产种“内蒙五号”。该品种是由多个品系组成的群体品种，各品系之间自由异花授粉，产生的种子具有一定的杂种优势，不仅能保持一定的产量，也保持较高的含糖水平，属于抗褐斑病标准类型品种。1972 年，内蒙古甜菜制糖工业研究所进行光温诱导幼苗一年繁育两代种子的研究，1975 年通过自治区级鉴定。这种育种方法比正常育种方法缩短 3 年，达到国内先进水平。同年，内蒙古甜菜制糖工业研究所经过 10 年的努力，繁育出根产量高，产糖量较高的丰产型甜菜新品种“工农三号”，从 1978 年起大面积推广应用于生产，对自治区甜菜制糖生产起到了促进作用。此外，内蒙古农牧学院甜菜研究所在国内首批育成 3 对甜菜雄性不育系和保持系，完成“甜菜多倍体新品种协作 2 号”的培育，并达到国内较高水准。

在玉米优良品种的培育方面，1984 年，哲盟农业科学研究所应用杂交优势原理选育的玉米单交种“黄莫417”，经有关部门审定通过，准予推广。该品种具有抗病、抗逆性强、后期脱水快、制种方便、产量高、增产极显著的特点，已成为当地主要推广品种。1981年，耿庆汉等人开展玉米抗冷机理及育种研究，发现一种受抗冷基因控制的抗冷蛋白，并筛选出抗冷性能好的新品系。这项成果获得1990年内蒙古科技进步一等奖。此外，哲盟农业局种子公司等单位完成“玉米杂交种‘吉单101’的繁育与推广”的研究，赤峰市农业科学研究所完成的“高赖氨酸玉米及杂交种选育的研究”，均达到较高的水平，取得明显的经济和社会效益。

在马铃薯杂种实生种子选育及开发方面，内蒙古呼盟农业科学研究所完成“马铃薯杂种实生种子选育及开发利用研究”（1986—1994年），成功地选育出呼H系列杂种实生种子，使我国实生种子利用技术提高到一个新水平，基本攻克了杂种实生种子的制种难关，在国内处于领先水平。

在胡麻和亚麻品系研究方面，1954年，内蒙古农事试验场从匈牙利和黑龙江省引进油纤两用胡麻品种试种，效果良好。1956年种子部门开始大量推广，从此改变了内蒙古只种油用胡麻的历史，开辟了新的纤维资源。1975年，内蒙古农业科学研究所在我国首次发现亚麻显性核不育基因，填补了我国亚麻研究上的一项空白，丰富了我国显性核不育种质资源，对核不育的研究是一份有价值的资料，在亚麻生产和育种上有较大的理论意义和实际价值。1984年，陈鸿山、夏秀英、王宜林等承担并完成“亚麻显性雄性核不育基因的发现”课题，获得1988年内蒙古科技进步一等奖。

在粮食和其他经济作物的品种改良方面，1981年，内蒙古农业科学院张运达等利用不育系选配出内葵杂一号油用向日葵品种。其生长期较短，耐盐碱，恢复率在97%以上，含油率达45.12%—53.2%，是自治区选育推广的第一个油用向日葵杂交种。此外，内蒙古农牧学院农学系“旱地油用亚麻品种选育和遗传规律的研究”、内蒙古农业科学院等单位完成的“旱地莜麦新品种选育及栽培技术的研究”、内蒙古园艺所完成的“葡萄引种及新品系的育成”项目、赤峰市宁城县巴林果树试验站完成的“抗寒优质大苹果新品种——宁丰”项目、呼盟农业科学研究所完成的“内豆4号大豆新品种选育与推广”（1985—1997年）等成果，均有重要的科研价值和应用价值。

进入90年代以后，自治区在甜菜、油料、马铃薯、谷子的研究方面已达到国内先进水平。截至1997年，先后培育出适合旱地和水地栽培的小麦新品种6—7种。玉米已培育出可替代原主栽品种的新品种3—4种。而且，均表现出高产、优良、抗逆的特点，使自治区玉米、小麦、水稻等主要粮食作物的良种化和模式化达到90%左右，不仅提高了自治区细粮的自给水平，而且为自治区粮食总产量的稳定增长提供了保障①。

农作物栽培技术 从20世纪50年代末起，自治区在农业方面开始试验人工降水，以及飞机施肥、播种、撒药等现代化技术。1956年春，内蒙古农业厅首次在自治区西部地区大面积推广种植玉米，当年种植70万亩，改变了内蒙古西部地区基本不种玉米的习惯。1957年，自治区农业科学研究所组织全区化肥试验网进行氮、磷、钾三要素实验。这是自治区第一次地力测定。1960年，内蒙古水利电力科学研究所对全区灌溉试验站资料进行整理，编写了春小麦、玉米、糜子、甜菜、谷子、高粱、胡麻、水稻等农作物灌溉制度，并分册印制发往区内和全国各省市交流。1966年，巴彦淖尔盟河套灌区开始推广小麦宽垄田，在宽垄背上套种玉米、豆子等大秋作物，变一年一熟为一年两熟，比单作增产30%以上。60年代末，自治区在蔬菜种植方面，开始采用塑料大棚技术，有效地提高了蔬菜的产量，70年代初，创造了当时全国大棚黄瓜的高产纪录。从1979年开始，呼和浩特、临河、集宁等地首先将地膜覆盖技术应用于蔬菜种植，使蔬菜可提早上市7—15天。1979—1981年，内蒙古农牧渔业厅多种经营站组织推广甜菜高产高糖栽培技术，面积达120万亩，平均每亩增产475.5公斤，3年总增产57万吨，含糖量提高1.05度，增糖15 000吨。1982年，获得国家农委、国家科委重大科技推广成果奖。1981年，该站又在赤峰市郊区五三公社进行甜菜地膜覆盖栽培试验，平均每亩增产700公斤，增长32.3%，含糖率也有所提高。同年，乌兰察布盟多种经营站张志友等人承担并完成乌盟高寒干旱地区西瓜栽培技术的开发应用研究，1989年获得自治区科技进步二等奖。1982年，阿拉善盟医药分公司戈建新等同中国医学科学院药用植物资源开发研究

① 内蒙古科学技术委员会：《发展中的科技事业》，韩茂华主编：《翻天覆地五十年（1947—1997）》，内蒙古人民出版社1997年版，第302页。

所协作进行肉苁蓉人工栽培技术的研究取得成功，获得1987年内蒙古科技进步二等奖。1983年，内蒙古农牧学院门福义、刘梦芸完成马铃薯产量形成变化规律的研究课题，获得1985年内蒙古科技进步二等奖。

此外，乌盟农业科研所等单位完成的“马铃薯实生薯在生产上的应用”项目，乌盟科技处、乌盟农业处完成的“乌盟马铃薯规范性栽培技术的推广”项目；巴盟农业技术推广站等单位完成的“玉米地膜覆盖高产栽培技术”、“春小麦套种覆膜玉米高产栽培技术”，内蒙古农牧学院完成的“春小麦、马铃薯营养特性和施肥技术的研究”、“马铃薯产量形成及变化规律的研究”、“葡萄抗寒栽培技术及果树抗寒生理的研究”、“春玉米高产优化栽培生理基础及决策支持系统研究”；赤峰市农业技术推广站完成的“水浇地小麦高产稳产综合技术开发试验”项目；哲盟科技处完成的“玉米大面积高产稳产综合栽培技术开发试验”项目；赤峰市科委等单位完成的“主要粮食作物高产稳产综合栽培技术推广”项目；包头市郊区蔬菜局完成的“万亩大白菜丰产栽培技术应用”项目；乌海市组织完成的“葡萄大面积建园速生丰产技术试验”项目；哲盟农业技术推广站完成的“玉米高产栽培模式推广”项目；内蒙古气象科学研究所等单位完成的“春小麦干热风研究”；内蒙古农业科学院完成的“荞麦综合丰产栽培技术的应用研究”、“巴盟河套灌区主要粮食作物高产高效配套技术研究”；内蒙古农业科学院、内蒙古农牧学院、乌盟农业科学研究所合作完成的“旱地莜麦新品种选育及栽培技术的研究”；兴安盟农业技术推广站完成的“大豆综合增产栽培技术”；巴盟甜菜研究所完成的“甜菜高产综合栽培技术”；内蒙古种子管理站完成的“种子包衣的应用及推广”研究，均有较高的科学和应用价值，并取得了明显的经济和社会效益。特别是内蒙古农牧学院与巴盟农业技术推广站合作完成的“吨粮田基础理论与模式化栽培技术研究”（1987—1992年）项目，在河套部分地区应用，创造了年纯增4 300万元的重大经济效益以及生态效益和社会效益。学术界普遍认为，内蒙古河套大面积建成吨粮田，是“北纬四十度线上的奇迹”，“不仅在我国农作史上是创新的大事，也是世界农作史上创新的大事。”①

① 谢仲元主编：《1996内蒙古科学技术年鉴》，内蒙古人民出版社1997年版，第230—231页。

农作物病虫害防治研究 自治区成立以来，在农作物病虫害防治方面做了大量的调查研究工作。1957 年，内蒙古植物保护检疫站会同各盟市植物保护站完成全区植物检疫对象的普查工作。摸清了小麦、马铃薯、亚麻、棉花、蚕豆、苹果等作物、果树病虫杂草的分布和危害情况。1972 年，内蒙古农林局、科技局共同主持全区农作物病虫害普查，至 1974 年，查清了全区农作物病虫害的种类、分布及其危害情况，编写出《全区农作物病虫害分布名录》及《内蒙古自治区农作物病虫害普查总结》等著作。1979 年，内蒙古农业厅开展了全区农作物害虫天敌资源调查，至 1982 年结束。1983 年编著出版《农作物害虫天敌图册》和《天敌名录》等成果。

1974 年，乌盟农业科学研究所丰镇县农业局张鸿逵等人首次提出马铃薯实生薯利用技术，对防止马铃薯病烂、退化和实行以籽代薯播种具有重要意义。此项成果推广到我国西南、西北、华北、中原等 16 个省、市、自治区，获得 1980 年内蒙古科技成果一等奖。

1975—1980 年，内蒙古大学生物系研制出数种马铃薯病毒抗血清，还分离出国内未曾报道的马铃薯病毒株系，对全国马铃薯病毒的有效防治起到了推动作用。1975 年以后，乌盟农业科学研究所、内蒙古大学、内蒙古生物制药厂等单位开始进行马铃薯无病毒种薯生产试验。1979 年以后，又连续搞了 5 年中间试验，培育的脱毒种薯在生产上增产显著。如“同薯八号”脱毒薯（四级）比未脱毒薯增产 33. 2%—74. 3%；紫花白（四级）比一般种薯增产 25. 1%—74. 3%，取得了重大经济效益。

1980—1984 年，经过 5 年的研究，包头市农业科学研究所完成“黄瓜细菌性角斑病发病条件与防治研究及其应用”项目，在黄瓜细菌性角斑病的研究方面取得成功，鉴定了病原细菌，搞清了发病条件，试验出有效的综合防治措施，其成果居国内外领先水平。

内蒙古园艺研究所游积峰等与包头市农业科学研究所合作，从 1982 年起，经过 4 年的研究，完成“葡萄根癌病发生规律及防治研究”，基本搞清了我国北方内蒙古等 16 省、市、自治区葡萄根癌的分布、危害、发病机理和规律，筛选出防治农药，并达到国内领先水平，获得 1987 年内蒙古科技进步一等奖。

此外，内蒙古甜菜制糖工业研究所完成的“甜菜丛根病发生规律及防治研究”，内蒙古园艺科研所、内蒙古农牧学院合作完成的“山楂粉蝶核型多角体病毒的发现与研究”，内蒙古植保植检站等单位完成的“向日葵、大豆菌核病综合防治”（1994 年）研究、“水稻化学除草研究推广应用”，内蒙古农牧学院园艺系完成的“黄瓜霜霉病免疫性能及诱导免疫物的研究”（1994 年）等成果，均达到了较高的研究水平。

农田保护和改良研究　1959 年，内蒙古农业厅土地利用局首次对自治区农区、半农半牧区 56 个旗县市开展土壤普查工作。通过普查，将全区农田土壤分为 18 个土类，31 个亚类，64 个土组和 122 个土种，将全区分为 12 个土壤分区和 16 个亚区，并于 1967 年根据普查结果编写了《内蒙古自治区农区、半农半牧区土壤志》，由内蒙古人民出版社出版。1980 年，内蒙古农业厅姚玉光等主编《内蒙古农业资源及利用》一书，1983 年由内蒙古人民出版社出版。

赤峰市林业科学研究所从 1966 年开始进行“农田防护林营造技术和防护效益”的研究，经过几十年的科学营造，建成“窄林带、小网格、正方形，水渠、林、路平行，网、带、片结合的防护林体系”，经鉴定产生了较大的生态效益、社会效益和经济效益，为风沙干旱地区营造防护林体系树立了样板，得到国内外专家学者的很高评价，获得 1978 年全国科学大会奖和 1980 年内蒙古科技成果二等奖。

此外，内蒙古农牧学院完成的“碱化土壤发生原因、特点及改良利用的研究”，内蒙古水利科学研究所完成的“盐碱对作物生理的影响及河套灌区主要作物耗盐量试验研究”，内蒙古农业科学院完成的“内蒙古河套灌区中、低产田改土培肥及配套增产技术研究”，巴盟水利科学研究所完成的“内蒙古河套灌区长胜盐碱地综合防治、合理利用科学管理试验研究”、“河套灌区长胜浅明沟排水条件下盐碱中、低产田改造与重盐荒地开发利用试验研究”等项目，均取得了重要的社会和经济效益，为自治区农田改良和农业增收，做出了显著贡献。

三、工业科学技术

采矿及冶金研究　1959 年，内蒙古扎赉诺尔矿物局在国内首次以褐煤为原料制取人造石油，试制出轻柴油、重油、汽油、沥青和石蜡等 5 种产品，并提供50多吨车轴油。这在当时国家尚未大规模开采石油的情况下，具有很高的经济价值和意义。

1964年，内蒙古地质局地质实验室完成了白云鄂博铁矿的综合利用研究，查明白云鄂博矿区铁、铌（钽）稀土元素及赋存状态，对世界罕见的特大型铁、铌稀土综合矿床的工业利用进行实验，提交了《白云鄂博主—东矿体内物质成分铌（钽）稀土等元素赋存状态实验报告》及一整套工作方法。至1987年底，先后有20多个单位参加了白云鄂博区的评价和科研工作，提交各类普查勘探报告26份，科研成果60多份。

在稀土科研方面，包头稀土研究院建院以来，先后承担700多项研究课题，取得研究成果500多项，重大科研成果200多项，获奖成果169项。其中，国家发明奖和国家科技进步奖14项，冶金部科技进步成果奖66项①。

1983年，包头铝厂与东北工学院合作，开发出“用铝电解槽制取稀土—铝合金新工艺”。该技术具有成本低、投资少、操作简单、无氧气腐蚀和污染等特点，被当时国内许多家铝厂采用，对加速我国轻合金材料的发展，作出了重要贡献，获得1985年内蒙古科技进步一等奖。包头钢铁学院1994年完成的“高炉炉墙厚度在线监测的研究”，达到国内领先水平，不仅在包钢采用，而且在太钢、首钢等企业采用，并被国家列为重点推广项目。

此外，自治区有关部门和科研技术人员在稀土萃取剂P507的研制、多元金属渗透风口、热轧钢件在线监测等重大科研项目上，均取得突破性进展。

机械及电子研究 1960年，内蒙古科学仪器仪表厂（内蒙古大学校办工厂）试制成功WY-13型稳压电源，这是自治区从研制仪器仪表向工业化生产仪器仪表发展的始端。1965年，内蒙古大学物理系刘金铸研制的“SBE-二踪示波器”获得国家奖。同年，内蒙古电子仪器厂试制成功国内第一台测量高占空比脉电压幅度的HFM-1型直读式脉冲毫伏表，并研制出SB-16螺旋径向扫描高压示波器，为我国第一颗氢弹爆炸试验提供了现场测试仪器。1967年，该厂研制成功具有慢性扫描功能（300微秒—100秒）的SR2型四踪示波器，为当时全国唯一的大屏幕（直径20厘米）示波器。

① 李铁生主编：《内蒙古自治区志·科学技术志》，内蒙古人民出版社1997年版，第406页。

1970 年，该厂又研制成功 SR3 型全晶体管示波器，为国家第一颗人造卫星发射工程配套 338 台，1972 年参加巴黎国际博览会展览，并出口东南亚地区。1969 年，内蒙古广播修造厂研制成功国内最大功率 KY－1200 型有线广播机。

1970 年起，呼和浩特市和包头市组织单晶硅大会战。1974 年成功地设计和制造出单晶炉，并拉制了单晶硅。1976 年，包头市电机厂夏光维等人研制成功大型直流永磁力矩电机，在 1980 年我国运载火箭的发射中发挥了重要作用，获得自治区科技进步二等奖。同年，内蒙古新生机械厂与国家一机部重型机械研究所合作，研制成功 NGW 行星齿轮减速器，获得 1978 年全国科学大会奖和 1980 年内蒙古科技成果二等奖。1981 年，内蒙古电子仪器厂刘树桂等研制成功具有八通道、内存 256 比特的 SL3 型逻辑分析仪，这是国内首次研制成功的数域测量仪器，1984 年获得国家经委金龙奖，1985 年获得自治区科技进步二等奖。

在机械研制方面，1967 年，包头市长征砖瓦厂陶林福等研制成功轨道移动式多斗挖土机，填补了砖瓦行业采掘设备的空白。1970 年，呼和浩特市机床厂王存志等应用计算机进行辅助设计，制造出三轴滑移公用齿轮机构，成功地运用于 C6132 机床等新产品中。这项成果获得 1980 年自治区科技进步一等奖。1971 年该厂郭永坤、程玉明、吕丰典等又分别研制成功双头半自动平面螺纹磨床和双头半自动卡爪齿弧磨床，获得 1980 年自治区科技成果二等奖。1975 年，包头市红光机械厂研制成功国内第一台 B16580－A 型集中式工业真空吸尘机。1979 年，呼和浩特市橡塑机械厂李秀蓉开发出 XJW－85 冷喂料橡塑挤出机，获得 1980 年自治区科技成果二等奖和 1983 年国家优秀新产品金龙奖。1983 年，乌盟农机研究所李亦清等研制的“6FL-1500 型马铃薯磨碎分离机”，可一次完成薯块的磨碎和淀粉与薯渣的分离，性能可靠，效率高，价格低，是当时国内推广的薯类加工先进机型之一，经济效益显著，促进了我国马铃薯开发加工业的发展。1987 年，通辽锻压机床厂研制的“J75G－60 型 666J 千牛高速精密压力机”，内蒙古计量测试研究所研制的“EGC－1 型智能心脑电图机检定仪”，同时获得自治区科技进步一等奖。90 年代，包头市永磁电机研究所完成“铷铁硼永磁特种电机系列产品开发”项目，共开发出四个系列 100 多个规格的产品，并达到国际先进水平和国内领先水平。

新能源的开发利用是具有内蒙古地区特点的研发工作。特别是自治区对风能、太阳能的开发、利用给予了足够重视。早在1958年，自治区开展全民办电活动中，达尔罕茂明安联合旗和翁牛特旗即开始进行风力提水和风力发电试验活动。1973年，内蒙古农牧业机械化研究所与国家一机部机械设计研究院、天津电气传动设计研究所等单位合作研究，由内蒙古农牧业机械化研究所试制工厂制造的国内第一台FD－12千瓦风力发电机组研制成功。

风能和太阳能的开发利用，是自治区科学研究的重要领域，并且在国内达到了较高水平。锡盟风能研究所和包头市电机厂研制的FD2－100Wyc型和FD1.4－50Wyc型风力发电机组，整机效率均大于0.24，居国内领先水平，为解决农牧区、边防哨所、水文地质的野外作业用电，作出了突出贡献，并获得1986年国家科技进步二等奖。1986年，内蒙古气象科学研究所与水电部牧区水利科学研究所合作完成内蒙古风能资源的研究项目，获得水电部科技进步一等奖，1987年获得国家科技进步二等奖。1994—1995年，内蒙古农牧学院田德等完成的“浓缩风能风力发电机的整体模型风洞实验”项目，对聚能型风力发电机的原理、空气动力性能和方法提出了创造性的新设想。其构思新颖、可行，属国内首创，与国外类似风能转换系统比较，具有突出特色。

自1980年起，自治区有关单位先后研制成功50W、100W、200W、250W、500W、2KF风力发电机，2.6M、4M、5.2M风力提水机，以及硅太阳能电池、太阳能集热器、被动式太阳房、太阳能接羔棚、牛舍、鸡舍、太阳灶、电围栏、配套蓄电池、逆变器、灯具、交直流两用电视机等。到1985年9月，自治区已安装风力发电机13 109台，太阳能电池1 156套，解决了16 055户牧民的照明问题，并使其中6 387户看上了电视。到1986年，自治区安装运行的风力发电机和太阳能电池3万台（套）以上，安装千台以上风力发电机的牧区旗县有13个①。截至1997年，自治区60多个旗县共安装12.5万台小型风力发电机，解决了自治区西部12万多户牧民的生

① 内蒙古自治区科学技术委员会：《欣欣向荣的科技事业》，中共内蒙古自治区委员会宣传部：《光辉的历程（1947—1987）》，内蒙古人民出版社1989年版，第347页。

活用电和部分生产用电问题，微型风力发电机拥有量占全国的90%，为世界所注目。自治区的太阳能利用在提高水平的同时，形成了较大规模。到90年代末，赤峰市、巴盟、锡盟、兴安盟、呼盟已建成太阳能畜舍430多万平方米，建成太阳能住宅和教室10万平方米，解决了部分牧区人畜冬季取暖问题，被联合国载入新能源和可再生能源发展报告，受到国际专家的高度评价，为人类利用和开发自然提供了有益的借鉴①。

化工及建材研究　除前所述扎赉诺尔矿务局在采矿及冶金研究方面取得的成就外，1959年，包头市水泥制品厂技术人员李代厚修改低压混凝土水管定型设计，并试制成功单筋低压管，为国家建材开发作出突出贡献，获得建材部奖金6 000元。

1972—1978年，内蒙古工学院天然碱研究室张晨鼎等对水盐体系平衡和天然碱开发利用进行了研究。在天然碱的澄清方面，研制出当时我国唯一的水平较高的连续澄清装置，为开发利用天然碱及无机盐资源，提供了一项成熟而行之有效的技术，在实际生产中取得了显著的经济效益和推广应用价值，获得自治区科技进步二等奖。1980—1987年，张晨鼎等与乌海市化工厂协作完成“天然碱絮凝澄清工业试验”与“天然碱泡花碱喷雾干燥试验”，并分别获得1985年自治区科技进步一等奖与三等奖。

1978年以后，伊克昭盟化工研究所所长李武等先后完成“碱日晒工艺”研究及推广、“天然碱（日晒碱）制纯碱工业试验”等重要项目，把低品位的天然碱变成高品位的日晒碱，实现巨大的经济效益，对促进我国天然碱工业的技术进步，发展自治区经济作出了突出贡献，获得1985年内蒙古科技进步一等奖。内蒙古化工研究所创造的“褐煤直接入炉造气合成氨”技术，解决了褐煤直接入炉带来的各种技术问题，创造了简易、有效的机械除油系统装置，是一种投资少、见效快的好方法，为自治区褐煤资源的充分合理利用发挥了重要作用。

在催化剂研制方面，1976—1978年，内蒙古大学胡玉才等对低镍甲烷催化剂进行了实验室研究，研究成果获得自治区科技进步二等奖。1984年

① 内蒙古自治区科学技术委员会：《发展中的科技事业》，韩茂华主编：《翻天覆地五十年（1947—1997年）》，内蒙古人民出版社1997年版，第302—303页。

起，内蒙古工学院金恒芳等利用自治区丰富的稀土资源研制出“BZ 型中温催化剂”，获得自治区科技进步二等奖。1984 年 11 月，由内蒙古大学化学系研制，呼和浩特市化工厂生产的叔丁基二茂铁通过鉴定。该项目填补了国内燃速催化剂的空白，为我国国防和航天工业的发展，作出了贡献。

1983 年，通辽玻璃厂投产后实施的浮法玻璃生产工艺，使产品在平稳度、化学稳定性方面居全国首位，获得 1985 年内蒙古科技进步一等奖。1985 年，该厂开始生产电浮法热反射玻璃（着色），该产品为国内首创。1986 年，该厂采用浮法生产工艺研制生产 8—12 毫米厚玻璃，这在国内是首创，达到国际 80 年代的水平。1985 年，由内蒙古建筑科学研究所乌力吉等研制的《WBC－1 型苯丙四元共聚乳液》《WMS 乳化剂》《WPM 保护胶》获得自治区科技进步一等奖。

轻纺及粮油食品研究　1966 年，内蒙古海拉尔皮革厂李茂圆在国内首创盐碱脱毛鞣制皮革新工艺，并在全国推广应用。1970 年，该厂又研制成功三氯乙烯毛皮脱脂机，结束了碱性白土脱脂的历史，消除了工人的矽肺病，产生了良好的经济和社会效益。1971 年，内蒙古第一毛纺织厂开始研究“稀土在纯毛绒线染色上的应用”，1981 年研制成功，为我国在染色上应用稀土开创了先例，为稀土应用开拓了新领域。1983 年，集宁市皮件厂李德茂等完成“改良绵羊板皮服装革”课题，该课题根据改良绵羊皮毛厚，皮板薄、脆、强度小、伸长率大等特性，经过多年试验，研究成功改良绵羊板皮服装新工艺，解决了成革松、软、薄、脆的问题，为自治区和国家的皮革工业作出了重要贡献，获得 1985 年内蒙古科技进步一等奖。1980 年，内蒙古毛条厂刘秀英完成“内蒙古改良毛 66s 64s 毛条先复洗后精梳工艺研究”项目，不仅使产量、质量提高，经济效益大增，而且为我国改良羊毛梳条工艺的实践找到了新的途径，具有很高的现实意义和推广价值，获得 1982 年自治区科技成果二等奖和 1985 年国家科技进步三等奖。

20 世纪 70 年代，内蒙古轻工科学研究所金世琳等研制出适合乡镇及农牧区处理鲜奶的小型成套设备，其工艺流成合理，有关工艺计算参数选取切合实际，设备简单实用，经济合理，产品质量达到部颁标准，为发展和推动牧区乳品工业和民族经济，起到了积极推动作用。80 年代，内蒙古轻工科研所沈尧绅等开展“用火焰光度检测器测定食品中有机磷农药残留量的研究”，以及“白酒中高级脂肪酸的气相色谱测定”，并取得成就，分别获得自治区科技进步二等奖和三等奖。

1983年，内蒙古轻工科研所与海拉尔乳品厂合作，由金世琳等在国内率先研制成功母乳化婴儿奶粉，并在国内一些省市推广，取得了显著的经济和社会效益，分别获得国家科技进步二等奖、轻工业部科技二等奖、内蒙古科技进步一等奖。

四、医药科学技术

内蒙古自治区成立以前，医药科技非常落后，基础设施简陋，技术力量十分薄弱。自治区成立以后，在党的民族政策光辉照耀下，自治区的医药科技事业得到蓬勃发展。特别是党的十一届三中全会以后，自治区根据经济建设和社会发展需要，树立依靠科技进步发展卫生事业的思想，强化科技意识，积极开展新技术、新项目研究，大力进行重点学科建设，在关键性应用研究、医学基础性研究、高科技研究方面，特别在鼠疫、布鲁氏杆菌病、中蒙医药、肿瘤、工业尘肺、血红蛋白、医学遗传与优生等方面取得重大成果。

地方病和流行病研究　1950—1959年，自治区有关部门在全区开展了鼠疫流行病史调查，并对长爪鼠的生态学和动物鼠疫流行病学进行了为期三年的系统研究。1957年4月，自治区鼠疫防治研究所与哲盟卫生防疫站在达乌利黄鼠中分离出我国第一株土拉伦氏菌，证实我国存在野兔热这种自然疫源性疾病。1971年，昭乌达盟卫生防疫站费荣中等与中国军事医学科学院吴厚永等进行方形黄鼠蚤的养成和生物学特性及防治的研究获得成果，并建立了国内第一个试验种群，获得1985年内蒙古科技进步一等奖。1973年，自治区鼠疫防治研究所、内蒙古大学、乌盟地方病防治站等单位开展合作研究，发表了“长爪沙土鼠疫自然疫源地特点及流行病学规律的研究”。

1973年前后，内蒙古流行病防治研究所开展了《内蒙古鼠疫菌之类型及其分布》的研究。通过对2 000多株菌的研究，将内蒙古地区的鼠疫菌分为三个类型，对我国鼠疫菌的分型研究产生了积极影响。之后，1978—1982年开展了《内蒙古鼠疫自然疫源地鼠疫菌培养需求谱的研究》，进一步证明了上述研究成果的可靠性，同时提出了鼠疫菌型是“一个地方一个样”，以及型的形成与特定的宿主、媒介以及地理生态条件密切相关，是自然选择的结果的观点；1983—1984 年，进行了《内蒙古鼠疫疫源地几种主要宿主动物对内蒙古三型鼠疫菌的选择性实验》，证明不同的动物对不同型的鼠疫菌具有不同的选择性能。此外，该所 1981 年完成“鼠疫菌沙鼠型在自然界的保存形式及其变异的研究”，从长爪鼠巢土中分离出鼠疫菌，并编著《内蒙古蚤类》一书，参与“中国鼠疫菌的菌型及其主要宿主相关关系的研究”，完成“内蒙古鼠疫菌的菌型及其主要宿主相关关系的研究”，以及“内蒙古北部荒漠草原鼠疫自然疫源地鼠疫动物病空间分布的研究”，获得自治区科技进步二等奖。1983 年，内蒙古流行病防治研究所张平等完成中国鼠疫菌分型及生态学、流行病学意义的研究课题，获得卫生部科技进步甲等奖。内蒙古自治区鼠疫防治研究所也完成“达乌利黄鼠鼠疫流行规律及其根除的研究”。

在布鲁氏菌病防治研究方面，1953 年，自治区有关部门对已分离出的 1 600 株布鲁氏菌作了菌型鉴定。其中，羊种菌 1 272 株；牛种菌 310 株；猪种菌 6 株；非典型菌 3 株；未定种 9 株。说明各种家畜和动物均可感染布鲁氏菌病，从而对防治该病提供了科学依据。70 年代，吴从雅等完成“内蒙古布鲁氏菌型分布及致病性的研究”。在此基础上，吴从雅等于 1985 年完成“布鲁氏菌 DNA 同源性研究”，崔庆禄等完成“新噬成菌体的分离及菌株特性的研究”。此外，孙天志等完成“慢性布鲁氏菌病发病机理研究”，白锦秀等编著了《动物布鲁氏菌病病理学研究及图谱》，1984 年，那仁高娃等完成“特异性抗布氏菌核糖核酸的研究”，获内蒙古科技进步二等奖。

从 50 年代起，自治区有关部门即开展了心血管疾病的流行病学调查。周景春等先后完成“内蒙古自治区高血压流行病学研究”、“牧区心血管病高发因素发生发展规律的研究”等课题。

1974 年，自治区发生有史以来最严重的乙型脑炎大流行。自治区卫生防疫站与中国预防医学科学院病毒研究所协作，对乙型脑炎在自治区的流行范围、传播媒介、疫区性质及流行因素进行了 5 年调查研究，完成并提交了《内蒙古自治区乙型脑炎流行规律研究》等 12 篇有价值的论文。其主要调研成果获得 1990 年国家自然科学二等奖。此外，周光甫等完成“中国乙型脑炎主要传播媒介宿主动物的确定及其在疫区区划和流行病学监测中的应用”合作课题，获卫生部科技进步一等奖。

1984年，自治区卫生防疫站白峰等承担“内蒙古自治区病毒性肝炎流行规律和防治对策研究”，于1987年通过区内外专家的鉴定。1983—1984年，乌兰等人完成“内蒙古自治区环境电离辐射机器对居民所致剂量的研究”，获1985年卫生部甲级科技成果奖。内蒙古地方病防治研究所刘顺堂与赤峰市卫生防疫站戴国钧等合作进行“地方性氟中毒流行病的研究”，首先提出内蒙古自治区存在饮茶性氟中毒的观点，并得到论证。

1992—1995年，内蒙古地方病防治研究所完成“地方性砷中毒”研究课题，基本查清了病区范围、流行规律，掌握了地砷病的健康损害、临床特征，初步运用新的治疗方法和现代先进技术，取得了科学的、很有价值的基础资料。这项研究成果具有较大的社会效益和经济效益，研究水平国内先进，某些方面达到国际先进水平。

此外，1985年，内蒙古地方病领导小组办公室编制出《内蒙古自治区地方病图集》,1986年，由内蒙古人民出版社出版。1987年，自治区防治地方病办公室主编《内蒙古自治区自然环境与地方病图集》,由内蒙古人民出版社出版。

在临床医学研究方面　1957年，内蒙古医学院陈锵撰写的“肺吸虫病氯奎治疗中心电图表现”、“心脏病与妊娠—贫血性心脏病特点”两篇论文被英国剑桥大学收录。陈锵本人被收入《剑桥大学世界名人录》。

自治区在癌症研究和医治方面，虽然起步较晚，但是取得了较大的成就。1974年，由内蒙古医学院杨维益等编著的《乳癌》一书，由内蒙古人民出版社出版。1978年，内蒙古医院贾振英编著《癌》一书，由内蒙古人民出版社出版蒙汉两种文版。1980年，贾振英等又完成“乳腺癌X线—病理定位取材对照研究”。经鉴定，方法上有创新，理论上有新见解，提出了较系统的理论认识，为判断乳癌组织类型提供了依据，在诊断准确率和早期诊断水平方面，达到国内外较高水平，获得卫生部甲级成果奖及自治区科技成果一等奖。1982年和1983年，内蒙古医学院附属医院和内蒙古医院分别成立肿瘤科和肿瘤研究所，并在“临床肿瘤的微型计算机处理”和改进铯137后装机治疗宫颈癌的研究方面取得成果，均获得自治区科技进步三等奖。

1978 年，秦文斌完成《高脂蛋白血症分型与冠心病的防治》一书，由内蒙古人民出版社出版。由秦文斌和王凤岐完成的糖尿病与血红蛋白关系研究，在全国引起关注。1984 年，秦文斌完成其第二部专著《血红蛋白病》，由人民卫生出版社出版。秦文斌的研究成果在生物化学、医学、遗传学、人类学，特别在优生学方面，为医学理论和临床实践提供了重要的科学依据。为此，分别获得自治区 1980 年科技成果一等奖和 1989 年科技进步一等奖。

1984 年，内蒙古中蒙医院贾文郁等经过 4 年的反复验证，提出根据肺血流图诊断肺心病的八项标准。诊断肺心病符合率达 94.6%，可信限达 99%，对肺心病的早期诊断、病情演变、临床、监护、指导、治疗，均有积极意义。从 1987 年开始，内蒙古医院雷琪智等进行“胰岛移植治疗胰岛素依赖型糖尿病”方面的研究，并获得自治区科技进步三等奖。

此外，内蒙古中蒙医院贾文郁在“无创伤检测心脏功能和心脏病的研究”方面；伊克昭盟医院王金瑞在“超声导向穿刺的诊断和治疗的研究”方面；内蒙古医院宋静慧等在“腹腔镜直视下病变部位注射 5 - Fu 治疗异位妊娠”研究方面；内蒙古卫生防疫站白峰等在“病毒性肝炎流行规律及防治对策”研究方面均取得重要成果，分获自治区科技进步二等奖。内蒙古医院秦济生等发现的“染色体平衡易位核菌 4b，x，t（X；b）”为世界首例，收入《中国人类染色体异常目录》和美国《人类异常和变异染色体登记库》。

在外科手术方面，自治区有关单位的专家学者也取得了骄人的成就。1954 年，内蒙古医院希拉台等首先开展了肺叶切除术，为自治区胸科手术的开端。1957 年，内蒙古医院李致一等首次实行狭窄性心包炎剥离术，为自治区心脏外科的开端。1958 年，内蒙古医学院附属医院蓝彝等进行了二尖瓣分离术和首例食管下段癌手术。1959 年，自治区首例开颅手术成功。1967 年，内蒙古医学院附属医院阚求豪等成功完成自治区第一例断手再植手术。1976 年，又完成两例外伤性左足右移手术。1986 年，阚求豪在全国外固定器治疗骨折病的研究评比中，获得全国华佗金像奖。1975 年 9 月，内蒙古医学院附属医院利用国产二型体外循环机完成临床首例体外循环心脏直视手术。1976 年，内蒙古医学院附属医院鲍镇美完成自治区第一例自体肾移植手术。1978 年，内蒙古医学院附属医院完成区内首次颅内—颅外动脉吻合治疗缺血型脑血管病显微手术。1979 年，夏明鳌等完成复杂与最复杂尿瘘病的手术治疗课题，获得 1985 年内蒙古科技进步二等奖。1981 年 11 月，包头钢铁公司职工医院侯忠志等完成同种异体移植手术。乌兰察布盟医院蔡俊等完成的“新抗青光眼手术——巩膜层间周边虹膜嵌顿术”，获得 1983 年自治区科技进步二等奖。1985 年，杨北庆率先在自治区开展了经尿道电切手术。随后，又首先开展了输尿管肾镜技术，成功地治愈了患者的输尿管结石。

从 1970 年以后，自治区有关专家、学者在医学领域撰写并出版的主要成果有：赵亚一编著《高血压脑出血防治》（内蒙古人民出版社，1970 年）；杨贵舫著《眼科常用手术图解》（内蒙古人民出版社，1970 年）；赵福康、张为烈合著《常见头痛的诊断和治疗》（内蒙古人民出版社，1975 年）；沈潜著《新医眼科学》（内蒙古人民出版社，1977 年）；敖拉哈、王聘臣主编《临床老年病学》（内蒙古人民出版社，1980 年）；张剑男、秦元合著《植物神经系统疾病》（人民卫生出版社，1983 年）；周景春主编《心脏血管疾病诊治的进展》（内蒙古人民出版社，1984 年）；《老年病的研究与诊治》（内蒙古人民出版社，1987 年）；戴国钧等编著《地方性氟中毒》（内蒙古人民出版社，1985 年）；杨贵舫、李荣喜合著《眼科实用解剖图谱》（内蒙古人民出版社，1986 年）；金凤琴著《儿童近视、远视、斜视、弱视的防治》（内蒙古人民出版社，1986 年）。上述成果的出版，反映了内蒙古自治区在相关领域所取得的学术水平和技术成就。

制药技术和研究　1962 年，海拉尔制药厂试制成功药用乳糖，质量达到国际标准。1963 年，赤峰制药厂郭如明研制出四环素类抗生素一步提炼新工艺，取代了国际通用的溶媒法、离子交换法和沉淀法，在全国同行业中采用。1964 年，海拉尔生物化学制药厂试制人工合成牛黄成功，药品销往全国各省市。1973 年，内蒙古大学生物系廖友桂从羊精囊中提取前列腺 E，制成抗早孕药物，经临床试验，获得成功。这项发明，在国内尚属首次。1978 年，哲里木盟医院苑萌芳等人研制中成药千金丸获得成功，该药对脑囊虫病有较好的疗效，获得 1982 年内蒙古科技成果二等奖。1979 年 10 月，内蒙古赤峰制药厂李忠翔等 5 人研制的治疗冠心病、心绞痛的新药——心痛定通过鉴定，质量和性能达到国外先进水平。同年，呼和浩特市制药厂白苏华、高娃完成从干草浸出液中直接提取干草酸新方法的研究，获得1980年内蒙古科技成果二等奖。1980年，赤峰制药厂李英杰等人首次研究、合成解热镇痛新药——奈普生成功，获得1983年国家新产品金龙奖和1985年内蒙古科技进步二等奖。此外，内蒙古医学院张德清等完成的“麻黄生物碱衍生物的合成研究”获得内蒙古科技进步二等奖。1981年，赤峰制药厂岳宁等研制出“冠心病、心绞痛新型治疗剂——安心酮”，获得1985年自治区科技进步二等奖。1983年，岳宁又试制维脑络通成功，1985年进行中试生产。1987年，根据英国专利文献改革了原工艺，效率由73.5%提高到96.6%（E值265），为国内同行业最好水平。1985年，内蒙古农牧学院马成麟等完成“人工培育天然牛黄研究”，获得自治区1988年科技进步二等奖。内蒙古药品检验所李仁完成的“从干草渣中提取国内抗胃溃疡新药安胃疡”获得自治区科技进步一等奖。内蒙古医学院与包头医学院合作完成的“中药蒲黄的化学和药理学研究”课题，在对蒲黄的化学成分进行系统研究后，从中分离出16个纯化合物，其中3个化合物就植化物质的范畴而言是新的发现，被美国CA所引用，该研究成果居国内领先水平。

中蒙医研究　中蒙医是我国的传统医学，特别是蒙医属于具有内蒙古地方特点和民族特点的传统文化和医学遗产。因此，自治区成立以后，有关部门特别注意发掘、保护和整理以及利用这一优秀的历史、文化遗产，并在这方面取得了较大成绩。先后编著出版的主要成果有：内蒙古中蒙医研究所编著《中医治疗布鲁氏菌病》（内蒙古人民出版社，1959年）；巴拉珠尔编著《蒙医治疗肝炎验方》（内蒙古人民出版社，1963年）；内蒙古卫生局主编《内蒙古中草药》（内蒙古人民出版社，1972年）；内蒙古医学院中蒙医系编著《蒙药学》（内蒙古人民出版社，1972年）；阿拉坦仓编著《蒙医临床经验》（内蒙古人民出版社，1976年）；苏荣扎布等编著《蒙医内科学》（内蒙古人民出版社，1976年）；昭盟蒙医进修班编《蒙医药方汇编》（辽宁人民出版社，1977年）；金巴著《临症医药鉴》（内蒙古人民出版社，1977年）；沙木腾与罗布桑合著《蒙医伤科简编》（内蒙古人民出版社，1978年）；敖拉哈与苏荣扎布合著《心脏病》（内蒙古人民出版社，1980年）；阿古拉编著《蒙西医结合防治常见病》（内蒙古人民出版社，1980年）；罗布桑编著《蒙医志》（上册）（内蒙古人民出版社，1980年）；包金山等编著《蒙医祖传正骨》（内蒙古人民出版社，1984年）；包景荣等编《内蒙古蒙成药标准》（内蒙古科技出版社，1984年）；吉格木德著《蒙医基础理论》（内蒙古人民出版社，1984年）;《蒙医简史》（内蒙古科技出版社，1985年）；于庆祥著《蒙药方剂》（内蒙古人民出版社，1986年）；扎木苏著《酸马奶疗法》（内蒙古人民出版社，1986年）；白清云主编《中国医学百科全书》（蒙医分卷）（内蒙古科技出版社，1986—1987年）、《白清云医案》（内蒙古科技出版社，1987年）；《王永福医案》（1—2册）（内蒙古人民出版社，1985—1987年）等。

在蒙医典籍的整理、翻译方面，先后出版了蒙译《四部医典》（内蒙古人民出版社，1959年）；蒙译《观者之喜》（内蒙古人民出版社，1974年）；蒙译《蒙医药选编》（内蒙古人民出版社，1974年）；蒙译《方海》（内蒙古人民出版社，1977年）；蒙译《蓝琉璃》（内蒙古人民出版社，1978年）；蒙译《普济验方手册》（内蒙古人民出版社，1982年）；蒙译《金光注释》（上下册）（内蒙古人民出版社，1984年）；蒙译《医药月帝》（内蒙古科技出版社，1985年）；蒙译《百验宝珠》（民族出版社，1986年）；校勘整理《兰塔布》（民族出版社，1987年）；蒙译《哲对盘德宁布》（内蒙古人民出版社，1987年）等。

在蒙药研发方面，内蒙古中蒙医院完成的“蒙药通拉嘎601治疗原发性血小板减少性紫癜再生障碍性贫血研究”成果，经临床使用，效果达88.8%，优于国内其他疗法，且无毒副作用。内蒙古医学院完成的蒙药那如注射液的研究，采用多学科、多层次和多指标的方法，从蒙药中发现了第一种抗肿瘤生物应答剂（BRM），予开拓那如以外的蒙药研究以新的启示。蒙药荜拨解血脂的研究，为合成新药提供了线索，在理论及临床上具有重要意义。1987年，内蒙古药品检验所经过多年采集和调查研究，确定常用蒙药有324种，其中植物药224种；动物药40种；矿物药43种；其他药17种；中药蒙药交叉品种203种；蒙药专用品种121种。同年，内蒙古卫生厅编著的《内蒙古蒙药材标准》一书，由内蒙古科技出版社出版。

五、基础科学研究

内蒙古自治区的基础科学研究，是从50年代中期以后，随着自治区各高等院校及有关研究机构的建立，逐步发展起来的。并且，在某些领域取得了一定的成就。

数学研究　1959 年，内蒙古大学数学系李文镛在《数学学报》第 9 卷发表题为“环面上具有一个奇点的积分曲线分布之拓扑性质”的论文。1964 年，内蒙古大学陈杰和倪星棠在《高等学校自然科学学报》试刊号上分别发表了题为“关于方程 df/dz = h 的解函数族”、“三阶线形全双曲型偏微分方程的一类边值问题”的论文。同年，内蒙古大学数学系胡诚明在《数学进展》第 7 卷发表题为“关于面积单演函数的一个平面性质”的论文。1965 年，内蒙古大学数学系刘世泽在《数学进展》第 8 卷发表题为“n 维空间奇点的拓扑方法”的论文。

在微分方程与积分方程研究方面，1963 年，内蒙古师范学院数学系斯力更对变系数拟线性滞后型系统利用积分不等式方法，建立了渐进稳定的判别准则。后又将这些结果推广到可数时滞可数方程的滞后型系统的情形，并对小时滞变系数线形滞后型系统建立了稳定性定理。1974 年，斯力更又在《数学学报》第 3 期上发表题为“具有变量时滞的非线性中立型微分方程组的解的有界性符合稳定性”的论文，率先证得具有变量时滞的非线性中立型系统解的有界和渐进稳定的充分条件。1982—1984 年，斯力更连续解决了小时滞中立型系统的稳定性，得到较完善的结果。此后，他还对线性中立型系统证明了解有界和稳定、一致渐进稳定和指数稳定的等价性。1986 年以后，他又单独或与他人合作，先后发表关于定常和非定常、线性和非线性的中立型系统稳定性的研究成果，并因在“时滞微分方程稳定性理论”方面取得的成就，获得 1986 年自治区科技进步二等奖。斯力更等在中立型时滞微分方程解的性态和稳定性的研究，突破旧的传统，创立了新的分类，澄清了国际上的一些混乱现象，统一了归类，发现了中立型时滞微分方程中时滞与解之间的内在规律，创建了系统与相应退化系统之间解的关系式，研究了一类新型 Voltrra 积分微分大系统的周期解的存在性及稳定性，创立了简明的题设，得出了全新的理论。因此，具有重大的创造性和诸多规律性的新发现和新突破，具有重大的学术价值和实用价值，在国内外均属领先地位。

1978 年以后，内蒙古大学数学系陈天权致力于湍流运动基础理论的研究。1981 年，他与袁妙思研究了气体湍流运动理论中的希尔伯特—恩斯库克一切普曼展开，经过计算和推导，得到新的物理参数，使湍流理论研究展现了新的前景。为此，获得自治区科技进步一等奖。

1977 年，内蒙古师范学院陈广卿在《数学学报》第 4 期上发表题为“证明极限环不存在的新方法及其应用”的论文。此外，内蒙古大学刘景麟在“微分算子的亏指数和谱分解”，以及曹之江在“对称微分算子的自伴扩张问题”方面的研究取得重要成果，均获得 1984 年自治区科技进步二等奖。1986 年，曹之江的专著《常微分算子》一书由上海科技出版社出版。该书是国内出版的第一部关于微分子基础理论研究的著作。

特别值得提出的是，包头市第九中学教师陆家曦自 20 世纪 60 年代开始研究组合数学区组设计问题，并以“关于不相交斯坦纳三重系之大集”这一题目，分别于 1983 年和 1984 年在美国《组合论杂志》（A）第 34 期和第 37 期上发表 6 篇论文，解决了“大集定理”，其中包括 50 多个定理和公式，在国内外数学研究领域，产生了重要的影响，获得国家自然科学一等奖。1984 年 9 月，内蒙古数学学会受自治区科学技术委员会的委托，组成“陆家曦学术工作评审委员会”。评审委员会认定，陆家曦关于斯坦纳三元系大集的工作属于世界一流水平，并确认他 1965 年关于寇克曼问题的工作，虽然由于某些原因未能及时发表，从而在国际上失去了优先权，但是他的这一工作实际上的首创性仍应得到肯定。

物理学研究　1960 年，内蒙古大学时学丹、罗辽复、徐行等在《物理学报》第 16 卷第 6 期发表题为“核子与氘核散射中的极化”“自旋为 1 的粒子的电磁结构”的论文。1962 年，罗辽复、徐行又在《物理学报》第 18 卷第 6 期上发表题为关于“K+介子和核子的弹性散射”的论文，开启了内蒙古在基本粒子研究方面的序幕。1965 年，罗辽复在《物理学报》第 21 卷第 6 期上发表题为“奇异粒子非轻子衰变选择定则”的论文。1977 年，罗辽复在《科学通讯》第 22 卷发表题为“由磁单极子组成的高自旋介子”的论文。罗辽复等人在基本粒子理论方面的系统研究，得到国内外有关人士的重视。70 年代后，罗辽复与其合作者将研究领域扩大到相对论天体物理的研究。之后，又扩展到理论生物物理领域。1978 年，罗辽复的“基本粒子理论研究”分获自治区科学大会奖和全国科学大会奖。1980 年，罗辽复的“基本粒子理论与高能天体物理”研究成果获得自治区科技成果一等奖。

在固体物理研究方面，内蒙古大学物理系顾世洧的研究成果“固体元激发理论”，获得1980年自治区科技成果二等奖。

1986年，内蒙古大学物理系冯启元、杨性愉由于在“He—Ne激光理论与应用研究”方面的成就，获得自治区科技进步二等奖。1987年，内蒙古大学物理系侯伯元完成的题为《场论的完全可积性及量子场论大范围行为》的论文获得国家教委科技进步一等奖。

在太阳能电池研究方面，1974年，鲍凤岐等在《物理》杂志第8卷第1期上发表题为“硫化镉烧结膜太阳电池”的论文。内蒙古大学物理系季秉厚在硅太阳能电池的研究方面取得重要成果。1984年5月，他应邀出席了美国电器电机工程师协会（IEEE）在美国佛罗里达举行的第17届国际光声伏特专家会议，宣读了题为《硅太阳能电池在内蒙古自治区的发展与应用》的论文。这是中国大陆学者第一次出席该会议。

化学研究 从1962年开始，内蒙古大学化学系师树简、李逢泽等开展了二茂铁及其衍生物的合成研究。1965年，师树简等在《科学通讯》上发表题为“对一-甲酰苯基二茂铁的合成及其某些表现”的论文，后又在《中国科学》（英文）上全文刊载。70年代以后，根据二茂铁的某些衍生物在国防工业和航天工业的重要价值，师树简、李逢泽等与有关单位合作，进行了“固体燃料添加剂”和“固化剂的试生产”等研究，研究成果分别获得全国科学大会奖和自治区科技进步二等奖。1980年，内蒙古大学研制成功叔丁基二茂铁。这项科技成果曾为我国航天工业作出贡献，填补了我国催化剂的一项空白。80年代以后，在师树简、李逢泽的主持下，合成了系列二茂铁衍生物，并对其分子、晶体结构与性能进行了系统研究。其中两项研究成果“C-18的研制”、“二茂铁衍生物结构与性能的研究”获得自治区科技进步二等奖。

此外，内蒙古大学化学系完成的“稀土元素分离、提取及基本性质的研究”项目获得全国科学大会奖。包头稀土研究院根据该成果建立的“P507稀土全萃取分离工艺”获得国家科技进步二等奖。

内蒙古师范大学王巴特尔完成的“钼/钨混合金属三角三核原子簇的合成及其性质”的研究，丰富和扩展了非羰基异核原子簇合物的物种，并为其他混合金属非羰基簇合物的合成和应用奠定了基础，开辟了广阔的前景，具有重要的理论价值和实践意义。他发表的几篇论文被数个国家的化学家引用，其成果达到了国际先进水平，获得1991年度内蒙古科技进步一等奖。

生物学研究　20世纪50年代开始，国家和自治区有关部委和单位即着手对内蒙古地区的生物资源、植物区系，展开大规模、全面、系统的考察、研究工作。1957年，内蒙古农业科学研究所开展全区果树资源调查，至1962年结束。1981—1985年内蒙古果树研究所、多种经营站等作了进一步补充调查。共查明全区野生、半栽培、乔灌木和草本果树资源计有14个科，32个属，92个种，19个变种，437个品种和类型。1989年，编撰了《内蒙古果树品种及野生资源》一书，由内蒙古人民出版社出版。1958年，自治区有关部门共搜集粮食、油料、工业原料等作物25种，10 266个品种，并于1959年编辑出版了《内蒙古自治区农家品种目录汇编》,有效地保护了自治区农作物品种资源。1959年，内蒙古科学技术委员会组织内蒙古大学、内蒙古畜牧兽医学院、内蒙古师范学院、内蒙古林学院等单位的30多位植物学工作者进行了全区植物资源普查工作，采集了大量植物标本与样品。室内整理工作延续到1960年末完成，编写了一批调查报告，为内蒙古植物资源、植物区系研究奠定了基础。1973年，内蒙古种子管理站协同各盟市旗县种子站开展全区农作物品种适应性普查，查清了全区农作物品种资源及品种布局。1976年，内蒙古农林局编写出《内蒙古农作物品种志》,由内蒙古人民出版社出版。1977年，内蒙古种子管理站会同各盟市种子站开展全区蔬菜品种普查，至1982年共查清全区12类34种蔬菜，338个品种的来源、分布及特征。1987年，王子忠等根据普查资料编著《内蒙古蔬菜品种志》,由内蒙古人民出版社出版。1983年，韩云凌等编著完成《内蒙古自治区农作物品种区划》一书，1988年由内蒙古人民出版社出版。此外，自治区有关专家、学者编著出版了《内蒙古家畜家禽品种志》等书。

在生物学基础理论研究方面，包头医学院秦文斌自50年代开始进行血红蛋白的研究，先后在《中国科学》及美国《血红蛋白》等刊物上发表重要论文40多篇。1970年，内蒙古农牧学院张荣臻等人完成“马传染性贫血的病理学研究”，对该病病理学研究取得成功，给诊断提供了病理依据。1986年获得自治区科技进步一等奖。到1987年，自治区该疫情的发生和流行得到控制，并逐步走向净化。

从 1975 年起，内蒙古大学生物系教师廖友桂组织该系动物教研室的同事进行家畜受精卵的移植研究工作，1976 年即取得绵羊早期胚胎移植率 76% 的结果，达到国内先进水平。之后，又经过 5 年的努力，在“卵移”的“稳定有效的超数排卵”研究上取得突破性进展，其成果达到国际先进水平。

1981 年，内蒙古农牧学院农学系等单位完成的“甜菜丰产高糖生理基础的研究”课题，研究了在一定条件下甜菜丰产高糖的基本理论、生理指标以及有关栽培技术措施及其生理基础，取得显著成果。特别是在甜菜的糖代谢、氮代谢和氨基酸的研究方面达到国内先进水平。其丰产高糖生理栽培技术，经生产实践中验证和应用取得重大经济效益。

1976—1985 年，在内蒙古大学生物系马毓泉教授的主持下，编辑出版了 8 卷本、共计 360 万字的《内蒙古植物志》。这是内蒙古一项重大生物学基础研究成果，也是对自治区植物区系长期研究积累的总结。该书的出版，结束了自治区没有植物志的历史，并获得自治区科技进步一等奖。这对进一步研究内蒙古植物种类提供了科学依据，同时对研究我国植物区系以及世界植物区系均有重要意义。此外，刘钟龄等经过 10 年的努力，于 1983 年完成《内蒙古植被》和《内蒙古植物区系》的书稿，1985 年由科学出版社出版；1987 年，内蒙古农牧学院富象乾主编的《中国饲用植物志》第一卷，由北京农业出版社出版。

1982—1986 年，内蒙古畜牧科学院卢德勋采用同位素、多元分析方法，在世界上首次发现羊消化道内源蛋白质周转规律，获得自治区科技进步一等奖。

特别是 1983 年，内蒙古大学生物系教师旭日干在日本进修期间，在花田章博士和山内亮教授的指导下，成功地完成了山羊体外受精和受精卵移植，获得世界上第一胎体外受精的试管山羊。利用这项技术，1989 年 4—8 月间，旭日干博士又培育出我国首胎、首批试管绵羊 11 只，试管牛 3 头。其中，试管绵羊的受胎率超过当时国外报道的最好水平，达到 50%。这项研究和技术，不仅对改进胚胎移植技术，提高良种母畜繁殖潜力具有重要的实际意义，而且对以体外受精为中心的繁殖生物学的理论研究提供了有效的研究手段。

1991—1995 年，内蒙古农牧学院张七金等完成“鸡传染性法氏囊病病原及防治措施的研究”。这项研究成果，不仅填补了国内 IBDV 研究的多项空白，达到国内同类研究领先水平，为我国进一步研究 IBD 病原和防治提供了科学依据和物质基础，对推动本学科和技术领域的发展及实践，均有重要的指导意义和参考价值。

1994 年，内蒙古农牧学院乌尼等人完成“内蒙古地区家禽传染病系列免疫程序及免疫机理的研究”，在国内首次全面系统地提出了鸡胚胎免疫研究，突破了传统的免疫学理论，为免疫接种开辟了新途径，具有重要的理论价值和指导意义，在鸡胚胎免疫研究方面处于国际先进水平。

此外，1981 年，乌盟科技情报研究所张颖清在《自然》杂志上发表《生物全息律》的论文，对生物体的结构提出了新的见解，引起了国内外学术界的重视，并得到钱学森、牛满江等学者的赞扬。

六、新兴学科和技术的研究

在计算机的研发和应用方面，从 20 世纪 50 年代末开始，自治区委托内蒙古大学和内蒙古师范学院数学系着手电子计算机的仿制和研发工作，并于 1973 年仿制成功第一台晶体管计算机。同年，内蒙古大学数学系与半导体厂试制成功 MSS－MI 型台式电子计算机。

80 年代，内蒙古电子计算中心等单位研制成功 MHJ—1 蒙古语言分析软件，通过内蒙古科委鉴定，并获得自治区科技进步二等奖。1986 年，内蒙古电子计算中心与内蒙古大学计算机系合作研制成功蒙、汉两种文字操作系统，并通过鉴定。这在国内外均属首创。同年，内蒙古电子计算中心嘎日迪等编制“蒙古文信息处理三项国家标准”《GB8045－8》《GB8046－87》《GB7422. 1—2－87》，得到国家标准局认定，并获得 1988 年内蒙古科技进步二等奖。内蒙古大学计算机系敖其尔研发的“IMD－1 型蒙文排版系统”，是一个以处理蒙古文为主，兼顾新蒙文、英文、俄文的计算机排版系统。该系统具有独创的处理技术，解决了部分蒙古文处理难题。在蒙古文计算机排版方面达到了国内先进水平，某些方面国内领先。1996 年，该系统又开发出“蒙古文矢量字库及蒙汉文混合排版系统”，获得自治区 1998 年科技进步二等奖。此外，内蒙古计算中心设计完成“啤酒发酵分布式微机系统”。

经有关专家鉴定，认为该系统在内存管理、系统软件使用创新、大罐发酵控制技术上居国内领先水平。该系统除在内蒙古采用外，还在甘肃、浙江等十多个省区推广、应用，并替代了德国、保加利亚等国的系统。“八五”时期，内蒙古工业大学完成的“铸钢件保温帽口朴缩体系的系统分析”项目，为计算机在铸造中的应用，进行了有益的探索。1986 年，内蒙古工学院张治务完成压力流量补偿负荷传感系统特性的计算机模拟程序研究，获得 1987 年内蒙古科技进步二等奖。1987 年，内蒙古气象台应用微机制作电视天气预报，将天气预报播出方式由原来的静态形式改为动态形式，在电视天气预报的微机开发应用中，处于国内领先地位。

从 70 年代以后，自治区在激光应用研究方面也取得显著进展。1972 年 2 月，内蒙古大学物理系激光科研组研制成功二氧化碳激光器，供医院手术使用；1973 年 4 月研制成功 He－Ne 激光器；1974 年又研制成功 N2 分子激光器。此后，内蒙古大学冯启元、杨性愉等在激光理论和技术方面，继续进行深入的研究，并取得一系列的重要成果。

在遥感技术的研究和应用方面，1983—1985 年，北京大学与内蒙古大学等 12 个单位近百名科技人员多学科协同攻关，合作进行遥感技术在内蒙古地区草场资源调查中的应用研究，编出全区 1∶100 万和各盟市 1∶50 万的草场资源系列地图，提出草场资源新数据。1987 年，内蒙古草场资源遥感考察队编著并出版了《内蒙古草场资源遥感应用研究》一书。

内蒙古遥感中心完成的“计算机遥感图像处理系统（CRIPS），是我国第一套在工作站上开发的遥感图像处理系统，实际应用效果良好，整体水平达到国内同类项目领先水平。其中，三维成像等技术达到国际先进水平。1976—1986 年间，内蒙古水利科研所萧冬等应用遥感技术对河套灌区进行土壤盐碱变化的动态监测，成果有监测报告和图片。1990 年，经内蒙古科学技术委员会鉴定，成果达到国际水平。此外，该院完成的“遥感图像处理及解译制图技术模式的开发研究”，开创了一种新的解译制图技术，提高了专题地图的质量与精度以及制图功效，具有重要的学术意义和可观的经济效益，研究成果达到国内领先和国际水平。

第四节　社会科学研究

内蒙古自治区成立后，在中国共产党的领导和马列主义毛泽东思想的指导下，随着自治区各族人民政治上翻身当家作主，经济和社会事业的恢复和发展，自治区的社会科学研究工作开始步入崭新的历史发展时期。

从1948年开始，自治区出版部门陆续出版了马克思、恩格斯、列宁、斯大林、毛泽东、刘少奇等人的经典著作，以及哲学、政治经济学和科学社会主义等社会科学方面的出版物，开始进行马克思主义和社会主义意识形态的普及和宣传。从20世纪50年代起，随着党的民族政策的贯彻、落实，自治区成立了一些专门研究机构，着手进行蒙古族语言、历史、文学方面的研究工作。进入80年代后，在自治区社会主义革命和建设的发展进程中，根据自治区的地区特点和民族特点，以及党和国家的中心工作，逐步确立了以蒙古学、民族理论与民族政策、畜牧业经济研究为主要特色的社会科学研究体系，培养和造就了一支具有较高素质的社会科学研究队伍，推出了一大批有较高水准的研究成果。特别是在蒙古学研究方面，取得了一批令世人瞩目的科研成果，从而成为我国乃至国际蒙古学研究的中心之一。为内蒙古和我国的精神文化和物质文明建设作出了重要的贡献。

一、蒙古学研究

蒙古语言研究　内蒙古自治区是以蒙古族为主体，包括汉族等多民族聚居的民族自治地方。所以，自治区成立以来，蒙古学的研究始终是自治区社会科学研究的主要内容和重要特色，也是贯彻党的民族政策的一项具体举措。

早在1947年4月27日颁布的《内蒙古自治政府施政纲领》中，就明确提出要“发展蒙古文化”。语言是民族文化的主要形式、载体和基本特征，使用和发展民族语言文字是党的民族政策的重要组成部分。所以，自治区成立后，自治区党和政府非常关心和重视民族语言的使用、推广和研究工作。可以说，自治区的社会科学和蒙古学研究工作，首先是从蒙古语言文字的研究起步和发展起来的。

1947年秋，内蒙古自治政府成立不久，便成立了由17人组成的研究蒙古语文的专门机构——内蒙古蒙古语文研究室。这是自治区成立后，第一个专门从事人文社会科学研究的机构。随后，陆续编辑、出版了《蒙汉辞典》（内蒙古人民出版社，1948年）；清格尔泰著《蒙文文法》（内蒙古日报社出版，1949年）；哈旺加卜、旺楚克、阿敏合编《蒙文正字法字典》（内蒙古人民出版社，1951年）；《蒙语字典》（内蒙古出版局，1951年）等语法和工具书，为以后蒙古语的使用和研究打下了良好的基础。

1953年7月1日，中共中央蒙绥分局作出《关于反对忽视民族语文倾向及进一步加强民族语文工作的指示》，并决定建立蒙古语文研究会。蒙古语文研究会成立后，其会员曾达到300多名，并搜集整理了有关蒙古历史、语言、文学及其他资料1 000余件500册左右，其中有不少是非常珍贵的民族文化遗产，对保护、研究和发展民族文化做出了重要贡献。此外，为了蒙古语言文字的规范化，创造与统一了不少专业名词术语，编辑出版了包括1.5万个社会科学、自然科学名词的《蒙汉简略辞典》（索德纳木永荣等编，内蒙古人民出版社，1955年），以及各种专业名词小册子8种。

1955年6月末到9月末，中国科学院语言研究所、中央民族学院、北京大学和内蒙古语文研究会组成了由60人参加的蒙古语族语言、蒙古语方言调查队，分成13个小组，选定30个调查点，对内蒙古有关各旗和其他省区的蒙古族聚居旗县进行了详细的语言调查。1956年6月到1957年1月期间，中央和自治区有关部门再次组织了由70余人组成的语言调查队，在蒙古族聚居的旗县选择26个调查点进行了深入调查。1959年，中国科学院少数民族语言研究所、内蒙古语文研究所、内蒙古大学和内蒙古师范学院等单位，参照前几次的调查报告作了进一步补充调查，在此基础上编写了《蒙古语方言调查报告》，并开始陆续发表有关研究成果。调查报告将国内蒙古语方言划分为5种，初步搞清了我国蒙古语及其方言、土语及蒙古语族语言的概貌。这对蒙古语族语言的比较研究、蒙古语方言土语的划分、国内蒙古语的基础方言、标准音的确定等都提供了可靠的依据。

上述两次语言调查，使自治区乃至我国的蒙古语言文字研究工作走向了正规化和科学化，并培养和锻炼了一批杰出的语言研究人才，为以后的研究工作打下了坚实的基础。此后，内蒙古有关单位和院校的科研和教学人员，在蒙古语语音、语法、词汇、名词术语、词典学与词典编纂、中世纪蒙古语与文献、文字学与正字法、修辞学、蒙古语族语言、蒙古语方言等领域进行了广泛而深入的研究，取得了一大批令世人瞩目的研究成果，涌现出一大批卓有成就和才华的语言学家。其中有代表性的主要成果有：内蒙古大学清格尔泰的《中国蒙古语族语言及其方言概述》（《蒙古历史语言文学》,1957—1958 年连载）；清格尔泰等合著的《现代蒙古语》（上、下两册，内蒙古人民出版社，1964 年）。其中，《现代蒙古语》一书是我国第一部运用现代语言学理论，全面、系统研究蒙古语文的著作。内容包括语音学、词法学、句法学、词汇学、词源学、词典学、文字学、修辞学、方言学、蒙古语族语言学及国内外蒙古语研究概况、现代蒙古语的发展与规范等多方面的内容，是代表我国 20 世纪 60 年代蒙古语研究水平的标志性重大成果之一。

十年“文革”动乱结束后，随着党的各项方针政策的落实，极大地调动了自治区各族知识分子的积极性，使自治区蒙古语言研究工作进入了新的大发展时期，并取得了一大批丰硕的科研成果。其中主要有：布和吉尔嘎拉著《蒙文正字法》（内蒙古人民出版社，1976 年）；布和吉尔嘎拉、恩和合著《蒙古语语法》（内蒙古人民出版社，1977 年）；哈斯额尔敦、那仁巴图著《蒙古语基础》（吉林人民出版社，1978 年）；清格尔泰著《现代蒙古语语法》（蒙文版，内蒙古人民出版社 1979 年）；内蒙古大学、内蒙古师院、中央民族学院等几所高校合编的《现代蒙古语》（内蒙古教育出版社，1982 年）；乌·满达夫著《蒙古语的发展与规范》（内蒙古教育出版社，1983 年）、《蒙古语言研究》（内蒙古教育出版社，1990 年）；诺尔金著《蒙文原理》（内蒙古教育出版社，1987 年）；内蒙古社科院语言研究所卜·图力更等合著《现代蒙古语研究》（内蒙古人民出版社 1988 年）；确精扎布著《蒙古语语法研究》（内蒙古大学出版社，1990 年）；乌·那仁巴图著《蒙古语修辞学研究》（内蒙古教育出版社，1986 年）、《蒙古语修辞学》（内蒙古教育出版社，1991 年）；新特克著《蒙古语词汇研究》（内蒙古大学出版社，1990 年）等。

在中世纪蒙古语及文字学研究方面取得的主要成果有：额尔登泰、乌云达赉、阿萨拉图合著《〈蒙古秘史〉词汇选释》（内蒙古人民出版社，1980 年）；包力高著《蒙古文字简史》（内蒙古人民出版社，1983 年）；包祥著

《蒙古文字学》（内蒙古教育出版社，1984 年）；乌·满达夫校勘、标音、注释《华夷译语》；保朝鲁编著《汉译简编穆卡迪玛特蒙古语辞典》；陈乃雄主持完成的《中期蒙古语辞典》；哈斯额尔敦、丹森等著《阿尔察石窟回鹘体蒙古文榜题研究》、贾拉森著《阿里嘎礼字研究》；张双福著《古蒙古语研究》；嘎尔迪著《中古蒙古语研究》；内蒙古大学呼格吉勒图主持完成的《元代八思巴字文献词汇研究》《元代八思巴文文献整理研究》《八思巴字蒙古语文数据库》等项目。

在蒙古语族语言及阿尔泰语系语言比较研究方面，1980 年起，内蒙古大学共组织 7 个调查组，对达斡尔、东乡、保安、东部裕固、土族等蒙古语族语言和蒙古卫拉特、巴尔虎—布里亚特方言进行了全面系统的调查。在此基础上编写出版了由 21 本书组成的《蒙古语族语言方言研究》丛书。其中包括布和编著《东乡语和蒙古语》（内蒙古人民出版社，1986 年）；陈乃雄编著《保安语和蒙古语》（内蒙古人民出版社，1987 年）；恩和巴图编著《达斡尔语和蒙古语》（内蒙古人民出版社，1988 年）；清格尔泰编著《土族语和蒙古语》（内蒙古人民出版社，1991 年）；保朝鲁、贾拉森编著《东部裕固语和蒙古语》（内蒙古人民出版社，1991 年）；哈斯巴特尔编著《蒙古语和满语研究》（内蒙古大学出版社，1991 年）等。该“丛书”对中国境内的蒙古语族语言进行了全面系统的研究，代表了当今在该领域研究的最高水平。

此外，从 20 世纪 70 年代起，内蒙古大学清格尔泰、陈乃雄等与中国社科院民族研究所的研究人员合作，对契丹小字进行研究，取得了突破性的进展，出版了《契丹小字研究》（中国社会科学出版社，1985 年）一书，引起了国内外学术界的重视。

在阿尔泰语系语言比较研究方面，拿木四来、哈斯额尔敦合著了《达斡尔语与蒙古语比较研究》（内蒙古人民出版社，1983 年）；内蒙古大学承担了《阿尔泰语系语言比较研究》《满语和蒙古语比较研究》等课题；出版了恩和巴图著《满语口语研究》（1995 年）、《莫戈勒语研究》（1996 年）；高·照日格图著《蒙古语族语言与突厥语族语言词汇比较研究》（2000 年）等书。

从 20 世纪 80 年代末以后，内蒙古大学确精扎布、白音门德、呼和等对蒙古语察哈尔土语、巴林土语、科尔沁土语语音进行了实验语音学方面的研究，先后出版了白音门德的《巴林土语研究》（1997年）、《蒙古语方言与蒙古文化》（1999年）；白音门德、呼和、确精扎布合著《蒙古语语音声学分析》（1999年）；呼和著《蒙古语韵律特征基础研究》等著作。

在蒙古语辞书研究和编纂方面，先后出版了宝力高编《汉蒙成语辞典》（内蒙古人民出版社，1972年第一版，1979年再版）；清格尔泰、新特克、包祥、陈乃雄合编《蒙汉辞典》（内蒙古人民出版社，1976年）；布林特古斯编《蒙语正字正音词典》（1977年）；确精扎布主编《蒙古文和托忒蒙古文对照词典》（新疆人民出版社，1979年）；吴俊峰等合编《汉蒙字典》（内蒙古人民出版社，1980年）、《汉蒙词典》（内蒙古人民出版社，1983年）；陈乃雄、吴俊峰等合编《蒙古语族语言辞典》（青海人民出版社，1987年）；伯·达木丁编《蒙古语基本词简明注释辞典》（1988年）；达·巴特尔编《蒙古语派生词倒序词典》（1988年）；色·苏雅拉图编《蒙古语比喻词典》（1989年）；内蒙古教育出版社编《蒙古语标准音词典》（1989年）；哈斯额尔敦、乌·那仁巴图、丹森合编《简明蒙古语成语词典》（1981年）；宝音等编《汉蒙名词术语分类词典》（1990年）；诺尔金、芒·牧林主编《蒙古语辞典》（1998年）；巴·旺楚克编《蒙古语虚词词典》（1990年）等。

在蒙古语文翻译研究方面取得的主要成果有：阿萨拉图编著《汉译蒙翻译方法初探》（1965年）；内蒙古蒙文专科学校编《汉译蒙试谈》（1973年）；博彦特著《简论公文翻译》（1980年）；阿拉坦巴干著《虚词译法》（上、下册，1980年）；罗·官其格著《古汉语虚词的翻译》（1981年）；确精扎布等著《汉译蒙基础知识》（1989年）；仁钦嘎瓦著《蒙古语翻译史概要》（1986年）；官布苏荣著《论汉译蒙》（1989年）等。

蒙古文信息处理研究，是20世纪80年代后内蒙古蒙古语言学界兴起的一门新兴学科。1983年，内蒙古大学蒙古语言研究所与内蒙古科委计算中心合作，在国内首次建立了《蒙古秘史》的计算机检索系统，开始进行蒙古语文信息处理工作，并研制了蒙古文拉丁化读音输入法，建立了包括回鹘式蒙古文、基里尔蒙古文、托忒蒙古文、八思巴文、满文、契丹小字和国际音标等多种文字的输入输出系统；建立了中期蒙古语文献数据库和《100万词级现代蒙古语文数据库》。之后，由确精扎布等人完成了“500 万词级《现代蒙古语文数据库》”。经专家鉴定认为：该语料库在数量上达到了世界一流的语料库水平，对蒙古族科学文化的现代化、信息化，具有深远的影响。

该所还根据国际标准化组织的要求，设计了蒙古文编码国际标准，并获得通过。此外，编写了八思巴字编码国际标准，准备以中蒙两国的方案提交到国际标准化组织。该所还与北京大学合作，在北大方正电子出版系统中文版的基础上，开发出能够处理回鹘体蒙古文、托忒蒙古文、基里尔蒙古文、满文、阿里嘎礼字、八思巴字和回纥式蒙古文以及国际音标的电子出版系统，在国内外拥有众多的用户，并得到了广泛的好评。该系统的研发成功，在蒙古文出版印刷史上具有划时代的重大意义。此外，这方面的研究成果还有：内蒙古大学华沙宝教授著《蒙古文电子排版》（1997 年）；那顺乌日图著《蒙古文信息处理》（1998 年）；确精扎布著《蒙古文编码》（2000 年），以及内蒙古社会科学院蒙古语言研究所苏雅拉图著《蒙古文整词人机键盘交互研究》等。

蒙古历史研究 民族历史是民族文化的重要渊源和组成部分。民族历史研究是发展内蒙古民族文化不可或缺的一项重要内容。自治区建立以来，内蒙古党政领导机构非常重视蒙古历史的研究工作。早在内蒙古自治政府成立前夕的 1947 年 4 月 24 日，乌兰夫在内蒙古人民代表会议上所作的政治报告中就明确提出“奖励对蒙古历史等问题的研究”。《内蒙古自治政府施政纲领》也规定“研究蒙古历史”。

1956 年 10 月，全国人大民族委员会组织了少数民族社会历史调查组内蒙古东北组，分赴巴彦淖尔盟、呼伦贝尔盟和黑龙江省等地展开有关蒙古族、达斡尔族、鄂温克族、鄂伦春族社会历史调查，从此掀开了内蒙古自治区蒙古族及三个少数民族历史研究的序幕。自治区有关部门的一些同志参与了这项工作。通过调查，收集整理了大量的历史文献和实地调查资料，增长了知识，培养了人才，为自治区史学队伍和蒙古史学科的创建和发展打下了良好的基础。随后，内蒙古历史语文研究所、内蒙古大学蒙古史教研室等史学专门研究机构成立，这是中华人民共和国成立后，我国建立的第一批蒙古历史和蒙古问题的专门研究机构。其研究领域和范围涉及到考古、北方民族史、蒙元史、明代蒙古史、清代蒙古史、内蒙古近现代史和蒙古历史文献学等诸多领域。

1962年，内蒙古历史学会在内蒙古大学成功举办了纪念成吉思汗诞辰800周年蒙古史科学讨论会。这是我国首次举办的有关成吉思汗的学术研讨会。会上，内蒙古大学亦邻真和周清澍先生分别发表了题为《成吉思汗与蒙古民族共同体的形成》《成吉思汗生年考》等论文，引起了国内学界的热烈反响。研讨会上宣读的论文，有别于当时国际上苏、蒙等国学术界对成吉思汗所持的否定观点，对成吉思汗这一具有广泛世界性影响的历史人物的历史地位和作用，进行了比较客观、公正而正面的评价。同年年底，内蒙古历史学会又在内蒙古大学举行"《蒙古源流》成书300周年学术讨论会"，出版了内蒙古历史语言研究所墨尔根巴特尔收集整理的阿喇黑苏勒德本《蒙古源流》,开启了蒙古历史文献学研究的序幕。

1958年秋，内蒙古大学即开始组织编写《内蒙古自治区简史》,并与内蒙古师范学院、内蒙古党校、内蒙古历史研究所合作编写《内蒙古革命史》。1965年，自治区学者已编写出《蒙古族简史》和《内蒙古革命史》初稿。同年，内蒙古大学开始编写《内蒙古史纲》。但是，史无前例的"文化大革命"，使我国包括社会科学和蒙古学在内的各项事业遭到了严重的干扰和破坏，特别是使社会科学基础研究工作基本停顿。但是，即便在这种严峻的形势下，内蒙古大学蒙古史研究室的研究人员，仍出于对学术和事业的执著追求精神，完成了《元史》等古籍的整理和点校工作，对我国蒙古史研究事业作出了重要贡献。

十年"文革"动乱结束后，特别是党的十一届三中全会以后，内蒙古自治区的蒙古学研究事业，随着党的"实事求是"思想路线的落实，在比较宽松的社会氛围下，迎来了大发展的新时期。研究机构和队伍不断扩大，研究领域和学科不断扩展和深入，研究成果的数量不断增长，水平明显提高，出现了一个百花争妍、繁花似锦的繁荣发展的局面。经过半个多世纪的曲折发展，特别是党的十一届三中全会后，自治区在蒙古史的研究方面取得了众多优秀成果。有些成果甚至在国内和国际上处于领先地位，为蒙古学研究的深入和发展，作出了显著的贡献，其中，主要代表性成果如下：

通史和简史方面：内蒙古蒙古语文历史研究所集体合著《蒙古族简史》

（内蒙古人民出版社，1977 年 7 月）；内蒙古大学和中国社会科学院合著《蒙古族简史》（内蒙古人民出版社，1985 年 11 月）；内蒙古社科院历史研究所集体合著《蒙古族通史》（民族出版社，1991 年）；义都合西格主编《蒙古民族通史》（第三卷）（内蒙古大学出版社，1991 年）、《蒙古民族通史》（第四卷）（内蒙古大学出版社，1993 年）；留金锁著《蒙古史纲要》（蒙古文，内蒙古人民出版社，1985 年）、《蒙古族全史》（第一卷）（辽宁民族出版社，2000 年）等。

断代史方面：奥登著《白室集——14 至 17 世纪蒙古史研究》（1987 年）；卢明辉著《清代蒙古史》（天津古籍出版社，1991 年）；包文翰主编《简明古代蒙古史》（内蒙古大学出版社，1990 年）；那木斯来著《清代蒙古史》（1990 年）。

专题史研究方面：内蒙古大学、内蒙古蒙古语文历史研究所集体合著《沙俄侵略我国蒙古地区简史》（内蒙古人民出版社，1979 年）；卢明辉著《蒙古"自治"运动始末》（中华书局，1980 年）；苏日巴的达拉哈著《蒙古族族源新考》（民族出版社，1986 年）；赛熙雅乐著《成吉思汗史记》（蒙古文，内蒙古人民出版社，1987 年 6 月）；那木斯来著《噶尔丹博硕克图汗》（1987 年）、《满洲征服蒙古》（1991 年）、《四卫拉特史》（1994 年）、《准噶尔汗国史》（1996 年）；乌云毕力格著《和硕特史》；洪用斌与张泽凡合著《忽必烈与元朝》（内蒙古人民出版社，1987 年）；盖山林著《阴山汪古》（内蒙古人民出版社，1991 年）；薄音湖著《一代天骄及其继承者》（内蒙古人民出版社，1994 年）；宿梓枢、邢亦尘著《僧格林沁纪略》（1996 年）；叶新民著《元上都研究》（内蒙古大学出版社，1998 年 7 月）；张久和著《原蒙古人的历史——室韦达怛研究》；留金锁、奇格合著《成吉思汗》（北京少儿出版社，1998 年）；盖山林编著《蒙古族文物与考古研究》（辽宁民族出版社，1999 年）；奇格著《古代蒙古法制史》（辽宁民族出版社，1999 年）等。

蒙古族哲学及社会思想史研究方面：格・孟和著《成吉思汗哲学思想研究》《蒙古哲学史》；格・孟和等编《蒙古族哲学思想史论集》（1985 年）；巴干等编《蒙古族哲学思想史论集》（民族出版社，1987 年）；乌兰察夫、赵智奎等合著《最初的探索——蒙古族哲学思想史研究》（内蒙古教育出版社，1987 年）；乌兰察夫主编《蒙古族无神论思想史》《蒙古族哲学思想史》（内蒙古大学出版社，1994 年）；陈献国主编《蒙古族经济思想史研究》；武国骥主编《蒙古族哲学史》（内蒙古文化出版社，1994 年）；满都夫著《蒙古族美学史》（辽宁民族出版社，2000 年）；图・乌力吉著《古代蒙古人的文化思维》等。

蒙古族经济史研究方面的主要成果有：德山著《元代交通史》（远方出版社，1995 年）；陈献国主编《蒙古族畜牧业经济发展史》（1999 年）；阿岩、乌恩合著《蒙古族经济发展史》（1999 年）；额尔敦扎布、萨日娜合著《蒙古人土地所有制特征研究》；王来喜著《蒙古商贸研究》等。

蒙古族军事史研究方面的主要成果：罗旺扎布等合著《蒙古古代战争史》（民族出版社，1992 年）；达林台著《蒙古兵学——兼论成吉思汗用兵之谜》（军事科学出版社，1990 年 5 月）、《蒙古族军事思想史》；乌嫩齐著《中国人民解放战争时期的内蒙古骑兵》等。

蒙古族宗教史研究方面的主要成果：满昌著《蒙古萨满》（内蒙古教育出版社，1990 年）；宝音巴图著《蒙古萨满教事略》（内蒙古文化出版社，1984 年 12 月）；额尔德木图著《蒙古萨满教及其思想史》；苏鲁格等《中国元代宗教史》（1994 年）；孛・吉尔格勒著《蒙古政教史论》；呼日勒沙等著《科尔沁萨满教研究》；德勒格著《元代蒙古喇嘛教》、德勒格编著《内蒙古喇嘛教史》（1998 年）；乔吉著《蒙古佛教史——大蒙古国时期（1206—1271 年）》（内蒙古人民出版社，1998 年）等。

科技史、教育史、文化史方面的成果：巴・吉格木德著《蒙医简史》（内蒙古科技出版社，1985 年）；仁钦嘎瓦著《蒙译史概要》（内蒙古人民出版社，1986 年）；巴拉吉尼玛、张继霞著《蒙古族科学家》（内蒙古出版社，1987 年）；郭冠莲著《特睦格图传》（内蒙古科技出版社，1989 年）；赵相璧著《历代蒙古族著作家述略》（内蒙古人民出版社，1990 年）；胡日查巴特尔、乌吉木著《蒙古萨满教祭祀文化》（内蒙古文化出版社，1991 年）；李迪著《明安图传》（1992 年）；蔡志纯、洪用斌、王龙耿合著《蒙古族文化》（1993 年）；乌・那仁巴图著《蒙古族佛教文化》；旺钦扎布著《蒙古族正骨学》；呼格吉乐图著《蒙古族音乐史》（1997 年）；阿木尔巴图编著《蒙古族美术研究》（辽宁民族出版社，1997 年）；萨・纳日松编著

《蒙古文档案事业发展简史》（内蒙古人民出版社，1999 年）；乌兰杰著《蒙古族音乐史》《蒙古族音乐舞蹈初探》等。

蒙古历史文献研究方面的主要成果：留金锁著《13—17 世纪蒙古历史编纂学》（蒙古文，内蒙古人民出版社，1979 年）；留金锁校注《黄金史纲》（内蒙古人民出版社，1980 年）、校注《十善福白史》（内蒙古人民出版社，1981 年）、校注《水晶鉴》（民族出版社，1984 年）；道润梯步新译简注《蒙古秘史》（内蒙古人民出版社，1979 年）、新译校注《蒙古源流》（内蒙古人民出版社，1981 年）、校注《卫拉特法典》（内蒙古人民出版社，1985 年）、编注《喀尔喀律令》（内蒙古人民出版社，1989 年）；额尔登泰、乌云达赉校勘本《蒙古秘史》（内蒙古人民出版社，1980 年）；巴雅尔标音本《蒙古秘史》（内蒙古人民出版社，1980 年）；花赛·都嘎尔扎布转写本《蒙古秘史》（1984 年）；满昌《新译注释〈蒙古秘史〉》（内蒙古人民出版社，1985 年）；额尔登泰、阿尔达扎布还原注释本《蒙古秘史》（内蒙古教育出版社，1986 年）；亦邻真畏吾体蒙古文复原本《蒙古秘史》（内蒙古大学出版社，1987 年）；乔吉校注《恒河之流》（内蒙古人民出版社，1981 年）、校注《黄金史》（内蒙古人民出版社，1983 年）、校注《金轮千辐》（内蒙古人民出版社，1987 年）、校注《八思巴传》（内蒙古人民出版社，1991 年）、校注《金鬘》（1991 年）；包文翰、乔吉著《蒙古文历史文献概述》（1994 年）；呼和温都尔校注《水晶念珠》（内蒙古人民出版社，1985 年）、校译《圣武亲征录》（内蒙古文化出版社，1986 年）、校注《蒙古源流》（民族出版社，1987 年）；尼日拉图、金峰校注《理藩院则例》（内蒙古文化出版社，1989 年）；珠荣嘎校注影印本《阿勒坦汗传》（民族出版社，1984 年蒙文版）、《〈阿勒坦汗传〉汉译注释》（内蒙古人民出版社，1991 年）；乌力吉图校勘注释《大黄册》（1983 年）、汉译《蒙古黄史》（1987 年）；金峰整理注释《呼和浩特召庙》（内蒙古人民出版社，1983 年）；朱风、贾敬颜《校勘汉译蒙古黄金史纲》（内蒙古人民出版社，1987 年）；纳古单夫、阿尔达扎布校注《蒙古博尔济吉忒氏族谱》（内蒙古人民出版社，1989 年）；金峰、巴岱、额尔德尼校注《卫拉特历史文献》（1985 年）；宝力高校注《诸汗源流黄金史纲》（内蒙古教育出版社，1989 年）；色道尔吉汉译《蒙古黄金史》（1993 年）；阿拉腾松布尔校注《古今蒙古源流》(1996年);苏鲁格汉译、注释《阿拉坦汗法典》(1997年),汉译、注释《蒙古政教史》(1989年);格日乐等校注《黄金史》(1998年);乌兰著《蒙古源流研究》(2000年);呼格吉勒图编《元代八思巴字蒙古语文献汇编》等。大批蒙古族历史文献的收集、整理、翻译、校注、出版,有力地促进了我国蒙古学研究事业的发展,并成为内蒙古蒙古学研究方面的一大特色和亮点。

蒙古族文学研究　蒙古族文学研究是蒙古学研究的传统学科和重要领域。内蒙古自治区成立以后,特别是进入20世纪80年代改革开放的新时期以来,该领域的研究取得了前所未有的长足发展,取得了一大批令人鼓舞的丰硕成果。

在文学理论研究方面,编著和出版的主要成果有:索德纳木拉布坦、里·田仓合著《创作论》(1981年);博·格日勒图著《创作论》(内蒙古人民出版社,1985年)、《蒙古文论精粹》(内蒙古文化出版社,1985年)、《蒙古文论史研究》(1985年);巴·布林贝赫著《心声寻觅者的札记》(内蒙古人民出版社,1984年)、《蒙古族诗歌美学论纲》《蒙古英雄史诗的诗学》;宝音和西格、特古斯巴雅尔合著《蒙古民间文学概论》等。

蒙古族文学史研究方面的成果有:内蒙古大学中文系合著《内蒙古自治区文学史》(1962年);齐木道吉、赵永铣、梁一孺合编《蒙古文学简史》(内蒙古人民出版社,1981年);满昌编《蒙古文学史》(蒙古文,内蒙古教育出版社,1980年);内蒙古大学等5校合编《蒙古族文学史》(内蒙古教育出版社,1984年);莫·扎拉丰嘎著《蒙古族当代文学史》(内蒙古教育出版社,1987年);特·赛音巴雅尔主编《中国蒙古族当代文学史》(上、下册)(内蒙古教育出版社,1989年);乌·苏古拉《蒙古族现代文学史》(内蒙古大学出版社,1987年);乌·苏古拉、苏来巴特尔合著《蒙古族当代文学史》(内蒙古大学出版社,1989年);宝力高著《十七世纪蒙古历史文学》(内蒙古人民出版社,1987年);全福著《蒙古族现代文学史》《蒙古族当代文学史》;云峰著《蒙汉文化交流侧面观——蒙古族汉文创作史》;荣苏和、赵永铣主编的四卷本《蒙古族文学史》(辽宁民族出版社,1994年);策·吉日嘎拉著《蒙古族文学五十年》等。

在蒙古族文学专题研究方面,也取得了一批优秀成果。其中,在蒙古族英雄史诗研究方面有：却日勒扎布著《蒙古〈格斯尔〉研究》，扎格尔著《江格尔史诗研究》，哈日夫著《蒙古文学叙事学》；白·特木尔巴根著《古代蒙古作家汉文创作考》；德斯来扎布著《尹湛纳希研究》，波列沁·达尔罕著《哈斯宝生平研究》；莎日娜、吴海龙合著《蒙古族文化变迁与小说创作的发展》等。

蒙古学其他领域的研究成果　20世纪80年代以后，蒙古学研究进入了全面发展的新时期。其特征是，除了研究机构和队伍不断发展壮大外，研究方法和手段不断创新，研究范围和领域进一步拓展和扩大，并取得了一系列研究成果。

在蒙古族民俗学研究方面，自20世纪80年代以来，内蒙古有关专家学者收集、整理出版了诸如：呼日乐巴特、乌仁其木格合编《科尔沁风俗志》（内蒙古人民出版社，1988年）；纳·宝音贺喜格编著《巴林风俗志》（内蒙古人民出版社，1994年）；富荣嘎、拉·阿木尔门德编著《乌珠穆沁风俗志》（内蒙古人民出版社，1992年）；达·查干编著《苏尼特风俗志》（内蒙古人民出版社，1991年）；纳日苏、阿拉木斯合编《乌拉特风俗志》（内蒙古人民出版社，1993年）、《鄂尔多斯风俗志》；松儒布、斯钦毕力格编著《阿拉善风俗志》（内蒙古人民出版社，1989年）等蒙古族民俗志方面的成果。此外，还出版了乌·那仁巴图编著《乌拉特婚俗》（1982年）；达木林巴斯尔等编著《婚礼祝词》（1982年）；昭文吉力图、叶喜桑布等编著《蒙古族婚礼祝词》（1983年）；那木斯来等编著《蒙古族传统奶食》（1983年）；齐·哈斯毕力格图著《鄂尔多斯婚俗》（1984年）；阿力腾敖其尔著《蒙古族传统那达慕》（1986年）；齐格其、德吉德编著《安代》（1986年）；奥达木、策·乌日根等编著《蒙古婚俗》（1987年）；布林特古斯等编著《蒙古族食谱》（1988年）；曹纳木等编《蒙古族忌讳》（内蒙古大学出版社，1991年）；拉·胡日查毕力格编著《哈腾根十三家神祭祀》（内蒙古文化出版社，1990年）；哈·丹毕扎拉桑著《蒙古民俗学》；呼日勒沙等著《科尔沁民俗文化研究》；孟和德力格尔编《蒙古族传统生活概观》（2000年）等有关蒙古族民俗文化方面的研究成果。

二、中国北方民族与内蒙古地区史研究

中国北方民族史是内蒙古自治区社会科学研究的一项具有地区和民族特点的传统优势学科。自20世纪70年代末以来，该领域的研究取得了十分显著的成就，涌现出一大批在国内外有一定学术影响的成果。其中有代表性的成果有：内蒙古蒙古语言文学历史研究所历史研究室与内蒙古大学蒙古史研究室合编《中国古代北方各族简史》（内蒙古人民出版社，1977年）；编写组集体合著《中国北方民族关系史》（1987年）；林干编《匈奴史论文选集》（1983年）、《匈奴历史年表》（1984年）、《突厥与回纥历史论文选集》（全二册）（中华书局，1987年）、《匈奴史料汇编》（上下册）（中华书局，1988年）；林干著《匈奴史》（内蒙古人民出版社，1977年）、《匈奴通史》（人民出版社，1986年）、《突厥史》（内蒙古人民出版社，1988年）、《回纥史》（与高自厚合著，内蒙古人民出版社，1994年）、《东胡史》（内蒙古人民出版社，1989年）、《中国古代北方民族史新论》（内蒙古人民出版社，1993年）、《中国古代北方民族通论》（内蒙古人民出版社，1998年）；王叔磐、旭江主编《北方民族文化遗产研究》（内蒙古大学出版社，1991年）；王叔磐主编《北方民族文化遗产研究文集》（内蒙古教育出版社，1995年）；舒振邦、何天明、张贵等合著《瀚海集》（内蒙古人民出版社，1995年）；李迪主编《中国少数民族科技史论文集》（共7册）；叶新民著《中国古代北方少数民族历史人物》（内蒙古人民出版社，1993年）等。

进入改革开放的新时期以后，内蒙古地区史的研究得到恢复和长足的发展，取得的主要成果有：戴学稷著《呼和浩特简史》（中华书局，1981年）；牧人编著《内蒙古盐业史》（内蒙古人民出版社，1987年）；厉春鹏、徐占江合著《诺门汗战争》（1988年）；李德著《内蒙古工业简史》（内蒙古人民出版社，1989年）；王铎主编《当代中国的内蒙古》（当代中国出版社，1992年）；郝维民主编《大青山抗日斗争史》（内蒙古人民出版社，1985年）、《内蒙古近代简史》（内蒙古大学出版社，1990年）、《内蒙古自治区史》（内蒙古大学出版社，1991年）、《内蒙古革命史》（内蒙古大学出版社，1997年）、《百年风云内蒙古》（内蒙古教育出版社，2000年）、《呼和浩特革命史》（内蒙古大学出版社，1999年）；内蒙古档案局、内蒙古档

案馆编《内蒙古垦务研究》（内蒙古人民出版社，1990 年）；林蔚然等主编《内蒙古自治区经济发展史》（内蒙古人民出版社，1990 年）；周清澍主编《内蒙古历史地理》（内蒙古大学出版社，1993 年）；李逸友编著《内蒙古历史名城》（内蒙古人民出版社，1993 年）；丁学芸编著《内蒙古历史文化遗迹》（内蒙古人民出版社，1994 年）；乔吉编著《内蒙古寺庙》（内蒙古人民出版社，1994 年）；卢明辉、赵相璧等著《清代北部边疆民族经济发展史》（1994 年）；卢明辉、刘衍坤著《旅蒙商》（中国商业出版社，1995 年）；林干、白拉都格其编《内蒙古民族团结史》；编委会编《内蒙古古代道路交通史》（人民交通出版社，1997 年）；乌嫩齐著《中国人民解放战争时期内蒙古骑兵史》（辽宁民族出版社，1997 年）；苏鲁格和那木斯二人合著《简明内蒙古佛教史》（1999 年）；林干等合著《内蒙古历史与文化》（内蒙古人民出版社，2000 年）等。

三、考古发掘和研究①

内蒙古自治区成立以后，文物考古事业逐步发展壮大，开展了一系列重大考古发掘，取得了很多可喜的成果，对保护和研究祖国的宝贵文化遗产，弘扬民族传统文化，特别是对研究中国北方草原文明作出了重要的贡献。

在古生物考古方面，1985 年，内蒙古考古工作者在锡盟苏尼特右旗查干诺尔碱矿发现一处距今 1. 3 亿年前的早白垩世恐龙化石产地，发掘到一具大型蜥脚类恐龙化石骨架，并首次找到剑龙的骨板、肩胛骨等化石，填补了我国华北地区剑龙化石的空白。发掘出的蜥脚类恐龙体长达 23 米，肩部高 6 米，若抬起头高达 12 米，其长度与高度为目前已知亚洲最大的恐龙，并且是世界上首次所见的新的种类，故命名为“查干诺尔龙”。1980—1984 年，考古工作者在呼盟扎赉诺尔露天煤矿出土了三具猛犸象化石和两具披毛犀化石，其中 2 号猛犸象化石体长 9 米，肩高 4. 7 米，门牙长 3. 1 米，是目前中国和亚洲最大的猛犸象化石。此外，考古工作者在内蒙古伊盟鄂托克旗赉布苏木、巴盟巴彦满都呼，以及二连浩特市等地均发现有恐龙化石或

---

① 参见本目主要参考和利用了王大方载于《内蒙古文化五十年》一书中的相关文章。

遗迹。

在原始文化考古研究方面，1973 年，考古工作者汪宇平在呼和浩特市郊区保合少乡大窑村发现了一处距今 70 万年前的旧石器制造场，其规模在世界上实属罕见。在此获得了数以千计的旧石器时代早期、中期、晚期人类活动的遗物、遗迹和动物化石，为研究我国北方旧石器文化的分布和发展提供了极为重要的资料，也为研究中华民族文化发展的多元性提供了科学的论证材料。① 1956—1960 年，汪宇平又先后三次赴伊克昭盟乌审旗萨拉乌苏河一带调查和发掘，并在该河的现代阶地堆积中，找到一件“河套人”顶骨和一段股骨化石，为“河套人”的研究增添了新资料。经放射性元素科学测定，“河套人”的年代为距今 3.5 万年，属于人类进化阶段中的晚期智人，其基本形态具有蒙古人种的特征，属于现代蒙古人的直接祖先。考古工作者还在呼盟扎赉诺尔发现了中石器时代的“扎赉诺尔人”头骨化石，其年代距今约 1 万年左右。此外，考古工作者在阿拉善盟、乌兰察布盟、巴彦淖尔盟、呼和浩特、赤峰等地发现了若干处旧石器时代文化遗址②。

在内蒙古新石器时代考古方面，1971 年在赤峰市三星他拉乡出土了被学术界誉为“中华第一龙”的红山文化碧玉龙，其时代为距今 5000 余年的红山文化时期。这件碧玉龙的出土，为中华文明起源的多元说进一步提供了有力的佐证。70 年代，考古工作者在赤峰敖汗旗小河沿乡和翁牛特旗石硼山等地，发现了著名的“小河沿文化”。出土的陶器上的原始文字符号，在内蒙古地区尚属首次发现。它比仰韶文化、龙山文化、大汶口文化的原始文字符号更为发达，可称为我国最原始的文字符号。内蒙古新石器时代最重大的发现当属位于敖汗旗宝国吐乡的兴隆洼遗址。1983—1986 年，考古人员经过 4 次发掘，共揭露半地穴式房址 80 余间，其中最大的房址面积为 140 平方米。此外，还发现有大量的陶器、石器、骨器和石雕人头像等。经科学测定，兴隆洼文化距今约 7 000 年左右，是内蒙古及东北地区时代最早的新

① 汪宇平：《呼和浩特市大窑村南山四道沟东区旧石器时代石器制造场 1983 年发掘报告》,《史前研究》1987 年第 2 期。

② 王大方：《内蒙古自治区的重大考古发现》,焦学岱主编：《内蒙古文化五十年》,内蒙古文化厅 1997 年编印，内新图准字［97］第 64 号，第 103 页。

石器时代文化。此外，内蒙古地区发现的新石器时代重要文化遗址还有“赵宝沟文化”、“富河文化”、包头阿善遗址、清水河县白泥窖子遗址、凉城县老虎山遗址等。

在青铜时代的考古方面，自20世纪60年代以来，考古工作者发掘清理了许多夏家店下层文化和夏家店上层文化的遗址和墓葬，并出土了这两种文化的窖藏青铜器，甚至发现了夏家店上层文化古铜矿遗址和开采、冶炼工具。20世纪70年代，内蒙古历史研究所在伊克昭盟准格尔旗大口村发现了相当于中原夏代或商代早期的大口二期文化。1974年，内蒙古文物考古研究所发现了以伊克昭盟朱开沟遗址为代表的朱开沟文化，其时代相当于龙山文化晚期、夏代和早商3个时期。在朱开沟文化第五期遗存内，发现了鄂尔多斯式青铜戈与青铜刀。学者们认为，以鄂尔多斯青铜器为代表的青铜时代文化，属于商周时代北方少数民族文化的遗存，其时代下限晚至距今2500年。经过对鄂尔多斯青铜器的认真研究和整理，内蒙古文物考古所田广金、郭素新编著了《鄂尔多斯式青铜器》一书（文物出版社，1986年）。

在春秋战国至秦汉时期考古方面，1972—1973年，内蒙古文物部门在伊克昭盟阿鲁柴登征集到一大批珍贵的匈奴王族金银饰品，有金饰件218件、银饰件5件。其中有闻名遐迩的“国宝”级文物——匈奴王金制鹰形冠饰，以及金冠带、大型虎牛争斗纹金饰牌、虎纹和羊纹饰件、鸟纹金扣、金项圈、刺猬及兽头型金饰件、狼及鹿纹银饰牌、银虎头饰件等。

1973年，考古工作者在伊克昭盟杭锦旗桃红巴拉首次发掘了战国早期匈奴墓葬，从中出土了青铜短剑、铜鹤嘴斧、小铜锤、铜饰件，并发现了以家畜殉葬的习俗，为研究匈奴文化提供了可靠的文物资料。

1972年，考古人员在和林格尔县发现了东汉朝廷派往边地的“护乌桓校尉”壁画墓。墓内绘有内容丰富的彩色壁画50多幅，堪称东汉时期的社会生活缩影，具有很高的文物和学术价值。此外，考古工作者在内蒙古地区还发现了诸如战国时期赵国云中郡城址、九原城址，燕国右北平郡治平刚城址等数十座战国及秦代的古城，发现并勘测了近百座汉代古城遗址。

1959—1960年，考古人员在呼伦贝尔盟呼伦湖畔发现了汉代鲜卑人的大型墓群——扎赉诺尔古墓群。初步调查约有300余座古墓，发掘清理了其中三十余座古墓。墓葬大多以马、牛、羊等家畜殉葬，并以随葬红褐色手制陶罐、狩猎纹骨板、鱼骨串珠等为特征。

在魏晋南北朝和隋唐时代考古方面，文物考古人员在伊克昭盟乌审旗出土了十六国时期铁弗匈奴赫连勃勃所建大夏国纪念墓志铭。特别是1980年7月，在呼盟鄂伦春自治旗阿里河镇西北嘎仙洞，发现了拓跋鲜卑的先祖石室，解决了学界长期争论不休的拓跋鲜卑起源问题。1956年，在乌盟凉城县发现了“晋乌丸归义侯”、“晋鲜卑归义侯”驼纽金银，以及“晋鲜卑率善中郎将”驼纽银印等珍贵文物。此外，在商都、包头、乌盟、哲盟等地发现有鲜卑文物和城镇建筑遗址，以及各类陶俑、金银饰牌、兽角饰件和壁画等文物。

关于隋唐时期突厥民族的文物，考古人员在内蒙古巴彦淖尔盟、乌兰察布盟、锡林郭勒盟草原发现了很多突厥石人像、金银饰件、岩画等文物古迹。

在宋辽至清代的文物考古方面，内蒙古考古人员特别在辽代考古方面取得了突出成就。其中重要的考古发现有：1959年至1960年，内蒙古考古人员对辽中京城进行了科学发掘。该城的发掘，对研究契丹族的城镇建筑布局和特点，契丹族封建化进程以及与中原地区的经济文化交流等方面，具有重要的科学价值。1982年，自治区有关部门曾对契丹族所建的第一座都城辽上京遗址进行勘测，基本搞清了辽上京皇城和大内的建筑和街道布局。在辽代契丹墓葬发掘方面较重要的有：“文革”前在赤峰市大营子乡发掘的辽太祖之女质古与驸马萧室鲁（即萧屈列）合葬墓。出土的金银器、瓷器、玛瑙器，以及完整的马具、盔甲、刀剑、箭镞等文物达2 162件。1981年冬，考古人员在乌兰察布盟察右前旗固尔班乡豪欠营子村辽墓群的六号墓中发现一具身着铜丝网络葬服，面戴鎏金铜面具的完整契丹女尸。这具女尸的出土，为研究契丹族的民俗、葬俗、服饰、人种学、病理学提供了丰富的实物资料。迄今为止，辽代墓葬发掘中，出土文物最丰富，保存最为完整的契丹贵族墓葬，当推1986年夏秋之际，在哲里木盟奈曼旗青龙山发掘的辽代陈国公主与驸马合葬墓。墓中出土有大量的金银器、陶瓷器、玻璃器以及琥珀、珍珠、玛瑙、玉器等，美不胜收。男女两具尸体均戴有鎏金银面罩，脚穿鎏金花银靴，胸前都挂着金、银、琥珀缀成的胸佩，还有一对罕见的造型别致的银枕屏。墓中出土的千余件精美文物，充分体现了契丹人高超的工艺水平和丰富的文化特色，是研究契丹历史文化和社会经济不可多得的珍贵实物资料。此外，1992 年，文物考古人员在赤峰市阿鲁科尔沁旗发掘了契丹贵族耶律羽之墓。该墓室建造得十分豪华，由绿色琉璃瓦砌筑，这种形制在辽墓中实属罕见。根据墓志所记，耶律羽之家族先祖为鲜卑檀石槐，这为契丹族与鲜卑族的承继关系提供了有力的佐证。

辽代契丹人的佛教文物方面，1989 年，在维修巴林右旗释迦佛舍利宝塔时，在该佛塔的塔顶“元宫”发现了包括佛、菩萨、小型法舍利塔、供具，以及陀罗尼咒、经卷及塔幡等大量佛教文物。其中稀世珍品有：木雕金妆释迦佛坐像、琥珀观音立像、银鎏金凤衔珠法舍利塔、七佛贴金法舍利塔等。此外，还发现有大量的佛教经卷。其中，两部最小的手写《佛说摩利支天经》和《金刚经》只有 5 厘米见方，为小楷手抄，工整精巧，是辽代写经中罕见的袖珍经书。另有写于辽应历十七年（967 年）的《大般若波罗密多经·卷第七十六》，是迄今发现的辽代最早的写经。还有一部历时 3 年雕成的《妙法莲花经》，总长 20 余米，宽 19 厘米，纸薄字密，精工印刷，容 7 卷 28 品佛经于一长卷，是辽代雕版印刷的精品。

在西夏考古方面，1963 年，在额济纳旗绿城子西夏小庙中，出土了 25 尊彩色塑像。有佛、菩萨、金刚力士和供养人像，其神态各异，服饰多样，造形精美，堪称西夏彩塑艺术的精品。特别是在伊克昭盟鄂托克旗阿尔巴斯苏木百眼窖石窟群中，发现了西夏早、中、晚三期壁画百余幅。包括有佛教显宗、密宗多种内容，以及西藏苯教和藏传佛教早期宁玛派、噶当派的护法神、双身曼荼罗绘画等，为研究藏传佛教早期各流派在西夏和内蒙古地区的流传，提供了丰富的实物资料。此外，在元代考古调查发掘中也得到了西夏考古的许多成果。如 1983 年和 1984 年，在内蒙古考古研究所李逸友的主持下，对阿拉善盟额济纳旗黑城的发掘、研究，搞清了大城下叠压的小城是西夏时期的黑水城，也是西夏有名的边防重镇燕军的驻地，上面的大城即是元代亦集乃路。此外，从城内出土近三千件各种文字的文书，内容丰富，是西夏史和元史等学术研究的重要资料。1991 年，李逸友研究员编著了《黑城出土文书》（汉文文书卷）一书。

在元代考古方面，考古人员通过对元代重要城址元上都、应昌路古城、集宁路古城、赵王城、亦集乃路古城等的发掘和调查，获得了大量珍贵的考古资料。在内蒙古地区还发现了数座元代壁画墓，以及景教、道教、佛教、伊斯兰教等建筑遗存，以及一些元代碑铭石刻。此外，还发现和出土了一些元代珍贵的历史文物。其中的精品有：包头市燕家梁出土的青花缠枝牡丹瓷罐；呼和浩特市东郊出土的钧窑香炉；从武川县王家村征集的成吉思汗三女儿阿剌海别吉的“监国公主行宣差河北都总管之印”；在鄂托克旗百眼窖石窖中发现的“祭祀成吉思汗家族图”；从镶黄旗哈沙图出土的蒙古汗国时期蒙古贵族的金马鞍饰件，以及在呼和浩特市郊万部华严经塔内发现的现存时代最早的元代纸币“中统元宝交钞”（1260 年，元中统元年发行）；在兴安盟出土的五体文夜巡铜牌等。上述文物的出土，为研究元代社会、经济、文化艺术、宗教以及民族关系等，提供了丰富的实物资料和有力的佐证。

在岩画考古方面，内蒙古考古人员从 20 世纪 70 年代开始着手进行岩画调查工作。从内蒙古西部的阿拉善旗，中部的包头市固阳县到东部的赤峰市克什克腾旗均有岩画发现。现拓描所得即达万幅以上，从而在国内和世界岩画中占有重要的地位。岩画的时代，约从新石器时代起，经过汉唐，直到两宋、西夏、辽、金、元各代。作画者当包括以上各代在该地区活动的原始氏族部落，以及匈奴、鲜卑、敕勒、突厥、回纥、党项、契丹、蒙古等民族。岩画内容主要反映了中国北方民族诸如狩猎、游牧、征伐、祭祀、舞蹈、日月星辰、文字符号、毡帐、车辆等物质和精神文化的内容，对研究北方草原文化提供了形象的实物资料。内蒙古文物考古研究所盖山林研究员在内蒙古地区岩画研究方面取得了突出成绩。他先后编著出版了《阴山岩画》（文物出版社，1986 年）、《阴山考古》（内蒙古人民出版社，1992 年）、《乌兰察布岩画》（文物出版社，1989 年）、《蒙古族文物与考古研究》（辽宁民族出版社，1999 年）等著作，促进了我国岩画研究事业的开展。

四、民族学研究

内蒙古自治区是以蒙古民族为主体，多民族聚居的少数民族自治地方。民族学研究在内蒙古的社会科学领域是一直受到重视的重点学科。研究内容主要包括内蒙古境内的蒙古族和达斡尔、鄂温克、鄂伦春等其他少数民族的历史、文化及其现状和发展问题，以及马克思主义民族理论、中国共产党的民族政策和民族区域自治等问题。

1956 年，为了配合国家在少数民族地区的民主改革，全国人民代表大会在全国成立了 8 个少数民族社会历史调查组，其中包括内蒙古和东北三省的少数民族社会历史调查组。1958 年，内蒙古少数民族社会历史调查组单独分成一个组，下设蒙古族分组、达斡尔族分组、鄂温克族分组和鄂伦春族分组，专门从事自治区内少数民族的社会历史调查工作，同时还对自治区境内的满、回、朝鲜等族进行了概略的调查。1960 年，中国科学院内蒙古分院历史研究所民族研究室成立，并与内蒙古少数民族社会历史调查组合署办公，共同协作进行民族调查研究工作。

内蒙古少数民族社会历史调查组在存续期间，经过在各民族地区的深入、详细的调查工作，取得了大量珍贵的第一手资料。先后整理、编写了 30 部铅印本《调查报告》，字数达 360 万字。其中，蒙古族调查报告 2 本，36 万字；达斡尔族调查报告 9 本，68 万字；鄂温克族调查报告 5 本，93 万字；鄂伦春族调查报告 13 本，158 万字；满、回、朝鲜族调查报告 1 本，5. 5 万字。此外，从有关文献、档案资料中搜集、整理有关民族方面的资料 570 万字。先后内部铅印或出版了《有关达斡尔、索伦历史资料》（共二集，1958 年刻印本）；《达斡尔、鄂温克、鄂伦春、赫哲史料摘抄》（1961 年内部铅印）；《达斡尔、鄂温克、鄂伦春、赫哲史料摘抄（清实录）》（内蒙古人民出版社，1962 年）；《库玛尔路鄂伦春族档案材料》（共 5 册）（1962 年刻印本）等。调查组还编写了《额尔古纳河畔的鄂温克人》和《鄂伦春人》两部民族学电影资料剧本，并拍摄了这两个民族的社会生活和民俗风情的照片 1 300 余幅。

1958 年，调查组根据国家提出的为少数民族编写简史、简志和民族自治地区概况等三种丛书的要求，在前两年调查搜集资料的基础上，开始着手编写上述丛书的工作。到 1959 年编写出《蒙古族简史》《蒙古族简志》《达斡尔族简史简志合编》《鄂温克族简史简志合编》和《鄂伦春族简史简志合编》等 5 本书的初稿，1962 年，由中国科学院民族研究所全部刊成铅印本。此外，经过两三年的调查研究，1956 年 12 月，内蒙古达斡尔语文工作会议在呼和浩特举行。会议讨论通过了达斡尔文字方案，以及推行达斡尔语文的五年计划。从此，达斡尔民族有了自己的文字。

在“文革”十年内乱期间，内蒙古的民族学研究工作遭到严重的干扰和破坏，研究工作被迫完全终止和停顿。中共十一届三中全会以后，随着拨乱反正和落实党的各项政策，内蒙古的民族学研究事业重新得到恢复和发展。1979 年，内蒙古社会科学院民族研究室成立，1983 年，升格为民族研究所。之后，自治区陆续成立了一些民族学研究的学术团体。1980 年 6 月，内蒙古自治区民族研究会成立；4 月，达斡尔历史语言文学学会成立；12 月，内蒙古自治区民族理论学会成立；1984 年 12 月，鄂温克族研究会成立；1988 年，内蒙古自治区朝鲜族历史、文化、教育研究会成立。此外，在自治区各级党政部门下属的研究室和党校等部门，设有专门研究民族理论和政策的机构。上述研究机构和团体的恢复和建立，标志着内蒙古民族学研究进入了一个新的历史发展时期。

在改革开放和建设有中国特色社会主义的新的历史时期，自治区在民族学研究方面取得的主要成果有：编撰出版了民族问题五种丛书中的《鄂伦春自治旗概况》（1981 年）；《鄂伦春族简史》（1983 年）；《鄂伦春族社会历史调查》（第 1—2 集）（1984 年、1985 年）；《鄂温克自治旗概况》（1985 年）；《达斡尔族简史》（1986 年）；《莫力达瓦达斡尔自治旗概况》（1986 年）；《达斡尔族社会历史调查》（1985 年）。此外，在达斡尔族研究方面，编辑出版了《达斡尔族研究》（1—5 集）、《达斡尔族民间故事选》《达斡尔族民间故事集》《绰凯莫日根》（蒙文）、《达斡尔族传统诗歌选释》《达斡尔族民歌选》,并出版了国内第一部《达斡尔族文学史略》。在鄂温克族研究方面，编写铅印了《敖鲁古雅鄂温克族猎民史话》《莫力达瓦达斡尔族自治旗巴彦鄂温克族乡史话》；编著出版了《鄂温克族的起源》；搜集出版了《鄂温克族民间故事》《鄂温克、鄂伦春民歌》《鄂温克民歌汇集》（蒙文）；在鄂伦春族研究方面编著出版了《鄂伦春族研究》《鄂伦春族狩猎文化》《鄂伦春族》；搜集、整理出版了《鄂伦春民间故事集》《达斡尔、鄂温克、鄂伦春民歌》《蒙古族、达斡尔族、鄂伦春族民间文学资料汇编》和《鄂伦春自治旗文艺作品选编》等。此外，翻译出版了俄国著名学者史禄国所著《北方通古斯的社会组织》一书。在满族、回族、朝鲜族研究方面，编著出版了《呼和浩特满族简史》,《呼和浩特回族武林人物》《呼和浩特市回族史料》《内蒙古朝鲜族》等成果。

在民族理论研究方面，虽然内蒙古自治区成立以后，民族理论研究开始逐步得到重视和发展，但是，20 世纪 50 年代末到 20 世纪 70 年代后期，由于受到国内极左思想路线的干扰和压制，民族理论研究被视为“禁区”，几乎没有值得特别称道的专门研究成果。这一时期，自治区一些党政领导和部分学者，主要围绕党的民族区域自治政策的理论和实践，以及自治机关民族化、社会主义民族关系、民族发展问题和党的民族政策方面的有关问题发表文章，进行了宣传和阐释。中共十一届三中全会以后，随着思想解放和党的实事求是思想路线的确立，开始打破这一领域的禁区，民族理论研究工作呈现出繁荣发展的局面。仅在 1977 年到 1989 年的十多年间，全区共编著和发表民族理论研究成果和论文、专著达 250 多项，显示了该领域学术研究的活跃。

进入新时期以来，内蒙古的民族理论研究，主要围绕民族、民族观、民族问题、民族问题的实质、民族关系、民族特点、民族同化、民族融合等内容进行了深入的探讨。此外，在涉及有关民族的现实问题研究方面，主要围绕少数民族地区的改革开放和经济发展、社会主义初级阶段的民族问题、民族区域自治理论、社会主义民族关系等问题进行了探索和研究。这方面的主要成果有郑广智、王勋铭等著《马列主义民族理论在中国的实践与发展》；陈云生、王勋铭著《民族区域自治法精义》等成果。在蒙古民族发展的理论研究方面，由浩帆主编的《内蒙古蒙古民族的社会主义过渡》一书，分析和论述了内蒙古蒙古民族的社会历史发展特点，以及在中国共产党领导下蒙古民族获得解放，实行民族区域自治，完成民主改革，过渡到社会主义，并在社会主义建设和改革开放的新时期所取得的发展进步和历史变化。该书是内蒙古第一部比较系统地论述蒙古民族向社会主义过渡的专著。

五、经济学研究

内蒙古自治区经济学的专门学术研究工作，应当说起始于 1958 年。这一年，内蒙古计划委员会设立了经济研究室。自治区财政、商业、粮食、畜牧、农业等厅局也建立了相应的研究机构，从事专业经济研究和开展经济调研活动。此外，内蒙古党校、财经学校、师范学院等院校结合教学开展了经济研究工作。1959 年 9 月，内蒙古自治区经济学会和经济研究所宣告成立。同年，内蒙古畜牧厅编写的《内蒙古畜牧业发展概况》一书，由内蒙古人民出版社出版，该书总结了中华人民共和国成立 10 年以来，自治区发展畜牧业的基本情况和社会主义改造、技术改造的经验。

中共十一届三中全会之前，自治区经济学界主要围绕内蒙古经济建设规律的总结，以及社会主义再生产理论和综合平衡，社会主义商品生产、价值规律、价格、经济核算、提高劳动生产率、投资效果、按劳分配、工资、过渡时期理论等展开了研究和探讨。编写了《内蒙古自治区经济发展概论》（初稿）、《内蒙古自治区概况》《内蒙古财政工作十年》《内蒙古自治区十年来的金融工作》《内蒙古自治区的地方财政》等书；出版了《马克思主义经典作家论计划、平衡、速度、比例》和《我国党和国家领导人论计划、平衡、速度、比例》两本小册子；内部印发了《马克思、恩格斯、列宁、斯大林论畜牧业》等资料。

十一届三中全会以后，内蒙古经济学界除了对马克思主义经典著作的研究之外，着重对从传统所有制结构向新的所有制结构转换问题，公有制基础上有计划商品经济模式及其实现问题，畜牧业经济、经济社会发展战略、我国西部地区经济和外国经济研究、有关新兴学科等展开了研究。主要研究成果有：在经济理论研究方面，特格希主编的《政治经济学概论（上册）》《政治经济学教程（上册）》；内蒙古党校编写的《马克思主义与建设中国特色的社会主义（政治经济学分册）》《关于社会主义有计划商品经济》（蒙文）。在内蒙古地方经济研究方面有：刘景平、郑广智主编的《内蒙古自治区经济发展概论》；陈文主编的《内蒙古自治区经济概况》；林蔚然、郑广智主编的《内蒙古自治区经济发展史》；林蔚然著《论内蒙古经济社会发展战略》《内蒙古民族贸易二十年》《内蒙古民族贸易四十年》；郭居珍、李秀昆合著《内蒙古投资管理》；冯庄、胡道源主编《内蒙古基本建设》。在内蒙古发展战略研究方面的成果主要有：潘照东主编《现代发展战略——理论与实践》《改革——民族地区的特点与选择》；张国民主编《内蒙古改革与发展百题》；陈文著《社会主义初级阶段东西部经济差距探讨》；中共内蒙古党委政研室编《“梯度理论”讨论文集》；许柏年著《内蒙古工业发展战略》。在经济学分支学科研究方面的成果主要有：岳正仁著《经济数学基础》；赖师匡、郝继良等合著《投资学》；杜金富等编《银行财务管理》；于兴隆、张功平主编《金融统计》；罗四维、孙廷云主编《工业会计》；孟昭田著《商业财务》；韩国忠、康明中、霍修锦合著《工业企业经济效益审计》；郝继良主编《管理基础与现场管理》《现代企业管理》《工业企业经营管理》；张忠谊主编《环境与经济发展》；孟斌著《市场营销学》。在草原畜牧业经济研究方面的成果主要有：张文奎的《草原畜牧业建设和管理》《关于畜牧业现代化的几个问题》；乔松主编的《畜牧业经济管理》；王路编著《粮畜辩证论——农业畜牧业经济》。在外国经济研究方面的主要成果有：宝音主编《蒙古人民共和国经济概况》；潘照东著《内蒙古自治区与蒙古人民共和国三十年来经济发展和人民生活的比较研究》；巴特尔撰《内蒙古自治区与蒙古人民共和国畜牧业比较》；宝音撰《中国内蒙古自治区与蒙古人民共和国经济发展水平的对比》；陈良璧著《西斯蒙第的经济思想》；何璋著《世界经济概论》；许柏年著《国际金融通论》等。在少数民族经济史研究方面，沈斌华著有《内蒙古经济史札记》《鄂温克族经济简史》（与包广才合著）、《鄂温克旗人口概况》（与高建纲合著）；王镇、沈斌华、陈华主编《中国蒙古族人口》等。

第五节　科学技术普及工作

一、科普宣传工作

内蒙古自治区成立后，自治区各级党委和政府十分关注在全社会进行科学技术的宣传、普及工作。从20世纪50年代初起，内蒙古东、西部各级科技群众团体和组织，在党和政府领导下，结合中心工作和生产实际，运用广播、讲座、展览、电影、美术、报刊等多种形式，为工农群众和干部、学生举办了大量的工农业生产知识、基础科学知识、妇幼卫生知识和国防科技知识的讲座，把工业、农牧业生产技术以及天文、地理、气象、医药、卫生等方面的科技知识宣传普及到广大群众中。其中，采取的主要措施和方法是举办讲座，同时利用出版、新闻、广播等传媒出版、发行大量的科普书籍、期刊和举办节目，并以电影、幻灯等人民群众喜闻乐见、丰富多彩的形式，进行科学技术的普及、宣传工作。

早在20世纪40年代末、50年代初，自治区有关部门和出版机构配合农牧业生产，编辑出版了大批科普读物，为在广大农牧民中普及科学技术和先进生产经验，发挥了积极作用。1954—1956 年，内蒙古科普协会筹委会与有关部门协作，编印工业、农牧、林水及卫生等科技宣传资料 46 种（内有蒙古文 18 种），发行 500 825 册①。1956 年内蒙古科普协会成立后，与自治区农业厅、卫生厅合作，分别编印了《农村牧区科学知识》半月刊和《内蒙古农村卫生》月刊，各印发 1 万多份。此外，内蒙古科普协会创办了《科学与技术》月刊，1958 年 6 月，将该刊汉文版改为《内蒙古科学技术报》周刊，每期发行近 8 000 份。1959 年 7 月，又改为《内蒙古科学技术》杂志，每期印数 5 000 份。出版部门也积极配合，编辑出版了《太阳和地球》《地震和打雷》《怎样经营牧业》《怎样和旱灾作斗争》《推广新式畜力农具》等 99 种自然科学和生产技术类图书，共发行 451 000 册。即使在 3 年困难的调整时期，1963 年自治区在科普宣传方面，总计编印蒙、汉文科普小册子 38 种，共计 129 500 册；出版各种科学技术普及资料 22 期，发行（增阅）23. 8 万份。此外，内蒙古电台从 50 年代起，开办了蒙汉语《对农村牧区广播》《生活知识》、蒙古语《文化与科学》等栏目。《内蒙古日报》从 1956 年 5 月起，也开设了《科学常识》栏目。所有这些措施和方法，对宣传科学文化知识，破除迷信和陈规陋习，提高广大干部和群众的科技素质，促进各项事业的发展，产生了积极的影响。

科普演讲是自治区在普及科学技术方面广泛采用的一种灵活、机动的重要形式和方法。早在 1951—1954 年，绥远省科普协会筹委会及其所属机构就举办各种科学演讲 120 场次；1954—1956 年，内蒙古科普协会筹委会及其所属机构共举办各种科技演讲 747 次，听众达 136 860 人次；举办展览 5 次，观众达 22 500 人次；放映科教电影和幻灯片 33 场，观众达 67 150 人次。1957 年，根据不完全统计，自治区共进行科技演讲 4 895 次，听众达 61 574 人次；举办展览 137 次，观众达 22 930 人次；编印宣传资料 29 种，印发 2. 49 万册②。

1958 年，自治区在掀起社会主义生产“大跃进”的同时，掀起了科普

① 张应琦主编：《内蒙古自治区科学技术协会志》，内蒙古大学出版社 1998 年版，第 174 页。

② 张应琦主编：《内蒙古自治区科学技术协会志》，内蒙古大学出版社 1998 年版，第 174 页。

工作的“大跃进”。同年6月5日，内蒙古科普协会向各盟市科普协会和直属机关会员工作组发出“以技术革命为中心，大力开展讲演宣传工作的通知”，从而将自治区的科普演讲工作推向了高潮。据统计，到同年7月末，全区科技演讲已达334万次，听众累计达6 682万人次之多，仅乌兰察布盟科普协会在11个旗县不完全统计，共进行讲演46 920次①。

“文化大革命”十年动乱结束后，自治区的科普宣传工作迎来了新的发展时期。自治区科协恢复活动后，于1978年首先恢复了以普及科学技术知识为主要内容的《内蒙古科技报》。之后，又创刊了《身边科学》期刊。1981年，为满足少数民族和牧区群众对科学技术知识的需要，又创办了蒙古文《内蒙古科技报》和《身边科学》刊物。1978年和1981年分别出刊了汉、蒙古文版《内蒙科普》资料。此外，内蒙古科普创作协会与内蒙古电视台联合开办了《科技纵横》栏目。1978年起，内蒙古广播电台恢复了已停办的蒙古语《科学知识》和汉语《科学与生活》节目。

自治区许多盟市和旗县也纷纷创办了各自的科普期刊。如：呼和浩特科协主办的《科学普及》小报；包头科协主办的《包头科技报》；赤峰科协主办的《赤峰科技报》；伊盟科协主办的《伊盟科技报》；阿拉善盟科协主办的《阿盟科技报》；乌兰浩特市科协主办的《红城科技》小报；乌海市科协主办的《乌海科技报》；兴安盟科右前旗科协主办的《前旗科技报》等。上述报刊内容充实，形式多样，融思想性、知识性、实用性、趣味性于一体，是广大科技工作者和农牧民朋友的良师益友，对提高基层群众文化素质和科技意识，促进自治区经济和社会的发展，发挥了积极的作用。但是，以上报刊大多因经费困难，于20世纪80年代末停刊。此外，自治区科协普及部与有关部门和地方协作，从20世纪80年代初开始，结合农牧业生产实践，编印和出版了诸如《塑料大棚》《小麦》《玉米》《甜菜》《马铃薯》《胡麻》《莜麦》《向日葵》等科普丛书，发行到全区各盟市以及在全国范围交流。

据不完全统计，仅1980—1986年间，自治区各级科协编写科普资料160余种，250多万册；成立科教电影队125个，放映科教电影19 000余场，观众达500多万人次；组织科普画廊、展览60多期；全区配备38辆科普车，

---

① 张应琦主编：《内蒙古自治区科学技术协会志》，内蒙古大学出版社1998年版，第175页。

下乡宣传470余次，普及面120余万人次；进行科普宣传3 000多场，听众达66万人次①。1987—1992年间，自治区各级科协和学会共举办各类科普讲座34 000多次，听众达340万人次；举办各类科普展览4 768次，观众达200多万人次；观看科普影像21 000多人次；开展科普宣传日活动计419天；在电台、电视台举办科普节目221个②；全区科协系统发行期刊202种，发行各类学术科技图书46种。截至1997年，全区科普系统已创办各类科技报刊90多种，总发行量1 200万份；仅《内蒙古科技报》已出版蒙古文版243期，最高期发行量达5 000份，汉文版318期，最高年发行量达5万份，5年内发行达366万份③。此外，编辑并向全国发行科普期刊《身边科学》（汉文版1986年改为《科技星火》）蒙汉文版共43期。

1982年以后，为了更形象、生动地向广大群众进行科学技术的宣传和普及工作，自治区先后筹建了内蒙古科技馆、乌兰察布盟科技馆、哲里木盟科技馆、呼伦贝尔盟科技馆、呼和浩特土默特左旗科技馆，并向群众开放。截至1987年，自治区已建成各级科技馆18所。其中，自治区级1所，盟市级3所，旗县级14所（哲盟7所，兴安盟4所，乌盟、呼盟、呼和浩特市各1所）④。各级科技馆充分发挥科普活动场所的作用，坚持面向社会，面向科技界，积极举办丰富多彩的科技、文化、教育展览和形式多样的科技培训和青少年科技活动，成为群众性科技活动的主要场所。

科普创作是整个科普工作的重要组成部分以及科普工作的主要形式和手段。1980年，随着内蒙古科普创作协会的成立，全区科普创作活动逐渐活跃起来。全区科普创作由过去的自发、分散状态，逐步过渡到有领导、有组织状态。自治区科普创作协会成立后，乌盟、包头、呼和浩特、锡盟等盟市和科右前旗等不少旗县也成立了科普作协，全区各级科普作协的会员总数达到上千人之多，并创作出不少与生产建设和人们生活有密切关系的科普读物。据统计，仅1981—1983年间，内蒙古科协普及部支持和协助包头和呼

① 张应琦主编：《内蒙古自治区科学技术协会志》，内蒙古大学出版社1998年版，第178页。
② 张应琦主编：《内蒙古自治区科学技术协会志》，内蒙古大学出版社1998年版，第179页。
③ 张应琦主编：《内蒙古自治区科学技术协会志》，内蒙古大学出版社1998年版，第462页。
④ 张应琦主编：《内蒙古自治区科学技术协会志》，内蒙古大学出版社1998年版，第238页。

和浩特市编印了近20种、80万字的科普丛书、教材和画册等，共约10万册，并发行到全区各盟市以及全国交流。如：王殿润主编的《实用电工技术问答2000题》,刘继尧编纂的《家庭日用品大全》,白乃檀编著的《谈核桃》《鸟与人类》,白音编的《2000年的科学技术》,伊·苏雅拉图等的《蒙古族科学幻想小说》,包魁武的《常用电动机维修》,马玉明编写的《北方地区多种经营100例》等科普读物，在生产和生活实践中，均产生了良好的经济和社会效益。

进入90年代后，自治区的科普宣传活动进一步向纵深发展，形成一定的规模和声势。1996年4月，自治区举办了第一届科普宣传周活动。在各级党和政府的统一领导下，各级科协和学会发挥科普主力军的作用，积极参与、密切配合，组织科技人员利用各种形式进行科普宣传。各盟市旗县也组织了相应活动。一些学会的科普宣传活动开始走向规范和专业化。如气象学会利用国际气象日、护理学会利用护士节、质量学会利用质量周等活动，开展了大量的科普宣传。此外，科普之冬、城区街道科普活动也形成一定规模和声势。

二、科技培训工作

由于自治区各级党委和政府的重视，自治区的科技培训工作起步较早。1949年，自治区西部绥远省农业厅开办了农业技术培训班，为基层培训了110名农业技术人员。1951年，自治区在乌兰浩特开办了第一期邮电技术人员训练班。1956年，内蒙古农业厅在丰镇举办了全区农业技术训练班，参加培训的有各盟市旗县农业技术推广人员600多人，培训期3个月。这是当时自治区有史以来规模最大的一次技术培训①。

50—60年代，内蒙古科普协会和科协一直把科技培训作为一项重要工作来抓。全区普遍地建立了红专学校、技术学校、技术训练班和技术传授班，并采取多种形式，灵活多样地开展了多学科的培训工作。培训的内容主要是：在工业方面，配合技术革新和技术革命举办各种培训班；在农牧业方面主要围绕大搞群众性农牧业科学实验活动，开展各种农牧业技术讲座和培训。不少盟、市县以及各级协会、学会、研究会也举办了各种专业性讲座和

① 李铁生主编：《内蒙古科技大事记》,内蒙古人民出版社1992年版，第86页。

培训，为自治区工农牧业生产第一线培养了一大批技术骨干和生产能手。即使在“文革”十年动乱时期，自治区有关部门和科技人员，不畏压力和风险，仍做了一些工作。如：20 世纪 70 年代初，内蒙古科技局与有关单位配合，在自治区农牧区先后举办了全区“五四零六”菌肥学习班、“糖化饲料”培训班、沼气骨干培训班等，并陆续兴办了近百个农牧业技术学校，为全区农村牧区培养出了数万名农牧业技术人员，成为各地推动农牧业生产的技术骨干①。

进入改革开放的新时期以后，自治区进一步加大了对科技培训的重视和工作力度。新时期自治区的科技培训，首先是从领导干部开始的。1978 年 7 月 27 日，根据自治区科协的请示报告，内蒙古党委以党办发（1978）98 号文件下发通知，要求自治区党委、革命委员会、人民团体党组，积极组织厅局以上领导同志，参加内蒙古科协举办的领导干部学科学科普讲座。内容主要以农业、能源、材料、电子计算机、激光、空间、高能物理、遗传工程等科学技术 8 大领域为主，并逐步深入，扩大范围。自治区主要领导以身作则，参加并聆听了首期讲座。1979 年，自治区党委再次发出通知，要求将讲座扩大到处级范围。到 1981 年的 3 年时间里，先后有 1 万名处级以上干部参加这一讲座，使自治区各级领导干部普遍受到一次现代科学技术知识的普及教育。在此期间，自治区科协还为内蒙古直属机关干部举办科普讲座“学科学”报告会 48 场，听众达 2 万多人次。进入 90 年代后，1995 年、1996 年、1997 年，自治区科协受内蒙古党委和政府委托，先后多次邀请国内著名专家、学者来内蒙古，为自治区厅局以上领导干部举办讲座。这些报告对自治区领导和广大群众了解和掌握世界科技动态，增强科技意识，起到了积极作用②。

在面向社会进行科技培训方面，从 1978 年起，自治区科协科普部在没有场地、设备简陋的情况下，租借其他单位的场地，因陋就简，先后举办机械、制图、电子、无线电、全面质量管理、医药、环保以及英、日、俄语学习班。而且，为了少数民族学习的需要，举办了蒙古语授课的专业学习班。

---

① 张应琦主编：《内蒙古自治区科学技术协会志》，内蒙古大学出版社 1998 年版，第 216、217 页。

② 张应琦主编：《内蒙古自治区科学技术协会志》，内蒙古大学出版社 1998 年版，第 176、179 页。

据不完全统计，1980—1986 年间，自治区各级科协共举办技术培训 44 000 多期，培训 300 多万人次。其中，全区各级学会举办各种专业培训班、新技术讲座 1 200 多期，参加学习的人数达 5 万多人次①。内蒙古科技馆还举办了微机应用、可行性研究、建筑预算、家用电器、外语等专业培训班 98 期，学习人数 3 820 人次。此外，部分盟市还举办了“领导干部学习班”、“厂长学习班”等，为开发智力资源做出了应有的贡献。

进入改革开放的新时期以后，自治区农村牧区的科技培训主要以实用技术培训为主，力求不断提高农牧民科学文化素质。1987 年 2 月，为了培养农村、牧区乡镇企业的技术骨干，自治区在呼和浩特市专门成立了内蒙古乡镇企业技术开发培训中心。据统计，1987 年全区共完成各类培训任务 170 万人次，超过内蒙古科协“二大”提出的每年培训 50 万人的计划数 2 倍多。其中，巴盟共举办多种类型的培训班 1 万多期，培训农牧民 60 多万人次，平均每个农牧户有 3 人受到不同内容的培训，每户都掌握一、两项实用技术；兴安盟开展技术培训 13 万人次，占全盟劳动力的 67%②。包头市则在 3 个农业旗县均设立了培训推广中心，乡镇设有农牧民培训教室（夜校），多数行政村设有科普文化室，形成了区旗县、乡镇、村三级农牧民实用技术培训体系，为科技兴农、科技兴牧培训了大量农牧民技术人才。

1990 年 6 月 16 日，自治区人民政府向各有关单位批转《自治区科协、教育厅等部门关于在全区农村牧区试行“绿色证书”制度报告的通知》。同年 7 月 26 日，自治区科协、教育厅、农委、电管局根据自治区政府的指示精神，联合发出了《关于加强农牧民技术人员职称评定和晋升工作的通知》，加大了对农村牧区科技人员的技术培训和职称评定工作的力度。截至 1992 年，自治区已评定农牧民技术员 3 万名。1991 年，自治区、各盟市科协及全区性学会共举办培训班 2 246 期，培训 49 万多人次；举办各种专业的学历证书班，在校学员达 2 947 人，并有 11 00 人结业③。

---

① 许令妊：《全区各族科技工作者高举“团结建设”的旗帜为实现“七五”计划而奋斗》，载张应琦主编：《内蒙古自治区科学技术协会志》，内蒙古大学出版社 1998 年版，第 421、423 页。

② 张应琦主编：《内蒙古自治区科学技术协会志》，内蒙古大学出版社 1998 年版，第 218 页。

③ 张应琦主编：《内蒙古自治区科学技术协会志》，内蒙古大学出版社 1998 年版，第 221 页。

80 年代末以后，内蒙古农村牧区的科技培训已向系统化、高层次的培训发展。以培训乡土人才和农牧民技术人员为主的中国农函大在内蒙古有了较大发展。1987 年 10 月 25 日，中国农函大内蒙古分校正式成立。到 1991 年，自治区已建立盟市级农函大分校 4 所，旗县级辅导站 27 所，乡镇级辅导站 42 所，共招收学员 6 000 多名。到 1992 年，自治区农函大已成立兴安盟、哲盟、赤峰、呼和浩特、包头、乌海、巴盟等 7 个盟市级分校和乌盟、伊盟两个试点地区，为培养高层次农牧民技术人才开辟了道路。截至 1997 年，自治区已建立农函大盟市级分校 11 所，旗县级支校 67 所，乡镇苏木辅导站 461 所，累计毕业学员达 3 万多人，其中，中共党员占 49%，成为自治区农牧业实用技术培训的重要阵地和依托。

为了提高农村牧区广大党员、基层干部的科技素质，1992 年 8 月 12 日，自治区科协与党委组织部联合下发了《关于对农村牧区党员和基层干部进行实用技术培训的通知》，计划用三至五年时间，把农村牧区的党员和村、嘎查干部普遍培训一次，使绝大多数党员干部掌握 1—2 项实用技术和管理技术，其中一批人要达到相当于农牧民技术员或农牧民技师水平。之后，自治区科协与自治区有关单位配合，制定了《1995—2000 年全区农村牧区党员、基层干部实用技术和市场经济知识培训规划》。1992—1997 年，自治区科协与组织部门配合，开展了农村牧区广大党员和基层干部的实用技术培训，全区累计培训 1 万多人次。经过系统培训，党员和基层干部成为科技示范带头人和带领群众依靠科技脱贫致富的领路人。此外，自治区各级科协与有关部门配合，对农牧民的科技培训共达 1 265 万人次①。到 90 年代末，自治区基本形成了以旗县党校、农函大为龙头，乡镇党校、农函大辅导站为主体，村党员活动室和科普示范基地、科技示范户为基点的三级培训体系，推动了自治区农牧区科普事业的发展。

此外，科技人员的继续教育也在不断发展。仅 1992 至 1996 年间，自治区各级科协和学会共举办继续教育培训班 8425 期，参加学习的科技人员累

① 张应琦：《全区各族科技工作者动员起来为实施“科教兴区”战略贡献智慧和力量》，《内蒙古自治区科学技术协会志》，内蒙古大学出版社 1998 年版，第 461 页。

计已达 35 732 人次[①]，为各族科技工作者的知识更新和提高劳动者的素质做出了贡献。

三、城市厂矿科普工作

内蒙古自治区成立以后，有关部门十分注意根据城市和厂矿的特点，结合不同时期的形势、任务和生产、生活实际，开展科学技术的普及工作。1954 年，内蒙古科普协会筹备委员会成立当年，为了加强电厂安全运转，降低耗煤率和耗气率，在呼和浩特发电厂给机炉工人共举办了 12 次“热工学”系统讲座。1955 年 4—7 月，配合禁止使用原子武器签名运动，举办了原子能和平利用通俗讲座 45 次，听众达 16 000 多人次（不包括在校学生）[②]。

1958—1960 年，自治区在城市、厂矿科普方面，主要抓了群众性技术革新和技术革命（即“双革”）运动。“双革”的主要内容是工农牧业生产机具的改进和创造。在这项运动中，仅锡林郭勒盟即完成改革农具 22 727 件。其中，有三行和多行播种机、除草机、深翻机、脱粒机、畜力剪毛机、手摇脚踏两用山药磨粉机、风力磨、捆羊毛机、滑轮车加轴承、土乳品喷雾器等。这些改进创制的生产机具在生产中发挥了效率，节省了 228 420 多个劳动日[③]。

从 1960 年开始，呼和浩特市开展了较大规模的以机械化半机械化为中心的“双革”运动。从市委到各系统、各部门、各单位均成立了“双革”委员会或办公室，以加强对技术革新和技术革命运动的领导。通过誓师会、比武会、现场会、经验交流会、评比会等形式，使“双革”运动轰轰烈烈向前发展。通过“双革”运动的开展，解决了企业中许多生产关键问题，支援了农牧业生产和市场需要，促进了工农业生产和科学技术的发展。1965 年，仅呼和浩特市共实现革新项目 3 500 个，其中属普及推广的新技术有 1 402 个。这年下达的 19 个重点项目，当年就完成了 12 个。技术革命的开

① 张应琦主编：《内蒙古自治区科学技术协会志》，内蒙古大学出版社 1998 年版，第 222 页。

② 张应琦主编：《内蒙古自治区科学技术协会志》，内蒙古大学出版社 1998 年版，第 174 页。

③ 张应琦主编：《内蒙古自治区科学技术协会志》，内蒙古大学出版社 1998 年版，第 187 页。

展，为国家节约了大量资金、粮食、木材、劳动力等。据 1965 年呼和浩特市 19 个企业不完全统计，为国家创造和节约价值达 160 多万元[①]。

1978 年，内蒙古科协恢复活动后，邀请以著名数学家华罗庚为首的“双法”（优选法、统筹法）推广小分队到呼和浩特市和包头市等地，结合生产、生活实际，大力推广“双法”。这在各盟市引起很大反响，推动了各地的“双法”推广工作。1978 年，锡林郭勒盟科协组织了推广“优选法”、“统筹法”小分队，配合全国“双法”小分队在全盟范围内进行巡回示范表演。至年底，进行技术表演 50 余场次，共取得 424 项成果，节煤 1 237. 5 吨，节焦 163. 8 吨，节油 89. 2 吨，节电 12 万度，节钢 0. 5 吨，节约木材 7 立方米，总计价值 32 万余元[②]。

1987 年，根据国家经委和中国科协通知精神，内蒙古科协、内蒙古经委发布 1987 年内蒙（协）字 21 号文件，提出在全区厂矿企业工程技术人员中，开展以促进大中型企业技术进步，提高产品质量，管理水平和经济效益为目标的“讲理想、比贡献”竞赛活动。据不完全统计，全区当年参赛的企业达 117 个，参加的工程技术人员 15 680 人，共提出科技建议 22 936 条，实施 7 659 条；在技术开发、攻关等方面立项 272 项，完成 143 项，共创经济效益 7 879 万元[③]。此外，全区企业科协组织建设蓬勃发展。1987 年，呼和浩特、包头、赤峰、乌海四市市委办公室转发了市科协加强企业科协组织建设的报告，报告对企业科协的经费、组织机构、人员作了明确的规定。

1990 年 3 月 26 日，内蒙古科协和经委联合向自治区人民政府提出了《关于在全区厂矿企业中继续深入开展“讲理想、比贡献”竞赛活动的报告》。1990 年 3 月 26 日，自治区人民政府办公厅及时向各盟市、旗县政府，自治区各委、办厅、局，各大厂矿和各大专院校转发了《自治区科协、经委关于在全区厂矿企业中继续深入开展“讲理想，比贡献”竞赛活动报告》的通知，要求各有关部门和单位要加强领导，大力支持，密切配合，共同搞好这项活动。从而促进了以大中型企业技术进步、提高产品质量、管理水平

① 张应琦主编：《内蒙古自治区科学技术协会志》，内蒙古大学出版社 1998 年版，第 188 页。
② 张应琦主编：《内蒙古自治区科学技术协会志》，内蒙古大学出版社 1998 年版，第 189 页。
③ 张应琦主编：《内蒙古自治区科学技术协会志》，内蒙古大学出版社 1998 年版，第 191 页。

和经济效益为目标的“讲理想、比贡献”竞赛活动的深入发展。1992 年全区参加竞赛的企业达 304 个，有 85 101 名工程技术人员参加了活动，完成技术攻关和新产品试制 4 519 项，采纳各种合理化建议 12 291 条，共创经济效益 3.5 亿元①。截至 1997 年，全区共有 156 个厂矿的 85 101 名科技人员参加了“讲理想、比贡献”竞赛活动，提出并采纳合理化建议 12 156 条，完成项目 6 740 项，产生经济效益 8.6 亿元，对促进企业进步和提高经济效益做出了贡献②。

四、农村牧区科普工作

内蒙古自治区是一个以农牧业为主的、欠发达的边疆民族自治地方。因此，在广大的农村牧区普及科学技术，一直是自治区科普工作的重中之重。

1956 年 7 月，为了向农牧民普及农牧业生产知识和进行实际工作调研，内蒙古科普协会动员科研机构、农牧、卫生等部门和中等学校 6 个科普会员工作组组成内蒙古科普协会暑期讲演团，到平地泉行政区、集宁市、白音察干等地进行演讲 20 多天，就农牧业生产知识、世界科学技术新成就及一般卫生常识共演讲 90 次，听众达 11 498 人次③。

1960 年以后，自治区各级科协组织贯彻国民经济以农牧业为基础的方针，在农牧民中进行了选种、育种、农具改革、家畜改良、兽医防治等方面的生产技术以及安全用电、破除迷信等科学知识的宣传普及工作，并大力开展了群众性农牧业科学实验活动。如 1961 年，锡林郭勒盟就建立了由干部、农牧民、知识青年三结合的群众性科学实验小组 963 个，有成员 3 500 多名④。科学实验的主要内容有：小麦麦秆蝇、地老虎、山药晚疫病的发生及防治知识和技术；小麦、莜麦、胡麻、油菜四大作物合理密植；大面积丰产经验的推广；牧区找水打井技术知识；土法预报天气；绵羊授精技术；接羔保育；羊痢、疥癞、牲畜体内外寄生虫的防治等。

---

① 张应琦主编：《内蒙古自治区科学技术协会志》，内蒙古大学出版社 1998 年版，第 192 页。

② 张应琦主编：《内蒙古自治区科学技术协会志》，内蒙古大学出版社 1998 年版，第 192、174、175 页。

③ 张应琦主编：《内蒙古自治区科学技术协会志》，内蒙古大学出版社 1998 年版，第 174—175 页。

④ 张应琦主编：《内蒙古自治区科学技术协会志》，内蒙古大学出版社 1998 年版，第 203 页。

到1964年，内蒙古广大农牧区出现了许多由基层干部、农牧民、知识青年三结合或领导干部、技术人员、群众三结合组织起来的科学实验小组。据不完全统计，仅呼、哲、昭、乌四个盟的科学实验小组已发展到12 200个，试验田、样板田、示范田共计154 000多亩①。科学实验小组主要围绕农业“八字宪法”和“牧业八项措施”，以增产关键技术为中心，因地制宜开展活动。1966年2月，自治区在呼和浩特市召开了农村牧区群众科学实验小组积极分子代表大会，会上有28名先进集体和先进代表作了典型发言，评选出了先进集体标兵和个人标兵，促进了自治区农牧区科学实验小组活动的开展。

1972年，内蒙古科技局成立新技术协作组，其任务主要是围绕农村、牧区群众性科学实验活动，大搞农业新技术的实验、示范、推广和普及。当时普及和推广的项目主要是以应用微生物“920”、“5406”、“白僵菌”、“糖化饲料”等为主。1973年，内蒙古科技局与农林局、畜牧局联合，以内革（73）科普字第1号文件印发了《内蒙古自治区推广应用农业微生物工作情况和1973年计划》的通知，促进了自治区农牧业应用微生物的推广工作。

1974年7月，在全国沼气、太阳能应用推广经验交流会议后，内蒙古科技局根据会议精神，在乌盟凉城县六苏木公社进行了沼气、太阳能利用试点。同时召开全区沼气、太阳能利用示范现场会，举办了全区第一期沼气技术骨干培训班。随后，又与有关单位协作，在伊盟伊金霍洛旗召开全区沼气、太阳能利用现场经验交流会，使自治区农村牧区新能源普及推广工作向前推进了一大步。

1973年以后，内蒙古科技局在乌盟四子王旗选出4个公社组建四级农科网、三级牧科网，开展场、站、校三结合的农牧业科学实验网活动，为全区推广群众性科学实验活动树立了样板。1975年3月，内蒙古革命委员会委托科技局、农林局、畜牧局在乌盟四子王旗召开“全区农牧业科学实验网工作会议”。会议上学习了全国四级农科网经验交流会精神，提出了自治区革命委员会对建立四级农科网的部署意见。此次会议后，自治区四级农科

① 张应琦主编：《内蒙古自治区科学技术协会志》，内蒙古大学出版社1998年版，第193页。

网和三级牧科网的发展形势十分喜人，不但有了组织，而且不断出成果、出人才，还总结出不少科学种田、科学养畜的新经验。

1981 年，中国科协召开全国农村科普工作会议后，自治区科普工作的重点进一步转向农、林、牧业生产。自治区科协除了抓一般性为农牧民经济发展服务的科普知识普及和技术推广外，又大力开展农牧业（包括多种经营）技术承包活动，使科学技术直接为农村、牧区生产服务。为了以点带面搞好这项活动，自治区科协选择哲盟作为全区试点基地。哲盟科协在 3 个旗县率先承包了 3 000 亩土地，在科学种田上大做文章。同年 9 月，自治区科协在通辽召开全区技术承包现场会，加以推广。到 1982 年，技术承包开始在自治区普遍推广。仅土默特右旗科协就搞了 4 000 多亩承包田，签订 110 多个承包合同。其中，科协主席陈洪涛亲自承包了 200 多亩土地。包头市科协与市科委、市农委配合，在全市农村开展了技术承包和科学种田高产竞赛活动。1982 至 1984 年，共签订种植业、养殖业、蔬菜加工贮藏方面的技术承包合同 3 498 份，承包面积 369 707 亩，增加收入 698 万元。在三年竞赛活动中，先后有 21 种作物打破或创造了全市高产纪录①。

1981 年，自治区召开了全区牧区科普工作经验交流会，大大推动了内蒙古牧区科普工作的进展。1983 年 10 月，根据中国科协（83）科协发普字 283 号文件精神，内蒙古科协为了在偏远、闭塞的牧区普及科学技术，专门成立了“牧区科普工作队”。牧区科普工作队成立后，把开发牧区智力当作首要任务，分别在乌盟四子王旗和锡盟镶黄旗举办了两期风力发电机和家用电器维修培训班，共培训技术骨干 500 名。这些技术骨干又分散到苏木和嘎查办班，很快带起了一大片。1986 年 8 月，牧区科普工作队在锡盟草原进行了较长时间的科普宣传活动。在 28 天时间内，行程 5 千公里，科普宣传 20 次，放映科技录像 45 场，主要围绕合理利用草原、新能源利用，以及牧区实用技术等方面进行了宣传，受众人数达 2 万人次。他们从牧区交通不便、信息闭塞的实际出发，积极开展流动科普服务，用蒙汉两种文字的展板、科普录像带和科技资料在“那达慕”大会上开展科普宣传，把科技星火带到草原，为牧区两个文明建设作出了贡献。

---

① 张应琦主编：《内蒙古自治区科学技术协会志》，内蒙古大学出版社 1998 年版，第 196、202 页。

进入80年代以后，随着自治区农村牧区经济体制改革的深入和广大农牧民群众对科学技术的迫切需要，全区乡镇科普协会和各种专业研究会有了很大发展。截至1987年，自治区已建立乡镇、苏木科普协会960个，占全区乡镇总数的67%；专业研究会706个。赤峰、呼和浩特和乌盟地区均已全部建立了基层科普组织。这些科普组织以科技户、示范户为中心，形成了广泛的群众性科普推广网络。而且，农村牧区的科普工作呈现了如下特点：科普工作对象，从农村、牧区基层干部开始转向专业户、示范户和广大知识青年；科普工作方法，从一般宣讲发展到组织会员和科技工作者下乡搞技术承包；科普宣传内容也更加注意结合实际，普及推广适用技术为生产服务。这些特点的发挥，使全区的科普工作更加丰富多彩、有声有色，焕发了生机和活力。

1987年以后，自治区部分盟市科协相继推出具有地区特色的农村科普工作示范体系。如赤峰市的“银河工程”，呼和浩特市的“五一杯科技竞赛”等，对当地科技兴农事业起到重要促进作用。各级科协组织广大科技人员深入农牧业生产第一线，开展科技推广、技术引进开发、技术承包、技术咨询和技术培训，推动了农村牧区科学技术的普及。

在总结有关盟市基层科普活动经验的基础上，1988年，在全区农村、牧区科普工作会议上，自治区科协提出在农村牧区开展“学科学、讲文明、比致富”竞赛活动，并下发了通知和具体办法，要求在3年时间里，全区建成10个科普文明旗县，80个科普文明乡、镇、苏木，600个科普文明村、嘎查，14 000个科技示范户的四级科普示范体系，以点带面推动农村牧区的科普工作①。这一举措在1989年召开的全国少数民族地区科普会议上得到了中国科协和国家民委的很高评价，认为：“内蒙古自治区关于深化农村、牧区科普工作的经验值得认真研究推广”，并指出“在贫困落后的农村建立起科技示范户到科普示范村、乡、示范县和科普示范体系，以点带面普及推广科学技术，具有重要的现实意义”，“他们深化农村科普工作的方向是正确的，思路是对头的”②。这项活动由于得到各级党委、政府的大力支

---

① 张应琦主编：《内蒙古自治区科学技术协会志》，内蒙古大学出版社1998年版，第197页。
② 张应琦主编：《内蒙古自治区科学技术协会志》，内蒙古大学出版社1998年版，第197页。

持和各级科协的积极响应，经过 3 年努力，全区已建成科普文明旗县 12 个，科普文明乡、镇、苏木 167 个，科普文明村、嘎查 1 466 个，科技示范户 71 907 户①，形成了一个对促进自治区科技兴农，推动两个文明建设起到积极作用的科普示范服务体系。在开展“讲、学、比”活动的过程中，自治区科协积极组织广大科技人员深入农牧业生产第一线，开展技术推广、技术承包、技术咨询和技术培训。其中，完成重大科技推广项目 788 项，参加人数达 97 596 人。到 1997 年，自治区共建成科普示范旗县 20 个，科普文明乡镇 258 个，科普文明村、嘎查 2 690 个，科技示范户 12. 9 万户②，对促进农村、牧区科学技术普及，提高农牧民科学文化素质，发展农牧区生产力，起到了典型示范作用。

“学、讲、比”活动的开展，不仅推动了科普示范体系建设，加速了科技成果的普及推广，而且推动农牧民专业技术研究会由单一的技术协作向综合服务和科技性经济实体发展。如哲盟的养鹅研究会、赤峰的养鸡研究会、乌盟的养蜂研究会和兴安盟的北方甜瓜蔬菜研究会等，进一步向产供销一条龙和经济实体发展。截至 1997 年，自治区已建立农研会 1 227 个，全区共建示范基地 367 个，推广新技术、新品种 5 000 多项次。此外，自治区在农牧业科学技术普及方面，还大抓了以引进新品种，推广新技术，提供技术示范、市场信息，培训科技示范户等为主要内容的科普示范基地建设。截至 1997 年，全区科协系统共建立各类试验示范基地 11 万多亩，推广应用各类新技术农田面积达 146 万亩。③

五、青少年科技活动

青少年是祖国的未来，肩负着承前启后、继往开来的历史重任。对青少年进行卓有成效的科技教育，是一项造福未来的具有十分重要意义的战略任务，也是自治区科普工作的重点。为了培养科技后备人才和队伍，自治区有关部门非常关心青少年成长，热心开展青少年科技活动。特别是 1978 年党

① 张应琦主编:《内蒙古自治区科学技术协会志》,内蒙古大学出版社 1998 年版，第 198 页。
② 张应琦主编:《内蒙古自治区科学技术协会志》,内蒙古大学出版社 1998 年版，第 198 页。
③ 张应琦主编:《内蒙古自治区科学技术协会志》,内蒙古大学出版社 1998 年版，第 204—205 页。

中央召开全国科学大会，明确提出要在青少年中大力开展学科学、爱科学、用科学的活动之后，内蒙古科协为了加强对青少年进行科技教育的组织工作，成立了内蒙古青少年活动中心，1981 年，成立了内蒙古青少年科技辅导员协会。截至 1992 年，内蒙古青少年科技辅导员协会下属盟、市级辅导员协会有 11 个，旗县级辅导员协会 68 个，共有会员 4 000 余名。上述组织与各级科协和学会密切配合，根据青少年的特点，广泛开展了形式多样、生动活泼的青少年科技活动。

组织智力竞赛活动对激励和调动青少年从小学科学、爱科学、用科学的积极性，及时发现和培养人才具有重要意义。从 1978 年之后，内蒙古科协及其所属学会与自治区有关单位协作，经常举办全区性或组织参加全国性的数、理、化竞赛活动，并将优胜者保送到区内外重点大学学习。这一措施，调动了青少年的学习积极性和敢于拼搏、奋发向上的进取精神。

从 1980 年以后，自治区以及各盟市科协及其所属学会，经常举办不同对象、内容和形式的青少年科技夏令营活动，并使之成为青少年科技活动的主要形式之一。在活动中，组织青少年与科学家见面，聆听他们的报告，以及参观科研单位和展览。这种寓教于乐的科普活动形式，开阔了青少年的视野，陶冶了他们的情操，培养了他们热爱祖国、热爱科学、热爱大自然的良好品德。1979 年，自治区与区有关单位协作，在建国 30 周年之际，举办了全区青少年科技作品展览，征集作品近 300 件，观众达 5 万人次。此后，经常组织不同形式和内容的同类展览。上述活动在全区青少年中产生了良好的影响。

进入 20 世纪 80 年代以后，自治区科协突出抓了中小学生的微机培训。从 1983 年以后，自治区科协先后在呼和浩特市、赤峰市、巴盟、通辽、乌盟等地举办了多期计算机普及培训班。如 1984 年 4—7 月，自治区科协青少年科技活动中心在乌盟、哲盟、赤峰市举办了微机培训班，有 100 多名科技辅导员和中、小学教师参加学习。在开展青少年计算机普及的基础上，自治区科协还筹备组织了全国第一、二、三届青少年计算机程序设计竞赛，并举办三届全区青少年电子计算机程序设计竞赛和两届青少年计算机优秀软件评比。在组织盟市比赛的基础上，选拔优胜者参加全国计算机程序竞赛，取得了较好的成绩。以上活动对自治区中、小学生计算机的学习和普及，发挥了积极作用。

1982年以后，自治区科协普及部与青少年科技活动中心组织了全区性的青少年发明创造比赛和科学讨论会活动。截至1996年，共举办八届活动。随着青少年科技活动的深入开展，各地根据学生的爱好、学校条件，组建了多种科技兴趣小组。此外，自治区科协于1986年和1988年连续举办两届“全区青少年航天飞机科学实验优秀方案”征集、评选工作。这是一项较高层次的科技活动，对培养青少年面向尖端科学，勇于攀登科学高峰的精神，具有积极意义。1991年和1992年，自治区有关部门还组织了两届青少年环境保护竞赛活动。这一活动，为在广大青少年中树立环保意识，普及环保知识，产生了积极影响。

1987年，根据中国科协和国家教委倡导的“科技小星火”计划活动精神，自治区各级青少年辅导员协会在全区组织、实施了这项活动。活动的内容是以农村、牧区中小学（包括中等师范学校、职业技术学校）为主，以“爱祖国、爱科学、爱农业”为主题，以学习实用技术，开展小种植、小养殖、小加工、小实验、小考察、小改革、小发明、小咨询等活动为主的课外科技活动。截至1993年，共组织了五届评选。活动期间，全区有几百所学校3万多名学生在科技辅导员的指导下，结合农业生产实践，进行了504项科学实验。内容包括种植业、养殖业、生态保护、微生物、病虫害防治、能源技术等。活动中，共普及推广农、牧业实用技术4 000多项，取得了较好的社会和经济效益。

从1990年起，内蒙古青少年科技活动中心和自治区各级青少年科技辅导员协会根据国家有关单位的通知精神，与相关机构和组织配合，在全区青少年中兴起了生物百项科技活动，组织了每两年一次的评比工作。截至1995年，已组织了三届评比活动，并参加了国内组织的有关活动和学术交流。这项活动对培养青少年从小关注农业和生态环境，掌握有关科学实验方法具有积极的意义。全区共有245 000名青少年参加了这一活动，共设计实验项目4 413项，有12人获全国奖励。

1987—1992年，自治区各级科协通过组织开展小发明、小创作、智力竞赛、科技夏令营、科技作品展览等活动，促进了青少年科技后备人才的成长。5年间，全区共举办各种夏令营124个，参加各种科技知识竞赛活动的有 15 万人次，获奖 2 089 项。1992—1996 年，自治区共有 42 万青少年参加“生物百项”科技活动，以及青少年发明创造和科学论文撰写活动，受益人数达 500 余万。在自治区开展的“四小”（小发明、小创造、小制作、小论文）活动中，自治区选送的 18 件作品中有 17 件分获全国一、二、三等奖。

此外，内蒙古自治区在开展青少年科技活动方面，从 80 年代开始，与联合国儿童基金会展开了合作，并且成为第一期与联合国儿童基金会合作单位。1983—1993 年，双方通过三个周期的合作，在内蒙古自治区共建立省级青少年科技活动中心 1 个，地市级科技活动中心 1 个，旗县级科技活动中心 5 个。截至 1992 年，根据合作项目已建成示范县 1 个，受益县有 4 个。1992 年以后，全区有 8 个旗县与联合国儿童基金会合作，开展因地制宜的社区非正规教育，共建起失学儿童技能教育点 49 个，举办种植、养殖、农产品加工等实用技术培训班 4 182 期，参加培训的妇女、儿童 30 300 人，其中多数人掌握了 1—2 项生产、生活技能，不同程度地改善了生存条件，增加了家庭收入。

1995 年，为了促进青少年科技人才的成长，自治区组织召开了以“科技振兴内蒙古，青年开创新世纪”为主题的内蒙古首届青年学术年会。年会共收到学术论文 775 篇，120 名青年学者出席会议。会议受到内蒙古党委、政府的高度重视和支持。此外，自治区科协与区党委组织部、区政府人事厅共同设立了“内蒙古青年科技奖”，第一次评选奖励了 30 名青年科技工作者。上述措施和方法对培养青年人才，激发青年科技工作者投身“科教兴区”伟大事业，具有重要意义。

第二十一章

医疗卫生[①]

第一节　卫生行政

1947 年，内蒙古自治区成立时全区仅有医疗机构 54 个，病床 519 张。这些为数有限的医疗机构，大多是教会或私人举办的，规模都很小。当时全区所有医药卫生人员（包括在农村、牧区和城镇的开业医生）加在一起，总共才有 5 000 多名。经过近几十年的发展建设，全区卫生事业从小到大，取得了许多成就。据截至 2000 年底的统计，全区有卫生机构 4 427 个，卫生人员 130 881 人，床位 66 903 张。各族人民健康水平显著提高，人均期望寿命由自治区成立时的 35 岁增长为 70. 7 岁。[②]

1947 年 5 月 1 日，内蒙古自治区政府成立后，根据《内蒙古自治区政府暂行组织大纲》的规定，成立了民政部卫生局。

50 多年来，自治区一级的卫生行政组织机构先后经过 19 次调整变动，有 53 位领导同志相继担任党组（委）书记、副书记，厅（部、局长）长、副厅（部、局）长。机构名称自 1954 年改称内蒙古自治区卫生厅，在“文

① 本章数据绝大部分来源于内蒙古自治区卫生志编纂委员会编，参见郑泽民主编：《内蒙古自治区志·卫生志》，内蒙古科学技术出版社 2007 年版；以下脚注均简称本志编纂委员会编：《内蒙古自治区志·卫生志》。

② 本志编纂委员会编：《内蒙古自治区志·卫生志》，内蒙古科学技术出版社 2007 年版，第 5、48 页。

化大革命”前后经过数次变动，从1980年至今一直称内蒙古自治区卫生厅。

一、卫生行政机构的变迁

卫生部门所属的卫生组织机构，按其性质又可细分为卫生行政机构、卫生业务机构与群众性卫生组织。

（一）自治区级卫生行政机构

1954年，蒙绥合并前的内蒙古自治区人民政府卫生部和绥远省人民政府卫生局，是现今内蒙古自治区卫生行政机构组织系统发展的基础。

内蒙古自治区人民政府卫生部　内蒙古自治政府成立后，成立了民政部卫生局，下设医政、药政、防疫、总务4个科，编制35人。首任局长胡尔钦·毕力格，副局长义乐图。

1947年11月，内蒙古军区卫生处成立，与自治区政府卫生局合署办公。1948年5月12日，内蒙古军区卫生处扩大为卫生部。为进一步统一调配军政卫生工作力量，1948年12月20日，内蒙古政府卫生局与内蒙古军区卫生部合并，隶属内蒙古军区建制。对外仍挂内蒙古自治区政府卫生部和内蒙古军区卫生部两个牌子。李本周任军政合并后的卫生部部长，胡尔钦·毕力格、马耀武任副部长，赵俞廷任政治主任。内部机构设置：在保留军区卫生部原有的政治处及医政、材料、兽医、管理4个科的同时，增设了防疫处。

1949年3月30日至4月4日，军政合并后的卫生部召开了第一届地方卫生工作会议。会议确定“卫生工作应结合生产建设，必须与工农兵相结合，在医疗上以预防为主”的工作方针，明确了今后的任务是“以防鼠疫为中心，整顿登记医务人员，培养卫生技术人员，建立地方卫生行政组织”。并规定盟设卫生科和医院，旗县设卫生股和诊疗所，努图克、区设卫生助理员。

到1949年10月中华人民共和国建国时，当时内蒙古自治区所辖的6个盟中有4个盟成立了卫生科，23个旗县成立了卫生股，47个区设置任命了卫生助理员。

1950年11月，自治区政府卫生部与内蒙古军区卫生部分开。李本周任分家后的政府卫生部部长，胡尔钦·毕力格任副部长。内蒙古政府卫生部内设办公室及医政、保健、防疫、妇幼、教育、药政、总务、人事8个科，编制50人。

1951年，绥远省的伊克昭盟、乌兰察布盟两盟政府卫生科成立。接着伊克昭盟在6个旗设立了卫生科，乌兰察布盟的一个重点旗也率先设立了卫生科。同年8月，全国少数民族卫生会议在北京召开，会议期间，内蒙古自治区卫生部的两位领导人李本周和胡尔钦·毕力格代表内蒙古各族人民向毛泽东主席敬献了锦旗。

为加强对内蒙古东部地区卫生工作的领导，1952年12月，在乌兰浩特成立了东部区行政公署卫生厅，编制40人，内设医疗预防、卫生防疫、妇幼卫生、教育、计划财务、人事6科和办公室。统管呼伦贝尔盟、兴安盟、哲里木盟、昭乌达盟的卫生行政管理工作，并兼管设在东部地区的内蒙古自治区医院、内蒙古卫生学校、内蒙古地方病防治所、鼠疫防治所等直属卫生事业单位。厅长由胡尔钦·毕力格兼任。

1953年迁至归绥市的内蒙古卫生部同绥远省卫生局合署办公。

绥远省人民政府卫生局 1948年5月，中国人民解放军解放了现今内蒙古西部地区（原绥远省）绥东的7个县，在丰镇县成立了绥远省人民政府。1949年7月，察哈尔北部发生鼠疫，华北人民政府派出卫生人员协助绥远省人民政府成立了卫生局，并组建防疫队开展了卫生防疫工作。同时在绥东专署设立了卫生科。

1950年1月，绥远省人民政府从丰镇迁至归绥市，原国民党绥远省政府民政厅卫生科的人员并入绥远省人民政府卫生局。绥远省人民政府卫生局当时编制27人，内设医政、防保、药政3个科和秘书室。宋友良任局长，武法堉任副局长。

1952年，调任李子敬为绥远省人民政府卫生局局长，张兆生为副局长。卫生局内部增设了康复医院管理科、公费医疗管理科、财务科等科室，编制增加为30多人。

内蒙古自治区卫生厅 1954年，蒙绥合并后的内蒙古自治区卫生部的编制为76人，内设办公室、人事室、监察室（后撤销合并于人事室）、乡村医疗预防处、城市医疗预防处、卫生防疫处、宣传教育处、妇幼卫生处、计划财务处和中医科、药政科，并设有部属妇幼卫生工作队和宣传队。同年

6月，东部区卫生厅撤销，哲里木盟卫生处恢复。同年11月，自治区卫生部改称自治区卫生厅，编制63人，内部机构设置基本未变，只将乡村医疗预防处和城市医疗预防处合并，成立了医疗预防处。

1956年6月，自治区卫生厅内的中医、药政两个科升格为处。同年，呼和浩特、包头两个直辖市建立了卫生局，其他8个盟、2个行政区设立了卫生处。全区87个旗县（市）无一例外地均成立了卫生科。

根据《中共中央、国务院关于内蒙古自治区人民政府机构改革方案的通知》精神，以及《内蒙古自治区人民政府关于卫生厅职能配置、内设机构和人员编制规定》，自治区卫生厅作为自治区人民政府主管卫生工作的组成部门，于2000年行政编制被定编为57人，内设办公室、人事处、科技教育处、规划财务处、卫生法制与监督处、基层卫生与妇幼保健处、医政处、中蒙医处、疾病控制处、保健处、离退休人员管理处、机关党委等12个职能处室。在此次机构改革中，还对卫生厅部分职能进行了调整，将药政、药检职能交由自治区医药监督管理局承担，将医疗保险职能交由自治区劳动和社会保障厅承担。

（二）盟市旗县级卫生行政机构

内蒙古自治区最早的盟市、旗县级卫生行政机构，成立于现今内蒙古东部的呼伦贝尔市、通辽市、赤峰市、兴安盟和锡林郭勒盟等地区。大多建立于1947年内蒙古自治区成立前后。

呼伦贝尔盟（市）卫生局　1945年10月，呼伦贝尔地方自治政府成立后，在所属的民政处内设立了一个保健科。1948年1月，呼伦贝尔地方自治政府民政处保健科改称呼伦贝尔盟民政处保健科。

1949年4月，呼伦贝尔盟和纳文慕仁盟合并后，呼伦贝尔盟民政处保健科撤销，新成立了呼纳盟卫生科。1952年7月，呼纳盟人民政府卫生科改称卫生处，内设医疗、防疫、妇幼、文秘科。1954年4月，中央人民政府政务院决定撤销内蒙古东部区行政公署，成立呼伦贝尔盟。据截至2000年底的不完全统计，呼伦贝尔市目前共有各级各类卫生机构1 378个（含诊所、医务室、社区卫生服务站），这些卫生机构实际拥有床位10 499张，医院、卫生院实有床位总数为9 666张。全市现有各类医院1 009所，卫生院138个，卫生院实有床位1 262张；疾病预防控制机构40个，卫生监督机构

9个，妇幼保健机构17个，专科疾病防治机构17个，医学科研机构1个。全市卫生人员总数18 235人，其中卫生技术人员15 209人，全市平均每千人口有执业医师（执业助理医师）1.63人，注册护士2.76人。①

通辽市卫生局 1946年4月1日，哲里木省（盟）政府在巴彦他拉成立，内设保健科。同年6月1日，哲里木省（盟）政府迁往通辽县，保健科随之取消。

1947年5月，刚刚从国民党统治下解放的哲里木盟爆发鼠疫，盟政府组成了防疫委员会领导全盟的卫生防疫工作。1948年3月，属于哲里木盟政府序列的卫生科正式组建并成立。

1951年5月23日，哲里木盟政府卫生科改称哲里木盟卫生处，内设医政、防疫两科。

之后，除1965年3月和“文化大革命”期间哲里木盟卫生处一度被撤并为卫生科外，哲里木盟盟级卫生行政机构的名称虽然有时称“卫生局”，有时称盟“卫生处”，但作为盟公署所属序列中的一个县处级卫生行政事务管理单位，组织机构一直保存至今。

1999年10月，哲里木盟撤盟改市，同年12月，原哲里木盟卫生局改称通辽市卫生局。目前通辽市共有卫生机构249个，病床5 188张。②

赤峰市卫生局 1945年，抗日战争胜利后，现今赤峰市所辖的地区属热河省管辖，热河省政府内设有卫生处。1949年，现今赤峰市的北部5个旗县（阿鲁克尔沁旗、巴林左旗、巴林右旗、林西县、克什克腾旗）划归内蒙古自治区昭乌达盟。1947年，昭乌达盟人民政府成立时，卫生工作由民教处管理。1950年，建立的昭乌达盟卫生科是现今赤峰市卫生局的前身。1955年，昭乌达盟卫生科改称卫生处。

1949年至1955年间，现今赤峰市南部的5个旗县（翁牛特旗、赤峰县、敖汉旗、宁城县、喀喇沁旗）的卫生行政管理仍隶属热河省卫生处管

① 本志编纂委员会编：《内蒙古自治区志·卫生志》，内蒙古科学技术出版社2007年版，第31—33页。

② 本志编纂委员会编：《内蒙古自治区志·卫生志》，内蒙古科学技术出版社2007年版，第31—33页。

辖。1955年热河省撤销，现今赤峰市的南北部合并为内蒙古自治区的昭乌达盟，全盟的卫生工作归盟卫生处管理。

1962年昭乌达盟卫生处与文教处合并，成立了盟文教办公室。1963年盟卫生处恢复。1966年“文化大革命”开始后，卫生处撤销，人员进“五七干校”。1971年才恢复建制的原昭乌达盟卫生处改称卫生局。

1983年，昭乌达盟改为赤峰市，昭乌达盟卫生局从此改称赤峰市卫生局。当时，该局内设人事科、秘书科、医政科、防疫科、地病办、爱卫办、公费医疗办公室、党委办公室等科室，有工作人员46名。①

现今，赤峰市卫生局下辖的直属医疗卫生单位有：赤峰市医院、赤峰卫生学校、赤峰市卫生防疫站、赤峰市第三医院、赤峰市传染病防治医院、赤峰市中蒙医院、赤峰市妇幼保健所、赤峰市职业病防治所、赤峰市中心血站、赤峰市医疗器械管理站、赤峰市健康教育所、赤峰市医学教育科学研究所等。

兴安盟卫生局　1947年，内蒙古自治区成立，自治区首府设在现今兴安盟盟所在地乌兰浩特市（当时叫王爷庙）。因此，兴安盟及所辖的各旗县人民政府，在这一年都建立健全了各级管理卫生工作的行政业务办事机构。

目前，兴安盟卫生局还领导有：兴安盟健康教育所、兴安盟盟医院、兴安盟中心血站、兴安盟疾病预防控制中心、兴安盟妇幼保健所、兴安盟医疗机构药品集中招标采购中心、兴安盟结核病防治所、兴安盟卫生学校、兴安盟卫生监督所等11个直属医疗卫生事业单位。

呼和浩特市卫生局　现今呼和浩特市卫生局的前身，系1950年1月1日成立的绥远省归绥市卫生局。当时内部仅设有医政、保健两个科及秘书主任科员和会计各一名。1954年2月，绥远省与内蒙古自治区合并，从此改称呼和浩特市卫生局，并增设了人事室。1955年，该局的医政科、保健科，分别改名为医疗预防科和卫生防疫科，同时增设了妇幼卫生科。

目前呼和浩特市卫生局辖有呼和浩特市第一医院、呼和浩特市第二医院、呼和浩特市第三医院、呼和浩特市口腔医院、呼和浩特市妇幼保健院、

---

① 本志编纂委员会编：《内蒙古自治区志·卫生志》，内蒙古科学技术出版社2007年版，第31—33页。

呼和浩特市中蒙医院、呼和浩特市疾病控制中心、呼和浩特市卫生监督所、呼和浩特市地方病防治中心、呼和浩特市健康教育所、呼和浩特市医学科学新技术推广中心、呼和浩特市结核病防治研究所、呼和浩特市爱卫办、呼和浩特市改水办、呼和浩特市卫生学校、呼和浩特市医疗器械维修所等18所直属医疗卫生单位，全系统共有在职职工2 361人，离退休职工614人。①

包头市卫生局 作为市人民政府主管卫生行政事务的工作部门，目前的包头市卫生局内设11个职能科（室）。据统计，截至2000年，包头市共有各种医疗卫生机构181个。其中医院41个（不包括军队医院1个），疗养院2个，妇幼保健所11个，卫生防疫站12个（不包括北重医院、一机医院内设的防疫站），乡镇卫生院58个，街道卫生院6个，门诊部34个，急救中心1个，血站1个，结核病防治所1个，劳动卫生监督所1个，医学科研机构1个，医学在职培训机构4个，健康教育机构3个，其他卫生机构5个。全市共有卫生工作人员16 831人，其中卫生技术人员13 841人，占总人数的82.23%；其他技术人员582人，占总人数的3.45%；管理人员1 152人，占总人数的6.84%；工勤人员1 256人，占总人数的7.46%。②

乌兰察布市卫生局 1948年至1949年初，现今的乌兰察布地区先后有6个旗县建立了人民政权。政府只接收了旧有的丰镇、集宁两所卫生院。当时整个乌兰察布地区共有开业医生和半农半医者604名，中西药店40多家。

中华人民共和国成立初期，中央人民政府派68名医技干部来到乌兰察布地区，协同当地建立卫生机构。1950年，乌兰察布盟卫生所在四子王旗成立，并兼管卫生行政。同年，集宁专区设置了卫生科。1952年3月，乌兰察布盟政府设置了卫生处，各旗县也相继设置成立了卫生科。现今的乌兰察布市卫生局的前身是撤盟改市前的乌兰察布盟卫生局。有办公室、规划财务审计科、卫生法制与监督科、基层卫生与妇幼科、医政科、疾病控制科6

① 本志编纂委员会编：《内蒙古自治区志·卫生志》，内蒙古科学技术出版社2007年版，第33—36页。

② 本志编纂委员会编：《内蒙古自治区志·卫生志》，内蒙古科学技术出版社2007年版，第33—36页。

个职能科室。①

锡林郭勒盟卫生局　锡林郭勒是内蒙古自治区成立后较早设立卫生行政管理机构和现代医疗卫生单位的地区。1945 年，抗日战争胜利不久，一批中国共产党派遣的党政干部就进入锡林郭勒盟开展工作，随队在编有许多医疗卫生人员。1947 年，在内蒙古自治运动联合会的直接领导下，贝子庙（今锡林浩特市）成立了有 30 多名医药卫生工作人员的巴乌锡察盟医务所，后改名为锡林郭勒盟卫生所。

1952 年，锡林郭勒盟公署设立卫生处，全盟各旗县也相继建立了卫生科，成为现今锡林郭勒盟盟市旗县各级卫生行政机构发展的基础。

现今的锡林郭勒盟卫生局内设办公室、人教科、卫生法制与监督科、基层卫生与妇幼保健科、医政科、疾病控制科、中蒙医科、健康教育科、爱委会办公室共 9 个科室。②

巴彦淖尔盟（市）卫生局　1949 年 9 月 19 日，绥远省和平解放，绥远省人民政府派民主建政工作团来河套接管旧政权。建政工作团卫生组接管了绥远省立陕坝医院及五原、临河县卫生院的 17 名工作人员、10 张病床。1950 年 2 月，陕坝专员公署卫生科成立，1952 年，全地区卫生机构发展至 35 个，有工作人员 621 名（其中卫生技术人员 503 人）。到 2000 年时，该地区拥有各类医疗卫生机构 289 个，病床 3 863 张，各类卫生技术人员 6 663 人，平均每千人口拥有 2 名医师以上卫生技术人员。③

现今的巴彦淖尔市卫生局内设：办公室、人事教育科、医政科、基层卫生妇幼科、疾病控制科（挂市爱国卫生运动委员会办公室牌子）、中蒙医科、卫生法制与监督科、干部保健科八个职能科（室）。隶属巴彦淖尔市卫生局管辖的直属卫生事业单位有：巴彦淖尔市医院、巴彦淖尔市卫生防疫站、巴彦淖尔市中医院、巴彦淖尔市蒙医医院、巴彦淖尔市妇幼保健所和巴

① 本志编纂委员会编：《内蒙古自治区志 · 卫生志》，内蒙古科学技术出版社 2007 年版，第 33—36 页。

② 本志编纂委员会编：《内蒙古自治区志 · 卫生志》，内蒙古科学技术出版社 2007 年版，第 33—36 页。

③ 本志编纂委员会编：《内蒙古自治区志 · 卫生志》，内蒙古科学技术出版社 2007 年版，第 33—36 页。

彦淖尔市药品检验所等。

乌海市卫生局　乌海市是以原海勃湾市和乌达市为基础，在1976年合并新建的一个工矿城市。截至2000年底，全市总共拥有各级各类医疗卫生机构69个（不含42个校医室），其中：政府举办的卫生机构30个（乌海市9个，海勃湾区4个，乌达区11个，海南区6个）；工矿企业及其他部门举办的卫生机构39个（海勃湾区23个，乌达区10个，海南区6个）。全市总共设置病床2 256张，拥有卫生人员3 578人。全市每千人口有卫生人员8.23人，医师2.84人。全市卫生事业费约占全市财政支出的2.5%。[①]

目前的乌海卫生局内设：办公室、卫生法制与监督科、疾病预防与控制科、医疗卫生与科技教育科、基层卫生与妇幼保健科、机关事务中心、爱卫办和干部保健科等科室。

鄂尔多斯市卫生局　国民党统治时期，总院设在归绥市的蒙古卫生院，于1940年在鄂尔多斯地区设立了直属南京国民政府卫生总署领导的伊克昭盟卫生所。蒙古卫生院是兼有卫生行政管理职能的卫生事业机构。蒙古卫生院于1943年撤销，但伊克昭盟卫生所却一直保留到1949年9月绥远省和平解放。1950年初被绥远省人民政府派员接收。同年6月，设在包头的伊克昭盟卫生所迁回东胜，8月和东胜县卫生院合并，扩建为伊克昭盟中心卫生院。1952年伊克昭盟卫生处成立。到1957年时，全盟国家医疗卫生机构发展到44所（包括工业及其他部门的11所），拥有卫生工作人员432人，病床330张。[②]

经过半个多世纪的发展建设，2001年9月28日，伊克昭盟卫生局正式改名为鄂尔多斯市卫生局。该局除内设办公室、规划财务科、医政科、基层卫生与妇幼保健科、中蒙医科、疾病控制科（爱国卫生运动委员会办公室）、科教科（科技教育科）、保健科、卫生法制与监督科共9个科室外，还下辖有鄂尔多斯市中心医院、鄂尔多斯市中医院、鄂尔多斯市蒙医研究

---

① 本志编纂委员会编：《内蒙古自治区志·卫生志》，内蒙古科学技术出版社2007年版，第36—37页。

② 本志编纂委员会编：《内蒙古自治区志·卫生志》，内蒙古科学技术出版社2007年版，第36—37页。

所、鄂尔多斯市卫生防疫站、鄂尔多斯市妇幼保健院、鄂尔多斯市中心血站、鄂尔多斯市二医院、鄂尔多斯市卫生局卫生监督所共 8 个二级直属单位。

阿拉善盟卫生局　阿拉善地区最早成立的专区（盟市）级卫生行政领导机构，是 1950 年在阿拉善和硕特旗卫生所基础上成立的卫生保健处。现今阿拉善盟卫生局的前身是 1980 年 5 月组建成立的阿拉善盟卫生处。现今的阿拉善盟卫生局内设 8 个职能科（室）。隶属阿拉善盟卫生局管辖的直属卫生事业单位有：阿拉善盟盟医院、阿拉善盟卫生防疫站、阿拉善盟蒙医药研究所（蒙医医院）、阿拉善盟妇幼保健所、阿拉善盟卫生学校和阿拉善盟药品检验所。

据统计，阿拉善地区的卫生机构和拥有的病床数已由建盟时的 82 所和 355 张，发展为目前的 133 所和近 1 000 张，① 并且在所有的旗都建立了蒙医医院。

二、卫生行政管理

卫生行政管理，实际上就是各级政府依靠所辖的卫生行政机关或业务管理机构的权威，采用行政命令、指示、规定、指令性计划、规章、制度等，按照行政系统、行政层次、行政区划来管理卫生事业。

（一）机构接管接办

从 1947 年 5 月，内蒙古自治政府成立前后，至 1949 年 10 月，绥远省和平解放和中华人民共和国成立前后，原伪满洲国、伪蒙疆政权、国民党政府在现今内蒙古自治区行政区划内遗留的卫生机构，相继被内蒙古自治区人民政府、绥远省及察哈尔省人民政府接管。

据有关史志资料记载，当时被接管的较重要的旧时代遗留的卫生行政机构和公立的卫生事业单位有绥远省立医院、归绥市卫生事务所、绥远省（官）立包头医院、包头市卫生事务委员会的办事机构等。

接管旧政权遗留卫生机构的原则和程序全区各地大同小异：基本都是本

① 本志编纂委员会编：《内蒙古自治区志 · 卫生志》，内蒙古科学技术出版社 2007 年版，第 36—37 页。

着“原封不动，整顿接收”的精神，由民主选举产生的清点代表和人民政府接管人员（或解放军军管会代表）组成的清点小组，按照“先库房、后零散；先药品、器材、器械，后物资、档案人员”的顺序，对所接管机构的人、财、物逐一进行清点、登记、标签、封存。

绥远省立医院的前身是抗日战争绥远省沦陷期间由日本人成立的厚和医院。抗日战争胜利后，被国民党政府接收后更名为绥远省立医院，1949 年 9 月 19 日，绥远省和平解放时大约有 60 余名工作人员，30 张病床，是当时内蒙古西部地区最大的公立医院。该院后来和绥远省和平解放前成立的绥远省人民医院及内蒙古自治区人民政府直属机关卫生所合并后，发展成为后来的内蒙古自治区医院。

绥远省（官）立包头医院的前身，是日寇侵华期间于 1939 年在包头中山路北口开设的“官立保健所”。抗日战争胜利后，该院先由国民党军队接收，后移交地方，改称包头市立医院。1946 年，又改称绥远省立包头医院，直属绥远省政府民政厅领导。中华人民共和国成立后，于 1951 年 3 月 1 日改为包头市人民医院。到 1954 年蒙绥合并时，该院的病床增加至 215 张，有职工 286 人，成为当时内蒙古西部地区最大的地方综合医院。①

归绥公教医院是目前发现的在华教会在现今内蒙古地区最早建立，同时也是办院规模最大的一所教会医院。是天主教传教团比利时圣母圣心会总会长吕登岸司铎于 1921 年提议创办的。办院经费主要来源于圣母圣心会的资助（1946—1949 年曾接受善后救济总署及国际救济会之资助）。1949 年，归绥市解放后，该院因国外津贴断绝，无法继续维持。在该院比利时籍院长裴德思的申请下，1951 年 12 月，归绥公教医院被归绥市人民政府正式接管，接管后更名为归绥市立人民医院，后改为呼和浩特市人民医院。接管时床位最大容纳数为 150 张（实际开放病床 105 张），有职工 109 名。②

（二）事业管理

机构建设 1946 年 3 月，在张家口成立的内蒙古自治运动联合会医务

① 本志编纂委员会编：《内蒙古自治区志·卫生志》，内蒙古科学技术出版社 2007 年版，第 41—42 页。

② 本志编纂委员会编：《内蒙古自治区志·卫生志》，内蒙古科学技术出版社 2007 年版，第 42—43 页。

所是内蒙古自治区最早成立的医疗卫生机构，建所时的23名医护人员，除部分系晋察冀军区卫生部调配者外，大多数是吸收旧政权统治时期从医的医生、护士及原在蒙疆中央医学院学习的人员。

1946年5月，自治运动联合会设立卫生处。同年，自治运动联合会卫生处招收了40名学员，在张家口军政干部学院举办了一期医务训练班，为内蒙古地区培养了一批急需的民族医药卫生人员。

1946年10月，撤离张家口，内蒙古自治运动联合会随解放战争中人民解放军的战略转移撤至锡林郭勒盟。撤离张家口时，内蒙古自治运动联合会医务所分出部分人员开赴锡林郭勒盟贝子庙，收容治疗锡察部队的伤病员。不久，在此基础上扩大建立了锡察医院。当时的自治运动联合会医务所及锡察医院，都处于野战状态。锡察医院除门诊外，还设有病床，最多时能收住30多名患者。

在此之前，即于1945年12月1日和12月2日，内蒙古自治运动联合会先后在王爷庙（乌兰浩特）创办成立了东蒙医院和东蒙医学校。

1946年5月，东蒙医院与东蒙医学校划归新成立的内蒙古人民自卫军兴安军区领导，东蒙医院改称兴安军区医院。东蒙医学校于同年5月招收了第一期共计22名本科生（学制3年）。1946年9月，根据当时解放战争形势发展的需要，在王爷庙又成立了一所阿尔山医院。

1946年12月25日，兴安军区医院与东蒙医学校合并，组建成立了内蒙古医学院。

1947年5月1日，内蒙古自治区正式成立后，自治政府成立了民政部卫生局，主管全区的医药卫生行政工作。当时全区拥有的卫生机构和病床数分别为55个和519张。不仅大半为私立机构或个体联合诊所，而且90%开办在城镇。经过几年的发展建设，到1954年蒙绥合并时，内蒙古自治区的卫生机构和拥有病床数分别增加到1 094个和3 537张，分别是1947年内蒙古自治区成立时的20倍和6.8倍。

1954—1957年，各盟市在先后都建立了综合性盟市医院的同时，分期分批地建设了一批重点旗县骨干医院。加上自治区创办的内蒙古医学院等一批高、中等医药院校，从上至下覆盖全区的医疗、预防、保健三条战线初步形成。据截至1957年底的统计，这一年全区的卫生机构和拥有病床数分别为 2 152 个和 7 733 张，较 1954 年蒙绥合并时翻了一番。[①]

1958—1962 年，全区卫生系统的各项事业在“大跃进”中力求发展，内蒙古自治区中蒙医院、内蒙古医学院中蒙医系、内蒙古医学院附属医院等大型医疗教学基地都建立于“大跃进”时期的 1958 年前后。尤其是全区的基层卫生组织建设，在“人民公社化”运动中发展迅速。1958 年，全区只拥有 791 所公社卫生院，仅隔一年，到 1959 年底统计时，已经增至 1 074 所。由于当时的个体开业医生绝大多数被吸收到集体医疗机构中工作，全区集体所有制卫生技术人员也由 1958 年的 9 054 人，猛增至 1960 年时的 17 217 人。与此同时，全区个体开业医生则由 1957 年时的 2 914 人，骤降为 1960 年时的 162 人。[②] 这期间，全区的基层妇幼保健组织发展也很快，基本实现了社社都有妇幼保健人员、接生站或产房。

1963—1966 年，根据中央“调整、巩固、充实、提高”的方针，全区于 1962 年前后对卫生各项事业的建设进行了调整和整顿。全区高等医学院由 12 所精简为 1 所，中等卫生学校由 64 所精简为 3 所，高中等业余医学院校由 52 所精简为 2 所。由于把调整整顿中城镇、农区转移下来的部分国家卫生所和人员编制，调整到了边境地区和牧区，全区各边境旗旗医院和牧区中心卫生院的建设大为加强。到 1964 年时，随着国民经济的恢复和发展，以及全日制医学教育的改革和农村牧区医药卫生人员加速的培养，全区的医学教育也有了新的发展。全区在 1962 年高等医学院仅保留 1 所，中等卫生学校仅保留 3 所，高中等业余医学院校仅保留 2 所的基础上，又增加了 1 所新建的高等医学院（包头医学院），并于 1965 年使半工半读的卫生学校发展到了 9 所。由于在调整整顿中，把撤销的盟市卫生学校的部分师资、设备充实到了被保留的学校，建立健全了规章制度，所以各学校的教学质量都有较明显的提高。据截至 1966 年底的统计，当时全区的卫生机构和拥有病床

① 本志编纂委员会编：《内蒙古自治区志・卫生志》，内蒙古科学技术出版社 2007 年版，第 42—43 页。

② 本志编纂委员会编：《内蒙古自治区志・卫生志》，内蒙古科学技术出版社 2007 年版，第 43—44 页。

数分别为 3 896 个和 10 806 张。①

1966 年，“文化大革命”爆发，使自治区的卫生事业从巅峰一度跌入了低谷。由于许多医疗卫生机构，特别是卫生防疫机构、妇幼保健机构和中蒙医机构被裁撤、编并，致使许多本来应该开展的工作、业务陷于停滞，甚至倒退。

但是，由于全区卫生系统广大干部职工怀着强烈的事业心和责任感，冲破林彪、“四人帮”等反动集团的破坏和干扰，在力所能及的情况下积极开展医疗保健和防病灭病工作，全区的卫生工作在普遍遭受“文化大革命”破坏和限制的背景下，依然取得了些许进步和成就。例如：1971 年，由于贯彻执行了周恩来总理的指示，全区爱国卫生运动迅速恢复。各地通过深入开展环境卫生治理，使城乡卫生面貌焕然一新。

“文化大革命”期间，留在城市中坚守岗位的广大医药卫生人员，在极其困难的条件下依然结合临床坚持进行科学攻关，全区卫生系统在防治布鲁氏菌病、开展器官移植、断肢再植及难度较大的心脏外科手术方面取得了一些引人瞩目的成果。

1978 年 12 月，中共十一届三中全会召开后，全区各级在“文化大革命”中被裁撤、编并的卫生行政机构和卫生事业单位先后恢复原建制。同时，逐步建立健全了管理配套、指挥有序、门类齐全、上下通达、覆盖全区的各级各类卫生管理组织系统。1983 年底至 1984 年初，全区第一次较大规模的卫生机构改革和领导干部调整基本完成，这时全区卫生机构已经发展到 4 632 个，分别比“文化大革命”开始前的 1965 年和“文化大革命”结束时的 1976 年增加 812 个和 843 个。②

20 世纪 80 年代初期，中国农村牧区实行的家庭联产承包责任制，在使内蒙古农村牧区社会经济发生巨大变化和进步的同时，也使全区农村牧区的基层卫生组织遭遇了前所未有的挑战，由于地方经济收入有限，卫生系统人员膨胀过快等原因，医疗卫生单位提供服务时的消耗，不能得到合理的补

---

① 本志编纂委员会编：《内蒙古自治区志·卫生志》，内蒙古科学技术出版社 2007 年版，第 43—44 页。

② 本志编纂委员会编：《内蒙古自治区志·卫生志》，内蒙古科学技术出版社 2007 年版，第 43—44 页。

偿，导致了基层卫生组织建设的恶性循环。为了有的放矢地解决存在的问题，在自治区政府有关领导的亲自领导和参与下，自治区卫生厅和各盟市卫生局组织专门的班子对全区基层卫生组织建设的现状进行了点面结合的调查研究，并对调查发现的问题进行了深刻的自省和冷静的反思。最终帮助内蒙古自治区党委和政府决定，采取自治区、盟市、旗县、项目单位匹配投资的办法，有计划地逐步加强农村牧区基层卫生组织的建设。

第一期建设从 1988 年开始，到 1990 年结束。全区共投资 5 338 万元，为基层医疗卫生单位新建和维修房屋 1.2 万平方米，购置医疗设备 1 万多台（件）、救护车 139 台，培训使用技术人才数千名。[①]

1991 年，国家计委、财政部、卫生部联合设立的农村卫生建设项目——农村卫生院、县级卫生防疫站、县级妇幼保健所设施改造建设（简称“卫生三项建设”）开设并启动。于是，自治区加强农村牧区基层卫生组织建设从 1991 年开始，便实现了与国家“卫生三项建设”的接轨。

第二期建设（卫生三项建设）从 1991 年开始，到 2000 年结束。十年间，全区总共投资 3.7 亿多元，对 1 509 所卫生院、86 个县级卫生防疫站、87 所县级妇幼保健所进行了匹配投资建设。共完成新建、扩建、翻建、维修业务用房 94 万平方米。同时还为受益单位装备各种医疗设备 10 万多台（件），培训管理人员和卫生技术人员 1.6 万人次。[②]

在全区加强基层卫生组织建设期间，1990 年，受国家中医药管理局委托，自治区卫生厅组织专家制定了《全国蒙医院建设标准》和《全国蒙医病历书写规范》。通过几年的试行，全区 80% 的蒙医院达到了建设标准，90% 以上的蒙医病历达到了书写规范要求。

---

① 郑泽民总纂：《内蒙古卫生改革与发展（1978—1997）》，远方出版社 1997 年版，第 115—117 页。

② 参见内蒙古卫生厅：《内蒙古自治区卫生统计资料汇编（1996—2000）》。

表 9－1　内蒙古自治区各时期卫生机构及医院与病床分布

类别		年度	1947	1954	1957	1966	1978	2000
卫生机构	合计（所）		55	1 094	2 152	3 896	4 000	4 427
	其中	卫生部门办	29	511	533	584	1 088	1 442
		工业企业办	0	83	376	1 139	1 972	1 996
		集体所有制	26	500	1 243	2 173	940	983
		其他或私营						6
医院数	合计（所）		28	106	136	531	1 723	1 988
	其中	城市医院	14	24	41	93	157	388
		农村医院	14	82	95	438	1 566	1 497
		其他医疗机构						113
拥有病床	合计（张）		519	3 537	7 733	25 292	46 202	66 903
	其中	城市医院	457	2 013	4 554	11 596	18 128	46 148
		农牧区医院	62	724	1 146	5 567	26 046	14 786
		其他医疗机构		800	2 033	8 029	2 028	5 969

表 9－2　各时期全区平均每千人口拥有的医院病床数及专业卫生工作人员数

类别	年度	1947	1954	1957	1966	1978	2000
病床数	合计（张）	0.1	0.3	0.6	1.3	2.4	2.02
	城市	0.8	1.7	2.6	3.9	4.3	—
	农村牧区	0.01	0.11	0.2	0.5	1.9	—
专业人员	专业人员总计（人）	1.2	2.3	2.3	3.1	4.1	5.51
	卫生技术人员：	1.2	2.0	2.0	2.6	3.3	4.51
	其中：城市	—	3.8	4.0	5.8	6.6	—
	农村	—	1.7	1.5	1.7	2.2	—
医生数	合计（人）	0.78	0.88	1.31	1.30	1.41	2.35
	城市		1.18	1.43	2.38	2.66	—
	农村		0.83	1.06	0.99	0.79	—

队伍发展 1947 年 5 月，内蒙古自治区刚刚成立时，全区总共只有医药卫生工作人员 6 158 人，其中卫生技术人员 5 979 人，行政管理人员 121 人，工勤人员 58 人；分别占这支队伍的 97.1%、1.96% 和 0.94%。在当时拥有的 5 979 名卫生技术人员中，2/3（4 097 人）系中医药和蒙医药等传统医药工作人员。当时，全区的医药卫生技术队伍中，西医医师（士）、护士和其他专业技术人员加在一起总共才有 1 882 人。[①] 这些掌握有现代医学和防疫技术的卫生技术人员，除少量系当时东北解放区、华北解放区支援内蒙古的医疗卫生技术骨干外，绝大多数都是自治政府卫生部通过各种渠道自己培养的新中国第一批现代医药卫生工作者。

为了解决卫生人员匮乏的现状，迅速提高整个卫生技术队伍的业务技术水平，自治区成立伊始，各级卫生部门本着“提高老的，培养新的，改造旧的”精神，在对接收的医疗卫生单位的留用人员进行改造，鼓励并组织个体开业医生成立联合诊所行医的同时，将部分在社会上有一定影响的医药名家吸收到了国家和集体举办的医疗卫生单位中工作。著名蒙医古纳、白清云，著名中医陈清廉、关瑞生等就是在这一时期被聘请到内蒙古中蒙医研究所等国家办医疗、教学、科研单位工作的。

内蒙古自治区成立后，对急需医药卫生人才的培养，是从举办卫生学校等中等医学教育起步的。除中华人民共和国成立前在战争环境中创办的东蒙医学校、医务养成所、喇嘛医学校、内蒙古军区卫生干部学校、内蒙古医士学校外，内蒙古自治区于 1956 年创办了全区第一所 5 年制本科教育的医药卫生高等教育最高学府——内蒙古医学院。此后又陆续创办了包头医学院、内蒙古蒙医药学院、呼和浩特市卫生学校、内蒙古医院卫生学校、包头市卫生学校、鄂尔多斯市卫生学校、乌兰察布盟卫生学校、阿拉善盟卫生学校、乌海市职工中专、呼伦贝尔卫生学校、呼伦贝尔蒙医学校、内蒙古林业卫生学校及内蒙古卫生干部进修学校等一大批高、中等医学院校和在职教育基地。从而为全区医药卫生队伍的不断壮大提供了坚实的发展基础和可靠的保障支持。

---

① 本志编纂委员会编：《内蒙古自治区志·卫生志》，内蒙古科学技术出版社 2007 年版，第 49 页。

表9-3 内蒙古自治区各时期卫生队伍及人员构成一览表

构成 \ 年度		1947	1954	1957	1966	1978	2000
总计		6 158	18 480	21 848	41 300	75 123	130 881
一、卫生技术人员		5 979	15 808	18 290	32 789	59 277	107 207
其中	中蒙医	4 097	5 029	6 800	6 891	6 932	14 280
	西医师	330	711	1 020	4 104	8 471	43 724
	医士	56	1 316	2 736	6 302	11 321	15 650
	护士	128	1 307	1 977	4 691	8 225	28 300
	其他卫技人员	1 368	7 445	5 757	10 801	24 328	5 253
二、其他技术人员		—	—	—	227	766	3 916
三、行政管理人员		121	1 399	2 084	4 827	8 443	9 042
四、工勤人员		58	1 273	1 474	3 457	6 637	10 716

（三）经费管理

事业经费 内蒙古自治区成立后的全区卫生事业经费，除基本建设投资经费外，主要包括：⑴医院经费，中蒙医院经费，基层卫生组织建设经费，防治、防疫事业费，妇幼保健机构经费，合作医疗补助费及医疗保障费用中由国家支付的补助经费等。

根据国家财政管理体制，全区卫生事业费的管理体制实行“划分收支，分级包干”的财政体制，分别由各级（自治区、盟市、旗县区）财政机关确定，经同级政府核准后执行。卫生部门上下级之间，基本没有经费预算关系（各级政府、部门对某建设项目实行匹配投资建设不在此列）。各级卫生部门只管直属单位的经费预算。

全区卫生事业经费的管理长期以来一直分全额预算管理和差额预算管理两大类。⑴全额预算管理。由于全区卫生部门所属的事业单位，有相当一部分没有业务收入，其支出只能全部由财政拨款解决，这些单位通称全额预算单位。如卫生防疫站、疾病控制中心、卫生监督所、健康教育所，各级各类防治机构、妇幼保健机构、医药卫生科研单位、中等卫生学校等。⑵差额预算管理。实行这种管理办法的主要是卫生部门所属的全民所有制医疗机构，它们有一定的医疗业务收入，但又入不敷出，需要国家给予一定的财政补助。国家对这些医疗机构的补助水平，相当于这些医疗机构职工工资和一部分附加工资；对集体办的医疗机构（主要是农村牧区卫生院），则根据“民办公助”的原则，由国家给予适当的补助。

内蒙古自治区成立后，自治区财政每年都要安排一定的卫生事业经费，用于卫生事业机构的人头经费和必要的公用经费以及添置更新医疗设备、进行房屋维修，以保证全区卫生事业的持续发展。

“一五”以前(1947—1952 年)，全区卫生事业经费累计（不包括工矿企业及其他部门卫生机构的卫生事业费，下同）支出 1 227 万元。

“一五”（1953—1957 年）期间，全区卫生事业经费累计支出 8 797. 9 万元。

“二五”（1958—1962 年）期间，全区卫生事业经费累计支出 12 712. 6 万元。三年调整（1963—1965 年）时期，全区卫生事业经费累计支出 10 649. 88 万元。

“三五”（1966—1970 年）期间，全区卫生事业经费累计支出 11 928. 6 万元。

“四五”（1971—1975 年）期间，全区卫生事业经费累计支出 14 715. 4 万元。

“五五”（1976—1980 年）期间，全区卫生事业经费累计支出 33 490. 9 万元。

“六五”（1981—1985 年）期间，全区卫生事业经费累计支出 74 899 万元。

“七五”（1986—1990 年）期间，全区卫生事业经费累计支出 137 524. 6 万元。

“八五”（1991—1995 年）期间，全区卫生事业经费累计支出 206 448. 9 万元。①

① 本志编纂委员会编：《内蒙古自治区志·卫生志》，内蒙古科学技术出版社 2007 年版，第 60 页。

表9-4　1996—2000年全区卫生事业经费支出分类统计细目表

单位：万元

项目＼年度	1996	1997	1998	1999	2000
全区卫生事业费支出合计	45 524.90	50 730.16	56 801.59	218 263.31	245 394.64
医院经费	16 083.11	18 431.67	19 030.02	144 583.88	66 547.86
卫生院补助费	7 704.99	8 273.87	8 419.16	42 602.24	44 304.17
其中：卫生院防保补助	449.59	606.60	670.96	——	——
防治防疫事业费	10 272.64	10 855.11	12 910.74	16 230.98	18 080.47
药品检验机构经费	1 364.35	905.81	1 112.43	——	——
妇幼保健经费	2 714.04	3 629.32	4 412.61	6 716.21	81 080.47
中等医学专业学校经费	2 275.66	2 628.18	3 600.40	——	——
干部训练费	614.53	723.39	839.38	787.33	760.10
合作医疗补助	64.00	69.30	38.00	——	——
托儿所经费	——	——	——	——	——
处理群众医疗欠款基金	——	——	——	——	——
其他卫生事业费	4 431.58	4 641.04	5 838.85	7 342.67	7 519.83
补充资料	——	——	——	——	——
国家预算内基本建设投资	197.01	476.08	80.00	——	188
医学科研机构经费	——	222.43	291.00	——	——

注：此表转摘自《内蒙古自治区卫生统计资料汇编（1996—2000）》。

基建经费　这里所说的基建经费指的是卫生主管部门及其所属事业单位，在进行基本建设时投资支出的经费。

内蒙古自治区成立后有记载的第一笔基建经费12.5万元支出于1948年，占这一年全年卫生事业经费支出的97.65%。①

据不完全统计，"一五"以前(1947—1952年)，全区卫生基本建设经费累计支出176.8万元，占同期全区卫生事业经费总支出的14.41%；第一个五年计划（1953—1957年）期间，全区卫生基本建设经费累计支出2 322.6万元，占同期全区卫生事业经费总支出的26.39%。第二个五年计划

① 本志编纂委员会编：《内蒙古自治区志·卫生志》，内蒙古科学技术出版社2007年版，第55页。

（1958—1962 年）期间，全区卫生基本建设经费累计支出 2 032. 1 万元，占同期全区卫生事业经费总支出的 15. 98%。三年调整（1963—1965 年）时期，全区卫生基本建设经费累计支出 1 442. 28 万元，占同期全区卫生事业经费总支出的 13. 54%。第三个五年计划（1966—1970 年）期间，由于正处于“文革”混乱时期，全区卫生基本建设经费仅在 1970 年支出了 88 万元，占“三五”同期全区卫生事业经费总支出的 0. 74%。第四个五年计划（1971—1975 年）期间，全区卫生基本建设经费累计支出 876. 0 万元，占同期全区卫生事业经费总支出的 5. 95%，虽然较“三五”期间有较大的增加，但依然较“文化大革命”以前各时期进行的卫生基本建设的规模小许多。第五个五年计划（1976—1980 年）期间，全区卫生基本建设经费投入比“四五”时期增加了 1 116 万多元，累计支出 2 992. 8 万元，占同期全区卫生事业经费总支出的 6. 85%。第六个五年计划（1981—1985 年）期间，全区卫生基本建设经费累计支出 9 084. 0 万元，占同期全区卫生事业经费总支出的 12. 13%。第七个五年计划（1986—1990 年）期间，全区卫生基本建设经费累计支出 12 590. 0 万元，占同期全区卫生事业经费总支出的 9. 15%。第八个五年计划（1991—1995 年）期间，全区卫生基本建设经费累计支出 19 602. 0 万元，占同期全区卫生事业经费总支出的 9. 49%。其中，中蒙医基建经费支出 2 147 万元，占同期全区卫生基本建设支出的 10. 95%。① 进入“九五”（1996—2000 年）以后，自治区通过增加国家拨款，“上马”了农村牧区基层卫生组织建设项目和国债建设项目，通过接受世界银行及国外贷款等各种形式和渠道，进一步加强了全区卫生基本建设。

（四）人员管理

1956 年以前，内蒙古自治区政府没有设立过专门的科技干部管理机构，科技干部管理工作一直由人事局干部处承办。因此，全区卫生系统的专业技术干部队伍管理工作，一直由自治区卫生厅（局）人事处负责具体承办。该处主要负责自治区卫生厅及其直属单位卫生技术干部的调配、招聘和大中专毕业生的分配和全区卫生技术人员的技术职称评定等工作。

① 本志编纂委员会编：《内蒙古自治区志·卫生志》，内蒙古科学技术出版社 2007 年版，第 60—61 页。

技术职务管理　1956 年以前，全区卫生部门所属医疗卫生单位大多实行的是院、所、站党委集体领导下的专业技术职务任命制和职务等级制。

1956 年，国家卫生部颁发了《国家卫生技术人员职务名称和职务晋升暂行条例》（草案），此后，全区只在少数单位为部分技术骨干评定并落实了技术职务，多数仍实行专业技术职务任命制和职务等级制。1963 年，卫生部颁发了《关于试行“卫生技术人员职务名称和职务晋升暂行条例”修正草案的通知》。遵照这一通知精神，自治区于当年 5 月开始在全区一些医疗卫生单位试行。由于“文化大革命”的冲击，于 1966 年被迫中断。直到 1978 年全国科学大会召开后，卫生技术人员职称评定职务晋升工作才得以恢复，并逐步实现了制度化、正规化。

传统医药和少数民族卫生技术人员的管理　由于历史的原因，1947 年，内蒙古自治区刚成立时，在全区拥有的 5 979 名卫生技术人员中，2/3（4 097 人）的人员系中医、蒙医等传统医药工作者。当时这些中蒙医专业工作人员，几乎 100% 在农村牧区游走行医。

1954 年，蒙绥合并后的内蒙古自治区卫生部设立中医科，专门负责传统医药的管理。1956 年 6 月，内蒙古自治区卫生局改称卫生厅后，中医科扩大为中医处。1960 年，内蒙古自治区人民委员会颁发了《内蒙古自治区中（蒙）医药带徒弟办法》，对中医、蒙医学徒条件、学习内容、期限、手续、生活待遇、出师考试等都作了明确规定。该《带徒弟办法》于 1963 年进行了一次修订。至 1965 年，全区大约有 1 800 多名中蒙医学徒出师。①

考虑到“喇嘛”和“医生”前者属宗教范畴，后者属自然科学，是两个完全不同的概念，内蒙古卫生厅在报请内蒙古党委宣传部同意后，于 1962 年 2 月 21 日正式发文，“喇嘛医”从此一律改称“蒙医”。1963 年，正当国家经济遭遇困难的情况下，内蒙古人委批准为全区国家医疗机构工作的蒙医普调一级工资。

为抢救保存在蒙藏文经卷中的蒙医药宝贵文献资料，1962 年，内蒙古人委下发了《关于做好蒙藏文医学经卷的保管、搜集，整理、研究工作的通知》，要求全区各盟公署、市、旗、县人民委员会，指派专人对散在民间

① 本志编纂委员会编：《内蒙古自治区志·卫生志》，内蒙古科学技术出版社 2007 年版，第 779 页。

及召庙中的有关医学经卷，进行整理、修补、造册、编目，以供整理研究应用。

1966年爆发的“文化大革命”使中蒙医等传统医药的发展和少数民族卫生技术人员队伍的管理工作一度出现停滞，甚至倒退。从1978年9月24日中共中央批转卫生部党组《关于认真贯彻党的中医政策，解决中医队伍后继乏人的报告》下达，到1980年的三年时间内，内蒙古总共为将近2 000名中蒙医纠正了冤假错案，恢复了名誉。在1978年，68名中蒙医被评定为主任医师或副主任医师，有5名长期从事中蒙药工作的技术人员被评定为副主任药师。①

1978年12月26日，中央卫生部、国家劳动总局根据中共中央（78）56号文件精神，向各省、区下发了《关于从集体所有制和散在城乡的中医中吸收一万名中医药人员，充实加强全民所有制中医药机构问题的通知》，内蒙古根据通知精神于1979年通过考试和推荐，择优录取了110名蒙医、90名中医（不包括东三盟、西三旗）充实到国家各级中蒙医机构。②

1991年、1997年、2003年，国务院人事部、卫生部、国家中医药管理局在内蒙古自治区总共遴选了23位名老蒙中医，并为他们安排了34名学术继承人，这些学术继承人全部通过了国家出师验收。③

由于重视和加强了对中蒙医传统医药学队伍从业人员素质的提高和业务技术的培训，全区传统医药学队伍无论是学历构成，还是职称构成都有比较明显的变化。20世纪末到21世纪初11年间，全区传统医药专业技术队伍人员发展变化的有关统计数据详见表9－5。

① 郑泽民总纂：《内蒙古卫生改革与发展（1978—1997）》，远方出版社1997年版，第162—163页。

② 郑泽民总纂：《内蒙古卫生改革与发展（1978—1997）》，远方出版社1997年版，第162—163页。

③ 本志编纂委员会编：《内蒙古自治区志·卫生志》，内蒙古科学技术出版社2007年版，第785页。

表 9－5　1990—2000 年全区传统医药专业技术队伍发展统计表

年度	中蒙医专业人员合计	其中：中医				其中：蒙医			
		合计	中医师中药师	中医士中药士	其他中医	合计	蒙医师蒙药师	蒙医士蒙药士	其他蒙医
1990	14 963	11 036	5 838	4 215	983	3 927	2 165	1 441	321
1991	14 799	10 883	5 927	4 027	929	3 916	2 279	1 403	234
1992	14 877	10 876	5 947	3 956	973	4 001	2 347	1 407	247
1993	14 183	10 387	6 116	3 597	674	3 796	2 255	1 318	223
1994	14 293	10 321	6 279	3 390	652	3 972	2 451	1 334	187
1995	14 215	10 220	6 378	3 168	574	3 995	2 548	1 262	185
1996	14 733	10 967	6 760	3 677	530	3 766	2 437	1 152	177
1997	14 118	10 309	7 247	2 615	447	3 809	2 625	994	190
1998	13 640	9 876	7 047	2 367	462	3 764	2 597	1 013	154
1999	14 081	10 195	7 545	2 282	368	3 886	2 758	1 054	74
2000	14 285	10 423	8 028	2 043	352	3 862	2 940	834	88

注：上表统计未包括中西医结合医师。全区中西医结合医师 1990—2000 年 11 个年度的人员统计数分别为 85 人、72 人、69 人、136 人、140 人、199 人、241 人、327 人、288 人、320 人和 359 人。

三、群众性卫生组织

内蒙古自治区成立以前，在现今内蒙古地域内建立的群众性卫生组织（医药卫生学术团体）有：中华医学会热河省、察哈尔省、绥远省的部分地方分会组织、中央国医馆绥远省国医分馆及归绥市、包头市、临河县等各城镇的医师公会、中医师公会、国药业同业公会、新药业同业公会等。

内蒙古自治区成立后，现今内蒙古东部地区的许多旗县都成立了名目各异的医药卫生学术团体。这些医药卫生学术团体基本上都是当地的医药卫生人员在各地卫生行政领导部门的支持下自发组织、自愿成立的。这些医药卫生学术团体在 20 世纪 50 年代初，最终都统一归并到了全区各地普遍成立的各级卫生工作者协会中来。目前拥有 5 000 多会员的内蒙古医学会以及内蒙古蒙医药学会、内蒙古中医药学会、内蒙古预防医学会、内蒙古护理学会等各类各级医药卫生学会，是内蒙古自治区成立后，特别是 20 世纪 50 年代以后，中国共产党和人民政府团结广大医药卫生科技工作者，开展学术活动、交流学术成果和经验、提高业务技术水平的得力助手。

（一）内蒙古医学会

成立于1958年，前身是成立于1952年的原绥远省“医师工会卫生工作者协会”，原称中华医学会内蒙古分会。目前下设43个专科分会。该学会的业务活动包括：开展医学科技学术交流；编辑出版发行《内蒙古医学杂志》；开展继续医学教育；评选和奖励优秀的医学科技成果；组织开展医疗事故技术鉴定和承担卫生行政部门委托的其他职能等。从1978年恢复学会至1997年20年来，内蒙古医学会共举办大型学术活动157次，会议交流论文14 784篇，参加人员11 176人次。① 20世纪90年代后，内蒙古医学会举办的全区性大型学术活动，重点是解决医疗、教学和科研中遇到的实际问题，力求一次讲深讲透一个问题。学术会议交流的论文，绝大部分以书面的形式进行交流，收到了很好的效果。此外，1993—1998年，内蒙古医学会还配合自治区卫生厅审定了2 982项全区继续医学教育项目。

（二）内蒙古预防医学会

原称中华预防医学会内蒙古分会，成立于1989年2月13日。成立后原来隶属于内蒙古医学会的流行病、卫生、地方病专业委员会同时归到该学会，成为该会的分科学会。成立后先后举办召开了8次大型的学术讨论会、11次学术报告会和2次国际学术报告会，② 并向全国和国际有关预防医学学术会议推荐论文70余篇。同时参与了巴彦淖尔盟防砷改水项目的境外资金引入和人员派出学习等具体工作。该学会还主办有《内蒙古预防医学》学术期刊一种。

（三）内蒙古护理学会

前身是1953年在归绥市（呼和浩特市）成立的中华护士学会绥远省分会，原称中华护理学会内蒙古分会。成立50年来，在团结全区广大护理人

---

① 本志编纂委员会编：《内蒙古自治区志·卫生志》，内蒙古科学技术出版社2007年版，第1011页。

② 本志编纂委员会编：《内蒙古自治区志·卫生志》，内蒙古科学技术出版社2007年版，第1019页。

员，为繁荣发展内蒙古的护理事业，为促进护理战线出成果、出人才而积极开展学术交流活动，并在力所能及的范围内普及卫生保健和护理知识，在自治区重要的护理技术政策和问题等方面发挥了重要的咨询和参谋作用。

（四）内蒙古蒙医药学会、内蒙古中医药学会

内蒙古蒙医药学会和内蒙古中医药学会的前身都是1957年成立的内蒙古中（蒙）医学会。据不完全统计，自1978年内蒙古自治区蒙医药学会恢复组织活动以来，平均每两年就举行一次较大型的蒙医药学术交流活动。参加学术交流的蒙医药人员超过了2 000人次。除交流学术论文1 500篇左右外，还公开出版了蒙医学术论文集4部（本）。目前自治区蒙医学会大约拥有会员1 580余人。近年来，内蒙古蒙医药学会、内蒙古中医药学会以内容丰富多彩，形式多种多样的学术活动，活跃了传统医学领域的学术空气，全区每年都有300多篇论文在全国会议交流或学术杂志刊出。① 这两个学会主办的学术期刊《蒙医药》和《内蒙古中医药》杂志多次在全国、全区获奖。1995年，又承办了国家级期刊《中国民族医药》杂志的编辑和出版。近年来，由于内蒙古蒙医药学会和中医药学会会员的积极参与和努力，中蒙医药共有59项成果获得自治区以上奖励，其中蒙药治疗萨病、荜拔降血脂机理研究等获国家中医药管理局乙级成果奖励。

（五）图书和期刊

据不完全统计，内蒙古自治区成立以来，由各医药卫生学会与有关单位共同主办公开出版发行的学术性医学期刊有《内蒙古医学》杂志、《内蒙古中医药》杂志、《蒙医药》杂志、《中国民族医药》杂志、《内蒙古预防医学》杂志等。此外，《内蒙古防痨》《针灸通讯》等作为内部出版发行的学术性医学刊物，在全区也拥有众多的读者。

《内蒙古医学》杂志　《内蒙古医学》杂志1954年创刊，原名《内蒙古卫生通讯》，蒙、汉文版，双月刊，主要任务是传达党和政府卫生工作方针、政策；交流各地卫生工作经验；根据卫生干部业务学习规划，刊登业务学习材料。1957年改名《内蒙古卫生》（月刊），主要刊登学术性文章。1966年

① 本志编纂委员会编：《内蒙古自治区志·卫生志》，内蒙古科学技术出版社2007年版，第1037页。

文化大革命开始后停刊；1981 年复刊（汉文版），季刊，1987 年公开发行；1995 年改为双月刊。

《内蒙古中医药》杂志 是内蒙古自治区卫生厅主管，内蒙古中医药学会和内蒙古自治区中蒙医研究所共同主办的自治区（省）级学术期刊。1982 年创刊时为季刊，16 开，每期 48 页。创刊 20 多年来，始终坚持立足本区，面向全国，突出地区特点，侧重实用，服务基层，普及与提高兼顾，继承与发扬结合的办刊宗旨。开辟有：理论研究与探讨、临床研究、临床报道、临症经验、中西医结合、针灸与推拿、疗法与方药、实验研究、药物定性定量研究、文献研究、发展与思考、护理等栏目。

《中国民族医药》杂志 是由国家中医药管理局主管，全国中医药图书情报工作委员会、内蒙古自治区中蒙医研究所主办的国家级学术期刊。是全国唯一的一份以汉文字刊载少数民族医药的综合性刊物。《中国民族医药》杂志 1995 年创刊，季刊，16 开，每期 48 页。主要开辟有：理论探讨、临床研究、临床报道、诊治经验、医学结合、方药纵横、疗法应用与研究、实验研究、文献研究、文献综述、医史研究、教学探讨、药物定性定量研究、质量标准、发展与思考、护理等栏目。

《蒙医药》杂志 1974 年创刊。当时是内蒙古自治区卫生厅主管，内蒙古蒙医药学会和内蒙古自治区中蒙医研究所共同主办的自治区（省）级学术期刊，是全国唯一的一本用蒙文出刊的公开发行的省（自治区）级传统民族医学学术期刊（季刊）。年平均通过邮局发行 6 000 册，每期 48 页，4. 8 万字。在蒙古国、独联体、日本等国外也拥有许多读者。

1992 年《蒙医药》杂志汉文版创刊。在国内外发行，受到医学界同仁和广大汉族读者的喜爱。设有蒙医蒙药基础理论、医史文献研究、临床研究、蒙药实验研究、蒙医疗术、蒙医药教学、临床经验研究、蒙西医结合、蒙医蒙药综述、蒙医护理等栏目。

《内蒙古预防医学》杂志 前身为创办于 1984 年 3 月的《内蒙古地方病防治研究》杂志。1992 年 4 月，被国家新闻出版局批准为正式出版刊物。1996 年 2 月，经内蒙古科学技术委员会批准，报国家新闻出版总署批复发证后正式更名为《内蒙古预防医学》杂志，季刊。杂志设：论著、调查研究、实验研究、经验交流、监测、综述、短篇报道、消息等栏目。1998 年，

《内蒙古预防医学》杂志入选中国电子光盘版出版物，成为中国学术期刊光盘版全文收录刊物。

第二节　疾病控制

自治区成立之初，全区鼠疫、天花等烈性、急性传染病的暴发流行十分猖獗，严重威胁和影响着广大人民群众的身体健康和自治区的经济建设。据1951年的统计，当时全区鼠疫、天花、白喉、流行性脑脊髓膜炎等10种急性传染病的发病率高达468.1/10万，病死率为6.5%。内蒙古自治区成立后，面对传染病的肆虐流行，自治区政府主席乌兰夫在1948年的元旦献词中，把卫生防疫同打仗、生产并列为当时内蒙古的三大中心任务，号召全区党政军民，共同奋斗，坚决打赢扑灭鼠疫等急性传染病流行这一仗。① 到1949年底，内蒙古地区鼠疫流行的范围大大缩小，急性传染病防治被动防御的局面开始扭转。

一、传染病防治

内蒙古自治区成立后的卫生事业，是从卫生防疫起家，由对烈性传染病的防治控制做起，一步步发展壮大起来的。1947年，组建的以鼠疫防治为首要任务的内蒙古防疫大队，是内蒙古自治区成立后全区建立的第一个自治区级卫生防疫机构。此后，于1950年成立了以性病防治为主的内蒙古自治区驱梅队，1953年，成立了内蒙古自治区卫生防疫站。据截至2000年底的统计，经过近60年的发展建设，全区现有各级卫生防疫防治机构185个，有防疫防治专业人员1万多名。② 在各级党委、政府的正确领导下，经过几代人的艰苦奋斗，辛勤工作，不仅消灭了天花，基本控制了人间鼠疫的暴发流行，而且随着卫生改革的不断深化，不断加大传染病防治的力度，在计划免疫、性病、艾滋病防治、结核病防治、病毒性肝炎防治和地方病防治等各个工作领域均取得了令人瞩目的成就。

---

① 郝维民主编：《内蒙古自治区史》，内蒙古大学出版社1991年版，第48页。

② 参见内蒙古卫生厅编：《内蒙古自治区卫生厅统计资料汇编（1996—2007）》。

（一）急性传染病防治

天花 千百年来、特别是从清朝末年到中华人民共和国成立，天花一直是威胁内蒙古地区城乡居民生命健康的主要急性传染病病种之一，几乎每年都有病患发生。例如，内蒙古西部乌兰察布盟的清水河县，在民国36年（1947）就曾发生过一次规模较大的天花流行。而1949年发生在内蒙古东部昭乌达盟的一次天花流行，患者就有1 111人，死亡388例，病死率高达34%。①

内蒙古自治区成立后，由于人民政府不遗余力地推广牛痘接种，在全区范围内为人们免费普种牛痘，使天花的患病率一天天减少，直至最终被消灭。内蒙古自治区的最后一例天花病例发生于1956年（据有关资料记载，内蒙古西部地区从1952年以后就再未发现过天花病例）。5年后（1961年），天花在中国停止传播。将近25年后（1980年），世界卫生组织宣布，天花在全世界彻底被消灭。

伤寒、副伤寒 1947年，在今内蒙古西部的阿拉善盟地区发生斑疹伤寒流行，当年就造成了近百人死亡。

20世纪50年代，伤寒、副伤寒在内蒙古地区虽然一直有散见发生，但是却呈逐年下降趋势。但是，在20世纪50年代末至60年代初，这两种传染病却出现了全区性的大流行，发病率达97.55/10万，而且持续时间长达7年之久。造成这次伤寒、副伤寒流行的主要原因，是随着社会主义建设新高潮的到来而新开拓的一些厂矿建设工程和新兴修的部分水利工程建设工地，卫生防病措施没有及时跟上以及管理不善而导致的。20世纪70年代时，全区伤寒、副伤寒的平均发病率在24.8/10万左右。其中，1977年和1978年发病率曾一度达到30—40/10万之间，根据疫情资料分析，那些伤寒、副伤寒的暴发点，多为既往的伤寒、副伤寒高发区及其周围村、屯。20世纪80年代后期，伤寒、副伤寒的发病率降低到4/10万以下。20世纪90年代的10年间，发病最多的年份发病率为2.79/10万，发病最少的年份发病率只

---

① 本志编纂委员会编：《内蒙古自治区志·卫生志》，内蒙古科学技术出版社2007年版，第142页。

有 0.02/10 万。①

细菌性痢疾 细菌性痢疾是内蒙古地区属分布较广、发病率较高、危害程度较大的一种肠道传染病，仅中华人民共和国建立以来有记载的较大流行就发生过 3 次。一次是 1958 年至 1959 年间，全区平均发病率为 411.5/10 万；另一次流行发生于 1973 年，全区平均发病率为 343.3/10 万；第三次是 1983 年，全区平均发病率是 5 289/10 万。从 1982 年开始，由于自治区卫生厅根据全区急性传染病的构成，明确地将肠道传染病作为重点防控的对象加以预防和治疗，经过几年的努力，到 1985 年时，细菌性痢疾的发病率下降到 140.5/10 万，患病人数比 1981 年下降了 70% 多。尽管如此，细菌性痢疾的患病人数在 20 世纪 80 年代仍占自治区急性传染病患病总数的 40% 左右。20 世纪 90 年代，细菌性痢疾的发病率有比较大的下降，最高年份为 101.92/10 万，最低年份（2000 年）只有 26.92/10 万。②

流行性脑脊髓膜炎 流行性脑脊髓膜炎（流脑）在一般年份为散发，每 3 至 10 年出现一次流行高峰。内蒙古自治区成立以来遇到的流行高峰有两次。第一次流行从 1966 年开始，到 1967 年达到最高峰，全区平均发病率为 102.43/10 万，死亡率为 10/10 万。流行强度最大的地区有包头市、哲里木盟、呼和浩特市，发病最多的地区发病率最高达到 199.98/10 万。第二次流行发生于 1979 年，全区发病率为 25.6/10 万，死亡为 1.64/10 万。③

1985 年以后，流行性脑脊髓膜炎再没有在内蒙古地区出现过较大的流行高峰，直到 20 世纪末，全区健康人群的带菌率一直比较稳定地维持在 25%—29% 之间。④

流行性乙型脑炎 20 世纪 50 年代初至 60 年代末，在内蒙古自治区范围内除阿拉善盟和乌海市外，其余各盟市均有过流行性乙型脑炎的疑似病例

① 本志编纂委员会编：《内蒙古自治区志 · 卫生志》，内蒙古科学技术出版社 2007 年版，第 144—145 页。

② 本志编纂委员会编：《内蒙古自治区志 · 卫生志》，内蒙古科学技术出版社 2007 年版，第 144—145 页。

③ 本志编纂委员会编：《内蒙古自治区志 · 卫生志》，内蒙古科学技术出版社 2007 年版，第 145—147 页。

④ 本志编纂委员会编：《内蒙古自治区志 · 卫生志》，内蒙古科学技术出版社 2007 年版，第 145—147 页。

报告，但在病原学上一直未能得到证实。1973 年，呼和浩特市地区发现了 13 例乙脑病人，除根据血清学诊断初步认定为乙脑外，并从一病死者的脑组织中分离出乙脑病毒，从而首次确定了内蒙古自治区为乙脑疫区。1974 年，流行性乙型脑炎在自治区的一些地区出现了较大的流行，疫情波及 42 个旗、县（市、区），发病率为 9.66/10 万，死亡率为 1.58/10 万。[①]

自 1975 年以来，由于有计划地对疫区的易感人群，特别是对儿童进行了乙脑疫苗的预防接种，控制了疫情，全区各地再未出现过大的流行性乙型脑炎流行。

炭疽　内蒙古自治区成立以来，全区有 9 个盟市 50 个旗县发生过炭疽病人间疫情，主要集中在哲里木盟、呼伦贝尔盟、赤峰市、乌兰察布盟和呼和浩特市等几个地区。其中最大的一次流行发生于 1962 年呼和浩特市土默特左旗。由于在防治炭疽病的过程中，全区各级卫生防疫部门加强了与畜牧兽医部门的互通情报和密切协作，使人间和畜间疫区都及时得到妥善的处理，并开展了有关炭疽病防病知识的卫生知识宣传教育。所以，到 1985 年时，全区炭疽病的发病率已下降到 0.07/10 万。此后，全区炭疽病的发病率基本维持在 0.10/10 万上下，而且从 20 世纪 90 年代开始没有出现过因炭疽病而死亡的病例。

霍乱　据《呼和浩特市卫生志》转引《萨拉齐县志》的一条记载称：内蒙古地区有文字记录的霍乱流行发生于民国二十一年（1932 年）绥远省萨拉齐县。后来波及到现今土默特右旗的唐将军窑子村，接着又传入现今呼和浩特市土默特左旗的苃芁梁八坝牛，以及托克托县的祝乐沁等地，先后导致多人死亡。

1965 年 9 月，呼和浩特地区曾发生过一次由食用外地输入的活河蟹而引起的小川型霍乱流行。这次流行中，共发现疑似病例 97 例，确诊 5 例。

1994 年 8 月，哲里木盟科左中旗腰里毛都乡的霍乱暴发流行，是内蒙古自治区成立以来发生的第一次霍乱流行。本次霍乱流行累计发现病人 112 例，发病率为 6.7‰；死亡 2 例，病死率为 1.79%，流行持续 32 天，菌型

① 本志编纂委员会编：《内蒙古自治区志·卫生志》，内蒙古科学技术出版社 2007 年版，第 145—147 页。

鉴定为小川型，传染源来自于外地流动人口中的带菌者，经饮水污染和日常生活接触传播。①

1996年6月，包头市发现1名呕吐、腹泻伴有严重脱水和休克患者，经实验室检查被确诊为霍乱的病例。该患者的粪便培养，细菌形态、运动和氧化酶试验符合霍乱菌，并与O_{139}群霍乱抗血清凝集，经中国预防医学科学院流行病研究所复判，鉴定为国内第一株药物敏感型O_{139}霍乱茵株。此次疫情在自治区卫生厅和包头市卫生局的直接领导下，迅速采取有效防治措施，杜绝了二代病例的发生。

几种自然疾源性疫病　“几种自然疾源性疫病”，主要指在内蒙古自治区境内曾经发生过或流行过的包括流行性出血热在内的弓型体病、黑热病、Q热及钩端螺旋体病等，其强度与危害各不相同。

流行性出血热是自然疫源性疾病的一种，是通过鼠类传播并在一定地区发生流行的急性传染病。在内蒙古地区最初主要分布在呼伦贝尔市和兴安盟的部分森林区。20世纪50年代中期，流行性出血热首次在大兴安岭牙林线的图里河及其沿线出现暴发流行。通过采取以灭鼠为主的综合性防治措施，使该病的流行强度逐年下降。到1957年以后，疫情基本得到控制。此后，包括呼伦贝尔盟在内的全区流行性出血热病例虽然几乎每年都有发现，但大多为散发，全区流行性出血热疫区基本上处于稳定状态。然而，自20世纪80年代以来，全区流行性出血热的发病人数和疫区面积却逐渐在扩大，不仅由林区扩展到了农区，而且由呼伦贝尔盟扩大到了兴安盟、哲里木盟、赤峰市、伊克昭盟等7个盟市的17个旗县，新增疫点44个。呼伦贝尔盟几乎是每年都有病例发生。其他盟市在个别年份不时也有散发病例发生。历次调查结果还显示，流行性出血热在内蒙古自治区内的流行，具有严格的地区性、散发性、相对集中、季节性和人群分布等特点。

自20世纪90年代起，全区开展了以灭鼠为中心的群众性防病灭病工作。各地主要采用灭鼠、防鼠和早诊断、早发现、早治疗的“三早”措施；临床救治以抢救休克、尿毒症和心衰肺水肿为主，以降低病死率。提高治愈

① 本志编纂委员会编：《内蒙古自治区志·卫生志》，内蒙古科学技术出版社2007年版，第145—147页。

率以来，全区流行性出血热的发病率一直比较稳定地控制在3/10万以下。①

钩端螺旋体病始自20世纪60年代，继在哲里木盟科左中旗的架玛吐出现钩端螺旋体病例后，在该旗的巴音他拉和通辽县的西六方村也有病例发生，并且从病人、鼠类、家畜和水中分离到病原体，其血清型为波摩那群。其中，科左中旗的野外鼠类补体结合抗体测定，阳性率为39.3%。1995年，内蒙古自治区防疫站组织开展了全区第一次钩端螺旋体病人、畜血清流行病学调查，在4个具有代表性的地理景观带的11个旗县正常人群进行的抗体检测，阳性率为4.5%，共有黄疸出血群、犬群、致热群、七日热群、秋季热群、波摩那群和巴达维亚群7个血清群。家畜中抗体阳性率高达19.8%，② 血清群与人群抗体血清群完全一致。应用细菌培养和PCR方法证实，羊是内蒙古自治区钩端螺旋体病的主要传染源。通过有针对性地接种菌苗，坚持灭鼠工作，该病的发病率明显得到控制。

（二）慢性传染病防治

性传播疾病　性传播疾病，通过性接触传染的疾病的总称，旧称“性病”。从1950年开始进行的多次调查和防控实践中获得的具体事实和统计数据都表明，当时内蒙古地区特别是牧区性传播疾病的流行情况十分严重，患病率平均为57.4%，其中梅毒的患病率为47.9%，不仅传染性强的患者多，而且青壮年占大多数，尤其妇女儿童受害深重。有的牧区15岁以下的儿童中竟然有25—28%的人患有先天性梅毒。20世纪50年代，全区开展了普遍彻底的驱梅工作，大致经历了“初战告捷”（1950—1956年），“扩大巩固战果”（1957—1961年），“大功告成”（1962—1966年）和“续写新篇”（1977—2005年）四个历史阶段。

进入20世纪60年代后，全区性传播疾病防治“大功告成”，实现了基本消灭性病。然而，时隔10多年，性病又死灰复燃，而且发病人数一直呈逐年上升趋势。为有效预防和控制性病的发生，1989年，全区12个盟市防疫站均重建和设立了性病防治科和性病门诊，设置了专门的性病防治专业人

① 本志编纂委员会编：《内蒙古自治区志·卫生志》，内蒙古科学技术出版社2007年版，第149、151页。

② 本志编纂委员会编：《内蒙古自治区志·卫生志》，内蒙古科学技术出版社2007年版，第149、151页。

员，全区性病监测和防治网络基本形成。几年来，内蒙古性病监测中心及各级卫生防疫人员在性病监测方面做了大量工作，基本上摸清了自治区性传播疾病的基本特征。自治区及各盟市还通过举办多期性病防治知识学习班，培训各级医务人员400余人。同时制订了《内蒙古自治区性病防治控制规划(1994—2000)》,并下发了性病防治的有关文件和要求，对全区性病防治起到了积极的推动作用。从1995年以来，全区性病流行出现了一些新的变化和特点。性病发病呈整体上升趋势，以梅毒为例，1993年全区报告梅毒病例1例，占当年性病发病例数的0.075%；1996年后梅毒的发病增多，1997年发病人数达到68例，以后逐年递增。到2000年，梅毒的发病人数已达到615例，占当年性病发病例数的12.37%。①

艾滋病防治　自1985年我国发现第一例艾滋病病人后，1988年全区也开展了艾滋病监测工作。最初，主要是对边境居民及出、回国的劳务人员进行监测。随着卫生部关于扩大对高危人群监测要求的提出，以及云南瑞丽地区从静脉吸毒人群中发现艾滋病病毒感染者后，全区艾滋病监测工作的重点也主要放在吸毒人群中，并同时对其他类高危人群进行艾滋病监测。20世纪90年代前后，根据艾滋病经血传播的实际，全区又进一步加强了对职业献血人群的监测，尤其是对盟市旗县流动职业献血人群的监测。1991年，自治区制定下发了《内蒙古自治区哨点监测方法》。卫生与公安部门配合，重点加强了对收容所、劳教所关押的嫖娼、卖淫人员实施强制性监测。近年来，随着艾滋病感染经血液传播的出现，全区进一步加强了对职业献血人群的监测。1996年以后，自治区在全区范围内加强了对艾滋病的监测、检测，建立了20多个艾滋病监测哨点和2个性病区域监测点。

结核病防治　内蒙古自治区成立之前，防痨机构建设基本上是一张白纸。自1949年在自治区东部的扎兰屯建立全区第一所结核病防治院以来，内蒙古的结核病防治机构和队伍从无到有，如今已发展壮大为一支拥有117所结核病防治所站（院）、上千名结核病防治人员，防治网络遍及全区城乡。

---

①　本志编纂委员会编：《内蒙古自治区志·卫生志》,内蒙古科学技术出版社2007年版，第160、162页。

改革开放以来，全区的结核病防治事业取得了显著成绩，结核病平均患病率由20世纪60年代初的4 740/10万下降到1998年的687.4/10万，涂阳肺结核患病率由1990年的285.2/10万，下降到1998年的161.6/10万。但目前全区结核病患病率和涂阳肺结核患病率仍高于全国平均水平。截至2000年的统计，自1996年4月全区开始启动卫生部的加强与促进结核病控制项目以来，全区有54个旗县开展了项目工作，覆盖了64.3%的全区人口。这期间除发现和治疗涂阳肺结核病人1.2万多例，并对56%的涂阳肺结核病人实施了直接面视下短程督导化疗，使90%以上的传染源得到了治疗，为全区结核病防治工作进一步深入开展奠定了基础。2000年后，全区又引进了比利时达米思基金会援助的结核病控制项目，该项目主要为全区提供抗结核药品、显微镜、督导、病人管理费等。目前已在5个盟市的12个旗县实施了该项目。该项目启动以来已为全区提供仪器、药品等共计277.25万元，并免费治疗肺结核病人3 906例，其中涂阳病人1 228例。①

居住在呼伦贝尔盟的鄂伦春族、鄂温克族和达斡尔族三个少数民族的结核病的患病率，与全国、全区同期的平均患病率相比一直是比较高的。例如鄂伦春族聚居的甘奎乡，检查197人，结核病人占17.25%，在34名病人中有14岁以下儿童24人，占病人数的70.53%。又如在达斡尔族居住的腾克乡特莫呼珠村，562人中有肺结核病人52人，患病率为9.52%。② 为加强这三个少数民族的结核病防治，还采取了以下具体措施：第一，大力发展当地的卫生事业，普遍建立防痨机构。除与其他地方防治区一样建立医疗卫生机构以外，重病地区都建立了结核病防治院所。鄂伦春旗结核病防治院有60张床位、40多名工作人员，病人全部入院治疗。在鄂伦春聚居的四个猎乡及奥里古亚乡都设立有卫生院或卫生所，主要为鄂伦春、鄂温克人民防病治病。第二，各级政府多次拨出专款为这三个少数民族聚居地区的结核病防治专业机构充实医疗设备，购置抗痨药物。第三，三个民族的结核病病人除全

---

① 本志编纂委员会编：《内蒙古自治区志·卫生志》，内蒙古科学技术出版社2007年版，第184—188页。

② 本志编纂委员会编：《内蒙古自治区志·卫生志》，内蒙古科学技术出版社2007年版，第184—188页。

部享受免费医疗外，如果住院治疗还发给伙食费，鄂伦春旗政府发给病人的生活费为每人每月 60 元。第四，从中央到自治区、盟市的各级卫生部门多次派医疗队到这三个少数民族的聚居地进行流行病学调查、培训防痨队伍，进行业务辅导。第五，加强了三个少数民族聚居地区人群的预防接种与现有病人的管理。通过开展卫生宣传教育，提高了当地人民群众卫生知识的知晓水平。鄂伦春旗还通过签定治疗合同等办法，对结核病病人实行了分工包干进行治疗和管理。在各级党和政府的关怀与广大医务人员的努力下，经过多年防治，三个少数民族聚居区的结核病患病率逐渐下降。

（三）儿童计划免疫

计划免疫是指对 0—7 岁儿童，按照免疫程序有计划地实施麻疹、脊髓灰质炎疫苗和白喉、百日咳、破伤风联合制剂，以及卡介苗的预防接种。

内蒙古自治区成立以后通过预防接种控制和消灭相关传染病，大致可分为两个历史阶段。第一个阶段（1950—1976 年）为“预防接种阶段”，这一时期虽然百、白、破联合制剂和百、白二联制剂等已经使用，但由于其接种的针次较多，反应较重，不易被群众接受，所以除麻疹疫苗的接种外，其他大多数疫苗一直没有进行有计划、按程序的接种。第二个阶段（1976 年以后至今）为“计划免疫阶段”，在这个阶段里，从试点开始，循序渐进，基本完成并达到了儿童计划免疫“三个 85% 的目标”。

据不完全统计，仅 1950 年至 1980 年，麻疹、百日咳、白喉、脊髓灰质炎 4 种疾病，在内蒙古地区累计发病 142 万多例，占当时全区急性传染病发病总数的 28% 以上。其中死亡 23 000 多人，至少占当时全区急性传染病死亡总数的 65%。①

内蒙古自治区的儿童计划免疫工作是在 1976 年正式开始起步的，1981 年在全区全面推行。儿童计划免疫以来，脊髓灰质炎、麻疹、百日咳、白喉、破伤风的发病率大幅度降低。与实施计划免疫前相比，计划免疫相关传染病发病率平均下降 95% 以上。在巩固已取得成绩的基础上，根据国家实现两个 85% 目标（即 1988 年以省为单位儿童免疫接种率达到 85%；1990 年以县为单位儿童免疫接种率达到 85%）的要求，内蒙古自治区提出：从

① 本志编纂委员会编：《内蒙古自治区志·卫生志》，内蒙古科学技术出版社 2007 年版，第 193 页。

1986 年起，全区将百白破混合制剂、卡介苗与麻疹和脊髓灰质炎疫苗一起纳入计划免疫，并且要求城镇儿童在 12 个月龄内，农牧区儿童在 18 个月龄内完成“四苗”的基础免疫。全区在坚持每年开展计划免疫考核制度，进一步加强计划免疫的规范化、科学化管理的同时，使儿童计划免疫接种率实现了达到“三个 85% 以上”（即 2000 年以乡为单位儿童免疫接种率达到 85%），使计划免疫相关传染病发病率控制在较低水平。由于从 1991 年起至跨入 2000 年，自治区连续 10 年在全区范围内开展了大规模的消灭脊髓灰质炎强化免疫活动，并连续 10 年无脊髓灰质炎病例报告。2001 年，经国家和世界卫生组织西太平洋区消灭脊髓灰质炎证实委员会考核认证，全区如期完成了消灭脊髓灰质炎目标。

（四）慢性非传染性疾病防治

随着社会的发展人民生活水平的提高，人群的疾病谱和死亡谱亦发生了显著的变化。历史上曾肆虐的传染病已不再是危害人民健康的主要疾病，心脑血管病等慢性非传染性疾病，近年来已成为危害我国居民健康和生命安全的首位死因。

慢性非传染性疾病监测　为做好与生活起居、行为方式密切相关的心脑血管病等慢性非传染性疾病的防治工作，内蒙古自治区卫生防疫站（即现在的内蒙古疾病控制中心）于 1998 年正式组建了慢性病防治科，负责承担全区慢性非传染性疾病的预防和控制任务。

全区近期开展的慢性非传染性疾病监测工作任务主要有国家疾病监测点的日常工作任务；中国成人慢性病相关危险因素监测，以及国家监测点 10 年监测资料（恶性肿瘤）的专项分析和全国第三次死因回顾性抽样调查等。

社区慢性病综合防治　1998 年，在呼和浩特市新城区进行了居民高血压综合调查，共调查 4 482 人，居民高血压粗患病率为 31. 17% 。①

2000 年，在呼和浩特市社区居民中开展了慢性病行为危险因素调查，完成问卷调查 1 181 人。②

赤峰市松山区 1999 年被国家卫生部确定为全国慢性病综合防治示范点。

① 本志编纂委员会编：《内蒙古自治区志 · 卫生志》，内蒙古科学技术出版社 2007 年版，第 215 页。

② 本志编纂委员会编：《内蒙古自治区志 · 卫生志》，内蒙古科学技术出版社 2007 年版，第 215 页。

根据《全国社区慢性非传染性疾病综合防治方案（试行）》的要求，松山区制定了《全国慢性病综合防治赤峰市松山区穆家营子镇示范点社区诊断调查方案》,并于1999年11月至2000年5月完成了示范点的居民病伤死亡原因、行为危险因素和人群高血压患病情况的流行病学调查。完成社区诊断后撰写了“居民病伤死亡原因调查报告”、“居民行为危险因素调查报告”、“社区人群高血压病调查分析”。调查结果显示：社区居民死因前五位依次为脑血管病、呼吸系统疾病、恶性肿瘤、损伤中毒、心脏病，合计占总死亡的74.93%，传染病居第九位，占总死亡人数的0.76%。影响人群期望寿命的主要死因是脑血管病、呼吸系统疾病、心脏病。引起这些慢性病发生的主要因素是不良生活习惯、吸烟、饮酒（吸烟、饮酒率都在30%左右）、膳食结构的不合理、高盐饮食，以及27%的居民食用动物油，参加锻炼少。①

有关高血压的专题调查显示，全区高血压的总患病率为29.80%，标化患病率为20.93%。此次调查的人群曾经测过血压率和正常血压水平的知晓率，均高于1991年全国抽样调查时的53.5%和43.9%；被确诊为高血压患者中，对高血压的知晓率略高于全国抽样调查时全国城市的平均水平(35.6%)，但服药率却低于全国抽样调查时中国城市的平均水平(33.6%)，能坚持服药的人数比率则更低。调查结果提示，该人群存在着知晓率较高、服药率较低的现象，说明社区综合防治工作今后的重点应该是加强对高血压患者的管理。

二、地方病的防治

地方病，是指发生在某一特定地区、同一定的自然环境有密切关系的疾病。内蒙古列入国家重点防治的地方病有鼠疫、布鲁氏菌病、克山病、大骨节病、碘缺乏病、地方性氟中毒和砷中毒等7种。

（一）鼠疫防治

内蒙古自治区共有58个鼠疫自然疫源地旗县，疫区面积33.7万多平方公里，分别占全国疫源地旗县总数的1/4和全国疫区面积的1/2。②

---

① 本志编纂委员会编：《内蒙古自治区志·卫生志》,内蒙古科学技术出版社2007年版，第215页。
② 郑泽民总纂：《内蒙古卫生改革与发展（1978—1997)》,远方出版社1997年版，第66页。

内蒙古东部地区是历史上传统的达乌尔黄鼠鼠疫疫源地，从19世纪末到20世纪50年代初，几乎没有间断过在人间的流行。其中比较大的流行有三次，分别发生于1910年至1911年，1920年至1921年，1945年至1947年间。据不完全统计，鼠疫19世纪末到20世纪50年代初在内蒙古东部地区的流行总共导致该地区将近8万人患病，65 300多人死亡。①

内蒙古西部地区是历史上传统的长爪沙鼠鼠疫疫源地，进入20世纪后发生的几次鼠疫较大流行，西部的阿拉善、鄂尔多斯（伊克昭盟）、巴彦淖尔、包头、呼和浩特、乌兰察布等地区几乎次次都要被殃及。其中，有文字记载的最早的一次鼠疫流行发生于1902年。据不完全统计，从1902年至1946年，内蒙古西部地区死于鼠疫者总计20 000人左右。②

内蒙古自治区成立以来，党和政府极为重视鼠疫防治工作，1948年元旦，乌兰夫主席在献词中，把防疫同打仗、生产并列为当时内蒙古的三大中心任务。从此，鼠疫防治成为自治区疾病控制的重中之重，列入了历届政府的重要议事日程，并很快基本上控制了在人间的大流行。

1949年7月，察哈尔盟正镶白旗发生鼠疫流行，疫情很快蔓延至化德县、康保县和张家口市，直接威胁到了北京和京包铁路的安全。同年10月27日，中央人民政府政务院召开紧急防疫会议，决定采取紧急措施，彻底扑灭发生在察哈尔省北部的鼠疫疫情，并成立了以董必武为首的中央防疫委员会。内蒙古自治区人民政府派胡尔钦·毕力格率领的内蒙古第一机动防疫队部分防疫人员赶赴察哈尔盟，会同中央防疫队和以罗果金博士为首的苏联防疫队一起，参加了扑灭察哈尔省北部鼠疫疫情的战斗。为了永远铭记胡尔钦·毕力格在扑灭察哈尔北部地区鼠疫流行中身先士卒的不怕牺牲精神，现属锡林郭勒盟正白旗的察哈尔草原牧民，将当年鼠疫流行最猖獗的一个村屯，更名为“胡尔钦敖包”。周恩来总理在察哈尔地区鼠疫疫情被扑灭后接见参战有功人员时，曾伸着大拇指连连称赞胡尔钦·毕力格：“的的确确是个名不虚传的鼠疫防治专家”。

早在20世纪60年代，全区就取得了基本控制了人间鼠疫流行的辉煌战

① 本志编纂委员会编：《内蒙古自治区志·卫生志》，内蒙古科学技术出版社2007年版，第279页。

② 本志编纂委员会编：《内蒙古自治区志·卫生志》，内蒙古科学技术出版社2007年版，第283页。

绩。近几年来，全区鼠间鼠疫疫情虽然频发不断，平均每年能检出100多株鼠疫菌，且疫情多发生于靠近人口密集的地区或交通要道，具有点多面广、流行强度高等特点。但在各级鼠疫防治队伍的努力下，截至2000年底，全区已经连续多年未发生人间鼠疫病例。

（二）布鲁氏菌病防治

内蒙古自治区是中国五大畜牧业基地之一，也是人畜共患的地方病——布鲁氏菌病流行的历史疫区。自1922年在内蒙古地区发现布鲁氏菌病以来，全区12个盟市101个旗县市区中有95个（94.06%）曾发生过布鲁氏菌病流行。到上世纪末，有81个疫区旗县达到了卫生部、农业部颁布的布鲁氏菌病疫区控制标准，达标率为84.26%，其中60个旗县达到了稳定控制区标准。①

20世纪50—60年代，全区布鲁氏菌病流行范围很广，羊群流产率高，人间多为村屯同时多人集中发病，年新发病人数最高达到5 174例，人畜出菌量多（约占全国出菌量的46.10%），其中羊种菌占92.77%。经过坚持不懈的努力防治，在20世纪70年代末，基本上控制了布鲁氏菌病在全区范围内的大规模流行。到20世纪80年代，布鲁氏菌病在全区基本得到了有效的控制，每年新发病人数降到了最低，仅为3例。病人的症状和体征也不甚典型。但这时仍能检出布鲁氏菌，其中羊种菌占24.3%，牛种菌占69.4%。进入20世纪90年代后，呼伦贝尔盟和锡林郭勒盟的一些旗县（市），再次频繁出现布鲁氏菌病暴发和流行。②

针对新发现的疫点，全区各级地方病防治机构、单位及时进行大面积全村屯整群高密度的畜间免疫，进而控制了布鲁氏菌病大面积再次流行的势头，并围绕布鲁氏菌病病原学、流行病学、临床、诊断、治疗、免疫、病理、发病机理及分子生物学等各方面，进行了深入广泛的基础理论和应用研究，取得了许多成绩。基本查清了疫情，掌握了流行规律；总结出以畜间免疫为主的综合性防治措施；治疗了大批现患病人；一度控制了布鲁氏菌病的

---

① 参见内蒙古卫生厅编：《内蒙古自治区卫生统计资料汇编（1996—2000）》。

② 本志编纂委员会编：《内蒙古自治区志·卫生志》，内蒙古科学技术出版社2007年版，第304—305页。

流行。在疫情得到控制的地区，则逐步开展了疫区考核鉴定和疫情监测工作。

（三）地方性氟中毒与砷中毒防治

地方性氟中毒是由于特定的水文、地质、地理与气候等自然因素使水、食物或空气氟的含量超过允许的浓度，过量的氟在人体内蓄积而引起的慢性中毒，主要损害人的牙齿和骨骼系统，导致氟斑牙和氟骨症的发生。病区遍布全区除乌海市以外的11个盟市、78个旗县（市）的14 216个自然村屯（嘎查）。其中：重病区村屯1 932个；中等病区村屯4 584个；轻病区村屯7 700个。病区总人口605.29万，其中：重病区人口76万，中等病区人口191万，轻病区人口307万。全区共查出氟骨症患者25.4万例，氟斑牙患者174.6万例。氟骨症与氟斑牙的患病率分别为3.29%和24.37%，居全国第二位。①

地方性砷中毒是机体从生活环境中摄入过量的砷引起的一种以皮肤损伤为主要特征的地方病。全区的地方性砷中毒病区主要分布在阿拉善盟的阿拉善左旗；巴彦淖尔盟的磴口县、杭锦后旗、临河市、乌拉特后旗、乌拉特中旗、五原县、乌拉特前旗；包头市的土默特右旗；呼和浩特市的土默特左旗；锡林郭勒盟的苏尼特右旗；赤峰市的克什克腾旗等6个盟市13个旗县市的800多个村屯，初步确定直接受砷中毒威胁的病区人口约52万。目前共查出病人2 660多例，发病最多的村屯患病率高达74.3%。②

防治地方性氟中毒和地方性砷中毒的根本措施都是通过工程改水以降低氟和砷的摄入。到2000年，全区累计有3 000多村屯，240万农牧民喝上低氟的卫生水；27.4万（有部分非高砷区人口）农牧民喝上低砷卫生水。③

（四）碘缺乏病防治

碘缺乏病是一种由于自然环境缺碘引起的地方性疾病。地方性甲状腺肿与地方性克汀病在内蒙古地区的流行，历史久远且十分严重，许多旗县的县

① 本志编纂委员会编：《内蒙古自治区志·卫生志》，内蒙古科学技术出版社2007年版，第359页。

② 本志编纂委员会编：《内蒙古自治区志·卫生志》，内蒙古科学技术出版社2007年版，第375—379页。

③ 参见内蒙古卫生厅编：《内蒙古自治区卫生统计资料汇编（1996—2000）》。

志中对此都有记载。内蒙古自治区碘缺乏病的流行病学调查工作开始于20世纪50年代初，但大量的工作是在20世纪70年代以后进行的，调查显示全区12个盟市都存在着不同程度的碘缺乏病流行。20世纪80年代资料显示，内蒙古自治区碘缺乏病病区为69个旗县886个乡镇苏木。目前，全区共有甲状腺肿患者1 226 191万例，克汀病人6 600例。①

内蒙古自治区成立以来碘缺乏病的防治历程，大致经历了三个阶段。第一阶段是防治的初期，主要是进行流行病学调查及通过试点取得经验开展防治；第二阶段为防治的中期，主要是在普查普治过程中，以食盐加碘为中心开展综合性防治；第三阶段是在20世纪末和21世纪初通过政府承诺、部门协作、群众参与、全社会重视，实现消除碘缺乏病的防治目标。

碘缺乏病防治主要采取以食盐加碘为主的综合措施。1993年以来，全区实施全民普及碘盐，1982年，内蒙古自治区人民政府以275号文件发布了《关于做好食盐加碘防治地方性甲状腺肿的布告》,并先后拨出377万元专款给盐业公司，用于实现食盐加碘机械化。在病区实现了全面供应加碘食盐，并从1995年全面开始实行全民供应碘盐（比国务院要求的时限提前了一年）。为保证碘盐供应的质量，自治区将全区的37个碘盐加工点缩减为5个，所有的碘盐加工全部由国营大盐厂进行。同时加强了对盐务市场的管理，严禁非碘盐、土私盐冲击病区。经过几年的努力，基本控制了地方性甲状腺肿与地方性克汀病的发生，大批患者得到治愈，碘缺乏病的患病率大幅度下降。

2000年，全区总体水平达到基本消除碘缺乏病阶段性目标。到目前，全区已有88个旗县实现了阶段性消除碘缺乏病目标；另有3个旗县实现了基本消除碘缺乏病目标；尚未实现消除碘缺乏病目标的10个旗县目前正在达标努力之中。

（五）克山病防治与大骨节病防治

克山病是一种病因不明的地方性心肌病。其发病特点具有一定的地区性、时间性和人群多发的特点。克山病在内蒙古已有80多年的流行历史，克山病在内蒙古的主要流行区位于东经114. 85°—126. 1°，北纬41. 58°—

① 郑泽民总纂：《内蒙古卫生改革与发展（1978—1997）》,远方出版社1997年版，第73—74页。

49.8°之间。涉及呼伦贝尔市的扎兰屯市、阿荣旗、莫力达瓦旗、鄂伦春旗；赤峰市的松山区、克什克腾旗、宁城县、翁牛特旗、喀喇沁旗；锡林郭勒盟的太仆寺旗、多伦县和兴安盟的扎赉特旗共4个盟市12个旗县区的129个乡镇苏木1 022个村屯。病区旗县人口422.47万，病区总人口数为184.4万人。①

由于克山病发病的原因一直尚未查明，因此，自治区成立以后开展的克山病防治，主要将工作方向集中在针对克山病发病急、病情重、病死率高的特点抢救治疗病人；认真总结防治经验、不断地完善防控措施和加强以病因学研究为重点的科研攻关等三个方面。通过积极防控其中8个病区旗县区已达到国家规定的控制标准。全区现有克山病人2.4万，目前已基本控制了急性克山病病人的发生。

大骨节病是一种病因不明的地方性、慢性、退行性，以骨骼关节病变为主的全身性疾病。该病主要表现为关节疼痛、畸形和运动功能受阻，甚至造成终身残疾。内蒙古地区的大骨节病主要分布在现今的呼伦贝尔市、通辽市、赤峰市、乌兰察布市、兴安盟、锡林郭勒盟和鄂尔多斯市共7个盟（市）18个旗（县、市）的152个乡（苏木）。病情最严重的地区是现今的呼伦贝尔市，其次是通辽市和赤峰市，受该病威胁的病区人口大约为244.6万余人。全区共有现症病人11.4万多名，其中呼伦贝尔市的现症病人有10.7万人，占全区患病总数的93.9%；13岁以下的患病者有2.6万人。②此外还有一些可疑病区旗（县），需进一步通过调查判定，其中鄂尔多斯市的乌审旗已经被确定为病区。

内蒙古自治区的大骨节病的防治与研究，起步比较晚。主要局限于进行试点防治和在部分地区结合防治克山病开展综合性防治措施。由于大骨节病和克山病往往共存，俗称“姐妹病”，预防措施也多相同。所以，防治克山病采取的“防寒、防潮、防霉（防止粮食霉变）”，“改善居住条件，改善环境卫生，改善膳食搭配，改善水质”等“三防四改”等综合性预防措施，对大骨节病的防治同样也起到了较好的预防效果。在开展的综合性防治措施

① 郑泽民总纂：《内蒙古卫生改革与发展（1978—1997）》，远方出版社1997年版，第78页。
② 郑泽民总纂：《内蒙古卫生改革与发展（1978—1997）》，远方出版社1997年版，第80页。

中，最主要的综合性防治措施有换粮及大面积服硒等。全区 18 个大骨节病病区旗（县、市）中，目前已有 13 个达到了国家和自治区规定的控制标准。

三、卫生监督与监测

卫生监督监测是国家授权卫生部门对所辖区内的企业、事业单位贯彻执行国家的卫生法令、条例和标准的情况进行监督和管理，对违反卫生法规并造成危害人体健康的事件，进行严肃处理。

内蒙古自治区的卫生监督监测工作主要针对环境卫生、学校卫生、食品卫生、劳动卫生、放射卫生及国境卫生检疫共六大类卫生工作进行。

（一）职业卫生

内蒙古的职业卫生工作，是随着自治区经济建设的发展而逐步开展起来的。全区最早成立的劳动卫生监督监测管理机构，是 1954 年在自治区卫生防疫站内设立的劳动卫生组。此后，全区各盟市卫生防疫站亦设立了相应的劳动卫生监督监测管理机构。截至 2000 年底，全区共有各类劳动职业卫生工作人员 615 人，其中高级人员 31 人，占 5.04%；中级人员 161 人，占 26.12%；初级人员 339 人，占 55.12%。在自治区卫生厅领导组织下，自治区还成立了由分管厅长任主任委员、有关方面专家组成的“内蒙古自治区职业病诊断鉴定委员会”，受理各盟市疑难职业病诊断鉴定 300 多人次。①

目前，随着职业卫生队伍、防治技术、防治设备的逐步提高和完善，全区职业卫生工作已从单一病种的防治转变为全面职业病的防治；从简单的职业病危害场所评价扩展为建设项目职业病危害评价；从一般性健康体检发展为对从业人员的健康监护。迄今已完成多项建设项目职业病危害评价；已对全区存在职业病危害因素的 2 833 个职业建立了卫生档案，对接触职业病危害因素的 289 997 名劳动者建立了职业健康监护卡。②

（二）环境卫生

内蒙古自治区成立以来，环境卫生方面的具体管理业务，有 3 个机构

① 本志编纂委员会编：《内蒙古自治区志·卫生志》，内蒙古科学技术出版社 2007 年版，第 221 页。
② 本志编纂委员会编：《内蒙古自治区志·卫生志》，内蒙古科学技术出版社 2007 年版，第 221 页。

（系统）负责管理或监督，即：环境保护部门（系统）、爱国卫生运动委员会（系统）和卫生防疫部门（系统）。在具体工作范围和内容上三个部门（系统）间常有许多交叉。

20 世纪 50 年代初期，环境卫生管理除主要从反细菌战的角度进行除害灭病工作外，还根据卫生防病的需要，在城乡广泛地开展了清除垃圾污物、粪便管理、消灭四害等群众性爱国卫生运动，以及开展保持良好卫生习惯、讲究卫生等宣传教育活动。1958 年以后，全区各级卫生防疫站才逐步把对环境卫生的监督监测工作纳入了日常工作程序，但真正比较深入地开展环境卫生监督监测则是在 20 世纪 70 年代以后。1987 年 4 月 6 日，国务院发布了《公共场所卫生管理条例》；1989 年 9 月 26 日，经国务院批准、由卫生部颁布了《化妆品卫生监督条例》；1996 年 7 月 9 日，建设部和卫生部又联合发布了《生活饮用水卫生监督管理办法》。与此同时，国家标准局、卫生部也批准出台了一系列相应的检验方法和各项卫生标准。

于是，从全国到内蒙古自治区环境卫生的管理工作由环境保护部门、爱国卫生运动委员会和卫生防疫部门齐抓共管局面的同时，环境卫生监督监测工作亦逐渐地朝着法制化、科学化、专业化、规范化管理的方向迈进。

（三）食品卫生

内蒙古自治区成立以来，食品卫生管理和监督监测工作经历了一个从无到有，从小到大，从按规章制度管理到科学规范执法的发展过程。大致可划分为食品卫生监督（1982 年以前）和食品卫生执法（1983 年以后）两个历史时期。

食品卫生监督（1982 年以前）时期，根据食品行业存在的不同问题及其对食品卫生提出的不同要求，又基本可以分为三个阶段：第一阶段以食品卫生制度的建立建设、食品经营场所的内外环境卫生以及食品从业人员个人卫生为重点；第二阶段以贯彻食品卫生“五四制”和“三防一消”为重点；第三阶段以防止食品污染、提高食品卫生质量为重点。

1982 年 11 月 19 日，五届全国人大常委会审议通过了《中华人民共和国食品卫生法（试行）》（以下简称《食品卫生试行法》），标志着我国食品卫生工作进入了食品卫生执法时期。为结合内蒙古实际贯彻落实好《食品卫生试行法》，继 1984 年自治区卫生厅颁布了《内蒙古自治区食品卫生许可证发放管理试行办法》《内蒙古自治区食品从业人员健康体检暂行管理办法》《内蒙古自治区食品商贩和城乡集市贸易食品卫生暂行管理办法》,以及《内蒙古自治区食品卫生索证管理试行办法》和《内蒙古自治区饮食行业卫生管理暂行办法》等五个规范性文件后，1986 年自治区卫生厅又发布了《饮食业及集体食堂暂行卫生标准》《城乡食品摊贩暂行卫生标准》《冷饮食品厂暂行卫生标准》《糕点、糖果食品厂暂行卫生标准》和《副食商店暂行卫生标准》等五个暂行卫生标准（又称达标标准）。

近年来，全区积极推行食品卫生监督量化分级管理制度，建立食品卫生长效监管机制。成立了推行食品卫生监督量化分级管理的工作机构，制定了实施方案和配套的工作制度及考核办法，及时组织并完成了计划中的全区培训工作。1996 年自治区组织开展了食品、公共场所卫生信得过单位评选活动，内蒙古伊利集团、草原兴发股份有限公司等 31 家食品生产经营单位和公共场所获得信得过单位称号，并通过内蒙古日报向社会进行了公布。这一年全区共对食品生产经营单位进行了 470 869 户次的监督检查，共检测各类食品 19 074 件，合格 16546 件，合格率为 86. 7% 。①

（四）学校卫生

内蒙古自治区的学校卫生工作，是随着内蒙古教育事业的发展而逐渐开展起来的。据统计，1947 年，全区普通中小学校在校学生人数仅有不到 22 万人，当时学校卫生仅仅局限于学校环境卫生的清洁与管理。到 1990 年时，全区仅小学和普通中学的在校学生就达到了 340 多万，学校卫生管理亦随着全区教育事业的发展和繁荣，扩展到了包括健康教育、心理卫生、健康监测、体检、随访、咨询、传染病管理及急救等内容在内的许多方面。

20 世纪 50 年代，内蒙古自治区学校卫生工作的重点主要是开展爱国卫生运动，预防各种急性传染病。1975 年，根据毛泽东主席提出的，学生要“德、智、体全面发展”的教育方针，以及国家教育部、卫生部关于加强学校卫生工作的一系列通知精神，内蒙古的学校卫生工作逐步步入了正规。各级卫生防疫部门都不同程度开展了学校卫生工作，先后开展了对学生视力低下、沙眼、生长发育等常见病、多发病以及教学条件等的卫生学调查。自治

① 郑泽民总纂:《内蒙古卫生改革与发展（1978—1997)》,远方出版社 1997 年版，第 13 页。

区及各盟市卫生防疫部门相继建立了学校卫生科，大部分旗县区也在卫生防疫站内设立了学校卫生科或组，并从 1964 年起，开始了对校医、保健教师和学生卫生队员的培训。

“文化大革命”10 年，全区方兴未艾的学校卫生工作一度基本停滞。但“文化大革命”结束后很快又得到了恢复。目前，全区初步形成了自治区、盟市、旗县三级学校卫生监督监测体系。许多乡镇的学校卫生工作已纳入卫生院防保组的工作日程，通过定期召开学校卫生业务会议、部署工作任务、交流工作经验，提高和推动全区学校卫生工作的开展。为进一步贯彻教育部、卫生部关于中、小学校卫生工作的“暂行规定”，全区的许多学校都建立了医务室，或者配备了保健教师，建立健全了各项工作制度。并在各级卫生防疫部门的指导和协助下，开展了学生体格检查，建立了学生健康档案。1990 年，经国务院批准，国家教委，卫生部颁发了《学校卫生工作条例》。这一条例的颁发，标志着学校卫生工作从此将由行政管理走向法制化管理的轨道。1993 年 2 月 17 日，内蒙古自治区政府根据国家颁布的《学校卫生工作条例》,制定并发布了《内蒙古自治区学校卫生工作条例实施办法》,从而进一步规范了全区学校卫生工作的各项任务和要求。

内蒙古自治区学生常见的疾病有：肠道蠕虫感染、近视眼、龋齿及牙周病、贫血、沙眼、脊柱侧弯等。从 1958 年开始，自治区各级卫生防疫站的学校卫生专业人员，在教育部门的大力协助下，对青少年的生长发育进行了较系统的监测，到 2000 年，全区总共进行了四次学生体质（生长发育）状况调查，对学生体质、健康状况调查监测数十万人次，获得了几百万个调查所得的科学数据。

（五）放射卫生

放射卫生防护管理，指的是对放射卫生、放射医学（如放射性核素在医学上的应用）实行的综合性业务管理或监督监测。其主要目的是研究和寻找防止放射物质有害影响的综合措施，以合理地限制和降低放射工作者和居民所受内外照射剂量，防治射线损伤，保护人群健康，并促进原子能、放射性核素和射线等技术的应用。

内蒙古的放射卫生防护工作是从 20 世纪 50 年代末期开始的。1959 年 3 月，内蒙古自治区卫生厅内设立了原子防护处。其主要工作职责是负责全区放射卫生防护工作的行政管理和业务指导。1964 年 10 月，中国第一颗原子弹爆炸试验成功。同年，内蒙古人民委员会编委批准将原自治区卫生防疫站第五室扩建为内蒙古卫生厅防护所。1965 年，全区在呼和浩特市、包头市和满洲里市分别建立了放射性本底监测站，包头、满洲里放射性本底监测站分别与包头市卫生防疫站和满洲里卫生检疫所合署办公。1982 年，满洲里放射本底监测工作移交给了呼伦贝尔盟卫生防疫站。

各级放射卫生监督与监测部门的工作任务主要有：一、进行核监测与放射性污染监测研究，具体包括：（1）核监测；（2）放射性污染监测研究；二、从事放射卫生监督、检测与评价，具体包括：（1）旧有医用 X 线机防护设施的改装；（2）放射性同位素及射线装置应用管理；（3）建立放射防护管理档案；（4）大型医用设备（CT 等）的检测；（5）进行建设项目放射卫生学评价；（6）负责放射事故的调查与处理；三、负责放射性工作人员健康监护。

按照 1987 年颁布的《内蒙古自治区放射卫生防护管理办法》的有关规定，全区放射卫生防护实行的是自治区和盟市两级分工管理。自治区放射卫生防护所负责全区性主要工作的计划、总结、组织、指导，以及工作经验交流、人员培训和协助下级放射卫生防护机构解决技术疑难问题，同时负责自治区级放射性工作单位的放射卫生防护监督监测管理工作等。盟市的放射卫生防护机构，主要负责本地区放射性单位和自治区委托的部分单位的放射卫生防护监督监测管理工作，有条件的盟市还开展了对放射性工作人员的体检管理。旗县卫生防疫站的专兼职放射卫生防护人员，负责协助上级防护部门做好本地区的放射卫生防护监督监测管理工作。

（六）国境卫生检疫

成立于 1912 年的“满洲里查疫局”，是内蒙古地区最早设立的国境卫生检疫机构。如今，随着对外开放、经济贸易和经济技术合作的发展，内蒙古的边境口岸已经由过去的 2 个，增加为 18 个。这 18 个口岸分布在中俄、中蒙 4 203 公里的边界线上。其中，除 15 个陆路口岸外，还有 1 个界河口岸、2 个国际航空口岸。检疫机构也由过去设在满洲里市和二连浩特市的两个卫生检疫所，发展成为三个卫生检疫局，它们承担着全区 18 个口岸的卫生检疫工作任务。

国境卫生监督监测作为卫生检疫综合措施中的重要内容，是在具体执行检疫任务时一点一点开展起来的。20 世纪 50 年代，主要是对列车的废弃物进行监督，到 20 世纪 60 年代，根据有关规定，又开展了对国际列车餐车和供出入境人员用餐的餐厅的卫生监督，此后，又增加了对国际列车用水及其各上水点的水质情况监督监测。1980 年以后，各口岸检疫所会同站区有关单位，又开展了对站区环境卫生、食品卫生等的监督监测，而且对监测中所发现的问题，都作了及时的处理。如二连卫生检疫所曾一度发现国际列车用水不符合国家生活饮用水的卫生标准，在及时查明原因后，建议有关部门作了相应的改进，从而保证了列车生活饮用水的卫生与安全。

四、爱国卫生运动

爱国卫生运动，是中华人民共和国成立初期毛泽东主席、周恩来总理针对当时疫病流行和帝国主义发动细菌战争，对年轻的新中国造成严重威胁，倡导和发动的以除四害、讲卫生、消灭疾病为中心的群众卫生运动。

内蒙古自治区成立后，根据当时防治鼠疫流行工作的需要，于 1947 年 5 月成立了由自治区主要领导任主任委员的“防疫委员会”，这个“防疫委员会”实际上就是内蒙古爱国卫生运动委员会的前身。中华人民共和国成立后，根据政务院周恩来总理的指示，内蒙古自治区原来的各级防疫委员会均改组为各级爱国卫生运动委员会。1983 年，内蒙古党委重新调整了自治区爱国卫生运动委员会组成人员。2000 年，自治区爱卫会办公室被撤并至卫生厅疾病控制处。

内蒙古自治区的爱国卫生运动，大体经历了在反细菌战的斗争中兴起；以除四害、讲卫生为重点广泛开展；因“文化大革命”而一度趋于停滞；中共十一届三中全会以来进入新的发展时期四个阶段。

（一）城镇卫生管理工作

最早的爱国卫生运动城镇卫生管理是和抗美援朝反细菌战的斗争联系在一起的。内蒙古自治区东部地区，是朝鲜战争期间美帝国主义发动细菌战的直接受害地区。我国政府根据当时的形势及我国的地理位置，把全国划分为紧急防疫区、防疫监视区、防疫准备区。要求各地根据不同区域的不同情况，选择相应的 12 项措施，做好毒虫毒物的扑杀清消和疫病防治工作，用烧燎、犁翻、滚轧等办法，捕杀清消毒虫毒物。仅科左后旗一个旗，在1952年开展爱国卫生运动初期，就动员民工66 075人，大车3 871辆，柴草17 202车，使95%的污染面积得到了迅速的清理。在城镇在环境卫生方面，仅1952年不到一年的时间里，全区各市镇就清除垃圾将近81万吨；修、挖垃圾坑、箱17 500个；增设大口井盖2万余个。①

在接着的除四害讲卫生，为自治区“人畜两旺”服务和为实现《农业发展纲要（草案)》的有关规定而开展的爱国卫生运动中，全区城镇卫生管理主要抓了三方面的工作：一是调查清楚了所辖境内的垃圾、粪便、污水的积存情况及坑洼、堵塞的沟渠和越冬蝇蛹、野鼠的分布等，并根据订的计划，组织群众，采取自近及远，分期分批分片包干的办法进行清除、填平或消灭，从消灭根源及繁殖场所两方面同时着手来消灭病媒虫兽；二是加强了行业卫生管理，组织国营、私营各行业从业人员学习卫生知识，特别是加强了对制造、保管及运送销售等过程的经常性检查，逐步解决了豆腐坊、粉坊、纸坊、制革等工作场所的污水排除问题，将屠宰场、牛奶场等行业迁到了人口较少的地方，并为这些单位增设了必要的卫生设备、用具等；第三是推广了食品用具简易消毒法，使公共场所保持了经常性的卫生清洁。

在经历了文化大革命使爱国卫生运动一度几乎趋于停滞的历史阶段后，20世纪80年代初，全区内蒙古爱国卫生运动中的卫生城镇建设又以开展“阿吉奈”奖评比活动为标志开启了崭新的一页。

“阿吉奈”蒙语意为超群的骏马。1981年7月22日，中央爱卫会和内蒙古自治区人民政府共同在赤峰召开了城镇卫生管理现场会。会上，赤峰市和喀喇沁旗分别介绍了爱国卫生工作经验。自治区政府在现场会上向赤峰市和锦山镇颁发了“阿吉奈”银质奖，同时决定在全区旗县以上城镇中开展爱国卫生“阿吉奈”奖评比竞赛活动。“阿吉奈”奖评比活动，每年一次，由自治区爱卫会负责组织，分市区和旗镇两个组，每组取1个第一名，2—3个第二名，3—5个第三名。获第一名者授予“阿吉奈”奖，并将获奖地区的名字刻在作为“阿吉奈”流动奖杯象征物的银马上，连续三年获奖者，可获一个复制的银马杯，并在该城镇中心建树一座骏马雕像，作为永久纪

① 本志编纂委员会编：《内蒙古自治区志·卫生志》，内蒙古科学技术出版社2007年版，第384页。

念。在自治区开展的“阿吉奈”奖评比活动中，呼市玉泉区、包头市青山区、赤峰市红山区和伊金霍洛旗阿腾席热镇、巴林右旗大板镇及喀喇沁旗锦山镇分别连续三年获奖，自治区人民政府在这六座城镇中心建树一座骏马雕塑作为永久纪念。进入20世纪90年代，全区爱国卫生城镇“阿吉奈”奖评比和创建卫生城市相结合，实现了从城镇向农村牧区辐射，各项卫生检查标准亦和国家检查内容标准实现了接轨，实行了自治区和盟市分级管理。1990年，国务院批准对全国455个城市进行卫生检查评比，由于有“阿吉奈”奖奠定的基础，在全国评选出的30个十佳卫生城市中，赤峰市、通辽市分别进入全国十佳地级市和县级市行列。1992年，在全国第二次城市卫生检查评比中，赤峰、通辽蝉联十佳卫生城市光荣称号。包头市进入地级市全国卫生城市行列。1993年以来，全区共创建国家卫生城市7个、自治区卫生城镇23个、自治区卫生示范乡镇苏木19个。

（二）农村牧区卫生管理工作

1952年，美帝国主义向我国发动细菌战期间，全区广大农村牧区和城镇一道开展了轰轰烈烈的反对细菌战的爱国卫生运动。当时，保护好水源不受污染是一项当务之急，全区农村有2万多眼大口井加盖了井盖。在全区动员清除疫区毒虫毒物时，许多简易粪窖式厕所亦在不少乡村逐渐得到推广。

从1955年起，全区农村及定居牧民爱国卫生运动的开展重点：一是结合全国农业发展纲要的实施，以农业生产合作社、互助组为单位结合生产积肥，处理好垃圾粪便。二是利用春耕前农事稍闲的时间，整修厕所及牲畜棚圈。三是挖蛹和消灭过冬成蝇。四是组织群众积极捕杀家鼠和野鼠。据昭乌达盟对所辖9个旗县的不完全统计，仅1956年春季，这9个旗县就清除入冬以来积存的垃圾、粪便13.2万吨，捕鼠15万多只，挖蛹1 186斤。[①] 在牧区，则将改善居住环境卫生；改善与保护水源；及时处理和掩埋兽尸；做好个人卫生，如挤奶前洗手、刷洗奶桶，用蒸、煮、晒、冻等方法灭虱等作为开展爱国卫生活动的主要内容。

为从根本上改变农村“人无厕所畜无圈、垃圾粪便满街院”的现象。

① 本志编纂委员会编：《内蒙古自治区志·卫生志》，内蒙古科学技术出版社2007年版，第386—387页。

1956 至 1960 年，全区农村爱国卫生运动结合生产重点抓了粪肥管理、厕所和畜圈的修建，总共修建和改建畜圈、厕所 468 万个，卫生积肥 27 亿吨，①农村居民状况大为改善。

1978 年，进入社会主义四个现代化建设以后，在净化农牧区生活环境方面，全区各地在开展爱国卫生运动中创造了不少好经验，其中农牧区改水改厕成就不小。据 1983 年至 1985 年在全区进行的一次调查，当时全区饮用地下水和地表水的人口分别占全区总人口的 93.8% 和 2.04%。此外，尚有 1.34% 的人口生活在缺水的环境中。这些地区的群众在干旱年间要到几里、十几里外背水、驮水吃。有的甚至人畜共饮池水、冰雪化成的水、地表水或沟谷裂隙水。1979 年以后进行的多次水质调查均发现，内蒙古农牧区广泛使用的大口井的水质普遍较差，不仅水源污染严重，大肠菌群超过生活饮用水的标准，而且许多地区居民饮水中氟的含量、砷的含量超标，甚至有的地区还在饮用苦咸水。造成水源污染的主要原因是，厕所距水源近；水源周围遍布污水坑或粪坑；许多饮水井没有井裙、井台、井盖，更没有公用的取水桶。1987 年，经过多次申报协商，世行/联合国计划开发署决定支持内蒙古进行改水试验项目，计划在缺水区和苦咸水区搞农村供水示范项目，同时搞好改厕、改圈和改善环境卫生工作。I 期项目在伊金霍洛旗和达拉特旗同时实施，该项目于 1989 年 3 月开始实施，到 1990 年 10 月，提前一年完成全部工作。伊旗、达旗共钻井 125 眼，安置手动泵 100 台，16 700 人口受益。1992 年，内蒙古的呼和浩特市郊区、托克托县、土默特左旗、赤峰市的林西县、呼伦贝尔盟的阿荣旗、通辽市、奈曼旗、达拉特旗、伊金霍洛旗等 9 个旗县总共实现投资 7 479.9 万元人民币，完成了 531 处农牧区供水项目，使 63.83% 的农牧民受益，而且大大促进了这些地区的社会进步和经济繁荣。1991 年，全国爱卫会决定，在全国 30 个省、自治区、直辖市，确定 40 个卫生厕所建设和粪便管理试点县，内蒙古兴安盟的突泉县是其中之一。据统计，进入 21 世纪后，全区自来水普及率达到 34.11%，全区农牧区卫生厕

① 本志编纂委员会编：《内蒙古自治区志 · 卫生志》，内蒙古科学技术出版社 2007 年版，第 386—387 页。

所普及率为 35.45% 。①

（三）除害灭病工作的开展

从 1947 年内蒙古自治区成立开始围剿消灭鼠疫流行，到后来开展爱国卫生运动，内蒙古一直坚持全民动员灭鼠。全区成百上千名灭鼠员深入到城镇和农牧区除害灭病，并不断地改进着灭鼠药品和投药方法。1985 年，内蒙古的灭鼠工作者在全国率先提出了“一役达标”灭鼠技术，创建大面积无鼠害区达标成功，使灭鼠方法实现了一项重大的突破，受益人口 900 多万，创造了中国低成本（每人只需 0.28 元）高效率灭鼠的奇迹，并使赤峰、包头、呼和浩特成为全国第一批无鼠害城市。

“一役达标”灭鼠法，实际上是通过一次战役短期突击灭鼠，达到国家基本无鼠害标准要求的灭鼠方法的简称。“一役达标”灭鼠法的创造者在药物的剂型持效、防霉变与方便群众使用方面都作了一系列改革，形成了比较理想的母粉和成品饵。这种灭鼠法特别抓住了投药这个关键阶段，在投药方法上首次提出了到位率、覆盖率和残饵保留率等概念和指标，并使其达到 98% 以上。远比过去无明确指标，仅限于一般性号召，大大前进了一步，也使消灭老鼠有了可靠的科学保证。应用这个方法，1986 年，赤峰、呼和浩特、包头、林西县率先成为全国第一个无鼠害省（自治区）直辖市、省会（首府）、面积最大的市和第一个无鼠害县。1991 年，“一役达标”灭鼠技术被国家确定为 20 世纪 90 年代向农村和基层推广的首批 10 项重大医药技术之一。1996 年，全区除 12 个行政盟市和 101 个旗县所在地全部达到了无鼠害标准外，还有 2 个盟市、18 个旗县实现了无鼠害整体达标，全区城乡的受益人口总计 1 300 万，占全区总人口的 54%。据专家测算，“一役达标”灭鼠法，每年可减少因鼠害造成的损失 13 亿元。②

1987 年，内蒙古自治区爱卫会试着应用“封涂法”大面积消除蟑螂危害，并首先在面积 56 平方公里、人口 20 万的包头市青山区获得成功。1987 年，又实现了在较大地区和范围内消除蟑螂危害，包头市青山区被全国爱卫会命名为首批灭蟑螂先进城区。“封涂法”大面积消除蟑螂危害，实际上是

① 本志编纂委员会编：《内蒙古自治区志 · 卫生志》，内蒙古科学技术出版社 2007 年版，第 409 页。

② 郑泽民总纂：《内蒙古卫生改革与发展（1978—1997）》，远方出版社 1997 年版，第 49 页。

一项关于消除蟑螂危害的技术方法与组织措施相结合的系统工程应用技术，它通过精心指导，科学灭蟑，统一方法，统一时间，统一药物，加强领导，逐级承包，责任到人，严格考核，奖惩兑现等严密的组织管理措施，统一以特制的药笔四个星期内三次按规定的顺序定点定量进行封条式涂布，达到在较短时间内使较大面积内的蟑螂侵害降到不足以为害的程度。

1989 年，赤峰市在全国各城市中第一个实现灭蝇达标，并成为全国第二个实现除四害全达标城市。1994 年以后，东胜、通辽、锡林浩特、乌海、海拉尔、满洲里市先后达到了灭蟑地区标准。2004 年，包头市实现了灭鼠、灭蟑、灭蝇、灭蚊全达标。

（四）健康教育工作

通过卫生宣传，潜移默化地影响和改变人们有关生活、卫生、健康诸方面不良或落后的思想观念、价值观念、思维方式和行为方式，实现健康教育目的。

1953 年以前，内蒙古没有专门的卫生宣传教育机构。当时的卫生宣传教育工作，主要依靠城乡各医疗卫生机构或卫生组织去做。1976 年粉碎“四人帮”以后，卫生宣教也迎来了健康发展的新的春天。首先是自治区卫生防疫站和 12 个盟市的卫生防疫站以及包钢、呼铁局、牙克石林管局、内蒙古一机厂、二机厂卫生防疫站都设立了卫生宣传科；接着有 54 个旗县的卫生防疫站设立了专职卫生宣教人员。1979 年，内蒙古自治区医学科普委员会在呼和浩特市成立。这是全区第一个健康教育、医学科普宣传的群众性学术团体。1986 年 10 月，内蒙古健康教育研究所的前身，内蒙古卫生宣传教育研究所（与内蒙古医学情报研究所一个机构两块牌子）成立。1990 年 4 月，内蒙古卫生宣传教育研究所改称内蒙古自治区健康教育研究所。同年，赤峰市、兴安盟也率先成立了盟市级健康教育所。

在内蒙古自治区成立后进行的扑灭鼠疫、天花、性病等烈性传染病的斗争中，健康教育起到了十分重要的作用。1987 年，哲里木盟闯出了一条牙病防治与初级卫生保健、健康教育相结合的新路，被卫生部和全国牙病指导组肯定为全国牙病防治四模式之一；1988 年，为了探索在人口稀少，居住分散，交通不便，气候条件恶劣的情况下，适合草原牧民的健康教育模式，自治区卫生宣传教育研究所在赤峰市阿鲁科尔沁旗巴彦温都苏木开展了全区第一个牧区健康教育试点；从1989年开始，全区中小学陆续开设了健康教育课；1990年，中国—联合国儿童基金会健康教育合作项目在内蒙古自治区启动，以此为契机，全区健康教育步入了“以外援促内事，以项目促工作”的新阶段。

1992年，呼和浩特市郊区、托克托县、土默特左旗、林西县、阿荣旗、通辽市、奈曼旗、达拉特旗、伊金霍洛旗等9个旗县开始实施世界银行Ⅱ期贷款中国农村供水与环境卫生项目。这一项目的实施，同时促进并带动了农村牧区健康教育的发展。中国—联合国儿童基金会第一周期健康教育合作项目在达茂旗取得成功后，包头市固阳县又被选定为过渡周期（1994—1995年）项目县。1994年，自治区引入了世界银行贷款的综合性妇幼卫生VI项目，该项目涉及全区42个旗县的四百余万人，妇幼卫生知识传播是本项目健康教育工作的重点，1996年，在全区召开的爱国卫生工作会议上，自治区政府确定1996年6月至1997年6月为自治区健康行为年。其目的是通过健康行为年活动把卫生知识进一步送进机关、学校、企业，送进千家万户，以加快创建卫生城市步伐。自1994年在全区开展“九亿农民健康教育行动”（2000年更名为“全国亿万农民健康促进行动”，简称“行动”）以来，至2000年，全区通过开展以大众传播为主的“行动”和多种形式的农民健康教育活动，促进了广大农民健康意识的提高。

第三节 医疗保健

内蒙古自治区成立以前，内蒙古地区缺医少药状况十分严重。从1865年西医传入内蒙古地区，1877年归绥道创建牛痘局，成为有文字记载的第一个官办医疗机构，到1947年内蒙古自治区成立，全区仅有医疗机构54个，病床519张。而且这些为数有限的医疗机构，大多是教会或私人举办的，规模都很小。当时全区农村、牧区和城镇的开业医生加在一起，共5 000多名。①

① 郑泽民总纂：《内蒙古卫生改革与发展（1978—1997）》，远方出版社1997年版，第101页。

一、医疗机构建立与变迁

（一）城市医疗机构的建立

1947 年内蒙古自治区成立前，全区只有 12 所基本设施简陋、技术力量薄弱的城市医院，总床位不到 500 张。经过近 60 年的发展建设，据截至 2000 年底的统计，全区总共有各种医疗机构 4 427 个。除 1 515 所农村牧区乡、镇（苏木）卫生院建立在农村牧区外，其他医疗机构大多都建立在城市（镇）里。其中：有旗（县）以上城市医院 473 所；疗养院 11 所；妇幼保健院（所、站）108 所；专科疾病防治院（所、站）63 个。这些医疗机构总共拥有 66 903 张病床、130 881 名卫生工作人员。2000 年，全区每千人口平均拥有病床 2. 02 张，拥有卫生技术人员 4. 51 人。①

自治区级医疗机构　1946 年 3 月，内蒙古自治运动联合会在张家口成立医务所，担负自治运动联合会工作人员的门诊医疗任务。1946 年 5 月，“东蒙古人民自治政府”撤销，中国共产党领导的兴安省人民政府和兴安军区成立。东蒙医院改为兴安军区医院。12 月，兴安军区医院与东蒙医学校合并，组成了内蒙古医学院。1947 年 5 月，内蒙古自治政府民政部卫生局成立后，兴安军区将内蒙古医学院移交自治政府卫生局领导。当时驻贝子庙的原自治运动联合会医务所改为锡察医院，仍直属内蒙古自治政府，部分人员调至自治政府卫生局及内蒙古医学院诊疗部工作。1947 年 11 月，内蒙古自治政府决定撤销内蒙古医学院，其诊疗部改为内蒙古医院。1948 年 5 月，内蒙古军区成立卫生部，内蒙古医院改为内蒙古军区第一后方医院。1954 年 1 月，蒙绥合并后，在绥远省人民医院原址成立了内蒙古人民医院。原设立在乌兰浩特市的内蒙古医院撤销，部分人员调至设立在呼和浩特市的内蒙古人民医院。

此后，经过多次合并，至 2000 年底，全区挂内蒙古某某医院牌子的自治区级医疗机构共计有 9 个，它们是：内蒙古自治区医院、内蒙古自治区妇幼保健院、内蒙古精神卫生中心、内蒙古自治区第四医院、内蒙古自治区中蒙医医院、内蒙古医学院附属第一医院、内蒙古医学院附属第二医院、内蒙

① 参见内蒙古卫生厅编：《内蒙古自治区卫生统计资料汇编（1996—2000）》。

古林业总医院和内蒙古蒙医学院附属医院。这些医院共有职工 5 000 余人，有床位 5 000 多张。

盟、市级（市属区）医疗机构 全区盟市医院大多数是从 1950 年开始建立建设的，地区不同，建立发展情况各异。有的盟市从一开始即筹建盟市医院，如：呼伦贝尔盟、乌兰察布盟、哲里木盟等。有的盟市的医院则是从卫生所或中心卫生院发展而最终成为医院的，如：昭乌达盟、锡林郭勒盟、察哈尔盟、伊克昭盟等。有的盟市医院是由接收的旧政权的医院改设建成的，如包头市第二医院、第五医院和巴彦淖尔盟医院。而呼和浩特市医院，则是在 1951 年由接管的原归绥市公教医院改设的。到 1954 年时，全区各盟市建立盟市级医院的工作都已草创完成。包头市到 1957 年已有 4 个市级医院。

全区最早建立的盟市级医疗机构，是 1945 年内蒙古自治运动联合会在贝子庙建立的锡林郭勒盟卫生所。1946 年，海拉尔、满洲里、扎兰屯在日伪时期成立的医院旧址恢复建立了几所地方医院。内蒙古自治政府成立以后，海拉尔医院、扎兰屯医院随即改为呼伦贝尔盟医院、纳文慕仁盟医院。

在内蒙古东部，1947 年，内蒙古卫生局组织蒙医在乌兰浩特设立了喇嘛医诊所。12 月，在内蒙古医院的支援下，乌兰浩特医院建立，并在所属旗县设立了卫生所。1949 年春，自治区卫生部在召开的地方卫生行政干部会议上决定，全区盟一级设医院，旗县设诊疗所。当年 4 月，哲里木盟划归内蒙古自治区，建立有盟医院。接着兴安盟在乌兰浩特市医院的基础上，也建立了兴安盟盟医院。同年，内蒙古卫生部直属的锡察医院与锡林郭勒盟卫生所合并，归锡林郭勒盟领导。1949 年 5 月，呼、纳两盟合并为呼纳盟，原纳盟医院改为布特哈旗医院。察哈尔盟于 1949 年 10 月成立盟医务所。1951 年 6 月，盟医务所扩充为察盟卫生院。同年 8 月，昭乌达盟卫生所也扩建成立了昭盟医院。1953 年 8 月，锡林郭勒盟、察哈尔盟两盟的卫生所（院）也扩建成了盟医院。

在内蒙古西部，归绥市卫生局成立后，于 1951 年 12 月将接管的公教医院改建归绥市人民医院。伊克昭盟于 1950 年将盟卫生所扩建为盟中心卫生院。1952 年，新建了盟医院后，原来的盟中心卫生院撤销。乌兰察布盟于 1950 年 8 月成立盟卫生所，11 月扩充为中心卫生院，1952 年 6 月，在固阳建设成立了乌兰察布盟医院。1953 年 11 月，集宁专署成立了专署医院。蒙绥合并后，原来的集宁、陕坝专署医院改为平地泉、河套行政区医院。1953 年以后，满洲里、海拉尔、通辽、赤峰等盟辖市也相继建立了市医院。到 1954 年，全区各盟市医院基本上都已完成创建任务。至 1956 年，全区二市、八盟、两个行政区，共计有综合医院 17 所、专科医院一所、床位 2 218 张。①

1958 年到 1965 年，全区盟和市级医院由原来的每所医院仅有几十张或近百张病床平均增到 210 张。除伊克昭盟、锡林郭勒盟、巴彦淖尔盟三个盟医院各为 100 张床左右外，其他盟市医院拥有的病床数均在 200—300 张左右。病床的增加，为各医院加强专科建设创造了条件，全区各盟市级医院基本上都在原有基础上完成了临床与医技科室的发展建设。

与此同时，各盟市的盟辖市和市辖区，如集宁、巴彦高勒、乌达、海勃湾等县级市和呼和浩特市的玉泉、新城、回民区，以及几个自治区直辖市的郊区，也都陆续建起了自己的医院。据 1964 年对 11 个盟辖市和市辖区医院的统计，平均每所院有病床 50 张左右，最多的 85 张，最少的 20 张。到 1965 年，全区城市医院的床位已由 1957 年的 4 500 张，增到 11 000 张，增长 140%。②

表 9－6　2000 全区各盟卫生机构、医院、床位数一览表

机构 县市	机构数（个）		床位数（张）	
	合　计	其中：医院	合　计	其中：医院
全区总计	4 468	1 982	62 882	66 367
呼和浩特市	396	127	7 101	6 922
包头市	418	121	9 745	9 052
赤峰市	669	325	11 112	10 331
乌海市	83	25	2 042	1 998
呼伦贝尔盟	779	256	10 503	10 013

① 本志编纂委员会编：《内蒙古自治区志・卫生志》，内蒙古科学技术出版社 2007 年版，第 499 页。

② 本志编纂委员会编：《内蒙古自治区志・卫生志》，内蒙古科学技术出版社 2007 年版，第 500 页。

（续表）

机构 县市	机构数（个）		床位数（张）	
	合 计	其中：医院	合 计	其中：医院
兴安盟	173	110	4 075	3 605
哲里木盟	507	224	5 908	5 719
锡林郭勒盟	316	193	3 021	2 671
乌兰察布盟	405	241	3 882	3 782
伊克昭盟	316	154	4 113	3 956
巴彦淖尔盟	282	153	4 093	4 045
阿拉善盟	124	53	772	738

随着工业建设的发展，全区厂矿企业的医疗保健机构也不断增加与扩大，在包头市，包钢、包建、第一机械厂、第二机械厂等大型医院先后建成。铁路系统在呼和浩特、包头、海拉尔、满洲里和集宁等城市建立了铁路医院。工矿企业的医疗卫生力量在全区占了很大比重。1965 年，全区工业及其他部门的病床占全区病床总数的 37%，卫生技术人员占全区卫生技术人员总数的 25%。①

盟市以上医疗技术队伍的建设 内蒙古自治区成立以来，组建和发展全区各级医疗技术队伍的人力资源，主要来自三个渠道。一是接收的在教会和旧政权举办的医疗机构中的卫生技术人员；二是中央和其他省市派遣的前来内蒙古支援和帮助进行重大疫情和疾病防治的有关人员和支边的大中专医学院校毕业生；三是内蒙古自治区通过各种渠道自己培养的医疗卫生技术骨干和工作人员。

据 1950 年末对内蒙古东部 4 个盟的统计，当时全区卫生部门总共有卫生技术人员 1 998 人。其中：技师（技正）级 3 人，副技师（技士）级 30 人，助理技师（技佐）级 64 人，技术员级 222 人，助理技术员级 649 人，练习生 1 029 人。（注：当时全区卫生技术人员的技术等级是按内蒙古自治区人民政府第 4 号财委字第 1 号《关于调整工薪的指示》执行《东北卫生

① 本志编纂委员会编：《内蒙古自治区志·卫生志》，内蒙古科学技术出版社 2007 年版，第 500 页。

技术人员工薪等级标准表》评定的。经过6年的发展，到1956年底，全区卫生部门拥有的卫生技术人员已达到21 349人。其中，中蒙医6 290人，西医师910人。平均每千人口有医生1.09人。①

到2000年，全区已建立纵有自治区、盟市、旗县（市区）、乡（镇、苏木）、行政村（嘎查）五个层次，横有综合医院、专科医院、医学院附属医院、职工医院四个部分，包括非营利性和营利性以及“卫生部门办”、“工矿企业及其部门办”和“集体办”、“社会办”4个方面的医疗网，还有遍布城乡的个体开业医生。据截至2000年底的统计，在全区107 207名卫生技术人员中获得中级以上技术职称的人员总共有23 633名，其中：正高级（主任医、药、护、技师）人员517名，副高级（副主任医、药、护、技师）人员3 315名，中级（主治医、药、护、技师）人员19 801名。②

（二）农村牧区医疗机构的设置

基层卫生组织　内蒙古的农村牧区基层卫生组织，分为旗县、乡镇苏木和村嘎查三级。全区大规模的农村基层卫生组织建设工作，起步于1951年中央卫生部先后发布《关于健全和发展全国卫生基层组织的决定》和《关于组织联合医疗机构实施办法》前后。当时全区各地采用民办公助的形式，将散布在农村、牧区的以中医、蒙医为主的个体行医者，逐步组织到区（乡、镇、苏木）卫生所和联合诊所中来，并在农业合作化掀起高潮的1956年，普遍发展成为所在区（乡、镇、苏木）的卫生院，有的还发展成为所在旗县医院的前身——旗县卫生院。

旗县医院　1958年，旗县卫生院先后都改为旗县医院，并开始了医疗分科和专科建设。据当时对67个旗县医院的调查，全区旗县医院平均每院有病床24.4张，卫生技术人员25.5人。有21个医院的病房分3科，其中分内、外、妇、儿四科的占18%，只设内、外和中医科的占82%，其他医院病房都不分科。从1960年开始，全区40%的高等医学院校毕业生后被分配充实到旗县医院工作，对提高旗县医院的业务技术水平起了重要作用。到1965年，旗县医院病床平均增到43张，与1958年比较增长了76%；卫生

① 本志编纂委员会编：《内蒙古自治区志·卫生志》，内蒙古科学技术出版社2007年版，第513页。
② 参见内蒙古卫生厅编：《内蒙古自治区卫生统计资料汇编（1996—2000）》。

技术人员增加到每院平均36.5人，比1958年增长43%。① 1987年以后，全区实施了卫生三项建设工作，县级卫生机构得到快速发展。1997年，《中共中央国务院关于卫生改革与发展的决定》下发后，各盟市采取多种形式大力发展医疗事业，通过实施旗县医院建设项目等，旗县医疗机构得到突飞猛进的发展。

苏木乡镇卫生院 中华人民共和国成立初期，全区旗县以下举办的综合性医疗预防机构，主要有两种形式，第一种是设在山区、老区、边境和偏远地区、牧区的国家办的卫生所，每所3至5人，设备、房舍都很简陋，如早在1952年在呼伦贝尔盟就在额尔古纳旗雅古特民族聚居区建立了卫生所。到1956年类似的卫生所共建立了133所，不到当时全区区乡建置的十分之一。另一种形式是根据中央卫生部1951年8月发布的《关于组织联合医疗机构的实施办法》组建的医疗联合机构。1958年的公社化运动改变了全区农村、牧区的行政建制，原来的区、乡、镇、苏木改为人民公社，这一级的医疗机构统一归人民公社领导，并逐渐改称为人民公社卫生院或大队卫生所。这一时期全区人民公社的卫生院多数是由原来的区卫生所和联合医疗机构转化而来，少数是公社化运动后新建的。1958年，全区公社卫生院共计有709所，1959年发展到1 070所，全区绝大部分的人民公社都有了自己的卫生院。"文化大革命"期间，在"6·26"指示的影响下，全区公社卫生院的建设一度受到比较普遍的重视。自治区和各盟市对公社卫生院的发展建设，给予了多方面的帮助和扶持。据1972年统计（当时内蒙古东部地区已划归东北三省），这一年全区共有公社卫生院736所，其中，143所中心卫生院属国家举办的。其余593所一般卫生院中，属国家办的有243所，占40%；属集体办的有359所，占60%。1984年以后，农村牧区行政建制改变，原来的公社卫生院也随着改为苏木乡镇卫生院。不少苏木乡镇卫生院的领导关系有了改变，但并未完全统一。有的归乡政府直接管理，有的仍归旗县卫生局管理。自1988年实施了卫生三项建设工作后，全区苏木乡镇卫生院得到快速的发展。1997年，《中共中央国务院关于卫生改革与发展的决定》下发后，全区农村牧区卫生院的建设得到突飞猛进的发展。据2000年

① 本志编纂委员会编：《内蒙古自治区志·卫生志》，内蒙古科学技术出版社2007年版，第43页。

的统计，这一年全区共有苏木乡镇卫生院 1 515 所，拥有病床 15 070 张，有工作人员 23 939 人（其中卫生技术人员 17 860 人）。平均每所卫生院有病床 9. 5 张，有工作人员 15. 8 人。①

村、嘎查卫生室（所、站）　是设置在行政村（嘎查）一级的基层医疗预防网点，是农村、牧区卫生工作的基础。内蒙古自治区村、嘎查一级的卫生组织基本上是中华人民共和国成立后才逐步组织和发展起来的。在此之前，全区村、嘎查只有个体开业或串乡走村的郎中，而且绝大多数是中医和蒙医。

从 1950 年到 1957 年期间，全区农村牧区每年都要训练一大批不脱产的卫生员（或防疫员）、保健员、接生员。这“三员”是当时全区农村牧区医疗卫生机构的助手和补充力量，在开展农村牧区卫生工作中起到了一定作用。

1958 年到 1965 年期间，全区农村牧区基层社区的卫生工作，主要依靠半农半医的乡村医务人员和“三员”（即卫生员、保健员、接生员）做一些简单治疗和防疫、妇幼卫生工作；有的村嘎查虽建立有卫生所，但人员不稳定。半农半医人员中有一部分中医和蒙医，主要负责医疗工作，但基本上也是不脱产的。在 1958 年的“大跃进”中，全区有些地区实行过合作医疗制度，但没有坚持下来。

1969 年，毛泽东主席亲自批示了上海川沙县两个文件，合作医疗和赤脚医生在全国迅速发展起来。这期间农村卫生组织，主要是大队卫生组织受到特别重视。1971 年，全区实行合作医疗的大队达到 81. 7%；全区赤脚医生队伍有赤脚医生 13 177 人，平均每个大队 2—3 人。当时大队的卫生组织多数改称“合作医疗站”。每个大队医疗站一般都有两、三百种中草药和几十种西药。

1985 年 1 月，国家卫生部发出通知决定停止使用“赤脚医生”这个名称，赤脚医生凡经面试、考核达到相当于医士水平的，一律改称乡村医生；达不到医士水平的，都改称为卫生员。从此之后，村、嘎查办医的形式更趋多样化，主要有：村或群众集体办，乡村医生或卫生员联办、乡卫生院设

① 参见内蒙古卫生厅编：《内蒙古自治区卫生统计资料汇编（1996—2000）》。

点、乡村医生个体举办等。1987 年以后，全区实施了卫生三项建设，村、嘎查卫生组织也得到了前所未有的加强和发展。到 2000 年，全区有嘎查村卫生室 13 284 个，覆盖 94% 的行政村；有乡村医生 24 709 人，平均每个村卫生室有 1.5 人。①

（三）卫生三项建设工作

“卫生三项建设”，是农村卫生建设项目——农村卫生院、县级卫生防疫站、县级妇幼保健所设施改造建设的简称。该项目由国家计委、财政部、卫生部联合设立，于 1991 年正式启动。由于其加强农村牧区基层卫生组织建设的出发点和最终目标与内蒙古自治区于 1988 年开始的加强农村牧区基层卫生组织建设计划和行动不谋而合，因此从 1991 年开始，内蒙古加强农村牧区基层卫生组织建设的计划与行动便实现了与国家“卫生三项建设”的接轨，统称“卫生三项建设”。

第一期建设 第一期全区基层卫生组织建设的重点，是对旗县级综合医院和部分中心卫生院进行改造建设，从 1988 年开始到 1990 年结束。通过 3 年的努力，使旗县医院和部分中心卫生院的办院条件有了较大的改善，实现了“一无三有三配套”的预定建设目标。“一无”即无危房；“三有”，即有 B 超、内窥镜和 200 毫安以上 X 光机等常用医疗设备，有正规病床、传染病房，有救护车等急诊抢救设备；“三配套”，即技术人员、房屋设施和医疗设备配套。

全区基层卫生组织第一期建设实现总投资 5 338 万元，比原计划超额投资 838 万元，超额率 18.64%。3 年为基层医疗卫生单位新建和维修房屋 118 541 平方米，购置装备医疗设备 10 404 台（件）、救护车 139 台，培训实用卫生技术人才数千名。②

第二期、第三期建设 1991 年，国家计委、财政部、卫生部联合设立的农村卫生建设项目——农村乡镇卫生院、县级卫生防疫站、县级妇幼保健所设施改造建设（简称“卫生三项建设”）开始启动。内蒙古自治区在前期

① 参见内蒙古卫生厅编：《内蒙古自治区卫生统计资料汇编（1996—2000）》。

② 本志编纂委员会编：《内蒙古自治区志·卫生志》，内蒙古科学技术出版社 2007 年版，第 443—444 页。

建设的基础上，立即与全国接轨，按照国家的要求，开展卫生三项建设。在自治区政府的统一领导下，全区各级财政、计委、卫生、农业、扶贫等部门密切配合，掀起了农区牧区基层卫生组织建设的新高潮。

1991 年至 2000 年，十年内对全区 1 509 所卫生院、86 个县级卫生防疫站、87 所县级妇幼保健所进行了投资建设，总投资达 3.7 亿元。其中，国家计委、卫生部投资 2 715 万元，占 7.3%；自治区财政、计委投资 7 295 万元，占 19.6%；盟市投资 4 876 万元，占 13.1%；旗县投资 9 394 万元，占 25.2%；乡镇苏木投资 5 360 万元，占 14.4%；单位自筹 6 919 万元，占 18.6%；其他投资 657 万元，占 1.8%。此外，国家财政部奖励内蒙古自治区共计 840 万元，先后购置日本岛津 B 超 64 台、B 超 30 台；卫生部给内蒙古自治区装备 B 超 70 多台，用于贫困地区中心卫生院装备。

在建设资金使用上，房屋建设投资 27 822 万元，占总投资的 75%；设备购置投资 7 289 万元，占 19%；人才培养投资 2 105 万元，占 6%。总共完成新建、扩建、翻建、维修业务用房 94 万平方米。其中，卫生院完成房屋改造 76 万平方米，平均每院 504 平方米；防疫站完成房屋改造 11 万平方米，平均每站 1 333 平方米；妇幼保健院（所）完成房屋改造 7 万平方米，平均每所 847 平方米。第二、第三期建设中，为建设单位装备各种医疗设备 10 万多台（件）；培训管理人员和卫生技术人员 1.6 万人次。

（四）初级卫生保健建设工作

1983 年，哲里木盟科尔沁左翼中旗被世界卫生组织和中国卫生部确认为初级卫生保健合作中心旗县。这是世界卫生组织在中国建立的第四个合作中心，目的是共同探索在中国农村实现“2000 年人人享有卫生保健”的途径和经验。合作中心建于哲里木盟科左中旗的宝龙山镇。自治区和哲里木盟共同投资新建了宝龙山科左中旗中心医院、防疫站、妇幼保健所、卫生学校和合作中心办公室，并修建开放了三个乡卫生院。世界卫生组织为合作中心提供了医疗器械、交通工具和教学用具等。科左中旗成立了由旗长挂帅，有工业、农业、商业、文化、教育、卫生、财政、民政等各方面负责人参加的旗初级卫生保健委员会。全旗 35 个苏木乡镇、498 个嘎查村也都无一遗漏地建立了初级卫生保健领导小组。初级卫生保健作为卫生工作的核心被纳入了各级政府的重要议事日程。全国在 2000 年要求达到的“人人享有卫生保健”目标中的13项具体指标，在科左中旗只用了2年多时间就有7项达到和超过了世界卫生组织要求的标准。

从1990年开始，全区各级政府普遍成立了初级卫生保健委员会及其下设的办事机构。自治区根据国家五部委局《关于我国农村实现“2000年人人享有卫生保健”的目标》和自治区社会发展规划纲要，制定下发了《内蒙古自治区农牧区2000年人人享有卫生保健发展规划》，并召开了全区初级卫生保健工作会议，在全区各旗县市区普遍推开了通过初级卫生保健，实现“2000年人人享有卫生保健”的达标规划工作。

根据《内蒙古自治区农牧区2000年人人享有卫生保健发展规划》的要求，全区初级卫生保健工作分“两步”“三个阶段”实施。第一步，到1995年全区有50%旗县达到初级卫生保健基线建设标准；第二步，到2000年全区所有的旗县全部达到上述目标。第一阶段，1989—1991年为试点阶段；第二阶段，1992—1995年为普及阶段；第三阶段，1996—2000年为全区达标阶段。到2000年，使全区基本实现人人享有卫生保健，使农牧区居民具有较好的健康素质，主要卫生健康指标达到国内中等以上水平。

截至1996年底，全区“初保”达标和基本达标的旗县（区）总计52个，具体旗县是：扎兰屯市、满洲里市、陈巴尔虎旗、额尔古纳市、根河市、阿荣旗、鄂温克旗、牙克石市、海拉尔市、乌兰浩特市、突泉县、科右前旗、库伦旗、扎鲁特旗、霍林河市、科左中旗、通辽市、科左后旗、奈曼旗、开鲁县、敖汉旗、巴林左旗、喀喇沁旗、元宝山区、翁牛特旗、林西县、宁城县、松山区、正蓝旗、多伦县、阿巴嘎旗、锡林浩特市、东乌旗、丰镇市、凉城县、察右前旗、土默特左旗、托克托县、呼和浩特市郊区、准格尔旗、东胜市、乌审旗、伊金霍洛旗、鄂托克旗、固阳县、包头市郊区、乌拉特前旗、乌拉特中旗、磴口县、临河市、额济纳旗、阿左旗。

为推进初保工作实施进程，全区各级政府充分发挥政府作用，积极开展评审达标工作。自治区下发了《内蒙古自治区改革和加强基层卫生组织建设工作的决定》。按《中国农村实现2000年人人享有卫生保健普及阶段目标评审记录》规定的标准和要求，从1996年开始组织进行了达标旗县评审工作。根据对全区历年初保工作的详细统计分析，1998年重新对1996年至1999年初保拟达标旗县进行了规划，并印发了《评审标准》。截至1999年，经复审验收，自治区初保达标和基本达标旗县已达 79 个，占全区旗县总数的 90.8%。①

（五）合作医疗建设工作

据《内蒙古卫生四十年》记载，早在 1958 年“大跃进”中，内蒙古自治区一些地区就实行过合作医疗制度，但没能坚持下来。

1971 年，内蒙古自治区革命委员会卫生局正式恢复以后，主要抓了两项工作，一是合作医疗制度的建立巩固，二是赤脚医生的培训发展。这一年全区实行合作医疗的大队占全区生产大队的 81.7%，当时各大队的卫生组织多数都改成了“合作医疗站”。②

实行合作医疗地区对社员治病实行减免。只是由于各地经济条件不同，减免办法与幅度差异很大。有的全免，有的只收挂号费，有的只收药费的 30%—70%，有的只对五保户和老残病人实行全免等等。

赤脚医生是农村牧区合作医疗站不脱产的医生，在生活待遇上，各地亦不尽相同。有的地区是从合作医疗站的业务收入中给赤脚医生以适当补贴；有的地区实行的是误工补工或定工补工，也有的地区给赤脚医生发放固定工资，从合作医疗站开支。按照当时全区的统一规定，不论何种报酬方式，都要使赤脚医生达到相当于当地中等劳动力的收入水平。

1983 年，全区生产大队已经呈现出了多种办医的趋势。据调查，当时各种形式办医的比例是：设医疗站实行合作医疗的占 10% 左右，生产大队办卫生所的占 12.6%，乡村医生与生产大队合办卫生所、诊所的占 10.5%，由乡村医生包干或单干的占 56.7%。当时全区持证的乡村医生有 5 162 名，赤脚医生有 8 755 名，两者合计共占当时乡村行医人数的 64%，另有 36%（大约 7 000 人左右）大多是无证行医者。

根据 1996 年全国合作医疗经验交流会精神和全区关于加快推行合作医疗制度的实施意见要求，自治区卫生厅组织全区 10 个合作医疗试点旗县的 29 人赴河南、山东等地考察，并提出全区合作医疗的 6 点建议，起草了

① 本志编纂委员会编：《内蒙古自治区志·卫生志》，内蒙古科学技术出版社 2007 年版，第 464 页。

② 本志编纂委员会编：《内蒙古自治区志·卫生志》，内蒙古科学技术出版社 2007 年版，第 466—467 页。

《关于恢复和发展合作医疗保健制度的决定》。通过1998年进行的全区合作医疗基本情况调查显示：全区已在11个盟市的34个旗县、199个乡镇开展了不同合作内容、不同管理层次、不同人均筹资水平的合作医疗；参加合作医疗人数达1 731 823人，占开展合作医疗旗县农业人口的12.7%。据此，卫生厅制定了《关于在农村牧区推行合作医疗制度的意见》,经多方征求意见，由自治区政府批转下发。1999年还组织召开了全区合作医疗现场会。

二、医疗管理

（一）医院管理工作

医院是以诊治疾病、救死扶伤为主要目的的医疗机构。医院管理工作的中心就是组织医务人员用其掌握的医学技术诊治疾病、照护病人，以人为本，为患者提供优质服务。

中华人民共和国成立后，中央卫生部于1950年4月发布指示，整顿医院工作。整顿不仅在旧的医院中进行，新建医院也同样进行。其指导思想是面向医疗、面向病人，突出强调全心全意为人民服务的医疗态度。根据这一指示精神，内蒙古各级医院开展了医务人员的思想教育，并逐步建立健全有利于病人的医疗制度与工作制度，实行了三级护理和三级查房制。为了消除门诊拥挤现象和扩大病床收容量，采取了协定处方、预约挂号以及增加病床、加快周转等措施。

中共十一届三中全会以来，为加强医院管理，全区先后开展了“创建文明医院”和“医院分级管理”，并按照国家医疗卫生改革、管理、建设发展的总体要求，结合自治区实际情况，以提高医疗服务水平为重点，深入贯彻落实《中共中央、国务院关于卫生改革与发展的决定》和国务院办公厅批转体改办等八部门《关于城镇医药卫生体制的指导意见》精神，借助企业剥离办社会的良好机遇，进一步加快了城镇医疗卫生体制改革的步伐，进一步加强了区域卫生规划，积极推进了全区医疗机构的全行业管理，加大了医疗管理体制改革力度。近年来，自治区加大了推进城镇医院产权制度改革的力度，进一步明确了政府举办基本医疗的主体框架，并积极扶植较大民营医疗机构的发展，加强监督管理，逐步形成公立医院与民营医院之间有序竞争的良好态势，促进了全区医疗服务整体水平的不断提高，努力为患者提供优质、高效、廉价的医疗服务。同时，按照卫生部的要求，继续促进医疗机构内部运行机制的各项改革，围绕“以病人为中心”这一服务宗旨，不断完善病人选医生、住院费用清单制、单病种最高限价等改革措施，积极推进医院内部的人事分配制度改革，不断完善了医疗机构的激励竞争机制和监督约束机制。各级卫生行政部门在切实加强机构、技术、设备准入管理的同时，依据《中华人民共和国执业医师法》《中华人民共和国献血法》和《中华人民共和国护士管理法》，进一步加强了医疗卫生技术人员的准入管理，认真组织实施了执业医师资格考试制度并全面开展了医师执业资格、护士执业资格注册工作。尤其是1995年至2000年间，全区医疗事业有了快速的发展。按照国务院《医疗机构管理条例》，自治区启动了清理整顿医疗市场工作，不断加大医疗机构的管理力度。自治区卫生厅制定了《医疗机构设置规划》，下发了《内蒙古自治区个体开业医生和社会办医管理办法》《内蒙古自治区医疗机构监督管理行政收费标准》，分期分批核发了《医疗机构执业许可证》，使全区一度出现的办医乱、乱办医和无证行医等现象得到有效控制。同时，为加强医院的内部管理，自治区卫生厅制定并下发了《内蒙古自治区预防院内交叉感染管理办法》，并对全区医院感染管理规范执行情况进行了检查。开展了“以病人为中心，优质服务百佳医院”创建活动，制定了《内蒙古自治区百佳医院二十条标准评分操作办法》，全区各医疗机构积极制定服务标准，公开向社会承诺，采取各项措施，使优质服务真正落到实处。全区有3所医院被评为全国百佳医院。

创建文明医院 创建文明医院活动，就是通过制定一系列基本要求和检查评分标准，从改善庭院环境、加强医院管理、改进医疗服务态度和质量等几方面入手，促进医院社会主义精神文明和物质文明建设，对医院实行综合治理的一项经常性检查评比活动。这项活动始于1984年。开始只限于盟市级以上城市综合医院，1985年扩展到旗县医院和各级厂矿、企业职工医院。同年底，自治区有18所医院进入文明医院行列。1987年，自治区卫生厅制定了《内蒙古自治区医院部分标准化管理检查评比记分标准》和《内蒙古自治区文明卫生院基本要求和评分标准》，从而使创建文明医院活动扩展到了苏木乡镇卫生院。到1990年，全区有31所医院获自治区盟市级以上文明医院的称号；有70所医院获自治区旗县级文明医院称号；有473所卫生院获自治区文明卫生院称号。创建文明医院活动，加速了全区医院改革建设的进程，使医院管理向正规化迈进，使医院各项业务技术水平得到了巩固、提高。

医院分级管理　1989 年，自治区卫生厅根据卫生部颁布的《医院分级管理办法（试行草案）》,结合自治区实际，会同财政、物价、计划、劳动人事、编委等部门联合下发了《内蒙古自治区医院分级管理实施细则》和《内蒙古自治区一、二、三级综合医院评分标准（试行）》等医院分级管理配套标准。这些细则和标准，既坚持以国家标准为评分尺度，不降低医院分级管理的质量要求，又考虑和体现了内蒙古的具体情况及地区和民族特点。确立以盟市为医疗区域，每个盟市按规划设立一所三级综合医院（不包括厂矿企业医院）；不足 400 张的盟市医院和 80 张床位以上的旗县医院按规划设立为二级医院；20 张床位左右的卫生院设为一级医院，形成金字塔形医疗服务网。实践证明这一指导思想是正确的，并且为后来全区全面贯彻《医疗机构管理办法》,制定《医疗机构设置规划》奠定了坚实的基础。1990 年 10 月，自治区卫生厅从获得自治区级文明医院、文明卫生院的医院中选择了 3 所三级试点医院、31 所二级试点医院、43 所一级试点医院开展医院分级管理试点工作，并组建了自治区级、盟市级、旗县级医院评审委员会，1992 年至 1994 年为全区医院分级管理第一个评审周期，1995 年至 1997 年是医院分级管理第二评审周期，使全区三级医院达到 17 所，二级医院达到 139 所。①

（二）血液管理工作

1949 年以前，内蒙古地区无献血管理组织。当时由于医疗技术水平所限，全区用血的医院较少。中华人民共和国建立后，献血管理工作得到共产党和人民政府的高度重视，献血管理组织首先在医院逐步建立起来。全区较大的医院一般都设有血库，由专业卫生技术人员组织管理献血工作。1978 年以前，全区仅有包头市和乌兰察布盟 2 所盟市级血站，拥有的专业技术人员总共才几十人，而且房屋简陋，设备不足。1958 年，天津“全国输血现场会议”后，全区各级医院认真贯彻会议精神，逐渐建立健全了献血管理组织和管理措施，献血员队伍也逐步建立起来。全区输血机构技术人员由少

① 本志编纂委员会编：《内蒙古自治区志 · 卫生志》,内蒙古科学技术出版社 2007 年版，第 536 页。

到多；输血管理从无到有，逐步走向科学化、法制化管理轨道；公民献血亦逐渐由个体卖血，转变为公民义务献血直至无偿献血。

1998 年 10 月，《中华人民共和国献血法》颁布实施以来，全区认真组织开展学习宣传和贯彻落实，不断推动无偿献血工作的深入发展。同时，进一步加大了对全区采供机构的规划和监管。从 2000 年开始，内蒙古自治区卫生厅每年筹集 200 多万元，用于盟市中心血库和部分旗县医院血库的装备建设投资。目前，全区已建立 1 个自治区血液中心、10 个盟市中心血站、36 个中心血库和储血库，并根据全区采供血工作的需要，不断对采供血机构的布局进行规划和调整，努力适应医疗事业发展的需要。

（三）扶贫医疗与对口支援工作

20 世纪 50 年代末期，自治区卫生部门根据中央关于大炼钢铁和支援农业等要求，组织旗县以上医院医疗技术骨干到农牧区防病治病。

1965 年，毛泽东主席的“六·二六”指示发表后，当年全区旗县以上医疗卫生机构共组织 448 个医疗队，奔赴全区 79 个旗县的 354 个公社进行巡回医疗，参加医疗队的人员共计 3 653 人。①

1978 年以后，大多数盟市都开展了城市卫生机构支援农村牧区卫生机构的工作。尤其是对于贫困地区，每个县以上的城市医疗卫生单位都与一个或几个乡（镇、苏木）卫生院挂钩，建立了互为扶持关系。实行管理上指导，财力设备上支持，人员技术上支援，并对基层选送的人员免费培训等。

1997 年，中宣部等十部委和内蒙古自治区党委宣传部等十三部门分别下发了《关于深入开展文化科技卫生“三下乡”活动的通知》和《关于贯彻中宣部等十部委精神，继续深入开展文化、科技、卫生“三下乡”活动的意见》。从此，卫生扶贫和对口支援成了内蒙古各级卫生管理部门一项有目标、有责任、有要求、有检查的规范行为。1998 年，自治区卫生厅制定了《内蒙古自治区关于城市对口支援农村牧区医疗卫生工作的实施意见》，明确要求，深入开展城市大中型医疗机构与基层医疗机构的“一帮一”对口支援活动。积极开展防盲治盲工作，大力培训基层眼科医生，并为贫困农牧民减免费用开展复明手术，极大提高了基层医疗机构的医疗服务能力和广

① 本志编纂委员会编：《内蒙古自治区志·卫生志》，内蒙古科学技术出版社 2007 年版，第 560 页。

大农牧民的医疗保健水平。据统计，从 1998 年至新世纪，全区共派出下乡医疗队 4 500 多支，下乡医务人员近 5 万多人次，免费诊治患者近 30 万人次，为农村牧区卫生机构赠送医疗设备近万台（件），赠送药品合人民币 2 500 多万元，举办各类培训班近万次，培训医务人员 6.7 万多人次。①

（四）援外医疗工作

1982 年，根据中国政府与卢旺达政府签订的协议，中国开始向卢旺达派遣援外医疗队，实行救死扶伤的国际人道主义援助工作。按照国家卫生部的安排，由内蒙古自治区从 1982 年 3 月至 2000 年年底，共派出 9 批医疗队（每两年轮换一次）、89 人次到卢旺达执行援外医疗任务。总共诊治患者 50 多万人次，实施各类手术近 20 000 例，抢救危重患者 4 000 多人次，受到了卢旺达人民的好评。②

第一批医疗队由 7 人组成，于 1982 年 3 月派出，1984 年 4 月回国。共治疗门诊病人 10 840 人次，住院病人 8 391 人次，抢救病人 537 人，进行大中型手术 1 192 例；第二批医疗队由 9 人组成，于 1984 年 4 月派出，1986 年 4 月回国；第三批医疗队由 10 人组成，于 1986 年 4 月派出，1988 年 5 月回国。此批医疗队队长在没有显微外科手术设备和器械的条件下，冒着极大的风险，利用老花镜等简陋的代用工具，前后三次成功地为当地患者实施手腕、拇指大部分断离再植手术，开创了卢旺达显微外科的先河，在卢旺达引起全国轰动。第四批医疗队由 10 人组成，于 1988 年 5 月派出，1990 年 5 月回国。此批医疗队的队长成功地为一名 19 岁黑人青年卢森刚摘除了颈部直径达 30 厘米的血管瘤，在当地引起轰动。第五批医疗队由 10 人组成，于 1990 年 4 月派出，1992 年 5 月回国。第六批医疗队的 10 名队员均来自内蒙古医院，于 1992 年 4 月派出，1994 年 4 月回国。1994 年 4 月，正当医疗队工作期满准备回国之际，卢旺达内战骤然升级。内蒙古援卢医疗队驻地遭到枪击，并与中国驻卢使馆失去联系。在这严峻的时刻，全体队员在队长的指挥下，灵活机智地与杀红眼的各派军队周旋，驾驶插着红十字旗的面包车越过卢旺达至坦桑尼亚边境。在山东省派驻坦桑尼亚医疗队的大力支持下，克

① 本志编纂委员会编：《内蒙古自治区志 · 卫生志》，内蒙古科学技术出版社 2007 年版，第 561 页。

② 参见内蒙古卫生厅：《内蒙古自治区卫生统计资料汇编（1996—2000）》。

服没有饮水、食物匮乏和高温酷暑等困难，横穿坦桑尼亚境内 1 700 多公里荒漠草原，安全转移到达累斯萨拉姆港口，10 名队员无一伤亡，安全乘埃塞俄比亚的一架班机转道返回祖国。第七批医疗队的 9 名队员均来自包头医学院第一附属医院，当时正值该国内战刚刚结束，医疗队在供应和住所无基本保证的艰苦条件下，克服种种困难，完成了各项医疗活动任务。第八批医疗队由 12 人组成，于 1997 年 7 月派出，1999 年 7 月回国。第九批医疗队由 12 人组成，于 1999 年 6 月派出，2001 年 7 月回国。①

三、妇幼保健

内蒙古自治区成立以前，全区没有专门的妇幼保健机构。只有蒙古卫生院、归绥公教医院、官立厚和医院、官立包头医院等个别规模较大的公立或教会综合医院中设有妇产科、产科、小儿科。此外还有少数私人办的产院和个人挂牌的助产士。

（一）机构建设

1950 年 4 月，全区第一个由国家举办的妇婴保健所——乌兰浩特市妇婴保健所创建并开诊。所内设宣传、妇婴保健两个专业组，1954 年该所迁到海拉尔市，改建为全区第一个儿童保健所。不久，哲里木盟通辽县、兴安盟科尔沁右翼前旗，也分别建起实验性的妇幼保健所。

1951 年，原绥远省卫生局成立直属妇幼卫生工作队，编制 20 人；1952 年，内蒙古自治区卫生部成立妇幼卫生工作队，编制 15 人；1953 年，东部行署卫生厅又成立妇幼卫生工作队，编制 15 人。1954 年蒙绥合并后，上述三个组织撤销，将原绥远省妇幼卫生工作队和自治区卫生部妇幼卫生工作队合并，组建为内蒙古自治区妇幼卫生工作队。1953 年，内蒙古自治区妇产科医院在呼和浩特建成，该院设床位 100 张，有职工近百名，内设产科、妇科、药局、检验、放射、门诊等科室。该院在医疗预防相结合的原则指导下，开展产科、妇科的门诊和住院治疗，解决有关技术上疑难问题，指导妇幼保健机构的医疗、保健业务，承担妇产科医士、助产士进修，进行妇幼卫

① 本志编纂委员会编：《内蒙古自治区志·卫生志》，内蒙古科学技术出版社 2007 年版，第 557—558 页。

生宣传教育等工作。据统计，全区旗县区以上妇幼保健所站等妇幼保健专业机构到1955年初已经达到216个。1976年8月，内蒙古自治区卫生厅在呼和浩特市召开了普及新法接生工作座谈会，再次强调要迅速建立健全全区旗县、公社、大队三级妇幼保健网。1980年6月25日，国家卫生部颁发了《妇幼卫生工作条例》（试行草案），全区各地进一步加快了妇幼保健机构的建设步伐。到1982年底，除阿拉善盟未建妇幼保健所外，全区99个旗县市区和11个盟市均建起了妇幼保健所（站）。全区妇幼保健队伍的人员发展到2 297人。自1983年，全区妇幼保健机构进行了一系列改革，根据床位数和业务情况，将全区的妇幼保健机构分为三类，即：设有正规病床，并开展门诊业务的称妇幼保健院；开展门诊业务，且设有少量观察床的称妇幼保健所；既无门诊，又无观察床的称妇幼保健站。这些机构均实行院、所、站长负责制，干部实行聘任制，工人实行合同制，并推行责、权、利相结合的岗位责任制。内部一般设妇保、儿保、计划生育技术、宣教、检验、功能、放射、后勤、药局等科室，在突出基层保健重点工作的同时，开展保健门诊和地段保健工作。据截至2000年的统计，全区108所妇幼保健机构，共拥有床位1 000张、工作人员3 728人。①

（二）妇女保健

西医传入内蒙古地区后，开始介绍新法接生和妇女卫生，但也仅局限于极少数医院、产院。广大妇女特别是农村牧区劳动妇女中月经不调、宫颈糜烂、子宫脱垂、尿瘘等妇科疾病非常普遍。

中华人民共和国成立后，政府制定了一系列保障妇女健康的政策、法规和措施，自治区各级人民政府在妇幼保健机构的建立、器械装备、专业卫生技术和管理人员增减、妇女卫生知识宣传等方面投入了大量财力、物力和人力，全面开展妇女保健工作，推广普及新法接生，普查普治妇女“两病”（子宫脱垂和尿瘘），以及开展围产期保健等，使新法接产不断提高，难产率、孕产妇和新生儿死亡率显著下降。

普及新法接生，推行住院分娩 推广新法接生是一项长期的移风易俗的工作，因此也一直是妇幼卫生工作的首要任务之一。1950年6月，自治区

① 参见内蒙古卫生厅编：《内蒙古自治区卫生统计资料汇编（1996—2000）》。

在通辽县、科右前旗、乌兰浩特市的9个努吐克首先开展了新法接生试点，在取得试点经验后，对旧接生员改造、新接生员培训工作在全区各地普遍展开。1952年，全区培训旧接生员5 165人，新接生员3 636人，新培养妇幼保健员468人。培养乡助产士128名，装备产箱1 353个，建立接生站893个，联合保健站24所。全区新法接生率明显上升。1958年，自治区卫生厅召开了全区妇幼卫生工作座谈会。会议提出分娩住院化、妇女劳动保护化、托儿保健化等妇幼工作“三化”的口号。全区农村牧区迅速办起产院2 082处，大部分地区基本实现了新法接生和住院分娩。同时，对接生员队伍普遍进行了整顿，对考核合格的接生员由卫生主管部门发给合格证。1978年，内蒙古自治区革命委员会批转了自治区卫生局《关于进一步加强妇幼卫生工作的报告》，强调要为农牧民培训助产员，推广新法接生，保护产妇和婴儿，降低产妇染病率和婴儿死亡率。特别强调重申了普及新法接生的标准是“一躺三消毒”。全区各地把新法接生纳入合作医疗，并通过培训、复训助产员，健全接生组织，补充产包，调整收费，加强例会制度，使全区新法接生率向达到95%以上的要求目标接近普及。

围产期保健　是指孕娠28周至产后7天内对孕产妇和围产儿的保健。1984年6月，自治区卫生厅在通辽县召开现场经验交流会，推广通辽县的孕产妇系统管理经验。要求全区普及新法接生的地区要同时开展孕产妇系统管理或围产保健试点。1991年，内蒙古自治区卫生厅、妇联、民委联合举办了新法接生和新生儿保健牧区巡回培训班，为牧区旗县培训了212名妇幼卫生技术人员。全区围产保健工作由试点向全区全面推开，围产保健工作质量也逐年提高。特别是跨世纪前后，部分地区已实行对母子进行“一条龙”统一管理，进入了围产保健较高级的发展阶段。据1996年底的统计，当时全区孕产妇保健系统管理率已达72%，产前检查率达83.4%，产后访视率达79.79%，住院分娩率达44.64%，高危孕妇住院分娩率达96%。①

妇女病防治　中华人民共和国成立后，在旧社会遗留的妇女性病基本被控制和消灭的基础上之后，从20世纪50年代末期开始，自治区在基本普及新法接生的基础上，逐步开始进行妇女病的普查防治。几十年来，随着妇女

① 本志编纂委员会编：《内蒙古自治区志·卫生志》，内蒙古科学技术出版社2007年版，第633页。

病诊断方法和技术的不断改进、提高和完善，全区各地妇女病群体防治水平不断提高，使妇女常见的一些疾病，如子宫脱垂、尿瘘、阴道炎、宫颈炎、盆腔炎、附件炎、宫颈癌、卵巢肿物等，基本能够实现早期发现、早期诊断和早期治疗。

从1961年起，全区各级妇幼保健机构就已经开始对60岁以下已婚妇女进行妇女病查治。当时重点是防治子宫脱垂、闭经等，而且普查防治的范围比较小，大多为散在进行。此项工作因“文化大革命”而被迫中断。1978年，内蒙古自治区卫生局重新在全区展开了以防治“两病”（子宫脱垂、尿瘘）为主要内容的妇女病查治工作。卫生部为此给内蒙古拨发了40.5万元防治专款。1979年6月，自治区卫生局组织“两病”防治人员258人，分30个调查防治组，深入到全区13个旗县、区的43个公社（街道）78个大队，进行以普查“两病”为主的四个专题调查，同时开展宣传和防治。30个调查组共调查已婚妇女6 352人，普查人数占应查人数的81.81%。其中发现子宫脱垂病人245例，患病率为3.86%。1979年至1985年底，全区围绕“两病”开展的妇女病普查普治工作共完成3 400 923人次（包含危检人数）。①

1985年，自治区卫生厅抽调150余名妇女保健骨干，经过培训，统一检查诊断标准，统一检查统计方法后，组成妇女病调查组，在8个盟3个市的24个旗县市区调查已婚妇女16 800人，查出妇女病27种，发现妇女病患病率为63.05%。妇女病患病率以慢性宫颈炎为最高（56.74%），其中宫颈糜烂居首位（36.72%）、阴道炎次之（17.43%）。②

20年来，全区每年对近30%的60岁以下已婚妇女进行了妇女病普查，随着保健服务水平和妇女保健意识的增强，子宫脱垂和尿瘘病人数大大减少。近年来，根据妇女常见病发病情况和变化，对防治范围进行了进一步的调整，把性病、艾滋病列入防治重点，通过开展宣传教育和行为干预措施，

① 本志编纂委员会编：《内蒙古自治区志·卫生志》，内蒙古科学技术出版社2007年版，第634—635页。

② 本志编纂委员会编：《内蒙古自治区志·卫生志》，内蒙古科学技术出版社2007年版，第634—635页。

提高妇女对性病、艾滋病防治知识的知晓程度和自我防范能力，有效保护了妇女儿童的身体健康。

（三）儿童保健

中华人民共和国成立之前，内蒙古地区没有专门的儿童保健机构。只在少数较大的公立（官立）或教会综合医院中设有小儿科，但仅限于一般的临床应诊。内蒙古儿童保健工作有文字记载的为预防种痘，清光绪三年（1877 年），归绥道阿吉达春创建牛痘局，专司儿童接种牛痘之职，但仅限于归绥地区的少数儿童。及至民国时期，除预防种痘逐步扩大（个别私人诊所也开展种痘工作）外，其他儿童保健工作仍然为空白。全区特别是农村牧区婴幼儿死亡率很高，据调查高达 430‰，天花、麻疹、营养不良等疾病严重威胁儿童的健康。①

新生儿保健　20 世纪五六十年代，新生儿保健的重点是普及新法育儿知识，指导科学喂养，并根据农牧民群众的生活习惯，在农村和牧区分别开展了以“五要五不要”、“七要七不要”为内容的新生儿卫生保健宣传教育指导工作。1976 年以后，全区进一步普及科学育儿知识，并结合“六一”儿童节对散居儿童每年进行健康检查，对查出的佝偻病、缺铁性贫血、小儿腹泻等疾病均进行积极的治疗。各地妇幼保健部门建立散居儿童专科保健门诊，使散居儿童保健工作进一步得到加强。全区各地针对新生儿窒息和早产等重要原因，一方面通过加强孕期保健工作，及早矫治引起早产的病症，预防早产；另一方面通过提高新生儿窒息抢救技术和早产儿保育技术水准，以降低新生儿窒息和早产儿的死亡。

婴幼儿及学龄前儿童保健管理　1951 年，“六一”国际儿童节期间，乌兰浩特市、通辽市、林东等地区开展了全区第一次儿童健康检查，受检儿童 31 074 人。1979 年，全区各盟市妇幼保健部门会同医疗机构为 7 岁以下集体儿童和散居儿童进行体检，受检儿童约十万余人，并统一免费投放了驱虫药物。1981 年后，集体儿童每年作一次健康检查，散居儿童每年抽检 20%，并作为一项基本任务列入了妇幼保健的常规工作日程之中。1987 年，全区 7 岁以下儿童健康检查 12 941 人次，占应检者的 22.91%，并对检查出患有常

---

① 本志编纂委员会编：《内蒙古自治区志・卫生志》，内蒙古科学技术出版社 2007 年版，第 638 页。

见病、多发病（重点是佝偻病、贫血）的儿童进行了矫正治疗。1982 年，为进一步了解不同地区、民族和生活条件下儿童生长发育情况，全区对城区、林区、牧区的汉族儿童，牧区、半农半牧区、农区的蒙古族儿童，游牧区的鄂温克族儿童和农区的达斡尔族儿童、猎区的鄂伦春族儿童共 30 935 人进行健康调查。结果表明，上述 7 岁以下儿童生长发育情况较好，且体重优于身高。其中牧区儿童体重优于城市、农村，城市儿童身高优于农区、牧区。不同生活方式的儿童生长发育有明显差异，同一生活方式的各族儿童发育情况接近。自 1982 年起，为使儿童保健工作不断提高，自治区各地逐步开始实行儿童保健系统管理工作。①

集体儿童保健 1949 年，收纳有 60 名儿童的内蒙古党委机关托儿所在乌兰浩特市建立，它是内蒙古自治区成立后建立的第一所政府举办的托幼机构。1955 年，自治区卫生厅在呼和浩特市试行托幼机构“医疗保健委托制”，并逐步向全区各地推广。具体做法是，由医疗、防疫、妇幼三方面组成领导小组，统一部署，根据就近就医的原则，分区、分片包干，负责到人；各医疗单位对管区幼儿园（所）儿童定期免费进行健康检查、预防接种、疾病防治及喂养和卫生指导。1985 年以后，全区托幼机构普遍建立健全了卫生保健制度，加强了对膳食的科学管理，注意了营养对儿童生长发育的促进作用，开展了各项体育活动和婴幼儿早期教育工作。1982 年以后，全区各地陆续开展了儿童智商测试工作。目前，全区都做到了儿童入园入所前做健康检查，按时进行预防接种，开展多发病防治，定时进行户外活动。全区工作开展较好的地区，能够按照《三岁前小儿教学大纲》，根据小儿体格、精神和心理生长发育的特点，开展早期教育和训练，促使儿童在德、智、体、美、劳诸方面得到全面发展。

儿童营养缺乏及常见病的防治 进入 20 世纪 90 年代以后，儿童营养问题越来越多地受到重视。首先，针对城市母乳喂养率急剧下降的趋势，全区各地积极响应世界卫生组织发起的以保护、促进和支持母乳喂养为核心的全球爱婴行动，广泛开展了母乳喂养的社会宣传活动，将创建爱婴医院活动纳入本地区的重点业务工作，有计划地、分期分批地对旗县以上医疗保健机构

---

① 本志编纂委员会编：《内蒙古自治区志・卫生志》，内蒙古科学技术出版社 2007 年版，第 640 页。

进行了产科制度的改革，认真贯彻促进母乳喂养成功的有关政策和措施的落实，积极争创爱婴医院。1993 年，内蒙古自治区妇幼保健院经过国家评估成为全区第一所爱婴医院。截至 2000 年底，全区已有 354 个医疗保健机构成为爱婴医院，其中爱婴卫生院 96 所，旗县级以上医院及保健所 258 所，占应创建爱婴医院总数的 90%。①

全区常见的儿童常见病有蛔虫病、小儿腹泻、小儿传染病、小儿肺炎和儿童龋齿等。据 1979 年调查，全区儿童蛔虫感染率约为 60%，经过防治到 1994 年，全区城乡中小学生蛔虫感染率降为 23.23%。1982 年，全区结合儿童健康检查，对 13 329 名婴幼儿进行了婴幼儿腹泻的流行病学调查，发现患病者 4 746 人，患病率为 35.61%。1985 年，下降为 15%。1980 年后，全区开始实施儿童五项计划免疫（即乙脑、百白破、麻疹、卡介苗、小儿麻痹糖丸）。2000 年，儿童计划免疫五苗全程接种率达到 96% 以上，② 从而有效地控制了儿童常见病、多发病与传染病的发生或流行。

（四）妇幼合作项目与妇幼卫生改革

将执行、落实和完成各种国际、国内妇幼合作项目规定的任务指标，与因地制宜地开展日常妇女儿童保健工作及进行与时俱进的妇幼卫生改革有机地结合在一起，是内蒙古妇幼保健工作开展的一大特色。

P01 和 P03 项目 1985 年，自治区引进了世界人口基金会支持的《加强中国围产保健和计划生育技术服务与指导项目》（简称 P01 和 P03 项目），两项目分别在内蒙古自治区妇幼保健院和乌兰察布盟四子王旗实施。

由乌兰察布盟四子王旗承担的 P03 项目，将充实县、乡、村三级妇幼卫生服务人员，建立健全基层妇幼保健网作为重要的一项建设内容，进行了服务人员配备。

妇女保健技术培训和妇女病防治项目 1990 年至 1991 年，自治区引进实施了澳大利亚政府支持的《妇女保健技术培训和妇女病防治项目》，项目由内蒙古自治区妇幼保健院和巴彦淖尔盟临河市妇幼保健院承担，项目受援

① 参见内蒙古自治区卫生厅年度统计资料（2000 年）。

② 本志编纂委员会编：《内蒙古自治区志·卫生志》，内蒙古科学技术出版社 2007 年版，第 646—647 页。

资金20万元人民币，国内匹配资金15万元人民币。①

加强中国基层妇幼卫生/计划生育服务项目 1991年至1995年，自治区引进了联合国儿童基金会、联合国人口基金支持的《加强中国基层妇幼卫生/计划生育服务项目》。莫力达瓦旗、扎鲁特旗、奈曼旗、阿鲁科尔沁旗、宁城县、镶黄旗、化德县、达茂旗、武川县、托克托县、固阳县、准格尔旗、伊金霍洛旗、乌审旗、阿左旗、科右中旗共16个旗县参加了这一项目的实施。项目覆盖332个乡（苏木）、3 134个村（嘎查），覆盖人口330万。② 项目的根本宗旨是：提高贫困地区基层妇幼卫生和计划生育服务能力，迅速降低这些地区的孕产妇和婴幼儿死亡率，改善基层妇女儿童的健康状况。

加强中国基层妇幼卫生/计划生育服务过渡周期项目 1994年至1995年期间，自治区又引进了《加强中国基层妇幼卫生/计划生育服务过渡周期项目》，该项目在全国177个地市级妇幼保健机构实施，内蒙古除巴彦淖尔盟和乌海市以外的10个盟市级妇幼保健院（所），均参加了项目的实施工作。本项目对盟市级妇幼保健机构提出了走内涵发展的道路，调整机构建制，增加产科床位，创建爱婴医院，加强对基层业务指导的工作要求。截至1996年底，10个承担《过渡周期项目》的妇幼保健机构，有8个成为爱婴医院。③

中国—联合国儿童基金会妇幼卫生合作项目（1996—2000） 为了巩固和扩大1990—1995周期妇幼卫生合作项目和过渡周期项目的成果，联合国儿童基金会对我国贫困地区的妇幼卫生工作继续给予援助和支持，又设立了《1996—2000中国——联合国儿童基金会妇幼卫生合作项目》，经自治区人民政府申请，在1996—2000周期项目中，内蒙古参加1990—1995周期项目的16个旗县和参加过渡周期项目的10个盟市级妇幼保健机构，继续参与项目执行，同时扩增科左后旗、林西县为项目执行单位。1996—2000周期项目援助资金为69万美元，要求配套资金883万元人民币。④ 该项目将围绕小

① 郑泽民总纂：《内蒙古卫生改革与发展（1978—1997）》，远方出版社1997年版，第97页。
② 本志编纂委员会编：《内蒙古自治区志·卫生志》，内蒙古科学技术出版社2007年版，第654页。
③ 本志编纂委员会编：《内蒙古自治区志·卫生志》，内蒙古科学技术出版社2007年版，第654页。
④ 本志编纂委员会编：《内蒙古自治区志·卫生志》，内蒙古科学技术出版社2007年版，第654页。

区妇幼卫生服务、卫生人力发展和健康教育与健康促进等三个内容实施。

综合性妇幼卫生项目（卫生Ⅵ项目） 1995年，自治区利用世界银行贷款开展了《综合性妇幼卫生项目（卫生Ⅵ）》，项目在全区12个盟市的42个旗县实施，覆盖733个乡（苏木）、6 089个行政村，覆盖人口887万，项目贷款额为1 056万美元，计划匹配额为5 051万元人民币。项目实施周期为1995年至2000年。项目的宗旨是加强贫困地区基层妇幼卫生综合服务能力，以期迅速降低孕产妇和婴幼儿死亡率，[①] 提高妇女儿童的健康水平。

降低孕产妇死亡率和消除新生儿破伤风项目 从2000年1月开始，卫生部、国务院妇女儿童工作委员会和财政部在中国中西部地区农村实施了降低孕产妇死亡率和消除新生儿破伤风项目（简称“降消项目”）。旨在通过政府干预、财政补贴、社会支持、卫生实施等强力措施，在较短的时间内，使项目实施地区的孕产妇死亡率和新生儿破伤风发生率大幅下降。

第四节 蒙中医药

蒙医药和中医药是蒙古民族、中华各族人民世世代代与疾病作斗争的智慧结晶，是人类共同的文化宝藏之一。但是，在内蒙古自治区成立以前，蒙医、中医曾长期处于受歧视与受排斥的地位。当时内蒙古地区大约有蒙中医4 000人，除少数在城镇自设药铺兼“坐堂先生”或个体开业外，多数在农村牧区流动行医。

一、蒙中医疗机构与管理

内蒙古自治区成立后的中医临床医疗机构的建设，经历了一个由个体开业到集体办医、再到以国营医院为主体的发展过程。

（一）集体机构建立

内蒙古自治区成立的当年，内蒙古自治政府民政部卫生局就在乌兰浩特组织中医、喇嘛医成立了中医联合会。根据“组织起来”的精神，全区各地先后组织成立231所中医联合诊所，许多喇嘛医也参加了联合诊所的工

① 本志编纂委员会编：《内蒙古自治区志·卫生志》，内蒙古科学技术出版社2007年版，第654页。

作。当时，解放战争尚未结束，许多蒙医药中医药工作者在内蒙古自治区人民政府的领导组织下，主动参加了预防接种、消毒检疫、鼠疫、性病、地方病等防治工作。部分地区还实行了蒙医中医分片包干和巡回医疗制度。全区各盟、市、行政区及旗县也分别于1953年前后成立了卫生工作者协会。

到1958年人民公社化时，这些联合诊所有的改建为人民公社的卫生院，有的则发展成为所在城镇或地区的蒙医中医院、联合医院或中（蒙）医研究所。

20世纪50年代中后期至60年代中期，是内蒙古自治区集体所有制蒙医中医医疗机构发展的黄金时期。以内蒙古自治区成立20周年时的1967年为例，这一年在全区集体所有制中（蒙）医医院工作的蒙医药中医药专业人员的总数为5 270人，大约占当时全区中（蒙）医专业技术人员总数（6 752人）的78%。[①] 当时的集体所有制蒙医中医医疗机构不仅汇聚了全区绝大部分声望素著的名医巨匠，而且承担了很大一部分为基层群众提供基本医疗服务的艰巨任务。

（二）国家医院建立

1958年，内蒙古自治区卫生厅在1956年成立的内蒙古中蒙医研究所的基础上，组建了设置有90张病床的自治区级蒙医中医医院——内蒙古中蒙医院。新成立的内蒙古自治区中（蒙）医院，实行的是中（蒙）医医疗和科研相结合的管理体制，与自治区中（蒙）医研究所两块牌子一套领导机构，实行统一管理。

与此同时，全区各盟、市、旗县亦分别在其综合性医院中设立了蒙医科、中医科或针灸科，其中不少医院的中医科后来又发展成为该地区独立的蒙医医院和中医医院。不仅彻底结束了“走方郎中”的历史，而且开创了内蒙古蒙医医院中医医院现代临床发展历史的新纪元。

中国共产党十一届三中全会召开以后至今的二十多年，是内蒙古自治区全民所有制国营中医医疗机构发展最为迅猛的时期。根据国家中医药管理局“县县建立中医院”的战略部署，内蒙古自治区从第七个五年计划时期开始，加快了中医和蒙医机构的建设步伐，目前全区除24个牧业旗市个个都建起有自己的蒙医医院或中蒙医门诊部外，所有农业县也都基本上建立了中

① 本志编纂委员会编：《内蒙古自治区志・卫生志》，内蒙古科学技术出版社2007年版，第736页。

医院或中蒙医院。而且将全区部分原属集体所有制的中蒙医院转为全民所有制，行政级别也提高到与同级综合医院同等的位置。到 2000 年，即内蒙古自治区成立50 周年时，全区已有中蒙医疗（研究）机构96 所，其中旗县以上中蒙医院 84 所，门诊部所 3 所，其他中蒙医院 6 所，蒙医研究所 3 所。而且全区所有的旗县以上综合医院无一例外地全都设置了中医科或蒙医科。同时全区还拥有内蒙古蒙医药学院、内蒙古医学院中蒙医系、内蒙古呼伦贝尔蒙医学校3 所培养蒙医药中医药专门人才的大、中专院校。全区蒙中医药人员总数已达 15 296 人，其中中医药人员 10 153 人。在蒙医中医卫生技术人员中，有副高级以上职称者833 人，其中中医501 人，占60%；有中级职称者 6 287 人，其中中医 3 855 人，占 61.3%。①

（三）蒙医中医医院管理

虽然中医办医院的历史可以追溯到2000 多年前，但具有现代概念的中医蒙医医院是在内蒙古自治区成立特别是中华人民共和国成立以后才建立的。

1978 年，中共中央 56 号文件下达后，全区新建了一大批中医院和蒙医院。但这些医院普遍存在着办院方向不明确等问题。

1982 年 9 月，自治区卫生厅召开全区中蒙医医院暨民族卫生工作会议，就全区中蒙医院特色不突出、办院方向不明确等问题提出了三点整改意见。第一，培训中蒙医院院长及科室干部，以提高领导班子的业务素质及管理水平；第二，调整各中蒙医院的科室设置以突出中蒙医特色；第三，着手制定全区统一的中蒙医病历格式，以实现规范化管理。

通过两年的整改，全区中医蒙医医院解决办院方向初见成效，大部分中蒙医院院长参加了各级行政部门举办的培训班；各蒙医中医院科室设置逐渐向符合蒙医中医特色的要求靠拢；全区统一的《中医病历书写格式》《中医临床用语摘要》在全区各中医院得以贯彻执行。中医院的办院方向基本明确，中医特色逐步突出。

以科室设置为例：全区中（蒙）医医院工作会议召开以前，全区 60 所中（蒙）医院（所）仅有 7 所是按中蒙医特点设置科室的。到 1983 年时，

① 本志编纂委员会编：《内蒙古自治区志 · 卫生志》，内蒙古科学技术出版社 2007 年版，第 744 页。

全区70张以上病床的6所中蒙医院基本上全都端正了办院方向，中药使用率达71%。[①] 又如病历格式，1982年以前，各级中蒙医院的病历各式各样，极不规范。有的是照搬西医，有的为传统病案式，其中大部分是中蒙西医夹杂，既不统一，更无标准。

1985年5月11日，自治区卫生厅制定的《内蒙古创建文明中蒙医院检查评比标准》正式下发全区各盟、市。文明中蒙医院创建工作的启动，调动了全区各中医院办好医院的积极性和主动性，全区大部分中医院在院容院貌、服务态度等方面都有所改善。经检查评比，自治区中蒙医院、满洲里市中蒙医院、通辽市中医院被评为全区首批文明中蒙医院。

卫生部在制定的中医发展规划中要求："'六五'期间每个县应有一所不少于60张病床的县级中医医院或民族医医院。"根据1986年11月卫生部在湖北沙市召开的全国县级中医院工作会议提出的"争取在九零年末实现每个县有一所中医院或民族医院的目标"。1987年3月28日，内蒙古自治区政府办公厅在批转自治区卫生厅《关于加强中蒙医工作的报告》中主要讲了五个问题，其中第三个问题强调的就是加强中蒙医机构建设。为此，自治区卫生厅在制定的《内蒙古中蒙医、中西医结合"七五"发展规划》中提出："五年内中蒙医机构由63所发展到78所。"

1987年，土默特左旗、乌海市、东苏旗、商都县、赤峰市、林西县新建完成6所中医院或蒙医院。

这期间，从中央到内蒙古自治区都陆续出台了一些有关中蒙医院业务建设的标准、制度等文件，如1986年4月5日，卫生部、劳动人事部制定的《全国中医医院组织机构及人员编制标准》；同年卫生部印发的《全国中医医院制度与工作人员职责》；以及国家中医药管理局1989年印发的《中医内外妇儿科病症诊断疗效标准》及《中医医疗机构管理条例》；1990年卫生厅印发的《内蒙古蒙医医院建设标准》等。这些标准、条例的印发，对规范中蒙医院的建设都起到了极其重要的作用。

与此同时，为突出蒙医中医的特色，全区蒙医中医医院都加强了专科小科建设。全区80%以上的蒙医中医医院都设立了针灸、骨伤、气功、推拿、

---

① 本志编纂委员会编：《内蒙古自治区志・卫生志》，内蒙古科学技术出版社2007年版，第726页。

肛肠及蒙医传统疗法（如五疗、药浴等）专科及各种专病门诊。1990 年，受国家中医药管理局委托，自治区组织专家制定了《全国蒙医院建设标准》和《全国蒙医病历书写规范》。通过几年的试行，全区 80% 的蒙医院达到了建设标准，90% 以上的蒙医病历达到了书写规范的要求。由通辽蒙医药研究所承担的国家中医药管理局课题《蒙医内外妇儿诊断疗效标准》也通过了鉴定，目前正在全国蒙医医院试行。此外，兴安盟扎赉特旗蒙医院、乌兰察布盟商都县中医院还入选了国家中医药管理局“八五”计划期间开始实施的杏林计划。在建设这两所国家级示范医院的同时，自治区又选了 5 所蒙医中医特色浓、管理好、疗效高、效益显著的蒙中医院作为自治区级示范医院进行重点建设。通过 3 年的努力，重点建设医院的内涵建设、综合服务能力都有了很大提高，分别通过了国家和自治区的示范医院验收。在此基础上，全区大力推进全国中医（民族医）工作先进县建设进度。目前，呼伦贝尔市的鄂温克旗、鄂尔多斯市的达拉特旗已完成建设任务；鄂尔多斯市的准格尔旗、通辽市的开鲁县、奈曼旗、巴彦淖尔市的五原县、磴口县、乌拉特前旗、阿拉善盟的阿左旗等 7 个旗县正在建设当中。

全区中蒙医院实行分级管理是从 1992 年起步、1994 年全面开始的。蒙中医院分级管理不仅使全区蒙医中医医院全面纳入了规范化、标准化管理，而且拓宽了服务领域，完善了服务功能。1995 年 1 月，全区第一所等级中蒙医院——包头市蒙医中医医院通过了自治区的评审，被正式批准为三级乙等中蒙医医院。跨入 21 世纪后，全区共有 46 所上等级的蒙中医院，其中三级甲等医院 3 所、三级乙等医院 2 所、二级甲等医院 22 所、二级乙等医院 19 所。①

二、名老蒙医中医学术继承

内蒙古的名老蒙医中医经验继承工作是从 20 世纪 50 年代末 60 年代初开始起步的。具体做法是，先由各盟市对当地蒙中医药科技人员进行摸底排队，做到心中有数。然后将其中确有真才实学者列为学术继承对象，并根据各人不同的身体状况，分别轻重缓急，有的放矢地采取因人而异的继承

① 本志编纂委员会编：《内蒙古自治区志·卫生志》，内蒙古科学技术出版社 2007 年版，第 728 页。

方法。

内蒙古名老蒙医中医学术经验的发掘、整理与继承，根据各地区不同的具体情况，大致有老师和学生双向选择“结对子”，学生通过随师伴诊的方式继承；组成专业对口的专门班子抢救式地继承；收集整理出版已故名医的遗著；鼓励名老蒙医中医著书立说等等。

（一）师生“结对子”

师生“结对子”，就是名老蒙医中医和他们的学术继承人通过双向选择，一对一结成师徒关系，徒弟在学习继承师傅学术思想及临床、教学、科研经验的同时，帮助师傅整理总结从医以来积累的学术思想、实践经验。

内蒙古中蒙医研究所（医院）、锡林郭勒盟蒙医研究所、鄂尔多斯蒙医研究所等单位，以及赤峰市、阿拉善盟等地区，由于名老蒙医比较集中，所以也是开展名老蒙医经验继承工作中师生“结对子”出成果出得最多、最快的单位和地区。

据不完全统计，1958 年以前，全区共有 87 位名老蒙医中医被确定为学术继承人，围绕这些学术继承人搜集整理的有关学术资料大约有 210 多种。1999 年，自治区卫生厅在全区范围内开展了评选著名蒙医中医活动，评选出了 18 名内蒙古自治区著名蒙医中医，并为他们颁发了荣誉证书。1991 年、1997 年、2003 年，国务院人事部、卫生部、国家中医药管理局在内蒙古自治区总共遴选了 23 位名老蒙医老中医，并为他们安排了 34 名学术继承人，[①] 这些学术继承人全部通过了国家组织的出师验收。

（二）组织专科对口的专门班子总结继承

这种发掘整理名老蒙医学术经验的方法，常应用于继承名老蒙医学术经验工作突击攻关，或者需要在短时间内取得阶段性成果的时候。

1957 年，内蒙古中蒙医研究所刚刚成立，为了今后的蒙医药学研究铺垫基础，也为了初战告捷，鼓舞和振奋士气。在胡尔钦厅长亲自安排下，内蒙古中蒙医研究所分别于 1957 年和 1958 年在呼和浩特连续举办了两期全区蒙医研究班。第一期研究班重点总结、研究著名蒙医古纳、于庆祥、占布拉什努对《四部医典》翻译、整理所取得的成果，参加者除上述几位名老蒙

① 本志编纂委员会编：《内蒙古自治区志·卫生志》，内蒙古科学技术出版社 2007 年版，第 745 页。

医外，还聘请了当时正在全区第一期蒙医师资进修班执教和学习的著名蒙医苏德宝、金巴、诺日布、达尼玛席力布，以及陈席力布、苏荣扎布等中青年蒙医。这次蒙医研究班，其实就是应用组织专科对口的专门班子这一方法继承名老蒙医经验的一次尝试。取得的具体成果就是于1959年由内蒙古人民出版社出版的《四部医典》最新蒙译本。

1959年，内蒙古自治区中蒙医研究所为了及时抢救继承陈清濂的学术经验，从呼和浩特和包头临时聘调了陈清濂的4个门徒，组成了专业对口的专门班子，集中力量整理、继承陈清濂从医半个多世纪的宝贵经验。1962年，《陈清濂临床经验选辑》初稿杀青，同年，《陈清濂临床经验选集》第一辑（油印本）面世。

（三）家传与组织班子抢救相结合

内蒙古自治区成立以前，蒙医药学术经验的总结、理论知识的传授，除私淑或在寺庙的曼巴扎仓获得外，家传，即家庭成员之间父授子，长传幼，世代相沿承袭，几乎是唯一的途径。内蒙古的名老蒙医，出身医学世家者为数不少。新中国第一个获得教授职称的名老蒙医白清云的祖父、父亲都是当地很有名气的蒙医。白清云8岁开始学医，启蒙老师就是他的父亲。

（四）鼓励名老中医著书立说

在各级卫生主管部门的倡导和支持下，内蒙古自治区成立以来由名老中医个人编著的学术著作时有所见。其中有呼和浩特市著名老中医黄惠卿编著的《妇科症治验录》（内蒙古人民出版社1982年版）；伊克昭盟人民医院著名老中医徐宝源编写的《试论取象学说》（内蒙古人民出版社1986年版）；内蒙古自治区医院李凤林编著的《临症实践》（内蒙古人民出版社1981年版）；解放军291医院金虎编写的《中西医结合治疗肛肠外科疾病》（内蒙古人民出版社1974年版）；原明忠编写的《冠心病症治》（内蒙古人民出版社1984年版）；白璧臣编写的《临症新悟》（内蒙古人民出版社1982年版）；胡志坚编写的《中药临床应用》（内蒙古人民出版社1980年版）；刘玉书编著的《古今奇症妙治揭秘》（中国中医药出版社1995年版）等，有许多名医将自己的经验编写成书。

（五）中西蒙医互相学习取长补短

1948年，内蒙古卫生部直属的锡察医院曾经组织48名蒙医（喇嘛医）

学习西医，目的是让他们在奔赴牧区等基层一线工作时，在遇到鼠疫等烈性传染病时，能对这些传染病有基本的认识和了解。

1958 年，蒙医初次临症克山病，是在和西医一道会诊后，才最终确定克山病与《四部医典》所述“额斯星格升”“长哈”“切不尔哈崩”等类似，决定通过调整消化功能、祛风寒、温中、解毒、散郁、燥湿、利水、益气和安神为主进行辨证施治。

蒙医正骨和蒙医对血液病、肝炎等疾病治疗取得的疗效，让西医、中医认识到天外有天，不能妄自尊大。同样，西医常用的现代化科学分析、检测手段，也让蒙医们明白了诸如“为什么酸马奶除了能治疗消化系统、循环系统疾病外，还能治疗水肿、坏血病、结核、神经衰弱、月经不调和肺部疾患等多种疾病”之类，过去只知其然，而不知其所以然等问题。

（六）蒙中医药典籍和经验的整理与研究

1962 年，考虑到千百年来蒙医药经验的总结、著述的保存、学术的传承等，主要靠家传、私授及在曼巴扎仓中进行，许多蒙医药学古典著作、经验结集，大都流散在民间和寺庙之中。为促进和加强蒙医药古籍的整理研究，内蒙古自治区人民委员会发出了《关于做好蒙藏文医学经卷的保管、搜集、整理、研究工作的通知》。通知要求自治区各盟公署、市、旗、县人民委员会，指派专人对流散在民间及召庙中的有关医学经卷，进行整理、修补、造册、编目，以供整理研究应用。这一通知的贯彻、执行，对抢救、保存有关蒙医药古籍、经典著作起到了很好的作用。仅锡林郭勒盟在 7 所召庙中就搜集到了 173 种医学经卷文献，有些还属于极为罕见的珍贵资料。

1978 年，中共十一届三中全会召开以后，内蒙古的蒙医药古籍整理出版工作又迎来了第二个春天。1985 年，呼和浩特市卫生局为了抢救名老中医的经验，抽调专人编写并内部出版了《老中医经验选》一书。1991 年，内蒙古中蒙医研究所王鹏宇主编《内蒙古名老中医临床经验选粹》，由中国古籍出版社出版。

据不完全统计，从 1959 年至 2000 年，内蒙古人民出版社、内蒙古科学技术出版社、内蒙古教育出版社和中央民族出版社等省部级以上出版部门，总共出版内蒙古蒙医药科研工作者编写、翻译的蒙医药专著 140 多部，出版蒙医药各科大中专统编教材共 42 门。

三、蒙中医药人才培养

（一）蒙中医药传统教育

在内蒙古蒙中医药漫长的发展历程中，别具特色且延续时间最长的传统教育形式主要有三种：家传、带徒和私淑。

家传 指的是中医药学理论知识的传授，临床医疗经验的继承，是按家庭中成员的血源关系、辈分，祖传父，父传子，长传幼，世代相传、一脉相承。

草原牧民逐水草而居，草原巡游是蒙医最为常见的一种行医方式。而老师和学生同属一个家庭的成员，会使克服和解决流徙不定的行医过程中可能出现的各种教学不便或困难，变得比较容易。

内蒙古自治区第一个获得教授职称的著名蒙医——白清云，就出身于辽宁省阜新蒙古族自治县一个祖传医学世家。中华人民共和国成立以前，在内蒙古地区行医的名老中医，如晚清民国时期的王恪三、李即升，以及当代的刘济民、张鑫、王治安、邓占元、白之炯等，都出身于名医世家。有许多人的精湛技术都来源于家传。

带徒 就是把知识和技能传授给门徒、弟子（通称“徒弟”）。在院校教育尚不发达的时代和地区，带徒便成为蒙医最普遍的医学教育形式。内蒙古自治区著名的蒙医药学家古纳、于庆祥等都是学徒出身，个人成名后，又通过亲自带徒培养了大批蒙医药人才。包头市是中华人民共和国成立后中医带徒工作开展得比较好的地区之一。例如，1954 年，该市就有两名中医经组织同意带了 3 名徒弟。到 1958 年，该市的中医徒弟已由 1956 年底时的 20 人，增加为 26 人。①

举办蒙医中医徒弟学习班，让蒙医中医带徒这种传统的医学教育形式步入现代学院教育的殿堂，可以说是蒙医中医教育在社会主义新时期的一个创举。1960 年，内蒙古中蒙医研究所与内蒙古医学院中医系联合举办了一期有 16 名学员参加的中医徒弟学习班。1960 年，内蒙古自治区人民委员会颁布了《内蒙古自治区中（蒙）医带徒弟办法》,并于 1963 年对该《办法》进

① 本志编纂委员会编：《内蒙古自治区志・卫生志》,内蒙古科学技术出版社 2007 年版，第 745 页。

行了修订。该《办法》对蒙医学徒的学徒条件、学习内容、期限、手续，以及学徒的生活待遇、出师考试等都作出了明确的规定。带徒的教学方法多采用集中上课学理论，分散随师学经验。至1965年，全区约有1 800多名中医蒙医学徒出师。①

私淑 就是现在常说的自学成才。赤峰市翁牛特旗著名中医李振亚，就是因为从学生时代起就刻苦攻读《内经》《伤寒论》《金匮要略》等中医经典，靠私淑从一个普通医学生成长为知名中医专家的。

从1956年起步的内蒙古中医函授教育，到1987年，总共招收函授学员9 116名。函授教育实际上是一种以自学为主的教育形式。1979年，根据国家卫生部、国家劳动总局下发的《关于从集体所有制和散在城乡的中医中吸收中医药人员，充实加强全民所有制中医药机构问题的通知》精神，内蒙古自治区卫生厅通过考试和推荐，择优录用了110名蒙医、90名中医，并将他们充实到国家一些医疗机构中，其中有些人就是属于靠私淑成才的。②

（二）蒙中医药院校教育

高等蒙中医药院校教育 现代内蒙古的蒙医中医药高等学院教育，是从1958年的内蒙古医学院创办中医系开始起步的。1986年、1987年，自治区又先后建立了内蒙古呼伦贝尔蒙医学校和内蒙古蒙医药学院，这3家医药学校每年为区内外培养大中专蒙医中医毕业生近350名。据统计，仅内蒙古医学院中蒙医系，从成立到建校五十周年，共培养蒙医本科生七百多名，招收中医专业医学生2 821名。③

内蒙古医学院中医本科专业学制五年，课程与教材均按全国中医高等院校有关门类、科目设置。既有中医药基础理论课、临床课，也安排西医药基础及临床课程。由于内蒙古医学院中蒙医系在刚刚建立的时候，实行的是内蒙古中蒙医院、内蒙古中蒙医研究所和内蒙古医学院中蒙医系三位一体的领

---

① 本志编纂委员会编：《内蒙古自治区志·卫生志》，内蒙古科学技术出版社2007年版，第747页。

② 本志编纂委员会编：《内蒙古自治区志·卫生志》，内蒙古科学技术出版社2007年版，第785页。

③ 本志编纂委员会编：《内蒙古自治区志·卫生志》，内蒙古科学技术出版社2007年版，第782、788页。

导体制。所以，内蒙古医学院中医本科从开办伊始，教学、科研、临床师资力量都比较雄厚。1965 年，内蒙古医学院开始开办了蒙医专业大专班，从 1980 年开始培养蒙医研究生，1993 年开始招收蒙医留学生，1998 年获培养蒙医留学生本科专业教育权。

1987 年 7 月，经国家教委批准，内蒙古蒙医学院成立了蒙药专业，从而填补了内蒙古自治区乃至全国高等医学教育的一项空白。内蒙古蒙医学院蒙药专业成立近 20 年来，为国家先后培养了将近 400 名蒙药专业毕业生。

中等蒙中医药院校教育　内蒙古自治区成立前，原绥远省虽然兴办过一些公立或私立的医科学校，但无论是办学规模还是教育质量都十分落后，而且没有办过正规的中等蒙医药学历教育。

内蒙古自治区成立以后办的第一所蒙医学校，开办在内蒙古自治区的诞生地王爷庙（乌兰浩特），故名"乌兰浩特喇嘛医学校"。其前身系 1947 年自治区民政部卫生局创办的第一所医学教育学校——医务养成所，招收了 80 名学员。医务养成所更名为喇嘛医学校。

1961 年，创办于哲里木盟科尔沁左翼后旗的朝鲁图蒙医职业学校，是内蒙古自治区成立后最早建设的中等蒙医药学教育基地。接着，巴彦淖尔盟也成立了蒙医学校。由于在此后全区相继成立的各盟市卫生学校中，一些蒙古族人口比较集中的盟市，如：锡林郭勒盟卫生学校等均设置了培养蒙医药中级人才的蒙医药专业。所以，"文化大革命"前内蒙古独立的蒙医药中等教育学校虽然数量有限，但培养出来的蒙医药中级技术人员却为数可观。

除 1960 年包头市卫生局曾一度委托该市所属的中医院创办过一所中医学校外，内蒙古其他地区基本没有单独设立过专门的中医药中等教育院校。自治区成立后培养的中医药中等专业人员，基本上都是通过在全区各中等医药卫生学校内设置中医中药专业，或者委托内蒙古医学院等高等医学教育学院校承担培养的。此后，包头市、乌兰察布盟、昭乌达盟等许多盟市的卫生学校相继举办过一些中医中药中等专业教育。1960 年，内蒙古医学院中医系与内蒙古中蒙医研究所联合举办过一期有 16 名学员参加的中医徒弟学习班，1965 年，内蒙古医学院中医系又举办了一期有 20 名学员的中医专科班。

表 9－7 1996—2005 年全区中等医药卫生学校开办的蒙医药专业一览表

院校名称	蒙医药专业及招生情况	备 注
通辽市卫生学校	蒙医医疗专业：1999—2004 年共招生 1 127 名	
乌兰察布市卫生学校	蒙医医士专业：1998、2000、2004 年共招生 86 名	
鄂尔多斯市卫生学校	蒙西医结合医士专业：1997、1999—2005 年 8 届共招生 451 名	
呼伦贝尔蒙医学校	蒙医 53 名、蒙西结合 501 名、蒙医护士 367 名共 921 名	
兴安盟卫生学校	蒙西医结合 2000 年招生 55 名	
鄂尔多斯蒙藏医学校	蒙西医结合 31 名、蒙医士专业 177 名、蒙医大专班 58 名共 266 名	
合 计	2 906 名	

注：包括 2000 年后学校自主招生数

蒙中医药在职培训 在发展蒙医中医正规学历教育的同时，全区还开展了蒙医中医在职培训，有 20% 的蒙医中医人员得到了培训。内蒙中蒙医院被国家中医药管理局确定为全国蒙医培训基地。自治区还采取送出去的方式，先后选送 280 余人到北京、天津、上海、江西、江苏等地进修学习各种专科技术。从 1994 年开始，全区又开展了蒙中医继续教育工作，全区 90% 以上具有初级职称的中蒙医人员（1999 年又增加了护理人员）参加了继教学习，每年申报继教项目 350 多项，继教统考及格率达 90% 以上。①

第五节 科技教育

一、医学科研工作的发展

内蒙古自治区成立以前，日伪政权及国民党政府遗留下来的为数不多的医药卫生机构和医药卫生人员，大部分处于解体和流失零散状态。因此，内蒙古地区的医学科学研究在内蒙古自治区成立以前基本上属于空白。

（一）科研机构

内蒙古自治区的医学科学研究机构大致可分为独立性的研究机构和附设

① 本志编纂委员会编：《内蒙古自治区志 · 卫生志》，内蒙古科学技术出版社 2007 年版，第 729 页。

性的研究机构两种类型。其中，独立性的医学研究机构（包括疾病防治、科学研究相结合的机构）不仅有独立的机构设置、人员编制和固定的经费来源，而且它们大都归属全区各级卫生行政部门直接领导。而附设性的医学研究机构则大多附设在高等医学院校、各级综合性大医院以及卫生防疫机构的内部，个别系驻区的大型厂矿企业出资建设。

独立性的医学科学研究机构　1946 年成立的兴安盟科尔沁右翼中旗蒙医研究所是全区最早的独立性医学研究机构。全区独立性医学研究机构发展最多的时期，同时有 14 所独立性医学科学研究机构分散在全区各地。其中：中医、蒙医和中蒙医联合研究机构有 7 所，防治与研究相结合的地方病、流行病、劳动保护、职业病防治研究机构有 6 所。

表 9－8　内蒙古自治区独立性医学研究机构发展建设一览表

机构名称	机构级别	研究领域及学科	建立时间	备　注
内蒙古自治区中蒙医研究所	自治区级	中医药、蒙医药	1956 年	
呼和浩特市中蒙医研究所	盟市级	中医药、蒙医药	1975 年	
通辽市蒙医研究所	盟市级	蒙医药	1980 年	
锡林郭勒盟蒙医研究所	盟市级	蒙医药	1961 年	
鄂尔多斯市蒙医研究所	盟市级	蒙医药	1979 年	
阿拉善盟蒙医研究所	盟市级	蒙医药	1982 年	
兴安盟科尔沁右翼中旗蒙医研究所	旗县级	蒙医药	1946 年	曾裁撤后又恢复
内蒙古自治区地方病防治研究所	自治区级	防治与研究相结合	1954 年	
内蒙古自治区流行病防治研究所	自治区级	防治与研究相结合	1952 年	
呼伦贝尔市地方病研究所	盟市级	防治与研究相结合	1960 年	
呼伦贝尔市流行病研究所	盟市级	防治与研究相结合	1974 年	
锡林郭勒盟鼠疫防治所	盟市级	防治与研究相结合	1950 年	
包头钢铁公司劳动保护研究所	属国有大型企业	防治与研究相结合	1959 年	
呼和浩特市劳动卫生、职业病防治研究所	盟市级	防治与研究相结合	1989 年	

附设性医学科学研究机构　全区附设性医学科学研究机构大部分附设在

内蒙古医学院、包头医学院、内蒙古蒙医学院等高等医学院校和盟市以上的综合医院中，个别附设在各级卫生防疫单位或专科医院。据2000年底的统计，全区附设性医学科学研究机构最多时曾经达到过26所，其中绝大部分是在1982年以后设立的。①

表9－9 内蒙古自治区附设性医学研究机构发展建设一览表

机构名称	附设单位	研究领域及学科	建立时间	依附托单位
内蒙古医学院中心研究室	内蒙古医学院	主要是基础医学领域	1975年	教学部
内蒙古心血管病研究所	内蒙古医学院	心脏血管系统疾病	1985年	第一附属医院
内蒙古骨科研究所	内蒙古医学院	骨科疾病	1991年	第二附属医院
内蒙古自治区蒙药研究所	内蒙古医学院	蒙药新药研发	1997年	药学院
包头医学院血红蛋白研究所	包头医学院	血红蛋白结构功能及血红蛋白病	1978年	基础医学部
包头医学院心血管研究所	包头医学院	中蒙药心血管系统的实验药理学研究	1982年	药理教研室
包头医学院民族卫生研究室	包头医学院	具有民族特征的公共卫生研究项目	1982年	公共卫生教研室
包头医学院磁生物学研究所	包头医学院	磁生物学及其应用等边缘研究领域	1982年	
内蒙古消化病研究所	包头医学院	消化系统疾病	1992年	第二附属医院
包头医学院应用解剖研究所	包头医学院	解剖学及其应用研究	1995年	基础医学部
包头医学院基因诊断研究所	包头医学院	遗传、先天性疾病	1995年	基础医学部
内蒙古老年病研究所	内蒙古自治区医院	心血管等老年病	1984年	干部保健所
内蒙古自治区肿瘤研究所	内蒙古自治区医院	乳腺癌、肺癌等	1982年	肿瘤科等科室

① 本志编纂委员会编：《内蒙古自治区志·卫生志》，内蒙古科学技术出版社2007年版，第933页。

（续表）

机构名称	附设单位	研究领域及学科	建立时间	依附托单位
内蒙古呼吸病研究中心	内蒙古自治区医院	呼吸系统疾病	1992 年	呼吸内科
内蒙古医院内分泌研究所	内蒙古自治区医院	内分泌系统疾病	1982 年	内分泌科
内蒙古医院遗传与优生研究室	内蒙古自治区医院	遗传疾病和先天性疾病的预防和治疗	1979 年	妇产科
内蒙古医院皮肤真菌研究室	内蒙古自治区医院	皮肤真菌感染等疾病	1979 年	皮肤科
内蒙古医院眼病研究室	内蒙古自治区医院	眼科疾病内外科治疗	1980 年	眼科
内蒙古医院显微外科研究室	内蒙古自治区医院	神经外科、骨科疾病	1980 年	神经外科
内蒙古医院中西结合研究室	内蒙古自治区医院	中西医结合治疗疾病	1983 年	中西医结合科
内蒙古围产期医学研究所	内蒙古妇幼保健院		1986 年	妇产科、新生儿科等有关科室
乌兰察布市心血管病研究所	乌兰察布市卫生局、市医院	心血管病、心血管外科手术治疗	1985 年	乌兰察布市医院心脏外科
包头市中蒙医研究所	包头市蒙中医院	中蒙医药宝贵遗产的挖掘整理开发应用	1984 年	蒙医药、中医药有关科室
包头市结核病防治研究所	包头市第三医院		1976 年	
包钢医院血液研究中心	包钢职工医院		1994 年	
呼伦贝尔市肿瘤病研究所	呼伦贝尔市医院	民族地区、牧区肿瘤病防治	1983 年	市医院肿瘤科及相关科室

（二）科研管理工作

制度建设 1958 年，自治区成立了直属自治区卫生厅管理的中国医学科学院内蒙古分院（简称医科分院）。同时还成立了内蒙古医学科学委员会（简称医学科委）。当时全区的医学科研管理工作由中国医学科学院内蒙古分院负责。1962 年，中国医学科学院内蒙古分院在精简机构中被撤销后，全区的医学科研工作归由内蒙古医学科学委员会管理。1973 年，在自治区卫生局（厅）内设置了专门负责对医学科研进行管理和协调的科技教育处。

为了加快医药卫生科技人才的培养及医学领先学科的建设，1978 年以来，自治区卫生厅在科研制度方面先后制定出台了许多政策性文件，主要有:《全区医药卫生科研八年规划（1978—1985)》《内蒙古医药卫生科研计划管理办法》（1981 年)、《内蒙古医药卫生科研成果管理办法》（1981 年)、《关于医药卫生科研仪器专管共用办法》（1980 年)、《内蒙古医疗卫生附设性研究机构管理办法》（1990 年)、《关于发展内蒙古自治区医药卫生科技的若干规定》（1990 年)、《关于加强医疗卫生科技工作的意见》《内蒙古自治区医药卫生科技合同管理暂行规定》《内蒙古卫生厅医药卫生科技项目查新咨询工作细则及暂行规定》《内蒙古自治区医药卫生 2000 年科技发展计划纲要》《内蒙古自治区医药卫生跨世纪学术、技术带头人培养管理办法》（1996 年)、《内蒙古自治区医药卫生科技进步奖励办法》（1996 年)、《内蒙古自治区医学领先学科（专科专病）建设方案》等。

计划管理 “文化大革命”以前，内蒙古自治区卫生厅曾先后制定并出台过全区医药卫生科研十年规划和全区医药卫生科研十二年规划等医学科研发展远景规划。

1978 年以后，全区的医药卫生科研管理逐步走上正规，自治区卫生厅又制定并出台了一个新时期《全区医药卫生科研八年规划（1978—1985)》(简称“八年规划”)。

为了切实按照制定的科研发展规划和计划对全区医药卫生科学技术研究进行计划管理，自治区卫生厅根据全区医药卫生科研的具体情况，于 1981 年制定了《内蒙古自治区医药卫生科研计划管理办法》和《内蒙古自治区医药卫生科技成果管理办法》。

从 1982 年开始，全区对申请立项的合同课题和重点课题，采取了先由申请人做“开题报告”，然后邀请本专业的专家、教授进行同行审议，具体审议方法是围绕立题的依据，先进性，创新性，课题设计，条件（技术水平、设备、实验动物、经费）等以及可行性进行评议，而后列入计划，重点给予必要的支持。

1985 年以后，自治区卫生厅在科技成果管理上，变过去的“鉴定—奖励”旧模式，为“鉴定—推广—奖励”的新模式，使过去科研成果获奖后束之高阁的局面逐步得到改变。

从1996年开始，全区加大了对医学科研教育工作管理的力度，自治区卫生厅先后制定出台了《内蒙古自治区医药卫生“九五”规划》《内蒙古自治区医药卫生科学技术进步奖励办法》《内蒙古自治区跨世纪学术、技术带头人管理办法》等政策性文件。明确提出科研立项以应用研究为主，重视基础研究、加强开发性研究的原则，并对科研工作实行动态管理和对科研经费的使用实行定期监督审核，保障了科研工作的顺利实施。

科技成果推广 从1978年至20世纪末，国家卫生部先后召开了三次医药卫生科技成果推广工作会议。内蒙古自治区对医药卫生科技成果推广工作的重视也日益加强，在先前推广的基础上，加大了科技成果推广的力度，不仅增加了必要的投入，而且实行了一系列鼓励科技推广的倾斜政策。例如，在科研立项时，对有推广价值的课题优先考虑列入计划；在成果鉴定、成果评奖时将成果的推广和应用情况作为重要指标来进行考核，并在自治区医药卫生科技进步奖项中专门设立了一个推广奖。同时，通过积极组织推广和引进卫生部“十年百项”推广项目促进和加强自治区自己的医药卫生科技成果推广。内蒙古自治区卫生厅每年都要从区外以及全区各医疗卫生单位推荐上来的实用技术和科技成果中选择一些项目在全区进行推广。内蒙古自治区的一些科研成果因为具有巨大的推广价值，也被卫生部列入“十年百项”医药卫生科技成果推广计划向全国许多地区和单位进行了推广。例如，内蒙古自治区爱卫会办公室及流行病研究所的研究成果“一级达标—创建大面积无鼠害城镇”，由于使内蒙古237个乡镇的鼠密度由58%下降到1%以下，获1992年度卫生部科技进步二等奖，并被国家卫生部列入首批十年百项推广计划。①

自1991年国家卫生部实施“十年百项医药卫生科技成果向基层推广计划”以来，内蒙古根据自治区的实际，每年向全区有选择地推广其中的10项适宜技术。②

① 郑泽民总纂：《内蒙古卫生改革与发展（1978—1997）》，远方出版社1997年版，第204页。

② 郑泽民总纂：《内蒙古卫生改革与发展（1978—1997）》，远方出版社1997年版，第204页。

学科建设 为加快内蒙古自治区卫生事业的发展，提高医疗卫生技术水平，自治区卫生厅决定在全区重点建设和发展一批领先学科（专科专病），使其分别达到国内先进水平或国内领先水平，并在区内形成合理的学科群体布局，同时造就一批跨世纪的学术技术带头人和技术骨干，形成一支技术和年龄结构合理，并在国内同学科领域中有一定影响的专业队伍，进而从整体上推动全区医疗卫生技术水平的提高。1995 年 11 月，自治区卫生厅下发了《关于印发“内蒙古自治区医学领先学科（专科、专病）建设方案”的通知》,同时要求各盟市卫生局根据实际情况制定本地区的《建设方案》。

（三）科研成果

据统计，从内蒙古自治区成立至 2005 年末，全区共有 1 000 多项医药卫生科研项目通过成果鉴定，其中获得自治区（省部级）以上优秀成果表扬和奖励的项目总共有 655 项（除去其中 37 项重复受奖的项目，实际的获奖成果为 618 项）。其中 12 项成果获 1978 年 3 月召开的全国科学大会奖励表彰；11 项成果获 1978 年 6 月召开的全国医药卫生科学大会奖励；7 项成果于 1979—1982 年获中华人民共和国卫生部表彰；57 项 1949—1977 年的医学研究成果在 1978 年召开的内蒙古自治区科学大会上被追认获奖，并受到内蒙古自治区党委和政府的表彰；82 项 1971—1979 年的医学研究成果在 1980 年 10 月召开全区科学技术奖励大会上获奖并受到表彰；16 项于 1980—1981 年完成的医学科研成果在 1983 年受到自治区人民政府的奖励；466 项医药卫生科技成果获 1985—2005 年颁发的各年度内蒙古自治区科学进步奖。此外，还有 4 项研究成果获国家卫生部医药卫生科技进步奖（1983—1996 年）。① 获奖的部分成果处于国内领先水平。

全国科技大会奖励的科技成果 1978 年 3 月召开的全国科学大会和同年 6 月卫生部召开的全国医药卫生科学大会，总结了建国 28 年来的医药卫生科技成果共计 3 430 项。其中 335 项推荐到全国科学大会授奖（即国家一级成果），698 项推荐到全国医药卫生科学大会授奖（即部级成果），两者合计部级以上成果共 1 033 项，占当时申报成果的 30%。内蒙古医药卫生科研

① 本志编纂委员会编:《内蒙古自治区志 · 卫生志》,内蒙古科学技术出版社 2007 年版，第 964、965 页。

成果在全国科学大会上有12个项目获奖（详见表9－10）；在全国医药卫生科学大会上有11个项目获奖（详见表9－11）。此外，全区医学科研还有7个项目分别获得卫生部颁发的1979、1981、1982年度全国医药卫生科技成果甲级和乙级奖（详见表9－12）。①

表9－10　全国科学大会奖励的科技成果项目表

（1978年3月）

序号	成果名称	主要完成单位
1	在党的民族政策的光辉照耀下内蒙古草原消灭了性病	内蒙古地方病防治研究所皮肤性病科（原内蒙古性病防治所）
2	长爪砂土鼠鼠疫自然疫源地特点及流行规律	内蒙古自治区鼠疫防治研究所、乌盟地方病防治站、内蒙古大学、西苏旗卫生防疫站
3	血红蛋白结构与功能关系的研究	包头医专
4	针麻剖腹产手术	☆内蒙古自治区针麻剖腹产组
5	我国常见恶性肿瘤发病情况和分布规律调查	☆内蒙古自治区肿瘤防治办公室
6	达乌利黄鼠鼠疫流行规律及其根除的研究	☆内蒙古自治区鼠疫防治研究所
7	布鲁氏杆菌病预防措施的研究	☆内蒙古地方病防治研究所、锡盟卫生防疫站、正镶白旗卫生防疫站、正镶白旗畜牧兽医站
8	黄河水系工业“三废”污染调查	☆内蒙古自治区卫生防疫站
9	我国食品卫生标准的研究	☆内蒙古自治区卫生防疫站、内蒙古自治区卫生防护所
10	1959年全国营养调查	☆内蒙古自治区卫生厅营养调查队
11	食品中黄曲霉毒污染及预防措施的研究	☆内蒙古自治区卫生防疫站
12	我国核试验产生的放射性落下灰的沉降特点及对环境的污染	☆内蒙古自治区放射卫生防护所、包头市卫生防疫站

☆系作为参加单位或协作单位。

① 本志编纂委员会编：《内蒙古自治区志·卫生志》，内蒙古科学技术出版社2007年版，第964、965页。

表 9－11 全国医药卫生科学大会奖励的科技成果项目表

（1978 年 6 月）

序号	成果名称	主要完成单位
1	简便监护治疗急性心肌梗塞 46 例的初步体会	内蒙古医学院附属医院冠心病防治组
2	复方蔓陀萝	内蒙古医院、内蒙古药品检验所药理药化组、包头医专药理教研组、内蒙古农牧学院微生物及化学教研组、内蒙古大学化学系
3	从黄鼠体分离出土拉伦菌	内蒙古自治区鼠疫防治研究、哲盟防疫站
4	黑龙江省鼠疫疫源活动状态的研究	☆呼伦贝尔盟卫生防疫站
5	环境样品中锶 90 分析方法的研究	☆内蒙古自治区放射卫生防护所
6	环境样品中氚的测定方法的研究	内蒙古自治区放射卫生防护所
7	骨髓细胞分化过程中的酶蛋白质代谢规律的细胞化学相对定量研究	内蒙古医学院
8	左足右移植术	内蒙古医学院附属医院骨科
9	乳腺管造影术 70 例	包头市第二医院
10	《彩色病理组织学图谱》	内蒙古医学院病理解剖教研组
11	《乳癌》	内蒙古医学院

☆系作为参加单位获奖。

表 9－12 全国医药卫生科技成果授奖项目

（1979、1981、1982 年）

序号	项目名称	完成单位	获奖情况
1	乳腺癌 X 线病理定位取材对照研究	内蒙古自治区医院	1979 年获卫生部（甲）级成果奖
2	全国 1979—1980 年高血压抽样普查总结	☆内蒙古自治区医院	1981 年获卫生部（乙）级成果奖
3	慢性支气管炎中西结合标本诊断分型	☆内蒙古中蒙医研究所	1981 年获卫生部（乙）级成果奖
4	中国鼠疫菌的分型及其生态学流行病学意义	☆内蒙古流行病防治研究所	1982 年获卫生部（甲）级成果奖

（续表）

序号	项目名称	完成单位	获奖情况
5	食物中有机氯农药残留及其毒性研究	☆内蒙古自治区卫生防疫站	1982 年获卫生部（甲）级成果奖
6	海产品放射性调查	☆内蒙古自治区放射卫生防护所	1979 年获卫生部（甲）级成果奖
7	全国结核病流行病学抽样调查	☆内蒙古结核病防治院所	1982 年获卫生部（甲）级成果奖

☆系作为参加单位获奖。

自治区科技优秀成果表彰项目 为迎接 1978 年 3 月召开的全国科学大会，中共内蒙古自治区委员会在 1978 年 1 月召开了全区科学大会，会上不分等级地表彰了 1949 年至 1977 年以来全区 16 个领域中的 506 项科学技术优秀成果。其中医药卫生受表彰的优秀成果有 57 项，占全区获表彰科技优秀成果总数的 11.26%。①

自治区科技成果获奖项目 从 1980 年起，在内蒙古自治区人民政府主持下，由内蒙古自治区科学技术委员会正式分等级进行了科技成果授奖，1980 年，对全区 1971 年至 1979 年的成果鉴定项目授奖一、二、三、四等奖共 631 项。其中医药卫生领域共获奖 82 项（一等奖 2 项，二等奖 5 项，三等奖 21 项，四等奖 54 项），占全区获奖科技成果总数的 12.99%。②

1981 年，内蒙古自治区科学技术委员会对 1980 年至 1981 年取得的科技成果分一、二、三等再次授奖 121 项。其中医药卫生领域获奖 16 项（二等奖 1 项，三等奖 15 项），占全区获奖科技成果总数的 13.22%。③

自治区科学技术进步奖获奖项目 1985 年 6 月 7 日，自治区人民政府正式颁发了《内蒙古自治区科学技术进步奖励办法》。这一年，在国家科学技术委员会统一部署下，内蒙古自治区人民政府组成了自治区科学技术进步奖评审委员会。同年对 1982—1983 年通过鉴定和验收的科技成果授予了内蒙古自治区科技进步奖。从此，内蒙古自治区科技进步奖每年颁发一次。据

① 本志编纂委员会编：《内蒙古自治区志 · 卫生志》，内蒙古科学技术出版社 2007 年版，第 967 页。
② 本志编纂委员会编：《内蒙古自治区志 · 卫生志》，内蒙古科学技术出版社 2007 年版，第 969 页。
③ 本志编纂委员会编：《内蒙古自治区志 · 卫生志》，内蒙古科学技术出版社 2007 年版，第 969 页。

统计，从1985年自治区科学技术进步奖第一次颁发，截至2000年底，全区医药卫生领域总共有352个研究成果获奖，其中：一等奖9个，二等奖53个，三等奖290个。

二、医学教育

内蒙古自治区成立后，从举办中等医学教育起家，使几乎一张白纸的内蒙古现代医学教育，从无到有、从小到大得以建立和发展。目前，全区医学教育体系门类齐全、布局合理。3座高等医学教育学府，自治区东部、西部、中部各有一所；中等医药卫生学校（目前多数已更名或升格为赤峰学院、河套大学、内蒙古医学院护理学院等下属的大专或本科），遍布全区的12个盟市。此外，全区大多数盟市、旗县都拥有自己的卫生干部进修学校或职工继续教育培训基地。

（一）现代医学高等教育

1947年5月1日，内蒙古自治区在乌兰浩特宣告成立，内蒙古地区的医学教育史从此掀开了新的一页。

从1955年10月开始自治区筹建内蒙古医学院到2005年，50年来，内蒙古自治区的高等医学教育事业有了日新月异的发展，取得了显著成绩。全区的医学高等院校由最初的1所，有在校生556名，发展到2005年的3所，有在校生17 492名。加上民办的高等医药学校和各中等医学院校举办的大专以上医疗卫生学历教育，全区大专以上医学院校在校生总数超过了3万人。①

1956年，全区第一所高等医学院校——内蒙古医学院建成并开始招生。学校在校生规模定为1 200名学生（学制5年，每年招生240名），只有医疗系一个系。当时的内蒙古医学院，为中央卫生部直属高校，生源以内蒙古自治区为主，部分来自东北三省、河北、河南、山西等邻近省区，还有少数军队干部及印尼华侨学生。学校教学工作完全按照国家颁发的高等医药院校五年制专业的教学计划进行。

1958年5月，包头医学院成立。当年该校招收医学专业本科生101人。

---

① 本志编纂委员会编：《内蒙古自治区志·卫生志》，内蒙古科学技术出版社2007年版，第798页。

在大跃进的形势下，这一年全区的高等医学院校，原有的、改建的加新办的总共达到了3所。内蒙古医学院新设了中医系，内设中医、蒙医两个专业。是年，中医专业招生105名，蒙医专业招生58名。此后，内蒙古医学院除原设的医学专业外，新设了儿科学专业，并继续举办大专班和中专班。这期间，包头医学院除原设的医学专业外，也新设了药学专业，并继续举办大专班和中专班。

作为民族地区的高等医学教育，如何用民族语言文字讲述现代医学，内蒙古医学院从建院就开始了有益的探索。1959年，该院招收蒙文西医医士班入学，接着又为新疆蒙古族学生举办了蒙文医士班。这些班均采用蒙文教学，并按中级医士专业教学计划进行。1961年，内蒙古卫生干部进修学院蒙文医学专科班的74名学生划归内蒙古医学院后，为了让这些用蒙文授西医课的学生有自己的适用教材，内蒙古医学院的教师还开展了将西医教科书译成蒙文的基础工作，为本科教育中提高民族学生的教育质量作出了独特的贡献。

到1960年时，全区高等医学院校的发展一跃再跃，连翻两番。医学院、医学专科学校以及综合大学内所设的医学系总计有12个。在这12所高等医学院、校、系中，除工矿企业部门举办的包钢医学院、呼和浩特铁路医学院、呼和浩特华建医学院、牙克石林管局医学专科学校，以及呼和浩特大学医学系医学专业等5所外，其余的7所均是教育部门和卫生部门举办的。当时，全区高等医学院校的年招生人数一度达到千人以上（详见表9－13）。

表9－13　1960年全区教育部门和卫生部门举办的高等医学院校一览表

学校名称	成立时间	附设专业		入学文化程度	在校学生数	教职工人数	
		总数	专业名称及学制			合　计	教　师
内蒙古医学院	1956	4	医学专业（5年制）	高中毕业	1 469	630	270
			医学专科（3年制）	高中毕业			
			中医专业（5年制）	高中毕业			
			蒙医专业（5年制）	高中毕业			
			儿科专业（5年制）	高中毕业			

（续表）

学校名称	成立时间	附设专业		入学文化程度	在校学生数	教职工人数	
		总数	专业名称及学制			合计	教师
包头医学院	1958	2	医学专业（5年制）	高中毕业	407	153	107
			药学专业（4年制）	高中毕业			
内蒙古卫生干部进修学院专科部	1958	1	医学专科（5年制）	初中毕业	306	223	106
乌兰察布盟医学专科学校（戴帽大专）	1960	1	医学专科（5年制）	初中毕业	60	64	22
巴彦淖尔盟医学专科学校（戴帽大专）	1960	1	医学专科（5年制）	初中毕业	20	15	9
呼伦贝尔盟医学专科学校（戴帽大专）	1960	1	医学专科（5年制）	初中毕业	143	72	32
昭乌达盟医学专科学校（戴帽大专）	1960	1	医学专科（5年制）	初中毕业	60	39	21
合计		12	医学专科（5年制）	初中毕业	2 465	1 196	576

1961年前后，国家经济处于暂时困难时期，党中央决定对国民经济实行“调整、巩固、充实、提高”的方针，以纠正1958年“大跃进”以后教育事业大发展中出现的超越实际、违反客观规律的一些“左”的做法，要求对教育事业进行全面的调整和必要的压缩。于是，1960年新办的9所医学院、医学专科学校和综合大学内设立的医学专业全部撤销，学生精简。内蒙古卫生干部进修学院并入包头医学院，并于1961年停止招生。该院原办的蒙语授课的医专生75人，汉语授课的医专生231人，分别交由内蒙古医学院和包头医学院接办，继续培养到毕业。

1961年9月7日，内蒙古自治区党委同时批转了自治区党委宣传部《关于全区高等院校调整精简问题的报告》和内蒙古教育厅党组《关于调整全区全日制中等专业学校的请示报告》两个文件，对全区医学院校进行了调整。将内蒙古医学院儿科系撤销并入医疗系，该院1961年除医学专业本科招生240人外，其他专业一律停止招生；内蒙古医学院的在校生加上内蒙古卫生干部进修学院并入的175名医专生后，达到了1 520人。将包头医学院药学系撤销并入医学系，加上内蒙古卫生干部进修学院并入的231名医专生，包头医学院的在校生达到了638人。①

1962年7月6日，内蒙古党委批转教育厅党组《关于全区教育事业调整的报告》后，对全区高等、中等医学院校又进行了第三次精简。决定撤销包头医学院（该院的在校生保留到毕业）。自治区卫生厅考虑到该院成立已有多年历史，为了保存力量，使该院的人力、物力特别是师资队伍和教学设备不致分散，遂提出了将包头医学院改为内蒙古卫生干部进修学院的意见。10月25日，内蒙古人委批示同意自治区卫生厅的意见，并指出：包头医学院撤销改为内蒙古卫生干部进修学院后，由内蒙古自治区卫生厅领导，包头医学院的牌子继续保留，直到在校生毕业；内蒙古卫生干部进修学院的主要任务是培养提高中级卫生人员的理论知识和医疗技术水平。

在这次精简调整中，自治区对内蒙古医学院提出了“四定”意见，即：1. 培养任务：培养高级医务、科研人才和卫生中专专业课教师；2. 规模：控制规模为1 200人；3. 专业设置：医疗和中蒙医药；4. 编制现状：教职工629人，其中教师263人，教职工与学生之比1∶2.3，其中教师与学生之比1∶5.5。②

全区的高等医学教育事业虽然经历了1958年至1960年的大起大落，但在自治区党委和政府的领导下，通过及时调整、及时总结经验教训，全区的高等医学教育走上了稳步前进的轨道，有了较快的发展。以内蒙古医学院为例，从1958年到1968年的10年间，该院除医疗专业招收了10个年级共2 494人外，还开设了“中医”和“蒙医”专业教学课程。到1966年“文化大革命”前，共有5届毕业生1 268人毕业。此外，该院1958年还举办了3年制医学专科1期，招生40人；蒙文西医班1期，招生75人；并招预科生93人，学习1年后转本科；办4年制夜大医疗专业2期，招生171人；1966年招收蒙医。1962、1964、1965年3个年级本科、专科生约100人；学生最多时（1961、1962、1966年）在校学生的总数超过了1 503人。无论是专业设置还是学生数量，都远远超过了原定规模。该校的学生毕业分配除少数留在城市外，大多数都分配到了盟、旗县和厂矿工作。如1956级的

① 本志编纂委员会编：《内蒙古自治区志·卫生志》，内蒙古科学技术出版社2007年版，第667页。
② 本志编纂委员会编：《内蒙古自治区志·卫生志》，内蒙古科学技术出版社2007年版，第797页。

213 名医学本科毕业生，除 29 名留在呼和浩特市、包头市和本医学院工作，13 人被国家直接分配到了柴达木盆地工作外，其余全部分到了盟、旗县、军队和林区医院。①

据 1966 年 5 月“文化大革命”开始前的统计，这一年的内蒙古医学院与建院初期相比，教授由 3 人增加到 17 人，讲师由 16 人增加到 40 人，助教由 92 人增加到 122 人，教辅人员由 8 人增加到 52 人，专职医护人员（不含医疗系编制人员）由 200 人增加到 436 人。同时拥有比较大型和贵重的仪器设备 2 625 台（件）及图书 20 多万册，在校生规模达到了 1 800 多人。②

1966 年 5 月到 1976 年的“文化大革命”，给内蒙古的高等医学教育造成了极其严重的损失。1966 年 5 月，学生开始停课闹革命，从批判“三家村”、“横扫牛鬼蛇神”、斗“批黑帮”、破“四旧”，到“踢开党委闹革命”、“批判资产阶级反动路线”、“大串联”、“向走资派夺权”，再到全区范围内的“清理阶级队伍”、“挖内人党”、“批林批孔”，乃至“反击右倾翻案风”，使全区各医学院校的正规教育整整中断了 10 年，停止招生长达 6 年之久。

1976 年，粉碎“四人帮”后，全区的高等医学教育和其他教育与卫生事业一道进入了拨乱反正，把工作的着重点转移到以教学为主、以培养为四个现代化服务的医疗卫生技术人才为主的新阶段。

1977 年，恢复正常高考后，内蒙古医学院除原设的医学、中医、蒙医三个专业外，新设了药学专业；包头医学专科学校除原设的医学专业外，也新设了卫生专业。这一年，内蒙古医学院经过统一考试，招收了医疗、中医、蒙医 3 个专业的本科生 347 名，当年新成立的药学系也招收了第一批本科生 22 名，均于次年 3 月入学。

1978 年，中共十一届三中全会召开后，全区高等医学教育事业又有新的发展。内蒙古医学院除原有的专业外，新设了图书资料和实验技术两个专科班，已发展为 4 个系 10 个专业。包头医学专科学校经教育部批准，又恢复为包头医学院。该院除继续开办医专时期所设的两个专业并开始招收本科

① 本志编纂委员会编：《内蒙古自治区志·卫生志》，内蒙古科学技术出版社 2007 年版，第 797 页。

② 本志编纂委员会编：《内蒙古自治区志·卫生志》，内蒙古科学技术出版社 2007 年版，第 797 页。

生外，也增设了实验技术专科班，发展为2个系6个专业。同年，经国务院批准，原哲里木盟卫生学校改建为哲里木医学院（当时哲里木盟尚归吉林省管辖），并决定于1979年启用学院印章，开始办理招生工作。

1979年，内蒙古自治区恢复了原来的行政区划，随着呼伦贝尔、哲里木、昭乌达等东部3盟的回归，哲里木医学院也同时划归内蒙古自治区。于是，正在筹建中的内蒙古民族医学院并入哲里木医学院，校名仍定为内蒙古民族医学院。从此，内蒙古自治区拥有了专门培养少数民族医学高级卫生技术人才的高等教育学府。

1980年，经内蒙古人民政府批准，新成立的内蒙古民族医学院设医学和蒙医两个专业，均招收和培养民族医学生。医学专业分设蒙语和汉语授课两种班次。医学专业和蒙医专业的学制均为5年，在校生的规模计划为1 000人。学校的总建筑面积39 400平方米，总投资额780万元（包括教学仪器、教学设备的购置），教职工定员400人，并决定为该院新建附属医院1所，设病床309张，建筑总面积18 000平方米（包括门诊、病房、附属用房、行政办公用房、教职工宿舍等），总投资额为450万元。①

随着内蒙古民族医学院的创建，自治区对内蒙古医学院、包头医学院、内蒙古民族医学院等3所医学院校的专业设置作了统筹安排，适当调整。内蒙古医学院以办好医学、中医、药学等3个专业为重点，原设的蒙医专业从1983年开始停止招生，该专业统一由内蒙古民族医学院承担。包头医学院主要办好医学、卫生两个专业，并以卫生专业为重点。内蒙古民族医学院主要办好医学、蒙医两个专业，并以蒙医专业为重点。

随着党中央尊重知识、尊重人才、尊师重教、把教育放在优先发展地位等重要指示的落实，自治区逐年加大了对高校建设的投资力度，教师工资、奖励和职称评定制度得到落实，师生生活条件得到显著改善。从1978年至1983年，内蒙古医学院晋升教授7人，副教授68人，讲师191人，有33名年轻教师被定为助教或讲师。职称“多年一贯制”的老大难问题得到了解决，内蒙古医学院等高等医学院校还为一些老教授、老中蒙医配备了助手，帮助他们总结教学、临床和科研中的宝贵经验。

① 郑泽民总纂：《内蒙古卫生改革与发展（1978—1997）》，远方出版社1997年版，第174页。

改革开放使全区各高等医学院校在办学规模和办学层次上也有了很大发展，仅内蒙古医学院1996年的统计，该校计划内学生在校人数为3 182人，其中研究生77人，本科生1 599人，专科生1 356人，中专生156名。从1976年到1996年的20年间，内蒙古医学院共毕业研究生208人，本科生5 640人（医学1 216人，中医、蒙医2 878人，药学98人），中专生875人。① 其中研究生教育的起步和发展，以及举办外国留学生班，是该学院教育史上的一次跨越。

跨入新世纪以来，包头医学院、内蒙古民族医学院等原先独立的高等医学院校分别并入内蒙古科技大学、内蒙古民族大学。这一改革对促进医学与其他学科的交叉、渗透，加强培养高素质的复合型医学专门人才是一个有益的尝试，这是因为我国的医学教育层次繁多，结构较复杂。培养途径包括普通医学教育、成人医学教育；涉及初等、中等医学教育、高等专科、本科、研究生教育多个层次；培养对象既有乡村医生、医士、医师，也有学士学位、硕士学位和博士学位获得者。

同时，在培养目标、专业结构和专业设置上，也存在着专业设置过细、专业面过窄、专业教育与职业技术教育交叉、毕业后教育与本科生教育不相接等缺点。而且学制不一，同是专科教育，学制3年、5年不等；教学模式，医学教育几乎全部采用传统的三段式，即基础、临床、实习；课程体系与课程，大多数医学院校仍采用学科课程体系；在基础课程设置方面，在对培养学生自学能力、交流能力、思维能力、创新精神方面，与发达地区比较仍然存在着差距。因此，各种改革至今仍在进一步继续中。

内蒙古医学院 1956年建立，是新中国在少数民族地区最早建立的一所高等医药院校。内蒙古医学院建院初期直属国家卫生部，1958年划归内蒙古自治区领导。内蒙古医学院的机构设置建院50年来虽然经过多次变动，但始终可以分为行政机构、教学机构和科研机构三大部分。内蒙古医学院的行政机构有：党政办公室、组织部、宣传部、统战部、纪检监察审计处、离退休老干部处、党校、工会、团委（学工处）、机关总支、教务处、科技处、人事处、财务处、外事接待办公室、后勤管理处、保卫处。

---

① 本志编纂委员会编：《内蒙古自治区志·卫生志》，内蒙古科学技术出版社2007年版，第798页。

内蒙古医学院的教学机构由11个二级学院（部）组成，这些二级学院（部）是：基础医学院、临床医学部、药学院、中医学院、蒙医学院、护理学院、公共教育学院、公共（事业）卫生管理学院、研究生学院、医药应用技术学院、图书馆和继续教育培训中心。

内蒙古医学院目前有独立的科研机构8所；自治区重点实验室6个；自治区领先学科、重点学科12个；内蒙古医学院重点学科（专业）7个，有享受政府特殊津贴专家58人，自治区有突出贡献的中青年专家22人，“321”人才各层次人选14人，“111”人才10人，自治区“优秀留学生回国人员”2人。全院3 686名教职工中，有正高职称的人员为802人，副高职称968人，中级职称1 347人；教师中有博士学位的人员为38名；博士生导师2名（与北京中医药大学联合招生），博士生副导师2名（北大医学部聘请），硕士生导师376名。该学院还设立了特聘教授岗位，特聘校外教授3名，聘任不同国籍的外教专家6名①。

据截至1996年的统计，内蒙古医学院总共有教学医院12所，实习医院5所，计划内学生在校生达到3 182人，其中，本科生1 599人，专科生1 356人。1976年到1996年，内蒙古医学院共毕业本科生5 640人（医学3 687人、中医蒙医1 175人、药学598人），专科生1 592人（医学1 216人，中医、蒙医2 878人，药学98人），中专生875人。②

内蒙古科技大学包头医学院　前身系包头医学院，1958年5月建立。是国家教育部批准的具有高等学历教育资格的普通高等学校。经过近50年的发展建设，已经形成了以本科教育为主体，专科教育为补充，大力发展研究生教育，适度发展成人教育的成熟的适应社会需要的办学模式。

目前，包头医学院占地面积达到1 300亩，建筑面积增加为30万平方米。有在校硕士研究生341名，有本、专科及成人教育各类在校生8 199名。设有研究生部、临床医学院、公共卫生学院、基础医学部、医学技术系、护理学院、口腔医学系、麻醉学系、药学系、社会人文学院、医学继续教育学院等院系，开设有临床医学、预防医学、医学检验、护理学、麻醉

① 本志编纂委员会编：《内蒙古自治区志·卫生志》，内蒙古科学技术出版社2007年版，第816页。
② 本志编纂委员会编：《内蒙古自治区志·卫生志》，内蒙古科学技术出版社2007年版，第819页。

学、口腔医学、医学影像、卫生检验、法医、药学等10个本科专业和护理、医学检验、医学影像、眼视光技术、医药营销学等5个专科专业。具有生物化学与分子生物学、人体解剖学与组织胚胎学、营养与食品卫生学、内科学、外科学、急诊医学、儿科学、生理学、神经病学、卫生统计与流行病学、遗传学、思想政治教育12个硕士点。生物化学为自治区重点学科，解剖学为自治区示范课程。基础医学实验中心和公共卫生实验技术中心为自治区实验教学示范中心。人体解剖学、生理学、生物化学与分子生物学、流行病学、药理学、营养与食品卫生学为自治区精品课程。临床医学、预防医学为自治区首批品牌专业。人体解剖学实验室、生物化学实验室为自治区重点实验室。并设有9个研究所（室），其中内蒙古基因诊断研究所、内蒙古应用解剖研究所、内蒙古消化研究所、内蒙古高血压病研究所、内蒙古自治区全科医学培训中心、内蒙古自治区学校卫生人员培训基地和包头市环境医学研究所都设在包头医学院。该院校刊《包头医学院学报》为省级公开发行刊物。图书馆藏书17.8万册，拥有“中国生物医学文献光盘数据库”和“中文生物医学期刊数据库”。此外，学校还拥有教学医院4所，教学实习医院31所，预防医学三结合基地10个。其中直属的第一附属医院为全国三级甲等医院。

包头医学院有教职工2 170名，其中正高职称184名，副高职称438名。有6人获国家、自治区、包头市级有突出贡献专家称号，14名专家学者享受政府特殊津贴。建校47年来，培养了1.8万多名毕业生。现有专业教师64名，其中教授15名、副教授29名，高级实验师4名，全国模范教师1名，享受政府特殊津贴专家1名，自治区有突出贡献中青年专家4名，自治区“111”和“321”工程第一、二层人员5名。①

内蒙古民族大学蒙医药学院　内蒙古民族大学医学院　内蒙古蒙医药学院成立于1987年4月，其前身为1978年成立的哲里木医学院和1980年筹建中的内蒙古民族医学院。其中的蒙医药学院不仅是内蒙古，而且是全中国唯一的一所以培养蒙医药本科生为主的民族医药学历教育的最高学府。

内蒙古民族大学蒙医药学院具有一流的蒙医药专业人才队伍，教学力量

① 本志编纂委员会编：《内蒙古自治区志·卫生志》，内蒙古科学技术出版社2007年版，第830页。

雄厚，现有专业教师 64 名，其中教授 15 名、副教授 29 名，高级实验师 4 名，全国模范教师 1 名，享受政府特殊津贴专家 1 名，自治区有突出贡献中青年专家 4 名，自治区“111”和“321”工程第一、二层人员 5 名。①

内蒙古民族大学蒙医药学院内设 14 个教研室、6 个实验室，1 个蒙医史陈列室，1 个拥有 1 500 多种动、植、矿物标本的蒙药标本馆和 28 个实践教学基地。拥有的教学仪器设备价值大约为 500 多万元，1.4 万平方米的蒙医药教学实验大楼已经竣工。由于该学院采取了将传统蒙医药与现代教育理念有机结合的人才培养模式，目前已成为全区、全国重要的蒙医药人才培养基地。20 多年来，共为蒙文协作八省区输送了 4 000 多名蒙医药高级专门人才。现有在校学生 1 024 人，硕士生 62 人，留学生 35 人。②

内蒙古民族大学蒙医药学院现在拥有民族医学、蒙药学、蒙西医结合临床医学、蒙西医结合基础医学 4 个硕士学位点，蒙医学、药物制剂学、护理学三个本科专业和一个蒙医药研究所。该学院不仅是国家执业药师培养基地，该学院的蒙药学专业还是国家中医药管理局的重点学科和硕士学位授予单位。此外，蒙医学是自治区的重点学科；蒙医药研发工程实验室是自治区高校的重点实验室；蒙医专业是自治区的品牌专业；蒙医方剂学是自治区的精品课程。目前，内蒙古民族大学蒙医药学院已形成了以重点学科、重点实验室、品牌专业、精品课程为主导的蒙医药学品牌。

2000 年 7 月，内蒙古蒙医学院同内蒙古民族师范学院、哲里木畜牧学院合并组建成内蒙古民族大学，后改称为内蒙古民族大学蒙医药学院。设有蒙医、蒙药、临床医学三系和蒙医、蒙医骨伤、蒙药、临床医学、高级护理等五个专业。其中蒙医专业被列为自治区高教的重点专业。此外还有基础医学部、马列教研部等教学机构和 62 个教研室、11 个实验室，并有 1 所附属医院、7 所教学医院和 6 所实习医院，总病床数达到 2 900 张。③

民族大学医学院简称“临床医学院”，是在原内蒙古蒙医学院基础部和临床医学系的基础上建立起来的。目前的民族大学医学院有生物化学等 25

① 本志编纂委员会编：《内蒙古自治区志 · 卫生志》，内蒙古科学技术出版社 2007 年版，第 848 页。
② 本志编纂委员会编：《内蒙古自治区志 · 卫生志》，内蒙古科学技术出版社 2007 年版，第 848 页。
③ 本志编纂委员会编：《内蒙古自治区志 · 卫生志》，内蒙古科学技术出版社 2007 年版，第 847 页。

个教研室以及学生工作办公室、团总支和院办公室3个行政科室。医学院本部有专职教师63人，实验技术人员26人。教师中有教授3人，副教授26人，高级实验师3人，讲师（实验师）37人。有临床兼职教师125人，其中主任医师（教授）9人，副主任医师（副教授）43人，主治医师（讲师）54人。有硕士毕业生16人，在读博士2人，在读硕士18人，以及享受国家“政府特殊津贴”的专家1名，自治区有突出贡献的中青年专家1名，自治区“321人才工程”第二层人选1人。①

（二）现代医疗卫生职业教育

内蒙古自治区成立后，全区的医疗卫生学教育是在先办中等教育的基础上起家的。中等医学教育成为内蒙古医学教育的基础和先行。

面对医疗卫生技术人员极端缺乏而防病治病任务又十分繁重的实际情况，自治区政府民政局、卫生局很快成立了医务养成所，首期招收学员80人。医务养成所开学不久，因自治区政府所在地乌兰浩特鼠疫爆发，学校停课，学员参加防疫工作。鼠疫爆发流行被扑灭后，医务养成所于1947年底被改建为喇嘛医学校，40名年轻的喇嘛成为该校的首批学生，进行蒙医专业学习，这些学员尚未结业，喇嘛医学校即停办，在校学员全都由国家分配了工作。

1948年，内蒙古自治区政府卫生局与内蒙古军区卫生部合署办公时，在乌兰浩特市曾举办过卫生干部训练班，招收了一批学生，为军队和地方培养了一批急需的卫生员、护理员、药剂员、助产士等中、初级医疗卫生专业人员。

1949年初，内蒙古自治区政府卫生局与内蒙古军区卫生部合并，为适应军队和地方的需要，卫生干部训练班被改建为医务学校。同年5月，医务学校发展扩大为内蒙古军区卫生干部学校，除继续培训卫生员、护理员、药剂员和助产士外，还开办了医助班（后改为医士班）。

1949年9月19日，绥远省和平解放后，原绥远省立高级助产学校由绥远省人民政府进行接管和改造。

1950年10月，内蒙古军区、政府卫生部分设后，将内蒙古军区卫生干

---

① 本志编纂委员会编：《内蒙古自治区志·卫生志》，内蒙古科学技术出版社2007年版，第857页。

部学校改为内蒙古医士学校，归属内蒙古政府卫生部领导。该校除原设的医士、助产士专业外，还开办了护士专业和检验员、防疫员等初级卫生人员学习班。绥远省将原绥远省立高级助产学校改为绥远省卫生技术学校后，于同年开办了医士、护士、助产士等3个专业，进行招生工作，每个专业招生40人，学制定为3年。

1951年，内蒙古自治区和绥远省，仍各设卫生学校1所。内蒙古自治区将原设的内蒙古医士学校改为内蒙古卫生学校（该校于1954年1月又改为内蒙古乌兰浩特卫生学校），两所卫生学校仍维持原来设置的专业未变。

1952年，绥远省在包头市新设护士学校一所，每年招收护士专业学生40人。同年，绥远省卫生技术学校改建为绥远省归绥卫生学校。

1954年，内蒙古自治区和绥远省合并后，决定将内蒙古乌兰浩特卫生学校、绥远省归绥卫生学校、包头市护士学校等3校合并成为一个学校。校址设在自治区首府呼和浩特市，占用原绥远省归绥卫生学校的校舍。校名定为内蒙古呼和浩特卫生学校（1956年该校又改名为内蒙古自治区呼和浩特卫生学校）。同年8月，乌兰浩特卫生学校搬迁到呼和浩特市进行了并校工作。3所卫校合并后，由于集中了人力、物力、财力，因而大大加速了这所学校的各项建设。1956年，该校开办医士助产士专业，招收牧区蒙族学生，用蒙语授课，学制4年。其他专业招收的对象不限民族，但少数民族学生同等条件下则优先录取，学制均为3年。

到1957年时，呼和浩特卫生学校曾先后办过医士、卫生医士、医士助产士、护士、助产士、药剂士、保育护士等7个专业的中等学历专业班。师资队伍逐年壮大，教学设备逐年增添补充，教学计划、教学大纲、教材均按照国家统一制定的执行，因而教学秩序得到了相对稳定，教育质量有了较大提高。1957年，该校在校生达到455人，总共有教职工95人。据不完全统计，这一阶段全区中等卫生学校共毕业各类专业学生3 281人；由卫生厅直接和委托有关单位举办的各种职工学习班、进修班，共有42个，培训职工达2 105人次。①

1958年，在破除迷信、解放思想和“大跃进”思潮的影响下，自治区

① 本志编纂委员会编：《内蒙古自治区志・卫生志》，内蒙古科学技术出版社2007年版，第885页。

的医学教育工作亦掀起大举办、大发展的高潮。1960 年初，自治区召开了以“反右倾、鼓干劲，实现医疗卫生工作大跃进”为中心任务的全区医疗卫生工作四级干部会议。接着，3 月 27 日至4 月 6 日，中央卫生部在武汉召开了全国业余医学教育工作会议。自治区卫生厅6 月 5 日至 7 日在哲里木盟开鲁县召开了全区业余医学教育工作座谈会，传达中央卫生部武汉会议的精神并组织与会人员学习讨论自治区卫生厅制定的《1960—1969 年全区医学教育发展规划（草案）》,一时间全区各地区、各系统、各部门均纷纷办起了全日制的和业余的高、中等医学院校。

同年，自治区决定将内蒙古自治区呼和浩特卫生学校升格为呼和浩特医学专科学校，交由呼和浩特市领导。呼和浩特医学专科学校升格后，实行双轨制，既办大专班也办中专班。

在大跃进“大办医学教育”的号召下，全区中等医疗卫生学校的发展速度较高等医学院校更快。1958 年，经内蒙古人民委员会批准先后成立了包头卫生学校、锡林郭勒盟卫生学校、呼伦贝尔盟卫生学校、哲里木盟卫生学校、昭乌达盟卫生学校和内蒙古医学院附属医院护士学校。这 6 所盟市级和医院办的卫生学校，同年均进行了招生。与此同时，一些大型厂矿、企业部门如包头钢铁公司、呼和浩特铁路局以及其他一些地区和单位如乌兰浩特市、内蒙古自治区防疫站、包头市第三医院，也都本着因陋就简、自力更生、不伸手向上级要钱要物的原则各自办起了自己的卫生学校。这一年，经自治区批准，呼和浩特市、乌兰察布盟、伊克昭盟又各成立卫生学校 1 所。到 1960 年，全区中等医疗卫生学校猛增到 64 所。（有关情况详见表 9－14、9－15）

表 9－14 1958—1960 年全区中等医疗卫生学校设置情况一览表

年度	自治区和盟市卫生部门办的卫校			大型厂矿企业部门办的卫校			旗县和相当于该级医疗卫生单位办的卫校			合 计		
	校数	在校生数	教职工数	校数	在校生数	教职工数	校数	在校生数	教职工数	校数	在校生数	教职工数
1958	6	605	107	2	30		3	129	9	11	764	116
1959	9	2 087	227	3	82	9	3	306	36	15	2 475	272
1960	11	4 509	409	4	654	13	49	3 846	105	64	9 009	527

表 9-15　1960 年全区各盟市卫生部门举办的 11 所卫生学校基本情况一览表

学校名称	建校时间	教职工人数		在校生数	教职工与学生之比（%）	教师与学生之比（%）	教师占教工之比（%）
		合计	其中：专任教师				
合计		409	241	4 509	1：11.02	1：18.7	58.92
呼和浩特市卫生学校	1959 年	20	17	501	1：25.05	1：29.47	85.00
包头市卫生学校	1958 年	58	31	774	1：13.34	1：24.96	53.44
乌兰察布盟卫生学校	1959 年	64	22	1 175	1：18.36	1：53.4	34.37
锡林郭勒盟卫生学校	1958 年	45	32	335	1：7.44	1：10.46	71.11
伊克昭盟卫生学校	1959 年	34	26	301	1：8.85	1：11.57	76.47
巴彦淖尔盟卫生学校	1960 年	15	9	47	1：3.13	1：5.22	60.00
呼伦贝尔盟卫生学校	1958 年	72	46	342	1：4.75	1：7.43	63.88
哲里木盟卫生学校	1958 年	52	30	332	1：6.38	1：11.06	57.69
昭乌达盟卫生学校	1958 年	39	21	289	1：7.41	1：13.76	53.84
内蒙古医院附设卫生学校	1960 年	2	2	294	1：1.07	1：147	100
内医附院护士学校	1958 年	8	5	119	1：14.87	1：23.8	62.5

在 1960—1963 年调整期间，自治区决定全区中等卫生学校只保留呼和浩特卫生学校、包头市卫生学校、乌兰察布盟卫生学校、伊克昭盟卫生学校、巴彦淖尔盟卫生学校、锡林郭勒盟卫生学校、呼伦贝尔盟卫生学校、哲里木盟卫生学校、昭乌达盟卫生学校等 9 所盟市办的卫校，其余卫校一律精简。

随着调整的深入进行，全区中等医疗卫生学校又进行了第二次精简。1961 年 9 月 29 日，内蒙古自治区党委批转自治区教育厅党组《关于再次调整全区中等专业学校的请示报告》中，要求卫生部门在上次调整保留下的 9 所卫校的基础上再精简 3 所。这一精简方案下达后，因考虑到锡林郭勒盟卫生学校系采用蒙语授课为主的民族学校，为有利于培养民族医疗卫生技术人员，有利于发展民族医学教育事业，遂对该校予以保留，实际保留卫校 7 所。

1962 年 7 月 6 日，内蒙古党委批转自治区教育厅党组《关于全区教育事业调整报告》,对全区医疗卫生学校又进行了第三次精简。中等医疗卫生学校只保留包头、昭乌达盟、锡林郭勒盟3所卫生学校，其余卫校一律精简。

对保留下来的3所卫校，为加强管理，1963年1月29日，内蒙古自治区人委批转了内蒙古自治区卫生厅《关于调整全区中等医药学校的具体意见》,其中对这些学校的领导关系以及任务、专业设置、发展规模、人员编制等都有较明确的规定。即学校名称：保留下来的学校定名为内蒙古自治区包头卫生学校、内蒙古自治区赤峰卫生学校、内蒙古自治区宝昌卫生学校。领导关系：保留下来的学校由内蒙古卫生厅直接领导，但委托地方分管部分工作，其具体分工为：内蒙古卫生厅分管师资培养，配备、调动；学校“四定”的确定，教学计划的审批，毕业学生的分配，经费和基建投资的审批，核拨等。当地盟公署（市人委）分管：学校领导人和行政人员的调配；教职工政治思想教育，工作计划的审批，日常教务工作，实习基地的安排；教职工和学生的生活管理等。卫生厅根据当时形势和长远需要，从确保教学工作的相对稳定出发，明确了保留学校的发展方向，具体“四定”意见详见表9－16。

表9－16　1963年保留下来的中等卫校“四定”意见一览表

学校名称	教学任务	专业设置	在校生规模	师生比例及编制
包头卫生学校	培养各类专业的中级医务人员	护士、药剂士、卫生医士3个专业	300人	1:5；设教职工75人，其中教师50人
赤峰卫生学校	培养各类专业的中级医务人员	护士、医士助产士、检验士等3个专业	450人	1:5；设教职工90人，其中教师64人
宝昌卫生学校	培养以蒙语授课的民族中级医务人员	护士、医士助产士两个专业	289人	1:3.5；设教职工80人，其中教师56人

1961—1963年，在精简高、中等医学院校的同时，也精简了一大批学生，特别是中等卫生学校精简的学生多达数千人。精简下来的学生，在各级党政和有关部门的领导下，本着哪里来的、哪个学校招收的仍由那里和那个

学校负责处理的原则，通过多种方法，多种途径，或改变培养目标，或就地安排工作，或迁返回乡参加生产劳动，基本上做到各就其位，各得其所。

1964 年 4 月 1 日，经内蒙古自治区人民委员会批准，改变原有 3 所卫校的领导体制。将原来归内蒙古自治区卫生厅领导的包头卫生学校、赤峰卫生学校、宝昌卫生学校分别交由包头市人委、昭乌达盟公署、锡林郭勒盟公署领导，学校的名称亦不再冠“内蒙古自治区”字样。自治区卫生厅除负责教学计划和教学大纲的审批、学校的发展规模、专业设置、年度招生任务的确定、师资的培养提高、毕业学生的分配等工作外，其余如人事、财务、校务、教学、生活管理以及不属卫生厅分管的其他工作，均由盟市负责。

1964 年 6 月 27 日，内蒙古自治区计委、教育厅联合下达 1964 年自治区职业学校招生指标，对全区新成立的 6 所卫生职业学校和半工半读卫 1 生学校，进行招生名额的分配（详见表 9－17）。

表 9－17　1964 年全区 6 所卫生职业学校招生指标分配一览表

学校名称	校　址	主办单位	招生任务
呼和浩特市卫生职业学校	呼和浩特市	呼市卫生局	40
乌兰察布盟卫生职业学校	集宁市	乌盟卫生局	40
伊克昭盟卫生职业学校	伊盟东胜县	伊盟卫生局	40
呼伦贝尔盟卫生职业学校	海拉尔市	呼盟卫生局	40
哲里木盟卫生职业学校	通辽市	哲盟卫生局	80
哲里木盟科左后旗朝鲁图公社蒙医职业学校	哲盟科左后旗	科左后旗卫生科	40

1965 年，上述 6 所卫生职业学校除哲里木盟科左后旗朝鲁图公社蒙医职业学校仍维持原学校的名称及办学的性质未变外（原规定卫生职业学校的学生毕业后国家不做统一分配工作），其他 5 所卫生职业学校均改为半工半读卫生学校。同年 6 月 14 日，经内蒙古自治区人委批准，成立巴彦淖尔盟蒙医学校（后该校也改为半工半读卫校）。9 月 8 日，内蒙古自治区人委批准内蒙古自治区医院、内蒙古医学院附属医院、内蒙古自治区结核病院各办半工半读卫校 1 所（内蒙古结核病院所办的半工半读卫校只招了 1 期学生即停办），并规定这 3 所医院办的半工半读卫校，发展规模分别为 150 人、

90人、60人。这一年全区全日制卫校有3所，半工半读卫校9所，卫生职业学校1所，共计13所。

另外，根据国家卫生部下达的《关于改革全日制医学教育加速培养农村卫生人员问题》的指示，全区中等卫生学校各专业的学制均有所缩短，原来4年制的改为3年制，原来3年制的改为2年半或2年制。缩短培养周期，为的是加快培养速度，并新增设了中级农村医生专业，以适应加速农村卫生事业发展的需要。

1966年开始的“文化大革命”，给全区中等医学教育和职工教育造成的损失极其严重。“文革”期间，全区的中等卫生学校除哲里木盟卫校在1968年曾招生121人外，从1966年到1970年其余10所卫校（呼市卫校、包头卫校、乌盟卫校、锡盟卫校、伊盟卫校、巴盟卫校、呼盟卫校、赤峰卫校、内蒙古自治区医院卫校、内蒙古医学院附属医院护校），均未招收过一名学生。如以1965年11所卫校（内蒙古结核病院护校和哲盟科左后旗朝鲁图公社蒙医职业学校以后均停办，未计算在内）招生人数1 231人为准，这5年全区至少少招学生6 155人。①

“文化大革命”中全区中等医学教育师资队伍受到极其严重的摧残，不少教师被迫改行，造成教师严重缺乏。中等卫校1971年恢复招生后，由于教师不足，缺课太多，许多学校不得不把本校毕业生留用充当各课教员。根据1979年底自治区对呼、包二市，锡、乌、伊、巴4盟等6所盟市卫校进行的调查，当时这些学校共有专任教师273人，其中教龄1至5年者有215人，占教师总人数的78.75%。1971年以后中专毕业留校任教者有120人，占教师总人数的43.95%。②

“文化大革命”期间，许多卫校校牌被毁，门窗被撬，房倒屋塌无人修理，教学设备散失无人过问。还有的卫校的房舍竟被外单位强行占用，如呼和浩特市卫校，“文革”期间被市锅炉厂占去房屋1 074平方米，占该校建筑面积的48.59%；伊盟卫校先是被作为集训“走资派”的囚禁地，后又被盟电台占去房屋1 040平方米，占该校建筑总面积的25.11%；宝昌卫校被

① 本志编纂委员会编：《内蒙古自治区志·卫生志》，内蒙古科学技术出版社2007年版，第867页。

② 本志编纂委员会编：《内蒙古自治区志·卫生志》，内蒙古科学技术出版社2007年版，第867页。

外单位占去房屋696平方米，占该校建筑总面积的58.48%。这些被占用的校舍，直到粉碎“四人帮”以后才逐步退还。

1976年，粉碎“四人帮”后，全区中等医学教育也进入了拨乱反正时期。1977年，高、中等医学院校恢复招生考试制度。这一年，包头医学专科学校除原设的医学专业外，新设了卫生专业。呼和浩特市卫校、包头卫校、乌兰察布盟卫校、伊克昭盟卫校、巴彦淖尔盟卫校、内蒙古医学院附属医院护校等8所学校（当时呼伦贝尔盟、哲里木盟、昭乌达盟等东三盟尚未回归内蒙古区划，故对这3个盟的3所卫校未列），除按照全国统一规定的专业目录设置了医士、卫生医士、医士助产士、中医士、蒙医士、放射医士、口腔医士、护士、药剂士、检验士等10个专业外，为适应工作上的需要还开办了“理科技士”专业（学习电生理和理疗等方面的技术）共计11个专业。与此同时，自治区组织力量开始翻译中专蒙文教材11种（解剖学、病理学、微生物学、寄生虫学、生理学、药理学、内科学、外科学、妇产科学、儿科学、蒙医学），以利于蒙语授课，加速培养民族中级医疗卫生技术人才。1979年，原归宁夏回族自治区管辖的阿拉善左旗、阿拉善右旗，甘肃省管辖的额济纳旗划回内蒙古自治区，成立阿拉善盟后，自治区即将原阿拉善左旗医院附设卫生学校（该校系1979年3月7日经宁夏回族自治区革命委员会批准成立的）改建为阿拉善盟卫生学校。

在此期间，呼伦贝尔盟卫生学校在盟公署所在地海拉尔市成立分校1所，后经盟公署决定将分校改为呼伦贝尔盟民族卫生学校。1980年，锡林郭勒盟卫生学校也在盟公署所在地锡林浩特市成立分校1所，上述2所分校实际和盟卫校无隶属关系，均由盟卫生处直接领导。呼伦贝尔盟民族卫校和锡林郭勒盟卫校分校均系招收蒙古族学生，用蒙语授课。至此，全区由卫生部门所办的中等卫生学校达14所。这14所卫校是：呼和浩特市卫校、包头市卫校、赤峰市卫校、伊克昭盟卫校、巴彦淖尔盟卫校、乌兰察布盟卫校、阿拉善盟卫校、锡林郭勒盟卫校、锡林郭勒盟卫校分校、呼伦贝尔盟卫校、呼伦贝尔盟民族卫校、哲里木盟卫校（民族医学院成立后，哲里木盟卫校的牌子、户头仍然保留）、内蒙古自治区医院卫校、内蒙古医学院附属医院护校。

1986年8月26日，经自治区人民政府批准呼伦贝尔盟民族卫校改为呼伦贝尔蒙医学校。1988 年 7 月，经锡林郭勒盟公署批准，锡林郭勒盟卫校由太仆寺旗迁至锡林浩特与锡林郭勒盟卫校分校合并。1985 年以后，由于财政切块，所有中等卫生学校的办学经费均由各盟市财政支付。兴安盟中等卫生技术人员仅靠兄弟盟市卫校培养输送已满足不了需要。于是，1988 年，经自治区人民政府批准成立了兴安盟中等卫生学校，校址在乌兰浩特市。这一年全区卫生部门举办的中等卫生学校总数仍为 14 所。它们是呼和浩特市卫校、内蒙古自治区医院附属卫校、内蒙古医学院卫生技术学校（其前身为医学院附属医院护士学校，1984 年经内蒙古党委、政府批准改为现名）、包头卫校、伊克昭盟卫校、巴彦淖尔盟卫校、阿拉善盟卫校、乌兰察布盟卫校、锡林郭勒盟卫校、赤峰卫校、哲里木盟卫校、兴安盟卫校、呼伦贝尔盟卫校、呼伦贝尔蒙医学校。加上包钢卫校、牙克石林管局卫校，全区当时共有 16 所中等卫生学校。

各卫校在专业设置上经过几次调整，到 1985 年基本上得到稳定。14 所卫校在校生所学的专业计有医士、卫生医士、妇幼医士、中医士、蒙医士、口腔医士、放射技士、护士、助产士、药剂士、中药士、蒙药士、检验士等 13 科。蒙医士和蒙药士的教学计划、教学大纲以及教材等均系由自治区卫生厅组织力量自行拟订和编写，其他专业的教学计划、教学大纲及教材等，均按国家统一制定的办理。

在招生制度上，全区中等卫生学校和全国、全区许多其他医疗卫生学校一样，大多实行定向招生、定向分配的办法。而且在培养目标上，并不限于只培养中级卫生专业人员，有条件的卫校还开办了大专班，如赤峰卫校、乌兰察布盟卫校均曾开办过大专班。各中等卫生学校的性质、任务不变，它们在完成国家计划内招生任务后，可挖掘潜力举办在职卫生技术人员培训班。

在实习基地的解决上，除了要求当地条件较好的医疗卫生单位承担学生的教学和生产实习任务外，有几所卫校还本着自力更生、艰苦创业的精神，办起了附属医院、门诊部等，如赤峰卫校设附属医院 1 所，有病床 120 张；呼和浩特市卫校、巴彦淖尔盟卫校、乌兰察布盟卫校、呼伦贝尔盟民族卫校均设有门诊部。

1988 年以后，根据自治区人民政府关于加强基层卫生组织建设的精神和“填平补齐”的原则，各级政府及主管部门陆续为 10 个盟市的 17 个旗

（县）卫校进行了重点投资建设，并经自治区卫生厅、自治区教育厅联合批准，将这些旗县卫校定名为旗（县）卫生职业技术学校。

全区 1988 年批准建立的旗（县）卫生技术学校有：呼伦贝尔盟的海拉尔卫生职业技术学校、兴安盟的科右前旗卫生职业技术学校、乌兰察布盟的兴和县和察右前旗卫生职业技术学校、赤峰的翁牛特旗卫生职业技术学校（后更名为乌丹卫生职业技术学校）、包头市郊区卫生职业技术学校、呼和浩特市的托克托县卫生职业技术学校和伊克昭盟的杭锦旗卫生职业技术学校。

全区 1989 年批准建立的旗（县）卫生职业技术学校有：呼伦贝尔盟的扎兰屯市卫生职业技术学校、哲里木盟的奈曼旗和科左中旗卫生职业技术学校、赤峰市的喀喇沁旗和赤峰市郊区卫生职业技术学校、巴彦淖尔盟的临河卫生职业技术学校。

1991 年，锡林郭勒盟卫校被批准可同时挂卫生职业技术学校的牌子。

1992 年，经赤峰市卫生局、赤峰市郊区政府批准，将赤峰市郊区卫生职业技术学校改为赤峰卫生学校分校。1993 年，自治区卫生厅以内卫科字［1993］第 27 号文件批复认定。

此外，1989 年 4 月 13 日，内蒙古自治区教育厅、卫生厅联合批准内蒙古自治区退离休科技工作者协会（现改名为老年科技工作者协会）开办了一所内蒙古蒙医职业学校，办学资金由该协会自筹，自治区卫生厅未予投资。

旗（县）卫生职业技术学校属职业高中性质，它的主要任务是培养乡村医生。招生对象是初中以上文化程度的农牧区青年，也可以是在职的、未经正规培训的乡村医生，培训期限为 3 年，学习期满经考试合格由教育部门发给相当于职业高中的毕业证书，国家承认学历。这些学校的毕业生如果被乡卫生院聘用，可享受中专毕业待遇。旗（县）卫生职业技术学校可以承担旗（县）以下卫生机构在职人员的培训。至此，全区已基本形成一个以中等卫生学校为骨干，布局、结构较为合理的卫生职业技术教育体系。

跨入 21 世纪前后，为促进医学与其他学科的交叉、渗透，加强培养高素质的中高级复合型医学专门人才，许多原先独立的中等医疗卫生学校逐步并入一些盟市在教育改革中组建成立的综合性大学或多科性技术学院、职业学院。

2000 年 12 月，阿拉善盟卫校并入内蒙古电视大学阿拉善盟分院。

2003 年 4 月，经自治区人民政府批准，赤峰市卫校并入赤峰学院，改称赤峰学院医学院。

2003 年 5 月，经自治区人民政府批准，锡林郭勒盟卫生学校并入新建立的锡林郭勒职业学院，改为锡林郭勒职业学院的医学系。同年，巴彦淖尔盟卫生学校并入河套大学，改称河套大学医学院。是年，兴安盟卫生学校并入兴安职业技术学院。

2004 年，经内蒙古自治区人民政府内政字［2004］129 号文件批准，通辽卫生学校并入通辽职业学院，成为该学院的护理系和医疗卫生系。

随着医学高职高专教育的大力发展，通过合并与改建，到 2004 年底，全区的中等卫生学校由原来的 16 所减少至目前的呼和浩特市卫校、内蒙古医院卫校、包头市卫校、鄂尔多斯市卫校、乌兰察布盟卫校、阿拉善盟卫校、乌海市职工中专、呼伦贝尔卫校、呼伦贝尔蒙医学校和内蒙古林业卫校 10 所。而且主要任务是为农村牧区基层培养从事医疗、预防、康复、健康促进等服务的实用型人才。

（三）在职医学教育

内蒙古自治区成立 60 多年来，全区的在职医学教育工作受到各级卫生主管部门的重视，得到了较快的发展。尤其是在中共十一届三中全会召开以后的 30 多年中，各级卫生主管部门根据国家的有关政策和规定，结合自治区和本地区的实际，采取多种形式、多种渠道开展了多层次的在职医学教育，为全面提高全区卫生技术队伍的整体素质做了大量有目共睹的工作。

内蒙古的在职医学教育起步于 20 世纪 50 年代初期。当时，全区卫生系统在职教育专业机构虽然尚未建立健全，但全区各级卫生部门、各个医疗卫生单位在制定的管理制度和工作计划中，都包含有职工学业务、学文化等具体规定。在业务学习方面，除根据每个人所从事的专业各有不同、各有侧重外，规定必须共同学习的课题有中医政策、巴甫洛夫学说等。尤其是工作任务繁重、流动性较大的防疫队、性病防治队、妇幼卫生工作队的人员，除见缝插针安排一些学习外，每年都要集中一段时间由各队组织进行脱产学习培训。

1954 年春，内蒙古自治区卫生部成立了内蒙古自治区卫生干部训练所，1956 年，训练所又改建为内蒙古卫生干部进修学校，主要用来对卫生部门的在职职工进行有计划、有步骤的分期分批轮训。但终因该校经费等办学条件不足，既无专任教师，又无单独校舍（系占用内蒙古自治区呼和浩特卫生学校部分房舍），于1957年停办。之后，全区对在职职工的培训提高除各单位自己组织外，主要通过委托区内有办学条件的医疗卫生单位承办，或派赴区外有关单位学习深造。内蒙古卫生干部进修学校停办2年后东山再起，经内蒙古人民政府批准建立为内蒙古卫生干部进修学院，为后来全区在职医学教育事业的发展作出了积极的贡献。

20世纪50年代中期以后，随着全日制高等、中等医学院校的兴建，特别是1958年掀起“大跃进”热潮以后，通过举办业余医学院校对在职职工进行培训和学历教育有了很大的发展。1959年，呼和浩特市地区曾创办高等、中等业余医学院校各一所。业余医学院招收的对象是现职中级卫生人员，学制3年，通过学习经考试成绩合格者，发给毕业证书，并晋升为高级卫生技术职称；业余卫生学校招收的对象是现职初级卫生人员，学制3年，通过学习经考试成绩合格者，发给毕业证书，并晋升为中级卫生技术职称。到1960年，全区不少地区先后办起了19所高等业余医学院、39所中等业余卫生学校。总共培训了2 461名在职初、中级医疗卫生人员（有关统计详见表9－18）。①

表9－18 1960年全区六盟市业余医学院校设置情况表

地 区	业余医学院		业余卫校	
	学校数目	学员数	学校数目	学员数
合 计	19	1 314	39	1 147
呼和浩特市	4	665	4	152
包头市	11	944	11	720
乌兰察布盟	1	18	23	185
锡林郭勒盟	1	50	–	–
哲里木盟	1	80	–	–
昭乌达盟	1	47	1	90

在1962年进行的整顿精简中，上述高、中等业余医学院校也进行了整

① 本志编纂委员会编：《内蒙古自治区志·卫生志》，内蒙古科学技术出版社2007年版，第910页。

顿精简。呼和浩特市地区原有的4所业余医学院，经过整顿保留下来2所，停办了2所；包头市原有的11所业余医学院，经过整顿保留下来3所，停办了8所；乌、锡、哲、昭等4盟原各有业余医学院1所，均未保留。全区原有的39所业余卫校，全部停办。到1963年时，上年保留下来的5所业余医学院又停办了3所，只留下自治区卫生厅所属的呼和浩特业余医学院和内蒙古医学院附设的业余医科大学2所。

内蒙古医学院附设的业余医科大学第一期学员按照教学计划学完了全部课程，于1964年3月21日如期举行了毕业考试，成绩合格者70人，肄业者5人。这是自治区举办高等业余医学教育以来首届毕业的学员。同年4月10日，根据内蒙古人委指示，自治区卫生厅所属的呼和浩特业余医学院和内蒙古医学院附设业余医科大学合并，由内蒙古医学院领导。此后，因内蒙古医学院教学任务重，难以兼顾，故该业余医科大学停办。

为了进一步加强内蒙古卫生干部进修学院的各项建设，充实和提高教学力量，使之成为自治区培训职工的中心。1964年9月15日，内蒙古自治区人委批复自治区卫生厅《关于内蒙古卫生干部进修学院的"四定"及进修学院的性质等问题的报告》,决定：内蒙古卫生干部进修学院除了继续完成当时"下马"的包头医学院遗留下来的医疗本、专科学生的培养任务外，更重要的是要完成对全区在职中级卫生人员的培养提高，逐步创造条件对现有高级卫生人员业务技术水平进一步提高的任务。该院的专业设置和招生对象主要是：（1）为解决建国以来长期在基层医疗卫生机构工作的、未经过系统学习的高级医疗卫生技术人员的补修教育问题，可根据条件逐步举办医疗、公卫、药学等专业班，每年招收40人，学习期限以一年左右为原则。（2）为保证中级卫生人员的专科进修，分设医疗、公卫、药学、检验、高级护理等专科进修班各1个班。医疗专科班招收30人，其余各40人，学制3年（包括实习在内）。（3）举办各种卫生行政人员学习班，年招收培训160人，学习期限3—4个月。为此，内蒙古卫生干部进修学院的发展规模在"四定"中被定为：1964—1965年每年的培训任务为630人。在校学员最多可达到800人的规模。①

① 本志编纂委员会编：《内蒙古自治区志·卫生志》,内蒙古科学技术出版社2007年版，第911页。

1966 年 6 月至 1971 年，自治区的职工在职医学教育事业因为“文化大革命”整整中断了 5 年。在这期间，内蒙古仅有的一所卫生干部进修学院随着包头医学专科学校、包头卫生学校的“停课闹革命”，所担负的进修教育工作也陷于停顿。原来由自治区卫生厅委托或指定承担培训职工任务的一些医疗卫生专业机构，因本身的业务尚处于瘫痪状态，对开展在职进修教育一事更是无人过问。从 1972 年开始，内蒙古自治区卫生厅虽然在所属单位安排、布置过一些职工医学教育任务，但由于受到多方面的干扰，“文化大革命”结束前该项工作始终未能令人满意地完成。

粉碎“四人帮”后，由内蒙古卫生厅直接主持举办的各种职工中等教育方面的在职学习班总计有 14 个，参加学习的人员达到了 590 人。但由于十一届三中全会前，全区在职医学教育的专业机构只有自治区卫生厅直属的内蒙古卫生干部进修学校 1 所，远远不能适应当时形势发展的需要。

中共十一届三中全会召开以后，随着教育工作逐步走上正轨，在职医学教育也开始受到充分重视，一批在职医学教育专门机构得以逐步恢复和建立：1979 年，伊克昭盟盟委批准成立伊克昭盟卫生干部进修学校；1980 年 10 月，巴彦淖尔盟盟委批准成立了巴彦淖尔盟卫生干部进修学校；1981 年，兴安盟卫生干部进修学校宣告成立；1982 年，经自治区卫生厅批准，乌海市卫生干部进修学校和包头市卫生干部进修学校先后成立；1983 年，哲里木盟编委批准成立了哲里木盟卫生干部进修学校；同年 6 月 5 日，昭乌达盟（现赤峰市）编委批准成立了昭乌达盟卫生干部进修学校；1983 年 9 月 18 日，经自治区人民政府批准，将哲里木盟卫生干部进修学校改建为哲里木盟卫生职工中专；1984 年 6 月 14 日，自治区人民政府以“内政办文［1984］第 94 号文件”，批准将乌海市卫生干部进修学校、伊克昭盟卫生干部进修学校改建为乌海卫生职工中专和伊克昭盟卫生职工中专。

截至 1984 年，全区有自治区级卫生干部进修学校 1 所，盟市级卫生干部进修学校 5 所，盟市级卫生职工中等专业学校 3 所。加上旗县所举办的 61 所卫生进修学校，全区基本形成了在职医学教育三级培训网。1985 年，伊克昭盟卫生职工中专与伊克昭盟卫校合并，巴彦淖尔盟卫生干部进修学校与巴彦淖尔盟卫校合并。1985 年，由自治区卫生厅直接主办的，或由自治区卫生厅委托各有关医疗卫生单位举办的职工学习班共计有 51 所，参加学习人数达 2 102 人。①

1983 年 10 月至 1984 年 4 月，根据国家计委、教育部、劳动人事部 1983 年《关于进行全国专门人才现状调查和需求预测的通知》要求，自治区卫生厅组织人力、物力在全区卫生系统自上而下进行了为期半年的全区卫生专门人才现状调查。调查结果显示：当时全区不仅卫生专门人才缺乏，而且卫生技术队伍的学历、职称也极不合理，严重偏低。无学历人员占当时整个队伍的 39.77%，无职称人员占 5.24%，并且还存在着专门人才年龄偏大（平均年龄为 36.71 岁）等问题，中高级专门人才年龄偏高尤为突出，平均年龄 50.21 岁，全区卫生技术人员总体素质亟待提高。

在改革开放的过程中，自治区逐渐加大医学教育改革发展的力度，除自治区卫生干部进修学校和盟市卫生干部进修学校举办各种职工培训班外，卫生职工中专和高、中等医学院校也都开设大专、中专班，各级卫生部门、各医疗卫生单位均举办了各种进修班及长、短期培训班。据 1983—1996 年有关统计资料显示，全区高等医学院校和卫校、职工中专举办了各种类型的职工教育班；各级医疗卫生单位也举办不同形式的培训班。1988 年—1991 年，内蒙古教育厅、卫生厅先后联合批准，在全区成立旗县卫生职业技术学校 17 所（包括 1 所民办蒙医卫生职业技术学校），还有各盟市、旗县卫生局批准举办卫生职业学校多所。在“八五”、“九五”期间，自治区对在职医学教育基地进行了适当的调整，确定专门在职教育机构为医学在职教育主要场所，基本形成了全区在职医学教育体系，逐步在自治区 3 所医学院设了职工大专班，在全区 14 所卫校中有 10 所设了职工中专班；有 12 所中等卫生学校具有中专、成人职工中专招生资格，有 7 所高等院校具有 5 年制高职招生资格，从而使自治区医学职业教育得到较快发展，卫生技术人员总体素质有较大提高。

① 本志编纂委员会编：《内蒙古自治区志・卫生志》，内蒙古科学技术出版社 2007 年版，第 911、912 页。

第二十二章

体　　育

内蒙古，中国体育的一片沃土。

这里有着丰富的民族文化和源远流长的民族传统体育。新中国成立后，内蒙古各族人民在中国共产党和人民政府的领导下，艰苦奋斗，奋发图强，取得了社会主义建设的巨大成就。特别是中共十一届三中全会以来，内蒙古边疆稳定，民族团结，社会进步，体育事业得以迅速发展。丰富多彩的群众体育活动遍布城乡牧区，各民族人民的体质不断增强，内蒙古体育健儿在国际国内重大比赛中创造了优异的成绩，为祖国争了光。

新中国五十年的内蒙古体育事业，尽管历尽沧桑曲折，但在党的体育方针指导下，创造了一个又一个佳绩，内蒙古的体育事业正沿着改革开放的大道开拓前进。

第一节　体育运动事业综述

1949 年 10 月 1 日中华人民共和国成立，内蒙古体育事业迎来了新的曙光。在内蒙古党委和政府的领导下，在党的民族区域自治政策的指引下，内蒙古体育事业经历了五十个春秋，在曲折的道路上不断前进。经过 50 年的努力，内蒙古的体育事业迅速发展，群众体育运动蓬勃开展，民族传统体育活动、广播体操、“劳卫制”等群众性体育活动遍及自治区城乡牧区。学校体育深入开展，扎实推进。竞技体育取得了令人鼓舞的成绩，运动技术水平不断提高，摔跤、柔道、射箭、射击、马术、拳击、体操、中长跑、马拉松、航模、现代五项、铅球、曲棍球等项目中涌现出一批批具有全国先进水平的运动员，各民族体育健儿在国内外赛场上创造了许多优异的成绩，多次登上全国和世界的体育领奖台。

中国共产党十一届三中全会以后，随着经济建设和改革开放的推进，内蒙古体育事业进入了一个新的历史发展时期。在内蒙古党委和政府的领导下，自治区广大体育工作者奋发进取，不懈努力，使内蒙古的体育事业在各方面都取得了显著进步。

内蒙古体育健儿曾多次代表国家参加奥运会、世界锦标赛、亚运会、国际单项体育竞赛等比赛。据初步统计，50 年来，内蒙古运动员 7 人 6 次破超 5 项世界纪录，258 次打破全国纪录，400 多人荣获运动健将称号，其中国际健将 14 人。从第一届到第八届全国运动会，内蒙古运动员共获得奖牌 236 枚，其中金牌 90.5 枚，银牌 75.5 枚，铜牌 70 枚，团体总分始终保持在全国各省区市中上游水平，位居全国少数民族自治区榜首。在世界最高水平比赛中，有 2 人获得 5 个第一名，1 个第二名，2 个第三名，并打破 1 项世界纪录。① 涌现出伊套特格、刘正、张福顺、朱传高、郑招信、张云程、扎拉嘎、冀成文、尤家栋、刘一祥、色登、迎春、敖维驯、崔仁智、高凤莲、刘总贵、单长明、胡刚军、宝玉、呼日嘎、苏亚拉图、查干扎那、李翠玲、高京、岳勇、崔玉林、呼日查、官布尼玛、马丽琴、陶海棠、吕诚、乌日哲、赵连璧、包赛纳、庞立勤、郑青山、刘桂珠、董雅臣、苏和、贾兰英、孙士珠、李翠琴、王桂芳、敖荣、刘宝莲、余海波、巴斯尔、亮月、王润喜、张河等一大批具有国际、国内领先水平的优秀运动员，他们都为发展中国体育事业作出了贡献，为内蒙古赢得了荣誉。

50 年来，特别是中共十一届三中全会以来，内蒙古的体育科研和体育教育工作得到了持续、稳定的发展。1988 年，自治区成立了内蒙古体育科学研究所，使运动训练迈上了科学化的轨道。目前，已有 5 项科研成果通过省部级鉴定，进行了成果登记。科研部门还建立了“运动员数据库”，填补

① 袁伟民、李志坚主编：《中华人民共和国体育史·地方卷》，中国书籍出版社 2002 年版，第 98 页。

了运动训练中的空白。1985 年，内蒙古体育科学学会成立，至 1996 年，学会召开了三届全区代表大会。学会团结全区广大体育科技工作者，经过 50 年的发展，成立了运动训练、全民健身、运动医学、体育教育、民族体育、体育文史等 6 个专业委员会。学会发挥体育科技人才荟萃、学科多样的优势，侧重群众体育和学校体育的研究，在普及体育科技知识，促进体育学术交流等方面做了大量的工作。体育教育工作逐步正规化、规模化，教学水平不断提高。现在内蒙古体育学校盟市分班已发展到 10 个。在队校一体化的基础上，还采取多种形式办学，使全区优秀运动队中 50% 的运动员接受正规化的大中专教育，提高了运动员的文化素质，促进了运动队的全面发展。内蒙古师范大学、内蒙古民族师范学院、包头钢铁学院和各盟市师范专科学校均设有体育系、科。50 年来为自治区培养了大批体育师资人才。

学校体育朝气蓬勃。1992 年，自治区政府颁布实施了《学校体育工作条例实施办法》。截至 1996 年底，全区在校学生中达到《国家体育锻炼标准》的比例为 63.9%，① 学生的体质普遍得到增强。丰富多彩的体育竞赛活动在各级各类学校已形成制度。为了切实加强学校体育这个战略重点，从 1981 年起，在全区各盟市、旗县恢复和建立了一批业余体校，并命名了一批体育传统项目学校。目前，全区三级管理的体育传统项目学校已稳定在 500 所左右。历年来，这些学校为自治区输送了大批优秀运动员，并为提高运动技术水平提供了雄厚的人才资源。

职工体育异常活跃。一些大中型企业成立了体育协会，并将体育工作纳入了企业的目标管理。据 1996 年统计，全自治区职工体育协会已达 1 206 个。经常参加体育锻炼的职工人数已有一百多万人，占职工总数的 41%。1956 年、1984 年和 1996 年，自治区先后举办了三届全区工人运动会，来自全区各条战线的 4 530 多名职工运动员参加了这三届运动会。②

农村牧区体育欣欣向荣。“亿万农牧民健身活动”在全自治区普遍开展。自 1991 年自治区农牧民体育协会成立以来，已成功举办了三届全区农牧民运动会。目前已有 11 个旗县（市）跨入了全国体育先进县的行列。

---

① 韩茂华主编：《翻天覆地五十年（1947—1997）》，内蒙古大学出版社 1997 年版，第 323 页。

② 韩茂华主编：《翻天覆地五十年（1947—1997）》，内蒙古大学出版社 1997 年版，第 323 页。

残疾人体育得到了社会各方面的关怀重视，涌现出一批优秀残疾人运动员。1983 年，内蒙古残疾人体育协会成立，此后，全区各盟市相继成立了残疾人体育协会。在国内外重大残疾人体育比赛中，内蒙古运动员取得了优异的成绩。在 1994 年远东及南太平洋地区残疾人运动会上，内蒙古运动员获得了 13 枚金牌，边建欣为中国夺得运动会首枚金牌，并两破世界纪录。内蒙古残疾人运动员多次代表祖国参加残疾人奥运会等国际体育比赛，共获得 13 枚金牌、10 枚银牌、12 枚铜牌，并打破 19 项残疾人运动世界纪录，涌现出边建欣、罗志强、李瑞芳、曹萍、哈斯劳等一批优秀残疾人运动员，为中国和自治区赢得了荣誉。①

进入 80 年代以来，老年人体育活动得到了有计划地开展。1983 年，成立了自治区老年人体育协会，到 1999 年，各地老年人体育协会发展到 2 950 多个。经常参加体育活动的老年人达 45 万多人，活动项目到 1998 年已经达到 70 多项。② 丰富多彩、生动活泼的体育活动深受老年人喜爱，促进了老年人身心健康。

社区体育蓬勃兴起，全民健身方兴未艾。随着内蒙古经济和社会的发展，人民生活水平的提高，特别是《全民健身计划纲要》颁布实施以来，内蒙古的群众体育进入了一个面向社会、全民参与、蓬勃发展的新时期，带动了城市社区体育的兴起。全区各城市积极发挥社区基层组织的作用，经常组织开展小型多样、丰富多彩的社区体育活动，广大市民积极参与，使全民健身活动在内蒙古蔚然成风。

随着自治区经济、社会的发展，全区体育事业投资逐年增加。1991 年，内蒙古体育基金会成立。1992 年，试办了影响较大的全区首届有奖赛马活动。1995 年，在全区首次发行体育彩票并获得成功。根据 1996 年第 4 次全国体育场地普查，全区各级各类体育场馆已发展到 20 172 个，是建国初期的 272. 6 倍，总面积 6 088 万平方米，人均 2. 65 平方米。其中可容纳万人

① 袁伟民、李志坚主编：《中华人民共和国体育史 · 地方卷》，中国书籍出版社 2002 年版，第 130 页。

② 袁伟民、李志坚主编：《中华人民共和国体育史 · 地方卷》，中国书籍出版社 2002 年版，第 130 页。

以上的大型体育场 18 个，各类体育馆 13 个。内蒙古体育馆可容纳观众 5 000 多人。内蒙古赛马场是中国主要的马术比赛场地。①

改革开放和社会主义市场经济体制的逐步建立，加速了体育社会化的发展，体育法制建设被提上日程。1995 年，《中华人民共和国体育法》颁布实施后，自治区各地区、各行业认真学习、宣传和贯彻执行，取得了很大成绩。同时，内蒙古地区的体育配套立法工作也加快了进程。自治区人大分别于 1988 年、1999 年相继颁布了《内蒙古自治区体育设施管理条例》和《内蒙古自治区体育市场管理条例》。两个《条例》的颁布实施，不仅填补了自治区体育立法的空白，结束了全区体育设施、体育市场管理无法可依的历史，而且推动了自治区体育管理工作步入依法行政、依法治体的新阶段。以上法规的实施，很快使全区的体育场所、竞赛市场变得有序和规范，从而保证了体育事业的正常发展。

回顾历史，在半个世纪的历程中，社会主义制度为体育事业提供了必要的发展条件，也使内蒙古体育事业发生了巨大的变化，贫穷、落后的旧内蒙古体育得到了根本性的改造。体育事业已经成为社会主义建设的重要内容和崭新的事业，广大人民群众成为体育活动的主体。政府对体育事业经费的投入逐年增加，体育场地设施不断完善，保证和改善了全区不同规模的体育比赛和开展体育活动的基础条件。50 年来，内蒙古体育工作坚持普及与提高相结合、全民健身与竞技体育协调发展的方针，增强了人民群众对体育的需求和参与意识，体育运动总体水平和竞技实力持续提高，内蒙古体育健儿在历届全运会上始终保持着中上游的水平。特别是改革开放二十年间，内蒙古体育健儿在国际赛场上，取得了新中国成立以来突出的成绩。

这些成绩的取得反映了中国共产党和人民政府对体育工作的重视和支持，是几代体育工作者的不懈努力，体现出广大人民群众对体育运动的热情支持和积极参与。但是，我们也应该客观地看待内蒙古体育事业发展历程中受国家政治、经济和“左”的思想路线的影响，出现过违背体育发展规律，导致体育运动衰退。如 50 年代末“大跃进”期间急于求成造成的欲速而不达。60 年代初自然灾害和国民经济困难时期体育战线的压缩，特别是在

① 韩茂华主编：《翻天覆地五十年（1947—1997）》，内蒙古大学出版社 1997 年版，第 325 页。

“文化大革命”期间，使内蒙古体育事业受到严重挫折，留给我们的教训是深刻的。

50 年来，内蒙古体育运动事业发展的历史轨迹再一次证明，作为社会主义文化现象的体育，它的发展总是受到一定时期政治、经济以及人们的思想认识程度等因素的制约，这是不以人们意志为转移的体育发展的客观规律。

第二节　竞技体育运动

1947 年 5 月 1 日，伴随着解放战争的隆隆炮声，内蒙古自治区在乌兰浩特宣告成立，结束了几百年来内蒙古被分割统治的局面和民族纷争的历史，从此掀开了内蒙古社会主义建设与发展的新篇章。

一、体育运动管理机构的建立

新中国成立后，随着全国和自治区革命事业和建设事业的发展，内蒙古党委和政府根据自治区民族和地区的特点，开始着手内蒙古“新体育”的建设工作。1951 年 5 月，内蒙古自治区体育协会在乌兰浩特成立，克力更任主任，包彦任副主任，喀萨巴塔尔任秘书长。同年，中华体育总会绥远省分会在归绥（今呼和浩特）成立。此后，全区各盟市体育协会（或体总分会）相继成立。1953 年，全区各盟市、旗县先后成立体育协会（或体总分会）83 个，全区经常参加体育活动的有 11 万多人。①

1953 年初，内蒙古自治区体育运动委员会在乌兰浩特成立，随后，各盟市、旗县相继成立体育运动委员会。同年 6 月，绥远省人民政府设立体育运动委员会。1954 年，内蒙古自治区与绥远省合并，成立内蒙古自治区。自治区于 3 月 6 日重新组建了内蒙古体育运动委员会，内蒙古军区副司令员刘华香兼任内蒙古自治区体育运动委员会主任，喀萨巴塔尔、那钦双和尔、包彦任副主任。

---

① 袁伟民、李志坚主编：《中华人民共和国体育史·地方卷》，中国书籍出版社 2002 年版，第 100 页。

为了推动内蒙古自治区体育事业的广泛开展，从1954年至1958年，自治区共举办短期和业余体育骨干培训班13次，培养了2 282名基层体育骨干、技术指导和教练员，为自治区体育事业培养了一批优秀体育人才。①

1956年底，内蒙古自治区国防体育协会成立。内蒙古军区参谋长、自治区体育运动委员会主任孔飞兼任协会主任，包彦兼任协会副主任，孙殿忠任协会副主任兼办公室主任。国防体育协会下设摩托车、滑翔、马术、射击项目运动队。1961年1月，国防体育协会撤销，改设国防体育俱乐部和航空俱乐部，成为内蒙古体育运动委员会下属单位。

二、竞技体育运动队的建立与发展

1956年，经自治区人民政府批准，内蒙古自治区体委组建了摔跤、射箭、田径、男女篮球、举重和马术七个竞技体育运动队。此后又先后建立了滑雪、射击、足球、摩托车、速度滑冰、冰球、国际式摔跤、男女排球、滑翔、乒乓球、无线电、航空模型等12支专业运动队。1960年至1962年经济困难时期，自治区体委撤销部分专业运动队，内蒙古竞技体育陷入低潮。1962年底，自治区竞技体育运动队逐步恢复专业训练，到1965年第二届全国运动会前，内蒙古竞技体育运动呈现出一片繁荣发展的局面。

三、举办和参加各级体育竞赛

举办全区第一届人民体育运动大会　1953年8月15日，内蒙古自治区第一届人民体育运动大会在乌兰浩特市人民体育场隆重举行。大会筹备委员会主任委员、中共内蒙古东部区党委书记王铎致开幕词。参加本届运动会的运动员有工人、农民、牧民以及干部、军人、青壮年喇嘛等。观众达15 000余人。经过紧张激烈的比赛，于8月22日胜利闭幕。自治区人民政府文教部副部长特古斯致闭幕词。比赛结果，男子甲组第一名是乌兰浩特市代表队，第二名是呼纳盟联合队；男子乙组第一名是蒙绥军区代表队，第二名是呼纳盟联合队；女子甲组第一名是乌兰浩特市代表队，第二名是昭乌达盟代

① 袁伟民、李志坚主编：《中华人民共和国体育史·地方卷》，中国书籍出版社2002年版，第100页。

表队；女子乙组第一名是乌兰浩特市代表队，第二名是呼纳盟联合队。民族传统体育运动项目第一名是昭乌达盟代表队，第二名是锡林郭勒盟代表队。

参加全国田径运动大会 1953 年 10 月，全国田径、体操、自行车运动大会在北京市举行。内蒙古派出代表队参加了这次运动会。自治区蒙古族运动员伊套特格获得男子 5 000 米第一名；满族女选手刘正获得 80 米栏冠军；朝鲜族运动员张福顺以 2 分 33 秒 04 的成绩打破女子 800 米全国纪录。①

举办全区第一届运动会 为了检阅内蒙古自治区成立十二年来体育事业取得的成就，选拔优秀运动员参加第一届全国运动会和推动内蒙古体育运动的进一步发展。自治区人民政府于 1959 年 5 月 23 日至 29 日在呼和浩特市举行全区第一届运动会。来自全区各盟市和内蒙古军区、呼和浩特铁路局等 11 个代表团的 1 100 名各民族运动员，参加了田径、举重、中国式摔跤、中国象棋、国际象棋、射击、赛马、马球、障碍赛马、摩托车、无线电等 11 个项目的比赛。

5 月 23 日，内蒙古自治区第一届运动会在呼和浩特市人民体育场举行开幕式。自治区党委第一书记、自治区主席乌兰夫，自治区党委书记杨植霖、王铎，自治区副主席哈丰阿、王逸伦、孙兰峰、达理扎雅等领导出席了开幕式。自治区副主席哈丰阿致开幕词。

第一届全区运动会上有 57 人破 44 项自治区纪录。赛马、障碍赛马创造了全国优秀成绩，同时涌现出一批摔跤新秀。本届运动会有 289 人达到等级运动员，其中 2 人达到国家运动健将，3 人达到国家一级运动员，62 人达到国家二级运动员，222 人达到国家三级运动员。② 经过 7 天的激烈比赛，5 月 29 日，在呼和浩特市人民体育场举行了闭幕式，自治区党政领导乌兰夫、奎璧、哈丰阿、孙兰峰等同志出席了闭幕式。自治区副主席孙兰峰致闭幕词。乌兰夫、哈丰啊、孙兰峰为比赛前三名选手颁发了奖品。

参加第一届全国运动会 1959 年 9 月 13 日至 10 月 3 日，在北京市举办了中华人民共和国第一届运动会。武汉、青岛和呼和浩特作为大会决赛分赛

① 袁伟民、李志坚主编：《中华人民共和国体育史·地方卷》，中国书籍出版社 2002 年版，第 107 页。

② 内蒙古体育运动委员会文史办主办：《内蒙古体育史料》1992 年第 1 期，第 19 页。

场，从8月23日开始分别进行了航海模型、赛艇和赛马、马术运动的比赛。第一届全国运动会共进行了42个项目的竞赛和表演。

内蒙古自治区组团参加了本届运动会。内蒙古代表团团长王铎，副团长孙兰峰、特古斯、那钦双和尔、孙殿忠（兼秘书长）、苗时雨（兼总教练）。代表团由蒙、汉、回、满、达斡尔、鄂伦春等民族的379名运动员、教练员和工作人员组成。内蒙古体育健儿参加了田径、中国式摔跤、自由式摔跤、古典式摔跤、射箭、举重、摩托车、自行车、网球、体操、技巧等16个比赛项目和7个表演项目。经过紧张激烈的比赛，内蒙古运动员夺得金牌18枚、银牌13枚、铜牌6枚，金牌总数名列全国第6名，团体总分名列全国第7名，为内蒙古自治区赢得了荣誉。①

举办全区第二届运动会　1965年5月2日至15日，在呼和浩特市举办了全区第二届运动会。来自全区各盟市的9个代表团8个少数民族的995名运动员参加了中国式摔跤、田径、射击、足球、篮球、乒乓球、网球7个项目和马术、射箭、摩托车3个项目的比赛和表演。全区第二届运动会于5月2日在呼和浩特市人民体育场举行了隆重的开幕式。自治区党委书记处书记王铎、高锦明，自治区副主席孙兰峰、李质，内蒙古军区副司令员兼自治区体委主任孔飞等领导出席了开幕式。自治区党委书记处书记、本届运动会组委会主任高锦明致开幕词。

本届运动会上，扎拉嘎、张桂芝、乌日哲以6 181环成绩打破6 129环射箭女子双轮团体全国纪录；南斯拉玛以5. 10米打破4. 60米乘马超越宽障碍全国纪录；42人5队刷新30项自治区纪录②。

5月15日上午，全区第二届运动会在呼和浩特市人民体育场落下帷幕。自治区党政领导乌兰夫、王铎、权星垣、高锦明、毕力格巴图尔、孙兰峰出席了闭幕式。自治区副主席孙兰峰致闭幕词。

参加第二届全国运动会　中华人民共和国第二届运动会于1965年9月11日至28日在北京市举行。内蒙古自治区代表团由团长高锦明，副团长孙兰峰、潮洛濛、赵俞廷、喀萨巴塔尔、谷献瑞和250名运动员组成。内蒙古

① 内蒙古体育运动委员会文史办主办：《内蒙古体育史料》1992年第1期，第3页。
② 内蒙古体育运动委员会文史办主办：《内蒙古体育史料》1992年第1期，第21页。

代表团参加了摔跤、射箭、田径、体操、射击、摩托车、篮球、航模、无线电、足球、网球、乒乓球等12个项目的比赛。共获得金牌6枚、银牌8枚、铜牌16枚和第四名6名、第五名16名、第六名10名；金牌总数名列全国第13名；有1人1队打破3项全国纪录。①

组织参加其他体育比赛 （1）1957年7月，蒙古人民共和国男子足球队和男子排球队来到内蒙古自治区访问，与呼和浩特市男子足球队、男子排球队进行了友谊比赛。这是内蒙古自治区成立十周年以后第一个来访比赛的国外体育代表团。（2）1958年2月5日至11日，全国冰球锦标赛在吉林市举行，呼和浩特市冰球队获得乙级队比赛第一名。这是内蒙古参加全国比赛获得的第一个集体项目冠军。（3）1958年8月，内蒙古男子篮球队出访原苏联赤塔州参加中苏边境联欢会，并与苏联贝加尔湖军队代表队进行了友谊比赛。这是内蒙古首次派队出国访问。（4）1958年11月，全国马拉松比赛在北京市举行。内蒙古运动员郑昭信、张云程分别以2小时21分29秒和2小时21分43秒的成绩分别获得冠、亚军。他们两人的成绩均超过第十六届奥运会马拉松最好成绩。②（5）1960年6月，在苏联乌兹别克举行的中苏举重对抗赛中，内蒙古运动员尤家栋获得次轻量级冠军。（6）1963年11月，内蒙古蒙古族运动员赵连璧在雅加达举行的第一届新兴力量运动会上，以510环的成绩获得男子50米射箭亚军（团体）；蒙古族运动员乌日哲获得女子70米射箭双轮亚军，个人全能第六名。③（7）1966年1月，在哈尔滨市举行的中日速度滑冰友谊赛中，内蒙古蒙古族运动员迎春获得女子全能比赛第一名，并分别获得4个单项比赛冠、亚军。

四、竞技体育的重大挫折

正当内蒙古体育界经历了“大跃进”的虚夸风和三年国家经济暂时困难时的休整，体育事业重新启动，准备大干快上的时候，1966年，爆发了

① 内蒙古体育运动委员会文史办主办：《内蒙古体育史料》1992年第1期，第5页。

② 袁伟民、李志坚主编：《中华人民共和国体育史·地方卷》，中国书籍出版社2002年版，第108页。

③ 袁伟民、李志坚主编：《中华人民共和国体育史·地方卷》，中国书籍出版社2002年版，第108页。

“无产阶级文化大革命”。这场运动发起速度之快，来势之猛，是人们始料不及的。

“文革”前17年，内蒙古的体育工作被说成是漆黑一团，发展竞技体育被称之为违背了为工农兵服务的大方向。从此，自治区体委各级领导被“打倒”，隔离审查。广大体育干部、教练员和运动员被迫参加“学习班”，揭批“乌兰夫反党集团”。1968年8月，一场骇人听闻的揭批“新内人党”运动在自治区揭开序幕。内蒙古体育运动委员会的许多干部和优秀蒙古族运动员受到挂黑牌、“车轮批斗”和酷刑毒打等非人的折磨。各级体委领导干部纷纷被“打倒”管制，运动队被撤销，广大体育干部、教练员、运动员被迫纷纷下放到工厂、农村和牧区。体育设施大量荒废或被侵占毁坏，内蒙古体育事业遭受了毁灭性破坏。

五、竞技体育的复苏

在“文化大革命”中，内蒙古广大运动员、教练员被迫告别自己热爱的体育事业。在派性斗争中一批有才华的青少年运动员白白耗费了宝贵的运动青春。1970年后，政治局势出现转机，自治区竞技体育运动在挫折中复苏。1970年下半年，内蒙古体委军管会在全区选拔了田径、篮球、足球、排球、乒乓球、体操、摔跤、射击等8个项目近千名青少年参加了集训和选拔比赛，重新组建了自治区体工队和军事体育学校，中断5年之久的竞技体育部分项目开始恢复训练。1971年9月，内蒙古自治区革委会、内蒙古军区联合召开了“文化大革命”以来全区首次体育工作会议，为刚刚复苏的自治区竞技体育带来了新的转机。

专业运动队的重新组建和训练的恢复，带动了自治区业余训练的恢复与发展。1970年后，随着全区各级各类学校复课，呼和浩特市、包头市等地9所盟市级重点业余体校先后恢复教学和训练。1972年，全国体育训练工作会议以后，自治区业余体育训练工作有了较快发展。1974年，全区7个盟市28个旗县区先后恢复和新建各级各类业余体校42所，专职教练员286人，在校学生达7 800人。1975年后，全区各级各类业余体校按照国家“三级训练网”的要求和自治区专业项目的设置需要，建立起比较科学、完整的训练体系。由于广大体育工作者和教练员认真努力的工作，为中国为内蒙古培养出了崔玉林、吕诚、李翠玲、庞立勤、包赛纳、高京等一批优秀体育竞技人才，他（她）们在国内外比赛中取得了不少优异的成绩，为内蒙古赢得了荣誉。

1971 年以后，体育竞赛活动在自治区逐渐恢复和增多，内蒙古多次组团参加了全国各种体育竞赛活动。1972 年，自治区组织代表团参加了在北京市举行的全国五项球类运动会。虽然成绩不太理想，但是通过此次比赛对内蒙古竞技体育管理体系的完善和健全，促进竞技体育运动水平的提高产生了积极的影响。

举办全区第三届运动会 1974 年 8 月 11 日至 20 日，第三届内蒙古自治区运动会在呼和浩特市举行。来自呼和浩特市、包头市、锡林郭勒盟、乌兰察布盟、巴彦淖尔盟、伊克昭盟以及内蒙古生产建设兵团、呼和浩特铁路局等 8 个代表团的 1 316 名运动员参加了篮球、排球、足球、乒乓球、田径、体操、射击、武术、摔跤等 9 个竞赛项目和网球、举重、射箭、航空模型、马术等 5 个表演项目的比赛和表演。通过比赛，有 3 人 4 次打破 4 项全国纪录，55 人 1 队 79 次打破 34 项自治区纪录。① 同时，为自治区参加第三届全国运动会选拔了运动人才。

参加全国第三届运动会 1975 年 9 月 12 日至 28 日，中华人民共和国第三届运动会在北京市举行。内蒙古自治区体育代表团由团长王铎，副团长宝音达赖、赵俞廷、龙干和 317 名蒙、汉、满、回、朝鲜、达斡尔、鄂伦春等民族的运动员组成，参加了篮球、排球、足球、乒乓球、羽毛球、网球、田径、体操、游泳、中国式摔跤、举重、武术、射箭、射击、速度滑冰、冰球、棋类等 17 个项目（包括预赛项目）的比赛。其中，直接进京参赛的有 11 个项目，169 名运动员。马术队和航空模型小组共 70 多人在全运会上参加民族传统体育和军事体育项目的表演。内蒙古代表团运动员中少数民族占 37%，女运动员占 40%，青少年运动员占 83% 以上，年龄最小的仅有 11 岁。在本届运动会上，内蒙古运动员共获得金牌 11 枚、银牌 4 枚、铜牌 6 枚，金牌总数位列全国第 11 名。②

---

① 内蒙古体育运动委员会文史办主办：《内蒙古体育史料》1992 年第 2 期，第 23 页。

② 内蒙古体育运动委员会文史办主办：《内蒙古体育史料》1992 年第 2 期，第 6 页。

六、竞技体育的迅速发展

1976年，粉碎“四人帮”以后，特别是中共十一届三中全会以来，内蒙古体育事业迎来了新的曙光，竞技体育运动呈现出一派繁荣发展的局面，硕果累累。

1977年至1978年两年的时间中，内蒙古运动员的运动成绩和竞技水平很快走出低潮，取得了较好的成绩：3人2次破2项世界纪录；7人1队9次破6项平1项全国纪录；51人4队145次破50项创1项平3项自治区纪录。有28人达到国家运动健将。与此同时，内蒙古有8个项目的25名优秀运动员、教练员代表中国先后到美国、日本、墨西哥、朝鲜、法国、南斯拉夫、埃及等国参加国际比赛，为中国和内蒙古赢得了荣誉。①

1980年至1985年，内蒙古19个项目运动队的500多名运动员中，有405人获得国家等级运动员称号，其中54人达到运动健将。自治区共有1 520人次获得国家等级裁判员称号，29 086人次参加了各级体委举办的各种体育业务培训班。全区举办旗县以上级运动会3 835次，参加比赛的运动员近100万人次②。

从1980年开始，内蒙古体委对优秀运动队、业余体校和学校运动队三级训练网进行了调整，建立健全了自治区重点项目城镇训练点和各盟市传统项目业余训练基地，完善了后备人才的培养体系。到1985年底，全区有传统项目学校359所，60 000多名学生参加了12个项目的业余训练；各级各类体育学校26所，在校就读学生达5 300人。③ 同时，内蒙古体委在教育部门的支持下，从1980年起每年举办各级各类中、小学田径运动会以及全区青少年田径运动会、全区传统体育项目学校单项体育竞赛活动，并且选拔青少年优秀运动员参加全国青少年运动会和青少年体育单项竞赛活动，为自治

---

① 袁伟民、李志坚主编：《中华人民共和国体育史·地方卷》，中国书籍出版社2002年版，第117页。

② 袁伟民、李志坚主编：《中华人民共和国体育史·地方卷》，中国书籍出版社2002年版，第117页。

③ 袁伟民、李志坚主编：《中华人民共和国体育史·地方卷》，中国书籍出版社2002年版，第117页。

区竞技体育运动的持续发展和提高，奠定了坚实的基础。

中共十一届三中全会以后，内蒙古竞技体育运动取得了鼓舞人心的成绩。在此期间，内蒙古体育健儿在全国体育竞赛中共获得金牌282枚、银牌236枚、铜牌245枚，其中仅摔跤一项共获得金牌146枚，占全部金牌总数的53%。著名蒙古族摔跤运动员查干扎那从1983年起，在全国最高水平的比赛中连续夺得11次全国冠军，名震跤坛。自治区优秀运动员敖维训、崔仁智和朱传高3人2次以2 854.77米和139.80公里/时的成绩打破（F-3-C36号）无线电遥控模型直升飞机直行距离、（F3A-V-53）项目世界纪录；18人20次打破18项全国纪录。同时，内蒙古体育健儿在参加国际比赛中，共获得金牌13枚、银牌8枚、铜牌6枚，其中射击运动员庞立勤和体操运动员李翠玲在第八届、第九届亚运会上，为中国夺得4枚金牌。李翠玲在1980年被评为“全国十佳运动员”。在第二十三届奥运会上，自治区4名摔跤运动员代表中国出征，蒙古族运动员呼日查、官布尼玛分别获得古典式摔跤52公斤级第四名和自由式摔跤57公斤级第七名，他们在奥运会史上首次写上内蒙古运动员的名字，为新中国摔跤运动的发展作出了贡献。① 此外，内蒙古还多次接待了来自欧洲、亚洲、美洲来访的曲棍球、马术、马球、摔跤、射箭等体育团队，通过友谊比赛，加强了国际体育交流，促进了内蒙古竞技体育运动水平的提高。

举办全区第四届运动会　内蒙古自治区第四届运动会于1978年6月30日在集宁市开幕，7月19日在呼和浩特内蒙古体育馆胜利闭幕。全区第四届运动会是粉碎“四人帮”以后，自治区举办的第一次综合性运动会。本届运动会分别在呼和浩特市、包头市、乌海市、锡林浩特市、临河市、集宁市、杭锦后旗、中后联合旗等8个赛区同时举行。运动会竞赛项目有田径、体操、游泳、射击、冰球、速度滑冰、排球、篮球、乒乓球、足球、武术、摔跤等12个项目。来自全区各盟市和呼和浩特铁路局的8个代表团的1 617名各民族运动员参加了本届运动会。田径比赛有33人次打破19项自治区纪录；游泳比赛有30人次打破21项自治区纪录；射击比赛有3人4次打破3

① 袁伟民、李志坚主编：《中华人民共和国体育史·地方卷》，中国书籍出版社2002年版，第118页。

项自治区纪录。①

参加第四届全国运动会　1979 年 9 月 15 日至 30 日，在北京市举行了第四届全国运动会。内蒙古自治区组成以孔飞为团长，特古斯、陈觉生、奇文祥为副团长的 187 人的代表团参加了本届运动会。自治区 128 名各民族运动员参加了田径、射箭、摔跤、射击、体操、举重、武术、游泳等 19 个项目的比赛。2 人 1 次打破 1 项世界纪录，3 人 3 次平 2 项、打破 2 项世界纪录和全国纪录。获得金牌 14 枚、银牌 11 枚、铜牌 12 枚，金牌总数位居全国第 14 名。②

举办全区第五届运动会　内蒙古自治区第五届运动会于 1982 年 7 月 1 日在赤峰市隆重开幕，本届全区运动会从 7 月 1 日开赛至 8 月 8 日结束，在赤峰市、包头市、锡林浩特市、呼和浩特市进行了足球、乒乓球、篮球、举重、速度赛马、中国式摔跤、棋类、田径、射击、排球、摩托车等 11 个项目的比赛和射箭（表演比赛）、体操、武术、航空模型等 4 个项目的表演。冬季竞赛项目速度滑冰、冰球另于 1983 年 1 月在海拉尔市进行。来自全区各盟市和呼和浩特铁路局的 13 个代表团的 2 100 名各民族运动员参加了比赛。本届运动会，有 9 人 12 次打破 8 项全国纪录，67 人 29 队 155 次刷新 71 项自治区纪录。③

参加第五届全国运动会　第五届全国运动会设冬季、夏季竞赛项目运动会，分别于 1983 年 3 月、9 月在哈尔滨市和上海市举行。内蒙古组成以自治区副主席赵志宏为团长，奇文祥、王进江为副团长的代表团，参加了第五届全国运动会。自治区 188 名各民族运动员参加了速度滑冰、冰球、越野滑雪、足球、篮球、排球、乒乓球、田径、体操、射击、射箭、摔跤、柔道等 13 个项目的比赛。共获得金牌 8 枚、银牌 7 枚、铜牌 7 枚，金牌总数位居全国第 15 名。④

举办第六届全区运动会　内蒙古自治区第六届运动会于 1986 年 2 月在

---

① 内蒙古体育运动委员会文史办主办：《内蒙古体育史料》1992 年第 2 期，第 4 页。

② 内蒙古体育运动委员会文史办主办：《内蒙古体育史料》1992 年第 1 期，第 11 页。

③ 内蒙古体育运动委员会文史办主办：《内蒙古体育史料》1992 年第 2 期，第 13 页。

④ 袁伟民、李志坚主编：《中华人民共和国体育史 · 地方卷》，中国书籍出版社 2002 年版，第 118 页。

海拉尔市结束了冬季项目的比赛，夏季项目的比赛于1986年7月18日至8月25日分别在通辽市、集宁市和包头市三个赛区举行。来自全区各盟市和呼和浩特铁路局、内蒙古公安局、牙克石林业管理局等15个代表团的2 774名各民族运动员参加了本届运动会。有14人42次打破11项自治区纪录，13人17队86次打破29项自治区少年纪录。①

参加第六届全国运动会 第六届全国运动会分设冬季项目、夏季项目运动会，于1987年3月、11月在吉林市和广州市举行。内蒙古组成以自治区副主席赵志宏为团长、达喜道尔吉为副团长的代表团，参加了第六届全国运动会（冬季项目）。60名冰雪运动员参加了滑冰、越野滑雪、冰球3个项目的竞赛。第六届全国运动会（夏季项目），内蒙古组成以自治区政府主席布赫为团长，赵志宏、贺希格图、王进江为副团长的代表团，参加了17个项目的比赛。300名各民族运动员在17个项目的竞赛中，获得金牌14枚、银牌10枚、铜牌4枚，金牌总数位居全国第8名。②

举办第七届全区运动会 内蒙古自治区第七届运动会于1991年1月至9月在呼和浩特市举行。来自全区各盟市和各行业体协、厂矿、企业的2 391名各民族运动员参加了17个竞赛项目的比赛。本届运动会竞赛项目分项分时进行，速度滑冰项目先期于1月22日开始，其他项目赛事从5月至9月在呼和浩特市陆续进行预决赛。本届运动会有4人5次打破4项全国纪录；29人（队）67次刷新25项自治区纪录；240人（队）285次改写了75项全区少年纪录。③

参加第七届全国运动会 中华人民共和国第七届全国运动会于1993年8月和9月分别在成都市和北京市举行。以自治区副主席赵志宏为团长，刘世忠、贺希格图、朱传高为副团长的内蒙古代表团参加了本届运动会。自治区186名各民族运动员参加了18个项目的比赛，共获得金牌10枚、银牌13.5枚、铜牌11枚，金牌总数位居全国第15名。④

---

① 内蒙古体育运动委员会文史办主办：《内蒙古体育史料》1992年第2期，第27页。

② 内蒙古体育运动委员会文史办主办：《内蒙古体育史料》1992年第1期，第15页。

③ 内蒙古体育运动委员会文史办主办：《内蒙古体育史料》1992年第2期，第41页。

④ 袁伟民、李志坚主编：《中华人民共和国体育史·地方卷》，中国书籍出版社2002年版，第125页。

举办第八届全区运动会 内蒙古自治区第八届运动会于1994年1月在乌兰浩特市结束了冬季项目的比赛。夏季项目的比赛于1994年7月21日至24日在呼和浩特市举行。来自全区各盟市和各行业体协、厂矿、企业的各民族运动员参加了16个竞赛项目的比赛。呼伦贝尔盟、呼和浩特市和兴安盟代表团获得冬季项目团体总分前三名。呼和浩特市、包头市和赤峰市代表团获得夏季项目金牌总数前三名。

参加第八届全国运动会 1997年10月12日至24日，第八届全国运动会在上海市举行。以自治区副主席宝音德力格尔为团长，于再清、周廷芳、贺希格图、潘守刚为副团长的内蒙古代表团参加了本届运动会。自治区149名运动员参加了12个项目的比赛，共获得金牌9.5枚、银牌9枚、铜牌9枚，金牌总数位居全国第14名。①

进入90年代以后，十年间，全区共举办国际比赛12项次，承办全国比赛46项次，举办全区比赛239项次。共有1人1次超1项亚洲纪录；5人6次打破4项全国纪录；213人2队401次打破195项全区纪录；327人10队522次打破129项全区青少年纪录，② 涌现出一大批优秀体育运动后备人才，推动了自治区竞技体育运动水平的稳步提高。

1985年至1999年期间，内蒙古各民族体育健儿在参加国际体育竞赛中共获得金牌72枚、银牌59枚、铜牌54枚，其中37人代表中国参加了第十届至第十三届亚运会，共获得8枚金牌、8枚银牌和4枚铜牌的优异成绩。射击运动员王润喜在第十届和第十一届亚运会上一人独得5枚金牌、2枚银牌和2枚铜牌（包括团体）；摔跤运动员宝玉、呼日嘎分别在第十一届亚运会上获得100公斤级和130公斤级古典式摔跤冠军，结束了我国摔跤运动在亚运会上无金牌的历史。射击运动员岳勇在1993年汉城射击世界杯比赛中，以666.5环的成绩打破了手枪慢射世界纪录并获得金牌，成为自治区第一位射击世界冠军；柔道运动员高凤莲在国际重大比赛中获得金牌16枚、银牌

---

① 袁伟民、李志坚主编：《中华人民共和国体育史·地方卷》，中国书籍出版社2002年版，第125页。

② 袁伟民、李志坚主编：《中华人民共和国体育史·地方卷》，中国书籍出版社2002年版，第124页。

3 枚、铜牌 3 枚，在第四届、第五届和第六届世界女子柔道锦标赛中，3 次获得 72 公斤级以上冠军，成为新中国体育运动史上第一位获得世界女子柔道比赛“三连冠”的巾帼英雄，这一成绩的取得，是内蒙古自治区体育运动史上的重大突破，为中国人民争了光，为内蒙古赢得了极大的荣誉。高凤莲被评为 1986 年和 1988 年“全国十佳运动员”。同时，内蒙古有 8 名运动员代表中国参加了第二十四届至第二十七届奥运会，并获得 2 枚银牌，为中国体育事业的发展作出了贡献。在此期间，自治区各民族体育健儿在全国重大比赛中，共获得金牌 503 枚、银牌 538 枚、铜牌 542 枚。2 人破 1 项、超 1 项世界纪录；3 人破 3 项、超 2 项亚洲纪录；13 人 20 次破 12 项、平 2 项全国纪录。86 人获得运动健将称号，12 人获得国际运动健将称号。①

50 年来，内蒙古竞技体育运动取得了巨大的成就，为新中国体育事业做出了贡献，为内蒙古赢得了荣誉。目前，自治区优秀运动队共设置 16 个运动项目，运动员编制 700 人。在长期的运动训练实践中，运动员、教练员不断总结经验，结合内蒙古的地区特点，逐渐形成了以摔跤、柔道、拳击、马术、射箭、曲棍球、中长跑、马拉松等为重点的传统优势项目，涌现出一批批优秀运动员，不断创造出优异的成绩。

摔跤运动是内蒙古具有民族传统和广泛群众基础的体育项目。内蒙古摔跤队这支以蒙古族为主体的运动队伍，自 1956 年建队以来，长盛不衰，一直在国内跤坛上保持着比较明显的优势，多次在全国最高水平的比赛中获得团体总分第一名，是自治区获得冠军和运动健将最多的优秀队伍，涌现出呼日查、宝玉、呼日嘎、官布尼玛、大革命、苏亚拉图、敖德格、高京、巴图孟克、查干扎那、敖特根毕力格、官其格、扎木苏、官布、德钦、官其格扎布、巴图、仁钦等优秀运动员，他们都为发展新中国摔跤运动作出了贡献，为内蒙古赢得了荣誉。

为了发展民族传统体育运动，早在 1952 年，内蒙古就成立了马术队。在 1959 年第一届全国运动会上，内蒙古马术队夺得了 4 项团体冠军，共获得 12 枚金牌，是当时内蒙古各运动队中获得金牌最多的队，虽然中途一度

① 袁伟民、李志坚主编：《中华人民共和国体育史·地方卷》，中国书籍出版社 2002 年版，第 126 页。

“下马”，但是，自从1983年恢复马术比赛以来，成绩提高很快。在1985年和1986年的全国锦标赛上，共获得12枚金牌（包括单项）。① 几十年来，内蒙古马术队共获得国内马术比赛近百次冠军。内蒙古马术运动员张河代表中国参加了1997年第一届亚洲马术锦标赛，并获得冠军，他是第一位获得洲际比赛冠军的中国马术运动员。

内蒙古射箭队成立于1958年。自建队以来，曾有十几人获得全国冠军。1964年9月，内蒙古射箭队蒙古族运动员扎拉嘎在全国19个单位“武术暨射箭锦标赛”上，以1 095环的优异成绩获得女子单轮全能第一名。之后，她连续获得20多次国际、国内重大射箭比赛的冠军。25次刷新了12项全国纪录，为新中国射箭运动的发展作出了积极的贡献。1976年6月，她与辽宁队的宋淑贤、上海队的王文娟组队，在北京射箭测验赛中，以3 706环的成绩打破了由苏联队保持的射箭女子单轮团体3 670环的世界纪录。② 蒙古族运动员赵连壁、乌日哲曾在第一届新兴力量运动会上取得了好成绩。他们都为新中国射箭运动的发展作出了贡献。

内蒙古射击队成立于1958年。建队42年来为自治区培养了多名优秀运动员。蒙古族射击运动员包赛纳自1965年至1982年，在近18年的国内外重大比赛中，他19次获得标准手枪、大口径手枪和手枪慢加速射冠军。1974年，他随中国体育代表首次参加伊朗德黑兰第七届亚洲运动会，他和队友以2 316环的成绩获得射击比赛大口径手枪慢加速射团体冠军。1975年10月27日，在北京“中罗友谊射击赛”小口径手枪慢加速射项目的比赛中，内蒙古射击女运动员赵桂英打出了589环的好成绩获得冠军，并打破了由苏联运动员保持的587环的世界纪录。③ 1978年，在泰国曼谷第八届亚洲运动会上，内蒙古射击女选手庞立勤以383环的成绩获得女子气步枪个人和团体冠军，个人赛成绩平亚洲射击纪录。1993年4月，在韩国汉城举行的世界杯射击赛中，男选手岳勇以666.5环的优异成绩夺得手枪慢射金牌，并

① 内蒙古马术队编：《内蒙古马术队2002年工作总结》；郝维民主编《内蒙古自治区史》，内蒙古大学出版社1991年版，第489页。

② 内蒙古体育运动委员会文史办主办：《内蒙古体育史料》1994年第1期，第23页。

③ 韩茂华主编：《翻天覆地五十年（1947—1997）》，内蒙古大学出版社1997年版，第324页。

打破此项世界纪录，岳勇是内蒙古第一位在世界最高水平比赛中打破世界纪录的运动员。①

内蒙古男子柔道队成立于1980年。自建队以来，共获得全国比赛金牌43枚，260人次获得前八名，122人次代表中国或内蒙古出国参加国际比赛，2人代表中国参加奥运会，8次获得全国比赛团体冠军，先后向国家柔道集训队输送了33名运动员。在第八届全国运动会上，男子柔道队夺得3枚金牌，为自治区赢得了荣誉。②

中长跑、马拉松运动是内蒙古传统优势项目，多年来一直在国内比赛中保持一定的优势。蒙古族运动员伊套特格是新中国第一代田径项目成绩卓著的运动员，也是我国第一位在重大国际比赛中获得名次的田径运动员。50年代，他多次获得1 500米、3 000米、5 000米全国冠军，并打破全国纪录。1958年，内蒙古运动员郑招信、张云程在全国马拉松锦标赛上分别获得冠、亚军。此后，第一届、第二届、第五届全国运动会马拉松冠军分别由内蒙古运动员张云程、刘一祥、单长明获得。60年代中期，内蒙古运动员冀成文在第二届全国运动会上夺得了5 000米和3 000米障碍赛的两项冠军，并打破了这两个项目的全国纪录。1979年，在第四届全国运动会上，内蒙古运动员崔玉林夺得10 000米比赛的金牌。马拉松运动员胡刚军在1993年北京国际马拉松比赛中，创造了全国马拉松最好成绩，并成为第一位在本赛事上获得冠军的中国人。还有获得全国马拉松比赛冠军的女选手马丽琴，首次在女子1 500米赛跑中突破4分20秒大关的陶海棠以及夺得亚洲女子铅球冠军的吕诚。③ 他们都为发展中国竞技体育运动作出了贡献，为内蒙古赢得了荣誉。

内蒙古男、女曲棍球队是中国曲棍球运动的两支劲旅。这两支队伍在第六届和第七届全国运动会上都获得了冠军。在后来的全国比赛中也保持着强劲的实力，多次获得全国冠军。男、女曲棍球队有许多运动员经常入选国家

---

① 韩茂华主编：《翻天覆地五十年（1947—1997）》，内蒙古大学出版社1997年版，第324页。

② 参见《内蒙古男子柔道队2000年工作工结》。

③ 韩茂华主编：《翻天覆地五十年（1947—1997）》，内蒙古大学出版社1997年版，第324页；内蒙古体育运动委员会文史办主办：《内蒙古体育史料》1994年第1期，第29页。

集训队，代表中国驰骋在世界赛场上。

第三节　民族传统体育运动

内蒙古民族体育运动，历史悠久、源远流长。蒙古族自古以来就是个能骑善射的民族，早在13世纪以精于骑射闻名于世。元代统治者曾规定射箭、骑马、摔跤为蒙古族男子的必备技能，称为“男儿三艺”。元代以后，由于统治阶级的歧视和压迫，蒙古族自古相传的民族体育受到了冷落，但是仍然保持在那达慕大会上进行赛马、射箭、摔跤的传统比赛。国民党统治时期，国内连年战乱，各民族人民流离失所，加之国民党反动派“大汉族主义”对蒙古民族的敌视和欺凌，致使历史悠久的那达慕活动消沉中断，使民族传统体育运动的发展受到了限制。

一、民族传统体育运动的复苏与发展

1947年5月，内蒙古自治区成立后，内蒙古党委和政府把发展民族体育运动作为“贯彻民族政策，增强民族团结”的一项重要工作，极为重视。在党的民族政策的指引下，内蒙古民族传统体育运动如雨后春笋茁壮地成长。

1948年，自治区政府划拨专款，重新举办了停办多年的呼伦贝尔盟甘珠尔庙那达慕大会。甘珠尔庙那达慕大会，已有200多年的历史，由于国内战乱，停办多年。为了庆祝内蒙古自治区成立一周年，1948年9月27日至10月2日，在甘珠尔庙举办了那达慕大会，这是内蒙古自治区成立后的首次民族体育盛会，意义深远。呼伦贝尔盟中国共产党工作委员会代表吉雅泰莅临大会并讲了话。大会进行了摔跤、赛马、射箭和棋类等民族传统体育项目的比赛，参加人数达900余人。

1950年至1963年，全区举办规模较大的民族传统体育大会16次，有54 000多名各民族群众参加了摔跤、赛马、射箭等项目的比赛，观众人数达20多万人。

1953年11月8日至12日，国家体委首次在天津市召开了“全国民族形式体育表演暨竞赛大会”（1984年，国家体委、国家民委将此次大会认定

为第一届全国少数民族传统体育运动会）。此次大会是一次全国各民族传统体育运动的大会师、大检阅，开中国少数民族传统体育运动会之先河。以喀萨巴塔尔为领队，胡果吉夫、白岐山为副领队的内蒙古代表队一行 100 人，参加了博克（蒙古式摔跤）、马术、布鲁、马球、障碍马术、乘马斩劈等 6 项表演和摔跤、步射 2 项比赛。内蒙古代表队是本次大会最庞大的一支队伍，也是唯一的一支以省区为单位的代表队。牧民摔跤手僧格、色登力克群雄分别获得中国式摔跤重量级和次重量级第一名；布和敖其尔、李成夺得步射冠、亚军。

为了推动内蒙古民族传统体育运动的健康发展，1949 年至 1958 年，自治区体委举办了 18 次民族体育短期培训班。组织体育专家、民族体育学者和盟市体育骨干，研究改进了赛马、摔跤、射箭等民族传统体育项目的服装、器材，修订了比赛规则；传授了现代体育运动技术，革除了民族体育运动中许多历史遗留下的糟粕，使民族传统体育运动焕发了青春，也为现代体育运动在内蒙古地区的开展奠定了基础。

1954 年 7 月 3 日至 4 日，内蒙古自治区第一届那达慕大会在呼和浩特市隆重举行。此次大会是为庆祝当年 3 月蒙绥合并而召开的。参加大会开幕式的有：内蒙古人民政府副主席杨植霖、孙兰峰，内蒙古军区副司令员兼内蒙古体育运动委员会主任刘华香，中央体育运动委员会委员、民族形式体育研究委员会主任张轸等。大会进行了摔跤、马术、射箭、武术等项目的比赛和表演。经过两天的竞赛和表演，于 4 日胜利闭幕。张轸、孙兰峰、喀萨巴塔尔参加了闭幕式。

1957 年 5 月 1 日至 3 日，为庆祝内蒙古自治区成立十周年，自治区在呼和浩特市东门外，举行了第二届全区那达慕大会。中央代表团团长李先念副总理，蒙古人民共和国代表团团长齐木德道尔吉·苏伦扎布和内蒙古自治区党政领导乌兰夫等领导参加了开幕式。大会进行了摔跤、赛马、马术、射箭、布鲁、马球、摩托车、武术等项目的比赛和表演。

1962 年 5 月 2 日和 3 日，自治区在呼和浩特市赛马场举行了第三届全区那达慕大会，这是为庆祝内蒙古自治区成立十五周年而举行的民族传统体育盛会。内蒙古党政领导乌兰夫和前来参加自治区成立十五周年庆祝大会的全国人大常委会副秘书长、国务院民族事务委员会副主任余心清，中共华北局书记李立三，著名作家老舍等参加了开幕式。大会进行了摔跤、马术、射箭、赛马、武术、举重、象棋等项目的比赛和表演。

此后，随着中国共产党和人民政府的大力提倡，蒙古族传统的那达慕盛会如雨后春笋遍及全区各地，而且内容愈来愈丰富多彩，有力促进了民族传统体育运动的广泛开展和普及。

1966 年开始的“文化大革命”所造成的十年内乱，是一场浩劫。在这场浩劫中，内蒙古体育事业遭到严重的摧残，历史悠久的那达慕等民族传统体育活动被取缔。各民族群众喜爱的博克、赛马、射箭、布鲁、赛骆驼等民族传统体育运动遭到禁锢，民族传统体育运动在内蒙古草原上“消失”。1971 年以后，随着政治局势的转机，尘封 6 年之久的民族传统体育活动因举办庆祝活动的政治需要而逐步恢复。这一时期，各地举办的那达慕，无论在内容上还是形式上都受到极“左”思潮的影响，使自治区民族传统体育运动深深地打上了那个时代的政治烙印。

二、民族传统体育运动的广泛开展

1976 年粉碎“四人帮”以后，特别是中共十一届三中全会以来，随着自治区体育工作重点的转移，历史悠久的民族传统体育盛会——那达慕，更加生机勃勃。1982 年，锡林郭勒盟、呼伦贝尔盟和呼和浩特市等盟市的那达慕大会，不但参赛的选手、竞赛的项目众多，而且吸引了 40 多万各民族群众观战助威。1985 年，锡林郭勒盟、哲里木盟、乌兰察布盟、呼伦贝尔盟、伊克昭盟举办的那达慕大会上，比赛项目不仅有传统的博克、赛马、射箭、布鲁、蒙古象棋等，同时还增加了现代体育项目和趣味性娱乐项目，而且众多的女选手跃上博克赛场，开创了古老民族体育盛会的新风。随着改革的深入和经济的发展，勤劳致富后的草原牧民家庭那达慕方兴未艾。1984 年 2 月，阿拉善右旗努日盖苏木呼和乌拉嘎查牧民其木德一家在新春佳节举办了自治区首届家庭那达慕，进行了赛骆驼、摔跤、骑马射箭、赛民歌等比赛，全国 23 家报刊登载，成为轰动全国的新闻。此后，锡林郭勒盟、哲里木盟、巴彦淖尔盟、乌兰察布盟、阿拉善盟等地农牧民接连不断地举办了内容丰富、形式各异的家庭那达慕和家庭运动会，开创了民办那达慕的新局面。

三、全国少数民族传统体育运动会

第二届全国少数民族传统体育运动会 1982年9月2日至8日，内蒙古自治区受国家民委、国家体委的委托，在呼和浩特市承办了第二届全国少数民族传统体育运动会，这是中华人民共和国成立以来首次有全部55个少数民族代表参加的民族传统体育运动会。全国29个省、市、自治区的664名少数民族运动员、教练员，34个少数民族代表，192名随团人员，215名参观代表和200名新闻记者以及内蒙古自治区各盟市的参观团约1 600人参加了本届运动会。①

中共中央政治局委员、人大常委会副委员长乌兰夫，中共中央书记处书记、国务院副总理万里，人大常委会副委员长阿沛·阿旺晋美，中共中央统战部部长、国家民委主任杨静仁，国家体委主任李梦华等党和国家领导人来到呼和浩特市参加了开幕式。内蒙古自治区党、政、军、政协的领导周惠、孔飞、王逸伦、蔡英、张德斌、奎璧、张鹏图、李文、布赫、郝秀山、陈炳宇、齐峻山、石光华等参加了开幕式。中共中央统战部部长、国家民委主任杨静仁致开幕词。内蒙古自治区党委书记、政府主席孔飞致欢迎词。蒙古族运动员扎拉嘎代表各少数民族运动员在大会上发言。

运动会期间，全国46个少数民族的664名运动员表演了68个具有浓郁民族特色的传统体育项目三百多场次，观众达80万人次。内蒙古代表团的波依阔、赛马、赛骆驼、乘驼射击、布鲁、马术等精彩表演，受到了中外来宾热烈的欢迎。本届运动会上，有15个省、市、自治区的13个民族的八十多名运动员参加了射箭比赛和中国式摔跤比赛。内蒙古代表团的芒来、额尔德木图、宝音图、巴图那顺获得了中国式摔跤4个级别的金牌，新疆代表团夺得射箭比赛男女团体、男女个人冠军。②

第二届全国少数民族传统体育运动会自9月2日开始，经过紧张、激烈、欢快的比赛和表演，于9月8日在呼和浩特市内蒙古体育馆胜利闭幕。国家体委主任李梦华致闭幕词。

---

① 内蒙古体育运动委员会文史办主办:《内蒙古体育史料》1991年第1期，第18页。
② 内蒙古体育运动委员会文史办主办:《内蒙古体育史料》1991年第1期，第20页。

第三届全国少数民族传统体育运动会　1986年8月10日至17日在新疆乌鲁木齐市举行。内蒙古代表团参加了赛马、摔跤、秋千、叼羊和博克、火球、马球、赛骆驼、武术的比赛和表演，共获得4枚金牌、4枚银牌、1枚铜牌，奖牌总数列参赛代表团第2位。① 同时，"摔跤之乡"锡林郭勒盟阿巴嘎旗、"赛驼之乡"阿拉善盟阿右旗获全国"民族地区体育先进单位"称号。

第四届全国少数民族传统体育运动会　1991年8月4日至6日、11月10日至17日分别在内蒙古呼和浩特市（分赛场）和广西南宁市（主赛场）举行。内蒙古代表团参加了赛马、博克、且里西、北嘎、绊跤、武术以及布鲁、萨满、赛骆驼、马上技巧、马上篮球等11个项目的比赛和表演，共获得5枚金牌、6枚银牌、3枚铜牌，奖牌总数列30个代表团第2位。②

第五届全国少数民族传统体育运动会　1995年11月5日至12日在云南昆明市举行。内蒙古代表团参加了马上项目、民族式摔跤、布鲁、赛骆驼、女子博克、马上技术等6个项目的比赛和表演，共获得12枚金牌、7枚银牌、6枚铜牌以及表演项目3个一等奖、2个二等奖和1个三等奖。金牌总数与云南省代表团并列第一名。③

第六届全国少数民族传统体育运动会　1999年8月18日至23日、9月24日至30日分别在西藏拉萨市（分赛场）和北京市（主赛场）举行。内蒙古代表团参加了马上项目、押加、射弩、民族式摔跤、武术和布鲁、马上技巧、赛骆驼、女子博克、抢枢等项目的比赛和表演，共获得13枚金牌、9枚银牌、12枚铜牌，5个表演项目分获一、二、三等奖，奖牌总数和团体总分均列参赛代表团榜首。④

---

① 内蒙古体育运动委员会文史办主办：《内蒙古体育史料》1991年第1期，第24页。

② 袁伟民、李志坚主编：《中华人民共和国体育史·地方卷》，中国书籍出版社2002年版，第127页。

③ 袁伟民、李志坚主编：《中华人民共和国体育史·地方卷》，中国书籍出版社2002年版，第127页。

④ 袁伟民、李志坚主编：《中华人民共和国体育史·地方卷》，中国书籍出版社2002年版，第127页。

四、全区民族传统体育运动会

为了推动民族传统体育运动的健康发展，自治区于 1985 年、1989 年、1995 年和 1999 年先后举办了四届全区少数民族传统体育运动会。

第一届全区少数民族传统体育运动会 1985 年 8 月 11 日至 10 月 3 日，分别在锡林浩特市、通辽市和巴彦浩特市 3 个赛区举行。来自全区 8 个盟 4 个市的 3 000 多名少数民族选手参加了博克、中国式摔跤、速度赛马、秋千、跳板、布鲁、赛骆驼 7 个项目的比赛。运动会期间，有 3 人 3 马 4 次打破男子 3 000 米、5 000 米和 10 000 米速度赛马全国纪录。[①]

第二届全区少数民族传统体育运动会 1989 年 8 月 25 日至 28 日，在呼和浩特市举行。来自全区 12 个盟市的少数民族选手 625 名运动员参加了射击、射箭、博克、国际式摔跤、蒙古象棋、赛马和秋千、跳板、布鲁、武术、曲棍球等 11 个项目的比赛和表演。

第三届全区少数民族传统体育运动会 1995 年 7 月 22 日至 24 日、8 月 5 日至 9 日分别在哲里木盟库伦旗（分赛场）和伊克昭盟阿勒腾希热镇（主赛场）举行。来自全区 12 个盟市的三百多名少数民族运动员参加了射击、射箭、博克、赛马、喜塔尔、赛骆驼、武术和秋千、跳板、布鲁 10 个项目的比赛和表演。

第四届全区少数民族传统体育运动会 1999 年 6 月 26 日至 29 日在哲里木盟甘旗卡镇举行。来自全区 12 个盟市的 606 名少数民族运动员参加了博克、赛马、射箭、喜塔尔、布鲁、武术、秋千、押加、射弩和骑马射箭、骑马射击、马上拾哈达、马上特技、抢枢等 14 个项目的比赛和表演。

回顾半个世纪的发展历程，内蒙古民族体育运动在不断发展中，以那达慕为主要形式的民族传统体育活动进入 90 年代逐步发展成为“体育搭台、经贸唱戏”，集文化、娱乐、旅游、观光、贸易为一体的综合性活动，有力地推动了自治区对外开放和经济文化的蓬勃发展，促进了民族体育运动水平的稳步提高，也推动着自治区现代体育运动的发展，并为中国体育事业的发展作出了贡献。

---

① 内蒙古体育运动委员会文史办主办：《内蒙古体育史料》1991 年第 1 期，第 26 页。

第四节　群众体育运动

新中国成立后，毛泽东发出“发展体育运动，增强人民体质”的号召。在中共内蒙古党委和政府的领导下，全区各级党委和政府把发展体育运动，作为增进人民健康、丰富群众文化生活、促进青少年全面发展的大事来抓，内蒙古的群众体育活动有组织地逐步发展起来。群众体育活动作为内蒙古体育工作的重点之一得到了大力推广。

一、学校体育朝气蓬勃

学校体育是培养德、智、体全面发展建设人才的重要方面，也是培养体育竞技后备人才的重要途径。内蒙古自治区成立之初，各级各类学校的体育设备简陋，体育师资缺乏。新中国成立后，中央人民政府政务院颁布《关于改善各级学校学生健康状况的决定》在自治区的贯彻实施，体育在学校教育体系中的地位和作用也逐步得到确立。学校体育以崭新的面貌出现在城乡牧区学校。1954 年后，全区各级各类学校普遍开设了体育课。1956 年，国家高等教育部和教育部先后颁发了大学、中学、小学《体育教学大纲》。随着《体育教学大纲》的试行，自治区统一了教学内容和考试标准。1960 年至 1962 年，因自然灾害全区各级各类学校体育课停止。1963 年下半年体育课逐步恢复。到 1966 年“文化大革命”前，自治区各级各类学校体育教学多数达到了规范化的程度。这一时期，全区各级各类学校普遍开展了早操和以广播体操、眼保健操为主的课间操，每周两次课外体育活动为内容的“两操”、“两活动”。1954 年，自治区体委、教育厅联合发出关于在全区中等学校中推行“劳卫制”（《准备劳动与卫国体育制度暂行条例》）预备级。全区参加“劳卫制”锻炼的学生占全区中学生总人数的 30% 以上。到 1956 年底，全区 80% 的小学生、90% 的大、中学生参加了“劳卫制”锻炼，广大学生的身体素质明显提高。后来虽然有浮夸风和自然灾害的影响，但“劳卫制”的开展并未完全停止。1963 年，随着自治区经济的好转，全区各级各类学校“两课”、“两操”、“两活动”得到全面恢复。1964 年，国家体委颁发了《青少年体育锻炼标准》，全区各级各类学校据此进行锻炼和测验。

至 1966 年 5 月，自治区各级各类学校课外体育活动非常活跃，小型竞赛活动接连不断，学生体质普遍增强。这一时期，随着学校体育在各级各类学校的广泛开展，学校中普遍组成了体育代表队，利用节假日和课余时间举办和参加各类体育竞赛。1957 年后，自治区各级体委每年定期举办一至两次学生运动会和单项体育比赛。蓬勃开展的学校体育竞赛活动，不仅增强了学生的体质，推动了学校体育的发展，而且发现和造就了大批体育人才，为自治区竞技体育输送了大批优秀运动员。

1966 年 5 月，“文化大革命”开始，学校体育陷入瘫痪。1972 年以后，随着自治区各级体委、教育局职能的恢复，全区扭曲的学校体育得以逐步纠正。1973 年，自治区体委，教育厅开始在全区中小学试行《国家体育锻炼标准》和推广第五套儿童广播体操，学校体育教学渐趋正常。1974 年 6 月，自治区体委、教育厅在呼和浩特市联合举办了全区中学生运动会。运动会的举办，推动了全区学校体育工作的发展。

中共十一届三中全会以后，学校体育迎来了新的春天。1979 年以来，内蒙古贯彻中央关于加强学校体育、卫生工作的指示，进一步抓了学校体育工作，同时在全区各级各类学校中普遍开展了《国家体育锻炼标准》的“达标”活动和中小学重点开展体育传统项目训练活动。经过四年的努力，全区大、中专学校“达标”人数为 159 690 人，中小学“达标”人数为 596 549 人。全区传统体育项目学校有 499 所，传统项目达 259 项次，参加训练的学生有 60 900 人。①

1984 年 7 月 26 日至 8 月 24 日，自治区举办了第一届全区青少年运动会。全区 12 个盟市的 2 000 多名青少年运动员分别在呼和浩特市、包头市和赤峰市三个赛区参加了 11 个项目的比赛，有 22 人 2 队刷新了 33 项自治区成年、青年、少年纪录。1985 年 10 月 6 日至 18 日，内蒙古代表团参加了在郑州市举行的全国第一届青少年运动会。在举重、柔道、摔跤、田径、射击、射箭 6 个项目的决赛中，获得奖牌 25 枚，团体总分 116 分，名列全国

① 袁伟民、李志坚主编：《中华人民共和国体育史·地方卷》，中国书籍出版社 2002 年版，第 119 页。

第 22 位。①

90 年代后，自治区人民政府公布了《学校体育工作条例实施办法》。1991 年，全区各级各类学校学生达标人数占在校总人数的 41.4%，1995 年上升到 79.77%，1999 年上升到 87.40%。全区有 67 个单位，74 名个人在内蒙古九运会期间被自治区体委评为推行《国家体育锻炼标准》先进集体和先进个人。从 1983 年到 1999 年，全区有 24 所学校受到国家的表彰和奖励。②

1986 年起，自治区多次组团参加了全国中学生、大学生运动会，取得了较好的成绩。1993 年和 1996 年，呼和浩特市蒙古族中学女子足球队、包头市一中女子排球队代表中国参加了在以色列和芬兰举行的世界中学生女子足球锦标赛、女子排球锦标赛，以全胜的成绩夺得冠军，为中国为内蒙古赢得了荣誉。

二、职工体育长盛不衰

新中国成立后，随着国民经济的日益发展，人民群众生活水平的提高，为开展体育活动创造了条件。中共内蒙古党委和人民政府积极倡导、组织职工开展各种形式的体育活动，以促进职工身体健康，为生产和建设服务。在全区各级工会组织的支持下，职工体育活动在呼和浩特市、包头市和其他一些城镇普遍开展起来。1951 年，全区各机关、厂矿、部队、学校中推行广播体操。在 1953 年举行的自治区首届田径运动会上，有 500 多名职工参加了比赛。1954 年，中央人民政府政务院发布《关于在机关中开展工间操和其他体育活动的通知》，自治区人民政府认真落实。从此，全区各机关、厂矿、部队、学校中普遍开展了工间操和其他体育活动。与此同时，全区不少单位还在职工中推行了“劳卫制”锻炼。全区各民族职工参加体育活动的人数与日俱增，职工体育协会迅速发展。1956 年初，全区共成立 372 个职工体育协会和基层体育协会，会员有 46 800 多人。这一时期，各盟市共举

① 袁伟民、李志坚主编：《中华人民共和国体育史 · 地方卷》，中国书籍出版社 2002 年版，第 120 页。

② 袁伟民、李志坚主编：《中华人民共和国体育史 · 地方卷》，中国书籍出版社 2002 年版，第 128 页。

办了职工运动会20多次，近3万名各民族职工参加了丰富多彩的体育竞赛活动。1955年7月，自治区在呼和浩特市举办了第一届职工运动会，同时选拔优秀选手赴京参加了首届全国职工运动会。内蒙古选手取得了不少名次。从1957年至1960年，全区经常参加体育锻炼的人数由80万人增加至300多万人，其中40%来自于自治区各民族职工。① 到1966年“文革”前，广泛活跃的职工体育活动，增进了职工的身体健康，促进了生产，活跃了职工的文化生活，涌现出一大批职工体育活动先进集体和先进个人，为内蒙古培养造就了伊套特格、刘正、张云程、郑招信等一批优秀运动员。

“文革”开始后，自治区许多工厂生产陷入停顿，职工体育活动随之“消失”。此后虽有复苏，但这一时期的职工体育活动多以群众自发性为主。

中共十一届三中全会以后，中断多年的广播体操、工间操在全区机关、厂矿、部队、企业得以恢复。到1980年底，全区坚持做广播体操的职工达87万人。呼和浩特市、包头市许多大厂矿企业修建了新的体育馆，每年都要举行职工运动会。绝大多数地区的职工体育开展得比较好，职工的运动水平有了提高。1985年，在全国第二届工人运动会上，内蒙古选手刷新了8项全国工人纪录，在田径、举重、自行车、武术比赛中都取得了好名次，获得奖牌15枚，在自治区职工体育史上写下了新的一页。②

90年代，内蒙古职工体育呈现出蓬勃发展的可喜局面。据1995年统计，全区各级职工体育协会有1 216个，经常参加体育锻炼的职工人数达100多万，占全区职工总数的41%。包头钢铁公司带钢厂于1997年成立了足球俱乐部，连续3年参加了全国足球职业乙级联赛。

三、农村牧区体育欣欣向荣

新中国成立后，自治区人民政府根据全区农村、牧区的不同特点和广大农牧民爱好不同等实际情况，制定了“区别对待，分类指导，普遍提倡，

① 袁伟民、李志坚主编：《中华人民共和国体育史·地方卷》，中国书籍出版社2002年版，第105页。

② 袁伟民、李志坚主编：《中华人民共和国体育史·地方卷》，中国书籍出版社2002年版，第120页。

重点扶持，以点带面，逐步发展”的群众体育工作方针，推动了农村、牧区体育活动的广泛开展。

50 年代中期，广大牧区民族传统那达慕活动发展迅速，开展了赛马、摔跤、射箭等比赛活动。在农村，练武术、举石担、摔跤以及球类运动，也日益发展。从 1950 年至 1953 年，内蒙古各盟市举行民族体育大会 16 次，有 54 000 多人参加了赛马、摔跤、射箭、田径、球类等比赛。50 年代后期，农村牧区体育活动进一步发展。1959 年，全区建立基层体育协会 3 470 个，会员达 47 万人，其中半数以上都建立在农村、牧区。有些旗县，如杭锦后旗、丰镇县、开鲁县等，社社都成立了运动队。体育活动的广泛开展，使农村、牧区体育活动群众化和经常化，不仅增强了农牧民的体质，丰富了文化生活，而且移风易俗，促进了农牧业生产的发展。60 年代初期和中期，由于自然灾害与“文化大革命”造成了农村牧区体育活动的停滞和倒退。直到中共十一届三中全会以后，农村牧区的基层体育协会才得以恢复，群众体育活动才得以发展。据 1985 年统计，内蒙古有 2 000 多个乡（苏木）的文化体育中心经常开展各种形式的体育活动，参加体育活动的有 500 万人。全区涌现出许多群众体育活动先进单位，1983 年，卓资县被评为全国“田径之乡”，随后“摔跤之乡”“曲棍球之乡”“武术之乡”在全区各地接连出现。1984 年后，全区农村牧区体育活动生机勃勃：包头市河东公社工农大队自筹资金 43 万元建成了“百乐旱冰场”；卓资县福生庄福胜村自办了全村农民运动会；卓资县举办了旗县级规模最大的农民运动会；阿拉善右旗举办了首届那达慕大会；林西县新林镇举办了首届农民运动会。1984 年和 1985 年，自治区举办了全区农牧民篮球比赛、全区农民田径比赛和全区农牧民运动会，并选出 10 名选手参加全国农牧民田径运动会，取得了较好的成绩。①

1987 年，自治区乌兰察布盟丰镇县和兴安盟突泉县首批被评为全国体育先进县，受到国家的表彰和奖励。截至 1999 年底，赤峰市松山区、通辽市科尔沁区、兴安盟扎赉特旗和通辽市奈曼旗 4 个旗区跨入全国体育先进县

① 袁伟民、李志坚主编：《中华人民共和国体育史·地方卷》，中国书籍出版社 2002 年版，第 121 页。

行列。截至2000年，全区已有全国体育先进县11个，自治区体育先进县16个，先进乡镇苏木13个。

20世纪90年代后，随着内蒙古国民经济的发展以及广大农牧民对体育需求的增加，1991年，自治区农牧民体育协会成立。截至2000年，自治区所有旗县全部成立了农牧民体育协会，乡镇、苏木配备了专（兼）职体育干事，并配有文体活动站。1988年、1996年和1999年，自治区举办了三届农牧民运动会，全区12个盟市的数千名农牧民运动员参加了运动会。同时，自治区3次组团参加了三届全国农民运动会，共获得奖牌19枚，其中金牌6枚、银牌7枚、铜牌6枚。①

四、老年人体育蓬勃发展

中共十一届三中全会以来，随着改革开放进程的加快，国家政通人和，经济发展，内蒙古老年人体育活动迅速发展起来。为了组织老年人进行体育健身活动，防病抗衰，延年益寿，1983年11月，自治区老年人体育协会成立。随后，全区各地老年人体育协会相继成立。到1999年，全区已建立各级老年人体育协会2 950个，组织老年人长跑队、钓鱼队、棋类队和各种球队，积极开展丰富多彩的体育健身活动。到1998年，经常参加体育活动的老年人达45万多人。呼和浩特市和包头市建立了8个老年人运动队。全区组织老年人门球队8 000多个。各地还修建了许多老年人专用体育场所，到1998年，全区已有老年人门球场2 500个，老年人网球场500个。从1984年起，每年都举行老年人运动会。1985年，举行全区“健康杯”老年网球赛；1987年，举行了全区老年人门球赛。1998年，内蒙古老年人体育协会成功地举办了全区第四届老年人运动会。自治区老年运动队经常参加全国比赛，并取得了较好的成绩。在1985年全国第五届老年网球赛上获得第三名；在西北西南老年篮球赛中夺得冠军；在1987年全国老年门球赛中获得亚军。② 许多老年人通过参加体育健身活动，增强了体质，丰富了生活，并带

---

① 袁伟民、李志坚主编：《中华人民共和国体育史·地方卷》，中国书籍出版社2002年版，第129页。

② 郝维民主编：《百年风云内蒙古》，内蒙古教育出版社2000年版，第469页。

动更多的老年人参加体育锻炼。

五、残疾人体育方兴未艾

残疾人体育是体育事业的一个组成部分。内蒙古的残疾人体育活动，在各级政府和全社会的关心支持下，得到了逐步开展。进入 80 年代以后，随着国家改革开放和残疾人体育事业的蓬勃发展，内蒙古残疾人体育事业取得了长足的进步。1983 年，自治区残疾人体育协会成立。在社会各界的关心支持下，全区盲人、聋哑人学校体育得到了进一步的发展。不但配备了体育师资，体育教学步入了正规化，而且课外体育活动非常活跃。呼和浩特市、包头市等地的盲人、聋哑人学校每周安排 2 节体育课，3 次课外体育活动，同时每天坚持早操、课间操活动，定期举办学校运动会和班级体育单项比赛，55% 的在校学生都参加了比赛。内蒙古一些残疾人比较集中的社会福利工厂，也积极开展体育活动。呼和浩特市红星印刷厂，每年都举行田径、乒乓球、篮球比赛，吸引了该厂 70% 的残疾人参加体育锻炼。1983 年至 1985 年，自治区每年举办全区残疾人运动会，300 多名残疾人运动员顽强拼搏，自强不息，谱写了自治区残疾人体育运动史的新篇章。同时，自治区连续三年组团参加了全国残疾人运动会，取得了良好的成绩。内蒙古残疾人运动员多次代表中国参加残疾人奥运会等国际体育大赛，共获得金牌 13 枚、银牌 10 枚、铜牌 12 枚，并打破 19 项次残疾人运动世界纪录，涌现出边建欣、罗志强、李瑞芳、曹萍、哈斯劳等一批优秀残疾人运动健儿，为中国和内蒙古赢得了荣誉，在国内外产生了广泛的影响。①

六、社区体育蓬勃兴起

内蒙古大中城市居民体育是 20 世纪 70 年代后期至 80 年代逐渐发展起来的。当时城市社区体育仅仅限于一种自发的无组织依托的自由发展阶段。尽管在街道、广场、公园内到处可见晨练、晚练的人群，但是没有形成真正有组织、有规模、有意识的群众社区体育。90 年代以来，随着自治区经济、

① 袁伟民、李志坚主编：《中华人民共和国体育史 · 地方卷》，中国书籍出版社 2002 年版，第 130 页。

社会的发展和进步，人民生活水平的提高，中共内蒙古党委和政府把发展城市社区体育当作创建社会主义精神文明的一项重要工作列为基层政府和街道办事处的工作内容来开展，使全自治区各城市街道办事处所辖社区的体育活动得到了广泛开展，内蒙古城市社区体育蓬勃兴起。呼和浩特市、包头市、乌海市、赤峰市、通辽市、海拉尔市等一些大中城市，社区体育已初具规模，整个社区体育呈现出前所未有的良好发展势头。到了90年代中后期，内蒙古城市社区体育已逐渐走向成熟，自治区体育运动委员会于1997年召开了城市社区体育工作研讨会，随后制定下发了《全区城市体育先进社区评定办法（试行）》。此后，自治区开始了争创城市体育先进社区的活动。赤峰市红山区南新街办事处等4个办事处被评为“国家级城市体育先进社区”，呼和浩特市新城区东风路等20个办事处获得“自治区级城市体育先进社区”。截至2000年，自治区绝大多数街道办事处配备了专职或兼职体育干部和各种类型的体育活动场所，全自治区活跃在城市社区中指导群众体育健身活动的社会体育指导员有2 000多人，成立社区体育组织700多个，有全民健身工程配套设施36个，建成全民健身路径37条。社会体育辅导站、辅导点在公园、广场、街道和体育场馆普遍建立，全年经常参加各种体育健身活动的人数已达800多万人，① 全区参加社区体育锻炼的人群在公园、小区、广场、街道空地已形成城市文明的一道风景线。随着人民生活水平向小康型转变，家庭健身器材已进入百姓家中，国际上流行的健身娱乐项目高尔夫球、保龄球等各种全民健身活动开展的生机勃勃、有声有色，吸引了成千上万的群众参与其中，群众体育从注重形式向注重实效、注重提高生活质量和健康水平的方向发展。

回顾50年的发展历程，内蒙古体育事业发生了翻天覆地的变化。竞技体育、民族传统体育和群众体育等取得了长足的发展和巨大的成就。千年更迭，世纪之交，内蒙古体育事业正以崭新的面貌，昂首阔步走进新世纪。

---

① 陶健主编：《内蒙古区情》，内蒙古人民出版社2006年版，第701页。

第二十三章

知识青年在内蒙古上山下乡

城镇知识青年（简称知青）在内蒙古自治区上山下乡①，是当代内蒙古历史上的一个重大社会事件。在内蒙古上山下乡的知识青年中，有内蒙古自治区的城镇知识青年，还有来自北京、天津、上海、南京等大城市的知识青年。他们分别到农村、牧区插队落户、到农牧场就业和参加北京军区内蒙古生产建设兵团。在内蒙古，知识青年下乡上山或上山下乡主要有3个阶段：一是20世纪50年代中期至“文化大革命”开始前，国家有计划地安排城镇中小学毕业生到农村参加生产劳动，是谓“下乡上山”；二是“文革”期间，动员城镇知识青年上山下乡或到内蒙古生产建设兵团接受再教育运动，统称“上山下乡”；三是“文革”结束后至70年代末，继续安置少数知识青年上山下乡，是前者的延续。中共十一届三中全会以后，中央决定在城乡广开门路，安排下乡知识青年和留城知识青年就业或升学，结束了城镇知识青年上山下乡的这段特殊历史。

第一节　知青上山下乡的起始

中华人民共和国成立后的国民经济恢复时期，教育事业也得到恢复。特别是第一个五年计划期间，教育事业发展迅速，尤其是小学和初中毕业生逐

① 1967年以前，统称“知识青年下乡上山”，1967年7月始，称“知识青年上山下乡”。

年增加，升学受到限制。1954 年 4 月 22 日，中国新民主主义青年团中央发出《关于组织不能升学的高小和初中毕业生参加或准备参加劳动生产的指示》,这里所说的参加生产劳动，实际上就是参加农业生产劳动。同年 5 月，中共中央宣传部下发了《关于高小和初中毕业生从事劳动生产的宣传提纲》。8 月，教育部、劳动部又联合发出通知，号召不能升学的中学毕业生参加工业生产建设。为了扩大就业范围，要大力动员他们从事农业生产和其他工作。1955 年暑期全国有 57 万初中毕业生、236 万小学毕业生不能升学或在城镇就业，还有往年没有升学的毕业生等待就业，于是成为当时较为突出的社会问题。8 月 11 日，《人民日报》发表题为《必须动员和组织中小学毕业生从事生产劳动的工作》的社论，对学生和家长进行宣传教育，引导应届毕业生做好两种准备，家居城镇的毕业生如考不上学校，又找不到职业，就组织自学，等待就业机会，并号召他们到农村参加农业生产劳动，这样既可以解决未能升学的中小学毕业生的就业问题，也有利于改善农村文化落后的状况，进而保持社会稳定。当时有部分中小学毕业生响应中央的号召，自发地到农村参加农业生产。

1955 年 12 月，毛泽东为《中国农村的社会主义高潮》一书的 104 份材料写了按语。他对《在一个乡里进行合作化规划的经验》一文写的按语说："这也是一篇好文章，可作各地参考。其中提到组织中学生和高小毕业生参加合作化的工作，值得特别注意。一切可以到农村中去工作的这样的知识分子，应当高兴地到那里去。农村是一个广阔的天地，在那里是可以大有作为的。"① 这成为激励城镇知识青年下乡上山的思想动力。当年，呼和浩特市有 157 名汉、满、回族知识青年组成"青年建设新农村志愿队"，包头市有 230 名知识青年，均被分配到乌兰察布盟农村落户，多数担任了农业生产合作社会计、记工员等。同年，山西省团委组织了 5 支由中小学毕业生组成的青年垦荒队 1 104 人，来到内蒙古河套行政区（今巴彦淖尔市套内地区）和乌兰察布盟部分旗县垦荒种地，创办了 5 个集体农庄；河北省青年志愿垦荒队 1 018 人，到呼伦贝尔盟布特哈旗安家落户，垦荒种田。1957 年 7 月，包头市第二中学 30 名应届初中毕业生来到本市郊区大树湾黄河农业社插队。8

① 《毛泽东文集》第 6 卷，人民出版社 1999 年版，第 462 页。

月，呼伦贝尔盟海拉尔市组织68名中学毕业生到陈巴尔虎旗牧区落户，从事牧业生产劳动。①

1957年10月25日，中共中央公布了《一九五六年到一九六七年全国农业发展纲要（修正草案）》,正式提出："城市的中小学毕业的青年，除了能够在城市升学、就业的以外，应当积极响应国家的号召，下乡上山去参加农业生产，参加社会主义农业建设的伟大事业。我国人口百分之八十在农村，农业如果不发展，工业就不可能单独发展。到农村工作是非常必要的和极其光荣的。"② 从而正式形成了城市知识青年下乡上山参加农业生产的决策。

在1958开始的"大跃进"运动中，大量农村人口进入城镇，城镇知识青年下乡上山中断。1959年1月，中共中央发出通知，要求各地停止招工。1960年，国家为扭转城镇粮油、副食品供应紧张，动员家在农村的职工回乡参加农业生产，解决"大跃进"中城镇人口增加过快的问题。内蒙古各级党委贯彻中共中央、国务院关于精简城镇职工，压缩城镇人口到农村的指示，以缓解城镇中学毕业生就业困难，动员城镇知识青年下乡上山参加农牧业生产。1960年内蒙古的农村劳动力由278.8万人增加到343.4万人，增加了23.2%，其中包括到农村牧区安家落户、投亲靠友的参加农牧业生产的中小学毕业生。呼和浩特、包头二市的农村中学毕业生全部回乡参加农牧业生产劳动。是年5月22日，包头市欢送首批34名城镇知青下乡上山，6月又动员了2 000名知青下乡。是年呼和浩特市有263名城镇知识青年下乡上山；呼伦贝尔盟的657名城镇知青到本盟农村和国营农牧场落户，参加农牧业生产。

从1962年下半年起，全国开始有计划有组织地动员城镇知识青年下乡上山。国务院在批转农林办公室的报告中规定：安置对象限于家居大中城市未能升学或就业、年满18周岁、有独立生活能力的应届中小学毕业生，可在国营农林牧渔场以职工退休顶替、增补的方式安置；对安置经费、物资、

① 邢野主编：《内蒙古知识青年通志》,内蒙古人民出版社2003年版，第11、15页。

② 顾洪章主编、胡梦洲副主编：《中国知识青年上山下乡始末》,中国检察出版社1997年版，第13页。

分管领导部门等作了规定。强调动员知青下乡上山要坚持自愿原则，不强迫命令；安置方式要因地制宜，采取集中插队、分散插队、投亲靠友等多种方式；要求城乡密切配合做好安置工作。1963 年 3 月 20 日，《人民日报》发表题为《知识青年下乡上山是移风易俗的革命行动》的社论，树立了城市知识青年下乡的先进典型董加耕、邢燕子、侯隽等，号召全国青年向他们学习。自治区城镇知识青年掀起学习热潮，纷纷报名下乡上山。1963 年 7 月，呼和浩特市 31 名应届初高中毕业生（其中有 13 名共青团员）报名下乡，分别安排在农村、牧区和林区落户。8 月，该市又有 229 名应届初高中毕业生到锡林郭勒盟白狼和五岔沟林场，参加农牧林业生产，其中去林区的一百多人。他们中高中毕业生 109 人，初中毕业生 120 人，1/3 是共青团员和班、团干部。①

1964 年 1 月 16 日，中共中央、国务院作出《关于动员和组织城市知识青年参加农村社会主义建设的决定（草案）》，把下乡上山确定为城镇知识青年就业的一项长远方针，纳入国民经济和社会发展计划，制定了以插队为主的政策措施。成立了中共中央安置城市下乡青年领导小组，下设安置办公室。4 月 2 日，内蒙古党委、自治区人民委员会相应成立了自治区安置城市下乡青年领导小组，下设安置办公室，由内蒙古党委书记处书记、自治区副主席王再天任组长。各盟市、有安置任务的旗县也先后成立了安置城市下乡青年领导小组及安置办公室。各级安置领导机构的主要任务是：动员和组织城市未能升学、就业的知识青年从事农牧业生产，把安置就业与发展农牧业结合起来。5 月 23 日至 31 日，自治区召开安置城市下乡青年工作会议，明确了安置工作坚持“四个为主”的方针，即以插队为主、插场为辅；以集中安置为主，分散安置为辅；以大中城市学生为主，兼顾城市闲散劳力为辅；以政治思想工作为主，必要的物质保障为辅。并制定了今后 5—10 年的安置规划。各盟市贯彻中央、国务院的决定和自治区下乡青年工作会议精神，包头市先后分 3 批安排 222 名知识青年以集体插队的形式，到农村参加农业生产；呼和浩特市有知识青年 757 人到巴彦淖尔盟乌拉特中旗、杭锦后旗、五原县、临河县插队落户；哲里木盟通辽市有知识青年 141

① 邢野主编：《内蒙古知识青年通志》，内蒙古人民出版社 2003 年版，第 40—41 页。

人，昭乌达盟有知识青年 249 人，乌兰察布盟集宁市有知识青年 92 人，分别到本地区农村牧区插队落户。全年共有 5 214 名城市知识青年下乡，其中插队的占 68%，进入国营农牧林场和水土保持专业队的占 32%。[①] 当时动员知识青年下乡上山坚持自愿原则，必须达到劳动年龄、身体健康，做到本人思想通、家长思想通、接收单位的干部思想通；安置形式以插队为主，也可到国营农牧场，因地制宜，多种多样；在经济上给予补助，在生产上给予指导，在生活上给予关心；贯彻“同工同酬”、“劳逸结合”等一系列政策。

1965 年 11 月，据全区安置工作会议统计，全年安置城市知识青年 1.01 万多人，其中有京、津二市的知识青年 2 400 多人，分别到巴彦淖尔盟、昭乌达盟农村牧区插队落户，超额 22% 完成国家下达的安置任务。截至 1966 年“文革”前，自治区各大小城市采取各种方式动员安置了 6 400 多名知识青年下乡。绝大多数下乡知识青年情绪稳定，积极参加劳动，已有 80% 的青年实现了生活自给。[②]

由于领导重视，坚持贯彻各项政策，做法基本符合实际，计划安排周密，步子比较稳妥，工作比较扎实，能够做到“四通”，即本人通、家长通、亲友通、老师同学通。安置地区本着“国家关心，负责到底”的精神，从生活、学习、劳动各方面尽力做好工作。中央领导同志认为“比预想的结果要好”。总之，这一时期内蒙古的知识青年下乡上山工作比较顺利，也解决了当时中小学毕业生的就业困难问题。

第二节 “文革”期间知青上山下乡运动（1967 年 10 月—1976 年 10 月）

“文化大革命”10 年，城镇知识青年上山下乡的内涵和外延发生了扭

① 内蒙古档案馆馆藏档案 324—1—3：《关于我区安置工作的基本情况及今后规划意见的汇报提纲》。

② 内蒙古档案馆馆藏档案 324—1—3：《关于我区安置工作的基本情况及今后规划意见的汇报提纲》。

曲，从单纯的安排就业、发展农业生产，变为一场特殊的“接受再教育”的政治运动。党的十一届三中全会召开以后，拨乱反正，停止上山下乡，采取多种途径安排下乡知青就业。

一、知识青年上山下乡运动的兴起

1966 年 8 月，在“文化大革命”中，红卫兵打着“造反有理”的旗号，“破四旧，立四新”，批斗所谓“走资本主义道路的当权派”，进行革命的大串联。同时，“文革”前下乡的知识青年也都回城，参加造反。1967 年 3 月 19 日，中共中央决定停止大串联，动员回城的下乡知青回乡参加农业生产。到 1968 年夏，红卫兵运动陷入旷日持久的令人厌倦的派性斗争，有的地方发生了武斗，造成社会动荡不安。城市滞留在学校的“老三届”（即 1966、1967、1968 年三届）初高中毕业生，面对学校停课闹革命，大学停止招生，社会无业可就，开始寻找出路。1967 年 10 月 9 日，北京市二十五中、二十二中、女八中、女十二中高中毕业生曲折、郭兆英等 10 名红卫兵遵照毛泽东“走与工农相结合的道路”的教导，以全国下乡知青先进人物为榜样，联名申请志愿下乡，向北京市革命委员会递交了到内蒙古自治区牧区插队落户的申请，得到批准。他们来到锡林郭勒盟牧区西乌珠穆沁旗白音宝力格公社插队落户。曲折等同学的行动标志着红卫兵运动的衰落，拉开了全国大规模的知识青年上山下乡运动的序幕。锡林郭勒盟牧区也成为“文革”期间全国最早安置知识青年的地方。23 年后，曲折在回忆这段历史时，如是说：“我们 10 个北京中学生奔赴内蒙古锡林郭勒草原插队的行动，竟会成为那场波澜壮阔的上山下乡运动的发端。这是我们 10 个人谁也没有想到的。”

曲折等 10 人下牧区插队落户的行动在媒体报道后，南京等地知识青年纷纷效仿。1967 年 10 月 21 日，南京市 1 089 名初高中毕业生在地图上选择有沙漠、最艰苦的地方，自愿来到内蒙古自治区伊克昭盟鄂托克旗、乌审旗牧区插队落户。他们富有革命理想，在当时风沙肆虐、水源短缺的鄂尔多斯高原，誓做战天斗地的新牧民。同年 11 月 16 日和 19 日，北京市分别有 336 名和 400 名初高中毕业生自愿到锡林郭勒草原插队落户。到 1968 年，从全国部分大城市来内蒙古农村、牧区插队落户的初高中毕业生越来越多。北京市有 1.1948 万人，其中在农村、牧区插队的 1.1723 万人，进入农场的 225 人；天津市有 5 529 人，其中在农村、牧区插队 5 479 人，进入农场的 50 人；南京市有 1 089 人，到农村、牧区插队落户。① 这么多有文化的年轻人，从条件优越的大城市，来到陌生的地广人稀的内蒙古草原，无疑为牧区带来朝气蓬勃、充满生机的力量；但对他们来说，无疑将是一场艰难的人生考验。

1967 年 11 月 14 日，内蒙古自治区革委会发出通知，为做好知青安置工作，要求各盟市以及有安置上山下乡知青插队任务的旗县，增设知青上山下乡安置办公室。全区各级革委会利用各种新闻媒体、宣传车大造舆论，宣传毛泽东的指示、老知青的先进事迹，召开知青和家长座谈会等，大力宣传动员，为自治区形成知识青年上山下乡的高潮做准备。1968 年 1 月 6 日，呼和浩特市第一、二、三中学和内蒙古师院附中等 6 所中学的 50 名学生带头到锡林郭勒盟西乌珠穆沁旗牧区插队落户，这是“文革”期间呼市首批上山下乡知识青年。3 月，内蒙古自治区革委会城镇知识青年安置办公室发出通知，要求各盟市旗县抽调解放军、革命干部，充实和加强安置工作机构，做好接收安置工作。有安置任务的公社、苏木、大队、嘎查等基层组织，可试建由革命领导干部、贫下中农牧民、下乡知青“三结合”领导小组，把安置工作落实到社队，帮助知识青年自己管理自己。

二、知识青年上山下乡运动的高潮

在“文化大革命”中，大专院校毕业生分配工作和城市初高中毕业生升学和就业，是十分困难和棘手的问题。为此，1968 年 4 月 4 日，中共中央、国务院在批转黑龙江省革命委员会《关于大专院校毕业生分配工作的报告》中，提出大专院校毕业生要按照“四个面向”，即“面向农村、面向边疆、面向工矿、面向基层”的原则分配，而且要把分配重点放在旗县以下农村。对城市初、高中毕业生仍然是有组织、有步骤地动员其上山下乡。4 月 1 日至 14 日，内蒙古自治区革委会召开全区城镇知识青年上山下乡工作会议。会议要求各地要充分发动群众，通过办学习班的方式，掀起知识青

① 内蒙古档案馆馆藏档案 324—1—87：《内蒙古自治区跨省区接受下乡青年人数分年度统计表》。

年上山下乡的宣传高潮，完成当年安置5.7万人的任务，其中包括区外1 869人。①

同年5月15日，呼和浩特市第二批中学生170多人也赴锡林郭勒盟牧区插队落户。6月18日，呼伦贝尔盟陈巴尔虎旗首批47名知青到牧区插队落户。7月，海拉尔市1 500多名知青分3批分赴阿荣旗、陈巴尔虎旗、鄂温克族自治旗牧区插队落户。7月，呼和浩特市又有1 147名中学生分赴本市郊区、巴彦淖尔盟农村插队落户，有的返回老家投亲靠友，参加农业生产劳动。②

7月28日至30日，内蒙古自治区革委会在乌兰察布盟丰镇县召开全区中学毕业生暨知识青年上山下乡现场会，要求各地学习丰镇县发动群众、人人动手，做好中学毕业生上山下乡工作的经验。会后，再次掀起教育革命和知识青年上山下乡的新高潮。

8月12日，呼和浩特市革委会、驻呼部队联合支左办公室和“呼和浩特红卫兵第三司令部”联合召开全市中学毕业生上山下乡工作现场会议，推广丰镇县的经验，进一步掀起呼和浩特市知识青年上山下乡的新高潮。同月，包头市知识青年上山下乡办公室也召开各旗县区及驻包头大型企事业单位负责人参加的中学毕业生政治思想工作会议，动员各级领导干部、广大工人带头送子女上山下乡。至8月底，包头市已有1 400多名应届中学毕业生分赴乌兰察布盟、巴彦淖尔盟农村牧区插队落户；并有1967年和1968年两届90%的毕业生报名到农村、牧区插队落户。1968年8、9两个月，北京、天津、上海知识青年4 500人来到呼伦贝尔盟牧区插队落户，其中安置在陈巴尔虎旗、新巴尔虎左旗、新巴尔虎右旗、额尔古纳右旗等4个牧业旗580人、莫力达瓦达斡尔族自治旗2 580人、阿荣旗1 340人。③ 据内蒙古自治区革委会城镇知识青年上山下乡办公室的第10期《简报》统计，仅8月份，全区就有1.6万名知识青年奔赴农牧业第一线参加生产劳动，受到贫下中农、贫下中牧的热烈欢迎。

---

① 内蒙古档案馆馆藏档案324—1—87《内蒙古自治区跨省区接受下乡青年人数分年度统计表》。

② 邢野主编：《内蒙古知识青年通志》，内蒙古人民出版社2003年版，第100—103页。

③ 呼伦贝尔市档案史志局编：《呼伦贝尔市知识青年上山下乡运动》，内蒙古文化出版社2005年版，第11、598页。

1968 年 12 月 22 日，毛泽东发出了城镇知识青年上山下乡的最新指示："知识青年到农村去，接受贫下中农的再教育，很有必要。要说服城里干部和其他人，把自己初中、高中、大学毕业的子女，送到乡下去，来一个动员。各地农村的同志应当欢迎他们去。"① 从而明确了知识青年上山下乡的对象是初中、高中、大学毕业生，上山下乡的目的是"接受贫下中农的再教育"。毛泽东的指示成为动员知识青年上山下乡新的动员令，产生了极大的号召力。新闻媒体把知识青年上山下乡接受贫下中农的再教育提高到"反修防修，缩小'三大差别'（即城乡、工农、脑力劳动与体力劳动），培养革命事业的接班人"的高度。一场涉及千家万户、牵动亿万人心的知识青年接受"再教育"的上山下乡运动迅速在全国城乡掀起。内蒙古自治区各主要城市和京、津、沪等大城市几十万"老三届"中学毕业生纷纷上街游行，敲锣打鼓，热烈欢呼，积极响应。他们宣誓："毛主席挥手我前进，插队落户干革命，上山下乡当闯将，继续革命立新功！"

各级领导干部带头送子女上山下乡。周恩来总理勉励侄女周秉建到内蒙古锡林郭勒盟西乌珠穆沁旗牧区插队。两年半后，周秉建通过当地正当手续入伍到了北京，周总理得知后，劝她不要搞特殊，还是重返牧区锻炼。周秉建听从伯父的教诲，回到牧区，在草原度过了 10 个年头。内蒙古党委书记处原书记、中共中央华北局书记处书记苏谦益带头将自己的女儿苏小河，送到自己曾战斗和工作过的包头市农村插队。她们对自治区知识青年上山下乡运动起了带动作用。

内蒙古自治区在毛泽东最新指示的号召下，再次形成了知识青年上山下乡的新热潮。1969 年 1 月 18 日，自治区革委会政治部发出《关于组织全区 1968 年初高中毕业生上山下乡的通知》，要求各地认真贯彻落实毛泽东的最新指示，积极动员知识青年上山下乡。全区各级革委会在城乡开展了声势浩大的宣传动员工作。

但是，由于几年积累的毕业生人数很多，上山下乡运动由自愿变为强制，由局部发展到全部，由安置就业，建设农村发展成为"接受贫下中农的再教育"的政治运动，因此动员难度比较大。各城镇遵照毛泽东关于

① 《人民日报》1968 年 12 月 22 日报道《我们也有两只手，不在城里吃闲饭》一文编者按。

“办学习班是个好办法，很多问题可以在学习班得到解决”的指示，学校、街道、家长单位“三管齐下”，齐心协力把动员毕业生上山下乡工作作为落实毛主席“最新指示”的重要政治任务，层层举办学习班，学习“最新指示”，反复动员，直到送走落户为止。

各中学由工宣队举办毕业生学习班，落实“最新指示”，把上山下乡上升为对“三忠于”（忠于毛主席、忠于毛泽东思想、忠于毛主席的革命路线）的态度问题，要求人人表态，个个写决心书。结果个个都把自己的困难埋在心底，无条件地选择了最艰苦的地方。许多学校的工宣队还鼓动学生写要求上山下乡的血书，表达对领袖的忠诚；有的城市把到农村牧区、兵团的接收指标分到学校。学习班反复对不愿意下乡的学生做思想工作，以“到最艰苦的地方去”为荣进行说教，去完成上山下乡的指标。街道办事处协助居民委员会举办毕业生家长学习班，组织学习毛泽东“最新指示”，学习各地动员毕业生上山下乡的先进经验，邀请已下乡的知青先进人物与家长现场对话，千方百计地完成下乡任务。各单位确定一位领导负责，组成上山下乡工作领导小组，与街道、学校配合，对单位职工子女的毕业时间登记造册，及时进行动员。在各单位毕业生家长学习班上，要求家长谈认识、表决心，积极送子女上山下乡。如果子女不上山下乡，会影响家长的政治前途，有的单位还与分房、福利等经济利益挂钩。因为家长学习班具有强制性，所以效果较好。

在这样的政治形势下，知识青年上山下乡运动得以迅猛发展，成千上万知青成批下农村牧区插队落户。内蒙古自治区农村、牧区源源不断地接收了一批又一批知青新农民、新牧民。1968 年全区共安置区内外知识青年 84 543 人，其中农区安置 65 678 人，牧区安置 12 698 人，插入农场、参加建设兵团 2 216 人，家居城镇返乡及投亲靠友 3 951 人，“老三届”毕业生绝大多数都已上山下乡。具体情况见下表：

表 11－1 1968 年度内蒙古自治区各盟市安置区内外上山下乡知识青年统计表①

人 数 盟 市	已安置下乡总人数	接受区内下乡人数				接受区外下乡人数			
		合 计	本 盟	呼 市	包 头	合 计	北 京	天 津	南 京
合计	84 543	40 957	30 464	3 833	6 660	43 586	14 452	27 974	1 160
呼伦贝尔盟	26 293	14 844	14 844			11 449	4 577	6 872	
哲里木盟	13 521	1 636	1 636			11 885	4 713	7 172	
昭乌达盟	4 754	3 159	3 159			1 595	1 117	478	
锡林郭勒盟	5 296	2 274	1 780	494		3 022	3 012		10
乌兰察布盟	18 566	6 151	6 151			12 415		12 415	
伊克昭盟	2 100	950	950			1 150			1 150
巴彦淖尔盟	8 582	6 649	1 944	968	3 737	1 933	896	1 037	
呼和浩特市	1 691	1 691		1 691					
包头市	2 312	2 312			2 312				
农场	1 428	1 291		680	611	137	137		

中共中央、国务院对知识青年上山下乡工作极为重视，每年在国家财政预算中列出专项资金，作为知识青年上山下乡的安置经费，不足时还予以追加，以使知青下乡后能顺利度过生活关，尽快适应农村生活。为了做好安置工作，内蒙古自治区革委会 1968 年拨出安置经费 150 万元，随后又追加了 170 万元，分配到接收安置上山下乡知识青年的盟市、旗县。1969 年 1 月 22 日，自治区革委会在《关于知识青年上山下乡安置工作汇报提纲》中规定，安置经费用于集体插队：农区每人 250 元，牧区每人 400 元；成户插队：农区每户不超过 800 元，牧区每户不超过 1 200 元；单独建队的每人 400 元；插场每人 500 元。对农区知青每人每月供应商品粮 20 公斤、牧区 15 公斤，并供应足够数量的棉布、棉花等。用于建房的木料每人平均 0. 5 立方米，平板玻璃每人 1 平方米。

由于各方面的通力合作，抓紧动员，1969 年是自治区安置区内外城镇上山下乡知识青年最多的一年，达到 12. 2434 万人，其中农区安置 4. 5248

① 内蒙古档案馆馆藏档案 324—1—13，内蒙古知青办档案。

万人，牧区安置 7 024 人，插入农场 1.6713 万人、参加建设兵团 4.9452 万人，家居城镇返乡及投亲靠友 3 995 人。具体情况见下表：

表 11－2 1969 年度内蒙古自治区各盟市安置区内外上山下乡知识青年统计表①

人数 盟市	已安置下乡总人数	接受区内下乡人数				接受区外下乡人数						
		合计	本盟	呼市	包头	合计	北京	天津	河北	上海	浙江	其他
呼伦贝尔盟	22 902	14 933	14 933			7 969	750	5 860		98	1 261	
哲里木盟	9 245	3 438	3 438			5 807	212	4 942		9	644	
昭乌达盟	3 656	1 907	1 907			1 749	3	1 162		584		
锡林郭勒盟	1 278	800	765	35		478	478					
乌兰察布盟	14 685	6 986	6 986			7 699	6 112			1 587		
伊克昭盟	739	738	738			1				1		
巴彦淖尔盟	7 822	3 378	2 263	14	1 101	4 444	115	4 329				
呼和浩特市	5 565	5 565		5 565								
包头市	7 090	7 090			7 090							
建设兵团	49 452	10 090		4 482	5 608	39 362	22 476	4 669	3 931	167	2 760	5 359
合计	122 434	54 925	31 030	10 096	13 799	67 509	30 146	20 962	3 931	2 446	4 665	5 359

三、知识青年上山下乡人数缩减及其原因

在全国，知识青年上山下乡 1968 年、1969 年两年达到了高潮，从 1970 年开始逐年减少，内蒙古也如此。在全国知青上下乡人数缩减的形势下，1969 年 8 月，内蒙古自治区行政区划变更缩小，自治区辖区只有锡、乌、伊、巴 4 盟和呼、包 2 市，面积不到原自治区的一半，从而使在内蒙古上山下乡的知识青年人数锐减。1970 年在自治区辖区上山下乡的知青人数只有 3.1007 万人，是 1969 年上述 4 盟 2 市和建设兵团接纳知青 8.663 万人的 35.79%；1971 年为 3.5003 万人，为 1969 年的 40.40%；1972 年又降至

① 内蒙古档案馆馆藏档案 324—1—13，内蒙古知青办档案。

6 368 人，为 1969 年的 7.35%。①

内蒙古自治区知识青年上山下乡人数逐年缩减的原因，除了自治区行政区划变更，接纳安置知青地域缩小的原因之外，主要是城镇待业知识青年人数减少和知识青年下乡中存在的问题所致。

第一，1966 年以来积累的初高中“老三届”毕业生已基本安置完毕。1968 年、1969 年两年在内蒙古下乡的知青达 20.8373 万人，多数是“老三届”毕业生，1970 年以后只有每年的应届初高中毕业生，应下乡人数与前相比自然要减少。

第二，1970 年，工矿企业开始招收较多的新职工，初高中毕业生有的应招就业；一些高中恢复招生，部分初中毕业生应考升学，仅 1970 年自治区普通高中招生就有 2.51 万人，因此，初中毕业生下乡人数相应减少。

第三，在学校招生、企业招工、部队招兵恢复后，出现了“走后门”、搞特殊的不正之风。有的干部利用职权，采取截留“三招”名额、内定名单、指名选送、授意录取、请客送礼、弄虚作假等手段，将自己、亲属和老关系者的下乡子女招回，引起知青及其家长的不满，他们相互攀比，不愿下乡；同时出现了下乡知识青年返城风潮，增加了动员知青下乡的难度。于是在学校、街道和知青父母单位的反复动员，甚至采取强制干预的措施，有部分知青无奈地离开城市上山下乡。1971 年，巴彦淖尔盟应动员下乡的毕业生为 5 000 多人，直至 8 月份无 1 人下乡。1972 年，自治区四盟二市总共安置知识青年下乡 6 368 人；1973 年上半年全区计划动员下乡 1.5 万人，实际下乡 1 707 人，仅为全年计划动员人数的 11.38%。②

第四，内蒙古农村牧区地广人稀，自然条件较差，经济相对落后，安置知识青年的条件有限。1968 年、1969 年两年，全区共接收上山下乡知识青年 20 多万人，当时内蒙古农村牧区共有 900 多万人口，平均 43 人中就要接收安置 1 名知识青年。内蒙古最西端的额济纳旗，1968 年总人口仅为 8 765 人，先后安置天津、兰州、国防科委二〇基地和本旗的知青达 1 204 人，平均 7.28 人就要安置 1 名知青。特别是牧业旗的安置任务较大，截至 1975 年

① 内蒙古档案馆馆藏档案 324—1—87，内蒙古知青办档案。

② 刘小萌：《中国知青史—大潮（1966—1980）》，中国社会科学出版社 1998 年版，第 271 页。

底，全区17个牧业旗共接收知识青年2.5913万人。其中锡林郭勒盟：阿巴哈纳尔旗为1 500人，西乌珠穆沁旗2 200人，东乌珠穆沁旗2 100人，阿巴嘎旗1 704人，苏尼特左旗2 100人，苏尼特右旗1 783人，镶黄旗665人，正镶白旗800人、正镶蓝旗1 023人；乌兰察布盟：四子王旗2 408人，达茂联合旗4 100人，察右后旗1 700人；巴彦淖尔盟：潮格旗（今乌拉特后旗）627人，乌拉特中后联合旗（今乌拉特中旗）1 800人；伊克昭盟：鄂托克旗1 303人，乌审旗400人，杭锦旗600人。① 在“文革”动乱时期，人民公社、生产队根本没有安置知青的经济实力，农牧民生活也很困难，知识青年的生活困难是可想而知的。这是继续动员知青下乡的现实难度。

第五，在下乡知识青年生产和生活中存在的诸多问题，是影响知青安心在农村牧区生活，影响继续动员知青上山下乡的重要因素。诸如知青与农民同工不能同酬，自留地没有保障，口粮标准低，甚至吃饭、穿衣、住房、学习问题得不到及时解决，有病得不到医治，女知青屡受侵害等等。政府财政向知青提供的经费、粮食、物资，有些地方被基层社队干部挪用、克扣、挥霍、贪污。如五原县有下乡知青四千多人，口粮款欠8万多元。据调查，1973年在自治区插队知识青年为4.83万人，生活能够自给或自给有余的只有9 700人，仅占20%，不能自给的有1.93万人，约占40%；有住房的知青为4.1万人，占85%，未建房的7 300人，占15%。女知青被迫害、奸污的案件逐年上升，如内蒙古生产建设兵团1969年发生类似事件11起，1970年为54起，1972年增至69起。②

1970年5月12日，中共中央批转了国家计委军代表《关于进一步做好知识青年上山下乡工作的报告》（中发〔1970〕26号），在肯定知青上山下乡重要意义的前提下，分析了知识青年在农村、边疆不安心的原因，并提出做好知识青年上山下乡工作的意见，要求各级党委和革委会要把这项工作摆在重要位置；要认真总结知识青年下乡插队的经验；安置地要与城市密切配合、互相支持，认真解决下乡知识青年生产和生活中存在的各种实际问题；

① 内蒙古档案馆馆藏档案324—1—44，内蒙古知青办档案。

② 刘小萌：《中国知青史—大潮（1966—1980）》，中国社会科学出版社1998年版，第289、295、304页。

坚决打击破坏知识青年上山下乡的违法行为（主要是女知青受迫害）；加强安置经费的管理；正确对待“可教育好子女”①，不得歧视他们；普遍深入下乡知识青年地区进行一次检查等等。为贯彻这一文件精神，内蒙古自治区革委会政治部上山下乡安置办公室召开各盟市领导参加的座谈会，听取意见，研究了改进措施。

1972 年 1 月，内蒙古自治区革委会政治部作出《关于进一步贯彻中央〔1970〕26 号文件，做好下乡知识青年工作的意见》,要求各级党委、革委会和社队领导切实做好知识青年的安置工作，决定今后实行以集体插队为主，举办集体所有制的“五七”农场。2 月 6 日，内蒙古党委为贯彻中央文件精神，对几个具体问题作出规定：各盟市城镇知识青年应在本地范围内安排，有病不能参加农业劳动的或父母年老身边无子女的知青不下乡；口粮标准增加为：插队第一年每人每月供应商品粮 45 斤，第二年生产队分口粮也要达到这一标准；牧区知青每人每月供应商品粮 32 斤；建房费、医疗费、书报费由生产队和公社统一掌握，对已婚知青的住房问题要及时解决。7 月 2 日，北京军区内蒙古“前线指挥所”（简称“前指”）组织了 800 多人的慰问团，分别深入 44 个旗县 452 个公社的 700 个知青点，召开座谈会 900 多次，对知识青年和负责知青工作的农村干部进行了慰问，研究解决存在的问题。

四、统筹解决　知青上山下乡低潮之后的回升

1972 年 12 月 20 日，福建省莆田县小学教师李庆霖给毛主席写信，反映他的儿子在农村下乡口粮不足、吃不饱；劳动没收入，穿衣、疾病、学习等方面存在的困难，甚至穷得连理发的钱都挣不出来，得向家里要；没有房子住，成了无处安身之人；还反映在知识青年中招工、招生、招兵“走后门”、搞特殊化等问题。翌年 4 月 25 日，毛泽东批示：“李庆霖同志：寄上 300 元，聊补无米之炊。全国此类事甚多，容当统筹解决。”② 毛泽东的批示

---

① 指“文革”中，家庭出身地主、富农、资本家以及父母被定为右派、反革命、叛徒、特务、走资派等的子女。

② 内蒙古档案馆馆藏档案 324—1—84：《中共中央通知》中发〔1973〕21 号。

引起中央的重视，又一次将知识青年上山下乡工作推进了一步。

中央当即贯彻毛泽东的“批示”，广泛宣传，认真落实，从纠正“三招”中的不正之风入手，解决下乡知识青年中存在的各类问题。1973 年 6 月，国务院召开全国知识青年工作会议，研究“统筹解决”的具体办法。会议形成了由中共中央转发的《国务院关于全国知识青年上山下乡工作会议的报告》,要求各地“严格全面地检查，抓紧解决目前急需解决的实际问题”；并制定了《关于知识青年上山下乡若干问题的试行规定（草案)》,规定今后“三招”要从下乡知识青年中招收，坚决刹住“走后门”的不正之风；今后安置知识青年采取 4 种形式：即建立知青点，集中插队，有条件的可回老家落户；建立以下乡知青为主的青年队，集中劳动和管理；土地较多的地方建立集体所有制知青农场；由生产建设兵团和国营农林牧渔场安置。城镇病残青年、独生子女、职工退休子女顶替、多子女父母身边只有一个子女等情况，不动员下乡，可留城镇待业。要切实解决知识青年在吃粮、住房、医疗、学习等方面存在的实际问题。

1973 年 8 月 23 日至 9 月 12 日，内蒙古自治区革委会召开知识青年上山下乡工作会议，贯彻全国知识青年上山下乡工作会议精神，研究制订了“统筹解决”的方案；要求各盟市对检查发现的破坏知青工作和迫害女知青的坏分子，予以严厉打击；要通过清退，纠正“三招”中的不正之风；实行下派带队干部制度等。会议议定了《全区知识青年上山下乡若干问题试行规定（草案)》,对今后按政策动员、经费、口粮、医疗等问题都进一步作出明确的具体规定。此后内蒙古的城镇知识青年上山下乡由低谷逐渐走上按政策安置的路子。

1973 年 10 月，国务院成立了知识青年上山下乡领导小组。同年 12 月，内蒙古自治区也相应成立了内蒙古党委知识青年上山下乡领导小组，自治区安置办公室改为内蒙古党委知识青年上山下乡领导小组办公室，进一步加强了知识青年上山下乡的工作。是年 12 月，由知识青年领导小组组长刘景平、副组长张承先、许维俊和上山下乡领导小组办公室的 3 位副主任带队，组成 4 个检查组深入呼和浩特市、包头市和巴彦淖尔盟、乌兰察布盟的 7 个旗县区的 11 个公社，对下乡知识青年工作进行了检查。检查发现各级党委加强了对下乡知识青年工作的领导，呼包二市抽调了 400 多名带队干部，协助旗县、社队开展工作；临河县知青办由5人增至8人，全县16个有下乡知识青年的公社配备了11名专职干部和5名兼职干部；各级党组织、知青安置部门、社队干部在动员、安置和教育工作中，做了大量工作。特别是社队干部和社员群众，为安排好下乡知青的生活、劳动和学习，花费了很多心血。多数地区知青的冬储菜、取暖用煤、棉衣棉被、住房门窗维修等问题得到妥善解决。进一步重视了对知识青年的培养和使用，如丰镇县近期发展知青党员7名、团员101名；临河县有47名知青担任了生产大队和生产队队长、民办教师、赤脚医生。

1974年7月25日至10月15日，内蒙古党委知识青年上山下乡领导小组对全区知识青年工作又进行了一次大检查。自治区、盟市、旗县党政军干部和知识青年、家长代表共739人组成检查团，深入全区4盟2市的43个旗县、512个农村牧区人民公社和农林牧渔场、2 905个生产大队、4 504个知青点，与2.97万多名知识青年见了面。检查结果是：各地知青工作较上次检查又有了改进和加强。截至7月底，全区已有1.6万多名知青下乡，比1973年同期增加了1倍多，并由各单位下派带队干部337名，到各知青点管理和帮助上山下乡知识青年解决生产生活中的各种问题。加强了对知识青年的培养，乌兰察布盟一年来发展党员181名、团员1 735名。全区知识青年的口粮、住房、医疗等实际问题基本得到解决，对迫害知青的案件做了严肃的查处。存在问题是：被检查社队有50%的知青生活仍不能自给，有的下乡5—10年还依靠父母、亲友帮助过日子；特别是已婚知青困难较多；有8 000多名知青还没有建房，约占在乡知青总数的33%；对安置经费管理使用比较混乱，制度不健全，贪污、挪用、浪费现象得不到及时处理，等等。检查团对今后工作提出了改进意见，之后各地进行了整改。因此，知识青年上山下乡人数有所回升，1974年全区安置上山下乡知识青年5.97万人。

为了把知识青年上山下乡运动继续开展下去，表彰和宣传先进集体和先进个人，1975年，内蒙古党委、自治区革委会作出《关于表彰自治区上山下乡知识青年先进集体和个人标兵的决定》，以典型为榜样带动知青上山下乡。9月，全区上山下乡知识青年先进集体、先进个人代表大会在呼和浩特市召开。会上，内蒙古党委第一书记、自治区革委会主任、军区司令员尤太忠作了《认真学习无产阶级专政理论，把知识青年上山下乡的革命运动推向前进》的报告。

会议表彰先进集体标兵4个：

乌兰察布盟和林格尔县公喇嘛公社青年农场；呼和浩特市郊区榆林公社古力板青年队；内蒙古建设兵团第五师31团7连女子放牧班；乌兰察布盟察右前旗赛罕塔拉公社四队知青小组。

表彰先进个人标兵20名：

丁继红（北京、女）、田军（天津）、刘百昌（北京、满族）、安海燕（内蒙古、女）、苏荣呼（内蒙古、蒙古族）、吴学军（上海、女）、吴秦生（内蒙古）、陈朋山（北京、女）、张钰（上海、女）、张振海（吉林、兵团战士）、邱家恒（天津）、周云强（内蒙古）、周静义（内蒙古）、娜木罕（内蒙古、蒙古族、女）、贺占宇（天津）、姚连颖（天津、女）、洪调研（南京）、黄念生（北京）、吴平原（河北、兵团战士）、薛秀宝（上海、女）。

受表彰旗县、社队标兵6个：

锡林郭勒盟西乌旗党委；乌盟和林格尔县委；乌盟乌拉特前旗苏独仑公社党支部；锡盟阿巴嘎旗宝格达乌拉公社党委；乌盟乌拉特前旗东风大队党支部；伊克昭盟鄂托克旗乌素大队党支部。

在这些知识青年集体和个人标兵中，有许多感人至深的事迹，至今仍可作为教育当代青少年的生动教材。如南京知识青年洪调研扎根鄂尔多斯高原，坚持放骆驼7年整。放骆驼走的面积大，生活无规律，又有危险，是件苦营生。为了早日驯服一峰公驼，他经常背着牧民，爬到树上，跳到驼背上骑。多次被驼摔下来，身上青一块、紫一块。但他毫不示弱，经过十几天的苦练，终于使公驼乖乖地听他使唤。有一次，他在沙漠里放驼时，走失了一峰骆驼。这对不熟悉草场辨不清驼踪的洪调研更是难上加难了。为了保住集体的财产，他骑着骆驼，在沙海里整整辗转了6天，结果空手而归。根敦老阿爸见他着急的样子，紧了紧腰带，亲自去找回了这峰驼。洪调研虚心向老阿爸请教寻驼经验，老阿爸带他拉着找回的那峰驼在沙地上走了一圈，在老阿爸的指教下，掌握了认踪的要领。后来又有一峰驼走失了，他带足干粮，冒着风雪在沙漠上整整走了8天，终于寻着了驼踪，在查布公社的草场上找到了丢失的那峰驼。1971年春天，骆驼下羔的季节到了。洪调研几天几夜守候在临产的骆驼圈里，完成了接羔任务。他还学会了挤驼奶，喂驼羔等技术。几年的磨炼，使他成为一名优秀的“驼倌”。

北京女知青陈朋山，1968年来到锡林郭勒盟西乌珠穆沁旗阿垃坦郭勒公社巴拉格尔生产队插队落户。为了与蒙古族牧民沟通和交流，她下工夫学习蒙文、蒙语，达到能够用蒙文记账的程度，做到日清月结。陈朋山担任生产队会计7年，对全队60户社员，谁家有什么困难都一一记在笔记本上，然后想法帮助解决。她关心群众的疾苦，为死了老伴的老牧民那木吉拉缝补拆洗衣被，把姥姥从北京寄来的棉衣、绒衣送给那木吉拉的孩子穿。陈朋山利用探家的机会，背着队里一个十几岁患小儿麻痹症的小女孩在北京医院看病，经治疗有了好转。由于她能严格按照共产党员的标准要求自己，1973年，光荣地加入了中国共产党。她放弃被提拔担任公社党委副书记的机会，坚持在基层锻炼。她把五六次升学、招工的机会全都让给别人。陈朋山在日记中写道：“如果把三大差别比作通往共产主义大道上的壕沟，那么我心甘情愿做一粒微小的细沙。”

吉林省知青张振海，1969年入内蒙古生产建设兵团二师汽车队任司机，他脏活、重活干在先，技术好，为车队培养了3名司机。当了排长能以身作则，爱护车辆，安全行车21万公里。每条轮胎平均使用上万公里，超过规定20%，为兵团节约1 900多元。几年来共节约修理、保养费2.3万多元。他多次出席团、师先代会，荣立二等功1次、三等功2次。

又如1969年天津32名知青徒步1 700多里，来到乌兰察布盟和林格尔县公喇嘛公社青年农场落户。他们在一片荒沙滩上种田，亩产由建场前的80斤，提高到247斤。第一年，人均产量就达1 700斤。连续4年获得大丰收。4年中有6人加入中国共产党，23人加入共青团，成长为农村需要的拖拉机手、车倌、羊倌、犁头、木工、电工、会计、赤脚医生、林果技术员、饲养员等。

内蒙古生产建设兵团第五师三十一团七连女子放牧班，是由北京、唐山、包头、集宁等地的10名知青战士组成，担负着1 300多只改良羊的放牧任务。她们克服一切困难，学会了骑马，学会了放牧改良羊的技术，第一年保育率就达98%，3年来保育率始终稳定在98.8%以上。为了使羊群安全，她们自己动手脱土坯、采石头，利用业余时间垒起了长75米、宽63米的羊圈，盖起了两间半住房，解决了定居放牧的问题。女子放牧班多次出席团、师、兵团先代会，连续3年荣立集体三等功；有3人加入中国共产党，6人加入共青团。

在各级政府改进知青工作，向知青标兵和知青工作先进标兵学习的号召和带动下，全区知识青年上山下乡人数又出现回升，是年全区农村牧区安置知青6.95万人。

第三节 知青上山下乡的延续与结束（1976年10月—1981年11月）

一、调整安置政策 稳妥解决知青上山下乡问题

从1973年开始贯彻“统筹解决”的方针以来，尽管国家调整了下乡知识青年的政策，加大了解决知青生产和生活中的实际困难和问题的力度，但是仍有很多问题未得到解决，对城乡劳动力的安排缺乏整体规划，安置知识青年的路子比较窄，安置人数过多的地方，农牧民的负担依然很重。1976年2月，毛泽东在一份反映知识青年问题的信上再次批示：“知青问题，似宜专题研究，先做准备，然后开一次会，给以解决。”但是，在“四人帮”鼓动“批邓反击右倾翻案风”的形势下，毛泽东对知青问题的批示，仍然没有也不可能得到落实。

1976年10月，“四人帮”覆灭，“文化大革命”结束，中国进入新的历史时期，面临拨乱反正、百废待兴的重任。知识青年上山下乡涉及千家万户，也是亟待解决的社会问题。1978年3月，中共中央副主席邓小平指出：“要研究如何使城镇容纳更多的劳动力的问题。上山下乡不是长期办法，农民不欢迎。”①

10月31日至12月10日，国务院在北京召开第二次全国知识青年上山下乡工作会议。会议的中心议题是：根据新时期的任务和国民经济发展的实际，如何调整知识青年上山下乡的方针、政策，妥善解决存在的问题。会议形成了《全国知识青年上山下乡工作会议纪要》和《国务院关于知识青年

---

① 刘小萌：《中国知青史—大潮（1966—1980）》，中国社会科学出版社1998年版，第714页。

上山下乡若干问题的试行规定》等重要文件。12 月 12 日，中共中央发出通知（中发〔1978〕74 号），同意《会议纪要》和《试行规定》。《纪要》对上山下乡政策作了多方面的调整：一是改变了对城市中学毕业生的分配方针，由“一个面向”（上山下乡），改为“四个面向”（升学、上山下乡、支援边疆、城市安排），以适应发展国民经济的需要。二是城市中学毕业生留城安置比例要逐步扩大，除了 1973 年规定的“四不下”（独生子女、孤儿、归侨学生、中国籍外国人子女）外，新增了多子女家庭可选 1 个子女留城，家庭困难、本人残疾可照顾留城。三是缩小了上山下乡的范围，规定矿山、林区、三线企业、小集镇和一般县城，不再列入上山下乡的范围，其他有条件者可以不动员上山下乡。四是改革了安置办法，由组织青年“接受再教育”转变为就业，创造财富，主要举办知青场队和农工商联合企业，把安置知青同发展工农牧业生产结合起来。五是要积极稳妥地解决好已在农村的下乡知识青年就业问题。总之，本着“国家关心，负责到底”的精神，对确有困难的知青、1972 年底以前下乡的老知青优先安排到城镇企事业单位就业；对插队已婚知青，应在社队和县办企事业中安排有固定收入的工作；对国营农牧场的知青采取稳定的做法，有困难可商调回城，父母退休、退职可以回城顶替。为了保证以上政策的贯彻执行，制定了以下措施：将大集体指标下放到省、市、自治区自行掌握；1985 年前，对知青场队和劳动服务公司实行免缴利税、不派购农副产品任务；停办“五七”干校，把它作为安置基地。历时 41 天的全国知识青年上山下乡工作会议是一次重要的决策性会议，会议使知识青年工作走上拨乱反正的轨道。

1978 年 12 月，使中国历史发生重要转折的中共十一届三中全会召开以后，党和国家领导人决心从根本上解决上山下乡知识青年的问题。中央经过多次讨论，认为知青下乡插队应当逐步停止，要采取谨慎而有步骤的办法，统筹解决知识青年问题；要广开就业门路，把知青纳入城镇就业的轨道；要妥善解决下乡知识青年的工龄、已婚青年的安排、在外地工作的老知青子女回原城市入学的户籍等遗留问题。在党的十一届三中全会方针的指引下，拨乱反正，逐步纠正了知识青年工作中“左”的政策，工作重点由强制动员下乡转变为城乡广开门路，各行各业共同负责安置知青就业。

1979 年 3 月 28 日至 4 月 3 日，内蒙古党委召开全区知识青年上山下乡工作会议，会议传达和贯彻中央〔1978〕74号文件精神，研究今后统筹解决知青问题的具体措施，形成了《全区知识青年上山下乡工作会议纪要》和《贯彻〈国务院关于知识青年上山下乡若干问题的试行规定〉的补充规定》。这两个文件在中央文件精神的基础上，结合自治区的实际，提出了要加强知识青年科学文化的学习，对经过业余学习，考试合格达到大中专水平的，承认其学历；对现有在乡的7万多名知识青年要在1981年前通过多种形式全部安排工作。今后下乡的知识青年主要安置在单位办的农副业基地和集体所有制的知识青年农、牧、林场队，也可在良种场、农科站、苗圃、果园等事业单位安置，单位有用工指标可转为正式职工；对于下乡知识青年应优先于同期留城青年安排工作；对不满17周岁的中学毕业生暂不动员上山下乡，也不办留城手续；本年已下达的商业、财税等专项招工指标的60%用于招收下乡知识青年；对1972年以前下乡的老知青的招工，要适当放宽条件，力争在1979年内安排完毕，妥善解决遗留问题。

1978年底，全区已办起以知识青年为主的集体所有制农、牧、林场204个，安置知青1万多人，占下乡知青的11.11%。几年来，他们共生产粮食1 000万公斤，饲养牲畜2.5万多头（只）、生猪三千多头，生产蔬菜35万公斤。[①] 到1981年初，知识青年所办农、牧、林场和联合企业达387个，安排知青2.2503万人，有耕地20多万亩、大牲畜1 000万头、固定资产5 400多万元，包括各种机床600台、汽车一百多辆、各种类型拖拉机二百多台。利润和流动资金达840.93万元，年产值为554.17万元。生产项目有农牧林业、养殖业、编织、皮革、皮鞋、服装、针织、饮食服务、机电修理、家电修理等，为市场提供了工业和农副产品，为群众提供了服务。如海拉尔皮革厂知青农工商联合企业，由有经验、懂技术的干部担任领导，下设农牧、政工、财务、供销、工副等办公室，各司其职，管理有序。1980年赢利20万元，共安排知青1 450人，其中500人已转制就业。[②]

---

① 内蒙古档案馆馆藏档案324—1—55、内蒙古自治区人民政府知青办：《关于加强知青场队建设的意见》。

② 内蒙古档案馆馆藏档案324—1—76、内蒙古自治区人民政府知青办：《关于全区知青场（厂、联合企业）调查情况的报告》。

为做好新时期城镇知识青年工作，1980 年 7 月，内蒙古党委决定将“内蒙古党委知识青年上山下乡办公室”更名为“内蒙古自治区人民政府知识青年工作办公室”。1980 年 7 月 15 日，内蒙古自治区人民政府办公厅根据中央〔1978〕74 号文件精神，下发了《关于不再扩大知识青年上山下乡动员范围的通知》,《通知》明确规定：“矿山、林区、分布在农村的有安排条件的企事业单位、小集镇和一般县城非农业户口的中学毕业生，不再列入上山下乡范围。”《通知》要求各地广开就业和就学门路，举办集体所有制的企事业、服务行业和农工商联合企业，积极创办职业学校、技工学校、职业技术培训班和补习班，为将来就业做准备。

1980 年，中共中央下达了〔1980〕64 号文件，决定停止城镇知识青年上山下乡。10 月，自治区人民政府发布公告：从本年 11 月 1 日起，自治区不再动员上山下乡。对在乡的知识青年本着“国家关心，负责到底”的精神，与有关部门密切配合，发挥社会各方面积极性，通过发展生产和扩大服务业，就地就近安排老知青从事有固定收入的工作。至此，从“文革”开始，历时 14 年，整整影响一代人的城镇知识青年上山下乡运动宣告结束。

1981 年 5 月 1 日，内蒙古自治区人民政府知识青年工作办公室在《内蒙古知识青年工作基本情况的汇报》中，总结了从 1967 年到 1980 年，内蒙古累计安置本区和区外城镇知识青年 41. 6552 万人（包括 1979 年重新划回的“东三盟”和“西三旗”的 22. 52 万名城镇上山下乡知识青年；不包括内蒙古生产建设兵团招收的约 10 万知识青年），其中接收区外 9. 8722 万人：北京 2. 504 万人、天津 5. 008 万人、上海 2 273 人、其他省区 2. 1229 万人；区内 31. 783 万人。农村安置 39. 065 万人，牧区安置 2. 5029 万人。他们中历年招工招干的有 23. 2811 万人，经推荐和统一考试升学的有 3. 8197 万人，参军 1. 3456 万人，病退和返城 4. 3876 万人，迁往他省市 2. 7963 万人，外省市迁入有 7 264 人，死亡 794 人，仍留在农牧区的有 6. 6619 万人。历年来，中央拨给内蒙古知识青年安置费 18 749. 5 万元（不包括生产建设兵团），国家供应木材 4. 5613 万立方米，建成知青住房 7. 9916 万间、45. 2239 万平方米。① 可以看出国家投

---

① 内蒙古档案馆馆藏档案 324—1—75、内蒙古自治区人民政府知青办：《内蒙知青工作基本情况的汇报》。

入大量的经费和物资，支持城镇知识青年上山下乡运动。

二、善始善终 解决遗留问题

1980 年 11 月 28 日，内蒙古自治区劳动局、知识青年上山下乡办公室向自治区人民政府上报《关于解决下乡知青就业问题的报告》，报告指出：几年来全区共安置城镇知识青年 41 万多人，其中有京、津、沪、浙等省市约 9.86 万人。他们为自治区的农村牧区建设作出了一定的贡献。十几年来，通过招工、招生、参军、病困退等途径共安置了 36 万多人，现在尚有 5 万多名知青仍在农村、牧区，其中分散插队和在知青场队各有 2.5 万人。为了做好这些在乡知识青年的安置工作，建议采取以下措施：（1）各级政府要采取劳动部门介绍就业、自愿组织就业和自谋职业相结合的方针，力争 1981 年全部安置完。（2）今后全民和集体招工指标，要优先用于招收下乡知青，不得挪用。（3）要先安排 1972 年以前的老知青和分散插队的知青。（4）招工年龄应放宽，考试题要与留城知青分别出题，保证在乡知青有一定录取比例。（5）办好知青农场，稳定一批知青在场就业。现有四百多个知青场队，可办理集体招工手续，户口、粮食关系转为城镇户。

今后城镇中学毕业生的安排总的指导思想从有利于解决劳动就业的原则出发，实行城乡统筹，把安排知识青年的就业工作逐步地统一起来。1981 年 6 月 4 日，内蒙古自治区人民政府发出《关于安置城镇待业知识青年兴办集体企业免税问题的补充通知》，规定知识青年办企业免征 3 年所得税和工商税的优惠政策。这些政策措施的执行，有效地解决了下乡知青的遗留问题和留城知青的就业问题。

1981 年 9 月 22 日，内蒙古党委办公厅发出通知："自治区党委第 32 次书记办公会议决定：为便于加强集中统一领导，把城镇待业青年和上山下乡青年的工作做得更好，根据内蒙古党委和自治区人民政府的决定，从 1981 年 10 月 1 日起，自治区人民政府知识青年工作办公室与自治区劳动局合署办公，实行统一领导，对外两个牌子。" 10 月 19 日，自治区人民政府知识青年工作办公室发出《关于妥善处理当前知青工作中几个具体问题的通知》，对在乡知青的病、困和因公致残的安置问题，历次运动中随父母下放农村牧区的知识青年，刑满释放的知青的安置等问题均作了具体的政策规定。

内蒙古自治区人民政府决定，从1981年11月1日起取消留城政策，不再发留城证；采取劳动部门安排就业、自愿组织就业和自谋职业相结合的办法，力争在1981年将本地、本单位还在插队的知青安排完毕。今后招工应优先招收在乡知青，分配解决下乡知青的用工指标不得挪用。招工要放宽在乡知青的年龄，考试题应较简单，保证在乡知青有一定的录取比例。

三、内蒙古知识青年共产主义劳动大学

（一）知青共大的创办

1976年，为培养服务于农牧业现代化的技术人才及基层领导干部，内蒙古党委决定创办“内蒙古知识青年共产主义劳动大学”（简称“知青共大”）。知青共大以毛泽东“七三〇”指示①和“五七”指示②为办学方针，以“抗大”为榜样，学习江西共大和朝阳农业学校的经验，采取社来社去、半工半读的方式，以阶级斗争为主课，进行爱农务农，扎根农村牧区的思想教育。校址设在乌兰察布盟凉城县城东的岱海湖边原知青点。

在内蒙古党委知青领导小组的直接领导下，内蒙古党委常委、知青领导小组组长沈新发兼任知青共大校长，许维俊、张进才、佟英茹任副校长。下设学校办公室、教育革命组、生产后勤组，负责日常工作。并成立了校党委，委托乌兰察布盟凉城县委代管。

招生采取自愿报名，基层推荐，由旗县、盟市、自治区知青办根据社队需要提名的办法。选送的学员要求是具有扎根农村牧区干革命的思想、身体健康的上山下乡知识青年。学习期间国家给每人每月补助10元，学校发给伙食费、生活费15元，自带粮食或粮票，每人每月39斤。

5月4日，内蒙古知识青年共产主义劳动大学在乌兰察布盟凉城县岱海湖边举行开学典礼，参加典礼的有来自全区6个盟市39个旗县的知识青年

---

① 1961年7月30日，毛泽东给江西共产主义劳动大学的信中指出：“半工半读、勤工俭学、不要国家一分钱，小学、中学、大学都有，分散在全省各个山头，少数在平地。这样的学校确实很好。”

② 1966年5月7日，毛泽东提出：“要把各行各业办成一个大学校，学政治、学军事、学文化，又能从事农副业生产，又能办一些中小工厂，生产自己需要的若干产品和与国家等价交换的产品。”

学员以及各界代表共500多人。内蒙古党委第一书记、自治区革委会主任尤太忠，书记、革委会副主任吴涛等出席并表示祝贺。校长沈新发及贫下中农代表在会上讲了话。

1976年至1977年开办了第一期，长期班开设了农学、医学、机电和政治理论4个专业班，招收学员120名；短期班举办了毛泽东著作学习培训班，学员205名。聘请老农民、老工人、科技人员和大中专学校教师授课、辅导。教学方法采取理论联系实际，学习农村牧区所需的科学技术知识。全校师生自力更生，艰苦奋斗，边建校边学习，盖起了五排九十多间教室、宿舍、砖厂、机修厂。第一年生产粮食3.9万公斤、生猪45头，为实现学员主副食自给奠定了基础。1977年底学员毕业，有的回社队或知青农场担任了基层干部，有的担任了农机管理人员、机修工人、拖拉机手、赤脚医生、农牧林业技术员、民办教师等，大多数学员还兼任了政治文化夜校的辅导员。开学后自治区党政领导尤太忠、池必卿、刘景平、沈新发、王铎等多次到校指导工作。

（二）知青“共大”的发展

1979年7月，内蒙古党委决定，知青“共大”的招生和分配列入国家计划，创办技工班和农工商联合企业。技工班校址在呼和浩特市郊区毫沁营公社原知青点，招收学生291名，为自治区工业企业培养技术工人，由自治区劳动局统一分配就业。

是年8月9日，内蒙古党委知识青年上山下乡办公室为发展工业、养殖业、编织业，创办了农工商联合企业。在呼和浩特市郊区太平庄公社原知青点办起知青综合生产场，有木工、机修、金属加工等车间，建成砖窑、酒坊、粉坊、猪兔场、运输队等，还为呼市机床附件厂生产零件，先后安置知青三百多人。岱海知青农场利用岱海产的芦苇发展编织业，农工副业多种经营，先后安置知青五百多人。1980年，城镇知识青年停止上山下乡后，“共大”改为安置知青就业的基地。自治区劳动部门划拨了200个集体劳动指标，全部安排1972年以前下乡的老知青。岱海知青农场安排了100名已婚老知青就业。

（三）知青共大的调整转型

1980年3月28日，内蒙古党委知识青年上山下乡办公室将知青共大技工班扩大改建为内蒙古技工学校；把安置基地改为集体所有制企业内蒙古知青农工商联合公司。至此，内蒙古知青共大一分为二，即技工学校和农工商联合公司，作为安排下乡知青学习和就业的经济实体。

内蒙古技工学校1982年建成，校址由呼市郊区毫沁营公社迁驻呼市赛罕路新址，可招生五百多名。

内蒙古知青农工商联合公司下设凉城县岱海知青农场、白塔知青综合厂和呼市知青服务大楼。岱海知青芦苇场，以生产芦苇为主，兼营农牧林和工副业，安排大集体知青300人；白塔知青综合场生产木耳、酒花、药材、花卉等，后增加了皮鞋生产车间，安排大集体知青200人；投资130万元位于呼市新城鼓楼的知青综合服务大楼，包括旅社、餐饮、民族餐厅、无线电修理、服装加工、照相等行业，安排大集体知青一百三十多人。

内蒙古知青"共大"为下乡知识青年升学和就业创造了条件，也为自治区工农牧副业的发展作出了贡献。

（四）恢复高考制度

1977年5月24日，邓小平提出："抓科技必须同时抓教育。从小学抓起，一直到中学、大学。我希望从现在开始做起，五年小见成效，十年中见成效，十五年、二十年大见成效。办教育要两条腿走路，既注意普及，又注意提高。要办重点小学、重点中学、重点大学。要经过严格考试，把最优秀的人集中在重点中学和大学。""一定要在党内造成一种空气：尊重知识，尊重人才。"① 8月8日，邓小平又在科学和教育工作座谈会上讲话时指出："今年就要下决心恢复从高中毕业生中直接招考学生，不要再搞群众推荐。从高中直接招生，我看可能是早出人才、早出成果的一个好办法。"② 于是，恢复高考制度提上了日程，成为当务之急。10月12日，国务院批转教育部《关于1977年高等学校招生工作的意见》，规定凡是工人、农民、上山下乡和回乡知识青年（包括按政策留城而尚未分配工作的）、复员军人、干部和应届高中毕业生均可报考高等学校，停止十余年的高考制度终于恢复。

高考制度的恢复，为上山下乡知识青年带来升学深造、读书成才难得的

---

① 《邓小平文选（1975—1982）》，人民出版社1983年版，第37页。

② 《邓小平文选（1975—1982）》，人民出版社1983年版，第45页。

机遇。内蒙古自治区的广大山上下乡知识青年立即投入复习应考，白天照样参加生产劳动，晚上坚持复习。但多数知青由于学业荒废多年，参加高考并非易事，有的是抱着试一试的态度报名应考的。他们在艰苦的条件下奋力拼搏，部分人经过高考脱颖而出，特别是66届、67届高中毕业生中的许多优秀人才进入高等学府。1978年的春天，内蒙古有6 882名新生入学，其中3 878名城镇上山下乡知识青年经过刻苦努力圆了大学梦，为改变自己的命运迈出了关键性的一步。他们能重新捧起书本，非常珍惜来之不易的学习机会，在学校的图书馆、阅览室、语音室如饥似渴地吮吸着各种知识。

针对知青在农牧业生产第一线劳动，存在复习功课的时间紧，又无人辅导的困难，1978年5月6日，自治区教育局、知青办联合转发《国务院知青领导小组、教育部〈关于积极组织今年报考高等学校的知识青年复习文化课的通知〉》,要求知识青年所在的生产队、农场，本着劳动、复习两不误的原则，热情鼓励符合条件的知青报考高等学校，每天给他们安排一定时间，组织他们复习功课；要因地制宜，采取多种形式做好辅导工作，解决复习中遇到的疑难问题和实际困难。是年6月，国务院在批转教育部《关于1978年高等学校和中等专业学校招生工作的意见》中提出：自本年度起高等学校主要招收20岁左右的青年，不再限定应届高中毕业生的比例；招生第一次实行全国统一命题。1979年9月，在全区包括重新划回的“东三盟”、“西三旗”的下乡知识青年中，有2 004名考入大中专院校。从此以后，自治区连续几年都有一批下乡知识青年升入大中专院校。从1970年至1980年，全区经推荐和统一考试两种方式，升入大中专院校的上山下乡知识青年达3. 8197万人，建设兵团推荐入学7 808人，毕业后绝大多数成了自治区各条战线的骨干。当时多数知识青年的年龄已逾国家规定的招生年龄，他们虽然没有进入正规大学，但是许多人在返城以后，考入职大、电大、函大，实现了他们渴望深造的愿望。他们克服了年龄偏大、工作繁忙、时间紧、居住条件差、子女小、家务负担重等重重困难，刻苦钻研，锲而不舍地完成学业，走上了成才之路。

表 11－3　高考制度恢复后内蒙古大中专院校招生情况

单位：人

项目 / 人数 / 年度	招生总数			农村牧区知识青年入学情况	
	合　计	大　学	中　专	升入大专院校	占招生总数的（%）
1978	19872	6882	12089	3878	19.51
1979	19901	4911	14990	2004	10.07
1980	19369	5122	14247		

第四节　内蒙古生产建设兵团（1967 年 5 月—1975 年 12 月）

一、兵团的组建与发展

1966 年 2 月，中共中央华北局和内蒙古党委决定，由内蒙古军区（当时为大军区）负责组建中国人民解放军内蒙古生产建设兵团。内蒙古军区成立了以副司令员刘华香为首的领导小组，具体负责筹建工作。随后北京军区在山西省雁北地区组建了华北农垦兵团。9 月，内蒙古又设立了西北林业建设兵团第 4 师筹建处，下辖两个团。1967 年 5 月 26 日，中央军委将内蒙古军区降为省级军区，隶属北京军区领导。于是内蒙古生产建设兵团与华北农垦兵团合并筹建，由北京军区领导。1968 年 9 月 20 日，内蒙古自治区革委会组建区直机关毛泽东思想大学校，安置下放干部和上山下乡知识青年。随后北京军区、内蒙古自治区革委会、山西省革委会决定，撤销华北农垦兵团，筹建中国人民解放军北京军区内蒙古生产建设兵团。内蒙古自治区革委会成立了由滕海清、吴先恩、权星垣、刘华香、倪子文、刘大礼、李惠民、雷代夫、刘延博、马亚夫、郭贤组成的兵团筹建领导小组，由原华北农垦兵团政委倪子文主持筹建领导小组的日常工作。

1969 年 1 月 24 日，中共中央、国务院、中央军委批示：经毛主席批准，组建中国人民解放军北京军区内蒙古生产建设兵团，列入北京军区序列。2

月，北京军区任命何凤山任内蒙古生产建设兵团司令员，倪子文任第二政委（第一政委暂缺），杨世明、康银寿、包盛标任副司令员，李植林、朱世钧任副政委。10月30日，中央军委又任命刘义荣为内蒙古生产建设兵团副司令员，赵强为副政委。

兵团机关设司令部、政治部、后勤部。司令部由董儒强任参谋长，张旭之、孟庆祥任副参谋长，下辖作训处、军务处、生产处、基建处、管理处及直属警卫排。政治部由李惠民任主任，李中飞、陆国祯任副主任，下辖组织处、干部处、秘书处、保卫处、宣传处。后勤部由刘耕任部长，郭贤任副部长，下辖卫生处、机运处、财务处、军械处、供销处。兵团实行垂直领导，军事、经济、政治、人事、劳资、治安、党团组织、文教卫生及户籍均由内蒙古兵团管理，形成了一个独立的体系。兵团领导机关设在自治区首府呼和浩特市内蒙古党委党校大院。

1969年5月，内蒙古生产建设兵团党委成立，何凤山任书记，倪子文任副书记；何凤山、倪子文、杨世明、康银寿、包盛标、李植林、朱世钧、董儒强、李惠民、张旭之、孟庆祥、李中飞、陆国祯、刘耕、郭贤、庞德运、张振华、孟昭贤、田益国、张绍喜、李永森、郑东明、高汉杰为委员；何凤山、倪子文、杨世明、康银寿、包盛标、李植林、朱世钧、董儒强、李惠民为常委会委员。①

北京军区从下属各部队抽调3 266名现役干部到兵团、师、团、连各级任职，其中有参加过抗日战争、解放战争、抗美援朝和援越抗美战争的军人，并安置复转军人5 354名。他们接到军区的命令后，迅速前往内蒙古自治区巴彦淖尔盟、乌兰察布盟和锡林郭勒盟等地接管国营农场、劳改农场，组建生产建设兵团各师团。内蒙古直属机关毛泽东思想大学校总校、分校及原内蒙古军区生产建设兵团全体、华北农垦兵团大部分一起并入新组建的内蒙古生产建设兵团。同时，兵团接收城镇知识青年，条件为“原则上以工人、贫下中农和其他劳动人民子女为主体，年满16周岁，身体健康，作风正派，家庭和本人历史清楚，无限忠于毛主席、毛泽东思想、毛主席的无产阶级革命路线。”当兵团战士对中学毕业生来说，要比到农村牧区插队落户

① 何岚、史卫民：《内蒙古生产建设兵团写真》，法律出版社1994年版，第12页。

更具有吸引力。兵团属于中国人民解放军序列，有机会经受紧张而有序的部队生活的锻炼，生活待遇又有保障，入兵团还标志着家庭出身好，在当时是一件光荣的事情。家长把孩子送到兵团也比较放心。因此，兵团接收知识青年是经过严格挑选的。同时也象征性地接收了少数的所谓“可教育好子女”。

内蒙古生产建设兵团是准军事组织，兵团的番号和正规部队一样对外保密，各师统一称“部队”，在师的序号前加上“五七”二字；团的番号与124相加，作为信箱号。如二师十四团的通信地址是“内蒙古乌拉特前旗五七二部队138信箱某连”。兵团的通信地址包含毛泽东的“五七”指示和“一二四批示”（即1969年1月24日，中共中央、国务院、中央军委批示：经毛主席批准，组建中国人民解放军北京军区内蒙古生产建设兵团），组成各个独具匠心、寓意深刻的番号。直至1973年12月，兵团司令部决定：从1974年1月1日起停止使用信箱番号，通信地址一律改为兵团各部真实番号单位的名称。

内蒙古生产建设兵团的组织形式和编制系统，采用兵团—师—团—连队的建制，原计划建制为6个师，每个师辖10个团，每个团辖10个连队。第一、二、三师设在巴彦淖尔盟、伊克昭盟境内，第四、五、六师设在锡林郭勒盟境内。1969年实际组建起4个师，即一、二、三、六师，下设24个团、246个连队。

一师：师部设在巴彦淖尔盟磴口县巴彦高勒镇，庞德运任师长，张振华任政委，下辖1至6团，共6个团。

二师：师部设在巴彦淖尔盟乌拉特前旗乌拉山镇，孟昭贤任师长，田益国任政委，下辖11至19团，共9个团。

三师：师部设在巴彦淖尔盟临河县，张绍喜任师长，李永森任政委，下辖21至23团，共3个团。

六师：师部设在锡林郭勒盟东乌珠穆沁旗东风镇乌拉盖农场，郑东明任师长，高汉杰任政委，下辖51至54团。四师、五师先各组建一个团（三十一团、四十一团），暂归六师领导。

各师直属机构设司令部、政治部、后勤部。司令部下设作训、军务、生产、基建、管理科和直属武装连。政治部下设组织、宣传、保卫、干部、直工科。后勤部下设供销、机运、财务、军械、卫生科和农机厂、被服厂、物资站（供应站）。以上各团和连由兵团司令部任命正副团长、政委，团机关设立了与师机关相应的职能部门及卫生队、军人服务社、运输队、兽医站和仓库等。有的团另设机械营、营级厂矿等编制。连队是最基层的单位，设正副连长、指导员以及司务长、文书、通信员、卫生员、保管员等。

1969 年 3 月 25 日，内蒙古自治区革委会生产建设指挥部和内蒙古生产建设兵团作出《关于划归内蒙古生产建设兵团的部分国营农牧场、劳改农场有关财产财物交接办法的通知》,决定将以下单位移交兵团：

1. 乌海劳改农场移交二师十一团、十二团
2. 建丰劳改农场移交二师十五团
3. 中滩劳改农场移交二师十七团
4. 乌拉特农场、乌梁素海水产局移交二师十九团
5. 苏独仑国营农场移交二师十四团
6. 东方红种羊场移交二师十六团
7. 乌拉特前旗造纸厂、包头新生砂石厂、包头新生阀门厂移交二师十三团
8. 包头农牧机械修理厂、包头共青农场移交二师十八团
9. 临河劳改农场移交三师二十一团
10. 狼山劳改农场移交三师二十二团
11. 巴拉亥林场移交三师二十三团
12. 锡林郭勒种畜场移交六师代管的三十一团
13. 高力罕牧场移交六师代管的四十一团
14. 乌拉盖农牧场移交六师五十二团
15. 哈拉盖图牧场移交六师五十一团
16. 宝格达山林场移交六师五十五团
17. 贺斯格乌拉牧场移交六师五十三团
18. 满都宝力格牧场移交六师五十四团

1969 年 5 月 7 日，是毛泽东作出“五七”指示的日子，创建生产建设兵团是贯彻“五七”指示，组织知识青年学工、学农、学军，走与军、工、农相结合道路的最好途径。这天，内蒙古生产建设兵团在内蒙古党委党校隆

重举行成立大会。北京军区、内蒙古自治区革委会、内蒙古军区负责人，呼市、包头、巴盟、锡盟、伊盟、乌盟革委会负责人，驻内蒙古各部队的负责人，北京长途电信局、北京民航局的代表及内蒙古生产建设兵团各师、团、连队的代表参加了大会。会上，司令员何凤山讲话，他说："内蒙古生产建设兵团是一支开发边疆、建设边疆、保卫边疆的不脱离生产的人民武装部队，既是战斗队，又是生产队，也是工作队。根本任务是造就一支屯垦戍边的钢铁队伍，把兵团办成毛泽东思想大学校。"

1969年8月，内蒙古生产建设兵团的总人数达6.2278万人，其中现役军人3 266人、地方干部1 567人、下放干部535人、复员军人5 354人、农牧场职工5 103人、中专毕业生772人，知识青年4.5681万人。[①] 全年共安置知识青年4.9452万人，其中接收区外共3.9362万人，接收区内共1.009万人，[②] 其中出身好的知识青年占了85%；女知青占53%。

1970年，四、五师正式组建，共6个团、60个连。

四师：师部驻锡林郭勒盟锡林浩特市，王本固任师长，张振华任政委，徐通任参谋长，下辖三十二团、三十三团、三十四团，共3个团。

五师：师部驻锡林郭勒盟西乌珠穆沁旗哈日根台公社，李占魁任师长，马延龄任参谋长，下辖四十二团、四十三团、四十四团，共3个团。

至此，全兵团完成了组建6个师的建制，形成30个团、306个连队的规模。是年，接收城市知识青年2.6507万人，其中区外2.1371万人，区内5 136人。[③]

1971年是兵团最后一次大规模接收城镇知识青年，共接收知识青年2.0886万人，其中区外1.6839万人，区内4 047人。多数分配到新增加的2个工业团、4个相当于团级的工矿企业以及兵团直属机关和农业团，全兵团发展到45个团。[④]

---

① 何岚、史卫民：《内蒙古生产建设兵团写真》，法律出版社1994年版，第15页。

② 内蒙古档案馆馆藏档案324—1—87：《内蒙古自治区跨省区接收下乡青年人数分年度统计表》。

③ 内蒙古档案馆馆藏档案324—1—87、内蒙古生产建设兵团司令部劳资处：《历年接收安置知识青年统计表》。

④ 内蒙古档案馆馆藏档案324—1—87、内蒙古生产建设兵团司令部劳资处：《历年接收安置知识青年统计表》。

1972 年，兵团接收城镇零星知识青年 1 154 人。至此兵团组建以来共接收知识青年 9. 8143 万人，其中因招工、升学、参军、病退、困退、调出、牺牲和死亡等原因逐年减员 20%。

表 11－4 内蒙古生产建设兵团历年接收知识青年统计表

单位：人

年度 \ 人数 \ 地区	总计	北京	天津	上海	浙江	河北	其他省	呼市	包头	各盟
合计	98143	26642	14871	5575	9127	6659	15852	8201	8030	3042
1969	49452	22476	4669	167	2760	3931	5359	4482	5608	
1970	26507	4166	10202				7003	1978	1592	1566
1971	20886			5408	6367	2728	2336	1741	830	1476
1972	1154						1154			
1973	144						29	115		

注：表列数字根据 1973 年 10 月兵团司令部劳资处统计。

1972 年 11 月，由于锡林郭勒草原不适于发展农业，发展畜牧业遇到超载的困难，四师师部由锡盟迁至伊盟海勃湾市，形成“东二师、西四师”的格局。兵团领导经过调整，何凤山任司令员、倪子文任政委、康银寿、刘义荣任副司令员，李惠民、王前任副政委，庞德运任参谋长。

经内蒙古党委同意，兵团将一师 8 团、三师 24 团、海勃湾玻璃厂、维尼龙厂划归四师。兵团建立直辖化纤厂（位于呼和浩特市）、工程团（位于呼和浩特市）、乌拉山发电厂（位于巴彦淖尔盟乌拉特前旗）、乌拉山化肥厂（位于巴彦淖尔盟乌拉特前旗）。各师、团具体情况如下：

一师：师部驻巴彦淖尔盟磴口县，张志明任师长、政委，李祥珠任参谋长。辖 7 个团，共 20 601 人。

一团：驻磴口县朝阳镇（原乌兰布和农场）

二团：驻磴口县红卫镇（原巴音套海农场）

三团：驻磴口县卫国镇（原哈腾套海农场）

四团：驻磴口县戍边镇（原哈太阳庙林场）

五团：驻磴口县建国镇（原包尔套勒盖农场）

六团：驻磴口县反修镇（新建点，包尔套勒盖西）

七团：驻磴口县红旗镇（原纳林套海农场）

二师：师部驻巴彦淖尔盟乌拉特前旗乌拉山，孟昭贤任师长，田益国任政委，赵根喜任参谋长。辖 11 个团，共 41 132 人。

十一团：驻乌拉特前旗（原乌海劳改农场）

十二团：驻乌拉特前旗新安镇（原乌海劳改农场）

十三团：驻包头市西水泉（原新生砂石厂、阀门厂等）

十四团：驻乌拉特前旗苏独仑（原苏独仑国营农场）

十五团：驻五原县建丰（原建丰劳改农场）

十六团：驻中后旗牧羊海（原东方红种羊场）

十七团：驻乌拉特前旗中滩（原中滩劳改农场）

十八团：驻包头市万水泉（原共青农场）

十九团：驻乌拉特前旗坝头（原乌梁素海水产局、乌拉特农场）

二十团：驻伊克昭盟杭锦旗独贵特拉（原独贵特拉公社、杭锦淖公社）

六十二团：驻乌拉特前旗大佘太苏独仑（原苏独仑农场牧业队）

三师：师部驻巴彦淖尔盟临河县，张绍喜任师长，王元惠任副政委，苏积刚任参谋长。辖 6 个团、1 个厂，共 15 763 人。

二十一团：驻临河县军垦镇（原临河劳改农场）

二十二团：驻临河县屯垦镇（原狼山劳改农场）

二十三团：驻伊克昭盟杭锦旗扎尔格郎图（原改改召林场等）

二十五团：驻伊克昭盟杭锦旗巴拉亥（原巴拉亥林场）

二十六团：驻中后旗石兰计（原石兰计公社）

临河糖厂：驻临河县

四师：师部驻伊克昭盟海勃湾市，王本固任师长，张振华任政委，徐通任参谋长。辖 4 个团、1 个厂，共 9 410 人。

八团：驻乌达市（原乌达市属农场、林场）

二十四团：驻海勃湾市（原属三师）

三十四团：驻巴彦淖尔盟磴口县碱柜

三十五团：驻锡林郭勒盟苏尼特右旗赛汉塔拉

玻璃厂：建在海勃湾市

五师：师部驻锡林郭勒盟西乌珠穆沁旗，李占魁任师长，马延龄任参谋长。辖 6 个团、15 785 人。

三十一团：驻阿巴哈纳尔旗锡林郭勒种畜场、白音锡勒牧场

三十二团：驻阿巴哈纳尔旗毛登牧场

四十一团：驻西乌珠穆沁旗高力罕牧场

四十二团：驻西乌珠穆沁旗哈拉根台公社

四十三团：驻西乌珠穆沁旗宝日格斯台牧场

四十四团：驻西乌珠穆沁旗彦吉嘎庙

六师：师部驻锡林郭勒盟西乌珠穆沁旗乌拉盖农场，崔永华任师长，高汉杰任政委。辖 6 个团 10 731 人。

五十一团：驻东乌珠穆沁旗红星镇（原哈拉盖图牧场）

五十二团：驻东乌珠穆沁旗红边镇（原哈拉盖牧场）

五十三团：驻东乌珠穆沁旗红疆镇（原贺斯格乌拉牧场）

五十四团：驻东乌珠穆沁旗红光镇（原满都宝力格牧场）

五十五团：驻东乌珠穆沁旗红建镇（原宝格达山林场）

五十七团：驻东乌珠穆沁旗五七镇（东乌旗与哲里木盟扎鲁特旗之间）

到 1975 年初，又有 5 000 多名复员战士分配到内蒙古兵团担任班排长和技术工人。①

二、军事训练和战备

内蒙古生产建设兵团组建初期所有连队坚持出早操，不管白天劳动多累，晚上都要轮流站岗放哨，几乎每周夜间都要举行紧急集合训练，利用冬季时间进行长途野营拉练。与北京军区其他部队同时开展以树立战备思想的整训、忆苦思甜和“三查”（查思想、查作风、查工作）为主要内容的整军运动，开展“四好连队”、“五好战士”的活动。“四好连队”的条件是：政治思想好、三八作风好、生产建设好、生活管理好；“五好战士”的标准是：政治思想好、三八作风好、任务完成好、生产技术好、锻炼身体好。

1969 年初，中苏、中蒙边境出现紧张态势。8 月 23 日，内蒙古兵团政治部发出《关于进行战备教育的指示》；9 月 22 日，内蒙古军区政治部响应

---

① 何岚、史卫民：《内蒙古生产建设兵团写真》，法律出版社 1994 年版，第 270—272 页。

毛泽东“要准备打仗”的号召，下发了《关于深入进行战备思想教育的意见》，要求对所有干部战士立即进行战备教育，部队充满了准备打仗的紧张气氛。10 月 19 日，内蒙古兵团内部紧急传达了以林彪名义发出的战备命令，整个兵团进入临战状态。一切工作立足于打仗，每个团都装备有 1—2 个武装连队，配备有轻武器，抓紧军事训练，教育干部、战士树立“一不怕苦，二不怕死”的思想，开展向珍宝岛自卫还击作战中孙玉国等 10 位战斗英雄学习的活动。

1969 年 12 月 19 日，中共中央发布《关于内蒙古实行分区全面军管的决定》，由北京军区司令员郑维山、副司令员杜文达、副政委黄振棠等组成内蒙古前线指挥部，主持内蒙古的工作。内蒙古兵团遵照北京军区的指示，派出 2 200 多人次到全区 4 盟 2 市执行“三支二军”（即支工、支农、支左和军管、军训）任务。内蒙古兵团干部、战士没有参加地方的“文革”派性斗争，对稳定内蒙古的局势起了积极作用。

1970 年 9 月 1 日，创刊了兵团党委的机关报《兵团战友》，发行到每个班，通过报纸传达兵团党委的指示，交流工作经验，表扬先进典型，使之成为兵团开展政治思想工作的重要阵地。

1971 年 1 月至 3 月，兵团遵照毛泽东关于“利用冬季实行长途拉练”的指示，共组织 4 个师机关、14 个团机关及 192 个连队的 4.2 万多干部、战士参加拉练，时间 3—10 天，行程 50—450 公里。拉练要求做到“会行军、会做饭、会休息、会放哨”。广大干部战士在天气严寒、冰天雪地里负重行军，克服了体能透支的困难，完成了任务。这对在城市里长大的知识青年来讲是一次身体和意志的锻炼和考验。他们在行军中用革命口号激励斗志，相互鼓励：“为了解放全人类，苦练一双铁脚板”，“兵团战士意志坚，三九寒天只等闲，为了埋葬帝修反，甘洒热血永向前”。

是年，“九一三”事件发生后，全军进入一级战备。内蒙古前线指挥部贯彻中共中央的紧急战备指示，通知兵团各师团投入紧张的战备工作。到 10 月上旬，全兵团共挖防空洞 2.9 万多个、各种掩体 1.2 万多个、防空壕 1.8 万多米，基本达到人人都有防空工事。不久解除一级战备令，林彪叛逃真相大白。1972 年以后，随着国际局势的缓和，训练和战备逐步停止。

三、基本建设和生产

内蒙古生产建设兵团实行工、农、林、牧、副、渔多种经营、全面发展的生产方针，经过几年的基本建设和艰苦劳动，农业、牧业、工业都达到一定的规模并得到发展。

（一）基建施工

内蒙古生产建设兵团组建后，各团进行了包括工业、农业、牧业、林业、水利建设和行政、生活、文教卫生事业的大量用房、交通、通信设施等项目的大规模基本建设。在基建施工中，广大兵团战士参加了脱土坯、烧砖、架电线、修路等重体力劳动，经过多半年的施工，完成第一期土建工程，满足了生产和生活的需要。

1969 年，建成并交付使用的各类房屋共 28. 26 万平方米，其中宿舍、食堂为 21. 68 万平方米。到 1974 年，5 年国家基建投资共计 4. 1625 万元。①

（二）工业生产

1969 年，内蒙古生产建设兵团刚组建时只有 5 个小工厂，年产值 533 万元，上缴利润 113. 58 万元。到 1975 年，工业基本建设投资 1. 323 万元，建成和接收大小工矿企业 41 个，其中有兵团直属团级工厂 3 个，营级工厂 1 个；各师都建有被服厂、拖修厂、粮油加工厂、食品加工厂。为了发展工业，1970 年兵团司令部决定将原驻巴盟乌拉特前旗农场的二师 13 团改建为设在包头市的工业团，大部分人员迁往包头，先后接收了新生阀门厂、新生砂石厂、农药厂，新建了无线电厂、造纸厂等，生产农药、化肥、拖车、阀门、农机配件、混纺布、棉纱、平板玻璃、砂糖、煤、电、半导体元件等三十多种工业品，6 年来，年年完成国家生产计划，产值达 3 100 多万元，盈利 1 132 万元，供销企业盈利 244 万元。②

设在呼和浩特市郊区的兵团化纤厂，被列为内蒙古兵团的直属团级企业。1969 年 7 月，内蒙古自治区革委会、兵团司令部确定化纤厂为自治区重点建设项目，厂房由华北建筑一公司承建，由全区 52 家企业承担化纤设

① 何岚、史卫民：《内蒙古生产建设兵团写真》，法律出版社 1994 年版，第 51 页。

② 何岚、史卫民：《内蒙古生产建设兵团写真》，法律出版社 1994 年版，第 73—75 页。

备的加工任务。纺织车间和化纤车间分别建在呼和浩特市南郊大台什村原内蒙古农业学校和西郊孔家营村。兵团战士一面参加工厂基建，一面参加车间生产。厂部选派387名女知青战士到外地培训后，成为技术骨干。1970年8月，兵团化纤厂正式投产，5年中为国家生产了大批当时紧缺的化纤混纺布，填补了自治区无化学纤维纺织品的空白。

（三）农牧林业生产

内蒙古生产建设兵团大多数为农牧业团，发展农牧业生产是首要任务。组建初有22个农业团，总人数为5.1万人。在“农业学大寨”和“以粮为纲”口号的影响下，兵团战士改造沙漠、治理盐碱地，开荒造田、大搞农田水利基本建设。到1973年6月，共开荒136万亩。1975年，耕地面积由64万亩扩大到147万亩，可灌溉面积由31万亩增加到49万亩，建成基本农田3.34万亩，植树造林6.96万亩，为发展农业奠定了基础。建团头一年生产粮食200万公斤，平均亩产31.25公斤。兵团战士在巴彦淖尔盟乌拉特前旗乌梁素海周围，一面开垦荒地，治沙治碱，进行农田基本建设，发展粮食生产；一面下海捕鱼，收割芦苇，从事编织业，为国家提供水产品、工业原料。6年来，农业团粮食总产量为1.6787万公斤，上缴国家各种肉类共706万公斤。锡林郭勒草原的牧业团战士，在当地蒙古族牧民的指导下，学会了放牧、接羔、挤奶、剪羊毛等技能，到1974年牲畜总头数达到108.79万头（只），年平均增长22.4%，纯增4.6%。此外，各农牧业团还种蔬菜、养猪，解决副食品自给问题。

在极左思想指导下，兵团事事讲突出政治，缺乏从实际出发的长远规划，单纯从战备的需要出发，只算政治账，不算经济账，更缺乏科学经营。有的连队选址不当，不适合从事农牧业生产；从各野战部队调来的各级干部，缺乏管理生产的经验；从大城市来的知识青年更没有生产经验。尽管干部战士风餐露宿、流血流汗，付出了很大的辛劳，有的甚至献出了生命，但是由于生产成本高，经济效益差，出现了亏损，粮食一直没有实现自给。很多连队在房无一间，地无一亩，渠无一条，井无一眼，根本不具备生产的条件下，全凭干部战士以顽强的意志去克服人们难以想象的困难。有的连队种地施的羊粪是用火车运来的。20团为了在盐碱地上种出水稻，在冬季点起木柴，烤着冻土施工，在黄河边上抢修扬水站；用骆驼从30公里外的牧区驮回 50 多万公斤羊粪。23 团 8 连用人拉、脸盆端，苦干几年搬掉大大小小 2 500 个沙丘，开出 1 800 亩耕地。23 团 2 连为了改造十几亩盐碱地，用小推车运来几百车黄河淤泥用来改良土壤结构。这样进行农业生产，必然是生产成本高，劳动生产率低。1969 年至 1973 年，兵团各农业团在伊克昭盟、锡林郭勒盟共开荒 136 万多亩、又造林六万多亩，虽然多数是在沙滩上开荒造田，但在鄂尔多斯和锡林郭勒草原开荒是得不偿失的，造成土地沙化，草原生态受到破坏，四师被迫由锡林郭勒盟迁至伊克昭盟。

1969 年至 1972 年，兵团二十多个农业团在兴修水利方面取得了一定成果。一师开挖干渠完成 172 公里，建成扬水站 5 座，扩大灌溉面积 9 万亩；二师建成扬水站 30 座、打机井七十多眼，扩大灌溉面积 13 万亩；三师新建二十三团、二十五团修建的自流井灌溉区与原二十一团、二十二团灌溉区配套，加上二十四团修建的扬水工程，共扩大灌溉面积 4 万亩；四师三十四团建成扬水站 1 座；五师四十一团建成拦河引水工程 2 处、打牧业水井多眼。这些水利设施为自治区今后的农牧业生产奠定了一定的基础。

四、兵团战士的艰苦生活

参加兵团的知识青年按国营农场职工待遇，每人发给安置费平均 400 元，用于生活起居的各种用品、购买小农具、旅费、个人津贴。兵团战士实行供给制，第一、二、三年津贴费每人每月分别为 5、6、7 元，均比现役部队战士少 1 元。服装、被褥由各师被服厂生产，男女清一色草绿色军服，3 年以后停发服装。以连队为单位集体起伙，每人每月供应粮食 45 斤、食油 4 两，伙食费每人每月 13.5 元，因劳动强度大较普遍存在吃不好、吃不饱的问题。很多连队建在荒无人烟、交通不便的地区，文化生活也极其匮乏。为改变这种状况，各团、连队组织了业余文艺宣传队，自编、自导、自演文艺节目，以丰富战士的文化生活。二十三团的文艺宣传队在全兵团小有名气，曾代表三师参加过兵团文艺会演，还到伊克昭盟东胜、杭锦旗和相邻兄弟团进行过汇报演出。各团还组建了电影放映队，巡回到连队放映电影。

不少知青战士承受着双重压力，一是艰苦的劳动、生活环境的压力，二是左的思想的压力，约有 15% 的兵团战士属于“可教育好子女”，有的父母是领导干部，存在的这样那样所谓“问题”还没有结论，有的家长还被关押、群众专政，有的被迫害致死。这些战士背着沉重的家庭包袱，年龄又普遍较小，最小的只有 14 岁。他们就是在各种压力下，度过了几年的艰苦岁月。

五、“王亚卓”政治冤案

1974 年在“批林批孔”运动中，兵团二师十九团发生了闻名全国的“王亚卓”政治冤案。王亚卓是该团 3 名知识青年的名字各取一字组成的集体署名。这 3 人都是 1969 年进入兵团的，他们是王文尧，原天津十六中高中毕业生，任十九连文书，1970 年加入中国共产党，调任团政治处新闻报道员、宣传干事；恩亚立是原北京二中初中毕业生，1971 年加入共青团，先后任连队给养员、小学教师、团政治处电影放映员；邢卓是原河北保定十一中初中毕业生，1971 年加入共青团，任团政治处新闻报道员。

1973 年 12 月 12 日，在“四人帮”的操纵下，《北京日报》发表了《一个小学五年级学生的来信和日记摘抄》，介绍了北京市海淀区中关村第一小学学生黄帅在日记中，用夸大的语言描述了她和班主任之间发生矛盾的原因，大批“师道尊严”。前面加的编者按耸人听闻地指出“要警惕修正主义的回潮。”12 月 28 日，《人民日报》全文转载了《北京日报》发表的《一个小学五年级学生的来信和日记摘抄》及编者按，又加了按语，赞扬黄帅“敢于向修正主义教育路线开火”，把黄帅捧成了“反潮流的典型”。国务院科教组通知各省、市、自治区教育局，要组织学校师生学习讨论这些材料。于是，在全国各地中小学掀起批“师道尊严”“反右倾回潮”“反修正主义教育路线回潮”的浪潮，许多教师被迫作检查，受批判，学校又陷入“领导管不了，教师教不了，学生学不了”的混乱局面。

他们 3 人读了黄帅的信和日记摘抄后，认为黄帅的所作所为加剧了师生之间的对立，于 1974 年 1 月 14 日，以“王亚卓”署名，给黄帅写了一封信，对她发表的“日记”中反对“师道尊严”的错误言论提出善意的批评。但始料未及的是此事又被“四人帮”用来大做文章，他们任意上纲上线，横加罪名，指使黄帅在 2 月 21 日《人民日报》头版头条发表了题为《黄帅的一封公开信——复内蒙古生产建设兵团十九团政治处王亚卓同志》的文章，在全国制造了“王亚卓政治冤案”。

“公开信”歪曲王亚卓的原意，反击王亚卓的观点，引起轩然大波。一个多月内，仅中央和省市级地方报纸发表了近百篇批判文章，他们3人受到严厉的批判，同时开始了对王亚卓的政治迫害。2月22日，专门处理“王亚卓”事件的工作组进入十九团，宣布“发动群众，掀起批判王亚卓右倾思潮的高潮”的决定。2月26日，二十团党委上报了《关于对王亚卓错误思想检查认识的报告》。王亚卓在经过二十多次批判会后，于4月5日，被分别送到3个条件最差的连队进行劳动改造。期间他们受到了不公正的待遇，精神上受到很大的折磨，父母和家人也受到一定的牵连。兵团司令部分别给予王文尧党内警告、恩亚立团内警告、邢卓团内严重警告的处分。1977年内蒙古党委为“王亚卓”冤案予以彻底平反，恢复名誉。

六、草原大火夺去69条兵团战士的鲜活生命

1972年5月5日，锡林郭勒盟乌珠穆沁草原刮起了大风，内蒙古生产建设兵团五师四十三团2连的一位战士，因缺乏草原防火知识，不慎将做饭的热灰倒在蒙古包外的草地上，引起草原大火。大火很快蔓延。火光就是命令，火场就是战场。四十三团4连干部和知青战士紧急集合奔赴火场。尽管战士们奋不顾身、不怕牺牲，但由于是迎着火头扑打，大风推动火势飞速扑来，他们很快被闷进火海中，69名知青献出了宝贵的生命，其中女战士25人、年龄最大的24岁、最小的15岁，他们分别来自北京、呼和浩特、唐山、赤峰、集宁、锡林浩特等城市。还有100名战士被烧伤，有的造成终身残疾。这都是由于救火组织者的失误所致。

噩耗传到兵团司令部，当天兵团政委倪子文带领卫生部长李庆德、群工部长傅英杰等赶赴现场，了解事故情况。第二天，内蒙古党委第一书记尤太忠亲临火场，查看灾情，听取汇报，提出对所有遇难者按烈士对待。并派数架直升机迅速将伤员送到呼和浩特市各大医院及时医治。《兵团战友报》整版报道了烈士们的英雄事迹，兵团司令部召开追悼会，号召干部战士学习烈士们的革命精神，各连队掀起向灭火英雄学习的热潮。7月10日，兵团政治部批准授予遇难的69名知识青年“烈士称号”，他们是：

杜恒昌　赵月秋　王继光　王孝忠　刘玉功　云金平　吴炳义

杨红原　王凤英　力　丁　何丽华　吴淑琴　敖　敦　张如成
舒宝立　徐克俭　查日斯　樊淑琴　陈敏英　张国通　马福洪
任凤彩　张振来　张富春　陈玉玲　苏小存　吴富贵　张金来
李玉香　王绍武　李春侠　王　锦　畅孟吉　赵根柱　刘　孝
韩学良　聂建新　杨丽华　郭增喜　张钦弟　刘建国　陈　勇
李富才　马志明　刘建平　燕　亮　张　金　宁田田　曹荣芝
王占祥　赖玉琴　赵玉琴　刘　慧　王学尧　齐远平　毅　强
金双全　青力春　刘长海　龚占岐　唐亚志　胡国利　王洪远
李瑞琴　尹国茹　王爱民　张国顺　王　孝　高志新

给杜恒昌、胡国利、吴炳义、王占祥4位烈士追记一等功。

后来兵团在烈士们的牺牲地宝日格斯尔修建了烈士陵园，69座坟茔、69块长方体墓碑，默默地记录着当年扑火牺牲的知青们的名字。

七、兵团的改制与善后工作

1975年1月，邓小平担任中央军委副主席兼中国人民解放军总参谋长，他为消除“批林批孔”带来的不安定因素，决定对军队进行整顿。军委指示各大军区、省军区，就生产建设兵团的归属问题与地方政府协商，尽快提出改变体制的方案。4月20日，内蒙古自治区革委会向国务院、中央军委上报了《关于改变内蒙古生产建设兵团体制问题的请示》，具体办法为：（1）撤销兵团、师两级机构，自治区和有关盟市、旗县根据实际需要成立农牧场管理局；（2）农牧业团改为国营农牧场，由有关盟市、旗县领导，生产建设业务划归各级农牧场管理局管理；（3）厂矿企业归工业各口领导。6月24日，国务院、中央军委以国发〔1975〕95号文件，即《关于改变内蒙古生产建设兵团体制问题的批复》：“同意改变内蒙古生产建设兵团的体制，撤销兵团、师两级机构，把农牧业团改为国营农牧场。”

同年7月16日至21日，国家农林部召开改变生产建设兵团体制、做好交接工作的座谈会，会议决定由北京军区向内蒙古生产建设兵团派出工作组帮助做好改制工作。8月3日，内蒙古党委决定成立“改变内蒙古生产建设兵团体制领导小组”，由自治区革委会副主任吴涛任组长，张正光、刘景平、沈新发、倪子文、张德华任副组长，姜习、张鹏图、石汝麟、黄凤歧、刘吟庆、宋健民、樊尚科、王前为组员。领导小组下设办公室，负责处理兵团撤销后移交工作的具体事宜。

9 月 10 日，内蒙古党委印发了《吴涛同志在改变内蒙古生产建设兵团体制的盟市委书记和兵团师以上干部会上的讲话》《关于改变内蒙古生产建设兵团体制问题的实施方案》和《关于改变内蒙古生产建设兵团体制的宣传教育提纲》3 个文件。在《实施方案》中，对接交工作的时间、步骤、方式作了规定，根据实际情况，计划于 1975 年底撤销移交完毕。团撤销以后，对所有干部都要作妥善安排，做到各得其所；继续执行党对知青工作的各项政策。具体规定：撤销兵团、师两级机构，农牧业团改为国营农牧场，实行分级管理，以盟市为主，少数农牧场归自治区农牧口领导，多数归盟市领导，个别农牧场归旗县领导。自治区和锡林郭勒盟、巴彦淖尔盟、伊克昭盟增设农牧场管理局，呼和浩特市、包头市在农林局增设农牧场管理科，乌兰察布盟在畜牧局增设农牧场管理科，乌拉盖地区增设农牧场管理局，海勃湾市在农林局增设农牧场专职管理人员。兵团和各师直辖的 34 个厂矿企业，其中规模较大的工矿企业移交盟市工交、建委、国防工办系统领导，其他企业分别由自治区、盟市农管局和农牧场管理。

兵团体制改变以后，原来为知青战士的政治、经济待遇不变，如选送上学、参军、招工、口粮标准、公费医疗、探亲、病退、困退等政策一律不变；现役军人绝大部分返回原部队，由地方抽调干部担任农牧场和厂矿企业领导，连队干部由各师选配任命后移交地方。

是年 10 月移交工作正式开始，自治区和各盟市成立了农牧场管理局、管理科，配备干部履行职责。各师在学习动员的基础上，由下而上办理手续，分期分批完成。移交后兵团的 35 个农牧业团、宝格达山林场和工业团（五十七团），共 37 个单位改成国营农牧场，分别隶属巴盟、锡盟、呼和浩特市、包头市、乌海市农牧场管理局（科）。兵团和师直辖的 34 个厂矿企业，其中 15 个规模较大的企业划归盟市工业部门管理，19 个中小型企业划归盟市农牧场管理局管理。各接受单位对兵团各级现役干部和职工安排了适当工作，安排不了的由盟市、旗县人事部门作统一安排。留在兵团的 7 万多名知青兵团战士转为国营农牧场职工。到 1975 年底兵团改制顺利完成，原生产建设兵团的知识青年成为国家职工，不再办理病退、困退回城安排就业。

表 11－5　1975 年内蒙古生产建设兵团各师知识青年变动情况统计

项　目	一　师	二　师	三　师	四　师	五　师	六　师
接收总人数	19540	27054	19325	8491	11046	7906
病　退	938		873	142	173	845
困　退	1362		966	284	722	826
升　学	1088		813	436	667	572
参　军	91		110	38	73	37
招　工	217		510	46	177	32
调　出	2687			869	867	254
死　亡	42		29	35	92	11
其他原因减员	48			1	10	14
逾期不归回家养病	626	1255	699	242	99	46
实留人数	12411	25899	15325	6620	8166	5269

注：根据何岚、史卫民：《内蒙古生产建设兵团写真》，提供的数字制表。

结束语：历史的启示

历时二十多年城镇知识青年下乡上山或上山下乡的历史，对内蒙古自治区社会各方面产生了深刻的影响。总结知识青年上山下乡的历史，有许多值得借鉴的经验，也有不少应当汲取的教训。

一、上山下乡是知识青年锻炼成长的途径之一

青年人特别是知识青年，到工、农、牧业生产实践中锻炼，不失为人生锻炼成长历程中难得的机会。这是中国共产党及其领袖们一再讲述的一个前无古人论及的道理，无论是革命的年代，还是建设时期，都有论述。这是一条真理，绝非权宜之计。但是，在我国历史曲折前进的大背景下，实践中既有成功的效果，又有诸多失误。对此，只要认真总结，切实反思，就会给青

年走这条路提供有益的借鉴。

从20世纪50年代中期开始，一批又一批城镇知识青年，热爱祖国、忠诚于中国共产党和社会主义事业，憧憬人生美好的前程，响应党和国家的号召，离开繁华的城市和父母的呵护，来到内蒙古偏僻的农村、牧区和生产建设兵团，从事农牧业为主的生产劳动，度过了他们人生中一段难忘的时光。经过艰苦的历练，他们在思想、意志、体格等多方面得到了锻炼，学到了农牧民勤劳、俭朴、忠厚的优秀品质，学会了多种劳动技能，培养了不怕吃苦、不怕牺牲的精神。他们在“文化大革命”特殊年代的蹉跎岁月中锻炼成长。虽然由于“左”的思想影响和实施失当，使他们耽误了升学求知的时光，磨难也给他们留下了苦涩的回忆，而且给国家建设造成人才的断层。但是，上山下乡留给他们的精神财富，永远不会从他们的记忆中消逝。

据统计，从1967年至1980年，内蒙古自治区接收的区内外城镇上山下乡知识青年41.6445万人，其中有3 483人加入中国共产党、2.6585万人加入中国共青团，有301人进入旗县以上领导班子任职、776人获各级劳动模范、先进工作者等荣誉称号、6人被共青团中央命名为“新长征突击手”、3人当选为全国人大代表、1人出席党的全国代表大会。在内蒙古建设兵团存在的6年间，在近10万名知识青年兵团战士中，有6 524人加入中国共产党、4.04万人加入中国共青团、1 262人被提拔为国家干部、7 808人被推荐升入大中专院校；有1.532万人立功受奖，其中7人立一等功、18人立二等功、536人立三等功；有1 256个单位集体立功受奖。①

广大知识青年在农村牧区的实践活动中，用自己的文化知识和聪明才智，为改变农村牧区的落后面貌，为农牧业生产建设作出了积极的贡献。他们是建设农村牧区的一支生力军，在科学种田、农牧业机械化和农村牧区教育、卫生等多方面发挥了积极作用。他们中不少人成了传播农牧业科技的技术员、生产队理财的好管家、农村牧区各级领导班子的好带头人、普及教育的民办教师、为农牧民解除病痛的“赤脚医生”，等等。特别是数万知识青年在内蒙古广袤的草原上，在广大牧民的指导和帮助下，学会了蒙古语、放牧、配种、接羔、挤奶、饲养、剪羊毛、寻找草场、打井、疫病防治……有

① 内蒙古档案馆馆藏档案324—1—75：《内蒙古知青工作基本情况的汇报》。

的在某一方面超过了牧民，成为畜牧业战线上的行家。广大知识青年是在艰苦的条件下，在实践中获得真知、学会农牧业生产的各项技能，成为一代新农民、新牧民的。

广大知青用火热的青春和热血谱写了一部壮丽的内蒙古上山下乡知青史。更令人敬佩的是那些为了抢救国家、集体财产和他人生命而牺牲的知识青年，把宝贵的生命献给内蒙古，历史永远不会忘记他们。如1970年6月3日，为抢救生产队落水羊只而牺牲的呼伦贝尔盟新巴尔虎右旗额尔敦乌拉公社白音宝力格生产队的天津市女知青张勇。

而今进入“知天命”之年的知青们终身难忘纯朴的农牧民给过的关爱，他们把曾经插队落户的农村牧区看做“第二故乡”。他们情系“第二故乡”，一次次千里迢迢回到“第二故乡”，看望当年照顾他们的农牧民，尽其所能帮助农村牧区脱贫致富，捐资建设希望小学，救助灾民，创办企业安置待业青年就业。如著名企业家、上海知青承明是深圳5家企业的董事长，他捐资助学，使259名学子重返校园，为兴安盟灾区捐资二十多万元。周秉建在中央电视台《西部情怀》节目中如是说：“感谢内蒙古大草原给了我宽阔坦荡的胸怀，感谢成吉思汗的后代给了我柔中带刚的性格。”

二、在国家人才出现断层时，知青佼佼者脱颖而出

改革开放以来，在内蒙古上山下乡的一代知识青年在自治区乃至全国各条战线做出了积极的贡献。他们中的不少佼佼者脱颖而出，大器晚成，成为国家栋梁之材。有的成为国家各级优秀的领导干部和基层干部，如自治区现任领导任亚平、陈朋山（女）、伏来旺（蒙古族）、符太增（蒙古族）、云秀梅（女、蒙古族）、赵双连、邢宝玉等都是在内蒙古上山下乡的知青；内蒙古军区原政委廷懋将军的儿子廷·巴特尔是扎根锡盟阿巴嘎旗、牧民致富的好带头人；呼市蒙古族女知青傅莹先后任中国驻澳大利亚和英国大使。在内蒙古下乡的知青中，涌现出数不胜数的知名学者、科学家、教授、文学家、艺术家、教育家、外交家、企业家等等。有的被授予“全国劳动模范”、“五一劳动奖章”、“全国三八红旗手”等荣誉称号，不少专家、学者享受国务院颁发的政府特殊津贴。中国科学院院士、副院长、党组副书记、中国纳米技术首席科学家白春礼是内蒙古生产建设兵团的知青；国家农业部

总畜牧师、畜牧局局长贾幼陵曾在伊克昭盟牧区插队落户。他们中还有不乏德艺双馨的艺术家，如著名歌唱家天津知青蒋大为，著名表演艺术家北京知青陈佩斯。呼和浩特蒙古族知青塞夫曾任中国电影艺术家协会副主席、内蒙古电影艺术家协会主席、内蒙古电影制片厂厂长、一级导演，他执导的《一代天骄成吉思汗》《东归英雄传》等多部影片荣获中国电影金鸡奖“最佳导演奖”、中国电影政府奖“最佳导演奖”。中国当代书法艺术大师、中国书法家协会副主席旭宇，著名诗人、书法家火华都是内蒙古生产建设兵团的知青，善于楷书的北京知青康庄曾任中国书法家协会理事、内蒙古书法家协会主席。天津美术学院教授、天津知青尔宝瑞被誉为“中国蜡像第一人”，创作了毛泽东、刘少奇、朱德、周恩来、邓小平、陈云、乌兰夫、鲁迅等100多尊伟人的蜡像，被全国各地博物馆、纪念馆和爱国主义教育基地收藏。2004年，他被联合国教科文组织授予“民间工艺美术大师”称号。

三、总结历史经验　弘扬人间真情

20世纪五六十年代城镇知识青年上山下乡是我国探索中学毕业生就业的尝试，对于解决就业，减轻城市负担，稳定农村劳动力，加强农业第一线，促进国民经济的恢复和调整起到一定的积极作用。

“文革”期间的城镇知识青年上山下乡运动打上“以阶级斗争为纲”的烙印，单纯为了在政治上“接受贫下中农的再教育”，强制知识青年主动接受改造。

关于“知青”的回忆与思考细说不尽。知识青年上山下乡运动的历史，也因其纷繁复杂的内容吸引着众多学者，成为近年来海内外学者研究中国的一个热门课题，并且衍释出一代知青文化。《中国知青人生感悟录》《草原启示录》《中国知识青年上山下乡运动始末》《中国知青史——大潮（1966—1980）》《中国知青文化概论》等许多著作，从不同角度回顾和研究这段历史。

史学界把总结正反两方面的经验，探索知识青年服务“三农”的路子，作为培养教育一代代莘莘学子的借鉴。改革开放以来，我国教育事业得到快速发展，特别是高等教育招生成倍地增长，培养出一批批大中专毕业生。对他们的就业问题国家十分重视。尽管我国的经济社会得到了历史性的跨越，但仍然是个发展中国家，城乡差别、东西部差别依然很大，“三农”问题需要加快解决。为此国家采取工业反哺农业、对农民“多予少取”等缩小差别的重要举措。而提倡大中专毕业生到农村、到西部地区创业是国家建设社会主义新农村，鼓励知识青年锻炼成长的又一重要举措。不少大中专毕业生报名下基层当“村官”、到农村中小学执教、到乡镇企业和农牧业第一线当工农业技术员等，带领农民脱贫致富，普及九年义务教育，传播科技知识，成为大有用武之地的“自愿者”。从这个意义上说，这是社会主义现代化建设时期，知识青年上山下乡的继续。如 1997 年，北京市有二万多名高校毕业生报名竞争 3 000 个“村官”；山西省在招募八千多名大学生“村官”时，有八万多名大学毕业生报名。

知识青年上山下乡从开始距今已有 50 多年的历史，一代代知青留下那段色彩斑斓的人生轨迹，他们至今无怨无悔，当代的人们不能忘记，也不会忘记。呼伦贝尔草原“知青博物馆”在新巴尔虎右旗建成，展厅面积 1 000 平方米，与该旗已建成的“思歌腾”（蒙古语，意为“知青”）广场、知青文化长廊等构成一个完美协调的文化景观，真实地展示出 20 世纪六七十年代中国成千上万知识青年上山下乡的历史画面。这是教育后代、弘扬人间真情的爱国主义教育基地。

2006 年 12 月 20 日，中共中央政治局常委李长春对知识青年的宣传工作作出批示：“知青一代作为一个特殊群体，为我国社会主义建设做出了突出的贡献。他们中的许多人和许多事都非常感人，作为媒体我们有责任、有义务来发现和宣传知青中感人的人和事，来弘扬人间的真情。”① 对于中国社会主义建设中出现的城镇知识青年上山下乡的历史事件，给予了充分肯定和高度评价，并揭示了它的意义。可以说，这是对知青上山下乡历史的客观总结。

---

① 引自曲博、罗小文主编：《飓风刮过亚热带雨林》扉页，中国国际实业家出版社 2006 年版。

第四编

人　　物

在内蒙古自治区五十多年的历史上，蒙、汉各族人民是社会主义内蒙古历史的创造者，他们的代表人物也数不胜数。在撰写这段历史的过程中，有许多历史人物的事迹让人感动，但是在本卷概述和专题中无法细说。因此，专列《人物》编，对本卷时限内各方面具有代表性的人物作简略的介绍，补充《概述》和《专题》的内容，试图具体体现创造历史中人的因素。

因为资料所限，研究不够，篇幅所限，不可能介绍所有的代表人物，只能选一部分更具代表性的人物，分 6 个方面作简略的介绍。

一、党政军界人物。主要介绍内蒙古自治区党委、政府、人大、政协、军区的主要负责人，同时介绍民主革命时期曾任重要领导职务的部分自治区级副职负责人。以他们为代表，体现各族干部在创造内蒙古自治区历史中的贡献。

二、社会知名人士。统一战线是中国共产党取得民主革命胜利的三大法宝之一，同样也是建设社会主义的法宝之一。在内蒙古自治区五十多年的历史上，民主党派和无党派社会知名人士与中国共产党合作，为建设社会主义的内蒙古自治区作出了巨大贡献。这里主要介绍自治区政协副主席以上的代表人士，以体现他们的业绩与贡献。

三、科技教育界人物。科学技术与教育，在内蒙古自治区社会主义建设中的地位与作用是人所共知的；科技教育界的知识分子所作出的贡献，是应当大书特书的。他们中的优秀分子不胜枚举，这里主要介绍部分代表性的人物。

四、文学艺术界人物。在内蒙古自治区五十多年的历史上，文学艺术界创造了丰富的文学艺术作品，涌现出大批文学家、艺术家。他们为发展、繁荣内蒙古自治区的文化做出了杰出的贡献。这里主要介绍部分代表性的人物。

五、企业界人物。在内蒙古自治区五十多年的社会主义建设事业中，企业界的职工为自治区的经济发展奉献了无穷智慧与艰辛的劳动，他们中出现了无数精英，在历史上留下了光辉的业绩。这里主要介绍部分代表性人物。

六、英雄模范人物。英模是劳动者的光荣代表，他们身上体现着劳动者的高尚品格和光辉形象，是历史创造者的先锋。他们分布在各条战线、各个方面、各种岗位上，形成带动全社会前进的生力军。这里主要介绍他们中部分代表性人物。

根据本卷的体例，这里介绍的“人物”与“人物传记”不同，所介绍的人物内容，主要由三部分组成，即人物简历（民族只写少数民族，女性写“女”，“汉族”和“男性”略）、主要事迹、社会评价。其中党政军界的人物主要是自治区高层领导人，他们的事迹主要体现在领导集体的业绩之中，对他们的评价也难以全部从集体业绩中剥离出来。对于内蒙古自治区五十多年历史，在本卷第二编《概述》和第三编《专题》中都有比较系统的记述，对所介绍的主要领导人在其任职期间的事迹和评价，也有所体现。因此，对这部分人物，主要是介绍其简历与所任主要职务，及其主管的工作。

第二十四章

党政军界人物

乌兰夫

乌兰夫（1906—1988 年） 蒙古族，乳名庆春，学名云泽，曾用名云时雨，化名陈云章，俄文名拉谢维兹。1906 年 12 月 23 日，出生于内蒙古归化城土默特旗塔布赛村的蒙古族农民家庭。童年在家乡读私塾。1919 年 9 月转入归绥土默特高等小学校，接受近代新式教育。

早期革命活动 1921 年秋天，乌兰夫参加归绥学生砸“日资”电灯公司的斗争；1923 年 5 月，参加绥远学生联合会组织的纪念“五四”爱国运动和“五七”国耻日的活动，反对日本迫使袁世凯签订的“二十一条”，抵制日货，捣毁日货洋行“盛兴时”，史称“打盛记”。是年秋天，与归绥中学和土默特高等小学校的李裕智、吉雅泰、奎璧、多松年等三十多名蒙古族青年考入北京蒙藏学校。在北京结识了中国共产党的创始人之一李大钊以及邓中夏、赵世炎等中共早期革命家，开始接触马克思主义、共产主义学说。1923 年寒假留校期间，与奎璧、佛鼎、赵诚等加入中国社会主义青年团。1924 年，在北京参加纪念“二七”大罢工一周年、追悼列宁逝世一周年、欢迎孙中山先生北上、促成国民会议运动等一系列革命活动，与李裕智、吉雅泰、多松年、奎璧、佛鼎、孟纯、高布泽博等在北京形成一支重要的蒙古族青年革命力量。1925 年 4 月 28 日，参与创办内蒙古第一个革命刊物《蒙古农民》,以“蒙古农民的仇人是——军阀、帝国主义、王公”16 个字的发

刊词宣布了刊物的宗旨，这也是将中国共产党反帝反封建民主革命纲领与内蒙古社会实际相结合的体现；还以政论、诉苦、醒人钟、好主意、蒙古曲、外蒙古人民的生活等新颖的栏目，发表了许多评论、散文、诗歌、漫画，揭露时弊，指点革命方向，反映蒙古农民的呼声。9 月，加入中国共产党；10 月 13 日，在张家口参加内蒙古人民革命党第一次代表大会。

赴苏联留学 1925 年 10 月 28 日，乌兰夫与多松年、云润、康根诚、荣照等奉中共北方区委和国民党北京政治委员会选派，赴苏联入莫斯科中山大学学习。1927 年 9 月毕业，先后在莫斯科东方共产主义劳动大学和中山大学为中国留学生做教学翻译工作，并考察苏俄国内的民族问题和解决民族问题的经验，受到了启发。1928 年 6 月，在莫斯科以工作人员身份列席中国共产党第六次全国代表大会，又结识了周恩来等中共领导人。

回国开展内蒙古革命 1929 年 6 月，乌兰夫与在莫斯科东方共产主义劳动大学学习的佛鼎、特木尔巴根、朋斯克、德勒格尔等蒙古族革命者，奉中共驻共产国际代表瞿秋白派遣，回国工作。在回国途经蒙古人民共和国首都乌兰巴托时，与共产国际驻外蒙古代表、中共在外蒙古的负责人取得联系，了解内蒙古的革命形势，部署回国后的任务。遂与佛鼎及在乌兰巴托的奎璧、李森、三得胜等回内蒙古西部绥远地区开展革命工作，组成中共西蒙工作委员会，负责组织工作。1930 年 8 月，佛鼎奉调回共产国际后，乌兰夫接任书记，以归绥、包头为中心，以农村为基地，培养民族干部，组织革命力量，发展农民协会，开展军运，进行长期的秘密工作。1931 年 10 月，配合从苏联到达包头的中共西北特委书记王若飞、军事部长吉合等熟悉内蒙情况，介绍蒙古民族问题与民族解放斗争，化名陈云章交给王若飞一份《工作的情形》的报告和《告全旗蒙民书》,并掩护其活动。11 月 21 日，王若飞在包头泰安客栈被捕，多方设法营救未果。

组织抗日救亡斗争 1933 年 5 月，冯玉祥在张家口组建察哈尔民众抗日同盟军，乌兰夫与朱实夫赴张家口参加创建活动，考察抗日救亡形势，遂回包头策动土默特旗蒙古族地方武装“老一团”，参加冯玉祥同盟军察北抗日。1933 年 7 月至 11 月，由德穆楚克栋鲁普（即德王）等蒙古王公上层发动内蒙古“高度自治”运动；1934 年 4 月，国民政府批准在乌兰察布盟百灵庙成立“蒙古地方自治政务委员会”（简称蒙政会）。乌兰夫派中共党员朱实夫、赵诚、云青、赵俊臣等打入百灵庙蒙政会各部门任职，秘密宣传抗日救亡，并亲自前往开展政治工作。1936 年 2 月 21 日，蒙政会保安队官兵发动军事暴动，反对德王投日。乌兰夫与纪松龄、朱实夫等共产党人及时控制了这支蒙古族抗日武装。第二次国共合作形成后，国民政府军政部将这支部队组建为蒙旗保安总队，以后整编为蒙旗混成旅、蒙旗独立旅、国民革命军新编陆军第三师，先后在固阳、归绥、晋陕绥边界和伊克昭盟一带阻击日军。中共党员白海风先后任总队长、旅长、师长，纪松龄、朱实夫任大队长、团长等要职，乌兰夫一直在该部任中共党务委员会书记和军政委员会政治委员、政训处科长、代理政训处处务等。1938 年 5 月，任中共绥蒙工作委员会委员。1941 年夏天，国民党将新三师调往甘肃静远县整训前，乌兰夫等撤回延安，任延安民族学院教育处长、陕甘宁边区民族事务委员会委员，集中培养民族干部、研究民族问题和蒙古民族解放的问题。1945 年 2 月，任中共绥蒙区委员会委员；4 月至 6 月，参加中国共产党第七次代表大会，当选为中共中央候补委员；7 月，任绥蒙政府主席。

开展自治运动　创建内蒙古自治区　1945 年 8 月，乌兰夫从延安到达晋西北偏关，主持绥蒙政府工作。9 月 9 日，由部分原蒙疆政府官吏和少数蒙古王公上层倡导，吸引了一批蒙古族知识青年参加，在锡林郭勒盟苏尼特右旗成立“内蒙古人民共和国临时政府”，寻求民族解放，主张民族独立和内外蒙合并。10 月，乌兰夫奉中共中央派遣赴苏尼特右旗，经过宣传中国共产党的民族政策，团结一批蒙古族青年和大部分王公上层，改组了临时政府并当选为临时政府主席，阻止了这起内外蒙合并和民族独立活动。随即根据 10 月 23 日中共中央对内蒙古工作方针的指示，提出组织内蒙古自治运动联合会的建议，得到中共中央的采纳。11 月 26 日，在张家口主持召开内蒙古自治运动联合会成立大会，各盟旗 77 名代表出席，作了《内蒙古自治运动联合会目前工作方针的意见案》的报告，确定了通过各盟旗区域性自治实现全内蒙古自治的方针，制定了政治、军事、经济、文化、卫生、宗教、民族关系等方面的政策，选举产生了联合会领导机构，当选为联合会主席，树立了中国共产党领导内蒙古自治运动的旗帜。是时，内蒙古东部地区的部分原“满洲国”兴安省官吏、蒙古族开明上层人士、青年知识分子以及革命者聚会，决定恢复内蒙古人民革命党，发表《内蒙古人民解放宣言》，宣

布民族民主革命纲领，发动东蒙古自治运动，成立东蒙古人民自治政府，同时也提出内外蒙合并的主张。年底，应东蒙方面邀请，派出内蒙古自治运动联合会东蒙工作团，与东蒙自治组织商谈统一内蒙古自治运动问题。1946年3月30日，率内蒙古自治运动联合会代表赴承德出席“内蒙古自治运动统一会议”，与东蒙古人民自治政府代表共商内蒙古自治运动的统一问题。乌兰夫综论国内外形势，详述蒙古民族解放斗争和自治运动的历史，阐明中国共产党的民族政策和蒙古民族解放的道路。双方经过热烈的讨论甚至在激烈的争论中取得共识，达成一致，于4月3日通过《内蒙古自治运动统一会议主要决议》，确认内蒙古自治运动的方针是平等自治，而不是独立自治，并且只有在中国共产党领导下才能实现；内蒙古自治运动联合会为自治运动的统一领导机构，各盟旗成立分会和支会；解散东蒙古人民自治政府，成立内蒙古自治运动联合会东蒙总分会，领导东蒙自治运动；扩大联合会机构，增选了联合会成员，乌兰夫仍任联合会主席。从而实现了内蒙古自治运动在方向、道路和方针、政策以及组织上的统一，结束了东西蒙长达数百年分裂的局面，史称“四三”会议。会后，内蒙古地区民族武装部队统一改编为内蒙古人民自卫军，乌兰夫任司令员兼政委。9月，任内蒙古党委书记。1947年4月3日，在兴安盟王爷庙主持召开内蒙古自治运动联合会执委扩大会议，总结一年来的自治运动。4月23日，主持召开内蒙古人民代表会议，向会议作政治报告，回顾内蒙古自治运动的历史，总结联合会的工作，阐述内蒙古自治政府成立后的主要任务；会议通过了《内蒙古自治政府施政纲领》和《内蒙古自治政府组织大纲》，乌兰夫当选为自治政府主席。5月1日，内蒙古自治政府宣告成立。7月1日，内蒙古共产党工作委员会成立，乌兰夫任书记。1948年1月，内蒙古人民自卫军改称内蒙古人民解放军。1949年5月，编入中国人民解放军序列，成立中国人民解放军内蒙古军区，乌兰夫任司令员兼政委。

实现内蒙古统一的民族区域自治　内蒙古自治政府成立时，仅辖呼伦贝尔、纳文慕仁、兴安、锡林郭勒、察哈尔等5个盟、30个旗、1个县和3个市。1949年2月，中共中央正式提出内蒙古实行统一的民族区域自治的区划构想；3月，在中共七届二中全会期间，毛泽东主席提出“要为恢复内蒙古历史地域积极创造条件，实行东西蒙统一的内蒙古自治区”，并提出“应将自治政府领导机关由乌兰浩特迁到张口家，待绥远解放后移驻归绥市”。乌兰夫按照中共中央的部署稳步地推行民族区域自治政策。5月，时属热河省的昭乌达盟、辽北省的哲里木盟先后划归内蒙古自治政府。11月13日，呈请中央人民政府批准将内蒙古自治政府迁到张家口。12月2日，中央人民政府任命乌兰夫为内蒙古自治区人民政府主席。12月13日，撤销内蒙古共产党工作委员会，成立中共中央内蒙古分局，乌兰夫任书记。1952年6月和7月，内蒙古自治区人民政府、中共中央内蒙古分局和内蒙古军区先后迁到归绥市，乌兰夫兼任绥远省人民政府主席。9月，中共中央内蒙古分局与中共绥远省委合并为中共中央蒙绥分局，内蒙古军区与绥远省军区合并为蒙绥军区，乌兰夫任分局书记、军区司令员兼政委。1954年3月，撤销绥远省建制，将绥远省辖区划归内蒙古自治区，中共中央蒙绥分局也改称中共中央内蒙古分局，乌兰夫任书记。1955年4月，在内蒙古自治区第一届人民代表大会第二次会议上，乌兰夫当选为内蒙古自治区人民委员会主席；7月，撤销中共中央内蒙古分局，成立中国共产党内蒙古自治区委员会，历任书记、第一书记。此后，到1966年8月，一直担任内蒙古自治区党、政、军主要领导职务。与此同时，贯彻中国共产党和国家的民族政策，不断推进民族区域自治制度。1950年8月、1955年2月和1956年4月，先后将时隶察哈尔省的多伦、宝昌、化德3县，热河省的翁牛特、喀喇沁、乌丹、赤峰、宁城、敖汉等6旗县，甘肃省巴彦浩特蒙古族自治州、额济纳蒙古族自治旗划归内蒙古自治区，从而实现了内蒙古统一的民族区域自治。

领导社会民主改革和社会主义改造　乌兰夫在主持内蒙古自治区工作的19年期间，从1947年底开始，在农村、牧区进行了符合民族特点、地区特点和经济特点的社会民主改革。在农村，对蒙古族地主划分为大中小3等，富农按照其剥削量，实行区别对待的政策；在牧区，逐步形成废除封建特权，实行“牧场公有，禁止开荒，保护牧场”；“放牧自由，贸易自由，信仰自由”；“不斗不分，不划阶级”，“牧工牧主两利”，“扶助贫苦牧民”的民主改革一系列政策，稳妥地完成了农村、牧区的社会民主改革，解放社会生产力，促进社会经济的发展。从1953年开始的社会主义改造中，提出对农业实行逐步、稳妥的改造方针，同时在蒙古族聚居区和蒙汉等多民族杂居地区，以建立民族社和民族联合社的形式，体现民族特点、地区特点、生产特点，贯彻中国共产党的民族政策，调整民族关系和农牧关系，达到各民族的共同发展。1956年底，基本完成了对农业的社会主义改造。同时，主持制定在牧区“依靠劳动牧民，团结一切可以团结的力量，在稳定发展畜牧业的基础上，逐步实现对畜牧业的社会主义改造”的方针，同时针对当时出现的步子过急、形式单一、工作粗糙、强迫命令等倾向，提出“政策稳、办法宽、时间长”的原则，对牧主在政治上实行团结，在经济上采取比对资本家更宽的赎买政策和更温和的改造方法，逐步实现对畜牧业的社会主义改造。这些行之有效的政策和成功的经验，在国内其他少数民族地区的社会改革中进行推广应用，取得了成功。

领导社会主义经济建设 在自治区经济建设中，乌兰夫提出把发展经济作为内蒙古工作的中心，“不论民主革命还是社会主义革命，都是为了解放生产力，发展生产”，“千条万条，要把发展畜牧业放在第一条”，从内蒙古的实际出发，制定了具有民族特点、地区特点的发展经济的方针政策。1952年，完成恢复国民经济的任务；第一个五年计划期间，内蒙古经济有长足的发展，1957年工业总产值比1952年增长2.93倍；1956年粮食总产量比1952年增长33.6%；1956年牲畜总头数比1952年增长54.8%。在1958年开始的“大跃进”年代和三年经济困难时期，对当时盛行的“左”倾做法尽管采取了审慎稳妥的态度，减轻了损失，但经济建设仍遭受了严重挫折，到1962年社会总产值和工农业总产值下降，国民收入和地方财政收入减少，经济状况十分困难。1963年至1965年，由于贯彻中央“调整、巩固、充实、提高”的方针，自治区的经济得到了迅速的恢复与较大的发展。1965年，社会总产值和国民收入分别比1962年增长56.5%和51.2%，工业总产值和农业总产值分别比1962年增长61.3%和22.8%，牲畜总头数比1962年增长27.9%。

担任国家领导职务 主持民族工作 1954年9月，乌兰夫任中华人民共和国国务院副总理兼国家民族事务委员会主任，主持全国的民族工作。1956年9月，当选为中共八届中央委员会委员、中共中央政治局候补委员。1959年4月，第二届全国人民代表大会后仍任中华人民共和国国务院副总理兼国家民族事务委员会主任。1960年11月，任中共中央华北局第二书记。1961年七八月间，召开西北地区民族工作会议，研究民族工作的重大政策和措施，纠正民族工作中的“左”倾错误。1962 年 4 月，主持召开全国民族工作会议，肯定成绩，总结经验，指出缺点、错误和存在的问题，特别是忽视民族问题、民族特点、宗教问题、少数民族地区的经济特点、少数民族的平等权利和自治权利的问题，放松了对上层的团结工作，大汉族主义的思想在一些地区有了滋长；提出落实民族政策，调整民族关系，加强民族团结，集中力量恢复和发展生产，改善人民生活等重大举措。会后，首先在内蒙古自治区主持开展民族工作大检查，推动全国民族工作的发展。到 1965 年，全国少数民族地区出现了民族团结、经济繁荣的局面。

在党和国家领导岗位上　1966 年 5 月，“文化大革命”开始后，乌兰夫蒙受不白之冤，被诬陷为内蒙古最大的“走资派”，陷入了“乌兰夫反党叛国集团”冤案，从而离开工作岗位长达 7 年之久。1973 年恢复工作以后，历任中共中央委员、中共中央政治局委员、中共中央统战部部长和全国人民代表大会常务委员会副委员长、中国人民政治协商会议全国委员会副主席、中华人民共和国副主席等党和国家重要领导职务，主持民族统战工作，拨乱反正，纠正错误，落实民族统战政策；力促恢复内蒙古统一的民族区域自治，平反冤假错案，推动内蒙古的经济建设。20 世纪 80 年代以后，潜心研究民族法制，1981 年至 1984 年期间，主持制定了《中华人民共和国民族区域自治法》；1982 年，还主持了《中华人民共和国宪法》民族条文的修改，是中国民族法制建设的开创者。

1988 年 12 月 8 日，乌兰夫因病在北京逝世，享年 82 岁。中国共产党中央委员会、全国人民代表大会常务委员会在讣告中高度评价他是“久经考验的共产主义战士、党和国家优秀的领导人、杰出的无产阶级革命家、卓越的民族工作领导人”，“为中国各族人民的革命和建设事业贡献了毕生精力”。

（郝维民　撰稿）

奎　璧

奎璧（1903—1986 年）　蒙古族，字子璋，曾用名刘卜一、刘伯彦。出生于内蒙古归化城土默特旗宝同河村。1919 年“五四”运动时期，在归化城土默特高等小学校读书，是归绥学生响应北京“五四”运动和这一时期归绥青年反帝爱国斗争的骨干。1923 年，入北京蒙藏学校读书。是年冬，因家境贫寒而未能寒假回家，留校期间，在李大钊、韩麟符等中共北方党组织领导人的培养下，加入中国社会主义青年团。在北京，参加了中国共产党领导的纪念“二七”大罢工一周年、纪念列宁逝世一周年、参加马克思主义学习小组等一系列革命活动。1924 年冬，参加欢迎孙中山先生北上和促成国民会议召开的各种活动。1925 年 3 月，以“绥远国民会议促成会”代表身份，参加了孙中山、李大钊主持召开的“国民会议促成会全国代表大会”。同年加入中国共产党。参与创办 1925 年 4 月 28 日创刊的内蒙古地区最早的革命刊物——《蒙古农民》,遂奉派赴蒙古人民共和国学习。1927 年初回国，任内蒙古人民革命军骑兵第一营党代表。是年秋，内蒙古人民革命党内白云梯集团反共叛变革命后，奎璧暂赴蒙古人民共和国隐蔽。1929 年 8 月，与从苏联回国途经蒙古人民共和国乌兰巴托的佛鼎、乌兰夫组成中共西蒙工委，负责宣传和交通工作，遂回到内蒙古西部绥远地区，长期从事地下工作。1938 年，八路军大青山支队创建大青山抗日游击根据地时，奎璧与贾力更负责组建中共土默特旗蒙古工委，在蒙古民族中开展抗日工作，并任中共绥西地委蒙民部长。

抗战胜利前夕，1945 年 8 月上旬，奎璧与乌兰夫从延安回到内蒙古，开展战后内蒙古地区的革命工作。10 月，奎璧与乌兰夫、克力更等奉中央指示，赴内蒙古锡林郭勒盟苏尼特右旗解决“内蒙古人民共和国临时政府”的问题，在乌兰夫的直接领导下，经过艰苦细致的工作，改组了这个临时政府，乌兰夫任临时政府主席兼军事部长，奎璧任内政部长，克力更任经济部长，阻止了内蒙古的一次“独立”活动。11 月，在张家口成立了内蒙古自治运动联合会，乌兰夫任联合会主席，奎璧任联合会常委、组织部部长，参加领导内蒙古自治运动。1946 年 1 月，内蒙古自治运动联合会派奎璧、李文精赴巴彦塔拉盟和乌兰察布盟开展自治运动，奎璧任内蒙古自治运动联合会巴彦塔拉盟分会主任。4 月 3 日，经过内蒙古自治运动统一会议统一了东西蒙自治运动，扩大了内蒙古自治运动联合会机构，奎璧仍任联合会组织部长。11 月，成立中共巴（彦塔拉）乌（兰察布）工委，奎璧任书记；同时成立内蒙古人民自卫军巴乌军区，奎璧任政治委员，领导开展巴乌地区的自治运动和自卫解放斗争。1947 年 5 月，内蒙古自治政府成立，奎璧任政府委员、民政部长；7 月，内蒙古共产党工作委员会成立，奎璧任委员；是月，中共巴乌工委与察锡工委合并，改称察锡巴乌工委，奎璧任书记。

中华人民共和国成立后，1949 年 12 月始，奎璧任中共中央内蒙古分局委员、绥远军政委员会委员、绥远省各界人民代表会议协商委员会副主席、绥远省人民政府副主席。1952 年 8 月，任中共中央蒙绥分局常委、组织部长。1954 年 3 月，任中共中央内蒙古分局副书记、纪律检查委员会书记；4 月，任内蒙古自治区人民政府副主席。1955 年 7 月至 1967 年 11 月，任内蒙古党委书记处书记、中共内蒙古自治区监察委员会书记。1977 年至 1983 年，任中国人民政治协商会议内蒙古自治区第四届委员会副主席、主席、党组书记，第五届全国人大常委会委员、全国人大民族委员会副主任、中共中央顾问委员会委员等职。是中共中央第八届委员会候补委员，全国人大第一、二、三届代表，第一届全国政协委员。奎璧是中国共产党的首批少数民族党员、蒙古族第一代共产主义者，内蒙古革命和建设的主要领导人之一。1986 年 2 月，在呼和浩特逝世，享年 83 岁。

（郝维民　撰稿）

吉雅泰

吉雅泰（1901—1968 年）　蒙古族，字岱峰，曾用名赵丹寿、赵福、赵延寿、王西、阿其列也夫等，内蒙古归化城土默特旗三两村人。1919 年"五四"运动前后，在归化城土默特高等小学校、归绥中学读书。"五四"运动时期，是归绥学生响应北京"五四"运动和归绥青年反帝爱国运动的主要负责人之一。1923 年，入北京蒙藏学校读书，在李大钊等中共北方党组织的领导人的引导下，接受马克思主义思想和共产主义学说，参加中国共产党领导的北京的革命活动。1924 年，加入中国社会主义青年团。是年冬，参加欢迎孙中山先生北上和召开国民会议的各种活动。1925 年 3 月，吉雅泰与奎璧、赵诚、高布泽博以"绥远国民会议促成会"代表的身份，参加了孙中山、李大钊主持召开的"国民会议促成会全国代表大会"。同年加入中国共产党。是年春，奉中共北方区委指示，回内蒙古西部绥远地区开辟革命工作，在归绥成立了中共绥远特别区工委，任书记，成功地领导归绥青年学生声援上海“五卅”惨案受难者活动，成为内蒙古地区声势最大的反帝爱国运动。同时，按中共北方区委的指示，帮助中国国民党组建了中国国民党绥远特别区党部，并任执行委员，在绥远地区建立了一批国民党的基层组织，成功地开展了与国民党的统一战线。10 月，参加在张家口召开的内蒙古人民革命党第一次代表大会，当选为候补执行委员，参加内蒙古人民革命党在内蒙古西部地区开展的活动。同年冬，在张家口参加李大钊主持召开的内蒙古农工兵大同盟成立大会，当选为中央执行委员，在归绥周围地区开展农工兵大同盟的活动，颇有声势。1927 年 9 月，内蒙古人民革命党内白云梯集团叛变革命后，吉雅泰被党组织派往莫斯科东方大学学习。1934 年，奉中共驻共产国际代表派遣，回内蒙古从事党的地下工作，在平绥铁路沿线广泛开展地下工作，有“三出山海关”等传奇故事。1938 年后，奉命赴蒙古人民共和国乌兰巴托向共产国际代表汇报工作，遂留在乌兰巴托华侨俱乐部任《工人之路》编辑和华侨剧团导演。

1946 年，吉雅泰回国后在内蒙古地区工作。1947 年 5 月，在内蒙古人民代表会议上当选为内蒙古自治政府临时参议会副议长；7 月，任内蒙古共产党工委候补委员；11 月，任中共呼伦贝尔纳文慕仁盟工委书记。1949 年 12 月，任中共中央内蒙古分局候补委员、宣传部长。1950 年，任中华人民共和国驻蒙古人民共和国首任特命全权大使，1954 年卸任回国。1955 年 12 月至 1967 年，任中国共产党内蒙古自治区委员会常委兼统战部部长。1960 年至 1967 年 11 月，任内蒙古自治区人民委员会副主席。1955 年 2 月至 1967 年，任中国人民政治协商会议内蒙古自治区第一、二、三届委员会副主席，中共中央监察委员会委员，全国政协常委。第一、二、三届全国人大代表，中共八大代表。吉雅泰是中国共产党的首批少数民族党员、蒙古族第一代共产主义者，内蒙古革命和建设的主要领导人之一。1968 年 3 月 12 日，在“文革”的劫难中含冤而逝，终年 67 岁。

（郝维民　撰稿）

杨植霖

杨植霖（1911—1992 年） 曾用名雨三、王士敏、天虹、长河。1911 年

2月19日，出生于内蒙古土默特旗什报气村。1925年，在绥远五族学院学习期间参加革命，同年加入中国共产主义青年团，参加归绥青年学生声援上海“五卅”惨案受难者活动，曾任绥远农民协会秘书。1927年3月，参加绥远农牧民反对绥远都统清丈地亩的“孤魂滩”农牧民起义。1930年10月，他在北平新农农业学校就读时，积极参加学运斗争，同年加入中国共产党。1931年7月，回到归绥在毕克齐学校任教，与中共绥远特委接上关系。不久特委被破坏，杨植霖被捕，关押在“绥远第一模范监狱”。是年秋冬，中共西北特委书记王若飞受中共驻共产国际代表瞿秋白的派遣，从苏联回国来到内蒙古，不幸在包头被捕，也关押在“绥远第一模范监狱”。在狱中，杨植霖在王若飞的领导下，开展了顽强的狱中斗争，经受了严峻的考验和锻炼。虽遭到敌人的严刑逼供和百般折磨，但始终未暴露其共产党员身份，最后敌人以“共产党嫌犯”的罪名判刑两年半。1933年10月，杨植霖刑满出狱。1934年，投入绥远进步思想文化运动，与共产党员刘洪雄、王建功和进步青年应聘归绥郊区保合少村名言小学任教，在农村开展抗日救亡活动，培养抗日人才，发展中共党员二十多名。

“七七”事变后，在归绥沦陷之际，杨植霖三次组织抗日武装未果，第四次组成“抗日团”，与高凤英等领导的蒙古抗日游击队联合组成蒙汉抗日游击队，树起了共产党人领导的抗日旗帜。游击队由最初的几十人发展到一百多人，在归绥周围打击伪警察所和保甲团。1938年9月，八路军大青山支队挺进大青山后，游击队与李井泉支队在归绥东北郊面铺窑子村会合，被整编为“绥蒙游击大队”，杨植霖任大队长兼政委。1939年后，任中共绥中特委书记，后改绥西地委。1940年3月，任绥西专员公署专员；8月，在大青山小西梁召开绥远敌占区各族各界各党派抗日力量代表会议，成立绥察行政办事处，姚喆任主任，杨植霖任副主任。1941年4月，正式成立绥察行政公署，杨植霖任主任。1943年1月，绥察行政公署改为塞北区行政公署，仍任主任。是年初，杨植霖到延安中共中央党校学习，参加整风运动。

1945年2月，成立中共绥蒙区委员会，杨植霖为委员；是年7月，成立绥蒙政府，乌兰夫任主席，杨植霖任副主席。1949年6月，绥蒙政府改为绥远省人民政府，杨植霖任主席；同时中共绥蒙区委员会改称中共绥远省委，杨植霖为常委。解放战争时期，杨植霖一直是绥蒙解放区人民政权的实际领导人，配合部队开展解放战争。

中华人民共和国成立后，杨植霖历任中共中央内蒙古分局、中共中央蒙绥分局副书记，中共内蒙自治区委员会副书记、书记处书记；绥远军政委员会副主席，绥远省人民政府副主席，内蒙古自治区人民政府副主席，内蒙古自治区人民委员会副主席；中国人民政治协商会议内蒙古自治区第一、二届委员会主席；中共中央华北局委员等职，直到1962年。这期间，主持政府常务工作，为原绥远省的社会民主改革和恢复国民经济，为内蒙古自治区发展国民经济第一、二个五年计划的实施，付出了巨大努力。

1962年2月，杨植霖调任中共青海省委第一书记、省军区第一政委、省政协主席。1966年5月，任中共中央西北局书记处书记、兰州军区政委。“文化大革命”期间，遭林彪、江青反革命集团迫害。1978年恢复工作后，任中共甘肃省委书记。1979年，任政协甘肃省第四届委员会主席。曾任第五、七届全国政协常委。“文革”后，将补发“文革”中的全部工资捐献给大青山抗日老区，以发展老区经济。期间他从当地少数民族的实际情况出发，认真贯彻党的民族政策，悉心培养民族干部，为发展民族地区经济和各项建设作出了重要贡献。他是内蒙古地区的早期中共党员、自治区革命和建设的主要领导人之一。1992年9月10日，因病在兰州逝世，享年81岁。

（郝维民 撰稿）

苏谦益

苏谦益（1913—2007年） 祖籍山西省原平县，出生于绥远省托克托县河口镇。毕业于归绥中学。1931年至1932年，在绥远省立第三小学、绥远中山学院附小任教。其间他与中共党员杜如薪，用自己微薄的薪金创办了革命刊物《血腥》,呼吁抗日救亡，反对蒋介石的不抵抗政策。

1932年6月，奉河北省反帝大同盟的指示，于伶等来绥，帮助建立绥远反帝大同盟，与杜如薪和爱国进步青年苏谦益等取得联系，秘密成立了绥远反帝大同盟，杜如薪任书记，苏谦益负责宣传，马麟分管组织。他们在归绥中小学很快发展盟员五十多人，建立了8个反帝大同盟小组，后来又在包头、固阳发展盟员，建立活动点。苏谦益领导组织了读书会和绥远剧社，在青年中传阅进步书刊，演出抗日救亡话剧，并把《血腥》改名为《血星》，作为绥远反帝大同盟的机关刊物；是年10月，加入中国共产党。1933年2月，中共归绥中心县委成立，杜如薪任书记，苏谦益任宣传委员。他到傅作义部队中开展兵运工作。1933年4月，苏谦益等中心县委人员被捕，关押在“绥远第一模范监狱”，在中共西北特委书记王若飞的领导下，和狱中的共产党员、革命者一起，与敌人展开了针锋相对的斗争。苏谦益经受了严峻的考验和锻炼，始终未暴露其共产党员身份，最后敌人以“共产党嫌犯”的罪名判刑。

在全国人民强烈的抗日呼声下，1936年，苏谦益历经三年又四个月的磨难出狱，党组织派他到太原参加“山西牺牲救国同盟会”工作，先后任山阴县特派员、临县中心区秘书、牺盟总会晋西北办事处组织部部长、党团书记，在晋西北地区发动群众开展抗日活动。1939年，苏谦益任晋绥行政公署第四分区专员。1940年底，党组织派他到大青山抗日游击根据地工作，任绥察行政公署副主任、党团书记。1943年，任中共绥察区委副书记、塞北区行政公署副主任。苏谦益在领导根据地党政工作中，动员根据地各阶层群众为八路军捐献军马、资金和物资，经常带领游击队员，配合大青山骑兵支队，袭击日伪军，粉碎了日寇的多次残酷扫荡，巩固了大青山抗日根据地。

抗日战争胜利后，1945年，苏谦益任绥蒙区党委副书记；1947年任中共绥远省委党校校长兼绥蒙军区副政委；1949年，任中共绥远省委代理书记兼组织部长；1950年，任绥远省委代理书记兼绥远省军区副政委；1951年3月，当选为绥远省第一届各界人民代表会议协商委员会主席；1952年始，历任中共中央内蒙古分局、中共中央蒙绥分局副书记兼蒙绥军区党委常委、内蒙古军区党委常委、内蒙古党委副书记、书记处书记兼中共包头市委第一书记、内蒙古自治区人民政府副主席等职。期间，参与制定了土地改革和恢复经济文化等各项方针政策；领导绥远省各族各界群众完成内蒙古民族区域自治的重大任务，实现了“蒙绥合并”；在主持包头工作期间，为包头工业基地，特别是包钢、大型军工及其他企业和包头城市的建设呕心沥血，作出重要贡献。

1962年，苏谦益调任中共中央华北局书记处候补书记、书记。“文化大革命”中受批判斗争，下放“五七”干校劳动。1978 年，到中央党校学习，后任北京工业学院（今北京理工大学）党委书记。1983 年至 1985 年，先后任中共中央整党指导委员会江西省巡视组组长、河南省巡视组组长、东北三省联络组长。是中共第八次全国代表大会代表，第一届、第二届全国人大代表，第六届、第七届全国政协常委。他是内蒙古地区的早期中共党员、自治区革命和建设的主要领导人之一。2007 年 10 月 19 日，在北京逝世，享年 94 岁。

（郝维民 撰稿）

哈丰阿

哈丰阿（1908—1970 年） 蒙古族，汉名滕续文。1908 年出生于内蒙古哲里木盟科尔沁左翼中旗腰林毛都苏木瓜毛都村。16 岁开始在旗札萨克公署当见习文书。1929 年，就读于奉天（今沈阳）东北蒙旗师范学校，经常与进步师生探讨时事政治。“九一八”事变后，哈丰阿参加了甘珠尔扎布组建的“内蒙古独立军”（后改称“内蒙古自治军”），任第三军秘书长。期间，结识了从苏联莫斯科东方大学回国的朋斯克、特木尔巴根等人，明白了很多革命道理。1932 年 4 月，经朋斯克、特木尔巴根介绍加入内蒙古人民革命党。为了唤起民众，写了著名的《青旗歌》,表达反对日本侵略，反对民族压迫的思想，激励人们为民族解放而奋斗，在社会上影响很大。

1933 年，根据内蒙古人民革命党组织的指示，哈丰阿以伪政权为掩护开展地下工作，先后在伪满兴安西省、兴安局、伪满国务院总务厅、兴安总省公署、伪满驻日使馆任秘书、参事官、理事官等职。1945 年 8 月 11 日，苏联对日宣战后，哈丰阿参与支持兴安总省军官学校师生举行的“八一一”起义，反对日本侵略奴化教育，迎接抗战胜利。抗日战争胜利后，哈丰阿、特木尔巴根等在王爷庙（今乌兰浩特）组成“内蒙古人民解放委员会”，8 月 18 日，发表了《内蒙古人民解放宣言》,并组建内蒙古人民革命党东蒙党部，哈丰阿当选为执行委员兼任秘书长。

哈丰阿由于当时对中国共产党和党的民族政策还不了解，为了寻求民族平等和自由，参与发起内外蒙合并的签名运动，并参加代表团到蒙古人民共和国提出合并要求。1945 年 12 月，哈丰阿一行从外蒙古回来后，放弃了这一要求。1946 年 1 月，东蒙古人民自治政府成立，哈丰阿任秘书长。4 月，哈丰阿作为东蒙代表到承德参加内蒙古自治运动统一会议（即“四三”会议），积极拥护中国共产党的领导和内蒙古自治运动联合会的主张。会上，当选为内蒙古自治运动联合会执委常委，任联合会宣传部长、东蒙总分会主任。他积极要求加入党组织，会后党组织批准他加入中国共产党。1946 年 6 月至 1947 年 5 月，担任中共兴安省工委委员、兴安省政府委员、兴安军区政治委员、东北行政委员会委员等职。1947 年 5 月 1 日，内蒙古自治政府成立，当选为自治政府副主席兼文教部长。

中华人民共和国成立后，1949 年 12 月，哈丰阿任内蒙古自治区人民政府副主席兼教育部部长、内蒙古自治区中苏友好协会会长、中国人民保卫世界和平委员会内蒙古分会主席。1955 年至 1966 年，历任内蒙古自治区人民委员会副主席兼教育厅厅长、自治区科学工作委员会主任委员、自治区文教委员会主任、自治区文教办公室主任、自治区蒙古语文工作委员会主任、第四届全国政协常委等职。“文化大革命”中惨遭迫害，1970 年 11 月 29 日，在呼和浩特含冤逝世，终年 62 岁。1979 年，内蒙古党委为哈丰阿平反昭雪，恢复名誉。

（甘旭岚　撰稿）

王再天

王再天（1907—2006 年）　蒙古族，蒙古名那木吉勒色楞，又名王星三，出生于内蒙古哲里木盟科尔沁左翼中旗一个贫苦牧民家庭。12 岁时被迫到达尔罕王府做杂役。1924 年逃出王府，参加张学良的东北军，以后毕业于旧东北军讲武堂炮兵科。“九一八”事变后，接受了马克思主义，走上了革命道路，1936 年 7 月，加入中国共产党。他以张学良将军联络参谋的身份，在东北军中开展抗日救亡工作。

1936 年至 1939 年，王再天先后任中共东北军上层工作委员会委员、中共东北军五十一军工作委员会委员，开展抗日民族统一战线工作。1939 年 9 月到延安，任中共中央情报部副科长。1943 年，任陕甘宁边区保安处、交际处秘密工作负责人，巧取并亲自成功破解了国民党特务电报密码，为我军获取了国民党军队的情报。在延安参加了整风运动，进一步提高了马克思主义理论水平。

抗日战争胜利后，王再天被派往东北根据地，任冀察热辽军区交际处处长，负责军调处承德三人小组的保卫工作。1946 年秋，任内蒙古自治运动联合会社会部长兼军事部副部长。在自治运动联合会主席乌兰夫的领导下，坚定地执行中央的方针政策，团结引导众多蒙古族青年和各界人士，排除各种错误思想的严重干扰，为“五一”大会的成功召开，建立中国第一个少数民族自治区作出了重要贡献。内蒙古自治政府成立后，任内蒙古自治政府委员、办公厅厅长，内蒙古共产党工作委员会委员、常委、社会部长，内蒙古军区副司令员。1948 年底，兼任内蒙古剿匪总指挥，为保卫锡察领导机关，指挥仅有的警卫队和机关工作人员，巧设“空城计”吓住敌人，随后调动部队取得了剿匪斗争的胜利。1949 年 9 月，出席第一届全国政治协商会议，并当选为中央人民政府民族事务委员会委员。

中华人民共和国成立后，王再天身兼数职，历任中共中央内蒙古分局委员、常委，统战部长兼纪律检查委员会书记，内蒙古军区副司令员、内蒙古公安部队司令员兼政委，内蒙古自治区人民政府委员、政法委员会主任兼公安厅长、内蒙古人民检察署检察长。1954 年至 1967 年，任内蒙古自治区人民政府副主席、自治区人民委员会副主席，兼政府外事办主任、治沙委员会主任、边防委员会主任。1960 年至 1967 年，任内蒙古党委书记处书记，兼党委政法小组组长、人民武装委员会主任等重要领导职务。他认真贯彻党中央、国务院、中央军委的方针政策，把全部精力放在抓好部队建设、开展肃特镇反斗争、促进经济发展、维护社会安定和边疆稳定等工作中，为人民政权的巩固和内蒙古繁荣稳定做了大量卓有成效的工作。荣获中华人民共和国二级独立自由勋章、一级解放勋章。曾当选为中共第八次全国代表大会代表，第一、二、三届全国人大代表，第五届全国政协委员、常务委员。

“文化大革命”中，王再天遭受迫害和打击，表现了共产党人坚持原则、光明磊落的坚定立场。中共十一届三中全会以后，任中国人民政治协商会议内蒙古自治区第四届委员会党组副书记、副主席（主持工作），协助党委、政府解决了大量历史遗留问题，为拨乱反正、稳定边疆、恢复被破坏的党群、干群关系，巩固和扩大爱国统一战线，巩固和发展安定团结的政治局面发挥了重要作用。他在大是大非面前头脑清醒，具有高超的领导艺术和领导才能，在党委、政府、军队、政协、司法和对外交往工作以及党的秘密工作战线上都作出了突出的贡献。

1985 年，王再天离职休养后，坚持学习邓小平理论和“三个代表”重要思想，保持共产党人的革命本色。70 岁开始“扫诗盲”、练书法，成为中国书法家协会会员。病重期间，嘱咐丧事从简，表现了无产阶级革命家的高风亮节和崇高境界。2006 年 8 月 5 日，于山东省烟台市逝世，享年 99 岁。

（甘旭岚　撰稿）

王　铎

王铎（1912—1997 年）　原名王振铎，化名王舟千、王敬之，笔名王者训。1912 年 10 月 2 日，出生于辽宁省海城县析木城东接文乡稍道沟村。1931 年，毕业于营口师范中学。“九一八”事变后，学习生活无着落。1933 年底，入东北难民子弟学校读书。1934 年暑期，考入北平东北大学法学院，在边政系学习。1935 年暑假，参加东北大学西北边疆考察团，赴山西省大同和绥远省归绥、包头、百灵庙、西苏尼特旗等地考察；同年，在北平参加学生抗日救亡运动和“一二·九”学生运动。1936 年，参加“中华民族解放先锋队”。1937 年“七七”事变后，参加“东北各界抗日救国联合会”，遂赴西安，参加东北大学学生山西战地服务团，任团长，在临汾、离石等地工作三四个月后返回西安。是年 12 月，加入中国共产党。

1938 年，王铎赴延安，先后入延安大学、抗大学习；12 月，入政治工作队工作。1939 年 3 月，调入八路军总政治部前方站区考察团，担任秘书；5 月，调入中共中央西北工委研究少数民族问题，遂以新华社记者身份赴伊克昭盟进行蒙古社会调查，从 5 月到 10 月，遍访伊盟七旗和东胜县。12 月，调任延安陕北公学蒙古青年队指导员。1940 年 11 月，参加中共西北工作委员会和陕甘宁边区蒙古文化促进会组织的蒙古文艺考察团，任团长，再次赴伊克昭盟，考察蒙古文艺状况。1941 年春，任陕北公学民族部副主任；9 月，任延安民族学院教育处副处长、秘书长，城川民族学院副主任。在延安主要从事民族工作和民族教育工作。

1945 年 6 月，王铎被任命为绥蒙政府秘书长；8 月上旬，从延安到达晋西北偏关上任。1946 年 9 月，任内蒙古自治运动联合会代理宣传部长，并任中共锡（林郭勒盟）察（哈尔盟）工委书记，锡察行政委员会副主任。1947 年夏，中共巴（彦塔拉盟）乌（兰察布盟）工委与锡察工委合并为中共锡察巴乌工委，任副书记，内蒙古人民自卫军骑兵第 16 师政治委员。1947 年 5 月，当选为内蒙古自治政府委员。1948 年 3 月，调任内蒙古共产党工作委员会委员、秘书长。

中华人民共和国成立后，王铎历任中共中央内蒙古分局委员，中共中央内蒙古分局组织部长兼纪律检查委员会书记，东部区党委书记、行署主任，中共内蒙古分局常委、副书记，内蒙古党委副书记，内蒙古党委书记处书记等职。“文化大革命”期间，王铎惨遭迫害，重新工作后，历任中共中央华北局委员、自治区革委会副主任、内蒙古党委常务书记。1983 年，任中共内蒙古顾问委员会主任。是第五届全国政协委员、第四届内蒙古自治区政协委员。王铎是在内蒙古长期从事民族工作、自治区革命和建设的主要领导人之一。1997 年 8 月 10 日，因病在北京逝世，享年 85 岁。

（郝维民 撰稿）

王逸伦

王逸伦（1904—1986 年） 出生于内蒙古昭乌达盟翁牛特旗一个贫苦农民家庭。12 岁时在赤峰高等小学校读书，后该校改为二道街中学继续读初中，期间受到中共早期党员乌子贞、韩麟符等的革命启蒙教育。1927 年毕业，先后在赤峰接官亭小学校、林东小学校任教师，向学生传播爱国主义思想。1932 年，王逸伦找到了党组织，在中共内蒙特别委员会书记陈镜湖、内蒙特委宣传部负责人刘刚的领导下，积极参加北平学生抗日救亡运动。不久，由陈镜湖、刘刚介绍，加入了中国共产党。随后党组织派他到上海参加中共中央训练班，学习“游击战争问题”“怎样做地下工作”等。是年底，中央组织部决定王逸伦任内蒙特委常委。1933 年，受内蒙特委的派遣，回到家乡，在赤峰一带开展地下工作，发动群众组织抗日游击队，打击侵华日军，炸毁日军汽车。1934 年，任中共河北省委组织干事，专门负责联系各地来北平找关系的同志；是年 5 月，绥远特委派他到河套地区工作，任中共临河县委书记，从事地下革命斗争。他按照特委和县委的指示，以货郎为掩护走村串乡向群众宣传革命，恢复和发展党组织，发动农民与大地主进行算账斗争。1935 年夏，王逸伦与绥远特委书记刘仁、组织部部长吉合等赴苏联莫斯科东方大学，在殖民地半殖民地民族问题研究院学习，1938 年秋回国。

抗日战争时期，1939 年 4 月，王逸伦到达延安。7 月，奉派到华北敌后工作，任中共冀南区委工农委员会书记，组织武装工作队，配合基干军队，灵活机动地打击敌人；在敌后根据地建立抗日民主政权，开展支前和锄奸反特斗争。1942 年，受中共东北工委派遣，在家乡以教书为掩护，发动群众，组织抗日斗争。1945 年 9 月，先后任热北游击支队司令、热北军分区司令员兼政委、中共热北地委书记、中共热辽区委秘书长、热辽警备区政委，向群众宣传党的主张和东西蒙统一会议精神。1947 年 1 月，随内蒙古自治运动联合会主席乌兰夫到达王爷庙；7 月，任内蒙古共产党工作委员会常委等职。

中华人民共和国成立后，王逸伦历任内蒙古自治区财经委员会主任、中共内蒙古东部区委员会副书记、内蒙古自治区人民委员会副主席、内蒙古党委财贸部部长、内蒙古党委书记处书记等职。“文化大革命”期间，惨遭迫害。恢复工作后，历任内蒙古自治区革委会副主任、内蒙古党委书记、中共内蒙古自治区纪律检查委员会第一书记、内蒙古自治区第五届人大常委会副主任、第五届全国政协常委等职。1979 年，内蒙古党委为他平反昭雪，恢复名誉。王逸伦是内蒙古地区的早期中共党员、自治区革命和建设的主要领导人之一。1986 年 6 月 2 日，在呼和浩特逝世，享年 82 岁。

（钱占元　撰稿）

王建功

王建功（1906—1996 年）　祖籍内蒙古归化城土默特旗兵州亥村。1906 年 11 月 14 日，生于归化城一个贫苦市民家庭。1919 年“五四运动”时期，在绥远土默特高等小学校读书，参加响应北京“五四运动”和青年学生反帝爱国运动。1925年，上海“五卅惨案”发生后，参加中共绥远工委领导的归绥青年学生声援“五卅”惨案受难者的活动。是年10月，赴广州黄埔军校第四期学习。1926年3月，经中共北方区委介绍转入毛泽东同志主办的第六届广州农民运动讲习所学习；同年5月，加入中国共产党。

1926年9月，王建功奉派以农民运动特派员的身份回到绥远，在归绥一带开展农民运动和党的工作，任中共归绥西区委员会书记。1927年3月，参与组织中共绥远地委和中国国民党绥远特别区党部共同发动的归绥“孤魂滩”农牧民起义。1927年，蒋介石发动“四一二”反革命政变，在大革命失败的严峻形势下，在中共顺直省委的领导下，组建了中共绥远特别支部，任书记，并组建和恢复了5个基层支部，坚持革命活动。“特支”遂遭国民党破坏而转入地下斗争。1931年4月，中共绥远特委成立，王建功任农民委员，“特委”被破坏后，被捕入狱。在王若飞的领导下，与杨植霖等共产党人和革命者与敌人展开了不屈不挠的狱中斗争。1932年出狱后，他和杨植霖、刘洪雄等共产党人以归绥城东滕家营名言小学教员身份为掩护，开展抗日救亡活动。

抗日战争时期，王建功历任中共归绥西区委委员、山西省太原市牺牲救国同盟会决死队第五队政治工作员、绥远省河套地区国民兵团政训处少校主任。1938年5月，赴延安抗大学习。之后，又奉派到晋西北，历任一二〇师政治部、民运部干事、队长、科长，晋西北静乐专署民政科长。1941年春，回到绥远大青山抗日游击根据地，历任绥察区党委秘书长、绥察行署绥西专署副专员。1942年，再次赴延安中央党校学习，并参加整风。1945年6月，重返大青山，任绥蒙区党委绥中地委组织部长。

解放战争时期，王建功参加了晋西北的土改运动，任晋西北山阴县第一区土改工作队副队长、晋西北朔县南榆林土改工作团团长，积极进行社会调查，出色地完成了党交给的任务。1949年，任绥蒙政府民政厅厅长，在民主建政、干部、优抚等方面，为绥远“九一九”和平解放做了大量的准备工作。

中华人民共和国成立后，王建功历任绥远省人民政府委员兼民政厅副厅长、内蒙古自治区民政厅副厅长、党组书记，并当选为绥远省人代会代表、第二届内蒙古党委委员。他领导自治区民政工作30年，在禁烟肃毒、禁娼、贯彻《婚姻法》、抗美援朝、接收安置南方婴幼孤儿、慰问边防部队、扶助革命老区、优抚、救济等方面，为内蒙古民政事业的发展做了大量开拓性、奠基性的工作。

粉碎“四人帮”后，王建功恢复工作，1979年，任中共内蒙古纪律检查委员会常委，1979年至1983年，任中国人民政治协商会议内蒙古自治区第四届委员会副主席。1983年5月离休。1996年9月3日逝世，享年90岁。

（郝维民　撰稿）

高布泽博

高布泽博（1905—1968年） 又名春和，曾用名易阜、李保华，俄文名沙勃佐老夫，蒙古族，内蒙古归化城土默特旗忽拉格气村人，出身于贫苦农民家庭。

高布泽博1918年入土默特高等小学校，学习期间参加归化城学生反帝爱国活动。1923年秋天，考入北京蒙藏学校，在李大钊等中共领导人的培养下，是年冬，加入中国社会主义青年团。1924年底，参加欢迎孙中山先生北上和召开国民会议的各种活动；期间，高布泽博与奎璧、吉雅泰、赵诚等回绥远发动国民议会运动，当选为“绥远国民会议促成会”代表。1925年3月，参加了孙中山、李大钊主持召开的“国民会议促成会全国代表大会”；同年，加入中国共产党，成为中国共产党的第一批少数民族党员、蒙古族的第一代共产主义者之一；是年冬，由中共北方区委选送到广州黄埔军校学习。1926年3月，与王建功一同转入广州农民运动讲习所第六期学习，他亲耳聆听毛泽东同志的教诲和周恩来、彭湃、萧楚女、恽代英等无产阶级革命家讲课，同时参加了海陆丰农民运动；10月间回到绥远，在中共绥远地委领导下，任农民运动特派员，在土默川农村开展农民运动，与贾力更、王建功等参与发动了由农民、牧民、市民、商人等各阶层参加的“孤魂滩”暴动事件。

1927年大革命失败以后，高布泽博在包头隐蔽起来，从事地下工作。1928年春，赴蒙古人民共和国学习，年底又返回。1931年春，再次到蒙古人民共和国入党务学校学习；10月，又入苏联莫斯科东方大学学习。

抗日战争时期，党组织派高布泽博回国，到新疆边防督办公署开展地下工作，任新疆督办公署驻额济纳旗联络参谋办事处中校参谋长、驻若羌办事处主任。1944 年 4 月 19 日，新疆军阀盛世才将高布泽博投入监狱，在狱中他经受住敌人的严刑拷打，保守住组织的秘密，8 月 26 日，他只身越狱成功，在苏联驻新疆领事馆的帮助下，再次到达莫斯科。

1945 年 12 月，高布泽博从苏联回国。1946 年春，到达内蒙古自治运动联合会所在地张家口，被任命为联合会代理组织部长、中共察哈尔盟工委书记。1947 年 5 月，内蒙古自治政府成立，高布泽博任政府委员和文教部部长。1948 年，调任中共纳文慕仁盟盟委副书记。1949 年，任内蒙古自治区人民政府农牧部部长、财经委员会委员和党组成员，中共内蒙古东部区委员会委员。

1952 年，由中央人民政府主席毛泽东签署任命高布泽博为内蒙古畜牧兽医学院首任院长。1954 年，“蒙绥合并”后，任内蒙古自治区农牧厅厅长、党组书记，兼内蒙古农牧学院院长、荣誉院长。1957 年，改任内蒙古自治区农业厅厅长、党组书记。是内蒙古党委委员、第三届全国人大代表。高布泽博是中国共产党的首批少数民族党员、内蒙古自治区农牧业战线主要领导人之一。1968 年 6 月 10 日，高布泽博因惨遭林彪、“四人帮”的迫害而含冤逝世，终年 63 岁。

（钱占元 撰稿）

廷 懋

廷懋（1913—2004 年） 蒙古族，辽宁省沈阳市人。1928 年，入沈阳私立冯庸大学附中学习，阅读了《社会主义、无政府主义和共产主义》，懂得了孙中山和共产党人都是为中国独立富强而奋斗的革命者。1932 年春离开冯大附中。1933 年夏，考入山东大学物理系。1935 年，参加了山东大学学生救国会，与同学们张贴中国共产党的“八一宣言”，到码头宣传抗日救国，被当局抓走，后被学校开除。1936 年，考入迁至北平的东北大学学习，任学生会主席，同年加入中国共产党；期间，代表学校参加北平救国联合会执委会。

抗日战争爆发后，廷懋参加了八路军，奔赴抗日前线，历任一一五师三四四旅政治部民运干事，修械处政治指导员，旅供给部军事工业科科长，一二九师新一旅政治部宣教科长，太行军区第四军分区三十二团政委等职。参加了“百团大战”和陵川、太岳等战役战斗。

解放战争时期，廷懋历任东北军区军政学校宣教科长，东北民主联军总直属队组织科长，合江军区独立旅七团政治委员，东北军区政治部组织部副部长，内蒙古军区政治部副主任兼组织部长。

中华人民共和国成立后，廷懋历任内蒙古军区政治部主任兼干部管理部部长，蒙绥军区政治部主任兼干部管理部部长，内蒙古军区政治部主任、军区副政委。“文化大革命”中受迫害。1979 年初恢复工作，任内蒙古军区第二政委，内蒙古党委第二书记，内蒙古自治区第五届人大常委会主任。1955 年，被授予少将军衔，荣获中华人民共和国二级独立自由勋章、一级解放勋章，中国人民解放军一级红星功勋荣誉章。是第五届全国人大代表，中国共产党第八、十四次全国代表大会代表，中共中央顾问委员会委员，正兵团职离休干部。2004 年 12 月 8 日，在北京病逝，享年 91 岁。

（甘旭岚　撰稿）

朋斯克

朋斯克（1905—1991 年）　蒙古族，又名包凤岐、陈志忠、陈斯冷，1905 年 6 月 27 日出生在内蒙古哲里木盟科尔沁左翼前旗的一个农民家庭。少年时在辽宁康平读高小，接受了“五四”爱国思想教育。1925 年，考入辽宁郑家屯第四中学，参加声援五卅运动等学生运动；同年 8 月，加入内蒙古人民革命党；10 月，代表哲里木盟参加了在张家口举行的内蒙古人民革命党第一次代表大会，随后被派往苏联莫斯科东方大学国际班学习。学习期间，于 1927 年加入苏联共青团，1928 年加入苏联共产党。

1929 年，受共产国际和中共驻共产国际代表瞿秋白的派遣，与乌兰夫、特木尔巴根、佛鼎等一同回国，他与特木尔巴根等 3 人到内蒙古东部地区从事地下革命工作。“九一八”事变后，参与组织内蒙古自治军学生队，与日本侵略者和伪满反动势力作斗争。1932 年受命前往莫斯科向共产国际汇报工作，1933年5月返回内蒙古东部地区，任科尔沁左翼中旗伪满第三农垦局代理局长。1936年6月，打入伪满兴安南省警备军军法处，任临时陆军顾问、军事检察官兼军事审判官。1938年接到共产国际指示，赴蒙古人民共和国乌兰巴托开会；12月，因“肃反”蒙冤入狱8年，劳动改造。经不断申诉，最终甄别为误判，于1945年6月获释，获得一笔经济赔偿。1945年8月，随苏蒙联军进入呼伦贝尔地区，做翻译和情报工作，年底又去蒙古人民共和国工作。1946年6月回国，积极投入内蒙古自治运动，和国民党反动派作斗争；同年11月，加入中国共产党。任内蒙古自治运动联合会常委、自治运动联合会东蒙总分会组织部副部长。1947年起，历任内蒙古自治政府公安部部长、交通部部长、邮电部部长等职。1949年9月，以候补代表的资格参加中国人民政治协商会议第一届委员会会议，并出席开国大典。

中华人民共和国成立后，朋斯克历任中央人民政府民族事务委员会办公厅副主任、翻译局局长、国家体委委员等职。他多次率领中央访问团赴新疆、宁夏、内蒙古、广西、西藏等少数民族地区访问，代表中央慰问各地少数民族群众。1954年，受中央委派，率团赴青海省塔尔寺将成吉思汗灵移回内蒙古伊克昭盟境内。1958年，调回内蒙古，任内蒙古党委统战部副部长。1960年，任内蒙古自治区人民委员会副主席。1959年2月至1965年5月和1977年12月至1983年4月，先后任中国人民政治协商会议内蒙古自治区第二届和第四届委员会副主席，兼第二届秘书长、内蒙古自治区侨联主席等职，是第五届全国政协委员。在社会主义革命和建设中，他坚定不移地执行党的路线、方针、政策，兢兢业业地工作，发扬共产党人艰苦奋斗的作风。1983年，他响应中央废除干部终身制的号召，主动表示退出自治区政协领导职务。1991年10月25日，于呼和浩特逝世，享年86岁。

（甘旭岚 撰稿）

特木尔巴根

特木尔巴根（1901—1969年） 蒙古族，又名鲍仁山、札木苏、张成等。1901 年 11 月出生于内蒙古卓索图盟喀喇沁右旗大牛群乡小庙子村一个农民家庭。10 岁入私塾读书，1919 年入北京蒙藏学校中学班读书，参加了“五四”爱国运动。1922 年，与同学自发建立马列主义学习小组，秘密学习马列主义著作，思想进步很快。1923 年，到北京大学就读。1925 年，加入内蒙古人民革命党，遂被该党派往蒙古人民共和国党务学校学习；10 月，转入苏联莫斯科东方大学国际班学习，刻苦自修了《资本论》,马列主义水平明显提高。1927 年 4 月，加入苏联共青团，1928 年 11 月，加入苏联共产党。1929 年，受共产国际和中共驻共产国际代表瞿秋白的派遣，他与乌兰夫、朋斯克、佛鼎等一同回国，和朋斯克到内蒙古东部地区从事地下革命工作，先后在郑家屯、康平、洮南等地开展工作。

1931 年，“九一八”事变后，特木尔巴根化名张志远，和朋斯克来到哲里木盟科尔沁左翼中旗，打入旗王府保安队任参谋，在官兵中秘密宣传抗日救国思想，发展进步力量。1934 年，离开保安队，任旗王府第四校校长，向学生灌输爱国主义思想。1936 年，打入科尔沁左翼中旗驻通辽办事处工作。1938 年，通辽办事处撤销，又打入旗公署任教育股长，以这些职务为掩护，长期开展抗日斗争。1941 年 6 月，特木尔巴根被伪兴安省警备厅逮捕，在敌人多次的严刑逼供下，坚贞不屈、视死如归，保护了组织和同志，为抗日斗争作出重要贡献。

抗日战争胜利后，特木尔巴根、哈丰阿、博彦满都等，于 1945 年 8 月，在王爷庙（今乌兰浩特）成立“内蒙古人民解放委员会”，以这个委员会名义发表《内蒙古人民解放宣言》；并组建内蒙古人民革命党东蒙党部，特木尔巴根等 13 人当选执行委员，之后他又任内蒙古革命青年执委会委员兼任秘书长，开展东蒙古自治运动和进步青年工作，进行剿匪斗争。1945 年 11 月，特木尔巴根等着手成立东蒙古人民自治政府的筹备工作。1946 年 2 月，东蒙古人民自治政府成立，特木尔巴根当选为委员；4 月 3 日，他和哈丰阿、博彦满都等 7 人，作为东蒙代表参加在承德召开的东西蒙统一自治会议，经西蒙乌兰夫等 7 位代表的说服争取，特木尔巴根赞同在中国共产党的领导下开展统一自治，会议决定撤销东蒙古人民自治政府，解散内蒙古人民革命党，由内蒙古自治运动联合会统一领导内蒙古自治运动，实行了东西蒙统一自治；随后特木尔巴根任内蒙古自治运动联合会常委兼青年部长，经刘春等介绍，加入中国共产党；他回到王爷庙后，在中共中央东北局、西满分局的领导下，积极贯彻“四三”会议决议。1946 年 5 月，召开东蒙古人民代表会议，决定正式撤销东蒙古人民自治政府，成立兴安省政府，特木尔巴根当选为兴安省政府主席。1947 年 5 月 1 日，内蒙古自治政府成立，特木尔巴根被选为自治政府委员，任经济部长；7 月，任内蒙古共产党工作委员会委员。1949 年，作为正式代表出席了第一届全国政治协商会议，当选为中央人民政府民族事务委员会委员。

中华人民共和国成立后，1949 年 12 月，特木尔巴根任中共中央内蒙古分局候补委员、中共内蒙古东部区委员会常委。1954 年至 1965 年，任内蒙古自治区高级人民法院院长、党组书记。1955 年，在中共内蒙古自治区第一届代表大会上，被选为内蒙古党委委员、常委。1955 年和 1965 年，任中国人民政治协商会议内蒙古自治区第一、三届委员会副主席。是第一、二、三届全国人大会代表，全国人大常委会民族委员会委员。

“文化大革命”中，特木尔巴根被扣上种种莫须有的罪名，精神和身体受到严重摧残，于 1969 年 1 月 31 日，在呼和浩特含冤逝世，享年 68 岁。1979 年 1 月，内蒙古党委决定，为特木尔巴根彻底平反昭雪，恢复名誉。

（钱占元　撰稿）

毕力格巴图尔

毕力格巴图尔（1908—1974 年） 蒙古族，乳名二仁，又名赵璧城、图穆洛夫、杨立登、王福元、赵子玉、周振，内蒙古归化城土默特旗什兰岱村人。少年时因家境贫寒无力求学，夏天为他人放牛，冬天随父进山打猎，勉强维持全家生活。1929 年，经从苏联回内蒙古的表姐夫、中共党员佛鼎的介绍，加入中国共产主义青年团，从事党的地下交通工作。1930 年 2 月，由佛鼎带领毕力格巴图尔、高凤英等人，赴乌兰巴托，入蒙古人民共和国党务学校学习；同年 10 月，毕力格巴图尔又被派往莫斯科东方大学民族班深造。1934 年 1 月，与吉雅泰奉命回到归绥，先在平绥路担任“交通员”，后到北平以“绥境蒙政会”驻北平办事处交际股股长的身份，借开办“协济工厂”、“义达里宏仁西药店”为掩护，搜集日军情报。1936 年 1 月，由吉雅泰介绍加入中国共产党。

“七七”事变后，北平沦陷，毕力格巴图尔遭到日本特务的追捕，避往天津英租界，党组织指示他负责一个小组，开展对敌破坏工作，策划炸毁了日军两艘满载军需物资的轮船、日本开设的中原百货公司，烧毁日军的军用草垛、棉花仓库等。1938 年 2 月，奉命奔赴冀中，任八路军晋察冀军区司令部侦察科科长。1939 年 6 月，奉调回绥远在伪蒙古军第九师做策反工作，该师于日寇投降时宣布起义，毕力格巴图尔随部队到蒙古人民共和国进行整编。1947 年 6 月回国，任内蒙古骑兵第十一师（后整编为第四师）副政委。1949 年 6 月，任师长兼政治委员。

1950 年 2 月始，毕力格巴图尔先后任乌兰察布盟政务委员会主任（后称盟长），中共乌兰察布盟委副书记、书记，内蒙古军区乌兰察布军分区司令员兼政委。1955 年，被授予中华人民共和国二级解放勋章。1955 年 3 月始，先后任内蒙古公安厅副厅长、厅长、党组书记，内蒙古武警总队总队长、政委等职。1964 年 5 月，任内蒙古党委书记处书记兼公安厅长，8 月任内蒙古党委政法小组组长，主管全区政法工作。“文化大革命”中，毕力格巴图尔遭到残酷迫害，于 1974 年 2 月 25 日，在呼和浩特逝世，终年 66 岁。

（郝维民　撰稿）

刘景平

刘景平（1917—1980 年）　河北省宣化县人。1935 年，在直隶第十六中学（今宣化一中）读书时参加“一二·九”北京学生抗日救亡运动。1936 年，加入中国共产党，在陕西东北军学兵队做政治工作，参加了“西安事变”。

抗日战争爆发后，刘景平在绥远河套地区从事党的地下工作，任中共河套特委组织部长、代理书记。1942 年 8 月，调任延安民族学院党总支书记。抗战胜利后，奉中央派遣到内蒙古工作。1945 年 11 月，任内蒙古自治运动联合会秘书长。

解放战争时期，刘景平任内蒙古人民自卫军骑兵第十六师副政委、内蒙古军区骑兵第五师政委，中共锡察盟工委委员、中共察盟工委书记。他指挥剿灭仁钦道尔吉匪徒的战斗，率部队转战锡察草原，与兄弟部队配合，先后组织参加了高山堡、骆驼山、巴格赖、哈拉毛都、四台房等战斗，解放了察北重镇多伦、平定堡、宝昌、康保等城镇，参加了解放张家口的战斗，有力地配合了辽沈战役的胜利。1949 年 8 月，离开部队，奉调内蒙古自治政府经济部任副部长，领导经济工作。

中华人民共和国成立后，刘景平历任内蒙古自治区工商部副部长、部长，内蒙古自治区财委、财办副主任兼商业厅长，内蒙古党委财贸部副部长、部长，内蒙古自治区计委主任，内蒙古党委委员、常委等职。1960 年，任自治区人民委员会副主席。1964 年，任内蒙古党委书记处书记。是第一至五届自治区人民代表大会代表、第五届全国人民代表大会代表。刘景平从 20 世纪 50 年代以来，在领导自治区的经济工作中，进行经济理论研究，把经济工作和贯彻民族政策结合起来，按经济规律办事，在执行“以牧为主，多种经营”方针等方面作出了贡献。1980 年，在呼和浩特逝世，终年 63 岁。

（甘旭岚 撰稿）

林蔚然

林蔚然（1918—1999 年） 河南省洛阳市人。1934 年，考入洛阳市师范学校，同年参加革命，参加抗日救亡运动。1938 年 3 月，加入中国共产党。1939 年 3 月，奔赴延安，在抗日军政大学总校学习。1940 年结业，参加八路军，先后在抗大总校 2 团 1 营、总校政治部、一二九师抗大六分校政治部工作，从事抗日战争中的政治工作。

1946 年 1 月，林蔚然随中央派赴东北的干部大队路经张家口时，被党组织分配到内蒙古自治运动联合会工作，参与筹建内蒙古实业公司，并任公司秘书室主任兼人事科长。当时，内蒙古牧区由于战争使商品流通中断，生产生活用品匮乏，畜产品积压，公司把民族贸易作为政治任务，他和副经理关起义积极组织货源，以解决牧民衣食住行用的困难。随后调任内蒙古人民自卫军骑兵第十六师政治部主任，参加攻打察北平定堡等战斗。1947 年 5 月，内蒙古自治政府成立后，林蔚然奉内蒙古党委令离开部队，到乌兰浩特任内蒙古自治政府贸易管理局副局长、内蒙古贸易总公司副经理，继续从事民族贸易工作。1948 年，调任中共兴安盟工委委员、宣传部长、组织部长。

中华人民共和国成立后，1949 年 11 月，林蔚然任中共内蒙古东部区委员会副秘书长兼政研室主任、中共兴安盟委员会副书记、代理书记。1952 年，任内蒙古自治区财政厅副厅长、厅长、党组书记。1958 年，任自治区党委财贸部副部长兼商业厅厅长、党组书记，自治区财贸办公室、财贸委员会党组书记、副主任、主任等职。是内蒙古党委委员、自治区人民委员会委员。

1972 年 5 月始，林蔚然历任中共乌兰察布盟委员会书记、内蒙古党委党校党组组长。1976 年，调任宁夏回族自治区革委会办公室主任、党组书记，后任宁夏回族自治区党委常委兼秘书长、副书记等职。1982 年，调回内蒙古，任内蒙古党委副书记。1983 年，任中共内蒙古自治区顾问委员会副主任兼自治区经济研究中心主任。

林蔚然是一位具有丰富经济工作经验的领导干部，是具有深厚理论造诣的专家。出版专著《财政工作的创业与发展》《内蒙古民族贸易二十年》等 6 本，主编了《内蒙古经济发展史》《经济小百科》等 5 本，发表学术论文 60 余篇，多篇在全国性学术会议上获奖。1996 年离休。1999 年病逝，享年 81 岁。

（钱占元　撰稿）

李　森

李森（1902—1987 年）　蒙古族，又名李小才。出生于内蒙古归化城土默特旗马群村的一个贫苦农民家庭，从小给富户揽场放牛。李森步入青年时，为摆脱剥削，被招入土默特旗蒙古族地方武装“老一团”当兵。1925 年，“老一团”驻扎包头，李森结识了中共包头工委书记李裕智，接受了革命道理。1927 年，李森以“老一团”的排长身份为掩护，面对反革命的白色恐怖，在归绥、包头等地开展党的地下工作，并由吉雅泰介绍加入中国共产党。1928 年，李森同奎璧、贾力更等 6 名共产党员到蒙古人民共和国党务学校学习。1929 年冬，他们与从苏联莫斯科回国的佛鼎、乌兰夫一同回到绥远，组建了中共西蒙工委，在工委的领导下，李森从事秘密的交通工作。1931 年，中共西北特委书记王若飞等 3 人来到绥远开展工作，李森为王若飞的交通员。王若飞不幸在包头被捕后，他和乌兰夫投入营救工作。1933 年，李森随“老一团”部分队伍前往察北，参加冯玉祥将军的“察哈尔民众抗日同盟军”，投入武装抗日斗争。1936 年，李森奉中共西蒙工委的派遣，到百灵庙蒙政会保安队开展军运工作。

在抗日战争爆发后，李森与贾力更、奎璧等在土默川进行抗日斗争。1939 年，李森、贾力更、高凤英等组建了蒙古抗日游击队，李森、高凤英先后任队长，在打击日军、争取日伪军反正、护送进步青年到延安参加革命、为大青山抗日游击根据地和八路军骑兵支队筹集资金、军用物资等方面作出突出贡献。1941 年至 1943 年，在延安民族学院和西北党校学习。

抗日战争胜利后，奉绥蒙区党委的派遣，李森开展争取伪蒙古军起义的工作。1946 年 1 月，任绥蒙军区骑兵独立旅副旅长；4 月，奉内蒙古自治运动联合会之命，带部分人员由张家口返绥远地区开展工作。解放战争时期，先后任蒙古骑兵独立旅旅长、察哈尔盟公安局局长等职。

中华人民共和国成立后，李森历任绥远省蒙古工作委员会负责人、绥远省民族事务委员会副主任、省人民政府监察委员、内蒙古自治区民族事务委员会副主任，1982 年，任中国人民政治协商会议内蒙古自治区第四届委员会副主席等职。1987 年 8 月 9 日，于呼和浩特病逝，享年 85 岁。

（郝维民 撰稿）

克力更

克力更 蒙古族，又名成以博、成新宇。1916 年出生于内蒙古土默特旗美岱召。20 世纪 30 年代，在北平蒙藏学校学习。1935 年，参加革命，与乌兰夫同在归绥土默特高等小学校当教员，组织进步学生阅读宣传抗日的书报、演唱抗日歌曲、在街头向市民宣传抗日救亡。

1938 年，克力更随乌兰夫进入绥远蒙旗独立旅（后改编为国民革命军新编陆军第三师，简称“新三师”），同年加入中国共产党，任连政治指导员、营政治教导员、团政治委员、干训班主任等职。新三师在一批共产党人的努力下，成为一支最大的蒙古族抗日部队。1941 年，在延安民族学院任教员、研究员、研究组组长等职。

抗日战争胜利后，1945 年 9 月，在乌兰夫的带领下，克力更等一批干部从延安回到内蒙古，投入自治运动；10 月，受党的派遣，与乌兰夫、奎璧等来到锡林郭勒盟苏尼特右旗，经过艰苦的工作，成功地阻止了“内外蒙合并”、“内蒙古独立”活动，改组了“内蒙古人民共和国临时政府”，任政府经济部长；11 月，内蒙古自治运动联合会成立后，克力更任联合会常委兼宣传部副部长。为开展东蒙工作，自治运动联合会成立了东蒙工作团，刘春、克力更分别任正副团长，赴东蒙联系东西蒙联合自治的问题。1946 年 4 月，为统一东西蒙自治运动，克力更作为内蒙古自治运动联合会主要代表之一，赴承德参加“四三”会议。之后，先后任自治运动联合会东蒙总分会组织部长、兴安省参议会副议长。1947 年 5 月，内蒙古自治政府成立时，当选为内蒙古自治政府临时参议会驻会参议员。历任中共纳文慕仁盟盟委书记、内蒙古人民自卫军第五师政委、内蒙古共产党工作委员会委员、内蒙古党委青年委员会书记兼团委书记。

中华人民共和国成立后，历任新民主主义青年团内蒙古自治区委员会书记、内蒙古党委青年工作委员会书记、中共中央蒙绥分局内蒙古工会工作委员会书记、内蒙古自治区政法委员会副主任、党组副书记、中共内蒙古东部区委秘书长、内蒙古工业厅厅长兼党组书记、内蒙古党委统战部部长兼自治区民委主任、内蒙古党委常委等职。1965 年至 1979 年，任中国人民政治协商会议内蒙古自治区第三、四届委员会副主席，全国政协常委。1979 年，任内蒙古自治区人大常委会副主任。1983 年，任中共内蒙古自治区顾问委员会副主任等职。1996 年 9 月离休。

（郝维民 撰稿）

郝秀山

郝秀山 祖籍山西省，1920 年 11 月 5 日，出生于内蒙古土默特旗万家沟帐房塔村，成长在武川县前窑子村。1938 年，参加八路军，带领一个骑兵班，在大青山地区宣传党的抗日民族统一战线政策，动员各族青年参军、群众交粮，支援抗日战争；同年，加入中国共产党，参加武归县八区动委会的筹备工作，第二年动委会成立，任武归县八区动委会分配部部长。1940 年 3 月，任八区政府区长兼游击队党支部书记，组织群众生产自救和开展拥军支前工作，率领游击队打击日伪军，为大青山抗日游击根据地的敌后斗争作出贡献。1943 年，到晋西北根据地偏关参加整风。1945 年 10 月，任武川县县长。

解放战争时期，1946 年 1 月，郝秀山带领武川县政府和县大队撤到集宁县，任集宁县民政科科长；10 月，由武川、集宁两县干部和游击队组成绥蒙骑兵大队，任大队长；11 月，带领骑兵大队进驻贝子庙，编入内蒙古人民自卫军骑兵第十六师 3 团，任团长，参加锡林郭勒盟、察北等地区的剿匪斗争。1948 年 3 月，调任内蒙古人民解放军政治部组织科科长。

中华人民共和国成立后，郝秀山于 1950 年 1 月任绥远省民族事务委员会委员兼办公室主任。1952 年 5 月，任绥远省农林厅畜牧局长。1955 年 5 月，任内蒙古自治区水利厅党组书记、副厅长，在领导大兴水利工程、发展牧区水利、防治水害等方面作出贡献。1966 年初，调任内蒙古农业委员会副主任，后调任中共乌兰察布盟委副书记，分管农牧业水利工作。“文化大革命”中被批斗、管押、监督劳动长达 6 年之久。1972 年 5 月，任乌兰察布盟革委会副主任。1973 年 11 月，调任内蒙古自治区水利局（厅）局长、党委书记。1975 年 6 月，任中共呼和浩特市委第一书记、革委会主任。1978 年 6 月，任中共包头市委第一书记、革委会主任、军分区党委第一书记、第一政委。1980 年 3 月，任内蒙古自治区人民政府副主席、党组成员。1983 年 4 月，任内蒙古自治区第六届人大常委会副主任、党组副书记。1986 年 6 月始，先后任中共内蒙古自治区顾问委员会副主任、主任。是中国共产党第十二次全国代表大会代表，第七届全国人大代表。1993 年离休，离休后出版回忆录《青山草原情》，留给后人一份宝贵的精神财富。

（甘旭岚　撰稿）

尤太忠

尤太忠（1918—1998 年） 1918 年 12 月，出生于河南省光山县。1931 年，参加中国工农红军。1933 年，加入中国共产主义青年团。1934 年，加入中国共产党。土地革命战争时期，历任班长、排长、连政治指导员、干事等职，先后参加了鄂豫皖革命根据地历次反“围剿”、进军川北、开辟川陕革命根据地等战役战斗，参加了二万五千里长征。

抗日战争时期，尤太忠历任连长、副营长、营长、副团长、团长等职，先后率部参加了百团大战等数十次战役战斗。

解放战争时期，尤太忠历任晋冀鲁豫军区第六纵队十六旅副旅长、旅长，第二野战军第三兵团十二军三十四师师长等职，先后率部参加了上党、平汉、鲁西南、淮海、渡江、成都等重大战役，挺进大别山，解放湖北广济城，追击江南逃敌，清剿鄂西顽匪等上百次战斗。

中华人民共和国成立后，1951 年尤太忠参加抗美援朝，任中国人民志愿军三兵团十二军三十四师师长。1952 年 12 月回国后，任解放军陆军第十二军副军长。1960 年高等军事学院毕业后，仍任第十二军副军长、军长。1970 年 3 月，任河北省革委会副主任、北京军区副司令员。1971 年 5 月，调任中共内蒙古自治区委员会第一书记、自治区革委会主任、内蒙古军区司令员、中国人民政治协商会议内蒙古自治区第四届委员会主席。他来到内蒙古后，面对混乱的形势，带领自治区党委一班人，妥善处理挖“新内人党”等三大冤假错案造成的严重后果，在“全面军管”的基础上，进一步稳定了内蒙古的形势，增强了蒙汉各族人民的团结。他带领军区领导班子成员实地勘察边防线，与边防军民制定了加强边防的措施，使自治区 4 200 多公里的边防形势得到安全稳定。为重点抓好农牧业，他与自治区党委领导成员，深入农村牧区调查研究，制订了农牧业生产“两年基本改变面貌，四年彻底改变面貌”的奋斗目标，加强牧区“草库伦”建设和医疗卫生工作，大办乌兰牧骑，关心牧民生活，使牧区开始重新出现繁荣的景象。1978 年 10 月，调离内蒙古后，历任成都军区司令员、广州军区司令员、中央军委纪律检查委员会第二书记等职。是中共第九届中央候补委员、第十至十二届中央委员、中共十三大代表、十三届中顾委委员、第四、五届全国人大代表。1955 年被授予中国人民解放军少将军衔，1988 年，被授予上将军衔。荣获中华人民共和国二级八一勋章、二级独立自由勋章、二级解放勋章、一级红星功勋荣誉章。1998 年 7 月 24 日，在广州病逝，享年 80 岁。

（庆格勒图　撰稿）

周　惠

周惠（1918—2004 年） 原名惠珏，江苏省灌南县人。1937 年，参加革命，为了躲避国民党的追捕，他改随母亲的周姓，名惠。1938 年春，考入江西省立工业专门学校，参与发起成立了南昌市青年学生救国会、江西青年抗战知识讲习会等救亡组织；同年 5 月，加入中国共产党，组建了江西省青年战时工作团，先后任工作团总务部部长、组织部部长，南昌市委青年部干事等职，组织领导青年抗日救亡斗争。同年 9 月，赴延安参加西北青年救国联合会第二次大会和党的全国青年工作会议，会后留在延安，入中共中央党校学习，随后从事党的青年工作。1941 年起，历任中共中央北方局青年工作委员会委员、群委秘书、偏城县工作团团长等职。1944 年冬，任中共太岳区二地委委员兼士敏县（今沁县）县委书记，领导群众开展敌后抗日根据地的工作。1945 年春，调任中共冀南二地委副书记兼军分区党委委员，开展减租减息和生产运动，粉碎了国民党军队的进攻。1947 年 12 月，任中共夏津地委书记兼华中局青委副书记，开展土地改革，动员青年农民参军等支前工作。

1949 年 7 月至 1952 年 10 月，周惠历任湖南省土地改革委员会委员兼中共益阳地委书记、中共湖南省委委员兼常德地委书记等职。1952 年 11 月起，先后任中共湖南省委常委、省委书记处书记、省委常务副书记、省委代理第一书记等职。1958 年，在“大跃进”和人民公社化运动中，抵制违反经济规律的“左”的做法，使湖南省的粮食产量和供应成为全国较好的省份。1959 年，在庐山会议上，他旗帜鲜明地提出要从思想作风上彻底克服“左”的做法，受到了错误的批判，于 1960 年被撤销了领导职务。1977 年平反后，任交通部副部长、党组副书记。

1978年10月至1986年3月，周惠任内蒙古党委第二书记兼自治区革委会副主任、内蒙古党委第一书记。期间，主持为内蒙古在“文革”中，挖“新内人党”的重大冤案平反昭雪，落实党的干部政策和民族政策，恢复经济做了大量的工作。改革开放后，创造性地执行改革开放、搞活经济的方针，敢于冲破禁区，在全国较早地在农村进行“口粮田”生产责任制试点，随后在全区农村牧区推行“包产到户”和“草畜双承包”责任制，使全区农牧业生产迅速得到恢复和发展。在城市改革中，率先提出企业“承包责任制”，调动了广大干部和职工的生产积极性，为自治区加快发展社会主义经济建设打下了基础。是中共第十一、十二届中央委员，中共十三大、十四大代表，中共中央顾问委员会委员。2004年11月18日，因病在北京逝世，享年86岁。

（钱占元　撰稿）

张曙光

张曙光　原名韩建勋，1922年10月，出生于河北省饶阳县。1937年，初中肄业。1938年2月，加入中国共产党。1938年起，先后任饶阳县、冀中八分区青年抗日救国会主任。1945年8月起，先后任中共献县、武强县、青县县委书记。1948年11月，任冀中青委组织部长。1950年，任中国新民主主义青年团河北省委书记。1953年3月，任团中央青农部部长。1960年2月，任中共云南省委组织部副部长。1977年8月，任中共云南文山州委第一书记。1981年7月，任中共河北省张家口地委第一书记。1982年8月，任中共河北省委常务书记。1983年4月，当选为河北省省长。

1986年3月，张曙光调任中共内蒙古自治区委员会书记。为了贯彻内蒙古党委制定的“林牧为主，多种经营”的经济建设方针，4月，亲自挂帅，先后在内蒙古东西部地区12个盟市61个旗县，进行了长达3个多月的调查研究，提出“念草木经，兴畜牧业”的主攻方向，将全区划分为五种经济类型区：即农牧业经济型、畜牧业经济型、林牧业经济型、小城镇经济型、城郊经济型，制定了因地制宜，突出优势，分类指导的实施方案，对自治区的经济发展，特别是畜牧业生产和生态环境的改善具有积极意义。是中共第十二届中央委员，中共中央顾问委员会委员。

（庆格勒图 撰稿）

王 群

王群 出生于1926年9月，湖北省新洲县人。1943年，参加新四军。1944年，加入中国共产党。曾任中原军区江汉独立旅2团政治处干事。

中华人民共和国成立后，1949年10月至1987年，历任湖北省军区司令部动员科科长、武汉军区司令部动员部副部长、宜昌军分区副政委、中共襄阳地委副书记、中共宜昌地委第一书记、中共湖北省委副书记、武汉市委第一书记。1987年8月至1994年8月，调任中共内蒙古自治区委员会书记，1993年5月至1996年12月，任内蒙古自治区第八届人大常委会主任。他带领内蒙古党委领导集体，继续贯彻“林牧为主，多种经营”的经济建设方针，并提出以开放驱动全局的“两带一区”经济发展总体战略，即以自治区边境18个旗、市和满洲里市、二连浩特市及其他边境贸易点为通道和窗口，形成沿边开放带；沿铁路干线周围的一批重点城市，形成沿线经济技术开发带；在资源富集的地区，建成具有特色资源开发区，以开放驱动全局，以改革促开放，以开放促开发、促发展，发挥优越的沿边地理优势，促进全区经济建设快速发展。是中共第十二届中央候补委员，第十三、十四届中央委员，中共十五大代表，第八届全国人大代表。1996年12月，离开内蒙古。

（庆格勒图 撰稿）

刘明祖

刘明祖 出生于1936年9月，山东省威海县人。1952年10月，参加工作，在山东省威海县任小学教师。1959年11月，加入中国共产党。历任山东省威海市人民委员会办公室秘书、副主任，威海市革委会办事组副组长、市委办公室主任；中共山东省威海市委常委、副书记、书记，威海市革委会副主任、主任；中共山东省乳山县委书记、县革委会主任；中共山东省烟台地委副书记；中共山东省临沂地委书记。1988 年至 1994 年，任中共广西壮族自治区委员会副书记、广西壮族自治区第八届人大常委会主任、党组书记。

1994 年 8 月，刘明祖调任中共内蒙古自治区委员会书记兼内蒙古军区党委第一书记。期间，他带领内蒙古党委领导集体，在全区开展社会主义市场理论大学习、大讨论，树立市场经济新观念。主持作出加快自治区经济发展的“五大战略”：即资源转换战略、开放带动战略、科教兴区战略、人才开发战略、名牌推进战略。1997 年 1 月，补选为内蒙古自治区第八届人大常委会主任。1998 年 1 月，当选为内蒙古自治区第九届人大常委会主任。是中共十二、十三大代表，中共第十四届中央候补委员，中共第十五届中央委员，第八、九届全国人大代表。2003 年 3 月，调任第十届全国人大常委会委员兼农业与农村委员会主任。

（庆格勒图　撰稿）

孔　飞

孔飞（1911—1993 年） 蒙古族，1911 年 11 月，出生于内蒙古哲里木盟科尔沁左翼中旗敖力布皋村一个农民家庭。青少年时期就读于沈阳东北大学附中。“九一八”事变后，怀着抗日救国的满腔热情流亡到北平，在北平知行中学、北平东北大学学习，积极参加学生进步活动，接受了马克思主义思想。1935 年 9 月，参加中国共产党领导的华北民众武装自卫会，投身于抗日救亡和北平“一二·九”学生抗日爱国运动。1936 年 2 月，参加中华民族解放先锋队，任北平东北大学法学院“民先队”分队长，不久又参加了社会主义联盟。同年 4 月，加入中国共产党。

“七七”事变后，孔飞离开北平，参加并领导东北学生战地工作团，任西安东北大学党支部书记、西安学委委员。1938 年 7 月赴延安，在抗日军政大学第一大队学习，毕业后分配到中共中央宣传部工作，后调中共中央西北工作委员会民族问题研究室任研究员。1940 年，受中共中央西北工作委员会的派遣，到绥远敌占区，对蒙古民族的历史和现状做了详细调查，为党解决民族问题和制定民族政策提供了依据。1942 年 9 月，调中共中央社会部工作，遂被派往察绥地区搜集伪蒙疆的军事情报，在极端危险困难的情况下，建立情报关系，为党开展这一地区的地下工作做了准备。1943 年底回到延安，在西北公学参加整风和大生产运动，受到马克思主义和毛泽东思想的教育，成长为党的优秀干部。但在整风后的审干中，却被康生诬陷为“叛徒”，虽受到残酷斗争，但表现了一个共产党员的坚强信念和赤胆忠心。

抗日战争胜利后，1946 年 4 月，孔飞被派往内蒙古东部地区工作，历任内蒙古自治运动联合会卓索图盟分会副主任、主任，内蒙古人民自卫军卓索图盟纵队副司令员、司令员，内蒙古人民解放军骑兵第十师师长，内蒙古军区骑兵第三师师长等职，领导和指挥了卓索图、昭乌达、锡林郭勒等盟的剿匪战斗和敌后游击战争，给国民党反动派及其封建势力以沉重打击，保卫了土地改革和民主政权的建设，为配合辽沈战役和内蒙古人民的解放建立了功绩。1947 年 5 月，在内蒙古人民代表会议上，当选为内蒙古自治政府临时参议会参议员。

中华人民共和国成立后，孔飞先后任内蒙古兴安军分区司令员兼政委，内蒙古军区东部军事指挥部部长，蒙绥军区副参谋长、参谋长兼军法处长，内蒙古军区参谋长、副司令员，兼内蒙古体育运动委员会主任等职。他分管军事训练，经常深入部队和边防，调查研究，注意总结推广部队建设的经验。1955 年，在南京军事学院学习。1960 年，根据中国人民解放军总参谋部的指示，主持编写、制定了《中国人民解放军骑兵战斗条令》《骑兵训练大纲》《合成军队军师团营沙漠地战斗条令》《炮兵营群沙漠地战斗条令》，为军队革命化、现代化、正规化建设作出贡献。

“文化大革命”中，孔飞惨遭迫害。1976 年 6 月，北京军区党委决定为他平反昭雪。恢复工作后，历任内蒙古自治区革委会主任、自治区党委书记、自治区人民政府主席等重要领导职务。他坚决贯彻党的“一个中心，两个基本点”的基本路线，从内蒙古的实际出发，制定了一系列发展工农牧林副业的经济政策；为拨乱反正，落实政策，平反冤假错案，恢复内蒙古统一的民族区域自治，发展自治区的经济等各项工作做了大量的工作。是中国共产党第十二次代表大会候补代表，全国政协第六、七届常委，内蒙古党委第一、二届委员，自治区第二、四、五次党代会代表，内蒙古自治区第五、六届人大代表，政协内蒙古自治区第四届委员会副主席。1955 年，被授予中国人民解放军少将军衔，并荣获中华人民共和国二级解放勋章。1988年，被授予中国人民解放军一级红星功勋荣誉章。1993年1月23日，因病在呼和浩特逝世，享年82岁。

（钱占元　撰稿）

布　赫

布赫　蒙古族，又名云曙光、连迥，1926年3月，出生于内蒙古土默特旗塔布赛村的一个革命家庭。1939年13岁时，在父亲乌兰夫安排下，由中共土默特工委书记贾力更等组织，与姐姐云曙碧等二十多名蒙古族青少年，从家乡出发，历经艰辛奔赴革命圣地延安，先后入陕北公学、延安民族学院、延安大学民族学院学习，在学习政治、文化课程之余，积极参加学校组织的戏剧、歌咏活动，热情宣传各族人民团结抗日的意义。1942年7月，加入中国共产党。

抗日战争胜利后，党中央决定选派一批蒙汉族干部到内蒙古开展自治运动，布赫一并离开延安，来到晋察冀边区政府所在地张家口。1945年11月26日，内蒙古自治运动联合会在张家口成立，布赫任联合会组织干事。参与筹建内蒙古军政学院，在学院下设的中学部任副主任兼政治部教员。

1946年1月，内蒙古自治运动联合会与中共冀察热辽分局决定在赤峰建立内蒙古自治学院；7月，布赫与齐永存、塔拉等从张家口抽调到学院工作；9月，学院业余文工队改建为内蒙古文工团，布赫先后任副团长、团长、党支部书记，兼任艺术指导；期间，内蒙古文工团吸收了一批蒙古族民间艺人和有才华的青年文艺工作者，在他的领导下，创作出《额尔登格》《嘎达梅林》等优秀剧目，参与创作拍摄了反映在中国共产党的领导下，内蒙古人民为争取民族解放，进行艰苦卓绝斗争历程的电影艺术片《内蒙古人民的胜利》,公演后产生了巨大的反响，推动了内蒙古自治区的各项工作。1954年至1966年，先后任内蒙古自治区文化局副局长、党组书记兼内蒙古文联主任、中国文联委员，中苏友协内蒙古自治区分会秘书长，内蒙古党委代常委，自治区文委党委代书记、主任。在领导内蒙古自治区文化工作期间，认真贯彻党的文艺方针，积极宣传党的民族政策，在传承蒙古族文化遗产等方面做了大量工作。

“文化大革命”中，布赫遭到迫害。恢复工作后，1974 年至 1978 年，任中共包头市委书记、市革委会副主任，内蒙古党委宣传部副部长、部长。1978 年至 1981 年，任内蒙古党委常委，国家民委副主任，中共呼和浩特市委第一书记、市长、警备区第一政委。1982 年至 1993 年，任内蒙古党委副书记。1983 年至 1993 年，任内蒙古自治区人民政府主席。1993 年 3 月至 2003 年 3 月，任第八、九届全国人大常委会副委员长。是中共第十二、十三届中央委员，中共十四、十五大代表，第七至九届全国人大代表。

布赫主编了《民族团结教育读本》《民族区域自治基本知识》《马克思主义民族理论与党的民族政策》《内蒙古大辞典》等重要书籍。他在政务繁忙之暇，创作并发表了大量的诗词文学作品，出版了《布赫诗文集》《布赫文艺论文集》《诗海纪行》《布赫谈经济工作》等著作。

（甘旭岚　撰稿）

乌力吉

乌力吉（1933—2001 年） 蒙古族，1933 年 8 月，出生于内蒙古哲里木盟科尔沁右翼中旗代钦塔拉嘎查一个牧民家庭。少年时在科右中旗代钦塔拉小学读书。1950 年 10 月，考入中央军委工程学校无线电报专业学习。1951 年 5 月毕业后，分配到内蒙古军区，从事通信工作，先后在内蒙古军区电台、骑兵第五师电台、沈阳高级通讯学校工作。1953 年 4 月，加入中国共产党。1958 年 6 月，转业到地方工作，分配到中共呼伦贝尔盟委工业部工作。1962 年，先后任呼伦贝尔盟二轻局副局长、重工业局局长。1975 年 12 月，任中共新巴尔虎右旗委副书记。1980 年 12 月，任呼伦贝尔盟行政公署办公室主任。1983 年 6 月，任中共鄂伦春自治旗委副书记。1984 年 1 月，任中共呼伦贝尔盟委党校校长。1987 年，任海拉尔市市长。1989 年，任中共呼伦贝尔盟委副书记、盟行政公署盟长。

1991 年 10 月，乌力吉调任内蒙古党委常委、政法委员会书记。1992 年，任第五届内蒙古党委副书记。1993 年 4 月至 1998 年 1 月，任内蒙古自治区人民政府主席、党组书记，兼任内蒙古自治区社会治安综合治理委员会主任。1994 年 12 月，任第六届内蒙古党委副书记。在任自治区主席 5 年期间，内蒙古的农牧业实现了两大历史性的突破，一是粮食总产量突破 300 亿斤大关，5 年内增产 100 亿斤；二是牲畜头数突破 7 000 万头（只）大关，5 年内增长 1 500 万头（只）。1998 年 3 月，当选政协第九届全国委员会委员、常委兼民族和宗教委员会主任。是中共十四届中央委员，中共十五大代表，第八届全国人大代表；还是中国作家协会会员、曾任中国蒙古学学会理事长。出版散文集《月出之光》、诗集《乌力吉诗选》。2001 年 2 月 2 日，因病在北京逝世，享年 68 岁。

（甘旭岚　撰稿）

云布龙

云布龙（1937—2000 年） 蒙古族，1937 年 12 月，出生于内蒙古土默特旗小营子村的一个革命家庭，父亲云蔚是一位老革命者。1946 年始，先后在归绥土默特高等小学校、土默特中学读书，期间任团干部。1957 年 8 月，考入太原工学院机械系学习。1958 年 12 月，加入中国共产党，任学院团委组织部长。1962 年毕业，分配到国家第一机械工业部所属的太原重型机械厂工作，先后任技术员、工具技术检查站站长。1973 年 6 月，调内蒙古工学院机械系民建教研室任教。

中共十一届三中全会以后，云布龙先后任内蒙古工学院党委委员、团委副书记、书记。1980 年 6 月，调内蒙古自治区标准计量局，先后任处长、局党组成员、副局长。1981 年 12 月，调入内蒙古大学，先后任党委常委、党委副书记、副校长、书记。1990 年 8 月，调任内蒙古高级人民法院党组副书记、副院长。1992 年 5 月，任内蒙古自治区人民政府副主席、党组成员，先后分管计划、政法等工作。1994 年 12 月，任内蒙古党委副书记、兼任中共内蒙古自治区纪律检查委员会书记。1998 年 1 月，在内蒙古自治区九届人大一次会议上，当选为内蒙古自治区人民政府主席。在任期间，主持制定了自治区生态建设规划、节水灌溉十年规划，提出扶贫移民，把发展畜牧业作为发展经济的突破口和着力点。是第九届全国人大代表、中共十五大代表、中共十五届中央委员。2000 年 6 月 12 日，在锡林郭勒盟调研考察工作途中，不幸因公殉职，终年62岁。他心系民生，是人民的好公仆。

（庆格勒图 撰稿）

巴图巴根

巴图巴根 蒙古族，又名陈基柱。1924年10月，出生于吉林省赉北县的一个穷苦农民家庭。幼年失去双亲，靠叔父资助才读完高中。1942年，毕业于赉北县才立国立学校。1943年，入长春国民高等育成学院学习。在校时与一些爱国青年参加抗日救亡活动。1945年10月，加入内蒙古人民革命青年团，历任青年团执行委员会委员、总务部部长、呼伦贝尔盟本部秘书长等职。1946年8月，经胡昭衡介绍加入中国共产党，任兴安盟喜扎嘎旗减租减息群众工作团团长，工作团成为中国共产党在内蒙古东部地区开展工作的重要力量之一。1948年，任内蒙古人民自卫军骑兵第五师政治部副主任兼中国人民解放军驻呼伦贝尔独立第九团政委，1949年任中国新民主主义青年团呼伦贝尔纳文慕仁盟委书记。

中华人民共和国成立后，巴图巴根历任中共呼伦贝尔纳文慕仁盟委宣传部副部长、部长、秘书长，中共内蒙古自治区东部区委宣传部副部长；中共甘肃省蒙古族自治州委员会第二书记、中共甘肃省巴音浩特蒙古族自治州委员会第二书记；中共巴彦淖尔盟委第一书记兼军分区党委书记；中共呼和浩特市委第一书记兼市长。“文化大革命”期间，被诬陷为“新内人党”，被长期关押。恢复工作后，1973年至1979年，历任中共伊克昭盟委第一书记、革委会主任、行政公署盟长。期间抓防沙治沙、实行科技兴农、搞承包经营，使伊盟羊绒企业走在全区前列。1979年12月至1993年5月，历任内蒙古自治区人民政府副主席，中共内蒙古自治区委员会副书记，内蒙古自治区第六、七届人大常委会主任、党组书记。是中共第十二、十三届中央候补委员，中共八大、十四大代表，第四、五、六、七届全国人大代表，第八届全国政协常委、全国政协民族宗教委员会副主任。还担任八省区蒙古语文协作领导小组组长、《蒙古学百科全书》编委会主任。该书用蒙汉两种文字陆续出版，填补了蒙古学研究的一项空白。

（甘旭岚 撰稿）

石生荣

石生荣（1919—2000 年）　1919 年 9 月，出生于陕西省神木县花石崖村一个贫苦农民家庭。1935 年 1 月，参加陕北工农红军；同年，由中国共青团团员转为中国共产党党员。曾任陕北神府苏区佳芦区一区、三区团委书记，青救会主任。抗日战争时期，先后任右和清县一区区委书记，雁北挺进支队第 3 大队队长，右和清县游击大队指导员。1940 年，在延安中央党校学习，任第 42 党支部书记。结业后任山西省右平县游击大队指导员，平鲁县武委会主任，绥南工委委员，中共右玉县区委书记。在缺少武器弹药的情况下，他带领游击队员，清剿国民党败兵、土匪，并为八路军输送兵源，坚持敌后游击战，与日伪军进行长期的艰苦的斗争，使右玉西山成为晋绥分局塞北工委与大青山等根据地的联络中枢。1945 年至 1949 年，先后担任中共山西省右玉县委书记兼游击大队政委、绥远清水河县县长、县游击大队队长、县委书记，绥蒙军区供给部政委、党委委员。他带领县游击大队“七出八进”清水河，打击国民党军队，最终使清水河回到人民的怀抱。

中华人民共和国成立后，石生荣历任中共乌兰察布盟委副书记兼组织部长、书记、军分区副政委、政委，中共察哈尔盟委书记、军分区政委，内蒙古红山电站筹委会党委书记，内蒙古煤炭局局长、党组书记，中共包头市委书记处书记，中共巴彦淖尔盟委副书记、盟革委会副主任兼乌达矿务局党委书记，自治区党委委员，内蒙古农牧场管理局副局长，内蒙古贫协党组书记、副主任，内蒙古自治区农办主任、党组书记，中共内蒙古自治区纪律检查委员会副书记，内蒙古自治区人大常委会委员，中共乌海市委书记、军分区政委，中共乌兰察布盟委书记、军分区政委，内蒙古党委副书记，政协内蒙古自治区第五、六届委员会主席、党组书记。是中共十二大代表、中央纪律检查委员会委员、第七届全国政协委员。2000 年 6 月 22 日，在呼和浩特逝世，享年 81 岁。

（庆格勒图　撰稿）

千奋勇

千奋勇（1930—2009 年） 蒙古名达龙合彦尔，蒙古族。1930 年 11 月出生于内蒙古伊克昭盟准格尔旗。1948 年，参加革命工作；同年，加入中国共产党。任内蒙古准格尔旗 11 区政府干事、工商局管理员、旗委干事。

1950 年至 1958 年，千奋勇先后任中国新民主主义青年团准格尔旗委组织部部长、书记，共青团伊克昭盟委书记。1958 年 12 月，任内蒙古卓子山矿务局党委副书记。1965 年 8 月起，先后任海勃湾市“四清”工作团党委副书记兼常务团长，海勃湾市卡布其、红旗煤矿党委书记。1972 年，任中共海勃湾市委副书记、海勃湾矿务局党委书记。1975 年 12 月，任乌拉山化肥厂党委书记。1977 年 6 月，任内蒙古自治区化工局副局长。1978 年 10 月起，先后任中共伊克昭盟委副书记兼盟长、盟委第一书记兼伊克昭军分区第一政委。在伊盟主持工作期间，较早地在农村进行了“口粮田”生产责任制试点，随后在全盟农村推行了“包产到户”责任制，使全盟的农业生产迅速得到恢复和发展。

1981 年 12 月至 1994 年 12 月，千奋勇任中共内蒙古自治区委员会副书记；期间，为贯彻内蒙古党委制定的“林牧为主，多种经营”的经济建设方针，陪同张曙光书记在内蒙古东西部地区 12 个盟市 61 个旗县，进行了长达三个多月的调查研究。1993 年 5 月至 2001 年 1 月，任政协内蒙古自治区第七、八届委员会主席、党组书记。是第九届全国政协委员。2003 年 12 月离休。2009 年 1 月 11 日，在呼和浩特病逝，享年 78 岁。

（庆格勒图 撰稿）

云照光

云照光 蒙古族，1929 年 10 月，出生于内蒙古土默特旗塔布赛村的一个农民家庭。1939 年夏初，由中共土默特工委书记贾力更等组织，年仅 10 岁的云照光与三哥云晨光以及云曙碧、布赫等 20 多名蒙古族青少年，从家乡出发，历经艰辛奔赴革命圣地延安，先后入陕北公学、延安民族学院、延安大学民族学院、三边公学学习。曾任儿童团团长、《少年报》主编，开始创作一些短小的文艺作品。在紧张的学习和劳动中，逐步树立了马克思主义世界观。1945 年 5 月，加入中国共产党。

1945 年至 1947 年，云照光受党组织的派遣，到伊克昭盟工作，先后任城川民族学院学生会主席、教员、教育干事，伊克昭盟保安部队教官、木肯淖地下区委宣传委员。1947 年，参加中国人民解放军，开始了军旅生涯，历任西北军蒙汉支队、伊盟支队文化教员、指导员、副教导员、教导员。

中华人民共和国成立后，云照光历任伊克昭军分区宣传科科长兼民运科科长（团职），内蒙古军区骑兵第五师政治部宣教科科长兼文化青年科科长、师直党委副书记、部队文化学校副校长。1954 年，调到内蒙古军区政治部做文化宣传工作。1955 年，任内蒙古军区政治部文化处处长。1956 年，出席全国青年文学创作会议后，开始了大量文学创作。由于对伊克昭盟历史的熟悉，云照光创作了反映伊克昭盟蒙古族群众反抗国民党强行开垦牧场、镇压群众的“三二六”事件为内容的长篇小说《鄂尔多斯太阳》。他利用到伊克昭盟下乡的机会，广泛收集历史资料，创作了反映锡尼喇嘛领导“独贵龙”运动、反抗封建王公斗争的长篇小说《鄂尔多斯风暴》。1958 年，中国人民解放军总政治部要求他将这部作品改编成电影文学剧本，作为向国庆 10 周年的献礼。他几经改编完成任务，电影《鄂尔多斯风暴》由八一电影制片厂摄制，在全国公映。1958 年 2 月起，先后调任昭乌达军分区政治部副主任、伊克昭军分区政治部主任。1962 年，调任内蒙古军区文化部副部长，兼任内蒙古自治区文联常委；期间，在内蒙古大学文研班深造 4 年，成为部队专业作家。

1966 年，云照光转业到地方，历任内蒙古自治区文委副书记、副主任，自治区文联主任，自治区文化局副局长、党组副书记。从 1978 年起，历任内蒙古自治区文化局局长、党组书记，自治区文联主席、党组书记，内蒙古党委宣传部副部长兼自治区文化局局长、文联主席。几十年来，云照光创作了很多小说、散文、报告文学、文艺理论等，特别是电影文学剧本《阿丽玛》《母亲湖》《孟根花》（与敖德斯尔、贾漫、张长弓合作）、《永远在一起》等，在电影界很有影响。出版《电影文学剧本集》《小说散文集》《文艺理论集》《云照光评论专集》等作品。他的作品荣获解放军总政治部、内蒙古军区、内蒙古自治区、全国少数民族文学评奖一等奖、二等奖、优秀创作奖、社会科学成果荣誉奖等奖项。

1983年至1993年，云照光任中国人民政治协商会议内蒙古自治区第五、六届委员会副主席、党组成员。是第八、九届全国政协委员，自治区第六届人大常委会委员。1990年，由他牵头成立了以弘扬延安精神为宗旨的“内蒙古延安大学暨延安民族学院校友会”。1995年，成立了延安精神研究会，云照光任会长。他主持校友会和研究会，编辑出版了《圣地之魂》《一代英豪》等系列丛书。2003年12月离休后，笔耕不辍，继续发挥余热，主编多部系列丛书。

（钱占元 撰稿）

云曙碧

云曙碧 蒙古族，女，1923年5月出生于内蒙古土默特旗塔布赛村的一个革命家庭。1929年，父亲乌兰夫从苏联回国在内蒙古西部地区开展革命活动，家里成了地下工作的联络点，少年时代的云曙碧受到革命熏陶。

1939年7月，大青山地区党组织选送云曙碧、布赫、张禄等二十多名蒙古族青少年到延安学习，经过一个多月的长途跋涉，到达革命圣地延安，进入陕北公学学习。1941年的“三八”节，云曙碧在大生产运动中被评为劳动模范，并光荣地加入了中国共产党。同年8月，受党中央的派遣，回到大青山抗日游击根据地工作，为根据地传递情报，为伤员买药，筹集军需。1943年，再次回到延安参加审干。当时康生主持“抢救失足者”运动，把80%以上的人打成了抢救对象，云曙碧也在其中。1944年初，毛主席做出了关于甄别工作的指示，云曙碧和其他同志得到平反，在“三八”节还被评为劳动突击手。不久入中央党校第六部学习。

1946年3月，云曙碧在张家口参加内蒙古自治运动联合会工作，任内蒙古自治运动联合会赤峰分会宣传科长。1947年，任内蒙古共产党工委秘书科长。1948年1月，在齐齐哈尔内蒙古军政大学（二分校）政治部任组织科长。1949年，北平和平解放后，云曙碧奉派到北平接收蒙藏学校，并任教导主任；在京期间，参加了在波兰举行的世界和平大会。1952年上半年，任哲里木盟妇联主任；下半年始，入中央马列学院学习，3 年后毕业，任内蒙古党校教研室主任、党组成员。1958 年，任中共哲里木盟委宣传部副部长、部长。1960 年 7 月至 1968 年 5 月，任中共哲里木盟委副书记。“文化大革命”期间受到迫害。1972 年恢复工作后，任中共哲里木盟委副书记、副盟长。她经常下乡、下工厂，深入群众，了解人民群众的生产和生活情况，帮助他们解决实际困难。

1980 年 3 月，云曙碧任内蒙古自治区卫生厅厅长、党组书记。1986 年 3 月，任内蒙古自治区人大常委会党组副书记。1988 年离休后被聘为内蒙古自治区红十字会会长，一干就是 18 年。内蒙古红十字会的工作，经过她的努力跃居全国第一。在中国红十字总会六届三次理事会工作报告中，正式提出“学习云曙碧精神”。从 1995 年开始，她尽其所能扶危济困，资助困难学生完成学业，为灾区捐款。她现虽已是耄耋老人，但仍然在自治区卫生厅老干部处负责宣传防治艾滋病知识工作，巡回到各盟市举办培训班，经费都是她个人开支，她不愧是一名永葆先进性的老共产党员。2009 年，出版回忆录《与爱同行——我的人生之路》。

（钱占元　撰稿）

云曙芬

云曙芬　蒙古族，女，1924 年 1 月出生于内蒙古土默特旗塔布赛村的一个革命家庭。父亲云润和伯父乌兰夫早年参加革命。1936 年，云曙芬家作为中国共产党开展南平川工作的联络点，中共党员贾力更、勇夫、云浦（云曙芬的堂叔）等经常在她们家研究抗日救国的大事，小小年纪的云曙芬替他们放哨。1940 年 3 月，她和母亲来到察素齐西的大沟，一边跟着部队开展抗日游击斗争，一边等待同去延安的青年到齐后奔赴延安。5 月，云曙芬和云一立、李存义、任斌、赵青山等 15 人，由绥中专员公署专员武达平带领，一路上忍饥挨饿，战胜了疾病和险情，于是年秋到达延安，先后入陕北公学、延安民族学院、延安大学学习，参加了整风学习和大生产运动。1944 年春，被分配到内蒙古伊克昭盟鄂托克旗城川小学，以教员身份为掩护，开展抗日工作。1946 年 5 月，加入中国共产党；同年，在内蒙古人民自卫军骑兵独立旅政治处负责民运股的工作。1947 年，调任内蒙古军政大学齐齐哈尔分校女生队主任。1948 年至 1950 年，任内蒙古人民自卫军骑兵十六师政治协理员、内蒙古军区骑兵五师政工科科长。1951 年至 1953 年，任伊克昭盟民主妇女联合会主任、妇委书记。1953 年至 1966 年，任内蒙古自治区妇女联合会秘书长、副主任、党组成员、党组副书记。1974 年至 1981 年，任内蒙古自治区电子局副局长、党组副书记。1981 年至 1985 年，任内蒙古自治区妇联主任、党组书记、全国妇联常委。1985 年至 1993 年，任政协内蒙古自治区第五届委员会常委、党组成员，第六届委员会副主席、党组成员。是第三届全国人大代表。1996 年 9 月离休。

（钱占元　撰稿）

乌　兰

乌兰（1922—1987 年） 蒙古族，女，辽宁省朝阳市人，原名宝力格，参加革命后改名为乌兰。抗日战争爆发前，在北平蒙藏学校、东北职业中学读书，受进步教师和同学的影响，参加了“一二·九”学生抗日爱国运动的游行示威。

1937 年“七七”事变后，乌兰参加了中华民族解放先锋队，担任地下交通员、爆破小组成员，与于兰、林兰炸毁了日本田野洋行、中原公司，以及桥梁、铁路、装载日军物资的船只，沉重地打击了日本侵略者。后来，组织上又派她到天津以纺织女工的身份作掩护，继续进行爆破活动。1938 年，北平的一个爆破小组暴露后，党组织决定将乌兰等 5 人转移；8 月，到达陕西洛川，入抗日军政大学分校学习；同年 11 月，抗大分校集中各大队的女生成立第八大队（也称“女大”），她们徒步三百多里到达了延安。1939 年，乌兰加入中国共产党，党组织派她到伊克昭盟任地下交通员，以给牧主放牧为掩护，搜集敌占区的情报。一年后，被调到国民革命军新编陆军第三师做党的地下工作。1941 年 7 月，调中共中央西北局民族问题研究室工作。

日本投降后，乌兰受党的派遣，回到内蒙古，在乌兰夫的领导下，开展自治运动。同年 11 月，当选为内蒙古自治运动联合会执行委员会常务委员兼妇女部长。之后，作为自治运动联合会东蒙工作团的成员，开展东蒙工作。1946 年 2 月，任自治运动联合会卓索图盟分会委员。1947 年 5 月 1 日，当选为内蒙古自治政府委员，并任冀热辽军区热辽地区蒙民武工队指导员，热辽地区蒙民十一支队政委兼十二、十三支队政委等职，配合解放军野战部队打击敌人，宣传党的民族政策。因她的骑术高超、枪法准确，冀热辽地区广大群众称她为“双枪红司令”。

中华人民共和国成立后，乌兰先后任内蒙古党委委员，自治区人民政府委员，内蒙古自治区妇联主任、党组书记，自治区轻化厅副厅长、党组副书记，自治区经委副主任、党组副书记。是全国妇联第一、二、三届执行委员、主席团委员，第四届全国妇代会常委；第一、二届全国人大代表；中共八大代表；第五、六届全国政协委员。1980 年后，历任全国总工会书记处书记兼女工部长、全总顾问、全总第十届执委会委员等职。她经常深入草原、工厂、农村调研，为群众解决了许多切身利益问题。乌兰是内蒙古革命和建设及妇女工作主要领导人之一。1987 年 4 月 5 日，在北京病逝，享年 65 岁。

（钱占元　撰稿）

第二十五章

社会知名人士

孙兰峰

孙兰峰（1895—1987 年） 字畹九，1895 年 10 月，生于山东省滕县姜家屯乡大彦村的一个贫苦农民家庭。16 岁时正值辛亥革命爆发，弃农从军，几经辗转来到晋军第二混成旅四团二营当兵，历任阎锡山部连长、营长。由于他具有吃苦耐劳和为人耿直的品格，受到傅作义的赞赏和器重，遵照傅作义的要求，刻苦学习“四书”“五经”和一些军事书籍，逐步具有了军官素质，不断得到提拔，历任傅作义部营长、团长、旅长、师长、军长。1927 年，晋军在北伐奉军时，第四师师长傅作义率七千多人在河北涿州被围困，时任营长的孙兰峰与士兵艰苦奋战 88 天，成功袭击奉军据点而解困，被提拔为独立三十六团团长。

1931 年，孙兰峰随傅作义率部来到绥远，参加剿匪作战，屡建奇功，安定了社会秩序。1933 年，日军进犯华北，跟随请缨抗战的傅作义开赴昌平，在与日军作战中，身先士卒，带领部队与敌格斗，收复了失去的阵地，取得了长城抗战的胜利。1936 年 5 月，日本侵略者操纵苏尼特右旗札萨克德穆楚克栋鲁普，在化德成立伪“蒙古军政府”。绥远危机，省主席傅作义决定发动绥远抗战，时任二一一旅旅长的孙兰峰任前敌副总指挥，11 月 23 日，指挥部队在侦察敌情的基础上，经过激战击败守敌王英的“大汉义军”，24 日收复了百灵庙，取得了绥远抗战的重大胜利。

抗日战争时期，孙兰峰历任第八战区第三十五军三十一师师长、第十二战区骑兵总指挥。1937 年 10 月，率部随傅作义参加了山西忻口会战和孤守太原的战斗。1939 年，随傅作义开赴绥西河套驻防，12 月，傅作义部发动包头战役，孙兰峰任攻城总指挥，在八路军大青山骑兵支队的配合下，指挥部队攻入城内，歼灭大部分日伪军，后因敌援军赶到，主动撤出包头。1940 年 1 月，日本侵略军纠集三万多兵力、一千多辆汽车，向河套地区守军发动进攻。孙兰峰按照傅作义提出的“找胜利，避不利”的作战方针，与其他部队配合，率部与敌人周旋七十多天，取得了绥西抗战的胜利。是年 3 月，又受命为总指挥，组织了收复五原的战斗，19 日，激战 3 小时，攻下五原城里的敌军司令部等 7 个坚固据点，将敌人分割包围，全歼守敌三千多人，俘敌三百多人，缴获大批武器，史称“五原大捷”，沉重地打击了日本侵略者。

抗战胜利后，孙兰峰历任国民党军第十一兵团司令官、第九兵团司令官、国民政府察哈尔省政府主席、张垣警备司令等职。1949 年 9 月 19 日，同董其武将军一起参加了绥远“九一九”和平起义。起义后赴北平出席了全国政协会议，当选为第一届全国政协委员。

中华人民共和国成立后，1949 年 12 月，孙兰峰任绥远省军政委员会副主席、绥远省人民政府副主席、绥远省军区副司令员。1951 年 3 月，任绥远省各界人民代表会议协商委员会副主席。1954 年 3 月，任内蒙古自治区协商委员会筹备委员会副主任、内蒙古自治区人民政府副主席。1955 年 4 月至 1983 年 4 月，历任第一、二、三届内蒙古自治区人民委员会副主席，内蒙古自治区第五、六届人大常委会副主任，政协内蒙古自治区第一、二、三、四届委员会副主席等职。是第四、五届全国人大代表，第一、二、三、四届全国政协委员，第五、六届全国政协常委。1987 年 2 月 27 日，在呼和浩特逝世，享年 91 岁。

（钱占元　撰稿）

达理扎雅

达理扎雅（1905—1968 年）　蒙古族，字锐荪，孛儿只斤氏，生于内蒙古阿拉善和硕特旗定远营王府。青少年时期随父母在北京王府度过，接受正统教育，并接触和学习了不少外国文学及历史知识。1925年，他和清朝末代皇帝溥仪的堂妹金允诚结婚。1931年，承袭了父亲塔旺布理甲拉的王位，成为阿拉善和硕特旗第九代亲王，任第十位旗札萨克。1932年达王亲政后，改革旗政，废除了一些封建礼仪，整顿了全旗经济、军事秩序，兴办教育。创办了蒙文小学、女子学校、磴口小学及简易师范班，并派夫人金允诚任女子学校校长，取得了很好的社会效果。

1938年，宁夏国民党军阀马鸿逵派兵进驻旗府所在地定远营，以武力威胁解除了旗保安队的全部武装。达理扎雅因抵制马鸿逵对阿旗的控制、掠夺，被强行移住银川、兰州，遭软禁达7年之久。1944年8月获准回旗执政，先后任国民政府蒙藏委员会委员、行政院顾问、西北军政长官公署参议、国民政府宁夏省政府委员、阿拉善旗区防司令部中将司令。1946年加入中国国民党，任国民党第六届中央执行委员。

1949年秋，原伪蒙疆政府主席德穆楚克东鲁普（即德王）从广州到达阿拉善旗，发动西蒙自治，策划成立“蒙古自治政府”。8月5日在阿拉善旗定远营召开所谓“蒙古人民代表会议”，成立了“蒙古自治政府”，德王任主席，阿拉善旗札萨克达理扎雅任副主席。8月26日兰州解放，绥远“九一九”和平起义，中国人民解放军进军宁夏，在中国革命胜利的大势之下，“蒙古自治政府”四分五裂，达理扎雅等主张接受和平解放，德王反对起义，遂于9月20日带随员秘密离开定远营，并会同李守信等逃往阿拉善旗西北荒漠地区。9月23日，达理扎雅致电毛泽东主席、朱德总司令，表示接受中国共产党的领导，拥护中国人民政治协商会议，通电阿拉善旗和平起义。当日，银川解放，达理扎雅遂派旗保安总队副队长罗瑞先赶赴银川，向人民解放军第十九兵团报告阿拉善旗起义经过，欢迎中国人民解放军进驻阿拉善旗，阿拉善旗实现了和平解放。

中华人民共和国成立后，1950年至1956年，达理扎雅先后任宁夏省阿拉善旗自治区人民政府主席、宁夏省人民政府副主席、西北军政委员会委员、西北民族事务委员会副主任。1954年起，先后任宁夏省巴音浩特蒙古族自治区主席，甘肃省巴音浩特蒙古族自治州州长、甘肃省人民政府副主席。1956年12月至1967年11月，先后任内蒙古自治区巴彦淖尔盟人民委员会盟长、盟行政公署盟长，内蒙古自治区人民委员会副主席。是甘肃省第一届人大代表，内蒙古自治区第二、三届人大代表，第一、二、三届全国人大代表。“文化大革命”中遭迫害。1968 年 11 月 18 日，在阿拉善旗巴音浩特含冤逝世，终年 63 岁。1979 年 2 月 13 日，内蒙古党委和自治区人民政府为达理扎雅彻底平反昭雪，恢复名誉。

（钱占元　撰稿）

陈炳谦

陈炳谦（1893—1958 年）　字鸣佛，山西省晋城人。1915 年至 1920 年，考入保定陆军小学，后升入保定陆军军官学校第五期。毕业后，1921 年至 1933 年，在阎锡山、傅作义部队任职，历任排长、连长、营长、县总指挥、四师参谋长，天津警备区司令部参谋长，三十五军中将参谋长、副军长，第五军团参谋长。1926 年，加入中国国民党。1933 年至 1945 年，任第二战区第七军团参谋长，兼任绥远干部培训团教育长、民政厅长等职。1946 年至 1949 年，任国民党华北“剿总”司令傅作义的高级顾问，支持傅作义北平和平解放。

1949 年 9 月，陈炳谦参加了绥远“九一九”和平起义。1949 年至 1954 年，先后任绥远省人民政府委员会委员、绥远省人民政府首席参议、绥远省人民政府政法委员会副主任。在抗美援朝中，他卖掉房产，捐献了 2 000 万元（第一套人民币），并送子女参加中国人民志愿军。1955 年 2 月至 1958 年 12 月，任中国人民政治协商会议内蒙古自治区第一届委员会副主席。1958 年 12 月 24 日，在呼和浩特病逝，享年 65 岁。

（甘旭岚　撰稿）

李世杰

李世杰（1896—1979 年）　甘肃省兰州市人。1911 年，入山西太原陆军小学学习，后入国民党陆军大学。毕业后历任阎锡山部队学兵团分队长、连长，山西陆军第一混成团团副、第五旅参谋长，大同、临汾镇守使署上校参谋长，国民党第五军第三十六师、七十二师少将参谋长，山西第十九军少将部副，陆军大学少将教官，干部培训团教育长，第十二战区长官司令部中将参谋长，国民党华北“剿总”参谋长。

1949 年 1 月，李世杰参加了北平和平起义，后任绥远省人民政府委员、军政干部学习团第二副主任、绥远省行政干部学校教育长、绥远省文委副主任。1954 年，任内蒙古自治区司法厅厅长。1959 年 2 月至 1979 年 4 月，先后任中国人民政治协商会议内蒙古自治区第二、三、四届委员会副主席。是第三、四届全国政协委员。1979 年 4 月 22 日，于呼和浩特病逝，享年 83 岁。

（庆格勒图 撰稿）

周北峰

周北峰（1903—1989 年） 曾用名周卜丰，山西省永济县人。15 岁考入运城第二师范附小读书，由于成绩优异，保送入山西省立第二师范学校，在校时参加学潮。1925 年，代表山西赴北京参加全国学生联合会临时代表大会。1927 年，加入中国共产党。同年到北京参加中共领导的地下革命活动，大革命失败后失掉组织关系。1929 年，赴法国留学，结识了廖承志、杨秀峰等共产党人，阅读马克思著作、法共机关报《人道报》、共产国际的刊物等，毕业时获法国都鲁兹大学政治法律学硕士学位。1931 年回国，先后在哈尔滨法学院、山西大学任教授。在太原与进步教授成立“中外语文学会”，创办刊物《中外论坛》,任主编，翻译各国进步文章。1936 年冬，以山西大学学生慰问团顾问的身份来绥远百灵庙，慰问绥远抗战将士。

1937 年，绥远省主席傅作义任命周北峰为省政府参事，后到第二战区第七集团军任政治部主任。同年 12 月，傅作义派他赴延安，商谈傅作义部与八路军一二〇师合作抗日的事宜，受到毛泽东主席的接见。1939 年离开傅部，到西安八路军办事处要求参加革命，党指示他留在傅部，为国共合作抗日继续工作。

抗日战争胜利后，1946 年，傅作义派周北峰到绥东与中共绥蒙区委商谈停战事宜，由于蒋介石执意打内战，双方商谈破裂。1947 年，傅作义任命他为张垣绥靖公署民事处长。1949 年 1 月，作为傅作义的代表、北平联合办事处委员，参加了国共两党北平和平谈判。他为了谈判成功，不辞辛劳，冒着被国民党顽固派杀害的危险，多次与解放军平津前线司令部商谈，终于签署了和平协议，北平和平解放。之后又作为绥远方面的代表之一，与华北人民政府、绥蒙地区解放军代表谈判。经过反复曲折的商谈，双方达成协议，促成了绥远国民党军政人员“九一九”和平起义，绥远实现和平解放。

中华人民共和国成立后，周北峰被选为第一届全国政协委员、第一届至第六届全国人大代表，历任绥远省人民政府委员兼民政厅长，内蒙古自治区人民政府委员兼水利厅长，自治区人民政府副主席，中国人民政治协商会议内蒙古自治区第四届委员会副主席，内蒙古自治区第六届人大常委会副主任等职。1984 年 3 月 9 日，经中共中央组织部批准，加入中国共产党，81 岁时实现了他一生追求的夙愿。1989 年 6 月 5 日，在呼和浩特逝世，享年 86 岁。

（钱占元　撰稿）

鄂其尔呼雅克图

鄂其尔呼雅克图（1900—1984 年）　蒙古族，出生于内蒙古伊克昭盟札萨克旗王府，是札萨克旗郡王沙克都尔扎布的长子、成吉思汗第 31 代孙。少年时读过私塾，懂蒙文和藏文。1926 年，加入内蒙古人民革命党。日伪统治时期，巧妙地保护了成吉思汗的苏勒德（神矛）没被日本人窃走，又协助时任伊克昭盟盟长的父亲沙王作了成吉思汗陵西迁的周密安排，为民族和反抗日本侵略者做出一定的贡献，表现了爱国爱民族的思想。1945 年，承袭郡王爵位，任旗札萨克，历任札萨克旗保安司令、绥远省境内蒙古各盟旗地方自治政务委员会常务委员兼财务委员会主任、伊克昭盟保安长官公署副长官、绥远省政府委员及伊克昭盟副盟长、盟长等职务。

1948 年至 1949 年，鄂其尔呼雅克图多次派人与中共伊克昭盟工作委员会商洽札萨克旗解放事宜，促成了札萨克旗和平解放，当选为札萨克旗人民政府旗长。1949 年 12 月，任伊克昭盟人民自治政务委员会主任。1951 年任伊克昭盟自治区人民政府盟长。1954 年 8 月至 1966 年 2 月，任内蒙古自治区民族事务委员会主任、内蒙古自治区民族宗教事务委员会主任。1955 年，当选为政协内蒙古自治区第一届委员会委员、札萨克旗政协主席。1977 年 12 月至 1979 年 12 月，任中国人民政治协商会议内蒙古自治区第四届委员会副主席。1979 年 12 月至 1984 年 7 月，任内蒙古自治区第五、六届人大常委会副主任。是第五届全国人大代表。1984 年 7 月 2 日，于呼和浩特病逝，享年 84 岁。

（钱占元 撰稿）

荣 祥

荣祥（1894—1978 年） 蒙古族，字耀宸，笔名塞翁，自号“大青山人”，内蒙古归化城土默特旗美岱召人。6 岁入本村私塾读书，12 岁到归化城杨家巷李景沆学馆学习。1907 年始，相继就读于土默特旗第一小学堂、土默特高等小学堂。1910 年，考入归绥中学堂。1912 年冬，归绥学监、革命党西北总指挥王定圻组建中国国民党归绥党部时，荣祥被推荐为该党部文书股长。1913 年，被学校以“煽动同学闹学潮”为由开除。1914 年初春，考入北京中央政法专门学校法律本科，1917 年毕业。读书期间，除完成学校规定的课程外，即致力于汉文学，特别是诗、骈体文、散文的深造。先后得到应炳华、吴天章、王荫南、姚永概名师的教诲，由此奠定了坚实的基础。特别是在北京时经常以“塞翁”为笔名，在报刊上发表诗文，从而结识了许多文坛知名人士。1930 年，出版自选诗集《瑞芝堂诗钞》，被誉为“塞北文豪”。

1918 年，荣祥先生回到绥远，当选为山西省第二届议会议员。当时绥远都统蔡成勋因发大烟财和剿匪不力引起公愤，他联合同乡议员上国务院告状，赶走了蔡成勋，为地方除了一害。1921 年，任绥远垦务督办公署秘书兼筹饷局筹议员。1923 年春，任绥远学务局第二科科长，旋即创办师范学校，并兼任该校国文教员。次年任萨拉齐县清源局局长。

1925 年 3 月，荣祥先生以绥远特别区蒙旗国民代表的身份，赴北京参加由孙中山、李大钊主持召开的“国民会议促成会全国代表大会”。1926 年冬，先后任山西陆军骑兵第五师中校参谋主任、绥西镇守使署参谋长。1927年9月，随绥远护印都统满泰入都统署，主管政务厅事务。1928年夏，任土默特旗总管公署秘书长。1931年初，赴南京任土默特旗驻国民政府蒙藏委员会代表；应绥远省主席李培基电邀，7月返绥，同郭象伋筹建绥远通志馆，编修《绥远通志稿》,任编纂主任。1932年7月，任蒙边司令部少将参谋长。1934年9月，任土默特旗总管。上任后，首先把整顿煤炭租税以及黄河渡口的收入作为开源的起点，同时努力改进官僚衙门办事拖沓的习惯，建立必要的规章，还修缮旗政府。他每天上午到旗政府视事，下午到绥远通志馆修志，历时6年编就《绥远通志稿》。1936年2月，兼任绥远省境内蒙古各蒙旗地方自治政务委员会委员。

1937年，"卢沟桥事变"发生后，日本占领了东三省，马占山将军率领东北挺进军撤到绥远，驻防归绥。荣祥先生大力支持马占山抗日，组织发动绥远商、学、工、农各界人士慷慨解囊，为马占山部队筹措御寒皮衣3万件和军饷数万元。10月，归绥沦陷后，决心协同马占山支撑残局到底，即随马部弃家西行，到达陕北榆林。1938年，国民政府在榆林设"蒙旗宣慰使公署"，荣祥先生任秘书长，主持一切公务，主要在伊克昭盟各旗进行宣传团结抗日、安定人心、对伪蒙疆的策反和组织抗日力量等项工作，其时，与邓宝珊、高双成和赵通儒、高岗、王震等国共两党有关负责人多有交往。王震多次赠与他延安出版的新书，并按期从延安给他转递《解放日报》。同年5月，被国民政府委任为第一届国民参政会参政员。在汉口参加国民参政会后，返回时途经延安，受到中共中央主席毛泽东的接见。是年冬，担任蒙古抗日游击军第三区司令部中将司令。1939年初，赴重庆参加国民参政会第二次会议，蒋介石曾约他洽谈抗日问题。1942年12月，在去重庆出席边疆教育会议，途经延安时谒见毛泽东、朱德、叶剑英等中共领导人，受到热情接待。抗战时期撰写了《寄蒙旗同胞》《应该表彰的俺答可汗》《迅速抢救蒙旗知识青年》等文章，号召蒙旗同胞和全中华民族奋起抗日，主张培养蒙古族干部。

抗日战争胜利后，荣祥先生从榆林返回土默特旗主持旗务，继任总管。1946年4月，任绥远省政府委员，为绥远当局欺压蒙旗之事与傅作义部发生冲突，遂组织蒙旗庆祝抗日胜利还都代表团（又名请愿团）到南京请愿，联合旅京蒙古族人士，要求国民政府实践在国民党六届二中全会提出的“抗战胜利后允许边疆各民族实行自治”的承诺，但未能如愿。

1949 年，北平和平解放后，荣祥先生与阎肃等人组织绥远和平促进会，力主与中共和谈，参加了董其武将军领导的绥远“九一九”和平起义。同年 12 月 2 日，中华人民共和国中央人民政府任命荣祥先生为绥远省人民政府民族事务委员会副主任委员。1950 年 3 月，任土默特旗人民政府旗长。1954 年始，历任呼和浩特市副市长、呼市政协副主席、内蒙古自治区人民委员会委员、内蒙古政协常委。1957 年 7 月，被错划为右派分子，免去呼市副市长等职务，改任内蒙古文史馆馆长。这期间他撰写了《呼和浩特沿革纪要稿》,参编《包头市简志·疆域和建置沿革》,校勘《绥远通志稿》。1961 年 9 月，在内蒙古政协常委扩大会议上，宣布为荣祥摘掉右派分子帽子。1978 年 1 月 19 日，在呼和浩特市病逝，享年 84 岁。1980 年 8 月，内蒙古党委统战部作出《关于改正荣祥右派问题的批复》。1999 年，内蒙古教育出版社出版了《荣祥诗文选集》。

（钱占元 撰稿）

杨令德

杨令德（1905—1985 年） 内蒙古归化城土默特旗托克托城人。1912 年至 1925 年，先后在托县私塾、托县小学、归绥中学、绥远师范、张家口培植中学上学。其间，爱好写作的杨令德创办“小报”，发表文章，参加绥远学生反帝爱国斗争。他拥护孙中山先生的“三大政策”，于 1924 年在培植中学秘密加入了中国国民党。

1925 年，杨令德投身新闻事业，成为绥远地区早期的资深爱国报人。在包头任冯玉祥创办的《西北民报》记者、编辑，在报纸上开辟《火坑》文艺副刊，发表“替老百姓在这暗夜中作希望光明的喊声!”并任“火坑社”社长。1927 年，到归绥《绥远日报》当编辑、总编辑，开辟《塞风》周刊专栏，撰写针砭时弊的文章。之后，相继任《绥远通俗日报》总编辑、太原《陆海空军日报》总编辑、上海《时事新报》绥远通讯员、天津《大公报》驻绥远记者。1933 年，接任《绥远民国日报·副刊》编辑，将副刊改名为《十字街头》。作为绥远文化界人士发表文艺作品的园地，培养了不少青年作者。同年与霍世休等报人办起了绥远新闻社，任总编辑。1936 年，在绥远抗战期间，与《大公报》记者范长江深入战地采访，发表绥远抗战胜利的报道，鼓舞了全国人民的抗日斗志。

“七七”事变后，杨令德任《大公报》驻绥远、榆林记者，战时特派员；两度兼任榆林《陕北日报》总编辑。1938 年，杨令德的外甥袁尘影在延安陕北公学学习结业后，因误会而被拘押，他连续给毛泽东主席写了两封信。毛泽东经调查后，解除了误会，连续两次给杨令德复信。1943 年，以秘书的身份随邓宝珊将军赴重庆述职，途经延安时，受到中共中央和毛泽东主席的热情接待。1945 年至 1949 年，任《绥远民国日报》总编辑，编辑出版《塞风》杂志、《活跃的西北战场》《抗战与蒙古》《抗战与蒙古续编》等书刊，积极宣传持久抗战、抗战必胜的信念。1948 年至 1949 年，任国民政府监察院委员、监察院甘宁青行署委员。

1949 年 9 月 19 日，杨令德参加绥远“九一九”和平起义。1949 年至 1954 年，被选为绥远省各界人民代表会议代表，任绥远省政治协商委员会委员兼副秘书长、绥远省人民政府委员、绥远省中苏友好协会副总干事、绥远省抗美援朝分会副秘书长等职。1953 年，参加第三届中国人民赴朝慰问团，慰问中国人民志愿军。“蒙绥合并”以后，任内蒙古自治区人大代表，内蒙古政协委员、常委兼副秘书长，内蒙古社会主义学院副院长等职。1977 年至 1985 年，任中国人民政治协商会议内蒙古自治区第四、五届委员会副主席，中国国民党革命委员会中央委员、中国国民党革命委员会内蒙古自治区委员会主任委员。是内蒙古世界语协会理事长，政协第六届全国委员会委员。他作为著名爱国人士为内蒙古的建设、政协工作、爱国统一战线和祖国的统一大业作出了贡献。1985 年 10 月 21 日，在呼和浩特病逝，享年 81 岁。

（钱占元　撰稿）

张荣臻

张荣臻（1910—2001 年） 1910 年 12 月，出生于江苏省江阴县一个农民家庭。20 世纪 30 年代，任村小学校长。1940 年，毕业于贵州安顺陆军兽医学校正科 33 期，留校任教。1948 年至 1952 年，在北京大学农业学院（今中国农业大学的前身）任教。1951 年 10 月至 1952 年 10 月，参加中国人民志愿军抗美援朝志愿服务队，任兽医服务队队长。

1953 年 10 月，张荣臻响应党的支援边疆建设的号召，由高等教育部选派，来到内蒙古畜牧兽医学院（后改为内蒙古农牧学院、今内蒙古农业大学），一直从事兽医病理学的教学和研究工作，并组建兽医病理学科教研室。先后任内蒙古畜牧兽医学院教研室主任、代理副教务长、教务长、兽医系主任，内蒙古农牧学院副院长、院务委员会委员、《内蒙古农牧学院学报》主编等职。1963 年，招收首批兽医病理学硕士研究生。1978 年评为教授。1979 年任首批硕士研究生导师。1962 年以来，先后担任中国畜牧兽医学会理事和顾问委员会委员、内蒙古兽医学会理事长和名誉理事长，首届中国畜牧兽医学会兽医病理学分会名誉理事长、兽医专业国家考试委员会主席。

张荣臻教授是我国著名兽医病理学家、教育家，是我国现代兽医病理学的奠基人。他一生勤奋刻苦，治学严谨，注重理论联系实际，长期工作在学校教学、科研工作第一线，始终不渝地把教学科研放在高校各项工作的中心位置。在教学实践中，为院系建设和学科、教材、师资队伍建设以及教学、科研、生产实践三结合方面作出了开拓性贡献，为兽医病理学科的发展开创了理论研究与生产实践相结合的道路。亲手创建的内蒙古农牧学院兽医病理学科，多年来一直是学校的一大亮点，在全国同类学科中具有相当高的知名度。主持制定了全国《家畜病理学教学大纲》，主编了全国高等农业院校教材《家畜病理解剖学》（上下册），主编的《家畜病理学》第二版（上下册），1996 年获内蒙古自治区普通高校优秀教材一等奖。主持了《中国大百科全书》（农业·兽医病理学）条目的撰写与审定工作。主持完成了鸡新城疫、骆驼蠕虫病、羊痘、猪瘟、结核病、布氏杆菌病、马传染性贫血、疑似马流脑、马鼻疽、动物肿瘤等一批科研项目，取得了多项成果。在病理检验和研究工作中，剖检各类病、死畜禽 10 600 余例，选留典型病理标本 1 000 余个，病理切片 10 万多张，成为极其宝贵的直观教材和兽医病理学研究的资源库。

1971 年，张荣臻教授带领兽医系组成“马传染性贫血科研组”，赴锡林郭勒盟乌尼特生物学试验现场，剖检马、驴的尸体，采集病样，对锡盟疑似“马传贫”病理学检验诊断结论为“阴性”，并明确提出“解除怀疑，投入生产”，从而使锡盟4个种马场解除封锁15年后均未发生“马传贫”，其直接经济效益至少在760万元以上。1987年，“马传染性贫血病理学研究”荣获内蒙古自治区科技进步一等奖。专著《马传染性贫血的病理学研究》及其丰富的病理切片标本，至今仍是兽医病理学博士研究生主要专业课之一。张荣臻教授所带出的后继团队，一直坚持面向实际，应区内外生产部门邀请，带领学生为多种动物疾病的诊断和防治做了大量工作，为畜牧业生产的发展作出了突出贡献。

1977年12月，张荣臻任政协内蒙古自治区第四届委员会副主席，1979年12月，任内蒙古自治区第五届人大常委会副主任。是第五届全国人大代表、第四届全国政协委员。1982年离休。2001年6月20日，在江苏省杭州市逝世，享年91岁。

（钱占元　撰稿）

谭振雄

谭振雄（1912—2005年） 广东省中山县人。1930年至1934年，在北洋大学采矿冶金工程系学习。1934年至1935年，在开滦煤矿、淮南煤矿、上海第三钢厂任技术员。1935年，赴德国柏林工业大学学习，在德国鲁尔地区钢铁厂实习。1940年至1949年，先后任重庆瓷器口钢厂、大渡口钢铁厂工程师，云南昆明钢厂、炼铁厂厂长，石景山钢铁厂厂长，唐山钢厂副厂长等职。

中华人民共和国成立后，谭振雄先后任华北钢铁公司技术处处长，国家重工业部钢铁局技术处、设计处工程师，黑色冶金设计院总工程师。1955年，为支援边疆建设，告别了首都北京，来到条件艰苦的内蒙古包头，任包头黑色冶金设计研究院副院长、总工程师，肩负起包头钢铁联合企业的总设计的重任，领导一百三十多名新中国第一代年轻的冶金设计人员，投入紧张而艰巨的设计工作。他对设计工作一丝不苟，对每一张图纸都亲自审查，包括苏联专家设计的图纸，都提出修改意见，直到百分之百合格，才最后签字。1958 年下半年开始了钢铁生产“大跃进”，为保证包钢的建筑安装工程提前完成，领导全院设计人员放弃休息，加班加点完成了 95 项设计任务。特别是大胆将 3 600 立方米的大型水塔由钢结构改用钢筋混凝土结构，为国家节约了大量资金。同时，设计院还承担了呼和浩特钢厂、千里山钢厂以及山西、甘肃、宁夏、广东等省区中小型钢厂的设计任务。

1959 年 9 月，在谭振雄的主持下，在白云鄂博铁矿未取得工业技术参数、选矿烧结工程还未建成的情况下，采用富矿入炉的办法，保证了包钢一号高炉提前出铁，向国庆 10 周年献上厚礼。苏联撤走专家后，他领导设计院为包钢独立设计了容积 1 800 立方米的二号高炉、500 吨平炉、1 150 毫米初轧工程等重大项目。改革开放以来，主持包钢 50 吨转炉、无缝钢管以及参与了甘肃酒泉、兰州、广东韶关、新疆八一、青海西宁等钢厂的设计工作。此外，还参与了印度、新西兰、约旦等国家的钢铁设计工作。

谭振雄是我国著名的冶金专家，为祖国和兄弟国家的钢铁事业做出了重大的贡献。是全国人大代表、全国政协委员、政协内蒙古自治区第四届委员会副主席。1979 年，调任冶金部设备研究所总工程师。1986 年退休。2005 年 11 月 13 日逝世，享年 93 岁。

（钱占元 撰稿）

那钦双和尔

那钦双和尔（**1899—1985 年**） 蒙古族，内蒙古哲里木盟库伦旗三家子镇人。1908 年至 1918 年，先在家乡读私塾（蒙文），后到彰武县高级小学、县立中学学习。1931 年“九一八事变”后，怀着寻求民族解放的理想，参加由日本关东军策划成立的伪“内蒙古自治军”第三军，任第二团团长。次年，“内蒙古自治军”改为兴安军，先后任伪兴安骑兵第六团团长、伪兴安南警备军参谋长。在此期间，他同一些进步人士接触，受他们的影响与教育，逐渐认清了日本帝国主义的本性，明白了求得民族解放不能靠帝国主义，而必须反对帝国主义侵略，实现国家独立的道理。1932 年，由特木尔巴根介绍，加入内蒙古人民革命党。利用合法身份，掩护和营救被日伪通缉或逮捕的抗日人士。每当日伪发动武装进攻抗日力量时，他都借口回避或拒绝受命。这些行为引起日伪当局的怀疑，便把他调往伪满新京皇宫任侍从武官，加以监视。

抗日战争胜利后，那钦双和尔从长春赶赴兴安盟王爷庙，与特木尔巴根、哈丰阿等人恢复了内蒙古人民革命党东蒙党部，参与组建了东蒙古人民自治政府。他开始与中共组织负责人接触、联系并合作共事，在思想认识上发生了大的飞跃。1946 年 1 月，在科尔沁左翼中旗，与阿思根等和西满军区取得联系，组建了内蒙古自治军，任骑兵第六师支队长。“四三”会议后，他接受中国共产党的领导，支持东西蒙统一的内蒙古自治运动。同年 4 月起，先后任内蒙古人民自卫军骑兵第二师师长、辽吉军区五分区蒙汉联合司令部副司令员、司令员。1947 年 5 月，内蒙古自治政府成立，当选为自治政府委员，兼军事部副部长。之后历任辽吉军区第六支队支队长、内蒙古人民解放军骑兵第二师师长、辽吉军区蒙汉联军司令员、哲里木军分区司令员等职，指挥部队参加了解放内蒙古和辽沈战役的长春包围战、锦州阻击战。1949 年 5 月，任内蒙古军区副司令员兼后勤部部长。

中华人民共和国成立后，那钦双和尔继续任内蒙古军区副司令员。1952 年转业到地方，历任内蒙古东部区行政公署副主任、内蒙古自治区体委副主任、政协内蒙古自治区第二、三届委员会常委和第四、五届委员会副主席等职。是第四、五届全国人大代表，第一、二、三、四届自治区人大代表。1985 年 3 月，那钦双和尔加入中国共产党，实现了他多年的夙愿。同年 4 月，因病在呼和浩特逝世，享年 86 岁。

（钱占元　撰稿）

胡钟达

胡钟达（1919—2000 年）　江苏省宝应县人。1940 年秋，入苏皖联立临时政治学院（校址在福建崇安）学习。1941 年秋，转学入武汉大学（校址在四川乐山），1944 年夏毕业于武汉大学史学系。1946 年 10 月至 1948 年 1 月，任苏州东吴大学文学院讲师。1948 年以后，历任北京大学史学系助教、讲师、副教授，并兼任世界古代史教研室副主任。1957 年 11 月后，历任内蒙古大学历史系副教授、教授，并先后兼任系副主任、系主任，学校副教务长、副校长，历史系名誉系主任。1979 年以后，任中国世界古代史研究会副理事长、理事长、名誉理事长，政协内蒙古自治区第四届委员会副主席、内蒙古自治区第六届人大常委会副主任，第六届全国政协委员，并兼任中国民主同盟内蒙古主任委员和民盟中央委员。

胡钟达先生是我国著名史学家，早在北京大学史学系任教期间，就在古希腊史研究和世界古代史教学方面取得显著成就，成为北京大学最年轻的副教授之一。在20世纪50年代，发表了高质量的希腊史研究论文，编写了约20万字的世界古代史讲义，这份讲义曾由高教部指定为当时全国高校使用的参考教材。胡钟达先生在北大长期主讲世界古代史课程，深受学生好评，效果极佳。1957年，到内蒙古大学工作以后，为积极适应新的环境，他曾一度研究蒙古史。经过辛勤探索，在短时间内完成了很见功力的论文，影响了一批后学。“文革”结束以后，对社会经济形态问题、历史发展的不平衡性问题和古典时代中国、希腊政治体制的演变等问题，进行了深入探讨，在《历史研究》《中国史研究》等国家级刊物上发表了一系列重要论文。尤其是对有关社会经济形态问题的研究，在国内外学术界具有重要的地位和影响，成为我国80年代社会经济形态研究领域内的代表性学者之一。他的观点引起国内外同行的高度重视，论文被专门译成英文在《中国社会科学》（英文版）发表，或被国外学者译成英文，收入专集出版。1997年出版了《胡钟达史学论文集》。

胡钟达先生是治教有方的教育管理者，为内蒙古大学的创建和发展做出了重要贡献。1957年内蒙古大学成立时，负责历史系的筹建工作，全力投身于边疆的教育事业。为内大历史系能够拥有一支一流的师资队伍招揽英才，挑选了一批北大优秀毕业生，并为他们创造工作条件，关注、指导他们的成长。这批教师后来都成为历史学科的中坚力量，其中一些人还成为全国知名学者，历史学也成为内大的强势学科之一。还参与了内大蒙古史研究室的筹建工作，在他和其他学者的共同努力下，内大的蒙古史研究队伍已是国际蒙古学中的一支劲旅。

胡钟达先生是跨越中国新、旧两个时代的知识分子，富国强民、振兴中华始终是他的人生理想和追求。在学生时代他就积极投身于民主运动，追求光明与进步，是一个坚定的民主主义者。1945年，在重庆加入中国民主同盟。新中国成立后，坚定不移地跟中国共产党走，实现了由一个民主主义者向马克思主义者的转变。在“文化大革命”当中遭受人身迫害，身处逆境，但理想依旧，信念不改，对党和国家的前景充满信心。“文化大革命”结束后，他精神焕发地重新投入到振兴中国高等教育的伟大事业中，为内蒙古大学在新时期的发展做出了新的贡献，并成为一名共产党员。

胡钟达先生在内蒙古工作期间长期担任内大的校、系两级领导职务和自治区的许多社会职务，对工作尽职尽责，无私奉献，为学一丝不苟，诲人不倦；为官一身正气，两袖清风，为内蒙古大学的建设和发展毫无保留地奉献了自己的一切，内蒙古大学师生和内蒙古各族人民永远铭记他的贡献。2000年9月，在江苏省老家逝世，享年81岁。

（郝维民　撰稿）

李树元

李树元（1916—2006年）　辽宁省黑山县人。1943年毕业于沈阳医科大学，留校任眼科医师和教师。1948年12月参加革命，历任沈阳中国医科大学眼科讲师、副教授，从事眼角膜移植研究，并任该校第二附属医院病人服务部主任、卫校教育科科长。

1957年，李树元教授响应党的支援边疆建设的号召，离开了医疗和科研条件优越的中国医科大学，来到内蒙古，参与筹建内蒙古医学院附属医院，任筹建委员会副主任，并主持医疗系临床教学工作，重点创建眼科和眼科教研室。历任眼科主任、眼科教研室主任、医疗系副主任、医学院副院长、副教授、教授、硕士研究生导师，并兼任中华医学眼科学会委员、内蒙古眼科学会主任。建院初期，亲自制作教学模型，与技术人员一起，设计绘制了100多幅医科教学和医用挂图；亲自到全国各地采购眼科仪器和临床设备，设计制作了眼科诊察专用桌，并从外地调来数名医生充实眼科，为建成自治区一流的眼科奠定了基础。带领医务人员共同攻关，对高难度眼角膜移植技术进行深入研究，并由他主刀成功完成了首例眼角膜移植手术，填补了自治区此项研究空白。1965年，李树元教授响应毛泽东主席“把医疗卫生工作的重点放到农村去”的号召，报名参加巡回医疗队，十几次深入农村牧区，为群众治疗眼疾，使白内障患者重见光明。培养眼科医生、进修生近百名，成为自治区眼科学的奠基人和学科带头人。他培养的5名硕士研究生，有的担任院长，有的获自治区科技进步三等奖。改革开放以后，他到锡林郭勒盟牧区巡诊，为三千多名牧民作了眼病检查，取得了蒙古族老年性白内障发病率的准确数据资料，为这种病的研究打下基础。

1952 年，李树元教授加入中国民主同盟，任民盟第五、六届中央委员。“文革”前负责民盟内蒙古学习委员会工作，后任民盟内蒙古自治区第一、二、三届委员会主任委员。1983 年，他带领民盟成员，创建了民办的青城大学，兼任校长，为国家培养了三千多名各种专业的社会急需人才。他把学校发给的上万元津贴全部用于学校设备、奖学金和困难教师医疗帮助。早在 1952 年，他就为抗美援朝捐献了多年积蓄的 2 两黄金。

1983 年至 1993 年，李树元教授任政协内蒙古自治区第五、六届委员会副主席。在长期的参政议政中，向人大、政协提出的议案达 100 余件，得到有关部门的重视和采纳。是第六届全国人大代表，第五、七、八届全国政协委员。2006 年 10 月 8 日，在呼和浩特逝世，享年 90 岁。

（钱占元　撰稿）

刘震乙

刘震乙　1921 年 10 月，出生于河南省新郑县一个知识分子家庭。1944 年，于国立中央大学畜牧兽医专业毕业，留校任教，后在南京大学、南京农学院任教。1950 年，年仅 29 岁的刘震乙因发表我国第一部《动物人工受精学》而凸显才华。

1953 年，刘震乙教授响应党的支援边疆建设的号召，离开南京优越的生活环境和良好的教学科研工作，来到条件艰苦的内蒙古，参加内蒙古畜牧兽医学院（后改名内蒙古农牧学院，今内蒙古农业大学）的创建工作，先后任该校畜牧系副主任、主任。在教学中不但认真讲好原所设的课程，还第一次开设了他的《动物人工受精学》,并使这门课进入实验室。一来到内蒙古，就到呼伦贝尔草原对三河牛进行选育研究，出版专著《三河牛选育问题的剖析》《选育三河牛》。1981 年，恢复了因“文化大革命”而中断的选育工作，培育出遗传性稳定、体态均匀、产奶量大的“内蒙古三河牛”。1954 年，创设了自治区第一所教学牧场，开始黑白花奶牛的研究和培育，培养了一大批技术人才，育成了优质高产奶牛。从 20 世纪 60 年代至 80 年代，为二十多个省市区举办奶牛育种培训班，主讲《关于奶牛繁育中几个问题的研究》《论冷冻精液与防疫卫生》,有力地促进了各地对黑白花奶牛的繁殖和改良，以及内蒙古乳牛业的发展和提高。1987 年，中国黑白花奶牛的培育项目获得了国家农业部科技进步一等奖；1988 年，又获得了国家科技进步一等奖。

1977 年，刘震乙教授接受了已濒于崩溃边缘的“乌珠穆沁羊”的选育任务，带领科研人员深入锡林郭勒盟东乌珠穆沁旗满都宝力格牧场，经过努力，他们仅在东乌旗就选育出 87 个核心群，4 万多只，最大的在 100 公斤以上的“乌珠穆沁羊”。经过 9 个冬春，“乌珠穆沁羊”的各项指标均高于国家标准，并大量出口中东国家。他还在伊克昭盟恩格贝建起了中华绒山羊发展研究中心，经过 6 年攻关，提高了山羊绒的绒质和产量，为鄂尔多斯地区羊绒工业的发展提供了充足的优质原料。20 世纪 80 年代后期，国家农业部遴选刘震乙主持《三北防护林地区畜牧业综合区划》课题研究，带领研究生迅速投入编写工作，这一研究成果是我国三北地区第一部科学性和适应性相统一的畜牧区划研究专著。此后，还参与了《三北防护林地区自然资源》《北方旱地农业类型分区及其评估》等研究课题，为三北地区的农牧业发展提供了科学依据。

50 多年来，刘震乙教授为我国的乳肉绒业发展做出重要贡献，先后获国家和省部级科技进步一、二等奖 10 余项，金质奖章和奖牌 5 枚，并获国家教委“科技工作成绩显著荣誉证书”和金马奖。被评为全国先进生产者、国家级有突出贡献专家，并获得“光荣人民教师”称号，成为我国著名畜牧专家，并为享受中华人民共和国政府特殊津贴专家。

1983 年，刘震乙任政协内蒙古自治区第五届委员会副主席，第六届全国政协委员。1988 年至 1997 年，任内蒙古自治区第七、八届人大常委会副主任。是第八届全国人大代表。2004 年 3 月退休。2006 年，学校在刘震乙 85 岁华诞时，出版纪念文集《一位长期支边教师的足迹》。

（钱占元　撰稿）

王崇仁

王崇仁（1908—1995 年） 山东省菏泽县人。中国国民党革命委员会成员。1924 年 7 月至 1928 年 8 月，在国民党第十一、十九师等部队任士兵、班长、少尉、中尉、少校。1928 年 8 月至 1931 年 4 月，在德国普鲁士高等警官学校学习。1931 年 4 月至 1935 年 6 月，参加冯玉祥、吉鸿昌将军领导的察哈尔民众抗日同盟军，投入抗日斗争。1935 年 6 月至 1937 年 9 月，任河北省保安处少校视察员、省体育训练委员会中校主任。1937 年 9 月至 1939 年 5 月，随冯玉祥将军在南京、武汉、长沙工作。1939 年 5 月至 1948 年 6 月，任国民革命军绥西新编第六旅十一师、十师中校参谋主任、上校副师长、少将副师长。1948 年 6 月至 1949 年 1 月，任绥远省归绥市副市长，兼警备司令部副司令、警察局局长。1949 年 1 月至 9 月，任国民党陆军第三二六师少将师长。

1949 年，王崇仁随董其武将军参加绥远“九一九”和平起义。遂任中国人民解放军一一〇师师长。1951 年 1 月至 1953 年 7 月，任绥远省军区高级参谋。1953 年 7 月至 1965 年 4 月，任内蒙古自治区人民政府、人民委员会参事室参事，兼交通厅办公室副主任。1965 年 4 月至 1995 年 5 月，继续任内蒙古自治区人民政府参事室参事，并任政协内蒙古自治区第四、五届委员会委员、常委。1979 年，与参事室副主任奇文祥等 5 人，分赴各盟市调查历史上发生的各种自然灾害，经过半年的调查，收集了大量的灾害史料，为自治区制定防灾减灾措施提供了重要依据。1988 年 6 月至 1995 年 5 月，任政协内蒙古自治区第六、七届委员会副主席。1995 年 5 月 30 日，在呼和浩特逝世，享年 87 岁。

（庆格勒图 撰稿）

蓝乾福

蓝乾福 1918 年 2 月，出生于湖北省武昌县，祖籍四川仪陇县。1943 年 7 月，毕业于国立广西大学农学院畜牧兽医系。1943 年 7 月至 1944 年 9

月，任国民政府农林部东南兽疫防治总站技佐。1944 年 10 月至 1945 年 2 月，任国民政府高等学校考试及格生。1945 年 2 月至 1949 年 9 月，历任国民政府农林部畜牧局实习技士、国民政府湖北农业复员委员会技士、湖北省立农学院讲师、技师。

中华人民共和国成立后，1949 年 10 月至 12 月，蓝乾福在湖北省政治学校学习。1950 年 7 月，在湖北农学院任教。1952 年 3 月至 7 月，在甘肃省兰州市西北畜牧兽医学院进修家畜寄生虫学，学习期满回华中农学院任教。1955 年，响应党的支援边疆建设的号召来到内蒙古，先后任内蒙古畜牧兽医学院、农牧学院兽医系讲师、副教授、教授、系主任。除教学外，还带学生每年在春秋两季下牧区实习，为家畜灌药、喷药，把驱虫技术与方法推广到基层。1984 年，任内蒙古农牧学院动物医疗系教授、名誉主任。

蓝乾福教授是我国著名家畜寄生虫专家，从事兽医医学教育科研工作四十多年来，为内蒙古培养了数以千计的兽医学专门人才，主持完成研究课题“牛环形太勒焦虫病人工感染实验”、“杀灭牛体内皮蝇移行期幼虫实验”，敌百虫、皮蝇磷、乐果、蝇毒磷、倍硫磷等有机磷制剂至今仍在畜牧业生产中广泛应用，为自治区的畜牧业生产作出重要贡献。

1953 年，蓝乾福加入中国农工民主党，曾任农工民主党内蒙古第一、二届委员会主任委员、名誉主任委员。1988 年 6 月至 1998 年 1 月，任政协内蒙古自治区第六、七届委员会副主席。是全国政协第六届委员会委员。2000 年 2 月退休。

（钱占元　撰稿）

奇忠义

奇忠义（1927—2007 年）　蒙古族，蒙名奇渥温·孛儿只斤·伊尔德尼博录特，字昭贤，曾用名伊尔德尼巴图，1927 年 8 月 28 日，出生于内蒙古伊克昭盟郡王旗王府，是成吉思汗第 34 代嫡孙。奇忠义自幼在王府受蒙古、汉、藏家塾教育，从 1933 年至 1939 年，进入旗府学堂，接受正规教育，继续学习蒙古语文、汉语文、算术、历史等课程，14 岁时即为其祖父郡王旗札萨克当口头翻译。

1942 年，奇忠义任郡王旗保安司令部军需处长，团结旗民，维持旗政，共同抗日。1945 年，因其父病重，代替父亲处理内外事务工作。同年任伊克昭盟保安长官公署参议、绥远省境内蒙古各蒙旗地方自治政务委员会财经委员会委员。1946 年，被登记为郡王旗承袭王位的记名札萨克，并任绥远省参议会参议员。1947 年 5 月，参加绥远省参议会，会上提出应给绥蒙 14 旗实质性的自治权和 5 项要求，参议会采取支吾应付的态度，他为了表示抗议而退出会场。随后任绥远省蒙旗福利工作委员会委员。同年 7 月，当选为伊克昭盟选区出席中华民国第一届国民大会代表；冬天加入中国国民党。1948 年 2 月，赴南京出席“国大”，会后，请求国民政府军令部拨给了伊克昭盟 200 支步枪、10 门榴弹炮和一些子弹；5 月，被聘为孙科组织的全国战时勘平动乱委员会委员。同年 7 月，任绥远省境内蒙古各盟旗地方自治政务委员会委员；10 月，任国民党绥蒙党部特派员。1949 年 3 月，承袭郡王旗札萨克和成吉思汗陵济农，成为内蒙古地区最后一位蒙古王公。1949 年 8 月 5 日，奇忠义率郡王旗全体军政人员和平起义，为解放鄂尔多斯草原作出了贡献。他从此走上革命的道路，被中共伊克昭盟工委指定为郡王旗临时负责人。

中华人民共和国成立后，1949 年 11 月，中共伊克昭盟工委特邀奇忠义为伊盟各族各界临时人民代表会议代表，会上当选为伊克昭盟人民自治区政务委员会委员。1950 年 3 月，当选为郡王旗人民政府旗长兼旗人民法院院长。1954 年 3 月，调任伊克昭盟人民政府民政处处长，并作为迎接成吉思汗灵榇代表团成员，前往青海省塔尔寺安排移灵事宜，护送灵榇回归伊金霍洛旗。1954 年起，连任伊克昭盟政协第二至第五届委员、第三至第五届常委，内蒙古自治区第一至第四届人大代表。1956 年 8 月，当选为伊克昭盟副盟长。“文化大革命”中，遭到批判斗争。

中共十一届三中全会以后，奇忠义恢复工作。1979 年，任政协伊克昭盟第六届委员会副主席兼任文史委员会主任。1982 年至 1992 年，任内蒙古自治区第五、六届人大常委会委员。1988 年至 1998 年，任政协内蒙古自治区第六、七届委员会副主席。2003 年 12 月退休。

奇忠义是著名的爱国人士、中国共产党的亲密朋友，优秀的少数民族领导干部。在伊克昭盟和自治区政协二十多年的工作中，对文史资料工作情有独钟，凭着他熟知鄂尔多斯历史的优势，主持鄂尔多斯历史文化资料的一系列编辑工作，主编或参与编写《伊克昭盟历史沿革》《伊盟革命回忆录》（共3册）、《伊盟“独贵龙”运动史料》《席尼喇嘛传略》《鄂尔多斯论集》《鄂尔多斯史志研究文集》《鄂尔多斯历史沿革》《鄂尔多斯通典》《伊克昭盟志》《伊克昭盟政协志》等多部史志书籍，对伊克昭盟文史工作做出不可磨灭的贡献。2007年9月1日，在呼和浩特市逝世，享年80岁。

（钱占元　撰稿）

乌　兰

乌兰嘎拉僧海日布丹毕尼玛活佛（1920—2004年）　蒙古族，内蒙古伊克昭盟郡王旗人。1922年，被十三世达赖喇嘛认定为十一世乌兰活佛，1925年，在伊克昭盟札萨克召坐床。1928年至1943年，在青海省塔尔寺修习经典，并获林瑟来嘎布珠学位。1949年至1950年，任青海省塔尔寺密宗院法台。1951年，被十世班禅封为“额尔德尼莫日根班第达堪布”。1952年，任塔尔寺第八十四届总法台。

1950年，乌兰活佛任青海省第一届人大代表和政协委员。1959年，从青海省塔尔寺回到内蒙古呼和浩特市，历任第六、七、八、九届全国政协委员，政协内蒙古自治区第六、七、八、九届委员会副主席，第五、六届中国佛教协会副会长。1981年至2004年，任内蒙古自治区佛教协会会长。1990年，当选为内蒙古自治区红十字会名誉会长。2004年3月30日，在呼和浩特圆寂，享年85岁。

乌兰活佛是坚定的爱国主义者、藏传佛教界的知名人士。他宗教造诣深厚，精通显密二宗，深受广大信教群众的爱戴和拥护。他一生坚持爱国主义立场，旗帜鲜明地反对民族分裂，维护祖国统一，积极引导佛教与社会主义社会相适应，为内蒙古自治区的民族团结、宗教改革作出了积极贡献。

（钱占元　撰稿）

张顺臻

张顺臻 出生于1926年8月，河北省丰南县人，无党派人士。1949年，从天津北洋大学冶金工程系毕业，参加学习团学习后分配工作。1949年9月至1956年6月，先后任鞍山钢铁公司第一炼钢厂见习技术员、平炉炉长、值班长、护炉技师、工长。1956年6月至1958年4月，任鞍钢第二炼钢厂质量工程师，并被选为鞍山市第二届人大代表。1958年5月至1968年8月，调任包头钢铁公司炼钢厂生产准备科、生产科工程师、总工程师室工程师。1968年8月至1971年，下放到包钢炼钢厂农场、平炉车间劳动。1971年至1979年11月，任包钢炼钢厂平炉车间技术员、厂技术科工程师、厂副主任工程师。1979年11月至1981年12月，任包钢科技办公室炼钢科负责人、科长。1981年12月至1998年1月，任包钢公司副总工程师、总工程师室高级工程师。1983年，任第六届全国政协委员。1988年6月至1998年1月，任政协内蒙古自治区第六、七届委员会副主席，兼任科技委员会副主任，对自治区资源保护、草原建设提出建议，得到内蒙古党委、政府的重视，特别是对建设包头稀土高新技术开发区作出一定的贡献。1998年2月离休。

（庆格勒图 撰稿）

陈又遵

陈又遵 1925年，出生于湖南省常德市。1951年，于北京大学法律系毕业和北京中国新法学研究院结业后，自愿支边来内蒙古工作，分配到绥远省人民法院研究室（即秘书室）任秘书、研究员，参与修改《土地改革法庭条例》,参加了《中华人民共和国婚姻法》《中华人民共和国普选法》的宣传贯彻及人民法庭的试点工作。1954年，蒙绥合并后，绥远省人民法院并入内蒙古自治区人民法院，陈又遵调任内蒙古自治区司法厅主任科员、《内蒙司法》编辑。1959年，司法厅撤销，工作任务并入内蒙古自治区高级人民法院司法行政处，任主任科员，负责编辑《内蒙司法》期刊。1964年，调入内蒙古自治区民政厅，参加厅属巴彦淖尔盟乌拉特前旗安置改造农场筹建工作，任政教办公室干事，安置改造区内无业流浪人员。1969 年，农场由北京军区内蒙古生产建设兵团接管，并与乌梁素海渔场合并，陈又遵任二师十九团生产顾问。1976 年 12 月，调入乌梁素海渔场中心学校高中部，任语文、政治教员。1978 年 12 月，调入呼和浩特市第二十九中学，任高中语文、政治教员。

1981 年，在内蒙古大学筹建法律系时，陈又遵调入参加筹建小组工作，共同制定了筹建规划和实施方案。为了解决师资不足，他们通过各种渠道，从北大、人大等全国名牌大学要回 12 名毕业生充实师资队伍。陈又遵两次到教育部、司法部汇报筹建情况，终于获得批准，于 1982 年秋，法律系正式成立，招收 61 名学生，成为内蒙古培养的首批法律人才。1983 年，任民法教研室主任，主讲《民法》,并讲授《劳动法》《继承法》《合同法》等课程。其间，主编了 4 种法学教材，其中《民法学教程》作为全国 13 所高校通用教材，书中增编了“物权编”，开全国民法教材之先河，其原则与全国人大通过的《中华人民共和国物权法》基本精神相一致；《法制教育教材》作为内蒙古小学普法读本；参编了 8 类法学论著。他作为《中华法学大辞书·民法卷》编委，参加了编写和编审工作，共发表法学论文五十多篇。1998 年，内蒙古大学法律系扩建为法学院，陈又遵任教授、民法硕士研究生导师，成为自治区民法学科带头人。

1988 年 5 月，陈又遵教授任民主建国会内蒙古自治区委员会筹备组组长，政协内蒙古自治区第六届委员会常委、法制委员会副主任。1990 年，任民主建国会内蒙古自治区委员会主任委员。1993 年至 2001 年，历任政协内蒙古自治区第七届委员会副主席，民主建国会中央委员，民建自治区委员会主任委员、名誉主任委员，第八届全国政协委员。2001 年 6 月退休。

（钱占元 撰稿）

许柏年

许柏年 出生于 1939 年 1 月，江苏省苏州市人。1956 年至 1960 年，在中国人民大学经济系政治经济学专业学习。毕业后支边到内蒙古工作，1960 年至 1972 年，在内蒙古财贸学校马列教研室任教。1972 年至 1978 年，调内蒙古交通学校任政治课教师。1978 年至 1993 年，调内蒙古大学经济系，先后任副主任、主任，讲师、副教授、教授；1993 年至 1999 年，任内蒙古大学常务副校长；1999 年至 2003 年，任内蒙古大学经济与社会发展研究中心主任。

1993 年至 2008 年，许柏年教授任政协内蒙古自治区第七、八、九届委员会副主席。是中国民主同盟成员，1988 年至 2003 年，先后任民盟内蒙古自治区委员会副主任委员、主任委员。1999 年至 2008 年，任民盟中央常委、第九届全国政协常委。

（庆格勒图 撰稿）

罗锡恩

罗锡恩 1936 年 7 月出生，浙江省宁波市人。1961 年，于西安交通大学电力系发电专业毕业，支边来到内蒙古，一直工作到退休。1961 年至 1992 年，历任包头市供电局技术员、工程师、主任工程师、高级工程师、总工程师、副局长、局长。1988 年至 1992 年，任包头市人大常委会副主任。1992 年至 1996 年，任包头市人民政府副市长，分管自治区最大的工业城市的工业经济，善于协调解决计划经济向市场经济转型时期，企业转制中出现的诸多矛盾，推动了全市经济的快速发展。1996 年至 1998 年，任包头市政协副主席。1998 年至 2007 年，任政协内蒙古自治区第八、九届委员会副主席。

1984 年，罗锡恩加入中国九三学社，历任九三学社第九届中央委员会委员，九三学社第十、十一届中央委员会常委；九三学社第一、二届包头市委员会副主任委员、第三届包头市委员会主任委员；九三学社第四、五届内蒙古自治区委员会主任委员。是第七届全国人大代表，第十届全国政协委员。2008 年 1 月退休。

（甘旭岚 撰稿）

奇英成

奇英成　蒙古族，1942 年 1 月，出生于绥远省伊克昭盟准格尔旗。1964 年 10 月参加工作，1964 年至 1980 年，在呼和浩特市回民区新民街小学、南马路小学任教。1980 年至 1983 年，在呼和浩特市回民区教师进修学校任教。1983 年至 1984 年，在呼和浩特市回民区文教局教研室任教研员。1984 年至 1987 年，任呼和浩特市回民区教育局职教办教研员、副主任。1985 年 8 月，毕业于呼和浩特市教育学院中文大专班。1987 年 11 月至 1993 年 2 月，任呼和浩特市回民区政协副主席。1993 年 2 月至 1994 年 5 月，任呼和浩特市回民区副区长。1994 年 5 月至 1998 年 1 月，任呼和浩特市人大常委会副主任。1995 年 8 月，加入中国国民党革命委员会，1997 年 7 月至 2007 年 12 月，任民革内蒙古自治区委员会主任委员，民革中央常委。1998 年 1 月至 2008 年 1 月，任政协内蒙古自治区第八、九届委员会副主席。是第九、十届全国人大代表。

奇英成在任民革内蒙古自治区委员会主任委员期间，发挥民革组织的自身优势，以教育扶贫为突破口，把扶贫帮困作为民革的重点工作之一。经常带领民革中的优秀教师下乡讲课，带领著名医生到农村牧区进行义诊，并号召民革成员捐款捐物，资助贫困地区人民。他多次被评为呼和浩特市回民区劳动模范和先进个人。主编《呼和浩特回族史料》，并兼任呼和浩特市计划生育协会和红十字会名誉会长、内蒙古中山学院院长等职。

（甘旭岚　撰稿）

盖山林

盖山林　满族，1936 年出生，河北省行唐县人。1955 年，由保定市银行学校毕业，分配到中国人民银行兰州市分行做信贷工作。1956 年 8 月至 1960 年 9 月，在西北大学历史系考古专业学习，毕业后分配到宁夏回族自治区地志博物馆工作，任博物馆历史组组长。1962 年至 1998 年，任内蒙古考古研究所文物保护部副主任、研究员，长期从事考古发掘、文物和岩画考察研究工作。曾参加辽上京城址、阿伦苏木古城、黑水古城、元代汪古部古墓等多处考古发掘工作，并参加了呼伦贝尔、哲里木、乌兰察布、锡林郭勒、阿拉善等各盟的文物考察工作。

盖山林怀着寻找中国岩画之梦，历经千辛万苦，用了约十一年的时间，系统地考察了内蒙古西部阴山山脉狼山地区岩画、阴山之北的乌兰察布岩画、锡林郭勒盟苏尼特左旗的岩画、阿拉善盟巴丹吉林沙漠地带的岩画，拍摄、拓描岩画数千幅，对内蒙古岩画的发现和系统科学的研究，取得了丰硕成果，撰写了二百余篇岩画学论文，著有《中国岩画学》《中国岩画图案》《阴山岩画》《乌兰察布岩画》《世界岩画的文化阐释》等三十多部岩画专著，其中《阴山岩画》《乌兰察布岩画》分别获内蒙古哲学社会科学一、二等奖。他的研究揭开了发现中国北方岩画、研究历史的新篇章，成为中国岩画学创始人之一，许多著作被日本、俄罗斯、法国、意大利、英国等国学者所称引。

1987 年，盖山林被国家科委批准为“国家级有突出贡献的中青年专家”，被中国民主促进会中央委员会评为先进会员；1992 年，获内蒙古自治区文化系统优秀工作者称号；1993 年，被评为全区民族团结进步先进个人。先后任内蒙古考古博物馆学会副理事长，中国蒙古史学会理事，国际岩画艺术委员会会员，《中国岩画全集》编委会副主任；中国民主促进会中央常委、民主促进会内蒙古自治区委主任委员，内蒙古海外联谊会常务理事；第七、八届全国政协委员，政协内蒙古自治区第八、九届委员会副主席。

（钱占元 撰稿）

李仕臣

李仕臣（1937—2001 年） 1937 年 9 月出生，重庆市垫江县人。1957 年 9 月，考入四川省农业大学农学系。1961 年毕业，怀着建设边疆的豪情壮志，来到内蒙古呼伦贝尔草原，在呼伦贝尔盟海拉尔农牧场管理局农林处任技术员、农艺师。他刚参加工作就到上库力农场蹲点，一干就是 5 年，与农场二队联合种植小麦高产攻关田，经过几年精心培育，1964 年、1965 年连续两年获得自治区小麦单产第一。1966 年至 1978 年，李仕臣主管呼伦贝尔盟农牧场管理局的良种引进推广工作，建立了良种繁育体系，引进、试验、繁殖、推广优良品种。1979 年 5 月，任海拉尔农牧场管理局植保科研组长。1974 年至 1983 年，仅小麦良种推广一项农业增产技术，就为管理局小麦总增产 1.3 亿公斤，增收 5 230 万元。

李仕臣针对呼盟油菜产量低、品种退化、芥酸含量高、人畜食后有危害的问题，带领研究小组又投入油菜优良品种引进、试种的研究。引进加拿大优良油菜品种，经过多次反复试种，1980 年，油菜籽亩产量由原来的二三十公斤猛增到 50 公斤以上，全盟仅此一项就增收 200 多万元。他和研究小组受到盟行署和自治区政府的嘉奖。在植保工作中，确定了“农田杂草研究”课题，对杂草的生长习性、特点和适宜生长的土壤等问题进行分门别类的研究，经过 3 年的田间调查研究，于 1984 年通过专家评审，取得重要成果。他研究的新技术、新成果使许多农牧民脱贫致富，李仕臣成了广大农牧民心目中的“活财神”。

1985 年 3 月，高级农艺师李仕臣创办了我区第一个农业技术经济实体——呼盟海拉尔农牧场管理局植保技术服务公司，任经理。公司成立 4 年后，创造经济效益 5 720 万元，技术服务合同面积 141.5 万亩，增产小麦 6 100 万公斤，荣获全国首届科技实业家创业奖银奖。

李仕臣治学严谨，成果卓著。他终身服务于边疆农垦事业，在农业新技术、小麦新品种繁育和植物保护技术开发推广应用方面，取得显著的成绩，为我国北方旱作农业的发展，为自治区的农业技术进步做出了重要贡献。他主持的草膦防除赖皮草研究等十几个项目先后获自治区科技成果奖、科技进步奖，主持的 ABT 生根粉系列研究与推广项目，分别获国家科技进步特等奖和国家林业部科技进步奖，多次获国家科委成果司和林业局科技司颁发的特等奖。2000 年 9 月，李仕臣在湖南省长沙市成功地举办了油菜田高效化学除草技术成果展览，中科院院士、杂交水稻之父袁隆平给予“国内外一流”的极高评价。他先后获得呼伦贝尔盟和自治区劳动模范、自治区“生产第一线贡献突出科技人员”的荣誉称号，1998 年被评为国家级有突出贡献的中青年专家，1991 年为享受中华人民共和国政府特殊津贴专家。

李仕臣以无党派人士界别，曾任政协呼伦贝尔盟第七、八届委员会副主席。1993 年 3 月，任政协内蒙古自治区第八届委员会副主席，第八届全国政协委员。2001 年 3 月 23 日，因心脏病突发，在海拉尔逝世，享年 64 岁。

（钱占元　撰稿）

第二十六章

科技教育界人物

李继侗

李继侗（1897—1961 年） 1897 年 8 月出生，江苏省兴化县人。1912 年，先就读于上海青年会中学，后转入圣约翰大学附中学习。1917 年，考入圣约翰大学，两年后转至南京金陵大学林科，得到奖学金资补学费。1921 年，赴青岛林场实习，并写出《青岛森林调查记》一文，在学术期刊《森林》第 1 卷第 3 号发表。毕业后当年考取清华学校公费留美，入耶鲁大学林学研究院，1923 年，获硕士学位，完成论文《关于苗圃瘁倒病的研究(Nursery Investegation with Special Reference to Damping-off)》，于 1924 年和导师 J. W. Toumey 教授共同署名发表。1925 年，又通过博士论文《森林覆盖对土壤温度的影响（Soil Temperature as Influenced by Forest Cover)》，获博士学位，1926 年，论文发表在耶鲁大学《林学研究院专刊》第 18 号，是赴美留学的中国人在林学方面获得博士学位的第一人。

1925 年，李继侗先生回国后，先在南京金陵大学任教一年，1926 年受聘于天津南开大学生物学系。当时该系只有李先生一位教授，讲授生物学系的大部分课程。在南开任教 3 年间，在国外的科学刊物上发表植物生态生理学论文 3 篇：《光照改变对光合作用速率的瞬间效应》《强烈日光对树木幼苗的影响》《气候因素对植物吸水力的影响》。对光合作用瞬间效应的发现是他对植物生态生理学的贡献，在国际上得到公认。1929 年，受聘于清华大学，任生物学系教授。1930 年，在国外学术刊物上发表《去顶燕麦胚芽鞘上新生理顶端的出现》一文，在国内发表《燕麦子叶去尖后之生理的再发作用》一文，这是我国植物生理学研究的先驱性工作。同年，引用当时著名植物生态学家 A. F. W. 辛帕尔（Schimper）的理论观点，发表了《植物气候组合论》一文，这是我国最早的论述全国植被类型、分布及分区的论文，是对我国植被生态学研究的开创性贡献。我国 20 年代末的气候条件不好，尤其是西北地区旱灾严重，李先生十分关注灾区农业生产，并于 1930 年在《清华周刊》发表了《植物与水分之关系》的书评，评介 N. A. 马克西莫夫（Maximov）所著的《植物与水分之关系（The Plant in Relation to Water)》一书及其他相关论著。1928 年至 1934 年，在国内外发表了 10 多篇论文。其中 1928 年发表的《气候因素对植物吸水力的影响》,对植物适应干旱的生态学机理进行了研究，为农业抗旱提供了科学支持。随后，又开始对光、温等因子对银杏叶与胚发育的生态效应进行研究。为了改善生物学系的教学设施，他参与了清华生物馆的建设，扩充实验室，增加实验仪器设备，并且征订国外的生物学期刊多种。

李继侗先生自 1931 年起，密切关注国外植物生态学的进展，也注重我国对植物生态的研究方向。1933 年，中国植物学会成立，为发起人之一。1935 年，学会决定编辑出版英文版的《中国植物学会汇报》,每年一期，作为国际交流之用，被推为主编。1935 年至 1936 年，在德国柏林大学进行访问研究，并与陈焕镛先生代表我国参加了在荷兰阿姆斯特丹召开的第六届国际植物学大会。回国后，在 1937 年春去淮河流域桐柏山地区进行植物生态考察与造林设计工作。1937 年 8 月，清华大学迁校到湖南长沙，与北京大学、南开大学联合成立临时大学。年底，战火逼近长沙，学校决定西迁昆明。1938 年 2 月，临时大学第一学期结束后，师生开始启程。李继侗、曾昭伦、闻一多、黄子坚四位先生率领男同学 200 余人组成了湘黔滇旅行团，历时两个多月，经过衡山湘水，跋涉 3 000 多里路程，到达昆明。临行前他致书家人：“抗战连连失利，国家存亡未卜，倘若国破，则以身殉”。1938 年 5 月 4 日，临时大学更名为西南联合大学，在昆明开学，李先生任西南联大叙永先修班主任，主持先修班的事务。

抗日战争胜利后，1946 年 5 月西南联大结束，三校各院系随原校复员，李先生与清华师生回到一别 9 年的清华园，协助生物系主任陈桢先生恢复教学。

中华人民共和国成立以后，李先生任中国科学院学部委员、常委及编译出版委员会委员，参加了我国 12 年科学发展规划和 12 年编译出版规划的制定，推动了我国植物生态学与地植物学的发展及出版工作，并兼任科学院植物研究所研究员，指导植物生态学研究室的工作。

1952 年，全国高校实行院系调整，清华大学生物学系和北京大学动植物学系及燕京大学生物学系合并到北京大学，李先生担任植物学教研室主任，负责植物学专业的教学和科研领导工作。1953 年，根据国家教育部的部署，提出了在北大植物学专业成立“植物生态学及地植物学专科组”的建议，得到学校的支持，于 1954 年开始招收研究生，并接受来自全国各地的进修生。同时兼任中国科学院植物研究所植物生态学研究室的青年导师，由此开辟了我国植物学史上第一次有方向、有计划地在高校与科学院培养植物生态学人才的科学阵地，并选定了北方草原作为发展生态学的主攻目标，确立了在我国开创草原生态学的方向。翻译了《蒙古人民共和国植被基本特点》《蒙古人民共和国天然草地资源》等书。1956 年，亲自带领青年教师和学生，到内蒙古呼伦贝尔草原作生态学考察研究，主持撰写出草原植被研究报告，为青年学者做草原生态学研究提供了范例。

1957 年，国务院和内蒙古自治区政府决定在呼和浩特建立内蒙古大学，周恩来总理签署任命书，任命李继侗先生任副校长，主管学校的教学和科学研究工作。年届花甲的他愉快地接受了任命，全力投入建校工作。1957 年 9 月 4 日，临近开学之时，突患中风，当即入北京协和医院急救治疗，半年后病情稍有好转，他便执意回校工作。1958 年 4 月，抱病回到内蒙古大学，因行动不便，在家中设置了办公室，经常和有关同志商谈讨论各方面的工作，提出处理意见。特别是对学校各学科的发展方向和师资队伍的成长更是精心考虑和谋划，对生物学和植物生态学及地植物学在内蒙古大学的发展提出重要的指导意见。遵照乌兰夫校长提出的要把内蒙古大学办出民族特点、地区特点，既要培养合格的建设人才，又要担负起繁荣发展文化科学的任务等完整的建校方针，他认为生物学系必须面向草原，把草原作为生物学各学科的阵地和主攻方向。筹建内大过程中，曾和北京大学江隆基副校长商请北大全面给内大以师资、教材、图书资料和设备的支援，并将在北大创建的植物生态学和地植物学专科组移植到内大生物学系，这些建议均获得北大同意。他对生物学系主任沈霭如先生讲，内蒙古草原是广阔的绿色大地，资源十分可贵，是发展畜牧业的重要基地，但由于历史条件的限制，草原的经营管理有待改进。因此，加强内蒙古草原生态学与生物学研究是经济建设的需求，它是富有地区特点与民族特点的学科，应成为内蒙古大学生物学的主要发展方向，要长期坚持，做出我们独特的贡献。从而确定“面向草原，旁及农林”为本系长远发展的指南。

内大开学之初，李先生与北大生物学系商定，担任高年级课程的教师到北大生物学系在教学实践中进修。建议要针对草原的特点讲授植物分类学、植物生态学及地植物学，还要专门开设草地学课程；既要加强基础课教学，也要重视野外生态学实习和各门实验课。1958 年夏季，提出学生的植物学、动物学和生态学实习应到内蒙古草原去进行。从此，就在锡林郭勒种畜场（后改称白音锡勒牧场）建立了实习据点，历年实习都以此地为主。他从生态学、生物学的长远发展考虑，要求对内蒙古的动植物资源与植被进行全面系统的调查和动态研究以及群落生态演替的实验观测，为此，他认为应建立野外定位观测实验站，并希望首先在呼伦贝尔草原建站。1960 年，在他曾作过植被调查研究的呼伦贝尔盟谢尔塔拉牧场及莫达木吉苏木建立了定位观测样地，开始做草原生产力动态测定和草原植物群落水分生态学实验。

1958 年，李先生兼任内蒙古科学技术委员会副主任，向乌兰夫主席提出：内蒙古草原是宝贵的自然资源，不是荒地，不能盲目开垦草原，要对草原实行合理利用，并加强保护；大兴安岭森林也不能无节制地采伐，要采用择伐制度，不应实行皆伐，必须坚持采伐与更新相结合的原则，否则，森林就会衰退，就会丧失涵养水源的功能，嫩江流域就可能遭殃。这些意见得到乌兰夫主席的赞许。针对内蒙古建设事业的需要，为推动草原生态学科的发展，向内蒙古科委建议组织各大学的师生和科学研究单位的人员进行全区的植物区系、动物区系和植被的考察研究。要广泛采集植物、动物标本，建立标本室，积极进行标本鉴定、资料整理、绘图等工作，逐步创造条件编写《内蒙古植物志》《内蒙古动物志》和《内蒙古植被》。1959 年春，我国著名植物学家刘慎谔和崔友文两位先生到内蒙古大学访问，当时李先生卧病在床，在病床前他邀请两位先生同马毓泉先生等人会面，谈及编写《内蒙古植物志》的意图，指出这是生物学与生态学的重要基础性工作，任务十分艰巨，估计要用20年的努力工作才可能完成。恳切地敦请刘、崔两位先生多方给以指导和帮助，要求马毓泉先生同校内外同仁密切合作，共同完成这项重任。

从1957年到1961年，在内大抱病工作的4年中，李先生与其他几位校长和党委书记密切配合，为学校的师资培养，重点学科的建设及学校的长远发展贡献了自己的智慧。特别是把在北大亲自建立的植物生态学科组迁移到内大，全面筹划了生态学与生物学在内蒙古的发展，为以后的长期工作奠定了良好的基础。

正当内蒙古大学蓬勃发展之际，李先生因数年积病，心力衰竭，医治无效，于1961年12月12日在呼和浩特逝世，享年64岁。他在生前特别嘱咐，将他所有的图书资料全部捐赠给学校，其中有不少是国外出版的生态学与生物学经典著作。

（郝维民据《名师荟萃》载稿修订）

于北辰

于北辰（1915—2008年）　原名喻厚高，1915年1月27日生，四川省重庆大足县人。1937年夏，考入国立四川大学教育系读书。抗日战争爆发后，10月参加四川省抗敌后援会宣传队，任第二大队队长，在成都城乡开展抗日救亡宣传工作；1938年夏，抗敌后援会宣传队第二大队改称成都学生抗敌宣传团第一团，于北辰任团长。1938年6月，加入中国共产党，参加四川大学党总支委员会兼任成都学生救亡工作促进会党团书记。1940年2月赴延安，在中共中央青年工作委员会工作。1942年，调延安青年艺术剧院工作。1944年，任延安“韬奋书店”经理。1945年10月，赴东北，先后在中共辽北省委、辽宁省委宣传部工作。1947年，任中共吉林省集安县委常委、宣传部长。1948年10月，调中共中央东北局青年工委，任东北团校教育长，东北团委常委、秘书长兼青农部长，并兼东北人民政府体委秘书长。1952年1月，调中国新民主主义青年团中央工作，任团中央委员、统战部长、全国青联常委兼秘书长，主要从事宗教界、工商界、科技界和少数民族青年工作，并任中央人民政府体育运动委员会委员、第二届全国政协委员。1955 年，调高等教育部，任综合大学教育司副司长。

1957 年 10 月，于北辰即奉命参加内蒙古大学筹建工作，负责调配干部和教师。他从中国科学院请来学部委员李继侗教授任内蒙古大学副校长；从北京外国语学院请来史筠任副教务长；除了蒙语系以外，所有各系系主任和骨干教师张清长、刘世泽、陈杰、郑愈、师树简、沈灊如、肖雷南、马毓泉、梁东汉、关祖京、廖友桂、胡玉才、徐行、胡盛志、陆永俊、张兴禹、刘镜人、金启孮、何志、黄佩瑾、王叔盘、邱佩璋、陈子歧、罗辽复、张衍达、周韵春、司重生、张鹤龄、戴学稷、张宇铭、李景春、刘景麟、李文镛、严隽粹、朱德祥、张大昕、同治国、杨彩文、周清澍、潘世宪等，都是他逐一请来的，为内蒙古大学的创建与发展奠定了领导骨干和师资基础。他也是主动要求来内蒙古工作。10 月 18 日，周恩来总理任命于北辰为内蒙古大学副校长。

1972 年 2 月，于北辰先后任内蒙古自治区革委会政治部副主任、内蒙古自治区文教办公室副主任，分管高等教育工作。1977 年 11 月，任内蒙古自治区科委副主任，主持科委工作。1978 年底，任内蒙古大学校长。兼任内蒙古政协常委、内蒙古自治区科协主席、内蒙古自治区中共党史学会名誉会长、内蒙古教育学会名誉会长、内蒙古社联副主席、内蒙古历史学会副主席与名誉理事长。1981 年 1 月，调任山东海洋学院院长兼党委书记，后改任中央教育行政学院常务副院长兼党委书记，并兼任中国高等教育学会常务理事、秘书长，中国高等教育管理研究会理事长。

于北辰校长在内蒙古大学和内蒙古的教育战线上工作了 23 年，特别是在筹建内蒙古大学和任副校长、校长期间，和全校师生一道艰苦创业，潜心教育事业，热心科学研究，尤其是对民族教育和民族、地区历史文化的研究，奉献了全部心血和智慧，为内蒙古大学的创立和发展作出了卓越的贡献，受到各族师生的尊敬和爱戴。于北辰是内蒙古自治区高等教育的开拓者，也是一位资深的教育家，《于北辰从教六十年纪念文集》闪耀着他教育思想的光辉。

于北辰 1984 年 12 月离休后，从北京回到内蒙古，居住在内蒙古大学的一套很不宽敞的居所里，快乐地安度晚年，表现了他对内蒙古和内蒙古大学的眷恋之情。2008 年 3 月 6 日，在内蒙古大学逝世，享年 94 岁。

（郝维民　撰稿）

清格尔泰

清格尔泰　蒙古族，1924 年 6 月，出生于内蒙古昭乌达盟喀喇沁中旗。1940 年毕业于设在绥远城的蒙古学院。1941 年至 1945 年，留学日本东京善邻高等商业学校、东京工业大学及仙台东北帝国大学理学部。1946 年，毕业回国参加工作。1946 年至 1949 年，在赤峰内蒙古自治学院、齐齐哈尔内蒙古军政大学任教，并任宣教科长、蒙古语文研究室主任等职。1949 年至 1955 年，任内蒙古党委办公厅秘书、宣传部编译科长、语文工作处处长。1955 年至 1957 年，任内蒙古自治区文改会副主任兼全国蒙古语族语言调查队队长，中国科学院少数民族语言研究所副研究员。1957 年至 1973 年，先后任内蒙古大学蒙古语言文学系主任、蒙古语文研究所主任。1973 年至 1984 年，任内蒙古大学副校长。1962 年开始招收研究生，1979 年被评为教授，1981 年任硕士生导师，1983 年任博士生导师。

清格尔泰先生是第三、四届自治区人大代表，第四、五、六、七届全国人大代表，第五届全国人大常委会民族委员会委员，第六、七届全国人大常委会委员、民族委员会委员，第一、二届国务院学位委员会学科评议组成员。曾任中国语言学会副会长，中国民族语言学会副会长，中国蒙古语文学会名誉理事长。现兼任国际蒙古学协会副主席，匈牙利东方学会荣誉会员，中国民族语言学会阿尔泰分会名誉会长，内蒙古语言学会名誉会长，内蒙古大学蒙古学学院名誉院长，《民族语文》《西北民族研究》《阴山学刊》《蒙古语文》《满语研究》等学术刊物的编委或顾问。

在 20 世纪 40 年代，清格尔泰即开始致力于蒙古语文的教学科研工作，在国家及自治区蒙古语文工作、内蒙古大学蒙古学学科的建立和学术队伍的建设、蒙古语言文学的科学研究以及人才培养等方面作出了杰出的贡献。

1947 年夏，清格尔泰在齐齐哈尔内蒙古军政大学创建了蒙古语文研究室。这是我国第一所蒙古语文研究室。为了满足中小学教师以及一般蒙文工作者学习掌握蒙古语语法，他以现代语言学理论编写了《蒙文文法》（1949年）。这是他的第一部学术著作，也是我国第一部简明蒙古语语法教材。

20世纪50年代初期，针对轻视蒙古语文、忽视使用蒙古语文的倾向，清格尔泰认为这种现象关系到蒙古民族发展。经过调查研究，向自治区党委作了报告。1953年5月，自治区党委宣传部召开了全区第一次蒙古语文工作会议，会后由自治区党委发出了《关于反对忽视民族语文倾向及进一步加强民族语文工作的指示》。同时组建了蒙文研究会，成立了蒙文专科学校，创办了《蒙古语文》杂志。

20世纪50年代中期，中央在全国范围内开展少数民族语言文字使用情况普查，清格尔泰负责组建蒙古语族语言调查队，并任队长，于1955年至1956年先后完成两次调查，撰写了《中国蒙古语族语言及蒙古语方言概况》调查报告，发表在《蒙古语文》杂志上。对此，《二十世纪少数民族语言研究》评介说："这是中国学者对境内蒙古语族六种语言及蒙古语方言进行全面研究的第一个公开发表的成果，具有划时代的意义。不但在全面性和系统性方面是前所未有的，而且在准确性和可靠性方面也是值得称道的。可以说，以蒙古语族语言调查为标志，中国的蒙古语族语言研究在国际蒙古学界异军突起，形成了以清格尔泰为学术带头人的实力雄厚的中国蒙古语言学派，开创了中国蒙古语族语言研究的黄金时期。"

1957年，内蒙古大学成立时，清格尔泰奉调建立蒙古语言文学系。当时，蒙语系作为国内首次设立的教学单位，师资力量特别薄弱。他通过从蒙古人民共和国聘请专家，从现有人员身上挖掘潜力，采取定向培养等手段增强师资队伍力量，完成了自治区主席乌兰夫提出的要求，即除了实现培养人才的目标外，还要担负起发展内蒙古民族科学文化的任务。为了促进蒙古语文研究，1962年领导建立了蒙古语文研究室，1982年扩建为蒙古语文研究所；为了使蒙古学学科进一步完善，他还倡导建立蒙古文学研究所和蒙古文化研究所，并积极参加了蒙古学研究院的筹建工作。

内蒙古大学的蒙古语言、蒙古文学、蒙古历史及内蒙古地区历史的教学研究，在20世纪80年代有了较快的发展，清格尔泰主持召开了内蒙古大学两次蒙古学国际学术讨论会，形成了内蒙古大学的蒙古学学科群体，1995年成立了蒙古学学院。除了语言、文学、历史学科外，还增加了新闻出版、民族学等教学科研单位，研究领域逐步拓展，取得了大量突出的研究成果。

清格尔泰在教学工作中以身作则，不仅为本科生讲授《现代蒙古语》《语言学概论》《语音学》等重点课程，还于1962年为学校最早招收培养研究生，先后指导硕士研究生10名、博士研究生5名，为培养高层次的蒙古语言科研教学人才，做了先导性的工作。

清格尔泰组织编写、出版了我国第一部大学蒙古语言文学专业教材《现代蒙古语》《蒙汉词典》,并组织编译了《语言学概论》《方言学》和《文学概论》等蒙古语言文学专业重点教材，为蒙古语言文学教材建设做了开创性的工作。

清格尔泰教授的研究工作主要集中在蒙古语族语言的语音语法和契丹文字等领域。在蒙古语族语言的语音语法研究中，主要是为丰富多样的蒙古语族语言的语音和语法形式，从普通语音学、语法学的角度，给一个最准确的说明。他的研究丰富了民族语言学的内容，为我国民族语言学的发展作出了贡献，代表作有《蒙古语语法》和《土族语与蒙古语》等。从研究古代蒙古语的目的出发，与中国社会科学院民族研究所的研究人员共同组织了“契丹文字研究小组”，联合攻关契丹文字，取得了突破性进展，专著《契丹小字研究》的问世，得到了国内外专家学者的高度评价。

多年来，清格尔泰教授发表有关蒙古语族语言研究方面的论文六十余篇；出版专著、教材、论文集十多部；先后主持完成了若干项省部级重点科研项目，对蒙古语族语言研究的发展起到了重要作用。他的研究成果先后获内蒙古自治区第二届哲学社会科学优秀成果一等奖，内蒙古自治区第五届社会科学优秀成果荣誉奖，内蒙古哲学社会科学规划项目优秀学术成果二等奖，全区普通高等学校优秀教学成果二等奖，中国蒙古语文学会优秀论文奖，蒙古文图书荣誉奖，内蒙古社科院《蒙古语言文学》优秀论文奖，全国高等学校人文社会科学优秀成果一等奖、二等奖等奖项。

清格尔泰教授曾多次应邀赴蒙古、日本、韩国、美国、匈牙利、俄罗斯等国出席国际学术会议，并3次在呼和浩特成功地主持召开了内蒙古大学蒙古学国际学术讨论会，为我国蒙古学研究与国际学术交流作出了突出贡献。

清格尔泰教授多次荣获国家或自治区级表彰奖励。1981年，获得内蒙古自治区蒙古语文工作委员会学习与使用蒙古语文一等奖；1984年，获得内蒙古自治区人民政府学习与使用蒙古语文荣誉奖；1985 年，获得内蒙古自治区教育厅颁发的“光荣人民教师”称号；1989 年，荣获“内蒙古自治区劳动模范”、“全国先进工作者”称号；1991 年为享受中华人民共和国政府特殊津贴专家；1993 年，荣获“乌兰夫基金社会科学金奖”；2005 年，荣获“中国蒙古语文学会功勋学者”称号；2005 年，荣获内蒙古大学蒙古学学院“功勋教师”称号；2007 年 12 月 24 日，“中国校友会网大学评价课题组”发布《2007 中国杰出社会科学家研究报告》,公布了中国杰出社会科学家 505 人，清格尔泰教授名列其中；12 月，荣获首届“内蒙古杰出人才奖”。

（郝维民据《名师荟萃》载稿修订）

李 博

李博（1929—1998 年） 1929 年 4 月，出生于山东省夏津县。在内蒙古大学从教近 40 年，先后任讲师、副教授、教授、硕士生及博士生导师，是享受中华人民共和国政府特殊津贴专家。1993 年，当选为中国科学院生物学部院士。曾任中国农业科学院草原研究所所长，农业部重点开放实验室—草地资源生态实验室主任。内蒙古自治区第五、八届人大代表，第九届全国人大代表。

李博 1953 年毕业于北京农业大学农学系，被分配到北京大学生物学系，并任著名植物学家、植物生态学家李继侗教授的研究助教。从 1955 年起，李博开始对北京西山植被进行研究，并先后随李继侗先生参加了黄河中游水土保持考察以及黑龙江大庆、河北坝上等草原考察。1956 年，内蒙古筹建第一批国营牧场，随李继侗先生第一次踏上呼伦贝尔大草原时，李博感叹道：“这是一片处女地，一片天然杰作！”后来，他热情赞美的这片草原成为他倾注毕生心血的地方。1959 年，李博怀着对草原的热爱，自愿支援边疆，毅然放弃了北京大学优越的工作和生活条件，调入内蒙古大学生物系任教。

1958 年，李博教授参加中国科学院治沙队的沙漠综合考察工作。1959 年，带领 18 人的考察队考察了我国第二大沙漠巴丹吉林沙漠。这里流沙面积 3 万平方公里，沙丘高大，起伏达 300 米，夏季烈日如火，沙面温度高达 70℃，一阵风起，流沙滚滚，连骆驼都免不了沙埋之患，故被称为“蟒蛎之地”。为了揭开这块神秘区域的真面貌，李博一行人租用了 72 峰骆驼，驮着人和考察器材及生活用品，开进了与外界隔绝的沙漠腹地。在考察中，有一次大风突起，黄沙蔽日，李博和骆驼被流沙掩埋，多亏骆驼奋力挣扎，从沙土中钻了出来，他才得以逃生。经过二十多天的考察，他们终于顺利地纵穿巴丹吉林沙漠，获得了这一地区难得的动植物区系、植被、水文、地貌等第一手资料，填补了这一地区研究的空白。他的同事这样评价：“他几乎到过内蒙古的每一个地方，走过许多没有人烟的地带，他是用双脚丈量过内蒙古土地的人。”

20 世纪 70 年代，李博教授参与了《中国植被》一书的编写，任该书中干旱、半干旱区植被编写组副组长。与王金亭执笔以及十几位学者参加编写的草原部分，总结了我国草原植被的基本规律，首次把青藏高原的高寒草原列为欧亚草原区的一个亚区。朱彦丞先生和他执笔的“中国植被分类原则、单位与系统”一章，提出了具有中国特色的一个分类系统。该书于 1981 年获全国优秀科技图书一等奖，并获 1987 年国家自然科学二等奖。

1983 年，李博教授与北京大学遥感应用研究所陈凯所长共同主持了国家“六五”科技攻关项目“遥感在内蒙古草场资源调查中的应用研究”，组织全国 9 所高校及其他单位的近百名专家对内蒙古的草场资源全面开展了遥感应用研究，撰写了近百篇论文和专题报告，编制出内蒙古及各盟市的草场资源系列图，包括地貌、土壤、植被、水资源、气象类型、草场类型、土地利用、生态分区等 8 种专题地图，使我国草地资源的调查、评价与制图在方法上迈上了一个新台阶。这项成果于 1987 年获内蒙古自治区科技进步一等奖，1988 年获国家科技进步三等奖。

李博教授在任中国农业科学院草原研究所所长期间，1991 年，提出以生态系统理论和生态工程方法改良和管理草原，主持了国家“八五”科技攻关项目“中国北方草地草畜平衡动态监测”，建立了草地资源数据库，利用 NOAA 气象卫星信息与 GIS，成功地进行了大面积草地估产、草畜平衡评估与监测，建立了我国北方草地资源动态监测系统，使植被研究从静态及瞬时研究进入大范围动态研究，使我国草地资源的信息管理步入国际先进行列。该监测系统在内蒙古锡林郭勒草原试运转获得成功，并于 1994 年获农业部科技进步一等奖，1997 年获国家科技进步二等奖。主持研究的“八五”国家攻关项目“北方草原畜牧业优化生产模式的研究”中的“鄂尔多斯高原沙质灌木草地绒山羊试验区研究”荣获 1997 年农业部科技进步三等奖。主持的国家“八五”重大科技攻关项目“我国草原生物多样性保护技术研究”于 1995 年出版了《草地生物多样性保护研究》论文集。

从 1980 年至 1998 年，李博教授先后 21 次出访 10 个国家参加国际学术活动，为主要组织者之一，还成功地在呼和浩特市主办了 3 次国际学术会议。1987 年 8 月，内蒙古大学与中国人与生物圈国家委员会、中国科学院植物研究所联合发起并主持召开“国际草地植被会议”，任组委会副主席；1993 年 8 月，中国农业科学院草原研究所与中国草原学会、农业部畜牧兽医司联合发起并主持召开“国际草地资源会议”，任秘书长；1997 年 8 月，为庆祝内蒙古自治区成立 50 周年、内蒙古大学建校 40 周年，内大与中国科学院内蒙古草原生态系统定位研究站联合发起并主持召开“蒙古高原草地管理国际学术会议”，任组委会主席。

李博教授兼职国家教育委员会高等学校理科生物教学指导委员会委员、国家自然科学基金委员会生态组评审委员、中国科学院出版基金专家委员会生命科学专业组成员、内蒙古自治区科学技术顾问委员会委员、内蒙古自治区第三届科协名誉主席、北京大学遥感应用研究所兼职教授、四川大学生物防治工程国家实验室兼职教授、中山大学热带亚热带森林生态系统实验中心学术委员、东北师范大学国家草地生态工程专业实验室学术委员会委员兼副主任、兰州大学干旱农业生态国家重点实验室学术委员会委员、中国科学院青海高原生物研究所学术委员、北京师范大学国家教委环境演变与自然灾害开放研究实验室第二届学术委员会主任、中国生态学会副理事长、中国草原学会副理事长、中国自然资源学会副理事长、内蒙古生态学会理事长、中国植被图编委会副主编、《中国草地》主编、《生态学报》副主编、《遥感学报》副主编、《植物生态学报》常务编委等。1998 年 5 月 21 日，李博教授在匈牙利参加第 17 届欧洲草地管理学术会议期间不幸殉职，他把毕生精力献给了内蒙古草原。

（采用《名师荟萃》载稿）

旭日干

旭日干　蒙古族，1940年8月出生，内蒙古哲里木盟科右前旗人。1965年，毕业于内蒙古大学生物系。1982年4月，赴日本留学，专攻家畜繁殖生物学。现任中国工程院院士、副院长。曾任内蒙古大学校长、教授、实验动物研究中心主任。历任国务院学位委员会学科评议组成员、中国科协副主席、国家教育部科技委委员、内蒙古自治区科协名誉主席、中国工程院农业、轻纺与环境工程学部主任和中国农学会副会长、中国畜牧兽医学会副理事长。是全国政协委员，内蒙古党委第六、七届委员，中共十五大、十六大代表。

旭日干在留学期间，在花田章博士指导下，专攻“山羊、绵羊体外受精”重大课题，提出了山羊、绵羊精子药物诱导获能新方法，用于山羊体外受精实验获得成功。1984年3月9日18时10分，世界上首例试管山羊顺利诞生，旭日干被誉为“世界试管山羊之父”。1984年，获日本兽医畜产大学兽医学博士学位后，载誉回国，在内蒙古大学任教。

在内蒙古党委、自治区政府的大力支持下，旭日干创建了具有国际先进水平的实验基地——内蒙古大学实验动物研究中心，在国内率先开展了以牛羊体外受精为中心的家畜生殖生物学及生物技术的研究。主持完成了国家“863”高科技项目等多项科研课题，取得一系列重要突破。1989年，成功培育出我国首胎、首批试管绵羊和试管牛，被评为我国1989年度十大科技成果之一，成为继美国、日本等国家之后拥有该技术的国家之一。2001年，内蒙古大学实验动物研究中心被提升为哺乳动物生殖生物学及生物技术国家教育部重点实验室，2002年，跻身4个国家级动物学重点学科之一。

旭日干教授带领学术团队通过大量的实验研究，深入系统地观察记录了牛羊等重要家畜卵母细胞的体外成熟、体外受精和早期胚胎发生过程，为揭开哺乳动物受精的奥秘提供了科学依据，丰富和拓展了动物胚胎学、生殖生物学和发育生物学科学理论；为性别控制、克隆动物和转基因动物等相关生物高技术的研究提供了丰富而低成本的实验材料，推动了相关技术研究进入快速发展的新阶段。同时系统提出了利用完全体外工作条件工厂化生产、规模化移植试管牛羊胚胎的一整套技术与手段，其卵母细胞的体外成熟率、受精率、发育率、冷冻保存存活率和胚胎移植成功率等各项技术指标达到国际先进水平。创造性地提出了试管内杂交育种新概念和新技术，建立了相应的中试开发基地，成功培育出试管内杂交育种第三代羔羊，为家畜改良和育种开创了新的技术途径。多次应邀赴日本、澳大利亚、加拿大、美国、西班牙、德国等国家讲学和学术访问。发表学术论文一百四十多篇，出版专著译著9部，培养博士、硕士研究生和青年科技人员近百人。1990年以来，带领研究团队完成国家“863”高技术项目、国家火炬计划项目、国家自然科学基金项目和自治区重点研究项目等四十多项，获科研经费三千多万元，科研成果多次获国家和自治区奖励。

旭日干教授在上述研究的基础上，将试管牛羊技术推向产业化。通过全面分析内蒙古畜牧业的历史与现状，以试管牛技术为依托，在良种牛试管胚胎工厂化生产和规模化移植、纯种繁育和商品化生产、本品种选育和种源提供、冷冻精液生产销售、杂交一代商品肉牛生产、胚胎移植技术人员培训和技术服务等方面做了一系列工作，取得明显经济效益和社会效益。在国内建立了多处试管牛技术产业化示范基地，采用生物高技术与畜牧业常规技术相结合的技术措施进行良种繁育，培育出高产优质纯种牛500多头；在澳大利亚、加拿大设立了牛试管胚胎生产实验室，利用国外良种牛遗传资源生产了试管胚胎四万多枚，冷冻保存带回国内用于规模化胚胎移植取得成功，为国外种质资源的批量引入开辟了新的技术途径；建立了国内规模最大的良种牛试管胚胎保存库；建立了自治区胚胎移植技术人员培训中心，为全国近20个省市培训三百余人；在鄂尔多斯恩格贝生态建设示范区建立了绒山羊生物技术繁育基地，利用体外受精、胚胎移植及胚胎冷冻保存技术进行了绒山羊快速繁育研究，培育出五百多只高产优质白绒山羊，开创了从一只供体母羊一次得到12只羔羊的纪录；为保护生态环境，开创了舍饲圈养条件下改善山羊绒品质的生物学研究，取得重要进展。

1993年5月至2006年10月，旭日干任内蒙古大学校长期间，带领学校领导班子，遵循党和国家的教育方针，按照首任校长乌兰夫提出的“双重任务”的办学思想，以建设民族特色、地区特色的高水平大学为目标，以“求真务实”的校训，“团结、严谨、求实、奋进”的校风，弘扬“崇尚真知、追求卓越”的精神，开创办学新局面。特别是以国家教育部“211 工程”建设和省部共建为机遇，推动学校各项事业持续、快速、协调、健康发展，办学条件显著改善，办学水平不断提高，办学实力明显增强，形成了鲜明的办学特色。学校国家重点学科由 1 个增加到 2 个，一级学科博士学位授权点取得零的突破，二级学科博士学位授权点由 5 个增加到 19 个，硕士学位授权点由 15 个增加到 92 个；增设了 3 个博士后流动站，1 个教育部人文社会科学重点研究基地，1 个教育部重点实验室，4 个国家级人才培养基地。在校学生由 1992 年的 300 人增加到现在的 23 000 余人，全日制研究生从七十多人增加到近 3 000 人。本科专业基础型与应用型之比由 1∶2 调整到 1∶4，并增设 MBA、MPA、法律硕士、工程硕士等专业学位点，使内蒙古大学成为自治区高级专门职业人才的培养基地。坚持教学科研并重，学校科技创新和社会服务能力得到显著增强。学校承担的科研项目和科技经费逐年增加，科研成果水平不断提高，社会服务取得长足进展，获国家科技进步二等奖 2 项、国家自然科学三等奖 1 项。

旭日干校长在学校建设方面积极争取自治区政府和社会各界的大力支持，多方筹措资金，学校办学硬件条件得到显著改善。新建了综合教学楼、文体馆、图书馆、留学生楼、化学化工楼、研究生楼、学术会议中心、学生公寓楼、学生浴池、奥都快餐楼，扩建了教学主楼、经济楼、生物楼等重要基础设施，新增建筑面积 17.91 万平方米。校园环境建设不断加强，发展校园环境文化，创建了美丽幽静、品位典雅、特色鲜明、花园式的现代化大学校园；学校公共服务体系和实验室条件显著改善，校本部资产总额由 2.03 亿元增加到 7.82 亿元；同时，启动了占地面积 1 450 亩、建筑面积 35 万平方米的内蒙古大学新校区建设。校本部新建 5 栋教职工住宅楼，在奈伦住宅小区、师大住宅小区、学府花园住宅小区、金宇文苑住宅小区委托建设一批教职工住宅楼。内蒙古大学的国内外学术交流与合作日益扩大，先后与二十余所高校建立了交流与合作关系，有 4 000 多人（次）来校进行学术访问和学术交流，举办了十余次国际学术会议，大批教师先后出国留学和学术访问。创建国际教育学院，招收美国、韩国、日本、蒙古国、俄罗斯、芬兰、德国、法国、英国、意大利、加拿大、澳大利亚、西班牙等 20 个国家的长短期留学生 1 146 人（次），常年在校留学生从无到有，发展到现在的二百余名，学校留学生教育质量在蒙古国、俄罗斯、韩国乃至英、美等国家获得了良好声誉。

旭日干校长为内蒙古大学建设、改革与发展做出了突出贡献。十多年来，荣获内蒙古自治区优秀校长、内蒙古自治区有突出贡献的中青年专家、内蒙古自治区先进工作者、内蒙古自治区优秀专业技术人员、内蒙古自治区优秀共产党员、呼和浩特市十佳市民；国家有突出贡献中青年专家、全国优秀科技工作者、全国高等学校先进科技工作者、国家“863”高技术计划先进工作者、全国先进工作者、全国杰出专业技术人才等12项荣誉称号。荣获内蒙古自治区科技进步特等奖、内蒙古自治区科技进步一等奖、内蒙古自治区科教兴区特别奖、乌兰夫基金奖、首届“内蒙古杰出人才奖”；荣获全国“五一劳动”奖章、国家科技进步二等奖、国家“863”高科技计划突出贡献奖，以及台湾光华科技基金会科技进步二等奖、香港何梁何利基金科学与技术进步奖、美国杜邦科技创新奖、日本创价大学最高荣誉奖、日本家畜繁殖生物学会斋藤奖等16项奖励。是享受中华人民共和国国务院颁发的政府特殊津贴专家。

（郝维民据《名师荟萃》载稿修订）

李冠兴

李冠兴 1940年1月出生，上海市人。1956年至1967年，在清华大学工程物理系读本科、研究生。1967年毕业后，分配到中国核工业总公司二〇二厂（设在内蒙古包头市）冶金研究所，任课题组长、分室主任等职。1982年，在美国俄亥俄州立大学冶金工程系任访问学者。1984年至1990年，在中国核工业总公司二〇二厂冶金研究所任科研副所长、工程师、研究员级高级工程师。1990年始，历任二〇二厂副总工程师、总工程师、研究员级高级工程师。1993年为享受中华人民共和国政府特殊津贴专家。

2001年，李冠兴任二〇二厂厂长以来，积极推进技术创新、机制创新、管理创新，企业的总体面貌发生了较大的变化，确保了军核品科研生产任务的全面完成；建成了我国第一条重水堆核电燃料元件生产线，为我国核电燃料元件国产化奠定了坚实的基础；特别注重使用人才，为二〇二厂建设和储备了一支高水平的科研人才队伍；实施环境工程，职工生活工作环境明显改观。

李冠兴长期从事核材料技术的开发与研究，在金属型核燃料元件、研究堆核燃料元件、靶件和铀材料等方面做出了贡献。1982 年至 1984 年，在美国俄亥俄州立大学冶金工程系访问期间，完成了“二元系统中的反应扩散理论”和《快速凝固三元 Fe-Al-Si 粉末混合压实体的扩散均匀化》课题研究。20 世纪 80 年代，参加某种新型铀合金的研制工作，获原核工业部科学技术进步二等奖。在“八五”和“九五”期间，领导和组织多项国家重点科研项目，在新型铀合金、铀基复合材料的研究和应用方面取得多项成果，为我国铀材料的研究开发作出了重要贡献。先后主持多种研究实验堆核燃料元件和控制棒元件的研制和生产，组建了具有 20 世纪 90 年代先进水平的靶件生产线和铀材料研究与开发重点实验室，改进和完善了铀材料应用研究和生产基地条件。他的多项研究成果获得国家和省部级奖，部分成果还填补了国内空白或达到世界先进水平，为国防事业作出了突出贡献。

李冠兴是中国核工业集团公司科学技术委员会委员，清华大学材料科学与工程研究院核材料学科顾问，核工业铀材料研究与开发重点实验室主任，中国材料研究学会常务理事，中国核学会核材料分会第四届委员会委员，中国复合材料学会第三届理事会金属基和陶瓷基专业委员会委员，内蒙古科学技术协会名誉主席，内蒙古科技大学名誉校长，中共十六大代表，全国政协委员。1999 年，被选为中国工程院化工、冶金与材料工程学部院士。现任中国核工业集团公司二〇二厂名誉厂长、中国科学技术咨询委员会主任、核工业特种材料与开发重点实验室学术委员会主任、中国核工业集团公司科技委员会常委。

（钱占元　撰稿）

刘钟龄

刘钟龄　1931 年 1 月出生，河北省南皮县人。1951 年至 1958 年，在北京大学生物学读本科及硕士研究生，1958 年毕业后分配到内蒙古大学生物学系任教，1987 年被评为教授。1991 年为享受中华人民共和国政府特殊津贴专家。1982 年至 1993 年，任内蒙古大学自然资源研究所副所长、所长。兼任内蒙古自治区科学技术协会副主席（1983—1992 年）、中国自然资源学会常务理事（1983—2004 年）、中国沙漠学会副理事长（1984—1994 年）、人与生物圈国家委员会委员（1984—2001 年）、《干旱区资源与环境》学报主编（1987—1996 年）、内蒙古自治区人大常委会教科文卫委员会委员（1989—1998 年）、中国科学院内蒙古草原生态系统研究站学术委员会副主任（1989—2000 年）。现任内蒙古自治区人文社会科学联合会学术委员。

多年来，刘钟龄教授一直讲授《植物地理学》《植物生态学》《草地学基础》《干旱区植被生态学》《普通生物学》等课程，为中国科学院研究生院和兰州大学讲述草原生态学课程，多次指导野外生态学实习，指导研究生 18 名。先后承担国家科学基金项目、国家科技攻关项目、国家重点基础科学规划研究项目和中国科学院、中国工程院、中国农业科学院的研究项目 20 多项。1958 年至 1966 年，参加内蒙古草原勘察队、中国科学院内蒙古与宁夏综合考察队，开展内蒙古草原与荒漠区植被生态学与植物区系学考察研究。

20 世纪 70 年代，刘钟龄教授主持编著了《内蒙古植被》《内蒙古自然保护纲要》，参与编写了《中国植被》《内蒙古植物志》第 1 版和第 2 版、《内蒙古珍稀濒危植物图谱》《内蒙古农牧业资源》等 12 部专著，发表相关论文五十余篇。这些成果分别获全国科学大会奖 1 项，国家级自然科学二等奖 1 项，国家教委和内蒙古自治区科技进步奖一、二等奖 3 项。被评为内蒙古高等教育先进工作者、内蒙古优秀教育世家，以“生态学专业建设”的成果获国家级教育成果一等奖。

进入 20 世纪 80 年代，刘钟龄教授与青年教师和研究生合作在内蒙古锡林郭勒盟、阿拉善盟进行草原生态系统功能与动态研究，区域景观生态学研究。1979 年起，与一批青年教师一起代表内蒙古大学与中国科学院合作，在内蒙古锡林郭勒盟建立了草原生态系统定位研究站，并担任本站学术委员会副主任职务十多年。二十多年来，先后主持国家自然科学基金项目与课题 13 项；国家科技攻关项目与国家“973”项目的课题 5 项；中国科学院、中国工程院、中国农业科学院委托的研究课题 7 项；内蒙古自治区的科技项目 5 项等。课题内容包括草原生态系统生产力动态研究、草原退化与恢复演替的实验监测草原生态效应的研究、草原改良和营建人工草地的实验生态学研究、草原生态系统健康与动态评价、草原生态功能与服务价值、干旱半干旱区的荒漠化发生机制及生态环境治理对策、北方草原生态地理信息与资源环境数据平台的建立、草原生态安全与可持续发展模式等。发表论文一百余篇，主编与参编专著 16 部，获教育部和省级科技进步奖一、二等奖 4 项，并获地球奖。

1981 年，刘钟龄教授受学校的委托，筹建内蒙古大学自然资源研究所，任副所长、所长，组织全所人员在草原生态学研究和多项国家自然科学基金项目的实施等方面作出很多成绩。此外，于 1983 年至 1992 年，兼任内蒙古科学技术协会副主席，组织了多次有关生态科学与环境资源科学的国际与国内学术会议。1987 年至 1996 年，主编学术期刊《干旱区资源与环境》（1—10 卷）。

刘钟龄教授在我国北方植被生态学和草原生态学领域中做出了突出的贡献，对我国草原地区的可持续发展提出了科学思考。主要有：在前人研究基础上，阐明了内蒙古及邻近地区种子植物区系成分及物种演化的古地理背景，揭示了北方草原植物区系多样性起源和演化历程；在植被生态学研究中，详细论述了横跨东北、华北与西北的内蒙古及相邻地区，沿着纬向和经向相交的地域分化梯度，所形成的北方寒温针叶林、华北夏绿林、中温型草原、暖温型草原和暖温型荒漠的生态地理分异规律，取得了北方地区的生态地理分区研究成果，为我国北方的自然划区、资源合理利用、产业发展规划、环境保护和国土生态安全提供了基础科学资料与成果；在内蒙古典型草原生态系统第一性生产力动态研究中，持续进行了 26 年定位监测，初步分析了植物种群产量与能量分配的关系，揭示了气候年际波动与植物种群间的补偿效应和自组织功能，探讨了季节动态和年度间对水热条件及全球变化的响应；对超载放牧所引起的草原退化演替和封育禁牧的恢复演替，连续进行了 24 年定位观测和广泛调查，阐述了草原退化与恢复演替系列类型、演替阶段性、退化草原的诊断指标、演替的动力机制等；面对当前草原退化的现实，提出了“建成北方草原生态安全体系是可持续发展根本大计”的思考，对草原退化与环境恶化的原因和机理进行了科学的探讨，提出了草原生态保育和产业发展的科学方案。

进入新世纪，刘钟龄教授继续针对草原生态安全与可持续发展的要求进行研究和培养人才。虽已退休，但仍承担着国家自然科学基金项目和国家“973”项目《草原生态系统健康与动态评价》《草原生态功能与服务价值》《干旱半干旱区的荒漠化发生机制》及《生态环境治理对策》等课题研究。为中国科学院研究生院和兰州大学讲授《草原生态学》等课程，继续实现他将一生奉献给草原的志愿。2007 年 12 月，荣获首届“内蒙古杰出人才奖”。

（郝维民据《名师荟萃》载稿修订）

罗辽复

罗辽复 1935 年 9 月出生，上海市人。1958 年 7 月，以优异的成绩毕业于北京大学物理系，响应党和国家支援边疆建设的号召，来到内蒙古大学任教。现任内蒙古大学理工学院物理系教授、博士生导师。兼任全国物理学会理事、全国生物物理学会理事、理论生物物理专业委员会主任、内蒙古科协副主席、内蒙古物理学会理事长、国家自然科学基金委员会学科组成员、International Society for the Study of the Origin of Life 成员等。曾任北京大学、西安交通大学、苏州大学、南京师范大学、南京大学、清华大学（台湾）等校兼职教授。

内大物理系和内大的基本粒子理论研究在国内有一定的影响，是与罗辽复教授的工作分不开的。1976 年 6 月，诺贝尔奖获得者杨振宁在访华观感中指出：“处于边远地区的内蒙古大学都有许多先进的科学成就”，就是指罗辽复及其课题组的成果。1978 年，他的基本粒子理论研究获科学大会奖，被国家列入首批理论物理硕士点。在粒子物理和高能天体物理理论研究方面，罗辽复曾在国内外重要期刊上合作发表论文七十余篇（其中十余篇被 SCI 收录），受到国内外专家的赞誉。为了拓宽理论物理学的研究方向，他于 1982 年在国内率先转向理论生物物理研究，在这一新兴交叉学科领域进行了系统的具有开创性的研究。获得国内外同行这样的评价：“在内蒙古大学有一个实力很强的组在罗先生领导下从事进化理论各方面的研究，他们肯定是中国在该研究领域最强的一个组，从其国际声誉就可证明这一点。”在理论生物物理研究方面，主持完成科研项目十余项，其中有国家自然科学基金重大项目两项；发表科研论文一百八十余篇，其中四十余篇发表于 SCI 所收录的国际核心期刊。他领导科研小组完成的核酸序列信息的理论研究，获 1999 年国家自然科学三等奖。他的《理论生物物理学论文集》(1995) 和《Collected Works on Theoretical Biophysics》(1997) 两部文集，反映了在理论生物学科中较为系统的开创性工作，受到国内外同行的重视和好评。1997 年，他主持召开了理论生物物理国际会议，他的小组的工作受到与会专家的高度评价，会议的全部论文被 ISTP 和 CA 收录。2001 年，出版专著《生命进化的物理观》,用物理学观点来研究生命进化，荣获华东优秀科技图书一等奖。

罗辽复教授在内蒙古大学物理系的建系，理论物理、生物物理建立硕士点，理论物理建立博士点以及形成具有特色的理论生物物理方向等方面发挥了突出的领导作用。他非常重视教材建设和教学研究，主编过多门课程的讲义和教材，代表作有《量子场论》和《非平衡统计》,这两部教材已被国内众多高校选用。

四十多年来，罗辽复坚持在教学科研第一线勤奋工作，为国家和自治区的教育科研事业作出了突出的贡献。1978 年，获全国科学大会先进工作者奖；1980 年，获内蒙古科技成果一等奖；1986 年，获国家有突出贡献的中青年专家称号；1989 年，获国家教委科技进步二等奖；1990 年，国家教委、国家科委授予其“全国高校先进工作者”称号，为享受中华人民共和国政府特殊津贴专家；1994 年，获乌兰夫基金基础科学金奖；1996 年，获国家教委高校优秀教材二等奖；1996 年，获内蒙古高校教学成果一等奖；1999 年，获宝钢教育基金优秀教师特别奖、国家自然科学奖三等奖等奖项；2000 年，被评为“内蒙古自治区劳动模范”；2006 年，被评为“全国杰出专业技术人才”。

（采用《名师荟萃》载稿）

马毓泉

马毓泉　1916 年 2 月出生，江苏省苏州市人。1935 年，考入北京师范大学生物系，1936 年，转入北京大学生物系。1937 年，日本全面侵华，马毓泉决心从军救国，1938 年春，考入黄埔军校，作为第 15 期学员受军事训练 15 个月，于 1938 年毕业，被分配到国民党七十一军三十六师参谋处。服役期间先后担任少尉、中尉附员、上尉参谋。1943 年，退伍来到昆明的西南联合大学生物系三年级继续学习，受教于名师张景钺、陈桢、李继侗、赵以柄等，1945 年毕业留校任教，从此开始了他拼搏五十多个春秋的学术生涯。

1957 年春，北京大学召开支援边疆创建内蒙古大学大会。李继侗教授接受委任担任副校长，跟随支边的教师有：沈霭如、马毓泉、李博、刘钟龄等十余人。来校后，沈霭如任生物系系主任；马毓泉负责教植物分类学。1958 年春，李继侗副校长对马毓泉提出科研任务："团结多数同志，采齐内蒙古全区植物标本并建立标本室和编写《内蒙古植物志》。"1959 年，内蒙古大学生物系参加了内蒙古科委组织的全区高等院校和有关科研单位，进行全区普查植物与采集标本的工作，分工合作，到 1961 年共用 3 年时间完成。从 1962 年起，内大生物系师生暑假实习的重点就是在大青山、贺兰山、大兴安岭及阿拉善荒漠等地采集标本，前后达十余年。每年寒假他们集中精力鉴定植物标本与登记分科、属、种，筹建植物标本馆的工作。马毓泉先生等人经过多年艰苦努力的工作，从无到有，建立起内蒙古大学植物标本馆和资料室。标本室藏有植物标本 200 科，八百余属，四千余种，近 10 万号标本。植物标本馆和资料室同国外许多大学、植物园、研究所、图书馆有着交流关系，被国际所公认。内大植物标本馆已成为内蒙古地区最大的植物标本信息库，对我国华北、西北地区的植物分类和区系研究，乃至对蒙古高原和中亚植物区系的研究，发挥着巨大的作用。美国纽约植物园出版的《世界植物标本馆索引》第 7 版（1981）、第 8 版（1990）都介绍了内蒙古大学植物标本馆（HIMC），并介绍了几位为标本馆收集和制作大量标本的人，其中马毓泉名列首位。

马毓泉等人采齐了内蒙古全区的植物标本，为编写《内蒙古植物志》作好了准备。1976 年，"内蒙古植物志编辑委员会"在内蒙古科委和内蒙古大学领导下成立，马毓泉任主编，有 16 个单位的四十余位专业人员参加编写。1976 年至 1985 年，经过大家的努力，《内蒙古植物志》第 1 至 8 卷，由内蒙古人民出版社正式出版，全书共400余万字，附图1 036幅，记载了内蒙古生长的维管束植物131科，660属，2 167种。《内蒙古植物志》是中国少数民族地区出版的第一部植物志，向国内外发行，受到国内外专家和读者的好评，并荣获1987年国家教委科技进步二等奖和1988年内蒙古自治区科技进步一等奖。1989年至1998年，又经过全体人员的继续努力，对志书进行了大量的充实与修订，出版了《内蒙古植物志》（第二版）第1至5卷，获得2002年教育部科技进步二等奖。在科委和卫生厅的领导及马先生的主持下，《内蒙古植物药志》于1988年至2000年相继出版了第1至3卷，约300万字，该志收载了中、蒙药共1 196种，附图623幅，对重要的药用植物进行了生药形态、理化鉴定、化学成分、药理实验、栽培技术等方面的分析，为合理利用与开发本区药物资源提供了有价值的参考资料。马毓泉先生还主编了《内蒙古经济植物手册》《内蒙古大青山区种子植物检索表》《大青沟自然保护区植物考察报告》《鄂伦春自治旗植物考察报告》。1992年，马毓泉作为副主编参与编写了《内蒙古珍惜濒危植物图谱》,1995年，出版了《马毓泉文集》,选编了马先生从1951年至1994年期间发表的论文31篇。

马毓泉先生支边50年，在教学与科研工作中的成就卓著，获得许多表彰奖励和荣誉称号。1985年，获内蒙古教育工作30年人民教师称号；1990年，获国家教委“从事高教科技工作40年，成绩显著”荣誉证书；1992年为享受中华人民共和国政府特殊津贴专家；1998年，获中国植物学会“从事植物学工作50年中，为中国植物学发展做出重大贡献”奖等。

（采用《名师荟萃》载稿）

曹之江

曹之江　1934年11月出生，浙江省上虞县人。1953年，考入北京大学数学力学系，他德智体全面发展，学习成绩全优，1956年，被授予北京大学优秀生奖章、奖状，并被委派师从知名教授申又枨先生。

曹之江于1957年来到内蒙古大学任教，对经典Sturm-Liouville理论中边界条件不正规的非自伴情形的谱分布与特征展开，对三维空间孤立奇点邻域微分系统轨线的几何分布性态，以及对平面齐次系统轨道的完全拓扑分类等 3 个属不同分支领域的问题均给予了系统而完全的解答，完成的论文均有较大创新与难度。

改革开放以来，曹之江的注意力转向以现代量子力学为主要背景的微分算子理论，当时该领域的研究在国内尚属空白。1980 年，他首次向国内学术界系统介绍并引进奇异对称微分算子的亏指数理论，建立讨论班，培养研究队伍。1982 年，以一种全新的方法，一举攻克了奇异对称微分算子自伴性的完全描述这一国际 10 余年未能解决的悬题，论文立即引起国内外同行专家的关注与赞誉。1983 年，被国家教委破格晋升为教授。此后，他所领导的科研集体先后承担完成国家自然科学基金研究项目 6 项，内蒙古自然科学基金项目多项，发表创造性研究论文上百篇，出版专著 2 部，获国家教委和内蒙古自治区科技进步奖各 2 项。

20 世纪 80 年代以来，曹之江教授担任内蒙古大学副校长、数学系主任 16 年，兼任国家教委教材编审委员会、教育部数学力学教学指导委员会理科数学指导组组长 18 年，兼任内蒙古数学学会理事长 12 年。四十余年从未离开教学第一线，先后获国家优秀教学成果奖、宝钢教育基金优秀教师奖、第一届高等学校教学名师奖等奖项。

曹之江教授长期从事教学理论钻研和实践以及对数学教学的诸多深层次的理性思考，写出并发表了《大学数学教育与新世纪人才培养》《知识与智慧》《数学的认知与数学的教学》《一项大胆的教育创新工程》《文科教育与数学文化》等多篇具有精辟见地的教研论文，两次获中国高等教育研究会高等教育研究优秀成果奖。还致力于研究编著本科基础课教材，先后出版《微积分学简明教程》（上、下）、《数学分析基础原理》和《常微分方程简明教程》等教材。《微积分学简明教程》被教育部确定为“面向 21 世纪课程教材”，其修订本目前又被列入国家“十五”规划教材。他共出版论著 8 部 10 册，其中除 2 册属学术专著、2 册译著（G. Polya《数学的发现》）外，均属基础课教材。多年来一直讲授并负责建设的《数学分析》课程，被教育部评为 2003 年度国家精品课程，是西部地区为数不多的国家级精品课程之一。

1987 年至 1995 年，曹之江教授致力于全校教学与学科建设，进一步建立严格的学位评定与职称评审制度，推进教学与科研管理体制改革，增强了教学科研良性循环机制等，为内蒙古大学的建设和发展做出了重要贡献。

1982年至2000年，曹之江教授任教育部教材编审委员会及教材指导委员会理科数学组组长，参与起草制定多项教学文件，制定了“六五”至“九五”的教材建设规划，多次成功组织高校之间的教学与教改交流研讨会，指导并具体协助全国理科高等教学研究会的工作，组织领导全国高校CAI（计算机辅助教学）课件的制作与推广项目。

1994年，曹之江高屋建瓴地提出冲破现行数学、物理相互分离的单行教学模式，创办一种数理紧密结合的新型数理学人才培养模式的构想。由他牵头联合内蒙古大学数学系和物理学系，大胆地向教育部提出在内蒙古大学试办数理学人才培养基地的申请，获教育部高教司批准试办。1995年秋，内蒙古大学数理学人才基地跨学科专业的新型理科教学模式由构想转入实践，数理基地班至今已招收9届学生，取得了鼓舞人心的成绩。2005年，数理学基地通过国家基金委和教育部组织的中期评估，转为正式的国家级人才培养基地。

1995年至2000年，曹之江参与了清华大学萧树铁教授主持的教育部“面向21世纪理科高等数学教学内容与课程体系改革研究”教改项目，任副总负责人和子项目组组长。1999年至2003年，主持完成世行贷款的教育部高等教育教学改革工程项目“地区性高校理科本科人才培养模式多样化的探索和实践”，对数理学人才培养基地这一全新理科教育模式的成功实践，从教育与认知的理论高度进行了进一步研究和总结，取得一系列成果，获项目验收专家组高度评价。

（采用《名师荟萃》载稿）

李　迪

李迪　1927年10月出生，吉林省伊通县人。1954年，毕业于东北师范大学数学系，留校任教。1956年8月，支援边疆建设来到内蒙古师范学院数学系任教。1983年至1996年，任内蒙古师范大学科学史研究所学术负责人、所长；1979年晋升为副教授，1983年晋升为教授，任硕士研究生导师。1986年加入中国共产党。曾任内蒙古师范大学学位委员会委员，《内蒙古师范大学学报》（自然科学版）编委、校学科建设学术顾问；兼任中国自然辩证法研究会理事、中国科技史学会理事、中国科技史学会少数民族科技史研究会会长，美国《数学评论》评论员、国际数学史理事会理事、美国圣迭戈加州大学《东亚科学史丛书》编委、印度数学史学会会刊《Ganita Bharati》编委，2002 年，当选为国际科学史研究院通讯院士。

李迪教授长期工作在教学第一线，给本、专科学生讲授过《初等几何》《解析几何》《球面三角》《高等几何》《高等数学》《机械制图》等课程，给研究生讲授过《中国数学史》《外国数学史》《数学史文献选读》《中国科技史》《外国科技史》《自然辩证法》《中国物理学史》《中国少数民族科技史》《科学史学》等课程。主编供本科与研究生兼用的《中外数学史教程》、研究生用的《中华传统数学文献精选导读》。先后培养 20 多名研究生，有相当一部分继续深造，取得博士学位，有些还成为了博士生导师，科教单位学术研究骨干。

李迪教授在数学史、少数民族科技史、天文学史、物理学史、地学史和科学史理论等科研方面取得大量成果，发表论文四百多篇，著作（包括与他人合作）二十多部，主编论文集等三十多部，参加吴文俊主编的《中国数学史大系》,任副主编之一。他对科学史研究、跨学科之广、论著之多在国内少见，提出的许多新观点，发掘出的许多新史料，得到国内外学术界的一致肯定，被誉为“中国的李约瑟”，其著作《中国数学史简编》,被译成日文出版。

李迪教授曾参加国家自然科学基金项目 3 项，主持国家自然科学基金项目 1 项和天元数学基金项目 2 项，主持内蒙古自然科学基金项目 1 项，主编国家社会科学“十五”重点项目《蒙古学百科全书·科技卷》等。其科研成果和论著多次获奖：与他人合作的《天文史话》获中国史学会与中国出版协会“优秀爱国主义科普著作奖”；主编的《中国少数民族科技史丛书》获“国家优秀图书提名奖”（相当于二等奖）；一组科技史论著于 1980 年获内蒙古自治区人民政府三等奖；《中国科学史论著》于 1993 年获内蒙古科技进步二等奖以及内蒙古师范大学科研优秀成果奖；《中国算学数目汇编》于 2003 年获自治区社会科学优秀成果荣誉奖。

李迪教授曾应邀出席日本、比利时、英国、美国、韩国、澳大利亚、法国等国和香港地区的国际学术会议，主办或参与主持全国数学史会议、全国少数民族科技史会议、中国少数民族科技史国际会议（4 次）、东亚科学史会议（3 次）、中国科学史国际会议（8 次）、汉字文化圈数学史国际会议（4 次）等，并在这些会议上担任大会主席、学术委员会主任、国际顾问委员会委员等职务。是第六届内蒙古政协委员。

李迪教授于 1986 年，获“内蒙古自治区劳动模范”“先进科技工作者”称号；1991 年为享受中华人民共和国政府特殊津贴专家；1997 年，获“曾宪梓教师奖”三等奖；2002 年，获全国老教授协会“科教工作优秀奖”。

（钱占元据《内蒙古师范大学志》载稿修订）

斯力更

斯力更　蒙古族，又名巴凌云，1931 年 6 月出生，内蒙古土默特旗人。1956 年，加入中国共产党。1958 年，毕业于河北师范大学数学系，留校在数学系任教。其间，在南开大学进修两年。1981 年至 1983 年，调任内蒙古师范学院数学系副主任，1983 年，晋升为教授；1983 年至 1991 年，历任中共内蒙古师范大学委员会常委、校学术委员会副主任、校学位委员会委员、内蒙古师大数学研究所所长，兼任内蒙古国际文化交流中心理事、《内蒙古师范大学学报》（自然科学版）编委、《数学研究与评论》编委。1989 年以来，先后被聘为美国《数学评论》评论员、美国传记研究会（ABI）和英国剑桥国际传记中心（IBC）顾问。多次参加内蒙古高校的评职和国家、内蒙古中青年专家和自治区高等教育“211 工程”的评选工作。

斯力更教授从事高校数学教学工作 47 年，主讲过数学系的基础课、专业课、选修课和研究生课以及物理系的高等数学课，对泛函微分方程稳定性的研究有相当造诣，特别对中立型泛函微分方程稳定性的研究有丰富的经验和独特的风格，是微分方程学科的学术带头人。主编教材《常微分方程讲义》（内蒙古教育出版社），1989 年，获内蒙古优秀教学成果二等奖，1995 年，获国家教委优秀少数民族文字教材一等奖。1983 年以来，培养硕士研究生 14 名，指导研究生在《中国科学》《科学通报》《数学学报》《数学年刊》和《应用数学学报》等学术期刊上发表论文二十余篇；1983 年以来，指导青年教师 5 名，其中 1 名已取得博士学位，1 名已取得同等学历硕士学位。

斯力更教授在科研方面，1963 年以来，在《科学通报》《数学学报》《数学年刊》《数学物理学报》和《Nonlinear Analysis》等中、外学术期刊上发表论文七十多篇；1983 年以来，接受《中国科学》等 8 种国家一级期刊编辑部委托审稿百余件；应邀评审博士、硕士学位论文多篇；审阅大学学报及其他文稿多件；应邀撰写评论稿并在美国《数学评论》发表评论文章近 20 篇；多次出席国际和全国性学术会议，1990 年于香港出席了首届亚洲数学家大会。两次主持国家自然科学基金项目，一次主持全国高师面向 21 世纪教改项目，3 次主持内蒙古自然科学基金项目。出版专著《中立型时滞系统的运动稳定性》《带有时滞的微分不等式与微分方程》。1980 年以来，科研成果分别获内蒙古科技进步奖一、二、三等奖。

斯力更教授于 1987 年获“内蒙古教育系统特殊贡献奖”；1988 年以来，被评为内蒙古有突出贡献的中青年科技专家、内蒙古自治区劳动模范、内蒙古优秀科技工作者；1988 年，当选第七届全国人大代表；1991 年为享受中华人民共和国政府特殊津贴专家；1993 年，获“曾宪梓教育基金会”高师教师二等奖；1998 年被评为全国教育系统劳动模范、全国模范教师；1999 年，获全国“五一”劳动奖章。

（钱占元据《内蒙古师范大学志》载稿修订）

能乃扎布

能乃扎布 蒙古族，1939 年出生，内蒙古哲里木盟科尔沁右翼中旗人。1961 年，毕业于南开大学生物系，分配到内蒙古师范学院生物系任教。1981 年，加入中国共产党。1993 年，任内蒙古师范大学生物系主任、动物学教授、硕士研究生导师。1995 年至 1997 年，任内蒙古师范大学副校长。1999 年，任内蒙古师范大学昆虫研究所所长。是全国科协第四、五届委员，内蒙古政协第六、七届委员，内蒙古自然科学基金评审委员会副主任，内蒙古大中专蒙文教材编审委员会副主任，中国昆虫学会常务理事，内蒙古昆虫学会理事长，内蒙古科协副主席，全国科技成果评审委员会评审专家，英国伦敦皇家昆虫学会会员，蒙古国寄生虫学会名誉会员，蒙古国国立师范大学名誉博士。2001 年，被蒙古国科学院生物研究所聘为国外博士生导师、自然科学院国外院士。

能乃扎布教授长期从事动物学教学和研究工作，使用蒙汉两种语言讲授《动物学》《昆虫学》《半翅目分类学》等十几门不同层次和内容的课程。主持多项国家、自治区级科研课题，共收集半翅目昆虫标本七百多种，二十多万只，并订正了十多个国内外误定的昆虫名称，鉴定发现上百个新种昆虫，在昆虫分类学方面的成果处于该学科领先地位。在自治区首次建立了昆虫标本馆，现储藏各类昆虫标本三百多万种。对害虫进行系统的生物学特性研究，为害虫的综合治理和农牧业持续发展提供科学依据，对我国半翅目昆虫的研究做出了积极的贡献。多年来讲授过研究生、本科生及专科班基础课、专业课、专题讲座等共计 13 门，编写出版《无脊椎动物学》《动物学实验》《昆虫分类学检索表》《生物学蒙文名词术语》《昆虫学》等教材。主编《内蒙古昆虫志》《内蒙古动物图鉴》《昆虫分类检索》；参加编写《中国经济昆虫志》《内蒙古经济动物名录》等著作。

能乃扎布教授承担国家、自治区及厅（局）级科研项目 15 项，撰写学术论文九十余篇，专著近 10 部。主持了 1995 年“中国昆虫学会分类学年会”、1998 年“21 世纪生命科学展望学术会议”、1999 年内蒙古师范大学举办的“中美基础教育研究会”、2001 年“蒙古高原生物多样性国际学术研讨会”等国内外学术会议。曾赴德国、俄罗斯及蒙古国学校交流及讲学等。1988 年，被评为国家级有突出贡献的中青年专家，1991 年为享受中华人民共和国政府特殊津贴专家。1993 年，获乌兰夫基金科研银奖、“曾宪梓教育基金”二等奖。研究成果于 1990 年和 1997 年获内蒙古科技进步一、二等奖。2000 年，获中国科学院科技成果二等奖（参加者）。2001 年，获国家科技进步二等奖（参加者）。先后被评为自治区优秀教师、内蒙古先进工作者和内蒙古优秀科技工作者，多次荣获学校科技成果奖和先进工作者奖。

（钱占元据《内蒙古师范大学志》载稿修订）

陆家羲

陆家羲（1935—1983 年）　1935 年 6 月 10 日出生于上海市。自幼聪明好学，成绩优秀。他父亲是上海的一个小贩，13 岁那年父亲因病去世。因生活拮据，中途辍学，在一家汽车五金材料行当学徒，锻炼了他坚强奋进的品格。1951 年，考入东北电器工业管理局统计训练班，3 个月后被分配到哈尔滨电机厂生产科任统计员。由于努力工作，刻苦钻研，多次被评为先进工作者。每天下班后到很远的市区上夜校，补习高中课程，进修俄语；利用业余时间广泛涉猎天文、地理、文学、哲学等各科知识。1957 年，偶然读到一本《数学方法趣引》,书中妙趣横生地介绍了十多个世界著名难题，其中《寇克曼女生问题》和《斯坦纳系列》强烈地吸引着他。这两个问题是组合学中的世界难题，向人类思维进行了多年的挑战。他产生了一个大胆的设想，要想法解决这个组合学极古老的数学分支，即中国古代发明的“纵横图”（又叫“幻方”）美妙的设计之一。同年，考入东北师范大学物理系。1961 年毕业分配到内蒙古，先后在内蒙古包头钢铁学院、包头市教育局教研室、包头市八中、五中、二十四中、九中任物理教师。

陆家羲利用教学之余，长期从事组合数学研究，默默无闻地攻克世界数学难题。国外的数学家有设备齐全的研究室、先进的电脑设备、充足的经费、得力的助手、自由支配的时间和发表论文的刊物，而陆家羲连宽敞一点的住房也没有，一家 3 代 5 口人挤在一间半小房里。没有研究经费，很大一部分工资用于买书、买资料了，出席全国性学术会议的路费是向人借的，穿的裤子几乎成了百纳衣。几年来他一直教高中毕业班的物理课，代的课又最多，每天讲课、批作业、辅导，占去了全部上班时间。晚上，学生们还相邀到他家补课，还要辅导女儿，做家务。他只能采取熬夜办法，等别人都睡了以后，再伏案推理计算、查阅资料，经常熬到深夜，10 年没有好好睡过觉。1961 年，完成《柯克曼四元组系列》论文，后专攻“斯坦纳系列”，创造出独特的引入素数因子的递推构造方法，完成总题目为《不相交的斯坦纳三元系大集》等 7 篇论文，解决了国际上组合设计理论研究中，多年未解决的世界著名的“柯克曼”数学难题。1963 年、1965 年两度改写、扩充，但未能得到有关部门的重视和发表。此后，他进一步对更大的数学难题“斯坦列大集定理”进行研究，经过 25 年攻关，终于在 1979 年至 1981 年证明了组合数学史上“大集定理”这一世界数学难题。1983 年初，美国加利福尼亚《组合论杂志》一并发表了他的《论不相交斯坦纳三元系大集》等 3

篇论文，并给予极高的评价，认为这是震动世界的科研成果。是年夏天，陆家羲应邀参加在大连举办的全国数学会议，宣读了他的两篇论文。令加拿大著名数学家曼德尔逊感到惊讶的是，陆家羲竟是一个普通的中学教员。曼德尔逊激动地对中国教授们说，他的成就“是世界上 20 年来设计组合方面最重大的成果之一”，是“出类拔萃的”，“在此之前，我们没有料到斯坦纳问题会这么快就得到解决”。他与班迪教授表示，他们将向加拿大全国科学基金会建议，以著名学者的礼遇，邀请陆家羲在 1984 年赴加拿大讲学。1983 年 3 月和 1984 年 9 月，美国《组合论杂志》刊出了陆家羲的《关于不相交斯坦纳三元系大集Ⅰ—Ⅵ》,宣告这一问题的整体解决，指出这是 20 世纪 60 年代以来，区组设计理论中最重要的成就之一。他的研究成果令中外数学家惊叹不已，一致评价是“世界第一流的”，“起码不在陈景润之下”。

1983 年 10 月 31 日，陆家羲积劳成疾，英年早逝，年仅 48 岁。这位攻克两大世界数学难题、摘取两颗数学明珠的数学家，逝世的唁电通过新华社向全世界播发出去后，国内外知名教授、学者纷纷发来唁电，表示惋惜。新华社播发的唁电指出：陆家羲在短短 48 载的一生中，所表现出的那种自强不息、锲而不舍的献身精神，正是我们民族伟大的自立向上的精神的体现。他证明了中国人有足够的聪明才智和坚强毅力，登绝顶、攀高峰，使中华早日振兴，必将支持着中华民族崛起于世界的东方。1984 年 9 月，在呼和浩特召开了“陆家羲学术工作评审”会议，充分肯定了其论文的学术意义和历史价值，并建议出版《陆家羲论文集》（中文、英文版）。1984 年，陆家羲被自治区教育厅追认为特级教师；1987 年，被国家科委追授国家自然科学一等奖；1989 年 2 月，《关于不相交斯坦纳系列三元系大集》荣获中国第三次“国家自然科学”一等奖。

（钱占元　撰稿）

陈　山

陈山　蒙古族，祖籍辽宁建平县，1935 年 7 月 5 日出生于内蒙古哲里木盟科右前旗。1955 年，毕业于内蒙古师范学院蒙授生物化学科。1957 年至 1959 年，师从南京大学耿北礼教授进修植物分类学。1982 年，在内蒙古师范学院外语系学习英语。1965 年至 1985 年，在中国农业科学院草原研究所任副研究员、研究室主任、副所长、学术委员会主任。1986 年，晋升研究员。1986 年至 1989 年，在中国农业科学院兰州畜牧研究所任党委书记兼所长。1989 年至 2006 年，在内蒙古师范大学任副校长。1980 年至 1985 年，兼任中国草原学会副理事长。1993 年至 2003 年，兼任内蒙古植物学会理事长。1980 年至 1986 年，兼任国家农业部北方草场资源调查办公室主任。1980 年至 1990 年，兼任国家林业部三北防护林农业区划办顾问。1995 年，被聘为国家教育部高校蒙文教材评审委员兼理科组组长。1992 年至 1995 年，兼任内蒙古高等学校蒙文教材编审委员会副主任兼秘书长。1994 年至 2006 年，兼任内蒙古蒙古语名词术语委员会副主任。1991 年至 2001 年，受聘英国剑桥大学“内亚环境与文化保护”项目高级顾问，曾两次前去短期工作。

陈山教授于 1994 年被聘为“曾宪梓教育基金会”评审专家；1995 年，被聘为“香港柏宁顿（中国）教育基金会”评审专家；2001 年，当选蒙古国科学院外籍院士；2004 年，被聘为蒙古国立师范大学博士生导师；1998 年，被聘为国际植物化感（IASO）学会国家协调员。1979 年，兼任《中国草原》杂志副主编；1995 年，兼任《内蒙古师范大学学报》（自然科学版）主编。是俄罗斯地理学会（RGS）会员、美国科学促进协会（AAAS）会员。

陈山教授于 1959 年至 2005 年，考察了巴丹吉林沙漠、呼伦贝尔草原、青海环湖草原、锡林郭勒草原牧草资源、新疆伊犁草原牧草资源、松嫩草原、贵州草山草坡牧草资源、海南岛饲用植物资源。2005 年，赴蒙古国考察了东戈壁、戈壁松布尔、达尔汗、色楞格、布尔根、外杭爱、内杭爱、中戈壁、鄂尔浑、中央省及乌兰巴托地区的草原。多次应邀赴澳大利亚、英国、俄罗斯、美国进行学术交流访问。1998 年至 2006 年，先后 6 次应邀去蒙古国讲学、考察、学术交流与指导博士生。

陈山教授的教学与科学研究涉及“植物分类学”、“草原学”、“民族植物学”及“生态学”学科领域。在“植物分类学”方面，于 1977 年至 1998 年，他任副主编与马毓泉（主编）、富象乾（副主编）等编写完成《内蒙古植物志》两版，该志包括内蒙古所产植物 2 442 种，获内蒙古科技进步一等奖、国家教委科技进步二等奖及中国高校科技成果二等奖。1979 年，陈山与高瓦发现“内蒙古鹅观草（Roegneria intramongolica Sh. Chen of Gaowa）”新种牧草，获农业部技术改进四等奖。在“草原学”方面，于 1979 年在中国农业科学院草原研究所倡导成立了中国第一个“牧草种质资源研究室”并任研究室主任；1983 年，招收中国第一批牧草种质资源硕士研究生，首次讲授了《牧草种质资源学》课；主编的《中国草地饲用植物资源》于 1994 年由辽宁民族出版社出版，包括饲用植物 6 704 种，是包括牧草种类最多的科学专著。主持的《中国温带、亚热带及热带典型地区牧草资源考察及资料编写》于 1988 年获中国农业科学院科技进步二等奖，该成果于 1992 年被美国科学院出版社出版的《中国北部草地与草地科学（Grasslands and Grassland Sciences in Northern China）》转载；1996 年，在英国剑桥大学发表了《内亚草地退化与植物演变（Inner Asian Grassland Degradation and Plant Transformation）》一文，均属草原研究的成果。在“民族植物学”方面，于 1984 年在东北、内蒙古三省一区植物学会学术讨论会上宣读了《应该重视民族植物学的发展》一文，成为中国北方有关研究民族植物学的第一篇学术论文。陈山于 1996 年又提出了“蒙古民族植物学（Mongol-Ethnobotany）”的概念，阐述了蒙古民族植物学研究的科学内涵；于 1992 年在剑桥大学宣读的《植物命名与蒙古文化（Botanical Nomenclature and the Mongolian Culture）》，引起了文化人类学家们的重视。在“生态学”方面，1994 年，与孙金铸教授共同主编出版了《内蒙古生态环境预警与整治对策》专著，对内蒙古生态环境保护提供了科学依据；于 2003 年蒙译了陈寿朋教授主编的《生态道德教育读本》，在我国使用蒙古文语的八省区交流。

陈山教授是我国著名植物学家、草地学家、教育家。在五十多年的教学与科研工作中，为专科生、本科生和研究生讲授《种子植物分类学》《植物系统学》《禾本植物学》《牧草种质资源学》《草业科学》《民族植物学》及《植物学拉丁文》等课程；培养了硕士研究生 12 名，博士研究生 4 名（包括国外博士生 3 名），主持和主要参加完成的获奖科研项目有 11 项之多，其中全国科学大会奖 1 次、省部级一等奖 1 次、二等奖 6 次。

陈山教授为教育与科学事业做出很大贡献，国家给予他崇高奖赏：1990 年，内蒙古自治区人民政府授予他“有突出贡献的中青年专家”称号；同年，国家教委、国家科委授予“全国高校先进科技工作者”称号；1991 年为享受中华人民共和国政府特殊津贴专家；先后荣获省部级及国家级表彰奖励有 10 次之多。

（郝维民采访撰稿）

张晨鼎

张晨鼎 1934 年 4 月出生，山东省青岛市人。1954 年 1 月，学生时加入中国共产党。1956 年于北京师范大学化学系毕业留校任教。1962 年 12 月，支边来到内蒙古工学院化学工程系任教，讲授《化工工艺》《碱工艺学》《文献阅读》《水盐体系相图》《生物化学工程基础》等课程。被评为讲师、副教授、教授、硕士研究生导师。先后任化学工程系副主任、主任，内蒙古工学院副院长、院长，内蒙古工业大学校长。

张晨鼎刚到内蒙古，研读了时任化工部副部长、我国著名化学家侯德榜的《制碱工学》《天然碱》专著，立志投身于内蒙古天然碱研究领域，30 年里走遍了内蒙古各大天然碱主产区。20 世纪 70 年代开始从事天然碱资源开发研究，考察了伊克昭盟和锡林郭勒盟各碱湖和厂矿，发现天然碱加工的难点在于成分复杂，迫切需要解决的问题是化碱后碱泥很难沉降，用浑碱卤生产不出合格的纯碱、小苏打，严重制约着自治区天然碱的开发利用。他先在科研组进行碱泥性质的研究，证明了用非离子型聚丙烯酰胺的絮凝澄清解决碱泥沉降效果最好。带领青年教师和学生，通过絮凝澄清中间试验和工业试验，为伊克昭盟和锡林郭勒盟天然碱矿的絮凝澄清开发出可直接应用于生产的完整工艺，并广泛应用于生产。经过十多年的努力，主持建立了天然碱与无机盐研究室，配备了齐全的化学分析、岩相鉴定和工艺研究的仪器设备；收集了世界上许多国家及国内主要碱矿的天然碱矿样，为开展天然碱教学和科研创造了条件，成为国内一流的天然碱和水盐体系相平衡研究中心。指导研究生进行天然碱体系相图研究，开发出了天然碱体系高低温四元和五元相图，为内蒙古天然碱矿的碱硝盐分离奠定了理论基础，在水盐体系相平衡的研究方面达到国内领先水平。主持并完成了国家自然科学基金项目 3 项、内蒙古科学技术项目和内蒙古自然科学基金项目等 6 项，成为国内著名的天然碱专家。

1990 年至 1993 年，张晨鼎教授在担任内蒙古工学院院长期间，致力于教学与学科建设。为适应自治区的经济发展需要，在原有专业的基础上，增设了电力系统及自动化、电厂热能动力工程、计算机科学、给排水工程、路桥工程、纺织工程、硅酸盐工程和有机化工等专业，培养各条战线所需人才。1993 年 12 月，经过多方努力，由自治区政府和国家教委批准将学院更名为“内蒙古工业大学”，使学校进入一个新的层次。在他的主持下，学校取得了教学管理改革、人事管理改革、学科建设和师资培养等方面的成效，为办好学校创造了条件。

1988 年 12 月和 1997 年 6 月，张晨鼎教授两次赴美国犹他大学，以访问学者的身份从事细菌浸矿反应动力学和锆英砂氯化流化床的研究。其间应邀参加了在美国岩石泉召开的第一次国际纯碱会议，在会上发表了《The natural soda deposits of China》的学术报告，介绍了中国天然碱开采加工技术和研究成果与中国合成纯碱的发展和技术进步，引起了国外企业对中国天然碱的关注，陆续有美国 FMC 公司、索尔维公司和通用化学公司来内蒙古洽谈合作。1990 年，他将在犹他大学做的硫铁矿生物氧化课题移植到国内，指导研究生在国内率先进行“细菌浸矿反应动力学研究”。

几十年来，张晨鼎教授治学严谨，辛勤耕耘，教学和研究硕果累累，共获得自治区科技进步一、二、三等奖 5 项，中国纯碱工业协会技术进步二等奖 1 项；参编学术专著有《中国天然碱工业》和《纯碱工学》；负责修订出版专著有《合成氨生产分析测定方法》和《联合制碱生产分析方法》；在国内外学术刊物或学术会议上发表学术论文二十余篇。从 1985 年至 1999 年，共培养硕士研究生 28 名，带出了 4 位教授和副教授。1983 年，被评为内蒙古自治区高等学校先进工作者；1986 年，被评为国家级中青年有突出贡献专家，荣获内蒙古自治区劳动模范称号；1987 年，光荣出席了中共第十三次全国代表大会；1990 年，获全国高等学校先进科技工作者称号；1991 年为享受中华人民共和国政府特殊津贴专家；1994 年，被评为自治区优秀大学校长；2006 年，被评为全区高校优秀共产党员；2007 年 12 月，荣获自治区首届“内蒙古杰出人才奖”。

张晨鼎教授曾兼任内蒙古科协副主席、中国化工学会理事、中国化工学会无机酸碱盐委员会委员、内蒙化工学会副理事长。四十多年来，他全身心地投入自治区的天然碱和高等教育事业，为发展自治区的天然碱工业和内蒙古工业大学的建设作出了卓越的贡献。

（钱占元 撰稿）

佟天夫

佟天夫 回族，1930 年 5 月出生，河北省张家口市人。1954 年，就读于清华大学机械系，毕业后在北京航空学院任教。1963 年，调内蒙古工学院机械制造系任教。1991 年 10 月，机械制造系更名为材料工程系，任系副主任、主任，铸造实验室主任，材料工程系教研室副主任、主任，教授。2001 年 10 月，成立材料科学与工程学院，任院长。

佟天夫教授先后讲授《铸造工艺》《造型材料》《铸造化学》《熔模铸造》《特种铸造》《实型铸造》等课程；主编《熔模精密铸造》《流变学及其在铸造中的应用》《熔模铸造工艺》等专著；发表科研论文一百二十余篇、教学研究论文 16 篇。其中，《聚合氯化铝与水玻璃交替硬化工艺》《水玻璃涂料流变性能》《熔模铸造型壳硬化特性及新型硬化剂研究》《球铁精铸工艺》等论文、专著，分别获内蒙古自治区科技进步三等奖、一机部科学大会奖、内蒙古科研成果二、三等奖，《水玻璃涂料性能和型壳表面质量研究》获国家农业、机械部四等奖。他承担了国家经贸委、内蒙古经委、计委、教育厅、内蒙古自然科学基金、一机部的科研项目 15 项。被评为国家有突出贡献的中青年专家、全国优秀教师。是中国标准化委员会特种铸造委员会委员，全国精铸联顾问，中国机械工程学会委员，内蒙古自治区研究生教育协会理事，政协内蒙古自治区第六、七届委员会委员。

五十多年来，在蜚声国内铸造领域，被誉为“铸造三巨头”的佟天夫、肖柯则、李志远的一批资深教授的带领下，经过几代人的不懈努力，为学院的发展奠定了坚实的基础，现已建设成为具有雄厚教学和科研实力的学府，为材料加工工程学科在铸造合金、精密铸造等方面的研究，积累创造了丰富的经验和众多的研究成果。

（钱占元据《百年风云内蒙古》载稿修订）

邵金旺

邵金旺　1932 年 12 月出生，绥远省凉城县人。1952 年于内蒙古农牧学校高级农业科毕业，1956 年，在河北大学生物学系因病肄业。1956 年至 2006 年，在内蒙古农牧学院、内蒙古农业大学任教，一直从事植物生理生化和作物生理的教学与科研工作。任植物生理学教研室主任、农学系主任，兼任中国甜菜协会副理事长、农业部第四、五届科学技术委员会委员、国家科技进步奖和发明奖特邀评委、《中国甜菜糖业》和《中国糖料》杂志编委，内蒙古农业厅及呼和浩特市和宁城县等 6 个旗县的科技顾问、包头华资实业股份有限公司甜菜顾问团团长、国家甜菜产业化示范基地建设首席专家、内蒙古农学会理事等职。是呼和浩特市人大代表。1984 年 6 月，加入中国共产党，实现了一个老知识分子的夙愿。

邵金旺教授执教五十多年来，教书育人、师德高尚、治学严谨、求实创新，桃李满天下。为本科生、硕士研究生和博士研究生，讲授《植物生理生化》《植物生理学》《作物栽培生理》《甜菜生理学》、高级植物生理专题和甜菜生理专题等多门课程。在教学中坚持以“加强基础、加强技能、加强实践”和“培育学农、爱农、兴农合格人才的同时，直接为内蒙古的经济建设服务”为指导思想，遵循“先进性、系统性、逻辑性、完整性、实践性和直观性”的教学原则，运用“理论联系实际和启发式”的教学方法，采取“循序渐进、由浅入深，由单一因素到综合因素分析”的教学手段，使不同层次的学生能够牢固掌握所学知识，大幅度地提高了学生独立思考、分析和解决问题的能力。同时对农学系的“三结合”教学进行了全面改革，形成了独具特色的“三结合”体系，为自治区培养了大量的农业科技人才和颇有造诣的研究生及中青年教师。1985 年至 2008 年，任导师共招收和培养植物（生理）学科硕士研究生 36 名、博士研究生 1 名，其中已有 11 人晋升为教授（研究员），11 人晋升为副教授（副研究员），6 人担任博士生导师，2008 年，学生李国婧教授被评为中国女青年科学家。

邵金旺教授的科研成果累累，出版《甜菜生理学》等专著 5 部，发表论文 100 余篇，译文 16 篇。主持的“甜菜丰产高糖生理基础”、“甜菜不同类型品种的生理机制及生理选种”“甜菜新品种培育以及甜菜丰产高糖优化栽培技术”等科技项目取得25项成果，开创了甜菜生理选种新途径，成功培育出全国甜菜十大推广品种之一的“协作2号新品种”等3个。有的达到国际先进水平，有的处于国内领先水平或先进水平，填补了国内甜菜研究的许多空白。

邵金旺教授在“面向经济建设，坚持教学、科研、生产三结合的探索和实践”方面取得重大成果，1993年，获内蒙古和国家级优秀教学成果一等奖。科研成果《我区生育代谢规律及其与低产低糖的关系》于1978年获内蒙古科学大会优秀成果奖；《甜菜生育代谢的一般规律与其块根和糖分积累的关系》于1980年获内蒙古政府科技成果二等奖；《甜菜丰产高糖栽培技术（“三关、十六法，1984”）》获内蒙古科委特别奖；《甜菜丰产高糖生理基础的研究》《甜菜丰产高糖栽培技术推广》于1985、1987年分别获内蒙古科技进步一等奖；《甜菜生理研究》于1986年获内蒙古科技优秀咨询一等奖；《甜菜育种生理基础》于1991年获内蒙古科技进步三等奖；《甜菜不同类型品种生理机制及选种生理指标的研究》于1992年获农业部科技进步二等奖；《甜菜多倍体新品种协作2号》于1993年获内蒙古科技进步二等奖；《甜菜不同类型品种生理机制及生理育种实践》于1993年获国家科技进步三等奖；《甜菜新品种协作2号及增产增糖配套技术推广》于1994年获全国农牧渔业丰收一等奖；《科技成果为自治区经济建设服务》于1995年获内蒙古自治区政府科学技术兴区特别奖；《旱作甜菜增产增糖技术及其生理基础》于1996年获农业部科技进步三等奖；《甜菜杂种优势的生理基础》《不同生态地区甜菜丰产高糖优化栽培技术的研究与开发》于2000年、2001年分别获内蒙古科技进步三等奖；《国家甜菜产业化示范区甜菜丰产高糖综合栽培技术》于2003年获全国农牧渔业丰收二等奖。这些成果除了在理论和技术上有较大的创新、突破和促进学科发展外，还通过技术推广和开发，转化为现实生产力，服务于自治区经济建设，为工农业生产创造了巨大的经济和社会效益，对发展农业生产、农民增收做出了重大贡献。

对于邵金旺教授取得的教学和科研成果，党和政府给予很高的荣誉：1980、1983、1985年分别获学校教学质量优秀奖；1991年为享受中华人民共和国政府特殊津贴专家；1983、1986、1990、1991、1997年先后被评为内蒙古自治区先进工作者和劳动模范、全国高校先进科技工作者、自治区合理化建议和技术改进积极分子、国家级有突出贡献的专家、内蒙古自治区劳动模范；1995 年，内蒙古自治区人民政府授予“科技兴区特别奖”，并被评为呼和浩特市“十佳市民”；1997 年获香港柏宁顿（中国）教育基金会第三届“孺子牛金球奖”等荣誉称号。

邵金旺教授是我国著名的甜菜生理学家，也是我国甜菜生理学科的创始人，他在内蒙古农业大学创建了我国唯一的甜菜生理研究所和全国植物（生理）专业硕士、博士研究生甜菜生理研究方向的授权点。他退而不休，执教到老，研究到老，现任甜菜生理研究所所长、植物（生理）学学科名誉主任、植物（生理）学科博士研究生名誉指导教师、中国植物生理学会名誉会员。

（钱占元　撰稿）

高炳德

高炳德　1939 年出生，绥远省河套陕坝人。1962 年，毕业于内蒙古农牧学院植物营养专业，留校后一直从事植物营养与平衡施肥、农作物高产优质栽培施肥的研究。他主持的 6 项科研成果达国内领先水平，3 项成果达国内先进水平。1991 年至 2005 年，主持的 7 项科研成果，15 年累计增产粮食 35. 2 亿公斤，年均增 2. 35 亿公斤，累计新增纯收益 32. 96 亿元，年均增 2. 19 亿元。在农作物高产优质栽培和平衡施肥领域取得系统性、创新性成果，对自治区经济建设和科技进步起到推动作用，对社会发展和学科建设做出突出贡献。在吨粮田基础理论、栽培技术、应用推广三方面均取得重大突破，获得系统性、创新性成果。

高炳德教授主持的科研项目取得多项重大成果。1991 年至 1992 年，在巴盟、赤峰市等地推广应用《吨粮田基础理论与模式化栽培技术研究》，两年建成吨粮田 21. 3 万亩，亩产 850 公斤以上高效田达 70. 8 万亩，增产粮食 2. 4814 亿公斤，增加纯收益 1. 448 亿元，被新闻界、科技界及联合国粮农组织誉为“北纬 40 度线上的奇迹”，达国际先进水平。中国农科院著名农业专家李纯忠认为：“在北纬 40 度线以北无霜期仅有 130 天的内蒙河套出现

10万亩以上吨粮田，这不仅是我国农作史上创新的大事，也是世界农作史上创新的大事”。1993年至1995年，在内蒙古河套平原和西辽河平原灌区进行的《内蒙古平原灌区优质高效吨粮田技术开发》项目，建成亩产926公斤春小麦套种春玉米高产田287.5万亩，其中吨粮田98.9万亩；3年共增产粮食4.8127亿公斤，年增1.6042亿公斤，增加纯收益5.112亿元，年增1.704亿元，被成果鉴定委员会誉为“内蒙古农业发展史上的奇迹”。1993年至1996年，《春玉米吨粮田技术推广》项目在内蒙古东部平原灌区，建成亩产933公斤的高产田137万亩，其中吨粮田41万亩；4年共增产粮食4.197亿公斤，年增1.0492亿公斤，共增加纯收益2.7632亿元，创造了全国春玉米吨粮田技术推广的最好成绩，达到国内领先水平。1996年至1998年，《春小麦套种春玉米吨粮田技术推广》项目在内蒙古平原灌区，建成亩产951公斤高产田362.8万亩，年均120.9万亩，新增产粮食7.8432亿公斤，新增纯收益7.3002亿元。在北纬40—43度的平原灌区，每年建成30余万亩吨粮田，60余万亩亩产850公斤以上高产田，是内蒙古农作史上的奇迹。1999年至2001年，在内蒙古平原灌区进行的《内蒙古平原灌区高产优质春玉米产量与品质形成规律及综合配套技术研究》项目，累计建成亩产922公斤春玉米高产田428万亩，增产粮食11.2188亿公斤，增加纯收益8.0898亿元。在应用基础理论、应用技术、技术推广三方面均取得系统性、创新性成果，成果在整体上居国内同类研究领先水平。在有灌溉条件的华北、西北、东北春玉米区有广阔的应用前景。1997年至1998年，《伊、呼、包平原灌区吨粮田技术推广》项目在伊克昭盟、包头、呼和浩特平原灌区，推广亩产821.9公斤的春小麦套种玉米高产田64万亩，亩产805公斤春玉米高产田64.71万亩，新增总产量4.3048亿公斤，新增纯收益3.2544亿元，居国内先进水平。内蒙古“十五”科技攻关课题《A级绿色食品春小麦品质形成、环境质量及生产技术研究》项目，2003年至2005年，在巴彦淖尔市河套平原，累计建成亩产379公斤绿色食品春小麦387万亩，新增产绿色优质小麦3 823.4万公斤，新增纯收益4.9957亿元。《春小麦、马铃薯营养特性与施肥技术研究》项目，在内蒙古中西部地区大面积推广应用春小麦、马铃薯配方施肥技术方面获得系统性、创新性成果，达国内先进水平，对推动全国特别是内蒙古平衡施肥技术的研究与应用发挥了重要作用。

《胡麻产量形成规律及高产栽培施肥技术研究》项目，在旱作地区推广应用旱地胡麻配方施肥及丰产栽培技术，达国内先进水平。

1990年以来，高炳德教授长期奔波在农业生产第一线，先后为巴彦淖尔盟等6个盟市、9个旗县、十多个乡镇举办科普讲座110多次，培训县级以上农技人员3 800人（次），农民群众2.2万人（次）。就《发展粮食生产的潜力与途径》《配方施肥的原理与技术》《吨粮田建设的理论与实践》等问题，进行有的放矢、深入浅出的讲授，为提高科技人员和农民群众科技素质和弘扬科学精神做出突出成绩。

四十多年来，高炳德教授辛勤耕耘在高等教育第一线，勤勤恳恳教书，踏踏实实育人，在教学内容、教学方法，特别是三结合教学方面取得开创性成果，在教书育人中成绩卓著。1990年以来，创造了教学与技术承包结合、教学（含研究生教学）与科学研究结合、科学研究与技术承包结合的“三结合教学模式”，取得了教学质量高、科研成果多、直接为经济建设服务的三重效益。通过三结合教学，有效地促进了学生的知识向智能转化，自学能力、观察能力、语言表达能力、写作能力、组织能力、创造能力均大大提高。在他的指导下，有八十多名本科生、二十多名硕士研究生高水平地完成了学位论文，出色地完成了本科毕业生生产实习的教学任务。

1979年以来，高炳德教授在国际、国内学术刊物或学术会议，发表论文160余篇。其中，国际会议、国际文摘刊物4篇，国家级学术刊物36篇，国家级学术会议或论文集20篇，省级学术刊物105篇。其中，《旱地胡麻配方施肥技术研究》《马铃薯磷肥施用技术研究》等3篇论文获内蒙古自治区自然科学优秀论文一等奖；《内蒙古平原灌区春小麦测土施用磷肥的基础研究》等4篇论文获内蒙古自然科学优秀论文二等奖。主编出版《内蒙古河套吨粮田研究论文专辑》《迈向21世纪的土壤科学》（内蒙古卷）、《绿色食品春小麦的研究与实践》等学术著作6部，教材《土壤肥料学》一部。

高炳德教授是我国著名的植物营养与肥料学专家，土壤学科的奠基人和学术带头人，在国际上享有一定的知名度。曾任中国植物营养与肥料学会理事、中国土壤学会理事、内蒙古科协委员、内蒙古土壤肥料学会理事长、内蒙古植物营养与肥料学会理事长。

由于高炳德教授在高等教育和科研方面取得重大成果，为推动自治区农业科技进步和粮食自给有余做出的贡献，研究成果获国家科技进步三等奖、内蒙古农牧渔业丰收二等奖、自治区科技进步二等奖和三等奖、全国丰收二等奖、自治区丰收二等奖、全国教学优秀成果一等奖等多项奖励，1992 年，被评为有突出贡献的中青年专家，为享受中华人民共和国政府特殊津贴专家；1993 年，被评为全国先进工作者；1996 年，被评为“全国先进科普工作者”；1997 年，获得内蒙古科技最高奖——内蒙古自治区人民政府“科技兴区特别奖”；1998 年，获香港柏宁顿（中国）教育基金会“孺子牛金球奖”；2001 年，被评为“全国模范教师”等多项荣誉。2007 年 12 月，荣获自治区首届“内蒙古杰出人才奖”。

（钱占元 撰稿）

古 拿

古拿（1892—1972 年） 蒙古族，又名古拿巴达拉，汉名马俊生，简称古拿，出生于内蒙古卓索图盟土默特左翼旗（今辽宁省阜新蒙古族自治县）东衙门村。1900 年，入本旗瑞应寺当喇嘛，学习蒙文、藏文佛学。他功课出众和广积善业，19 岁时被名医刘志和（阿日布其嘎）选中为徒，开始苦读医学巨著《四部医典》,28 岁时被寺庙的六世活佛加封“道布其额木其”称号，意为高级医师，即可独立行医。不久便主持了“曼巴扎仓”（相当于医学院）授课工作。从 30 岁开始每年招收 5 至 7 名徒弟，最多时招收二十多名。在教学过程中贯穿医德教育，要求徒弟要有高尚的情操。指导说：“要把洁白的牛奶倒入最洁净的器皿里，而不能洒在石头上。”意为决不能把民族瑰宝蒙医药技术传授给心术不正的人。他治学严谨，注重理论与实践相结合，每年带领徒弟上山采药辨药，春天多采根、茎、块之类入药；夏季多采叶、花之类入药；秋天多采种子、果实之类入药。他亲自动手制作蒙药，向学徒讲授制法。带学徒临床实践要求严格，在实践中指点，并带领参加田间劳动，解决口粮和烧柴。直到解放前夕，培养了二百多名蒙古医药人才。

古拿在寺庙行医 36 年，将疾病与气候、体质、饮食相结合进行辨证论治，具有独特的见解和手法。掌握了常见病、多发病的发病规律，对症下药，疗效显著，为民众解除病痛家喻户晓。对患者不分贫富，一视同仁，特别关照穷苦牧民，甚至采取“穷人吃药、富人掏钱”的办法，接济贫穷者。当时，寺庙虽然规定请“道布其额木其”治病，必须经寺庙主管同意，并用马车接送，但古拿并不理睬，只要病人来请，他必出诊，得到平民百姓的尊敬。直到70高龄仍为求助的牧民看病。

中华人民共和国成立后，古拿先生在瑞应寺主持创办了中国第一所蒙医学校。1955年，在兴安盟乌兰浩特市蒙医联合诊所工作。1956年，内蒙古中蒙医研究所成立，古拿调任所长。在他的积极倡导下，1958年，内蒙古医学院增设了中蒙医系，古拿为领导人之一，每年招生60名，开了蒙医学现代高等教育之先河，是蒙医学教育历史的里程碑。1959年和1960年，古拿还在医学院举办了蒙医进修班，这些学员成了蒙医界的骨干。古拿成为蒙医现代教学事业的奠基人之一。

1956年起，古拿先生先后任内蒙古自治区卫生厅干部进修学院副院长、内蒙古医学院中蒙医系主任、内蒙古中蒙医院副院长、内蒙古自治区卫生厅副厅长兼内蒙古中蒙医研究所所长等职务。1958年，被中国医学科学院聘为专家小组成员和中国医学科学院特约研究员。在繁忙的行政工作中，他仍抓紧时间进行科研工作，为了让更多的蒙医学员读到和理解《四部医典》的内容，早在1956年，便着手藏文《四部医典》的蒙译工作。他废寝忘食、孜孜不倦，与白清云大夫等合作，仅用了4个月时间，翻译出四十多万字的我国第一部蒙文《四部医典》,对蒙医教学、科研、临床的进一步发展起到了推动作用。他还翻译了藏医植物标本书《荣伯》,并参照《四部医典》《兰塔布》及有关汉文资料，补充了药物的药味、功能、产地、形态、用途等内容，用蒙、藏、汉三种文字将药物名称对照写出，计16万字，附538幅插图。1959年，蒙医《四部医典》和蒙、藏、汉三种文字对照的药名手册，由内蒙古人民出版社首次出版发行。

为了解决蒙药奇缺的问题，古拿教授在64岁时亲自赴西藏采集蒙药标本和常用药物，经过4个月辛苦工作，共采集标本三百多种，购买回常用药96箱，初步解决了蒙药的严重缺乏问题。他还根据多年积累的方剂，参考各地有名老蒙医常用的方剂，编印了包括570个方剂的蒙药单行手册，供蒙医药界使用。他将具有独特的临床治疗经验，对小儿麻痹和偏瘫病成果的研究，治疗偏瘫的良方“散佩拉诺日布”“扎冲珠苏木”以及治疗妇女宫颈糜烂和乳腺炎的良药“嘎木珠尔”“勒必巴拉珠尔”等方剂的成分和制法毫无保留地献给国家，成为蒙医中不可多得的珍贵方剂。

古拿教授从香火缭绕的寺院苦读医经，到以传统方式行医治病，从以师徒方式进行蒙医启蒙教育，到创建蒙医学高等教育学府，对蒙医学进行科学研究，在现代高等学府讲坛传授蒙医学知识，成为一名医术精湛、医德高尚、研究成果丰硕的蒙医学专家，对蒙古医学事业的发展作出了卓著贡献。1959年，他光荣地出席了全国群英会，受到了党和国家领导人的亲切接见。是内蒙古自治区第二、三届人大代表，第三届全国政协委员。“文化大革命”中遭受迫害，于1972年含冤与世长辞，享年80岁。

（郝维民据《中国历代少数民族英才传》载稿修订）

苏荣扎布

苏荣扎布　蒙古族，1929年生于内蒙古察哈尔盟商都阿都沁旗（今内蒙古锡林郭勒盟镶黄旗）的一个牧民家庭。14岁时一场瘟疫夺去了父母和其他亲人的生命，苏荣扎布沦为孤儿，幸得远亲旺琴达荣、官布二兄弟收养。后入寺跟随著名蒙医拉木扎布和巴瓦学徒，先学会了蒙文、藏文，又勤奋苦读蒙古医经药典，逐步掌握了蒙医学基础知识。经过6年蒙医理论学习和临床实践经验积累，达到能够单独行医的水平。

1949年，家乡解放后，苏荣扎布进入阿都沁旗哈彦海尔瓦庙第一联合蒙医院行医。1950年春，参加了为期3个月的鼠疫防治和治疗培训班，学会了测血压、量体温、使用听诊器等西医治病技能。1952年，先后在太卜寺联合旗医院、蒙医院当医生。1957年，参加内蒙古自治区卫生厅为筹建中蒙医系而举办的蒙医师资培训，在8个月的学习中，参加了由内蒙古中蒙医研究所组织翻译《四部医典》和筹建内蒙古医学院中蒙医系的工作。1958年，中蒙医系招收了第一批蒙医本科生310名，他任中蒙医系教研室主任、系副主任。1984年至1991年，历任内蒙古蒙医学院党委常委、副院长、院长，蒙医内科学教授、硕士研究生导师、主任医师。兼任内蒙古蒙医学会副理事长，中华中医药学会中医内科学会委员，内蒙古中医药学会副理事长，《中国中医药年鉴》编委、顾问，内蒙古高等院校职称评定委员会副主任委员。1979 年，受聘为《中国医学百科全书·蒙医学分卷》副主编，其中亲自编写 93 个条目，还是《中医年鉴》编委会委员。1990 年，受聘为《名老蒙医选编》一书和《蒙医选编》丛书编审委员会主任委员。

苏荣扎布教授是我国蒙医学教育界的奠基人之一，从事蒙医工作五十多年，在蒙医药教学与科研、学科建设、教材建设、师资培养、学校管理等方面都取得了卓越的成绩。先后为 19 届本科生和 4 期高级进修班、16 名硕士研究生，讲授《蒙医内科学》《蒙医诊断学》《蒙医温病学》等 6 门课程和指导临床实践。他以治学严谨、授课条理清晰、生动深刻而著称，具有渊博的蒙医专业知识和刻苦钻研的治学作风，丰富的教学和临床实践经验，全面继承了传统的蒙医学理论体系，总结了长期的医疗实践经验，吸收兄弟民族的医学精华，发展了传统蒙医学理论。特别对心血管系统、消化系统疾病的治疗有独到的研究和疗效。将理论与西医及其他医学的理论相比，总结出蒙医学具有自身独立的特点。出版专著 21 部，其中《蒙医学六基证及其分类》《论蒙医学整体观》和《赫依、希拉、巴达干之变化规律》等 8 部，为蒙医学的深入研究及蒙医现代化的研究奠定了理论基础。1985 年，担任《蒙药学》等 25 部上千万字的教材总编，作为全国高等医学院校第一套蒙医学本科统编教材。其中《蒙药炮制学》《蒙医眼科学》等 5 部教材获教育部优秀教材奖；主编《蒙医内科学》《蒙医治疗原则及方法》两部，分别获内蒙古自治区科技成果二等奖和全国普通高校优秀蒙文教材一等奖。编辑《蒙医医疗手册》《蒙医实用内科学》,参加编写《蒙西医结合心脏病学》等著作。他用丰富的临床经验，研制出多种临床有效药方，有的已被列入《中国药典》。主持完成“蒙医希拉乌素哈伦病”和“蒙医、蒙药专业的建设及其发展临床研究”等课题，1989 年，获普通高等学校优秀教学成果国家级优秀奖和内蒙古自治区一等奖，为蒙医药高等教育事业填补了一项空白。在国内外刊物上发表学术论文《现代蒙医学理论体系的基本特点》等 20 余篇。

苏荣扎布教授为民族医药教育事业倾注了大量的心血，得到党和政府的表彰和奖励。1983 年，国家民委、劳动人事部、国家科委授予他“少数民族地区科技先进工作者”荣誉证书。1987 年，获内蒙古自治区教育系统授予的“特殊贡献奖”。1989 年，获内蒙古自治区“突出贡献的中青年科技人员”奖，并荣获呼和浩特市“劳动模范”、自治区“科学技术先进工作者”荣誉称号。1990 年，被国家中医药管理局确定为全国首批 500 名老中医药（民族医药）专家继承人之一。1991 年为享受中华人民共和国政府特殊津贴专家。是内蒙古自治区第五、六、七届人大代表，第七届全国人大代表。1996 年离休。但他仍以余生的精力，继续进行民族医药学研究，每天工作在蒙医门诊第一线，为救死扶伤、为人民解除病痛继续贡献力量。

2007 年 12 月，内蒙古自治区人民政府授予苏荣扎布教授首届“内蒙古杰出人才奖”。他为了调动和鼓励蒙医药人才积极投身于自治区经济社会发展建设，从 20 万元奖金中拿出 16 万元，设立了“宏海苏荣扎布蒙医药科研奖励基金”，每年颁发一次，每次奖励 1—2 项。还为家乡办了不少善事、实事，捐款达 50 万元，其中用 3. 6 万元建立“宏海教育奖学金”，奖励锡林郭勒盟镶黄旗德、智、体全面发展的优秀小学生、优秀教师和教育工作者。2009 年，被卫生部、人力资源和社会保障部、中医药管理局授予“国医大师”荣誉称号；自治区卫生厅、内蒙古医学院授予“蒙医药终身成就奖”。

（钱占元　撰写）

巴·吉格木德

巴·吉格木德　蒙古族，又名索伦古特·巴·吉格木德，1938 年出生，内蒙古伊克昭盟鄂托克旗人。1963 年，内蒙古医学院蒙医学专业毕业，留校任教。从事蒙医学基础理论、蒙医学史、蒙医学文献教学、研究与临床医疗工作。任内蒙古医学院蒙医基础理论教研室主任、首届蒙医学博士研究生导师。1987 年，晋升副教授，1989 年，破格晋升教授。1993 年，开始培养我国首届蒙医学硕士研究生。

从 20 世纪 70 年代开始，巴·吉格木德研究蒙古医学史，在国内有关省区和蒙古人民共和国、苏联布利亚特共和国进行学术考察，搜集医史文献资料，开展研究工作，发表了四十多篇论文。出版专著《蒙医学简史》《蒙古医学史》（日文版）、《蒙医学史》。系统地研究了两千多年的蒙医药发展史，主编《高等医药院校教材——蒙医学史》和副主编《内蒙古医学史略》,填补了蒙医学史研究的空白。

1963 年，巴·吉格木德教授开始编写蒙医学基础理论讲义，收集古籍经典中的蒙医理论资料，在系统整理研究的基础上，1965 年，编写了内蒙古医学院第一部《蒙医基础理论讲义》,比较系统地论述了蒙医五大元素学说、五行学说、阴阳学说、脏腑学说、脉络学说，为这些学说的系统化奠定了基础。70 年代，立项研究“蒙医学基础理论整理研究”课题，发表《论正常赫依、希拉、巴达干》《蒙医学基础理论发展史》等十多篇学术论文。1984 年，出版了《蒙医学基础理论》,比较系统地整理研究了蒙医学基础理论，论述了蒙医学基础理论发展史、五大元素学说、阴阳学说、脏腑学说、脉络学说、六基证病理学说、寒热病理学说、脏腑病理变化特点等，并提出了新的学术见解。这是我国系统整理蒙医基础理论的第一部专著。同时，主编出版高等医药院校教材——《蒙医学基础理论》。

巴·吉格木德教授对蒙医学和古印度医学古籍文献研究方面，发表了《蒙医学古典著作考略》《古印度医学经典巨著〈医经八支〉的研究》等多篇论文，提出了蒙医古代文献中《四部甘露》等三部古籍为蒙医药学“三大经典”的新观点，出版《蒙医学史与文献研究》专著。参编《中国医学百科全书·蒙医学》《中国医学通史》《医疗手册》等著作。

巴·吉格木德教授在 40 多年的临床实践中，积累了丰富的临床经验，对脑积水、神经根炎、神经性头痛、颈椎病、椎间盘突出、过敏性紫癜、玫瑰糠疹、牛皮癣、胃溃疡、肾结石、睡眠性血红蛋白尿、子宫肌瘤、小儿肺含铁血黄素沉着症等疑难病症的治疗，取得了较满意的疗效。

巴·吉格木德教授曾任中华医史学会委员、中国少数民族科技史研究会副理事长兼秘书长、《中华医史杂志》编委、中国少数民族科技史丛书编审委员会副总编、《中国少数民族科技史丛书·医学卷》副主编、高等医药院校蒙医学统编教材编审委员会副总编、《中国少数民族科技史研究》杂志编委、内蒙古科协二届委员、中华医史学会内蒙古分会主任委员、内蒙古蒙医学会秘书长、副理事长、《蒙古学百科全书·医学卷》副主编等。现任《中国民族医药杂志》编委会顾问、内蒙古中蒙医药工程协会常务理事、中国民族医药学会常务理事和专家委员会委员等。

巴·吉格木德教授多次参加国内外学术交流，1990 年，应邀赴蒙古国进行医史考察、学术交流和讲学；1991 年，应邀赴苏联布利亚特共和国科学院进行学术交流、医史文献考察；1993 年，再次应邀赴蒙古国进行学术讲座；1995 年，到越南河内市参加传统医学国际会议；1998 年，赴日本参加蒙古传统科学国际会议。在国内参加蒙古学和蒙医药学国际会议，中国少数民族科技史国际会议等。

巴·吉格木德教授是蒙医学理论家、医史文献学家、著名蒙医。在国家级和省级刊物发表 60 多篇学术论文，有 20 多篇在国外转载和发表，编著和合著学术专著数 10 部，是系统研究蒙医学史的第一人，蒙医学基础理论学科建设奠基人，蒙医古籍文献学学科带头人。研究成果获省级科技进步三等奖两项、国家级和省部级以上科技图书一等奖五项、二等奖两项、三等奖一项，《蒙古医学史》日文版获日本国翻译文化奖。1990 年，获蒙古国科学院金奖；2008 年，获中国科协西部开发突出贡献奖和内蒙古科协西部开发突出贡献奖；为享受中华人民共和国政府特殊津贴专家。

（郝维民 撰稿）

齐日迈

齐日迈 蒙古族，1927 年 11 月出生，内蒙古卓索图盟土默特左旗（今辽宁省阜新蒙古族自治县）人。1951 年，毕业于中国医科大学，在沈阳传染病医院工作。1958 年，调内蒙古医学院附属医院，任传染科主任，被评为教授、主任医师。

齐日迈教授主要从事传染病临床、教学与研究工作。出版《传染病学》《伤寒与沙门氏菌病》《病毒性肝炎》《脑炎与脑膜炎》《波浪热》《酒与疾病》等 8 部专著，其中《病毒性肝炎》获全国优秀科技图书奖，《酒与疾病》获全国科普优秀作品奖。主编、参编《蒙汉英日俄文医学名词词典》《实用儿科学》《老年病学》等，发表论文三十余篇，其中《草原上的日本脑炎》载日本《医事新报杂志》。被评为全国卫生系统先进工作者，全国教育系统劳动模范，内蒙古自治区先进工作者、劳动模范，获教育部颁发的人民教师奖章。历任全国科协委员、中华医学会理事、全国科普协会委员、全国少数民族委员会理事。

（采用《百年风云内蒙古》载稿）

吴祥林

吴祥林　1939年8月出生，黑龙江省依兰县人。1957年至1962年，在东北大学有色金属系学习。毕业后支援边疆建设，分配到内蒙古包头稀土研究院工作，历任选矿室副主任、院办主任，包头新材料应用设计研究所总工程师、高级工程师。

吴祥林长期进行稀土科学研究，先后进行了23个稀土矿床选矿专题研究，在11个项目中任专题负责人。1964年至1966年，参加在包头进行的全国选矿大会战，第一次获得稀土精矿品位30%的成果。1967年，采用“干磨干选”先进技术，完成内蒙古苏计沟选矿试验，提出浮选—重选流程。1973年，完成冶金部下达的包头铁精矿降磷试验，并应用于工业设计中。1975年，为山东省微山稀土矿厂完成稀土试验，当年获经济效益15万元。1977年至1986年，完成国家科委、冶金部组织的“白云鄂博矿中贫氧化矿——选择性絮凝选矿工艺试验”，解决了浮法选矿中分离稀土矿与钙、钡矿物的世界难题。1980年，主持完成半工业试验，1982年，获冶金工业部科技成果一等奖。1986年，在包钢选矿厂二系列完成工业试验，获国家发明一等奖。1987年至1992年间，在山东组建的淄博稀土材料厂的科研成果，于1991年获全国星火计划成果博览会银奖。1992年至1998年，为申报和组建国家级包头稀土高新技术产业开发区做出了贡献，特别是为推广新磁系钕铁硼磁选机，先后已在武钢、包钢等许多厂矿应用获得成功。发表科学论文多篇，多次被评为包头、内蒙古自治区优秀论文。论文《异羟肟酸类扑收剂的研制与浮选稀土矿物试验》,在1985年国际稀土讨论会上，引起国外学者的极大兴趣。1992年，被国家人事部评为“有突出贡献的中青年专家”，是享受中华人民共和国政府特殊津贴专家。

（庆格勒图　修订）

王蕴忠

王蕴忠 1947年7月出生，河北省怀来县人。1970年，毕业于内蒙古林学院。1970年至1971年，在部队劳动锻炼。1971年，分配到伊克昭盟鄂托克旗，先后在达拉吐鲁苗圃、旗林业工作站工作。在苗圃工作的4年里，进行了杨树引种、松树育苗等多种试验，都获得了成功，为伊克昭盟的造林绿化、防沙治沙建设提供了大量的良种树苗。

20世纪70年代，自治区林业局将“飞播造林种草治沙技术研究”列为重点科研项目，组织力量进行攻关。30岁的王蕴忠调到了伊盟林业治沙科学研究所，任“飞播造林种草治沙技术研究”课题组组长，进行科技攻关。3年里，带领课题组成员在交通不便的困难条件下，风餐露宿，艰苦跋涉，凭着两条腿整天跑在飞播区，进行了无数次的试验，对流动沙地飞播植物种的选择、适宜飞播期、最佳飞播量的确定、种子的处理及不同植物种的混播等十多个专题进行了综合技术研究和试验。飞播初试阶段，共播种了2.3万亩沙地，植被保存率为41.7%。1982年，“飞播造林种草治沙技术研究”课题通过了鉴定，填补了自治区在飞播治沙研究的空白。这项成果当时轰动了业内人士，证明内蒙古的荒沙地可以通过空中添绿。这一成果鉴定的通过，更加坚定了王蕴忠从事飞播治沙的信心，决定进一步探讨和研究飞播治沙各项技术指标的可靠性。

1983年，王蕴忠又主持“飞播造林种草治沙技术研究”课题中间试验阶段。他带领课题组全体人员深入飞播区，顶风沙、冒酷暑，历时5年，足迹遍布伊克昭盟8个旗县的四十多万亩飞播区。实验期间，他们平均每天在沙漠中行走30公里以上，对播后的成苗、成效以及标准进行调查，共取得七十多万个数据，为沙区大面积推广飞播造林种草提供了科学依据和建立了样板。在样板的基础上，飞播范围不断扩大，由新月形沙丘链、低缓沙丘推进到高大的格状沙丘。各类沙地有苗面积率在1984年平均达到83.7%，3—5年后植被稳定率在60%—90%。随着昔日肆虐的滚滚黄沙变成片片生机盎然的绿洲，飞播中间试验的课题也成功了。1986年，伊盟飞播造林取得了可喜的成效，国家林业部、民航总局、空军司令部授予飞播课题组为“全国林业飞播先进单位"，授予王蕴忠为"全国林业飞播先进个人"称号。

1988 年，自治区林业厅又下达了"飞播造林技术治理毛乌素、库布其沙漠（地）"推广应用项目。王蕴忠继续主持这个项目，主要任务是大面积地推广，然后观察、总结和完善。这个阶段，共飞播沙地面积 300 多万亩。经过 8 年，到 1995 年，推广应用项目通过自治区科委组织的鉴定，被专家评议为"居国内领先，达国际先进水平"。1996 年，被自治区林业厅评为科技进步一等奖。1998 年，获国家科技进步三等奖。鄂尔多斯的飞播事业，经历初试、中试、推广三个阶段，历时 20 年之久，播区植被覆盖率由播前的不足 5% 上升到 70% 以上。他还为鄂尔多斯市林业事业培养了许多技术人才，其中有 11 人被破格晋升为高级工程师。

飞播成功后，王蕴忠又开始了研究播区的开发与利用的课题，指导并参加了"飞播区建设""建设飞播杨柴采种基地"两项课题的研究。1988 年，这两项课题都通过了鉴定。飞播造林种草治沙已经成为治理沙漠的重要手段，仅伊克昭盟飞播治沙面积已达一千五百多万亩，沙区景观发生了根本性改变，播区创造出巨大的生态和经济效益。仅牧草和种子的直接经济效益就达七千三百多万元，是投入总额的 8 倍。播区植被的恢复，使沙区大风日数明显减少，使周围 347 万亩流沙得到有效遏制，保护农田 120 万亩，保护草牧场 466 万亩，纯增羊 26.2 万只。

伊克昭盟飞播治沙技术全面成熟后，自治区林业厅立即在全区推广。1995 年，自治区林业厅派王蕴忠到锡林郭勒盟浑善达克沙地指导首次飞播治沙试验也获得成功，已推广应用到北京风沙源治理重点项目区。1996 年，他作为内蒙古林业厅专家组成员，来到地处科尔沁沙地翁牛特旗，对林业部示范区的响水沙 30 万亩沙地进行实地勘察，编制了飞播作业设计，已顺利实施。

为了从根本上解决内蒙古自治区中西部地区飞播治沙飞机的租调难题，在王蕴忠的倡导下，飞播站组建了鄂尔多斯通用航空公司，填补了自治区中西部地区没有通用航空公司的空白。公司完成了鄂尔多斯市、巴彦淖尔市、阿拉善盟飞播治沙二百五十多万亩，并执行锡林郭勒盟等地的灭蝗任务。

王蕴忠是自治区最早从事飞播造林工作的科技人员，为鄂尔多斯市及自治区的生态建设做出了突出贡献，1992 年为享受中华人民共和国政府特殊津贴专家，并获国家有突出贡献中青年专家、"成绩优异的高级工程师"称号。

撰写的有关飞播治沙论文，先后发表在《中国沙漠》《林业文摘》等刊物上，其中《伊克昭盟毛乌素沙地飞播治沙效益及其分析》获1989年自治区自然科学优秀论文二等奖；“毛乌素沙地飞播造林种草治沙中间试验研究”获国家科委颁发的国家科技成果完成者证书。1998年，获“全国五一劳动奖章”。是中国林学会、环保学会会员，国际树作物研究所中国办事处成员。

（钱占元 撰稿）

姜兴亚

姜兴亚 1938年10月出生，内蒙古昭乌达盟林东县人。1960年，于沈阳农学院毕业，分配在内蒙古呼伦贝尔盟农业科学研究所工作，长期从事马铃薯的科学研究和推广工作，在马铃薯杂种实生种子选育开发利用方面，具有很深的理论研究，并取得了实用技术成果，推广面积广阔、经济效益显著。为此晋升为农业科学研究所研究员，1993年为享受中华人民共和国政府特殊津贴专家。

姜兴亚研究员在“六五”“七五”“八五”“九五”计划期间，先后承担了国家和自治区马铃薯重大攻关、国家“863”高科技马铃薯转基因和国际CZP合作项目，引进多个国家马铃薯品种，采用马铃薯近缘栽培种轮回选择和马铃薯杂交实生种子选育技术，通过夏播实生种薯和常规实生种薯的比较试验，揭示了夏播实生种薯具有带毒少、出苗率高、长势强、退化轻、晚疫病轻、产量和淀粉质量明显提高等特点，证明了利用马铃薯实生种子夏播生产优质实生种薯完全可行，效果显著。还培育出5个优良杂交实生品种，在全国11个省区推广，在马铃薯学术界和种植地区的广大农民中受到赞许。

姜兴亚研究员作为学科带头人，指导培养出硕士研究生3人，副研究员和高级农艺师十余人，农艺师十余人。公开发表论文二十余篇，专著3本，其中获自治区和中国农学会优秀论文一等奖、二等奖、三等奖各两篇。兼任中国作物学会马铃薯专业委员会副主任、内蒙古马铃薯研究会常务理事、《中国马铃薯》杂志编委等学术职务。

姜兴亚在研究和推广种植优质马铃薯方面贡献突出，获得各级科研成果奖15项，其中国家和省部级大奖8项，即“马铃薯杂种实生种子选育和开发利用研究”获国家科技进步三等奖；“马铃薯无毒种薯生产技术及良种繁育体系”获中国科学院科技进步一等奖；获两委一部奖1项；自治区科技进步二等奖1项、三等奖4项；呼盟科技进步一等奖2项、厅局级奖5项。1980年获内蒙古自治区“劳动模范”；1996年获自治区“十佳职工标兵”、自治区“科技兴区特别奖”；1998年获“全国五一劳动奖章”等荣誉称号，并多次被评为所、市、盟级先进工作者和优秀党员。2007年12月，荣获首届“内蒙古杰出人才奖”。

（钱占元　撰稿）

邓承远

邓承远　生于1941年，江西省南康县人。1964年，毕业于江西轻工学院，自愿支援北疆建设，分配到内蒙古轻工研究所工作，担任内蒙古轻工研究所总工程师、正高级工程师。1966年6月，加入中国共产党。曾任内蒙古生物技术专家委员会委员、内蒙古星火奖科技进步奖评审委员、内蒙古自治区微生物学会副理事长、内蒙古畜产加工学会常务理事等职。

邓承远主要从事发酵工程研究，主持国家科委地方攻关项目一项、内蒙古科技攻关项目6项，其中一项获内蒙古自治区科技进步一等奖（第一负责人），一项获内蒙古自治区科技进步二等奖（主要负责人），一项获国家轻工业部优秀新产品奖。

1995年，邓承远在呼和浩特市如意开发区建立内蒙古双奇药业股份公司，任公司副总经理、总工程师。1997年，成功申报双歧三联活菌制剂，获国家卫生部颁发的“国家一类新生物制品（一类新药）”证书及生产文号，1998年，又获国家药品监督管理局颁发的生产文号，是1985年新药管理办法实施以来，内蒙古取得的唯一一个“一类新药证书”。硒双歧杆菌胶囊项目完成全部临床前试验研究，现正申报国家临床前试验研究，等待批文；该药的研制方法是“利用双歧杆菌对硒进行生物转化的方法及其产品”已获国家发明专利，专利号为：ZL 2004 1 0002381. 3，申请并获得日本国发明专利一项。

邓承远四十多年来扎根边疆，一直投身科学研究和成果转化第一线，为自治区的经济建设和科学技术发展作出了突出贡献，被国内外同行所认可的原创基础研究成果迅速实现了产业化，推动了我国乳制剂领域向生物制剂（国家新药）的转化和发展。还培养指导硕士研究生 3 人毕业。1998 年为享受中华人民共和国政府特殊津贴专家；1999 年，内蒙古党委、自治区人民政府授予“优秀专业技术人员”称号并记一等功，先后荣获“呼和浩特市劳动模范”“呼和浩特市科教兴市市长特别奖”及内蒙古优秀出国留学人员称号；2005 年，荣获“内蒙古自治区劳动模范”和“改革开放十年来突出贡献先进个人”称号；2006 年，内蒙古科技厅授予“科教兴区个人突出贡献奖”；2007 年，授予“自治区政府拔尖人才”称号，同年 12 月，荣获首届“内蒙古杰出人才奖”。

（钱占元　撰稿）

史　筠

史筠（1924—1994 年） 原名康秉信，1924 年 3 月 27 日出生，湖南省新化县人。1947 年，加入中国新民主主义青年团，1948 年 5 月，加入中国共产党。青年时期投身革命，1945 年至 1948 年，先后在昆明西南联合大学、北京大学参加学生运动，做地下工作。曾任北京大学学生自治会常务理事、华北学生联合会秘书长、革命青年组织“沙滩合唱团”团长。1948 年至 1957 年，任中共中央华北局党校干事，北京俄专、北京俄语学院秘书、秘书科科长、秘书主任、讲师。

1957 年 10 月，中国少数民族地区第一所综合大学——内蒙古大学成立，史筠奉调任内蒙古大学教务长，协助于北辰副校长分管全校的教学科研，并兼任马列主义教研室主任。1958 年 5 月，他提出研究内蒙古革命史，并成立内蒙古人民革命斗争史研究室。9 月，与历史系合并成立了蒙古史教研室，并组织历史系部分师生编写了《内蒙古自治区简史》初稿。在史筠和于北辰的积极倡导下，内蒙古党委批准成立了内蒙古革命史编委会，内蒙古自治区副主席吉雅泰任主任，一批革命老同志任委员，内蒙古大学副校长勇夫任编委会办公室主任，史筠任副主任、《内蒙古革命史》主编，组织内蒙古大学、内蒙古师范学院历史系师生等一百七十多人参加编写工作。到1959年春，搜集了近千万字的资料，并写出了初稿。因学生和大部分教师复课，史筠带领少数教师先后四易其稿。1962年春，经乌兰夫、奎璧、吉雅泰、胡昭衡等内蒙古党委领导人审查后，史筠、黄时鉴、郝维民3人进行了第5次重大修改，1962年11月，由内蒙古人民出版社印出30本试版本征求意见。

1959年，史筠与于北辰积极筹划，成立了内蒙古历史学会，于北辰任会长，史筠任秘书长，这是内蒙古社会科学第一个学会。1960年冬，史筠又组织内蒙古大学历史系师生编写《蒙古史》,启动不久，因三年经济困难而停顿。1962年7月，内蒙古历史学会在内蒙古大学召开成吉思汗诞辰800周年学术讨论会，国内大部分蒙古史、北方民族史学者出席会议，并参加成吉思汗祭祀大典。这是中国第一次举办蒙古史学术讨论会，于北辰、史筠是倡导者、组织者；亦邻真的《成吉思汗与蒙古民族共同体的形成》、周清澍的《成吉思汗生年考》,受到与会学者的高度评价。会后，历史系蒙古史教研室改为研究室，史筠任主任，金启孮任副主任。12月，史筠组织内蒙古历史学会在内蒙古大学举办纪念《蒙古源流》成书300周年学术讨论会，白音撰写、周清澍协助而成的《〈蒙古源流〉初探》,成为讨论会的主要论文。在史筠的领导下，蒙古史研究室扩大研究队伍，组织多方面的课题研究，并与中华书局签订了一批出书合同；创办了内部刊物《蒙古史研究参考资料》；组织余大君、周建奇翻译拉施德著《史集》；在《内蒙古大学学报》出版两期“蒙古史”专号，发表内蒙古大学的蒙古史、北方民族史、内蒙古地区史方面的论文，从而使内蒙古大学的蒙古史、内蒙古地区历史的研究全面开展，开创了学校蒙古史研究事业。

史筠还进行了民族关系问题、蒙古史等方面的研究，先后发表《我国历史上的民族关系问题是内部问题还是外部问题》《认真学习毛泽东思想，正确研究我国民族关系发展史》《白鸟库吉的蒙古史研究是为日本帝国主义的大陆政策服务的》《试论内蒙古四十多年来两条道路的斗争》《蒙古族科学家明安图》《明安图在钦天监五十余年工作记略》《蒙古族学者明安图在我国科学史上的贡献》《我国学者长期以来对蒙古史的研究概况》《国外蒙古史研究的发展和若干值得注意的问题》《辛亥革命时期内蒙古的民族运动》等论文。

在“文化大革命”中，《内蒙古革命史》被打成为乌兰夫树碑立传的大毒草，史筠被打成乌兰夫黑帮分子，长期被批斗。1972 年，蒙古史研究室成为学校直属研究机构，1975 年初，内蒙古大学为史筠彻底平反，恢复工作，任命为蒙古史研究室主任。其间，他组织内蒙古大学蒙古史研究室、内蒙古语文历史研究所联合编写《中国古代北方各族简史》，任编写组组长；组织编写《沙俄侵略我国蒙古地区简史》，郝维民任编写组组长，特布信任副组长，组织吴持哲、吴永刚等翻译了巴德利著《俄国·蒙古·中国》等，为恢复内蒙古大学的蒙古史研究工作做了努力。他为内蒙古自治区的蒙古史、地区史、北方民族史研究做出了开创性的贡献，是内蒙古大学蒙古史研究的奠基人。

1981 年后，史筠调任全国人大民族委员会办公室主任、第五届全国人大民族委员会党组成员、中共中央起草民族区域自治法领导小组秘书长、民族区域自治法起草小组组长、全国人大常务委员会办公厅机关党委副书记等职。1986 年至 1991 年，任第六、七届全国人大民族委员会顾问。在参与民族区域自治法立法的同时，展开对民族法学的全面研究，先后发表《学习〈中华人民共和国宪法〉有关民族问题的规定》《关于中华人民共和国民族区域自治法》《加强民族区域自治的法制建设》《民族区域自治法在我国社会主义法制建设中的地位》《略论苏联的民族国家结构和民族法制》《关于民族和民族问题》《论民族法制建设问题》等论文，出版《民族法制研究》《民族区域自治法概论》《民族法律法规概述》《民族事务管理制度》等著作，对中国民族法学的发展起了奠基作用。还继续从事蒙古史和民族史等方面的研究，主要成果有《关于美国的蒙古学会》《略论 19 世纪末、20 世纪初年中国资产阶级的民族主义思想》《王若飞同志在内蒙古地区革命活动的若干史实》《“九一八”事变后内蒙古东部一部分封建上层对国联调查团的“陈情书”》《解放战争时期内蒙古自治运动联合会和自治政府资料》《大青山抗日游击根据地斗争史》《民国时期鄂伦春族历史资料》《明安图研究》等。

史筠先后还被中国人民大学清史研究所、北京大学法律系、中国社会科学院聘为兼职教授，从事部分教学和指导研究生工作，并任中国政治学会理事等。他用近 10 年的时间，主编《中国少数民族文库》，到 1992 年全部出版

（共30本），并于1994年1月，获第一届国家图书奖提名奖。1994年10月，因病在北京逝世，享年70岁。

（郝维民　撰稿）

特布信

特布信（1925—2010年）　蒙古族，又称图布新，全名图布新瓦齐尔，又名乌书春，1925年3月17日，出生于内蒙古哲里木盟科尔沁右翼前旗。1933年至1937年，在王爷庙（今乌兰浩特）科右前旗第一小学读书；1938年至1941年，就读于扎兰屯国民高等学校；1942年考入长春留日预备学校；1943年就读于日本东京大学，其间接触马克思主义著作和苏俄革命信息，萌发了救国救民族的念头；1945年4月，因战乱东京大学停办而辍学回国。

1945年5月至8月，在王爷庙育成学院任教。抗战胜利后，参加东蒙自治运动，加入东蒙有识之士组织的“内蒙古人民解放委员会”，发表《内蒙古人民解放宣言》，主张协助苏蒙联军驱逐日寇，铲除封建势力，保障劳动人民的自由与权利，实行民族平等，联合中国革命力量，为蒙古民族的解放而斗争。9月赴长春，参加八路军开办的“青年读书会”，学习马克思主义基础理论和毛泽东著作。11月末至翌年4月，在王爷庙东蒙军政干部学校任政治教员兼政治队长。1946年4月，在“内蒙古自治运动统一会议”（即“四三”会议）后被增补为内蒙古自治运动联合会执行委员会委员；是年5月至1947年8月，任内蒙古自治运动联合会兴安盟分会主任。1947年1月加入中国共产党。1947年4月，参加内蒙古人民代表会议，当选内蒙古自治政府临时参议会驻会参议员，参与内蒙古民族区域自治的领导工作；是年11月至翌年8月，任兴安盟扎赉特旗土改工作团团长，领导完成了该旗的土地改革。1949年5月，内蒙古共产党工作委员会、内蒙古自治政府决定抽调160名蒙古族干部，在工委委员、自治政府民政部长奎璧带领下，由特布信、李文精领队，赴内蒙古西部绥蒙地区乌兰察布盟开展蒙旗工作。

中华人民共和国成立后，特布信历任乌兰察布盟人民政府秘书长、副盟长、政府党组书记。在乌兰察布盟工作八年多时间，经历了民主建政、剿匪肃特、镇压反革命、农村土地改革、牧区和半农半牧区民主改革、农牧业合作化等一系列社会变革运动；同时恢复和发展经济、文化、教育事业。1957年调任内蒙古人民出版社社长、总编辑，内蒙古文化局党组成员。是年5月，内蒙古自治区成立10周年时，经过调查研究，撰写了《蓬勃发展的人民出版事业》专文，总结了自治区出版事业的光辉成就。不幸，在当时的整风反右派斗争中，被错误地打成内蒙古干部中的民族右派。撤销职务，开除党籍，下放农村监督劳动。

1960年3月至1961年3月，特布信被安排在内蒙古艺术学校任教。其间，内蒙古党委根据中央关于右派分子摘帽子的决定，摘了他的右派帽子，并调他到内蒙古大学中文系蒙语专业任教；1962年转到历史系蒙古史研究室从事蒙古史研究与教学工作，为历史系本科讲授蒙古近代史。1963年，与黄时鉴、郝维民合作撰写了《中国旧民主主义革命时期内蒙古人民的革命斗争》长篇学术论文；1965年参加《内蒙古史纲》近代部分的编写工作。但是，在“文化大革命”中再次受到冲击与折磨，而且被军管监禁，直至1973年才被解除军管回校恢复工作。1975年，与郝维民共同组织编写了《沙俄侵略我国蒙古地区简史》,发挥了主导作用。

1979年1月，根据中共中央关于纠正反右派扩大化错误的决定，内蒙古党委彻底改正对特布信右派问题的错误决定，恢复其名誉、党籍和职级待遇，并先后任命他为内蒙古大学党委副书记、书记及副校长、校长等职，直至1985年7月离开学校领导岗位。其间，领导内蒙古大学拨乱反正，坚持改革开放，恢复发展教学科研，特别是着力发展蒙古学研究和民族教育事业，取得了突破性进展；将内蒙古大学原有的蒙古语言、文学、历史3个研究室晋升为研究所，新建了内蒙古近现代史研究所，进一步完善了蒙古学研究布局。1980年，与郝维民共同招收中国民族史专业内蒙古近现代史硕士研究生，以培养高层次的研究人才。1985年4月，率内蒙古大学学术访问团，赴美国访问哈佛大学、西华盛顿大学和印第安纳大学，回程途经日本，访问了日本东京大学、京都大学、东京外国语大学亚非语言文化研究所，进行了广泛的学术交流，建立了学术联系，使内蒙古大学的蒙古学研究迈出了国际开放的步伐。之后，又应日本学术振兴会邀请，任东京外国语大学亚非语言文化研究所客座教授，赴蒙古国、苏维埃联邦卡尔梅克自治共和国参加学术会议，进行学术交流。

特布信教授曾任政协内蒙古自治区委员会常委、文史研究委员会副主任；历任中国史学会理事、中国蒙古史学会副理事长、中国中亚文明研究会名誉理事、中国民族史学会顾问、中国蒙古国研究会理事长、《蒙古学百科全书》总编委员会常务副总编。2004 年，获“资深翻译家”称号，受到中国翻译家协会表彰。2010 年 5 月 28 日，在呼和浩特逝世，享年 85 岁。

（郝维民　撰稿）

确精扎布

确精扎布　蒙古族，1931 年 1 月出生，内蒙古哲里木盟科尔沁左翼中旗人。1946 年至 1947 年，在东蒙干部学校和北安军政大学学习。1947 年至 1950 年，赴蒙古人民共和国，在乌兰巴托师范学校学习并任教于乌兰巴托市第 11 小学。1950 年至 1954 年，在内蒙古人民出版社从事编辑工作。1957 年，毕业于中央民族学院少语系研究生班，1957 年至今，在内蒙古大学蒙古语言文学系、蒙古语文研究所任教，历任教研室副主任、副所长、所长、教授、博士生导师，兼任中国蒙古语文学会副理事长、中国民族语言学会理事，曾任国务院学位委员会学科评议组成员、内蒙古社科联副主席等职。

确精扎布教授是著名的蒙古语言学家，其研究范围包括现代蒙古语语法研究、蒙古语语音研究、古蒙古语研究、蒙古语方言研究、蒙古文字学研究、蒙古文信息处理研究等蒙古语言学的全部领域。

20 世纪 50 年代，确精扎布参加全国民族语言普查工作，承担并完成了对蒙古语卫拉特方言和科尔沁土语的调查任务，编写了这两个方言的调查报告。60 年代初，参加我国第一部高等院校蒙古语教材《现代蒙古语》的编写工作，除完成语法部分的编写外，还对全书进行通读和修改。这是国内外学术界公认的代表当时我国蒙古语文研究水平的著作。1974 年至 1976 年，参加《蒙汉辞典》的编纂，承担了正词法的编审和总的协调工作，这是直至 20 世纪末，收入词条最多，翻译、释义最全的蒙古语辞书。

确精扎布教授在蒙古语元音和辅音的音位定性描写、蒙古语方言和蒙古语书面语语音的比较研究方面，进行了卓有成效的研究，提出了很多独到的见解。譬如，对蒙古语 b、d、g 等辅音清音性质的确定，对蒙古语复合元音的声学定量、定性分析，对科尔沁土语某些元音的阴、阳性的定性分析，对我国蒙古语语音学的发展作出了突出贡献。尤其是 20 世纪 80 年代末以来，运用实验语音学方法对蒙古语语音进行分析研究，使蒙古语语音研究从“口耳之学”走向现代化、数字化的道路，解决了定性研究范围里始终得不到解决的一些问题，使蒙古语语音学研究走上一个新的台阶。《科尔沁土语元音音位的某些特征》《库库门恰克语语音系统与蒙古语语音》《用实验语音学方法研究察哈尔土语元音的报告》《关于察哈尔土语复元音的几个问题》《关于蒙古语重音——实验语音学研究中的报告》等学术论文，从不同的角度对蒙古语语音本身以及与阿尔泰语系某些语言的关系进行了研究，提出了新的见解，受到国内外同行的广泛关注和高度评价。

蒙古语语法研究方面，确精扎布教授涉及范围有构词法、词类、语法范畴、词组和句法等。《现代蒙古语·语法》句法部分的关于“总括语”“复指”“前置”“补说”“游离成分”等学说都具有创新性。《关于蒙古语词类》一文强调划分词类时必须综合考虑语义、词法和句法诸因素，并概括指出了各个词类的主要的和一般的特征，从而建设性地提出了有关蒙古语词类划分的三个层次，即三个大类、两个中类、十七个小类。他从实词类中划分出助名词和量词，从虚词里面划分出情态词和摹拟词，并对其语义、语法特点作了详尽的描述。《有关蒙古语词组的几个问题》一文引进词组理论，对蒙古语词组的构成、分类、在句子中的作用、词组里的词序等作了充分的分析和说明。《蒙语语法研究》第一册，对国内外关于蒙古语语法的代表性的作品进行详细的比较和客观的评价；围绕蒙古语语法的每一个范畴、概念都罗列出各家的观点、论述，通过大量的定量、定性分析，对各家学说进行比较的基础上，最后提出自己的观点，论著丰富发展了蒙古语语法学，被国内外学界誉为“20 世纪蒙古语语法学大总结”。

在 20 世纪 80 年代，确精扎布教授对中世纪蒙古语进行了研究，与内蒙古计算中心合作将《元朝秘史》输入计算机，运用计算语言学方法研究这部巨著，撰写了数篇具有影响力的论文。在日本讲学期间，用计算机编制了《元朝秘史》词汇的正序和逆序索引。《〈元朝秘史〉语言的数范畴》一文，利用计算机从复数附加成分、数范畴的内涵、数的一致关系等三个方面对

《元朝秘史》语言的数范畴进行研究，对中世纪蒙古语研究和蒙古语族语言比较研究方面有很大的启发。

在方言研究方面，确精扎布教授主要研究科尔沁土语和卫拉特方言，主编的《蒙文和托忒蒙文对照词典》《胡都木蒙文课本》,在新疆蒙古族群众学习传统蒙古文的过程中，取得了很好的社会效益。《关于托忒文正词法》一文，根据文献第一次归纳出“动词连接元音规则”和“元音脱落规则”，为正词法的进一步完善起了重要作用。《卫拉特话语材料》和《卫拉特方言词汇》是蒙古语族语言方言丛书的组成部分，这两部著作从不同的角度描述和介绍了蒙古语卫拉特方言语音、语法、词汇等方面的诸多特点。

蒙古文信息处理是确精扎布教授的开创性研究课题。从 1983 年开始，领导内蒙古大学蒙古语文研究所计算机小组，从事蒙古文信息处理的研究，主持完成了“一百万词级现代蒙古语文数据库”“五百万词级现代蒙古语文数据库”“蒙古语人机对话中的语音研究”“蒙古文词根、词干、词尾的自动切分和复合词的自动识别”等多项中华社科基金、国家自然科学基金、国家教委等资助的课题。目前正在主持教育部专项基金项目“现代蒙古语语料库的更新、扩充和新标记集的研制”。主持研制的“多种文字输入输出系统”“蒙古语文研究专用软件”“蒙古文自动校对软件”“从新蒙文到老蒙文的自动转写软件”“老蒙文拉丁转写软件”等计算机应用软件和他参与开发的“北大方正电子出版系统蒙文版”“windows vista 操作系统下的蒙古文输入法系统”，均受到国内外专家和用户的高度评价，产生了很好的社会效益和经济效益。“蒙古文编码国际标准”、“八思巴文编码国际标准”和“蒙古文拉丁转写国际标准”的研制工作是关系到蒙古语文信息规范化、标准化和国际化进程的重要课题。由他执笔起草的蒙古文、八思巴文编码国际标准方案，以中国和蒙古两国名义提交到国际标准化组织 ISO/IEC JTS1/SC 2/WG2，并在 WG2 投票通过。他经过多年的主持领导，内蒙古大学蒙古语计算语言学和实验语音学研究工作日趋形成规模。在内蒙古大学蒙古学学院开设了蒙古文信息处理、蒙古语实验语音学基础等方面的新课程。另外，采取了选拔青年骨干送到外地主要的实验室或研究机构学习新的理论、方法；从内蒙古大学蒙语系人才基地班中挑选优秀本科生，进行有针对性的、有具体目标的专门培训，为蒙古语计算语言学和蒙古语实验语音学研究准备了后备力量。在确精扎布的倡导下，招收以蒙古文信息处理为专业方向的硕士、博士研究生。从而为我国蒙古文信息处理事业打下了良好的基础，也为自治区的科技进步事业和蒙古族文化、教育事业的发展做出了贡献。

确精扎布教授除了经常到国内大专院校进行学术讲座或学术交流外，还赴日本、俄罗斯、蒙古、美国、英国、挪威和丹麦等国进行学术访问、参加各种学术会议，为国内外学术界的交流与合作做出了贡献，赢得了国内外同行的赞赏。

确精扎布教授在长期的教学和科学研究工作中，以刻苦钻研和开拓性的劳动，以卓越的成就，为蒙古语言学的发展，为大学蒙古语言学课程体系的建立，做出了突出贡献。可谓成果累累，桃李满天下，被评为内蒙古自治区“有突出贡献的中青年专家”、荣获“全国优秀教师”荣誉称号，为享受中华人民共和国政府特殊津贴专家。论著获得全国高等学校人文学科研究优秀成果二等奖，内蒙古自治区哲学社会科学优秀成果一等和二等奖。

（郝维民据《名师荟萃》载稿修订）

包 祥

包祥 蒙古族，1934 年 12 月，生于内蒙古哲里木盟科尔沁右翼后旗。1951 年，参加革命工作，用蒙古语在兴安盟中学教初中数学。1952 年，内蒙古师范学院在乌兰浩特成立，奉组织派遣到校学习蒙古语。1953 年，毕业后分配到刚刚成立的乌兰浩特二中，任蒙古语教研组组长。1954 年 12 月，为即将成立的内蒙古大学培养师资，调入中央民族学院语文系研究班学习，1957 年，毕业后到内蒙古大学任教。1961 年任讲师，1981 年，任副教授，1986 年，晋升教授。1982 年，任蒙古语言文学系副主任，1983 年，任副校长、校党委常委。曾兼任内蒙古高等教育自学考试指导委员会副主任、内蒙古高等教育学会副会长、内蒙古高等学校学报研究会会长、中国民族古文字研究会副会长、国家教委中国语文学科教学指导委员会委员、内蒙古社科联副主席。现任《中国蒙古学文库》总编、中国古文字研究会名誉理事、世界蒙古学总会会员。1978 年起招收研究生。

包祥教授 20 世纪 50 年代中期开始从事蒙古语言文字的教学、科研工作，主攻蒙古文字学、蒙古语方言，并参加了50年代中期进行的全国少数民族语言普查工作。60至70年代，参加高校蒙古语教材《现代蒙古语》（撰写了文字部分）和大型工具书《蒙汉词典》的编撰、审订工作。出版专著《1307年汉—蒙〈孝经〉研究》（第二作者）。80年代，出版专著《蒙古文字学》，获内蒙古高校蒙古文教材一等奖；结合教学编写出版了适合蒙古族学生使用的教材《语言学概论》，获国家教委全国高校蒙古文教材评比一等奖；参加"六五"国家社会科学研究重点项目"中国蒙古语族语言和方言研究"，撰写蒙古语族语言和方言研究丛书之一的《巴尔虎土语》（第一作者），获国家教委人文社会科学研究成果二等奖。

包祥教授发表了涉及蒙古文字和蒙古方言的学术论文三十余篇。其中关于蒙古文字的起源方面率先提出"蒙古人从畏兀人处借用文字的年代应早于13世纪初叶而大约在10世纪"的论点，得到了国内外蒙古学界的广泛认同。2000年春，以内蒙古大学文化研究所的名义重金征集了在兴安盟索伦地区发现的元代八思巴蒙古字金质圣牌（迄今为止世界上发现的唯一蒙古字金牌），现作为镇馆之宝保存在内蒙古大学民族博物馆。

包祥教授在任副校长期间，非常重视本科教学工作，除带研究生外，每年都承担本科生教学任务；他还关注新建系（如外语、经济、法律、哲学等系）的本科教学质量，经常抽时间去听课，并提出改进建议。特别重视开设蒙古语授课学科建设，先后在生物系、化学系、法律系开设了蒙古语授课班，将培养蒙古族人才的工作推进了一步。

包祥教授广泛开展学术交流活动。1987年和1991年，他成功地组织和主持了第一、二次"内蒙古大学蒙古学国际学术讨论会"，受到与会国内外学者的好评；1988年至1989年，应日本政府学术振兴会邀请赴日本，同日本学者开展了为期一年的合作研究；1990年秋，应蒙古国国立大学的邀请率内蒙古大学代表团访问蒙古国，同蒙古国国立大学签订了校际合作协议；1984年至2000年，分别访问日本、俄罗斯、德国、法国、比利时、丹麦、荷兰等国，开展了广泛的学术活动。在任期间，积极争取国外基金会资助蒙古学研究，特别是以外汇征集国外的蒙古学珍贵资料。

目前，包祥教授全身心致力于科研丛书《中国蒙古学文库》的编辑、出版工作。其内容包括中国蒙古族的历史与现状、经济、军事、教育、法律、宗教、文化、艺术、哲学、医学及社会思想、科技史、文物考古、风俗习惯等方面的内容，计划用蒙、汉两种文字出版200部著作。现已出版六十余种，其中已有十余种获得国家、自治区和相关省市的各种奖励。1992年为享受中华人民共和国政府特殊津贴专家。

（郝维民据《名师荟萃》载稿略作修订）

巴·布林贝赫

巴·布林贝赫 蒙古族，1928年2月出生，内蒙古昭乌达盟巴林右旗人。1948年5月至12月，就读于冀察热边联合大学鲁迅文学艺术院美术系。1960年至1965年，在内蒙古大学文艺研究班就读。1949年1月至1958年3月，在中国人民解放军内蒙古部队从事文化教育、编辑翻译工作。1958年3月，转业到内蒙古大学蒙古语言文学系任教。

巴·布林贝赫教授是享誉海内外的蒙古族当代著名诗人、学者。他先后被选为第四届中华青年联合会副主席，第五、六届全国政协委员，并担任内蒙古蒙古文学学会副理事长、中国作协第四届理事会理事、中国蒙古文学学会理事、内蒙古文联名誉主席等社会职务。

巴·布林贝赫教授是我国蒙古族新文学的奠基人之一，用杰出的诗才开创了一代诗风。至今共创作了二百多首诗歌，出版15部诗集，诗集被中国现代文学馆收藏，成为蒙古族诗歌史上的一座高峰。他的早期诗歌得到蒙古族文艺界的广泛关注和高度评价，并翻译成汉语，引起了全国文艺界的高度重视，成为当代蒙古族诗人的杰出代表。他的诗学思想形成于五六十年代，成熟于70年代末80年代初。一些诗歌被《新华文摘》、英文版《中国文学》等刊物转载。他的诗歌还被汇集成《东风》《生命的礼花》《群星》《龙公的婚礼》《命运之马》和《巴·布林贝赫诗选》等6部汉文诗集。许多诗歌入选各种版本的当代诗歌选本，各种版本的《中国当代文学史》中均有对其诗歌的介绍和评价。一些诗作被翻译成英、日、朝鲜和世界语，在中国台湾、日本、蒙古国等地区和国家出版、转载。他的诗歌成就远远超出了蒙古族文学的范围，在全国乃至世界得到广泛的赞誉。

巴·布林贝赫教授是国内外著名的学者、专家。在五十多年的创作与学术研究中共发表论文八十余篇。出版专著《心声寻觅者的札记》《蒙古族诗歌美学论纲》《蒙古族英雄史诗的诗学》和《直觉的诗学》,以其高屋建瓴的诗学思想，融贯中西的广阔视野，博大精深的理论内涵代表着当代蒙古史学研究的最高成就。还出版了《蒙古英雄史诗选》（上、下）、《蒙古族当代叙事诗选》《蒙古族当代诗选》等多部合著和编著。1994 年至 1998 年，他承担了国家社科基金“八五”规划项目“蒙古英雄史诗的诗学”，内蒙古自治区哲学社会科学“七五”规划重点项目“蒙古文学资料丛书”、“蒙古文学研究丛书”等项目。

巴·布林贝赫教授的著作荣获多项奖励。长诗《生命的礼花》荣获内蒙古自治区 1957 年至 1980 年文学戏剧电影创作奖文学一等奖；散文诗《大地的吸引力》获《诗刊》1981 年至 1982 年优秀作品二等奖；抒情诗《命运之马》1981 年获全国少数民族文学奖；诗论《心声寻觅者的札记》1984 年获内蒙古自治区索龙嘎奖理论一等奖，1985 年，获全国少数民族文学评论奖；专著《蒙古族诗歌美学论纲》获内蒙古自治区哲学社会科学研究优秀成果二等奖、国家教委全国高校人文社会科学研究优秀成果二等奖；专著《蒙古英雄史诗的诗学》获内蒙古自治区哲学社会科学规划项目优秀成果一等奖、自治区“五个一工程”入选作品奖。《直觉的诗学》获内蒙古自治区第七届社会科学优秀成果荣誉奖。巴·布林贝赫教授的诗歌创作和诗学理论研究对蒙古族诗歌研究、蒙古族诗学理论的建构等均有重大贡献和深远意义。是享受中华人民共和国政府特殊津贴专家。

（郝维民据《名师荟萃》载稿修订）

巴雅尔

巴雅尔（1924—2005 年）　蒙古族，1924 年出生于内蒙古哲里木盟科尔沁左翼中旗。1952 年，在内蒙古师范学院学习，1953 年，毕业留校任教。曾任蒙文系古典文学教研室主任、蒙古语言文学历史研究所副所长、蒙古语言文学研究所所长，兼内蒙古社会科学院文学研究所所长。1979 年，晋升副教授，任硕士研究生导师。1983 年，晋升教授。他是国际蒙古学协会会员、中国蒙古文学学会常务理事、内蒙古自治区蒙古语文翻译专业高级职务评审委员会委员、内蒙古师范大学蒙古学学会副理事长。

巴雅尔教授在教学方面，先后给本科、助教进修班及研究生讲授《中国古典文学》《蒙古文学史》《文选习作》《文学教学法》《蒙古古典文学专题》《元史读法专题》《八思巴字专题》《蒙古秘史专题》等课程和讲座。1979 年，任硕士研究生导师，招收四届硕士研究生计 15 名，有 13 名获得硕士学位；另招进修生 3 期和助教进修班学员 42 名。

在科学研究方面，主要从事蒙古学研究，著有《关于〈蒙古秘史〉的作者、音译者和译者》《罗·〈黄金史〉的成书年代》《〈黄金史〉的创作年代考》《〈蒙古秘史〉词的三种形态与数的变》《〈蒙古秘史〉描写战争的艺术》《〈蒙古秘史〉复元音研究》《〈蒙古秘史〉长元音研究》《〈江格尔〉在蒙古文学史上的地位》《〈蒙古秘史〉标音本》（上、中、下三册，共计 150 万字）等数十篇学术论文和专著。1999 年 8 月，召开的纪念《蒙古秘史》成书 750 周年国际学术研讨会上，研究成果受到国际蒙古学协会的高度评价，并获得在《蒙古秘史》研究领域有突出贡献的学者荣誉称号。《〈蒙古秘史〉词的三种形态与数的变》《〈蒙古秘史〉标音本》等被评为学校、自治区和全国的优秀科研成果。《〈蒙古秘史〉标音本》于 1994 年荣获首届国家图书奖。

巴雅尔教授 1985 年被评为内蒙古师范大学优秀教师；1986 年，被评为内蒙古自治区劳动模范；1991 年，被评为优秀共产党员和先进教师。1992 年，为享受中华人民共和国政府特殊津贴专家。2001 年，在内蒙古师范大学主办的"《蒙古秘史》与蒙古文化第二次国际学术研讨会"上，担任大会学术委员会主席。2005 年 7 月 26 日，在呼和浩特病逝，享年 81 岁。

（郝维民据《内蒙古师范大学志》载稿修订）

金启孮

金启孮（1918—2004 年） 满族，爱新觉罗氏，字麓漴。为清乾隆皇帝第八世嫡孙，1918 年 6 月 7 日，出生于北京市。1939 年，入国立北京大学国文学系读书，1940 年，赴日本留学，就学于东京帝国大学文学部东洋史学科，师从日本金史专家三上次男、蒙古史和清史专家和田清。1944 年回国，历任育英、贝满中学历史教员和河北农专英语教授。北平解放后，入华北大学史二班进修毕业后，历任北京市第二十五中学、六十五中学历史教师及北京市教育局教师进修学校教师。1958 年 11 月，调内蒙古大学，任历史系蒙古史教研室副主任、蒙古史研究室副主任；1975 年始，先后任内蒙古大学蒙古史研究室副主任及副教授、教授。1982 年，应邀赴沈阳，主持筹建辽宁省民族研究所，任所长。同时兼任政协内蒙古自治区第五届委员会委员、内蒙古自治区哲学社会科学联合会副主席；政协辽宁省第五、六届委员会委员、辽宁省哲学社会科学联合会副主席、辽宁省民族事务委员会委员；中国蒙古史学会理事、中国民主促进会辽宁省委员会常委等职。1989 年，离休后定居于北京市。

金启孮先生在内蒙古大学任教 25 年之久，是内蒙古大学蒙古史学科的创建者之一。蒙古史是内蒙古大学成立时确定的重点学科，但是，当时既没有专门研究者，又无起码的图书资料，可以说白手起家。金启孮先生是当时唯一专修蒙古史的学者，在任蒙古史教研室副主任时期，培养年轻教师开展清代蒙古史研究，并率先为内蒙古大学中文系蒙古语言文学专业开讲蒙古古代史课程，为历史系先后开讲明代蒙古史、清代蒙古史、厄鲁特蒙古史、蒙古史料学等专门化课程。同时研究蒙古史、内蒙古地区史。发表《清代前期卫拉特蒙古和中原的互市》《丰富多彩的清代蒙古文化》《清代汉译的蒙古乐曲》《海蚌公主考》《清代蒙古史札记》《中国式摔跤源出契丹蒙古考》以及《从清初到五四运动前夕呼和浩特地区农业的发展》（合作）等学术论文，是内蒙古大学蒙古史研究初创时期的开篇之作；《呼和浩特召庙、清真寺历史概述》《归化城喇嘛暴动传说——从民俗材料看召庙与汉商关系》《归化绥远二城的兴建和发展——纪念呼市建城四百周年》等史论是研究内蒙古地区史的探索之作。《漠南集》是其蒙古学研究重要论文汇编。

金启孮先生的学术研究，以女真学、满学、清史为中心，兼及蒙古学、北京史。他通达满文、女真文；钻研女真学、满学，均以民族语言学、历史文化学为主要研究对象。《女真语言文字研究》《女真文辞典》两部专著，是他研究女真学的代表作。《女真语言文字研究》将中国历史上女真语分为 4 个时期，论述了女真语与满语、蒙古语、汉语和契丹语之间的关系；阐明女真字脱胎于契丹字和汉字，现存女真字出于契丹大字；对 1896 年德国

Grube 氏用柏林本《女真译语》统计的女真字 698 字纠正为 694 字，并补充 205 字，总计达 899 字；对女真字的构造、读音、语法等，都有创新性的见解；研究了女真文字对史学的贡献。《女真文辞典》参考汉文字书类目，分为 5 类、38 部、11 附目，共收女真字 1 373 个。每字列出正体、异体；字前标明 Grube、金光平、清濑义三郎对女真字的编号，下分［源］［音］［义］［例］［文］五项内容，从字源、拟音、字义、举例、文法到出处、史实、文字属类和功用，细致分析，阐述详尽，从而便于使用者核对、对比、考索，填补了女真学研究的空白。其后，与乌拉熙春合著的《女真文大辞典》，是 2003 年日本国文部省国际共同研究项目的成果，增补了《女真文字书》及现存所有石刻中出现的女真字，总数达到 1 307 字。金启孮先生是我国女真语言文字研究的主要奠基人。1986 年，《女真文辞典》获辽宁省哲学社会科学界联合会第二届优秀成果一等奖。这两部著作的出版，使中国的女真语言文字研究在国际学术界居于领先地位。

金启孮先生是研究满族及其历史的资深满学家。《满族的历史与生活——三家子屯调查报告》，是对黑龙江省富裕县达斡尔满柯尔克孜友谊乡三家子满族屯调查的基础上，查阅文献资料，进行了综合研究。全屯 101 户，其中满族 80 户，汉族 19 户，达斡尔族 2 户；共计人口 419 人，其中满族 355 人，汉族 54 人，达斡尔族 10 人。全屯满族皆说满语。这是对至今唯一保留满语的村屯进行民族学、民俗学、语言学综合研究的成果。《北京郊区的满族》，是以北京西郊营房（火器营、健锐营、圆明园驻防）的满族人、城外散居的满族人和郊区各王公园寝的满族人为重点，多角度、多侧面、多层次地记述了北京郊区满族人的历史变迁和民俗风情，为历史学、民族学、社会学、民俗学及语言学的研究提供了丰富的第一手材料。《北京城区的满族》，主要记述了 1949 年以前亲自调查的北京地区满族的社会状况、宗教信仰、姓氏语言、文学艺术等方面的特征，以及社会变革时期的处境和活动，并研究了北京内城八旗的民族文化。他还主持创办了《满族研究》及《满族研究参考资料》两种刊物，并任主编。

《沈水集》是金先生女真学、满学研究论文集，其中“女真编”收入论文 10 篇，“满洲编”收入论文 16 篇。与张佳生共同主编的《满族历史与文化简编》，分别以《满族的先世》《满族杰出的历史人物》《旧满洲与新满洲》《八旗制度下的满族》《八旗姓氏和八旗人名》《满族对中国统一事业的贡献》《满族统治者的民族政策》《满族语言文字的发展演变》《满族文学及其发展》《满族对自然科学的贡献》《满族的艺术》《满族传统风俗》《清代满族教育》《辛亥革命前后的满族》《新中国成立后满族的发展》等为章，概述了满族的历史与文化。出版专著《爱新觉罗氏三代满学论集》与《爱新觉罗氏三代阿尔泰学论集》《顾太清与海淀》《梅园集》;《瓠庐诗存》《鞢鞨余音》《丰州牧唱》,是先生的三种诗词集。

金先生应邀与外国学者合作进行女真学、满学研究，并多次参加国际学术会议。1983 年，应邀赴美国参加“女真文化研讨会”；同年应邀在日本东洋文库及圣心女子大学演讲“中国满学研究概况”和“女真学研究概况”；1987 年至 1989 年与日本中部大学合作进行“满族与周边民族关系的研究”；1989 年与韩国晓星女子大学合作进行“中国境内满—通古斯语言的研究”；1991 年与日本江守五夫先生合作进行“满族文化史与家族”的研究等。

1978 年，金先生被批准为内蒙古大学民族古文字专业硕士研究生导师，招收了第一批 2 名研究生和进修生，开创了内蒙古大学民族古文字专业招收和培养研究生的先河，为国家和内蒙古自治区培养出第一批民族古文字研究专门人才。金启孮先生是内蒙古大学蒙古史、民族史研究事业的奠基人之一。2004 年 4 月 10 日于北京病逝，享年 86 岁。

（郝维民　撰稿）

亦邻真

亦邻真（1931—1999 年）　蒙古族，姓亦克明安氏，黑龙江省富裕县人。内蒙古大学蒙古学学院教授，博士生导师。1961 年，毕业于北京大学历史系，来到内蒙古大学工作。先后任蒙古史研究室副主任、蒙古史研究所所长等职务。是内蒙古自治区有突出贡献的中青年专家。曾任中国蒙古史学会副理事长、名誉理事长，中国元史研究会副会长，中国民族古文字研究会副会长等职。他是蒙古史、中国北方民族史、元史和民族语言文字学界负有盛名的学者，学术成就蜚声海内外，得到国内以及蒙古、日本、德国、美国和俄国等国家蒙古学同人的高度评价，是国际蒙古学界的著名学者。

亦邻真教授是杰出的历史学家和语言学家。在史学方面，它主要从事蒙元史、北方民族史和文献学研究。在语言学方面，主要研究古代蒙古语语音、语法以及蒙古文字和古汉语音韵。在史学和语言学研究领域，有很多成果达到了国际领先水平，走在学术的最前沿。在畏兀体蒙古文和古代蒙古语研究方面做出了重大贡献。他对12—14世纪蒙古语音和语法、畏兀体蒙古文基本符号所代表的蒙古语音，对八思巴字基本特点以及音写蒙古语和汉语时的不同规则等问题进行了深入的研究。语言学研究的代表作有《畏兀体蒙古文和古代蒙古语语音》《读1276年龙门禹王庙八思巴字令旨碑》《元代硬译公牍文体》和《〈元朝秘史〉及其复原》。在这些论著中，他提出了诸如畏兀体蒙古文符号A在表示零声母和元音a、e的同时表示辅音h，以A写h源自畏兀文规则。《蒙古字韵》中以八思巴字音写的汉字读音准确无误，具有很高的历史语言学价值。《蒙古字韵》的历史语言背景虽然是北方汉语，但并不是中原雅音的简单记录，其中既有活语音的生动记录，也保留传统因素等重要观点。这些都充分显示了他深厚的语言学功力。尽管他在语言学方面的论著数量不多，但每篇论著的学术水平都很高，科学价值巨大，成为蒙古学研究的不朽遗产。为了阅读和准确理解元朝和明初用汉字音写的蒙古语，他还探讨了汉字音写蒙古语的惯例，做出了科学的总结。他还研究了蒙元时期具有蒙古语法结构的汉文公牍问题，准确地称之为“硬译公牍文体”，并对硬译公牍的一般特征、词法和句法进行了全面的探讨。这些研究，对研读蒙元时期的汉文公牍是大有裨益的。

亦邻真教授科学地研究了蒙古族族源。他的《中国北方民族与蒙古族族源》一文，以丰富的文献资料为依据，通过对文献资料有关记载进行求本溯源、去伪存真的考证，辅之以语言学、人类学、民族学和考古学手段，全面、深入地探讨了蒙古族族源。文章指出，蒙古族起源于东胡，东胡后裔室韦——达怛人就是原蒙古人。他的见解得到了史学界的广泛赞同，成为有关蒙古族族源的主流学说，从而进一步否定了有关蒙古族族源的匈奴说和突厥说。他还提出了关于蒙古古代史的一系列重大理论问题，在《关于十一、十二世纪的孛斡勒》一文中，研究分析了11—12世纪蒙古“孛斡勒”阶层，指出：11、12世纪的孛斡勒“本质上是那颜的隶属人口，是游牧经济中的早期农奴。比起奴隶，他们有自己的私有财产和家庭，还有不完全的人身自由。如果比起原始公社成员，他们已是那颜阶级控制下的被剥削被奴役的劳动人了。应当把 11、12 世纪的孛斡勒看成农奴式的人身隶属关系。”由此得出蒙古古代社会并不存在奴隶制社会阶段这一重大结论。在《内蒙古古代史的若干问题》一文中，亦邻真教授对内蒙古古代史中的某些重要问题作了宏观综述，认为 8 世纪以前，北方民族放弃本土进入中原地区的南迁运动，对汉地民族结构的变化曾产生过重大影响；9 世纪以后，北方民族以故土为基础，部分或全部征服汉地的南进运动，为统一的多民族的国家共同体的形成做出了重大的贡献；单一的游牧经济与内地农业手工业综合经济之间的分工交换关系是一个强大的杠杆，它推动了内蒙古高原古代历史的发展。

如何评价成吉思汗的历史地位和作用，一直是学术界有争议的问题。亦邻真教授早在 1962 年撰写了《成吉思汗与蒙古民族共同体的形成》一文，对成吉思汗作了历史唯物主义的客观、公正的评价。他认为，成吉思汗是一个杰出的草原英雄，是 12 世纪末至 13 世纪初蒙古社会发展中有规律性地出现的代表历史进步趋势的代表人物。成吉思汗代表着蒙古社会由野蛮向文明过渡、由父权制部落社会向父权制军事封建主义过渡的革命性飞跃；代表着蒙古草原各个游牧部落融合成为蒙古民族的历史过程。但是，当他登上世界历史舞台的时候，也充分体现了父权制军事封建主的野蛮性和掠夺性等。

亦邻真教授学术研究的一个重要方面是文献学研究翻译工作。他在这些方面也作了大量的工作，取得了不少成就。1971 年底，蒙古史研究室承担中华书局校勘《元史》的任务，研究室绝大部分人员参加，翻阅了大量资料，撰写十多万字的校勘记资料长编，以他与周清澍等学术骨干为核心，解释了《元史》中很多难解、难懂的蒙、藏、梵、波斯等文的词汇，最终写出了 2 612 条校勘记，成为学术界普遍赞许的版本。他写的《莫那察山与金册》《藏传佛教和蒙古史学》《评〈新译简注蒙古秘史〉》《书评〈圣武亲征录〉》等文，以独到的见解提出了很多可供借鉴的宝贵意见。

亦邻真教授学习和研究古汉语音韵、古代蒙古语语音主要是为了更好地研究蒙古史，让语言学为史学服务。在蒙古史研究中，他用语言学手段解决了不少重大的疑难问题。《起辇谷和古连勒古》《莫那察山与金册》便是利用语言学方法解决重大历史问题的典范。他根据自己语言学与史学结合研究的体会，为研究生和青年教师开设《古汉语音韵学》《民族史语文学》等课程。《民族史语文学》的开设，对内蒙古大学民族史研究的发展与进步意义重大。

亦邻真教授的代表作《元朝秘史・畏兀体蒙古文复原》,是对元明时期的畏兀体蒙古文各种文献和17世纪罗卜藏丹津《黄金史》的蒙古文抄本进行了多年潜心研究，以元朝时期的汉语语音资料和八思巴字文献为辅，于1987年完成了复原工作，谱写了国际《元朝秘史》研究的新篇章。他的畏兀体蒙古文复原和语音学诠释达到了世界领先水平。

亦邻真教授不仅研究蒙古史，而且还研究辽夏金史。在《中国历史大辞典・辽夏金元史》卷中就有他撰写的许多词条。他所翻译的《〈新译红楼梦〉回批》,以其优美的古汉语韵味在现代翻译史上占有重要地位。译本的导论《蒙古族文学家哈斯宝和他的译著》对蒙古文学史研究具有指导意义，充分体现了作者的文学理论素养。

亦邻真教授热爱教育事业，自1978年成为研究生导师以来，共培养了20多名硕士。1990年成为博士生导师后又培养出4名博士。

亦邻真教授很注重对外学术交流，曾先后出访美国、日本、德国、蒙古等国家，与各国蒙古学学者建立了密切的学术合作关系。他树立了严谨、科学的学术典范。在蒙元史、中国北方民族史研究领域开辟了利用多种文字史料、语言学与历史学相结合、微观考证与宏观探讨相结合的研究道路，为我国乃至世界蒙古学事业的发展作出了重大贡献，为享受中华人民共和国政府特殊津贴专家。1999年，在内蒙古大学病逝，享年68岁。

（郝维民据《名师荟萃》载稿略作修订）

周清澍

周清澍 1931年12月，出生于湖南省武冈县。1950年，毕业于湖南武冈洞庭中学，同年秋考入北京大学史学系，从此步入历史学领域。1951年，入学不足一年时，见报载苏联莫斯科大学将中国古代的科学家列入世界科学家之林，他便开始对祖冲之进行了解和摸索研究。经过3年断断续续的努力，终于写成《中国古代伟大的科学家——祖冲之》一文，被编入《中国科学技术发明和科学技术人物论集》,由三联书店出版。这是周清澍写作论文的尝试。1959 年，英国剑桥大学出版了李约瑟教授所著《Science & Civilisation in China》第三卷，其中的数学和天文学分卷皆将此文列入参考文献。

1953 年春，周清澍被调出，专学俄文；1954 年，又被选送马列主义学院专学世界近现代史，毕业后留校为亚洲史（主要方向是印度）研究生。但对中国民族史仍有极大的兴趣，1955 年，应约写成《汉藏两族人民历史悠久的友谊》一文，发表在次年的俄文版《人民中国》。

1957 年，周清澍研究生毕业后留校，适逢内蒙古大学成立，他主动要求调往内大，从此开始在内蒙古的生活和工作。1979 年，他开始招收硕士研究生，1985 年，晋升为教授。1988 年，经国家人事部批准为有突出贡献中青年专家。2001 年，最后一名博士生毕业，结束了教学生涯。

1959 年初，周清澍教授从农村下放归来，历史系成立 5 个教研室，他被分配到蒙古史教研室，不久借调到中国科学院民族研究所北方少数民族社会历史调查组，参加《蒙古族简史》的编写，于 1963 年内部印行。1961 年，参加了中国民族历史指导委员会举办的蒙古史讨论会，代表简史组作《蒙古社会如何向封建制度过渡的问题》的报告。1962 年 8 月，内蒙古历史学会举办纪念成吉思汗诞辰 800 周年学术讨论会，他撰写了《成吉思汗生年考》,与会者反响热烈。在《文史》创刊号发表后，颇引起学界注意。

周清澍教授协助白音写成《〈蒙古源流〉初探》。他对难解的记述作了研究，写成札记 2 篇，其中《库腾汗——蒙藏关系最早的沟通者》一篇用蒙古、藏、汉文史料对照，阐明了阔端太子“在 1239 年前后与西藏确立主从关系的史实”，首次在我国明确，西藏归入祖国版图是在元太宗时期。1962 年底，在内蒙古历史学会举办的纪念《蒙古源流》成书 300 周年学术讨论上发表后，与会者给予很高评价。

经历“文化大革命”几年动荡之后，1971 年，学校复课。不久，学校派周清澍教授去北京联系参加《元史》的点校工作。当时，《二十四史》的点校因毛主席的亲自过问，被看成国家大事；其中《元史》特难解难读，周清澍在其中起了重要作用。点校本的出版备受关注，颇得好评。1974 年，中国近代史研究所续编范文澜著《中国通史》,他参加了其中第 6 册西夏、金末部分的编写，于 1979 年出版，第 7 册（他参写元代早期和少数民族部分）于1983年出版。

“文化大革命”结束后，国家重视文化，兴修大典，周清澍教授应邀参编《中国大百科全书》,担任《中国历史卷·元史分卷》副主编并撰写16个词条；此后又参编《中国历史大辞典·辽、夏、金、元卷》,担任副主编并撰写词条586条。1979年，参加了中国蒙古史学会成立大会，当选为理事。10月，又应邀任中国中亚文化协会发起人，出席天津的成立大会，当选为常务理事。1980年，出席了中国元史研究会成立大会，1990年，成立理事会，当选为理事和副理事长。1984年，参加中国民族史学会首次工作会议，当选为理事。

20世纪七八十年代，周清澍教授就蒙古史中有关民族、地区、交通、历史地理等问题发表系列论文，如《元朝的蒙古族》《从察罕脑儿看元代的伊克昭盟地区》《元朝对唐努乌梁海及其周围地区的统治》《读〈唐驳马简介〉的几点补充意见》《大青山后蒙元时代的汪古部》,就有关统治家族、族源、首领封王事迹与成吉思汗家族世代通婚的关系、领地和统治制度，在《文史知识》上发表系列论文。1985年，在苏州元史研究会上，提交了《蒙元时期的陆路中西交通》的综论式长文。

周清澍教授在多年的研究工作中，认为所研究的问题应不重复别人，力求发掘新的史料，有所创见或开拓新的领域。为了读书方便，他曾自编《元人文集版本目录》,1983年，由南京大学出版社出版。

1989年，内蒙古大学开办“内蒙古地方史志专业”自学考试助学辅导班，开设《内蒙古历史地理》课程，周清澍主编了这部教材，后列入国家社科基金项目，于1994年修订出版。1987年起，他陆续发表有关元史研究者钱大昕、张穆、李文田、沈曾植和洪钧的论文。20世纪90年代，就日本所藏元人诗文集珍本、元代汉籍在日本的流传和翻刻、建国前内蒙古的方志和元人文集的辑佚等问题做了文献学的研究。

周清澍教授应日本东洋文库的邀请，1990年4至7月，赴东京和京都进行研究；5月，参加在早稻田大学召开的モンゴル学会春季学术研讨会，作了《忽必烈潜藩新政的成效及其意义》的演讲，并先后访问了静嘉堂文库、国会文库、内阁文库和宫内省书陵厅，对所藏国内稀见古籍进行调查研究。其成果《日本所藏元人诗文集珍本》,先在东洋文库演讲，后发表在

《东洋文库书报》第23号。1999年，应中国台湾清华大学邀请参加蒙元史学术讨论会，提交论文《元桓州耶律家族史事汇证及契丹人的南迁》。

1995年，周清澍教授参编的《中国通史》获新闻出版总署第二届国家图书奖；主编的《内蒙古历史地理》,先后获内蒙古“五个一工程”奖、国家教委第二届全国高等学校出版社学术著作优秀奖、内蒙古自治区首届图书奖。2001年，内蒙古大学蒙古学研究中心为周清澍教授出版《元蒙史札》文集，共收文40篇。

21世纪伊始，周清澍教授笔耕不止，论证了郑天挺先生《明史》中的标点问题，发表《关于银定与歹成》；提交南开大学举办的“马可波罗与十三世纪的中国”国际学术讨论会，题为《马可波罗书中的阿儿浑人和纳石失》的论文；2002年，参加中华书局举办的国际学术研讨会，报告题目为《[illegible]点校的经历和体会》,被收入《中国传统文化与21世纪国际学术研讨会论文集》；同年，发表《蒙元时期的粘合家族与开府彰德》和《大蒙古国时期地方儒学机构和学官的设立》（与博士生赵琦协作）；2005年，发表《忽必烈早年的活动和手迹》《〈全元文〉编撰大功告成》。此外，还发表了个人爱好的论文《论戕翁藏书》《〈再生缘〉作者的母族桐乡汪氏》等。

周清澍教授治学严谨，刻意求新，在蒙元史、文献学、版本目录学等领域多所创见，影响巨大且深远。1989年，被评为国家级有突出贡献的中青年专家；1990年为享受中华人民共和国政府特殊津贴专家。

（郝维民据《名师荟萃》载稿略作修订）

林　干

林干　祖籍广东省会县，1916年3月，出生于上海市。内蒙古大学蒙古史研究所教授。中小学均在上海英国学校就读。抗日战争初期，曾投笔从戎，随军转战晋北各地。1941年至1944年，就读（贵阳）大夏大学法律系。1948年，在天津育德法学院任教。1949年春，考入华北大学第二部史地系学习，开始接受党的教育。后被分配至河北师范学院历史系担任讲师。1957年，调至中国科学院历史研究所从事中国古代北方民族史研究。1961

年，支边来到内蒙古，仍研究古代北方民族史。1979 年，转入内蒙古大学蒙古史研究室从事科研和教学工作。1990 年离休，受学校返聘，继续承担科研任务及参与指导博士研究生至 1995 年。

林干教授曾兼任中国蒙古史学会理事、中国中亚文化研究会理事、中国民族史学会顾问、内蒙古社会主义学院名誉院长、内蒙古地方志学会副会长、内蒙古老教授协会理事、呼和浩特昭君文化研究会副会长。1985 年，被选为第五届内蒙古政协委员；1988 年，被选为第七届全国人民代表大会代表，同年被选为中国民主同盟第六届中央委员兼民盟内蒙古自治区委员会副主任委员。

近 30 年来，林干教授发表学术论文 50 余篇，专著 19 部，合计约 300 万字，多方面填补了民族史研究中的空白，受到国内外学术界、新闻媒体的广泛重视。《人民日报》（国内版、海外版），《中国日报》（英文版），香港各报刊，美国纽约市出版发行的《侨报》，新华通讯社对外英语广播和法语广播等，对其学术成就都有多次报道。

林干教授的三部代表作：《匈奴通史》于 1995 年获国家教委首届人文社科研究优秀成果一等奖，并于 2004 年被译成维吾尔文出版；《突厥史》于 1989 年获内蒙古自治区第三届哲学社会科学优秀成果一等奖，并于 1998 年和 2002 年先后译成蒙古文和维吾尔文出版；《东胡史》于 1991 年获第五届中国图书奖二等奖，并于 1997 年被译成蒙古文出版。1991 年，受内蒙古党委的委托，主编了《内蒙古历史文化丛书》（共 10 册）。其中由他撰写的《中国古代北方民族史新论》，获中宣部 1993 年度全国精神文明建设“五个一工程”奖。1990 年为享受中华人民共和国政府特殊津贴专家。同年又获国家民委授予的“民族团结进步先进个人”称号。

1990 年 10 月，林干应匈牙利世界联合会和匈牙利古代史研究会的特别邀请，赴布达佩斯出席国际学术讨论会，在会上他做了有关匈牙利族源的长篇演讲，提出和论证了“从中国西迁的匈奴人为匈牙利人祖先的一部分”的论点。1999 年 11 月 17 日，匈牙利国家中央电视台“博闻时刻”栏目播放了对林干教授的专访新闻。2000 年 2 月 17 日，《内蒙古日报》以“语惊四座”为题，报道了他在匈牙利演讲的情况。2007 年 12 月 24 日，“中国校友会网大学评价课题组”发布《2007 中国杰出社会科学家研究报告》，公布了中国杰出社会科学家505人，林干教授名列其中。

（甘旭岚据《名师荟萃》载稿修订）

郝维民

郝维民　蒙古族，蒙古名敖腾比力格，1934年2月12日出生，内蒙古伊克昭盟杭锦旗人。1957年10月，考入内蒙古大学历史系。1958年8月，因工作需要，调出半工半读，参加蒙古史研究工作，为见习助教。1962年7月，随原班毕业后定为助教。

1958年9月，内蒙古大学历史系成立蒙古史教研室，郝维民为4成员之一。12月，内蒙古党委决定编写《内蒙古革命史》,由内蒙古大学历史系和内蒙古师范学院历史系师生等170多人参加。内蒙古大学教务长史筠任主编，郝维民参加编写工作，1959年初写出初稿。1962年春经内蒙古党委领导人乌兰夫、奎璧、吉雅泰、胡昭衡等审查后，史筠、黄时鉴、郝维民3人进行了第5次重大修改。11月，由内蒙古人民出版社印出30本试行本征求意见。但是，该书在“文化大革命”中被定性为乌兰夫树碑立传的大毒草，史筠被打成乌兰夫黑帮分子挨批斗，郝维民陪绑，直到“文化大革命”结束才平反正名。

1960年1月，郝维民在内蒙古大学第一届科学讨论会上提交锡尼喇嘛领导的“独贵龙”运动论文，后发表于《实践》当年第二期。这是他学术生涯的处女作。1963年，发表了《伊克昭盟“独贵龙”运动》论文，并与黄时鉴、特布信合写《中国旧民主主义革命时期内蒙古人民的革命斗争》长篇学术论文。

1962年，蒙古史教研室改为研究室，史筠任主任，金启孮任副主任，郝维民任党支部书记。1964年底，郝维民与黄时鉴共同组织编写《内蒙古史纲》,并着手修改《内蒙古革命史》,因受“文化大革命”冲击而搁浅。

1972年底，蒙古史研究室成为学校直属研究单位，郝维民任直属党支部书记，主持研究室工作。1975年，史筠、金启孮恢复蒙古史研究室主任、副主任，郝维民任党支部书记、副主任。1980年8月，内蒙古党委成立内蒙古党史资料征集委员会、内蒙古革命史编审委员会，下设办公室、《内蒙古革命史》编写组，郝维民任办公室副主任、编写组副组长。1982 年 8 月，经他积极筹划，内蒙古党委批准成立中共内蒙古地区党史研究所，设在内蒙古大学；1985 年又冠名内蒙古近现代史研究所。郝维民主持建所工作，并任所长，直至 1994 年 6 月卸任。

1983 年，郝维民晋升为副教授，1988 年，晋升为教授。80 年代以来，兼任内蒙古大学学术委员会、学位委员会委员；中国蒙古史学会理事、秘书长；内蒙古自治区中共党史学会副理事长；内蒙古自治区国史学会副会长；内蒙古自治区延安精神研究会副会长等学术和社会职务。

1975 年至 2008 年，郝维民主持编写了《沙俄侵略我国蒙古地区简史》，主编了内蒙古党委组织的项目《大青山抗日斗争史》；国家社会科学基金项目《内蒙古革命史》；内蒙古自治区社会科学规划项目《内蒙古近代简史》；内蒙古教育厅资助项目《内蒙古自治区史》；中共呼和浩特市委项目《呼和浩特革命史》；内蒙古党委组织部、新华社内蒙古分社项目《百年风云内蒙古》；历经 8 年，主持并与齐木德道尔吉教授主编了国家社科基金项目《内蒙古通史》及其阶段性成果《内蒙古通史纲要》；是国家民委民族问题 5 种丛书《蒙古族简史》的主要执笔人之一。上述 10 部学术专著，总计 1 500 余万字，组织百余人参加研究与撰写工作，筹措了近 500 万元经费，保证了研究工作的完成。目前还在主编国家社科基金项目子课题《蒙古学百科全书·近现代史卷》；主持教育部人文社会科学重点研究基地重大项目《当代内蒙古蒙古族社会经济文化变迁研究》、国家社科基金项目《当代中国蒙古族历史》。他明确表示："这些著作我只是主编、组织者，不是个人著作，而是诸多参加者的集体劳动，是大家的心血，是共同的成果，我感谢他们。当然，我也从来不赞成主而不编的主编。重大课题是学科建设的主要工程，而任何重大课题研究单枪匹马是完不成的，必须团队作战，集体攻关。"与此同时，发表了《试论内蒙古革命的道路》《第一、二次国内革命战争时期的内蒙古人民革命党》《李大钊与内蒙古革命》《民主革命时期毛泽东思想民族理论在内蒙古的实践》《辛亥革命与内蒙古政治》《漫议中国西部大开发与蒙古族的发展》《内蒙古革命和建设的光辉典范》《试论内蒙古革命和建设中的民族特点和地区特点》等 70 多篇学术论文和文章。这些专著与论文都是首次奉献于社会，填补了内蒙古近现代史研究的空白，是这一学术领域的开创性研究成果。他对诸多重大历史问题形成了独到的认识与见解。主持编辑出版《内蒙古近代史论丛》4辑、《内蒙古近代史译丛》3辑。此外，还担任《中国历代少数民族英才传》副主编，组织编写了一批蒙古族英才传，并撰写了《民族领袖，一代伟人——政治家乌兰夫》，与金海合写了《达斡尔族政治家、教育家郭道甫》等传记。《英才传》是中国海峡两岸150余位专家学者为中国历代869名少数民族英才人物撰写的传记，是民族史研究的重大工程。

在这些研究成果中，《内蒙古革命史》获首届国家社会科学基金项目优秀成果二等奖，这是内蒙古自治区社会科学研究成果迄今所得的最高奖项，另外还获得内蒙古自治区社会科学规划项目优秀成果一等奖、内蒙古自治区首届图书奖和“五个一工程”入选奖。《大青山抗日斗争史》获内蒙古自治区社会科学优秀成果一等奖；《呼和浩特革命史》获内蒙古自治区社会科学优秀成果一等奖和内蒙古自治区“五个一工程”入选奖；《百年风云内蒙古》获内蒙古自治区“五个一工程”入选奖；《蒙古族简史》获中国社会科学院优秀成果奖。国家社会科学基金办公室确认《内蒙古通史》为基础研究优秀成果。论文《试论内蒙古革命的道路》获中共党史学会研究优秀成果二等奖；《漫议中国西部大开发与蒙古族的发展》获国家民委社会科学研究成果二等奖。这是社会和学术界对郝维民史学研究的评价与肯定。

资料建设是研究工作的基础。在近50年期间，郝维民教授组织复制国内外珍贵的历史档案史料两万多件，搜集购置图书资料近万册，走访历史见证人近200位，积累了丰富的访问记录或录音口述资料，从无到有建成了学科资料基地。

从1961年开始教学工作，先后为历史系、蒙语系本科生、工农兵学员讲授内蒙古革命史、内蒙古近现代史；1980年，与特布信教授共同招收中国民族史专业内蒙古近现代史研究硕士研究生，直至1999年，指导9届13名硕士生，开创了这一领域研究生教育之先河。

为面向实际，服务社会，普及历史知识。1988年秋，郝维民教授倡导并亲自赴教育部汇报，获准开办内蒙古大学“内蒙古地方史志专业”自学考试助学辅导班，开设了具有民族特点、地区特点的《古代蒙古史》《内蒙古近代史》《内蒙古自治区史》《内蒙古历史地理》《内蒙古文物考古》《民族理论与民族政策》等12门课程，主讲《内蒙古近代史》和《内蒙古自治区史》等课程，先后辅导五千多名学员。同时，参与撰写、审定乌兰夫纪念馆、内蒙古民族解放纪念馆布展提纲；为区内外高校、党校、团委、社科联、妇联、政协、报社、电视台、电台、工厂、企业、公安、部队、党史研究和地方史志及党政部门等，作内蒙古党史、革命史、近现代史报告一百多次；参与拍摄内蒙古近现代史题材电视剧和专题片，担任历史顾问、执行制片人等。

开展国内外学术交流，扩大学科影响。1989年6月，郝维民教授应邀参加日本东京外国语大学亚非文化研究所“内蒙古近现代史史料国际学术研讨会”，发表了《内蒙古近现代史史料与研究动态》的主题演讲；1992年12月，应蒙古国科学院东方研究所邀请，参加了蒙古国“辛亥革命”国际学术讨论会；1995年12月，应日本学术振兴会邀请为爱知大学客座教授，赴日访问；2003年2月，应邀参加爱知大学“内蒙古综合研究”国际研讨会，并启动了合作研究项目“当代内蒙古综合研究”。此外，为美国、日本、加拿大等国来访学者讲授内蒙古近现代史，开展国际学术交流。

郝维民教授在五十余年的工作中多次被评为学校的优秀党员、先进工作者；1988年，被授予内蒙古自治区民族团结进步先进个人称号；1990年，被评为内蒙古自治区有突出贡献的中青年专家；1992年为享受中华人民共和国政府特殊津贴专家。2007年12月24日，中国校友会网大学评价课题组的《2007中国杰出社会科学家研究报告》,郝维民教授名列中国杰出社会科学家505人之中。

郝维民教授在实践中，由其恩师史筠的示范、启发，形成了课题研究、学科建设、人才培养、资料建设相互支持的学科建设理念。他认为学术团队是学术攻关的力量源泉，团队精神和团队的凝聚力是课题攻关的关键；继承是学科发展的基础，开拓创新是学科发展永恒的主题；学科建设的长远整体规划，是学科发展的动力与目标；筹集经费是进行学科建设、完成研究计划的保证。这就是内蒙古近现代史研究领域开拓者之一和学术带头人——郝维民教授的实践经验的理性总结。

（钱占元参照《名师荟萃》载稿补充修撰）

留金锁

留金锁（1935—2001）　蒙古族，1935 年 11 月 10 日，出生于内蒙古哲里木盟科尔沁右翼前旗好仁乡，原籍辽宁省朝阳县毛敦浩特。1955 年，毕业于内蒙古师范学院蒙古语言文学系，并留校任助教。1957 年至 1959 年，在湖南师范大学进修世界中世纪史，结业后回母校历史系从事教学工作。1971 年 11 月，调到内蒙古语文历史研究所历史研究室工作。1982 年，晋升为历史学副研究员，1990 年，晋升为历史学研究员。先后任内蒙古社会科学院历史研究所副所长、所长，兼任内蒙古历史学会理事长、中国蒙古史学会副理事长、国际蒙古学协会会员、中日关系史学会理事、乌兰夫研究会理事、内蒙古民族经济史研究会副理事长、蒙古族军事思想研究会理事、内蒙古民族教育研究中心特邀研究员、内蒙古师范大学历史系兼职教授、《蒙古学百科全书》常务副总编、《中国蒙古学文库》总编等职。1984 年被评为内蒙古自治区有突出贡献的专家；1992 年为享受中华人民共和国政府特殊津贴专家。

留金锁在蒙古历史和蒙古历史文献学研究领域做出了突出贡献，成为享誉国内外的著名蒙古学家。在蒙古历史文献学方面，撰写了国内第一部蒙古历史文献学专著《十三——十七世纪蒙古历史编纂学》，研究、校勘、注释了《十善福白史册》《黄金史纲》《水晶鉴》等重要蒙古历史文献。在蒙古历史研究方面，主持编撰了内蒙古自治区哲学社会科学“七五”重点科研项目、国内第一部《蒙古族通史》（上、中、下三卷），荣获中国第六届图书奖二等奖、首届中国民族图书奖三等奖；编著了《蒙古史概要》《蒙古族全史（第一卷）》等专著；撰写了有关蒙古族历史、社会制度、历史文献、部落源流、宗教、历史人物、社会思想等学术论文 40 多篇；主编了《中国各民族传统文化百科词典（蒙古族卷）》《中华人民共和国地名大词典（内蒙古卷）》，参与《中华人民共和国行政区域地名词典》《中国战争词典》以及《内蒙古地名志》等工具书的编纂工作；审校和主编了《蒙古族历史知识丛书》和《蒙古文化丛书》；编撰了《成吉思汗》《蒙古帝国》等普及读物；合作编写了全国民族中等师范专科学校试用《蒙古史》教材和全国全日制普通民族中学《蒙古史》统编教材，并参与审定了全国高校《蒙古史》教材等。

2001 年 8 月 15 日，因病在呼和浩特逝世，终年 66 岁。

（斯林格 撰稿）

金 峰

金峰 蒙古族，蒙古名 Altan-Orgil，姓谭泰，祖籍辽宁省阜新县（今阜新蒙古族自治县），1937 年 11 月 24 日，出生于哲里木盟科尔沁右翼后旗。1962 年毕业于内蒙古大学历史系，留校在历史系蒙古史研究室从事蒙古史研究。1985 年 11 月，调入内蒙古师范大学，先后任蒙古史研究所、蒙古宗教研究所所长。1983 年，晋升为副教授，1988 年，晋升为教授。先后当选为呼和浩特市新城区人民代表、呼和浩特市人大代表；曾任内蒙古政协常委、全国政协委员。现任内蒙古文史研究馆馆员、中华大藏经蒙古文版对勘出版委员会总编辑、《蒙古学百科全书》副总编辑等。

金峰教授主要从事蒙古史、蒙古文献、蒙古驿站交通史、蒙古宗教、中国边疆少数民族语历史地名、卫拉特英雄史诗《江格尔》等方面的研究。1957 年至 1962 年大学就学期间，自愿参加内蒙古图书馆蒙古文献、历史档案的整理和编目工作。1965 年，内蒙古大学蒙古史研究室编写《内蒙古史纲》,奉派在中国第一历史档案馆、沈阳东北档案馆查阅满文、蒙古文历史档案，参加内蒙古档案馆蒙古文历史档案的整理。1966 年冬，在“文化大革命”破“四旧”中，抢救了呼和浩特地区召庙一大批珍贵蒙古文历史档案和文献，并自愿参加内蒙古社会科学院图书馆蒙古文献的整理工作。在呼和浩特、包头搜集蒙古文碑铭，并抢救临摹乌素图召珍贵壁画，将五当召在“文化大革命”期间被焚烧未尽的蒙古文献和档案整理保存下来。自费搜集明代《摆腰台吉庙碑》《阿拉坦汗法典碑》《博格达察罕喇嘛碑》等珍贵文物，均存放于内蒙古大学蒙古学学院逸夫楼大厅。1975 年至 1992 年，先后赴新疆 10 余次，与当地蒙古族学者合作搜集了一大批托忒，在全国政协九届一次会议上，他与全国佛教协会副主席乌兰活佛、新疆维吾尔自治区政协原主席巴岱 3 人联合提出抢救对勘出版蒙古文《大藏经》的提案，现已陆续出版。1982 年至 1992 年，整理出版了满、蒙、汉三种文字的文献《呼和浩特召庙》《呼和浩特史蒙古文献资料汇编》《蒙古历史文献九种》《理藩院则例》（蒙古文上下两辑、汉文一辑）《卫拉特历史文献》《卫拉特史迹》《逆漠方略》等共15部，为抢救蒙古族文化遗产做出了突出贡献。

1975年4月，金峰参加在乌鲁木齐市召开的《沙俄侵略我国西北地区史》书稿讨论会，讲述了卫拉特蒙古史，并阐明卫拉特蒙古在新疆、青海历史上的地位与作用。1983年至1992年，应聘为新疆师范大学名誉教授，培养了一批年轻的卫拉特蒙古史学者。1986年至2004年，协同中国社会科学院边疆史地研究中心马大正教授、中国人民大学清史研究所马汝珩教授等蒙、汉、回、满、维吾尔、藏等各族学者和相关领导，先后召开四次中国暨国际卫拉特蒙古史学术讨论会，出版蒙、汉两种文字会议论文集4部；出版《论四卫拉特》《江格尔黄四国》两部专著，对卫拉特蒙古史进行了多方面研究，提出了新的见解；将卫拉特英雄史诗《江格尔》首次与三个不同时期的四卫拉特史相结合，从历史、地理、宗教、民俗、法律、制度、经济等多角度进行了分析研究。

1983年冬，金峰与呼和浩特市蒙古语文办公室主任庆来合作举办了蒙古史专修班，为内蒙古、新疆、青海、黑龙江、辽宁等蒙古族聚居地区培养了七十余名专门人才；受聘为内蒙古旅游局学术顾问，参与主持编写《内蒙古导游基础知识》,先后给内蒙古旅游局举办的二百余名导游人员培训班，讲授蒙古史；应聘参加内蒙古地名领导小组，任《内蒙古地名》杂志、《呼和浩特市地名志》《包头市地名志》学术顾问，发表《蒙古历史地名初探》等系列论文，为复原和使用内蒙古地区少数民族语历史地名发挥了积极作用。

几十年来，金峰教授参加国家《元史》校勘工作，点校《太祖纪》和《刑法志》；任国家“十五”、“十一五”重点图书出版项目蒙古文《大藏经》总编；主编国家社科基金项目《蒙古学百科全书·宗教卷》；参编国家社科基金项目《蒙古民族传统生态文化研究》；任国家清史纂修工程“清代阿拉善和硕特旗历史档案整理”顾问；主编全国高校古籍整理资助项目《卫拉特文献》；主编内蒙古社科“十五”重点项目《清代蒙古史研究》；编著《江格尔黄四国》和《四十万蒙古国名称研究》；主持整理八省区蒙古语文协作办公室资助项目《卫拉特历史文献》；主编《蒙古史论文选集》

1—5 辑；主持整理《漠南大活佛传》；主持、主编出版的著作 32 部，蒙、汉两种文字《蒙古文斋记》1—6 辑。

金峰的研究领域包括蒙古宗教、驿站交通、历史地名、氏族部落、民俗风情等诸多方面，发表蒙、汉文学术文章九十余篇，约四百万字。代表作有《清代蒙古北路台站》《喇嘛教与蒙古封建政治》《兀良合部落变迁（提要）》《再论兀良合部落变迁》。

1961 年，金峰为内蒙古大学中文系蒙古语言文学专业用蒙古语讲授中国古代史课程。1962 年，大学毕业后，除了承担本校蒙语专业、历史系、哲学专业的古代蒙古史课程教学外，还为内蒙古师范学院历史系、新疆师范大学中文系、内蒙古蒙古文专科学校大专班讲授蒙古史课程。在内蒙古师范大学先后主持创建蒙古史研究所、蒙古宗教研究所，任所长。在内蒙古师范大学协同相关教师陆续创设专门史、民族史、文献学、宗教学等四个硕士学位授予点，并任导师。从 1986 年到 2005 年，指导和培养了 6 届二十余名硕士研究生。

金峰教授在教学、科研和社会活动等方面成就突出，在国内外影响广泛，荣获蒙古国科学院“咱雅班第达奖章”，蒙古国纪念成吉思汗建国 800 周年“优秀学者奖状”；2000 年，获世界华人协会国际杰出专家委员会授予的“国际杰出专家”“荣誉博士”称号；2001 年，被蒙古国成吉思汗国际科学院授予院士称号。《江格尔黄四国》获中国民族图书奖二等奖；《呼和浩特史蒙古文献资料汇编》和《卫拉特历史文献》，分别获内蒙古自治区新闻出版局和八省区蒙古语文工作协作小组办公室荣誉奖、新疆维吾尔自治区哲学社会科学学会联合会和新疆维吾尔自治区科技干部管理局优秀资料二等奖；《关于紧急扶持内蒙古蒙古文印刷厂的提案》获中共内蒙古自治区委员会办公厅、内蒙古自治区人大常委会办公厅、内蒙古自治区人民政府办公厅、政协内蒙古自治区委员会办公厅联合颁发优秀提案奖；《亲征平定朔漠方略》《西部大开发需要继承和发扬我国游牧文明的优秀传统》分别获内蒙古自治区社会科学优秀成果一等奖。《卫拉特史迹》《江格尔黄四国》《理藩院则例》分别获内蒙古自治区社会科学优秀成果评奖委员会二等奖。是享受中华人民共和国政府特殊津贴专家。

（郝维民　撰稿）

乔　吉

乔吉　蒙古族，蒙古文名 Choiji，1942 年 12 月出生，原籍内蒙古自治区昭乌达盟巴林右旗。1965 年 7 月，毕业于内蒙古大学中文系蒙古语言文学专业。1966 年至 1967 年，参加劳动锻炼。1969 年至 1975 年，先后在巴彦淖尔盟人民广播电台、昭乌达盟人民广播电台当新闻记者。1976 年 5 月，调入内蒙古语文历史研究所，1979 年 9 月，调入内蒙古社会科学院历史研究所，研究蒙古历史、宗教文献。1980 年和 1989 年，先后两次获得德意志联邦共和国 DFG 奖学金，任德国波恩大学中亚研究所访问学者，从事蒙古历史文献研究。1999 年 9 月至 2000 年 9 月，任日本国早稻田大学东洋史研究所蒙古历史文献学客座教授。现任内蒙古社会科学院历史学研究员。

乔吉在研究和整理蒙古历史和宗教文献的主要学术成果是：先后校注、整理出版了蒙古文编年史《恒河之流》《黄金史》《金轮千辐》《金鬘》《八思巴喇嘛传记》等，此外，与内蒙古大学包文汉教授合作编写了《蒙文历史文献概述》。蒙古佛教史著作有：《内蒙古寺庙》（汉文）、《蒙古佛教史——大蒙古国时期（1206—1271）》（蒙古文）、《蒙古佛教史——元朝时期（1271—1368）》（蒙古文）、《蒙古佛教史——北元时期（1368—1634）》（汉文）等 4 部。用蒙、汉文撰写的著作共 12 部。另外参加完成了国家教育部重点课题《西部民族关系与宗教问题研究》的子课题：《内蒙古自治区民族关系与宗教问题调研报告》的第一部分“内蒙古地区历史上民族关系和宗教的发展状况”。主编国家社会科学基金项目《蒙古学百科全书·文献卷》。在国内外刊物上发表有关蒙古历史宗教方面的论文四十余篇，其中《忽必烈汗的两道诏书》《1431 年的一部罕见的畏兀体蒙文木刻版佛经》《关于呼和浩特锡埒图、固什、绰尔济的评论》（德文）、《蒙古历史文献版本学类型与系统》《内蒙古地区喇嘛教史编纂活动概述》《俺答会见三世达赖之前与西藏佛教的关系》《释读赤峰市出土的古代回鹘文碑铭》等论文对蒙古历史、宗教研究有一定的参考价值。在国内外刊物上发表有关古代蒙古史家、国内外蒙文文献学家、版本学家的生平及其著作评论和目录学方面的蒙汉文及外文学术文章二十余篇。

1985年以来，乔吉教授对意大利罗马大学东方学研究、日本早稻田大学东洋史专修所、波兰华沙大学东方学研究所、美国印第安大学亚洲研究所、国延世大学蒙古史研究室等学术团体派来的博士研究生，进行蒙文历史文献专题课教学，并指导、审定其毕业论文。

1993年12月，获“乌兰夫社会科学奖金”银奖。2002年为享受中华人民共和国政府特殊津贴专家。历任内蒙古社会科学院学术委员会主任、国家教委人文社会科学百所重点研究基地——内蒙古大学蒙古学研究中心学术委员会委员，国家教委民族古文献研究中心学术委员、中国蒙古史学会副会长。是国际阿尔泰学会会员和国际蒙古学家协会会员。

（斯林格　撰稿）

孟　绍

孟绍（1920—1999年） 蒙古族，1920年4月出生，内蒙古土默特旗毕克齐人。1935年至1941年，在北平蒙藏专科学校读书；1939年，曾出资与人合作创办正风高级女子职业学校；1941年至1945年，在北京大学法学院攻读经济学，获经济学学士学位。之后，相继在绥远恒清中学、土默特小学任教，并任训育主任、教导主任。1947年9月起，协助土默特旗总管荣祥重新创办土默特中学。1950年至1984年，任土默特中学校长；1994年起，任土默特中学终身名誉校长。

孟绍从1954年至1966年，历任内蒙古自治区政协常委、呼和浩特市人民委员会委员。1979年至1984年，任呼和浩特市教育局副局长；1984年至1994年，又任政协内蒙古自治区委员会常委、政协呼和浩特市委员会副主席等职。

土默特中学创办于1926年，孟绍的父亲孟学孔先生任校长。1929年，因时局动乱，经费短缺而停办。孟绍继承父业，为民族教育费尽心血，历经磨难，重建了土默特中学。1951年，贯彻绥远省人民政府的意图，孟绍顾全大局，将土默特中学与包头崇真中学合并成立绥远省民族中学，并任校长，回族教育家吴懋功任副校长，招收蒙、回、满、汉及其他少数民族学生，肩负起培养少数民族人才的重任。以后虽然曾改校名呼和浩特第三中学、内蒙古师范学院附属中学，孟绍仍任校长，但是招生对象不变，培养目标仍旧。1957 年，恢复原校名土默特中学。“文化大革命”中又易校名呼和浩特第十五中学，1979 年，经过拨乱反正，再次恢复土默特中学。孟绍伴随土默特中学的曲折经历，坚持不懈，将这一具有突出的民族特点的学校保留并得以发展，成为内蒙古自治区和呼和浩特市两级重点民族中学。这是一段不平凡的经历，是为发展民族教育而奋斗终身的光辉经历。

孟绍校长办学从民族特点、地区特点出发，以培养蒙古族人才为重点，兼顾汉族及其他少数民族人才的培养，使土默特中学一直成为一所蒙汉各民族学生团结学习，共同进步的校园。他从蒙古族学生的实际出发，提出“宽进严教”的原则和“全面负责、兼顾两头、因材施教、循序渐进”的教学方针，既保证少数民族学生有入学受教育的机会，又使其学业进步，走上成才之路。土默特中学创建以来，初中毕业生达 1.8 万余名，高中毕业生达 1.3 万余名。他们中有党和政府的高级领导干部，有国内外知名的高级专家学者；很多人成为各级党政部门的领导干部，更多的人是经济、文化、教育、科技等各条战线的业务骨干，为自治区和国家的社会主义建设事业，特别是为民族事业奉献青春和毕生的力量。孟绍校长不仅是土默特旗蒙古人中的“三才子”之一，更是一位杰出的民族教育家。

1999 年 8 月 7 日，因病在呼和浩特逝世，享年 78 岁。

（郝维民　撰稿）

伊锦文

伊锦文（1917—1986 年）　蒙古族，1917 年 6 月出生，内蒙古土默特旗人。中共党员。1945 年，毕业于北平中国大学理学院化学系。是我区著名的蒙古族文化教育家和社会活动家。1945 年至 1949 年，任绥远省国立伊克昭盟中学教务主任、训育主任，在动乱的局势下，尽力维持学校的教学，秘密与中共联系，向伊盟和绥东解放区输送学生。1952 年 1 月，中央人民政府政务院总理周恩来任命伊锦文为伊盟中学校长，在东胜建筑新校舍，扩大招生，开设中学班、师范班、蒙文班和补习班，为发展伊盟的教育事业奠定了基础。1954 年，调任伊盟工商处处长，并主持兴建成吉思汗新陵园，从筹建到设计，从奠基到施工，经过两年夜以继日的奋斗，雄伟壮丽的成吉思汗新陵园屹立在鄂尔多斯高原，为伊盟的文化建设树立了丰碑。曾任绥远省伊克昭盟人民政府委员、文教处处长。是伊克昭盟自治区人民代表大会代表；内蒙古自治区第一、二、三届人民代表大会代表；内蒙古自治区政协第二、三、四届委员、常务委员。

伊锦文先生是内蒙古大学图书馆的创始人和奠基者。1956 年，他奉调参加内蒙古大学的筹建工作，任图书馆筹备组组长，参加了首届全国高校图书馆工作会议。1957 年任副馆长，主持工作，1978 年任首任馆长、研究馆员。直到 1985 年离休，为图书馆事业整整奋斗了 30 个春秋，为内大图书馆事业的建设和发展，特别是对蒙古文古籍的搜集和蒙古学文献的建设作出了突出的贡献。

从 1956 年起，伊锦文先生就开始了图书馆建设的筹备工作。在广泛调查研究、充分论证的基础上，他借鉴了国内外高校图书馆建设中的经验教训，注重办馆效益和特色，贯彻勤俭办馆，厉行节约的原则，高标准、高起点地创办了内大图书馆。于 1957 年制定了《内蒙古大学图书馆试行条例》，明确了办馆方针和工作任务——“内蒙古大学图书馆是为教学和科研服务的学术性机构”。在图书分类法的选定、图书著录规则的确定、文献资源建设、馆舍建筑设计、图书编目加工等方面都做出了大量艰苦细致的工作，为图书馆的建设与发展奠定了坚实的基础。为了实行科学管理，不断提高业务工作质量和为读者服务水平，在正常进行图书馆各项业务工作的同时，重点抓了图书馆基础业务建设和文献资源建设两件大事，提高了图书馆整体水平。

伊锦文先生从建馆开始就十分重视馆藏文献建设，不仅有明确的采访原则和标准，还十分注重特色文献的收集整理。为了突出民族及地区特点，他把蒙古语言文学、蒙古历史、生命科学作为收藏及整理的重点。经过几十年的努力，通过各种渠道，抢救和搜集了蒙、藏、满文各种木刻版本、手抄本、善本、孤本等大量学术价值极高的珍品和蒙古学文献。其中以清代康熙年间朱字木刻本《御制蒙古文甘珠尔经》、托忒蒙古文清代竹笔手抄本《西游记》、1721 年巴黎版《贴木尔武功记》等最为珍贵，使得图书馆拥有了丰富的文献资源，为国内外蒙古学专家学者的学术研究提供充足的资料。1994

年，国家教委在内大图书馆正式成立了“国家教委民族学科蒙古学文献信息中心”，这与伊先生的努力是分不开的。几十年来，国际友人、国家领导和专家学者只要来内大参观，图书馆蒙古学部便是必参观的场所。

图书馆的工作琐碎而繁杂，仅拿编制目录来说，伊锦文先生在任时就曾带领相关工作人员突击编制、油印、装订《馆藏西文图书分类目录》5 册、《馆藏汉文期刊（附日文期刊）目录》《馆藏汉文图书分类目录》《馆藏蒙古文图书分类目录》《馆藏汉文期刊蒙古学论文索引》《民族理论学习论文索引》等 365 本目录。此外，他在文献采访工作方面也做出了突出的成绩。1969 年 3 月发生“珍宝岛事件”，我国政府急需一本由沙俄历史学家巴尔苏科夫编著的《穆拉维约夫——阿木尔斯基伯爵》俄文原版书，以便查找书中所附《东西伯利亚图》,因书中记载了沙俄侵略中国的许多史实。当时在北京各处已无法找到此书，后来在某一个旧书店查到此书，已被内蒙古大学图书馆买走，立即写信联系，先生将此书核实确认后寄到北京有关部门，为我国有力地抨击苏联颠倒黑白，把中国的珍宝岛说成是他们的领土这一事实提供了重要的原始文献，为维护国家主权作出了重要贡献。

伊锦文先生忠诚于人民教育事业，热爱图书馆工作，受到师生的尊敬和爱戴。他对内蒙古大学图书馆藏书建设的贡献、在“文化大革命”中坚持实事求是的高尚品德、一心为馆的工作精神以及 1978 年以来为图书馆的恢复、整顿和发展所做的不懈努力，是众所周知、有口皆碑的。他在长期的图书馆管理实践中积累了极其丰富的工作经验，如“藏书建设必须有民族特点和地区特色”“搞大开间阅览，更好地满足读者的需要”“图书馆工作人员要一专多能”“必须熟悉藏书，熟悉读者”“依靠专家教授办馆”等办馆思想，至今仍对内大图书馆的建设有所帮助。

伊锦文先生曾是首届中国图书馆学会理事，内蒙古图书馆学会第一届常务理事，内蒙古大学学术委员会委员。

1986 年 7 月，在呼和浩特病逝，享年 70 岁。

（郝维民据《漠南名人伊锦文》和《名师荟萃》修撰）

莎仁格日乐

莎仁格日乐 蒙古族，女，1936年出生，内蒙古昭乌达盟巴林右旗人。1955年，从昭乌达盟林东师范学校毕业后，分配到呼和浩特市蒙族学校任蒙古语文教师。20世纪60年代初，承担了自治区教育厅部署的民族小学蒙古语文教学“1957年斯拉夫蒙文教学”的改革实验和课本规范化的实验工作。在多年的蒙古语文教学实践中，刻苦钻研，认真探索，为改革蒙文字母教学闯出了一条新路。

莎仁格日乐根据蒙文字母的特点，结合学生的具体情况和自己多年的教学经验，把字母形态从原来的477个归纳成160个，改革了传统的正音、正字和拼读法，把语法知识引入字母教学中，加强了字母形体的区别读写，从而缩短了字母教学时间。在词句、识读、用词造句、词汇教学、提高学生的听、说、读、写、蒙语会话等教学方面也有所创新，作出了显著的成绩。她所带的班级，学生的蒙语考试成绩及格率达100%，平均在94分以上。她认真总结教学经验，发表的论文有《使城市蒙古族儿童及早突破授课用语障碍的探索》《蒙古语文字母教学的初探》《怎样学习蒙古语文为好》等13篇，为蒙语教学提供了宝贵的经验。还独立编写了练习册《小学蒙古语文练习第二册》《小学蒙古语文参考书》二、四、六册，出版《蒙古语会话一千句》《小学蒙古语文整体改革实验指导纲要》。多次参加全国及内蒙古自治区教材审定和编写小学蒙古语文教材，参加全区民族师范学校和民族幼儿教师教学大纲的审定工作，曾任自治区和呼和浩特市小学高级教师职称评委。1986年，以中国教育国际交流会理事的身份赴美国进行教育考察。

莎仁格日乐一直担任低年级的班主任工作，摸索总结出了“讲、看、教”的教育方法，把一批批刚入学的还不太懂事的孩子培养成为德、智、体全面发展的学生。1978年，被评为内蒙古自治区第一批“特级教师”，1988年，晋升为小学超高级教师。莎仁格日乐从教37年来，为蒙古语文教学改革创新呕心沥血，为民族教育事业奉献终身，党和人民给予她很高的荣誉，1979年，荣获“全国劳动模范”称号，并授予金质奖章；1979年和1983年，两次被评为“全国三八红旗手”；1982年，被评为“内蒙古自治区劳动模范”；1983年，被评为内蒙古自治区“优秀少儿工作者”；1979年和1985年，两次被评为“内蒙古自治区三八红旗手”。是呼和浩特市七届人大常委会委员，呼和浩特市新城区人大代表，自治区五届人大代表、自治区五届妇女代表大会代表，中共十二大、十三大代表。

（钱占元、甘峰岭　合撰）

第二十七章

文化艺术界人物

纳·赛音朝克图

纳·赛音朝克图（1914—1973 年） 蒙古族，原名赛春阿，出生于内蒙古察哈尔正蓝旗的一个牧民家庭。是中国当代著名的蒙古族诗人、作家、文学家、翻译家，蒙古现代文学的奠基者之一。

纳·赛音朝克图 15 岁上小学，1936 年，入察哈尔蒙古族青年学校学习，接触了许多进步书籍，1937 年毕业。1938 年，赴日本东京东洋大学留学，期间写出了不少诗和散文，1941 年，诗集《心之友》、散文集《沙漠，我的故乡》相继出版，是他最早的文学作品。1942 年回国，在锡林郭勒盟苏尼特右旗女子学校任教，同时创作出版了诗集《心侣集》。日本投降后，赴蒙古人民共和国乌兰巴托苏赫巴托党校学习。1947 年回国，先后在内蒙古日报社、内蒙古人民出版社等单位从事出版编辑工作。1955 年，在时任内蒙古自治区文联创作室主任玛拉沁夫的鼎力推荐下，于 4 月同玛拉沁夫一起参加了由老舍主持的中国作家协会首届兄弟民族文学座谈会，5 月，被推举为中国作家协会理事。1956 年，任中国作家协会内蒙古分会主席。1957 年，出访尼泊尔、印度。1958 年，出席在苏联召开的第一次亚非作家会议。1959 年，经玛拉沁夫介绍加入中国共产党。曾参加全国人大的同声传译和《毛泽东选集》的汉译蒙工作。历任内蒙古自治区文联主办的《内蒙古文艺》（蒙文版）主编、《诗刊》编委、自治区文联副主席等职。是第四届全国政协委员、内蒙古自治区第二届人大代表。

纳·赛音朝克图的主要作品有：诗集《幸福和友谊》《金桥》《我们雄壮的歌声》《正蓝旗组诗》《笛声与清泉》《红色瀑布》《纳·赛音朝克图诗选》（蒙古文版）；长诗《狂欢之夜》《南德尔和松布尔》；中篇小说《春天的太阳来自北京》《太阳照耀着乌珠穆沁草原》《互助组变成公社》；蒙古族古典文学评著《阿茹鲁高娃》；散文集《蒙古艺术团随行散记》等。

纳·赛音朝克图为蒙古族诗歌开辟了新纪元，为当代蒙古族诗歌奠定了坚实基础，正当他创作热情高涨时，不幸患癌症，1973 年 5 月在上海医病时逝世，终年 59 岁。1999 年 8 月，在他的家乡举行了“纪念纳·赛音朝克图诞辰 85 周年”纪念活动，同时出版了自治区第一位蒙古族作家的全集《纳·赛音朝克图全集》,共 8 卷 150 万字。

（钱占元、甘峰岭　合撰）

玛拉沁夫

玛拉沁夫　蒙古族，1930 年，出生于内蒙古卓索图盟土默特右旗（今辽宁省阜新蒙古族自治县）一个牧民家庭。幼年因家境贫寒，只读过几年书。13 岁考入哲里木盟开鲁中学学习蒙古语文。1945 年，参加八路军。1947 年，到王爷庙参加了内蒙古自治政府成立前后的工作和土地改革运动。1948 年，到内蒙古文工团任创作员，并加入中国共产党。期间他努力学习汉语文，阅读古今中外文学作品，对文学产生了浓厚兴趣，从 1946 年起从事文学创作，1950 年，任期刊《内蒙古文艺》编辑。

1951 年，年仅 21 岁的玛拉沁夫，创作了小说《科尔沁草原的人们》,发表在中国作家协会主办的文学期刊《人民文学》的头条位置而名震文坛。1952 年，将小说改编为电影剧本《草原上的人们》,由长春电影制片厂拍摄，上映后引起轰动。同年到中央文学研究所深造。1954 年，研究生毕业后回到内蒙古，挂职任中共察哈尔盟明太旗委常委、宣传部长，深入生活创作了代表作长篇小说《在茫茫的草原上》,并加入中国作家协会。1955 年，任内蒙古自治区文联创作室主任。4 月，他同纳·赛音朝克图一起参加了由老舍主持的中国作家协会首届兄弟民族文学座谈会。1956 年，被选为中国作家协会内蒙古自治区分会常务副主席，兼任《草原》（汉文文学月刊）和《花的原野》（蒙古文文学月刊）主编，包头市文联主席、《钢城火花》（汉文文学刊物，后改名为《鹿鸣》）主编；后任内蒙古文联副主席、内蒙古自治区文化局副局长等职。曾访问过亚洲、非洲、欧洲、美洲40多个国家，1958年，出席在苏联召开的第一次亚非作家会议，并参加了多次国际文学讨论会等。

玛拉沁夫是中国“草原小说”流派的创建人之一。出版的作品集有多部，计200多万字。主要有：小说《科尔沁草原的人们》《茫茫的草原》《春的喜歌》《第一道曙光》《玛拉沁夫小说选》《爱，在夏夜里燃烧》，小说散文集《玛拉沁夫近作选》，散文集《远方集》，电影剧本《草原上的人们》《草原晨曲》《沙漠的春天》《祖国啊，母亲!》《冰山融化了》。其中《科尔沁草原上的人们》获内蒙古自治区文艺评奖文学一等奖；电影剧本《草原上的人们》获文化部故事片奖；《活佛的故事》获1980年全国优秀短篇小说奖；《祖国啊，母亲!》获第一届全国少数民族文学评奖电影文学一等奖；《茫茫的草原》获第四届全国少数民族文学评奖长篇小说奖。部分作品译成英、法、俄、日、德等10多种文字。中国文学巨匠茅盾先生著文评论他的作品风格为“自在而清丽”。中国人民艺术家、语言大师老舍先生称赞他为：“文坛千里马，慷慨创奇文；农牧同欣赏，山河丽彩云。”

1980年，玛拉沁夫调北京工作，主持创办《民族文学》，为首任主编，后兼任作家出版社社长、总编辑，并任中国作家协会主席团委员、书记处书记、常务书记、党组副书记，中国少数民族作家学会会长、中国大众文学学会副会长、中华爱国主义教育研究会副会长、内蒙古大学客座教授，被授予“国家有突出贡献专家”称号，为享受中华人民共和国政府特殊津贴专家。是第八、九届全国政协委员。

（钱占元 撰稿）

敖德斯尔

敖德斯尔 蒙古族，1924年11月17日出生，内蒙古昭乌达盟巴林右旗人。1945年，参加农村牧区的减租减息和清算斗争。1946年5月，参加中国人民解放军，任内蒙古人民自卫军骑兵第四师三十二团政治处主任。1947年9月，加入中国共产党。1948年，入冀察热辽解放区联大鲁艺学院短期训练班学习后，任内蒙古人民自卫军骑兵第四师宣传队长、宣传科长、内蒙古军区文工团团长等职。在解放战争时期参加过多次战斗，荣获中华人民共和国三级解放勋章。1957年，从部队转业后，任中国作家协会内蒙古分会副主席、主席，中国作家协会第三、四届理事和第五、六届全国委员，中国作协民族文学委员会委员，内蒙古自治区文联副主席、内蒙古作家协会常务副主席、主席等职，并任《花的原野》《草原》文学月刊主编。1984年，被评为国家一级作家。

1948年敖德斯尔开始文学艺术创作，1956年，入中国作家协会文学讲习所学习，并加入中国作家协会和戏剧家协会。1959年，开始用蒙汉两种文字创作，在将近半个世纪的文学生涯中，创作长篇小说3部：《骑兵之歌》《血和泪的爱》《岁月》；中篇小说16部：《撒满珍珠的草原》《蓝色的阿尔善河》《生命之光》《历史的回声》《月亮湖的姑娘》等；短篇小说80余篇：《阿力玛斯之歌》《老班长的故事》《欢乐的除夕》《水晶宫》《东格尔喇嘛》等；散文、随笔作品150余篇；文艺理论文章100余篇；电影文学剧本2部；话剧、歌剧3部。创作了各种体裁的作品将近300万字。有的作品被选入小学和中学课本，影响了一代又一代各族青少年。有的作品被民间艺人改编成牧民喜闻乐见的艺术形式，在草原上传唱。许多作品被译成英、意、日、哈萨克、朝鲜等文字出版。

敖德斯尔的作品获全国奖6部：独幕话剧《草原民兵》于1956年3月，在全国独幕剧汇演中获三等奖；儿童文学《小钢苏和》于1980年在全国第二届儿童文学评奖中获三等奖；长篇小说《骑兵之歌》获第一届全国少数民族文学奖；中短篇小说集《月亮湖的姑娘》于2000年获全国少数民族图书奖；《敖德斯尔文集》（10卷本、蒙古文）于2000年获第十二届中国图书奖，在自治区成立50周年时，又获得自治区文艺最高奖——第四届文学创作“索伦嘎”奖、艺术创作“萨日纳”杰出贡献奖。在自治区各种文艺评奖中获奖15部：《草原之子》在内蒙古自治区成立10周年文艺评奖中获二等奖；《骑士的荣誉》在内蒙古自治区成立15周年文艺评奖中获奖；《阿力玛斯之歌》在1957年至1980年文学评奖中获二等奖；《蓝色的阿尔善河》

在内蒙古首届“索伦嘎”文学创作评奖中获一等奖；《东格尔喇嘛》在全区改革题材评奖中获一等奖；《碧波清泉》在首届蒙文图书评奖中获荣誉奖。电影文学剧本《骑士的荣誉》《战地黄花》《蒙根花》（与云照光、张长弓、贾漫合作）等被北影厂和八一厂拍摄成电影在全国放映。2007 年，他以中篇小说《活佛的故事》和《敖德斯尔文集》（蒙汉文版各 10 集）向内蒙古自治区成立 60 周年献礼。曾经参加中国作家代表团，出访朝鲜、日本、蒙古、俄罗斯等国家以及中国香港、台湾等地区，为我国和各国、地区之间的文学交流做出了贡献。

敖德斯尔是我国现代著名小说家、内蒙古新文学事业的奠基人之一、收入《中国大百科全书》的蒙古族当代著名作家之一。1992 年为享受中华人民共和国政府特殊津贴专家。1996 年，荣获自治区首届最高文学奖“杰出贡献奖”，他淡泊名利，把奖金全部献给了内蒙古文学创作基金会，基金会由此设立了以他的名字命名的“敖德斯尔文学奖”。2007 年 12 月，荣获首届“内蒙古杰出人才奖”。离休后任内蒙古文联和内蒙古作家协会名誉主席。

（钱占元 撰稿）

扎拉嘎胡

扎拉嘎胡 蒙古族，1930 年 2 月 4 日出生，内蒙古哲里木盟科尔沁右翼前旗人。1947 年，考入扎兰屯工业学校，同年 10 月，参加呼伦贝尔盟扎兰屯土地改革工作团。1948 年至 1955 年，先后在中共呼伦贝尔盟布特哈旗委、呼伦贝尔盟委、内蒙古东部区委员会工作。

扎拉嘎胡 1951 年开始发表文学作品，1955 年，加入中国作家协会。1961 年入内蒙古大学文艺研究班学习。1965 年，调内蒙古文联从事专业创作。1966 年，在北京参加亚非作家会议期间，内蒙古文联造反派将他揪回，关进“牛棚”。1971 年平反后，出任《草原》杂志主编。1978 年，任内蒙古党委宣传部文艺处处长。1983 年，任内蒙古文联党组书记、常务副主席。1986 年至 1990 年，任内蒙古党委宣传部副部长。是第四届中国作家协会理事、民族文学委员会委员、第五届中国作家协会会员、《民族文学》编委、中国少数民族作家学会副会长、中国《江格尔》研究会副理事长、中国蒙古文学学会常务理事、中国社会主义文艺学会副会长、第四届内蒙古自治区人大代表。现任内蒙古作协名誉主席。

扎拉嘎胡的文学创作硕果累累，是内蒙古的高产作家。1956 年，出版短篇小说集《小白马的故事》、中篇小说《春到草原》；1957 年，在《草原》杂志发表短篇小说《悬崖上的爱情》；1959 年，出版长篇小说《红路》,1980 年，人民文学出版社再版《红路》；1982 年，出版长篇小说《草原雾》《扎拉嘎胡中短篇小说选》；1984 年，出版《扎拉嘎胡中篇小说选》、长篇小说《嘎达梅林传奇》；1992 年，出版散文集《黎明变奏曲》；1994 年，出版论文集《文苑沉思录》；1999 年，出版长篇小说《黄金家族的毁灭》。

扎拉嘎胡的作品《草原雾》《嘎达梅林传奇》获第二、三届全国少数民族文学创作长篇小说奖和内蒙古自治区文学创作一等奖；《红路》获内蒙古自治区文学创作一等奖；《小白马的故事》《亲爱的妈妈》获内蒙古自治区文学创作奖；《文苑沉思录》获第五届全国少数民族文学创作评论奖和内蒙古自治区“五个一工程”奖。荣获内蒙古自治区“文学创作杰出贡献奖”。

（钱占元　撰稿）

杨　啸

杨啸　1936 年出生，河北省肃宁县人。1947 年，参加革命。中华人民共和国成立后，由组织选送入学读书，毕业后主动要求支援边疆建设，来到内蒙古工作。1954 年，加入中国共产党。1960 年至 1965 年，在内蒙古大学文艺研究班深造，研究生毕业。是中国作家协会会员、国家一级作家、著名儿童文学作家。

50 年代初杨啸走上文学道路，半个世纪以来，一直从事儿童文学创作。主要作品有长篇小说《红雨》《绿风》《紫云》《鹰的传奇》三部曲（《觉醒的草原》《深情的山峦》《愤怒的旋风》）；中短篇小说《笛声》《火苗》《小山子的故事》《荷花满淀》《青翠的松苗》《怕水的鸭子》《花蕾集》《君子兰开花》《杨啸中短篇小说选》以及《杨啸短篇小说集》《杨啸作品选》；

长诗《草原上的鹰》,短诗集《冬冬的故事》《柳笛》《藏头诗三百首》,寓言诗集《蜗牛的奖杯》《幽默寓言故事》《谜语寓言故事》《幽默寓言故事精选》；童话集《小金牛学艺记》；20 集电视连续剧《冒着敌人炮火前进》（与人合作）、8 集纪实电视片《平原诗篇》（与人合作）、6 集纪实电视片《太行魂韵》（与人合作）；长篇报告文学《辽阳故事》等 50 多部。《红雨》等作品被译成英、法、德、日、朝鲜、蒙古、维吾尔和盲文等多种文字，在国内外有较大的影响。1975 年，根据长篇小说《红雨》改编的电影《红雨》,由著名电影艺术家崔嵬导演、北京电影制片厂拍成彩色故事片，向国内外发行。法文版《红雨》由法国著名汉学家米歇尔·露阿夫人翻译，英籍著名女作家韩素音作序，给予很高的评价。《中国当代儿童文学史》中称：“《鹰的传奇》三部曲开启了儿童系列长篇小说的先河。”

杨啸的作品 4 次获自治区文学评奖一等奖；两次获全国大奖：全国第二届儿童文学创作奖和以国家名誉主席宋庆龄的名字命名的“宋庆龄儿童文学奖”。此外，还获得“陈伯吹儿童文学奖”、“全国寓言文学”一等奖和自治区的奖项。2001 年，又荣获内蒙古自治区“文学艺术杰出贡献奖”。生平传略收入《中国作家大辞典》《世界儿童文学事典》《世界华人文化名人传略》《中国当代名人录》《中国人物志》、美国《世界名人录》、英国剑桥大学《国际名人录》等多种辞书。

杨啸是内蒙古自治区第五、六届人大代表，第七、八届内蒙古政协常委，是享受中华人民共和国政府特殊津贴专家。2003 年 5 月离休。现任内蒙古作家协会名誉主席、内蒙古文联名誉副主席、中国寓言文学研究会副会长、内蒙古延安精神研究会副会长、内蒙古防沙治沙协会副会长。

（钱占元、甘峰岭　修订）

张长弓

张长弓（1931—2000 年） 祖籍山东省青州，1931 年 8 月，出生于内蒙古昭乌达盟克什克腾旗经棚镇一个贫民家庭。1947 年 3 月参加革命，先后任克什克腾旗国营贸易公司会计、昭乌达盟贸易公司秘书科长、昭乌达盟政府计委综合科科长、《昭乌达报》记者等职，为解放战争的胜利服务。他从小酷爱文学，受鲁迅作品的影响，激发了强烈的创作欲望，工作之余进行文学创作，从 1951 年开始发表作品，以奋进的姿态和步履踏上文学之路，笔耕不辍。1955 年，加入中国共产党。1956 年，以内蒙古自治区代表的身份参加了第一次全国青年文学创作会议。1959 年，出版了第一部短篇小说集《鹰》。1959 年，加入中国作家协会。1960 年，被评为十好共产党员，并作为内蒙古自治区的代表光荣出席了全国文教群英会。同年，入内蒙古大学文学研究班进修，1963 年毕业后，调内蒙古作家协会主办的文学月刊《草原》任副主编，开始了一生专业文学创作和工作的生涯。1979 年，当选为内蒙古作家协会副主席、中国作家协会理事。是国家一级作家、享受中华人民共和国政府特殊津贴专家。

张长弓从事文学创作 50 多年，创作成果斐然，出版长篇小说《漠南魂》《黑玫魂》《昨晚星辰》《边城风雪》《追踪金的黎明》《征人泪》《青春》等；中篇小说集《红柳》《草原轻骑》《戈壁花》《黄昏》《并非温馨的爱情》《小草恋山》等；短篇小说集《鹰》《平原似锦》《凌晨》《水碧沙明》《张长弓小说选》等；电影文学剧本《蒙根花》（与云照光、敖德斯尔、贾漫合作）、《哲里木人》等；诗集《望平原》等；散文集《野有蔓草》《月在回廊》等，共 20 多部，总共上千万字。作品给读者以启迪和鼓舞力量。北国三部曲之一的《漠南魂》由内蒙古人民广播电台“小说连续广播”节目播出。

张长弓是一位深受广大读者热爱和尊敬的作家。他还扶持文学新人，培养青年作家，为促进自治区文学繁荣倾注了大量的心血。1964 年，被呼和浩特市人民政府授予“劳动模范”称号。1977 年，当选为内蒙古自治区第五届人大代表。1991 年离休后，在病中仍不肯辍笔，每年发表小说、随笔等 10 万字。

张长弓还酷爱书画，文学创作之余潜心于书画理论研究，创作了许多风格独特颇具功力的书画作品，写出了十几万字的书画论著，成为中国作家群里的一位著名书画家、一位集诗文书画于一身的学者和文学家。1990 年，被内蒙古文史研究馆聘为研究馆员。1991 年和 1998 年分别出版《张长弓书法选》《张长弓书画精品选集》。他的书法、国画多次参加国内外展览。1993 年，他和著名作家梁斌、峻青、管桦、汪曾祺等参加了中国作家协会和中华文学基金会在北京联合举办的“中国作家十人书画展”，展后收入《中国当代作家书画作品集》。1996 年，他又有 14 幅书画作品参加了在北京美术馆举办的中国作家十人书画展。1998 年，他的书法作品参加了全国首届著名作家、诗人、书法家、画家联展，展后收入作品集出版。1999 年，应邀参加了由中国作协、美协、书协、中华文学基金会举办的“庆澳门回归马万祺精选书画展”，被中国诗书画研究院聘为研究员。1998 年，参加了由中国作协、书协、美协举办的《著名作家、画家、书法家书画作品展》。2000 年初，被选定为百名著名书法家、百名当代著名画家，由中国文联、书协、美协主办《千古绝唱——唐诗宋词创意精品典藏集》的创作者之一。他的书画作品多次参加全国、各省市以及海外展览，近百幅作品选入书画集中，在全国报刊发表，被人民文学出版社、诗刊社、茅盾故居、鲁迅博物馆、赵一曼烈士展览馆、滕王阁、内蒙古博物馆、内蒙古美术馆、内蒙古文史馆珍藏。近百幅书画作品流传海外，被各国友人收藏。张长弓以自己有限的生命，为国家和人民留下了宝贵的精神财富，以毕生的精力为内蒙古的文学、书画事业作出卓越的贡献。2000 年 4 月，在呼和浩特病逝，享年 70 岁。

（钱占元　撰稿）

贾　漫

贾漫　出生于 1933 年 3 月，河北省黄骅县人。从小受书香门第家庭的熏陶，5 岁在祖父开办的私塾读《千家诗》和《四书》、《诗经》等儒家经典，为以后的诗歌创作打下基础。1943 年，插班入县立小学，1947 年，毕业于天津私立第一小学校，同年考入天津市惠青农职学校。

1949 年 6 月，贾漫入华北人民革命大学，8 月，分配到绥远省文工团创作股。1952 年，加入中国共产党。1954 年，调入内蒙古文联创作室，任创作员、编辑，后历任文学月刊《草原》编辑、副主编，内蒙古自治区文化局创研室副主任、内蒙古文联副秘书长、内蒙古作家协会副主席、内蒙古作家协会第六届名誉副主席。是中国作家协会会员、国家一级作家、著名诗人，他的诗作在自治区有较大的影响。

贾漫 1954 年开始发表文学作品，出版的作品有：诗集《塞上的春天》

《春风出塞》《中流击水》《贾漫诗选》等；长诗《云霄壮歌》（与布林贝赫合作）；抒情诗《唱给马背上的民族》；诗体小说《野茫茫》；传记文学《诗人贺敬之》；散文集《我的樱桃园》；文献纪录片《今日的内蒙古》；电影文学剧本《蒙根花》（与云照光、敖德斯尔、张长弓合作）。其中1982年《野茫茫》获内蒙古自治区首届“索伦嘎”文学一等奖；2008年《唱给马背上的民族》《今日的内蒙古》分别获内蒙古自治区20年（1959—1979年）文学一等奖、艺术一等奖。1979年、1984年、1996年、2006年，四次参加全国文学艺术界代表大会和中国作家代表大会。2008年，出版《贾漫文集》（共六卷）。

（钱占元　撰稿）

乌热尔图

乌热尔图　鄂温克族，1952年4月20日出生。童年生活在呼伦贝尔盟莫力达瓦达斡尔族自治旗尼尔基镇，自幼受达斡尔、鄂温克族民间文化以及汉文化的多重影响。1968年底，初中毕业后，回到大兴安岭北坡以驯鹿为业的鄂温克游猎区，在森林中生活10年之久，当过猎民、工人、乡镇干部。1973年，加入中国共产党。

乌热尔图从1976年开始专注文学。1978年，在《人民文学》杂志发表了反映鄂温克族狩猎生活的短篇小说《森林里的歌声》，由此走上文学创作之路。1980年，告别了森林，调至呼伦贝尔盟文联从事专业文学创作；1981年，入中国作家协会文学讲习所研修文学。先后出版短篇小说集、散文随笔集《七叉犄角的公鹿》《乌热尔图小说选》《琥珀色的篝火》《你让我顺水漂流》《沉默的播种者》等100多万字的作品。短篇小说《一个猎人的恳求》《七叉犄角的公鹿》《琥珀色的篝火》，连续获得1981年、1982年、1983年全国优秀短篇小说奖；短篇小说《老人与鹿》获得1988年首届全国优秀儿童文学奖；短篇小说集《你让我顺水漂流》1999年获全国第六届少数民族文学“骏马奖”；短篇小说集《琥珀色的篝火》译成日文，在日本出版。其他作品译成英文、俄文等多种文字。

1985年以来，乌热尔图历任中国作家协会书记处书记、内蒙古自治区文联副主席、内蒙古自治区作家协会副主席、呼伦贝尔盟文联主席。是国家一级作家。1990 年，被评为全国民族团结进步先进个人。1992 年为享受中华人民共和国政府特殊津贴专家。1997 年，当选为中共十五大代表。

（钱占元　修订）

哈扎布

哈扎布（1922—2005 年）　蒙古族，出生于内蒙古锡林郭勒盟阿巴哈纳尔旗包尔赤斤台吉额波木一个牧民家庭，族姓为成吉思汗黄金家族的一支孛儿只斤。6 岁开始读私塾，学习蒙古文，后到旗里上学。自幼喜爱音乐，15 岁拜著名歌手斯日古楞美林为师，18 岁拜著名歌手特木登为师，学唱蒙古族传统长调民歌，多次在那达慕会上演唱蒙古长调民歌获头奖。1943 年，在旗的一次大型那达慕会上夺冠，并获得 3 匹马的奖赏，从此美名远扬。

1946 年，哈扎布的家乡解放了，他被选为代苏木长。1948 年，任锡林郭勒盟蒙古族学校教师。1952 年，进入锡盟文工团，开始了演唱蒙古族长调民歌的艺术生涯。翌年，调入内蒙古文工团任专业演员，4 月，参加全国第一届民族民间音乐舞蹈汇演获得金质奖章；9 月，参加中国人民赴朝慰问团，慰问中国人民志愿军。1956 年 10 月，随团赴瑞典、丹麦、芬兰、挪威、苏联等国家演出而名播中外。1959 年，加入中国共产党。是年 10 月，到蒙古人民共和国演出，获得轰动效应。

哈扎布下工夫收集民歌，自筹经费创办蒙古族长调民歌训练班，培养继承人。他一生培养了不少优秀演唱人才，著名歌唱家胡松华、拉苏荣、德德玛等都曾拜师于门下。

哈扎布是中国音乐家协会理事、内蒙古音乐家协会常务理事，国家一级演员。他经过长期艺术实践，钻研长调唱法，在继承传统技法的基础上，极大地丰富了蒙古民族长调演唱艺术，创造性地发展了蒙古族长调民歌的演唱方法，演唱风格雄浑豪放，意境深远，音色高亢嘹亮，音域宽广。他创立了独具特色的蒙古族草原声乐学派，成为蒙古族最负盛名的“长调民歌大师”、蒙古族非物质文化遗产长调艺术的传承者。内蒙古自治区原主席乌兰夫为他题词：“人民的歌唱家哈扎布”。全国人大常委会原副委员长布赫评价哈扎布的长调民歌是“对蒙古族声乐艺术乃至对中国和世界音乐艺术的重大贡献”。1989 年，自治区人民政府授予他“蒙古族长调歌王”荣誉称号。是年，应邀赴日本演出，受到观众的极高评价。

哈扎布的代表曲目有：《圣主成吉思汗》《走马》《小黄马》《四季》《苍老的大雁》《潮尔》《辽阔的草原》《鹿花背的白马》《步态稳健的枣红马》等；同时还以演唱《董桂姑娘》《万梨》《上海的半导体》等风趣活泼的短调曲目见长。他一生演唱过的歌曲有：合声长调 14 首，长调歌曲 34 首，宴会歌曲 8 首，短调歌曲 23 首，创作歌曲 11 首，并录制出版了个人专辑《轻快的走马》。离休后，在家乡招收了二十多个孩子教唱长调民歌。2005 年 10 月 27 日，在家乡逝世，享年 83 岁。

（钱占元　撰写）

毛依罕

毛依罕（1906—1979 年）　蒙古族，出生于内蒙古哲里木盟扎鲁特旗一个特别贫寒的牧民家庭。是“蒙古族曲艺大师”，蒙古族非物质文化遗产“好来宝”、“乌力格尔”（蒙古语“说书”）的传承者。

毛依罕自幼喜爱民间故事和民歌。16 岁时迫于生计，游走乡间，以表演“好来宝”和“乌力格尔”为生，崭露才艺，并创作同情贫苦农牧民、揭露社会黑暗的说唱作品。1948 年，在乌兰浩特市参加内蒙古文工团，成为一名专业文艺工作者；1950 年，赴北京参加庆祝中华人民共和国成立一周年演出。1953 年，参加中国人民赴朝慰问团，为中国人民志愿军进行慰问演出。50 岁时加入中国共产党。1957 年，开始在刚落成的呼和浩特蒙古语说书厅从事专职演唱。他的演唱艺术风格独特、优美舒展、声情并茂、幽默风趣，深受观众喜欢。1960 年，调入内蒙古大学蒙古语言文学系，从事蒙古族民间文艺教学与研究工作。1962 年重返说书厅做专业演出直至病逝。

毛依罕主要创作和演唱的作品有：《长征》《党的颂歌》《白毛女》《铁牤牛》《伟大的战士邱少云》《黄继光的故事》《罗盛教的故事》《韩秀英》《呼和浩特颂》《说唱艺人的今昔》等；整理了《陶克陶》《嘎达梅林》《鲁恩吉雅》等蒙古族著名叙事民歌；出版专著《毛依罕好来宝选集》等。代表作《铁犴牛》荣获全国优秀曲艺作品一等奖、自治区民族民间音乐演出一等奖，并译成英、法、德、日等文字出版。他还获全国文化先进工作者荣誉称号，是中国曲艺家协会理事、中国作家协会会员、中国音乐家协会会员、中国民间文艺研究会内蒙古分会副主席。是内蒙古自治区第一、二届政协委员。1979年2月，因病去世，享年73岁。

（钱占元 撰写）

琶 杰

琶杰（1902—1962年） 蒙古族，内蒙古哲里木盟扎鲁特旗人。自幼聪明，爱好“乌力格尔”，7岁时便能背诗、讲故事。幼年在旗王爷府当奴隶，后被迫当喇嘛。15岁时逃出寺庙，18岁开始流浪艺人生涯，以说唱《三国演义》《西游记》等古典小说和《旧世道》《黑跳蚤》等自创曲目而逐步闻名。

1947年，扎鲁特旗建立人民政权，琶杰被选为村长，开始了新生活。为配合土地改革运动，他创编演唱《白毛女》等新“乌力格尔”、“好来宝”。1949年，扎鲁特旗成立说唱艺人协会，被选为协会领导小组组长。1951年，调入内蒙古文工团，创编了《长征的故事》《赵一曼的故事》《刘胡兰的故事》等新“乌力格尔”，深入呼伦贝尔盟、昭乌达盟牧区演出。1957年，调入呼和浩特蒙古语说书厅从事专职说唱，同年，加入中国共产党。1960年，调入内蒙古社会科学院语言历史研究所整理说唱艺术资料，特别是为《格斯尔》的发掘工作作出了很大贡献。

琶杰是蒙古族非物质文化遗产“乌力格尔”“好来宝”的传承者，蒙古族“杰出说唱艺术家”。主要说唱和创作的曲目有：《格斯尔》《互助合作化好》《内蒙古颂》《骏马赞》《胡琴颂歌》《歌唱共产党》《牧童哈丹巴特尔》等，并在内蒙古电台录制，向全国播放。他整理、说唱的《格萨尔王》《江格尔传》《乌赫勒贵镇魔记》是蒙古族传统民间英雄史诗的重要版本。出版专著《琶杰作品选》《琶杰〈格斯尔传〉》等。作品选材、艺术手法多样，语言生动、幽默，说唱风格朴实自然、生动洒脱、妙趣横生，为观众所喜闻乐见。

琶杰是中国说唱艺术协会理事、中国作家协会会员、中国音乐家协会会员，曾任中国民间文艺研究会内蒙古分会副主席、内蒙古文联委员等职。1962 年，在北京病逝，终年 60 岁。1991 年，国家民族事务委员会、文化部、中国社会科学院、中国民间文艺研究会追授他为“杰出说唱艺术家”荣誉称号。

（钱占元、甘峰岭 合撰）

色拉西

色拉西（1887—1968 年） 蒙古族，出生在内蒙古哲里木盟科尔沁左翼中旗满金敖屯的一个牧奴之家，祖父和父亲都是“潮尔齐”（“潮尔”是蒙古民族一种古老的弓弦乐器，“潮尔齐”意为潮尔演奏者）。色拉西由于家境贫寒，没有上过学，但受家庭的熏陶，自幼学拉潮尔，放牧时也带上琴练习，由于刻苦学艺，对艺术悟性高，记忆力好，少年时已是弓法娴熟的乐手，能独立演奏一般民歌，时常在集会和婚宴上表演。为了生计，19 岁时被迫到莫力庙当喇嘛。第二年，拜科尔沁草原以演奏古老宴歌著名的乐手仁钦为师，离开寺庙走上从艺之路，在师傅的指点下，如饥似渴地学艺，继承和发展了仁钦的演奏技艺，并与自己的演奏特点相结合，形成了独特的风格，能够出色地演奏《朱色烈》《穆色烈》《天上的风》《雁》《德吉令》等古老民歌。为了糊口，色拉西只能过流浪艺人的生活，背井离乡，背着琴走村串户给农牧民演奏。演奏大多是表现劳苦大众生活的蒙古族民歌和民间乐曲，抒发人民对痛苦生活的无奈和对美好生活的盼望，深受当地群众的爱戴，称为“我们的名琴手”。在此期间，创作了他的第一个作品《那仁格日勒》。

1949 年，色拉西参加内蒙古文工团，结束了流浪艺人的生活，艺术天分得到充分发挥，以高昂的热情更加刻苦钻研演奏技巧，提高艺术水平，满怀热情地为人民群众演奏。同时还把潮尔艺术传授给团里的年轻人，美丽其格就是其中之一。1950 年，随团进京为国庆一周年演出，受到了毛泽东等中央领导人的亲切接见。1954 年，67 岁的色拉西受聘到当时的东北音乐专科学校任教一年。期间，用潮尔为德国、法国音乐家的钢琴、小提琴演奏配器。1957 年，年已 70 高龄的色拉西被聘到内蒙古艺术学校（今内蒙古大学艺术学院）任教，在教学工作中毫无保留地把自己独特的“科尔沁演奏法”和经验传授给学生，还讲授“泛音演奏法”“单音演奏法”“土尔扈特演奏法”“五变音演奏法”等技法，培养了一批民族艺术人才。20 世纪 60 年代初，他赴京讲学、录制唱片，为蒙古民族留下许多珍贵的音乐资料。

色拉西充分掌握和发挥了潮尔音色低沉、浑厚而柔和的特点，以独特风格、高超技艺演奏过多首优美动听、感人肺腑的优秀乐曲，被誉为“潮尔大师”。作品主要有 3 部分：民间器乐曲有《巴谱》《荷英花》等；古老宴歌有《天上的风》《雁》《穆色烈》等；抒情民歌有《诺力格尔玛》《兄嫂》《韩秀英》等。代表曲目有《朱色烈》《乌拉盖河》《本宾希里》《海龙》《碧斯曼姑娘》《满都拉》等。

1955 年，色拉西参加内蒙古自治区文艺汇演，演奏和录制了《穆楚烈》《巴言林》《海龙》等 29 首民间乐曲，荣获演奏一等奖。曾任中国音乐家协会理事、内蒙古音乐家协会主席、内蒙古文联副主席等职。是自治区人大代表、政协委员。“文化大革命”中，色拉西被扣上“反动艺人”、“反动权威”的帽子，多次受到批斗，于 1968 年 7 月 14 日含冤去世，终年 81 岁。按照他的遗愿，骨灰撒在呼和浩特南郊的大黑河。

（钱占元、甘峰岭 合撰）

美丽其格

美丽其格 蒙古族，1928 年出生于内蒙古哲里木盟科尔沁右翼前旗，1947 年，考入内蒙古文工团，任演奏员兼团内民间艺人组组长，拜师蒙古族潮尔大师色拉西学艺，成为著名蒙古族作曲家。

1950 年国庆一周年时，美丽其格随文工团进京演出，受到毛主席的亲切接见，激动不已，当天夜里他写了诗歌《举杯祝福毛主席》,发表在《人民日报》上，从 1956 年被编入全国小学语文课本，这首诗谱曲后在全国广为传唱。1951 年，入中央音乐学院作曲系学习，1952 年，在完成学校布置的作业时，怀着对共产党、毛主席无限热爱的感情，创作了由他作词作曲的《草原上升起不落的太阳》,成了成名作，人们至今久唱不衰。这首歌以抒情的旋律，描绘了解放后当家做主的蒙古族牧民在和平环境中愉快劳动、幸福生活的景象。《举杯祝福毛主席》和《草原上升起不落的太阳》这两首歌，于1954年分别获全国群众歌曲评选一等奖，1989年，又在国家文化部举办的“建国四十年来唤起我美好回忆的那些歌”征歌活动中获优秀作品奖。1992年，在中华民族文化促进会主办的《二十世纪华人音乐经典》大型系列活动中，评出了124首（部）作品，《草原上升起不落的太阳》是唯一一首由少数民族作者创造并且表现少数民族生活题材的作品。

1956年，美丽其格留学苏联，在莫斯科音乐学院学习。1958年回国后，历任内蒙古民族剧团作曲、指挥、乐队队长、创编室主任、副团长、艺术顾问等职。

60多年来，美丽其格一直把精力放在蒙古族歌剧的创作上，在创作中熟练地运用了大量的民歌说书调、萨满调、浩勒包等民间曲调，使每一部歌剧都具有浓郁的民族特色，有的至今仍是剧团的保留剧目。主要作品有：蒙古族歌剧《草原烽火》《达那巴拉》《雪中之花》（与他人合作）、《莉玛》《多松年》《双鹤山》等10多部；歌曲《远方的朋友请再来》等百余首；舞蹈音乐《阿杜沁》等，总共有200多首（部）作品。特别是在70岁高龄时，主创的大型蒙古剧《满都海斯琴》屡获大奖，成为蒙古剧的代表性作品。还出版过歌曲集。1996年，内蒙古自治区文化厅、内蒙古音乐家协会编纂《中国曲艺音乐集成·内蒙古卷》，他被聘为特约编辑，为其中的《乌力格尔·开篇》等数十首唱词记谱，还补唱了十几首失去录音的“陶力·莽古斯调”，使这一宝贵的民族文化遗产得以完整的保留。他还为自治区文化艺术事业培养了不少音乐后备人才。

2007年12月，美丽其格荣获首届“内蒙古杰出人才奖”。杰出人才奖评委会给美丽其格的评语是：“国内外著名的蒙古族作曲家、当代蒙古族音乐创作的奠基人与开拓者。从艺60年来，他将自己的音乐创作植根于民族艺术的土壤之中，取得了令人瞩目的艺术成就，为发掘整理民族艺术遗产做出了突出贡献。”

（钱占元　撰稿）

通 福

通福（1919—1989 年） 达斡尔族，内蒙古呼伦贝尔索伦旗（今鄂温克族自治旗）巴彦嵯岗苏木莫和尔图嘎查人。曾任中国音乐家协会内蒙古分会理事、副主席等职。

1935 年，通福毕业于呼伦贝尔莫和尔图国民优级学校，后考入扎兰屯师道学校，1940 年毕业。翌年，赴日本学习提琴和钢琴，1945 年回国。次年，参加内蒙古人民自卫军文工团，创作了《团结之歌》《呼伦贝尔家乡》《沙漠之歌》《内蒙古青年进行曲》等歌曲。20 世纪 50 年代初，调到内蒙古歌舞团工作，创作了《前进吧》《牧民之歌》《歌颂毛泽东》《雁舞》《猎人舞》《摔跤舞》等歌曲和舞曲。

1952 年至 1964 年，通福先后在长春电影制片厂和内蒙古电影制片厂从事电影音乐创作，创作了电影歌曲《敖包相会》《草原晨曲》,为纪录片《前进中的内蒙古》《飞跃的内蒙古》《阳光普照鄂伦春》《今日内蒙古》等配乐作曲，其中《敖包相会》《草原晨曲》享誉中外。1964 年，他回到离开 10 多年的内蒙古歌舞团，继续从事音乐创作。

“文化大革命”期间，通福被迫在内蒙古歌舞团锅炉房烧水，但脑子里想的还是音乐。他从工人师傅修锅炉和暖气管道发出的声响中找到灵感，在锅炉房的床板上谱写成欢快的、节奏感极强的《钢管进行曲》。

1979 年以后，通福以极大的热情投入到音乐创作之中，谱写了《青城之歌》《新呼伦贝尔》及大量活泼的儿童歌曲。1981 年，调到中国音乐家协会内蒙古分会，创作出《小黄马》《等着你》《乌珠穆沁的姑娘》《巴尔虎小伙子》等歌曲；整理出过去创作和改编的一百多首歌曲，交内蒙古人民出版社出版发行，并在自治区第二届“萨日纳”文艺评奖中，获音乐创作的最高奖——“金驼奖”。1985 年，加入了中国共产党。1989 年，因病在呼和浩特逝世，享年 70 岁。

（郝维民据《呼伦贝尔盟志》载稿修订）

永儒布

永儒布　蒙古族，1933 年出生于内蒙古哲里木盟科尔沁左翼中旗巴彦塔拉镇一个殷实家庭，是我国著名蒙古族作曲家、指挥家。1947 年，参加内蒙古人民解放军，成为一名年龄最小的骑兵战士。1948 年，在内蒙古人民解放军骑兵第一师文艺宣传队任乐队演奏员，后调入内蒙古军区政治部文工团。1950 年，入东北鲁迅艺术学院音乐部深造。1952 年，担任内蒙古军区歌舞团指挥。1955 年，国防部授予中华人民共和国三级解放奖章。1961 年，调入乌兰察布盟歌舞团任指挥。1978 年，调入内蒙古广播电视艺术团任指挥兼作曲，后任副团长。1989 年 5 月 9 日，在北京成功举办了“永儒布交响乐作品音乐会”。

永儒布在 60 年的音乐生涯中，创作了大量的交响乐合唱、独唱、独奏曲，交响乐作品二十多部、合唱和无伴奏合唱作品上百部、影视音乐作品三十多部、舞剧音乐作品十多部、独唱独奏作品一千多首；出版专著《蒙古族民歌与交响乐研究》《四季》。作品多次获奖：1991 年，在蒙古国国际音乐节上，荣获作品与指挥两项金奖；1992 年，在俄罗斯布利亚特联邦共和国举办的个人交响乐作品音乐会上，荣获总统勋章；2002 年，指挥的无伴奏合唱《孤独的驼羔》,在韩国举行的第二届国际奥林匹克合唱大赛荣获民谣冠军；2004 年，指挥北京“草原恋”合唱团在德国布莱梅第三届奥林匹克合唱大赛中获银奖。2005 年，受国家文化部的派遣，率内蒙古广播电视合唱团赴美国参加中国文化节开幕式，同时在华盛顿肯尼迪艺术中心举行专场合唱音乐会，获得巨大成功。由他作曲的大型交响合唱《草原颂》,作为向内蒙古自治区成立 60 周年大庆献礼的重点艺术工程，在第三届内蒙古国际草原文化节上首演，引起轰动。

永儒布是国家一级指挥、享受中华人民共和国政府特殊津贴专家。现任内蒙古音乐家协会名誉主席、中国音乐家协会理事、内蒙古艺术学院特聘教授、蒙古国国家交响乐团客座指挥。

（钱占元、甘峰岭　合撰）

阿拉腾奥勒

阿拉腾奥勒 蒙古族，1942 年出生，内蒙古哲里木盟科尔沁左翼后旗人。内蒙古著名作曲家。

阿拉腾奥勒从小喜爱音乐，凭着天赋 15 岁就创作了处女作《送肥歌》，引起音乐界的注意。1960 年，由呼和浩特第二师范学校毕业后，考入内蒙古艺术学校作曲班，师从著名作曲家辛沪光、莫尔吉夫、丁善德等，同时向色拉西、铁钢学习演奏潮尔、四胡，熟悉并掌握了丰富的民间音乐，为创作打下了坚实的基础。1962 年，以优异的成绩考入天津音乐学院作曲系。1967 年，创作了轰动全国乐坛、妇孺皆唱的成名作歌曲《敬祝毛主席万寿无疆》。1968 年毕业，分配到河北省束鹿京剧团任指挥和乐队队长，期间又赴上海音乐学院进修，提高了艺术素养。1971 年，调入内蒙古广播电视艺术团，历任作曲、副团长、艺术总监等职。1987 年，被评为一级作曲家。曾任中国音乐家协会理事、内蒙古音乐家协会副主席；现任内蒙古音乐家协会名誉主席。

40 多年来，阿拉腾奥勒创作歌曲近千首，器乐曲几十首，为电影、电视剧、广播剧、话剧、舞蹈等谱写了大量的音乐作品，如《道尔基，你为什么不高兴》《请喝一碗马奶酒》《草原上的篝火》《金色沙漠上》《绣满云朵的马靴》《牧笛新曲》《科尔沁，我的摇篮》《我的内蒙古》《草原酒歌》《北京在我心中》等歌曲；《沙漠里的春天》《母亲湖》《森吉德玛》《离婚》《嘎达梅林的传奇》《乌兰夫》《阿拉善亲王》等影视音乐作品；《布尔特其诺瓦的故乡》《第一交响曲》等马头琴、小提琴、钢琴三重奏。特别是 1978 年，创作了脍炙人口的代表作《美丽的草原我的家》,1980 年，被联合国教科文组织以世界优秀歌曲编入教材《亚太歌曲集》；大型蒙古语组歌《科尔沁婚礼》,受到社会各界的好评；《锡尼河》等歌曲被美国费城交响乐团演奏、演唱。1987 年，创作的交响乐《第一交响曲》在中央电视台播出后，引起了国内外音乐界强烈反响。2007 年春节，维也纳金色大厅第一次举办我国少数民族风格的新春音乐会，阿拉腾奥勒的交响叙事曲《乌力格尔主题随想》成为音乐会的重点曲目。这些歌曲、器乐曲、交响乐继承了民族音乐传统，具有浓郁的民族特点，鲜明的时代精神，旋律优美、抒情委婉的艺术风格，深受各族群众的喜爱。出版有蒙、汉文版《阿拉腾奥勒歌曲选》。作品荣获全国奖二十多项、自治区奖五十多项。其中有自治区首届“萨日纳”艺术创作特等奖、自治区“五个一工程奖”的作品7项、上海人民广播电台庆祝中华人民共和国成立35周年一等奖。

（钱占元、甘峰岭　合撰）

宝音德力格尔

宝音德力格尔　蒙古族，女，1932年2月13日，出生于内蒙古呼伦贝尔新巴尔虎左旗额尔敦宝力格民间艺人之家。11岁时父亲离世，开始跟着民间艺人达巴海学唱民歌。1949年，在旗那达幕大会上，登台歌唱家乡蒙古族长调民歌而崭露头角。1951年，参加呼伦贝尔盟文工团。1953年，参加中国人民赴朝慰问团，冒着敌机轰炸的危险，钻山洞，蹲坑道，为中国人民志愿军进行了4个月的慰问演出。同年，参加全国第一届民间文艺汇演，获金星表演奖。1954年，调入内蒙古歌舞团，任独唱演员。1955年，赴波兰华沙参加第五届世界青年联欢节，以蒙古族长调歌曲《辽阔的草原》《海骝马》获得了金质奖章，为祖国争得了荣誉。1957年，出席全国第三次共青团代表大会，受到了党和国家领导人的亲切接见。1959年，加入中国共产党。1963年，在内蒙古艺术学校声乐班深造，次年入中央音乐学院深造。

宝音德力格尔演唱的代表歌曲有：《辽阔的草原》《海骝马》《敖包相会》《鹿花马》《绣着鸽子的慰问袋》《金叶玛》《犴达罕河弯弯曲曲》《都仍杰尔格勒》《褐色的鹰》《出色的牧民》《我的家乡》《富饶的巴尔虎之哨》《内蒙古好》等蒙古族长调歌曲，为多部电影演唱插曲，在中央人民广播电台、内蒙古人民广播电台录音播放了数百首歌曲。她的嗓音甜美，音质纯净，气息充沛，行腔自如，演唱曲调悠长，舒缓自由，擅长叙事与抒情，具有高亢豪放的草原风格。著名京剧表演艺术家梅兰芳先生评论说：“宝音德力格尔有像金铃一般清脆的声音。”草原上的人们非常喜欢她的歌，称她为“草原上的百灵”。自20世纪50年代始，先后出访苏联、蒙古、朝鲜、日本、阿尔及利亚、罗马尼亚、丹麦等十几个国家和地区，受到各国观众的热烈欢迎。

1975 年，宝音德力格尔调入内蒙古艺术学校，任副校长、教授，讲授蒙古族民歌。那时蒙古族民歌的教学工作才刚刚起步，学校既缺人才又缺教材，她想方设法加以解决。在近 20 年的教学实践中，总结了许多宝贵的经验，使这一教学领域逐渐走向专业化和规范化，培养了一大批优秀的艺术人才。1992 年，宝音德力格尔退休，被呼伦贝尔大学聘为客座教授，并依托呼伦贝尔大学连续招收民歌演唱班学员，讲授长调、民歌课程。还在家乡举办了“蒙古民歌培训班”，招收了几十名学生，将其中的尖子生送到内蒙古大学艺术学院学习。成功探索出了一条专业教学与“扎根办学”相结合的传承模式，得到区内外民族音乐学界的充分重视和高度评价。

宝音德力格尔被选为第三届全国人大代表、全国青年建设社会主义积极分子，是内蒙古自治区人大常委会委员、全国文联委员、中国音乐家协会委员、内蒙古音乐家协会副主席，现任自治区长调艺术交流研究会名誉会长。是新中国成立以后第一代蒙古族著名女高音歌唱家、音乐教育家，国家一级演员，把民间蒙古族长调歌曲搬上了艺术舞台，成为人类口头和非物质文化遗产——蒙古族长调的传承者、蒙古族音乐教育事业的奠基人之一，为发展蒙古族文化艺术做出了贡献。

（钱占元　撰稿）

拉苏荣

拉苏荣　蒙古族，1947 年出生在内蒙古伊克昭盟杭锦旗的民间歌手世家。1960 年参加乌兰牧骑演出队，开始舞台艺术生涯。1962 年就读于内蒙古艺术学校，之后到中国音乐学院深造。1984 年在内蒙古大学蒙古文学研究生班学习。长期在内蒙古直属乌兰牧骑工作。期间，得到昭那斯图教授、蒙古族歌王哈扎布、中国音乐学院汤雪耕教授和老一辈潮尔大师色拉西等名师的专业指导。1994 年 8 月，调入中央民族歌舞团，是国家一级演员、男高音歌唱家，中央民族大学、内蒙古大学艺术学院、西南民族大学客座教授。在国际文化艺术交流活动中，担任中、蒙两国蒙古族长调民歌联合保护专家小组成员。

拉苏荣从事声乐表演艺术事业以来，参加了四千多台文艺演出，得到国内外观众的高度评价，尤其是受到牧民、农民、工人观众的特别喜爱。他多次举办各种不同形式与风格的个人专题音乐会。1995 年 9 月，在北京音乐厅成功地举办了“绿色的旋律——拉苏荣独唱音乐会”。1997 年又推出系列作品“绿色的旋律”演唱艺术电视专题片和“绿色的旋律”演唱专辑（蒙汉文版）。在中央人民广播电台和地方广播电台录制、播放 500 多首歌曲；为十多部电影、电视剧、电视节目演唱主题歌或插曲；录制多部唱片、CD 以及录音专辑在国内外发行。80 年代以来，参加中央电视台举办的春节联欢晚会；担任内蒙古人民广播电台、电视台春节联欢会的蒙古语节目特邀主持人长达 20 余年；是《东方时空》《中华民族》《东芝动物园》《魅力 12》《乘着歌声的翅膀》《朋友》《音乐时尚》等中央和地方电视专题节目的特邀佳宾；经常在中央人民广播电台和中国国际广播电台参加专题节目的录音或直播；是全国青年歌手大奖赛的决赛评委。

拉苏荣极为关注蒙古族丰富、独特的音乐文化艺术遗产。在继承和发扬蒙古民族声乐特点的基础上，借鉴其他民族的音乐以及西方音乐的声乐技巧优势和长处，成功地解决了呼吸运用在与长短调结合中的难题，在蒙古族民族声乐实践与理论的结合方面提供了新鲜经验。他不仅在蒙古族民歌长短调的结合运用上形成了自己独特的演唱风格，而且还能娴熟地演唱各类艺术歌曲，音域宽广而悠长、音质透明又嘹亮、音色圆润且华美、音感灵敏而准确、音调高亢更抒情。

拉苏荣为了继承和弘扬蒙古民族老一辈艺术家的艺术成就与奋斗精神，撰写了《人民的歌唱家——哈扎布》《宝音德力格尔传》两部传记文学。出版《我的老师昭那斯图》一书。在国际广播电台连续播放后，得到国际友人的广泛好评。

蒙古族长调民歌由中国和蒙古国联合申报“世界非物质文化遗产”，2005 年获得联合国教科文组织的批准。2006 年，蒙古族长调声乐表演艺术家、理论研究家拉苏荣，作为中国的高级研究学者赴蒙古国，进行中国与蒙古国蒙古族长调国际比较研究工作。

拉苏荣为促进蒙古民族文化的国际交流，扩大蒙古民歌的国际影响，曾出访亚、欧、美、非四大洲的二十多个国家，进行了深受欢迎的演出。在第

22 届布尔戈斯世界民间艺术节的歌曲比赛中获得金奖（格林卡）。1999 年，作为亚洲蒙古族三大男高音中的一员与杜古尔达希耶夫（俄罗斯）、江格德（蒙古国）合作演出独唱、重唱音乐会及传统歌剧《三座山》，获得了成功。还多次到港、澳、台地区及美国、俄罗斯、韩国等国家参加演唱会和讲学活动，受到了热烈的欢迎。

拉苏荣历任政协内蒙古自治区委员会第四、五、六、七届委员；内蒙古文联委员、内蒙古青年联合会副主席、内蒙古青年艺术家协会会长、内蒙古音乐家协会副主席、内蒙古长调艺术交流研究会会长；中国少数民族声乐学会理事、中华海外联谊会理事、蒙古国国际长调声乐协会理事，是中国音乐家协会会员、中国作家协会会员。

拉苏荣在声乐表演艺术、特别是蒙古民歌表演艺术以及声乐理论研究方面成就突出，多次获得全国重大文艺演出国家大奖。演唱的《锡林河》获中央电视台音乐电视“MTV”大奖赛的银奖；创作歌曲《祝福》荣获国家大奖；《论蒙古族长调牧歌》与《蒙古族民歌演唱原理》分别荣获内蒙古自治区文艺理论一等奖、蒙古国国际长调牧歌艺术节论文大奖。1991 年国家人事部和文化部授予“全国文化系统劳动模范”荣誉称号，是享受中华人民共和国政府特殊津贴专家。

（郝维民　撰稿）

德德玛

德德玛　蒙古族，女，1947 年出生于内蒙古额济纳旗一个牧民家庭。父母都是民间歌手，在他们的熏陶下，幼年时就爱唱歌，13 岁进入额济纳旗文工团当舞蹈演员。1962 年，15 岁的德德玛由时任自治区文化局局长布赫点名，选入内蒙古艺术学校声乐研究班学习。当时她不懂汉语，学唱歌曲非常困难。为了理解歌词，她将汉语歌词全部用蒙古语标注死记硬背。1964 年，以优异的成绩被保送中央音乐学院声乐系学习民族唱法，毕业后回到了家乡，以“我是牧民的女儿，我要为牧民们唱歌”的志愿，先后在巴彦淖尔盟文工团、内蒙古民族歌剧团、内蒙古歌舞团担任独唱演员和歌剧演员。为了解决美声唱法与民族唱法结合的问题，拜蒙古族著名歌唱家、长调歌王哈扎布为师，学习蒙古族传统长调演唱方法。几年以后，把美声唱法和蒙古族唱法有机地结合起来，在保留民族特点的基础上，完善、发展、拓宽了声乐技巧和表现领域，形成浑厚深沉、辽远豪放独特的演唱风格。1978 年，演唱的《美丽的草原我的家》倾倒了全国听众。代表作有《草原夜色美》《阿尔斯楞的眼睛》《马背上洒下悠扬的牧歌》《草原上有一个美丽的传说》等歌曲。

1982 年，德德玛调入中央民族歌舞团担任独唱演员。经常到条件艰苦的边陲、工矿企业慰问演出，仅 1995 年一年就参加公益演出 88 场，平均每个月超过 7 场。参加了第四届世界妇女大会和新疆自治区成立 40 周年的庆典活动。1998 年，她随中央民族歌舞团赴日本，参加纪念中日邦交 25 周年活动，演到第 25 场晕倒在舞台上。出版《美丽的草原我的家》《草原恋》《天上的风》录音磁带、CD 等近 10 种；举办过 4 次独唱音乐会。1986 年在“全国听众喜爱的歌唱演员”大赛中获得美声唱法“濠江杯”奖；1989 年在“全国十大女歌唱家”大赛中荣获第一名；1991 年，随中国少数民族艺术团赴蒙古国演出，荣获蒙古国国家文化艺术最高奖；演唱《草原夜色美》获国庆 35 周年征歌比赛一等奖；《美丽的草原我的家》盒带获“云雀”奖，并被联合国教科文组织录用；1997 年在日本大阪获得国际艺术节最高艺术奖；1996 年，被全国总工会评为“全国优秀职工”，同年被国家民委系统、中央国家机关分别评为“巾帼建功标兵”；2000 年被评为“全国先进工作者”。

德德玛曾经随团到美国、日本、罗马尼亚、南斯拉夫、蒙古、坦桑尼亚、哥伦比亚、菲律宾等国家演出，为祖国赢得了荣誉。是国家一级演员，享受中华人民共和国政府特殊津贴专家；是中国农工民主党党员，北京市政协委员，第十一届全国政协委员。她已经在歌坛演唱了三十多个春秋，她那带有浓郁草原韵味的蒙古族歌声，无数次向世人描绘了内蒙古大草原的迷人景色，被誉为“草原上的夜莺”。

（钱占元、甘峰岭　合撰）

贾作光

贾作光　满族，出生于 1923 年 4 月 1 日，辽宁省沈阳市人。中国当代舞蹈表演艺术家、教育家、国家一级编导、一级演员，联合国教科文组织所属国际民族艺术组织副主席。

贾作光自幼喜欢舞蹈，15 岁考入“满洲映画协会”（长春电影制片厂的前身）的少年舞蹈班，从师日本现代舞大师石井模、苏联功勋艺术家查波林，从规范的训练中，获得芭蕾舞、现代舞的知识和技能。就学期间，便以电影插曲《渔光曲》为题材，自编自演了同名舞蹈，表现渔民打鱼生活的痛苦。1943 年春，在北平参加了剧艺社。剧社解散后，与北大、清华、辅仁等大学的进步学生组织了“作光舞蹈团”。他深受国家沦陷、流亡之苦，创作了《苏武牧羊》《少年骑手》（国魂）、《故乡》《魔》《迷途羔羊》《西线无战事》等表现爱国主义思想的舞蹈。1946 年，进入东北解放区。1947 年 5 月，内蒙古自治政府成立后，与吴晓邦来内蒙古兴安盟乌兰浩特市，受到内蒙古自治政府主席乌兰夫的欢迎，留在内蒙古文工团工作，任演出科长、副团长，兼任舞蹈编导、演员。

1950 年，为庆祝中华人民共和国成立一周年，贾作光随内蒙古文工团赴北京演出，党和国家领导人观看后，给予了很高的评价。在先农坛体育场演出《牧马》独舞，轰动了北京城。1951 年至 1958 年，任内蒙古歌舞团副团长，期间于 1955 年考入北京舞蹈学校深造。1959 年至 1963 年，任中央民族歌舞团副团长、艺术委员会主任。1964 年至 1966 年，回到内蒙古，任内蒙古艺术剧院院长、党总支书记。1974 年至 1984 年，调任北京舞蹈学院院长、宣传委员、领导小组成员、第一副院长。1984 年至 1994 年，任文化部艺术局专员。

贾作光深入生活向牧民学习，将蒙古族传统民间舞蹈和宗教民俗活动加以提炼和丰富，汲取蒙古族舞蹈艺术传统和特色，发展了蒙古族舞蹈的动律，创造出蒙古族舞蹈的新语汇，创作了一大批以草原新生活为题材，以蒙古、达斡尔、鄂温克、鄂伦春等民族新人为表现对象的舞蹈。代表作有：《牧马舞》《雁舞》《鄂尔多斯舞》《盅碗舞》《挤奶员舞》《彩虹舞》《青年牧马人舞》等；舞蹈诗《鄂尔多斯情愫》等，被舞蹈界公认为蒙古族新舞蹈艺术的奠基人，精心培养了一批如莫德格玛、斯琴塔日哈等蒙古族出色的舞蹈家。

贾作光出访过四十多个国家和地区，进行文化交流、表演与讲座，多次担任国际舞蹈比赛评委。1949 年，新中国成立前夕，他代表中国参加第二届世界青年联欢节，和世界著名芭蕾舞大师乌兰诺娃（苏联）同台演出，博得赞誉。1955 年，在波兰华沙参加第五届世界青年联欢节上，他创作的《鄂尔多斯舞》《盅碗舞》《挤奶员舞》分别获一等奖、金质奖章和铜奖章，为祖国争得了荣誉。

从 50 年代至 80 年代，贾作光创作了近 150 多部舞蹈作品，流行国内外，获奖之多在国内名列前茅。《嗄巴》（鱼舞）获三峡杯奖。在国庆 30 周年献礼演出《彩虹》,获创作一等奖和演出奖，流行全国。《灯舞》《鸿雁高飞》《牧民见到毛主席》《海浪》《希望在瞬间》《青年牧马人》《火的遐想》分别在第二届全国舞蹈比赛和北京舞蹈比赛中获一、二、三等奖。他任总编导的舞蹈诗《鄂尔多斯情愫》,获“五个一工程奖”等奖项；《喜悦》获内蒙古自治区首届“萨日纳”一等奖；《蓝天的诗》获优秀创作奖；《任重道远》获全国舞蹈比赛一等奖。《牧马舞》《海浪》《鄂尔多斯舞》荣获 20 世纪华人舞蹈经典金像奖，1998 年，又荣获“中华民族 20 世纪经典金像奖”。90 年代以来，他经常深入生活为农民辅导，并屡屡获奖：河南的《铜器舞》《盘古舞》；昌黎的《秧歌》；埠新的《查玛》；河北藁城的《大鼓》；井陉的《拉花》；哲里木盟的《安代》；辽阳的《高跷》等，均在北京广场舞蹈“龙潭杯”大赛中获金奖、优胜奖。

为了继承艺术大师贾作光的舞蹈艺术，1986 年，在北京民族文化宫举办了《贾作光舞蹈生涯五十年舞蹈晚会》。1987 年，在北京举行了首次“贾作光艺术思想研讨会”，同时举行了“贾作光艺术生涯”舞蹈作品晚会。1992 年，出版发行《贾作光舞蹈艺术文集》。2000 年 3 月，由文化部、中国文联、中国舞协、北京舞协等单位联合在北京召开“贾作光舞蹈艺术思想研讨会”，举办了“献给人民舞蹈艺术家贾作光《鸿雁》舞蹈晚会”。2002 年 4 月，由中国文联、北京文联、中国舞协、北京舞协、北京天舞文化艺术中心联合举办的“贾作光从艺 65 年”系列活动在北京举行，出版了《贾作光艺术人生》VCD 光盘、画册，并为贾作光铜像揭幕。1991 年为享受中华人民共和国政府特殊津贴专家。人事部、文化部授予“先进工作者”荣誉称号；2003 年 12 月，荣获由文化部颁发的“表演艺术成就奖”。现任中国文联荣誉委员、中国舞蹈家协会名誉主席、中国国际标准舞总会会长、北京舞蹈家协会主席、中国老教授协会理事、中国国际文化交流中心荣誉理事、北京天舞文化艺术交流中心理事长。

（钱占元 撰写）

斯琴塔日哈

斯琴塔日哈 蒙古族，女，出生于1932年，内蒙古哲里木盟扎赉特旗人。1947年，先后就学于内蒙古索伦青年学校、内蒙古军政大学。1948年，考入内蒙古文工团（后改为内蒙古歌舞团），师从中国著名舞蹈家吴晓邦。1949年，参加匈牙利第二届世界青年联欢节，与乌云演出双人舞《希望》（又名《蒙古舞》）。1951年，在中央戏剧学院崔承喜舞蹈训练班学习。1954年至1956年，在北京舞蹈学校学习。

斯琴塔日哈历任内蒙古歌舞团教员、编导、副团长，曾任中国舞蹈家协会副主席，内蒙古舞蹈家协会主席、名誉主席，内蒙古文化艺术工作者协会联合会副主席。是国家一级演员，政协内蒙古自治区第三、四、五、六届委员会常委，第三届全国人大代表。

斯琴塔日哈善于广泛收集各民族舞蹈素材，包括蒙古、达斡尔、鄂伦春族民间舞蹈及宗教舞蹈等，并向民间老艺人学习。演出的主要舞蹈节目有：双人舞《希望》《柴郎与村女》《鞑靼》；群舞《挤奶员》《鄂尔多斯》《哈库梦》《布里亚特婚礼》《藏舞》《红绸舞》《牛奶站》等；独舞《土尔扈特》《哈萨克圆舞曲》《牧羊姑娘》以及自编的《盅碗独舞》《筷子独舞》《春天来了》《心中的歌儿》等。在舞剧《乌兰保》《猎人与金丝鸟》及大型歌舞史诗《草原上升起不落的太阳》中担任主角。其中，由她领舞的《鄂尔多斯》获1955年波兰华沙第五届世界青年联欢节民族舞比赛金质奖章；1961年，《盅碗独舞》在第八届世界青年联欢节民族舞比赛中获金奖（由莫德格玛演出）；她编创的群舞《布谷鸟》获自治区歌舞评奖二等奖；《春天来了》获中华人民共和国建国30周年献礼演出创作二等奖；《心中的歌儿》获1980年全国独舞、双人舞、三人舞比赛优秀表演奖。著有《蒙古族舞蹈基本训练课教程》（合著），发表《民族舞蹈教学》《保护和发展民间舞蹈艺术》等论文，为内蒙古的舞蹈艺术发展做出了贡献。曾多次随艺术团出国访问演出，先后应邀在北京舞蹈学院、上海舞蹈学院、中央民族大学舞蹈本科班、中国台湾文化大学及内蒙古各盟和地方歌舞团体、艺术院校授课。1982 年，出席亚洲地区舞蹈保护与发展专家会议。

（钱占元　修订）

莫德格玛

莫德格玛　蒙古族，女，1941 年，出生在内蒙古乌兰察布盟察哈尔右翼后旗的一个牧民家庭。1956 年，考入内蒙古歌舞团为舞蹈演员，1960 年，任独舞演员。1962 年，调入东方歌舞团任独舞演员、编导。国家一级演员。

莫德格玛的舞蹈表演代表作有《盅碗独舞》、大型音乐舞蹈史诗《东方红》蒙古舞蹈组领舞；自编自演的《蓝蓝的天》《湖畔晨曦》《嘎达梅林夫人》《庙塑与舞蹈》《满都海皇后》等。创作的群舞有《德布斯勒特》《双人单鼓》《晨曦》《豪迈的鼓声》等。其中她表演的《盅碗舞》,1962 年参加芬兰赫尔辛基举行的第八届世界青年联欢节舞蹈比赛荣获金质奖章。她创作的《绿洲的微笑》,2000 年获平壤国际艺术节“四月之春”作品创作金质奖，其弟子获得领舞表演金质奖。她曾 3 次作为中国艺术团的主要演员，赴美国、法国、意大利、瑞士、比利时、荷兰、芬兰、德国、泰国、越南、巴基斯坦、新加坡等二十多个国家和中国台湾、香港地区访问演出。1964 年，作为中国艺术团主要演员赴西欧 6 国访问演出，回国后受到周恩来总理、陈毅副总理的表扬。

莫德格玛在“文化大革命”中遭受冲击，被下放到农村劳动改造，中断了业务，直至 1976 年才重返舞台。多年来，在舞蹈表演艺术家贾作光的培养教育下，受到严格的专业训练，并不断学习民族民间艺术，从生活中吸取艺术营养，积累了丰富的经验，又能深入草原，为牧区广大牧民演出。中央新闻电影制片厂曾为她拍摄了专题片《草原的女儿》。1981 年，她在呼和浩特市等 5 个盟市举办了“莫德格玛独舞晚会”，受到内蒙古各族人民的欢迎。多年来，她表演了上千场次的代表作和保留节目《盅碗舞》,经久不衰，常演常新，受到国内外观众和媒体的广泛好评。

莫德格玛将自己丰富的艺术积淀和实践经验加以总结，创编了《蒙古舞蹈部位法》系列教材。1985 年 3 月，举办了第一期“莫德格玛蒙古舞蹈研究班”，对来自内蒙古和新疆蒙古族自治州、自治县的 39 名学员，进行了为期一年的蒙古族舞蹈“部位训练法”教学，编创排练《蒙古勇士》《月亮鼓》《古庙神思》等节目，在汇报演出中获得好评。在研究班结业典礼上，国家原副主席乌兰夫亲自光临并讲话，鼓励她为培养更多的新人多作贡献。1988 年至 1990 年，又举办了第二期“莫德格玛蒙古舞蹈研究班”，编创排练《蒙古诸部族组舞》《杜尔伯特顶碗舞》《三人马舞》《萨布尔登独舞》《单鼓舞》《盅筷舞》等节目，使蒙古舞教学培训得到提升。《蒙古舞蹈部位法》被国内外舞蹈艺术学院采用为教材。

莫德格玛告别舞台后，致力于舞蹈理论研究，发表论文《关于蒙古舞蹈》《游牧民舞蹈溯源》《〈蒙古秘史〉与蒙古舞蹈》《关于宗教舞蹈艺术》等学术论文 16 篇；出版《诗·乐·舞风》《蒙古舞蹈文化》《蒙古部族舞蹈之发展》（蒙古文）、《蒙古舞蹈美学概论》等学术专著；撰写了《蒙古诸部族舞蹈综合性资料集成》和《蒙古族舞蹈名词术语蒙汉双解词典》。1996 年，参加北京举行的第二届“江格尔”国际学术研讨会，发表论文《“江格尔”史诗与蒙古舞蹈文化》，并在东方歌舞团举办了“莫德格玛蒙古舞蹈图文表演展”，“江格尔”国际学术研讨会的专家学者给予了高度评价。

莫德格玛历任东方歌舞团民族舞蹈研究室主任、艺术专题研究室主任，中国艺术研究院舞蹈研究所特邀研究员，第五届至第十届全国政协委员，中国江格尔学会常务理事，国际蒙古学家协会会员等职。

（钱占元、甘峰岭 合撰）

文 浩

文浩（1927—1994 年） 蒙古族，蒙古名赛·文都素，内蒙古土默特旗打尔架村人。幼年因家贫当喇嘛，寺庙成了他学习美术、文学的启蒙学堂。1942 年，东渡日本，入东京净土宗寺院，攻读释迦哲学，1944 年，学成回国。1945 年 8 月，脱掉袈裟，在土默特旗公署教育股工作，随后赴张家口参加晋察冀军区八路军宣传队，走上了革命道路，任内蒙古自治运动联合会主席乌兰夫的生活秘书。1946 年 1 月，入内蒙古军政学院，学习马克思主义，树立了共产主义世界观，4 月，加入中国共产党。由于他不仅会绘画、写歌词，而且懂蒙古文、藏文和日文，被调入内蒙古文工团任演员队长、舞台美术组长。1947 年，参加成立内蒙古自治政府筹建工作，并出席“五一大会”。1948 年 6 月始，历任内蒙古画报社编辑组长、编辑室副主任、主编。

1956 年，为庆祝内蒙古自治区成立 10 周年，自治区人民政府决定建设内蒙古博物馆，文浩被调任筹备处副主任兼总体设计，1957 年 5 月竣工，内蒙古自治区成立 10 周年成就展如期展出。1960 年始，先后任内蒙古博物馆党支部书记、副馆长、馆长，组织领导庆祝内蒙古自治区成立 15 周年、20 周年、30 周年的成就展览工作。1981 年，在内蒙古博物馆主持筹办了《内蒙古古生物与人类陈列》《内蒙古历史文物陈列》《内蒙古民族文物陈列》《内蒙古革命文物陈列》4 部分展览，展出后在省级博物馆之间很有影响。在此基础上，又展出《内蒙古文物展》《成吉思汗历史文物展》等，并赴美国、日本长时间地展出，引起极大的轰动，收到了良好的社会效益和经济效益。1983 年，又筹办了《北方骑马民族文物展》。1980 年，他领导组建了内蒙古考古学会。

文浩是文博研究员。不仅对考古、文物有很深的研究，而且是自学成才的著名雕塑艺术家。从 1950 年起就以妻子为模特开始学习雕塑。在筹备自治区成立 10 周年成就展时，由于展览的需要，为给国家节约经费，他刻苦钻研学习雕塑艺术，为博物馆雕塑出一批人物像，从此走上雕塑艺术之路。四十多年来，雕塑了呼韩邪单于、斛律金、铁木真、木华黎、忽必烈、蒲松龄、乾隆皇帝、曹雪芹等一百多位历史人物像；锡尼喇嘛、色拉西、毛依罕、李四光等现代人物像；内蒙古早期革命家贾力更、李裕智、高凤英等烈士雕像，共计三百多件艺术品。代表作有呼和浩特市标志性建筑、内蒙古博物馆顶上的《腾飞的骏马》以及《王若飞》《草原小姐妹》《接羔》《成吉思汗》《还俗喇嘛》《送鲜奶》等，构成了“北方民族历史人物”“革命烈士”“民族风情”等系列雕塑群。他的雕塑作品富有时代特征、民族特点，造型完美，风格新颖。出版《文浩雕塑作品选集》《历史人物雕塑注史》等专著；发表《论民族地区博物馆的陈列》《在城市雕塑试点中涉及的若干问题》等论文。

文浩曾任内蒙古自治区文化局副局长、内蒙古自治区文联副主席、中国美术家协会常务理事、中国雕塑学会理事、中国广告学会理事、中国博物馆学会名誉理事、内蒙古美术家协会主席、荣誉主席、内蒙古工艺美术家协会理事、内蒙古陶瓷学会名誉主席、内蒙古考古学会副理事长等职。1989 年离休后，全身心致力于文博和雕塑艺术事业，倾其全部积蓄，自费在家乡开办了“敕勒川民俗博物馆”，成为内蒙古第一个由个人创办、办在农村、取材于民间民俗的博物馆，为中国文博界开了先河。文浩是内蒙古文博事业的创始人，是一位博学的文博学家、著名雕塑家，为内蒙古的文博事业贡献了一生。1994 年 6 月，因病在呼和浩特逝世，享年 68 岁。

（钱占元 撰稿）

官布

官布 蒙古族，1928 年出生，内蒙古哲里木盟科尔沁左翼中旗人，著名蒙古族画家。1947 年，毕业于齐齐哈尔内蒙古军政大学，留校从事文艺工作。1948 年后，历任内蒙古画报社创作员、创作组组长、编委，内蒙古自治区美术工作室创作组长。1954 年，加入中国美术家协会。1957 年，中央美术学院油画专业进修毕业，1965 年，内蒙古大学文学艺术研究班毕业。1955 年始，先后任中国美术家协会内蒙古分会常务理事兼秘书长、副主席，内蒙古文联委员兼党组副书记。1959 年，担任人民大会堂内蒙古厅总设计。1960 年，选为中国美术家协会理事。

1980 年，官布调北京市工作，先后任北京市文联理事，中国美术家协会北京分会理事、秘书长、副主席，北京市职工美术、书法、摄影协会名誉会长，北京市民族民间艺术学会副会长，中国美术家协会常务理事。

官布擅长油画、国画。主要作品有：油画《牧羊姑娘》《傍晚》《幸福的会见》《草原小姐妹》《读毛主席的书》《黄金季节》《十月的草原》《诗人盛会更无前》《数风流人物还看今朝》《黎明》《草原健儿》《草原晨曲》等；国画《牧羊归来》《斗风雪，保春羔》《长城春色》《青山春色》《山舞银蛇》《壶口瀑布》《万马奔腾》《秋色赋》《霞光普照》等；连环画《牧羊姑娘》《金色兴安岭》《嘎达梅林》《草原烽火》《草原小姐妹》。他的作品多次在国内外展出，1963年，在呼和浩特市举办第一次个人画展，展出国画、油画二百余件，自治区主席乌兰夫参观画展后，高兴地说："我们培养出了自己民族的美术人才，这是历史的见证。"改革开放后，由中国美协、北京市政协、民委、文联、美协、民族文化宫联合举办"官布画展"，展出作品120件；1987年，在北京民族文化宫再次举办个人画展，展出国画一百多幅；同年11月，在广东省中山市举办"官布中国画展"；1993年，在美国洛杉矶东方艺术中心和喜瑞都市生苑举办"官布个人画展"；1995年，在台湾举办"官布个人画展"；1997年，在呼和浩特市又一次举办"官布个人画展"，向自治区成立50周年献礼。

官布的作品多次获奖并被收藏：1955年，年画《兄弟民族之间》入选全国第一届美术作品展览，获文化部年画三等奖；1959年，《傍晚》入选中华人民共和国成立10周年全国美展，被编入《中国十年绘画选集》；1962年，《幸福的会见》入选全国第三届美术作品展览，被中国美术馆收藏；1964年，《草原小姐妹》《读毛主席的书》《黄金季节》及水彩画《花的草原》入选全国第四届美术作品展览，《读毛主席的书》被中国美术馆收藏；1982年，《草原健儿》获全国少数民族美展二等奖，被民族文化宫收藏；1984年，《青山春色》入选第六届美术作品展览，获北京市中华人民共和国成立35周年优秀作品奖；1985年，《草原春光》入选"祖国环境美术书画展"，获荣誉奖；1986年，《草原晨曲》入选"全国民族团结美术作品展览"，获优秀作品奖；1986年，《长白桦林》入选日本"中国百景画展"；1988年，巨幅国画《秋色赋》由北京天安门城楼展览并收藏；《山舞银蛇》在毛主席纪念堂展览并收藏；1991年，《冬韵》被中南海收藏，并入选大型画册《中南海珍藏书画集》。主编大型画册《北京当代美术作品选集》，出版《官布中国画集》等。他的作品气势宏大，民族特点浓郁，描绘了雄伟深邃的原始森林，色彩变幻的辽阔草原，惟妙惟肖的人物形象，生动逼真的民族风情，善于把作者热爱祖国、热爱人民、热爱家乡、热爱大自然的情感融入画中。他曾是政协内蒙古自治区第二届委员会委员，北京市第六、七届政协委员。退休后，创办中国少数民族美术促进会，任会长。

（钱占元　撰稿）

妥木斯

妥木斯 蒙古族，曾用名云瑞冲，1932年11月22日，出生于内蒙古土默特旗。中共党员。1958年，毕业于中央美术学院油画系，1963年，毕业于中央美术学院油画研究生班，曾受教于中国著名油画家吴作人、王式廓、罗工柳、艾中信、韦启美、李斛等。毕业后分配到内蒙古师范学院美术系任教，历任系副主任、主任、教授。一直担任本科、研究生课程的教学工作。先后开设《素描》《速写》《色彩》《油画》《创作》等课程，对《素描》《速写》等课程提出了一系列行之有效的改革措施，该校美术系是自治区培养本科生、硕士研究生美术人才的主要基地。妥木斯并兼任自治区的社会油画辅导工作，以及少儿美术活动指导，对内蒙古地区的美术教育事业起到了很大的推动作用，尤其是对油画队伍的成长和民族画派的形成，起到了开创性的作用。

妥木斯教授是杰出的美术家、教育家，创作了大量优秀的油画作品。代表作有《垛草的妇女》《查干湖》《马球》《细雨》《晨曦》《凝》《苏布达》等。1981年，在中央美术学院和民族文化宫，先后展出反映牧区生活的油画创作近百幅。1991年1月至2月，应邀到俄罗斯远东艺术博物馆举办个人油画展。出版专集《妥木斯油画选》及单幅画《蓝色的花丛》。英国版《世界名人录》从1984年起连续8年将妥木斯收载入册。英国版的《有成就者》《亚太地区名人录》，德国版《中华人民共和国名人录》等都将妥木斯收载入册。

妥木斯教授的《垛草的妇女》于1984年获全国第六届美术展览银质奖、《查干湖》获内蒙古文艺创作一等奖；《马球》于1984年获内蒙古文艺创作一等奖，1985年又获全国体育美术展览国家体委铜牌奖，1987年还获内蒙古文艺创作一等奖。1990年，获"吴作人国际美术基金会"的"美术教育奖"。曾被评为内蒙古自治区高校先进工作者、优秀教师。1991年为享受中华人民共和国政府特殊津贴专家。兼任中国美术家协会常务理事、中国美协油画艺术委员会委员、国家教委艺术教育委员会委员、内蒙古文联副主席、内蒙古美术家协会副主席、内蒙古美术教育研究会理事长、内蒙古师范大学美术系名誉系主任等职。他对武术亦有造诣，任内蒙古陈式太极拳研究会会长、内蒙古师范大学武术协会主席。

（钱占元　修订）

第二十八章

企业界人物

杨 维

杨维（1912—1964年） 吉林省双城县（今属黑龙江省）人，15岁考入吉林省第三中学，参加进步学潮，担任学生代表，被学校当局记过。1928年，加入中国共产主义青年团。1929年，考入北平大学俄文法学院预科，期间因参加反对学院当局的贪污等行为的罢课斗争，被拘留十多日。1931年“九一八”事变后，家乡沦陷，在校组织反日救国会、反帝大同盟支部，接受党的教育，于1932年1月，加入中国共产党。随后任反帝大同盟河北省委发行部长、中共北平市东区委组织部长，在门头沟开办工人夜课，宣传马克思主义和抗日救国。1934年2月，任中共天津市委反帝委员会书记，旋即调任中共天津市委宣传部长。是年秋，任中共天津市委书记，领导工人运动。1935年1月被捕，面对敌人酷刑，他坚强不屈，最后以“危害民国罪”被判处二年半徒刑。1936年10月，他找保获释后，回北平参加中华民族解放先锋队，在总队部任干事、北平民先队组织部长。

抗日战争爆发后，杨维与全国民先队队长李昌等在济南组织平津同学流亡会，后任中共太原市委职工部长，开展同蒲路工作，成立了同蒲路总工会，任铁路工人游击队长、中共同蒲路工委书记。1938年2月，带领总工会干部和“铁工队”队员约500人，在晋南开展游击战争和工运工作。不久又任同蒲路工委民运部长。1941年始，先后任太行一分区专员、二分区专员、中共晋冀豫边区地委常委兼石门（今石家庄市）工委书记。

抗日战争胜利后，党派杨维进入东北解放区，历任哈尔滨市委副书记兼组织部长、民运部长，建立和恢复各区党组织，与国民党特务、三青团分子作斗争，组织群众支援解放战争，在哈尔滨市郊区开展土地改革运动。1947年冬，调任中共牡丹江省委民运部长，组织群众参军参战。1948年底，任中共本溪市委常委、本溪煤铁公司总经理，学习工业管理和冶炼技术，恢复生产，支援解放战争。

中华人民共和国成立后，1951年3月，任东北工业部赴苏联实习团党支部书记，学习炼铁技术和管理经验。1953年，学成回国，任中央重工业部钢铁工业局副局长，负责包头钢铁公司的筹建工作，他不顾劳累，带病工作，经过15处厂址的选择，最后选定宋家壕为包钢厂址，领导了包钢的建设队伍、审查设计、建立各种机构、购置建筑设备等一系列工作。1956年，任包钢第一任经理、党委副书记。在患有多种疾病的情况下，呕心沥血地工作，1959年9月，实现了包钢一号高炉提前出铁，从而加快了包钢建设的步伐。还参与了包头市建设规划的制订。1962年，调任冶金部科技办公室主任。1964年2月2日，在北京英年早逝，年仅52岁。

（钱占元、甘峰岭　合撰）

林东鲁

林东鲁　1946年出生于内蒙古哲里木盟通辽市，1970年，毕业于内蒙古工学院机械制造工艺及设备专业。1971年，参加工作，历任包头钢铁公司技术员、无缝厂厂长、公司副总经理、总经理、高级工程师。

1998年2月，正当包钢面临前所未有的困难时，林东鲁受命出任包钢（集团）经理，继而任董事长兼总经理、党委书记，同领导班子成员一起确立了“做大做强钢铁产业，做深做细稀土产业，把包钢建成真正意义上的精品基地”的奋斗目标，进行了主辅分离、减员分流、资本运营等重大改革，使各种资源得以最佳配置。

林东鲁以科技进步为手段，加大科技投入力度，带领包钢全体职工从困境中走了出来。几年来，他主持完成了直径400毫米无缝钢管机组系列产品的研究与开发，使包钢具备了按照国际API标准生产石油套管的能力，开发了包钢品牌的高级石油套管系列产品；开发了薄板坯连铸连轧碳素钢控制轧制及控制冷却生产技术，建立起配套的生产技术体系，薄板坯连铸连轧过程控制质量设计，填补了我国薄板坯连铸连轧生产的空白，走在国内同类企业的前列；开发了具有我国自主知识产权的薄板坯连铸连轧 Nb 微合金钢粗晶奥氏体再结晶控制和未再结晶控轧技术，结束了我国薄板坯连铸连轧机组不能生产高强度 Nb 微合金钢的历史；在全流程开发出包括 19 项主要技术和诀窍的薄板坯高效精炼、连铸、轧制技术和全流程高效快节奏生产技术体系，主要技术经济指标居国际先进水平。

林东鲁提出包钢“优化钢铁，突出稀土”的发展战略，以包钢稀土单位为主体，打破所有制界限，重组了内蒙古稀土集团公司，以稀土高科技为龙头，控股、参股区内外多家稀土企业，使稀土产业产品结构和资本结构有效改善。几年来，包钢累计开发新产品二百四十多种，先后有十多个系列产品获得国家“金杯奖”产品称号，其中重轨、无缝钢管等产品大大提升了包钢的品牌形象。

林东鲁还提出了打造“特色包钢、绿色包钢、人文包钢”的口号，使包钢逐步走上循环发展之路。在他的主持下，形成了全方位推进包钢向文化型、知识型企业的转化。作为国内第一个钢铁生态工业园区规划——《包钢生态工业园区建设规划》通过了国家评审。

林东鲁对困难职工特别关怀，2004 年以来，代表包钢领导班子承诺：不让一名职工子女因为没有钱上不起学，不让一名职工因为没有钱看不了病，不让一名职工生活在城市最低生活保障线以下。几年来，包钢用于帮助困难职工的经费连年递增。

1998 年至今，包钢先后获得国家技术创新奖、全国“五一劳动奖状”、“全国民族团结进步先进集体”等荣誉。林东鲁荣获“内蒙古自治区劳动模范”、“全国劳动模范”、“全国优秀创业企业家”等荣誉称号，获自治区“科教兴区特别奖”，自治区科技进步一等奖、二等奖各一项、国家科技进步二等奖一项，是中共十六大代表和全国人大代表。

（钱占元、甘峰岭 合撰）

张国忠

张国忠　1913 年出生，东北大学工学院矿业工程系毕业。1958 年，调入包头钢铁公司，任包钢副总工程师、总经理，教授级工程师。

张国忠是一位专家型企业家，长期从事钢铁生产组织、经营管理、技术试验及设计等工作，在专业方面取得了重大的研究成果。主持对白云鄂博赤贫矿弱磁—强磁—反浮选试验，获得重大成果和经济效益。这项试验使包钢红矿石不过关的问题得到了彻底解决。该项目还获得冶金部特等奖。

张国忠是国内知名的白云鄂博矿学专家，对白云鄂博矿进行系统研究并颇有建树，被形象地称为“白云鄂博通”。主持参与国家重大科技项目《白云鄂博矿特殊矿采选冶工艺与技术进步》,主编的《白云鄂博矿冶工艺学》是该领域的权威专著。他虽然年逾八旬，但仍然作为顾问组成员参与工作，担任中国稀土学会专家组成员；2000 年，任包钢集团公司董事会独立董事。

张国忠担任包钢公司总经理 8 年期间，不仅使包钢钢产量突破 300 万吨大关，而且一举扭亏为盈，使公司的生产、经营水平、经济效益得到大幅度提升。他被授予“内蒙古自治区劳动模范”等多项荣誉称号，1993 年为享受中华人民共和国政府特殊津贴专家。是自治区优秀企业家的杰出代表，同时也是一名造诣很深、成果丰硕的工程技术专家，为国家的钢铁、稀土工业和自治区的经济建设作出了突出贡献。2007 年 12 月，荣获首届“内蒙古杰出人才奖”。

（钱占元　撰稿）

王林祥

王林祥　1951 年，出生在内蒙古包头市一个普通的工人家庭。1970 年，在伊克昭盟绒毛厂参加工作，1974 年加入中国共产党。1981 年，内蒙古第一家以补偿贸易方式建成的伊盟羊绒衫厂正式投产，王林祥任技术、生产副厂长；1983 年，因工作突出被任命为羊绒衫厂厂长；1991 年，组建了鄂尔多斯羊绒集团，任集团公司党委书记、总裁；1999 年，集团改制后，任鄂尔多斯集团董事局主席、总裁、首席执行官至今。是第十届、第十一届全国人大代表。

在王林祥的领导下，鄂尔多斯集团创下了连续二十多年持续高额赢利的优良记录，在中国纺织行业可为独树一帜。目前，集团羊绒产业的规模为：年收购加工羊毛绒 3 500 吨以上，占中国总产量的一半和世界总产量的 40%；年产销羊绒制品 1 000 万件，占中国 40% 和世界 30% 的份额。集团拥有总资产 183 亿元，职工 21 000 人。2007 年，集团实现销售收入人民币 123 亿元，实现利税 17. 76 亿元，出口创汇 3. 8 亿美元。

鄂尔多斯集团的崛起，是改革开放的产物，作为创业领军的王林祥，面对国有企业根深蒂固的制度弊端，果断推出了用工、分配、干部三项制度改革：1983 年开始，伊盟羊绒衫厂实行合同制和见习工制，面向社会招工；1984 年，推行了“全员浮动效益工资制”，工资与绩效挂钩，按岗位贡献进行分配；1987 年，伊盟羊绒衫厂取消了干部终身制，实行“能上能下”的干部考核管理制度。三项超前的基本制度改革彻底打破了铁饭碗、铁工资、铁交椅，为企业的后续发展注入了活力。此后，伊盟羊绒衫厂拥有了自营进出口权；1989 年，伊盟盟委决定伊盟羊绒衫厂与伊盟纺织工业总公司分立；1999 年，鄂尔多斯集团改制成为国有控股、职工参股的有限责任公司；2001 年，基本完成了国有股从鄂尔多斯集团整体退出的重大产权制度改革，鄂尔多斯集团走上自主经营、自我发展的民营化道路。

王林祥很早就关注资本市场的运营，1995 年，鄂绒 B 股在上海发行；1997 年，鄂绒 B 股增发成功；2001 年，鄂尔多斯 A 股在上海挂牌上市。3 次成功的资本运营，募集资金 23 亿元，使鄂尔多斯集团的经营又上新台阶。

王林祥以战略的远见很早地确立了“抓两头、促中间”的经营方针。在原料控制上，通过在新疆、青海、宁夏、辽宁、黑龙江、河北和内蒙古等产绒区建立原料分公司的方式进行工牧直交，形成了完善的收购网络，为集团原料供应提供了可靠的保障。

在市场营销上，王林祥狠抓国际与国内市场建设，集团现已在国内设立了 33 家销售公司、19 个业务代表处、31 家物流配货中心和 2 500 家专营网点，非绒类服装的经销网点也达到了 1 600 家，形成了旗舰店、商场专厅、加盟店、自营店有机配合的营销网络格局，覆盖了全国县级以上的大中城市，市场占有率长期高居行业第一；在国际市场，“鄂尔多斯”商标先后在世界40多个国家和地区注册，集团在美国、法国、日本、英国、俄罗斯、意大利、香港等国家和地区建立了7个国际销售公司和二十多家鄂尔多斯专营店，年出口量逐年递增，2007年达到600万件，创汇近4亿美元。

因鄂尔多斯集团突出的经营业绩，王林祥赢得了“全国首届经济改革人才奖”“全国杰出青年企业家”“全国十位全心全意依靠职工办好企业的优秀党政工干部”“全国杰出经济管理大师”“全国劳动模范”“中国创业企业家”等光荣称号。

王林祥认识到受资源有限性的限制，羊绒业达到一定份额以后很难再有大的发展空间，必须把目光转移到地区优势特色产业上来。经过缜密分析和长期论证，集团积极响应国家西部大开发的号召，抓住国家大力发展循环经济和世界重化工产业全面调整的机遇，提出“继续做精做强羊绒产业，迅速培养发展煤电冶金化工产业”的战略新思路，从2003年开始投巨资建设棋盘井重化工业园区，通过资源能源转换升级，形成以资源能源型产业为依托，由初级到高级，配套完善、结构合理、链条丰富的循环经济产业集群。几大煤矿的相继开工，洗煤厂的建成投产，2×33万千瓦机组的发电运行，冶金项目的陆续投产，规模宏大的新型生态工业园区已初步成型，形成羊绒、煤炭、电力、冶金、化工五业并举、协同发展的新格局。王林祥领导集团确立了新的奋斗目标：到2010年，销售收入达到200亿元，实现利税超过25亿元，职工收入每年增长10%。

（钱占元　撰稿）

张双旺

张双旺　1943年，出生于内蒙古伊克昭盟准格尔旗一个农民家庭。15岁因家贫辍学进入杭锦旗皮革厂做学徒。1959年，凭借自己的聪慧与勤奋，考取了内蒙古轻工业学校，毕业后先后在伊克昭盟杭锦旗的石膏厂、机械厂、手工业管理局任会计、科员；1969年，调任杭锦旗旗委办公室秘书、副主任；1979年，调任杭锦旗独贵特拉公社党委书记；1982年，调任伊克昭盟行署办公室秘书；1985年，调任伊克昭盟乡镇企业处副处长。

1988 年 3 月，张双旺放弃“铁饭碗”，带领从乡镇企业处分流出的 21 名行政超编人员，靠仅有的 5 万元经费和财政有偿借贷的 40 万元资金，创办了企业。起初从事过砖瓦厂、大理石厂、绒毛、药材贸易等都失败了。但他没有泄气，和创业者们研究购买了 10 节火车皮，以煤炭运输为主业，两年内又购置了 200 多节车皮和 40 辆卡车，3 年内建设开通了 4 个煤炭转运站、5 个联营煤矿。1989 年 11 月，伊克昭盟行署批准将公司更名为伊盟煤炭公司，张双旺出任总经理。在短短 3 年里，利税超过千万元，公司成为伊盟的支柱企业。1992 年承包到期，5 年内共实现利润 7 433 万元，全面超额兑现了承包合同。是年，盟行署批准组建了伊煤集团公司，张双旺任董事长兼总裁。1994 年，伊煤集团销售收入达 3 亿多元，创利税 6 500 万元，成为伊盟的利税大户，煤炭行业的龙头企业；公司还筹集资金 800 万元，为盟财政解决了困难。7 年累计向国家上缴利税 8 878.8 万元，发展成为拥有职工 1 300 人，固定资产 2.6 亿元的国家中型企业。同年，公司与韩国黄海开发贸易株式会社共同投资 2 950 万美元，建立了蒙西水泥有限责任公司，还兴建了纳林庙煤矿，接收了唐公塔煤矿，与秦皇岛港务局合资组建了秦伊船务有限公司。

1997 年，内蒙古伊泰煤炭股份有限公司成立，张双旺任董事长兼总经理，由产业开发公司、运输公司、经营公司、进出口公司和秦伊船务公司组成，总资产达 7.2 亿元，同时“伊煤 B 股”在上海上市，被称为“中国煤炭第一股”。1998 年，投资 12.6 亿元，建成准东铁路。从 1996 年至 2003 年，公司煤炭产量以 100 万吨的数量递增，实现了千万吨产销量的历史跨越，连续 8 年居自治区同行业领先地位。

2001 年，伊泰集团按照鄂尔多斯市委、政府的安排，进行资产重组、国有股全部退出、改制成股份制企业。张双旺提出了伊泰集团“四个不变”的办企原则：坚持加强党对企业的领导，集团公司党委是领导核心不变；坚持合法经营，照章纳税，两个文明协调发展的方向不变；坚持依靠广大职工，充分尊重广大职工的主人翁地位的宗旨不变；坚持为地方和国家的社会主义建设积极作出贡献的思想不变。

2001 年至 2004 年，是伊泰集团发展最快的时期，2004 年，销售煤炭 1 281.59 万吨，较 2000 年、2001 年、2002 年、2003 年分别增长 181.65%、

114.02%、44.33%、17.45%。伊泰集团还对“伊泰煤”输出通道——伊泰准东铁路进行了全线电气化改造，对伊泰曹羊公路进行了复线新建，对矿井进行了技术改造。2004 年 8 月，伊泰集团被国务院正式确定为全国规划建设的 13 家亿吨级大型煤炭骨干企业之一。集团在伊盟杭锦旗建起 4 万亩甘草种植基地，生物药厂通过国家 GMP 认证。公司为社会公益事业累计捐款一亿多元。2005 年，为鄂尔多斯市建设医院捐助 5 000 万元。

从 2002 年开始，伊泰集团与中科院山西煤化所合作开展煤炭间接液化自主知识产权技术的研发，2006 年，通过科技部 863 专家组和中国科学院重大项目验收，以此为依托的国内第一条煤基合成油示范生产线（一期工程年产 16 万吨）在伊泰集团开工建设，2008 年 9 月竣工生产，计划到“十二五”期末，建成 500 万吨煤制油产业基地，对保障国家能源战略安全，带动煤炭企业走新型工业化道路，促进地区经济社会快速发展具有重要意义。

2007 年，伊泰集团公司总资产达到 160 多亿元，累计向国家缴纳利税 45 亿元，煤矿生产能力达 1 800 万吨以上，成为一个以煤炭生产、经营为主业，煤制油、铁路运输为产业延伸，以房地产开发、太阳能、生物制药等多元互补的大型企业集团、国家重点企业、内蒙古重点企业以及鄂尔多斯市三大企业中的排头企业。伊泰集团列全国企业 500 强第 412 位、中国煤炭企业 100 强的第 21 位，是内蒙古自治区 20 户重点培育的企业。张双旺是高级经济师，为享受中华人民共和国政府特殊津贴专家，1995 年荣获“全国劳动模范”称号。

（钱占元　撰稿）

丁新民

丁新民　蒙古族，1950 年 7 月，出生于内蒙古土默特旗一个蒙古族革命家庭。1968 年，毕业于伊克昭盟东胜一中，同年到伊克昭盟“五七”干校劳动锻炼，1969 年，转到北京军区内蒙古生产建设兵团巴彦淖尔盟临河糖厂，由于他吃苦耐劳，表现突出，加入了中国共产党，被誉为“丁铁人”。

1974 年，丁新民回到东胜，在伊盟绒毛厂做临时工。1975 年，被安排到伊克昭盟公路总段工作，先后任段长助理、副段长等职务。1996 年，被任命为伊盟公路工程局局长、党委书记。1997 年 12 月 17 日，丁新民组建了内蒙古东信公路公司，在内蒙古自治区率先以 BOT 方式引进外资，承建了包府公路东杨段，只用了一百八十多天就为煤炭运输创造了 40 公里的双向四车道，使煤炭日流量从原来的 1 万吨增加到 4 万吨。东杨公路在经历了几年重车碾压后，经内蒙古公路工程质量监督站等单位鉴定，仍以 88.5 分被评为优良工程。1999 年 3 月 28 日，丁新民辞去原有职务，带领 40 多位骨干，以股份制形式创办东方路桥集团有限责任公司，同时与先期成立的东信公司，联合香港维信集团天津工贸公司、伊盟交通物资总公司、兴泰建筑工程公司，共同组建了东方（实业）集团，这是在伊盟成立的第一家民营企业，丁新民任总裁、党委书记。2000 年 6 月 18 日，东信公司在内蒙古交通系统第一家改制为股份制企业，他出任董事长兼总经理。2002 年 3 月 30 日，东方路桥集团正式成立，他出任总裁、党委书记。同年 12 月，集团的核心企业东方路桥集团转制为东方路桥集团股份有限公司。他提出了“以人为本，共同富裕”的办企宗旨，集团确定了“以党建为统率，以经济效益为中心，全面提升现代企业制度、企业文化、科技实力和精神文明创建水平”的发展思路，通过全员持股让员工真正成为企业的主人。在集团初创的几年里，每到施工旺季，他都要通过联检联评等形式抓集团的质量与进度，甚至带头以剃头明志的方式鼓舞员工敢打硬仗的士气。几年来，集团发扬“敢想敢干，争创一流”的企业精神，以过硬的质量、争先的速度、良好的信誉，先后承建了呼和浩特市东出口、呼和浩特机场路、乌海至巴彦浩特公路、包头哈德门至磴口高速公路、丹东至拉萨包头过境高速公路、锡桑公路、省道 103 线呼和浩特至浦滩拐高速公路等自治区多项重点公路工程。完成投资 3.5 亿元、1 650 米长的黄河大桥，创造了内蒙古第一家民营企业用 BOT 方式修建投资最大、跨度最长的黄河大桥的历史记录。集团还完成东胜区天骄路、神华煤液化项目场平工程、伊金霍洛旗阿镇至陕西神木大柳塔线、东胜到康巴什快速通道等鄂尔多斯市多项重点公路工程项目。东方路桥在一个个路桥重大工程项目中，打出了品牌，集团被誉为草原上的“筑路铁军”。

丁新民在企业始终坚持党的领导。集团采取分公司经理和党支部书记一肩挑制，强化党的领导；集团还通过绩效考评和党员末位淘汰制发挥党员的先锋模范作用。2006 年初，他在集团工作会上提出要创办中国特色社会主义新型企业，并提出“人本重于资本”的理论，从用工、分配、管理等方面进行了探索。

丁新民以“让无产者变为有产者”的理念，提出把民工作为东方路桥金字塔基石的“东方金字塔”理论，将民工联队建设作为集团党委的“一把手工程”来抓，在民工联队中成立了党支部，通过推行定额管理、技术帮扶、伙食补贴、股份制运行、开展“十佳绿卡联队”和“十佳民工”评比等活动，让民工在政治上平等、经济上增收、生活上改善、技术上提高。集团出台了《民工联队建设管理办法》和《绿卡联队评定实施细则》，从 2003 年开始，集团每两年召开一次民工联队代表大会，征求民工对企业管理的意见和建议，表彰绿卡民工联队。2005 年 12 月，集团重奖“双十佳”民工联队 10 辆圣达菲越野汽车和 10 辆本田 125 摩托车，2006 年 1 月，丁新民又率“双十佳”民工赴东南亚旅游。这一系列的活动，让民工找到了家的温暖，感受到了主人翁的地位，民工在集团的生产和发展中也切实发挥了生力军的作用。

集团现有路桥投资、建设、经营和房地产开发、旅游、煤电、铁路运输等产业，共有分公司、子公司、联营企业 17 家，拥有总资产 46 亿元，净资产 12.7 亿元，集团累计上缴税金 3.53 亿元。集团还始终不忘回报社会，成立 10 年来，累计为社会公益事业、捐资助教等捐款近亿元。2004 年，集团被《福布斯》中文版评为中国民营企业慈善榜 100 名第 85 位。集团党委荣获“全国先进基层党组织”称号，集团和一公司分别获全国“五一”劳动奖称号，集团多次荣获全国和内蒙古民营企业思想政治工作先进集体称号，荣获全国质量安全管理先进单位、内蒙古企业文化建设先进单位、内蒙古非公有制企业诚信纳税企业、内蒙古公路投资先进单位等称号；集团团委荣获全国“五四”红旗团委，东杨收费所获“全国青年文明号”。丁新民先后荣获东胜区优秀民营企业家、内蒙古光彩事业明星、内蒙古自治区优秀乡镇企业家、内蒙古乡镇企业功臣、内蒙古优秀基层党务工作者、内蒙古中国特色社会主义事业优秀建设者、全国乡镇企业家、内蒙古自治区劳动模范、全国关爱员工优秀民营企业家等称号。是内蒙古五届人大代表、内蒙古自治区政协委员、内蒙古工商联副会长、鄂尔多斯市工商联副会长。

（郝维民　撰稿）

葛　健

葛健　1960年6月，出生于内蒙古呼和浩特市。经济学博士、高级工程师。内蒙古仕奇集团有限责任公司党委书记、董事长、总经理。曾任中国青年企业家联合发展总公司董事长、全国外资投资企业协会理事、全国青年企业家协会副会长、全国青年实业促进会副会长。

1982年，葛健毕业于天津大学自动控制专业后，在内蒙古第二毛纺厂任技术员、电气助理工程师，电脑办主任。在改革开放初期，葛健率先将微电脑用于毛纺织生产过程。当时，著名科学家华罗庚在内蒙古视察时，高度评价了这一创新举动。1985年夏，毛纺厂引进外资和先进设备，他以技术开发部员工和项目负责人身份，参与引进设备，招聘人员；提出要充分利用内蒙古资源和生产基地的优势组建合资企业的设想。1988年初，与日本、香港合作组建内蒙古青松制衣有限公司，任总经理。这是呼和浩特地区的第一家“三资”企业。他提出“要创出一流的企业必须拥有一流产品。我们的第一目标市场就是以苛求质量著称的日本。大和民族能生产出的产品，就要看我们炎黄子孙的了！”这一目标极大地激发起职工的积极性。

葛健力主把共产党组织建立在合资企业里，各主要管理层均有党员参与。选择9名原车间负责人，经过一年日语补习，送到日本接受技术管理、市场运作等方面的培训；同时分期分批选派60多名技术工人，赴日本进行为期半年以上的技术培训，成为企业的技术骨干；还与内蒙古大学合作创办仕奇经济管理学院，为公司培养高层次管理人才。1990年，葛健考入吉林大学在职攻读研究生，先后取得了硕士和博士学位。

葛健将创一流产品作为企业的目标，把质量作为管理企业的核心。制作一套西装一般需70余道工序，而仕奇西装要经过390道制作工序。因此，青松制衣有限公司仅一年多的时间，以一流的产品出口日本，实现了出口量占日本西装市场销售量1%的份额，在全国服装行业最佳效益评价中名列第12位。同时，获准悬挂国际羊毛局的标志，被中国外商投资企业协会评为全国出口创汇先进企业。建厂7年来，累计出口创汇三千多万美元，是建厂投资的十几倍。

1992年，葛健与日本鸟取县客商合资创建了又一个合资企业——内蒙古青鸟毛纺织有限公司，使青松制衣有限公司以自产面料取代了进口面料。1993年，仕奇公司还兼并了经营连年亏损的呼和浩特西装总厂，经过两年扭转了亏损局面。

葛健为实施内蒙古自治区的“名牌战略”，竭尽全力创造仕奇品牌，注册仕奇商标。“QS”是“青松”的汉语拼音声母，也是英文质量和速度“Quality”、“Speed”的简写，于是“仕奇”和“QS”成为青松生产的仕奇西装的标名和标识。1994年，在市场经济的大潮中，海外品牌大量涌入中国市场，特别是海外西装品牌对国产西装是严重的挑战。葛健毅然在国家级媒体上向国内市场销售的“海外品牌”发出“仕奇出战”，承诺“同等质量，价格我低，同等价格，质量最好”。这一举动在当时国内品牌有的被国际知名品牌吞并、收购的背景下，被认为是振奋中国民族工业信心的有力之举，被誉为“中国企业打响了保卫民族品牌的第一枪”。仕奇西装以高质量赢得国内外消费者们的信赖。日方合作者心悦诚服地承认仕奇西装的质量已经达到或超过其国内厂家的标准。1992年到1994年，仕奇西装品牌连续3年荣获国产精品金桥奖。1994年4月，在首届中国“十大名牌”西装和衬衫市场确认中，仕奇西装荣登名牌西装榜首。一个只有六百多员工的青松制衣有限公司，建厂以来年平均利润以30%的速度递增。仕奇名牌，对内蒙古实施“名牌战略”发挥了推进作用。江泽民、李鹏等党和国家领导人先后到仕奇集团视察，对他们的成绩给予了充分的肯定。

葛健重视自治区和国家的文化建设。仕奇集团独家投资人民币数千万元，制作完成了大型电视连续剧《成吉思汗》,在中央电视台一套黄金时间首播后，引起国内外观众、特别是蒙古族观众的热烈反响和好评，弘扬了蒙古民族优秀历史文化。仕奇集团成吉思汗文化传播有限公司与上海电影集团上海美术电影制片厂合作摄制了动画片《勇士》,展现了丰富生动的草原文化。仕奇集团还创办了内蒙古草原文化保护发展基金会，先后举办了四届草原文化国际论坛，国内外历史文化专家学者数百人次参加研讨，为弘扬草原文化作出了开创性的贡献。集团还向中央民族大学附属中学捐赠人民币50

万元，设立了“民族希望”奖励基金。

1999 年，仕奇集团接收了连年亏损的内蒙古饭店。葛健力主按照五星级酒店的标准，体现民族文化特色，实施了升级改造，使饭店面貌焕然一新，利润可佳，被评为优秀企业。同时，仕奇集团联合有关方面，创办了成吉思汗酒业，成为内蒙古酒业唯一注册的人文品牌。集团还经营羊绒制品、矿业等 6 类产业。

1995 年至 2008 年，葛健历任政协呼和浩特市第八、九、十届委员会副主席、党组成员，第八、九、十届全国政协委员，全国青年联合会常委、内蒙古青年联合会副主席。被评为“中国十大杰出青年”，被授予“全国新长征突击手”、“全国劳动模范”荣誉称号。

（郝维民、钱占元 撰稿）

赵永亮

赵永亮 1958 年 12 月，出生在内蒙古伊克昭盟达拉特旗召沟村。1980 年始，先后在伊盟纺织原料公司、鄂尔多斯羊绒衫厂工作，由原料部长升至副厂长，并被评为高级经济师、毛纺高级工程师、畜产品检验工程师，与人合作出版了专著《山羊绒毛学》。

1990 年，赵永亮下海经商，赚了 3 万元钱，为家乡小山村通了电。1993 年，创建了内蒙古东达羊绒制品有限公司，任总经理。公司逐步拥有洗、梳、染、纺、编织全套国际先进生产设备，年洗梳绒毛 2 000 吨，染色 1 000 吨，精粗纺纱 1 000 吨，年产成衣 80 万件，居全国同行业前列。产品远销美、意、日、韩、马尔他等国家及国内五十多个大中城市。

1996 年 4 月，组建了民营企业内蒙古东达蒙古王集团，赵永亮任集团党委书记、总裁、董事长。集团经营范围涉及造纸、房地产、路桥建设、酒店、商贸、物流和新农村建设等领域。他坚信著名科学家钱学森院士提出的沙产业、草产业理论，采取种沙柳的办法治理达拉特旗沙区。1998 年，实施年产 50 万吨沙柳制浆配抄挂面箱板纸项目，被国家经贸委列为“双高一优”技改重点项目，列入内蒙古自治区“双百万京（津）北绿色屏障工程”。

内蒙古东达集团由房地产开发、路桥建设为主的 16 家企业组成，同时积极发展第三产业，建成酒店、物流、商贸、信息等社会化服务体系。投资 10 亿元合作开发建设的呼和浩特市“东达城市广场”，集办公、住宅、酒店、文体娱乐为一体，借鉴上海锦江国际酒店的经营理念，把内蒙古锦江国际五星级大酒店、东达假日酒店、东达国宴海鲜大酒楼打造成国际一流服务的酒店。投资 10 亿元建成阿拉善东达国际物流中心，还承建了东达小镇、东达佳园、准格尔旗政府搬迁工程和内蒙古大学新校区工程等项目。东达集团先后投资 12 亿元，采用 BOT 模式建设并经营着 10 条公路及 5 座大桥；投资七亿多元，承建的树林召至包头东兴黄河大桥，主桥长为 6 355 米，成为黄河中上游第一大桥。为达拉特旗修建了六百多公里的黑色路面，完善了鄂尔多斯市的交通网络。

2005 年，赵永亮以“生态扩镇移民、产业拉动扶贫”的思路，在达拉特旗白泥井镇风水梁实施了“无土移民”的“东达生态移民扶贫村”建设项目，发展规模化特色养殖，建成 2 500 户獭兔养殖基地，年出栏商品兔 500 万只，使养殖户的收入得到增加。投资 10 亿元，占地 12 平方公里，可容纳 4—6 万人就业，以大物流、大运输、大服务，特色种养殖，加工工业，公共设施，文化旅游五大产业为支撑，力争成为中国西部第一村。集团先后投入扶贫济困资金 5 亿多元，赈灾和发展各项社会公益事业。1993 年，赵永亮在达拉特旗捐款兴建了两所“亮明希望小学”。

1996 年，当地发生了凌灾和 6. 4 级的地震，集团捐资三十多万元，为灾后无家可归的群众建起了东达新村。1998 年，为内蒙古扎鲁特旗灾区捐款 100 万元，为东北三江洪涝灾区人民捐助 200 万元物资。2003 年，集团先后向社会捐资二百多万元，支持抗击“非典”工作。2006 年，集团成立了“救助农村牧区先天性心脏病儿童促进会”，每年出资 60 万元，已成功救助了七十多名先天性心脏病儿童。2008 年 1 月，南方发生罕见的冰雪灾害，集团捐赠款物共 318 万元。是年 5 月，为四川汶川地震灾区投资 7 200 万元，安置 400 户受灾群众到东达生态移民扶贫村创业发展。

内蒙古东达集团在赵永亮的带领下，坚持以人为本、开拓创新的经营理念，企业不断发展壮大。集团现有 38 个成员企业，员工一万一千多名，总资产 48 亿元，累计为国家上缴税费 6. 8 亿元，带动了 12 万户农牧民共同致富。生产的羊绒系列产品被评为“中国消费者信得过产品”。“东达蒙古王羊绒衫”先后被评为“消费无投诉中国驰名品牌”“全国五佳质量过硬品牌”“中国市场纺织品十大品牌”“国家免检产品”。“东达蒙古王”商标成为全国著名商标。东达蒙古王集团获得内蒙古自治区“出口创亿元先进企业”“内蒙古20强工业企业”“全国农牧业产业化先进集体”“全国扶贫重点龙头企业”“全国新农村建设百强示范企业”“中国最具生命力百强企业”“中国千家大制造商之一”等殊荣。

赵永亮先后被授予“内蒙古自治区劳动模范”“功臣民营企业家”“中国公益之星”“优秀中国特色社会主义事业建设者”“全国绿化先进工作者”“全国光彩事业奖章”等荣誉称号。2006年，获“第三届中国经济十大新闻人物”“中国十大创业领袖”“2006CCTV中国经济年度人物社会公益人物提名奖”“2007全球华商生态文明建设行业十大管理英才”“2008中华财富领袖”等殊荣。是政协内蒙古自治区第九、十届委员会常委、自治区工商联副会长、内蒙古沙产业草产业协会副会长、鄂尔多斯市工商联副会长、世界杰出华商协会副会长，享受中华人民共和国政府特殊津贴专家。

（王晓刚、钱占元 撰稿）

铁兆义

铁兆义（1921—2008年） 回族，出生于呼和浩特市回民区的一户小商之家。起初在回民区通道南街经营粽子、凉糕和元宵等小吃。改革开放以来，铁兆义开始经营清真牛羊肉，成为呼和浩特市第一家经营清真牛羊肉的个体户，遂跻身于全市第一批为数不多的万元户的行列。近30年来，他以坚持诚信、守法经营、贡献国家、回报社会为理念，使企业做大做强。他自制的“五香酱牛肉”色香味上乘，在市场上十分抢手，得到了市场的认可，成为自治区有名的回族私营企业家。

铁兆义热心公益事业，致富不忘扶贫济困。从1980年起，先后为希望工程、光彩事业、大小清真寺等捐款捐物价值二百多万元。但他自己却是生活简朴，一直住着旧城一间二十多平方米的小平房。

铁兆义诚信公平的经营和为社会无私奉献的高尚品德得到了社会的称

赞，赢得了崇高的荣誉。是呼市回民区政协委员、回民区商会常委。被评为内蒙古自治区纳税先进个人、自治区知名企业家、民族团结进步先进个人、捐资助学先进个人、先进个体工商户，并获内蒙古自治区青少年发展基金会“希望工程建设”奖。1998 年，荣获全国“五一”劳动奖章；1999 年，被自治区党委、人民政府评为“全区发展个体私营经济十佳带头人”。2001 年 9 月，在国家工商行政管理总局商标局公布的商标名录中，“铁兆义”正式列为注册商标，成为呼和浩特“放心肉”的标志。2008 年 3 月，在呼和浩特因病逝世，享年 87 岁。

（钱占元、甘峰岭　合撰）

第二十九章

英雄模范人物

郭老虎

郭老虎（1907—1980年） 1907年，出生于内蒙古乌兰察布盟凉城麦胡图乡金星村的一户贫苦农民家庭，因家境贫寒，10岁起就给本村地主当长工。1946年，参加了共产党领导的减租减息工作，任农会小组长。1949年，任麦胡图乡农会委员，积极参加反霸、土地改革运动。1950年4月，响应党的互助合作号召，和梁海泉、康维维3户贫雇农率先建起由他任组长的全县第一个临时互助组，5月，加入中国共产党。1951年春，互助组发展到15户。1952年春，郭老虎组织成立11户贫农参加的绥远省最早的初级农业合作社——金星社，任社长。1953年，金星社社员发展到33户，有土地1 076.4亩、耕畜20头、胶车3辆，当年生产粮食14.97万公斤，金星初级农业合作社在全县起到示范作用。

郭老虎为改变家乡土地贫瘠、产量不高的落后面貌艰苦创业，治水淤地，把索代沟河由害变利，引洪淤灌。1954年，淤灌一千一百多亩，亩产由原来的35公斤提高到75.5公斤。县委把金星社树为全县农牧林综合发展的旗帜。1956年，转为金星高级农业生产合作社，郭老虎任党支部书记、社长，带领社员继续治山治水，成为自治区农业战线的一面红旗。1957年，出席了在北京召开的全国农业劳动模范大会，被授予“全国农业劳动模范”称号。

1958年人民公社化后，郭老虎任麦胡图公社金星大队队长兼党支部书记，带领社员修渠打埂，把坡地整为梯田，到1962年底，引洪淤灌9 000多亩，占总耕地面积的70%，粮食亩产达到105.5公斤，为改造家乡面貌作出贡献，多次受到党和政府的嘉奖。从1959年起，历任麦胡图公社党委常委、公社副社长兼金星管理区党支部书记、凉城县县委常委、革委会副主任、乌兰察布盟中级人民法院副院长等职。

郭老虎多次参加县、盟、自治区党代会、人代会。1964年，当选为第三届全国人大代表，是中共九大、十大代表。在京参加了中华人民共和国成立10周年和21周年国庆观礼和庆祝“五一”国际劳动节活动，多次受到毛泽东主席等党和国家领导人的接见。1979年，当选内蒙古自治区第五届人大常委会委员。1980年，因病在家乡逝世，享年73岁。1986年，被选入《中国名人词典》。

（钱占元根据《凉城县志》修订）

胡和勒泰

胡和勒泰（1907—1964年）　蒙古族，1907年出生于内蒙古呼伦贝尔陈巴尔虎旗。青少年时期，由于生活贫困给牧主放牧。1947年，内蒙古自治政府成立后，翻身得解放，积极投入生产。1949年3月，赴乌兰浩特参加内蒙古自治政府召开的农牧业劳动模范表彰大会。

中华人民共和国成立后，胡和勒泰积极响应党的号召，带领牧民组织起来，走集体化的道路，成为全国著名的劳动模范。1950年8月，在呼伦贝尔盟陈巴尔虎旗巴彦哈达苏木组建起全盟牧区第一个牧业生产互助组。1950年9月，赴北京参加国庆一周年庆祝活动。1952年，率先实行“新苏鲁克”制，在呼盟牧区第一个以互助组形式，从新巴尔虎左旗接“苏鲁克”羊320只，饲养的牲畜肥壮，羊群扩大，为发展畜牧业生产起到示范作用。1953年2月，加入中国共产党。1954年6月，在陈巴尔虎旗呼和诺尔苏木哈敦呼舒巴嘎查成立了呼伦贝尔盟牧区第一个牧业生产合作社。组织社员上山采伐木材、打草贮草、防治疫病、抓畜膘、搭棚盖圈，积极发展畜牧业。到年末，全社牲畜达2 331头（只）。1956年，胡和勒泰在初级社的基础上，成立呼伦贝尔盟牧区第一个高级牧业生产合作社，并多次被评为呼伦贝尔盟、内蒙古自治区的先进单位。1957 年，胡和勒泰在全国农垦战线劳动模范表彰大会上获金奖，被评为“全国劳动模范”。1961 年，任呼和诺尔人民公社副社长。

胡和勒泰是全国人大第一至第三届代表，多次受到毛泽东、周恩来、朱德、刘少奇等党和国家领导人的亲切接见。是内蒙古自治区第一、二届人大代表。1964 年 8 月 30 日，因病逝世，终年 57 岁。

（郝维民 修撰）

莫日格策

莫日格策（1906—1984 年） 蒙古族，出生于黑龙江省泰来县。自幼家贫，12 岁起就给地主打长工。1943 年，迁居内蒙古哲里木盟扎赉特旗胡尔勒努图克白音花屯，以农牧业生产为生。

1948 年春，莫日格策积极参加胡尔勒努图克土地改革运动，带头组织起扎赉特旗第一个互助组，连年获得农牧业生产大丰收。1951 年，加入中国共产党。1952 年 2 月，在扎赉特旗胡尔勒努图克巴彦套海嘎查领导成立第一个初级农业生产合作社，任主任，入社农户 21 户，共有土地 8 850 亩。他在任社主任期间，带头参加劳动，从不脱产，在半农半牧区走社会主义集体化、合作化道路上倾注了大量心血。是年，被评为内蒙古自治区劳动模范。1952 年秋，中华人民共和国政务院组织各民族劳动模范代表参观访问团赴苏联，莫日格策随团出访，受到苏共中央总书记斯大林的接见。同年，又带头成立了扎赉特旗第一个高级农业生产合作社，任社长。为纪念中苏两国人民的友谊，他领导的高级社被命名为“中苏友好农业合作社”。

1953 年，莫日格策以劳动模范的身份，参加中国人民赴朝慰问团，慰问中国人民志愿军。1956 年，出席中国共产党第八次全国代表大会。1958 年，扎赉特旗的胡尔勒、阿拉达尔吐、宝力根花 3 个乡合并，成立胡尔勒人民公社，莫日格策任副社长、党委委员。从 1949 年至 1958 年，他先后 8 次受到毛泽东等党和国家领导人的接见，多次荣获国家级金质奖章。

1964年，莫日格策主动辞去副社长职务，担任阿拉达尔吐大队党支部书记。“文化大革命”中，以“内人党”、“党内走资派”等莫须有罪名，遭到迫害。1979年4月17日，中共扎赉特旗委为莫日格策平反昭雪，恢复名誉，先后被选为扎赉特旗政协委员、呼伦贝尔盟政协委员、兴安盟政协委员。1984年，于海拉尔市病故，享年78岁。

（钱占元　修撰）

王文焕

王文焕（1906—1987年）　1906年，出生于哲里木盟开鲁县新华乡和平村。1950年，王文焕响应党的组织起来互助合作的号召，发动群众，组织起全盟较早的农业生产临时互助组。接着，逐步由临时互助组、常年互助组发展成为初级农业生产合作社、高级农业生产合作社。1954年5月，加入中国共产党。历任初级社、高级社社长和村党支部书记。1958年，人民公社化后，任新华公社和平大队大队长兼党支部书记。

王文焕当了干部，仍坚持带头参加集体劳动，每年都在200天以上，走遍了全村的每一块土地，对庄稼长势了如指掌。1959年春，引河水汇地，干渠决口，他带病奋不顾身地跳到齐胸深的冷水中。在他的带动下，社员们也纷纷跳入水中，在决口处形成了一道人墙，最后将决口堵住，保住了干渠大堤，保护了农田、村庄。他带领群众创造了“秸秆防风”和“种植防风林带”的办法，使七百多亩犯风地得到治理，取得较好的收成。他试验成功了“以沙盖碱、种植草苜蓿、夏汇放淤”等改良土壤的方法，改良土壤三千八百多亩。

1958年，以高指标、浮夸风为标志的“左”倾错误波及到和平大队，王文焕怀疑“亩产万斤粮”“人有多大胆、地有多大产”的口号，亲自搞实验田，做到胸中有数，抵制高指标、浮夸风和放“卫星”。在管理方面，他从实际出发，因地制宜，总结出“劳动定额，按劳分配，男女同工同酬”和“三包一奖”的管理制度，使和平大队的生产和各项工作较少受“左”的干扰。和平大队党支部被内蒙古党委命名为“先进党支部”，王文焕多次被选为县级、盟级劳动模范和优秀共产党员，誉为“一面永不褪色的红旗”。

1959年9月，王文焕被国务院授予“全国劳动模范”荣誉称号，到北京参加群英会，国务院和全国政协主要领导两次特邀他参加座谈会。1961年7月，内蒙古党委命名他为“全区红旗共产党员”，号召全区农村干部学习王文焕的先进事迹。时任内蒙古自治区文化局副局长的布赫以他为典型，创作了话剧《王文焕》，由内蒙古话剧团公演对农村干部和中共党员起了示范作用。

王文焕多次被选为开鲁县人大代表、县人民委员会委员。是自治区第二届人大代表、内蒙古政协委员。1987年1月31日，在家乡病逝，享年81岁。

（钱占元 撰稿）

宝日勒岱

宝日勒岱 蒙古族，女，1938年7月13日，出生于伊克昭盟乌审旗乌审召苏木的一个牧民之家。1956年，加入中国新民主主义青年团，担任牧业社副主任。1958年，加入中国共产党，担任乌审召公社布日都大队副队长、团支部书记。

位于毛乌素沙漠的乌审召自然条件恶劣，各种灾害频仍，严重威胁着牧民的生存。从1958年开始，宝日勒岱响应党的改造沙漠的号召，以愚公移山、改天换地的精神，组织并带领六十多名青年突击队员，开展铲除醉马草（大牲畜吃后致死）、治沙造林、兴建草库伦的“绿色革命”。经过24天的连续奋战，她们全部铲光了草场上、沙漠里的醉马草。第二年大队的牲畜总数增长34%，成畜死亡率由40%下降到3.3%，牧业生产获得大丰收。1961年，宝日勒岱担任布日都大队党支部书记，连续5年带领社员在流沙上栽沙蒿、种沙柳，绿化明沙7 800亩，把这个落后的大队改变成先进典型。在她的带动下，到1965年，全公社铲除醉马草累计一百一十多万亩，基本消除了牲畜中毒致死的危害。1965年，乌审召公社被党中央命名为“牧区大寨”，自治区主席乌兰夫为乌审召题词：“学习乌审召愚公移山、改造沙漠、建设草原、改天换地的革命精神。”乌审召公社成为当时全国牧业战线上的一面旗帜。宝日勒岱等一批治沙创业者的乌审召精神和经验激励了一代又一代人，她被誉为“治沙英雄”、“劳动书记”、“牧区大寨领路人”。

1966 年 7 月，宝日勒岱任乌审召公社党委副书记兼内蒙古自治区贫下中农协会副主席。1968 年起，历任乌审旗乌审召公社革委会主任、乌审旗革委会副主任、伊克昭盟革委会常委。1970 年，她带领牧民在流沙上试种七千多株高杆旱柳，1971 年，又种植一万三千多株高杆旱柳，1972 年，领导公社在三千六百多亩的流沙上造林，成活率均达 95% 以上，成功地总结出有效的治沙办法。

1971—1979 年，宝日勒岱任内蒙古自治区革委会副主任，期间任中共乌审旗委第一书记，仍不脱离劳动，率领乌审旗人民造林治沙；1975 年至 1982 年，任内蒙古党委书记处书记，负责落实政策和抗灾救灾工作；1979 年至 1983 年，任内蒙古自治区人大常委会副主任，期间于 1980 年兼任中共阿拉善盟委副书记。1983 年以后，任内蒙古自治区第五、六、七、八届政协常委、八届民族宗教委员会主任，深入三十多个牧业旗调查研究，写出调查报告 20 篇，提出政协提案 30 条，以落实牧区民族、宗教政策。

宝日勒岱多次被评为乌审旗、伊克昭盟劳动模范，先后受奖三十多次。1960 年被授予“内蒙古自治区劳动模范”“全国三八红旗手”荣誉称号。是第九、十、十一届中共中央委员，第四、五届全国人大常委会委员。2003 年退休后，仍然情系家乡，胸怀绿色情结，每年几次回故乡了解和指导治沙造林情况。

（钱占元、甘峰岭 合撰）

好特老

好特老（1923—1996 年） 蒙古族，1923 年出生于内蒙古哲里木盟科尔沁右翼后旗。小时候放过牛，种过地，19 岁时被日本侵略者抓去当劳工。1947 年，参加中国人民解放军，1948 年 10 月，加入中国共产党。历任内蒙古骑兵第二师十三团侦察连副排长、二十四团四连排长、三团连长、营长、副团长等职。在战场上，他冲锋在前，多次大量杀伤敌人。在急难险重的任务面前，他率先垂范，多次出色完成重任。在日常工作中，他严于律己，艰苦朴素，是一名模范共产党员。

在解放战争中，好特老随部队参加了解放和保卫哲里木盟的无数次战斗，先后荣立战斗大功3次，工作大功2次，三等功2次。1947年5月，在哲里木盟境内的哈拉乌苏战斗中，好特老是二班班长，带领3名战士冒着敌人猛烈的炮火，在敌众我寡的形势下，他们先发制人，抢占制高点，向敌人猛烈开火，一举击毙了4个敌人。这时，西边又有三十多个敌人冲了上来，好特老的手榴弹、子弹都打光了，他端起空枪冲进敌群，俘虏了敌人13人，为主力部队全歼敌人赢得了时间。战斗结束后，部队首长赞扬他是“孤胆英雄”，为他记大功一次。1948年7月，在辽沈战役的辽西古城战斗中，他不顾敌人炮火的猛烈袭击，又端着空枪冲向敌人，俘敌6人，缴获步枪5支，冲锋枪1支，再次荣立大功，出席辽东军区英模大会，分别被华北军区和中央军委授予“一级战斗英雄”和“全国战斗英雄”的光荣称号。

1950年8月，在内蒙古军区首届英模代表会上，好特老被授予“一等战斗英雄”。同年9月，出席全国战斗英雄、劳动模范代表大会，被授予“全国一级战斗英雄”的光荣称号，受到党和国家领导人毛泽东、周恩来、朱德等的亲切接见。他的英雄事迹被编入《中国大百科全书·军事卷》，1986年，被选入《中国名人词典》。他多次被评为荣复退转军人先进代表、呼和浩特市民政系统优秀党员、自治区和全国先进离退休干部。1982年离休。1996年11月26日，在呼和浩特逝世，享年73岁。

（钱占元、甘峰岭　合撰）

廷·巴特尔

廷·巴特尔　蒙古族，1955年，出生于内蒙古呼和浩特。1974年，从呼和浩特市土默特中学高中毕业后，响应毛泽东主席知识青年上山下乡的号召，插队到锡林郭勒盟阿巴嘎旗洪格尔高勒苏木萨如拉图亚嘎查。作为廷懋将军儿子的廷·巴特尔，把自己当做普通牧民，与牧民同吃同住，虚心向牧民学习，学会了打草、放羊、剪羊毛、种树、开拖拉机，在嘎查四十多名知青中被树为标兵。1976年，加入了中国共产党。1978年前后，全国知青大返城，他放弃返城机会留在牧区，担任连年亏损准备停产的大队乳品厂厂长，白天搞生产，晚上点着蜡烛改装机器，一年后乳品厂扭亏为盈，创造了5万元的盈余。

萨如拉图亚嘎查地处沙地与沙漠的结合部，是全苏木生态条件差、经济落后的嘎查。1983年，草畜双承包时，嘎查原有1.4万头牲畜，由于经营不善，只剩下7 000头，人均收入不足700元。同年，廷·巴特尔担任了嘎查长，嘎查分自留畜时，自己决定不分自留畜。当年嘎查实行“草畜双承包”，他的牲畜最少，草场也最差。

1993年，廷·巴特尔被选为嘎查党支部书记，全身心投入带领牧民脱贫致富奔小康的工作中，引导牧民树立“建设养畜，科学养畜”的新观念，为改变畜牧业传统生产方式，推广划区轮牧，围栏建设，全嘎查围栏31万亩，占草场总面积的96%，划区轮牧的牧户达90%以上。他带动牧民投资200万元，通过植树、种草、打井、建畜圈等一系列基础设施的建设，增强了嘎查畜牧业生产防灾抗灾能力。前些年，牧民过量繁育小畜加剧了草畜矛盾，廷·巴特尔决定通过“减羊增牛”的办法加以解决。他带头将自家的几百只羊全部卖掉，发展养牛业，带动牧民“减羊增牛”。2002年，嘎查成立了萨如拉牛业有限责任公司，注册资金91.83万元，全嘎查83户牧户中有31户加入，公司饲养牛120头。公司以养牛、加工、销售为主，兼营草业、林业、渔业、旅游业等，实现了保护生态环境和牧民增收的双赢。

廷·巴特尔领导党支部大力开展扶贫济困，通过实行流动畜群扶贫，把嘎查集体畜群分给贫困牧户放养，所繁殖的幼畜70%归贫困户；让贫困户为嘎查经营种公羊，增加收入；对草场差的牧户，采取集体搬迁的办法，改善草场；动员富裕户特别是党员富裕户与贫困户“结对子”，实现了共同致富。这些措施使全嘎查24户贫困户全部脱贫，有的年收入接近或者超过万元。1996年，重新划分草场时，他开着自己的客货两用车，照着图上的地址，一家一户地丈量，用25天的时间做完了其他嘎查用5个月才能完成的工作。

廷·巴特尔时刻牢记着为牧民服务的宗旨，“做人要正，做事要公，做官要清”是他的座右铭。2001年1月，一场罕见的大风雪席卷了锡林郭勒草原。他开上家里那辆破旧的客货车，冒着大风雪，为牧民们送去了粮食和草料。凡是牧区生产、牧民生活需要解决的问题他都挂在心上。草原打井十分危险，常常出现事故，他发明了一种用水泥管逐渐下移的打井法，既安全又提高了速度。大到设计房屋、暖棚，修理汽车、拖拉机、摩托车、收割机、电视机和其他牧业机械，小到做家具、马鞍子、蒙古袍、水桶、腰带、被褥、棉衣等活计他都会，随时为牧民服务。

廷·巴特尔担任嘎查党支部书记时，是三类支部。他从规范党支部的工作制度入手进行整顿，建起支部多功能活动室，定期召开支委会、党员大会、民主生活会，组织党员和积极分子学习党章、邓小平理论和“三个代表”重要思想，提高思想认识和理论水平。通过实行目标化管理和民主评议制度，发挥党员的模范带头作用，增强了支部的战斗力。支部坚持“围绕经济抓党建，抓好党建促经济”的方针，2005 年，牧民人均纯收入由 1983 年的700 元增加到 3 800 多元；“十星级文明小康户”达60 户，占嘎查总户数的 72. 4%；支部被评为“五好党支部”。

组织上曾经多次提拔廷·巴特尔到苏木、旗、盟当干部，都被他婉言拒绝。他扎根草原三十多年，带领嘎查广大牧民走上了一条保护生态、建设草原的富裕之路，成为建设社会主义新牧区的带头人，被誉为“草原之子”。

1983 年至 1998 年，廷·巴特尔多次被评为旗、盟杰出牧民劳动模范、民族团结进步先进个人、优秀共产党员；1999 年以来，先后荣获“内蒙古自治区优秀共产党员”、“自治区劳动模范”。2002 年，由中宣部和内蒙古党委联合组成“廷·巴特尔先进事迹报告团”在全国 27 个城市作了巡回报告。2003 年 7 月，被评为全国精神文明建设“十佳人物”，中宣部、人事部、农业部授予“全国农村优秀人才”；2005 年，被授予“全国劳动模范”；2006 年，被中共中央授予“全国优秀共产党员”等荣誉称号。是阿巴嘎旗第七届政协副主席、第十届全国人大代表、中共十七大代表。

（钱占元 撰稿）

张二毛

张二毛 1945 年出生，河北省平山县人，中共党员。1965 年至 1969

年，在北京军区河北保定炮兵部队当汽车兵。1969 年 3 月，转业到乌达矿务局黄白茨煤矿当了一名采煤工。矿领导考虑到他在部队受过重伤，身体状况不适应井下繁重的劳动，多次调他到地面当驾驶员或干其他工种，他都谢绝了。几年中，他先后受伤 3 次。1975 年 3 月的一天，为了支护采面破碎的顶板被砸成重伤，造成左腿残疾。为了重返井下，他拄着双拐回老家治疗，请一位接骨专家，把伤腿打断做了第二次手术，骨头是接好了，但左腿却比右腿短了 3 厘米。1976 年 9 月 15 日，在伤腿还没有彻底痊愈的情况下，拄着拐杖一瘸一拐地下了井。工友们都劝他不要干活，他却放下拐杖，拿起锹干了起来，豆大的汗珠一个劲往下流，双手打满了血泡，但他还是咬着牙坚持了下来。33 天后，终于扔掉了伴随他近一年的拐杖。

1987 年 10 月，张二毛担任神华乌达矿业公司黄白茨矿综采队副队长。他下井时，总是随身带着一个布兜，发现螺丝、大链、刮板等就随手捡起来，为队里节约了不少材料费。有一次下班后，他发现一条报废的巷道里埋着很多溜槽，就和一名工人冒着危险将价值万余元的四十多节溜槽一节一节扒出来。队里给他加班工资和材料节约奖，都被婉言谢绝了。张二毛没有休过一个节假日。1986 年父亲病重，老家接连来了 3 封电报催他回家。由于生产任务紧，他没有请假回去，父亲去世也没有回去告别。28 年来，张二毛义务加班 1 350 个工作日，为国家多出煤 1.3 万吨，创造价值二十多万元。他患有萎缩性胃炎、胆囊炎、胸膜炎多种疾病，但仍然几十年如一日地带病下井采煤，默默地奉献着一个普通共产党员的赤诚之心。

张二毛一家 6 口，妻子没有工作，生活很拮据。但他先后为亚运会工程建设、受灾地区以及希望工程捐款 5 000 多元，每一分钱都是他们从牙缝里挤出来的，连准备给儿子娶媳妇用的新被褥也捐给了灾区。这些感人事迹在煤城乌海家喻户晓，被煤城人民誉为“矿山铁人”。1995 年，国务院授予张二毛“全国劳动模范”荣誉称号，2001 年 7 月退休。

（钱占元、甘峰岭　合撰）

都贵玛

都贵玛　蒙古族，女，1942 年出生，乌兰察布盟四子王旗脑木更苏木牧民，是“全国三八红旗手”“自治区先进生产者”、自治区人大代表、第五届全国妇女代表大会代表、全国民族团结进步先进个人。

都贵玛从小和牧民们一起放牧、挤奶、打草，逐渐成为一名劳动能手。后来父母双亡，丈夫英年早逝，膝下无子女，孤苦伶仃。在三年困难时期，19 岁的她收养了 28 名上海孤儿，克服了常人难以想象的困难，把一生中最美好的时光献给孩子们。有的孩子生病了，她深夜独自骑马冒着凛冽的寒风和草原狼害的危险，奔波几十里去找医生。在她的精心呵护下，克服了物资匮乏、食品奇缺困难，28 个孩子全部活了下来，个个茁壮成长。

乌兰察布草原地广人稀，交通不便，医疗卫生条件十分落后。身为嘎查妇联主任的都贵玛看到不少牧民产妇分娩时，经常发生母亲或婴儿死亡的悲剧。1974 年，识字不多的她参加了旗医院的学习接生培训。之后，她一边放牧一边学习，向方圆百公里内的妇科大夫请教。经过多年的学习和实践，逐步掌握了一套在简陋条件下接产的独特方法，成为当地有名的妇产科大夫。十几年来，她挽救了四十多位年轻母亲的生命，群众称她是“妇女的保护神”。

1980 年，都贵玛把嘎查两个不幸失去了父母、无依无靠、年仅 4 岁的孟克吉亚兄弟俩接回自己家，使这两个孩子重新得到母爱，供他们上学，送他们参军，为他们成家立业。

都贵玛已步入老年，虽然自己家境并不宽裕，仍然尽其所能帮助他人，常年累月侍奉巴图道尔基老人、照顾瘫痪牧民拉其斯仁。都贵玛患了严重的白内障，有人劝她做手术，她不做，把省下的钱帮助贫困学生。她帮助别人从不求回报，甘愿清贫度日，为帮助乡亲们花了多少钱，连她自己也说不清。2006 年，获首届内蒙古“感动草原——十杰母亲”荣誉称号；同年 12 月，又获得第二届中国“十杰母亲”荣誉称号；2007 年，获“感动中国人物”奖。

（钱占元、甘峰岭　合撰）

王　杰

王杰（1942—1965）　1942 年，出生于呼伦贝尔阿荣旗，从小喜欢听刘胡兰、黄继光、邱少云的故事。1961 年 8 月，参加中国人民解放军，成为某装甲师工兵营一名工兵战士。在部队认真学习毛泽东的《为人民服务》《纪念白求恩》等文章，写了 10 多万字的日记和心得，日记本上贴着黄继光的画像，还抄录有对黄继光英勇献身壮举的一段颂歌。

王杰以雷锋为榜样，从小事做起，用实际行动践行着自己的诺言："一不怕苦，二不怕死，做一个大无畏的人。"在沂蒙山地区施工时，山洪卷走了物资，他第一个跳入滚滚的洪水中抢救；爬险路、钻山洞，他不畏艰险，争当先锋；施工爆破，总是冒着风险装药、放炮，有时出现哑炮，争着冲上前去排除。由于表现突出，他被任命为班长，并且连续 3 年被评为"五好战士"，两次荣立三等功，被授予"模范共青团员"和"一级技术能手"称号。

1965 年夏，根据驻地江苏省邳县张楼公社（现邳州市运河镇）人民武装部的请求，工兵营一连派王杰担任民兵地雷爆破训练的教员。7 月 14 日上午，在最后训练地雷实爆时，王杰给大家做示范动作。突然，埋设炸药包代替地雷的土层冒出了白烟，在这千钧一发之际，王杰大喊一声："闪开！"便飞身而起，扑向实爆训练用的炸药包，随着一声巨响，倒在了血泊之中。在场的 12 名民兵和人武干部得救了，年仅 23 岁的王杰却献出了自己年轻的生命。牺牲后，部队党委根据王杰的遗愿，追认他为中共正式党员。1965 年 11 月 27 日，国防部命名他生前所在的班为"王杰班"。毛泽东、周恩来、朱德、邓小平、董必武等党和国家领导人号召全国人民学习王杰"一不怕苦，二不怕死"的精神。

（钱占元、甘峰岭　合撰）

李国安

李国安　1946 年，出生于四川省成都市。17 岁时离开天府之国，来到内蒙古大草原入伍，成为一名骑兵战士。历任军医、卫生队副队长、后勤处副处长、处长等职。1965 年，加入中国共产党，大专学历。1990 年至 2004 年，历任北京军区给水工程团团长、内蒙古军区装备技术部副部长、内蒙古军区副参谋长、内蒙古军区副司令员。在任副部长、副参谋长期间一直兼给水工程团团长。被授予少将军衔。被工程兵指挥学院、工程兵工程学院和南京河海大学聘请为兼职教授。

十多年来，李国安走遍内蒙古的大漠、戈壁、草原，调查水文地质资料，亲自考察了军民的饮水困难状况，感受到各地军民对水的期盼。他身患重病，腰带15厘米宽的“钢围腰”，拄着拐杖经过4个月的跋涉，和战友行程2.48万公里，全面考察掌握了4 000多公里边防线的详细水源分布，并且与工程技术人员一起写出了22万字的边疆水文地质专题调查报告，填补了内蒙古自治区边防无水文地质资料的空白。同时还确定了沿线109眼井位，命名为“952”工程，此外还建起了我军第一个水文地质资料展室。在实施“952”工程中，率领给水工程团官兵冒着摄氏50度的高温，在巴丹吉林、腾格里、乌兰布和三大沙漠交会处打井，战胜重重困难，经过两年胜利竣工。

李国安带领全团官兵不怕艰苦，勇于奋斗，行程四百多万公里，为边疆军民和贫困地区人民群众，在内蒙古北部高原、4 000多公里边防线和张家口地震灾区打井五百多眼，为10万军民解决了吃水用水难的问题，对巩固边防、促进地方经济发展作出了贡献。

李国安荣立二等功1次、三等功2次，被北京军区命名为“党风廉政建设先进个人”和“优秀中青年科技干部”，被内蒙古自治区评为“有突出贡献的科技人员”和精神文明建设先进个人，被呼和浩特市评为“十佳市民”和“双拥”先进个人。1995年，被国家水利部评为“全国水利系统模范”，1996年，中央军委授予“模范团长”的荣誉称号，中组部授予“全国优秀共产党员”光荣称号。是中共十五大代表、第十五届中共中央候补委员、第十一届全国政协委员。

（钱占元、甘峰岭　合撰）

史建强

史建强　1955年2月，出生于内蒙古包头市，10岁随父亲工作调动来到乌达市。1970年，15岁时到乌达市第一通用机械厂做学徒工。1975年，父亲去世，家庭的变故和生活的重担，锻炼出他顽强的意志和吃苦耐劳的品格。

1989 年，史建强进入乌海市公安局当了一名交通警察。由于工作出色，先后任乌海市公安局交警支队海勃湾交警大队副处级岗勤民警、交警支队国道大队二中队指导员等职。从警 18 年来，恪尽职守，出色地履行着一名交通民警的职责。截至 2007 年，他帮助 15 名走失儿童寻找到亲人，把病重、受伤的群众送到医院达七十多人次，接济过身无分文的外地人三十多人次，将途经岗台的残疾人送到公交车站达八十多人次，天天送盲人过马路、帮助因故停在路上的机动车加油、排除故障四百多辆次，做好事达九千一百多件次。支队收到上百群众送来表扬史建强的锦旗、牌匾、感谢信。

史建强坚持严格执法、公正执法，对自己提出了“违章不过岗”的要求。不管是机动车、非机动车，还是亲戚、朋友、同事，只要发现违章，他就要纠正、依法予以处罚。几年来，他对亲戚、朋友违章处罚了 100 多人次，对公安民警违章处罚了四百多人次。

史建强在完成本职工作的同时，还要侦破盗窃案件，打击犯罪分子。几年来，共查获被盗摩托车 29 辆、小汽车 1 辆、自行车 2 200 辆、牲畜 4 头，截获银行丢失款箱 1 个，抓获盗窃嫌疑人 190 人，为群众挽回经济损失 100 多万元，用实际行动为人民警察增光添彩。

1995 年底，在学习济南交警的活动中，史建强积极响应，毅然辞去了乌海市公安局交警支队国道大队二中队指导员的职务，回到了他十分熟悉的岗台。一年 365 天，不论刮风下雨、酷暑严寒，他从未耽误过一天，每天一站就是 10 个小时，一天只有 4 分钟的喝水时间。2001 年，他又主动要求到全市车流量最大、最难管理的五一岗路口工作。10 年来，加班加点两万多个小时。

史建强还尽其所能资助贫困家庭就医、上学，从 1996 年每月拿出 50 元，资助海勃湾矿务局二中贫困生任君，4 年里共支付学费、生活费 6 650 元；2000 年开始连续 6 年，资助 3 名困难女童，每年每人给她们 200 元；为因肾移植的特困户职工康福军捐款 4. 6 万元；还向希望工程捐款 7. 1 万元；与妻子收养的一名孤儿已经 16 年。

鉴于史建强在平凡工作中做出突出的业绩，1996 年，被内蒙古自治区公安厅评为自治区公安机关“学习济南交警先进个人”；1997 年，被公安部授予“全国优秀人民警察”；1998年，公安部给他记一等功、被评为自治区优秀公务员；1999年，被公安部授予“全国公安战线二级英模”，同年，被内蒙古党委授予“优秀共产党员”；2000年，被自治区公安厅评为“全区人民满意交警”，同年，被评为“内蒙古自治区劳动模范”；2001年，荣获“全国五一劳动奖章”；2003年，被自治区精神文明委员会评为“全区道德建设先进个人”；2005年，被评为“全国劳动模范”等荣誉称号。

（钱占元、甘峰岭　合撰）

张　河

张河（1971—2005年）　1971年，出生于内蒙古呼和浩特市的一个运动员世家。1986年，进入内蒙古马术队，逐渐成长为内蒙古马术队的主力队员和教练员。他20年如一日，几乎放弃了所有节假休息日，为了早日使自治区马术事业在全国称雄，冲出亚洲，走向世界，直到33岁才结婚成家。婚后不到一周，便告别新婚的妻子，赴武汉训练比赛。

张河坚持夏练三伏，冬练三九，每天的训练总是第一个到达和最后一个离开训练场。历经了无数次生死考验，终于成长为我国乃至亚洲马术界一名最优秀的运动员。

1997年10月19日，张河在第一届亚洲马术场地障碍锦标赛上夺得了金牌，中国运动员的名字首次载入了国际马术联合会的成绩册，是中国当时唯一的亚洲马术比赛冠军。1999年8月，在训练中摔伤，人在病床上，心却在训练场，此时他已兼任教练，他拄着拐杖带伤赴北京指导队员参加全国马术锦标赛，使队员在全国比赛上首次进入前八名。

张河从1999年至2001年先后做了三次手术。在这期间，他两次带伤担任国家队教练员，率领队员参加亚洲马术比赛。第三次手术后，刀口未愈，就赶赴广州进行全国第九届运动会赛前训练。以顽强拼搏一直坚持到决赛，和队友同心协力，使自治区在九运会马术场地障碍赛中摘取了团体金牌。

张河是备战奥运会的主力选手，可就在2002年11月的一个公休日，在打理马匹准备到国外训练时，被马踢伤肾脏，医生嘱咐他在6个月内不许运动，否则随时有摘除肾脏的危险。但他只养了3个月的伤便去了丹麦，投入了紧张的训练，参加了雅典奥运会马术资格赛，成为当时唯一一位参加过奥运会马术预选赛的中国运动员。

张河在近20年的体育生涯中，12次荣获全国马术锦标赛冠军，5次荣获全国马术精英赛冠军，4次荣获内蒙古国际马术比赛冠军，获得过全国七运会团体亚军、八运会团体和个人亚军、九运会冠军，多次在新西兰、印度、俄罗斯、中国香港等国家和地区举行的马术比赛中取得优异成绩，被誉为“亚洲马术第一骑”。2005年9月28日，他在备战全国十运会期间不幸因公殉职，年仅34岁。他的敬业精神和骄人的比赛成绩，将其短暂而光辉的一生载入国家体育运动的史册。

（钱占元、甘峰岭　合撰）

边建欣

边建欣　女，1974年，出生于内蒙古包头市的一个普通工人家庭。中共党员。7个月大时患小儿麻痹，失去了行走的能力。面对残疾的身体，她立志要用超过常人百倍的努力来实现自己的人生价值。她在校刻苦学习，成绩一直优秀。1992年，职高毕业后，进入包头市民政局下属的一家社会福利性质的工厂，当了一名工人。一年后的1993年11月，加入了包头残疾人举重队，开始了艰苦乏味的举重训练。她白天上班，晚上坚持参加训练到晚10时以后才回家。为了控制体重，每次比赛前，不吃主食，使体重一直保持在最轻的级别40公斤级。她用汗水走上冠军之路。

1994年3月，20岁的边建欣第一次代表国家残疾人举重队，赴澳大利亚墨尔本参加世界轮椅举重锦标赛，以67.5公斤的成绩，一举夺得女子40公斤级举重3枚金牌，破3项世界纪录。1994年9月，又代表国家残疾人举重队参加在北京举办的第六届“远南”残疾人运动会，以77.5公斤的优异成绩夺取了第一枚金牌，破两项世界纪录。2000年，在悉尼第十一届残疾人奥运会上，以102.5公斤的成绩，夺得女子举重40公斤级金牌，并且接连3次打破了她保持的世界纪录，成为中国残奥史上首枚女子举重金牌获得者。2004年，在雅典残疾人奥运会上，又以118公斤的最高成绩摘取了金牌。2006 年，在韩国获得了 2008 年参加北京残奥会的资格。

边建欣经历 4 次手术，身上有 9 处伤疤。在 14 年的运动生涯中，为祖国共捧回 16 枚国际金牌，四十多次打破世界纪录，创造了只要参赛金牌决不旁落的全胜纪录，成为国人的骄傲。她先后被授予“全国钢铁战士”、“全国劳动模范”、“全国三八红旗手”、“全国十佳运动员”、“全国优秀运动员”、“内蒙古十大女杰”等荣誉称号。是“全国五一劳动奖章”和“全国五四青年奖章”获得者。现任包头市社会福利院副院长。是内蒙古青联委员、包头市政协常委、包头市残联肢残协会副会长、包头市残联新闻促进会副会长。2007 年，她光荣地出席了中共十七大。

（钱占元、甘峰岭　合撰）

殷玉珍

殷玉珍　女，1965 年出生于陕西省靖边县东坑乡伊当湾村，1985 年，嫁到位于毛乌素沙漠深处的内蒙古伊克昭盟乌审旗河南乡尔林川村。1986 年春开始，与丈夫苦干 3 个月，挖了一条四千多米长的水渠，却被一场大风埋没了。接着他们又用一冬一春运来 2 万立方米的沙土，开渠 6 750 米，栽种了五千多棵柳树，又被大风吹倒了。

面对失败，殷玉珍没有灰心，为使树苗不被大风吹掉，采取用沙蒿扎成栅子，种上沙柳、羊柴、紫穗槐等沙生植物，用来固定流沙，然后再种树。她把家里的收入包括借债全部用来种树治沙，改造家园。到 2006 年 20 年来，她和丈夫在极端困难的条件下，没用国家一分钱，绿化荒漠六万多亩，建成水浇地几十亩，种庄稼、育树苗每年收入 2 万元左右。

由于殷玉珍治沙造林成绩显著，先后获得乌审旗“治沙功臣”、伊克昭盟和内蒙古自治区“三八红旗手”，盟、自治区、全国“劳动模范”，第四届“全国十大女杰”“全国治沙标兵”、全国“三八绿色奖章”等荣誉称号，2005 年，获得诺贝尔和平奖提名。现任内蒙古自治区政协委员。

（钱占元、甘峰岭　合撰）

乔玉芳

乔玉芳　女，1956 年出生，是 1973 年来到呼伦贝尔盟鄂温克族自治旗巴彦托海嘎查插队落户的知识青年。她扎根草原，1975 年加入了中国共产党，成为带领牧民脱贫致富奔小康的带头人。这个嘎查有鄂温克、达斡尔、蒙古、汉等民族，当时有牧民 114 户、499 人，牲畜 1 134 头（只），人均收入不足 1 200 元，80% 的牧户有债务，集体经济只有两间库房和 80 亩荒地。

1995 年，乔玉芳任副嘎查长兼妇女主任，她深入牧民，了解到牧民生活仍然贫困的情况后，筹集了 5 万元资金，解决了牧民吃饭和孩子上学的问题，调动了牧民们的生产积极性。凭着嘎查靠近镇区，动员了 17 个妇女牧民在 80 亩荒地上种植蔬菜，每天冒着零下 30 多度的严寒，挨家挨户刨粪积肥，来年秋收获的蔬菜换来了 3 万元的收入。1998 年，承包了修建砂石路和一千七百多平方米储草仓库的工程，为集体赚了 18 万元。她又多方联系，与一家出口型草业公司签了 3 万亩草场的合同。牧草出口后，货款没有按时收回，眼看就要过年了，她将自家不下犊的牛和怀犊的 6 头奶牛都卖了，给牧民们发工钱。年后要回货款四十多万元，其中牧民们得到 21. 6 万元的收入，逐渐使嘎查走出困境。

2001 年，乔玉芳以全票当选嘎查党支部书记和嘎查长。她带领班子成员，组织牧民走现代畜牧业的道路。为 15 户牧民引进 81 头高产奶牛，当年就见经济效益。随后有 40 户牧民建起了 40 座标准化牛舍，规划了 8 000 亩标准化饲料地。但因为没钱解决喷灌设施，就把女儿上大学的学费用作打井。又不辞辛苦为牧民贷款 45 万元，买回高产奶牛，使大多数牧民过上了富裕的日子。但还有 11 家特困户和 14 家残疾户没有脱贫，她和嘎查班子研究决定拿出 20 万元给他们盖房，每户发给一头高产奶牛，每个党员帮扶一户，让他们有房住，有饭吃，尽快脱贫致富。为了解决残疾户的脱贫问题，嘎查投入 36 万元购进 28 头高产奶牛，办起了统一管理的残疾人福利养牛场，收入全部用于他们的生产、生活和孩子上学。为了资助贫困学生，嘎查党支部制定了助学金制度，从此再没有一个孩子辍学。这几年，嘎查总共拿出 18. 4 万多元，资助了 25 名大学生。2006 年，为 60 岁以上的 42 位老牧民发放了老有所养补助金 6.3 万元。

乔玉芳参与经济合作协会工作，筹集资金 60 万元，兴建了日产 8 万块砖的环保富民墙体材料免烧砖厂。砖厂全部实现机械化生产，年收入 120 万元，使牧民 51 人就业，月收入达 1 500—2 000 元。她带领嘎查领导成员和牧民群众，投资 52 万元修了一条 14.8 公里的砂石路，使牧民们生产的鲜奶方便运出。如今巴彦托海嘎查发生了天翻地覆的变化，基本上实现了水、电、路三通，全嘎查牧民住进了砖瓦房；人均年收入从不足 1 200 元提高到近 6 000 元，10% 的牧户售奶年收入超过 10 万元，60% 的牧户年收入达到 5 万—10 万元。家家安上了电话，许多人用上了手机。

2004 年 4 月，嘎查的奶牛小区被中国奶牛协会授予“全国奶牛养殖示范小区（场）”荣誉称号。2006 年，嘎查被确定为“自治区社会主义新牧区建设示范嘎查”，2007 年，又被命名为“全国巾帼建功示范嘎查”。乔玉芳荣获“全国优秀党务工作者”“全国劳动模范”、“全国思想政治工作创新奖”等荣誉。

（钱占元、甘峰岭　合撰）

龙梅　玉荣

龙梅　女，蒙古族，曾用名吴龙衣，1952 年 9 月出生，辽宁省阜新市人。1960 年，随父母到内蒙古乌兰察布盟达茂旗新宝力格公社那仁格日勒大队落户。1970 年参军，在中国人民解放军 253 部队从事护理工作。1971 年加入中国共产党。1972 年，在内蒙古蒙文专科学校学习。是中共十大代表，第四届全国人大常委会委员，第五届全国人大代表。历任中共达茂旗委副书记、包头市东河区人大常委会副主任、包头市东河区政协第六届委员会主席。

玉荣　女，蒙古族，1955 年 3 月出生，龙梅的妹妹。1971 年加入中国共产主义青年团，1974 年加入中国共产党。之后在中央民族学院附中、内蒙古师范学院政史系学习。历任乌兰察布盟教育局副局长、乌盟民族中学副书记兼副校长、乌盟团委副书记、内蒙古自治区残疾人联合会副理事长。是第四、五届全国人大代表，第五、七、八届自治区人大代表。2003 年，任内蒙古政协办公厅副主任。

1964年2月9日，年仅11岁的姐姐龙梅和9岁的妹妹玉荣接替父亲放牧新宝力格公社384只集体的羊群。中午时分，狂风席卷着雪花，鹅毛大雪吞没了茫茫草原，暴风雪阻挡了羊群的归路。龙梅和玉荣边拦挡羊群，边跟着羊群跑，从中午一直到第二天天亮，经过零下40度的风雪之夜，姐妹俩与暴风雪整整搏斗了二十多个小时。玉荣昏倒在雪地上，毡疙瘩靴子早已丢掉了，奄奄一息。龙梅也已是饥寒交迫，但仍然背着妹妹跟在羊群后面。当白云鄂博矿区的工人和牧民找到姐妹俩后，以最快的速度将她们送往医院。手术后龙梅失去了几个脚趾头，玉荣失去了双腿。她们以自己三度冻伤的身体和失去双腿为代价保护了集体的羊群。她们的英雄事迹鼓舞了一代又一代的少年儿童，感动了众多的国人，被誉为“草原英雄小姐妹”。内蒙古党委第一书记、自治区主席乌兰夫亲自到医院亲切看望她们，并题词：“龙梅、玉荣小姐妹，是牧区人民在毛泽东思想教育下成长起来的革命接班人。”根据她们的英雄事迹，内蒙古京剧团编剧上演了现代戏《草原英雄小姐妹》，上海电影制片厂拍摄了动画片《草原英雄小姐妹》,其插曲流传至今。

（钱占元、甘峰岭 合撰）

主要参考文献

1. 中共中央文献研究室编:《三中全会以来重要文献选编》,人民出版社 1982 年版。

2. 中共中央文献研究室编:《关于建国以来党的若干历史问题的决议》注释本，人民出版社 1983 年版。

3. 中共中央文献研究室编:《毛泽东著作专题摘编》（上、下），中央文献出版社 2003 年版。

4. 中共中央文献研究室编:《毛泽东传》（1949—1976），中央文献出版社 2003 年版。

5. 《中华人民共和国民族区域自治法》,中国民主法制出版社 2001 年版。

6. 《民族政策文件汇编》第一、二、三编，人民出版社编辑出版，1958 年、1960 年版。

7. 国家民族事务委员会、中共中央文献研究室编:《新时期民族工作文献选编》,中央文献出版社 1990 年版。

8. 内蒙古党委学习编委会编:《学习》（党刊）（1948. 12—1965. 10）。

9. 内蒙古自治区档案馆党群档案（1945—1966）。

10. 内蒙古自治区人民政府档案室政府文件（1967—2001）。

11. 乌兰夫文选编辑委员会编:《乌兰夫文选》（上、下），中央文献出版社 1999 年版。

12. 乌兰夫革命史料编研室编：《乌兰夫论牧区工作》，内蒙古人民出版社 1990 年版。

13. 内蒙古自治区档案馆编：《中国第一个民族自治区诞生档案史料选编》，远方出版社 1997 年版。

14. 绥远省人民政府办公厅编：《绥远省行政周报》（1950—1953）。

15. 内蒙古自治政府编：《内蒙古自治政府公报》（1948—1949）。

16. 内蒙古自治区人民政府编：《内蒙政报》（1950—1953）。

17. 内蒙古自治区人民政府编：《内蒙古政报》（1953—1967）。

18.《内蒙古日报》（1949. 10—2000. 12）。

19.《绥远日报》（1949—1953. 10）。

20. 国家统计局人口和社会科技统计司、国家民族事务委员会经济发展司编：《2000 年人口普查中国民族人口资料》，民族出版社 2003 年版。

21. 内蒙古自治区人大常委会办公厅编：《五十年历程》（上下册），蒙达办公自动化服务中心印制，内图新准字［2004］95 号。

22. 内蒙古党委政策研究室、内蒙古自治区农业委员会编印：《内蒙古畜牧业文献资料选编》第 1—10 卷，1987 年版。

23. 内蒙古党委办公厅常委会办公室编印：《内蒙古自治区历次党代会文献汇编》，2001 年版。

24. 内蒙古党委办公厅编印：《中共内蒙古自治区六届委员会历次全委会文献汇编》，2002 年版。

25. 内蒙古自治区档案局（馆）主编：《内蒙古自治区党委政府文件数据库》，陕西电子音像出版社 2005 年版。

26. 中共内蒙古自治区委员会党史研究室编：《六十年代国民经济调整》“内蒙古卷”，中共党史出版社 2001 年版。

27. 中共内蒙古自治区委员会党史资料征集研究委员会办公室编：《绥远和平解放》，中共党史出版社 1998 年版。

28. 内蒙古自治区政协文史资料委员会编：《“三不两利”与“稳宽长”文献与史料》，《内蒙古文史资料》第 56 辑，2005 年版。

29. 内蒙古自治区民委政法处编印：《民族宗教工作法律法规汇编》，

2002 年版。

30. 中共内蒙古自治区委员会组织部、中共内蒙古自治区委员会党史研究室、内蒙古自治区档案馆编:《中国共产党内蒙古自治区组织史资料》,内蒙古人民出版社 1995 年版。

31. 中共内蒙古自治区委员会党史研究室编:《内蒙古党的历史和党的工作》,内蒙古人民出版社 1994 年版。

32. 中共内蒙古自治区委员会党史研究室编:《中国共产党内蒙古地区史大事记》第二、三卷，内蒙古人民出版社 2004 年版。

33. 本书编纂委员会编:《内蒙古大事记》,内蒙古人民出版社 1997 年版。

34. 内蒙古自治区档案局、档案馆编:《内蒙古自治区大事记》(1947—1987)，内蒙古人民出版社 1988 年版。

35. 内蒙古自治区档案馆编:《内蒙古自治区大事记》（1987—1996），内蒙古人民出版社 1998 年版。

36. 内蒙古政协办公厅编印:《中国人民政治协商会议内蒙古自治区委员会三十年大事记》,1987 年版。

37. 内蒙古政协办公厅编印:《中国人民政治协商会议内蒙古自治区委员会大事记》（1986—2000），2002 年版。

38. 内蒙古政协办公厅、文史资料委员会编:《中国人民政治协商会议内蒙古自治区委员会九届政协委员名录》,载《内蒙古文史资料》第 57 辑，2004 年版。

39. 内蒙古自治区精神文明建设委员会办公室编:《内蒙古自治区精神文明建设文献汇编》,内新图准字（2001）第 120 号，2001 年版。

40. 内蒙古自治区统计局编:《辉煌的内蒙古》（1947—1999），中国统计出版社 1999 年版。

41. 内蒙古自治区统计局编:《内蒙古统计年鉴》,中国统计出版社 1989—2003 历年版。

42. 内蒙古自治区统计局、内蒙古自治区人民政府调研室合编:《光辉的四十年》,内蒙古人民出版社 1987 年版。

43. 内蒙古自治区统计局编:《奋进的内蒙古》,中国统计出版社 1989

年版。

44. 内蒙古自治区统计局编:《辉煌的五十年》,中国统计出版社 1997 年版。

45. 内蒙古自治区地方志办公室年鉴编辑部编:《内蒙古年鉴》1998 年卷，方志出版社 1998 年版。

46. 内蒙古自治区地方志办公室年鉴编辑部编:《内蒙古年鉴》1999、2000 卷，方志出版社 2000 年版。

47. 内蒙古自治区地方志办公室年鉴编辑部编:《内蒙古年鉴》2001 年卷，方志出版社 2001 年版。

48. 本志编纂委员会编:《内蒙古自治区志 · 共产党志》,内蒙古人民出版社 1999 年版。

49. 本志编纂委员会编:《内蒙古自治区志 · 政府志》,方志出版社 2001 年版。

50. 本志编纂委员会编:《内蒙古自治区志 · 政协志》,内蒙古人民出版社 2009 年版。

51. 本志编纂委员会编:《内蒙古自治区志 · 商业志》,内蒙古人民出版社 1998 年版。

52. 本志编纂委员会编:《内蒙古自治区志 · 农业志》,内蒙古人民出版社 2000 年版。

53. 本志编纂委员会编:《内蒙古自治区志 · 财政志》,内蒙古自治区财政厅印，1995 年版。

54. 本志编纂委员会编:《内蒙古自治区志 · 人事志》,内蒙古教育出版社 1999 年版。

55. 本志编纂委员会编:《内蒙古自治区志 · 军事志》,内蒙古人民出版社 2002 年版。

56. 本志编纂委员会编:《内蒙古自治区志 · 武警志》,内蒙古人民出版社 2003 年版。

57. 本志编纂委员会编:《内蒙古自治区志 · 行政区域建制志》,内蒙古人民出版社 2009 年版。

58. 本志编纂委员会编:《内蒙古自治区志 · 工会志》,内蒙古人民出版社 2001 年版。

59. 本志编纂委员会编:《内蒙古自治区志·邮电志》,内蒙古人民出版社 2000 年版。

60. 本志编纂委员会编:《内蒙古自治区志·卫生志》,内蒙古科学技术出版社 2007 年版。

61. 本志编纂委员会编:《内蒙古自治区志·广播电视志》,内蒙古人民出版社 2003 年版。

62. 本志编纂委员会编:《内蒙古金融志》上、中、下册，内蒙古人民出版社 2007 年版。

63. 本志编委会编:《内蒙古自治区志·畜牧志》,内蒙古人民出版社 1999 年版。

64. 内蒙古文化厅编:《内蒙古自治区志·文化志》初审稿，2007 年版。

65. 本志编纂委员会编:《呼伦贝尔盟志》上、中、下册，内蒙古文化出版社 1999 年版。

66. 本志编纂委员会编:《伊克昭盟志》全书 6 册，北京现代出版社 1994 年版。

67. 本志编纂委员会编:《巴彦淖尔盟志》上、下册，内蒙古人民出版社 1997 年版。

68. 呼和浩特市地方志编修办公室编:《呼和浩特市志》全书 3 册，内蒙古人民出版社 1999 年版。

69. 本志编纂委员会编:《包头市志》全书 5 卷，方志出版社 2000 年、2001 年、2007 年先后出版。

70. 本志编纂委员会编:《乌兰察布盟志》全书 3 册，内蒙古文化出版社 2004 年版。

71. 本志编纂委员会编:《锡林郭勒盟志》全书 3 册，内蒙古人民出版社 1996 年版。

72. 本志编纂委员会编:《赤峰市志》全书 3 册，内蒙古人民出版社 1996 年版。

73. 杨青锋编:《哲里木盟志》全书 2 册，方志出版社 2000 年版。

74. 本志编纂委员会编:《兴安盟志》全书 2 册，内蒙古人民出版社 1997 年版。

75. 本志编纂委员会编:《阿拉善盟志》,方志出版社 1998 年版。

76. 张应琦主编:《内蒙古自治区科学技术协会志》,内蒙古大学出版社 1998 年版。

77. 苏勇主编:《呼伦贝尔盟民族志》,内蒙古人民出版社 1997 年版。

78. 《内蒙古自治区成立十周年纪念文集》,内蒙古人民出版社 1957 年版。

79. 民族出版社编辑:《十年民族工作成就》,民族出版社 1960 年版。

80. 编写组编:《内蒙古自治区三十年》,内蒙古人民出版社 1977 年版。

81. 编委会编:《团结建设中的内蒙古》,内蒙古人民出版社 1987 年版。

82. 内蒙古党委宣传部编:《光辉的历程》（1947—1987），内蒙古人民出版社 1989 年版。

83. 韩茂华主编:《翻天覆地五十年》（1947—1997），内蒙古大学出版社 1997 年版。

84. 编辑委员会编:《内蒙古自治区概况》,内蒙古人民出版社 1962 年版。

85. 编写组编:《内蒙古自治区概况》,内蒙古人民出版社 1983 年版。

86. 布赫主编:《内蒙古大辞典》,内蒙古人民出版社 1991 年版。

87. 陶健、葛力大、张冰、贺涛主编:《内蒙古区情》,内蒙古人民出版社 2006 年版。

88. 中共内蒙古自治区委员会党史研究室、内蒙古自治区民族事务委员会编:《内蒙古改革开放 20 年》,内蒙古人民出版社 1999 年版。

89. 中共内蒙古自治区委员会党史研究室编:《中国新时期农村的变革·内蒙古卷》,中共党史出版社 1999 年版。

90. 中共内蒙古自治区委员会党史研究室编:《中国共产党与少数民族地区的民主改革和社会主义改造》,中共党史出版社 2000 年版。

91. 内蒙古自治区畜牧厅修志编史委员会编:《内蒙古畜牧业大事记》,内蒙古人民出版社 1997 年版。

92. 内蒙古自治区畜牧厅修志编史委员会编:《内蒙古畜牧业发展史》,

内蒙古人民出版社 2000 年版。

93. 姜在忠主编:《新华社记者眼中的内蒙古》,新华出版社 2001 年版。

94. 内蒙古新闻工作者协会编:《来自内蒙古的报道》,内蒙古人民出版社 1997 年版。

95. 中国国民党革命委员会内蒙古自治区委员会办公室提供:《中国国民党革命委员会内蒙古自治区委员会史志》（初稿）, 2007 年版。

96. 九三学社内蒙古自治区委员会编:《九三学社内蒙古自治区委员会概况资料》（光盘）, 2007 年版。

97. 王铎编:《五十春秋——我做民族工作的经历》,内蒙古人民出版社 1992 年版。

98. 王铎主编:《当代内蒙古简史》,当代中国出版社 1998 年版。

99. 王铎主编:《当代中国的内蒙古》,当代中国出版社 1992 年版。

100. 王宏、赵之恒整理:《九十年间——王建功回忆录》,内蒙古人民出版社 2006 年版。

101. 林蔚然、郑广智主编:《内蒙古自治区经济发展概况》,内蒙古人民出版社 1979 年版。

102. 郝维民主编:《内蒙古自治区史》,内蒙古大学出版社 1991 年版。

103. 郝维民、齐木德道尔吉主编:《内蒙古通史纲要》,人民出版社 2006 年版。

104. 郝维民主编:《百年风云内蒙古》,内蒙古教育出版社 2000 年版。

105. 郝维民主编:《内蒙古革命史》,内蒙古大学出版社 1997 年版。

106. 王长玉主编:《内蒙古农村牧区财政研究论文集》,内蒙古人民出版社 2001 年版。

107. 郑世成主编:《内蒙古农村牧区经济调研文集》,内蒙古人民出版社 2001 年版。

108. 王维澄主编:《有中国特色社会主义大典》,天津人民出版社 1993 年版。

109. 张宗根主编:《中国民族工作历程》（1949—1999）, 远方出版社 1999 年版。

110. 张文奎著:《思考与探索》,内蒙古人民出版社 2002 年版。

111. 刘惊海、李瑞主编:《我国民族区域自治制度的完善与发展》,内蒙古人民出版社 2000 年版。

112. 周清澍主编:《内蒙古历史地理》,内蒙古大学出版社 1994 年版。

113. 云布龙主编:《中国西部概览——内蒙古》,民族出版社 2000 年版。

114. 宋迺工主编:《中国人口——内蒙古分册》,中国财政经济出版社 1987 年版。

115. 施文正主编:《内蒙古自治区地方法规规章选译》,内蒙古人民出版社 2000 年版。

116. 韦胜章主编:《内蒙古公路交通史》第二册(现代公路运输),远方出版社 1997 年版。

117. 李德:《内蒙古工业简史》,内蒙古人民出版社 1989 年版。

118. 李铁生主编:《内蒙古科技大事记》,内蒙古人民出版社 1992 年版。

119. 郑泽民总纂:《内蒙古卫生改革与发展》(1978—1997),远方出版社 1997 年版。

120. 李晓峰主编:《内蒙古自治区各级各类档案馆概览》,内蒙古人民出版社 2003 年版。

121. 内蒙古档案馆编:《内蒙古自治区档案馆指南》,内蒙古人民出版社 1990 年版。

122. 乌力吉图、吴金主编:《内蒙古社会科学通览》,内蒙古人民出版社 1992 年版。

123. 额尔德尼编:《蒙古学论著索引》(1986—1995),辽宁人民出版社 1997 年版。

124. 邢野主编:《内蒙古通志》,内蒙古人民出版社 2007 年版。

125. 编写组编:《鄂伦春自治旗概况》,内蒙古人民出版社 1981 年版。

126. 编写组编:《鄂温克族自治旗概况》,内蒙古人民出版社 1987 年版。

127. 编写组编:《莫力达瓦达斡尔族自治旗概况》,内蒙古人民出版社 1986 年版。

128. 乌兰图克主编:《内蒙古民族教育概况》,内蒙古文化出版社 1994 年版。

129. 德勒格编著:《内蒙古喇嘛教史》,内蒙古人民出版社 1998 年版。

130. 王镇、沈斌华、陈华编：《中国蒙古族人口》，内蒙古大学出版社1997年版。

131. 德勒格：《内蒙古喇嘛教史》，内蒙古人民出版社1998年版。

132. 胡其图、秦蒙编：《宗教问题干部读本》，内蒙古自治区宗教事务局2003年版。

133. 中国教育年鉴编辑部编：《中国教育年鉴（地方教育）》（1949—1984），湖南教育出版社1986年版。

134. 《中国教育年鉴》（1949—1981），中国大百科全书出版社1984年版。

135. 夏铸、哈经雄、阿布都·吾寿尔编：《中国民族教育50年》，红旗出版社1999年版。

136. 国家教育委员会中学司编：《中国普通中学教育》，1986年版。

137. 国家教委编：《中国中等技术学校大全》，高等教育出版社1990年版。

138. 郭福昌编：《中国农村教育改革一百年》，红旗出版社1998年版。

139. 国家教育委员会职业技术教育司编：《职业技术教育文件选编》（1978—1988），三联书店1989年版。

140. 王锡宏编：《中国边境民族教育》，中央民族出版社1990年版。

141. 教育部师范教育司编：《师范教育工作资料汇编（1996—2000）》，北京师范大学出版社2001年版。

142. 中共内蒙古自治区委员会文件：《自治区党委办公会议纪要》（内党办发［1982］29号）。

143. 内蒙古档案馆卷宗299—2、302—1、2。

144. 内蒙古教育厅1970年至2000年有关基础教育的政策、法规、文件等。

145. 内蒙古自治区教育厅编：《内蒙古教育大观·内蒙古教育年鉴》（上、下），内蒙古大学出版社2005年版。

146. 内蒙古教育丛书编委会编：《内蒙古自治区教育成就统计资料》（1947—1986），内蒙古教育出版社1990年版。

147. 内蒙古自治区教育成就编委会编：《内蒙古自治区教育成就统计

资料》（1947—1996），内蒙古教育出版社1997年版。

148. 内蒙古教育丛书编委会编：《内蒙古自治区教育成就统计资料》（1993—2004），内蒙古教育出版社2005年版。

149. 内蒙古教育丛书编委会编：《内蒙古自治区教育大事记》，（根据档案资料编辑，1987年内部印行）。

150. 内蒙古教育厅计财处编：《内蒙古自治区1996年教育统计提要》，1997年2月内部印行。

151. 内蒙古教育厅计财处编：《内蒙古自治区1997/1998学年初教育统计提要》，1998年4月内部印行。

152. 内蒙古教育委员会计划建设处编：《内蒙古自治区1998/1999学年初教育统计提要》，1999年4月内部印行。

153. 内蒙古教育委员会计划建设处编：《内蒙古自治区1999/2000学年初教育统计提要》，2000年6月内部印行。

154. 内蒙古自治区教育厅发展规划处编：《内蒙古自治区2000/2001学年初教育统计提要》，2001年5月内部印行。

155. 内蒙古教育志编委会：《内蒙古教育史志资料》，内蒙古大学出版社1995年版。

156. 乌兰图克等编：《内蒙古自治区民族教育文集》，内蒙古大学出版社1990年版。

157. 刘世海主编：《内蒙古民族教育发展战略概论》，内蒙古教育出版社1993年版。

158. 内蒙古教育丛书编委会编：《内蒙古自治区校史选编》，内蒙古教育出版社1987年版。

159. 石斌主编：《内蒙古大学四十年》，内蒙古大学出版社1997年版。

160. 编写组编：《内蒙古大学五十年》，内蒙古大学出版社2007年版。

161. 本志编委会编：《内蒙古师范大学志（1952—1992）》，内蒙古人民出版社1993年版。

162. 本志编委会编：《内蒙古师范大学志（1993—2004）》，内蒙古教育出版社2005年版。

163. 内蒙古师范大学校长办公室编：《内蒙古师范大学2000年鉴》，

2000 年版。

164. 内蒙古工业大学校庆出版物编辑委员会:《内蒙古工业大学一览》,1998 年版。

165. 王铁锤、寇永昌主编:《内蒙古医学院四十年》,内蒙古大学出版社 1996 年版。

166. 编写组:《内蒙古农业大学五十年》,远方出版社 2003 年版。

167. 编写组:《内蒙古民族师范学院四十年（1958—1998)》,内蒙古教育出版社 1998 年版。

168. 内蒙古档案馆史志资料，中华人民共和国成立初至 1970 年“中等教育”部分。

169. 内蒙古自治区教育委员会师范教育处编印:《内蒙古自治区师范教育工作文件汇编（1980.1—1988.7)》。

170. 内蒙古自治区教育厅师范处编:《内蒙古师范教育——22 所中等师范学校概况》,内蒙古教育出版社 1993 年版。

171. 《内蒙古职业教育报》,1985—2000 年版。

172. 《内蒙古中专（内蒙古职教)》1—50 期，内部资料 1982—2000 年版。

173. 《哲里木盟教育志》,1989 年内部印行。

174. 赤峰市教育志编纂委员会:《赤峰市教育大事记》,1991 年版。

175. 《伊克昭盟教育志》,1994 年内部印行。

176. 《兴安盟教育志》,2005 年内部印行。

177. 荣板晓主编:《呼和浩特职业教育志》,内蒙古人民出版社 1996 年版。

178. 校史编写组编:《包头职业技术学院校史》,2006 年内部印行。

179. 呼伦贝尔市教育局编:《呼伦贝尔职业教育二十年》,2002 年内部印行。

180. 中人民共和国文化部群众文化事业管理局编:《群众文化工作经验选编》,1982 年内部印行。

181. 内蒙古自治区文化厅编:《草原上的文艺轻骑兵——乌兰牧骑》,内蒙古人民出版社 1983 年版。

182. 内蒙古自治区文化厅文化志文物志编纂委员会、内蒙古文化厅革命文化史料征集委员会编：《内蒙古文化史料》（1—4 辑），1989—1990 年，内部印行。

183. 中国民间歌曲集成全国编辑委员会、中国民间歌曲集成·内蒙古卷编辑委员会编：《中国民间歌曲集成·内蒙古卷》，人民音乐出版社 1992 年版。

184. 内蒙古自治区文学艺术界联合会、内蒙古自治区档案局、内蒙古自治区歌舞团编：《内蒙古艺术大事记》，内蒙古人民出版社 1993 年版。

185. 中国戏曲志全国编辑委员会编：《中国戏曲志·内蒙古卷》，中国 ISBN 出版中心 1994 年版。

186. 中国民族民间舞蹈集成编辑部编：《中国民族民间舞蹈集成·内蒙古卷》，中国 ISBN 出版中心 1994 年版。

187. 中国曲艺音乐全国编辑委员会、中国民族民间曲艺音乐编辑委员会·内蒙古卷编辑委员会编：《中国曲艺音乐集成·内蒙古卷》，中国 ISBN 出版中心 1997 年版。

188. 王世一主编：《中国戏曲音乐集成·内蒙古卷》，中国 ISBN 中心出版社 1998 年版。

189. 中国曲艺志全国编辑委员会编：《中国曲艺志·内蒙古卷》，中国 ISBN 出版中心 2000 年版。

190. 内蒙古自治区电影放映发行事业大事编辑委员会编：《内蒙古自治区电影放映发行事业大事编年记》，1995 年内部印行。

191. 内蒙古群众艺术馆编：《内蒙古自治区群众艺术馆·文化馆志》，内蒙古人民出版社 2001 年版。

192. 中国民族民间器乐曲全国编辑委员会、中国民族民间器乐曲编辑委员会·内蒙古卷编辑委员会编：《中国戏曲志·内蒙古卷》，中国 ISBN 出版中心 2001 年版。

193. 梁泽楚编著：《群众文化史·当代部分》，新华出版社 1989 年版。

194. 刘化非主编：《艺术研究文集》，内新图出准字［90］第 34 号 1990 年版。

195. 焦雪岱主编：《内蒙古文化五十年》，内蒙古文化厅编印，内新图准字（97）第［64］号 1997 年版。

196. 戴柄林主编:《包头市文化志》,内蒙古人民出版社 2001 年版。

197. 高延青主编:《草原飞花——走向世界的内蒙古杂技》,内蒙古人民出版社 2006 年版。

198. 李宝祥主编:《草原艺术论》,内蒙古文化出版社 2004 年版。

199. 阿云嘎主编:《内蒙古文联 50 年》,内蒙古文联 2004 年内部印行。

200. 达·阿拉坦巴干、朱嘉庚主编:《乌兰牧骑赞》,内新图准字（2007）第 57 号。

201. 王文章主编:《中国少数民族戏曲剧种发展史》,学苑出版社 2007 年版。

202. 杨荫浏:《中国古代音乐史稿》,人民音乐出版社 1988 年版。

203. 额尔敦朝鲁主编:《中国民间歌曲集成·内蒙古卷》,人民音乐出版社 1992 年版。

204. 邢野主编:《二人台传统剧目集成》,内文出准字（88）第 15 号。

205. 邢野主编:《内蒙古艺术史料选编》,内蒙古艺术研究所编印 1988 年版。

206. 内蒙古文物工作队编:《内蒙古文物资料选辑》,内蒙古人民出版社 1964 年版。

207. 内蒙古自治区文物队编:《内蒙古文物资料续辑》,1984 年内部印行。

208. 内蒙古文物考古研究所编:《内蒙古中南部原始文化研究文集》,海洋出版社 1991 年版。

209. 内蒙古文物考古研究所编:《内蒙古东部区考古学文化研究文集》,海洋出版社 1991 年版。

210. 内蒙古文物考古研究所编:《内蒙古文物考古文集》第 1 辑，中国大百科全书出版社 1994 年版。

211. 内蒙古文物考古研究所编:《内蒙古文物考古文集》第 2 辑，中国大百科全书出版社 1997 年版。

212. 内蒙古文物考古研究所编:《内蒙古文物考古文集》第 3 辑，科学出版社 2004 年版。

213. 国家文物局编:《中国文物地图集·内蒙古自治区分册》,西安地图出版社 2003 年版。

214. 本卷编委会编:《蒙古学百科全书·文物考古卷》,内蒙古人民出版社 2004 年版。

215. 内蒙古文物考古研究所编:《内蒙古考古五十年(1954—2004)》,科学出版社 2004 年版。

216. 内蒙古自治区文化厅、内蒙古考古博物馆学会主办:《内蒙古文物考古》总第 1 期至第 35 期。

217. 李逸友著:《北方考古研究(一)》,中州古籍出版社 1994 年版。

218. 哲里木盟文化志编辑委员会编:《哲里木盟文化志》,1992 年内部印行。

219. 巴彦淖尔盟公署文化体育局编:《内蒙古自治区志·巴彦淖尔盟篇》,2001 年内部印行。

220. 傅璇琮、谢灼华编:《中国藏书通史》,宁波出版社 2001 年版。

221. 忒莫勒编:《近代内蒙古地区公共图书馆事业史》,《内蒙古近代史论丛》第 4 辑,内蒙古大学出版社 1991 年版。

222. 戈夫、团英主编:《内蒙古期刊事业》,内蒙古文化出版社 1990 年版。

223. 周仲德、贾来宽编:《内蒙古出版事业概况》,内蒙古文化出版社 1990 年版。

224. 内蒙古印刷事业编委会编:《内蒙古印刷事业》,内蒙古文化出版社 1994 年版。

225. 本志编纂委员会编:《内蒙古自治区新华书店志》,内蒙古人民出版社 1999 年版。

226. 乌林西拉主编:《内蒙古图书馆事业史》,内蒙古大学出版社 2009 年版。

227. 姜铁城编:《内蒙古自治区科技情报事业三十周年》,内蒙古人民出版社 1988 年版。

228. 中国图书馆学会综览编写组编:《中国图书馆学会综览》,书目文献出版社 1996 年版。

229. 吴仲强编:《中国图书馆学史》,湖南出版社 1991 年版。

230. 李铁生主编:《内蒙古自治区志·科学技术志》,内蒙古人民出版社 1997 年版。

231. 张应琦主编:《内蒙古自治区科学技术协会志》,内蒙古大学出版社 1998 年版。

232. 内蒙古科学技术委员会编:《内蒙古科学技术成果选编》,内蒙古科技出版社 1988 年版。

233. 李铁生主编:《内蒙古科技大事记》,内蒙古人民出版社 1992 年版。

234. 编委会编:《内蒙古优秀科技人物及成果》,内蒙古人民出版社 1987 年版。

235. 李铁生主编:《1989 年内蒙古科学技术年鉴》,内蒙古人民出版社 1991 年版。

236. 李铁生主编:《1991 年内蒙古科学技术年鉴》,内蒙古人民出版社 1992 年版。

237. 谢仲元主编:《1992 年内蒙古科学技术年鉴》,内蒙古人民出版社 1993 年版。

238. 谢仲元主编:《1993 年内蒙古科学技术年鉴》,内蒙古人民出版社 1994 年版。

239. 谢仲元主编:《1994 年内蒙古科学技术年鉴》,内蒙古人民出版社 1995 年版。

240. 谢仲元主编:《1995 年内蒙古科学技术年鉴》,内蒙古人民出版社 1996 年版。

241. 谢仲元主编:《1996 年内蒙古科学技术年鉴》,内蒙古人民出版社 1997 年版。

242. 谢仲元主编:《1997/1998 年内蒙古科学技术年鉴》,内蒙古人民出版社 2000 年版。

243. 内蒙古自治区哲学社会科学规划领导小组办公室编:《内蒙古自治区社会科学纪实 1947—1989》。

244. 乌兰察夫、乌力吉图主编:《蒙古学 10 年》(1980—1990),内蒙古人民出版社 1990 年版。

245. 国家体委编：《中国体育年鉴》（1949—2005），人民体育出版社2006年版。

246. 袁伟民、李志坚主编：《中华人民共和国体育史》地方卷，中国书籍出版社2002年版。

247. 内蒙古体委文史办公室编：《内蒙古体育史料》，1991—1994年内部印行。

248. 内蒙古档案馆馆藏档案324全宗，内蒙古知识青年办公室档案。

249. 邢野主编：《内蒙古知识青年通志》，内蒙古人民出版社2003年版。

250. 刘小萌：《中国知青史—大潮（1966—1980）》，中国社会科学出版社1998年版。

251. 何岚、史卫民著：《内蒙古生产建设兵团写真》，法律出版社1994年版。

252. 顾洪章主编：《中国知识青年上山下乡始末》，中国检察出版社1997年版。

253. 内蒙古政协文史资料委员会编：《青史永存》，内蒙古文史资料第46集，1993年版。

254. 内蒙古政协文史资料委员会、民族和宗教委员会编：《爱国爱教的典范——纪念第十一世乌兰活佛》，内蒙古文史资料第58集，2005年版。

255. 内蒙古政协文史资料委员会编：《春秋记事》，内蒙古文史资料第60集，2007年版。

256. 政协内蒙古巴彦淖尔盟委员会文史资料研究委员会编：《达理扎雅与夫人金允诚史料专辑》，巴彦淖尔文史资料第9集，1988年版。

257. 内蒙古作家协会编：《内蒙古作家传略》上册，2006年内部印行。

258. 郭卿友主编：《中国历代少数民族英才传》第八卷，甘肃人民出版社2000年版。

259. 王逸伦：《路漫漫》，内蒙古人民出版社1985年版。

260. 郝秀山：《青山草原情》，内蒙古人民出版社1999年版。

261. 云照光主编：《怀念王铎》，内蒙古人民出版社2007年版。

262. 呼和浩特老年企业家协会编：《怀念云布龙同志》，远方出版社2004年版。

263. 内蒙古党委宣传部编:《草原人民的好儿子——廷·巴特尔》,内蒙古人民出版社 2005 年版。

264. 内蒙古作家协会编:《纪念张长弓》,远方出版社 2003 年版。

265. 奇忠义:《末代王爷——奇忠义自传》,新华出版社 1991 年版。

266. 巴义尔著:《蒙古写意》(当代人物卷一), 民族出版社 1998 年版。

267. 巴义尔著:《蒙古写意》(当代人物卷二), 民族出版社 2001 年版。

268. 内蒙古大学建校 50 周年系列丛书编写组编:《名师荟萃》,内蒙古大学出版社 2007 年版。

269. 王淑芬主编:《科尔沁风云·人物篇》,内蒙古人民出版社 2006 年版。

270. 孙太元主编:《锡林郭勒文化》,内蒙古文化出版社 2005 年版。

271. 潘维堂主编:《晚霞沐学子》,内蒙古自治区关心下一代工作委员会编印, 2007 年版。

272. 喻挠、赵咏峰主编:《煤炭工业的一面旗帜》,中国经济出版社 2001 年版。

273. 白跃武:《世界是这样温暖》,内蒙古人民出版社 2000 年版。

274. 《内蒙古日报》报道, 2007 年 12 月 28 日, 首届“内蒙古杰出人才奖”获得者简介。

275. 《北方新报》报道, 2006 年 10 月至 2007 年 7 月,“感动草原 60 人”专栏。

276. 杨新英:《随缘素位》,《中国核工业报》,2007 年 5 月 16 日。

277. 内蒙古党委组织部撰写的逝世老同志生平。